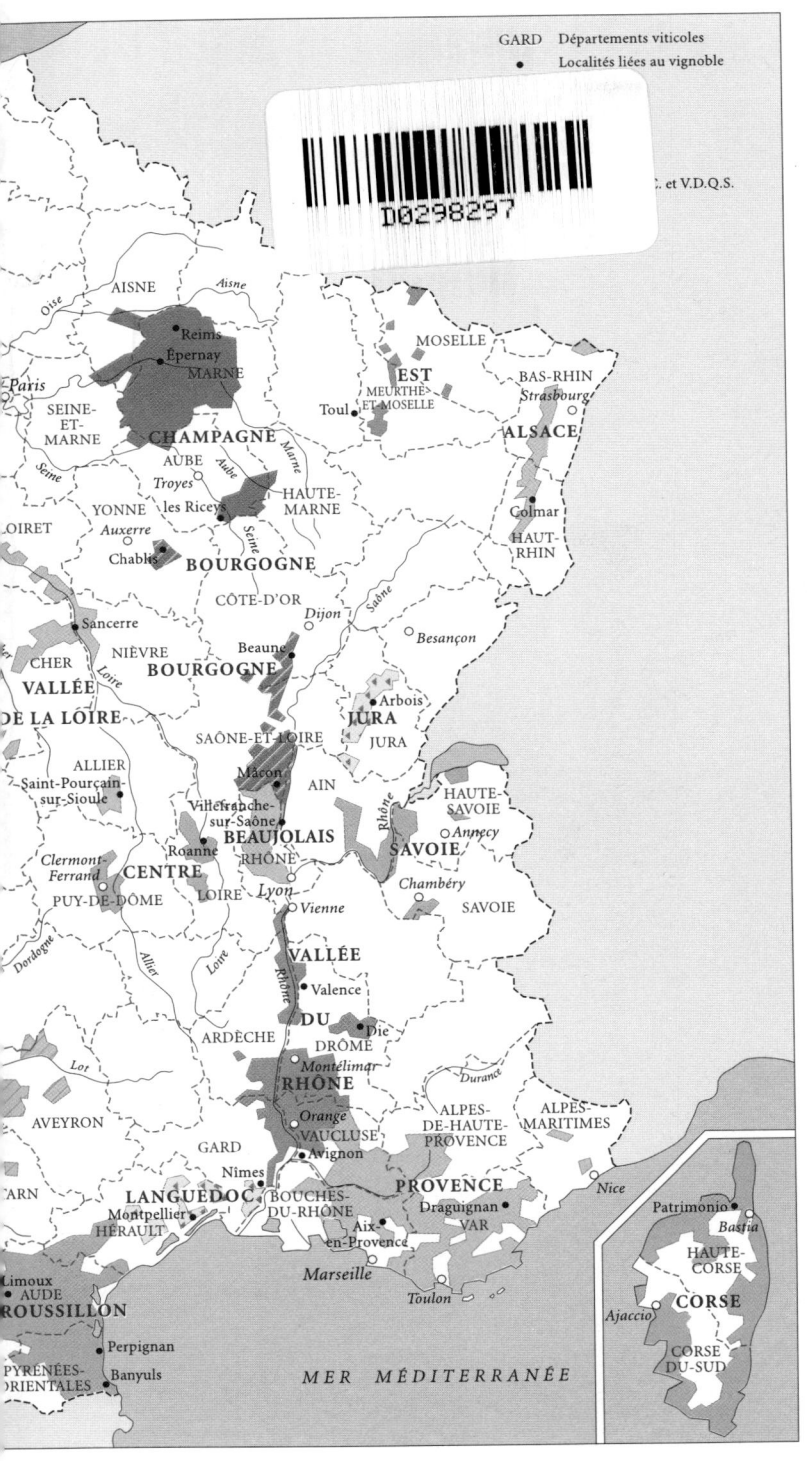

GARD Départements viticoles

• Localités liées au vignoble

... et V.D.Q.S.

AISNE _Aisne_

MOSELLE

• Reims
• Épernay
MARNE

Paris

SEINE-ET-MARNE

CHAMPAGNE

Seine

AUBE

Troyes

les Riceys

HAUTE-MARNE

YONNE

Auxerre

Chablis

OIRET

BOURGOGNE

CÔTE-D'OR

Dijon

Besançon

• Sancerre

NIÈVRE

Beaune

CHER

VALLÉE

DE LA LOIRE

Loire

BOURGOGNE

EST

MEURTHE-ET-MOSELLE

Toul

BAS-RHIN

Strasbourg

ALSACE

• Colmar

HAUT-RHIN

• Arbois

JURA

JURA

SAÔNE-ET-LOIRE

ALLIER

Saint-Pourçain-sur-Sioule

Mâcon

AIN

Villefranche-sur-Saône

HAUTE-SAVOIE

Annecy

Clermont-Ferrand

Roanne

BEAUJOLAIS

RHÔNE

SAVOIE

CENTRE

PUY-DE-DÔME

LOIRE

Lyon

Chambéry

Dordogne

Allier

Loire

Vienne

SAVOIE

VALLÉE

• Valence

DU

Die

ARDÈCHE

DRÔME

Lot

Montélimar

RHÔNE

Durance

AVEYRON

Orange

VAUCLUSE

• Avignon

ALPES-DE-HAUTE-PROVENCE

ALPES-MARITIMES

ARN

GARD

Nîmes

BOUCHES-DU-RHÔNE

PROVENCE

Nice

Patrimonio •

LANGUEDOC

Montpellier

HÉRAULT

Aix-en-Provence

Draguignan •

VAR

Bastia

HAUTE-CORSE

Marseille

Limoux

AUDE

ROUSSILLON

Toulon

CORSE

Ajaccio

• Perpignan

PYRÉNÉES-ORIENTALES

Banyuls

MER MÉDITERRANÉE

CORSE-DU-SUD

Rhône

Saône

Seine

Aube

Marne

Oise

LE GUIDE HACHETTE DES VINS 2001

GUIDE HACHETTE DES VINS

Direction de l'ouvrage : Catherine Montalbetti.

Ont collaboré : Christian Asselin, INRA, *Unité de recherche vigne et vin ;* Jean-François Bazin ; Claude Bérenguer ; Richard Bertin, *œnologue ;* Pierre Bidan, *professeur à l'ENSA de Montpellier ;* Jean Bisson, *ancien directeur de station viticole de l'INRA ;* Jacques Blouin, *docteur-ingénieur ;* Jean-Pierre Callède, *œnologue ;* Pierre Casamayor, *maître de conférences à la Faculté des Sciences de Toulouse ;* Béatrice de Chabert, *œnologue ;* Robert Cordonnier, *directeur de recherche à l'INRA ;* Jean-Pierre Deroudille ; Michel Dovaz ; Michel Feuillat, *professeur à la Faculté des Sciences de Dijon ;* Pierre Huglin, *directeur de recherche à l'INRA ;* Robert Lala, *œnologue ;* Antoine Lebègue ; Michel Le Seac'h ; Jean-Pierre Martinez, *chambre d'Agriculture du Loir-et-Cher ;* Mariska Pezzutto, *œnologue ;* Jacques Puisais, *président honoraire de l'Union française des œnologues ;* Pascal Ribéreau-Gayon, *ancien doyen de la faculté d'œnologie de l'université de Bordeaux II ;* André Roth, *ingénieur des travaux agricoles ;* Alex Schaeffer, INRA, *directeur Station de recherche vigne et vin ;* Anne Seguin ; Bernard Thévenet, *ingénieur des travaux agricoles ;* Pierre Torrès, *directeur de la station vitivinicole en Roussillon.*

Ainsi que : Patricia Abbou ; Evelyne Azzola ; Sylvie Chambadal ; Nicole Crémer ; Sylvie Hano ; Micheline Martel ; François Merveilleau ; Diane Meur ; Evelyne Werth.

Editeur-assistant : Christine Cuperly.

Secrétaire d'édition : Anne Le Meur.

Informatique éditoriale : Marie-Line Gros-Desormeaux ; Sylvie Clochez ; Martine Lavergne.

Nous exprimons nos très vifs remerciements aux 800 membres des commissions de dégustation réunies spécialement pour l'élaboration de ce guide, et qui, selon l'usage, demeurent anonymes, ainsi qu'aux organismes qui ont bien voulu apporter leur appui à l'ouvrage ou participer à sa documentation générale : l'Institut National des Appellations d'Origine, INAO ; l'Institut National de la Recherche Agronomique, INRA ; la Direction de la Consommation et de la Répression des Fraudes ; l'Office National interprofessionnel des Vins et ses Délégations régionales, ONIVINS ; le CFCE ; la DGDDI ; les Comités, Conseils, Fédérations et Unions interprofessionnels ; l'Institut des Produits de la Vigne de Montpellier et l'ENSAM ; l'Université Paul Sabatier de Toulouse ; les Syndicats viticoles et associations de viticulteurs ; les Unions et Fédérations de Grands Crus ; les Syndicats des Maisons de négoce ; la Confédération des Caves Particulières et ses fédérations régionales ; la Confédération nationale des Caves coopératives et les Fédérations des Caves coopératives ; les Chambres d'agriculture ; les laboratoires départementaux d'analyse ; les lycées agricoles d'Amboise, d'Avize, de Blanquefort, de Bommes, de Montagne-Saint-Emilion, de Montreuil-Bellay et de Nîmes-Rodilhan, le lycée hôtelier de Tain l'Hermitage, le CFPPA d'Hyères ; l'Institut Rhodanien ; l'Union française des œnologues et les Fédérations régionales d'œnologues ; les Syndicats des Courtiers de vins ; l'Union de la Sommellerie française et les Associations régionales de Sommeliers ; la Chartreuse de Villeneuve-lès-Avignon ; pour la Suisse, l'Office fédéral de l'agriculture, la Commission fédérale du Contrôle du commerce des vins, les responsables des Services de la viticulture cantonaux, l'OVV, l'OPAV, l'OPAGE ; pour le Grand-Duché du Luxembourg, l'institut viti-vinicole luxembourgeois ; la Marque nationale du vin luxembourgeois ; le Fonds de solidarité.

Couverture : Calligram (création) ; Graph'm (réalisation). – **Maquette et mise en pages :** François Huertas. – **Cartographie :** Fabrice Le Goff. – **Illustrations :** Véronique Chappée. – **Production :** Gérard Piassale. – **Régie :** André Magniez. – **Composition :** M.I.C. – **Photogravure :** Packédit. – **Impression :** Maulde et Renou (St-Quentin). – **Façonnage :** SIRC, Marigny-le-Châtel. **Papier :** primapage ivoire des Papeteries du Léman.

Crédits iconographiques :
Photos p. 13 : © Scope/M. Guillard ; p. 17 : © Scope/J. Guillard ; p. 27 : © Scope/M. Guillard

Imprimé en France. N° d'impression AB/00080013/NH – Dépôt légal n° 06251/09/2000
Édition n° 01 – 23.6534.4. – ISBN 2.01.236534.5

LE GUIDE HACHETTE DES VINS 2001

SOMMAIRE

SOMMAIRE

Sélection des meilleurs vins de France

SYMBOLES

AVERTISSEMENT

Une sélection des vins entièrement nouvelle

Ce guide présente les 9 000 meilleurs vins de France, de Suisse et du Luxembourg, tous dégustés en 2000. Il s'agit d'une sélection entièrement nouvelle, portant sur le dernier millésime mis en bouteilles. Ces vins ont été élus pour vous par **800 experts au cours des commissions de dégustation à l'aveugle** du Guide Hachette des Vins, parmi plus de 28 000 vins de toutes les appellations. Quelque mille vins, sans faire l'objet d'une entrée, sont mentionnés en **caractères gras** dans la notice consacrée au vin le mieux noté du producteur. Ils ont tous été sélectionnés à l'aveugle par les jurys et méritent l'intérêt du lecteur.

Un guide objectif

L'absence de toute participation publicitaire et financière des producteurs, coopératives ou négociants cités assure l'impartialité de l'ouvrage, dont l'unique ambition est d'être un guide d'achat au service des consommateurs. Les notes de dégustation doivent être comparées au sein d'une même appellation : il est en effet impossible de juger des appellations différentes selon le même barème.

Un classement par étoiles

Mis sous cache afin de préserver l'anonymat, chaque vin est examiné par un jury qui décrit sa couleur, ses qualités olfactives et gustatives et lui attribue une note de 0 à 5.
0   vin à défaut, il est éliminé ;
1   petit vin et vin moyen, il est éliminé ;
2   vin réussi, typique, il est cité sans étoile ;
3   vin très réussi, **une étoile** ;
4   vin remarquable par sa structure, **deux étoiles** ;
5   vin exceptionnel, modèle de l'appellation, **trois étoiles**.

Les coups de cœur

Les vins dont l'étiquette est reproduite constituent les « coups de cœur », librement choisis et élus par les dégustateurs du Guide ; ils sont particulièrement recommandés aux lecteurs.

Une lecture claire

L'organisation de cet ouvrage est très simple.
– L'actualité de la France viticole est présentée dans la rubrique « Quoi de neuf », qui analyse le millésime 99 et fournit des données économiques régionales.
– Une partie pratique, « Le Vin », expose les techniques de culture de la vigne et de l'élaboration des vins.
– Un « Guide du consommateur » fournit des conseils pour acheter, conserver et déguster les vins ; il propose les meilleurs accords mets-vins.
– Les vins sélectionnés sont ensuite répertoriés :
• par régions, classées alphabétiquement ; puis trois sections sont consacrées aux vins doux naturels, aux vins de liqueur et aux vins de pays. Un chapitre offre une sélection de vins du Luxembourg, un autre une sélection de vins suisses ;

- par appellations, présentées géographiquement à l'intérieur de chaque région ;
- par ordre alphabétique à l'intérieur de chaque appellation.
- Quatre index en fin d'ouvrage permettent de retrouver les appellations, les communes, les producteurs et les vins.
- Les 49 cartes originales permettent de visualiser l'implantation géographique des vignobles.

Les raisons de certaines absences

Des vins connus, parfois même réputés, peuvent être absents de cette édition : soit parce que les producteurs ne les ont pas présentés ; soit parce qu'ils ont été éliminés lors des dégustations. Pour certains vins dégustés et retenus, la mention « n.c. » remplace des informations non communiquées.

Par ailleurs, on ne s'étonnera pas de l'absence de millésime ou d'année pour les vins d'assemblage (champagnes non millésimés, par exemple), pour les vins de liqueur ou pour quelques vins doux naturels ; ni de celle des surfaces de production pour les vins de négoce ou de coopératives, issus de différentes propriétés.

Le guide de l'acheteur

L'objet de ce guide étant **d'aider le consommateur à choisir ses vins** selon ses goûts et à découvrir les meilleurs rapports qualité/prix (signalés par une fourchette de prix en rouge), tout a été fait pour en rendre la lecture facile et pratique.

- Une lecture attentive des introductions générales, régionales et de chaque appellation est indispensable : certaines informations communes à l'ensemble des vins ne sont pas répétées pour chacun d'eux.
- Le **signet**, placé en vis-à-vis de n'importe quelle page, donne immédiatement **la clé des symboles** et rappelle, au dos, la structure de l'ouvrage ; consultez également les pages 4, 5 et 6.
- Certains vins sélectionnés pour leur qualité ont parfois une diffusion quasi confidentielle. L'éditeur ne peut être tenu pour responsable de leur non-disponibilité à la propriété, mais invite les amateurs à les rechercher chez les cavistes, négociants ou sur les cartes des vins des restaurants ;
- Un conseil : la dégustation chez le producteur est bien souvent gratuite. On n'en abusera pas : elle représente un coût non négligeable pour le producteur qui ne pourra vous ouvrir ses vieilles bouteilles.
- Enfin, les amateurs qui doivent prendre la route n'oublieront pas qu'ils ne doivent pas boire le vin, mais le recracher comme le font les professionnels. Des crachoirs doivent être proposés dans les caves.

Important : le prix des vins

Les prix (prix moyen de la bouteille par carton de 12), présentés sous forme de « fourchette », sont soumis à **l'évolution des cours** et donnés **sous toutes réserves**. Les prix des vins de Suisse et du Luxembourg sont donnés en francs français.

Numérotation téléphonique

En France, tous les numéros ont 10 chiffres. Pour joindre de Suisse ou du Luxembourg un producteur français, on composera le 00.33 suivi des 9 derniers chiffres de son numéro. Pour téléphoner en Suisse, on composera le 00.41 suivi immédiatement de l'indicatif régional (ex. : 27). Pour les communications nationales à l'intérieur de la Suisse, on fera précéder l'indicatif d'un zéro lorsque le correspondant habite dans une autre zone (indicatif différent). L'indicatif du Luxembourg est le 352.

ACTUALITE DE LA FRANCE VITICOLE
1999 : LE PASSAGE

Alors que la concurrence internationale s'affirme sur les marchés étrangers, l'année 1999 a montré que la France viticole conservait sa position de vignoble phare. Les appellations d'origine affichent leurs différences, répondant au souci de consommateurs à la recherche d'authenticité mais aussi de traçabilité, sans pour autant négliger une nécessaire adaptation à l'œnologie moderne. Jamais la recherche ne s'est autant préoccupée de l'environnement, appuyée par les pouvoirs publics. Universités, INRA, ITV, chambres d'agriculture entreprennent d'importantes études qui permettront à la viticulture française du XXIᵉ siècle de concilier fidélité à la tradition et nécessaire adaptation aux exigences de la modernité.

QUOI DE NEUF EN ALSACE ?

L'euphorie et la raison. L'euphorie : un marché en plein essor. La raison : une nouvelle approche de l'appellation alsace grand cru.

Malgré un temps très humide et souvent orageux, les conditions climatiques de l'hiver et du printemps 1999 ont été plutôt bonnes. Vers le 13 avril a débuté, avec le débourrement, le processus végétatif, marqué par un joli mois de mai ; la floraison a eu lieu vers le 17 juin et la véraison autour du 16 août. Trois semaines d'ensoleillement intense et des températures élevées ont précédé les vendanges. Les raisins ont assez bien mûri. Mais il y a eu beaucoup de pluie d'avril à août, un jour sur deux ! Orages sur Rouffach, Dambach, Ribeauvillé, autour de Colmar ; coulée de boue sur l'Altenberg de Bergheim ; grêle sur le Schoenenbourg (région de Riquewihr). La récolte a débuté le 20 septembre en crémant, le 4 octobre en AOC alsace, le 7 octobre en alsace grand cru et le 18 octobre pour les mentions vendanges tardives et sélections de grains nobles.

RENDEMENTS : UN PAS VERS LA SAGESSE

Les raisins étaient dans un bon état sanitaire, mais on a observé des disparités pour la maturité selon les secteurs et les cépages (en gewurztraminer notamment) en raison d'une météo capricieuse en octobre. Le mildiou a parfois sévi, comme à Gueberschwihr. Equilibrés dans l'ensemble, les vins sont surtout réussis en sylvaner. Les pinots blancs ont donné d'excellents crémants. Dans les grands crus, les rieslings ont un goût de terroir affirmé. Les muscats, pinots gris et gewurztraminers privilégient les arômes. Très colorés, les pinots noirs possèdent beaucoup de charpente et de coffre. La belle arrière-saison a permis de récolter plus de 21 000 hl en vendanges tardives et en sélections de grains nobles, mais la complexité aromatique est souvent modeste en raison du manque fréquent de botrytis.

Ce millésime 99 a été le premier à être produit selon les nouvelles règles de l'AOC alsace. Les critiques portant naguère sur l'excès des rendements et la baisse moyenne de la qualité ont conduit en effet le vignoble alsacien à définir des rendements plafonds par cépage et non plus seulement à l'échelle globale de l'exploitation. Ceux-ci sont donc à l'heure du retour à la sagesse, mais ces plafonds demeurent souvent élevés (de 82,5 à 100 hl à l'hectare selon les cépages).

Le volume revendiqué en appellation d'origine contrôlée est inférieur de 1,8 % à celui du millésime précédent (1 239 161 hl en 1999, dont 42 349 hl en grand cru). Avec 173 245 hl, la production du crémant établit un record, bénéficiant d'un succès commercial croissant.

L'ANNEE DU SIECLE POUR LE MARCHE

Les ventes 1999 de vins d'Alsace, tous marchés et toutes appellations confondues, ont atteint un niveau sans précédent. Elles affichent une progression de 6 % par rapport à 1998, avec près de 160 millions de cols vendus sur l'ensemble de l'année, pour un chiffre d'affaires (HT) de 2,9 milliards de francs.

Les ventes métropolitaines atteignent 878 000 hl (+ 5 %) et les exportations 313 000 hl (+ 10 %).

l'Alsace est en effet l'une des rares régions viticoles françaises d'AOC à progresser en volume à l'export.

Les meilleures percées se situent en Finlande (+ 38 %), en Suisse (+ 35 %), aux Etats-Unis (+ 31 %), en Grande-Bretagne (+ 22 %), aux Pays-Bas, premier client des vins d'Alsace (+ 14 %) et en Suède (+16 %). En revanche, le marché allemand régresse, passant à la deuxième place alors qu'il avait été leader pendant une trentaine d'années. En recul également, le Japon et le Canada.

ALSACE GRAND CRU :
VERS DE NOUVELLES REGLES

Les vignerons ont toujours été des promoteurs des grands crus d'Alsace. Les expériences de gestion locale menées sur les grands crus Altenberg de Bergheim et Bruderthal de Molsheim en sont des témoignages récents. Compte tenu de l'intérêt de ces travaux, un nouveau décret régissant les grands crus d'Alsace est à l'étude. Il prévoit des règles plus contraignantes pour avoir le droit de bénéficier de l'AOC alsace grand cru (densité minimale de plantation, surface foliaire minimale, taille réduite, hausse des degrés minimum d'agrément, etc.). Surtout, il instaurerait le principe de la gestion locale, mesure de nature à mettre en valeur les particularités de chaque terroir. C'est aux syndicats locaux qu'il appartiendrait de définir leurs propres normes. Par exemple, rien n'interdirait d'exclure la chaptalisation ou d'imposer des degrés minimum requis plus élevés que ceux fixés par le décret. La liste des cépages autorisés pourrait aussi varier selon les terroirs, ce qui permettrait par exemple à des sylvaners ou des pinots noirs de porter l'appellation grand cru. Une même souplesse s'appliquerait aux assemblages ou aux complantations. « La gestion locale est un atout formidable pour donner une vraie personnalité à chaque grand cru », considère Marcel Blanck, l'un des « pères » du décret de 1975. Cette nouvelle politique permettrait d'entériner les différences de styles existant entre les terroirs. S'il est prévu de laisser une plus grande initiative aux syndicats viticoles, leurs propositions devront toutefois être acceptées par le Comité d'experts puis le Comité national de l'INAO qui définira les conditions de production de chaque grand cru.

QUOI DE NEUF EN BEAUJOLAIS ?

Ce n'est pas une polémique comme il en existe dans *Clochemerle* et les romans beaujolais de Gabriel Chevallier. Non, le sujet est sérieux et il divise profondément les esprits : doit-on autoriser ou non la récolte mécanique ?

La machine à vendanger est actuellement interdite dans ce vignoble, le décret d'appellation précisant que la récolte doit se faire par raisins entiers, c'est-à-dire qu'elle doit comporter le bois de la grappe. Or, la machine recueille des baies, et non des grappes. Par 31 voix pour contre 19 et 1 nul, les administrateurs de l'Union viticole du Beaujolais se sont prononcés le 13 mars 2000 en faveur de la récolte mécanique. Il reste toutefois à obtenir l'accord des différentes familles de la viticulture, le feu vert de l'INAO et la modification du décret.

VENDANGE MECANIQUE :
1 000 HA SUR 22 000 ?

Pourquoi cette révolution ? On met en avant les difficultés d'embauche et le coût des vendanges manuelles, les contraintes administratives, la possibilité de vendanger plus souplement. Des essais comparatifs ont été conduits durant quatre ans. Certains experts considèrent que les vendanges mécaniques sont sans conséquence négative sur le vin.

Cette mesure ne concerne pas les primeurs dont la typicité, dit-on, aurait été modifiée de façon défavorable. Elle ne s'applique pas davantage aux vignes à cépages bas taillées en gobelet (beaujolais-villages et crus), ni aux vignes de coteaux. En fait, la machine à vendanger serait utilisée dans les vignes situées en plaine de la partie sud, palissées et en taille Guyot, soit 1 000 ha environ sur les 22 000 que compte le vignoble. Mais d'ici 2005, cette superficie pourrait être multipliée par trois. Un cahier des charges assez strict a été élaboré, rendant notamment obligatoire la régulation thermique.

Si l'on peut comprendre les souhaits des viticulteurs, il est permis de s'interroger sur l'effet d'une telle mesure auprès du public. Les vendanges à la main contribuent non seulement à une image de qualité, de tradition, mais aussi à l'esprit de fête à l'occasion de la récolte. A-t-on jamais vu une machine pousser sa chanson ?

LA MATURATION EN RESEAU

Lente au démarrage en 1999, la véraison s'est ensuite accélérée très vite. La fleur est apparue comme en 1997, avant toutes les autres années depuis 1995. Les conditions climatiques très favorables de la fin d'août et du début de septembre ont rendu stable l'acidité et permis l'augmentation exceptionnelle de la teneur en sucre. On a seulement eu à déplorer quelques orages de grêle les 2 juin et 9 août, assez violents. L'absence de pluie explique la forte concentration du raisin, tandis que les baies (surtout celles exposées au sud) diminuaient de volume. Les pluies importantes de la fin de septembre ont toutefois abaissé les degrés potentiels dans les secteurs tardifs, peu nombreux il est vrai. En définitive, la précocité a été comparable à celle de 1995, les vendanges débutant le 7 septembre. A noter que la mise en réseau de la maturation, entreprise depuis huit ans, représente déjà 200 parcelles sur 73 communes et qu'elle constitue un outil fiable.

Charnu et garni, le beaujolais nouveau 99 ressemblait aux 91 et 95 : sa structure était assez souple, sous des arômes de fruits rouges (cerise, framboise). Le 98 était violine, le 99 plutôt gre-

nat. Quant aux crus, ils ont un caractère de garde nettement affirmé. Profonds et charpentés, ils représentent dignement le millésime 99.

PRODUCTION ET VENTES :
LEGERE BAISSE A UN HAUT NIVEAU

La production ? Légèrement inférieure à celle de 1998 (1 390 820 hl contre 1 403 062 hl), mais cela donne toujours 185 millions de bouteilles environ. La vendange verte, supprimant l'excès de raisin avant maturité, commence à porter ici ses fruits. Les crus représentent 369 709 hl, les villages 353 793 hl, le beaujolais 667 318 hl. Le beaujolais blanc diminue en volume (11 154 hl contre plus de 12 000 hl les années précédentes).

Les ventes de primeur poursuivent leur croissance en 1999 après une campagne qui a vu la vente de 62 millions de bouteilles (+ 13 %). Volume libéré : + 5 %, le primeur représentant les deux tiers de l'appellation beaujolais et 35 % du volume global du vignoble (export : 45 %, en vente dans 192 pays !)

L'export ? Les 800 000 hl de 1998 étant considérés comme atypiques, on est revenu en 1999 (680 000 hl) au résultat de 1997 (684 000 hl). L'Allemagne figure toujours en tête des pays clients (26 %), suivie de la Suisse (marché en diminution), du Japon (+ 91 %), du Royaume-Uni (en baisse).

QUOI DE NEUF EN BORDELAIS ?

Parti pour être grandiose, le millésime 99 se révèle assez hétérogène, malgré de grandes réussites. Avec les plus gros stocks que Bordeaux ait connus depuis longtemps, la récolte record de 1999 n'a pas contribué à alléger l'atmosphère. Mais le vignoble résiste, la baisse des prix ne tournant pas à la déroute.

Ce n'est un secret pour personne à Bordeaux : le millésime 99 a causé des soucis. Volumes inégalés jusqu'alors pour les vins rouges et qualité hétérogène, comme l'ont reconnu les responsables professionnels. A la fin du mois de juin, Jean-Louis Roumage, président du syndicat des appellations bordeaux a annoncé un surcroît de rigueur dans les procédures d'agrément qui prévoient une dégustation obligatoire, avec deux appels possibles, de la production de chaque déclarant. Il s'est justifié avec vigueur : « Si la lassitude s'installe, que deviendront ceux qui restent imperméables à toute évolution et ternissent notre image en brisant les efforts de communication des meilleurs ? »

UN DEBOURREMENT PRECOCE

L'année 1999 avait pourtant bien débuté. Une fois de plus au cours de cette décennie, la fin de l'hiver avait été douce et plutôt peu arrosée, comme le signalent Pascal Ribéreau-Gayon et Guy Guimberteau, de la faculté d'Œnologie de Bordeaux (université Victor-Segalen) dans leur note annuelle sur le millésime. De janvier à mars, chaque mois a connu une moyenne de températures supérieure et une somme de précipitations inférieure à la normale.

Le débourrement a donc été précoce, comme c'est souvent le cas pour les grands millésimes, et les « sorties » de grappes étaient très abondantes, ce qui est loin d'être incompatible avec la qualité. Les mois d'avril et de mai furent aussi très chauds (1 °C de plus que la normale en avril et 2,9 °C en mai), mais dans une atmosphère humide, ce qui contribua à déclencher très tôt l'activité cryptogamique, surtout celle du mildiou. Par chance, la floraison se glissa dans un créneau de beau temps à la fin de mai, permettant à l'année de se situer toujours avec précocité parmi les grands millésimes comme 1989, et proche de 1990. Quand la pluie est revenue au début de juin, il était trop tard pour compromettre la fécondation et il était sûr désormais que la production serait abondante, voire très abondante ; mais la pression des parasites restait forte, obligeant les viticulteurs à ne pas relâcher leur vigilance et à multiplier les traitements. L'été lui-même (juin, juillet et août) est encore resté chaud, avec une somme de température de 1946 °C contre 1826 °C en moyenne. L'ensoleillement a été également supérieur à la normale, les précipitations s'étant groupées sur début juin et fin juillet, début août. Pascal Ribéreau-Gayon et Guy Guimberteau situent la demi-véraison au 4 août, soit à la même date qu'en 1989, ce qui est une bonne référence. Les autres paramètres, comme les teneurs en sucre et en acidité, étaient aussi de bon augure – avec toutefois une réserve, la taille des baies, de 15 à 20 % supérieure à la normale, et un feuillage abondant. La charge qu'induisent de gros grains favorise les attaques de parasites et la dilution en cas de pluies abondantes, et c'est malheureusement une menace qui devait se matérialiser. Mildiou et botrytis (pourriture grise) étaient à la fête et les viticulteurs ne savaient plus où donner du pulvérisateur. Déjà à ce stade, les différences entre modes de conduite de la vigne sont apparues : ceux qui taillent court, qui éclaircissent en juillet, éprouvaient moins de difficultés pour maîtriser la situation.

LES DECONVENUES DE L'AUTOMNE

Après un magnifique début de septembre survint la pluie. A une semaine de la date théorique des vendanges, on pouvait toujours espérer un grand millésime pour les vins rouges, avec des teneurs probables en sucre et en alcool supérieures au millésime 90 et à peine inférieures à 89, qui demeurent les meilleures références de la décennie. Les acidités étaient en revanche assez faibles, marquant un moindre équilibre que lors de ces deux grandes années. La première décade de septembre fut encore très belle et très chaude. Pour les cépages blancs bénéficiant de conditions précoces, les vendanges pouvaient donc débuter sous les meilleurs auspices, avec des raisins bien mûrs et des arômes éclatants. Mais tout se gâta durant la seconde décade de septembre : précipitations records (trois fois plus qu'en 1998, cinq fois plus qu'en 1989) avec des températures pourtant très clémentes pour le plus grand bonheur de la pourriture grise. Les vins blancs secs récoltés à partir de la mi-septembre n'ont pas manqué d'en souffrir, avec des arômes peu intenses et une certaine dilution.

QUAND L'EFFORT PAIE

Les raisins rouges résistent traditionnellement mieux à ce type de conditions difficiles. Leur constitution, on l'a vu, était excellente. Les plus précoces, dans les exploitations bien conduites, n'ont pas eu le temps d'en pâtir. C'est évidemment le cas du cépage merlot qui a toujours de l'avance en Bordelais. La plupart des grands crus n'ont pas souffert, de même que beaucoup de petits châteaux dont les propriétaires sont conscients des efforts nécessaires à la production de bons vins. Il ne sera donc pas impossible de trouver de grandes bouteilles dans le millésime 99, car les conditions climatiques ont été bonnes pour ceux qui ont bien travaillé. En revanche, elles n'ont rien pardonné à ceux qui se contentent de l'approximatif et qui ont eu la désagréable surprise de se trouver recalés lors des procédures d'agrément (15,7 % en première instance pour le syndicat viticole régional bordeaux).

Pascal Ribéreau-Gayon et Guy Guimberteau le reconnaissent : « On ne saurait prétendre que tous les vins rouges sont parfaitement réussis. » Mais, déclarent-ils aussi, « une fois encore, les grands terroirs sont ceux qui ont le mieux résisté. »

Un dernier mot pour les liquoreux. On a vu que les champignons prospéraient, et le *Botrytis cinerea*, qui est responsable de la pourriture grise, ennemie des blancs secs, mais aussi de la pourriture noble, s'est manifesté précocement. Comme les raisins étaient gorgés de sucre, on a donc pu cueillir très tôt des baies de qualité et concentrées, mais il ne fallait pas attendre, car les pluies ont vite fait de les diluer elles aussi. Contrairement à 1998, où un regain de beau temps en octobre a été favorable aux liquoreux récoltés tard, 1999 est le millésime des liquoreux précoces.

VOLUMES ET STOCKS RECORDS

Une vigne en pleine vigueur, pas de gelée, peu de grêle, une floraison parfaite, une température et une insolation estivales optimales, et des précipitations en fin de cycle, tous les facteurs étaient réunis pour une récolte record et c'est bien ce qui est arrivé : 6 855 711 hl de vin produits en Gironde en 1999, dont 6 806 674 revendiqués en AOC. En 1990, on avait approché un tel chiffre, mais comme on produisait encore 800 000 hl de vin de table, la production d'AOC dépassait à peine les 6 millions d'hectolitres. Et la qualité du millésime avait pratiquement tout pardonné à tout le monde.

Grosse récolte, qualité hétérogène, le millésime 99 s'annonçait plus difficile à vendre que les précédents. Pour ne rien arranger, les stocks étaient au plus haut en début de campagne, avec 6 937 576 hl, en hausse de 13 %, parce que les ventes de 98-99 avaient elles-mêmes fléchi de 15 %, surtout en raison de prix désormais jugés élevés par la majorité des consommateurs. Un décrochement significatif au mois d'avril 1998, en fin de campagne, est intervenu trop tard pour redresser les ventes, puisque le prix moyen de la campagne 98-99 s'est maintenu à 9 066 F le tonneau de 900 l, contre 9 292 F en 97-98.

La viticulture girondine avait donc en début de campagne l'équivalent de deux très grosses récoltes dans les chais, ce qui aurait pu conduire en d'autres temps à une véritable crise avec un effondrement des prix. Il n'en a rien été, malgré une mollesse persistante des cours, par rapport à l'année précédente, autour de 8 500 F le tonneau, mais la viticulture n'a pas cédé à la panique, pas davantage que le négoce.

La campagne des primeurs, très particulière à Bordeaux, qui consiste pour les grands crus et certains crus bourgeois à mettre leur production en vente environ un an avant la fin de l'élevage et de l'embouteillage, a été significative. Les Cassandre ne manquaient pas pour prédire une catastrophe si les châteaux ne baissaient pas significativement leurs prétentions. Le négoce demandait 15 à 30 % de baisse par rapport au millésime 98 et le premier à sortir, Gruaud-Larose, accepta prudemment de lâcher 15 % par rapport à l'année précédente. Malgré les commentaires et au vu du succès, d'autres s'engouffrèrent dans cette voie en pratiquant des baisses modérées (5 % seulement), des prix inchangés ou même des hausses. Ce fut le cas de Mouton-Rothschild qui est sorti à 459 F, soit 6 % de hausse, et qui a devancé ainsi ses homologues premiers grands crus classés du Médoc et des Graves. La hausse du dollar et de la livre favorisaient en effet ceux qui vendent des quantités substantielles hors de la zone euro, une monnaie qui avait perdu 15 % par rapport au billet vert depuis le printemps 1998.

La campagne des primeurs s'est donc soldée par une baisse d'activité, estimée entre 15 et 30 %, mais rien de catastrophique apparemment. Pour les grandes étiquettes, la demande est mondiale, en expansion, et suffisamment diverse pour compenser les accidents de tel ou tel marché.

Pour la grande masse des vins de Bordeaux, il en va différemment, et il faut garder à l'esprit cette distinction entre grandes bouteilles chères et flacons sans prétention (le prix moyen des ventes en hypermarché se situait à 28F). Le vin de Bordeaux est consommé en France pour 60 % de ses volumes. En 1999, les exportations ont baissé de 12 % en volume et de 2 % seulement en valeur, ce qui représente encore 8,08 milliards de francs (52 F les 75 cl en moyenne dans la zone dollar et en Suisse, 33 F hors Union européenne). Au contraire, le mar-

13

ché français du bordeaux est resté stable en volume et a même progressé de 5 % en valeur. Le marché français semble donc moins sensible à la conjoncture, le bordeaux faisant apparemment partie du panier de la ménagère au même titre que le vin de consommation courante il y a trente ans ! Ce n'est pas une raison pour que les viticulteurs commettent les mêmes erreurs que naguère, et leurs dirigeants professionnels semblent y veiller.

CHANGEMENTS DE PROPRIETAIRES

La période d'incertitudes que l'on a connue n'a pas semblé inspirer les investisseurs. Alors que la décennie 90 a vu valser les grands crus classés qui se sont vendus au sommet de leur valeur, il serait intéressant de profiter de l'accalmie actuelle. Mais les propriétaires peuvent attendre et espèrent toujours une nouvelle euphorie pour vendre au mieux tandis que les acheteurs potentiels pensent que le calme actuel doit se traduire aussi sur le prix du foncier.

Il est toutefois une vente qui a marqué Bordeaux, c'est celle de Château Loudenne en Médoc. Un simple cru bourgeois, de Saint-Yzans, mais toute une histoire franco-anglaise comme on les aime en Gironde. Il appartenait en effet depuis cent vingt ans à la société londonienne Gilbey (les producteurs de gin), aujourd'hui intégrée au groupe Diageo, et commande un domaine de 120 ha dont 60 ha de vignes, où l'on menait il n'y a pas si longtemps une vie selon les canons de la bonne société britannique. C'est le négociant Jean-Paul Lafragette (Comptoir des cognacs et spécialités), producteur entre autres du cocktail Alizé, qui l'a acquis.

Une marque plus importante, puisqu'il s'agit d'un grand clu classé du Médoc, a changé de mains, c'est le château La Tour-Carnet à Saint-Laurent, dont le propriétaire M. Pélegrin était mort il y a une dizaine d'années à la suite d'un terrible accident de vendanges. Son épouse avait courageusement pris sa succession. Un vaste domaine de 126 ha, dont 48 ha plantés en vigne, avec des bâtiments médiévaux du XIVe siècle et une autre partie plus « récente », du XVIIe siècle. La personnalité de l'acheteur n'est plus à présenter, puisque c'est Bernard Magrez, le patron de William Pitters, négoce qui vend le Malesan, première marque de bordeaux vendue en France. Bernard Magrez possède aussi les châteaux Pape Clément à Pessac (pessac-léognan) et Fombrauge (saint-émilion grand cru).

Enfin, une petite opération immobilière pour la ville de Talence, en banlieue bordelaise, a permis au château La Mission Haut-Brion de gagner 6 800 m², soit un peu plus d'un demi-hectare, pour la coquette somme de 3,6 millions de francs. On ne perd pas espoir à Bordeaux, et le succès de la deuxième fête du Vin, les 30 juin et 2 juillet 2000 (ces fêtes du Vin se déroulent en alternance avec Vinexpo ; la première a eu lieu en 1998) a montré que la culture viticole est largement partagée. Elle sert d'attraction pour les autres activités économiques, que ce soient les implantations industrielles ou tertiaires et même les congrès scientifiques !

A ce sujet, la création d'un Institut des sciences de la vigne et du vin, qui doit regrouper, sur le site de l'Institut national de la recherche agronomique, les laboratoires spécialisés des quatre universités bordelaises, apportera sans doute la preuve que le vin constitue une activité définitivement ancrée dans l'histoire régionale, l'inscription de la Juridiction de Saint-Emilion (les communes productrices et leur vignoble) au patrimoine mondial de l'Unesco, le 2 décembre 1999, en porte témoignage. Une distinction emblématique qui, pour la première fois, concerne un paysage viticole dans son ensemble.

QUOI DE NEUF EN BOURGOGNE ?

Un millésime 99 excellent. Seule ombre au tableau, les prix qui, dans l'ensemble, ont grimpé de près de 20 % en un an, surtout dans les appellations les plus réputées devenues introuvables sur le marché français. Mais le vin est bon et certains 99 entreront dans l'histoire.

Rarement la nature s'était montrée aussi clémente. Sauf en juin, les températures ont été en 1999 supérieures à la moyenne : d'où une fleur superbe, une véraison étincelante. La pluie s'est montrée largement suffisante. La fertilité a été très forte ; elle devient une habitude qu'il faut savoir corriger par la vendange verte et un tri à la cuverie. Avec un plein soleil en août et durant la première quinzaine de septembre, la maturation s'est placée sous le double signe de la sécheresse et de l'ensoleillement. Les pluies ont fait leur apparition au 18 septembre, perturbant un peu les vendanges. Mais l'état sanitaire du raisin est demeuré remarquable, avec un bon degré alcoolique naturel. La récolte s'est distinguée par sa précocité et son abondance.

Trois fois plus de bourgognes en trente ans

La récolte était de 458 000 hl en 1969. Elle totalisait en 1979 le million d'hectolitres. Elle a atteint 1 598 789 hl en 1999. Elle a donc triplé en trente ans. La progression la plus forte se situe durant les années 1970. Du millésime 98 au millésime 99, le volume s'accroît de 13 %, et de 11 % par rapport à la moyenne 95/99. Il est vrai que le 99 est un don de la nature. Seuls les mâcon blancs et villages ont vu leur volume décroître un peu. Les AOC village rouges des Côtes de Nuits et de Beaune progressent de quelque 15 à 18 %, les AOC village blanches de la Côte de Beaune de 22 %, Chablis de 11 %. Cela donne pour 1999 un total pour les blancs de 950 410 hl (+ 11 %) et pour les rouges de 648 379 hl (près de 19 % en plus). Un vin de qualité, un bon rendez-vous sous le ciel. Très grands parfois en Côte de Nuits et au nord de la Côte de Beaune, les rouges sont complets et stables, forts en mâche et leur bonne acidité les rend aptes à la garde. Les blancs, emplis de gras et de fruit, jouent la finesse. On les trouve parfois un peu dilués : il faut s'en tenir aux domaines vigilants sur la quantité.

Qui le boit ?

Pour un marché de 160 à 170 millions de bouteilles vendues par an, la France en consomme 45 % : 5,5 % par achat direct à la propriété, 6 % dans les circuits traditionnels, 16 % dans les CHR (cafés, hôtels, restaurants) et 18 % dans la grande distribution. L'Union européenne en consomme 34 % (le Royaume-Uni venant en tête devant l'Allemagne et la Belgique), le reste du monde 21 % (les Etats-Unis en chef de file, suivis par le Japon, la Suisse et le Canada). Une tendance récente : la baisse en volume des ventes (- 6 %) sur le marché français, en raison de la hausse des prix et de la raréfaction de l'offre.

L'export représente 700 000 hl en 1999, soit près de la moitié de la récolte pour un chiffre d'affaires de 3,5 milliards de francs. Des chiffres légèrement en retrait par rapport aux résultats phénoménaux de l'année précédente. Les stocks de précaution sont importants au Japon et expliquent en partie la situation, de même que le tassement des marchés en Allemagne et aux Pays-Bas. Même si l'effet dollar joue beaucoup aux Etats-Unis, les Américains ont acquis en 1999 quelque 13,5 millions de bouteilles, prenant le premier rang des pays importateurs (13 %).

La vente des vins 99 des Hospices de Beaune a produit 31 millions de francs ou 4,75 millions d'euros. Les rouges gagnent 3 % en valeur par rapport à 1998, les blancs perdant 9 %. Sagesse et stabilité, mais on doit noter qu'il y avait l'année précédente 577 pièces (300 bouteilles par pièce) contre 730 en 1999. C'est la première fois que l'euro a été placé sous le feu de ces illustres chandelles. Aux Hospices de Nuits-Saint-Georges, quelques mois plus tard, la tendance au calme s'est confirmée (- 12,6 %). Pour la première fois un vin blanc, un nuits 1er cru Les Terres Blanches, a été mis ici aux enchères. Il a atteint 46 000 F la pièce !

Breves du vignoble

Jean-François Vandroux est le gérant d'Anima Vinum, la nouvelle structure créée par la Cave coopérative de Sainte-Marie-la-Blanche (près de Beaune) pour commercialiser ses 60 ha de vignes et son fleuron acquis récemment, le Château de Bligny-lès-Beaune (ex-GMF, Suntory, etc.), par l'intermédiaire de la SAFER de Bourgogne. Roland Masse a quitté le domaine Bertagna pour prendre la direction du domaine des Hospices de Beaune, remplacé à Vougeot par Claire Forestier. Pierre-Henry Gagey (Louis Jadot) est devenu président de la Fédération des syndicats de négociants-éleveurs de Grande Bourgogne (Bourgogne et Beaujolais). Louis Trébuchet (Chartron et Trébuchet) retrouve la présidence du BIVB, avec Hubert Camus (Gevrey-Chambertin) comme vice-président. L'Union des grands crus de Chablis a vu le jour (en réalité, il n'y a qu'un seul grand cru, réparti en sept *climats*), présidée par Michel Larocci.

Le groupe Bacardi a cédé ses apéritifs et liqueurs (Casanis, Rapha, etc.) au groupe Jean-Claude Boisset (Nuits-Saint-Georges), qui a repris le cognac Hardy et pris pied au Canada du côté des chutes du Niagara, avec le clos Jordan (première récolte en 2005, 17 ha plantés). Jacques Bollinger (Ay-en-Champagne) a pris le contrôle de la maison Chanson Père et Fils (Beaune). La tonnellerie François Frères (Saint-Romain) s'est implantée en Hongrie. La prochaine Saint-Vincent tournante aura lieu à Meursault les 27 et 28 janvier 2001.

Inauguration à Loché (Mâconnais) du Vigneroscope, créé par Philippe Bérard : une promenade à travers la vigne et le vin.

Parmi les figures disparues, il faut noter celle de Raymond Dumay, à l'âge de quatre-vingt-trois ans ; né à côté de Mâcon, il était l'un des plus grands écrivains français du vin, ayant publié des ouvrages de référence sur tous les vignobles du pays. Côté appellations, Pierre Tchernia (ancien élève du lycée d'Auxerre) a porté la nouvelle AOC irancy sur les fonts baptismaux le 7 mai 2000. Peu de changements en vue à l'exception de quelque 10 ha qui devraient être classés en 1er cru Ladoix-Serrigny sur Les Gréchons, Les Buis, En Naget, Le Bois Roussot, Les Hautes-Mourottes et Rognet-et-Corton (en *village* actuellement). En juin 2000 une vingtaine de domaines bourguignons importants (La Romanée-Conti, Leflaive, Bonneau du Martray, Louis Latour, etc.) ont pris position sur les OGM (matériel végétal et vinification) pour exiger un moratoire de dix ans et une approche scientifique conforme aux objectifs de qualité et de protection du vignoble.

QUOI DE NEUF EN CHAMPAGNE ?

Les deux nuits de la Saint-Sylvestre 1999-2000 et 2000-2001 ont vu et verront les bouchons de champagne saluer le nouveau siècle et le millénaire nouveau. Sans doute est-il trop tôt pour apprécier pleinement le millésime 99. Si le précédent fut jugé miraculeux, celui-ci est au-rendez-vous historique du millénaire.

Un record de volume avait été établi en 1998. En 1999, la production s'est maintenue à un niveau très élevé (2 349 993 hl), en dépit d'une légère baisse (- 3,85 %). L'année a commencé de façon assez douce malgré les gelées nocturnes et matinales, et s'est poursuivie sous un ciel capricieux. Mais le printemps est arrivé en fanfare, avec un mois de mars plutôt chaud. Pluie, grésil et neige se sont parfois manifestés ; le débourrement s'est produit en avril. La gelée a causé quelques dégâts (- 4 °C la nuit du 17 avril) dans le bas de quelques coteaux. La floraison a été très précoce, le mois de mai orageux, la grêle tombant sur une soixantaine de villages. Près de 3 000 ha ont été touchés, 450 détruits. L'éclipse du 11 août a attiré quelque 500 000 observateurs, qui ont pu constater que les pluies du début de juillet n'avaient en rien altéré le vignoble. Les vendanges se sont déroulées durant la seconde quinzaine de septembre. Les températures étaient exceptionnellement élevées et, sur l'année, on a dépassé nettement la moyenne (chaleurs analogues en 1956, 1990, 1994 et 1995). Peu de coulure, de millerandage.

UNE RÉCOLTE PROLIFIQUE

Rarement les vignes champenoises, vendangées cependant sous une pluie incessante, n'ont connu une récolte aussi prolifique. Avec 19 000 kg de raisin à l'hectare (100 kg en 1910, 3 680 kg en 1978), on se rapproche de 1973 (13 000 kg), 1982 (14 300 kg) et 1993 (15 200 kg). On a déclaré 460 000 hl au-delà du volume susceptible d'être vendangé. Démesure en volume, qualité très convenable : le rendement de base est en principe de 10 400 kg/ha, avec un maximum autorisé de 13 000 kg (il a joué pour la première fois en 1998). Si l'accord sur ce point fut rapide en Champagne, il restait à obtenir le feu vert de l'INAO. Il fut accordé de façon réaliste et logique. Le rendement moyen champenois s'établit donc à 12 984 kg/ha en 1999. Les raisins récoltés par ailleurs constituent des excédents ne bénéficiant pas de l'AOC, destinés à la distillerie : près de 430 000 hl ! En définitive, on a atteint 1,2 million de pièces.

MILLÉSIMES

Les meilleurs 99 devraient être millésimés. Le titre alcoométrique, de 10 % vol., est supérieur à la moyenne des vingt dernières années, égal à 1992. L'acidité, inférieure à la moyenne, est analogue à 1959. D'où un couple degré-acidité très atypique, moins remarquable qu'en 1996 et 1990, semblable à 1992 et 1989. Les pinots meuniers recueillent les compliments. Les chardonnays sont valeureux, les pinots noirs ont de l'allant... Nombre de maisons millésimeront 99, comme Deutz et probablement Bollinger, tandis que d'autres, tels Michel Arnould et Fils ainsi que Jacquesson et Fils, ne le feront pas.

Le millésime devrait s'approcher des 82 et 88. L'assemblage avec les trois récoltes antérieures donnera une bonne production, un peu supérieure à 300 millions de bouteilles, disponibles à la fin du premier semestres 2001. Le stock s'élèvera alors à 900 millions de cols. D'où une mise annuelle sur le marché de 280 millions de cols en 2001 et 2002, après l'explosion de 1999 (327 millions de cols vendus et le pic le plus élevé). Sur le total, 67,8 % seront écoulés par les maisons de Champagne, 32,2 % par les récoltants et coopératives. Le marché français représente 58,2 %, à parts égales entre les deux partenaires, alors que l'export (41,8 %), pour l'essentiel représenté par les maisons, concerne la Grande-Bretagne en première position, suivie par les Etats-Unis, l'Allemagne, la Belgique, l'Italie, la Suisse et le Japon.

BREVES DU VIGNOBLE

Bertrand Gautherot a succédé à Jérôme Prévost comme président du Groupe des jeunes viticulteurs. Philippe Pascal (Veuve Clicquot) est devenu le président du groupe d'activités Vins et Spiritueux de LVMH. Guy Bizot est devenu directeur général du Champagne Bollinger qui a pris le contrôle à Beaune de Chanson Père et Fils. Pascal Férat a pris la présidence de la Fédération des coopératives vinicoles de Champagne, succédant à Sylvain Delaunois qui préside le Centre vinicole de la Champagne en remplacement d'Alain Robert. Olivier Saint-Georges Chaumet est devenu directeur général de la maison de Castellane.

J.-J. Frey a vendu le Champagne Binet et la marque Collery au groupe familial Prin. Louis Roederer a pris le contrôle de la maison Jean Descaves spécialisée dans les meilleurs crus de Bordeaux. Le groupe Marne & Champagne a émis 396 millions d'euros d'obligations garanties sur ses stocks. Bernard de Nonancourt (Laurent-Perrier), l'une des grandes figures de la Champagne, a reçu à l'occasion de son quatre-vingtième anniversaire la médaille d'honneur du CIVC. En mars 2000, viticulteurs et maisons ont entamé de nouvelles négociations concernant le futur contrat interprofessionnel.

QUOI DE NEUF DANS LE JURA ?

L'état de grâce. Du raisin sain et mûr, du rendement et de la qualité. Qu'espérer de mieux ? Avec le 99, on est dans la ligne des 79 et 89, comme si les années en 9 se ressemblaient.

Une année chaude pour ce millésime 99, dès le mois de mai. Mais avec de la pluie, d'où des attaques de mildiou jusqu'à la mi-juillet. La fleur s'est quelque peu éternisée sous un temps frais et humide. Peu de pluies en revanche durant un mois d'août caniculaire, dont on sait qu'il « fait le moût ». Jusqu'à la mi-septembre, la vigne a eu la tête au chaud. Les vendanges ont débuté en septembre avec une semaine d'avance sur la normale, le 13 pour le crémant, vers le 20-22 pour les vins tranquilles, le 25 enfin pour les château-chalon. On n'a déploré aucune pourriture, à peine un peu de mildiou en plaine. L'état sanitaire du raisin est assez satisfaisant. Les précipitations n'ont vraiment fait leur apparition que le 23 septembre, pluies et orages se succédant jusqu'aux premiers jours d'octobre.

belle finesse. Le savagnin explose et son assemblage avec le chardonnay donne bon espoir. Elaboré en vin jaune, il est déjà prometteur et capable de se comporter très bien... dans plusieurs années.Le millésime 99 a représenté un volume (quantités revendiquées) de 110 150 hl.

LE POULSARD TIENT LE HAUT DU PAVE

Si le rendement est maîtrisé, le trousseau 99 est excellent. Si le pinot noir est correct, le poulsard, porté par sa maturité et par l'état sanitaire du raisin, se montre généreux à souhait. En blanc, le chardonnay 99 est bien acide, d'une

BREVE DU VIGNOBLE

A la présidence du Comité interprofessionnel des vins du Jura, Luc Boilley passe le relais à Marie-Christine Tarby-Maire, directeur général de la Sᵗᵉ Henri-Maire à Arbois.

QUOI DE NEUF EN SAVOIE ?

On a parlé de réussite exemplaire. Le mot est peut-être excessif, mais il est vrai que l'année 1999 s'est assez bien passée, donnant d'heureuses surprises en mondeuse et en roussette.

Les conditions climatiques se sont montrées propices tout au long de l'année, malgré quelques gelées ou des orages de grêle, très localisés. L'été est resté sec, se poursuvant jusqu'à la mi-septembre, avec un très fort ensoleillement les derniers jours. Les orages se sont alors abattus, assez nombreux, jusqu'en octobre. Les vendanges ont été en général précoces, ce qui a permis un bon état sanitaire du raisin. En volume, la récolte est demeurée stable par rapport aux années précédentes. La production a atteint 100 774 hl de vin blanc et 37 524 hl de vins rouges et rosés.

Les plus belles dégustations sont offertes par la roussette de Savoie, en excellente forme dans le millésime 99, ainsi que par la mondeuse en rouge, jugée remarquable et très homogène. Les vins sont parfois plus corsés que dans le précédent millésime.

DAVANTAGE DE VIGNES

Les superficies occupées par la vigne sont en progression légère mais constante : de 1 à 2 % par an. Les nouvelles plantations s'effectuent en haut de coteau. Beaucoup d'efforts sont accomplis pour lutter contre l'érosion, particulièrement sensible en pays de montagne.

Le marché se porte bien, s'accroissant régulièrement à partir d'une offre restreinte en quantité. La consommation des vins de Savoie est essentiellement régionale, très liée aux sports d'hiver, aux fondues et raclettes, mais elle se développe en région parisienne, dans la grande distribution et chez certains cavistes.

Un Circuit des Vignobles de Savoie a vu le jour, passant autour du lac du Bourget, de Bonneville au lac Léman et de Chambéry à Fréterive. Le jumelage des huîtres de Bretagne et des vins de Savoie connaît un regain d'activité.

QUOI DE NEUF EN LANGUEDOC ET ROUSSILLON ?

Une année 1999 pleine de suspense et de catastrophes. Et pourtant, même si ce n'est pas l'euphorie des 98, le millésime s'est révélé très correct. Hélas, l'événement de l'année, ce sont les inondations de novembre, drame régional qui a donné lieu à de belles manifestations de solidarité, mais dont l'économie viticole pourrait mettre cinq ans à se remettre.

L'année a débuté par un temps froid et sec, avec un débourrement assez rapide. Seul désastre, un violent orage de grêle qui s'est abattu le 21 avril sur une bonne partie du Roussillon. Le printemps n'a pas pas vraiment été souriant, avec un ciel couvert, des pluies fréquentes, dans une atmosphère de chaleur favorisant parasites et maladies. Mai a été humide, la floraison précoce. Ces conditions se sont prolongées dans un été ponctué de quelques orages de grêle. Elles n'ont cependant pas empêché les raisins de parvenir à maturité, même si les vendanges ont été diverses. Elles se sont déroulées de la fin août à courant septembre, parfois sous l'orage ou la pluies, parfois sous un ciel serein. En dépit de ces conditions contrastées, on n'a déploré que peu de dilution et les résultats sont très honorables, tant en blanc qu'en rouge. L'ensemble est de moyenne garde, voire de grande garde pour certaines bouteilles.

Les difficultés proviennent davantage de l'évolution des vins de pays et des problèmes de commercialisation qu'ils rencontrent. En revanche, pour les VQPRD, le Languedoc-Roussillon constitue en 1999 la quatrième région de production en volume (derrière le Bordelais, la Loire et le Rhône), avec 2 427 590 hl en AOC et 30 097 hl en VDQS (sur une superficie de 63 053 ha en AOC et 513 ha en VDQS). Les exportations du Languedoc-Roussillon sur les neuf premiers mois de 1999 sont en hausse de 8 % en valeur pour un volume très légèrement inférieur.

LA RECOLTE EN LANGUEDOC...

Les AOC du Languedoc ont eu à faire face à une belle sortie et à une météo en dents de scie. La vendange verte et le tri ont fait toute la différence entre le banal et l'excellent. Les conditions correctes du printemps et de l'hiver ont permis une bonne précocité et favorisé la floraison. Au début de juillet, le froid a ralenti la maturité puis à partir de la fin de ce mois et durant tout le mois d'août, le climat a pris un caractère exceptionnel, avec une absence totale de vent du nord, mais la présence d'un vent marin humide et chaud. Cette météo instable a fragilisé les raisins dont les quantités s'annonçaient importantes. Le mois de septembre a rétabli heureusement la situation grâce à un temps très chaud et sec. La maturité et la concentration des raisins ont donc été satisfaisantes.

Les corbières, favorisés par un temps plus clément à la période critique de la récolte, montrent une belle qualité homogène. Nettement supérieur à celui de 1998 (47 hl/ha), le rendement reste toutefois modeste au regard de nombre d'AOC septentrionales. Fitou a su de même raison garder (41 hl/ha) et produire un bon millésime. En minervois, le vin tient ses promesses. Les faugères font preuve de beaucoup de bouquet et de fermeté dans les meilleures caves. Quant aux saint-chignan, ils sont un cran en dessous des 98 mais satisfaisants. Dans l'ensemble le potentiel phénolique a permis une extraction forte et aisée, avec des macérations plus courtes que d'habitude.

Le Comité national de l'INAO a entériné les spécificités des côtes de la malepère en reconnaissant le merlot comme cépage principal de l'appellation (50 % minimum) ; le cabernet franc sera à terme obligatoirement à 20 %, avec le côt si nécessaire. Les autres cépages (cabernet-sauvignon, cinsault, grenache) viennent en complément d'assemblage, la syrah étant tolérée en rosé. En juin 2000, l'AOC corbières a invité ses 2 300 viticulteurs à préparer les orientations du vignoble durant les trois ans à venir. Parallèlement à l'affirmation des crus, une appellation régionale est fortement souhaitée. A noter encore, le classement en AOC coteaux du languedoc de l'aire du haut Larzac.

... ET ROUSSILLON

Le millésime 99 s'est avéré délicat et complexe. L'orage du 21 avril, subi par 5 000 ha de vignes (Agly, Têt, Fenouillèdes), a provoqué localement une perte de récolte. Pour l'essentiel, les vendanges ont été assez bonnes malgré la coulure sur les grenaches et le millerandage sur les muscats.

Les tendances des années précédentes se confirment. Les côtes du roussillon enregistrent la production la plus importante depuis leur naissance en 1977, pour une qualité convenable dans l'ensemble. A l'inverse, les vins doux naturels diminuent selon un processus constant, tant en volume (- 12 % par rapport à 1998) qu'en superficie. Les muscats de rivesaltes progressent cependant depuis 1994, constituant la principale AOC pour ce type de vin (près de 150 000 hl pour 5 000 ha en 1999). On observe un retour à la dominante du muscat à petits grains. Les rivesaltes (moins de 100 000 hl pour 7 400 ha) continuent à reculer du fait du plan Rivesaltes. Banyuls, qui régresse depuis 1994 en volume comme en superficie mais devrait bientôt se stabiliser, a donné 28 500 hl.

LES DESASTRES DE NOVEMBRE

Dans la nuit du 12 au 13 novembre, le Languedoc-Roussillon (le département de l'Aude étant le plus touché) a été dévasté par un véritable déluge : 500 mm de pluie sont tombés en 36 heures, soit l'équivalent de la pluviométrie annuelle. L'effet de ces précipitations sans précédent de mémoire d'homme s'est trouvé aggravé par une tempête en mer bloquant l'évacuation des eaux, et de petits ruisseaux se sont mués en torrents meurtriers. Le bilan humain fut désastreux : pour le seul département de l'Aude, 25 morts et un disparu, 100 villages coupés du monde, 30 ponts détruits, 21 routes impraticables, 50 stations d'épuration détruites. Quant à l'outil de travail, la Chambre d'agriculture de l'Aude, qui a participé à l'expertise des dégâts, a chiffré les pertes à 350 millions de francs : vignobles détruits (600 ha) ou endommagés (2 600 ha), terre emportée dans les vignes et chemins (780 000 m³), chemins des champs détruits (350 km), murs (58 000 m³) et fossés (750 km) anéantis, exploitations sinistrées (3 300)... A cela s'ajoutent les dommages causés à l'infrastructure rurale. Encadrée par la Chambre d'agriculture et les organisations professionnelles agricoles, la solidarité s'est manifestée : d'abord en matière d'aide d'urgence, puis de reconstruction agricole. Nombre d'agriculteurs, d'organisations agricoles de la France et même d'Europe se sont manifestés pour apporter leur soutien. Mais le vignoble, en pleine restructuration, devrait mettre cinq ans à panser ses plaies.

BREVES DU VIGNOBLE

Le Languedoc-Roussillon est-il vraiment une « Nouvelle Californie » ? A en juger par une forte polémique, on pourrait, il est vrai, le croire. En effet, Aniane (Hérault) attend Robert Mondavi sur 50 ha de terres classées. Les droits de plantation devraient lui être accordés, ce qui suscite quelques mécontentements de producteurs qui n'en bénéfient pas. Robert Mondavi investit quelque 50 millions de francs (20 pour l'achat des terres, 30 pour la construction de sa cave). Il attend la fin de la levée de boucliers pour planter son drapeau en France. Vinisud, salon qui se tient habituellement à Montpellier, s'expatriera pour la deuxième fois à New York les 6 et 7 février 2001 sous le nom de « Mediterranean lifestyle show ». Naissance du Salon Innovigne à l'INRA de Narbonne. Limoux a accueilli en juin 2000 le 11e Concours national des crémants.

QUOI DE NEUF EN PROVENCE ?

Surprise à l'issue d'un cycle végétatif marqué localement par une certaine sécheresse : le millésime 99 se distingue par un niveau élevé de production.

La vigne a connu un développement satisfaisant au printemps, avec un débourrement normal et de bonnes conditions climatiques à la floraison. Aucun accident de grêle ou de gel n'a été à déplorer. La période estivale a été marquée par un déficit hydrique surtout localisé en zone littorale où les cépages extra-régionaux ont montré des signes de défoliation – tandis que les autres secteurs ont bénéficié de quelques pluies bien réparties. Après une véraison normale, les vendanges ont commencé dans les premiers jours de septembre. Quelques attaques de vers de la grappe de troisième génération (fait rarissime) ont conduit localement, notamment dans les zones du nord, à une altération de la vendange.

La récolte se caractérise par une concentration en sucres élevée mais par une maturité polyphénolique tardive ou tout du moins décalée par rapport à celle des sucres. La grande surprise a résidé dans le niveau élevé de la production. Dans ces conditions, le millésime 99 pourrait se définir comme une « année de vigneron », tant il était délicat de gérer quantité et équilibre de maturité. La fourchette qualitative des vins blancs et des rosés est large, tandis que la richesse des vins rouges dépend de la maîtrise de la maturité polyphénolique.

Du nouveau en côtes de provence

La récolte s'élève à 950 000 hl, signe du potentiel quantitatif de l'année et de la progression régulière des capacités de production de l'appellation. Les vins rosés dominent toujours, représentant près de 80 % des volumes, puis viennent les rouges avec 15 %, tandis que les blancs restent à un niveau faible mais régulier. Offrant une agréable palette de couleurs, du saumon au rose franc, tout en partageant leur fruit entre les notes classiques et les accents exotiques, les rosés présentent au nez plus de finesse que de puissance aromatique et se montrent généreux en bouche. Cinsault et grenache donnent des arômes assez persistants de rose et d'acacia. Dans la plupart des cas, ce sont plus des vins de gastronomie que de dégustation. Les vins rouges ont dans l'ensemble un excellent potentiel d'élevage : bon degré naturel autour de 12,5% vol., stabilité de la robe, parfums de garrigue et structure correcte.

La procédure de révision de la délimitation parcellaire de l'appellation est entrée dans sa phase terminale avec l'examen des réclamations formulées au cours de la mise à l'enquête. Le syndicat de défense de l'appellation a confirmé sa volonté de faire reconnaître des dénominations sous-régionales afin de mettre en valeur la diversité des terroirs de l'AOC – sans toutefois que cela se fasse au détriment de l'appellation régionale par un écrémage qualitatif – mais également afin de faire évoluer l'image du rosé en mettant l'accent sur le lien qui existe entre originalité du produit et terroir d'origine. Une commission d'enquête a été nommée par l'INAO ; elle s'est déjà rendue sur place plusieurs fois pour examiner les demandes présentées pour le secteur du haut bassin de l'Arc (Sainte-Victoire) et pour le golfe de Fréjus. Elle a fait part de ses observations aux producteurs pour que ceux-ci affinent leurs propositions. Le marché allemand des côtes de provence piétine, surtout en rosé. Il est le premier débouché de l'appellation à l'export. La Belgique se montre plus accueillante. Un programme s'étoffe au Japon.

Au fil des appellations

En bandol, la production 99 se situe aux alentours de 53 000 hl et progresse légèrement ; les vins rosés sont structurés et les rouges présentent une charpente solide qui est fonction de la patience du vigneron pour la récolte du mourvèdre. Les vins rouges de la récolte 98 ont terminé leur phase de dix-huit mois (minimum) d'élevage en bois et expriment pleinement les senteurs automnales des sous-bois provençaux.

En baux-de-provence, 99, avec 9 179 hl, confirme le potentiel qualitatif des vins rouges ; ceux de 98, après douze mois d'élevage, sont marqués par des accents de garrigue. Le syndicat affiche un grand dynamisme en matière de communication, avec les journées « Prestige des Baux » auxquelles ont été associées les appellations communales bandol, bellet, cassis et palette.

Bellet poursuit un travail qualitatif en profondeur. Les vins blancs 99 (328,45 hl) expriment leur rondeur sous des notes citronnées et des nuances de tilleul ; les vins rouges (749 hl) possèdent le grain de folie et de fantaisie du cépage folle noire, typiquement niçois.

Cassis (7 300 hl) montre en 1999 une régularité que permet son terroir avec des vins blancs aux fins arômes floraux et balsamiques.

La production en coteaux d'aix-en-provence progresse, avec une récolte de 198 000 hl ; le niveau qualitatif s'affine, tant dans les vins rouges que dans les rosés, conforté par une bonne évolution de la situation économique. Le millésime 99 offre l'occasion de partir à la découverte des différents bassins de production qui s'étendent au pied des chaînons calcaires de la basse Provence.

En 1999, les coteaux varois ont poursuivi leur croissance quantitative (85 000 hl) et leur progression qualitative. Les rosés présentent une robe soutenue et un bouquet fruité ; les blancs, encore confidentiels, sont floraux et frais en bouche ; les rouges offrent d'agréables surprises, avec des tanins fins qui reflètent une maturité sans stress.

Dans le sillage du château Simone, le château de Crémade, ressuscité, et trois autres producteurs offrent 1 500 hl de palette, production confidentielle au fort potentiel d'élevage.

BREVES DU VIGNOBLE

Le Centre provençal de recherche et d'expérimentation sur le vin rosé a bouclé, avec la récolte 99, son premier programme de travail sous l'égide d'un conseil scientifique. De la parcelle et de la matière première aux techniques de vinification et à la conservation des vins, l'ensemble des maillons de la chaîne conduisant à un produit d'origine et de qualité ont été explorés.

Le syndicat de défense de l'appellation côtes de provence, présidé par Guy Gasperini, vigneron sur la commune de La Crau, et le Comité interprofessionnel ont engagé une réflexion de fond sur leur appellation au cours d'un séminaire hivernal de deux jours. Qualité du vignoble, de la matière première, évolution du potentiel de production, techniques œnologiques, ainsi que l'évolution économique de l'AOC ont été placées au cœur du débat, auquel participaient des intervenants extérieurs. En dehors de l'analyse portant sur le vignoble et les vins, avec des pistes de travail dégagées sur le suivi des conditions de production et la demande de reconnaissance de dénominations sous-régionales, l'idée d'un élargissement du Comité interprofessionnel aux appellations voisines a été émise.

Le bien fondé de ce Comité élargi semble aujourd'hui faire l'objet d'un consensus, même s'il reste encore des questions de dénomination, d'organisation et de répartition des moyens à résoudre.

QUOI DE NEUF EN CORSE ?

L'année 1999 a commencé de façon pluvieuse, puis un temps chaud et sec s'est installé jusqu'aux vendanges plutôt précoces. L'état sanitaire des raisins était en général satisfaisant. Il fallait vendanger sans trop attendre car des orages ont éclaté aux alentours du 20 septembre. Le niellucciu parvenait alors à pleine maturité, le sciacarellu étant déjà récolté.

Les vignobles d'Ajaccio et de Calvi s'en s'ont bien tiré et ont produit un volume raisonnable, tant en rouge qu'en blanc. Celui de Patrimonio présente ses meilleures réussites en blanc et en muscat du cap corse. En AOC vin de corse, les rouges de Sartène se montrent légers tandis que les blancs sont déjà très agréables. La situation est inverse dans le vignoble de Porto-Vecchio où les rouges paraissent plus réussis que les blancs.

Après une forte progression de la production pour le millésime 98, la Corse a connu un retour au niveau de 97, avec un volume déclaré de 92 640 hl pour le millésime 99, dont 8 731 hl de vins blancs secs et 1 983 hl de muscat du cap corse (VDN). Ajaccio n'a revendiqué que 6 902 hl (dont 778 hl en blanc) et Patrimonio 13 290 hl (dont 1 895 hl en blanc).

QUOI DE NEUF DANS LE SUD-OUEST ?

Malgré les difficultés commerciales de Bordeaux, les vins de l'arrière et du haut-pays ont continué à prospérer. La récolte est tout de même assez hétérogène dans l'ensemble de la région, l'année s'étant montrée abondante mais humide.

Ce n'est pas tous les ans que naît une nouvelle appellation d'origine, et celle-ci mérite bien un coup de chapeau. Il s'agit de l'AOVDQS coteaux du quercy. Sa zone de production, qui recouvre la province du bas Quercy, est à cheval sur les départements du Lot et du Tarn-et-Garonne, au sud de Cahors. Rien d'absurde à cela puisque cette zone est culturellement et géographiquement homogène, ce que les révolutionnaires de 1790 avaient compris en créant un grand département qui englobait haut et bas Quercy, séparés plus tard par Napoléon. La carte viticole a souvent davantage de mémoire que les hommes politiques et les découpages administratifs... Les cépages sont originaux dans cette région, puisque le principal est le cabernet franc. Les variétés complémentaires sont plus classiques : merlot, côt (comme pour le cahors voisin), gamay (comme on en a planté à Gaillac) et tannat.

DU VIN DE PAYS A L'AOC : LES COTEAUX DU QUERCY

Longtemps cantonnée dans la catégorie « vin de pays », l'appellation coteaux du quercy, aux forts accents de terroir, compte aujourd'hui 400 ha en production, ce qui représente une très sévère sélection parmi les vignes déjà plantées et pour lesquelles était revendiqué le bénéfice de cette catégorie. L'INAO est aujourd'hui très vigilant lorsqu'il crée de nouvelles appellations et ne le fait plus sans que la délimitation parcellaire soit achevée. Il suivra d'ailleurs toutes ces productions de beaucoup plus près, puisque sa délégation régionale Sud-Ouest, autrefois située à Bordeaux, a éclaté sur trois sites : Cahors, Gaillac et Pau. Dans le Sud-Ouest, beaucoup d'appellations flottent dans les habits beaucoup trop larges d'une zone démesurée, ce qui entraîne hétérogénéité qualitative et difficultés économiques. L'AOVDQS, créée par décret interministériel du 28 décembre 1999, ne risque donc pas cet écueil. Pour tenir compte des efforts déjà accomplis depuis longtemps, non seulement la récolte de l'année pourra arborer l'appellation, mais aussi les vins en stock des millésimes 97 et 98. On crée ainsi

d'emblée un petit marché qu'il aurait été difficile d'amorcer avec la production d'une seule année, qui ne figurera sans doute pas parmi les meilleures.

UN MILLESIME HETEROGENE

En effet, et c'est le même problème que l'on a rencontré en Bordelais, le millésime 99 ne restera pas gravé dans les esprits, sinon par l'abondance. On a vu qu'à Bordeaux, tous les records de production ont été battus. Il en a été de même à Bergerac, puisque les AOC de la zone ont revendiqué 680 347 hl (dont 265 649 hl de blancs secs, moelleux et liquoreux), et jamais il n'en avait été produit autant. Même en 1997, année qui était restée en tête des annales, la déclaration avait plafonné à 625 221 hl.

Les appellations bordeaux et bergerac, qui ont des destins liés par le climat et les cépages qu'elles partagent totalement, sont ainsi en vedette la même année, et pas pour les meilleures raisons. A Bergerac aussi, si la fleur a été précoce, il a été difficile de combattre le développement d'une végétation prolifique ainsi que les maladies, favorisées par un climat estival chaud, mais aussi très arrosé. Enfin, les pluies de la fin du mois de septembre ont fait gonfler jusqu'à éclater des grains de raisin qui étaient déjà de taille supérieure à la normale. On comprend que seuls les viticulteurs raisonnables, qui ont l'habitude de contenir leur rendement dès la taille d'hiver, ont réussi à produire de la qualité. A Cahors, où le climat est un peu plus sec et la terre un peu moins riche sur les causses et les flancs de la vallée du Lot, on n'a pas constaté le même phénomène. Il n'a été déclaré que 243 911 hl d'AOC, contre 248 228 hl l'année précédente, qui avait été très abondante. Les appellations du val de Garonne comme buzet et les côtes du marmandais ont bénéficié d'une meilleure précocité. Abondante, davantage aussi qu'en 1998, la récolte a moins subi les pluies de la fin de septembre. La moindre surface de ces AOC favorise aussi une mobilisation plus rapide des moyens de vendanges. La production de Lot-et-Garonne a progressé de 5 %. En revanche, le madiran a été victime, juste avant les vendanges, d'un brutal phénomène climatique, une sorte de tornade assortie de grêle, qui a fait de réels dégâts sur des raisins prêts à la vendange. Sur une production annuelle plafonnée à 70 000 hl par la difficulté d'obtenir de nouveaux droits de plantation, on estimait le déficit dû à cette calamité entre 3 et 4 000 hl.

A Gaillac, il est difficile de se repérer, tant les viticulteurs ont pris l'habitude de jongler avec les déclarations de récolte entre AOC, vin de pays et vin de table, selon les opportunités économiques. On constate ainsi que le département du Tarn a vu sa production progresser de manière importante, passant de 613 127 hl à 649 459 hl, soit 5,6 % de plus. Les déclarations d'AOC rouges ont progressé (9%). Dans un contexte de surchauffe en Bordelais où les viticulteurs ont d'abord sacrifié les quantités vendues pour maintenir les cours, jusqu'à la moitié de l'année 1999, on comprend que cela a été une aubaine pour les autres vignobles. Le système des vases communiquants entre Bordeaux et son arrière-pays n'est pas une nouveauté, mais n'est pas près de disparaître non plus. L'exemple le plus probant est celui du Bergeracois. Alors que les récoltes de 1996, 1997, 1998 ont été les plus importantes de l'histoire du vignoble jusqu'à celle de 1999, les stocks à la propriété n'ont cessé de baisser : 501 682 hl au 30 août 1997, 459 153 hl en 1998 et 431 639 hl, soit à peine les deux tiers d'une année de consommation ! D'ailleurs, l'interprofession bergeracoise souhaite et négocie un rapprochement institutionnel entre Bordeaux et Bergerac.

Evidemment, la chute des cours du bordeaux, commencée en 1999 et accentuée au printemps 2000, rendent la situation délicate. Le pire se constate pour les appellations qui ne bénéficient pas d'une aura à toute épreuve, comme monbazillac, qui est sur le point de connaître une crise comme on n'en avait pas connue depuis vingt ans. En revanche, les appellations bien identifiées, comme madiran, cahors ou buzet n'ont guère de difficultés.

Les viticulteurs des Charentes souffrent d'une grave crise économique. Ceux de la région de Ségonzac ont subi en outre un orage de grêle en juillet 2000 qui a dévasté leurs vignes sur une bande de 15 km de long sur 1,5 km.

PLAIMONT-CROUSEILLES :
UNE NOUVELLE PUISSANCE AU SUD

Dans la zone du madiran, on assiste à la constitution d'une nouvelle puissance coopérative, à l'égal de celle de Buzet en Lot-et-Garonne. C'est l'Union Plaimont, créée dans le Gers autour de la cave de Saint-Mont qui devient un véritable fédérateur. Contrôlant pratiquement l'AOVDQS côtes de saint-mont et ayant déjà un pied dans les AOC madiran et pacherenc du vic-bilh, elle vient de faire une double opération. Tout d'abord, elle a racheté les vignes d'un château emblématique, celui d'Aricau-Bordes. Le château lui-même ayant été vendu à des Néerlandais qui n'étaient pas intéressés par l'exploitation mais par le monument historique, l'Union Plaimont se retrouve à la tête de 11 ha au riche passé et à la plus noble des réputations. Par ailleurs, André Dubosc, l'infatigable animateur de l'Union, avait encore une nouvelle idée : un rapprochement commercial avec la coopérative de Crouseilles, principal producteur de madiran, avec le tiers des volumes vendus. Plaimont, avec 295 millions de francs de chiffre d'affaires, contre 47 à Crouseilles, représente la force de frappe commerciale, dispose du marketing le plus puissant, tandis que Crouseilles est le pilier de la tradition. L'association va sans doute faire parler d'elle.

QUOI DE NEUF EN VAL DE LOIRE ?

Comme les châteaux le long du fleuve, les vins de Loire ont tous un air de famille, mais chacun possède sa personnalité. Souvent, celle-ci relève, pour 1999, des caprices du ciel. Les conditions climatiques de l'année ont été marquées comme ailleurs par une nette précocité du cycle végétatif et par un temps ensoleillé et chaud à la fin de l'été, qui a favorisé la maturation. Cependant des pluies à la mi-septembre ont affecté la production de moelleux et liquoreux. Pour les autres types de vins, 1999 est une année contrastée.

Dans l'ensemble du vignoble, l'acidité est faible, le fruit est assez présent. Les vins rouges sont aimables, les meilleurs ne manquant ni de gras ni de caractère. Les blancs secs ont fréquemment du corps et du fruit et sont très agréables. Les moelleux sont, comme

partout, assez disparates, mais les producteurs vigilants obtiennent d'incontestables réussites. La production globale a atteint 2 743 542 hl en AOC et 319 948 hl en AOVDQS.

DANS LA RÉGION NANTAISE

Si 1999 a été difficile pour la plus grande partie de la vallée de la Loire, le millésime est au contraire excellent pour le muscadet. En effet, dans la région nantaise, la vendange, commencée le 6 septembre, était aux trois quarts achevée lorsque les pluies ont commencé, à la mi-septembre. Le raisin, de belle qualité après une année sans accident climatique important, a donné un vin plutôt fruité, souple, tendre, peu acide et bien équilibré. L'année a été bonne aussi pour le gros-plant et les fiefs vendéens. Pour les coteaux d'ancenis, en revanche, l'effet des pluies s'est fait sentir.

La récolte, 935 526 hl, est supérieure d'environ 6 % à celle de 1998. La progression touche principalement le muscadet, alors que depuis quelques années, les quantités sous appellation de zone géographique (coteaux de la loire surtout, mais aussi sèvre et maine) tendent à stagner ou à régresser, ainsi que le « sur lie ». Cette évolution vers le bas du marché répond manifestement à des préoccupations économiques. En effet, le marché demeure difficile. La demande existe, certes : les volumes commercialisés sont supérieurs à la production. Mais les prix, qui avaient progressivement remonté après leur plongeon de 1996-1997, tendent à reculer depuis l'été 1999. Cela n'arrange pas les relations entre producteurs et négociants, ces derniers assurant environ 80 % de la commercialisation.

Face à cette situation, les professionnels ne relâchent pas leurs efforts. Une réflexion est en cours autour d'un « troisième niveau hiérarchique » d'appellation. Ce troisième niveau existe déjà *de facto*, des aires de crus étant déjà connues pour leur qualité, mais il s'agit à présent de lui donner une définition plus rigoureuse, liée aux terroirs. Par ailleurs, le travail de délimitation des parcelles de l'appellation muscadet se poursuit. Il s'est achevé en mai 2000 pour les communes situées hors des régions sèvre et maine, coteaux de la loire et côtes de grand-lieu. Une redélimitation est en cours pour les coteaux d'ancenis. Les nouvelles conditions d'application de la mention sur lie sont également contrôlées strictement ; 30 000 hl qui n'avaient pas été mis en bouteilles en temps voulu n'ont pu en bénéficier en 1999. Alors que les surfaces plantées se sont stabilisées aux alentours de 2 300 ha (contre plus de 3 000 ha en 1989), la consommation est légèrement supérieure à la production depuis deux ans et les stocks sont au plus bas.

EN ANJOU-SAUMUR

C'est un homme de cette région du Val de Loire, René Renou (bonnezeaux), qui a été nommé président du Comité des vins de l'INAO. En Anjou-Saumur, le printemps s'est montré chaud et humide. Aussi les vignes se sont-elles bien comportées et n'ont pas souffert de la sécheresse. La floraison et la véraison se sont déroulées dans des conditions optimales. A la fin du mois d'août, la véraison des cabernets était totale, du jamais vu. Malheureusement, l'arrière-saison a été très humide, avec une pluviométrie abondante pour la fin du mois de septembre et le mois d'octobre. Durant les quatre à cinq semaines de vendanges, les précipitations ont atteint 300 mm, c'est-à-dire plus de la moitié de la pluviométrie annuelle !

Les cépages qui sont à l'origine des vins rosés (grolleau, gamay) et des vins de base (chardonnay) se sont bien comportés. Il en a été de même pour les variétés rouges qui ont préservé leur acquis : une belle couleur avec peu d'acidité. En revanche, le chenin a créé plus de difficultés. Le travail de préparation – enherbement, effeuillage, éclaircissage, répartition des grappes dans l'espace, techniques de récolte manuelle – a eu un rôle décisif dans l'obtention de la qualité. Par ailleurs, la réalisation des tries a été rendue très difficile en raison de l'existence de « mauvais pourri », même sur des vignes qui avaient été bien menées jusqu'alors. 1999 ne semble donc pas une année faste pour les vins liquoreux. En quarts de chaume et en coteaux de l'aubance, les vins seront désormais soumis à contrôle par résonance magnétique nucléaire. Cette pratique doit éviter notamment les chaptalisations excessives, et donc encourager un retour à la pureté naturelle des moelleux.

EN TOURAINE

Comme le signale Etienne Carre, directeur de l'Unité Analyses et Recherches du Laboratoire de Touraine, à partir des données de Météo France, 1999 est une année exceptionnelle par l'abondance de la chaleur, associée à une pluviométrie inhabituelle. Avec une fin d'hiver un printemps doux, l'année s'est montrée précoce : la floraison est intervenue avec dix à quinze jours d'avance.

Si le début de l'été s'est montré pluvieux, des pluies d'orage ayant particulièrement sévi à la fin de juillet et au début d'août, la véraison et la maturation se sont déroulées dans des conditions optimales, sous le soleil et des températures élevées, laissant espérer de belles vendanges à surmaturation. 1999 fait partie des millésimes les plus chauds de ces quarante années. A la mi-septembre, la situation était exceptionnelle, l'avance de maturité pouvant atteindre jusqu'à trois semaines. Les cépages précoces comme le gamay et le sauvignon ont pleinement profité de ces conditions favorables, et donné des vins pleins, généreux, peu acides, exprimant fortement leur terroir.

Hélas, à partir de la mi-septembre, de nombreux passages pluvieux ont freiné les maturations et obligé les vignerons à vendanger avec précaution entre les gouttes : 100 mm d'eau sont tombés durant la troisième décade de septembre et octobre a amené lui aussi son lot de pluies. Tirant leur épingle du jeu, les vins de cabernet franc sont souples, bien constitués et généreux, et les chinon, bourgueil et saint-nicolas-de-bourgueil seront de garde. En revanche, il y a peu de vins moelleux et de demi-secs, les tries de chenin n'ayant pu s'effectuer dans de bonnes conditions. Les vins secs et vins de base pour les mousseux sont aimables, mais ne pourront être appréciés à leur juste valeur qu'à la fin de l'hiver.

DANS LE CENTRE

On a observé dans le Centre des conditions climatiques comparables à celles relevées dans le reste de la vallée de la Loire : précocité, fortes chaleur pendant la période de maturation et pluies automnales. Par chance, ces dernières ne sont intervenues qu'assez tardivement, si bien que le millésime 99 est très convenable.

Débourrement (du 6 au 10 avril), floraison (10 au 20 juin) et véraison (15 au 25 août) ont été précoces. Les orages de l'été, entraînant des attaques de mildiou et de vers de la grappe, ont imposé des traitements. Un temps chaud et sec de la fin août à la mi-septembre a accéléré la maturation et lorsque les vendanges ont commencé, les raisins étaient dans un très bon état sanitaire. La récolte s'est déroulée du 13 septembre (pour les pinots gris du reuilly) au 27 septembre à Châteaumeillant. Elle a débuté le 22 septembre en sancerre, menetou-salon et coteaux du giennois. Des pluies orageuses sont tombées localement à partir du 20 septembre mais les raisins étant bien mûrs et les vendanges ayant pu s'effectuer rapidement, la qualité de la récolte n'a pas été affectée. Les vins blancs apparaissent tendres et souples, avec des arômes élégants et beaucoup de fruité ; ils expriment bien la diversité des terroirs. Quant aux rouges, ils offrent des tanins mesurés, plus ou moins concentrés selon les origines et les choix de vinification. Leurs arômes sont très typés sur des notes de fruits rouges.

Dans le Centre-Loire (13 % des exportations en volume du Val de Loire, près de 30 % en valeur pour un chiffre d'affaires de quelque 250 millions de francs), le marché international est stable. Il progresse aux Etats-Unis (+ 20 %), perce en Irlande, diminue au Japon

(- 40 %) ainsi qu'en Allemagne, se maintient en Grande-Bretagne et en Belgique. Un tiers des vins de la région sont exportés. Une route touristique des vignobles du Centre-Loire verra le jour en 2001.

BRÈVES DE LA LOIRE

Le Conseil interprofessionnel des vins de Nantes continue la campagne de promotion du muscadet sur lie engagée en 1997. Après les « années guinguette » et les « moments impressionnistes », la campagne s'appuie à présent sur les airs d'opérette de la Belle Epoque. Un spectacle de rue a été organisé avec trente-sept choristes de l'Opéra de Nantes dans six villes d'Europe et dans cinq grandes villes nord-américaines. Pour le gros-plant, en revanche, le CIVN concentre son action sur les côtes de Loire-Atlantique et de Vendée sur le thème « le vin le plus proche de l'Océan ».

Le décret saluant la naissance de l'interprofession des vins du Val de Loire est paru au Journal officiel du 18 janvier 2000. Celle-ci réunit Touraine et Anjou-saumur. L'assemblée générale constitutive d'InterLoire a eu lieu le 26 janvier à Angers, portant à sa présidence Dominique Amirault, assisté de Marc Morgat et de Jacques Couly. L'ensemble des syndicats composant le BIVC (Centre) décidera par un vote à la fin de l'année 2001 si les vignobles du Centre-Loire intégreront cette structure.

Les vignerons de Saint-Pourçain (VDQS) réclament la promotion de leur vignoble en AOC. Le dossier a quinze ans d'âge. De nouvelles règles de production sont en cours.

Du 1er au 4 juin 2000, Jack Lang a reçu à Blois le festival des Arts et métiers de la vigne dans une fête du Vin pédagogique et culturelle.

Le vignoble de Quincy entrera dans l'interprofession des Vins du Centre en septembre 2000.

Le syndicat des vins de pays du Jardin de la France, soutenu par l'Onivins, entend substituer la dénomination « Jardin de la Loire » à « Jardin de la France ». Or des AOC portent déjà la mention « Loire » (crémant de loire, rosé de loire). Le Conseil d'Etat est saisi de cette demande.

QUOI DE NEUF DANS LA VALLEE DU RHONE?

Prenez tout votre temps pour le déguster... Le millésime 99 s'annonce en effet de garde et, s'il a l'accent chantant des cigales, il possède assez de force et d'allant pour entrer du bon pied dans le XXIe siècle.

Nord et sud, bien sûr. Le vignoble septentrional a connu un début d'année en dents de scie, chaleur et froidure alternant, de même que l'humidité et la sécheresse. Puis, dès le mois de mars, un temps sec et chaud a permis un débourrement favorable. Un peu de gel rive droite, sans trop de conséquences. La fleur, aux premiers jours de juin, a été assombrie par l'orage et par la grêle, le 2 juin, sur la côte rôtie et saint-joseph. L'été s'est déroulé de façon satisfaisante, offrant un raisin d'une qualité sanitaire excellente. Les vendanges ont commencé le 6 septembre sur les terroirs précoces (crozes-hermitage, saint-péray) et se sont poursuivies jusqu'à la mi-octobre selon les secteurs et leur évolution de maturité. La seconde quinzaine de septembre a connu plutôt du beau temps, mêlé parfois d'averses.

Quant à la partie méridionale, elle a bénéficié d'un hiver 1999 plus chaud que la normale, d'un printemps sec, avec une floraison à la fin mai, d'un mois de juillet très ensoleillé, de pluies plutôt bénéfiques au début du mois d'août suivies du retour du beau temps. Les vendanges se sont déroulées de la fin-août à courant septembre. Des AOC septentrionales aux méridionales, les conditions ont été très satisfaisantes. La récolte dépasse celle de l'année 1998 avec quelque 3 661 000 hl, dont 2 208 953 hl en côtes du rhône, 317 685 hl en côtes du rhône-villages (en nette progression).

UNE GRANDE ANNÉE

Sur toute la vallée, les vins rouges font preuve d'un tonus exceptionnel. Riches ? Opulents même, avec un degré naturel béni par le soleil, une maturité démonstrative, des teintes d'une densité exceptionnelle, des arômes puissants et parfois confits dès le jeune âge. Les tanins impressionnent. Des vins de garde, à l'évidence. Côté blancs, les vins sont moyens au sud et divers au nord. Quant aux vins doux naturels, ils s'affirment déjà superbes, d'une complexité passionnante et d'une réserve considérable. A goûter les yeux fermés chez les meilleurs producteurs sachant maintenir avec doigté leur caractère sous les bienfaits du ciel.

LE MARCHE VA BON TRAIN

Durant la campagne 1998-99, le marché des vins de la vallée du Rhône a battu tous les records. Il a progressé de 29 %, dépassant 40 millions de bouteilles (314 000 hl) pour les côtes du rhône-villages qui ont le vent en poupe. Pour l'ensemble du vignoble, le chiffres d'affaires a crû de 7 % et les volumes de 3,2 % (500 millions de bouteilles et 3,75 millions d'hectolitres). L'exportation des vins de la vallée du Rhône a progressé de 2 % grâce notamment à de jeunes appellations comme les côtes du ventoux (+10 %).

BREVES DU VIGNOBLE

Pour commémorer le passage à l'an 2000, une pyramide de 120 barriques mesurant 8,86 m de hauteur, pesant 5 t et revêtue des drapeaux de l'Union européenne, a été dressée à Saint-Pantaléon-les-Vignes.

A Lirac s'est créé un caveau ouvert à la clientèle qui regroupe 90 % des producteurs de l'AOC. Non loin de là, à Tavel, une route du Vignoble de 15 km a été inaugurée. Balisée de 21 bornes, elle permet de découvrir les principaux terroirs de cette appellation. Dans la même région, les vignerons de Pujaut construisent une nouvelle cave (20 millions de francs pour une capacité de 49 000 hl). De l'autre côté du Rhône, la coopérative de Vacqueyras continue l'aménagement de sa nouvelle cave pour mener dans de meilleures conditions et en toute traçabilité sa politique de vinification des domaines. A Châteauneuf-du-Pape, le musée du Père Anselme s'agrandit. Une part des 500 m^2 de l'espace est consacrée à l'histoire des AOC ainsi qu'à celle des hommes qui les ont fait naître et se développer.

En matière de négoce, on retiendra que David Chagny est le nouveau directeur commercial France de la Cave de Tain-l'Hermitage, dont le président a changé : Amaury Cornut-Chauvinc (saint-joseph et saint-péray) prenant le relais de Jacques Léchenard. La nouvelle directrice générale est Julie Campos, jusqu'à présent à la barre de la maison Moreau à Chablis (reprise par Jean-Claude Boisset). Michel Courtial est passé à la maison Mousset à Châteauneuf-du-Pape, filiale du Cellier des Dauphins.

Marc Chapoutier, qui donna une grande dimension à la maison du même nom, est décédé à l'âge de quatre-vingt-douze ans. L'établissement est désormais contrôlé par Michel Chapoutier qui a repris les parts de son frère. Il se développe en Australie, au Liban et, bien évidemment, en France (Languedoc-Roussillon notamment en banyuls, coteaux d'aix, coteaux du tricastin), investissant dans le conseil en agronomie et dans la prestation de services.

Quant à la maison Jaboulet, elle a mis en chantier sa nouvelle cave à Châteauneuf-sur-Isère, installée dans d'anciennes carrières de molasse exploitées depuis l'époque romaine : une véritable cathédrale souterraine ! On signalera enfin le développement des Grands Vins Gabriel Meffre (Gigondas) avec 20 millions de francs d'obligations convertibles.

Paul Avril, viticulteur à Châteauneuf-du-Pape, membre de l'INAO depuis longtemps, accède à la présidence du Comité permanent de l'INAO. Ce comité a voté à l'unanimité une motion contre l'agression de l'AOC côte rôtie par le projet routier de contournement par l'ouest de Lyon. Une nouvelle section interprofessionnelle voit le jour à Inter-Rhône. Les vignobles de Beaumes-de-Venise et Rasteau rejoignent l'interprofession rhodanienne : ils quittent l'interprofession des vins doux naturels, le CIVDN ayant demandé en juillet 2000 sa fusion avec le GIP, groupement interprofessionnel des côtes du roussillon et côtes du roussillon-villages.

Enfin, Vinsobres et Beaumes-de-Venise ont demandé l'accession à l'appellation locale : Beaumes-de-Venise pour les trois couleurs, Vinsobres pour le rouge et le blanc.

QUOI DE NEUF

LE VIN

Par définition, le vin est « le produit obtenu exclusivement par la fermentation alcoolique, totale ou partielle, de raisins frais, foulés ou non, ou de moûts de raisin ».
Toutes les définitions légales imposent aux vins une teneur en alcool minimum, 8,5 % vol. ou 9,5 % vol. selon les zones viticoles. La teneur en alcool (d° alcoolique) est exprimée en pourcentage du volume du vin constitué par de l'alcool pur ; il faut 17 g de sucre dans le moût pour produire 1 % vol. d'alcool par la fermentation.

LES DIFFERENTS TYPES DE VINS

__ La réglementation européenne, entérinant les usages français, distingue les *vins de table* et les VQPRD. Les Vins de qualité produits dans une région déterminée (VQPRD) sont soumis à des règlements de contrôle. En France, ils correspondent aux *Appellations d'origine vins délimités de qualité supérieure* (AOVDQS) et aux *Vins d'appellation d'origine contrôlée* (AOC). Il faut noter que les jeunes vignes sont exclues de l'appellation jusqu'à quatre ans (vins trop légers).

__ Les *vins secs et les vins sucrés* (demi-secs, moelleux et doux) sont caractérisés par des taux de sucre variables. La production des vins sucrés suppose des raisins très mûrs, riches en sucre, dont une partie seulement est transformée en alcool par la fermentation. Les sauternes par exemple sont des vins particulièrement riches; ils sont obtenus à partir de raisins très concentrés par la pourriture noble. On les désigne volontiers par l'expression « grands vins liquoreux » qu'il ne faut pas confondre avec « vins de liqueurs » définit par la législation européenne (voir ci-dessous).

__ Les *vins mousseux* s'opposent aux *vins tranquilles*, par la présence, au débouchage de la bouteille, d'un dégagement de gaz carbonique provenant d'une seconde fermentation (prise de mousse). Dans la méthode traditionnelle, autrefois dite « champenoise », celle-ci est effectuée dans la bouteille définitive. Si elle est effectuée en cuve, on parle de méthode en « cuve close ».

__ Les *vins mousseux gazéifiés* présentent aussi un dégagement de gaz carbonique qui provient, totalement ou partiellement, d'une addition de gaz. Les *vins pétillants* possèdent, eux, une pression de gaz carbonique comprise entre 1 et 2,5 bars. Leur degré alcoolique doit être supérieur à 7 % vol. seulement. Le *pétillant de raisin* est obtenu par fermentation partielle du moût de raisin ; le titre alcoolique est faible; il peut être inférieur à 7 % vol., mais doit être supérieur à 1 % vol.

__ Les *vins de liqueur* sont obtenus par addition, avant, pendant et après la fermentation, d'alcool neutre, d'eau-de-vie de vin, de moût de raisin concentré ou d'un mélange de ces produits. L'expression « *mistelle* » ne fait pas partie de la réglementation européenne qui parle de « moût de raisin frais muté à l'alcool », résultat de l'addition d'alcool ou d'eau-de-vie de vin à du moût de raisin (la fermentation est exclue) ; le pineau des charentes, le floc de gascogne et le macvin du jura appartiennent à cette catégorie.

LA VIGNE ET SA CULTURE

La vigne appartient au genre *Vitis* dont il existe de nombreuses espèces. Traditionnellement, le vin est produit à partir de différentes variétés de *Vitis vinifera*, originaire du continent européen. Mais il existe d'autres espèces provenant du continent américain. Certaines sont infertiles, d'autres donnent des produits doués d'un caractère organoleptique très particulier, appelé « foxé », et peu appréciés. Mais ces variétés, dites américaines, possèdent des caractéristiques de résistance aux maladies supérieures à celles de *Vitis vinifera*. Dans les années 1930, on a donc cherché à créer, par hybridation, de nouvelles variétés résistant aux maladies, comme les espèces américaines, mais produisant des vins de même qualité que ceux de *Vitis vinifera* ; ce fut un échec qualitatif.

— *Vitis vinifera* est sensible à un insecte, le phylloxéra, qui attaque les racines, et dont on sait les dévastations qu'il produisit à la fin du XIXe s. Le développement d'un greffon de *Vitis vinifera* sur un porte-greffe de vigne américaine résistant au phylloxéra conduit désormais à un cep ayant les propriétés de l'espèce, mais dont les racines ne sont pas infectées par l'insecte.

— L'espèce *Vitis vinifera* comprend de nombreuses variétés, appelées *cépages*. Chaque région viticole a sélectionné les mieux adaptés, mais les conditions économiques et l'évolution du goût des consommateurs peuvent aussi intervenir dans la modification de l'encépagement. Certains vignobles produisent des vins issus d'un seul cépage (pinot et chardonnay en Bourgogne ou riesling en Alsace). Dans d'autres régions (Champagne, Bordelais), les plus grands vins résultent de l'association de plusieurs cépages ayant des caractéristiques complémentaires. Les cépages sont eux-mêmes constitués d'un ensemble « d'individus » (clones) ne présentant pas des caractéristiques identiques (productivité, maturité, infection par les maladies à virus) ; aussi la sélection des meilleures souches a-t-elle toujours été recherchée. Des recherches sont actuellement en cours pour définir les résistances des vignes par modifications génétiques.

— Les conditions de culture de la vigne ont une incidence décisive sur la qualité du vin. On peut modifier considérablement son rendement en agissant sur la fertilisation, la densité des plants, le choix du porte-greffe, la taille. Mais on sait aussi que l'on ne peut pas augmenter exagérément les rendements sans affecter la qualité. Celle-ci n'est pas compromise lorsque la quantité est obtenue par la conjonction de facteurs naturels favo-

REGIONS	CEPAGES	CARACTERES
Toutes les AOC de bourgogne rouge	pinot	vins fins de garde
Toutes les AOC de bourgogne blanc	chardonnay	vins fins de garde
Beaujolais	gamay	vins de primeur ou de consommation rapide
Rhône Nord rouge	syrah	vins fins de garde
Rhône Nord blanc	marsanne, roussanne	garde variable
Rhône Nord blanc	viognier	vins fins de garde
Rhône Sud, Languedoc, Côtes de Provence	grenache, cinsault, mourvèdre, syrah	vins plantureux de moyenne ou petite garde
Alsace (chaque cépage, vinifié seul, donne son nom au vin)	riesling, pinot gris, gewurztraminer, sylvaner, muscat...	vins aromatiques à boire rapidement sauf les grands crus, vendanges tardives ou sélections de grains nobles
Champagne	pinot, chardonnay	à boire dès l'achat
Loire blanc	sauvignon	vins aromatiques à boire rapidement
Loire blanc	muscadet	à boire rapidement
Loire blanc	chenin	se bonifient longuement
Loire rouge	cabernet franc (breton)	petite à grande garde
Toutes les AOC de bordeaux rouges, bergerac et Sud-Ouest	cabernet-sauvignon, cabernet franc et merlot	vins fins de garde
Madiran	tannat, cabernets	vins fins de garde
Bordeaux blanc, bergerac, montravel, monbazillac, duras...	sémillon, sauvignon, muscadelle	secs : de petite à longue garde ; liquoreux : longue garde
Jurançon	petit manseng, gros manseng	secs : petite garde ; moelleux : longue garde

rables ; certains grands millésimes sont aussi des récoltes abondantes. L'augmentation des rendements, au cours des années récentes, est en fait surtout liée à l'amélioration des conditions de culture. La limite à ne pas dépasser dépend de la qualité du produit : le rendement maximum se situe entre 45 et 60 hl/ha pour les grands vins rouges, un peu plus pour les vins blancs secs. Pour produire de bons vins, il faut en outre des vignes suffisamment âgées (trente ans et plus), ayant parfaitement développé leur système racinaire.

— La vigne est une plante sensible à de nombreuses maladies, mildiou, oïdium, black-rot, pourriture, etc., compromettant la récolte et communiquant aux raisins de mauvais goûts susceptibles de se retrouver dans le vin. Les viticulteurs disposent de moyens de traitement efficaces, facteurs certains de l'amélioration générale de la qualité. Probablement, dans le passé, la viticulture a un peu abusé, dans un souci de recherche de la sécurité, de l'emploi des pesticides chimiques. Aujourd'hui, une réflexion s'est imposée. D'une part, l'ensemble de la viticulture se sent impliquée dans la recherche d'une culture raisonnée qui fait appel aux traitements uniquement lorsqu'ils sont nécessaires. D'autre part, l'agrobiologie, s'appuyant sur une biodynamique du sol, cherche à créer des conditions naturelles rendant la vigne moins sensible aux maladies.

TERROIR VITICOLE : ADAPTATION DES CÉPAGES AU SOL ET AU CLIMAT

Prise dans son sens le plus large, la notion de « terroir viticole » regroupe de nombreuses données d'ordre biologique (choix du cépage), géographique, climatique, géologique et pédologique. Il faut ajouter aussi des facteurs humains, historiques, commerciaux : par exemple, il est sûr que l'existence du port de Bordeaux et son trafic important avec les pays nordiques ont incité, dès le XVIIIᵉ s., les viticulteurs à améliorer la qualité de leur production.

— La vigne est cultivée dans l'hémisphère Nord entre le 35ᵉ et le 50ᵉ parallèle ; elle est donc adaptée à des climats très différents. Cependant, les vignobles septentrionaux, les plus froids, permettent seulement la culture des cépages blancs, que l'on choisit précoces et dont les fruits peuvent mûrir avant les froids de l'automne ; sous des climats chauds sont cultivés les cépages tardifs, qui autorisent des productions importantes. Pour faire du bon vin, il faut un raisin bien mûr, mais il ne faut pas une maturation trop rapide et trop complète, qui entraîne une perte des éléments aromatiques : on choisit donc les cépages pour lesquels la maturation est atteinte de justesse. Une difficulté, pour les grands vignobles des zones climatiques marginales, est l'irrégularité, d'une année à l'autre, des conditions climatiques pendant la période de maturation.

— Des excès, de sécheresse ou d'humidité, peuvent également intervenir. Le sol du vignoble joue alors un rôle essentiel pour régulariser l'alimentation en eau de la plante : il apporte de l'eau au printemps, lors de la croissance ; il élimine les excès éventuels de pluie pendant la maturation. Les sols graveleux et calcaires assurent particulièrement bien ces régulations ; mais on connaît aussi des crus réputés sur des sols sableux, et même argileux. Éventuellement, un drainage artificiel complète la régulation naturelle. Ce phénomène rend compte de l'existence de crus de haute réputation sur des sols en apparence différents, comme de la présence, côte à côte, de vignobles de qualité variable sur des sols en apparence voisins.

— On sait aussi que la couleur ou les caractères aromatiques et gustatifs des vins, d'un même cépage et sous un même climat, peuvent présenter des différences selon la nature du sol et du sous-sol ; ainsi en est-il selon qu'ils proviennent de sols formés sur des calcaires, sur des molasses argilo-calcaires, sur des sédiments argileux, sableux ou gravelo-sableux. L'augmentation de la proportion d'argile dans les graves donne des vins plus acides, plus tanniques et corsés, au détriment de la finesse ; le sauvignon blanc, lui, prend des notes odorantes plus ou moins puissantes sur calcaire, sur graves ou sur marnes. En tout état de cause, la vigne est une plante particulièrement peu exigeante, qui pousse sur des sols pauvres. Cette pauvreté est d'ailleurs un élément de la qualité des vins, car elle favorise des rendements limités qui évitent la dilution des colorants, des arômes et des constituants sapides.

LE CYCLE DES TRAVAUX DE LA VIGNE

Destinée à équilibrer la production des fruits, en évitant le développement exagéré du bois, la taille annuelle s'effectue normalement entre décembre et mars. La longueur des sarments, choisie en fonction de la vigueur de la plante, commande directement l'importance de la récolte. Les labours de printemps « déchaussent » la plante, en ramenant la terre vers le milieu du rang, et créent une couche meuble qui restera aussi sèche que possible. Le décavaillonnage consiste à enlever la terre qui reste, sous le rang, entre les ceps.
— En fonction des besoins, les travaux du sol sont poursuivis pendant toute la durée du cycle végétal ; ils détruisent la végétation adventice, maintiennent le sol meuble et évitent les pertes d'eau par évaporation. Le désherbage peut être effectué chimiquement ; s'il est total, il est effectué à la fin de l'hiver, et les travaux aratoires sont complètement supprimés ; on parle alors de non-culture, qui constitue une économie substantielle. Cependant, certains producteurs soucieux de l'environnement préfèrent les vignes enherbées qui permettent de limiter la vigueur de la plante.
— Pendant toute la période végétative, on procède à différentes opérations pour limiter la prolifération végétale : l'épamprage, suppression de certains rameaux ; le rognage, raccourcissement de leur extrémité ; l'effeuillage, qui permet une meilleure exposition des raisins au soleil, l'accolage, pour maintenir les sarments dans les vignes palissées.
Le viticulteur doit également protéger la vigne des maladies : le Service de la protection des végétaux diffuse des informations qui permettent de prévoir les traitements nécessaires, faits par pulvérisation de produits actifs, qu'ils soient naturels (agrobiologie) ou issus de la chimie industrielle.

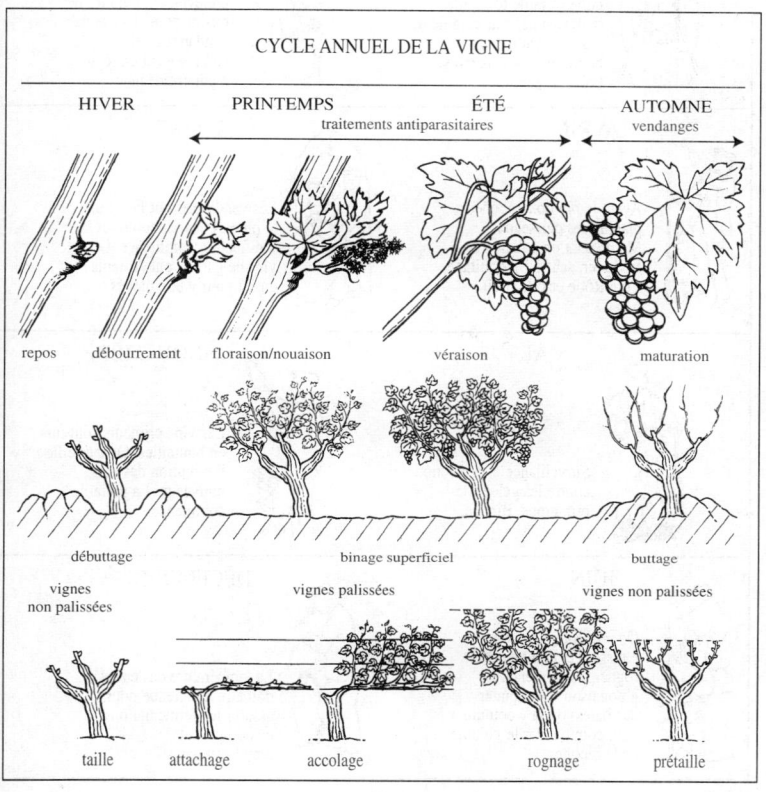

CYCLE ANNUEL DE LA VIGNE

HIVER	PRINTEMPS	ÉTÉ	AUTOMNE
	traitements antiparasitaires		vendanges

repos — débourrement — floraison/nouaison — véraison — maturation

débuttage — binage superficiel — buttage

vignes non palissées — vignes palissées — vignes non palissées

taille — attachage — accolage — rognage — prétaille

CALENDRIER DU VIGNERON

JANVIER

Si la taille s'effectue de décembre à mars, c'est bien « à la Saint-Vincent que l'hiver s'en va ou se reprend ».

JUILLET

Les traitements contre les parasites continuent ainsi que la surveillance du vin sous les fortes variations de température !

FEVRIER

Le vin se contracte avec l'abaissement de la température. Surveiller les tonneaux pour l'ouillage qui se fait périodiquement toute l'année. Les fermentations malolactiques doivent être terminées.

AOUT

Travailler le sol serait nuisible à la vigne, mais il faut être vigilant devant les invasions possibles de certains parasites. On prépare la cuverie dans les régions précoces.

MARS

On « débutte ». On finit la taille (« taille tôt, taille tard, rien ne vaut la taille de mars »). On met en bouteilles les vins qui se boivent jeunes.

SEPTEMBRE

Étude de la maturation par prélèvement régulier des raisins pour fixer la date des vendanges ; elles commencent en région méditerranéenne.

AVRIL

Avant le phylloxéra, on plantait les paisseaux. Maintenant on palisse sur fil de fer, sauf à l'Hermitage, Côte Rôtie et Condrieu.

OCTOBRE

Les vendanges ont lieu dans la plupart des vignobles et la vinification commence. Les vins de garde vont être mis en fût pour y être élevés.

MAI

Surveillance et protection contre les gelées de printemps. Binage.

NOVEMBRE

Les vins primeurs sont mis en bouteilles. On surveille l'évolution des vins nouveaux. La prétaille commence.

JUIN

On « accole » les vignes palissées et commence à rogner les sarments. La « nouaison » (= donner des baies) ou la « coulure » vont commander le volume de la récolte.

DECEMBRE

La température des caves doit être maintenue pour assurer les fermentations alcooliques et malolactiques.

— Enfin, en automne, après les vendanges, un dernier labour ramène la terre vers les ceps et les protège des gelées hivernales; la formation d'une rigole au centre du rang permet d'évacuer les eaux de ruissellement. Ce labour est éventuellement utilisé pour enfouir des engrais.

LES RAISINS ET LES VENDANGES

L'état de maturité du raisin est un facteur essentiel de la qualité du vin. Mais dans une même région, les conditions climatologiques sont variables d'une année à l'autre, entraînant des différences de constitution des raisins, qui déterminent les caractéristiques propres de chaque millésime. Une bonne maturation suppose un temps chaud et sec : la date des vendanges doit être fixée avec beaucoup de discernement, en fonction de l'évolution de la maturation et de l'état sanitaire du raisin.

— De plus en plus, les vendanges manuelles laissent place au ramassage mécanique. Les machines, munies de batteurs, font tomber les grains sur un tapis mobile ; un ventilateur élimine la plus grande partie des feuilles. La brutalité de l'action sur le raisin n'est pas *a priori* favorable à la qualité, surtout pour les vins blancs : les crus de haute réputation seront les derniers à faire appel à ce procédé de ramassage, malgré des progrès considérables dans la conception et la conduite de ces machines. Dans le cas de maturité excessive lors des vendanges, l'acidité trop basse peut être compensée par addition d'acide tartrique. Si la maturité est insuffisante, on peut au contraire diminuer l'acidité par le carbonate de calcium. Dans ce cas, le raisin insuffisamment sucré pourrait donner un vin d'un degré alcoolique insuffisant. La concentration du moût peut intervenir. Enfin, dans des conditions bien précises, la législation permet d'augmenter la richesse saccharine du moût par addition de sucre : c'est la chaptalisation.

LA « NAISSANCE » DU VIN

Le phénomène microbiologique essentiel qui donne naissance au vin est la fermentation alcoolique ; le développement d'une espèce de levure *(Saccharomyces cerevisae)*, à l'abri de l'air, décompose le sucre en alcool et en gaz carbonique; de nombreux produits secondaires apparaissent (glycérol, acide succinique, esters, etc.), qui participent à l'arôme et au goût du vin. La fermentation dégage des calories qui provoquent l'échauffement de la cuve, ce qui peut nécessiter une réfrigération.

— Après la fermentation alcoolique peut intervenir, dans certains cas, la fermentation malolactique : sous l'influence de bactéries, l'acide malique est décomposé en acide lactique et en gaz carbonique. La conséquence est une baisse d'acidité et un assouplissement du vin, avec affinement de l'arôme ; simultanément, le vin acquiert une meilleure stabilité pour sa conservation. Les vins rouges en sont toujours améliorés ; l'avantage est moins systématique pour les vins blancs. Mais levures et bactéries lactiques existent sur le raisin ; elles se développent à l'occasion des manipulations de la vendange dans le chai : au remplissage de la cuve, l'inoculation peut être suffisante ; mais on effectue de plus en plus un levurage avec des levures sèches fournies par le commerce. Cette opération permet un meilleur déroulement de la fermentation ; elle évite certains défauts liés à des levures particulières (odeurs de réduction) et, dans certains cas, une souche adaptée permet une meilleure révélation des arômes spécifiques d'un cépage (sauvignon), à partir de précurseurs non aromatiques existant dans le raisin. En tout état de cause, la qualité et la typicité du vin reposent sur la qualité du raisin, donc sur des facteurs naturels (crus et terroirs).

— Les levures se développent toujours avant les bactéries, dont la croissance commence lorsque les levures ont cessé de fermenter. Si cet arrêt intervient avant que la totalité du sucre ait été transformée en alcool, le sucre résiduel peut être décomposé par les bactéries avec production d'acide acétique (acide volatile) ; il s'agit d'un accident grave, connu sous le nom de « piqûre » ; un procédé récemment découvert permet d'éliminer les substances toxiques qui se forment alors à partir des levures elles-mêmes. Au cours de la conservation, il reste toujours des populations bactériennes dans le vin, qui peuvent provoquer des accidents graves : décomposition de certains constituants du vin ; oxydation et formation d'acide acétique (processus de fabrication du vinaigre) ; les soins apportés aujourd'hui à la vinification peuvent éviter ces risques.

LES DIFFERENTES VINIFICATIONS

Vinification en rouge

Dans la majorité des cas, le raisin est d'abord égrappé ; les grains sont ensuite foulés et le mélange de pulpe, de pépins et de pellicules est envoyé dans la cuve de fermentation, après légère addition d'anhydride sulfureux pour assurer une protection contre les oxydations et les contaminations microbiennes. Dès le début de la fermentation, le gaz carbonique soulève toutes les particules solides qui forment, à la partie supérieure de la cuve, une masse compacte appelée « chapeau » ou « marc ».

— Dans la cuve, la fermentation alcoolique se déroule en même temps que la macération des pellicules et des pépins dans le jus. La fermentation complète du sucre dure en général de cinq à huit jours; elle est favorisée par l'aération, pour augmenter la croissance de la population de levures, et par le contrôle de la température (aux environs de 30 °C) pour éviter la mort de ces levures. La macération apporte essentiellement au vin rouge sa couleur et sa structure tannique. Les vins destinés à un long vieillissement doivent être riches en tanin, et subissent donc une longue macération (deux à trois semaines) de 25 à 30 °C. En revanche, les vins rouges à consommer jeunes, de type primeur, doivent être fruités et peu tanniques: leur macération est réduite à quelques jours.

— L'écoulage de la cuve est la séparation du jus, appelé « vin de goutte » ou « grand vin », et du marc. Par pressurage, le marc donne le vin de presse : son assemblage éventuel avec le vin de goutte dépend de critères gustatifs et analytiques. Vins de goutte et vins de presse sont remis en cuve séparément pour subir les fermentations d'achèvement : disparition des sucres résiduels et fermentation malolactique. Pour les grands vins, de plus en plus, l'écoulage se fait directement en fûts de chêne, dans lesquels s'effectue la fermentation malolactique. Les vins rouges acquièrent ainsi un caractère boisé plus harmonieux.

— Cette technique est la méthode de base, mais il existe d'autres procédés de vinification qui présentent un intérêt particulier dans certains cas (thermovinification, vinification continue, macération carbonique).

Vinification en rosé

Les vins clairets, rosés ou gris, sont obtenus par macérations d'importance variable de raisins à peine rosés ou fortement colorés. Le plus généralement, ils sont vinifiés par pressurage direct de raisins noirs ou par saignées. Dans ce dernier cas, la cuve est remplie, comme pour une vinification en rouge classique ; au bout de quelques heures, on tire une certaine proportion du jus qui fermente séparément ; et la cuve est remplie à nouveau pour faire du vin rouge. Celui-ci est alors plus concentré.

Vinification en blanc

En matière de vin blanc, il existe une grande diversité de types : à chacun d'eux correspondent une technique de vinification et une qualité de vendange appropriées. Le plus souvent, le vin blanc résulte de la fermentation d'un pur jus de raisin ; le pressurage précède donc la fermentation. Dans certains cas, cependant, on effectue une courte macération pelliculaire préfermentaire pour extraire leurs arômes ; il faut alors des raisins parfaitement sains et mûrs, afin d'éviter des défauts gustatifs (amertume) et olfactifs (mauvaise odeur). L'extraction du jus est faite par foulage, égouttage et, enfin, pressurage ; les jus de presse sont fermentés séparément, car de moins bonne qualité. Le moût blanc, très sensible à l'oxydation, est immédiatement protégé par addition d'anhydride sulfureux. Dès l'extraction du jus, on procède à sa clarification par débourbage. En outre, pendant la fermentation, la cuve est en permanence maintenue à une température de l'ordre de 20 à 24 °C pour protéger les arômes.

VINIFICATION DES VINS ROUGES

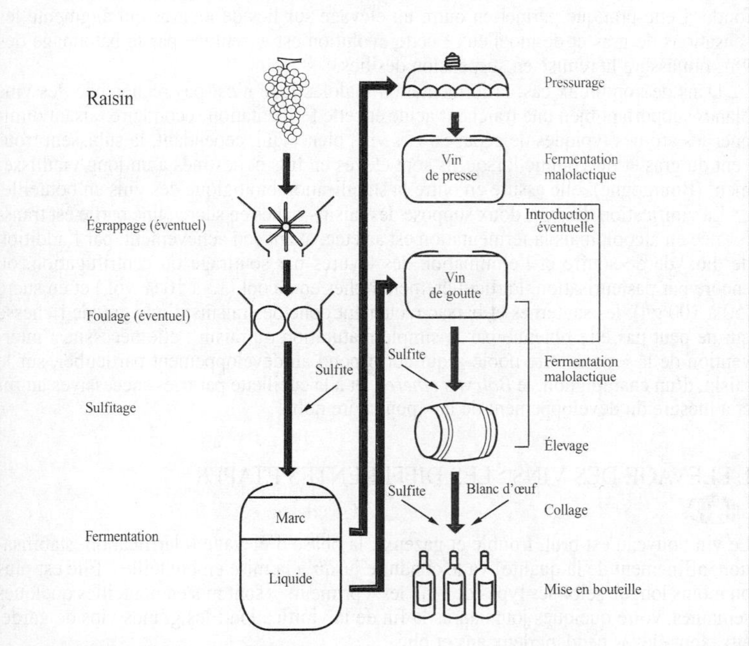

Raisin

Pressurage

Vin de presse — Fermentation malolactique

Introduction éventuelle

Égrappage (éventuel)

Vin de goutte

Foulage (éventuel)

Sulfite

Sulfite — Fermentation malolactique

Sulfitage

Élevage

Sulfite — Blanc d'œuf — Collage

Fermentation

Marc

Liquide

Mise en bouteille

VINIFICATION DES VINS BLANCS

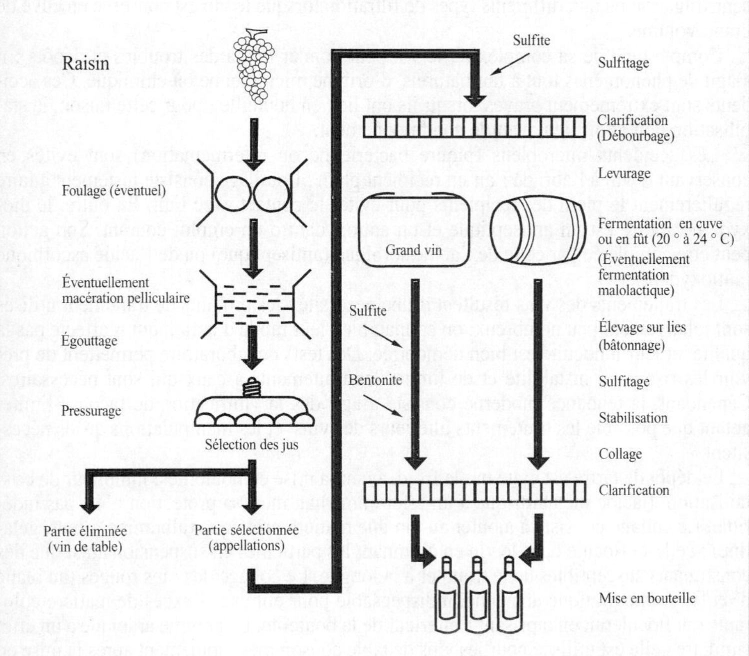

Raisin

Sulfite — Sulfitage

Clarification (Débourbage)

Levurage

Foulage (éventuel)

Grand vin

Fermentation en cuve ou en fût (20° à 24°C) (Éventuellement fermentation malolactique)

Éventuellement macération pelliculaire

Sulfite — Élevage sur lies (bâtonnage)

Égouttage

Bentonite — Sulfitage

Pressurage

Stabilisation

Sélection des jus

Collage

Clarification

Partie éliminée (vin de table)

Partie sélectionnée (appellations)

Mise en bouteille

LE VIN

Les grands vins blancs sont vinifiés en barrique ; ils acquièrent ainsi un caractère boisé fondu. Cette pratique permet en outre un élevage sur lies de levures qui augmente les sensations de gras et de moelleux ; cette évolution est accentuée par le bâtonnage des vins qui assure la remise en suspension des lies.

__ Dans de nombreux cas, la fermentation malolactique n'est pas recherchée, les vins blancs supportant bien une fraîcheur acide et cette fermentation secondaire faisant diminuer les arômes typiques de cépages. Les vins blancs qui, cependant, la subissent trouvent du gras et du volume lorsqu'ils sont élevés en fûts et destinés à un long vieillissement (Bourgogne); elle assure en outre la stabilisation biologique des vins en bouteille.

__ La vinification des vins doux suppose des raisins riches en sucre ; une partie est transformée en alcool, mais la fermentation est arrêtée, avant son achèvement, par l'addition de dioxyde de soufre et l'élimination des levures par soutirage ou centrifugation, ou encore par pasteurisation. Particulièrement riches en alcool (13 à 16 % vol.) et en sucre (50 à 100 g/l), les sauternes et barsac réclament donc des raisins d'une grande richesse qui ne peut pas être obtenue par la simple maturation du raisin ; elle nécessite l'intervention de la « pourriture noble » qui correspond au développement particulier, sur le raisin, d'un champignon, le *Botrytis cinerea*, et à la cueillette par tries successives au fur et à mesure du développement de la « pourriture noble ».

L'ELEVAGE DES VINS : LES DIFFERENTES ETAPES

Le vin nouveau est brut, trouble et gazeux ; la phase d'élevage (clarification, stabilisation, affinement de la qualité) va le conduire jusqu'à la mise en bouteilles. Elle est plus ou moins longue selon les types de vin : les « primeurs » sont mis en bouteilles quelques semaines, voire quelques jours après la fin de la vinification ; les grands vins de garde, eux, sont élevés pendant deux ans et plus.

__ La clarification peut être obtenue par simple sédimentation et décantation (soutirage) si le vin est conservé en récipients de petite capacité (fût de bois). Il faut faire appel à la centrifugation ou aux différents types de filtration lorsque le vin est conservé en cuve de grand volume.

__ Compte tenu de sa complexité, le vin peut donner lieu à des troubles et dépôts ; il s'agit de phénomènes tout à fait naturels, d'origine microbienne ou chimique. Ces accidents sont extrêmement graves lorsqu'ils ont lieu en bouteille ; pour cette raison, la stabilisation doit avoir lieu avant le conditionnement.

__ Les accidents microbiens (piqûre bactérienne ou refermentation) sont évités en conservant le vin à l'abri de l'air en récipient plein ; l'ouillage consiste justement à faire régulièrement le plein des récipients pour éviter le contact avec l'air. En outre, le dioxyde de soufre est un antiseptique et un antioxydant d'un emploi courant. Son action peut être complétée par celle de l'acide sorbique (antiseptique) ou de l'acide ascorbique (antioxydant).

__ Les traitements des vins résultent d'une nécessité ; les produits de traitement utilisés sont relativement peu nombreux; on connaît bien leur mode d'action qui n'affecte pas la qualité, et leur innocuité est bien démontrée. Des tests de laboratoire permettent de prévoir les risques d'instabilité et de limiter les traitements à ceux qui sont nécessaires. Cependant, la tendance moderne consiste à agir dès la vinification de façon à limiter autant que possible les traitements ultérieurs des vins et les manipulations qu'ils nécessitent.

__ Le dépôt de tartre est évité par le froid, avant la mise en bouteilles; inhibiteur de cristallisation, l'acide métatartrique a un effet immédiat, mais sa protection n'est pas indéfinie. Le collage consiste à ajouter au vin une matière protéique (albumine d'œuf, gélatine) ; celle-ci flocule dans le vin en éliminant les particules en suspension ainsi que des constituants susceptibles de le troubler à la longue. Le collage des vins rouges (au blanc d'œuf) est une pratique ancienne, indispensable pour éliminer l'excès de matière colorante qui floculerait en tapissant l'intérieur de la bouteille. La gomme arabique a un effet similaire ; elle est utilisée pour les vins de table consommés rapidement après la mise en bouteilles. La coagulation des protéines naturelles dans les vins blancs (casse protéique) est évitée en les éliminant par fixation sur une argile colloïdale, la bentonite. L'excès de certains métaux (fer et cuivre) donne également lieu à des troubles ; leur élimination peut être effectuée par le ferrocyanure de potassium.

— L'élevage comprend aussi une phase d'affinage. Elle comporte d'abord l'élimination du gaz carbonique en excès provenant de la fermentation ; son réglage dépend du style : il donne de la fraîcheur aux vins blancs secs et aux vins jeunes ; en revanche, il durcit les vins de garde, particulièrement les grands vins rouges. L'introduction ménagée d'oxygène assure également une transformation indispensable des tanins des vins rouges jeunes; elle est indispensable à leur vieillissement ultérieur en bouteilles. L'oxydation ménagée se produit spontanément en fût de chêne ; les techniques dites de « microbullage » permettent d'introduire, de façon régulière, les quantités d'oxygène juste nécessaire.

— Le fût de bois de chêne apporte aux vins des arômes vanillés qui s'harmonisent parfaitement avec ceux du fruit, surtout lorsque le bois est neuf; le chêne de l'Allier (forêt de Tronçais) convient mieux que le chêne du Limousin ; le bois doit être fendu et séché à l'air pendant trois ans avant son utilisation. Ce type d'élevage fait partie de la tradition des grands vins, mais il est très onéreux (prix d'achat des fûts, travail manuel, perte par évaporation). En outre, lorsqu'ils sont un peu vieux, les fûts peuvent être des sources de contamination microbienne et apporter au vin plus de défauts que de qualités. Ce type d'élevage doit être réservé à des vins suffisamment riches afin que le caractère boisé ne domine pas le fruité du raisin et ne banalise pas la typicité ; l'importance du boisé doit être dosée (en jouant sur la durée d'élevage et sur la proportion de barriques neuves), en fonction de la structure du vin, afin qu'il ne sèche pas au cours du vieillissement. Des tentatives ont été faites en vue de simplifier l'acquisition du caractère boisé, en particulier par la macération de copeaux de bois de chêne, pratique interdite pour les vins d'AOC.

CONDITIONNEMENT - VIEILLISSEMENT

L'expression « vieillissement » est spécifiquement réservée aux transformations lentes du vin conservé en bouteille, à l'abri complet de l'oxygène de l'air. La mise en bouteille demande beaucoup de soin et de propreté; il faut éviter que le vin, parfaitement clarifié, soit contaminé par cette opération. Des précautions doivent en outre être prises pour respecter le volume indiqué. Le liège reste le matériau de choix pour l'obturation des bouteilles ; grâce à son élasticité, il assure une bonne herméticité. Cependant, ce matériau est dégradable ; il est recommandé de changer les bouchons tous les vingt-cinq ans. En outre, on connaît les deux risques du bouchage liège : les « bouteilles couleuses » et les « goûts de bouchon ».

— Les transformations du vin en bouteilles sont multiples et fort complexes. Il intervient d'abord une modification de la couleur, parfaitement mise en évidence dans le cas des vins rouges ; rouge vif dans les vins jeunes, elle évolue vers des nuances plus jaunes, responsables d'une teinte évoquant la tuile ou la brique. Dans les vins très vieux, la nuance rouge a complètement disparu ; le jaune et le marron sont les couleurs dominantes. Ces transformations sont responsables des dépôts de matière colorante dans les très vieux vins. Elles agissent sur le goût des tanins en provoquant un assouplissement de la structure générale du vin.

— Au cours du vieillissement en bouteilles interviennent également un développement des arômes et l'apparition du « bouquet » spécifique du vin vieux ; il s'agit de transformations complexes dont les fondements chimiques restent obscurs (les phénomènes d'estérification n'interviennent pas).

CONTRÔLE DE LA QUALITÉ

Le bon vin n'est pas forcément un grand vin; par ailleurs, lorsque l'on parle d'un « vin de qualité », on évoque la hiérarchie qui va des vins de table aux grands crus, avec tous les intermédiaires. Derrière ces deux idées se retrouve la distinction entre les « facteurs naturels » et les « facteurs humains » de la qualité. Les seconds sont indispensables pour avoir un « bon vin » ; mais un « grand vin » nécessite en plus des conditions de milieu (sol, climat) particulières et exigeantes...

— Si l'analyse chimique permet de déceler des anomalies et de mettre en évidence certains défauts du vin, ses limites pour définir la qualité sont bien connues ; en dernier ressort, la dégustation est le critère essentiel d'appréciation de la qualité. Des progrès considérables ont été accomplis depuis une vingtaine d'années dans les techniques d'analyse sensorielle permettant de mieux en maîtriser les aspects subjectifs ; ils tiennent compte du développement des connaissances en matière de physiologie de l'odorat et du goût, et des conditions pratiques de la dégustation. L'expertise gustative intervient de plus en plus dans le contrôle de la qualité, pour l'agréage des vins d'appellation d'origine contrôlée ou dans le cadre d'expertises judiciaires.

— Le contrôle réglementaire de la qualité du vin s'est en effet imposé depuis longtemps. La loi du 1er août 1905 sur la loyauté des transactions commerciales constitue le premier texte officiel. Mais la réglementation a été progressivement affinée au fur et à mesure que progressaient les connaissances de la constitution du vin et de ses transformations. En s'appuyant sur l'analyse chimique, la réglementation définit une sorte de qualité minimale en évitant les principaux défauts. Elle incite en outre la technique à améliorer ce niveau minimum. La Direction de la consommation et de la répression des fraudes est responsable de la vérification des normes analytiques ainsi établies.

— Cette action est complétée par celle de l'Institut national des appellations d'origine, chargé, après consultation des syndicats intéressés, de déterminer les conditions de production et d'en assurer le contrôle; aire de production, nature des cépages, mode de plantation et de taille, pratiques culturales, techniques de vinification, constitution des moûts et du vin, rendement. Cet organisme assure également la défense des vins d'appellation d'origine en France et à l'étranger.

— Dans chaque région, enfin, les syndicats viticoles participent à la défense des intérêts des viticulteurs adhérents, en particulier dans le cadre des différentes appellations. Cette action est souvent coordonnée par des conseils, bureaux ou comités interprofessionnels, qui rassemblent les représentants des différents syndicats, de producteurs et de négociants, et différentes personnalités du monde professionnel et de l'administration.

Pascal Ribéreau-Gayon

LE GUIDE DU CONSOMMATEUR

Acheter un vin est la chose la plus facile du monde, le choisir à bon escient est la chose la plus difficile. Si l'on considère la totalité de l'offre, c'est à quelques centaines de milliers de vins différents qu'est confronté l'amateur.

La France, à elle seule, produit plusieurs dizaines de milliers de vins qui ont tous une spécificité et des caractères propres. Ce qui les distingue apparemment, outre leur couleur, c'est l'étiquette. D'où son importance et le souci des pouvoirs publics et des instances professionnelles de réglementer son usage et sa présentation. D'où également pour l'acheteur la nécessité d'en percer les arcanes.

L'ÉTIQUETTE

L'étiquette remplit plusieurs fonctions.

— La première est d'un caractère légal : indiquer le responsable du vin en cas de contestation. Ce peut être un négociant ou un propriétaire-récoltant. Dans certains cas ces renseignements seront confirmés par les mentions portées au sommet de la capsule de surbouchage.

— La seconde fonction de l'étiquette est d'une extrême importance, elle fixe la catégorie à laquelle appartient le vin : vin de table, vin de pays, Appellation d'origine vin délimité de qualité supérieure ou Appellation d'origine contrôlée, ou plus brièvement, pour les deux dernières, AOVDQS et AOC, celles-ci étant assimilées dans la terminologie européenne au Vin de qualité produit dans des régions déterminées, dit VQPRD.

Appellation d'origine contrôlée

C'est la classe reine, celle de tous les grands vins. L'étiquette porte obligatoirement la mention « XXXX appellation contrôlée » ou « appellation XXXX contrôlée ». Cette mention désigne expressément une région, un ensemble de communes, une commune ou même parfois un cru (ou climat) dans lequel le vignoble est implanté. Il est sous-entendu que, pour avoir droit à l'appellation d'origine contrôlée, un vin doit avoir été élaboré suivant « les usages locaux, loyaux et constants », c'est-à-dire à partir de cépages nobles homologués plantés dans des terrains choisis, et vinifié selon les traditions régionales. Rendement à l'hectare et degré alcoolique (minimum, parfois maximum également) sont fixés par la loi. Les vins sont agréés chaque année par une commission de dégustation.

— Ces règles nationales sont complétées par l'application institutionnalisée de coutumes locales. Ainsi, en Alsace, l'appellation régionale est pratiquement toujours doublée de la mention du cépage; en Bourgogne, seuls les premiers crus peuvent être mentionnés en caractères d'imprimerie de dimension égale à ceux employés pour l'appellation communale, les climats non classés dans la première catégorie ne pouvant figurer qu'en petits caractères dont la dimension ne peut être supérieure à la moitié de celle employée pour désigner l'appellation... En outre, sur l'étiquette des grands crus ne figure pas l'origine communale, les grands crus bénéficiant d'une appellation propre.

COMMENT LIRE UNE ETIQUETTE ?

L'étiquette doit permettre l'identification du vin et de son responsable légal. Le dernier intervenant dans l'élaboration du vin est celui qui le met en bouteilles ; c'est obligatoirement son nom qui figure sur l'étiquette. Chaque dénomination catégorielle est astreinte à des règles d'étiquetage spécifiques. Le premier devoir de l'étiquette est d'informer le consommateur et d'indiquer l'appartenance du vin à l'une des quatre catégories suivantes :
– vin de table (mention d'origine, degré alcoolique, volume, nom et adresse de l'embouteilleur sont obligatoires ; le millésime, interdit) ;
– vin de pays ;
– appellation d'origine vin délimité de qualité supérieure (AOVDQS) ;
– appellation d'origine contrôlée (AOC).

AOC Alsace

timbre fiscal (capsule) vert

dénomination catégorielle (obligatoire)

indication du cépage (autorisée seulement en cas de cépage pur)

volume (obligatoire)

toutes mentions obligatoires

exigé pour l'exportation vers certains pays

degré (obligatoire)

AOC Bordelais

timbre fiscal vert
assimilé à une marque (facultatif)
millésime (facultatif)
classement (facultatif)
dénomination catégorielle (obligatoire)
nom et adresse de l'embouteilleur (obligatoire)
le mot « propriétaire » (facultatif) fixe le statut de l'exploitation
facultatif
volume (obligatoire)
exigé pour l'exportation vers certains pays

degré (obligatoire)

AOC Bourgogne

timbre fiscal vert

souvent sur une collerette, le millésime est facultatif

nom du cru (facultatif) ; la même dimension de caractères que l'appellation indique qu'il s'agit d'un 1er cru

dénomination catégorielle (obligatoire)

degré (obligatoire)

nom et adresse de l'embouteilleur (obligatoire) ; indique en outre la mise en bouteilles à la propriété, et qu'il ne s'agit pas d'un vin de négoce

exigé pour l'exportation vers certains pays

volume (obligatoire)

AOC Champagne

timbre fiscal vert

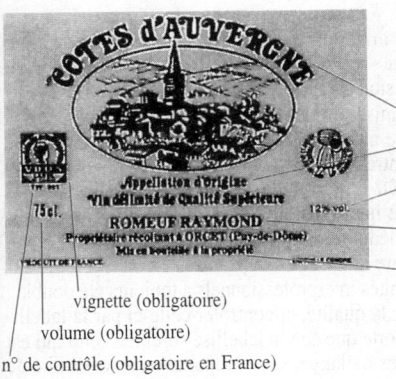

sans grande signification (facultatif)

obligatoire

tout champagne est AOC : la mention ne figure pas ; c'est la seule exception à la règle exigeant la mention de la dénomination catégorielle

marque et adresse (obligatoire ; sous-entendu « mis en bouteille par… »)

volume (obligatoire)

statut de l'exploitation et n° du registre professionnel (facultatif)

type de vin, dosage (obligatoire)

AOVDQS

timbre fiscal vert

millésime (facultatif)

cépage (facultatif ; autorisé uniquement en cas de cépage pur)

nom de l'appellation (obligatoire)

dénomination catégorielle (obligatoire)

degré (obligatoire)

nom et adresse de l'embouteilleur (obligatoire)

mention « à la propriété » (facultatif)

vignette (obligatoire)

volume (obligatoire)

n° de contrôle (obligatoire en France)

Vins de pays

timbre fiscal bleu

vins de table, ils sont astreints aux mêmes obligations. Les mots « vin de pays » doivent être suivis de l'unité géographique (obligatoire)

« au domaine » : mention facultative

unité géographique (obligatoire)

nom et adresse de l'embouteilleur (obligatoire)

degré (obligatoire)

volume (obligatoire)

Appellation d'origine vin délimité de qualité supérieure

« Antichambre » de la classe précédente, cette catégorie est sensiblement astreinte aux mêmes règles. Les AOVDQS sont labellisés après dégustation. L'étiquette comporte obligatoirement la mention « Appellation d'origine vin délimité de qualité supérieure » et une vignette AOVDQS. Ce ne sont pas des vins de garde, mais quelques-uns d'entre eux gagnent pourtant à être encavés.

Vins de pays

L'étiquette des vins de pays précise la provenance géographique du vin. On lira donc « Vin de pays de... » suivi d'une mention régionale.

— Ces vins sont issus de cépages plus ou moins nobles dont la liste est légalement définie, et qui sont complantés dans une aire assez vaste mais néanmoins limitée. En outre, leur degré alcoolique, leur acidité, leur acidité volatile font l'objet de contrôles. Ces vins frais, fruités et gouleyants, se boivent jeunes ; il est inutile, sinon nuisible, de les encaver.

— D'autres textes, d'autres informations peuvent compléter les étiquettes. Ils ne sont pas obligatoires comme les précédents mais sont néanmoins soumis à la réglementation. Les termes clos, château, cru classé par exemple ne peuvent être employés que s'ils correspondent à un usage ancien, à une réalité. Ce que les étiquettes perdent en fantaisie, elles le gagnent en vérité; l'acheteur ne s'en plaindra pas puisqu'elles sont de plus en plus crédibles.

Millésime et mise en bouteilles

Deux mentions non obligatoires mais très importantes retiendront l'attention de l'amateur : le millésime, soit porté sur l'étiquette – c'est le cas le meilleur – soit sur une collerette collée au haut du flacon, et la précision du lieu de mise en bouteilles.

— L'amateur exigeant ne tolérera que les mises en bouteilles au (ou du) domaine, à (ou de) la propriété, au (ou du) château. Toute autre mention, c'est-à-dire toute indication n'entraînant pas un lien absolu et étroit entre le lieu exact où est vinifié le vin et celui où il est mis en bouteilles, est sans intérêt. Les formules « mis en bouteilles dans la région de production, mis en bouteilles par nos soins, mis en bouteilles dans nos chais, mis en bouteilles par xx (xx étant un intermédiaire) », pour exactes qu'elles soient, n'apportent pas la garantie d'origine que procure la « mise à la propriété ».

— Le souci des pouvoirs publics et des comités interprofessionnels a toujours été double : d'abord inciter les producteurs à améliorer la qualité, et contrôler celle-ci par la labellisation après dégustation ; ensuite faire en sorte que ce vin labellisé soit bien celui qui est vendu dans la bouteille portant le label, sans mélange, sans coupage, sans possibilité de substitution. Or, en dépit de toutes sortes de précautions, y compris la possibilité de contrôle du cheminement des vins, la meilleure garantie d'authenticité du produit demeure la mise en bouteilles à la propriété ; car un propriétaire-récoltant n'a pas le droit d'acheter du vin pour l'entreposer dans son chai, celui-ci ne devant contenir que le vin qu'il produit lui-même.

— A noter que les mises en bouteilles effectuées à la coopérative par celle-ci au bénéfice du coopérateur peuvent être qualifiées de « mise en bouteilles à la propriété ».

Les capsules

La plupart des bouteilles sont coiffées d'une capsule de surbouchage. Cette capsule porte parfois une vignette fiscale, c'est-à-dire la preuve que l'on a acquitté les droits de circulation la concernant, appelés familièrement « congé ». C'est pour cela que ces capsules sont dites « capsules congé ». Lorsque les bouteilles ne sont pas ainsi « fiscalisées », elles doivent être accompagnées d'un acquit (ou congé) délivré par la perception la plus proche (voir le chapitre « Le transport du vin », ci-dessous).

— Cette vignette permet de déterminer le statut du producteur (propriétaire ou négociant) et la région de production. Les capsules de surbouchage peuvent être fiscalisées ou non, personnalisées ou non, mais elles sont généralement l'un et l'autre.

L'étampage des bouchons

Les producteurs de vins de qualité ont éprouvé le besoin de confirmer leurs étiquettes en marquant les bouchons. Une étiquette peut se décoller alors que le bouchon demeure : c'est pour cela que l'origine du vin et le millésime y sont étampés. C'est aussi une façon de décourager les fraudeurs éventuels qui ne peuvent plus se contenter de remplacer simplement des étiquettes. Notez que pour les vins mousseux à appellation, l'indication de l'appellation sur le bouchon est obligatoire.

COMMENT ACHETER, A QUI ACHETER ?

Les circuits de distribution du vin sont complexes et variés, du plus court au plus tortueux, chacun présentant des avantages et des inconvénients. D'autre part, les modes de commercialisation du vin prennent des formes différentes selon la présentation (en vrac, en bouteilles) et sa période d'achat (en primeur).

Vins à boire, vins à encaver

L'achat de vins à boire ou de vins à encaver ne procède pas de la même démarche. A but opposé, choix opposé. Les vins destinés à la consommation immédiate seront prêts à boire, c'est-à-dire de primeur, de pays, de petite ou moyenne origine, de millésime facile à évolution rapide ou il s'agira de grands vins à leur apogée, mais introuvables ou presque, sur le marché.

— Dans tous les cas, plus encore évidemment pour les grands vins, un temps de repos de deux à quinze jours est nécessaire entre l'achat, donc le transport, et la consommation. Les vieilles bouteilles seront déplacées avec d'infinies précautions, verticalement et sans heurts, afin d'éviter tout brassage du dépôt.

— Les vins à encaver seront achetés jeunes, dans le dessein de les faire vieillir. Choisir toujours les plus grands possibles dans de grands millésimes. Toujours des vins qui non seulement résistent à l'usure du temps mais qui se bonifient avec les années.

L'achat en vrac

Est dit achat « en vrac » l'achat de vin non logé en bouteilles. L'expression achat de vin « en cercle » est réservée à l'achat en tonneaux, alors que le « vrac » peut être transporté en citernes de toute nature, du wagon de 220 hl en acier au cubitainer de plastique d'une contenance de 5 litres, en passant par la bonbonne de verre.

— La vente en vrac est pratiquée par les coopératives, par certains propriétaires, par quelques négociants, et même par des détaillants; c'est ce que l'on baptise « vin vendu à la tireuse ». Cette commercialisation concerne les vins ordinaires et de qualité moyenne. Il est rare de parvenir à acquérir un vin de haute qualité en vrac. Dans certaines régions, ce type de commercialisation est interdit ; c'est le cas pour les crus classés du Bordelais.

— Il faut prévenir l'amateur que, même lorsqu'un vigneron prétend que le vin qu'il vend en vrac est identique à celui qu'il vend en bouteilles, cela n'est pas tout à fait exact ; il sélectionne toujours les meilleures cuves pour le vin qu'il met en bouteilles lui-même.

— L'achat du vin en vrac permet cependant une économie de l'ordre de 25 %, puisqu'il est d'usage de payer au maximum pour un litre de vin le prix facturé pour une bouteille (de 0,75 l).

— L'acheteur réalise également une économie sur les frais de transport, mais doit acheter des bouchons et des bouteilles s'il n'en a pas. Il faut aussi compter les frais (peu élevés) de retour du fût si la transaction s'est faite « en cercle ».

Voici les contenances les plus usitées :

– Barrique bordelaise	225 litres
– Pièce bourguignonne	228 litres
– Pièce mâconnaise	216 litres
– Pièce de Chablis	132 litres
– Pièce champenoise	205 litres

— La mise en bouteilles, opération plaisante si on la réalise à plusieurs, ne pose pas, quoi qu'on en dise, de gros problèmes, pourvu que l'on se conforme à quelques règles élémentaires définies plus loin.

L'achat en bouteilles

L'achat en bouteilles peut se faire chez le vigneron, à la coopérative, chez le négociant et au travers des circuits de distribution habituels.

— Où l'amateur doit-il acheter pour réaliser la meilleure affaire ? Chez le propriétaire pour des vins peu ou pas diffusés, et ils sont légion; directement dans les coopératives afin d'éviter pour les petites quantités les frais d'expédition de plus en plus élevés. Dans tous les autres cas, cela est moins simple qu'il n'y paraît. Il faut se souvenir que les producteurs et les négociants sont tenus de ne pas concurrencer déloyalement leurs diffuseurs ; autrement dit, de ne pas commercialiser des bouteilles moins chères qu'eux. Ainsi nombre de châteaux bordelais, peu portés sur la vente au détail, proposent même leurs flacons à des prix supérieurs à ceux pratiqués par les détaillants, afin de dissuader les acheteurs qui s'obstinent malgré tout, par ignorance ou pour d'inexplicables raisons... D'autant plus que les revendeurs obtiennent, à la suite de commandes massives, des prix infiniment plus intéressants que le particulier qui n'achète qu'une caisse.

— Dans ces conditions, on peut émettre un principe général : les vins de domaines ou de châteaux notoires largement diffusés ne seront pas acquis sur place, sauf s'il s'agit de millésimes rares ou de cuvées spéciales.

L'achat en primeur

Cette formule de vente de vin, développée depuis quelques années par les Bordelais, a connu un joli succès au cours des années 80. Il serait d'ailleurs préférable de parler de ventes ou d'achats par souscription. Le principe est simple : acquérir un vin avant qu'il soit élevé et mis en bouteilles à un prix très inférieur à celui qu'il atteindra lorsqu'il sera livrable.

— Les souscriptions sont ouvertes pour un temps limité et pour un volume contingenté, généralement au printemps et au début de l'été qui suit les vendanges. L'acheteur verse la moitié du prix convenu à la commande et s'engage à solder sa dette à la livraison des flacons, c'est-à-dire douze à quinze mois plus tard. Ainsi le producteur touche-t-il rapidement de l'argent frais et l'acheteur peut réaliser une bonne opération lorsque les cours des vins augmentent. Ce fut le cas des années 1974-1975 jusqu'à la fin des années 80. Ce type de transaction s'apparente à ce que l'on nomme, à la Bourse, le marché à terme.

— Que se passe-t-il si les cours s'effondrent (surproduction, crise, etc.) entre le moment de la souscription et celui de la livraison ? Les souscripteurs paient leurs bouteilles plus cher que ceux qui n'ont pas souscrit. Cela s'est déjà vu, cela se revoit. A ce jeu spéculatif et dans le but d'assurer leur approvisionnement, de grands négociants se sont ruinés. Il est vrai que leur contrat était d'autant plus risqué qu'il portait sur plusieurs années.

— Lorsque tout va bien, la vente en primeur est sans doute la seule façon de payer un vin en dessous de son cours (20 à 40 % environ). Les ventes en primeur sont organisées directement par les propriétaires, mais elles sont également pratiquées par des sociétés de négoce et des clubs de vente de vin.

L'achat chez le producteur

Outre les aspects presque techniques décrits ci-dessus, la visite rendue au producteur, indispensable si son vin n'est pas (ou peu) diffusé, apporte à l'amateur des satisfactions d'une nature tout autre que la réalisation d'un bon achat. C'est par la fréquentation des producteurs, véritables pères de leur vin, que les œnophiles peuvent comprendre ce qu'est un terroir et sa spécificité, saisir ce qu'est l'art de la vinification, à savoir l'art de tirer la quintessence d'un raisin, et enfin, établir les relations étroites qui existent entre un vigneron et son vin, c'est-à-dire entre un créateur et sa création. Le « bien boire », le « mieux boire », passe par cette démarche. La fréquentation des vignerons est irremplaçable.

L'achat en cave coopérative

La qualité des vins livrés par les coopératives progresse constamment. Ces organismes sont équipés pour une commercialisation facile de vins en vrac et en bouteilles, à des prix généralement légèrement inférieurs à ceux pratiqués par les autres canaux de vente à qualité égale.

— On connaît le principe des coopératives vinicoles : les adhérents apportent leur raisin, et les responsables techniques – dont généralement un œnologue – se chargent du pressurage, de la vinification, dans certaines appellations, de l'élevage et de la commercialisation.

— La production de plusieurs types de vins donne aux coopératives la possibilité soit d'exploiter les meilleurs raisins (en les isolant) soit de donner sa chance à tel ou tel terroir par des vinifications séparées. Des systèmes de primes accordées aux raisins nobles et aux raisins les plus mûrs, la possibilité d'élaborer et de commercialiser des vins selon la qualité spécifique de chaque livraison de raisin ouvrent aux meilleures coopératives le secteur des vins de qualité voire de garde. Les autres demeurent fournisseurs de vins de table et de vins de pays qui ne gagnent rien à une garde prolongée en cave.

L'achat chez le négociant

Le négociant, par définition, achète des vins pour les revendre. En outre, il est souvent lui-même propriétaire de vignobles. Il peut donc agir en producteur et commercialiser sa production, il peut vendre le vin de producteurs indépendants sans autre intervention que le transfert – cas des négociants bordelais qui ont à leur catalogue des vins mis en bouteilles au château ; il peut même signer un contrat de monopole de vente avec une unité de production. Il peut être négociant-éleveur, c'est-à-dire élever des vins dans ses chais en assemblant des vins de même appellation fournis par divers producteurs ; il devient alors créateur du produit à double titre : par le choix de ses achats et par l'assemblage qu'il exécute. Les négociants sont installés dans les grandes zones viticoles, mais bien entendu, rien n'empêche un négociant bourguignon de commercialiser du vin de Bordeaux – ou inversement. Le propre d'un négociant est de diffuser, donc d'alimenter les réseaux de vente de détail qu'il ne doit pas concurrencer en vendant chez lui ses vins à des prix très inférieurs.

L'achat aux cavistes et aux détaillants

C'est l'achat le plus facile et le plus rapide, le plus sûr également lorsque le caviste est qualifié ; depuis quelques années, nombre de boutiques spécialisées dans la vente de vins de qualité ont vu le jour. Qu'est-ce qu'un bon caviste ? Celui qui est équipé pour entreposer les vins dans de bonnes conditions, mais aussi celui qui sait choisir des vins originaux de producteurs amoureux de leur métier. En outre, le bon détaillant, le bon caviste saura conseiller l'acheteur, lui faire découvrir des vins que celui-ci ignore et l'inciter à marier mets et vins pour valoriser les uns et les autres.

Les grandes surfaces

Acheter des vins de qualité en grande surface est devenu pratique courante, alors que c'était exceptionnel dans les années 1970. Parfois, ce type de commerce présente des déficiences dans la présentation : chaleur, lumière crue des néons, bouteilles rangées à la verticale. Heureusement, ces lacunes deviennent de plus en plus rares. Aujourd'hui, nombre d'établissements possèdent un rayon spécialisé bien équipé, où les bouteilles sont couchées et classées par appellation. L'amateur trouve dans les grandes surfaces non seulement des vins courants, mais aussi des crus prestigieux. Seuls les appellations confidentielles et les vins de petites propriétés sont moins représentés. Contrairement à une idée assez répandue, il peut être très avantageux d'acheter une bouteille prestigieuse en grande surface.

Les clubs

Quantité de flacons, livrés en cartons ou en caisses, arrivent directement chez l'amateur grâce à l'activité de clubs qui offrent à leurs adhérents un certain nombre d'avantages, à commencer par le service de revues sérieuses et informées. Les vins proposés sont sélectionnés par des œnologues et des personnalités connues et compétentes. Le choix

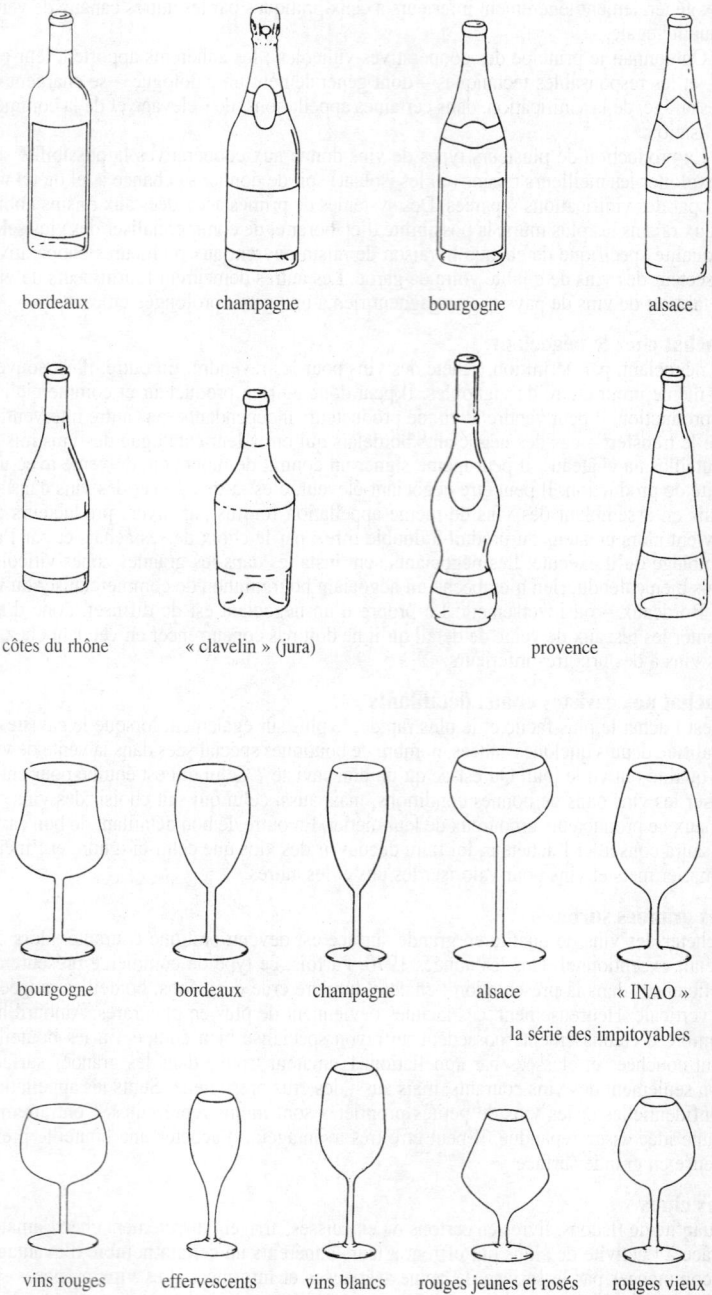

bordeaux champagne bourgogne alsace

côtes du rhône « clavelin » (jura) provence

bourgogne bordeaux champagne alsace « INAO »

la série des impitoyables

vins rouges effervescents vins blancs rouges jeunes et rosés rouges vieux

46

est assez vaste et comporte parfois des vins peu courants. Il faut toutefois noter que beaucoup de « clubs » sont des négociants.

Les ventes aux enchères

De plus en plus à la mode et de plus en plus fréquentées, ces ventes sont organisées par des commissaires-priseurs assistés d'un expert. Il est de la première importance de connaître l'origine des bouteilles. Si elles proviennent d'un grand restaurant ou de la riche cave d'un amateur qui s'en dessaisit (renouvellement d'une cave, succession, etc.), il est probable que leur conservation est parfaite. Si elles constituent un regroupement de petits lots divers, rien ne prouve que leur garde ait été satisfaisante.

— Seule la couleur du vin peut renseigner l'acheteur. L'amateur averti ne surenchérira jamais lorsque se présentent des bouteilles dont le niveau n'est pas parfait, ni lorsque la teinte des vins blancs vire au bronze plus ou moins foncé ou que la robe des vins rouges est visiblement « usée ».

— Il est rare de pouvoir réaliser de bonnes affaires dans les grandes appellations qui intéressent des restaurateurs pour meubler leur carte ; en revanche, les appellations marginales moins recherchées par les professionnels sont parfois très abordables.

La vente des Hospices de Beaune et autres similaires

Les vins vendus lors de ces manifestations à but charitable sont logés en pièces (fûts) et doivent être élevés durant douze à quatorze mois. Ils sont donc réservés de ce fait aux professionnels.

Le transport du vin

Une fois résolu le problème du choix des vins, et sachant que l'on pourra les accueillir et les conserver dans de bonnes conditions (voir plus loin), il faut les transporter. Le transport des vins de qualité impose quelques précautions et obéit à une réglementation stricte.

— Qu'on le transporte soi-même en voiture ou qu'on use des services d'un transporteur, le gros de l'été et le cœur de l'hiver ne sont pas favorables au voyage du vin. Il faut préserver le vin des températures extrêmes, surtout des températures élevées qui ne l'affectent pas temporairement mais définitivement, quelle que soit la période de repos (même des années...) qu'on lui accorde ultérieurement, quels que soient sa couleur, son type et son origine.

— Arrivé à domicile, on déposera tout de suite les bouteilles en cave. Si l'on a acquis du vin en vrac, on entreposera les récipients directement au lieu de la mise en bouteilles, en cave si la place le permet, afin de n'avoir plus à les déplacer. Les cubitainers seront déposés à 80 cm du sol (la hauteur d'une table), les fûts à 30 cm, pour permettre de tirer le vin jusqu'à la dernière goutte sans modifier sa position, ce qui est essentiel.

La réglementation du transport des vins en France

Le transport des boissons alcoolisées est soumis à un régime particulier et fait l'objet de taxes fiscales matérialisées par un document d'accompagnement qui peut prendre deux formes : soit la *capsule fiscalisée*, ou *capsule congé*, apposée au sommet de chaque bouteille, soit un congé délivré par la recette-perception proche du point de vente ou par le vigneron s'il dispose d'un carnet à souche. Le vin en vrac doit toujours être accompagné du congé le concernant.

— Sur ce document figurent le nom du vendeur et le cru, le volume et le nombre de récipients, le destinataire, le mode de transport et sa durée. Si le voyage se prolonge au-delà de ce qui est prévu, il faut faire modifier la durée de validité du congé par le premier bureau de recette-perception que l'on rencontre.

— Transporter du vin sans congé est assimilé à une fraude fiscale et puni comme telle. Il est recommandé de conserver ces documents fiscaux, car en cas de déménagement, donc de nouveau transport du vin, ils serviront à l'établissement d'un nouveau congé.

— La taxation est proportionnelle au volume du vin et à son classement administratif limité à deux catégories: vin de table et vin d'appellation.

L'exportation du vin

Le vin comme tout ce qui est produit ou manufacturé en France subit un certain nombre de taxes. Lorsque ces matières ou objets sont exportés, il est possible d'en obtenir l'exemption ou le remboursement. Dans le cas du vin, cette exonération porte sur la TVA et la taxe de circulation (mais pas sur la taxe parafiscale destinée au Fonds national de développement agricole). Lorsqu'un voyageur veut bénéficier de la détaxe à l'exportation, il faut que le vin qu'il achète soit accompagné de son titre de mouvement (N° 8102 vert pour les vins d'appellation, N° 8101 bleu pour les vins de table) qui sera « déchargé » par le bureau de douane qui constate la sortie de la marchandise. Si les bouteilles sont tributaires de *capsules congé* (vignette fiscale), leur détaxation est impossible ; il convient donc, au moment de l'achat, de préciser au vendeur que l'on entend exporter son acquisition et bénéficier de détaxation. Il est prudent de se renseigner sur les conditions d'importation des vins et alcools dans le pays d'accueil, chacun d'entre eux ayant sa propre réglementation, qui s'étend de la taxation douanière au contingentement, voire à l'interdiction pure et simple.

CONSERVER SON VIN

Constituer une bonne cave tient du casse-tête chinois ; aux principes énoncés jusqu'ici s'ajoutent en effet des exigences subtiles... Il convient ainsi de tenter d'acquérir des vins de même usage et de même style, mais dont les évolutions ne seront pas semblables, afin qu'ils n'atteignent pas tous en même temps leur apogée. On tentera de trouver des vins dont la période d'apogée soit la plus étendue possible, afin de n'être pas tenu de les consommer tous dans un bref laps de temps. On panachera le plus possible, pour ne pas être contraint à boire toujours les mêmes vins, fussent-ils les meilleurs, et pouvoir les adapter à toutes les circonstances de la vie et à toutes les préparations culinaires. Enfin, on ne peut échapper à deux paramètres qui conditionnent l'application de tous les principes : le budget dont on dispose et la capacité de sa cave.

— Une bonne cave est un lieu clos, sombre, à l'abri des trépidations et du bruit, exempte de toutes odeurs, protégée des courants d'air mais néanmoins ventilée, ni trop sèche ni trop humide, d'un degré hygrométrique de 75%, et surtout d'une température stable la plus proche possible de 11 °C.

— Les caves citadines réunissent rarement de telles caractéristiques. Il faut donc, avant d'encaver du vin, tenter d'améliorer le local ; établir une légère aération ou au contraire obstruer un soupirail trop ouvert ; humidifier l'atmosphère en déposant une bassine d'eau contenant un peu de charbon de bois ou l'assécher par du gravier et en augmentant la ventilation ; tenter de stabiliser la température par des panneaux isolants ; éventuellement, monter les casiers sur des blocs caoutchouc pour neutraliser les vibrations. Si une chaudière se trouve à proximité, si des odeurs de mazout se répandent, il n'y a pas grand-chose à espérer.

— Il se peut que l'on n'ait pas de cave ou qu'elle soit inutilisable. Deux solutions sont possibles : acheter une « cave d'appartement », c'est-à-dire une unité de stockage de vin, d'une capacité de 50 à 500 bouteilles, dont température et hygrométrie sont automatiquement maintenues ; ou encore construire de toutes pièces, en retrait dans son appartement, un lieu de stockage dont la température se modifie sans à-coups et ne dépasse pas, si possible, 16 °C, tout en se souvenant que plus la température est élevée, plus le vin évolue rapidement. Il faut se garder d'une erreur commune : ce n'est pas parce qu'un vin atteint rapidement son apogée dans de mauvaises conditions de garde qu'il peut rivaliser avec le niveau de qualité qu'il aurait atteint lentement dans une bonne cave fraîche. On s'abstiendra donc de faire vieillir de très grands vins à évolution lente dans une cave ou un local trop chaud. Il appartient aux amateurs de moduler leurs achats et le plan d'encavement en fonction des conditions particulières imposées par les locaux dont ils disposent.

Une bonne cave : son aménagement

L'expérience prouve qu'une cave est toujours trop petite. Le rangement des bouteilles doit être rationnellement organisé. Le casier à bouteilles, à un ou deux rangs, offre bien des avantages : il est peu coûteux, installé immédiatement, et donne accès aisément à l'ensemble des flacons encavés. Malheureusement, il est volumineux au regard du nombre de bouteilles logées. Pour gagner de la place, une seule méthode : l'empilement des bouteilles. Afin de séparer les piles pour avoir accès aux différents vins, il faut construire ou faire construire – ce n'est pas compliqué – des casiers en parpaings pouvant contenir 24, 36 ou 48 bouteilles en pile, sur deux rangs.

— Si la cave le permet, si le bois ne pourrit pas, il est possible d'élever des casiers en planches. Il faudra alors les surveiller car ils peuvent donner asile aux insectes qui attaquent les bouchons.

— Deux appareils compléteront l'aménagement de la cave : un thermomètre à maxima et minima, et un hygromètre. Des relevés réguliers permettront de corriger les défauts détectés et de jauger les facultés de bonification apportées par le vieillissement en cave.

La mise en bouteilles

Si le vin à mettre en bouteilles a été transporté en cubitainer, il doit être mis en bouteilles très rapidement ; s'il a voyagé dans un tonneau, il faut – c'est impératif – le laisser reposer une quinzaine de jours avant de le loger dans les flacons. Cette donnée théorique doit être tempérée par les conditions atmosphériques régnant le jour choisi pour la mise en bouteilles. Il convient que le temps soit clément, un jour de haute pression, un jour sans pluie ni orage. Dans la pratique, l'amateur composera entre ce principe et ses obligations personnelles. En revanche, il ne composera aucunement avec le matériel nécessaire. Tout d'abord, des bouteilles adaptées au type de vin. Sans tomber dans le purisme, il réunira des bouteilles bordelaises pour tous les vins du Sud-Ouest et peut-être du Midi, et réservera celles de type bourgogne pour le Sud-Est, le Beaujolais et la Bourgogne, sachant qu'il existe également d'autres bouteilles régionales réservées à certaines appellations.

— Si l'on range les bouteilles en pile, on prendra garde au fait que, tant bordelaises que bourguignonnes, elles existent en versions plus ou moins légères (bouteilles à fond plat ou presque plat) et en version lourde. Outre le poids, hauteur et diamètre différencient ces deux catégories de bouteilles.

— Elles sont toutes également aptes à garder le vin, mais les plus légères sont moins aptes à la mise en stockage en pile pour la conservation de longue durée. De plus, ces dernières peuvent, lorsqu'elles sont trop remplies, éclater quand on enfonce énergiquement le bouchon.

— D'une façon générale, mieux vaut user de bouteilles lourdes. Il est presque incongru d'embouteiller un grand vin dans du verre léger, de même qu'on s'abstiendra de loger un vin rouge dans des bouteilles blanches, c'est-à-dire incolores. L'usage veut qu'on réserve ces dernières à certains vins blancs, « pour voir leur robe », dit-on. Les vins blancs étant particulièrement sensibles à la lumière, cet usage est à proscrire. Cette sensibilité à la lumière est si grande que les maisons de champagne qui proposent des vins en bouteilles blanches (incolores) les protègent toujours par un papier opaque ou un carton.

— Quel que soit le type de bouteilles choisi, on vérifiera avant la mise que l'on dispose bien du nombre suffisant de bouteilles et de bouchons, puisqu'une fois l'opération engagée, elle doit être achevée rapidement. On ne peut laisser le fût ou le cubitainer « en vidange » ; ce qui aurait pour effet d'oxyder le vin restant, de lui infliger une acescence qui le rendrait impropre à toute consommation. On veillera également à la rigoureuse propreté des bouteilles qui doivent être parfaitement rincées et séchées.

Les bouchons

En dépit de nombreuses recherches, le liège demeure le seul matériau apte à obturer les bouteilles. Les bouchons de liège ne sont pas tous identiques; ils diffèrent en diamètre, en longueur et en qualité.

— Dans tous les cas, le diamètre du bouchon sera supérieur de 6 mm à celui du goulot.

— Meilleur est le vin, plus long sera le bouchon ; à la fois nécessaire à une longue garde et hommage rendu au vin et à ceux qui le boivent.

— La qualité du liège est plus difficile à déceler. Il faut qu'il ait une dizaine d'années pour avoir toute la souplesse désirée. Les beaux bouchons ne présentent pas ou peu de ces petites fissures que l'on obstrue parfois avec de la poudre de liège ; dans ce cas, les bouchons sont dits « améliorés ». On peut également acheter des bouchons étampés (ou les faire étamper), portant le millésime du vin à embouteiller.

— Aujourd'hui on vend des bouchons prêts à l'emploi, stérilisés à l'ozone, proposés en emballages stériles. On ne les humidifie plus. Désormais, on bouche « à sec ». L'avantage de cette méthode a été démontré.

Le vin dans la bouteille

La tireuse est l'appareil idéal pour remplir la bouteille. Des tireuses à amorçage et à vanne commandée par contact avec la bouteille se vendent dans les grandes surfaces à des prix très modiques.

On veillera à faire couler le vin le long de la paroi de la bouteille, maintenue légèrement oblique, afin de limiter le brassage et l'oxydation. Cette précaution est encore plus nécessaire pour les vins blancs. En aucun cas une écume ne doit apparaître à la surface du liquide. Les bouteilles seront remplies le plus possible afin que le bouchon soit en contact avec le vin (bouteille verticale). Le bouchon sera introduit dans la bouteille à l'aide d'une boucheuse, qui le comprimera latéralement avant l'introduction. Il existe une vaste gamme d'appareils, à tous les prix, destinés à cet usage.

L'étiquette

On préparera de la colle de tapissier ou un mélange d'eau et de farine, ou, encore plus simplement, on humectera les étiquettes avec du lait pour les coller sur le bas de la bouteille, à 3 cm de son pied.

— Les perfectionnistes habillent le goulot de capsules préformées posées grâce à un petit appareil manuel, ou cirent les goulots en les trempant dans de la cire de couleur fondue achetée chez le marchand de bouchons.

Le vin en cave

Le rangement des bouteilles en cave est un casse-tête, car l'œnophile ne dispose jamais de toute la place souhaitée. Dans la mesure du possible, on respectera les principes suivants : les vins blancs près du sol ; les vins rouges au-dessus ; les vins de garde dans les rangées (ou casiers) du fond, les moins accessibles ; les bouteilles à boire, en situation frontale.

— Les flacons achetés ou livrés en carton ne doivent pas demeurer dans ce type d'emballage, contrairement à ceux livrés en caisse de bois. Ceux qui envisagent de revendre leur vin le laisseront en caisse, les autres s'en abstiendront pour deux raisons : elles occupent beaucoup de place et sont la proie favorite des pilleurs de caves. Dans tous les cas, un système de notation (algébrique par exemple) permettra de repérer casiers et bouteilles. Ces notations seront exploitées dans l'auxiliaire le plus utile de la cave : le livre de cave.

Trois propositions de cave

Chacun garnit sa cave selon ses goûts. Les ensembles décrits ne sont que des propositions à interpréter. La recherche de la diversité en est le fil conducteur. Les vins de primeur, les vins qui ne gagnent rien à être encavés ne figurent pas dans ces suggestions. Plus le nombre de bouteilles est restreint, plus leur renouvellement sera surveillé. Les valeurs indiquées entre parenthèses ne sont bien sûr que des ordres de grandeur.

CAVE DE 50 BOUTEILLES (4 000 FRANCS)

25 bouteilles de bordeaux	17 rouges (graves, saint-émilion, médoc, pomerol, fronsac) 8 blancs : 5 secs (graves) 3 liquoreux (sauternes-barsac)
20 bouteilles de bourgogne	12 rouges (crus de la Côte de Nuits, crus de la Côte de Beaune) 8 blancs (chablis, meursault, puligny)
10 bouteilles vallée du Rhône	7 rouges (côte-rôtie, hermitage, châteauneuf-du-pape) 3 blancs (hermitage, condrieu)

CAVE DE 150 BOUTEILLES (ENVIRON 13 000 FRANCS)

Région		Rouge	Blanc
40 Bordeaux	30 rouges 10 blancs	Fronsac Pomerol Saint-Émilion Graves Médoc (crus classés crus bourgeois)	5 grands secs 5 { Sainte-Croix-du-Mont Sauternes-Barsac
30 Bourgogne	15 rouges 15 blancs	crus de la Côte de Nuits crus de la Côte de Beaune vins de la Côte chalonnaise	Chablis Meursault Puligny-Montrachet
25 Vallée du Rhône	19 rouges 6 blancs	Côte-rôtie Hermitage rouge Cornas Saint-Joseph Châteauneuf-du-Pape Gigondas Côtes-du-Rhône Villages	Condrieu Hermitage blanc Chateauneuf-du-Pape blanc
15 Vallée de la Loire	8 rouges 7 blancs	Bourgueil Chinon Saumur-Champigny	Pouilly Fumé Vouvray Coteaux du Layon
10 Sud-Ouest	7 rouges 3 blancs	Madiran Cahors	Jurançon (secs et doux)
8 Sud-Est	6 rouges 2 blancs	Bandol Palette rouge	Cassis Palette blanc
7 Alsace	(blancs)		Gewurztraminer Riesling Tokay
5 Jura	(blancs)		Vins jaunes Côtes du Jura-Arbois
10 Champagnes et mousseux (pour en avoir à disposition : ces vins ne se bonifiant pas en vieillissant).			Crémant de { Loire Bourgogne Alsace Divers types de champagnes

CAVE DE 300 BOUTEILLES

La création d'une telle cave suppose un investissement d'environ 25 000 francs. On doublera les chiffres de la cave de 150 bouteilles, en se souvenant que plus le nombre de flacons augmente, plus la longévité des vins doit être grande. Ce qui se traduit malheureusement (en général) par l'obligation d'acquérir des vins de prix élevé…

Le livre de cave

C'est la mémoire, le guide et le « juge de paix » de l'œnophile. On doit y trouver les renseignements suivants : date d'entrée, nombre de bouteilles de chaque cru, identification précise, prix, apogée présumé, localisation dans la cave ; et, éventuellement, l'accord avec le plat idéal et un commentaire de dégustation.

L'ART DE BOIRE

Si boire est une nécessité physiologique, boire du vin est un plaisir... ce plaisir peut être plus ou moins intense selon le vin, selon les conditions de dégustation, selon la sensibilité du dégustateur.

La dégustation

Il existe plusieurs types de dégustation, adaptés à des finalités particulières : dégustation technique, analytique, comparative, triangulaire, etc., en usage chez les professionnels. L'œnophile, lui, pratique la dégustation hédoniste, celle qui lui permet de tirer la quintessence d'un vin, mais aussi de pouvoir en parler tout en contribuant à développer l'acuité de son nez et de son palais.

— La dégustation, et plus généralement la consommation d'un vin, ne saurait se faire n'importe où et n'importe comment. Les locaux doivent être agréables, bien éclairés (lumière naturelle ou éclairage ne modifiant pas les couleurs, dit « lumière du jour »), de couleur claire de préférence, exempts de toutes odeurs parasites telles que parfum, fumée (tabac ou cheminée), odeurs de cuisine ou de bouquets de fleurs, etc. La température doit être moyenne (18 à 20 °C).

— Le choix d'un verre adéquat est extrêmement important. Il doit être incolore afin que la robe du vin soit bien visible, et si possible fin ; sa forme sera celle d'une fleur de tulipe, c'est-à-dire ne s'évasant pas comme c'est souvent le cas, mais au contraire se refermant légèrement. Le corps du verre doit être séparé du pied par une tige. Cette disposition évite de chauffer le vin lorsqu'on tient le verre à la main (par son pied) et facilite sa mise en rotation, opération destinée à activer son oxygénation (et même son oxydation) et à exhaler son bouquet.

— La forme du verre est si importante et a une telle influence sur l'appréciation olfactive et gustative du vin, que l'Association française de normalisation (AFNOR) et les instances internationales de normalisation (ISO) ont adopté, après étude, un verre qui offre toutes garanties d'efficacité au dégustateur et au consommateur; ce type de verre, appelé communément « verre INAO » n'est pas réservé aux professionnels. Il est en vente dans quelques maisons spécialisées. Depuis quelques années, les verriers français, allemands et autrichiens proposent un vaste choix de verres tout à fait remarquables.

Technique de la dégustation

La dégustation fait appel à la vue, à l'odorat, au goût et au sens tactile, non par l'intermédiaire des doigts bien sûr, mais par l'entremise de la bouche, sensible aux effets « mécaniques » du vin – température, consistance, gaz dissous, etc.

L'ŒIL

Par l'œil, le consommateur prend un premier contact avec le vin. L'examen de la robe (ensemble des caractères visuels), marquée en outre par le cépage d'origine, est riche d'enseignement. C'est un premier test. Quelles que soient sa couleur et sa teinte, le vin doit être limpide, sans trouble. Des traînées ou des brouillards sont signes de maladies, le vin doit être rejeté. Seuls sont admissibles de petits cristaux de bitartrates (insolubles) : la gravelle, précipitation dont sont atteints les vins victimes d'un coup de froid ; leur qualité n'en est pas altérée. L'examen de la limpidité se pratique en interposant le verre entre l'œil et une source lumineuse placée si possible à même hauteur ; la transparence (vin rouge), elle, est déterminée en examinant le vin sur un fond blanc, nappe ou feuille de papier ; cet examen implique que l'on incline son verre. Le disque (la surface) devient elliptique et son observation informe sur l'âge du vin et sur son état de conservation ; on examine alors la nuance de la robe. Tous les vins jeunes doivent être transparents, ce qui n'est pas toujours le cas des vins vieux de qualité.

Vin	Nuance de la robe	Déduction
Blanc	Presque incolore	Très jeune, très protégé de l'oxydation. Vinification moderne en cuve
	Jaune très clair à reflets verts	Jeune à très jeune. Vinifié et élevé en cuve
	Jaune paille, jaune or	La maturité. Peut-être élevé dans le bois
	Or cuivre, or bronze	Déjà vieux
	Ambré à noir	Oxydé, trop vieux
Rosé	Blanc taché, œil-de-perdrix à reflets rosés	Rosé de pressurage et vin gris jeune
	Rose saumon à rouge très clair franc	Rosé jeune et fruité à boire
	Rose avec nuance jaune à pelure d'oignon	Commence à être vieux pour son type
Rouge	Violacé	Très jeune. Bonne teinte de gamay de primeur et des beaujolais nouveaux (6 à 18 mois)
	Rouge pur (cerise)	Ni jeune ni évolué. L'apogée pour les vins qui ne sont ni primeurs ni de garde (2-3 ans)
	Rouge à franges orangées	Maturité de vin de petite garde. Début de vieillissement (3-7 ans)
	Rouge brun à brun	Seuls les grands vins atteignent leur apogée vêtus de cette robe. Pour les autres, il est trop tard

__ L'examen visuel s'intéresse encore à l'éclat, ou brillance, du vin. Un vin qui a de l'éclat est gai, vif ; un vin terne est probablement triste... Cette inspection visuelle de la robe s'achève par l'intensité de la couleur, qu'on se gardera de confondre avec la nuance (le ton) de celle-ci.

__ C'est l'intensité de la robe des vins rouges, la plus facilement perceptible, qui « parle » le plus.

Vin	Nuance de la robe	Déduction
Robe trop claire	Manque d'extraction	Vins légers et de faible garde
	Année pluvieuse	Vins de petits millésimes
	Rendement excessif	
	Vignes jeunes	
	Raisins insuffisamment mûrs	
	Raisins pourris	
	Cuvaison trop courte	
	Fermentation à basse température	
Robe foncée	Bonne extraction	Bons ou grands vins
	Rendement faible	Bel avenir
	Vieilles vignes	
	Vinification réussie	

—— C'est encore l'œil qui découvre les « jambes » ou les « larmes », écoulements que le vin forme sur la paroi du verre quand on l'anime d'un mouvement rotatif pour humer le bouquet du vin (voir ci-après) ; celles-ci rendent compte du degré alcoolique : le cognac en produit toujours, les vins de pays rarement.

Exemple de vocabulaire se rapportant à l'examen visuel :

Nuances : pourpre, grenat, rubis, violet, cerise, pivoine.
Intensité : légère, soutenue, foncée, profonde, intense.
Éclat : mat, terne, triste, éclatant, brillant.
Limpidité et transparence : opaque, louche, voilée, cristalline, parfaite.

LE NEZ

L'examen olfactif est la deuxième épreuve que le vin dégusté doit subir. Certaines odeurs sont éliminatoires, telles l'acidité volatile (acescence, vinaigre), l'odeur du liège (goût de bouchon) ; mais dans la plupart des cas, le bouquet du vin – l'ensemble des odeurs se dégageant du verre – procure des découvertes toujours renouvelées.

—— Les composants aromatiques du bouquet s'expriment selon leur volatilité. C'est en quelque sorte une évaporation du vin, et c'est pour cela que la température de service est si importante. Trop froid, pas de bouquet ; trop chaud, vaporisation trop rapide, combinaison, oxydation, destruction des parfums très volatils, et extraction d'éléments aromatiques lourds anormaux.

—— Le bouquet du vin rassemble donc un faisceau de parfums en mouvance permanente ; ils se présentent successivement selon la température et l'oxydation. C'est pour cela que le maniement du verre est important. On commencera par humer ce qui se dégage du verre immobile, puis on imprimera au vin un mouvement de rotation : l'air fait alors son effet et d'autres parfums apparaissent.

—— La qualité d'un vin est fonction de l'intensité et de la complexité du bouquet. Les petits vins n'offrent que peu – ou pas – de bouquet ; simplistes, monocordes, ils se décrivent en un mot. Au contraire, les grands vins se caractérisent par des bouquets amples, profonds, dont la complexité se renouvelle constamment.

—— Le vocabulaire relatif au bouquet est infini, car il ne procède que par analogie. Divers systèmes de classification des parfums ont été proposés ; pour simplifier, retenons ceux qui présentent un caractère floral, fruité, végétal (ou herbacé), épicé, balsamique, animal, boisé, empyreumatique (en référence au feu), chimique.

Exemple de vocabulaire se rapportant à l'examen olfactif :

Fleurs : violette, tilleul, jasmin, sureau, acacia, iris, pivoine.
Fruits : framboise, cassis, cerise, griotte, groseille, abricot, pomme, banane, pruneau.
Végétal : herbacé, fougère, mousse, sous-bois, terre humide, crayeux, champignons divers.
Épicé : toutes les épices, du poivre au gingembre en passant par le clou de girofle et la muscade.
Balsamique : résine, pin, térébinthe.
Animal : viande, viande faisandée, gibier, fauve, musc, fourrure.
Empyreumatique : brûlé, grillé, pain grillé, tabac, foin séché, tous les arômes de torréfaction (café, etc.).

LA BOUCHE

Après avoir triomphé des deux épreuves de l'œil et du nez, le vin subit un dernier examen « en bouche ».
Une faible quantité de vin est mise en bouche, où on le garde. Un filet d'air est aspiré afin de permettre sa diffusion dans l'ensemble de la cavité buccale. A défaut, il est simplement mâché. Dans la bouche, le vin s'échauffe, il diffuse de nouveaux éléments

aromatiques recueillis par voie rétronasale, étant entendu que les papilles de la langue ne sont sensibles qu'aux quatre saveurs élémentaires : amer, acide, sucré et salé ; voilà pourquoi une personne enrhumée ne peut goûter un vin (ou un aliment), la voie rétronasale étant alors inopérante.

__ Outre les quatre saveurs précisées ci-dessus, la bouche est sensible à la température du vin, à sa viscosité, à la présence – ou à l'absence – de gaz carbonique et à l'astringence (effet tactile : absence de lubrification par la salive et contraction des muqueuses sous l'action des tanins).

__ C'est en bouche que se révèlent l'équilibre, l'harmonie ou, au contraire, le caractère de vins mal bâtis qui ne doivent pas être achetés.

Les vins blancs, gris et rosés se caractérisent par un bon équilibre entre acidité et moelleux.

Trop d'acidité : le vin est agressif ; pas assez, il est plat.
Trop de moelleux : le vin est lourd, épais ; pas assez, il est mince, terne.

Pour les vins rouges, l'équilibre tient compte de l'acidité, du moelleux et des tanins.

Excès d'acidité : vin trop nerveux, souvent maigre.
Excès de tanins : vin dur, astringent.
Excès de moelleux (rare) : vin lourd.
Carence en acidité : vin mou.
Carence en tanins : vin sans charpente, informe.
Carence en moelleux : vin qui sèche.

Un bon vin se situe au point d'équilibre des trois composantes ci-dessus. Ces éléments supportent sa richesse aromatique ; un grand vin se distingue d'un bon vin par sa construction rigoureuse et puissante, quoique fondue, et par son ampleur dans la complexité aromatique.

Exemple de vocabulaire relatif au vin en bouche :

Critique : informe, mou, plat, mince, aqueux, limité, transparent, pauvre, lourd, massif, grossier, épais, déséquilibré.
Laudatif : structuré, construit, charpenté, équilibré, corpulent, complet, élégant, fin, qui a du grain, riche.

Après cette analyse en bouche, le vin est avalé. L'œnophile se concentre alors pour mesurer sa persistance aromatique, familièrement appelée « longueur en bouche ». Cette estimation s'exprime en caudalies, unité savante valant tout simplement... une seconde. Plus un vin est long, plus il est estimable. Cette longueur en bouche, à elle seule, permet de hiérarchiser les vins, du plus petit au plus grand.

__ Cette mesure en secondes est à la fois très simple et très compliquée ; elle ne porte que sur la longueur aromatique, à l'exclusion des éléments de structure du vin (acidité, amertume, sucre et alcool) qui ne doivent pas être perçus comme tels.

L'identification d'un vin

La dégustation, comme la consommation, est appréciative. Il s'agit de goûter pleinement un vin et de déterminer s'il est grand, moyen ou petit. Très souvent, il est question de savoir s'il est conforme à son type ; mais encore faut-il que son origine soit précisée.

__ La dégustation d'identification, c'est-à-dire de reconnaissance, est un sport, un jeu de société ; mais c'est un jeu injouable sans un minimum d'informations. On peut reconnaître un cépage, par exemple un cabernet-sauvignon. Mais est-ce un cabernet-sauvignon d'Italie, du Languedoc, de Californie, du Chili, d'Argentine, d'Australie ou d'Afrique du Sud ? Si l'on se limite à la France, l'identification des grandes régions est possible ; mais lorsqu'on veut être plus précis, d'ardus problèmes surviennent : si l'on propose six verres de vin en précisant qu'ils représentent les six appellations du Médoc (listrac, moulis, margaux, saint-julien, pauillac, saint-estèphe), combien y aura-t-il de sans fautes ?

__ Une expérience classique que chacun peut renouveler prouve la difficulté de la dégustation : le dégustateur, les yeux bandés, goûte en ordre dispersé des vins rouges peu tanniques et des vins blancs non aromatiques, de préférence élevés dans le bois. Il doit simplement distinguer le blanc du rouge (et inversement) : il est très rare qu'il ne se trompe pas ! Paradoxalement, il est beaucoup plus facile de reconnaître un vin très typé dont on a encore en tête et en bouche le souvenir ; mais combien a-t-on de chances que le vin proposé soit justement celui-là ?

Déguster pour acheter

Lorsque l'on se rend dans le vignoble et que l'on a l'intention d'acheter du vin, il faut choisir, donc déguster. Il s'agit alors de pratiquer des dégustations appréciatives et comparatives. La dégustation comparative de deux ou trois vins est facile ; elle se complique dès que l'on fait interférer le prix des vins. Dans un budget fixe – ils le sont malheureusement tous – certains achats sont facilement éliminés. Cette dégustation se complique davantage si l'on tient compte de l'usage des vins, de leur mariage avec des mets. Deviner ce que l'on mangera dans dix ans, et par conséquent acheter aujourd'hui le vin nécessaire à cette occasion-là, tient du tour de magie... La dégustation comparative, simple et facile dans son principe, devient extrêmement délicate, puisque l'acheteur doit présumer de l'évolution de divers vins, et supputer leur période d'apogée. Les vignerons eux-mêmes se trompent parfois lorsqu'ils tentent d'imaginer l'avenir de leur vin. On a vu certains d'entre eux racheter leur propre vin qu'ils avaient bradé, car ils avaient estimé faussement que leur bonification était compromise...

— Quelques principes peuvent néanmoins fournir des éléments d'appréciation. Pour se bonifier, les vins doivent être solidement construits. Ils doivent avoir un degré alcoolique suffisant, et l'ont en fait toujours : la chaptalisation (ajout de sucre réglementé par la loi) y contribue si nécessaire ; il faut donc porter son attention ailleurs, sur l'acidité et les tanins. Un vin trop souple, qui peut être cependant très agréable, dont l'acidité est faible, voire trop faible, sera fragile, et sa longévité ne sera pas assurée. Un vin faible en tanins n'aura guère plus d'avenir. Dans le premier cas, le raisin aura souffert d'un excès de soleil et de chaleur, dans le second, d'un manque de maturité, d'attaques de pourriture ou encore d'une vinification inadaptée.

— Ces deux constituants du vin, acidité et tanins, se mesurent : l'acidité s'évalue en équivalence d'acide sulfurique – en grammes par litre, à moins que l'on préfère le pH –, et les tanins, selon l'indice de Folain, mais il s'agit là d'un travail de laboratoire.

— L'avenir d'un vin qui ne comporte pas au moins 3 grammes d'acidité n'est pas assuré ; quant à l'estimation du seuil de tanin en dessous duquel la longue garde est problématique, elle n'est pas rigoureuse. Cependant, la connaissance de cet indice est utile, car des tanins très mûrs, doux, enrobés, sont parfois sous-évalués à la dégustation, où ils ne se révèlent pas toujours.

— Dans tous les cas, on dégustera le vin dans de bonnes conditions, sans se laisser prendre par l'atmosphère de la cave du vigneron. On évitera de le goûter au sortir d'un repas, après l'absorption d'eau-de-vie, de café, de chocolat ou de bonbons à la menthe, ou encore après avoir fumé. Si le vigneron propose des noix, méfiance ! Car elles améliorent tous les vins. Méfiance également à l'égard du fromage, qui modifie la sensibilité du palais ; tout au plus, si l'on y tient, mangera-t-on un morceau de pain, nature.

S'exercer à la dégustation

De même que toute autre technique, celle de la dégustation s'apprend. On peut la pratiquer chez soi en suivant les quelques énoncés ci-dessus. On peut aussi, si l'on est passionné, suivre des stages, de plus en plus nombreux. On peut encore s'inscrire à des cycles d'initiation proposés par divers organismes privés dont les activités sont très diverses : étude de la dégustation, étude de l'accord des mets et des vins, exploration par la dégustation des grandes régions de production françaises ou étrangères, analyse de l'influence des cépages, des millésimes, des sols, incidence des techniques de vinification, dégustations commentées en présence du propriétaire, etc.

Le service des vins

Au restaurant, le service du vin est l'apanage du sommelier. Chez soi, c'est le maître de maison qui devient sommelier et doit en avoir les capacités. Celles-ci sont nombreuses à mettre en œuvre, à commencer par le choix des bouteilles les mieux adaptées aux plats composant le repas, et qui ont atteint leur apogée.

— Le goût de chacun intervient bien sûr dans le mariage des mets et des vins ; néanmoins, des siècles d'expérience ont permis de dégager des principes généraux, des alliances idéales et des incompatibilités majeures.

— L'évolution des vins est très dissemblable. Seul leur apogée intéresse l'œnophile, qui désire le meilleur. Selon l'appellation, et donc selon le cépage, le sol et la vinification, celui-là peut survenir dans des périodes s'échelonnant entre un et vingt ans. Selon le millésime porté par la bouteille, le vin peut évoluer deux ou trois fois plus rapidement. On peut cependant établir des moyennes, qui peuvent servir de base et que l'on modulera en fonction de sa cave et des informations sur les cartes de millésimes.

Apogée (en années)

B = blanc ; R = rouge	
Alsace (B) : dans l'année	Vallée du Rhône Sud (B) : 2 ; (R) : 4-8
Alsace Grand Cru (B) : 1-4	Loire (B) : 1-5 ; (R) : 3-10
Alsace Vendanges tardives (B) : 8-12	Loire moelleux, liquoreux (B) : 10-15
Jura (B) : 4 ; (R) : 8	Vins du Périgord (B) : 2-3 ; (R) : 3-4
Jura rosé : 6	Vins du Périgord liquoreux (B) : 6-8
Vin jaune (B) : 20	Bordeaux (B) : 2-3 ; (R) : 6-8
Savoie (B) : 1-2 ; (R) : 2-4	Grands bordeaux (B) : 4-10 ; (R) : 10-15
Bourgogne (B) : 5 ; (R) : 7	Bordeaux liquoreux (B) : 10-15
Grand bourgogne (B) : 8-10 ; (R) : 10-15	Jurançon sec (B) : 2-4
Mâcon (B) : 2-3 ; (R) : 1-2	Jurançon moelleux, liquoreux (B) : 6-10
Beaujolais (R) : dans l'année	Madiran (R) : 5-12
Crus du Beaujolais (R) : 1-4	Cahors (R) : 3-10
Vallée du Rhône Nord (B) : 2-3 ; (R) : 4-5	Gaillac (B) : 1-3 ; (R) : 2-4
Côte-rôtie, hermitage, etc. (B) : 8 ; (R) : 8-15	Languedoc (B) : 1-2 ; (R) : 2-4
	Côtes-de-provence (B) : 1-2 ; (R) : 2-4
	Corse (B) : 1-2 ; (R) : 2-4

Remarque :
– Ne pas confondre l'apogée avec la longévité maximale.
– Une cave chaude ou à température variable accélère l'évolution des vins.

Modalités du service

Rien ne doit être négligé dans la conduite de la bouteille, de son enlèvement en cave jusqu'au moment où le vin parvient dans le verre. Plus un vin est âgé, plus il exige de soins. La bouteille sera prise sur pile et redressée lentement pour être amenée sur les lieux de sa consommation, à moins qu'on ne la dépose directement dans un panier verseur.

— Les vins de peu d'ambition seront servis de la façon la plus simple ; pour les vins très fragiles, donc de grand âge, on les fera couler de la bouteille amoureusement déposée sur le panier dans l'exacte position qu'elle occupait sur pile ; les vins plus jeunes ou jeunes, les vins robustes, seront décantés, soit pour les aérer parce qu'ils contiennent encore quelques traces de gaz, souvenir de leur fermentation, soit pour amorcer une oxydation bénéfique pour la dégustation, soit encore pour isoler le vin clair des sédiments déposés au fond de la bouteille. Dans ce cas, le vin sera transvasé avec soin, et on le versera devant une source lumineuse, traditionnellement une bougie – une habitude qui date d'avant l'éclairage électrique et qui n'apporte aucun avantage – pour laisser dans la bouteille le vin trouble et les matières solides.

Quand déboucher, quand servir ?

Le professeur Peynaud soutient qu'il est inutile d'enlever le bouchon longtemps avant de consommer le vin, la surface en contact avec l'air (le goulot et la bouteille) étant trop petite. Cependant, le tableau ci-dessous résume des usages qui, s'ils n'améliorent pas toujours le vin dans tous les cas, ne l'abîment jamais.

Vins blancs aromatiques Vins de primeur rouges et blancs Vins courants rouges et blancs Vins rosés	Déboucher, boire sans délai. Bouteille verticale.
Vins blancs de la Loire Vins blancs liquoreux	Déboucher, attendre une heure. Bouteille verticale.
Vins rouges jeunes Vins rouges à leur apogée	Décanter une demi-heure à deux heures avant consommation.
Vins rouges anciens fragiles	Déboucher en panier verseur, et servir sans délai : éventuellement décanter et consommer tout de suite.

Déboucher

La capsule doit être coupée en dessous de la bague ou au milieu de celle-ci. Le vin ne doit pas entrer en contact avec le métal de la capsule. Dans le cas où le goulot est ciré, donner de petits coups afin d'écailler la cire. Mieux encore, essayer d'enlever la cire avec un couteau sur la partie supérieure du col, cette méthode ayant l'avantage de ne pas ébranler la bouteille et le vin.

— Pour extraire le bouchon, seul le tire-bouchon, à vis en queue de cochon donne satisfaction (avec le tire-bouchon à lames, d'un maniement délicat). Théoriquement, le bouchon ne doit pas être transpercé. Une fois extrait, il est humé : il ne doit présenter aucune odeur parasite et ne pas sentir le liège (goût de bouchon). Ensuite, le vin est goûté pour une ultime vérification, avant d'être servi aux convives.

À quelle température ?

On peut tuer un vin en le servant à une température inadéquate, ou, au contraire, l'exalter en le servant à la température appropriée. Il est très rare que celle-ci soit atteinte, d'où l'utilité du thermomètre à vin, de poche si l'on va au restaurant ou à plonger dans la bouteille lorsque l'on opère chez soi. La température de service d'un vin dépend de son appellation (c'est-à-dire de son type), de son âge et, dans une faible proportion, de la température ambiante. On n'oubliera pas que le vin se réchauffe dans le verre.

Grands vins rouges de Bordeaux	16-17°
Grands vins rouges de Bourgogne	15-16°
Vins rouges de qualité, grands vins rouges avant leur apogée	14-16°
Grands vins blancs secs	14-16°
Vins rouges légers, fruités, jeunes	11-12°
Vins rosés, vins de primeur	10-12°
Vins blancs secs, vins de pays rouges	10-12°
Petits blancs, vins de pays blancs	8-10°
Champagne, mousseux	7-8°
Liquoreux	6°

Ces températures doivent être augmentées d'un ou deux degrés lorsque le vin est vieux.

— On a tendance à servir légèrement plus frais les vins qui jouent le rôle d'apéritif, et à boire les vins qui accompagnent le repas légèrement chambrés. De même, on tiendra compte du climat de la région ou de la température qui règne dans la pièce : sous un climat torride, un vin bu à 11 degrés paraîtra glacé, il conviendra donc de le porter à 13 voire à 14 degrés.

— Néanmoins, on se gardera de dépasser 20 degrés car, au-delà, des phénomènes physico-chimiques indépendants de l'environnement, donc absolus, altèrent les qualités du vin et le plaisir qu'on peut en attendre.

Les verres

A chaque région son verre. Dans la pratique, à moins de tomber dans un purisme excessif, on se contentera soit d'un verre universel (de style verre à dégustation), soit de deux types les plus usités, le verre à bordeaux et le verre à bourgogne. Quel que soit le verre choisi, il sera rempli modérément, plus près du tiers que de la moitié.

Au restaurant

Au restaurant, le sommelier s'occupe de la bouteille, hume le bouchon, mais fait goûter le vin à celui qui l'a commandé. Auparavant, il aura suggéré des vins en fonction des mets.

— La lecture de la carte des vins est instructive, non parce qu'elle dévoile les secrets de la cave, ce qui est sa fonction, mais parce qu'elle permet de situer le niveau de compétence du sommelier, du caviste ou du patron. Une carte correcte doit impérativement comporter, pour chaque vin, les informations suivantes: appellation, millésime, lieu de la mise en bouteilles, nom du négociant ou du propriétaire auteur et responsable du vin. Ce dernier point est très souvent omis, on ne sait pourquoi.

— Une belle carte doit présenter un éventail large, tant sur le plan du nombre d'appellations proposées que sur celui de la diversité et de la qualité des millésimes (nombre de restaurateurs ont la fâcheuse habitude de toujours proposer les petites années...). Une carte intelligente sera particulièrement adaptée au style ou à la spécialisation de la cuisine, ou encore fera la part belle aux vins régionaux.

— Parfois, il est proposé la « cuvée du patron » ; il est en effet possible d'acheter un vin agréable qui ne bénéficie pas d'appellation d'origine, mais ce ne sera jamais un grand vin.

Bistrots à vin

Depuis longtemps, il existe des « bistrots à vin » ou « bars à vin », vendant au verre des vins de qualité, bien souvent des vins « de propriétaires » sélectionnés par le patron lui-même au cours des visites de vignobles. Des assiettes de cochonnaille et de fromages sont également proposées aux clients.

Dans les années 1970, une nouvelle génération de bistrots à vin fréquemment baptisés « wine bar » s'est développée. La mise au point d'un appareil protégeant le vin dans les bouteilles ouvertes par une couche d'azote – *cruover* – a permis à ces établissements de proposer aux clients de très grands vins de millésimes prestigieux. Parallèlement, une restauration moins rudimentaire a complété leur carte.

LES MILLESIMES

Tous les vins de qualité sont millésimés. Seuls quelques vins et certains champagnes, leur élaboration particulière par mélange de plusieurs années le justifiant, font exception à cette règle.

— Cela étant admis, que penser d'un flacon non millésimé ? Deux cas sont possibles ; soit le millésime est inavouable car sa réputation est détestable dans l'appellation ; soit il ne peut être millésimé car il contient le produit de l'assemblage de « vins de plusieurs années », selon la formule en usage chez les professionnels. La qualité du produit dépend du talent de l'assembleur ; généralement, le vin assemblé est supérieur à chacun de ses composants mais il est déconseillé de faire vieillir ce type de bouteille. Le vin portant un grand millésime est concentré et équilibré. Il est généralement issu, mais pas obligatoirement, de petites récoltes (en volume) et de vendanges précoces.

— Dans tous les cas, les grands millésimes ne naissent que de raisins parfaitement sains, totalement exempts de pourriture. Pour obtenir un grand millésime, peu importe le temps qu'il fait au début du cycle végétatif : on peut même soutenir que quelques mésaventures, telles que gel ou coulure (chute de jeunes baies avant maturation), sont favorables, puisqu'elles vont diminuer le nombre de grappes par pied, ce qui est préjudiciable au volume. En revanche, la période qui s'étend du 15 août aux vendanges (fin septembre) est capitale : un maximum de chaleur et de soleil est alors nécessaire. 1961, qui demeure jusqu'à nouvel avis « l'année du siècle », est exemplaire : tout s'est passé comme il fallait. *A contrario*, les années 1963, 1965, 1968 furent désastreuses, parce qu'elles cumulèrent froid et pluie, d'où absence de maturité et fort rendement, les raisins se gorgeant d'eau. Pluie et chaleur ne valent guère mieux, car l'eau tiédie favorise la pourriture. C'est l'écueil sur lequel a buté un grand millésime potentiel dans le Sud-Ouest en 1976. Les progrès des traitements de protection du raisin, particulièrement destinés à s'opposer au ver de la grappe et au développement de la pourriture, permettent des récoltes de qualité qui eussent été autrefois très compromises. Ces traitements permettent également d'attendre avec une relative sérénité, même si les conditions météorologiques momentanées ne sont pas encourageantes, le plein mûrissement du raisin, d'où un important gain de qualité. Dès 1978, on note l'apparition d'excellents millésimes vendangés tardivement.

— On a l'habitude de résumer la qualité des millésimes dans des tableaux de cotation. Ces notes ne représentent que des moyennes : elles ne prennent pas en compte les microclimats, pas plus que les efforts... héroïques de tris de raisins à la vendange, ou les sélections forcenées des vins en cuve. C'est ainsi par exemple, que le vin de Graves, domaine de Chevalier 1965 – millésime par ailleurs épouvantable – démontre que l'on peut élaborer un grand vin dans une année cotée zéro !

Propositions de cotation (de 0 à 20)

	Bordeaux R	Bordeaux B liquoreux	Bordeaux B sec	Bourgogne R	Bourgogne B	Champagne	Loire	Rhône	Alsace
1900	19	19	17	13		17			
1901	11	14							
1902									
1903	14	7	11						
1904	15	17		16		19		18	
1905	14	12							
1906	16	16		19	18				
1907	12	10		15					
1908	13	16							
1909	10	7							
1910									
1911	14	14		19	19	20	19	19	
1912	10	11							
1913	7	7							
1914	13	15				18			
1915		16		16	15	15	12	15	
1916	15	15		13	11	12	11	10	
1917	14	16		11	11	13	12	9	
1918	16	12		13	12	12	11	14	
1919	15	10		18	18	15	18	15	15
1920	17	16		13	14	14	11	13	10
1921	16	20		16	20	20	20	13	20
1922	9	11		9	16	4	7	6	4

(Colonne Alsace : « Alsace allemande » indiqué verticalement pour la période 1900–1918)

	Bordeaux R	Bordeaux B liquoreux	Bordeaux B sec	Bour-gogne R	Bour-gogne B	Cham-pagne	Loire	Rhône	Alsace
1923	12	13		16	18	17	18	18	14
1924	15	16		13	14	11	14	17	11
1925	6	11		6	5	3	4	8	6
1926	16	17		16	16	15	13	13	14
1927	7	14		7	5	5	3	4	
1928	19	17		18	20	20	17	17	17
1929	20	20		20	19	19	18	19	18
1930							3	4	3
1931	2	2		2	3		3	5	3
1932				2	3	3	3	3	7
1933	11	9		16	18	16	17	17	15
1934	17	17		17	18	17	16	17	16
1935	7	12		13	16	10	15	5	14
1936	7	11		9	10	9	12	13	9
1937	16	20		18	18	18	16	17	17
1938	8	12		14	10	10	12	8	9
1939	11	16		9	9	9	10	8	3
1940	13	12		12	8	8	11	5	10
1941	12	10		9	12	10	7	5	5
1942	12	16		14	12	16	11	14	14
1943	15	17		17	16	17	13	17	16
1944	13	11	12	10	10		6	8	4
1945	20	20	18	20	18	20	19	18	20
1946	14	9	10	10	13	10	12	17	9
1947	18	20	18	18	18	18	20	18	17
1948	16	16	16	10	14	11	12		15
1949	19	20	18	20	18	17	16	17	19
1950	13	18	16	11	19	16	14	15	14
1951	8	6	6	7	6	7	7	8	8
1952	16	16	16	16	18	16	15	16	14
1953	19	17	16	18	17	17	18	14	18
1954	10			14	11	15	9	13	9
1955	16	19	18	15	18	19	16	15	17
1956	5						9	12	9
1957	10	15		14	15		13	16	13
1958	11	14		10	9		12	14	12
1959	19	20	18	19	17	17	19	15	20
1960	11	10	10	10	7	14	9	12	12
1961	20	15	16	18	17	16	16	18	19
1962	16	16	16	17	19	17	15	16	14
1963					10				
1964	16	9	13	16	17	18	16	14	18

	Bordeaux R	Bordeaux B liquoreux	Bordeaux B sec	Bour-gogne R	Bour-gogne B	Cham-pagne	Loire	Rhône	Alsace
1965			12				8		
1966	17	15	16	18	18	17	15	16	12
1967	14	18	16	15	16		13	15	14
1968									
1969	10	13	12	19	18	16	15	16	16
1970	17	17	18	15	15	17	15	15	14
1971	16	17	19	18	20	16	17	15	18
1972	10		9	11	13		9	14	9
1973	13	12		12	16	16	16	13	16
1974	11	14		12	13	8	11	12	13
1975	18	17	18		11	18	15	10	15
1976	15	19	16	18	15	15	18	16	19
1977	12	7	14	11	12	9	11	11	12
1978	17	14	17	19	17	16	17	19	15
1979	16	18	18	15	16	15	14	16	16
1980	13	17	18	12	12	14	13	15	10
1981	16	16	17	14	15	15	15	14	17
1982	18	14	16	14	16	16	14	13	15
1983	17	17	16	15	16	15	12	16	20
1984	13	13	12	13	14	5	10	11	15
1985	18	15	14	17	17	17	16	16	19
1986	17	17	12	12	15	9	13	10	10
1987	13	11	16	12	11	10	13	8	13
1988	16	19	18	16	14	15	16	18	17
1989	18	19	18	16	18	16	20	16	16
1990	18	20	17	18	16	19	17	17	18
1991	13	14	13	14	15	11	12	13	13
1992	12	10	14	15	17	12	14	12	12
1993	13	8	15	14	13	12	13	13	13
1994	14	14	17	14	16	12	14	14	12
1995	16	18	17	14	16	16	17	16	12
1996	15	18	16	17	18	19	17	14	12
1997	14	18	14	14	17	15	16	14	13
1998	15	16	14	15	15	13	14	18	13
1999	14	17	13	13	12	15	12	16	10

Les zones cernées d'un trait épais indiquent les vins à mettre en cave.
Les liquoreux de la Loire sont notés 20 pour le millésime 90.

Quels millésimes boire maintenant ?

Les vins évoluent différemment selon qu'ils sont nés d'une année maussade ou ensoleillée, mais aussi selon leur appellation, leur hiérarchie au sein de cette appellation, leur vinification, leur élevage ; leur vieillissement dépend également de la cave où ils sont entreposés.

— Le tableau de cotation des millésimes concerne des vins de bonne facture, de millésimes récents, donc disponibles, s'ils sont encavés convenablement. Il ne concerne ni les vins ni les cuvées exceptionnelles. Les vins sont cotés à leur apogée. Cette cotation n'intègre pas l'évolution actuelle des millésimes anciens.

LA CUISINE AU VIN

La cuisine au vin ne date pas d'aujourd'hui. Apicius déjà donne la recette du porcelet à la sauce au vin (c'était du vin de paille). Pourquoi user du vin en cuisine ? Pour les saveurs qu'il apporte et pour les vertus digestives qu'il ajoute aux plats grâce à la glycérine et aux tanins. L'alcool, considéré par certains comme un maléfice, a presque totalement disparu à la cuisson.

— On pourrait retracer une histoire de la cuisine à travers le vin : les marinades ont été inventées pour conserver des pièces de viande, aujourd'hui on les perpétue pour l'apport d'éléments sapides. La cuisson, donc la réduction des marinades, est à l'origine des sauces. Parfois, on a cuit la viande avec la marinade, et l'on a inventé les civets, les daubes et les courts-bouillons, y compris les œufs en meurette.

Conseils

– ne jamais gaspiller de vieux millésimes pour la cuisine. C'est coûteux, inutile et même nuisible.
– ne jamais user en cuisine de vins ordinaires ou de vins trop légers, leur réduction ne concentre que leur manque de présence.
– le « goût de bouchon » disparaît à la cuisson. Réserver les bouteilles présentant ce défaut à cet usage.
– boire avec le plat le vin de cuisson ou de la même origine.

LE VINAIGRE AU VIN

Le vin est l'ami de l'homme, le vinaigre est l'ennemi du vin. Doit-on conclure que le vinaigre est l'ennemi de l'homme ? Non, vins et vinaigres jouent chacun leur partie dans l'orchestre des saveurs dont l'homme se régale. Jeter des vins de qualité un peu éventés, bouchonnés, ou oxydés serait regrettable. Le vinaigrier est là pour les accueillir. Un vinaigrier domestique est un récipient de 3 à 5 litres en bois, ou mieux, en terre vernissée, généralement muni d'un robinet. L'acidité du vinaigre est un adjuvant, un révélateur. C'est un contrepoint, pas un solo. Pour contenir ses ardeurs, le gourmet a inventé le vinaigre aromatisé. Nombre de hauts goûts se fondent en une harmonie de timbres : ail, échalote, petits oignons, estragon, graines de moutarde, grains de poivre, clous de girofle, fleurs de sureau, de capucine, pétales de roses, feuilles de laurier, branches de thym, de perce-pierre, etc.

Conseils

– ne jamais déposer un vinaigrier dans une cave.
– chaque fois que se développe dans le vinaigrier ce que l'on appelle la « mère du vinaigre » (masse visqueuse), l'éliminer.
– placer le vinaigrier dans un lieu tempéré (20 °C).
– ne jamais le boucher hermétiquement car l'air contribue à la vie des bactéries acétiques qui transforment l'alcool du vin en acide acétique.
– ne jamais placer les aromates dans le vinaigrier. Il faut extraire le vinaigre du vinaigrier et conserver le vinaigre aromatisé dans un autre récipient, de préférence hermétique.
– ne jamais introduire dans le vinaigrier de vin sans origine.
– le vinaigrier doit vivre. Chaque fois que l'on retire du vinaigre, ajouter un volume équivalent de vin.
– un vinaigre laissé en souffrance dans un vinaigrier plus de deux ou trois mois (maximum) n'est plus qu'acétique. Il perd son goût de vin, il n'a plus d'intérêt.

LES METS ET LES VINS

Rien n'est plus difficile que de trouver « le » vin idéal pour accompagner un plat. D'ailleurs, peut-il y avoir un vin idéal ? Au chapitre du mariage des mets et des vins, la monogamie n'a pas de place ; il faut profiter de l'extrême variété des vins français et faire des expériences : une bonne cave permet par approximations successives d'approcher de la vérité...

HORS-D'ŒUVRE, ENTREES

ANCHOÏADE
- côtes du roussillon rosé
- coteaux d'aix-en-provence rosé
- alsace sylvaner

ARTICHAUTS BARIGOULE
- coteaux d'aix-en-provence rosé
- rosé de loire
- bordeaux rosé

ASPERGES SAUCE MOUSSELINE
- alsace muscat

AVOCAT
- champagne
- bugey blanc
- bordeaux sec

CUISSES DE GRENOUILLE
- corbières blanc

- entre-deux-mers
- touraine sauvignon

ESCARGOTS À LA BOURGUIGNONNE
- bourgogne aligoté
- alsace riesling
- touraine sauvignon

FOIE GRAS AU NATUREL
- barsac
- corton-charlemagne
- listrac
- banyuls rimage

FOIE GRAS EN BRIOCHE
- alsace tokay sélection de grains nobles
- montrachet
- pécharmant

FOIE GRAS GRILLÉ
- jurançon

- graves rouge
- condrieu

POIVRONS ROUGES GRILLÉS VINAIGRETTE
- clairette de bellegarde
- muscadet
- mâcon lugny blanc

SALADE NIÇOISE
- alsace sylvaner
- côtes du rhône rouge
- coteaux d'aix-en-provence rosé

SALADE DE SOJA
- alsace tokay
- clairette du languedoc
- muscadet

CHARCUTERIE

JAMBON BRAISÉ
- alsace tokay
- côtes du rhône rouge
- côtes du roussillon rosé

JAMBON PERSILLÉ
- chassagne montrachet blanc
- coteaux du tricastin rouge
- beaujolais rouge

JAMBON DE BAYONNE
- côtes du rhône-villages
- bordeaux clairet
- corbières rosé

JAMBON DE SANGLIER FUMÉ
- côtes de saint-mont rouge
- bandol rouge
- sancerre blanc

PÂTÉ DE LIÈVRE
- côtes de duras rouge
- saumur-champigny
- moulin à vent

RILLETTES
- bourgogne rouge
- alsace pinot noir
- touraine gamay

RILLONS
- touraine cabernet
- beaujolais-villages
- rosé de loire

SAUCISSON
- côtes du rhône-villages
- beaujolais
- côtes du roussillon rosé

TERRINE DE FOIE BLOND
- meursault-charmes
- saint-nicolas de bourgueil
- morgon

COQUILLAGE ET CRUSTACES

BOUQUET MAYONNAISE
- bourgogne blanc
- alsace riesling
- haut-poitou sauvignon

BROCHETTES DE SAINT-JACQUES
- graves blancs
- alsace sylvaner
- beaujolais-villages rouge

CALMARS FARCIS
- mâcon-villages
- premières côtes de bordeaux
- gaillac rosé

CASSOLETTE DE MOULES AUX ÉPINARDS
- muscadet
- bourgogne aligoté bouzeron
- coteaux champenois blanc

CLOVISSES AU GRATIN
- pacherenc du vic-bilh
- rully blanc

- beaujolais blanc

COCKTAIL DE CRABE
- jurançon sec
- fiefs vendéens blanc
- bordeaux sec sauvignon

ECREVISSES À LA NAGE
- sancerre blanc
- côtes du rhône blanc
- gaillac blanc

HOMARD À L'AMÉRICAINE
- arbois jaune
- juliénas

HOMARD GRILLÉ
- hermitage blanc
- pouilly-fuissé
- savennières

HUÎTRES DE MARENNES
- muscadet
- bourgogne aligoté

- alsace sylvaner
- chablis
- beaujolais primeur rouge

HUÎTRES AU CHAMPAGNE
- bourgone hautes-côtes de nuit blanc
- coteaux champenois blanc
- rousette de savoie

LANGOUSTE MAYONNAISE
- patrimonio blanc
- alsace riesling
- savoie apremont

LANGOUSTINES AU COGNAC
- chablis premier cru
- graves blanc
- muscadet de sèvres-et-main

MOUCLADE DES CHARENTES
- saint-véran
- bergerac sec
- haut-poitou chardonnay

MOULES (CRUES) DE BOUZIGUES
- coteaux du langedoc blanc
- muscadet de sèvre-et-maine
- coteaux d'aix-en-provence blanc

MOULES MARINIÈRES
- bourgone blanc
- alsace pinot

- bordeaux sec sauvignon

PALOURDES FARCIES
- graves blanc
- montagny
- anjou blanc

PLATEAU DE FRUITS DE MER
- chablis

- muscadet
- alsace sylvaner

SALADE DE COQUILLAGES AU CONCOMBRE
- graves blanc
- muscadet
- alsace klevner

POISSONS

FILETS DE SOLE BONNE FEMME
- graves blanc
- chablis grand cru
- sancerre blanc

FEUILLETÉ DE BLANC DE TURBOT
- chevalier-montrachet
- crozes-hermitage blanc

GRAVETTES D'ARCACHON À LA BORDELAISE
- graves blanc
- bordeaux sec
- jurançon sec

KOULIBIAK DE SAUMON
- pouilly-vinzelles
- graves blanc
- rosé de loire

LAMPROIE À LA BORDELAISE
- graves rouges
- bergerac rouge
- bordeaux rosé

LISETTES AU VIN BLANC
- alsace sylvaner
- haut-poitou sauvignon
- quincy

MATELOTE DE L'ILL
- chablis premier cru
- arbois blanc
- alsace riesling

MERLAN EN COLÈRE
- alsace gutedel
- entre-deux-mers
- seyssel

MORUE À L'AÏOLI
- coteaux d'aix-en-provence rosé
- bordeaux rosé
- haut-poitou rosé

MORUE GRILLÉE
- gros plant du pays nantais
- rosé de loire
- coteaux d'aix-en-provence rosé

ŒUFS DE SAUMON
- haut-poitou rosé
- graves rouge
- côtes du rhône rouge

PETITE FRITURE
- beaujolais blanc
- béarn blanc
- fiefs vendéens blanc

PETITS ROUGETS GRILLÉS
- chassagne-montrachet blanc
- hermitage blanc
- bergerac

ANGUILLE POÊLÉE PERSILLADE
- corbières rosé
- gros plant du pays nantais
- blaye blanc

ALOSE À L'OSEILLE
- anjou blanc
- rosé de loire
- haut-poitou chardonnay

BAR (LOUP) GRILLÉ
- auxey-duresses blanc
- bellet blanc
- bergerac sec

BARBUE À LA DIEPPOISE
- graves blanc
- puligny-montrachet
- coteaux du languedoc blanc

BARQUETTES GIRONDINES
- bâtard-montrachet
- graves supérieurs
- quincy

BAUDROIE EN GIGOT DE MER
- mâcon-villages
- châteauneuf-du-pape blanc
- bandol rosé

BOUILLABAISSE
- côtes du roussillon blanc
- côteaux d'aix-en-provence blanc
- muscadet des coteaux de la loire

BOURRIDE
- coteaux d'aix-en-provence rosé
- rosé de loire
- bordeaux rosé

BRANDADE
- haut-poitou rosé
- bandol rosé
- corbières rosé

CARPE FARCIE
- montagny
- touraine azay-le-rideau blanc
- alsace pinot

COLIN FROID MAYONNAISE
- pouilly-fuissé
- savoie
- chignin
- bergeron
- alsace klevner

COQUILLES DE POISSONS
- saint-aubin blanc
- saumur sec blanc
- crozes-hermitage blanc

DARNES DE SAUMON GRILLÉES
- chassagne-montrachet blanc
- cahors
- côtes du rhône rosé

POCHOUSE
- meursault
- l'étoile
- mâcon-villages

QUENELLE DE BROCHET LYONNAISE
- montrachet
- pouilly-vinzelles
- beaujolais-villages rouge

ROUILLE SÉTOISE
- clairette du langedoc
- côtes du roussillon rosé
- rosé de loire

SANDRE AU BEURRE BLANC
- muscadet
- saumur blanc
- saint-joseph blanc

SARDINES GRILLÉES
- clairette de bellegarde
- jurançon sec
- bourgogne aligoté

SAUMON FUMÉ
- puligny-montrachet premier cru
- pouilly-fumé
- bordeaux sec sauvignon

SOLE MEUNIÈRE
- meursault blanc
- alsace riesling
- entre-deux-mers

SOUFFLÉ NANTUA
- bâtard-montrachet
- crozes-hermitage blanc
- bergerac sec

THON ROUGE AUX OIGNONS
- coteaux d'aix blanc
- coteaux du langedoc blanc
- côtes de duras sauvignon

THON (GERMON) BASQUAISE
- graves blanc
- pacherenc de vic-bilh
- gaillac blanc

TOURTEAU FARCI
- premières côtes de bordeaux blanc
- bourgogne blanc
- muscadet

TRUITE AUX AMANDES
- chassagne-montrachet blanc
- alsace klevner
- côtes du roussillon

TURBOT SAUCE HOLLANDAISE
- graves blanc
- saumur blanc
- hermitage blanc

_____ _VIANDES ROUGES ET BLANCHES_ _____

Agneau

BARON D'AGNEAU AU FOUR
- haut-médoc
- savoie-mondeuse
- minervois

CARRE D'AGNEAU MARLY
- saint-julien
- ajaccio
- coteaux du lyonnais

EPAULE D'AGNEAU BOULANGERE
- hermitage rouge

- côtes de bourg rouge
- moulin à vent

FILET D'AGNEAU EN CROUTE
- pomerol
- mercurey
- coteaux du tricastin

RAGOUT D'AGNEAU AU THYM
- châteauneuf-du-pape rouge
- saint-chinian
- fleurie

SAUTE D'AGNEAU PROVENÇALE
- gigondas
- côtes de provence rouge
- bourgogne passetoutgrain rouge

SELLE D'AGNEAU AUX HERBES
- vin de corse rouge
- côtes du rhône rouge
- coteaux du giennois rouge

Mouton

CURRY DE MOUTON
- montagne saint-émilion
- alsace tokay
- côtes du rhône

DAUBE DE MOUTON
- patrimonio rouge
- côtes du rhône-villages rouge
- morgon

GIGOT À LA FICELLE
- morey-saint-denis

- saint-émilion
- côte de provence rouge

GIGOT FROID MAYONNAISE
- saint-aubin blanc
- bordeaux rouge
- entre-deux-mers

MOUTON EN CARBONADE
- graves de vayres rouge
- fitou
- crozes-hermitage rouge

NAVARIN
- anjou rouge
- bordeaux côtes-de-francs rouge
- bourgogne marsannay rouge

POITRINE DE MOUTON FARCIE
- côtes du jura rouge
- graves rouge
- haut-poitou gamay

Bœuf

BŒUF BOURGUIGNON
- rully rouge
- saumur rouge
- côte du marmandais rouge

CHATEAUBRIAND
- margaux
- alsace pinot
- coteaux du tricastin

DAUBE
- buzet rouge
- côtes du vivarais rouge
- arbois rouge

ENTRECOTE BORDELAISE
- saint-julien
- saint-joseph rouge
- côtes du roussillon-villages

FILET DE BŒUF DUCHESSE
- côte rôtie
- gigondas
- graves rouge

FONDUE BOURGUIGNONNE
- bordeaux rouge
- côtes du ventoux rouge
- bourgogne rosé

GARDIANE
- lirac rouge
- côtes du luberon rouge
- costières de nîmes rouge

POT-AU-FEU
- anjou rouge
- bordeaux rouge
- beaujolais rouge

ROSBIF CHAUD
- moulis
- aloxe-corton
- côtes du rhône rouge

ROSBIF FROID
- madiran
- beaune rouge
- cahors

STEACK MAÎTRE D'HÔTEL
- bergerac rouge
- arbois rosé
- chénas

TOURNEDOS BEARNAISE
- listrac
- saint-aubin rouge
- touraine amboise rouge

Porc

ANDOUILLETTE A LA CREME
- touraine blanc
- bourgogne blanc
- saint-joseph blanc

ANDOUILLETTE GRILLEE
- coteaux champenois blanc
- petit chablis
- beaujolais rouge

BAECKEOFFE
- alsace riesling
- alsace sylvaner

CASSOULET
- côtes du frontonnais rouge
- minervois rouge
- bergerac rouge

CHOU FARCI
- côtes du rhône rouge
- touraine gamay

- bordeaux sec sauvignon

CHOUCROUTE
- alsace riesling
- alsace sylvaner

COCHON DE LAIT EN GELEE
- graves de vayres blanc
- costières du gard rosé
- beaujolais-villages rouge

CONFIT
- tursan rouge
- corbières rouge
- cahors

COTE DE PORC CHARCUTIERE
- bourgogne blanc
- côtes d'auvergne rouge
- bordeaux clairet

PALETTE AU SAUVIGNON
- bergerac sec

- menetou-salon
- bordeaux rosé

POTEE
- côtes du luberon
- côte de brouilly
- bourgogne aligoté

ROTI DE PORC A LA SAUGE
- rully blanc
- côtes du rhône rouge
- minervois rosé

ROTI DE PORC FROID
- bourgogne blanc
- lirac rouge
- bordeaux sec

SAUCISSE DE TOULOUSE GRILLEE
- saint-joseph ou bergerac rouges
- côtes du frontonnais rosé

Veau

BROCHETTES DE ROGNONS
- cornas
- beaujolais-villages
- coteaux du languedoc rosé

BLANQUETTE DE VEAU A L'ANCIENNE
- arbois blanc
- alsace grand cru riesling
- côtes de provence rosé

COTE DE VEAU GRILLEE
- côtes du rhône rouge
- anjou blanc
- bourgogne rosé

ESCALOPE PANEE
- côtes du jura blanc
- corbières blanc
- côtes du ventoux rouge

FOIE DE VEAU A L'ANGLAISE
- médoc
- coteaux d'aix-en-provence rouge
- haut-poitou rosé

NOIX DE VEAU BRAISEE
- mâcon-villages blanc
- côtes de duras rouge
- brouilly

PAUPIETTES DE VEAU
- anjou gamay
- minervois rosé
- costières de nîmes blanc

RIS DE VEAU AUX LANGOUSTINES
- graves blanc
- alsace tokay
- bordeaux rosé

ROGNONS SAUTES AU VIN JAUNE
- arbois blanc
- gaillac vin de voile
- bourgogne aligoté

ROGNONS DE VEAU A LA MOELLE
- saint-émilion
- saumur-champigny
- coteaux d'aix-en-provence rosé

VEAU MARENGO
- côtes de duras merlot
- alsace klevner
- coteaux du tricastin rosé

VEAU ORLOFF
- chassagne montrachet blanc
- chiroubles
- lirac rosé

VOLAILLES, LAPIN

BARBARIE AUX OLIVES
- savoie-mondeuse rouge
- canon-fronsac
- anjou cabernet rouge

BROCHETTES DE CŒURS DE CANARD
- saint-georges-saint-émilion
- chinon
- côtes du rhône-villages

CANARD A L'ORANGE
- côtes du jura jaune
- cahors
- graves rouge

CANARD FARCI
- saint-émilion grand cru
- bandol rouge
- buzet rouge

CANARD AUX NAVETS
- puisseguin saint-émilion
- saumur-champigny
- coteaux d'aix-en-provence rouge

CANETTE AUX PECHES
- banyuls
- chinon rouge
- graves rouge

CHAPON ROTI
- bourgogne blanc
- touraine-mesland
- côtes du rhône rosé

COQ AU VIN ROUGE
- ladoix
- côte de beaune
- châteauneuf-du-pape rouge
- touraine cabernet

CURRY DE POULET
- montagne saint-émilion
- alsace tokay
- côtes du rhône

DINDE AUX MARRONS
- saint-joseph rouge
- sancerre rouge
- meursault blanc

DINDONNEAU A LA BROCHE
- monthélie
- graves blanc
- châteaumeillant rosé

ESCALOPES DE DINDE AU ROQUEFORT
- côtes du jura blanc
- bourgogne aligoté
- coteaux d'aix-en-provence rosé

FRICASSEE DE LAPIN
- touraine rosé
- côtes de blaye blanc
- beaujolais-villages rouge

LAPIN ROTI A LA MOUTARDE
- sancerre rouge
- tavel
- côtes de provence blanc

MAGRET AU POIVRE VERT
- saint-joseph rouge
- bourgueil rouge
- bergerac rouge

OIE FARCIE
- anjou cabernet rouge
- côtes du marmandais rouge

- beaujolais-villages

PIGEONNEAUX A LA PRINTANIERE
- crozes-hermitage rouge
- bordeaux rouge
- touraine gamay

PINTADEAU A L'ARMAGNAC
- saint-estèphe
- chassagne-montrachet rouge
- fleurie

POULARDE DEMI-DEUIL
- chevalier-montrachet
- arbois blanc
- juliénas

POULARDE EN CROUTE DE SEL
- listrac
- mâcon-villages blanc
- côtes du rhône rouge

POULET AU RIESLING
- alsace grand cru riesling
- touraine sauvignon
- côtes du rhône rosé

POULET BASQUAISE
- côtes de duras sauvignon
- bordeaux sec
- coteaux du languedoc rosé

POULET SAUTE AU MORILLES
- savigny-lès-beaune rouge
- arbois blanc
- sancerre blanc

POUSSIN DE LA WANTZENAU
- côtes de toul gris
- alsace gutedel
- beaujolais

GIBIER

BECASSE FLAMBEE
- pauillac
- musigny
- hermitage

BROCHETTE DE MAUVIETTES
- pernand-vergelesses rouge
- pomerol
- côtes du ventoux rouge

CIVET DE LIEVRE
- canon-fronsac
- bonnes-mares
- minervois rouge

COTELETTES DE CHEVREUIL CONTI
- lalande-de-pomerol
- côtes de beaune rouge
- crozes-hermitage rouge

CUISSOT DE SANGLIER SAUCE VENAISON
- chambertin
- montage saint-émilion
- corbières rouge

FAISAN EN CHARTREUSE
- moulis
- pommard
- saint-nicolas de bourgueil

FILET DE SANGLIER BORDELAISE
- pomerol
- bandol
- gigondas

GIGUE DE CHEVREUIL GRAND VENEUR
- hermitage rouge
- corton rouge
- côtes du roussillon rouge

GRIVES AU GENIEVRE
- échezeaux

- coteaux du tricastin rouge
- chénas

HALBRAN ROTI
- saint-émilion grand cru
- côte rotie
- faugères

JAMBON DE SANGLIER BRAISE
- fronsac
- châteauneuf-du-pape rouge
- moulin-à-vent

LAPEREAU ROTI
- auxey-duresses rouge
- puisseguin saint-émilion
- crozes-hermitage rouge

LIEVRE A LA ROYALE
- saint-joseph rouge
- volnay
- pécharmant

MERLES A LA FACON CORSE
- ajaccio rouge
- côtes de provence rouge
- coteaux du languedoc rouge

PERDREAU ROTI
- haut-médoc
- vosne-romanée
- bourgueil

PERDRIX AUX CHOUX
- bourgogne irancy
- arbois rosé
- cornas

PERDRIX A LA CATALANE
- maury
- côtes du roussillon rouge
- beaujolais-villages

RABLE DE LIEVRE AU GENIEVRE
- chambolle musigny
- savoie-mondeuse
- saint-chinian

SALMIS DE COLVERT
- côte rôtie
- chinon rouge
- bordeaux supérieur

SALMIS DE PALOMBE
- saint-julien
- côte de nuits-villages
- patrimonio

LEGUMES

BEIGNETS D'AUBERGINES
- bourgogne rouge
- beaujolais rouge
- bordeaux sec

CELERI BRAISE
- côtes du ventoux rouge
- alsace pinot noir
- touraine sauvignon

CHAMPIGNONS
- beaune blanc
- alsace tokay
- coteaux de giennois rouge

GRATIN DAUPHINOIS
- bordeaux côtes de castillon

- châteauneuf-du-pape blanc
- alsace riesling

GRISETS SAUTES PERSILLADE
- beaune blanc
- alsace tokay
- coteaux du giennois rouge

HARICOTS VERTS
- côte de beaune blanc
- sancerre blanc
- entre-deux-mers

PATES
- côtes du rhône rouge
- coteaux d'aix rosé

PETITS POIS
- saint-romain blanc
- côtes du jura blanc
- touraine sauvignon

POIS GOURMANDS
- graves blanc
- côtes du rhône rouge
- alsace riesling

POIVRONS FARCIS
- mâcon-villages
- côtes du rhône rosé
- alsace tokay

FROMAGES

Au lait de vache

BEAUFORT
- arbois jaune
- meursault
- vin de savoie
- chignin
- bergeron

BLEU D'AUVERGNE
- côtes de bergerac moelleux
- beaujolais
- touraine sauvignon

BLEU DE BRESSE
- côtes du jura blanc
- macon rouge
- côtes de bergerac blanc

BRIE
- beaune rouge
- alsace pinot noir
- coteaux du languedoc rouge

CAMEMBERT
- bandol rouge

- côtes du roussillon-villages
- beaujolais-villages

CANTAL
- coteaux du vivarais rouge
- côtes de provence rosé
- lirac blanc

CARRE DE L'EST
- saint-joseph rouge
- coteaux d'aix-en-provence rouge
- brouilly

CARRE FRAIS
- cahors
- côtes du roussillon rosé
- côtes du rhône blanc

CHAOURCE
- montagne saint-émilion
- cadillac
- chénas

CITEAUX
- aloxe-corton

- coteaux champenois rouge
- fleurie

COMTE
- château-chalon, graves blanc
- côtes du luberon blanc

EDAM DEMI-ETUVE
- pauillac
- fixin
- costières de nîmes rouge

EPOISSES
- savigny
- côtes du jura rouge
- côte de brouilly

FOURME D'AMBERT
- l'étoile jaune
- cérons
- banyuls rimage

GOUDA DEMI-ETUVE
- saint-estèphe
- chinon
- coteaux du tricastin

LIVAROT
- bonnezeaux
- sainte-croix-du-mont
- alsace gewurztraminer

MAROILLES
- jurançon
- alsace gewurztraminer
  vendanges tardives

MIMOLETTE DEMI-ETUVE
- graves rouge
- santenay
- côtes du rhône rouge

MORBIER
- gevrey-chambertin
- madiran
- côtes du ventoux rouge

MUNSTER
- coteaux du layon-villages
- loupiac
- alsace gewurztraminer

PATE FONDUE (FROMAGES A)
- alsace riesling
- haut-poitou sauvignon
- côtes du rhône-villages

PONT-L'EVEQUE
- côtes de saint-mont
- bourgueil
- nuit saint-georges

RACLETTE
- vin de savoie
- apremont
- côtes de duras sauvignon
- juliénas

REBLOCHON
- mercurey

- lirac rouge
- touraine gamay

RIGOTTE
- bourgogne hautes-côtes
  de nuits rouge
- côte du forez
- saint-amour

SAINT-MARCELLIN
- faugères
- tursan rouge
- chiroubles

SAINT-NECTAIRE
- fronsac
- bourgogne rouge
- mâcon-villages blanc

VACHERIN
- corton
- premières côtes
  de bordeaux
- barsac

Au lait de chèvre

CABECOU
- bourgogne blanc
- tavel
- gaillac blanc

CROTTIN DE CHAVIGNOL
- sancerre blanc
- bordeaux sec
- côte roannaise

CHEVRE FRAIS
- champagne
- montlouis demi-sec

- crémant d'alsace

CORSE (FROMAGE DE CHEVRE DE)
- patrimonio blanc
- cassis blanc
- costières de nîmes blanc

PELARDON
- condrieu
- roussette de savoie
- coteaux du lyonnais rouge

SAINTE-MAURE
- rivesaltes blanc

- alsace tokay
- cheverny gamay

SELLES-SUR-CHER
- coteaux de l'aubance
- cheverny
- romorantin
- sancerre rosé

VALENCAY
- vouvray moelleux
- haut-poitou rosé
- valençay gamay

Au lait de brebis

CORSE (FROMAGE DE BREBIS DE)
- bourgogne irancy
- ajaccio
- côtes du roussillon rouge

EISBARECH
- lalande-de-pomerol

- cornas
- marcillac

LARUNS
- bordeaux côtes de castillon
- gaillac rouge

- côtes de provence rouge

ROQUEFORT
- côtes du jura jaune
- sauternes
- muscat de rivesaltes

DESSERTS

BRIOCHE
- rivesaltes rouge
- muscat de beaumes-de-
  venise
- alsace vendanges tardives

BUCHE DE NOEL
- champagne demi-sec
- clairette de die tradition

CREME RENVERSEE
- coteaux du layon-villages
- sauternes
- muscat de saint-jean de
  minervois

FAR BRETON
- pineau des charentes
- anjou coteaux de la loire
- cadillac

FRAISIER
- muscat de rivesaltes
- maury

GATEAU AU CHOCOLAT
- banyuls grand cru
- pineau des charentes rosé

*GLACE A LA VANILLE AU COULIS
DE FRAMBOISE*
- loupiac
- coteaux du layon

ILE FLOTTANTE
- loupiac
- rivesaltes blanc
- muscat de rivesaltes

KOUGLOF
- quarts de chaume
- alsace vendanges tardives

- muscat de mireval

PITHIVIERS
- maury
- bonnezeaux
- muscat de lunel

SALADE D'ORANGES
- sainte-croix-du-mont
- rivesaltes blanc
- muscat de rivesaltes

TARTE AU CITRON
- alsace sélection de grains
  nobles
- cérons
- rivesaltes blanc

TARTE TATIN
- pineau des charentes
- arbois vin de paille
- jurançon

Alsace

ALLEMAGNE
0 1 5 km
Wissembourg
Rott
Oberhoffen
Steinseltz
Cleebourg
Riedseltz
D 77
D 240
D 76
D 263
Aire d'appellation Alsace
Route du Vin
Limites de départements
Localités viticoles
Spiegel Lieux-dits
Marlenheim
Steinklotz
Nordheim
Furdenheim
N 4
D 422
D 625
Westhoffen
Dahlenheim
Engelberg
Bergbieten
Altenberg de Bergbieten
Wolxheim
Altenberg de Wolxheim
Bruderthal
Molsheim
Dorlisheim
Rosheim
Bischoffsheim
Boersch
Obernai
Ottrott
Bernardswiller
BAS-RHIN
Heiligenstein
Barr
Kirchberg de Barr
Gertwiller
Andlau
Moenchberg
Wiebelsberg
Kastelberg
Mittelbergheim
Zotzenberg
Eichhoffen
Moenchberg
Epfig
Itterswiller
Nothalten
Muenchberg
Blienschwiller
Winzenberg
Dambach-la-Ville
Frankstein
Dieffenthal
D 35
Scherwiller
Châtenois
Sélestat
Kintzheim
Orschwiller
Praelatenberg
St-Hippolyte
Gloeckelberg
HAUT-RHIN
Rodern
Rorschwihr
Ribeauvillé
Osterberg
Bergheim
Kanzlerberg
Altenberg de Bergheim
Kirchberg de Ribeauvillé
Geisberg
Hunawihr
Rosacker
Zellenberg Froehn
Riquewihr
Schoenenbourg
Sporen
Beblenheim
Sonnenglanz
Mittelwihr
Mandelberg
Bennwihr Marckrain
Schlossberg
Sigolsheim Mambourg
Klentzheim
Ammerschwihr
COLMAR
N 83
Ill
A 35
Alsace
Kaysersberg
Fürstentum
Kaefferkopf
Katzenthal
Wineck-Schlossberg
Ingersheim
Florimont
Niedermorschwihr
Sommerberg
Turckheim
Brand
Wintzenheim
Hengst
Zimmerbach
Wettolsheim
Steingrubler
Eguisheim
Pfersigberg, Eichberg
Husseren-les-Chât.
Voegtlinshoffen
Herrlisheim
Gueberschwihr
Goldert
Hattstatt
Hatschbourg
Pfaffenheim
Steinert
Westhalten
Vorbourg
Soultzmatt
Zinnkoepfle
Rouffach
D 18b
Orschwihr
Pfingstberg
D 5
Bergholtz
Spiegel
Guebwiller
Saering, Kitterlé, Kessler
Wuenheim
Ollwiller
Thur
N 422
Cernay
Thann
Rangen
Vieux-Thann
MULHOUSE
A 36
Saering Lieux-dits

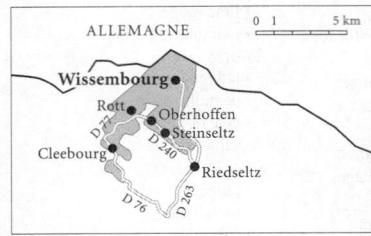

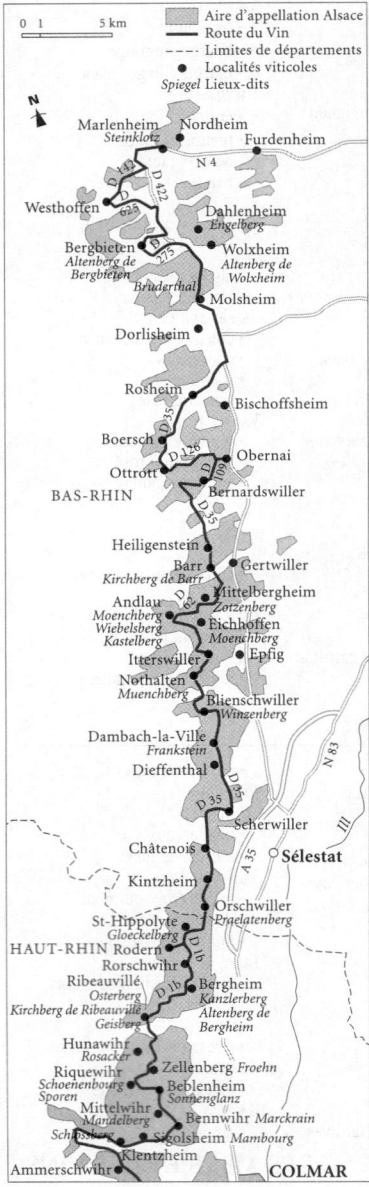

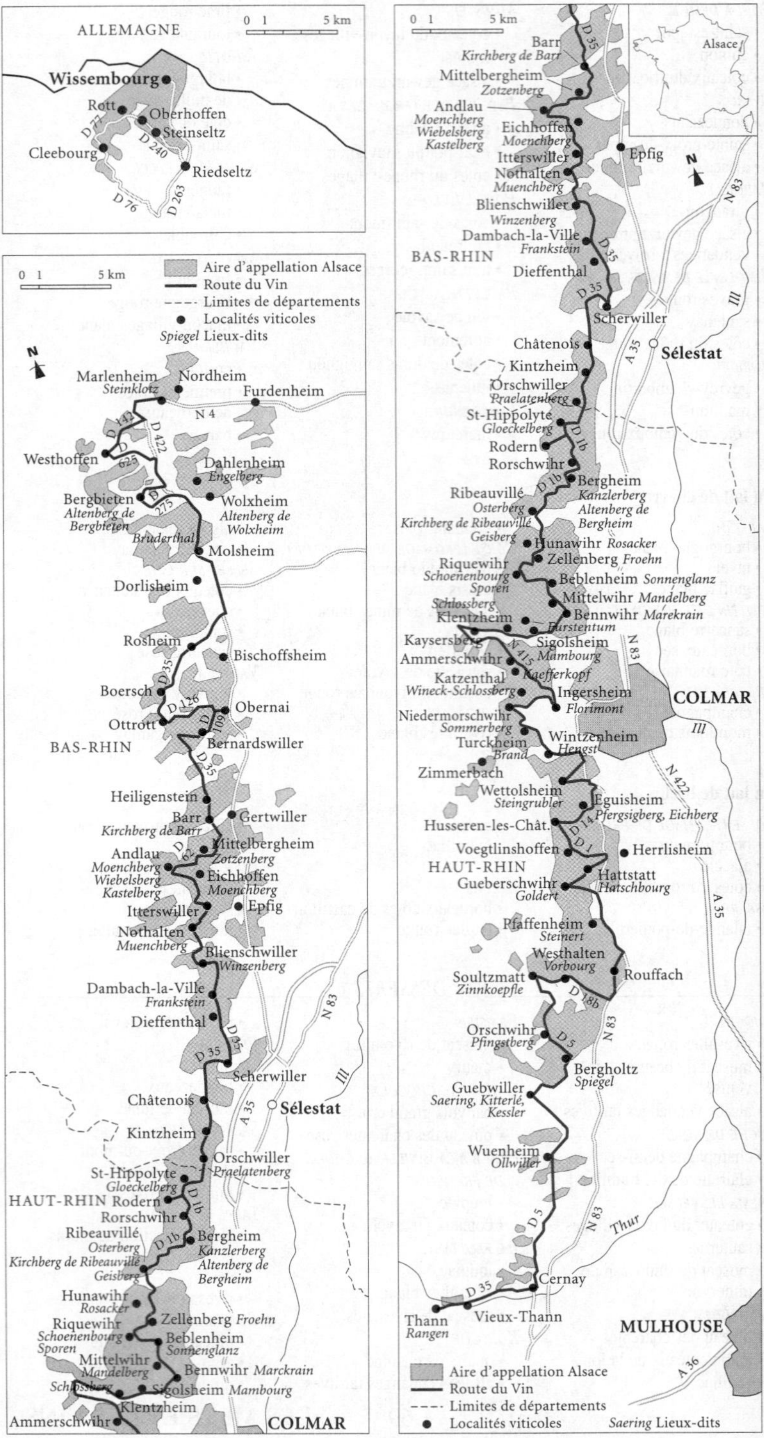

L'ALSACE ET L'EST

L'Alsace

La plus grande partie du vignoble d'Alsace est implantée sur les collines qui bordent le massif vosgien et qui prennent pied dans la plaine rhénane. Les Vosges, qui se dressent entre l'Alsace et le reste du pays, donnent à la région son climat spécifique, car elles captent la grande masse des précipitations venant de l'Océan. C'est ainsi que la pluviométrie moyenne annuelle de la région de Colmar, avec moins de 500 mm, est la plus faible de France ! En été, cette chaîne fait obstacle à l'influence rafraîchissante des vents atlantiques, mais ce sont surtout les différents microclimats, nés des nombreuses sinuosités du relief, qui jouent un rôle prépondérant dans la répartition et la qualité des vignobles.

Une autre caractéristique de ce vignoble est la grande diversité de ses sols. Alors que dans un passé considéré comme récent par les géologues, même s'il remonte à quelque cinquante millions d'années, Vosges et Forêt-Noire formaient un seul ensemble, issu d'une succession de phénomènes tectoniques (immersions, érosions, plissements...), à partir de l'ère tertiaire, la partie médiane de ce massif a commencé à s'affaisser pour donner naissance, bien plus tard, à une plaine. Par suite de ce tassement, presque toutes les couches de terrain qui s'étaient accumulées au cours des différentes périodes géologiques ont été remises à nu sur la zone de rupture. Or, c'est surtout là que sont localisés les vignobles. C'est ainsi que la plupart des communes viticoles sont caractérisées par au moins quatre ou cinq formations de terrains différents.

L'histoire du vignoble alsacien se perd dans la nuit des temps, et les populations préhistoriques ont sans doute déjà dû tirer parti de la vigne, dont la culture proprement dite ne semble cependant dater que de la conquête romaine. L'invasion des Germains, au Vᵉ s., entraîna un déclin passager de la viticulture, mais des documents écrits nous révèlent que les vignobles ont assez rapidement repris de l'importance, sous l'influence déterminante des évêchés, des abbayes et des couvents. Des documents antérieurs à l'an 900 mentionnent déjà plus de cent soixante localités où la vigne était cultivée.

Cette expansion se poursuivit sans interruption jusqu'au XVIᵉ s., qui marqua l'apogée de la viticulture en Alsace. Les magnifiques maisons de style Renaissance que l'on rencontre encore dans maintes communes viticoles témoignent indiscutablement de la prospérité de ce temps, où de grandes quantités de vins d'Alsace étaient déjà exportées dans toute l'Europe. Mais la guerre de Trente Ans, période de dévastation par les armes, le pillage, la faim et la peste, eut des conséquences catastrophiques pour la viticulture, comme pour les autres activités économiques de la région.

La paix revenue, la culture de la vigne reprit peu à peu son essor, mais l'extension des vignobles se fit principalement à partir de cépages communs. Un édit royal de 1731 tenta bien de mettre fin à cette situation, mais sans grand succès. Cette tendance s'accentua encore après la Révolution, et la superficie du vignoble passa de 23 000 ha en 1808 à 30 000 ha en 1828. Il s'instaura une surproduction, aggravée par la disparition totale des exportations et par une diminution de la consommation du vin au profit de la bière. Par la suite, la concurrence des vins du Midi, facilitée par l'avènement des chemins de fer, ainsi que l'apparition et l'extension des maladies cryptogamiques, des vers de la grappe et du phylloxéra ne firent qu'augmenter toutes les difficultés. Il s'ensuivit à partir de 1902 une diminution de la superficie du vignoble qui continua jusque vers 1948, année qui le vit tomber à 9 500 ha, dont 7 500 en appellation alsace.

L'essor économique de l'après-guerre et les efforts de la profession influèrent favorablement sur le développement du vignoble alsacien, qui possède actuellement, sur une superficie de quelque 14 500 ha, un potentiel de production annuel moyen de l'ordre de 1 228 000 hl - dont 42 400 hl en grands crus et 163 000 hl en crémant d'Alsace -, commercialisés en France et à l'étranger, les exportations atteignant plus du quart des ventes totales. Ce développement a été l'œuvre de l'ensemble des diverses branches professionnelles qui mettent chacune sur le marché des quantités plus ou moins identiques de vin. Il s'agit des viticulteurs producteurs, des coopératives et des négociants (souvent eux-mêmes producteurs), qui achètent des quantités importantes à des viticulteurs ne vinifiant pas eux-mêmes leur récolte.

Tout au long de l'année, de nombreuses manifestations vinicoles se déroulent dans les diverses localités qui bordent la route du Vin. Celle-ci est un des attraits touristiques et culturels majeurs de la province. Le point culminant de ces manifestations est sans doute la Foire annuelle du vin d'Alsace qui a lieu en août à Colmar, précédée par celles de Guebwiller, d'Ammerschwihr, de Ribeauvillé, de Barr et de Molsheim. Mais il convient également de citer celle, particulièrement prestigieuse, de la confrérie Saint-Etienne, née au XIVe s. et restaurée en 1947.

Le principal atout des vins d'Alsace réside dans le développement optimal des constituants aromatiques des raisins, qui s'effectue souvent mieux dans des régions à climat tempéré frais, où la maturation est lente et prolongée. Leur spécificité dépend naturellement de la variété, et l'une des particularités de la région est la dénomination des vins d'après la variété qui les a produits, alors qu'en règle générale les autres vins français d'appellation d'origine contrôlée portent le nom de la région ou d'un site géographique plus restreint qui leur a donné naissance.

Les raisins, récoltés courant octobre, sont transportés le plus rapidement possible au chai pour y subir un foulage, parfois un égrappage, puis le pressurage. Le moût qui s'écoule du pressoir est chargé de « bourbes » qu'il importe d'éliminer le plus vite possible par sédimentation ou par centrifugation. Le moût clarifié entre ensuite en fermentation, phase au cours de laquelle on veille tout particulièrement à éviter un excès de température. Par la suite, le vin jeune et trouble demande de la part du viticulteur toute une série de soins : soutirage, ouillage, sulfitage raisonné, clarification. La conservation en cuves ou en fûts se poursuit ensuite jusque vers le mois de mai, époque à laquelle le vin subit son conditionnement final en bouteilles. Cette façon de procéder concerne la vendange destinée à l'obtention des vins blancs secs, c'est-à-dire plus de 90 % de la production alsacienne.

Les alsaces « vendanges tardives » et « sélection de grains nobles », eux, sont des productions issues de vendanges surmûries et ne constituent des appellations officielles que depuis 1984. Ils sont soumis à des conditions de production extrêmement rigoureuses, les plus exigeantes de toutes pour ce qui concerne le taux de sucre des raisins. Il s'agit évidemment de vins de classe exceptionnelle, qui ne peuvent être obtenus tous les ans et dont le prix de revient est très élevé. Seuls le gewurztraminer, le pinot gris, le riesling et plus rarement le muscat peuvent bénéficier de ces mentions spécifiques.

Dans l'esprit des consommateurs, le vin d'Alsace doit se boire jeune, ce qui est en grande partie vrai pour le sylvaner, le chasselas, le pinot blanc et l'edelzwicker ; mais cette jeunesse est loin d'être éphémère, et riesling, gewurztraminer, pinot gris ont souvent intérêt à n'être consommés qu'après deux ans d'âge. Il n'existe en réalité aucune règle fixe à cet égard, et certains grands vins, nés au cours des années de grande maturité des raisins, se conservent beaucoup plus longtemps, des dizaines d'années parfois.

L'appellation alsace, applicable dans l'ensemble des cent dix aires de production communales, est subordonnée à l'utilisation de onze cépages : gewurztraminer, riesling rhénan, pinot gris, muscats blanc et rose à petits grains, muscat ottonel, pinot blanc vrai, auxerrois blanc, pinot noir, sylvaner blanc, chasselas blanc et rose.

Alsace klevener de heiligenstein

Le klevener de heiligenstein n'est autre que le vieux traminer (ou savagnin rose) connu depuis des siècles en Alsace.

Il a fait place progressivement à sa variante épicée ou « gewurztraminer » dans l'ensemble de la région, mais est resté vivace à Heiligenstein et dans cinq communes voisines.

Il constitue une originalité par sa rareté et son élégance. Ses vins sont en effet à la fois très bien charpentés et discrètement aromatiques.

CAVE VINICOLE D'ANDLAU-BARR
Cuvée Ehret-Wantz 1998★

	n.c.	40 000	🖻 ↓ 50 à 69 F

Une robe attrayante à reflets orangés pour ce klevener qui attire l'attention par ses arômes intenses. En bouche, ce 98 conjugue un joli volume et du gras avec une fraîcheur d'agrumes qui contribue à sa persistance.
➜ Cave vinicole d'Andlau et environs, 15, av. des Vosges, 67140 Barr, tél. 03.88.08.90.53, fax 03.88.08.41.79 ☑ ⓘ r.-v.

Alsace sylvaner

Les origines du sylvaner sont très incertaines, mais son aire de prédilec-

tion a toujours été limitée au vignoble allemand et à celui du Bas-Rhin en France. En Alsace même, c'est un cépage extrêmement intéressant grâce à son rendement et à sa régularité de production.

Son vin est d'une remarquable fraîcheur, assez acide, doté d'un fruité discret. On trouve en réalité deux types de sylvaner sur le marché. Le premier, de loin supérieur, provient de terroirs bien exposés et peu enclins à la surproduction. Le second est apprécié par ceux qui aiment un type de vin sans prétention, agréable et désaltérant. Le sylvaner accompagne volontiers choucroute, hors-d'œuvre et entrées, de même que les fruits de mer, tout spécialement les huîtres.

PIERRE ET FRANCOIS KOCH
Zellberg 1998

	1 ha	4 500	ⓘⓘ 30 à 49 F

Le domaine Koch rassemble 12 ha de vignes autour de Nothalten. Cette commune est réputée pour ses terroirs propices au sylvaner, tel le coteau calcaire de Zellberg. Fin et intense au nez, ce 98 offre un subtil mélange de notes florales et beurrées. Assez vif à l'attaque, il développe en bouche des arômes de miel et d'abricot qui laissent augurer une belle évolution au vieillissement.
➜ Pierre et François Koch, 2, rte du Vin, 67680 Nothalten, tél. 03.88.92.42.30, fax 03.88.92.62.91 ☑ ⓘ r.-v.

KUMPF ET MEYER
Vieilles vignes 1998★★

	0,5 ha	4 500	🖻 ↓ 20 à 29 F

Sophie Kumpf et Philippe Meyer ont uni leur destinée... et leurs domaines familiaux respectifs (en 1997). Le couple est maintenant à la tête d'un domaine de 15 ha, valeur montante du vignoble d'Alsace. Ce sylvaner d'origine argilo-calcaire est assurément une réussite ! Intense au nez et marqué par des notes d'agrumes et de fleurs blanches, il se révèle vif, équilibré et persistant en bouche. Un vin très harmonieux à recommander sur poissons ou fruits de mer.

🍷 Kumpf et Meyer, 34, rte de Rosenwiller, 67560 Rosheim, tél. 03.88.50.20.07, fax 03.88.50.26.75 ☑ ⦿ t.l.j. 8h30-12h 13h30-19h
🍷 Sophie et Philippe Meyer

DOM. LOEW Vérité de Sylvaner 1998★

	0,26 ha	1000	30 à 49 F

Aujourd'hui âgé de vingt-trois ans, Etienne Loew a hérité d'un domaine de ses grands-parents en 1996. Il donne libre cours à ses jeunes talents. Partisan de la vinification traditionnelle, il n'hésite pas à se référer à l'ermite Clauss, qui œuvra dans la contrée en 1280, et qui trouve une juste place sur l'étiquette ! Il propose un sylvaner marqué par des notes de surmaturation au nez, très complexe et bien équilibré au palais malgré une pointe de rondeur. Un vin de haute gastronomie !
🍷 Etienne Loew, 135, rue Birris, 67310 Westhoffen, tél. 03.88.50.30.34, fax 03.88.50.59.19 ☑ ⦿ r.-v.

JULES MULLER Réserve 1998

	3 ha	20 000	20 à 29 F

On croit connaître l'Alsace au travers de quelques clichés. On oublie trop souvent que chaque village, comme Bergheim, recèle des trésors d'architecture médiévale. La maison Jules Muller y a pignon sur rue depuis plus d'un siècle. Assez intense au nez, ce sylvaner affiche des arômes de fruits mûrs et des notes minérales. Ce dernier caractère se retrouve dans un palais vif et bien équilibré.
🍷 Jules Muller, 91, rue des Vignerons, 68750 Bergheim, tél. 03.89.73.22.21, fax 03.89.73.30.49 ☑ ⦿ t.l.j. sf dim. 10h-12h 14h-18h30
🍷 Gustave Lorentz

GILBERT RUHLMANN 1998

	0,8 ha	7 500	20 à 29 F

Guy Ruhlmann se trouve à la tête de cette exploitation de 10 ha depuis 1997. Originaire d'un terroir limono-sableux, son sylvaner présente un nez très intense de fleurs et de noisette. D'une attaque assez vive au palais, c'est un vin léger, à recommander en entrée.
🍷 Gilbert Ruhlmann Fils, 31, rue de l'Ortenbourg, 67750 Scherwiller, tél. 03.88.92.03.21, fax 03.88.82.30.19 ☑ ⦿ r.-v.
🍷 Guy Ruhlmann

MARTIN SCHAETZEL
Vieilles vignes 1998★

	0,2 ha	n.c.	30 à 49 F

Jean Schaetzel a repris le domaine de son oncle il y a plus de dix ans tout en conservant ses activités dans l'enseignement viticole, ce qui lui permet d'alterner pratique et théorie. Il n'a pas fini de nous surprendre ! Cette fois c'est avec un sylvaner très opulent, issu d'une surmaturation. Marqué par des arômes intenses d'agrumes et de fruits confits au nez, il apparaît très rond à l'attaque, puis révèle une structure bien équilibrée. Atypique mais très intéressant, un vin pour l'apéritif.
🍷 SARL Martin Schaetzel, 3, rue de la 5ᵉ-Division-Blindée, 68770 Ammerschwihr, tél. 03.89.47.11.39, fax 03.89.78.29.77 ☑ ⦿ r.-v.
🍷 Béa et Jean Schaetzel

SIFFERT
Coteau du Haut-Kœnigsbourg Vieilles vignes 1998★★

	0,72 ha	7 000	30 à 49 F

Etabli sur les coteaux du Haut-Kœnigsbourg, le domaine Siffert, avec ses 10 ha de vignes, jouit d'une solide réputation, que ne ternira pas ce sylvaner. Elégant et intense au nez, d'un beau type fruité et d'une belle attaque au palais, c'est un vin frais, équilibré et persistant. En un mot, un sylvaner très généreux !
🍷 SCEA Dom. Siffert, 16, rte du Vin, 67600 Orschwiller, tél. 03.88.92.02.77, fax 03.88.82.70.02, e-mail Siffert@rmcnet.fr ☑ ⦿ t.l.j. 9h-12h 13h30-19h; dim. sur r.-v.; f. 15 janv.-15 fév.

THIERRY-MARTIN 1998★

	4 ha	3 000	30 à 49 F

En 1998, Thierry Unterreiner et Martin Lorentz se sont associés pour fonder cette nouvelle exploitation de vente directe. Leurs débuts sont encourageants, à en juger par ce sylvaner très expressif, qui se singularise par une petite touche minérale au nez. D'un bon équilibre au palais, ce vin finit sur une légère note citronnée qui le destine aux fruits de mer.
🍷 Thierry-Martin, rte de Westhoffen, 67520 Wangen, tél. 03.88.04.11.22, fax 03.88.04.11.21, e-mail alsacethierrymartin@minitel.net ☑ ⦿ r.-v.

BERNARD WEBER 1998★★

	1 ha	2 000	20 à 29 F

Est-il encore nécessaire de présenter ce domaine dont l'origine se perd dans la nuit des temps. Bernard Weber, qui le conduit depuis 1974, accueille chaque nouveau millésime avec la même passion. Marqué par son origine argilo-calcaire, son sylvaner est déjà très ouvert au nez, dominé par des senteurs mentholées et citronnées. Au palais, belle attaque, longueur et équilibre en font un modèle d'harmonie. Tout ce qu'il faut pour un plateau de fruits de mer.
🍷 Bernard Weber, 49, rue de Saverne, 67120 Molsheim, tél. 03.88.38.52.67, fax 03.88.38.58.81, e-mail info@bernard-weber.com ☑ ⦿ r.-v.

Alsace pinot ou klevner

Sous ces deux dénominations (la seconde étant un vieux nom alsacien), le vin de cette appellation peut provenir de plusieurs cépages : le pinot blanc vrai et l'auxerrois blanc. Ce sont deux variétés assez peu exigeantes, capables de donner des résultats remarquables dans des situations moyennes, car leurs vins allient agréablement fraîcheur, corps et souplesse. En une dizaine d'années, leur superficie a presque doublé, passant de 10 à 18 % de l'ensemble du vignoble.

Dans la gamme des vins d'Alsace, le pinot blanc représente le juste milieu, et il n'est pas rare qu'il surclasse certains rieslings. Du point de vue gastronomique, il s'accorde avec de nombreux plats, à l'exception des fromages et des desserts.

A L'ANCIENNE FORGE 1998★

| | 0,19 ha | 1 450 | | 30 à 49 F |

Installé dans l'ancienne forge du village, qui date de 1720, le domaine Brandner, malgré ses 5 ha, est tout sauf inconnu, puisqu'on ne compte plus le nombre de mentions dans ce Guide au fil des années. Il propose un pinot blanc bien caractéristique du cépage. Très fin au nez avec ses notes de fruits mûrs et de réglisse, ce 98 s'avère de persistance moyenne mais il séduit par son attaque franche, son ampleur et son parfait équilibre.
➥ Jérôme Brandner, 51, rue Principale, 67140 Mittelbergheim, tél. 03.88.08.01.89, fax 03.88.08.94.92 ☑ ☎ t.l.j. 9h-12h 13h30-19h; groupes sur r.-v.

DOM. BARMES-BUECHER
Auxerrois 1998★★

| | 1,2 ha | 8 000 | | 30 à 49 F |

Né de la réunion de deux vieilles familles du vignoble, le domaine Barmès-Buecher exploite aujourd'hui 15 ha de vignes à proximité de Colmar. Il figure régulièrement dans le Guide, souvent aux meilleures places. C'est le cas cette année avec cet auxerrois originaire d'un terroir graveleux, déjà très intense au nez, et marqué par une touche de surmaturation. Très puissant au palais, il est fruité et persistant. Son caractère surmûri, rare pour un pinot blanc, permet de servir ce 98 non seulement sur les viandes blanches, mais aussi sur le foie gras.
➥ Dom. Barmès-Buecher, 30, rue Sainte-Gertrude, 68920 Wettolsheim, tél. 03.89.80.62.92, fax 03.89.79.30.80, e-mail barmes-buecher@terre-net.fr ☑ ☎ r.-v.

BECK-DOM. DU REMPART
Auxerrois Cuvée de l'Ours Armoriée An 2000 1998★

| | 0,5 ha | 4 000 | | 30 à 49 F |

Depuis 1978 à la tête d'un domaine de 8 ha, Gilbert Beck a fondé en 1995 la Maison des grands crus à Dambach, où l'on peut découvrir une riche palette de produits. Il propose un pinot blanc originaire d'un terroir sablo-marneux, très surprenant au nez par ses arômes floraux mêlés de nuances d'abricot. D'une attaque assez vive, le palais est plutôt long et nerveux. Un vin qui se prêtera à de nombreux accords gourmands.
➥ Beck, Dom. du Rempart, 5, rue des Remparts, 67650 Dambach-la-Ville, tél. 03.88.92.62.03, fax 03.88.92.49.40 ☑ ☎ r.-v.
➥ Gilbert Beck

CAMILLE BRAUN
Auxerrois Vieilles vignes Cuvée Marguerite-Anne 1998★

| | 0,58 ha | 6 000 | | 30 à 49 F |

A la tête d'une exploitation de plus de 8 ha de vignes, Camille Braun est installé dans la première bourgade viticole importante que l'on rencontre en abordant la route des Vins par le sud. Originaire d'un terroir argilo-calcaire, sa cuvée Marguerite-Anne présente un nez de fleurs blanches et de fruits. Des notes fumées apparaissent au palais, renforçant sa persistance. Un vin franc et harmonieux.
➥ Camille Braun, 16, Grand-Rue, 68500 Orschwihr, tél. 03.89.76.95.20, fax 03.89.74.35.03 ☑ ☎ t.l.j. sf dim. 8h-12h 13h30-19h

DREYER Eguisheim 1998★★

| | 0,8 ha | 6 000 | | 20 à 29 F |

Installés sur les hauteurs d'Eguisheim, la célèbre cité médiévale, les Dreyer exploitent aujourd'hui près de 10 ha de vignes. Malgré une origine argilo-calcaire, ce 98 affiche déjà un nez d'une belle intensité et tout en subtilité, avec des arômes d'épices et de grillé. D'une bonne attaque vive au palais, c'est un vin bien équilibré, plutôt gras et puissant, qui traduit sans doute des conditions de rendements très bien maîtrisées.
➥ GAEC Robert Dreyer et Fils, 17, rue de Hautvillers, 68420 Eguisheim, tél. 03.89.23.12.18, fax 03.89.41.61.45 ☑ ☎ r.-v.

PAUL GINGLINGER Clevner 1998★★★

| | 2,5 ha | 15 000 | | 30 à 49 F |

VIN D'ALSACE
APPELLATION ALSACE CONTRÔLÉE

Paul Ginglinger

CLEVNER

Grand-maître de la confrérie Saint-Etienne, Paul Ginglinger est le digne héritier d'une lignée de vignerons qui trouve son origine en 1636. Ce pinot d'origine marno-calcaire atteint des sommets. Il se montre déjà très intense au nez, avec des arômes riches et envoûtants qui restent présents jusqu'en fin de bouche. C'est le fruit d'une excellente matière, un vin d'une rare harmonie et d'une persistance remarquable. Un dégustateur gourmet le verrait bien en accompagnement d'escargots au bouillon de légumes.

☞ Paul Ginglinger, 8, pl. Charles-de-Gaulle, 68420 Eguisheim, tél. 03.89.41.44.25, fax 03.89.24.94.88 ☑ ☥ r.-v.

W. GISSELBRECHT 1998★

| □ | 3 ha | 25 000 | 🍴🥄 30 à 49 F |

La maison Willy Gisselbrecht est un des fleurons du négoce alsacien. Cela ne l'empêche pas de rester attachée à son propre domaine, qui compte 17 ha de vignes. D'origine granitique, son pinot blanc affiche déjà une belle évolution au nez, marqué par d'élégantes notes florales. D'une bonne attaque au palais, c'est un vin frais et typé. Sa persistance le fera recommander aussi bien sur les produits de la mer que sur les viandes blanches.

☞ Willy Gisselbrecht et Fils, 5, rte du Vin, 67650 Dambach-la-Ville, tél. 03.88.92.41.02, fax 03.88.92.45.50, e-mail W.Gisselbrecht@wanadoo.fr ☥ t.l.j. sf dim. 8h-12h 14h-18h

HASSENFORDER Auxerrois 1998★

| □ | n.c. | 1 950 | 🍴 20 à 29 F |

À la tête de l'exploitation depuis 1977, Gilbert Hassenforder est installé à Nothalten, petit village des alentours de Barr, entièrement voué à la viticulture. Issu d'un terroir sablonneux, son pinot auxerrois manifeste au nez des qualités à la fois fruitées et légèrement fumées. D'une attaque franche et vive, il développe les mêmes flaveurs au palais. Un produit très harmonieux qui s'accordera avec des spécialités exotiques ou des viandes blanches.

☞ Gilbert Hassenforder, 57, rte des Vins d'Alsace, 67680 Nothalten, tél. 03.88.92.41.81, fax 03.88.92.41.81 ☥ r.-v.

HEIM Strangenberg Réserve 1998★

| □ | 2,66 ha | n.c. | 🍴🥄 30 à 49 F |

Cette ancienne maison de Westhalten appartient aujourd'hui au groupe Bestheim. Elle a toutefois gardé ses usages et continue de collecter des raisins issus des coteaux environnants, réputés pour leur flore méditerranéenne. Très intense au nez, ce pinot est marqué par des notes de fruits mûrs et de miel, qui témoignent d'une pointe de surmaturation. Bien structuré au palais, équilibré et persistant, c'est un vin de gastronomie à servir sur des viandes blanches ou des salades de foie gras.

☞ Heim, 53, rte de Soultzmatt, 68250 Westhalten, tél. 03.89.78.09.08, fax 03.89.49.09.20 ☑

CHARLES SCHLERET 1998★★

| □ | 0,37 ha | 3 000 | 🍴🥄 30 à 49 F |

Installé à Turckheim depuis 1950, Charles Schleret jouit d'une excellente réputation, tant en France qu'à l'étranger, où il écoule plus de 50 % de sa production. Avec un tel pinot blanc origi-

naire d'un terroir de graves, il se montre digne de ce renom ! Déjà très épanoui au nez avec ses notes de fruits jaunes, ce 98 impressionne par sa structure équilibrée, sa puissance et sa longueur exceptionnelle.

☞ Charles Schleret, 1-3, rte d'Ingersheim, 68230 Turckheim, tél. 03.89.27.06.09 ☑ ☥ t.l.j. 9h-19h; dim. 9h-12h

MICHEL SCHOEPFER 1998★

| □ | 0,5 ha | 4 000 | ⫴ 20 à 29 F |

À Eguisheim, le visiteur peut s'imprégner d'un millénaire d'histoire ! La propriété de Michel Schoepfer a son siège dans l'ancienne cour dîmière du couvent des Augustins de Marbach (1212). Issu d'une belle matière, ce pinot affiche au nez des arômes de fruits mûrs et de surmaturation. La pointe de rondeur perceptible au palais est vite intégrée dans la structure de ce vin, exemplaire par sa puissance et son harmonie.

☞ Michel Schoepfer, 43, Grand-Rue, 68420 Eguisheim, tél. 03.89.41.09.06, fax 03.89.23.08.50 ☑ ☥ t.l.j. 8h-12h 14h-18h

JEAN-VICTOR SCHUTZ 1998★

| □ | n.c. | 30 000 | ▪ 20 à 29 F |

Jean-Victor Schutz a fondé son exploitation en 1997. D'emblée il s'est tourné vers l'étranger, ses vins étant pour la quasi-totalité exportés pour l'instant vers la Belgique, la Hollande et le Danemark. Issu d'un terroir alluvial, son pinot blanc est déjà bien ouvert au nez, avec des arômes de fleurs et de miel. Plutôt rond et gras au palais, c'est le produit d'une grande matière première, qui lui confère l'harmonie désirée.

☞ Jean-Victor Schutz, 34, rue du Mal.-Foch, 67650 Dambach-la-Ville, tél. 03.88.92.41.86, fax 03.88.92.61.86 ☥ r.-v.

SEILLY Les Coteaux d'Obernai 1998★

| □ | 0,96 ha | 7 040 | ▪🥄 30 à 49 F |

Créé en 1865, le domaine Seilly est tout à fait à la page, équipé d'une cuverie thermorégulée. En bon œnologue, Marc Seilly élève ses vins sur lies fines durant huit mois. Il propose un pinot ample et expressif au nez, avec ses notes d'abricot et de noisette. Le palais révèle une très belle fraîcheur à l'attaque et se termine sur une explosion de saveurs. Un vin très harmonieux, que l'on pourra servir sur des entrées ou sur des viandes blanches.

☞ Dom. Seilly, 18, rue du Gal-Gouraud, 67210 Obernai, tél. 03.88.95.55.80, fax 03.88.95.54.00, e-mail info@seilly.fr ☑ ☥ r.-v.

DOM. MICHELE ET JEAN-LUC STOECKLE Cuvée réservée 1998

| □ | 1 ha | 5 000 | ▪🥄 30 à 49 F |

L'ancienne maison Klur-Stoecklé, qui avait pignon sur rue à Katzenthal, est devenue le domaine Michèle et Jean-Luc Stoecklé. Gageons que cette nouvelle génération saura mettre la même passion au service du vin d'Alsace. Originaire d'un terroir granitique, ce pinot affiche déjà une belle maturité au nez, où les arômes de fruits mûrs se mêlent à des senteurs fumées. D'une attaque franche, c'est un vin ample et gras, encore dominé par une pointe de sucre restant. Il faudra l'attendre quelque temps.

☞ Michèle et Jean-Luc Stoecklé, 9, Grand-Rue, 68230 Katzenthal, tél. 03.89.27.05.08, fax 03.89.27.33.61 ☑ ♈ t.l.j. sf dim. après-midi 8h-12h 13h-19h

WINTZER ET FILS 1998★

☐	0,77 ha	1000	▮ 20 à 29 F

Etablis à Soultz au pied du Grand Ballon depuis 1978, les Wintzer, aujourd'hui à la tête de 8 ha de vignes, n'ont eu de cesse de faire progresser la part de leur vin vendue en bouteille. Leur pinot blanc présente un nez intense dominé par des notes de fleurs blanches. D'une belle attaque au palais, c'est un vin plutôt gras et bien équilibré, tout indiqué pour accompagner un repas léger.

☞ GAEC Louis Wintzer et Fils, 53, rue du Maréchal-de-Lattre-de-Tassigny, 68360 Soultz, tél. 03.89.76.80.79, fax 03.89.76.80.41 ☑ ♈ r.-v.

FERNAND ZIEGLER 1998★★★

☐	0,9 ha	8 190	❴❵ 20 à 29 F

Plus de trois cent cinquante ans de tradition viticole pour ce domaine, plus de trente-cinq ans de mise en bouteilles pour Fernand Ziegler, et un pinot blanc qui charme le jury. Très expressif au nez avec ses arômes de pêche et d'agrumes, il est relevé au palais par une franche acidité et montre une concentration apportée par la pourriture noble. Un vin ample, harmonieux et d'une rare persistance.

☞ EARL Fernand Ziegler et Fils, 7, rue des Vosges, 68150 Hunawihr, tél. 03.89.73.64.42, fax 03.89.73.71.38 ☑ ♈ t.l.j. 8h30-12h 13h30-18h30; dim. sur r.-v.

ZIEGLER-MAULER 1998★

☐	0,5 ha	3 500	20 à 29 F

Jean-Jacques Ziegler-Mauler, après avoir longtemps travaillé avec son fils Philippe, lui a confié en 1996 les rênes de ce domaine de 4,5 ha. Malgré son origine argilo-calcaire, ce pinot blanc est déjà bien épanoui comme en témoignent des notes d'agrumes et de bergamote très présentes au nez. D'une attaque vive au palais, c'est un vin long et harmonieux, que l'on servira sur de la charcuterie ou des viandes blanches.

☞ EARL J.-J. Ziegler-Mauler et Fils, 2, rue des Merles, 68630 Mittelwihr, tél. 03.89.47.90.37, fax 03.89.47.98.27 ☑ ♈ r.-v.

DOM. VALENTIN ZUSSLIN ET FILS
l'Auxerrois du Printemps Vieilles vignes 1998★★

☐	0,68 ha	6 300	▮♦ 30 à 49 F

Cette exploitation familiale de 12 ha se transmet de père en fils depuis 1691. Encore jeune au nez avec ses notes florales très subtiles, ce pinot est fidèle à son terroir argilo-calcaire. Des notes épicées apparaissent au palais, qui font rimer à merveille puissance et élégance ! Une cuvée remarquable !

☞ Dom. Valentin Zusslin et Fils, 57, Grand-Rue, 68500 Orschwihr, tél. 03.89.76.82.84, fax 03.89.76.64.36 ☑ ♈ r.-v.

Alsace edelzwicker

Parmi les appellations alsaciennes, une place particulière est occupée par l'edelzwicker. Cette dénomination extrêmement ancienne désigne les vins issus d'un mélange de cépages. N'oublions pas qu'il y a un siècle les parcelles du vignoble alsacien implantées avec une seule variété étaient rares. Les cépages qui entrent dans la composition de l'edelzwicker sont essentiellement les pinot blanc, auxerrois, sylvaner et chasselas. A côté d'une proportion relativement faible d'edelzwicker sans grande qualité et qui a tendance à jeter le discrédit sur cette appellation, cette production est particulièrement appréciée par les Alsaciens, et la plupart des restaurants et des cafés mettent un point d'honneur à en servir de très agréables en carafe. Il s'agit d'une appellation qui mériterait qu'on revalorise sa réputation.

COMTE D'ANDLAU-HOMBOURG
Château d'Ittenwiller 1998

☐	n.c.	n.c.	30 à 49 F

D'origine monastique, ce domaine viticole dépendit ensuite de l'évêché de Strasbourg jusqu'à sa vente comme bien national en 1792. Il appartient à la même famille depuis 1806. Son edelzwicker résulte d'un assemblage d'auxerrois, de pinot gris et de muscat. Encore très jeune, il est agréablement fruité au nez. D'une belle attaque, c'est un vin vif et léger qui accompagnera charcuteries ou poisson.

☞ Comte d'Andlau-Hombourg, SCI Dom. d'Ittenwiller, 67140 Saint-Pierre, tél. 03.88.08.92.63, fax 03.88.08.13.30 ☑ ♈ r.-v.

Alsace riesling

Le riesling est le cépage rhénan par excellence, et la vallée du Rhin est son berceau. Il s'agit d'une variété tardive pour la région, dont la production est régulière et bonne. Elle occupe près de 22 % du vignoble.

Le riesling alsacien est un vin sec, ce qui le différencie de façon générale de son homologue allemand. Ses atouts résident dans l'harmonie entre son bouquet et son fruité délicats, son corps et son acidité assez prononcée mais extrêmement fine. Mais pour atteindre cet apogée, il devra provenir d'une bonne situation.

Le riesling a essaimé dans de nombreux autres pays viticoles, où la dénomination riesling, sauf si l'on précise « riesling rhénan », n'est pas totalement fiable : une dizaine d'autres cépages ont, de par le monde, été baptisés de ce nom ! Du point de vue gastronomique, le riesling convient tout particulièrement aux poissons, aux fruits de mer et, bien entendu, à la choucroute garnie à l'alsacienne ou au coq au riesling chaque fois qu'il ne contient pas de sucres résiduels ; les sélections de grains nobles et vendanges tardives se prêtent aux accords des vins liquoreux.

A L'ANCIENNE FORGE Stein 1998★

| | 0,32 ha | 2 700 | ▥ | 30 à 49 F |

Cette exploitation de 5 ha de vignes est installée dans l'ancienne forge de Mittelbergheim. Très élégant au nez, son riesling Stein mêle des notes minérales au bourgeon de cassis. D'une attaque plutôt vive au palais c'est un vin structuré possédant l'équilibre classique du cépage. (Sucres résiduels : 1,8 g/l.)
☞ Jérôme Brandner, 51, rue Principale, 67140 Mittelbergheim, tél. 03.88.08.01.89, fax 03.88.08.94.92 ☑ ⏳ t.l.j. 9h-12h 13h30-19h; groupes sur r.-v.

AMBERG Damgraben Vieilles vignes 1998

| | n.c. | 5 000 | ▥ | 30 à 49 F |

A la tête de ce domaine de 10 ha depuis 1987, Yves Amberg pratique le pressurage des raisins entiers, ce qui permet de parfaire l'extraction des arômes. Le riesling qu'il propose, issu d'un terroir sablonneux, est déjà marqué au nez par une petite note minérale. Souple à l'attaque, il révèle ensuite une belle structure et une bonne persistance. (Sucres résiduels : 7 g/l.)
☞ Yves Amberg, 19, rue Fronholz, 67680 Epfig, tél. 03.88.85.51.28, fax 03.88.85.52.71 ☑ ⏳ r.-v.

RENE BARTH Rebgarten 1998★

| | 0,2 ha | 1 500 | ▥ | 30 à 49 F |

Œnologue de formation, Michel Fonné a repris en 1989 l'exploitation de son oncle (5 ha de vignes). Portant l'empreinte de son terroir d'origine, sablo-limoneux, ce riesling sait faire rimer puissance et élégance au nez. Vif et bien équilibré au palais, il s'accordera à un mets de poisson. (Sucres résiduels : 5 g/l.)
☞ Dom. René Barth succ. Michel Fonné, 24, rue du Gal-de-Gaulle, 68630 Bennwihr, tél. 03.89.47.92.69, fax 03.89.49.04.86 ☑ ⏳ r.-v.

DOM. JEAN-PIERRE BECHTOLD
Suessenberg Sélection de grains nobles 1997★

| | 0,6 ha | 1 100 | ▥ | 250 à 299 F |

Les vins de riesling de sélection de grains nobles ne réussissent que dans les années exceptionnelles : 1997 est de celles-là. Ajoutez le savoir-faire du vigneron, et vous obtenez un vin d'une couleur jaune paille engageante, au nez de gelée de coing et de miel. L'attaque est fraîche, citronnée ; la finale bien structurée en fait un vin d'avenir, que l'on pourra servir avec du foie gras, du roquefort, une tarte aux pommes ou au citron. (Bouteilles de 50 cl.)
☞ Dom. Jean-Pierre Bechtold, 49, rue Principale, 67310 Dahlenheim, tél. 03.88.50.66.57, fax 03.88.50.67.34 ☑ ⏳ r.-v.

DOM. BERNHARD-REIBEL
Vendanges tardives 1997★★

| | 0,45 ha | 1 623 | ▥ | 70 à 99 F |

Cécile Bernhard-Reibel dirige depuis 1981 un domaine viticole de 12 ha. Elle signe là un vin de vendanges tardives qui fait l'unanimité. Une robe soutenue, or jaune, met d'entrée en appétit. D'une finesse extrême, le nez mêle agrumes (citron), fruit de la Passion, miel et fleur d'acacia. Il rend impatient de découvrir la bouche qui est superbe, laissant déjà deviner des arômes qui ne demandent qu'un peu de temps pour exploser. (Bouteilles de 50 cl.)
☞ Dom. Bernhard-Reibel, 20, rue de Lorraine, 67730 Châtenois, tél. 03.88.82.04.21, fax 03.88.82.59.65, e-mail bernhard-reibel@wanadoo.fr ☑ ⏳ r.-v.

BESTHEIM Rebgarten 1998

| | 12 ha | n.c. | ▥ | 30 à 49 F |

La cave de Bennwihr a récemment uni sa destinée à celle de Westhalten pour fonder le groupe Bestheim, qui est resté fidèle à la vinification séparée de ce lieu-dit Rebgarten (« jardin des vignes »). Encore très jeune, ce riesling développe au nez des arômes citronnés mêlés de nuances minérales. Assez vif au palais, c'est un vin équilibré et très friand, caractéristique du cépage.

➡ Cave de Bestheim-Bennwihr, 3, rue du Galde-Gaulle, 68630 Bennwihr, tél. 03.89.49.09.29, fax 03.89.49.09.20 ☑ ⏲ t.l.j. 9h-12h 14h-18h

PATRICK BEYER Pflanzer 1998

☐	0,89 ha	3 500		30 à 49 F

Avec son église perchée sur un éperon - point de repère pour le visiteur -, Epfig occupe une position avancée par rapport au reste du vignoble alsacien. Patrick Beyer y exploite quelque 7 ha de vignes. Issu d'un terroir argilo-sableux, son riesling Pflanzer mêle au nez nuances fruitées et végétales. D'une belle attaque au palais, c'est un vin vif que l'on pourra servir, par exemple, sur une truite au bleu.

➡ Patrick Beyer, 27, rue des Alliés, 67680 Epfig, tél. 03.88.85.50.21, fax 03.88.57.81.46 ☑ ⏲ t.l.j. 9h-11h30 14h-19h

JOSEPH ET CHRISTIAN BINNER
Kaefferkopf Sélection de grains nobles 1997★

☐	0,3 ha	1000		300 à 499 F

Vigneron dans l'âme, Joseph Binner est aussi un passionné de techniques : il met au point du matériel de vinification et a même créé une société, Binner-Innovations, pour commercialiser un verre à dégustation de sa conception. Quant à ce vin, il est signé par son fils Christian qui l'a rejoint sur le domaine il y a trois ans. Jaune à reflets ambrés, il n'est pas encore complètement ouvert au nez mais libère déjà les notes confites assez intenses. Harmonieux en bouche, il apparaît ample, puissant et gras.

➡ Joseph et Christian Binner,
2, rue des Romains, 68770 Ammerschwihr, tél. 03.89.78.23.20, fax 03.89.78.14.17 ☑ ⏲ t.l.j. 9h-12h30 14h-18h

DOM. CLAUDE BLEGER
Coteaux du Haut-Kœnigsbourg 1998★

☐	0,35 ha	3 000		30 à 49 F

Les ancêtres de Claude Bléger se sont établis au pied du Haut-Kœnigsbourg il y a plus de trois cent cinquante ans. Claude Bléger, à la tête d'une exploitation de 7 ha, propose un riesling d'origine granitique. Très complexe, ce 98 développe au nez des arômes de miel et de surmaturation. La pointe de rondeur et de gras que l'on découvre en bouche est bien contrebalancée par l'acidité, qui laisse augurer une bonne garde. Un vin fort persistant. (Sucres résiduels : 6 g/l.)

➡ Dom. Claude Bléger, 23, Grand-Rue, 67600 Orschwiller, tél. 03.88.92.32.56, fax 03.88.82.59.95 ☑ ⏲ t.l.j. 9h-12h15 13h15-19h30

HENRI BLEGER
Coteau du Haut-Kœnigsbourg 1998★

☐	0,6 ha	5 600		30 à 49 F

Vignerons de père en fils depuis des générations au pied du Haut-Kœnigsbourg, les Bléger accueillent les visiteurs dans une cave datée de 1562. Reflétant son origine argilo-calcaire, ce riesling reste dans sa phase de jeunesse. Marqué

au nez par de discrets arômes d'amande verte, il manifeste au palais un bon équilibre et une longue persistance. Un vin de caractère ! (Sucres résiduels : 5 g/l.)

➡ Henri Bléger, 2, rue Saint-Fulrade, 68590 Saint-Hippolyte, tél. 03.89.73.00.08, fax 03.89.73.05.93 ☑ ⏲ r.-v.

E. BOECKEL Brandluft 1998★

☐	1 ha	8 500		30 à 49 F

Etablie à Mittelbergheim en 1530, la famille Boeckel y exploite aujourd'hui 20 ha de vignes. Marqué par des notes d'agrumes et de surmaturation au nez, son riesling Brandluft a tiré la quintessence de son terroir calcaire d'origine. D'une structure et d'une longueur remarquables, c'est un vin à conserver. (Sucres résiduels : 5 g/l.)

➡ Emile Boeckel, 2, rue de la Montagne, 67140 Mittelbergheim, tél. 03.88.08.91.91, fax 03.88.08.91.88 ☑ ⏲ r.-v.

JUSTIN BOXLER
Vendanges tardives Cuvée Jean-Louis 1997★

☐	0,2 ha	1 100		100 à 149 F

Blotti dans son vallon, à l'ouest de Colmar et sur la route de la station climatique des Trois Epis, Niedermorschwihr possède une église au curieux clocher en vrille. Justin Boxler, qui y exploite 11 ha de vignes, avait enthousiasmé le jury l'an dernier avec une sélection de grains nobles. Ce 97, issu de vendanges tardives, est une belle réussite avec sa robe dorée très soutenue, son nez confit d'une grande complexité, son palais ample, riche, gras et généreux qui développe des arômes de fruits mûrs ou exotiques.

➡ GAEC Justin Boxler, 15, rue des Trois-Epis, 68230 Niedermorschwihr, tél. 03.89.27.11.07, fax 03.89.27.01.44 ☑ ⏲ t.l.j. 8h-12h 14h-19h; groupes sur r.-v.

JOSEPH CATTIN 1998★

☐	5 ha	48 000		30 à 49 F

Jacques Cattin ne recule devant aucun défi, témoin cette nouvelle cuverie ultra-moderne, d'une capacité de 3 000 hl, installée en 1999, pour mieux exprimer la diversité des terroirs du vaste domaine familial (39 ha). Marqué par son origine argilo-calcaire, son riesling est encore très jeune au nez. En revanche, il révèle déjà sa plénitude au palais. Un vin fruité, équilibré et persistant, qui sera à l'aise sur des viandes blanches. (Sucres résiduels : 5 g/l.)

➡ Joseph Cattin, 18, rue Roger-Frémeaux, 68420 Voegtlinshoffen, tél. 03.89.49.30.21, fax 03.89.49.26.02 ☑ ⏲ t.l.j. 8h-12h 14h-18h; dim. sur r.-v.

➡ Jacques et Jean-Marie Cattin

DOM. VITICOLE DE LA VILLE DE COLMAR 1998★

☐	1 ha	8 000		50 à 69 F

Dirigé par Jean-Rémy Haeffelin depuis 1980, le domaine viticole de la ville de Colmar, sur ses 24 ha, occupe une place toute particulière en Alsace. Il a pris en effet la suite du célèbre institut Oberlin. Très épanoui au nez, ce riesling, originaire du terroir graveleux de Colmar, est dominé par des nuances de surmaturation. La bouche révèle une excellente matière première. Une

pointe de douceur devrait se fondre avec quelques années de garde. (Sucres résiduels : 3,3 g/l.)
☛ Dom. viticole de la ville de Colmar,
2, rue du Stauffen, 68000 Colmar,
tél. 03.89.79.11.87, fax 03.89.80.38.66 ☑ ⵣ t.l.j.
sf dim. 8h-12h 14h-18h; f. août

COMTE DE BEAUMONT 1998★

| ☐ | 4 ha | 32 000 | ▮ ↓ | 50 à 69 F |

La maison Preiss-Zimmer a pignon sur rue dans le célèbre village de Riquewihr. Originaire d'un terroir de graves, ce riesling présente un nez d'une grande finesse mêlant le miel et les fleurs blanches (aubépine). D'une belle vivacité en bouche, il montre les qualités d'un vin de garde. Très racé, il gagnera encore en harmonie avec les années. (Sucres résiduels : 4,2 g/l.)
☛ SARL Preiss-Zimmer, 40, rue du Gal-de-Gaulle, 68340 Riquewihr, tél. 03.89.47.86.91, fax 03.89.27.35.33

EBLIN-FUCHS Zellenberg 1998★

| ☐ | 1 ha | 8 000 | ▮ ↓ | 30 à 49 F |

Le domaine (8 ha) résulte de l'union, les années 50, de deux familles établies depuis des siècles à Zellenberg. Quant à ce riesling, né de vignes cinquantenaires plantées sur un terroir calcaro-gréseux, il affiche déjà une belle évolution au nez, des notes minérales venant nuancer son caractère fruité. Frais à l'attaque, c'est un vin ample, sec et très bien structuré.
☛ Christian et Joseph Eblin, 75, rte des Vins, Schlossreben, 68340 Zellenberg,
tél. 03.89.47.91.14, fax 03.89.49.05.12 ☑ ⵣ r.-v.

DOM. ANDRE EHRHART
Herrenweg 1998★★

| ☐ | 0,5 ha | 3 500 | ◫◫ | 30 à 49 F |

Etabli à Wettolsheim, village tout proche de Colmar, André Ehrhart est parvenu au sommet de son art ; outre un coup de cœur obtenu l'an dernier en pinot gris, il reçoit comme dans le millésime précédent deux étoiles pour le riesling du lieu-dit Herrenweg. Originaire d'un terroir graveleux, ce 98 est marqué au nez par des arômes de fleurs et de fruits. Vif, équilibré, racé, long et harmonieux, il a tout l'avenir devant lui. (Sucres résiduels : 2 g/l.)
☛ André Ehrhart et Fils, 68, rue Herzog, 68920 Wettolsheim, tél. 03.89.80.66.16, fax 03.89.79.44.20 ☑ ⵣ t.l.j. sf dim. 8h-12h 13h30-19h

DOM. ENGEL 1998

| ☐ | 2 ha | 6 000 | ▮ ↓ | 30 à 49 F |

Avec ses 18 ha de vignes, le domaine Engel occupe une place non négligeable en Alsace. Présent sur la plupart des marchés d'Europe du Nord, il en est aujourd'hui à la troisième génération. Il pratique depuis 1998 l'agriculture raisonnée. Son riesling livre au nez des notes de fleurs blanches et de surmaturation. L'attaque est marquée par une touche de rondeur, la vivacité apparaissant en finale. (Sucres résiduels : 5,5 g/l.)
☛ Dom. Christian et Hubert Engel,
1, rue des Vignes, 67600 Orschwiller,
tél. 03.88.92.01.83, fax 03.88.82.25.09 ☑ ⵣ t.l.j. 9h-11h30 14h-18h

F. ENGEL ET FILS Clos des Anges 1998★

| ☐ | 0,94 ha | 7 500 | ▮ ↓ | 50 à 69 F |

Etabli à Rorschwihr, ce domaine dispose de tous les moyens modernes et les met au service du terroir. Avec plus de 35 ha de vignes, il figure parmi les plus étendus de la région. Marqué par son origine calcaire, son riesling Clos des Anges est encore très jeune au nez. Frais et bien structuré au palais, c'est un vin élégant et chargé de promesses. On pourra le servir avec les viandes blanches. (Sucres résiduels : 13 g/l.)
☛ Fernand Engel et Fils, 1, rte du Vin, 68590 Rorschwihr, tél. 03.89.73.77.27, fax 03.89.73.63.70 ☑ ⵣ r.-v.

DOM. FLEISCHER Breitling 1998★

| ☐ | 1,29 ha | 5 300 | ▮ ↓ | 30 à 49 F |

Avec 3,5 ha de vignes, le domaine Fleischer s'est lancé dans la mise en bouteilles en 1990. Dix ans après, il compte 8 ha. C'est dire son ambition ! Issu d'un terroir limono-sableux, ce riesling présente un nez citronné caractéristique. D'une attaque franche, il affiche une petite touche de douceur très vite équilibrée par la structure acide. Un vin harmonieux. (Sucres résiduels : 7 g/l.)
☛ Dom. Fleischer, 28, rue du Moulin, 68250 Pfaffenheim, tél. 03.89.49.62.70, fax 03.89.49.50.74 ☑ ⵣ r.-v.

RENE FLEITH-ESCHARD
Vendanges tardives 1997★

| ☐ | 1 ha | 5 400 | | 70 à 99 F |

A la tête de l'exploitation familiale depuis 1995, Vincent Fleith représente la onzième génération sur ce domaine. Il a pris tout le soin nécessaire pour réussir ce vin de vendanges tardives, en pratiquant un pressurage pneumatique pour tenir compte de l'état sanitaire du raisin, et surtout en le conservant six mois sur lies afin d'affiner ses arômes. De couleur paille, ce 97 présente un nez ouvert qui livre de fines senteurs de fruits passerillés avec une pointe de réglisse. L'impression de confit se renforce dans un palais gras et équilibré, très agréable par sa persistance.
☛ René Fleith-Eschard, lieu-dit Lange Matten, 68040 Ingersheim, tél. 03.89.27.24.19, fax 03.89.27.56.79 ☑ ⵣ r.-v.

GEORGES ET CLAUDE FREYBURGER
Goldesch de Bergheim 1998★

| ☐ | 0,35 ha | 3 300 | ▮ ◫◫ | 30 à 49 F |

Fondé en 1956 par Georges Freyburger, ce domaine est dirigé depuis 1988 par son fils Claude qui exploite 12 ha de vignes. Celui-ci pratique une viticulture respectueuse de l'environnement et s'attache à valoriser les terroirs. D'origine argilo-calcaire, son riesling Goldesch de Bergheim se montre très expressif au nez, avec des notes d'agrumes. Vif et bien équilibré au palais, c'est un vin élégant. (Sucres résiduels : 19 g/l.)
☛ Georges et Claude Freyburger, rte des Vins, 68750 Bergheim, tél. 03.89.73.63.78, fax 03.89.73.82.91, e-mail cfreyburger@terre-net.fr ☑ ⵣ t.l.j. sf dim. 8h-12h 13h30-18h

PIERRE FRICK Vendanges tardives 1997★

☐ 0,65 ha 3 000 **◨** 100 à 149 F

Pierre Frick est un spécialiste de la biodynamie qu'il pratique depuis 1981 après avoir « fait
du bio » depuis 1970. Ses vins ont acquis une
grande notoriété aussi bien en France qu'à
l'étranger. D'un jaune paille soutenu, son riesling
de vendanges tardives retient l'attention par son
nez très complexe associant la pierre à fusil aux
agrumes. Le palais, auquel un soupçon de fraîcheur en plus aurait donné un atout supplémentaire, n'en est pas moins harmonieux et élégant.
☛ Pierre Frick, 5, rue de Baer,
68250 Pfaffenheim, tél. 03.89.49.62.99,
fax 03.89.49.62.99 ☑ ☏ t.l.j. sf dim. 9h-11h30
13h30-18h30

PIERRE-HENRI GINGLINGER 1998★

☐ 1,3 ha 11 000 **◨** 30 à 49 F

Descendant d'une longue lignée de vignerons
dont l'origine remonte à 1684, Pierre-Henri Ginglinger exploite 9 ha de vignes. Il propose un
riesling d'origine argilo-calcaire, au nez encore
discret mais tout en finesse, délicatement boisé
et épicé. Marqué par des notes de sous-bois au
palais, il se révèle gras et bien équilibré. C'est le
produit d'une grande matière première. (Sucres
résiduels : 4 g/l.)
☛ Pierre-Henri Ginglinger, 33, Grand-Rue,
68420 Eguisheim, tél. 03.89.41.32.55,
fax 03.89.24.58.91, e-mail gingling@terre-net.fr
☑ ☏ r.-v.

MICHEL GOETTELMANN 1998

☐ 0,21 ha 2 150 ▮ 30 à 49 F

Installé à Châtenois depuis 1991, Michel
Goettelmann n'a pas perdu son temps : en 1992
il a réalisé sa première vinification et, en 1994,
sa première mise en bouteilles. Marqué par
des nuances florales et fruitées, son riesling
d'origine graveleuse affiche une belle attaque au
palais. Sa structure et sa persistance en font un
produit très harmonieux, recommandé sur les
poissons. (Sucres résiduels : 3,9 g/l.)
☛ Michel Goettelmann, 27, rue des Goumiers,
67730 Châtenois, tél. 03.88.82.12.40,
fax 03.88.82.12.40 ☑ ☏ t.l.j. 8h-12h 13h-19h

JOSEPH GSELL 1998★★

☐ 1 ha 8 000 ▮ 30 à 49 F

Village viticole très pittoresque, Orschwihr est
un endroit privilégié où l'émulation favorise la
qualité, comme le montre l'excellente maîtrise
acquise par Joseph Gsell. Marqué par des notes
d'agrumes et de fruits exotiques, son riesling
révèle en effet une remarquable typicité au nez.
Frais et très bien équilibré au palais, c'est un vin
persistant, racé et harmonieux que l'on pourra
servir sur les poissons en sauce et les fruits de
mer.
☛ Joseph Gsell, 26, Grand-Rue,
68500 Orschwihr, tél. 03.89.76.95.11,
fax 03.89.76.20.54 ☑ ☏ t.l.j. 9h-19h

BERNARD ET DANIEL HAEGI
Brandluft Cuvée Prestige 1998★★

☐ 0,45 ha 3 400 **◨** 30 à 49 F

A Mittelbergheim, où Bernard et Daniel Haegi
exploitent 8 ha de vignes, chaque cave est une
petite merveille d'architecture. On pourrait dire
la même chose de ce riesling, originaire du célèbre terroir calcaire Brandluft. Fruité et marqué
par une petite touche muscatée au nez, il se montre structuré et d'un équilibre idéal au palais. Un
vin distingué et persistant qui s'accordera avec
un poisson à la crème. (Sucres résiduels : 5 g/l.)
☛ Bernard et Daniel Haegi,
33, rue de la Montagne, 67140 Mittelbergheim,
tél. 03.88.08.95.80, fax 03.88.08.91.20 ☑ ☏ t.l.j.
sf dim. 8h-12h 13h-18h

DOM. PIERRE HAGER
Weingarten 1998★★

☐ 0,75 ha 5 000 ▮⬛ 50 à 69 F

Pierre Hager est établi à Orschwihr, village
pittoresque du sud du vignoble et centre important de vente directe. Issu d'un terroir graveleux,
son riesling Weingarten est très épanoui. Intense
au nez, il est puissant et bien fondu au palais.
C'est le produit d'une grande matière première.
A servir sur des crustacés à l'américaine ou un
fromage de chèvre. (Sucres résiduels : 6 g/l.)
☛ Dom. Pierre Hager, 26, rue de Soultzmatt,
68500 Orschwihr, tél. 03.89.76.11.19,
fax 03.89.74.36.76 ☑ ☏ t.l.j. 9h-12h 14h-18h;
dim. sur r.-v.

ANDRE HARTMANN
Armoirie Hartmann 1998★

☐ 0,66 ha n.c. ▮⬛ 50 à 69 F

Vignerons de père en fils depuis le XVIIᵉˢ., les
Hartmann restent fidèles aux méthodes de vinification traditionnelle. Issu d'un terroir marno-
calcaire, leur riesling Armoirie, encore jeune,
développe au nez des arômes de surmaturation.
Après une belle attaque, on découvre un palais
très concentré qui supporte une pointe de rondeur. Un vin bien né qui a tout l'avenir devant
lui. Les millésimes 93 et 95 avaient obtenu un
coup de cœur. (Sucres résiduels : 10 g/l.)
☛ André Hartmann, 11, rue Roger-Frémeaux,
68420 Voegtlinshoffen, tél. 03.89.49.38.34,
fax 03.89.49.26.18 ☑ ☏ t.l.j. sf dim. 9h-12h
13h30-18h

Trouver un vin ? Consultez l'index en fin de
volume.

LOUIS HAULLER
Vendanges tardives 1997★

| ☐ | 0,5 ha | 2 400 | ◫ 100 à 149 F |

Tonneliers de père en fils depuis 1775, les Hauller se sont tournés vers le vin au début du XXᵉs. Louis et son fils Claude exploitent aujourd'hui 10 ha de vignes. Paré d'une livrée jaune d'or brillante, leur riesling de vendanges tardives mêle au nez des senteurs de citron et de miel. Le fruit de la passion apparaît dans un palais d'une grande complexité, riche, gras et de bonne longueur. La finale fraîche est particulièrement agréable. Ce vin accompagnera un poisson en sauce, voire une tarte aux pommes chaude.
☞ Louis et Claude Hauller, La Cave du Tonnelier, rue du Mal-Foch, 67650 Dambach-la-Ville, tél. 03.88.92.41.19, fax 03.88.92.47.10, e-mail claude.hauller@wanadoo.fr ☑ ⏚ r.-v.

VICTOR HERTZ 1998★★

| ☐ | 0,65 ha | 5 300 | ▮ 30 à 49 F |

A la tête d'un vignoble réputé sur les communes de Herrlisheim, Wettolsheim et Wintzenheim près de Colmar, Victor Hertz est devenu un partisan de la vinification par terroir. Il propose un riesling d'origine argilo-calcaire, à la fois intense et élégant au nez, avec des notes florales et fruitées. D'une belle ampleur en bouche, c'est un vin équilibré et persistant, de grande garde et d'une extrême distinction, qui trouvera sa place sur des poissons cuisinés. (Sucres résiduels : 9 g/l.)
☞ Dom. Victor Hertz, 8, rue Saint-Michel, 68420 Herrlisheim, tél. 03.89.49.31.67, fax 03.89.49.22.84 ☑ ⏚ r.-v.

CHARLES JUX Réserve 1998★

| ☐ | 1,1 ha | 24 000 | ▮♨ 30 à 49 F |

Riquewihr ne se contente pas d'être la cité médiévale la plus célèbre d'Alsace. C'est aussi un haut lieu du vignoble. Ce riesling allie dans une belle harmonie senteurs minérales et nuances citronnées. Assez vif au palais, structuré et persistant, il se mariera aussi bien avec des spécialités alsaciennes qu'avec des produits de la mer. (Sucres résiduels : 4,5 g/l.)
☞ Charles Jux, B.P. 3, 68340 Riquewihr, tél. 03.89.47.80.55 ☑ ⏚ r.-v.

DOM. KEHREN DENIS MEYER
Cuvée réservée Ulrich Meyer 1998

| ☐ | 0,35 ha | 2 400 | ◫ 30 à 49 F |

Installé à l'entrée du village perché de Voegtlinshoffen, le domaine de Denis Meyer regarde la plaine d'Alsace. Marqué par son origine calcaire, ce riesling reste sur son expression de jeunesse. Il offre beaucoup de fruits au nez - on croit sentir la pêche. Bien structuré, le palais est équilibré et persistant. (Sucres résiduels : 4 g/l.)
☞ Denis Meyer, 2, rte du Vin, 68420 Voegtlinshoffen, tél. 03.89.49.38.00, fax 03.89.49.26.52 ☑ ⏚ r.-v.

KIEFFER 1998

| ☐ | 1 ha | 6 000 | ▮ 20 à 29 F |

Situé sur la route des Vins, dans le Bas-Rhin, Itterswiller est un village vigneron, fleuri et touristique, où les visiteurs trouveront nombre d'hôtels et de restaurants. Jean-Charles Kieffer y dirige une exploitation fondée en 1737. Clair et limpide dans le verre, son riesling, assez léger au nez, affiche déjà une touche minérale. Ce caractère se confirme au palais, qui présente une nervosité propre au cépage. (Sucres résiduels : 7 g/l.)
☞ Jean-Charles Kieffer, 7, rue des Vins, 67140 Itterswiller, tél. 03.88.85.59.80, fax 03.88.57.81.44 ☑ ⏚ r.-v.

GEORGES KLEIN 1998★

| ☐ | 1 ha | 10 000 | ▮ 30 à 49 F |

Situé à la limite du département du Bas-Rhin, près du Haut-Kœnigsbourg, Saint-Hippolyte a su conserver une bonne partie de ses fortifications médiévales. Le domaine Georges Klein, fondé en 1958, comptait 3 ha de vignes à l'origine, il en rassemble 9 ha aujourd'hui. Marqué par son origine granitique, son riesling possède un nez expressif où se mêlent notes citronnées, végétales et minérales. Bien structuré au palais, c'est un vin puissant et long, tout en harmonie. (Sucres résiduels : 8 g/l.)
☞ EARL Georges Klein et Fils, 10, rte du Vin, 68590 Saint-Hippolyte, tél. 03.89.73.00.28, fax 03.89.73.06.28, e-mail a.klein@rmcnet.fr ☑ ⏚ r.-v.
☞ Auguste Klein

KLEIN AUX VIEUX REMPARTS
Schlossreben 1998★

| ☐ | 0,45 ha | 4 000 | ◫ 30 à 49 F |

Le nom du domaine évoque les murailles de Saint-Hippolyte et celui de la cuvée le château du Haut-Kœnigsbourg qui domine le village. Œnologues tous les deux, Françoise et Jean-Marie Klein dirigent l'exploitation depuis 1973. Ils sont très attachés à la qualité du raisin. Malgré son origine granitique, ce riesling paraît encore très jeune, discret dans ses arômes. Elégant au nez, il se révèle puissant et équilibré au palais. Un vin prometteur, à servir sur du poisson ou sur une poularde en sauce blanche. (Sucres résiduels : 3 g/l.)
☞ Françoise et Jean-Marie Klein, rte du Haut-Kœnigsbourg, 68590 Saint-Hippolyte, tél. 03.89.73.00.41, fax 03.89.73.04.94 ☑ ⏚ t.l.j. 9h-11h30 13h30-19h; dim. et groupes sur r.-v.

PIERRE ET FRANCOIS KOCH
Zellberg 1998

| ☐ | 1 ha | 4 000 | ◫ 30 à 49 F |

Etablis à Nothalten, village intégralement voué à la viticulture, Pierre et François Koch exploitent un domaine de 12 ha de vignes, ce qui est loin d'être négligeable en Alsace. Marqué par son origine calcaire, leur riesling Zellberg est encore dans sa phase de jeunesse. Plutôt discret au nez, il présente au palais une pointe de sucre restant qui devrait se fondre avec le temps. (Sucres résiduels : 5,5 g/l.)
☞ Pierre et François Koch, 2, rte du Vin, 67680 Nothalten, tél. 03.88.92.42.30, fax 03.88.92.62.91 ☑ ⏚ r.-v.

PIERRE ET FRANCOIS KOCH 1998★

| ☐ | 1,3 ha | 5 500 | ▮ 30 à 49 F |

Le domaine Koch propose un autre riesling, issu de sols granitiques, et qui porte parfaitement

Alsace riesling

l'empreinte de son terroir. Intense et complexe au nez, il est dominé par des arômes de fleurs et de fruits mûrs. Plutôt souple et arrondi en bouche, c'est le résultat d'une grande maturité. (Sucres résiduels : 4,1 g/l.)
☛ Pierre et François Koch, 2, rte du Vin, 67680 Nothalten, tél. 03.88.92.42.30, fax 03.88.92.62.91 ☑ ⵑ r.-v.

KROSSFELDER 1998*

	n.c.	10 000		30 à 49 F

Avec près d'un siècle d'existence, la cave de Dambach est une des plus anciennes d'Alsace et de France. Elle appartient au groupe Wolfberger. D'une belle intensité, son riesling présente un nez dominé par des arômes de fruits mûrs. Puissant et d'un bon équilibre au palais, c'est un vin racé et typique. (Sucres résiduels : 6 g/l.)
☛ Krossfelder, 37, rue de La Gare, 67650 Dambach-la-Ville, tél. 03.88.92.40.03, fax 03.88.92.42.89 ⵑ r.-v.

KUENTZ Vendanges tardives 1997*

	0,15 ha	1 300		70 à 99 F

Sur la route des vins au sud de Colmar, Pfaffenheim se trouve à la jonction de deux grands crus, le Hatschbourg au nord et le Steinert au sud-ouest. C'est dire combien ce bourg est privilégié dans l'élaboration des vins de vendanges tardives. Celui-ci présente une robe jaune clair, signe de sa jeunesse. Son nez est pourtant déjà bien ouvert avec des arômes de fruits secs très flatteurs. Le palais, tout en finesse, révèle une rondeur accentuée et une bonne concentration aromatique. Peut attendre encore.
☛ R. Kuentz et Fils, 22-24, rue du Fossé, 68250 Pfaffenheim, tél. 03.89.49.61.90, fax 03.89.49.77.17 ☑ ⵑ t.l.j. 9h-12h 14h-19h; dim. sur r.-v.

FREDERIC KUHLMANN
Muhlforst 1998*

	0,18 ha	n.c.		30 à 49 F

Frédéric Kuhlmann est non seulement vigneron, mais aussi mélomane comme en témoignent les nombreuses relations qu'il entretient dans le milieu musical. Ce riesling n'est-il pas lui aussi une symphonie de sensations ? Marqué au nez par une belle harmonie de notes florales et minérales, il se révèle puissant et parfaitement équilibré au palais. Un vin persistant et très caractéristique de son cépage. (Sucres résiduels : 2 g/l.)
☛ Frédéric Kuhlmann et Fils, 8, rue de la Fontaine, 68150 Hunawihr, tél. 03.89.73.60.33, fax 03.89.47.81.92, e-mail info@fkuhlmann.com ☑ ⵑ r.-v.
☛ Willy Kuhlmann

MEISTERMANN 1998*

	0,4 ha	4 000		30 à 49 F

Pfaffenheim, dominée par son clocher moderne, trompe son monde, puisqu'elle a conservé une part de son patrimoine malgré les destructions de la dernière guerre mondiale, la culture du vin y reste profondément enracinée dans l'histoire. Issu d'un terroir argilo-calcaire, ce riesling est fruité au nez. Des notes de réglisse apparaissent au palais, sec à l'attaque et très long

en finale. Tout ce qu'il faut pour la choucroute ou les produits de la mer.
☛ Michel Meistermann, 37, rue de l'Eglise, 68250 Pfaffenheim, tél. 03.89.49.60.61 ☑ ⵑ r.-v.

GILBERT MEYER
Cuvée Saint-Michel 1998**

	n.c.	2 400		30 à 49 F

Voegtlinshoffen est un village pittoresque et haut perché, puisqu'il domine la plaine de Colmar. Gilbert Meyer y exploite près de 6 ha de vignes. Avec cette cuvée Saint-Michel, il offre un riesling épanoui ! Au nez, c'est une explosion d'arômes, les agrumes se mêlant à l'ananas et aux fruits confits. Très ample au palais, ce vin présente une pointe de rondeur, mais ce dégustateurs considèrent que sa charpente lui permettra d'atteindre très vite une parfaite harmonie. Une matière remarquable ! (Sucres résiduels : 8 g/l.)
☛ Gilbert Meyer, 5, rue du Schauenberg, 68420 Voegtlinshoffen, tél. 03.89.49.36.65, fax 03.89.86.42.45 ☑ ⵑ r.-v.

CAVE D'OBERNAI 1998

	n.c.	50 000	🍶	30 à 49 F

Située dans la plaine, la cité d'Obernai est le point de départ initiatique vers le mont Sainte-Odile, promontoire dédié à la patronne de l'Alsace. Quant à cette coopérative, elle forme avec la cave de Turckheim l'un des principaux groupes de la région. Elle propose un riesling très épanoui au nez, qui affiche déjà une certaine évolution. Léger et bien équilibré au palais, ce vin finit sur une touche d'amande qui suggère de le servir sur un poisson grillé. (Sucres résiduels : 5,4 g/l.)
☛ Cave vinicole d'Obernai, 30, rue du Gal-Leclerc, 67210 Obernai, tél. 03.88.47.60.20, fax 03.88.47.60.22 ☑ ⵑ r.-v.

CH. D'ORSCHWIHR Enchenberg 1998**

	0,8 ha	2 500		30 à 49 F

En quelques années, Hubert Hartmann a fait renaître le château d'Orschwihr. Il est devenu une référence incontournable ! Issu d'un terroir de conglomérat glaciaire, son riesling Enchenberg est le produit d'une matière première exceptionnelle. Si le nez est concentré par la surmaturation, le palais se révèle à la fois sec, vif et richement structuré. Un vin très long et extraordinaire dans tous les sens du terme. (Sucres résiduels : 3 g/l.)
☛ Ch. d'Orschwihr, M. Hartmann, 68500 Orschwihr, tél. 03.89.74.25.00, fax 03.89.76.56.91, e-mail chateau-orschwihr@rmcnet.fr ☑ ⵑ r.-v.

LA CAVE DU ROI DAGOBERT
Vendanges tardives 1997

	3 ha	10 000	🍶	100 à 149 F

Couvrant toute la région de Molsheim, la cave du Roi Dagobert a su s'imposer et propose parfois des cuvées très remarquées (voir notre édition 1997). Ce riesling de vendanges tardives révèle au nez un potentiel imposant, avec des arômes de fruits exotiques puissants et complexes. Encore fermé, le palais n'en est pas moins harmonieux et de bonne longueur.

83

L'ALSACE

🐦 La cave du Roi Dagobert,
1, rte de Scharrachbergheim, 67310 Traenheim,
tél. 03.88.50.69.00, fax 03.88.50.69.09 ☑ ⏺ r.-v.

WILLY ROLLI-EDEL
Silberberg de Rorschwihr 1998★★★

	0,79 ha	1 623	⏸	50 à 69 F

Etabli au sud du Haut-Kœnigsbourg, dans le petit bourg viticole de Rorschwihr, Willy Rolli conduit de main de maître ses 11 ha de vignes, témoin le riesling d'origine sablo-marneuse qui a tout simplement conquis le jury (« donne envie d'en boire à pleines gorgées » lit-on sur une fiche...). D'une élégance remarquable au nez avec ses notes d'agrumes et de vanille, ce 98 se montre tout à la fois structuré, puissant et d'une harmonie parfaite au palais. Il faut lui offrir les mets les plus raffinés. (Sucres résiduels : 14 g/l.)
🐦 Willy Rolli-Edel, 5, rue de l'Eglise,
68590 Rorschwihr, tél. 03.89.73.63.26,
fax 03.89.73.83.50 ☑ ⏺ r.-v.

GILBERT RUHLMANN
Vendanges tardives 1997★

	0,38 ha	1000	⏺⏺	70 à 99 F

Gilbert Ruhlmann exploite 10 ha de vignes à Scherwiller, commune possédant un terroir siliceux d'origine granitique particulièrement propice au riesling. Avec sa robe à reflets dorés, son nez intense très marqué par la pourriture noble et nuancé de notes de fruits confits, parfaitement équilibré aux arômes un peu plus discrets qu'à l'olfaction, ce vin révèle un bon potentiel d'évolution.
🐦 Gilbert Ruhlmann Fils,
31, rue de l'Ortenbourg, 67750 Scherwiller,
tél. 03.88.92.03.21, fax 03.88.82.30.19 ☑ ⏺ r.-v.
🐦 Guy Ruhlmann

DOM. RUNNER 1998★★

	1 ha	10 000	⏺⏺	30 à 49 F

Avec ses 12 ha de vignes, cette exploitation offre toute la gamme des vins d'Alsace. Francis Runner, qui vient d'en prendre la responsabilité, représente la troisième génération sur le domaine. Issu d'un terroir argilo-calcaire, son riesling apparaît déjà très expressif au nez, avec ses notes d'agrumes où ressort le citron vert. D'une belle attaque, c'est un vin tout en équilibre et en harmonie. Sa persistance permet de le recommander sur des poissons en sauce. (Sucres résiduels : 7 g/l.)

🐦 Dom. François Runner et Fils,
1, rue de la Liberté, 68250 Pfaffenheim,
tél. 03.89.49.62.89, fax 03.89.49.73.69 ☑ ⏺ t.l.j.
9h-12h 13h-18h

SAULNIER 1998★★

	0,55 ha	4 800	⏹	30 à 49 F

Marco Saulnier, qui avait débuté sa carrière en Alsace comme tonnelier à la chambre d'agriculture, a été tenté de mettre son savoir en pratique et s'est installé en 1982. Le résultat est à la hauteur des espérances avec ce riesling issu d'un sol graveleux enrichi en lœss, au nez intense mêlant notes florales et vanillées. Après une belle attaque, on découvre un palais plutôt rond, très concentré et enveloppant en finale. (Sucres résiduels : 6 g/l.)
🐦 Marco Saulnier, rte de Saint-Marc,
68420 Gueberschwihr, tél. 03.89.86.42.02
☑ ⏺ r.-v.

LOUIS SCHERB ET FILS
Vendanges tardives 1997★

	0,28 ha	2 800	⏹	100 à 149 F

Village viticole situé à 12 km de Colmar, Gueberschwihr mérite un détour, avec son église au clocher roman et ses maisons anciennes. Joseph et André Scherb y exploitent plus de 10 ha de vignes. D'un jaune or brillant, leur riesling de vendanges tardives livre au nez des arômes complexes d'agrumes, avec une touche de pierre à fusil et de pain d'épice. En bouche, on trouve ampleur et chaleur. Un vin bien ouvert, que l'on peut déguster dès à présent.
🐦 EARL Joseph et André Scherb,
1, rte de Saint-Marc, 68420 Gueberschwihr,
tél. 03.89.49.30.83, fax 03.89.49.30.65 ☑ ⏺ t.l.j.
8h-12h 13h-19h; dim. 9h-12h

THIERRY SCHERRER
Vendanges tardives 1997★

	0,21 ha	1 700	⏹	70 à 99 F

Après ses débuts en qualité d'œnologue dans des maisons de négoce, Thierry Scherrer a repris en 1993 l'exploitation familiale établie à Ammerschwihr, la plus importante commune viticole du Haut-Rhin, qui vu renaître la confrérie Saint-Etienne. Une robe jaune or laisse déjà présager la qualité du produit. Au nez, la concentration de fruits exotiques et autres agrumes est évidente. En bouche, l'impression de douceur assez forte tend cependant à s'équilibrer avec l'acidité. La longévité du vin est ainsi assurée. Concentration d'arômes d'agrumes au palais, grande persistance en sont les garants. Beau vin.
🐦 Thierry Scherrer, 1, rue de la Gare,
68770 Ammerschwihr, tél. 03.89.47.15.86,
fax 03.89.47.15.86,
e-mail thierry.scherrer@wanadoo.fr ☑ ⏺ r.-v.

MICHEL SCHOEPFER
Vieilles vignes d'Eguisheim 1998★

	0,3 ha	2 000		30 à 49 F

Eguisheim est une incomparable cité médiévale. Michel Schoepfer y exerce son art avec brio dans l'ancienne cour dîmière de l'abbaye de Marbach, dont l'origine remonte à 1212. Issu d'un terroir argilo-calcaire, son riesling, très complexe au nez, est encore sur le fruit. Bien structuré au palais, c'est un vin équilibré qui se distingue par une petite touche de rondeur en finale. (Sucres résiduels : 4 g/l.)

☛ Michel Schoepfer, 43, Grand-Rue, 68420 Eguisheim, tél. 03.89.41.09.06, fax 03.89.23.08.50 ☑ ☍ t.l.j. 8h-12h 14h-18h

LOUIS SIPP Réserve personnelle 1998★

| | 1,5 ha | 12 700 | **❙❙❙** 50 à 69 F |

Créé par Louis Sipp en 1920, le domaine appartient maintenant à la quatrième génération. S'il a su développer une importante activité de négoce, il veille soigneusement sur ses 32 ha de vignes. Malgré une origine argilo-calcaire, ce riesling est déjà très épanoui au nez, à en juger par ses arômes citronnés. D'une belle attaque au palais, équilibré et bien typé, il s'accordera avec les spécialités régionales. (Sucres résiduels : 5 g/l.)

☛ Louis Sipp Grands Vins d'Alsace, 5, Grand-Rue, 68150 Ribeauvillé, tél. 03.89.73.60.01, fax 03.89.73.31.46, e-mail louis@sipp.com ☑ ☍ r.-v.

SPITZ ET FILS Vieilles vignes 1998★★

| | 0,6 ha | 6 400 | **❙** 30 à 49 F |

Sélectionnée et « étoilée » régulièrement dans le Guide, la maison Spitz est devenue une valeur sûre. Ce riesling montre une fois de plus son savoir-faire. Très séduisant au nez avec ses arômes d'agrumes renforcés par la surmaturité, ce 98 apparaît particulièrement opulent au palais. D'une attaque assez vive, il révèle un côté gras qui fera merveille sur les poissons en sauce. Une grande matière ! (Sucres résiduels : 4 g/l.)

☛ Spitz et Fils, 2/4, rte des Vins, 67650 Blienschwiller, tél. 03.88.92.61.20, fax 03.88.92.61.26 ☑ ☍ r.-v.

☛ Dominique et M.-Claude Spitz

ANDRE STENTZ Rosenberg 1998★★

| | 0,75 ha | 3 300 | **❙** ☍ 50 à 69 F |

A la tête d'un domaine de 9 ha fondé il y a plus de trois siècles, André Stentz s'est lancé dans la culture biologique en 1982. Malgré son origine argilo-calcaire, son riesling Rosenberg est déjà très intense au nez, les notes florales se mêlant aux arômes de surmaturation. Le palais, où la puissance se conjugue avec l'élégance, en fait un vin de grande classe promis au plus bel avenir. (Sucres résiduels : 12 g/l.)

☛ André Stentz, 2, rue de la Batteuse, 68920 Wettolsheim, tél. 03.89.80.64.91, fax 03.89.79.59.75 ☑ ☍ r.-v.

STENTZ-BUECHER Ortel 1998★

| | 0,22 ha | 850 | **❙** 50 à 69 F |

Installé à Wettolsheim, petit bourg vigneron qui jouxte Colmar, le domaine Stentz-Buecher exploite 14 ha de vignes réputées sur les meilleurs terroirs de la contrée. Il propose un riesling marqué au nez par une complexité liée à la surmaturation. Très ample et structuré au palais, assez rond, c'est un vin persistant, qui fera bon ménage avec les poissons cuisinés. (Sucres résiduels : 15 g/l.)

☛ Dom. Stentz-Buecher, 21, rue Kleb, 68920 Wettolsheim, tél. 03.89.80.68.09, fax 03.89.79.60.53 ☑ ☍ r.-v.

DOMAINE STOEFFLER
Kronenbourg 1998★★

| | 0,4 ha | 3 000 | **❙❙❙** 50 à 69 F |

Œnologues tous les deux, Martine et Vincent Stoeffler ont repris le domaine familial en 1986, mettant toute leur compétence au service du terroir. Le résultat est éblouissant avec ce riesling d'origine marno-calcaire dont le nez très épanoui mêle des notes d'agrumes à des nuances de surmaturation. D'une belle ampleur au palais, c'est un vin à la fois équilibré, gras et persistant. Il mérite tous les superlatifs. (Sucres résiduels : 6,8 g/l.)

☛ Dom. Martine et Vincent Stoeffler, 1, rue des Lièvres, 67140 Barr, tél. 03.88.08.52.50, fax 03.88.08.17.09, e-mail vins.stoeffler@wanadoo.fr ☑ ☍ t.l.j. sf dim. 8h-12h 13h30-18h30

ACHILLE THIRION 1998★

| | n.c. | 18 000 | **❙** ☍ 30 à 49 F |

Avec ses vignobles éparpillés sur les pentes du Haut-Kœnigsbourg, le domaine Achille Thirion remonte à 1760. Mêlant au nez notes minérales, florales et citronnées, son riesling apparaît bien caractéristique du cépage. Cette typicité affirmée se retrouve au palais, équilibré et long. Encore un vin à inviter au bord de la mer ! (Sucres résiduels : 5 g/l.)

☛ Dom. Achille Thirion, 69, rte du Vin, 68590 Saint-Hippolyte, tél. 03.89.73.00.23, fax 03.89.73.06.46 ☑ ☍ r.-v.

THOMANN Clos du Letzenberg 1998★

| | 0,32 ha | 1 908 | **❙** ☍ 50 à 69 F |

La famille Thomann a entrepris un gigantesque travail de remise en valeur du coteau du Letzenberg, qui avait été abandonné après la guerre de 1914 en raison du caractère trop escarpé de son site. Originaire de ce terroir de choix exposé au sud, ce riesling est marqué au nez par des arômes d'agrumes et de miel. Après une attaque franche et vive, le palais apparaît équilibré et persistant. Un vin de grande tenue. (Sucres résiduels : 7 g/l.)

☛ Vins Le Manoir, 56, rue de la Promenade, 68040 Ingersheim, tél. 03.89.27.23.69, fax 03.89.27.23.69 ☑ ☍ r.-v.

☛ Thomann

CAVE DE TURCKHEIM
Heimbourg 1998★

| ☐ | 3,5 ha | 23 900 | ■ ♣ | 50 à 69 F |

Fondée en 1955 et réunissant les meilleurs coteaux de la contrée, la cave vinicole de Turckheim s'est bâti une solide réputation que ne démentira pas ce 98. Malgré son origine calcaire, ce riesling affiche déjà une belle évolution au nez, des arômes minéraux se mêlant à des notes de surmaturation. D'une bonne attaque, c'est un vin vif, armé pour une longue garde, et qui termine sur des notes de fruits mûrs. (Sucres résiduels : 5,2 g/l.)
☞ Cave de Turckheim, 16, rue des Tuileries, 68230 Turckheim, tél. 03.89.30.23.60, fax 03.89.27.35.33, e-mail brandt@cave-turckheim.com ☑ ☨ r.-v.

LAURENT VOGT
Rothstein Vendanges tardives 1997★

| ☐ | 0,5 ha | 3 000 | ❙❙❙ | 100 à 149 F |

Thomas Vogt a rejoint en 1998 son père Laurent sur l'exploitation familiale (11 ha de vignes). Leur riesling de vendanges tardives est fort réussi, avec sa robe or vert brillant, son nez fondu et complexe mêlant miel, notes beurrées et fruits de la passion, son palais où l'on retrouve toute la richesse aromatique perçue à l'olfaction. Ample et riche, ce vin est dominé par des sucres résiduels qui tendent à s'équilibrer avec l'acidité. Bon potentiel d'évolution.
☞ EARL Laurent Vogt, 4, rue des Vignerons, 67120 Wolxheim, tél. 03.88.38.50.41, fax 03.88.38.50.41 ☑ ☨ r.-v.

VORBURGER 1998★★★

| ☐ | n.c. | n.c. | 30 à 49 F |

Fondée en 1958, cette exploitation familiale est établie à Voegtlinshoffen, charmant village d'où l'on découvre le vignoble d'Alsace. Issu d'un terroir argilo-calcaire, son riesling sort du lot. Mêlant au nez des notes d'agrumes, de miel et de surmaturation, il possède une structure et une longueur remarquables au palais, avec juste ce qu'il faut de gras. Un vin digne des meilleurs poissons cuisinés. (Sucres résiduels : 3 g/l.)
☞ EARL Jean-Pierre Vorburger et Fils, 3, rue de la Source, 68420 Voegtlinshoffen, tél. 03.89.49.35.52, fax 03.89.49.35.52 ☨ t.l.j. sf dim. 8h-12h 13h30-18h

JEAN WACH 1998

| ☐ | 1,5 ha | 6 000 | ■ | 30 à 49 F |

Andlau, petite ville née d'une abbaye fondée à la fin du IXᵉs., voue un culte exclusif à la vigne et possède des terroirs variés. Jean Wach y exploite près de 10 ha. Marqué au nez par une note minérale, son riesling affiche une belle attaque au palais. Bien structuré, c'est un vin typé et persistant. (Sucres résiduels : 6,2 g/l.)
☞ Jean Wach, 16A, rue du Mal-Foch, 67140 Andlau, tél. 03.88.08.09.73, fax 03.88.08.09.73 ☑ ☨ t.l.j. sf dim. 8h-12h 14h-19h

ANDRÉ WANTZ
Riesling de Mittelbergheim 1998★

| ☐ | 2 ha | 1 800 | ■ | 30 à 49 F |

Enracinée depuis plus de quatre siècles à Mittelbergheim, la famille Wantz y exploite 10 ha de vignes. Elle nous propose un riesling d'origine argilo-calcaire très inspiré par son terroir ! Encore jeune au nez - lequel laisse cependant percer des nuances florales et minérales- , ce 98 présente une attaque très franche. Il possède l'équilibre et la persistance requis pour accompagner la choucroute ou le poisson. (Sucres résiduels : 4,12 g/l.)
☞ André Wantz, 41, rue des Vosges, 67140 Mittelbergheim, tél. 03.88.08.44.52, fax 03.88.08.46.32 ☑ ☨ t.l.j. 8h-12h 13h-19h; dim. 8h-12h

ALBERT WINTER Muhlforst 1998★

| ☐ | 0,11 ha | 1 200 | ■ | 30 à 49 F |

Etabli près de la célèbre église fortifiée de Hunawihr, Albert Winter exploite un domaine modeste par la superficie (4 ha) mais intéressant par la qualité de ses produits. Il propose un riesling très intense, originaire d'un terroir argilo-calcaire. Dominé au nez par des arômes de pamplemousse, d'une attaque assez souple au palais, ce 98 révèle très rapidement toute sa structure. Un vin racé et d'une grande persistance aromatique. (Sucres résiduels : 6 g/l.)
☞ Albert Winter, 17, rue Sainte-Hune, 68150 Hunawihr, tél. 03.89.73.62.95, fax 03.89.73.62.95 ☑ ☨ r.-v.

WUNSCH ET MANN
Vendanges tardives Collection Joseph Mann 1997★

| ☐ | 0,9 ha | 4 200 | ■ | 100 à 149 F |

Fondée en 1948, la maison est reconnue dans tout le vignoble - M. Mann n'est-il pas le Grand Maître de la confrérie Saint-Etienne ? Elle mène une activité de négoce tout en exploitant 20 ha de vignes. D'un jaune clair brillant, ce vin présente un nez encore discret où l'on perçoit cependant des fruits confits et de l'épice. La bouche révèle déjà son ampleur et sa richesse, mais reste encore austère et fermée. Un vin timide qui s'ouvrira avec le temps.
☞ Wunsch et Mann, 2, rue des Clefs, 68920 Wettolsheim, tél. 03.89.22.91.25, fax 03.89.80.05.21, e-mail wunsch-mann@wanadoo.fr ☑ ☨ r.-v.

DOM. XAVIER WYMANN
Steinacker de Ribeauvillé 1998★★

| ☐ | 0,4 ha | n.c. | ■ | 30 à 49 F |

Quand on s'appelle Wymann (homme du vin en alsacien), on ne peut qu'être « tombé dedans lorsqu'on était petit ». C'est bien le cas de ce jeune vigneron d'une trentaine d'années, qui a repris en 1996 l'exploitation familiale. Issu d'un terroir de cailloutis calcaires, ce riesling, très élégant au nez avec ses notes de fleurs blanches, conserve toute sa jeunesse. Sec et harmonieux au palais, il porte assurément l'empreinte de son terroir. Un vin de grande classe. (Sucres résiduels : 4,71 g/l.)

➲ Xavier Wymann, 41, rue de la Fraternité, 68150 Ribeauvillé, tél. 03.89.73.66.83, fax 03.89.73.66.83 ☑ ☥ r.-v.

PAUL ZINCK Prestige 1998★

| ☐ | 0,9 ha | 6 000 | ☷ ♨ | 30 à 49 F |

Paul Zinck a plus d'une corde à son arc ; non content d'exploiter le domaine familial de 8 ha transmis de génération en génération, il a ouvert en 1990 un restaurant alsacien où l'on peut découvrir ses vins. Originaire d'un terroir argilo-calcaire, sa cuvée Prestige développe des arômes de grande maturité au nez. Sa belle charpente lui permet de supporter la petite pointe de douceur qui arrondit la finale, et qui le fera recommander par exemple sur un vol-au-vent aux fruits de mer. (Sucres résiduels : 6 g/l.)

➲ Paul Zinck, 18, rue des Trois-Châteaux, 68420 Eguisheim, tél. 03.89.41.19.11, fax 03.89.24.12.85, e-mail phz@p-zinck.fr ☑ ☥ t.l.j. sf dim. 8h-12h 14h-18h; f. janv.

ZOELLER Vendanges tardives 1997

| ☐ | n.c. | n.c. | ❚❙❚ | 100 à 149 F |

Fondée en 1700, cette exploitation met en bouteilles ses vins depuis une centaine d'années. Or pâle à reflets verts, son riesling de vendanges tardives présente un nez dominé par le pamplemousse, ce qui laisse présager une bonne fraîcheur. D'un bel équilibre acide-alcool-sucre, le palais apparaît jeune mais prometteur.

➲ GAEC Maison Zoeller, 14, rue de l'Eglise, 67120 Wolxheim, tél. 03.88.38.15.90, fax 03.88.38.15.90, e-mail vins.Zoeller@wanadoo.fr ☑ ☥ t.l.j. sf dim. 8h30-12h 13h30-19h; f. vendanges

Alsace muscat

Deux variétés de muscat servent à élaborer ce vin sec et aromatique qui donne l'impression que l'on croque du raisin frais. Le premier, dénommé de tout temps muscat d'Alsace, n'est rien d'autre que celui que l'on connaît mieux sous le nom de muscat de Frontignan. Comme il est tardif, on le réserve aux meilleures expositions. Le second, plus précoce et de ce fait plus répandu, est le muscat ottonel. Ces deux cépages occupent 340 ha, soit 2,40 % du vignoble. Le muscat d'Alsace doit être considéré comme une spécialité aimable et étonnante, à boire en apéritif et lors de réceptions avec, par exemple, du kugelhopf ou des bretzels.

JOSEPH FREUDENREICH 1998

| ☐ | 0,28 ha | 3 000 | ☷ ♨ | 30 à 49 F |

Les Freudenreich sont établis à Eguisheim depuis 1566. Le siège de leur exploitation est situé à une centaine de mètres du château où naquit, au XIᵉs., le futur pape Léon IX. Originaire d'un terroir argilo-calcaire et constitué à parts égales de muscat ottonel et de muscat d'Alsace, ce vin, très intense au nez, souple et fruité au palais, est un représentant typique de l'appellation. A boire à l'apéritif. (Sucres résiduels : 3 g/l.)

➲ Joseph Freudenreich et Fils, 3, cour Unterlinden, 68420 Eguisheim, tél. 03.89.41.36.87, fax 03.89.41.67.12, e-mail info@joseph-freudenreich.fr ☑ ☥ t.l.j. 8h-12h 13h30-19h; groupes sur r.-v.; f. le dim. en hiver

HARTWEG Cuvée Prestige 1998

| ☐ | 0,4 ha | 2 100 | ☷ | 50 à 69 F |

Avec ses 8 ha de vignes, cette exploitation en est maintenant à la quatrième génération, avec l'arrivée du fils, Frank, en 1996. Issu d'un terroir argilo-calcaire, son muscat est encore dans sa jeunesse, le caractère du raisin se mêlant à des notes épicées au nez. Plutôt gras et bien structuré au palais, c'est un vin persistant. (Sucres résiduels : 26 g/l.)

➲ Jean-Paul et Frank Hartweg, 39, rue Jean-Macé, 68980 Beblenheim, tél. 03.89.47.94.79, fax 03.89.49.00.83 ☑ ☥ t.l.j. sf dim. 8h-11h30 13h30-18h

LEON HEITZMANN 1998★★

| ☐ | 0,63 ha | 7 000 | ☷ ❚❙❚ ♨ | 30 à 49 F |

Riche de ses 11 ha de vignes et d'une longue tradition, cette exploitation fait partie des incontournables d'Ammerschwihr. Malgré une origine argilo-calcaire, son muscat, très marqué alsace, est déjà bien épanoui au nez. Il est de surcroît tout en élégance avec ses notes de raisin frais. Cette explosion d'arômes est encore plus manifeste au palais. Un vin de grande race, très ample et persistant. (Sucres résiduels : 3 g/l.)

➲ Léon Heitzmann, 2, Grand-Rue, 68770 Ammerschwihr, tél. 03.89.47.10.64, fax 03.89.78.27.76 ☑ ☥ t.l.j. sf dim. 8h-12h 13h30-18h

DOM. DE LA SINNE
Sélection de Grains nobles 1997★

| ☐ | 0,25 ha | 1000 | ☷ | 150 à 199 F |

Etablie à Ammerschwihr, l'un des berceaux du vignoble alsacien, la famille Geschickt exploite un vignoble d'une dizaine d'hectares. Quelques spécialités, comme cette sélection de grains nobles de muscat, montrent le savoir-faire du vigneron-œnologue. La robe jaune paille brillante, le nez confit sur des notes de pourriture noble très accentuées constituent une bonne entrée en matière. Le palais ne déçoit pas : très équilibré, il est bien fondu avec beaucoup de gras et une grande longueur. (Bouteilles de 50 cl.)

➲ GAEC Jérôme Geschickt et Fils, 1, pl. de la Sinne, 68770 Ammerschwihr, tél. 03.89.47.12.54, fax 03.89.47.34.76 ☑ ☥ r.-v.

Alsace gewurztraminer

ROLLY GASSMANN
Moenchreben de Rorschwihr 1998★★★

	0,89 ha	6 000	 70 à 99 F

La réputation de la maison Rolly-Gassmann, transmise de génération en génération depuis 1676, n'est plus à faire. Une fois de plus, elle vient de réussir un sans-faute avec ce grand muscat ! Originaire d'un terroir marno-calcaire, ce vin est déjà très intense au nez, des notes de tilleul venant renforcer le fruit et lui apporter une race exceptionnelle. D'une belle ampleur au palais, il présente une pointe de rondeur qui, associée à la charpente, lui confère une réelle harmonie. (Sucres résiduels : 12 g/l.)
🔁 Rolly Gassmann, 2, rue de l'Eglise, 68590 Rorschwihr, tél. 03.89.73.63.28, fax 03.89.73.33.06 ☑ ⏳ r.-v.

JEAN-LOUIS SCHOEPFER
Vendanges tardives 1997★★

	0,15 ha	700	70 à 99 F

Les Schoepfer sont vignerons à Wettolsheim depuis 1656. Jean-Louis a été rejoint dans l'exploitation par Gilles, en 1997. Jaune à reflets verts, leur muscat de vendanges tardives possède un nez très attirant, avec un côté charnu et des fragrances de muscat et de lilas. Son approche au palais est moelleuse, veloutée, ample. Les arômes font songer au raisin de muscat sec. Un vin charmeur, d'une grande persistance.
🔁 EARL Jean-Louis Schoepfer, 35, rue Herzog, 68920 Wettolsheim, tél. 03.89.80.71.29, fax 03.89.79.61.35 ☑ ⏳ r.-v.

WINTER 1998★

	0,13 ha	1 200	30 à 49 F

Si Albert Winter a conservé une exploitation à taille humaine, avec ses 4 ha de vignes, il n'en cultive pas moins tous les cépages d'Alsace. Son muscat, d'origine argilo-calcaire, est déjà bien ouvert au nez et typique. Plutôt souple à l'attaque, il possède néanmoins un bel équilibre grâce à sa structure acide. Un vin prometteur. (Sucres résiduels : 18 g/l.)
🔁 Albert Winter, 17, rue Sainte-Hune, 68150 Hunawihr, tél. 03.89.73.62.95, fax 03.89.73.62.95 ☑ ⏳ r.-v.

> Pour tout savoir d'un vin, lisez les textes d'introduction des appellations et des régions ; ils complètent les fiches des vins.

Le cépage qui est à l'origine de ce vin est une forme particulièrement aromatique de la famille des traminer. Un traité publié en 1551 le désigne déjà comme une variété typiquement alsacienne. Cette authenticité, qui s'est de plus en plus affirmée à travers les siècles, est sans doute due au fait qu'il atteint dans ce vignoble un optimum de qualité. Ce qui lui a conféré une réputation unique dans la viticulture mondiale.

Son vin est corsé, bien charpenté, en général sec mais parfois moelleux, et caractérisé par un bouquet merveilleux, plus ou moins puissant selon les situations et les millésimes. Le gewurztraminer, qui a une production relativement faible et irrégulière, est un cépage précoce aux raisins très sucrés. Il occupe environ 2 500 ha, c'est-à-dire près de 17,6 % de la superficie du vignoble alsacien. Souvent servi en apéritif, lors de réceptions ou sur des desserts, il accompagne aussi, surtout lorsqu'il est puissant, les fromages à goût relevé comme le roquefort et le munster.

DOM. PIERRE ADAM
Kaefferkopf 1998★★

	0,5 ha	3 500	⬇ 50 à 69 F

Avec 400 ha de vignes, Ammerschwihr est sans doute l'une des plus importantes communes viticoles d'Alsace. Pierre Adam y exploite 11 ha, notamment dans le Kaefferkopf, lieu-dit qui a fait la réputation de ce village depuis plus de soixante ans. C'est de ce cru qu'est issu ce gewurztraminer qui mêle au nez de fines notes de miel, d'acacia et d'agrumes. On retrouve avec plaisir ces arômes complexes dans une bouche bien équilibrée. Ce vin mérite d'attendre de un à deux ans. (Sucres résiduels : 20 g/l.)
🔁 Dom. Pierre Adam, 8, rue du Lt-Louis-Mourier, 68770 Ammerschwihr, tél. 03.89.78.23.07, fax 03.89.47.39.68, e-mail domaine.pierre.adam@wanadoo.fr ☑ ⏳ t.l.j. 8h-12h 13h-19h

LUCIEN ALBRECHT
Cuvée Martine Albrecht 1998

	7 ha	50 000	50 à 69 F

Fondé en 1772, ce domaine familial met l'accent sur la qualité de l'accueil des clients particuliers, qui peuvent découvrir l'été, outre les vins de la maison, des œuvres d'artistes alsaciens exposées dans la cave du XVIIIᵉs. Le gewurztraminer Martine Albrecht est régulièrement présent dans le Guide. Floral et fruité, le 98 s'ouvre progressivement. Il est conseillé d'attendre ce vin plusieurs mois, ce qui lui permettra d'acquérir plus de longueur et de fruité. (Sucres résiduels : 15 g/l.)

☛ Lucien Albrecht, 9, Grand-Rue, 68500 Orschwihr, tél. 03.89.76.95.18, fax 03.89.76.20.22, e-mail lucien.albrecht@wanadoo.fr ☑ ⵙ t.l.j. 8h-19h; f. dim. de jan. à juin
☛ Jean Albrecht

DOM. ALLIMANT-LAUGNER
Sélection de grains nobles 1997★★

| □ | 0,15 ha | 600 | ∎⬇ | 100 à 149 F |

Située au pied du château du Haut-Kœnigs-bourg, cette exploitation est régulièrement mentionnée dans le Guide. Sa sélection de grains nobles a été fort complimentée : une robe jaune d'or intense à reflets orangés, un nez encore discret où percent quelques notes d'abricot sec et d'autres fruits confits, un palais exquis, gras, riche et puissant, finissant sur des arômes de confiture d'abricot en font un « vrai vin liquoreux », pour reprendre les mots d'un dégustateur, ravi. Une très grande bouteille qui doit attendre encore un peu.

☛ Allimant-Laugner, 10, Grand-Rue, 67600 Orschwiller, tél. 03.88.92.06.52, fax 03.88.82.76.38, e-mail alaugner@terre-net.fr ☑ ⵙ t.l.j. sf dim. 9h-19h
☛ Hubert Laugner

LAURENT BANNWARTH
Bildstoecklé 1998★

| □ | 1,8 ha | 9 500 | ∎ | 30 à 49 F |

A Obermorschwihr, on trouve une église à colombage, unique dans le département, qui pourrait incarner l'« Alsace éternelle », et ce viticulteur attaché aux pratiques traditionnelles : fermentation naturelle, élevage sur lies fines et mise en bouteilles en septembre. Ses vins sont régulièrement présents dans le Guide. On retrouve cette année le gewurztraminer du Bildstoecklé. Le 98 séduit par sa couleur bien typée, jaune doré, et par son nez puissant, fruité et épicé. Un peu légère en finale, la bouche est ronde et miellée. (Sucres résiduels : 15 g/l.)

☛ Laurent Bannwarth et Fils, 9, rte du Vin, 68420 Obermorschwihr, tél. 03.89.49.30.87, fax 03.89.49.29.02, e-mail bannwarth@rmcnet.fr ☑ ⵙ r.-v.

DOM. BARMES-BUECHER
Wintzenheim 1998

| □ | 0,6 ha | 2 400 | ∎⬇ | 70 à 99 F |

Issue de l'union de deux familles de vignerons, cette exploitation de 15 ha dispose de nombreux terroirs, ce qui lui permet de vinifier trente vins différents. Le lieu-dit Wintzenheim, caractérisé par des sols marno-calcaires, a donné de très beaux 94, 96 et 97. Le 98 manque peut-être un peu de complexité ; il n'en a pas moins été jugé « joli », avec un nez très expressif, une bouche bien équilibrée et longue aux arômes de fruits et d'épices. (Sucres résiduels : 30 g/l.)

☛ Dom. Barmès-Buecher, 30, rue Sainte-Gertrude, 68920 Wettolsheim, tél. 03.89.80.62.92, fax 03.89.79.30.80, e-mail barmes-buecher@terre-net.fr ☑ ⵙ r.-v.

LEON BAUR
Vendanges tardives Cuvée 2000 1997★★

| □ | 0,78 ha | 3 200 | ∎⬇ | 100 à 149 F |

Fidèle au rendez-vous du Guide, cette exploitation fondée en 1738 propose un vin digne du cadre qui l'a vu naître, le pittoresque village d'Eguisheim. Une robe jaune d'or très limpide, un nez plaisant par ses senteurs de rose, de muguet et de fruits confits et un palais captivant par son velouté, l'élégance de ses arômes, sa richesse, son gras et sa persistance.

☛ Jean-Louis Baur, 22, rue du Rempart-Nord, 68420 Eguisheim, tél. 03.89.41.79.13, fax 03.89.41.93.72 ☑ ⵙ r.-v.

HUBERT BECK Vendanges tardives 1997★

| □ | 0,57 ha | 3 000 | ⵙⵙ | 100 à 149 F |

Cette maison est spécialisée dans la vente aux professionnels du vin : cavistes, importateurs... 75 % de sa production est écoulée sur les marchés à l'étranger. Jaune or à l'œil, son gewurztraminer vendanges tardives offre un nez discret, qui laisse cependant deviner une belle palette aromatique après aération. Il présente un palais délicat où les fruits confits (abricots) sont associés au miel. Soutenu par une acidité fraîche, il a déjà une persistance remarquable. Le millésime précédent avait obtenu un coup de cœur.

☛ Hubert Beck, 25, rue du Gal-de-Gaulle, 67650 Dambach-la-Ville, tél. 03.88.92.45.90, fax 03.88.92.61.28 ☑ ⵙ t.l.j. sf dim. 8h-12h 13h30-18h

EMILE BEYER
Cuvée de l'Hostellerie Au Cheval blanc 1998

| □ | 0,88 ha | 8 000 | ⵙⵙ | 50 à 69 F |

L'ancienne hostellerie « Au Cheval blanc » est le siège de cette exploitation familiale dont les origines remontent à 1580. Située à deux pas du château, la cave est aussi une des plus anciennes de la région, et les grands vins y sont toujours élevés. Cette cuvée commence à s'ouvrir sur des arômes de fruits et une touche de fleur d'oranger. Au palais, le vin est onctueux, riche et épicé. Une bonne typicité ! (Sucres résiduels : 32 g/l.)

☛ Maison Emile Beyer, 7, pl. du Château, 68420 Eguisheim, tél. 03.89.41.40.45, fax 03.89.41.64.21, e-mail info@émile-beyer.fr ☑ ⵙ t.l.j. 9h-12h 14h-18h

PATRICK BEYER 1998

| □ | 0,4 ha | 2 400 | | 30 à 49 F |

Une étiquette traditionnelle, naïve et folklorique - un couple de vignerons en costume sur fond de village et coteaux viticoles - pour ce 98 d'expression réservée, qui s'ouvre à l'aération sur des notes de fruits frais. La bouche surprend par sa dualité, associant fraîcheur de jeunesse et richesse des sucres résiduels qui s'intègrent progressivement. (Sucres résiduels : 23 g/l.)

☛ Patrick Beyer, 27, rue des Alliés, 67680 Epfig, tél. 03.88.85.50.21, fax 03.88.57.81.46 ☑ ⵙ t.l.j. 9h-11h30 14h-19h

BOTT FRERES
Réserve personnelle Vin de Prestige 1998★

| ☐ | 1 ha | 7 000 | **❙❙❙** 100 à 149 F |

Située à l'entrée de Ribeauvillé, cette cave mérite une visite pour ses foudres plus que centenaires, et pour ses vins bien sélectionnés, comme cette Réserve personnelle. D'abord fermé, ce gewurztraminer s'ouvre sur une large palette aromatique. Cette complexité se retrouve au palais, où le fruit s'affirmera davantage avec le temps. Un vin pour l'apéritif, ou à associer à un plat « sucré-salé ». (Sucres résiduels : 12 g/l.)
☛ Bott Frères, 13, av. du Gal-de-Gaulle, 68150 Ribeauvillé, tél. 03.89.73.22.50, fax 03.89.73.22.59, e-mail vinsbott-freres.fr
☑ ⏱ t.l.j. 9h-12h 14h-18h; groupes sur r.-v.
☛ Laurent Bott

CAMILLE BRAUN Uffholtz 1998★★

| ☐ | 0,35 ha | 2 500 | 30 à 49 F |

Une « chapelle des Sorcières » domine le vignoble d'Orschwihr. Ce gewurztraminer en robe or paille lui doit-il son caractère envoûtant ? Le nez aromatique où se mêlent des nuances de rose, de fleur d'acacia et de miel annonce une belle matière en équilibre parfait. La finale ? Un bouquet de fleurs dont les parfums s'attardent longuement. (Sucres résiduels : 17 g/l.)
☛ Camille Braun, 16, Grand-Rue, 68500 Orschwihr, tél. 03.89.76.95.20, fax 03.89.74.35.03 ☑ ⏱ t.l.j. sf dim. 8h-12h 13h30-19h

BUECHER-FIX
Cuvée Sainte-Gertrude 1998★★

| ☐ | 0,8 ha | 9 200 | ❙ ⏳ 30 à 49 F |

Fondée en 1934, cette exploitation est située au pied des collines sous-vosgiennes, dominées par des châteaux des XIIᵉ et XIIIᵉˢ. En cave, la maîtrise des techniques récentes permet d'élaborer de grands vins, tel ce gewurztraminer au fruité intense. L'attaque, très belle, annonce l'ampleur de ce 98 et sa riche palette aromatique qui associe fleurs, fruits et épices. La finale, tout en finesse, complète l'harmonie. « Beaucoup de classe », conclut un dégustateur. (Sucres résiduels : 8 g/l.)
☛ Buecher-Fix, 21, rue Sainte-Gertrude, 68920 Wettolsheim, tél. 03.89.80.64.93, fax 03.89.79.61.56 ☑ ⏱ r.-v.
☛ Buecher

BUTTERLIN 1998★

| ☐ | 1,15 ha | 5 200 | ❙ 30 à 49 F |

Jean Butterlin a repris le domaine paternel en 1980. Il exploite 8 ha de vignes. Son gewurztraminer offre un nez d'abord discret, puis plus affirmé, axé sur le fruité. En bouche, l'ampleur est accentuée par une certaine douceur. Une note poivrée s'ajoute aux fruits exotiques. De persistance moyenne, ce vin est cependant très flatteur. (Sucres résiduels : 9 g/l.)
☛ Jean Butterlin, 27, rue Herzog, 68920 Wettolsheim, tél. 03.89.80.60.85, fax 03.89.80.58.61, e-mail info@butterlin.fr
☑ ⏱ r.-v.

CAVE DE CLEEBOURG 1998★

| ☐ | 22 ha | 60 000 | ❙ ⏳ 30 à 49 F |

Située dans la partie septentrionale de l'Alsace viticole, la cave de Cléebourg, fondée en 1946, vinifie la production de 170 ha de vignes. Elle propose un gewurztraminer jaune doré, au nez très expressif, mêlant des notes de rose et de fruits exotiques qui s'amplifient à l'aération. On retrouve ces arômes (mangue et rose) associés à la pêche dans un palais ample, équilibré et long. (Sucres résiduels : 7,5 g/l.)
☛ Cave vinicole de Cléebourg, rte du Vin, 67160 Cléebourg, tél. 03.88.94.50.33, fax 03.88.94.57.08, e-mail cave.cleebourg@wanadoo.fr ☑ ⏱ t.l.j. 10h-12h 14h-18h; groupes sur r.-v.

ANDRE DOCK Vendanges tardives 1997★★

| ☐ | n.c. | 2 000 | **❙❙❙** 70 à 99 F |

Ce domaine est situé non loin de Barr, l'un des centres viticoles du Bas-Rhin, où se déroule vers le 14 juillet une foire aux vins rassemblant tous les villages du sud du département. Il a élaboré un gewurztraminer de vendanges tardives or jaune à reflets verts, au nez de fleurs, de musc et de vanille. On retrouve ces arômes, mêlés d'agrumes, dans un palais dominé par le fruité. On y perçoit de la chaleur, reposant sur une belle acidité. (Bouteilles de 50 cl.)
☛ André et Christian Dock, 20, rue Principale, 67140 Heiligenstein, tél. 03.88.08.02.69, fax 03.88.08.19.72 ☑ ⏱ t.l.j. 8h-12h 13h-18h

ANDRE DUSSOURT
Réserve Prestige 1998

| ☐ | 0,4 ha | 2 150 | ❙ 70 à 99 F |

Descendant d'une longue lignée de vignerons de Blienschwiller, André Dussourt s'est établi en 1964 à Scherwiller, pittoresque village dominé par les ruines du château de l'Ortenbourg. L'exploitation compte aujourd'hui 10 ha. Elle propose une cuvée aux nuances aromatiques caractéristiques du gewurztraminer. La matière est certes moyenne, mais le palais, ample, intense et rond, légèrement épicé, est de bonne harmonie. (Sucres résiduels : 23 g/l.)
☛ André Dussourt, 2, rue de Dambach, 67750 Scherwiller, tél. 03.88.92.10.27, fax 03.88.92.18.44 ☑ ⏱ t.l.j. sf dim. 8h-12h 13h30-18h
☛ Paul Dussourt

FAHRER-ACKERMANN
Silbergrube 1998

| ☐ | 0,4 ha | 2 100 | 50 à 69 F |

Salarié de Michel Fahrer depuis huit ans, Vincent Ackermann a repris cette exploitation de 7,50 ha de vignes, située au pied du château du Haut-Kœnigsbourg. Issu d'un terroir argilo-limoneux, son gewurztraminer Silbergrube se fait attendre : ses arômes frais et fins sont encore fermés. De même, en bouche, ce vin se montre ample et typé, mais il reste sur sa réserve. Il devrait s'ouvrir davantage vers 2002. (Sucres résiduels : 24 g/l.)
☛ Fahrer-Ackermann, 15, rte du Vin, 67600 Orschwiller, tél. 03.88.92.90.23, fax 03.88.92.90.23 ☑ ⏱ r.-v.
☛ Vincent Ackermann

SYLVIE FAHRER Bruchwegreben 1998★

| ☐ | 0,52 ha | 1 200 | 🍴 30à49F |

En 1995, Sylvie Fahrer a pris les rênes de l'exploitation familiale qui compte à présent 6 ha de vignes. Sa cuvée Bruchwegreben affiche une robe dorée à reflets ambrés. Le nez est vif, épicé, avec une note de bergamote. Les arômes de miel flattent le palais accentuant l'impression de richesse et de gras laissée par ce beau vin. (Sucres résiduels : 27 g/l.)
🍴Sylvie Fahrer, 24, rte du Vin, 68590 Saint-Hippolyte, tél. 03.89.73.00.40, fax 03.89.73.00.40 ☑ ⵏ r.-v.

ALBERT FALLER
Vendanges tardives Cuvée Théo 1997★

| ☐ | 0,3 ha | 1 600 | 🍴⚘ 70à99F |

Ce domaine de 7,6 ha est installé à Itterswiller, village coquet, très fleuri à partir du printemps. Or à l'œil, sa cuvée Théo séduit par la délicatesse de son nez où l'abricot se marie au coing. On retrouve ces arômes en bouche, associés au miel. Un vin de persistance moyenne, mais d'une belle finesse. (Bouteilles de 50 cl.)
🍴EARL André Faller, 2, rte du Vin, 67140 Itterswiller, tél. 03.88.85.53.55, fax 03.88.85.51.13 ☑ ⵏ r.-v.

DOM. FLEISCHER
Vendanges tardives 1997★

| ☐ | 0,31 ha | 3 600 | 🍴 100à149F |

Créé en 1990, ce jeune domaine est passé de 3,50 ha à 8 ha de vignes. Il commercialise quelque 60 000 bouteilles par an. D'un jaune d'or magnifique, son gewurztraminer de vendanges tardives présente un nez discret qui livre cependant quelques arômes de fruits confits. La bonne attaque fraîche annonce un vin déjà plaisant, pourvu d'un beau potentiel.
🍴Dom. Fleischer, 28, rue du Moulin, 68250 Pfaffenheim, tél. 03.89.49.62.70, fax 03.89.49.50.74 ☑ ⵏ r.-v.

JEAN GEILER
Vendanges tardives Cuvée An 2000 1997

| ☐ | 3 ha | 25 000 | 🍴⚘ 70à99F |

Fondée en 1926, la coopérative d'Ingersheim vend ses grands vins sous le nom de Jean Geiler. D'un jaune d'or brillant et très soutenu, ce vin de vendanges tardives offre un nez discret où l'on perçoit une note de pain grillé. Souple et de bonne fraîcheur en attaque, le palais est persistant. Il a déjà acquis un certain équilibre qui devrait se parfaire rapidement. (Bouteilles de 50 cl.)
🍴Cave vinicole Jean Geiler, 45, rue de la République, 68040 Ingersheim, tél. 03.89.27.05.96, fax 03.89.27.51.24 ☑ ⵏ r.-v.

HENRI GROSS ET FILS
Vendanges tardives 1996★

| ☐ | 0,2 ha | 1 300 | 🍴🍴 70à99F |

Rémy Gross a repris il y a dix ans l'exploitation familiale. Son gewurztraminer de vendanges tardives a fait très bonne impression avec sa robe jaune paille aux reflets éclatants, son nez intense conjuguant notes d'agrumes et de pourriture noble, et sa bouche grasse, riche et complexe, construite sur une grande matière et bien équilibrée. (Bouteilles de 50 cl.)
🍴EARL Henri Gross et Fils, 11, rue du Nord, 68420 Gueberschwihr, tél. 03.89.49.24.49, fax 03.89.49.33.58 ☑ ⵏ r.-v.
🍴Rémy Gross

JOSEPH GRUSS ET FILS
Cuvée du Millénaire 1998

| ☐ | 1 ha | 6 000 | 50à69F |

En 1997, après des études d'œnologie, André Gruss a rejoint son père sur l'exploitation familiale qui compte 13 ha de vignes. D'un jaune doré, leur cuvée du Millénaire présente un fruité légèrement évolué à l'aération. La bouche, malgré une certaine chaleur, reste assez équilibrée. (Sucres résiduels : 15 g/l.)
🍴Joseph Gruss et Fils, 25, Grand-Rue, 68420 Eguisheim, tél. 03.89.41.28.78, fax 03.89.41.76.66, e-mail gruss@hotmail.com ☑ ⵏ t.l.j. 8h-12h 13h30-18h

HENRI GSELL Vendanges tardives 1997★

| ☐ | 0,5 ha | 5 000 | 🍴🍴 70à99F |

Cette propriété remontant aux premières années du XIXᵉs. est située au cœur d'Eguisheim : les murs de la cave, d'une épaisseur de 1,20 m, faisaient partie des fortifications de la cité. On pourra y découvrir ce vin de vendanges tardives jaune d'or intense, au nez expressif mêlant arômes de fruits cuits et épices avec un brin d'exotisme. Le palais révèle une belle matière, puissante, et finit sur des notes de miel et d'acacia. (Bouteilles de 50 cl.)
🍴Henri Gsell, 22, rue du Rempart-Sud, 68420 Eguisheim, tél. 03.89.41.96.40, fax 03.89.41.58.46 ☑ ⵏ r.-v.

ANDRE HARTMANN
Terrasses du Hagelberg 1998★

| ☐ | 0,3 ha | n.c. | 🍴⚘ 50à69F |

Ce domaine bien connu des lecteurs du Guide est fier de ses terrasses du Hagelberg. Reconstruites en 1991, elles contribuent à la beauté du paysage tout en favorisant la surmaturation des cépages aromatiques. Celle-ci apparaît nettement dans ce gewurztraminer qui, avec sa robe jaune doré, ses arômes exotiques et confits, son palais gras et long aux nuances de fruits secs, n'est pas éloigné d'un vin de vendanges tardives. « Une belle empreinte », conclut un dégustateur. (Sucres résiduels : 30 g/l ; bouteilles de 50 cl.)
🍴André Hartmann, 11, rue Roger-Frémeaux, 68420 Voegtlinshoffen, tél. 03.89.49.38.34, fax 03.89.49.26.18 ☑ ⵏ t.l.j. sf dim. 9h-12h 13h30-18h

HAULLER Cuvée Saint-Sébastien 1998

| ☐ | 4 ha | 30 000 | 🍴 30à49F |

Gérée par René Hauller depuis 1977, cette exploitation établie à Dambach-la-Ville a été fondée en 1830. Elle compte aujourd'hui 19 ha de vignes, la famille menant aussi une activité de négoce. Ancienne église d'un village disparu à la fin du XIIIᵉs., la chapelle Saint-Sébastien dresse son clocher au milieu des vignes, au-dessus de Dambach. Elle a donné son nom à cette cuvée au nez discret, équilibrée et expressive en bouche. (Sucres résiduels : 16 g/l.)

➤J. Hauller et Fils, 3, rue de la Gare,
67650 Dambach-la-Ville, tél. 03.88.92.40.21,
fax 03.88.92.45.41 ☑ ⵣ r.-v.
➤René Hauller

J.-V. HEBINGER ET FILS
Vendanges tardives 1997★

☐	0,5 ha	3 500	▮⬥ 100 à 149 F

Etablie dans la rue principale d'Eguisheim, à proximité de la mairie, cette exploitation possède des vignes dans les meilleurs terroirs de la commune, notamment dans les grands crus Eichberg et Pfersigberg. En vendanges tardives elle avait présenté un superbe pinot gris (millésime 94) pour l'édition 1999 du Guide. Quant à ce gewurztraminer, de couleur claire, il séduit par la complexité et la délicatesse de ses arômes - rose, fruits et notes minérales -, tant au nez qu'en bouche. Un vin tout en finesse qu'il faut savoir attendre.
➤Jean-Victor Hebinger et Fils, 14, Grand-Rue, 68420 Eguisheim, tél. 03.89.41.19.90,
fax 03.89.41.15.61 ☑ ⵣ t.l.j. sf dim. 8h-12h 14h-18h

HERTZOG Cuvée Sainte-Cécile 1998★★

☐	0,5 ha	5 000	▮⬥ 50 à 69 F

Mentionné dès le Xᵉs., le vignoble d'Obermorschwihr était exploité par de nombreux monastères, telle l'abbaye de Marbach, ainsi que par l'évêque de Bâle. Cette cuvée, plusieurs fois sélectionnée dans les millésimes précédents, confirme la valeur de ses terroirs. La robe dorée, le nez de surmaturation, où se mêlent la rose, les épices et le miel annoncent un palais concentré et riche qui prolonge admirablement l'olfaction. Pour un foie gras poêlé ou un dessert. (Sucres résiduels : 25 g/l.)
➤EARL Sylvain Hertzog, 18, rte du Vin, 68420 Obermorschwihr, tél. 03.89.49.31.93,
fax 03.89.49.28.85 ☑ ⵣ r.-v.

E. HORCHER ET FILS
Sélection de grains nobles 1997★

☐	0,27 ha	1 500	▮⬥ 150 à 199 F

Etablie à Mittelwihr depuis des générations, cette exploitation possède des vignes dans d'excellents terroirs, ce qui lui permet d'élaborer des produits de qualité. Elle est régulièrement mentionnée dans le Guide, notamment pour ses gewurztraminer. D'un jaune clair très limpide, celui-ci possède un nez vif, plutôt floral, nuancé d'agrumes et d'épices. De belle intensité aromatique, la bouche, souple à souhait, d'une longueur peu commune, finit sur des notes d'abricot sec. Un grand vin plein d'avenir. (Bouteilles de 50 cl.)
➤Ernest Horcher et Fils, 6, rue du Vignoble, 68630 Mittelwihr, tél. 03.89.47.93.26,
fax 03.89.49.04.92 ☑ ⵣ t.l.j. sf dim. 8h-12h 14h-18h

CLAUDE ET GEORGES
HUMBRECHT Vendanges tardives 1997★★★

☐	0,3 ha	2 000	▮⬤ 100 à 149 F

Outre son église au très haut clocher roman et ses maisons Renaissance, Gueberschwihr possède des terroirs propices à l'élaboration de vins issus de surmaturation. Celui-ci, revêtu d'une

robe paille doré intense, charme d'emblée par ses senteurs d'épices variées (poivre surtout) et de fruits surmûris. Le palais est tout aussi beau, puissant et élégant. Fruité, concentration, fraîcheur et onctuosité, tout est là. « Un sans fautes », résume un dégustateur, qui ajoute : « J'achète ! ». Un vin à apprécier pour lui-même ou sur le foie gras.
➤EARL Claude et Georges Humbrecht, 31, rue de Pfaffenheim, 68420 Gueberschwihr, tél. 03.89.49.31.51 ☑ ⵣ r.-v.

HUNOLD Vendanges tardives 1997★

☐	0,4 ha	3 000	▮⬥ 100 à 149 F

Cette importante exploitation (12 ha de vignes) est solidement établie à Rouffach, chef-lieu de canton et centre viticole. Régulièrement présente dans le Guide, elle a élaboré un vin de vendanges tardives jaune à reflets paille, qui s'annonce par des parfums de toute beauté : miel d'acacia, fruits confits et épices. Puissante et riche, harmonieuse, la bouche offre une palette aromatique associant les fleurs, les fruits séchés (figue) et le miel.
➤EARL Bruno Hunold , 29, rue aux Quatre-Vents, 68250 Rouffach, tél. 03.89.49.60.57,
fax 03.89.49.67.66 ☑ ⵣ t.l.j. sf dim. 8h-12h 13h-19h

DOM. JUX Prestige 1998★★

☐	n.c.	2 000	70 à 99 F

Situé à l'ouest de Colmar, ce domaine fait partie du groupe Wolfberger. Il garde cependant sa spécificité. Son gewurztraminer cuvée Prestige est remarquable par sa complexité aromatique : c'est un panier de fleurs et de fruits exotiques. La bouche, bien équilibrée, révèle une matière surmûrie et une longue finale. Un vin déjà agréable, mais qui peut aussi attendre quatre ou cinq ans. (Sucres résiduels : 17 g/l.)
➤Dom. Jux, chem. de la Fecht, 68000 Colmar, tél. 03.89.79.13.76, fax 03.89.79.62.93 ☑ ⵣ r.-v.

CAVE DE
KIENTZHEIM-KAYSERSBERG
Altenburg 1998★

☐	12,08 ha	32 000	▮⬥ 50 à 69 F

A Kientzheim, on peut découvrir l'histoire de la viticulture de la région au musée du Vignoble et des Vins d'Alsace. La cave coopérative, fondée en 1955, vinifie la production de 180 ha de vignes. Elle s'attache à la qualité, témoin ce 98 d'un jaune franc, aux arômes épicés et fruités caractéristiques du cépage. La bouche concilie souplesse, finesse et fraîcheur. Un vin équilibré, à déguster à l'apéritif. (Sucres résiduels : 12 g/l.)
➤Cave de Kientzheim-Kaysersberg, 10, rue des Vieux-Moulins, 68240 Kientzheim, tél. 03.89.47.13.19, fax 03.89.47.34.38 ☑ ⵣ r.-v.

KLEE FRERES 1998

☐	0,5 ha	2 400	ⵕ 30 à 49 F

Cette petite exploitation - à peine 2 ha- est gérée par les frères Klée depuis une bonne douzaine d'années. En cave ceux-ci privilégient la fermentation spontanée et l'élevage sur lies fines. Cette cuvée d'une belle fraîcheur s'ouvre sur des

notes épicées, complétées par un fruité plus complexe. (Sucres résiduels : 12 g/l.)
➤ Klée Frères, 18, Grand-Rue, 68230 Katzenthal, tél. 03.89.47.17.90 ☑ ⌇ r.-v.

CLEMENT KLUR Vieilles vignes 1998★

	0,7 ha	5 000	50 à 69 F

En 1999, Clément Klur a créé son exploitation après la dissociation du domaine Klur-Stoecklé. La nouvelle cave, très originale, est construite en rond ; les foudres et cuves y sont disposés en cercle. Quant à ce gewurztraminer, il semble assorti au local qui l'a vu naître, puisque les dégustateurs lui trouvent une belle rondeur en finale ! Finesse et élégance caractérisent aussi bien ses arômes épicés que sa structure en bouche. (Sucres résiduels : 25 g/l.)
➤ Clément Klur, 105, rue des Trois-Epis, 68230 Katzenthal, tél. 03.89.80.94.29, fax 03.89.27.30.17, e-mail katz@newel.net ☑ ⌇ r.-v.

CLEMENT KLUR
Vendanges tardives 1997★

	0,5 ha	3 500	100 à 149 F

Une robe d'un jaune soutenu, un nez parfumé de rose, d'épices et de fruits (ananas), un palais d'une belle fraîcheur, puissant, équilibré, où l'on retrouve les épices associées au coing : ce sont là les caractéristiques d'un grand vin, à l'avenir assuré.
➤ Clément Klur, 105, rue des Trois-Epis, 68230 Katzenthal, tél. 03.89.80.94.29, fax 03.89.27.30.17, e-mail katz@newel.net ☑ ⌇ r.-v.

FRANCOIS LICHTLE
Sélection Vieilles vignes 1998★

	0,15 ha	1000	70 à 99 F

Situé au sud-ouest de Colmar, le village de Husseren-les-Châteaux tire son nom de trois châteaux qui le dominent. François Lichtlé y exploite 6 ha de vignes depuis 1992. Sa Sélection Vieilles vignes s'affirme par sa robe dorée et son nez intense et complexe, à la fois floral et fruité (agrumes, mangue, litchi). En bouche, après une très belle attaque, on retrouve le fruité, assorti d'une touche botrytisée. Malgré une persistance moyenne, c'est un vin imposant. (Sucres résiduels : 15 g/l.)
➤ Dom. François Lichtlé, 17, rue des Vignerons, 68420 Husseren-les-Châteaux, tél. 03.89.49.31.34, fax 03.89.49.37.52 ☑ ⌇ r.-v.

MADER Cuvée Théophile 1998★★

	0,25 ha	1 800	50 à 69 F

Hunawihr présente de nombreux attraits : sa serre à papillons tropicaux et, dans un registre plus alsacien, son parc à cigognes, son église fortifiée et ses domaines viticoles. Jean-Luc Mader qui, plus d'une fois, s'est détaché du lot, se taille un joli succès avec cette cuvée d'un jaune brillant, au nez expressif mêlant fruits frais et confits. Un vin équilibré, ample et gras, à la finale longue et fraîche des plus réussies. (Sucres résiduels : 43 g/l.)

➤ EARL Jean-Luc Mader, 13, Grand-Rue, 68150 Hunawihr, tél. 03.89.73.80.32, fax 03.89.73.31.22 ☑ ⌇ r.-v.

JEAN-LOUIS ET FABIENNE MANN
Vieilles vignes Cuvée Fabienne et Jean-Louis 1998★

	0,39 ha	2 800	70 à 99 F

Les « vieilles pierres » de la région font florès sur les étiquettes des alsaces. Elles sont ici montrées en très gros plan, le nom de cette cuvée s'inscrivant sur une photographie de sol marnocalcaire : un ocre jaune bien chaleureux. Le nez de pêche et d'épices constitue une belle entrée en matière pour ce gewurztraminer, ces dernières venant aussi conclure la dégustation. Avec sa bouche grasse, son bon équilibre sucre-alcool et sa longue finale, c'est un vin très réussi. (Sucres résiduels : 40 g/l.)
➤ EARL Jean-Louis Mann, 6 A, rue de Colmar, 68420 Eguisheim, tél. 03.89.24.26.47, fax 03.89.24.09.41 ☑ ⌇ r.-v.

METZ-GEIGER 1998

	0,63 ha	2 000	50 à 69 F

A Epfig, au sud de Barr, la chapelle romane de Sainte-Marguerite mérite le détour. On pourra aussi y découvrir ce gewurztraminer au nez ouvert, floral et épicé, au palais bien structuré, riche, intense et long. (Sucres résiduels : 22 g/l.)
➤ Louis Metz-Geiger, 9, rue Fronholz, 67680 Epfig, tél. 03.88.85.55.21, fax 03.88.85.55.21 ☑ ⌇ r.-v.

DOM. RENE MEYER
La Croix du Pfoeller Vieilles vignes 1998★

	0,35 ha	4 100	50 à 69 F

Blotti au fond d'un petit vallon paisible, Katzenthal est dominé par le donjon du Wineck. Le terroir calcaire donne naissance à des gewurztraminer bien structurés, comme celui-ci. Son nez intense se décline sur des fruits secs et des épices, son palais est élégant, puissant et de bonne longueur. Un vin que son auteur invite à découvrir sur une autre spécialité de la région, le munster. (Sucres résiduels : 13 g/l.)
➤ EARL Dom. René Meyer et Fils, 14, Grand-Rue, 68230 Katzenthal, tél. 03.89.27.04.67, fax 03.89.27.50.59 ☑ ⌇ r.-v.

JEAN-LUC MEYER
Cuvée Vieilles vignes 1998★

	0,4 ha	3 500	30 à 49 F

A Eguisheim, les rues qui s'ordonnent en trois cercles concentriques autour du château fortifié évoquent les riches heures médiévales de la cité. De nombreux producteurs y ont pignon sur rue, comme Jean-Luc Meyer, qui y exploite 10 ha de vignes. Sa sélection Vieilles vignes a été appréciée pour sa typicité : un nez de rose caractéristique du cépage, une bonne attaque, de l'équilibre, de la franchise, de la tenue. Un beau gewurztraminer plutôt sec. (Sucres résiduels : 8 g/l.)
➤ Jean-Luc Meyer, 4, rue des Trois-Châteaux, 68420 Eguisheim, tél. 03.89.24.53.66, fax 03.89.41.66.46 ☑ ⌇ r.-v.

MEYER-FONNE
Kaefferkopf Vendanges tardives 1997★★★

☐	0,3 ha	1 600	❚❚❙ 100 à 149 F

Un terroir renommé, le Kaefferkopf d'Ammerschwihr, aux sols argilo-gréseux, une exploitation familiale qui s'est fait remarquer ces dernières années par son savoir-faire : on ne s'étonnera pas que cette cuvée recueille tous les suffrages. D'un jaune éclatant à reflets dorés, elle attire l'œil, avant de charmer le nez par des fragrances florales et fruitées où une touche exotique que donne de la complexité. Quant au palais, par son ampleur, sa richesse, son gras, son équilibre reposant sur un bon support acide et sa finale fondue, il est tout simplement superbe.
☛ Meyer-Fonné, 24, Grand-Rue, 68230 Katzenthal, tél. 03.89.27.16.50, fax 03.89.27.34.17 ☑ ☒ r.-v.
☛ François Meyer

DOM. DU MOULIN DE DUSENBACH Kaefferkopf 1998

☐	0,6 ha	5 300	❚❙ 70 à 99 F

Cette exploitation familiale regroupe quelque 20 ha de vignes répartis sur plusieurs communes, parfois éloignées de Ribeauvillé où elle est établie. Elle présente un gewurztraminer issu du Kaefferkopf d'Ammerschwihr. Le nez est discret, un peu dominé par l'alcool, la bouche révèle des notes de surmaturation, une structure grasse et une douceur marquée. Ce vin, qui évoque les vendanges tardives, devra attendre pour gagner en harmonie.
☛ Bernard Schwach, 25, rte de Sainte-Marie-aux-Mines, 68150 Ribeauvillé, tél. 03.89.73.72.18, fax 03.89.73.30.34 ☑ ☒ r.-v.

CAVE D'OBERNAI 1998

☐	n.c.	50 000	❚❙ 30 à 49 F

Avec ses belles maisons des XVe et XVI^{e}s. et ses vestiges de remparts, Obernai est une cité typiquement alsacienne. C'est aussi un centre viticole qui organise une foire aux vins et une fête des Vendanges. La coopérative propose un gewurztraminer de type plutôt léger, mais plaisant par ses arômes complexes de fruits, d'épices et surtout de rose, que l'on retrouve en bouche. (Sucres résiduels : 9,3 g/l.)
☛ Cave vinicole d'Obernai, 30, rue du Gal-Leclerc, 67210 Obernai, tél. 03.88.47.60.20, fax 03.88.47.60.22 ☑ ☒ r.-v.

OTTER Vendanges tardives 1997★

☐	0,36 ha	2 500	❚❙ 100 à 149 F

Jean-François Otter a repris en 1998 le domaine familial établi à Hattstatt, village situé au sud de Colmar, en bordure de la RN 83. Son gewurztraminer de vendanges tardives s'annonce par une robe d'un jaune d'or intense et par un nez bien ouvert de fruits et d'épices. Le palais doit encore s'affiner, mais révèle déjà ses atouts, des arômes de figue nuancés de réglisse et un corps puissant. A attendre un peu.
☛ Dom. François Otter et Fils, 4, rue du Muscat, 68420 Hattstatt, tél. 03.89.49.33.00, fax 03.89.49.38.69, e-mail ottjef@nucleuv.fr ☑ ☒ r.-v.
☛ Jean-François Otter

DOM. FRANCOIS RUNNER ET FILS
Bergweingarten 1998

☐	0,45 ha	4 000	❚❚❙ 30 à 49 F

Francis Runner a pris les commandes de l'exploitation familiale en 1997 et représente la troisième génération sur ce domaine de 12 ha. Il propose une cuvée provenant d'un lieu-dit argilo-calcaire. Un vin honorable, marqué par une certaine chaleur en finale, agrémenté par des arômes épicés complexes. Une bonne harmonie d'ensemble. (Sucres résiduels : 10 g/l.)
☛ Dom. François Runner et Fils, 1, rue de la Liberté, 68250 Pfaffenheim, tél. 03.89.49.62.89, fax 03.89.49.73.69 ☑ ☒ t.l.j. 9h-12h 13h-18h

CLOS SAINTE-APOLLINE
Bollenberg Cuvée sélectionnée Fût de chêne 1998★

	3 ha	8 000	❚❚❙ 50 à 69 F

Situé sur les hauteurs du Bollenberg, colline dominant le village de Westhalten, ce domaine fondé en 1887 regroupe 24 ha de vignes. Sa cuvée du Bollenberg allie des notes de rose et des nuances fruitées où ressortent la pêche, le kiwi et la clémentine. Une profusion d'arômes que l'on retrouve en bouche, avec une note de surmaturation en prime. (Sucres résiduels : 8 g/l.)
☛ A. et D. Meyer, Clos Sainte-Apolline, Dom. du Bollenberg, 68111 Westhalten, tél. 03.89.49.67.10, fax 03.89.49.76.16 ☑ ☒ t.l.j. 8h-20h

CLOS SAINTE-ODILE 1998★

☐	n.c.	10 000	❚❙ 50 à 69 F

Située sur les hauteurs d'Obernai, cette maison exploite des vignes aménagées en terrasses, bien exposées au sud. Son gewurztraminer affiche une couleur jaune doré et un nez fin, fruité surtout, qui traduisent une belle matière. En bouche, on apprécie son équilibre, son ampleur et d'élégantes notes exotiques. Un dégustateur suggère de servir ce vin sur le canard à l'orange. (Sucres résiduels : 8,7 g/l.)
☛ Sté vinicole Sainte-Odile, 3, rue de la Gare, 67210 Obernai, tél. 03.88.47.60.20, fax 03.88.47.60.22 ☑ ☒ r.-v.

SAULNIER
Vendanges tardives Vieilles vignes 1997★★

| | 0,3 ha | 1 800 | 🍷 | 100 à 149 F |

Quoique de création récente (1982), cette exploitation a su se faire rapidement un nom dans le vignoble. Ce 97 de vendanges tardives confirme son savoir-faire. Une robe ambrée, un nez de toute beauté où dominent des senteurs de confit et de bergamote, avec des nuances de foin séché, un palais harmonieux, d'un équilibre remarquable, onctueux sans excès et soutenu par une acidité fondue dessinent un grand vin en devenir.
➥ Marco Saulnier, rte de Saint-Marc, 68420 Gueberschwihr, tél. 03.89.86.42.02
☑ Ⴤ r.-v.

MARTIN SCHAETZEL
Kaefferkopf Cuvée Catherine 1998★

| | 0,5 ha | n.c. | 50 à 69 F |

Jean Schaetzel et son épouse dirigent une exploitation de près de 8 ha. Ils ont donné le nom de leur fille à cette cuvée de gewurztraminer issue du célèbre cru du Kaefferkopf. Ce 98 offre un nez fin, intense et typé, aux nuances de fruits secs et de pain d'épice, qui laisse présager une bonne matière. Celle-ci se confirme en bouche, avec une finale d'une belle persistance. (Sucres résiduels : 25 g/l.)
➥ SARL Martin Schaetzel, 3, rue de la 5ᵉ-Division-Blindée, 68770 Ammerschwihr, tél. 03.89.47.11.39, fax 03.89.78.29.77 ☑ Ⴤ r.-v.
➥ Béa et Jean Schaetzel

PAUL SCHERER Vieilles vignes 1998★

| | 0,24 ha | n.c. | 🍷 ⚬ | 50 à 69 F |

Les trois célèbres châteaux forts semblent veiller sur le vignoble d'Husseren où les Scherer œuvrent au service du vin depuis cinq générations. Leur cuvée Vieilles vignes révèle un contraste entre un nez fin, délicatement floral, et une bouche riche, voire massive, chaleureuse à l'attaque et en finale. L'ensemble est très apprécié. (Sucres résiduels : 18 g/l.)
➥ EARL Paul Scherer et Fils, 40, rue Principale, 68420 Husseren-les-Châteaux, tél. 03.89.49.30.34, fax 03.89.86.41.67 ☑ Ⴤ r.-v.

DOM. PIERRE SCHILLE 1998★★★

| | 0,49 ha | 5 500 | 🍷 ⚬ | 30 à 49 F |

Créée en 1954 par Pierre Schillé, cette exploitation a été reprise par son fils Christophe en 1990. Le vignoble regroupe une belle palette de terroirs répartis sur plusieurs communes. Né de sols argilo-calcaires, ce vin charme d'emblée par

un nez de fruits et de miel franc et puissant. D'un superbe équilibre, intense et cohérent au palais, il présente une finale soyeuse, nette et longue, avec un retour aromatique remarquable. Un vin d'exception, que l'on peut déguster pour lui-même, et que l'on pourra attendre quatre ou cinq ans, si l'on en a la patience ! (Sucres résiduels : 19 g/l.)
➥ Pierre Schillé et Fils, 14, rue du Stade, 68240 Sigolsheim, tél. 03.89.47.10.67, fax 03.89.47.39.12 ☑ Ⴤ r.-v.

DOM. SCHIRMER
Vendanges tardives 1997

| | 0,2 ha | 1000 | 🍷 ⚬ | 100 à 149 F |

Etablis depuis 1865 à Soultzmatt, dans la vallée Noble, les Schirmer exploitent 7 ha de vignes dont une partie est située dans le grand cru du Zinnkoepflé. Leur gewurztraminer de vendanges tardives affiche une robe jaune doré très brillante et affirme sa richesse au nez par des arômes de surmaturation - raisins secs et fruits confits. La bouche ample et souple révèle beaucoup de matière mais demande encore à se fondre.
➥ Dom. Lucien Schirmer et Fils, 22, rue de la Vallée, 68570 Soultzmatt, tél. 03.89.47.03.82, fax 03.89.47.02.33 ☑ Ⴤ t.l.j. 8h-12h 13h-19h

DOMAINES SCHLUMBERGER
Sélection de grains nobles Cuvée Anne 1997★

| | 2,6 ha | 10 000 | 🍷 ⑪ | 250 à 299 F |

Avec 145 ha de vignes, ce domaine est le plus vaste d'Alsace. Cette Sélection de grains nobles présente une robe profonde, jaune d'or, qui inspire confiance. Intense, complexe, mêlant l'abricot et les épices, le nez confirme l'impression visuelle. La bouche est dans le même registre, puissante et fine à la fois. Un vin de grande classe, qui tient ses promesses. (Bouteilles de 50 cl.)
➥ Domaines Schlumberger, 100, rue Théodore-Deck, 68501 Guebwiller Cedex, tél. 03.89.74.27.00, fax 03.89.74.85.75, e-mail jvschlum@aol.com ☑ Ⴤ r.-v.

FRANCOIS SCHMITT
Cuvée Marie-France 1998

| | 0,67 ha | 5 300 | 🍷 | 30 à 49 F |

François Schmitt et son fils Frédéric exploitent 11 ha de vignes et disposent de terroirs variés. Leur cuvée Marie-France surprend par la retenue de ses arômes. Le palais, après une attaque puissante, se conduit avec la légèreté. Un ensemble équilibré. (Sucres résiduels : 20 g/l.)
➥ Cave François Schmitt, 19, rte de Soultzmatt, 68500 Orschwihr, tél. 03.89.76.08.45, fax 03.89.76.44.02 ☑ Ⴤ r.-v.

ALBERT SCHOECH Letzenberg 1998★

| | 8,4 ha | 30 000 | 🍷 ⚬ | 30 à 49 F |

Une maison de négoce établie à Ammerschwihr, cité déjà florissante au XIVᵉs., et dont les vestiges médiévaux, telles la tour des Voleurs et celle des Bourgeois, ou encore la Porte Haute, font partie de l'imagerie régionale. Issu d'un lieudit argilo-calcaire, ce gewurztraminer s'ouvre progressivement à l'aération sur des notes fruitées. Une attaque agréable contribue à l'harmo-

nie du palais, où l'on retrouve un beau fruité. (Sucres résiduels : 10,2 g/l.)
●┐ Albert Schoech, pl. du Vieux-Marché, 68770 Ammerschwihr, tél. 03.89.78.23.17, fax 03.89.27.51.24

DOM. FRANCOIS SCHWACH ET FILS Vendanges tardives 1997★★

☐	1,3 ha	7 000	⬛🥄 70 à 99 F

Disposant de caves modernes, cette importante exploitation (20 ha) mise sur l'international : elle exporte 50 % de ses vins. De couleur jaune d'or, celui-ci charme par un nez à la fois subtil et profond, qui mêle fleurs et fruits confits. Le palais conjugue finesse et concentration. Il a déjà trouvé son harmonie. Une grande bouteille. (Bouteilles de 50 cl.)
●┐ Dom. François Schwach et Fils, 28, rte de Ribeauvillé, 68150 Hunawihr, tél. 03.89.73.62.15, fax 03.89.73.37.84, e-mail schwach@rmcnet.fr ☑ ⟂ r.-v.

CHRISTIAN SCHWARTZ
Sélection de grains nobles Collection Marine 1997★

☐	0,3 ha	900	⬛ 150 à 199 F

Cette exploitation familiale de 6,5 ha est établie à Blienschwiller, coquet village situé sur la route des Vins et qui vivait déjà de la vigne à l'époque carolingienne. Elle propose une sélection de grains nobles de très belle facture. D'un jaune paille tirant sur le doré, ce 97 présente un nez intense, où l'abricot sec domine, accompagné par des notes de litchi et d'épices à l'olfaction, et de réglisse en bouche. Equilibré, ample et long, le palais est dans le même registre. (Bouteilles de 50 cl.)
●┐ Christian Schwartz, 8, rue de l'Ungersberg, 67650 Blienschwiller, tél. 03.88.92.41.73, fax 03.88.92.63.06 ☑ ⟂ r.-v.

EMILE SCHWARTZ
Vendanges tardives Cuvée Maxime 1997★

☐	0,3 ha	1 700	⬛ 100 à 149 F

Cette cuvée Maxime provient de Husseren-les-Châteaux, commune qui possède les vignobles les plus élevés de la route des Vins (près de 400 m). D'un jaune paille à reflets or, elle se distingue par des arômes très développés et complexes de miel et de litchi, tant au nez qu'en bouche. Une belle attaque confère de la classe au palais, à la fois gras et frais.
●┐ EARL Emile Schwartz et Fils, 3, rue Principale, 68420 Husseren-les-Châteaux, tél. 03.89.49.30.61, fax 03.89.49.27.27 ☑ ⟂ t.l.j. sf dim. 8h-12h 14h-19h; f. 1-15 sept.

JEAN-PAUL SIMONIS Kaefferkopf 1998

☐	0,27 ha	2 000	⬛ 50 à 69 F

Jean-Marc Simonis, qui a repris l'exploitation familiale en 1993, s'attache à mettre en valeur une parcelle située dans le Kaefferkopf, plantée de vignes âgées de quarante-cinq ans. Le terroir est argilo-calcaire. Ce 98 se caractérise par une note de miel et une attaque douce. Le palais est souple, dominé par le sucre. A attendre. (Sucres résiduels : 15 g/l.)

●┐ EARL Jean-Paul Simonis et Fils, 1, rue du Chasseur-M.-Besombes, 68770 Ammerschwihr, tél. 03.89.47.13.51, fax 03.89.47.13.51 ☑ ⟂ r.-v.
●┐ Jean-Marc Simonis

RENE SIMONIS Vieilles vignes 1998★

☐	0,15 ha	600	⬛ 70 à 99 F

Cette autre famille Simonis d'Ammerschwihr (Etienne, qui a repris l'exploitation en 1996) propose une sélection Vieilles vignes marquée par son terroir granitique : le nez, bien ouvert, est dominé par des notes épicées, avec des nuances fruitées. Le palais révèle des arômes de surmaturation. Son gras et sa richesse accentuent les impressions miellées qui se prolongent en finale. Un vin proche d'une vendange tardive. (Sucres résiduels : 46 g/l.)
●┐ René et Etienne Simonis, 2, rue des Moulins, 68770 Ammerschwihr, tél. 03.89.47.30.79, fax 03.89.78.24.10 ☑ ⟂ r.-v.

THIERRY-MARTIN Vieilles vignes 1998

☐	4 ha	3 000	⬛ 70 à 99 F

Cette jeune exploitation, née de l'association, en 1998, de Thierry Unterreiner et de Martin Lorentz, a déjà vu plusieurs de ses vins retenus dans le Guide. D'un jaune pâle, celui-ci offre un nez fruité avec une touche de miel. La bouche franche révèle une note d'alcool qui doit encore s'intégrer. (Sucres résiduels : 18,9 g/l.)
●┐ Thierry-Martin, rue de Westhoffen, 67520 Wangen, tél. 03.88.04.11.22, fax 03.88.04.11.21, e-mail alsacethierrymartin@minitel.net ☑ ⟂ r.-v.

ACHILLE THIRION 1998

☐	2,35 ha	8 000	⬛🥄 30 à 49 F

Les Thirion, dont les ancêtres étaient déjà au service du vin en 1760, associent traditions et techniques modernes pour produire des vins expressifs et fins comme ce 98. Certes, il n'est ni très complexe ni très puissant, mais ses arômes de rose délicats et son harmonie légère le rendent fort agréable. (Sucres résiduels : 12,8 g/l.)
●┐ Dom. Achille Thirion, 69, rte du Vin, 68590 Saint-Hippolyte, tél. 03.89.73.00.23, fax 03.89.73.06.46 ☑ ⟂ r.-v.

CAVE DU VIEIL-ARMAND
Armorie 1998

☐	n.c.	10 000	⬛ 70 à 99 F

Cette cave vinicole a aménagé dans ses murs un musée de la Vigne et du Vin. On pourra y découvrir ce 98 aux arômes de surmaturation nets et intenses. Harmonieuse et longue, la bouche s'établit en continuité du nez, avec des notes botrytisées et un équilibre dominé par le moelleux. (Sucres résiduels : 25 g/l.)
●┐ Cave vinicole du Vieil-Armand, 3, rte de Cernay, 68360 Soultz-Wuenheim, tél. 03.89.76.73.75, fax 03.89.76.70.75 ☑ ⟂ r.-v.

VORBURGER 1998

☐	n.c.	n.c.	⬛ 30 à 49 F

Née dans les années 1950, cette exploitation est installée à Voegtlinshoffen, charmant village dominant le vignoble et la plaine d'Alsace. Son gewurztraminer offre des arômes épicés, nets et fins. La bouche est souple, tout en présentant une bonne structure, du fruité et une persistance agréable. (Sucres résiduels : 20 g/l.)

☛ EARL Jean-Pierre Vorburger et Fils, 3, rue de la Source, 68420 Voegtlinshoffen, tél. 03.89.49.35.52, fax 03.89.49.35.52 ☑ ☂ t.l.j. sf dim. 8h-12h 13h30-18h

CH. WAGENBOURG
Vendanges tardives 1997

	0,5 ha	3 000	100 à 149 F

Le château Wagenbourg, où cette exploitation s'est établie en 1905, est le seul demeuré intact sur les sept jadis recensés dans la vallée Noble. Jacky et Mireille Klein, qui ont repris le domaine en 1995, sont les héritiers d'une longue lignée de vignerons dont les origines remontent à 1605. Ils proposent un vin de vendanges tardives jaune à reflets ambrés, au nez de fruits mûrs (mirabelle) et de raisins passerillés, avec des nuances d'abricot sec en fin de bouche. Ce 97 n'est pas très puissant, mais l'évolution devrait lui être favorable.

☛ Joseph et Jacky Klein, Ch. Wagenbourg, 25, rue de la Vallée, 68570 Soultzmatt, tél. 03.89.47.01.41, fax 03.89.47.65.61 ☑ ☂ t.l.j. sf dim. 8h-12h 14h-19h

JEAN-MICHEL WELTY 1998*

	1,42 ha	9 000	▮ ♨ 30 à 49 F

Cette exploitation a son siège dans une ancienne cour dîmière datant de 1576. Jean-Michel Welty est à sa tête depuis 1984. Il signe un gewurztraminer net et élégant, tant au nez qu'au palais. Ce vin révèle un bel équilibre entre puissance et fraîcheur, ainsi qu'une bonne persistance.

☛ EARL Jean-Michel Welty, 22-24, Grand-Rue, 68500 Orschwihr, tél. 03.89.76.09.03, fax 03.89.76.16.80 ☑ ☂ t.l.j. 8h30-11h30 14h-18h30; dim. sur r.-v.

JEAN-MICHEL WELTY
Cuvée Aurélie 1998**

	0,82 ha	5 800	▮ ♨ 30 à 69 F

L'auteur de ces lignes tient à souligner l'originalité de l'étiquette de cette cuvée Aurélie reproduisant un tableau aux nuances à la fois chaudes et fraîches - des vignes en automne. Un bravo pour l'artiste ! Et le vin ? A l'or intense de sa robe répondent les épices, les fruits surmûris du nez et la grande matière du palais, agrémentée de riches nuances de fruits secs ou confits. La longueur est remarquable. Un bravo pour le vigneron ! (Sucres résiduels : 21 g/l.)

☛ EARL Jean-Michel Welty, 22-24, Grand-Rue, 68500 Orschwihr, tél. 03.89.76.09.03, fax 03.89.76.16.80 ☑ ☂ t.l.j. 8h30-11h30 14h-18h30; dim. sur r.-v.

DOM. DU WINDMUEHL 1998*

	1,1 ha	7 000	◨ 30 à 49 F

Claude Bléger est établi à Saint-Hippolyte, village viticole dominé par le château du Haut-Kœnigsbourg - sans doute le monument le plus visité de la région. Issu d'un terroir argilo-granitique, son gewurztraminer ne renie pas ses origines : ses arômes francs mêlent miel, épices, fruits et fleurs (rose). Les sucres résiduels sont très présents (20 g/l) mais bien intégrés dans une matière ronde et puissante.

☛ EARL Claude Bléger, Dom. du Windmuehl, 92, rte du Vin, 68590 Saint-Hippolyte, tél. 03.89.73.00.21, fax 03.89.73.04.22 ☑ ☂ r.-v.

BERNARD WURTZ Vieilles vignes 1998

	1 ha	5 000	◨ 70 à 99 F

Ce jeune vigneron préfère la « quintessence aux quintaux » et cultive l'expression du terroir. Des vignes de soixante-dix ans ont donné ce 98 dont la robe jaune doré annonce un vin dense. Le nez confirme la surmaturation, mais reste fermé. Le palais révèle une matière riche et souple ; la finale, douce, est marquée par une pointe d'amertume bien intégrée. Evoquant quelque peu un vin de vendanges tardives, ce gewurztraminer devrait se marier avec une tarte aux fruits. (Sucres résiduels : 10 g/l.)

☛ Bernard Wurtz, 12, rue du Château, 68630 Mittelwihr, tél. 03.89.47.93.24, fax 03.89.86.01.69 ☑ ☂ r.-v.
☛ Jean-Michel Wurtz

JULES ET REMY ZIMMERMANN
Vallée Noble 1998*

	n.c.	n.c.	▮ 30 à 49 F

Doré comme la vallée Noble à l'automne, ce gewurztraminer concentre les fruits de l'été ; « avec une note de citronnelle », précise un dégustateur ! Ample et équilibré, il est persistant et harmonieux.

☛ Rémy Zimmermann, 13, rue des Prêtres, 68570 Soultzmatt, tél. 03.89.47.08.13, fax 03.89.47.04.84 ☑ ☂ r.-v.

Alsace tokay-pinot gris

La dénomination locale tokay d'Alsace donnée au pinot gris depuis quatre siècles est un fait étonnant, puisque cette variété n'a jamais été utilisée en Hongrie orientale... La légende dit cependant que le tokay aurait été rapporté de ce pays par le général L. de Schwendi, grand propriétaire de vignobles en Alsace. Son aire d'origine semble être, comme celle de tous les pinots, le territoire de l'ancien duché de Bourgogne.

Le pinot gris n'occupe que 1 300 ha, mais il peut produire un vin capiteux, très corsé, plein de noblesse, susceptible de remplacer un vin rouge sur les plats de viande. Lorsqu'il est somptueux comme en 83, 89 et 90, années exceptionnelles, c'est l'un des meilleurs accompagnements du foie gras.

J.B. ADAM
Letzenberg Cuvée Jean-Baptiste 1998★★

☐ 1,1 ha 6 500 ▥ 70 à 99 F

Viticulteur et négociant, J.-B. Adam est à la tête d'une maison qui compte plus de trois cent quatre-vingts ans d'existence. Il propose un pinot gris des plus prometteurs. Couleur jaune d'or à reflets brillants, nez discret, mais déjà très plaisant, de fruits à chair blanche (pêche), bouche aromatique, fort persistante, révélant un équilibre remarquable entre sucres et acidité, tout annonce un grand vin qui gagnera encore en expression avec le temps. (Sucres résiduels : 15 g/l.)
☛ Jean-Baptiste Adam, 5, rue de l'Aigle, 68770 Ammerschwihr, tél. 03.89.78.23.21, fax 03.89.47.35.91, e-mail adam@jb-adam.com ☑ ⵏ t.l.j. sf dim. 8h-12h 14h-18h30; groupes sur r.-v.

DOM. PIERRE ADAM
Katzenstegel Cuvée Théo 1998★★

☐ 1 ha 7 000 ▤▥⌾ 50 à 69 F

Cette autre famille Adam, établie comme la précédente à Ammerschwihr, exploite 11 ha de vignes. Elle a présenté comme l'an dernier un pinot gris du lieu-dit Katzenstegel, et qui obtient les mêmes compliments ! La belle robe jaune clair brillant et le nez très expressif de fruits confits charment au premier abord. Puissante, riche, équilibrée, de grande maturité, la bouche confirme cette excellente impression. (Sucres résiduels : 18 g/l.)
☛ Dom. Pierre Adam, 8, rue du Lt-Louis-Mourier, 68770 Ammerschwihr, tél. 03.89.78.23.07, fax 03.89.47.39.68, e-mail domaine.pierre.adam@wanadoo.fr ☑ ⵏ t.l.j. 8h-12h 13h-19h

DOM. ALLIMANT-LAUGNER
Au Puits des Moines 1998★★

☐ 0,55 ha 4 400 ▤⌾ 50 à 69 F

Une exploitation de 11 ha, située près du Haut-Kœnigsbourg, et que l'on retrouve régulièrement dans le Guide. Elle propose un pinot gris originaire d'un terroir argilo-calcaire. Jaune doré à l'œil, ce 98 offre un nez tout en finesse, fait de miel et de fruits confits. Le palais, confit tout en restant léger, révèle un remarquable équilibre. Un vin d'une belle prestance, qui atteindra sa plénitude dans cinq ans environ. Pour du foie gras. (Sucres résiduels : 34 g/l.)
☛ Allimant-Laugner, 10, Grand-Rue, 67600 Orschwiller, tél. 03.88.92.06.52, fax 03.88.82.76.38, e-mail alaugner@terre-net.fr ☑ ⵏ t.l.j. sf dim. 9h-19h
☛ Hubert Laugner

ANDRE ANCEL 1998★

☐ 0,24 ha 2 100 ▥ 30 à 49 F

Une exploitation fondée en 1885, et disposant de près de 9 ha de vignes. Issu d'un terroir argilo-calcaire, ce 98, d'un jaune soutenu à reflets brillants, apparaît déjà très mûr au nez, avec des arômes de fumé, d'amande grillée et de fruits secs. Après une belle attaque fruitée, la bouche, encore quelque peu rustique, se montre corsée et longue. Elle devrait se polir avec le temps. (Sucres résiduels : 8 g/l.)

☛ André Ancel, 3, rue du Collège, 68240 Kaysersberg, tél. 03.89.47.10.76, fax 03.89.78.13.78 ☑ ⵏ t.l.j. 8h-12h 13h30-19h; f. sam. dim. l'hiver à partir de jan.

VIGNOBLE FREDERIC ARBOGAST
Vendanges tardives 1996★★

☐ 0,3 ha 2 400 ▤⌾ 70 à 99 F

Cette exploitation régulièrement mentionnée dans le Guide s'est particulièrement distinguée cette année avec ce vin de vendanges tardives jaune paille, mêlant au nez la violette, les fruits confits et le miel. On retrouve ce dernier dans une bouche intense et d'une grande complexité, où l'on décèle des notes de café et de chocolat. Une bouteille de classe.
☛ Frédéric Arbogast, 135, pl. de l'Eglise, 67310 Westhoffen, tél. 03.88.50.30.51, fax 03.88.50.30.51 ☑ ⵏ r.-v.

PIERRE ARNOLD
Vendanges tardives 1996★★★

☐ 0,2 ha 1 200 ▥ 70 à 99 F

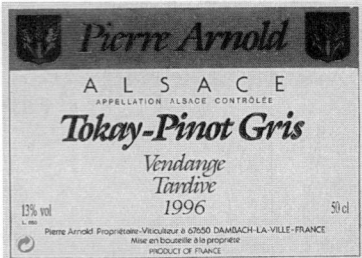

La propriété - 6,50 ha aujourd'hui - a été transmise de père en fils depuis 1711. Si des épis pour emblème, elle s'illustre à présent par la vigne ! Pierre Arnold a passé une année en Bourgogne avant de rejoindre le domaine familial, mais c'est du pinot gris, cépage bien alsacien, qu'il a tiré le meilleur. Jaune avec des nuances ambrées, son 96 présente un nez extrêmement attirant, mêlant le sous-bois et la réglisse. Tout aussi riche et aromatique, la bouche livre d'intenses notes exotiques et se signale par un équilibre plein de fraîcheur. Le rapport qualité-prix constitue un atout supplémentaire. (Bouteilles de 50 cl.)
☛ Pierre Arnold, 16, rue de la Paix, 67650 Dambach-la-Ville, tél. 03.88.92.41.70, fax 03.88.92.62.95 ☑ ⵏ t.l.j. 9h-19h; dim. sur r.-v.

DIDIER BECK Réserve 1998★

☐ 0,6 ha 3 000 ▥ 30 à 49 F

Si Didier Beck ne commercialise ses vins sous son propre nom que depuis 1996, le domaine dont il a hérité remonte à... 1596 ! L'exploitation compte aujourd'hui 7,50 ha de vignes. Le Réserve 98 est issu d'arènes granitiques, sols qui communiquent au vin une certaine légèreté. Jaune vif avec des reflets verts, de belle brillance, il offre un nez assez intense qui mêle arômes mentholées, vanillées et miellées. Gras et épicé en bouche, avec des notes de poivre et de girofle,

présentant des caractères de surmaturation, il est d'une bonne longueur. (Sucres résiduels : 5 g/l.)
☙ Didier Beck, 14, rte du Vin, 67650 Dambach-la-Ville, tél. 03.88.92.40.17, fax 03.88.92.60.40 ☑ ♈ r.-v.

DOM. CLAUDE BLEGER
Coteaux du Haut-Kœnigsbourg 1998★

	0,55 ha	4 700	⫘ 30 à 49 F

Claude Bléger exploite 7 ha de vignes au pied du Haut-Kœnigsbourg, comme ses ancêtres, établis ici à l'époque de la guerre de Trente Ans. D'un jaune soutenu, son 98 mêle au nez la violette, le foin séché et le pain grillé. On retrouve cette expression délicate dans une bouche de belle longueur, typée par son léger fumé. (Sucres résiduels : 9 g/l.)
☙ Dom. Claude Bléger, 23, Grand-Rue, 67600 Orschwiller, tél. 03.88.92.32.56, fax 03.88.82.59.95 ☑ ♈ t.l.j. 9h-12h15 13h15-19h30

FRANCOIS BLEGER
Kappellreben 1998★★

	0,27 ha	2 400	⫘ 30 à 49 F

Originaire de Suisse, la famille Bléger s'est établie à Saint-Hippolyte en 1562. Une cave du XVII⁰s. atteste l'ancienneté de cette exploitation dirigée par François Bléger depuis 1996. Celui-ci propose un tokay jaune clair, au nez complexe de fruits exotiques et d'épices. La bouche offre aussi une riche palette aromatique. Un vin riche, puissant, très long et d'une belle élégance. (Sucres résiduels : 20 g/l.)
☙ François Bléger, 63, rte du Vin, 68590 Saint-Hippolyte, tél. 03.89.73.06.07, fax 03.89.73.06.07 ☑ ♈ r.-v.

FRANCOIS BRAUN
Bollenberg Cuvée Vieilles vignes 1998★★

	n.c.	4 700	⫘ ♨ 50 à 69 F

Encore une exploitation de plus de quatre siècles d'existence. Elle compte aujourd'hui 21 ha de vignes. Son pinot gris du Bollenberg attire d'emblée l'attention par une belle couleur jaune paille avec des reflets verts. Le nez est intense, animal et fumé, le palais riche, expressif, puissant, bien charpenté et déjà bien équilibré. Un très grand vin. (Sucres résiduels : 20 g/l.)
☙ EARL François Braun et Fils, 19, Grand-Rue, 68500 Orschwihr, tél. 03.89.76.95.13, fax 03.89.76.10.97 ☑ ♈ t.l.j. sf dim. 8h-11h30 13h30-18h

DOM. BURGHART-SPETTEL
Réserve 1998★

	0,32 ha	2 800	⫘ 30 à 49 F

Cette exploitation fondée en 1948 compte plus de 8 ha de vignes. Elle est installée à Mittelwihr, commune bien connue des amateurs par son grand cru du Mandelberg. Si ce tokay Réserve n'est pas issu de ce lieu-dit, il n'en est pas moins de qualité. D'un jaune brillant à reflets verts, il présente un nez encore fermé, discrètement fruité. Très riche et puissant, le palais est marqué par des sucres résiduels : son équilibre demande à se parfaire. Un dégustateur servirait bien ce vin sur des plats sucrés-salés, comme un magret de canard aux fruits. (Sucres résiduels : 10 g/l.)

☙ Dom. Burghart-Spettel, 9, rte du Vin, 68630 Mittelwihr, tél. 03.89.47.93.19, fax 03.89.49.07.62 ☑ ♈ r.-v.

BUTTERLIN 1998

	0,6 ha	5 400	⫘ 30 à 49 F

Jean Butterlin exploite 8 ha de vignes dans la petite commune viticole de Wettolsheim, à l'ouest de Colmar. D'un jaune paille très limpide, son pinot gris livre des arômes fumés caractéristiques du cépage. Riche, ample, la bouche révèle une importante teneur en sucres résiduels qui devront se fondre : un vin à attendre pour lui permettre de gagner en harmonie. (Sucres résiduels : 20 g/l.)
☙ Jean Butterlin, 27, rue Herzog, 68920 Wettolsheim, tél. 03.89.80.60.85, fax 03.89.80.58.61, e-mail info@butterlin.fr ☑ ♈ r.-v.

CLOS DES CHARTREUX 1998

	1 ha	4 500	⫘ 50 à 69 F

Au pied des collines sous-vosgiennes et au débouché de la vallée de la Bruche, Molsheim est proche de Strasbourg. Les Chartreux s'y installèrent au XVI⁰s., d'où le nom de ce beau domaine de 17 ha, régulièrement mentionné dans le Guide. Son tokay 98 a pour lui une couleur jaune d'or de bonne tenue, un beau nez typé, une attaque très douce et des arômes agréables. Dominé par les sucres, le palais doit encore parfaire son harmonie. A attendre. (Sucres résiduels : 12 g/l.)
☙ Robert Klingenfus, 60, rue de Saverne, 67120 Molsheim, tél. 03.88.38.07.06, fax 03.88.49.32.47 ☑ ♈ r.-v.

DONTENVILLE
Hahnenberg de Châtenois 1998

	0,6 ha	5 000	⫘ 50 à 69 F

Situé à l'extrême sud du Bas-Rhin, à l'ouest de Sélestat, au pied du flanc cristallin du Hahnenberg, Châtenois doit son nom aux châtaigniers qui couvraient ses hauteurs, et d'où les vignerons tiraient des piquets de vignes. Gilbert Dontenville y exploite 10 ha, surtout sur des terrains granitiques. Ce sont eux qui ont donné naissance à ce pinot gris jaune clair à reflets verts, qui révèle au nez des arômes simples de fumée. Tendre en bouche, il est long, de bonne évolution.
☙ Gilbert Dontenville, 2, rte de Kintzheim, 67730 Châtenois, tél. 03.88.82.03.48, fax 03.88.82.23.81 ☑ ♈ t.l.j. 9h-18h

DOPFF AU MOULIN
Vendanges tardives 1997★

	2,5 ha	7 600	⫘ ♨ 100 à 149 F

Une maison familiale probablement aussi connue que la cité où elle a pignon sur rue depuis plus de trois cent cinquante ans : n'exporte-t-elle pas sa production de la Finlande au Japon ? Elle a contribué au développement de la méthode traditionnelle en Alsace. Ce Vendanges tardives est jaune-vert à reflets brillants. Son nez discret laisse cependant percer des notes de fruits exotiques. Une attaque pleine, un corps moelleux, presque liquoreux, des arômes de pâte de coings et de réglisse qui s'attardent en bouche charment les papilles.

☛ SA Dopff au Moulin, 2, av. Jacques-Preiss, 68340 Riquewihr, tél. 03.89.49.09.69, fax 03.89.47.83.61 ☑ ⵏ t.l.j. 9h-12h 14h-18h

MICHEL FAHRER
Vendanges tardives 1996*

| □ | 0,3 ha | 2 000 | 100 à 149 F |

Salarié depuis huit ans de la maison Michel Fahrer, Vincent Ackermann a racheté cette exploitation de 7,50 ha située au pied du Haut-Kœnigsbourg. Il propose un Vendanges tardives caractéristique avec sa robe jaune d'or, son nez de pourriture noble aux nuances de sous-bois, et son palais d'une bonne ampleur, gras et rond. Un beau vin qui demande à évoluer encore. (Bouteilles de 50 cl.)

☛ Fahrer-Ackermann, 15, rte du Vin, 67600 Orschwiller, tél. 03.88.92.90.23, fax 03.88.92.90.23 ☑ ⵏ r.-v.
☛ Vincent Ackermann

ANDRE FALLER ET FILS
Vendanges tardives Cuvée Robin 1997*

| □ | 0,27 ha | 1 500 | 🍴 ♨ 70 à 99 F |

La famille Faller d'Itterswiller est au service du tourisme gastronomique : un hôtel géré par la mère de l'exploitant, un restaurant par le frère et la sœur, et ce domaine, créé avant 1939 par le grand-père. Son Vendanges tardives affiche une robe dorée à souhait, qui évoque déjà une certaine richesse. Avec son nez mariant coing, fruits secs et confits, sa bouche qui monte en puissance - peut-être pas des plus longues mais onctueuse et agréable -, c'est un vin très flatteur. (Bouteilles de 50 cl.)

☛ EARL André Faller, 2, rte du Vin, 67140 Itterswiller, tél. 03.88.85.53.55, fax 03.88.85.51.13 ☑ ⵏ r.-v.

RENE FLECK Vendanges tardives 1997*

| □ | n.c. | 2 100 | 🍴 100 à 149 F |

A Soultzmatt, la vigne et le vin cohabitent en bonne intelligence avec l'eau minérale également exploitée. Ne faut-il pas voir là un indice d'harmonie et de qualité de la vie ? Quoi qu'il en soit, on ne perdra rien à faire le tour de ce village et à miser sur ce beau vin de vendanges tardives : à l'œil, et c'est en bouteille. En bouche ce 97 révèle tous ses atouts : une attaque grasse, ample, une superbe finale réglissée et un côté minéral qui apporte de la complexité.

☛ René Fleck et Fille, 27, rte d'Orschwihr, 68570 Soultzmatt, tél. 03.89.47.01.20, fax 03.89.47.09.24 ☑ ⵏ r.-v.

PIERRE FRICK Rot-Murlé 1998*

| □ | 0,6 ha | 3 600 | 🍴 70 à 99 F |

Cette exploitation, qui pratique de longue date et avec succès l'agriculture biologique et la bio-dynamie, est souvent distinguée dans le Guide. Elle présente un tokay d'un jaune légèrement doré, marqué par le fruit confit au nez comme en bouche. Le pain d'épice vient s'ajouter au palais. Parfums d'une belle finesse, harmonie et fraîcheur composent un ensemble séduisant. (Sucres résiduels : 12 g/l.)

☛ Pierre Frick, 5, rue de Baer, 68250 Pfaffenheim, tél. 03.89.49.62.99, fax 03.89.49.62.99 ☑ ⵏ t.l.j. sf dim. 9h-11h30 13h30-18h30

PIERRE-HENRI GINGLINGER 1998**

| □ | 0,58 ha | 5 000 | 🍴 30 à 49 F |

Une ancienne famille de vignerons, installée depuis plus de trois siècles dans la vénérable cité d'Eguisheim. Son tokay 98 attire d'emblée l'attention par sa couleur jaune d'or intense à reflets brillants et son nez très mûr de fruits secs (datte, banane), de coing et de fruits exotiques. La bouche, douce, se distingue par son fruité. Elle est dense et remplit bien le palais. Un vin déjà mûr, que l'on peut servir à l'apéritif. (Sucres résiduels : 8 g/l.)

☛ Pierre-Henri Ginglinger, 33, Grand-Rue, 68420 Eguisheim, tél. 03.89.41.32.55, fax 03.89.24.58.91, e-mail gingling@terre-net.fr ☑ ⵏ r.-v.

GOCKER Vieilles vignes 1998*

| □ | 0,4 ha | 2 500 | 🍴 ♨ 50 à 69 F |

Philippe Gocker exploite 7 ha de vignes à Mittelwihr. Sa cuvée Vieilles vignes avait déjà charmé le jury l'an dernier. Le 98 n'est pas mal du tout : un beau jaune d'or pour la robe, une profusion de fruits confits et d'épices au nez, un palais déjà superbe, équilibré, charpenté, ample, rond à souhait. Un vin prometteur, que l'on conseille d'attendre encore. Pour le foie gras ou après le dessert. (Sucres résiduels : 20 g/l.)

☛ Philippe Gocker, 1, pl. des Cigognes, 68630 Mittelwihr, tél. 03.89.49.01.23, fax 03.89.49.04.72 ☑ ⵏ r.-v.

GOCKER Vendanges tardives 1997*

| □ | 0,45 ha | 1 800 | 🍴 ♨ 100 à 149 F |

Philippe Gocker a également bien réussi son pinot gris de vendanges tardives. D'un vieil or brillant, ce 97 livre des senteurs de réglisse, de cire et de miel, nuancées de pain grillé et de fruits secs (abricot). On retrouve le grillé et la réglisse, accompagnés de notes d'agrumes, dans une bouche grasse, pleine, longue et d'une belle structure.

☛ Philippe Gocker, 1, pl. des Cigognes, 68630 Mittelwihr, tél. 03.89.49.01.23, fax 03.89.49.04.72 ☑ ⵏ r.-v.

HENRI GROSS Cuvée Christine 1998***

| □ | 0,2 ha | 2 000 | 🍴 50 à 69 F |

Etablie à Gueberschwihr, entre Colmar et Rouffach, voici une « petite exploitation viticole qui essaie de promouvoir au mieux le produit du patrimoine familial », comme la définit avec

modestie le fils d'Henri Gross, qui a repris le domaine en 1990. Avec de telles cuvées, il devrait pouvoir arriver à ses fins. Ce 98 a vraiment tout pour plaire, de sa belle robe paille à sa bouche longue, puissante et charnue, d'un superbe équilibre, en passant par son excellent nez mêlant des notes grillées au fumé typique du cépage. Un vin de foie gras. (Sucres résiduels : 10 g/l.)
🍷 EARL Henri Gross et Fils, 11, rue du Nord, 68420 Gueberschwihr, tél. 03.89.49.24.49, fax 03.89.49.33.58 ☑ ☂ r.-v.
🍷 Rémy Gross

JOSEPH GRUSS ET FILS
Cuvée Frohnenberg 1998★

☐	1,35 ha	6 000	◀▶	30 à 49 F

Robe jaune pâle à reflets verts, nez joli, mais discret, de pêche et d'acacia, attaque franche, bouche complexe et bien équilibrée. Si les dégustateurs s'accordent à trouver ce 98 un peu jeune, tous lui prédisent un bel avenir. Un encouragement pour André, fils de Bernard et petit-fils de Joseph Gruss, qui, depuis 1997, seconde ses parents sur l'exploitation familiale après des études d'œnologie. (Sucres résiduels : 15 g/l.)
🍷 Joseph Gruss et Fils, 25, Grand-Rue, 68420 Eguisheim, tél. 03.89.41.28.78, fax 03.89.41.76.66, e-mail gruss@hotmail.com ☑ ☂ t.l.j. 8h-12h 13h30-18h

DOM. HENRI HAEFFELIN ET FILS
Le Silex 1998★★

☐	0,5 ha	4 000	◀▶	50 à 69 F

Guy Haeffelin exploite un domaine de 15 ha à Wettolsheim près de Colmar. Son « Silex » a fait une excellente impression, avec sa robe jaune doré à reflets verts, son nez déjà puissant, distingué, où se mêlent fruits et épices. La bouche n'est pas en reste, tendre, complexe, longue et d'un très bel équilibre. (Sucres résiduels : 5 g/l.)
🍷 Dom. Henri Haeffelin, 13, rue d'Eguisheim, 68920 Wettolsheim, tél. 03.89.80.76.81, fax 03.89.79.67.05 ☑ ☂ r.-v.
🍷 Guy Haeffelin

DOM. PIERRE HAGER
Vieilles vignes 1998★

☐	0,66 ha	2 000	🍷🍴	50 à 69 F

Cette exploitation est située dans la partie sud du vignoble alsacien, sur un terroir argilo-calcaire bien abrité des vents d'ouest par les plus hauts sommets vosgiens. Elle propose un 98 jaune paille, que certains dégustateurs auraient souhaité plus frais en finale. Pour le reste, c'est une belle réussite, avec un joli nez de fruits exotiques et d'agrumes, une attaque douce où l'on retrouve les fruits exotiques. À laisser vieillir encore. (Sucres résiduels : 12,5 g/l.)
🍷 Dom. Pierre Hager, 26, rue de Soultzmatt, 68500 Orschwihr, tél. 03.89.76.11.19, fax 03.89.74.36.76 ☑ ☂ t.l.j. 9h-12h 14h-18h; dim. sur r.-v.

BRUNO HERTZ 1998★

☐	0,17 ha	1 300	◀▶	30 à 49 F

Œnologue, Bruno Hertz a repris et développé l'exploitation de ses parents. Sous une étiquette colorée peu traditionnelle, il propose un tokay jaune doré, voire ambré, à reflets brillants. Le nez mêle le sous-bois, le sucre d'orge et le miel - arôme qui marque aussi le palais. La bouche est souple après une attaque fraîche. Un vin déjà très mûr. (Sucres résiduels : 6 g/l.)
🍷 Bruno Hertz, 9, pl. de l'Eglise, 68420 Eguisheim, tél. 03.89.41.81.61, fax 03.89.41.68.32, e-mail bruno.hertz@libertysurf.fr ☑ ☂ r.-v.

JOSMEYER Le Fromenteau 1998

☐	2 ha	9 000	◀▶	50 à 69 F

Fondée en 1854, la maison Josmeyer exploite en propre 23 ha de vignes et mène une activité de négoce à partir d'achats auprès de viticulteurs. Elle produit des vins secs d'une grande typicité, comme ce 98 jaune soutenu à reflets argentés, marqué par des arômes intenses de violette et de prune, tant au nez qu'en bouche. Le palais est souple, d'un bel équilibre, charpenté et de bonne longueur. A attendre encore. (Sucres résiduels : 3 g/l.)
🍷 Josmeyer, 76, rue Clemenceau, 68920 Wintzenheim, tél. 03.89.27.91.90, fax 03.89.27.91.99, e-mail josmeyer@wanadoo.fr ☑ ☂ r.-v.
🍷 Jean Meyer

ROBERT KARCHER Harth 1998

☐	0,23 ha	4 000	◀▶	30 à 49 F

L'exploitation, qui compte une dizaine d'hectares, a été fondée en 1953 par Robert Karcher. Depuis 1991, son fils Georges est à la tête du domaine. Il reçoit les visiteurs en plein centre du vieux Colmar, dans l'ancienne ferme qui date de 1602. Ceux-ci pourront découvrir un tokay à la robe brillante, jaune doré à reflets argentés. Avec son nez bien fruité, sa bouche élégante, dont la structure soutenue par une bonne acidité lui communique de la vivacité, ses arômes de fruits nuancés d'épices, ce vin mérite de figurer ici. (Sucres résiduels : 5 g/l.)
🍷 Dom. Robert Karcher et Fils, 11, rue de l'Ours, 68000 Colmar, tél. 03.89.41.14.42, fax 03.89.24.45.05, e-mail domaine.karcherrobert@wanadoo.fr ☑ ☂ t.l.j. 8h-12h 14h-19h; groupes sur r.-v.

KLEIN AUX VIEUX REMPARTS
Geissberg 1998

☐	0,7 ha	5 100	◀▶	50 à 69 F

« Vignerons-œnologues », pour reprendre les termes de l'étiquette, les Klein exploitent 8 ha de vignes à Saint-Hippolyte, au pied du Haut-Kœnigsbourg. D'année en année, le jury retient toujours quelque pinot du domaine, noir ou gris, c'est selon. On retrouve ici la même cuvée que dans l'édition précédente. Ce 98 jaune doré à reflets verts et à la bouche fraîche et douce est plus modeste que son prédécesseur. Il n'en est pas moins bien pourvu de charmes olfactifs et aromatiques, avec son nez déjà mûr évoquant les fruits secs (figue, banane séchée) et une finale de poivre et de mandarine. (Sucres résiduels : 7 g/l.)
🍷 Françoise et Jean-Marie Klein, rte du Haut-Kœnigsbourg, 68590 Saint-Hippolyte, tél. 03.89.73.00.41, fax 03.89.73.04.94 ☑ ☂ t.l.j. 9h-11h30 13h30-19h; dim. et groupes sur r.-v.

KLEIN-BRAND 1998★

	0,7 ha	6 500	**III**	30 à 49 F

Le village de Soultzmatt est situé au sud de Colmar et au cœur de la vallée Noble, drainée par l'Ohmbach, le long de laquelle on trouve de beaux terroirs viticoles. Ce domaine, fondé en 1950, propose un tokay des plus réussis. Jaune d'or à reflets brillants, ce 98 offre un nez intense d'épices (girofle) et de fruits confits. Tout en subtilité et en élégance, il ne manque ni de corps ni de charpente. Fraîcheur et longueur complètent la liste de ses qualités. (Sucres résiduels : 12 g/l.)
➥Klein-Brand, 96, rue de la Vallée, 68570 Soultzmatt, tél. 03.89.47.00.08, fax 03.89.47.65.53 ☑ ☂ t.l.j. sf dim. 8h-12h 13h30-18h

KROSSFELDER Armorié 1998★

	n.c.	n.c.		70 à 99 F

Il ne manque pas d'atouts, ce 98 présenté par l'une des plus anciennes coopératives de la région, fondée au début du XXᵉ s. : une présentation agréable, avec une robe jaune paille, un nez expressif très marqué par des notes de fruits confits qui contribuent à sa complexité. Quant à la bouche, elle est toute d'équilibre et d'harmonie, alliant rondeur et puissance. (Sucres résiduels : 20 g/l.)
➥Krossfelder, 37, rue de La Gare, 67650 Dambach-la-Ville, tél. 03.88.92.40.03, fax 03.88.92.42.89 ☑ ☂ r.-v.

MADER Cuvée Théophile 1998★★

	0,3 ha	2 000	▰	30 à 49 F

Jean-Luc Mader exploite 6,50 ha de vignes à Hunawihr, village célèbre par son église au cimetière fortifié, qui est reproduite sur l'étiquette. Une étiquette peut-être déjà familière aux habitués du Guide, car des vins du domaine, plus d'une fois, ont mérité un coup de cœur. Celui-ci n'est pas très loin de cette distinction. Une couleur jaune d'or à reflets d'or vert, un nez complexe, dominé par les fruits (ananas, mangue, abricot sec) et nuancé de notes mentholées annoncent une suite tout aussi riche. Un équilibre parfait et une belle longueur complètent ce tableau d'une bouteille remarquable. (Sucres résiduels : 17 g/l.)
➥EARL Jean-Luc Mader, 13, Grand-Rue, 68150 Hunawihr, tél. 03.89.73.80.32, fax 03.89.73.31.22 ☑ ☂ r.-v.

MEISTERMANN 1998

	0,5 ha	4 000	**III**	30 à 49 F

Ce domaine compte 4,50 ha : l'exploitation familiale-type. Issu d'un terroir argilo-calcaire qui lui est particulièrement propice, ce pinot gris affiche une robe jaune doré qui s'accorde avec son nez miellé, fumé et fruité. Puissante et de bonne typicité, la bouche révèle des arômes de coing. (Sucres résiduels : 5 g/l.)
➥Michel Meistermann, 37, rue de l'Eglise, 68250 Pfaffenheim, tél. 03.89.49.60.61 ☑ ☂ r.-v.

GUY MERSIOL Vendanges tardives 1997★

	0,4 ha	2 600	▰ ♠	70 à 99 F

Un domaine de 10 ha constitué il y a quarante ans par le mariage de deux viticulteurs. Il est établi à Dambach-la-Ville, la plus grande commune viticole d'Alsace et sans doute celle qui compte le plus de vignerons metteurs en marché. Ce tokay jaune paille brillant possède un nez encore timide alliant des notes cendrées, fumées, et des notes de coing. Après une attaque franche, on découvre une belle finesse, une impression veloutée, avec des arômes délicats de poire nuancés d'agrumes. Un vin prometteur. (Bouteilles de 50 cl.)
➥Guy Mersiol, 13, rte du Vin, 67650 Dambach-la-Ville, tél. 03.88.92.40.43, fax 03.88.92.48.73 ☑ ☂ r.-v.

LES VIGNERONS DE PFAFFENHEIM ET GUEBERSCHWIHR
Cuvée Rabelais Grande Réserve 1998★

	0,72 ha	6 400	▰ ♠	50 à 69 F

Régulièrement mentionnée dans le Guide, la cave vinicole de Pfaffenheim, fondée il y a une quarantaine d'années, a su se faire un nom dans l'Alsace viticole. Son maître de chai, Michel Kueny, n'est pas étranger à cette réussite. Jaune d'or à reflets dorés, cette cuvée Rabelais développe au nez des senteurs de grillé (noisette), de beurre et de fumé. L'attaque est ronde, et la bouche révèle des arômes rappelant ceux du nez. Un vin qui a déjà atteint un bon équilibre. (Sucres résiduels : 13,7 g/l.)
➥Cave vinicole de Pfaffenheim, 5, rue du Chai, B.P. 33, 68250 Pfaffenheim, tél. 03.89.78.08.08, fax 03.89.49.71.65, e-mail cave@pfaffenheim ☑ ☂ t.l.j. 8h-12h 14h-18h

WILLY ROLLI-EDEL 1998★

	0,34 ha	2 032	**III**	50 à 69 F

Cette exploitation de 11 ha est établie depuis des générations à Rorschwihr, petite bourgade située sur la route des Vins au nord de Ribeauvillé. D'un jaune intense, son tokay présente un nez fumé. L'attaque est franche, la bouche soyeuse, capiteuse, très longue. Un très beau vin qui doit encore s'affirmer. (Sucres résiduels : 18 g/l.)
➥Willy Rolli-Edel, 5, rue de l'Eglise, 68590 Rorschwihr, tél. 03.89.73.63.26, fax 03.89.73.83.50 ☑ ☂ r.-v.

ROLLY GASSMANN
Vendanges tardives 1996★

	1,13 ha	8 200	**III**	100 à 149 F

Cette importante exploitation, riche de plus de trois siècles d'expérience, est présente sur les meilleures tables de restaurant, tout comme dans les colonnes du Guide. Jaune à reflets orangés, son tokay de vendanges tardives laisse paraître dès le nez un grand potentiel. Onctueux et soutenu par une belle acidité, le palais est marqué par des arômes de fruits secs.
➥Rolly Gassmann, 2, rue de l'Eglise, 68590 Rorschwihr, tél. 03.89.73.63.28, fax 03.89.73.33.06 ☑ ☂ r.-v.

RUHLMANN Cuvée des Amoureux 1998★

	0,35 ha	3 000	**III**	50 à 69 F

Fondée il y a plus de trois siècles, cette maison, à la tête d'une quinzaine d'hectares, s'est considérablement développée ces vingt dernières années. Les exportations, qui représentent 45 % des ventes, ont fortement contribué à cet essor. Cette cuvée des Amoureux, jaune clair dans le verre, présente un élégant fruité au nez. La bouche révèle une structure très harmonieuse. Un vin gras et robuste à la fois, agréable et qui n'a pas dit son dernier mot. (Sucres résiduels : 20 g/l.)

☛ Ruhlmann, 34, rue du Mal-Foch, 67650 Dambach-la-Ville, tél. 03.88.92.41.86, fax 03.88.92.61.81 ☑ ⊤ t.l.j. sf dim. 8h-12h 13h30-19h

CLOS SAINTE-ODILE 1998★

☐	n.c.	5 000	❚❚❚	50 à 69 F

Les vins de cette maison de négoce sont élaborés par Jean-Pierre Bergeret, œnologue et directeur technique. Ce tokay est promis à un bel avenir. D'un jaune soutenu, il retient l'attention par son nez complexe où se mêlent les fruits (abricot, ananas, mangue), le sous-bois et les fleurs. Cette richesse d'arômes se retrouve en bouche. Fraîcheur et rondeur se conjuguent dans une finale longue. (Sucres résiduels : 15 g/l.)

☛ Sté vinicole Sainte-Odile, 3, rue de la Gare, 67210 Obernai, tél. 03.88.47.60.20, fax 03.88.47.60.22 ☑ ⊤ r.-v.

THIERRY SCHERRER
Réserve particulière 1998★

☐	0,21 ha	1 700	▬	30 à 49 F

Thierry Scherrer se dit « œnologue-viticulteur ». Il a d'abord mis ses compétences au service de grandes maisons d'Alsace ou de Champagne avant de reprendre, il y a quelques années, le domaine familial où il a installé une cuverie et un pressoir. Il propose un tokay fort réussi, avec sa robe jaune d'or soutenu, son beau nez un peu évolué, où le confit s'accompagne d'une touche mentholée, son palais très équilibré. Un vin agréable et d'une belle prestance, élégant et de bonne longueur. Il s'accordera avec toutes les préparations au foie gras. (Sucres résiduels : 30 g/l.)

☛ Thierry Scherrer, 1, rue de la Gare, 68770 Ammerschwihr, tél. 03.89.47.15.86, fax 03.89.47.15.86, e-mail thierry.scherrer@wanadoo.fr ☑ ⊤ r.-v.

CAVE DE SIGOLSHEIM
Vendanges tardives 1997★★

☐	n.c.	n.c.		150 à 199 F

Cette coopérative a été créée, en 1945, pour redonner un outil de travail aux vignerons dans une région complètement dévastée par les combats de la « Poche de Colmar ». Cet outil semble vraiment maîtrisé, à en juger par ce remarquable tokay. Jaune d'or à l'œil, intensément fruits confits au nez, il a pratiquement atteint sa pleine expression. L'attaque est grasse et puissante, renforcée par de profonds arômes de réglisse, de violette et d'épices. Un vin robuste et de bonne longueur.

☛ La Cave de Sigolsheim, 11-15, rue Saint-Jacques, 68240 Sigolsheim, tél. 03.89.78.10.10, fax 03.89.78.21.93 ☑ ⊤ t.l.j. 8h-12h 13h30-17h30

JEAN SIPP Trottacker 1998★★

☐	n.c.	5 000	❚❚❚	70 à 99 F

Cette exploitation dispose de 20 ha de vignes qui faisaient partie du domaine des Ribeaupierre, seigneurs de Ribeauvillé. Le Trottacker est un terroir de coteaux argilo-calcaires d'exposition est-sud-est. Il a donné un très grand tokay, d'un jaune paille brillant. Richesse et puissance se manifestent, tant au nez qu'en bouche. Le premier livre des arômes de fruits confits, à la fois intenses et subtils, tandis que le palais apparaît finement épicé et d'une belle longueur. Un vin de foie gras. Après les deux étoiles accordées l'an dernier à un riesling grand cru, on n'est pas déçu ! (Sucres résiduels : 18 g/l.)

☛ Dom. Jean Sipp, 60, rue de la Fraternité, 68150 Ribeauvillé, tél. 03.89.73.60.02, fax 03.89.73.82.38 ☑ ⊤ t.l.j. 9h-11h30 14h-18h; dim. sur r.-v.

☛ Jean-Jacques Sipp

JEAN SIPP Clos Ribeaupierre 1998★★

☐	1 ha	2 500	❚❚❚	150 à 199 F

1998 aura été une année faste pour la maison Jean Sipp dont le Clos Ribeaupierre, fleuron de son domaine remontant au XIIIᵉs., a donné un tokay de tout aussi belle venue que le précédent. Issu d'un terroir granitique, ce vin affiche une robe jaune d'or soutenu à reflets ambrés qui fait déjà bonne impression. Vient ensuite un nez captivant, concentré, fait de miel et de fruits confits et enfin une bouche confite, grasse et très longue. Une bouteille qui rappelle un peu les Vendanges tardives. (Sucres résiduels : 25 g/l.)

☛ Dom. Jean Sipp, 60, rue de la Fraternité, 68150 Ribeauvillé, tél. 03.89.73.60.02, fax 03.89.73.82.38 ☑ ⊤ t.l.j. 9h-11h30 14h-18h; dim. sur r.-v.

SIPP-MACK
Vendanges tardives Cuvée Amélie 1997★★

☐	0,3 ha	2 500	▬	70 à 99 F

Un domaine à la fois vénérable - il a plus de quatre siècles d'existence - et dynamique, qui exporte 55 % de sa production. Sa cuvée Amélie est délectable, avec une robe or pâle brillante, un nez flatteur mêlant cacao, noisette et coing, et, pour couronner le tout, une bouche ample, liquoreuse, légèrement anisée et réglissée, puissante et persistante. Du charme et du caractère, avec un petit côté sauvage. (Bouteilles de 50 cl.)

☛ Dom. Sipp-Mack, 1, rue des Vosges, 68150 Hunawihr, tél. 03.89.73.61.88, fax 03.89.73.36.70, e-mail sippmack@rmcnet.fr ☑ ⊤ t.l.j. sf dim. 9h-11h30 13h-18h

SPECHT Réserve 1998★

☐	0,15 ha	1 100		30 à 49 F

Etablis depuis 1978 à Mittelwihr, commune bien connue pour son grand cru, Jean-Paul et Denis Specht exploitent 8 ha de vignes. Avec sa belle couleur jaune clair, son nez expressif mêlant rose et miel, son attaque à la fois douce et vive, leur Réserve a tous les atouts pour bien évoluer. Il est long en bouche et atteindra sa plénitude dans peu de temps. (Sucres résiduels : 11 g/l.)

🔗 Jean-Paul et Denis Specht, 2, rue des Eglises, 68630 Mittelwihr, tél. 03.89.47.90.85, fax 03.89.49.04.22 ☑ 🍷 r.-v.

STRAUB 1998

☐	0,37 ha	3 300	⦀	30 à 49 F

Le vignoble de Blienschwiller repose en grande partie sur les arènes granitiques. Un sol qui semble communiquer sa légèreté aux vins qui en sont issus. Celui-ci présente des reflets jaune doré et un nez expressif déjà bien évolué. Gras, très présent au palais, il se montre rond et puissant. Une galette des Rois lui conviendra dès 2001. (Sucres résiduels : 10 g/l.). Le 95 avait obtenu un coup de cœur.
🔗 Jean-Marie Straub, 61, rte du Vin, 67650 Blienschwiller, tél. 03.88.92.40.42, fax 03.88.92.40.42 ☑ 🍷 r.-v.

ACHILLE THIRION 1998★

☐	n.c.	9 000	▮ 🍴	30 à 49 F

Une exploitation familiale implantée depuis 1760 à Saint-Hippolyte, que l'on peut découvrir en visitant le château du Haut-Kœnigsbourg. Son tokay a fait très bonne impression. Jaune d'or soutenu à reflets verts, il possède un nez riche et intense où l'on découvre des arômes grillés et des fruits cuits. Le sous-bois domine dans un palais long, riche et d'un bon équilibre. Un vin bien typé. (Sucres résiduels : 12,2 g/l.)
🔗 Dom. Achille Thirion, 69, rte du Vin, 68590 Saint-Hippolyte, tél. 03.89.73.00.23, fax 03.89.73.06.46 ☑ 🍷 r.-v.

CAVE DE TURCKHEIM
Herrenweg 1998★★

☐	5 ha	33 200	▮ 🍴	50 à 69 F

Fondée en 1955, cette cave coopérative est un producteur reconnu du vignoble alsacien. Son tokay Herrenweg a charmé le jury par sa belle harmonie. Une robe doré soutenu, des parfums subtils d'abricot et de citronnelle, voilà des prémices de toute beauté. Ample, charpenté, le palais présente une fraîcheur qui lui donne une réelle élégance. Un vin qui accompagnera pâtés en croûte et viandes blanches. (Sucres résiduels : 12 g/l.)
🔗 Cave de Turckheim, 16, rue des Tuileries, 68230 Turckheim, tél. 03.89.30.23.60, fax 03.89.27.35.33, e-mail brandt@cave-turckheim.com ☑ 🍷 r.-v.

WACKENTHALER 1998★

☐	0,38 ha	3 000	⦀	30 à 49 F

Cette exploitation familiale est installée depuis le milieu du XVIIIes. à Ammerschwihr, commune où siège aujourd'hui la confrérie Saint-Etienne. Jaune soutenu d'une grande brillance, son tokay a une belle expression de miel et de fumé au nez. Corsée, puissante, avec une rondeur marquée, la bouche finit en souplesse. (Sucres résiduels : 8 g/l.)
🔗 EARL François Wackenthaler, 8, rue du Kaefferkopf, 68770 Ammerschwihr, tél. 03.89.78.23.76, fax 03.89.47.15.48, e-mail wackenthal@wanadoo.fr ☑ 🍷 t.l.j. sf dim. 10h-12h 14h-19h

DOM. WEINBACH
Cuvée Laurence 1998★★

☐	0,8 ha	4 200	150 à 199 F

Il est devenu inutile de présenter le vaste et beau domaine géré par Colette Faller et ses filles, tant sa réputation est solide. D'un jaune d'or intense à reflets ambrés, cette cuvée Laurence offre un nez discret mais d'une grande finesse. La structure est concentrée et laisse place à une longue finale sur les notes de raisin de Corinthe. Un grand vin en devenir. (Sucres résiduels : 48 g/l)
🔗 Colette Faller et ses Filles, Dom. Weinbach, Clos des Capucins, 68240 Kaysersberg, tél. 03.89.47.13.21, fax 03.89.47.38.18 ☑ 🍷 r.-v.

JEAN WEINGAND 1998★

☐	n.c.	n.c.	▮ 🍴	30 à 49 F

Jacques et Jean-Marie Cattin gèrent une maison de négoce qui a repris le domaine Jean Weingand qui appartenait à la famille. Leur tokay affiche une livrée brillante, jaune d'or à reflets dorés, et livre des parfums intenses et complexes à dominante fruitée (abricot, mangue), avec des nuances de menthe. Ronde en attaque, persistante, la bouche offre les mêmes arômes que le nez. Un ensemble agréable. (Sucres résiduels : 13 g/l.)
🔗 Jean Weingand, 19, rue Roger-Frémeaux, 68420 Voegtlinshoffen, tél. 03.89.49.30.21, fax 03.89.49.26.02 ☑ 🍷 t.l.j. sf dim. 8h-12h 14h-18h
🔗 Jacques et Jean-Marie Cattin

W. WURTZ Vendanges tardives 1996★★

☐	0,1 ha	800	⦀	70 à 99 F

Mittelwihr s'étire le long de la route du Vin. La commune, ravagée par les combats en 1945, s'est rapidement relevée. De nombreux vignerons talentueux y sont installés, comme W. Wurtz, dont le tokay Vendanges tardives a enchanté le jury. C'est un vin jaune pâle, au nez floral assorti de fougère et d'une pointe de mandarine. La structure est superbe, axée sur la fraîcheur, avec des arômes de kiwi nuancés de pamplemousse. Remarquable et d'une grande douceur. (Bouteilles de 50 cl.)
🔗 Willy Wurtz et Fils, 6, rue du Bouxhof, 68630 Mittelwihr, tél. 03.89.47.93.16, fax 03.89.47.89.01 ☑ 🍷 r.-v.

DOM. XAVIER WYMANN
Réserve 1998★

☐	0,3 ha	2 300	▮	30 à 49 F

Issu d'une vieille famille de Ribeauvillé, Jean-Luc Schaerlinger a repris en 1996 un domaine d'environ 5 ha, qui était exploité par son oncle. Ses débuts sont prometteurs, à en juger par ce 98, d'un or léger, au joli nez confit, nuancé de notes florales. Confit lui aussi, très soyeux et long, le palais révèle en finale une douceur encore marquée. Un vin qui s'affirmera dans quelque temps. (Sucres résiduels : 27 g/l.)
🔗 Jean-Luc Schaerlinger, 41, rue de la Fraternité, 68150 Ribeauvillé, tél. 03.89.73.66.83 ☑ 🍷 r.-v.

Alsace pinot noir

L'Alsace est surtout réputée pour ses vins blancs ; mais sait-on qu'au Moyen Age les rouges y occupaient une place considérable ? Après avoir presque disparu, le pinot noir (le meilleur cépage rouge des régions septentrionales) occupe 8,5 % du vignoble couvrant 1 225 ha.

On connaît surtout le type rosé, vin agréable, sec et fruité, susceptible comme d'autres rosés d'accompagner une foule de mets. On remarque cependant une tendance qui se développe à élaborer un véritable vin rouge de pinot noir : tendance très prometteuse.

PIERRE BECHT Cuvée Frédéric 1998★★★

■　　　　0,3 ha　　2 500　　**❙❙❙** 50 à 69 F

La cuvée Frédéric, déjà jugée remarquable dans l'édition précédente du Guide, gagne une étoile supplémentaire avec ce millésime. Revêtu d'une robe superbe, d'un rouge profond, ce 98 mêle au nez des notes de fruits frais, de cerise confite et un boisé bien intégré. L'attaque est franche et très fruitée, la bouche révèle une richesse suave et un équilibre parfait. La finale encore marquée par les tanins trouvera dans quelques mois davantage d'harmonie.
➥ Pierre et Frédéric Becht, 26, fg des Vosges, 67120 Dorlisheim, tél. 03.88.38.18.22, fax 03.88.38.87.81 ✔ ☂ r.-v.

HUBERT BECK Réserve du Chevalier 1998

■　　　　0,5 ha　　4 000　　**❙❙❙** 30 à 49 F

Créée en 1985, cette maison de vignerons-négociants commercialise sa production principalement par les cavistes, importateurs ou autres professionnels du vin. Sa Réserve du Chevalier présente quelques reflets orangés. Le nez, encore assez discret, est caractéristique du cépage. Le palais apparaît léger et plutôt rond. Une agréable facilité.
➥ Hubert Beck, 25, rue du Gal-de-Gaulle, 67650 Dambach-la-Ville, tél. 03.88.92.45.90, fax 03.88.92.61.28 ✔ ☂ t.l.j. sf dim. 8h-12h 13h30-18h

PAUL BUECHER
Les Terrasses Elevé en barrique 1998★★★

■　　　　1 ha　　4 500　　**❙❙❙** 70 à 99 F

Héritiers d'une lignée de vignerons remontant au XVIIᵉs., Henri et Jean-Marc Buecher privilégient l'expression du terroir, tant par les techniques viticoles que par les vinifications ou l'élevage. Leur pinot noir Les Terrasses est un vrai rouge, qui surprend par le pourpre profond de sa robe. Au nez, le fruit se fond dans un boisé fin. Une grande matière se révèle au palais où des notes vanillées se prolongent en finale. Un vin qu'il faut avoir la patience d'attendre deux ou trois ans avant de le servir sur des viandes rouges ou du gibier.
➥ Paul Buecher, 15, rue Sainte-Gertrude, 68920 Wettolsheim, tél. 03.89.80.64.73, fax 03.89.80.58.62 ✔ ☂ t.l.j. sf dim. 9h-12h 14h-18h

JEAN DIETRICH
Côtes de Kaysersberg 1998

■　　　　0,38 ha　　3 500　　**❙❙❙** 50 à 69 F

Image de l'Alsace traditionnelle, l'ancienne maison à colombage où est établie cette exploitation, près du pont fortifié, figure parmi les lieux les plus photographiés de Kaysersberg. La cave recèle un pinot noir paré d'une robe avenante, rouge clair. Le nez fruité et frais annonce un bon ensemble, typé, vif et gouleyant.
➥ Jean Dietrich, 4, rue de l'Oberhof, 68240 Kaysersberg, tél. 03.89.78.25.24, fax 03.89.47.30.72 ✔ ☂ t.l.j. 10h-12h 14h-18h

ANDRE DUSSOURT
Rouge de Blienschwiller Réserve prestige 1998★

■　　　　0,45 ha　　4 470　　**❙❙❙** 50 à 69 F

On retrouve, dans le millésime 98, le Rouge de Blienschwiller élevé huit mois en foudre de chêne. Très réussi, ce pinot noir présente une robe d'un rouge grenat profond, un nez fruité, franc et expressif. Equilibré, de bonne structure, assez linéaire, il est puissant et de belle harmonie. Un dégustateur propose de le servir sur une viande cuisinée avec des fruits.
➥ André Dussourt, 2, rue de Dambach, 67750 Scherwiller, tél. 03.88.92.10.27, fax 03.88.92.18.44 ✔ ☂ t.l.j. sf dim. 8h-12h 13h30-18h
➥ Paul Dussourt

HARTWEG Elevé en fût de chêne 1998★★★

■　　　　0,2 ha　　1 200　　**❙❙❙** 30 à 49 F

Frank Hartweg a repris en 1996 l'exploitation familiale (8 ha) fondée en 1930. Son pinot noir, revêtu d'une robe rubis à reflets violacé foncé, livre des notes de vanille et d'épices, marque d'un élevage de dix mois en fût. Riche, puissant, souple et bien structuré, il finit longuement sur des saveurs épicées, poivrées. « On aimerait l'avoir dans sa cave », écrit un dégustateur sous le charme.

🕿 Jean-Paul et Frank Hartweg, 39, rue Jean-Macé, 68980 Beblenheim, tél. 03.89.47.94.79, fax 03.89.49.00.83 ☑ ⟙ t.l.j. sf dim. 8h-11h30 13h30-18h

LEON HEITZMANN
Rouge d'Alsace 1998★

| ■ | 0,68 ha | 3 400 | ⦀ | 50 à 69 F |

A la tête de l'exploitation familiale depuis 1987, Léon Heitzmann est un viticulteur passionné et méticuleux. Le pinot noir est régulièrement remarqué dans le Guide. Ce 98 affiche un boisé qui s'ouvre sur des fragrances fleuries. De belle naissance, il est bâti sur une structure pleine et solide. Les saveurs denses confirment un potentiel certain qui s'affirmera dans deux ou trois ans.

🕿 Léon Heitzmann, 2, Grand-Rue, 68770 Ammerschwihr, tél. 03.89.47.10.64, fax 03.89.78.27.76 ☑ ⟙ t.l.j. sf dim. 8h-12h 13h30-18h

JEAN HIRTZ ET FILS
Rouge de Mittelbergheim 1998

| ■ | 0,4 ha | 2 000 | | 30 à 49 F |

Classé parmi les « plus beaux villages de France », Mittelbergheim est davantage connu pour ses « grands blancs » que pour ses rouges. D'un rubis foncé, ce 98 s'ouvre progressivement sur des notes de fruits. En bouche, après une première rondeur, les tanins dominent la structure ; la finale un peu poivrée lui donne un caractère persistant.

🕿 Jean Hirtz et Fils, 13, rue Rotland, 67140 Mittelbergheim, tél. 03.88.08.47.90, fax 03.88.08.47.90 ☑ ⟙ r.-v.

ARMAND HURST Vieilles vignes 1998

| ■ | 0,36 ha | 3 000 | ⦀ | 50 à 69 F |

Armand Hurst exploite quelque 8 ha de vignes à Turckheim, commune dont les remparts et les portes rappellent son passé de ville libre au XVIᵉs. Il propose un pinot noir vinifié en foudre de chêne, marqué au nez par des notes boisées assorties de sous-bois. De structure satisfaisante, ce vin demeure cependant dominé par le bois qui masque le fruit : il doit encore gagner en maturité.

🕿 Armand Hurst, 8, rue de la Chapelle, 68230 Turckheim, tél. 03.89.27.40.22, fax 03.89.27.47.67 ☑ ⟙ r.-v.

JACQUES ILTIS
Rouge de Saint-Hippolyte Schlossreben 1998★

| ■ | 0,7 ha | 3 500 | ⦀ | 30 à 49 F |

La cave de cette exploitation familiale garde l'empreinte du grand-père tonnelier. Evidemment les vins sont ici élevés dans les traditionnels fûts en chêne. D'un rouge tuilé, ce pinot noir exprime quelques notes florales et, surtout, un fruité de framboise et de cassis. Souple et frais, ce vin est également gras, généreux, aromatique et persistant.

🕿 Jacques Iltis, 1, rue Schlossreben, 68590 Saint-Hippolyte, tél. 03.89.73.00.67, fax 03.89.73.01.82 ☑ ⟙ t.l.j. 8h-12h 14h-18h

J.-CH. ET D. KIEFFER
Rouge d'Itterswiller 1998★

| ■ | 0,3 ha | 2 000 | | 30 à 49 F |

Fondée en 1737, cette exploitation a son siège dans une maison remarquable par ses colombages. Elle propose un pinot noir en robe intense, d'un rubis sombre, aux arômes de fruits rouges. Après l'attaque souple, voire un peu ronde, apparaît une bonne charpente aux tanins fondus. Généreux et harmonieux, ce 98 présente une longue finale qui conclut agréablement la dégustation.

🕿 Jean-Charles Kieffer, 7, rte des Vins, 67140 Itterswiller, tél. 03.88.85.59.80, fax 03.88.57.81.44 ☑ ⟙ r.-v.

PHILIPPE KIRMANN 1998★★

| ■ | 0,78 ha | 5 800 | ▮ | 30 à 49 F |

Ce vignoble remonte sans doute à 1630, alors que l'Alsace était à la veille de la guerre de Trente Ans. Son pinot noir est un panier de cerises ! Son fruité frais de griotte, sa bonne attaque, sa matière franche, très équilibrée et agréable, en font un représentant typique de l'appellation, à marier avec une viande rouge ou du canard.

🕿 Philippe Kirmann, 2, rue du Gal-de-Gaulle, 67560 Rosheim, tél. 03.88.50.43.01, fax 03.88.50.22.72 ☑ ⟙ r.-v.

GEORGES KLEIN
Rouge de Saint-Hippolyte 1998

| ■ | 0,5 ha | 3 500 | ▮ | 30 à 49 F |

Cette société, créée en 1997, complète l'activité du domaine G. Klein. Elle est spécialisée dans la vente aux particuliers. D'un rouge légèrement tuilé, son Rouge de Saint-Hippolyte s'ouvre sur un fruité agréablement ponctué de notes épicées. Il s'équilibre dans une structure souple, avec des saveurs soyeuses et une belle persistance.

🕿 SARL Georges Klein, 10, rte du Vin, 68590 Saint-Hippolyte, tél. 03.89.73.00.28, fax 03.89.73.06.28, e-mail a.klein@rmcnet.fr ☑ ⟙ r.-v.

🕿 Auguste Klein

KOEBERLE KREYER Vieilles vignes 1998

| ■ | 0,3 ha | 2 000 | ▮⦀♨ | 50 à 69 F |

Rodern, où cette exploitation est établie depuis le XVIIIᵉs., est certainement l'un des berceaux du pinot noir alsacien. Celui-ci offre un nez de fruits rouges avec des notes vanillées. La charpente soutenue est marquée par les tanins, différemment appréciés par les dégustateurs. Tous lui reconnaissent une belle ampleur et une bonne capacité de garde.

🕿 Koeberlé Kreyer, 28, rue du Pinot-Noir, 68590 Rodern, tél. 03.89.73.00.55, fax 03.89.73.00.55 ☑ ⟙ r.-v.

DOM. DE L'ANCIEN MONASTERE
Rouge de Saint-Léonard Cuvée des Trois Filles du vigneron 1998★★

| ■ | 3 ha | 9 333 | ⦀ | 30 à 49 F |

Les marqueteries de Saint-Léonard bénéficient d'une grande renommée depuis quelques décennies. Quant à la viticulture, elle trouvera dans la famille Hummel un bon ambassadeur grâce à cette cuvée. D'un rouge profond, ce 98

livre des notes boisées qui font rapidement place à des arômes de fruits rouges bien mûrs. Au palais, il est dense, charpenté mais velouté. On retrouve le boisé, avec des nuances de poivre et de cuir qui contribuent à l'impression de richesse, dans une harmonie presque soyeuse.
☛ B. Hummel et Filles-Dom. L'Ancien Monastère, 4, cour du Chapître-Saint-Léonard, 67530 Boersch, tél. 03.88.95.81.21, fax 03.88.48.11.21 ☑ ⵜ t.l.j. 8h-12h 14h-19h

DOM. DE LA TOUR Cuvée Xavière 1998*

| ■ | 0,8 ha | 5 000 | ⵙ 30 à 49 F |

Ici, on fait du vin depuis près d'un demi-millénaire. Dans la cave d'époque, l'amateur pourra découvrir ce pinot noir flatteur par ses notes d'épices et de fruits rouges. Un vin ample, riche et gras, dont le bon équilibre indique un certain potentiel de garde. Le millésime 94 avait obtenu un coup de cœur.
☛ Jean-François Straub, Dom. de la Tour, 35 rte du Vin, 67650 Blienschwiller, tél. 03.88.92.48.72, fax 03.88.92.62.90 ☑ ⵜ t.l.j. 8h-12h 14h-18h; sam. dim. sur r.-v.

FRANCOIS LICHTLE 1998*

| ■ | n.c. | 3 000 | ⵙ 30 à 49 F |

Cette exploitation a préservé de nombreuses pratiques viticoles traditionnelles. Elle cultive sur 6 ha tous les cépages de la région. Son pinot noir est plutôt noir pour sa robe et rouge pour son fruité. Franc à l'attaque, un peu souple, il montre un bon équilibre. La finale assez persistante en fait un vin prometteur, qui ne demande qu'à mûrir davantage. Dans l'édition précédente du Guide, un pinot noir avait obtenu un coup de cœur.
☛ Dom. François Lichtlé, 17, rue des Vignerons, 68420 Husseren-les-Châteaux, tél. 03.89.49.31.34, fax 03.89.49.37.52 ☑ ⵜ r.-v.

RUHLMANN DIRRINGER
A fleur de roche 1998*

| ■ | 0,5 ha | 3 000 | ⵙ 30 à 49 F |

Le visiteur est accueilli dans l'ancienne demeure des comtes de Mullenheim. La dégustation bénéficie d'un cadre privilégié : un caveau de 1578, aux belles voûtes en ogive, et éclairé par un vitrail. Rubis ou pourpre, la robe de ce 98 est seigneuriale ! Les arômes fins sont dominés par un boisé discret. La bouche ample aux tanins bien fondus finit sur une note agréable.
☛ Ruhlmann-Dirringer, 3, rue de Mullenheim, 67650 Dambach-la-Ville, tél. 03.88.92.40.28, fax 03.88.92.48.05 ☑ ⵜ r.-v.

SCHOENHEITZ
Côte du Val Saint-Grégoire 1998*

| ■ | 1 ha | 5 000 | ⵙ 30 à 49 F |

Cette ancienne famille de vignerons a largement contribué au renouveau, durant le XXᵉs., du vignoble situé à l'entrée de la vallée de Munster. Elle propose un pinot noir issu d'un terroir granitique. Rouge grenat, ce 98 révèle un boisé léger qui laisse place à des arômes de fruits et d'épices. Souple et frais, il présente du gras et une bonne concentration. La finale est agréable.

☛ Henri Schoenheitz, 1, rue de Walbach, 68230 Wihr-au-Val, tél. 03.89.71.03.96, fax 03.89.71.14.33 ☑ ⵜ r.-v.

J. ET L. SCHWARTZ 1998

| ■ | 0,5 ha | 4 800 | ⵙ 30 à 49 F |

Cette exploitation familiale est installée à Itterswiller, village traversé par l'ancienne voie romaine qui longeait le piémont vosgien. Cet axe a certainement contribué au développement du vignoble alsacien à partir du IIIᵉs. Ce 98 possède une robe pourpre, un peu groseille, qui s'harmonise avec ses arômes discrets de petits fruits rouges. La bouche est ample, un peu chaude à l'attaque, plus équilibrée par la suite. Les tanins encore marqués donnent en finale une impression quelque peu austère et incitent à attendre cette bouteille.
☛ Dom. Justin et Luc Schwartz, rte Romaine, 67140 Itterswiller, tél. 03.88.85.51.59, fax 03.88.85.59.16 ☑ ⵜ t.l.j. 9h-13h; sam. 9h-18h

J. SIEGLER 1998*

| ■ | 0,5 ha | 3 600 | ⵙ 30 à 49 F |

D'un rouge pourpre, ce 98 ne renie pas son élevage en bois, dont les notes dominent au nez. La bouche révèle une bonne structure équilibrée et des arômes de fruits rouges d'une certaine finesse.
☛ EARL Jean Siegler Père et Fils, Clos des Terres-Brunes, 68630 Mittelwihr, tél. 03.89.47.90.70, fax 03.89.49.01.78, e-mail siegler@caveparticuliere.com ⵜ t.l.j. 8h-12h 14h-19h

J.-M. SOHLER
Les Terrasses du Bubenberg 1998*

| ■ | 0,18 ha | 1 400 | ⵙ 30 à 49 F |

Avec soixante-quatre parcelles de vignes de sols très variés, une cave datant de 1563, des foudres en chêne de qualité, les Sohler ont tous les atouts en main pour élaborer des vins de terroir. Ce pinot noir, né d'un sol granitique, est d'abord discret au nez, puis il s'ouvre sur des notes de framboise. En bouche, des tanins fondus lui confèrent une belle souplesse, même si la fin de bouche affiche quelque puissance.
☛ Jean-Marie et Hervé Sohler, 16, rue du Winzenberg, 67650 Blienschwiller, tél. 03.88.92.42.93, fax 03.88.92.42.93 ☑ ⵜ r.-v.

PHILIPPE SOHLER
Rouge de Nothalten 1998*

| ■ | 0,29 ha | 2 400 | ⵙ 30 à 49 F |

Philippe Sohler a créé ce domaine en 1997 en reprenant le vignoble familial qui regroupe aujourd'hui 5 ha. Son Rouge de Nothalten est issu d'un terroir gréseux. La générosité de son fruité est à la hauteur du rubis intense de sa robe. Au palais, on retrouve un agréable fruité qui s'harmonise avec une structure à la fois riche et veloutée. Une finale aromatique et persistante conclut avec finesse la dégustation.
☛ Philippe Sohler, 80A, rte du Vin, 67680 Nothalten, tél. 03.88.92.49.89, fax 03.88.92.48.20 ☑ ⵜ r.-v.

THOMANN

Clos du Letzenberg Elevé et vieilli en barrique de chêne 1998★

■　　　0,45 ha　　2 580　　❚❙❘ 50 à 69 F

A la tête d'une exploitation de quelque 7 ha, M. Thomann s'est attaché à remettre en valeur des coteaux exposés au sud, abandonnés depuis la Première Guerre mondiale. Son pinot noir 98, marqué par sa jeunesse, est encore dominé par des notes boisées, qui masquent le fruité aux nuances de cerise. En bouche, la structure est ample mais les tanins sont très présents. Aussi est-il recommandé d'attendre ce vin deux ou trois ans.
☛Vins Le Manoir, 56, rue de la Promenade, 68040 Ingersheim, tél. 03.89.27.23.69, fax 03.89.27.23.69 ☑ ♈ r.-v.
☛ Thomann

LAURENT VOGT

Elevé en fût de chêne 1998

■　　　0,2 ha　　1 200　　❚❙❘ 30 à 49 F

Ce pinot noir est la première cuvée de Thomas Vogt, qui a rejoint son père Laurent sur l'exploitation. Père et fils méritent de forts encouragements. Les notes de cerise s'agrémentent de vanille pour donner un nez bien marqué. En bouche, l'alliance des tanins et des fruits noirs s'inscrit dans un équilibre frais et réussi, qui se laissera même apprécier à partir de 2001.
☛EARL Laurent Vogt, 4, rue des Vignerons, 67120 Wolxheim, tél. 03.88.38.50.41, fax 03.88.38.50.41 ☑ ♈ r.-v.

CH. WANTZ Réserve particulière 1998

■　　　n.c.　　5 000　　❚♦ 30 à 49 F

Ce vigneron-négociant est établi à Barr, dont l'hôtel de ville du XVIIes. et le musée de la Folie-Marco méritent une visite. Sa réserve particulière s'annonce par une robe intense, violacée, qui montre de beaux reflets. Le nez, encore fermé, annonce toutefois une bonne matière. En bouche, la rondeur s'allie à la puissance, et la finale présente encore la lourdeur de la jeunesse.
☛SA Charles Wantz, 36, rue Saint-Marc, 67140 Barr, tél. 03.88.08.90.44, fax 03.88.08.54.61 ☑ ♈ r.-v.

WASSLER 1998

■　　　0,37 ha　　3 300　　❚❙❘ 30 à 49 F

Une nouvelle génération vient de s'installer sur ce domaine créé en 1962, et qui compte aujourd'hui plus de 6,5 ha de vignes. D'un rouge rubis, ce pinot noir demeure discret au nez. En bouche, il se fait charmeur à l'attaque, puis la structure tannique domine la finale, révélant sa jeunesse.
☛EARL Henri Wassler Successeurs, 71, rte du Vin, 67140 Itterswiller, tél. 03.88.57.82.19, fax 03.88.57.83.98 ☑ ♈ r.-v.
☛ Sohler

Trouver un producteur, un négociant ou une coopérative ? Consultez l'index en fin de volume.

Alsace grand cru

Dans le but de promouvoir les meilleures situations du vignoble, un décret de 1975 a institué l'appellation « alsace grand cru », liée à un certain nombre de contraintes plus rigoureuses en matière de rendement et de teneur en sucre, et limitée au gewurztraminer, au pinot gris, au riesling et au muscat. Les terroirs délimités produisent, parallèlement aux vins sigillés de la confrérie Saint-Etienne et à certaines cuvées de renom, le *nec plus ultra* des vins d'Alsace.

En 1983, un décret définit un premier groupe de 25 lieux-dits admis dans cette appellation, qui sera abrogé et remplacé par un nouveau décret du 17 décembre 1992. Le vignoble d'Alsace compte ainsi officiellement 50 grands crus, répartis sur 47 communes (46 dans le décret - on a oublié Rouffach !) et dont les surfaces sont comprises entre 3,23 ha et 80,28 ha, en raison du principe d'homogénéité géologique propre aux grands crus. La production des grands crus reste modeste : 42 403 hl ont été déclarés pour le millésime 1999.

Les disciplines nouvelles, déjà mises en pratique depuis la récolte 1987, concernent l'élévation de 11 ° à 12 ° du titre alcoométrique minimum naturel des gewurztraminer et des tokay-pinot gris ainsi que l'obligation de mentionner désormais le nom du lieu-dit, conjointement au cépage et au millésime, sur les étiquettes et tous les documents administratifs et commerciaux.

Alsace grand cru altenberg de bergbieten

FREDERIC MOCHEL Riesling 1998★

▫　　　1,1 ha　　7 000　　❚❙❘ 50 à 69 F

Situé dans la partie nord du vignoble alsacien, l'Altenberg, terroir argilo-marneux gypsifère, est reconnu depuis près d'un millénaire. Les cépages riesling et gewurztraminer y sont à l'honneur. Assez riche et complexe, ce riesling présente des nuances d'agrumes accompagnées d'une touche minérale. On retrouve les agrumes au palais : leur vivacité en assure le bon équilibre et fait l'agré-

ment de la finale. Ce vin gagnera en fondu d'ici un an ou deux. (Sucres résiduels : 5 g/l.)
☛ Frédéric Mochel, 56, rue Principale, 67310 Traenheim, tél. 03.88.50.38.67, fax 03.88.50.56.19 ✓ ⍲ t.l.j. sf dim. 9h-12h 13h30-18h

Alsace grand cru altenberg de bergheim

LORENTZ Gewurztraminer 1998

☐	6 ha	20 000	🍷 ⑆ 100 à 149 F

Fondée en 1836, la maison Lorentz est installée à Bergheim, pittoresque village situé à l'est de Ribeauvillé. Le cru Altenberg, l'un de ses fleurons, se caractérise par des sols marno-calcaires rouges très caillouteux, fort propices au gewurztraminer. D'un jaune or très brillant dans le verre, celui-ci est d'une grande complexité aromatique. En bouche, il se montre puissant, vineux, capiteux et rond, formant un ensemble très agréable mais encore un peu lourd. Il demande quelque temps pour s'affiner. (Sucres résiduels : 32 g/l.)
☛ Gustave Lorentz, 35, Grand-Rue, 68750 Bergheim, tél. 03.89.73.22.22, fax 03.89.73.30.49 ✓ ⍲ t.l.j. sf dim. 10h-12h 14h-18h30
☛ Charles Lorentz

Alsace grand cru brand

JUSTIN BOXLER Riesling 1998

☐	0,28 ha	2 000	⑇ 30 à 49 F

Originaires de Saint-Gall en Suisse, les ancêtres de Justin Boxler se sont établis en 1672 à Niedermorschwihr, à l'ouest de Colmar. Au sud du village, sur la face méridionale d'une colline aux sols granitiques, le grand cru Brand, où, selon la légende, se cache un dragon, donne généralement des vins très expressifs. Celui-ci est dominé par des arômes floraux, assortis de notes d'agrumes. La matière est bonne, fraîche et fondue. La finale légèrement minérale signe le terroir. (Sucres résiduels : 6 g/l.)
☛ GAEC Justin Boxler, 15, rue des Trois-Epis, 68230 Niedermorschwihr, tél. 03.89.27.11.07, fax 03.89.27.01.44 ✓ ⍲ t.l.j. 8h-12h 14h-19h; groupes sur r.-v.

PAUL BUECHER Riesling 1998★★

☐	0,53 ha	4 000	⑇ 70 à 99 F

Héritiers de plus de trois siècles d'expérience viticole, Henri et Jean-Marc Buecher s'attachent à élaborer des vins qui reflètent leur terroir et leur millésime. Le résultat est convaincant, à en juger par ce 98, dont le nez, d'abord un peu discret, s'ouvre sur des notes de fleurs blanches, avec une légère touche iodée. D'une bonne atta-

que, sans excès de vivacité, le palais présente une excellente harmonie. Un très grand riesling. (Sucres résiduels : 5 g/l.)
☛ Paul Buecher, 15, rue Sainte-Gertrude, 68920 Wettolsheim, tél. 03.89.80.64.73, fax 03.89.80.58.62 ✓ ⍲ t.l.j. sf dim. 9h-12h 14h-18h

EMILE HERZOG Tokay-pinot gris 1998

☐	0,18 ha	1 300	🍷 ⑆ 70 à 99 F

Ses reflets dorés sont les fruits du soleil du Brand. Très mûr au nez, ce tokay développe des notes de raisin, de fumé et de pain grillé. En bouche, l'attaque franche, un peu rigoureuse, surprend. Encore fermé, ce vin devra attendre quelque temps pour que ses arômes de s'exprimer. (Sucres résiduels : 4 g/l.)
☛ Emile Herzog, 28, rue du Florimont, 68230 Turckheim, tél. 03.89.27.08.79, fax 03.89.27.08.79 ✓ ⍲ r.-v.

PREISS-ZIMMER Riesling 1998★

☐	5 ha	37 000	🍷 ⑆ 70 à 99 F

Le Brand, dont le nom évoque une « terre de feu », est situé sur le territoire de Turckheim. Ses vins sont recherchés par toutes les bonnes maisons, tel ce négociant de Riquewihr, qui propose un riesling jaune pâle aux arômes caractéristiques du cépage, assortis d'une légère note minérale. Vif et élégant à l'attaque, ce vin se montre plus ample ensuite. Un vin fringant et harmonieux. (Sucres résiduels : 4 g/l.)
☛ SARL Preiss-Zimmer, 40, rue du Gal-de-Gaulle, 68340 Riquewihr, tél. 03.89.47.86.91, fax 03.89.27.35.33

PREISS-ZIMMER Gewurztraminer 1998★

☐	3 ha	23 000	🍷 ⑆ 70 à 99 F

Dans le même grand cru, la maison Preiss-Zimmer a également très bien réussi un gewurztraminer. D'un jaune beurre, ce 98 livre de puissants parfums épicés. On retrouve ce caractère épicé dans une bouche ronde et bien équilibrée. Ce vin s'affirmera dans deux à trois ans. (Sucres résiduels : 13 g/l.)
☛ SARL Preiss-Zimmer, 40, rue du Gal-de-Gaulle, 68340 Riquewihr, tél. 03.89.47.86.91, fax 03.89.27.35.33

DOM. SAINT-REMY
Tokay-pinot gris 1998★

☐	0,5 ha	2 700	🍷 ⑆ 50 à 69 F

Comme l'an dernier, le domaine Saint-Remy a fort bien réussi son pinot gris du grand cru Brand. Le nez, particulier, complexe, exprime une bonne maturité. Très présent au palais par son attaque ronde et son ampleur, ce vin offre une finale fine et fraîche. Il faut encore l'attendre. On pourra le servir aussi bien à l'apéritif que sur des plats gastronomiques : foie gras, cailles aux raisins... (Sucres résiduels : 28 g/l.)
☛ Dom. François Ehrhart et Fils, 6, rue Saint-Remy, 68920 Wettolsheim, tél. 03.89.80.60.57, fax 03.89.79.74.00, e-mail domaine.st-remy@wanadoo.fr ✓ ⍲ t.l.j. sf dim. 8h-12h 13h30-19h

Alsace grand cru bruderthal

PHILIPPE HEITZ
Riesling Vendanges tardives 1997*

☐	0,15 ha	1000	▮ ◖▮ 70 à 99 F

Grâce à son sol marno-calcaire qui permet une maturation complète et prolongée du raisin, le Bruderthal convient parfaitement aux vins de vendanges tardives. Jaune clair dans le verre, celui-ci présente un nez de bonne intensité, un peu minéral, tandis qu'apparaissent en bouche des notes de citron et de cassis. Le palais se montre équilibré et long, bien soutenu par une fraîche acidité. Un vin bien dans le type, à servir sur un poisson en sauce.
☛ Philippe Heitz, 4, rue Ettore-Bugatti, 67120 Molsheim, tél. 03.88.38.25.38, fax 03.88.38.82.53 ☑ ⊺ t.l.j. 9h-12h 14h-19h; dim. sur r.-v.

GERARD NEUMEYER
Gewurztraminer 1998

☐	0,64 ha	4 400	◖▮ 70 à 99 F

La commune de Molsheim est située à une vingtaine de kilomètres au sud-ouest de Strasbourg. Ses vignerons ont mis en place pour leur grand cru du Bruderthal une charte de qualité qui permet d'obtenir des vins de grande classe. Jaune d'or et d'une limpidité éclatante, celui-ci offre des arômes encore peu complexes de fruits exotiques (mangue) et de surmaturation. D'attaque franche au palais, il est soutenu par une acidité fraîche qui équilibre les sucres résiduels encore très présents. (Sucres résiduels : 25 g/l.)
☛ Dom. Gérard Neumeyer, 29, rue Ettore-Bugatti, 67120 Molsheim, tél. 03.88.38.12.45, fax 03.88.38.11.27, e-mail domaine.neumeyer@wanadoo.fr
☑ ⊺ t.l.j. sf dim. 9h-12h 14h-19h

Alsace grand cru eichberg

CHARLES BAUR Gewurztraminer 1998*

☐	0,29 ha	n.c.	▮ ◖ 50 à 69 F

Œnologue, Armand Baur a tiré du grand cru Eichberg un gewurztraminer en robe cristalline, jaune à reflets brillants, et d'une grande finesse au nez. Puissant, très fruité, équilibré, ce 98 fait preuve d'une belle persistance. Il s'accordera avec du foie gras, des fromages ou même des desserts, ou pourra encore être bu à l'apéritif. (Sucres résiduels : 16 g/l.)
☛ Charles Baur, 29, Grand-Rue, 68420 Eguisheim, tél. 03.89.41.32.49, fax 03.89.41.55.79 ☑ ⊺ r.-v.
☛ Armand Baur

CHARLES BAUR
Gewurztraminer Vendanges tardives 1997*

☐	0,29 ha	2 000	▮ ◖ 100 à 149 F

Le gewurztraminer de vendanges tardives élaboré par la même exploitation est fort réussi. La robe est d'un jaune soutenu ; le nez, encore fermé, laisse percer des senteurs de coing et de fruits confits ; la bouche, ample et longue, libère d'intéressantes notes d'écorce d'orange. Un vin qui devrait gagner en harmonie avec le temps.
☛ Charles Baur, 29, Grand-Rue, 68420 Eguisheim, tél. 03.89.41.32.49, fax 03.89.41.55.79 ☑ ⊺ r.-v.

ALBERT HERTZ
Gewurztraminer Cuvée de l'An 2000 1998*

☐	0,25 ha	2 000	◖▮ 50 à 69 F

Fondée en 1843, cette exploitation d'Eguisheim exporte 40 % de sa production. Jaune d'or à reflets brillants, son gewurztraminer « de l'An 2000 » attire l'attention par son nez, qui mêle harmonieusement des notes fumées et poivrées. Bien charpenté, il est marqué par une forte présence des sucres résiduels qui devront se fondre. Son expression s'affinera dans quelque temps. (Sucres résiduels : 13 g/l.)
☛ Albert Hertz, 3, rue du Riesling, 68420 Eguisheim, tél. 03.89.41.30.32, fax 03.89.23.99.23 ☑ ⊺ r.-v.

ALBERT HERTZ Tokay-pinot gris 1998*

☐	0,37 ha	3 000	◖▮ 50 à 69 F

Albert Hertz a également présenté un pinot gris qui donne toute satisfaction. Encore jeune, ce 98 présente les arômes caractéristiques du cépage, un fumé assorti de notes de torréfaction et de surmaturation. Soyeux à l'attaque, il se montre à la fois puissant et racé, sans excès de rondeur. (Sucres résiduels : 12 g/l.)
☛ Albert Hertz, 3, rue du Riesling, 68420 Eguisheim, tél. 03.89.41.30.32, fax 03.89.23.99.23 ☑ ⊺ r.-v.

PAUL SCHNEIDER Riesling 1998

☐	0,27 ha	2 000	◖▮ 50 à 69 F

Cette exploitation familiale est établie dans l'ancienne cour dîmière qui appartenait au grand prévôt de la cathédrale de Strasbourg. Issu d'un terroir de conglomérats calcaires et de marnes, son riesling 98 n'a pas l'envergure du millésime précédent, qui avait obtenu un coup de cœur dans ce même grand cru. Il demeure assez fermé, et l'on perçoit encore une certaine chaleur en finale. Toutefois, de discrètes notes de fleurs blanches et de fruits lui donnent de la typicité, et une impression de richesse se dégage de ce vin équilibré, long et de caractère. (Sucres résiduels : 6,5 g/l.)
☛ Paul Schneider et Fils, 1, rue de l'Hôpital, 68420 Eguisheim, tél. 03.89.41.50.07, fax 03.89.41.30.57 ☑ ⊺ t.l.j. 10h-12h 13h30-18h30; dim. sur r.-v.

WOLFBERGER Tokay-pinot gris 1998*

☐	n.c.	n.c.	50 à 69 F

Connu depuis le Moyen Age, ce lieu-dit, dont l'aire délimitée compte aujourd'hui 57 ha, donne généralement des vins opulents. C'est le cas de celui-ci, dominé par la surmaturation, qui livre des notes intenses de cire, de miel et de fruits secs. En bouche, rondeur, richesse et gras lui donnent un côté moelleux qui évoque les vendanges tardives. A marier avec du foie gras ou un dessert. (Sucres résiduels : 20 g/l.)

🕯 Wolfberger, 6, Grand-Rue, 68420 Eguisheim, tél. 03.89.22.20.20, fax 03.89.23.47.09 ☑ ⵜ r.-v.

PAUL ZINCK Gewurztraminer 1998*

| ☐ | 0,8 ha | 4 500 | 🖹🍷 | 50 à 69 F |

Avec ses remparts et son château, Eguisheim mérite une visite. De nombreux vignerons y ont pignon sur rue, comme cette exploitation familiale, qui a ouvert en outre un restaurant. Formé de conglomérats calcaires et de marnes, le grand cru Eichberg est très propice au gewurztraminer. D'un jaune soutenu bien brillant, celui-ci mêle au nez des arômes de surmaturation, de grillé et de notes beurrées. Le palais, très puissant, conjugue douceur et complexité. Bon équilibre général. (Sucres résiduels : 10 g/l.)

🕯 Paul Zinck, 18, rue des Trois-Châteaux, 68420 Eguisheim, tél. 03.89.41.19.11, fax 03.89.24.12.85, e-mail phz@p-zinck.fr ☑ ⵜ t.l.j. sf dim. 8h-12h 14h-18h; f. janv.

Alsace grand cru engelberg

DOM. JEAN-PIERRE BECHTOLD
Gewurztraminer Vendanges tardives 1997*

| ☐ | 0,3 ha | 1 400 | 🍶🍷 | 100 à 149 F |

Situé à Dahlenheim, au sud-ouest de Strasbourg, ce domaine compte plus de 18 ha de vignes, ce qui est très important pour l'Alsace. Issu d'un terroir marno-calcaire, son gewurztraminer de vendanges tardives, d'un jaune doré, possède une palette aromatique complexe déclinant les fleurs blanches, le grillé, l'abricot et la bergamote. En bouche apparaissent les fruits confits avec une touche de sous-bois. Un vin d'un bel équilibre, bien soutenu par une acidité qui lui donne de la fraîcheur.

🕯 Dom. Jean-Pierre Bechtold, 49, rue Principale, 67310 Dahlenheim, tél. 03.88.50.66.57, fax 03.88.50.67.34 ☑ ⵜ r.-v.
🕯 Jean-Marie Bechtold

DOM. JEAN-PIERRE BECHTOLD
Gewurztraminer 1998**

| ☐ | 0,65 ha | 4 200 | 🖹🍷 | 50 à 69 F |

Orienté au sud et caractérisé par un sol marno-calcaire très caillouteux, le grand cru Engelberg, ou « collines des Anges », est propice à la bonne maturation des raisins. Ce gewurztraminer se montre digne de son terroir. D'un jaune prononcé à l'œil, il charme par un nez tout en finesse rappelant les fruits exotiques. Très gras au palais, il présente une structure harmonieuse grâce à un bon support acide. Un grand vin, à déguster à l'apéritif, ou sur un foie gras ou un dessert. (Sucres résiduels : 40 g/l.)

🕯 Dom. Jean-Pierre Bechtold, 49, rue Principale, 67310 Dahlenheim, tél. 03.88.50.66.57, fax 03.88.50.67.34 ☑ ⵜ r.-v.

Alsace grand cru frankstein

BECK-DOMAINE DU REMPART
Riesling 1998*

| ☐ | 0,6 ha | 3 000 | 🖹 | 50 à 69 F |

Sur les hauteurs de Dambach-la-Ville, le Frankstein comprend quatre zones exposées au sud-est. Les sols y sont essentiellement granitiques. Délicat, fruité et surtout floral, ce riesling est bien équilibré, frais, agréable et persistant. Vous pourrez le déguster à la cave de ce domaine, mais aussi à la Maison des grands crus d'Alsace, créée par Gilbert Beck en 1995. (Sucres résiduels : 5 g/l.)

🕯 Beck, Dom. du Rempart, 5, rue des Remparts, 67650 Dambach-la-Ville, tél. 03.88.92.62.03, fax 03.88.92.49.40 ☑ ⵜ r.-v.
🕯 Gilbert Beck

ANDRE HERRBACH Riesling 1997*

| ☐ | 0,13 ha | 1 066 | 🖹🍷 | 30 à 49 F |

La réputation du Frankstein remonte au Moyen Age : dès 1320, plusieurs abbayes y détenaient des vignes. Cette exploitation est en revanche fort récente, puisqu'elle a été fondée en 1982. Cela n'empêche pas ce riesling de donner toute satisfaction, avec un beau nez tirant sur les agrumes. On retrouve au palais ces arômes fruités. Un vin ample et déjà ouvert. (Sucres résiduels : 7,01 g/l.)

🕯 GAEC Herrbach, 3, rue du Bernstein, 67650 Dambach-la-Ville, tél. 03.88.92.45.56, fax 03.88.92.40.45 ☑ ⵜ r.-v.

P. KIRSCHNER ET FILS Riesling 1998**

| ☐ | 0,3 ha | 2 100 | 🍶 | 50 à 69 F |

Créé au début du XIXᵉs., ce domaine vendit bientôt ses vins sous sa propre étiquette, comme l'attestent d'anciens spécimens. Doré clair dans le verre, ce 98 séduit par son nez fruité, tout en finesse. Franc et agréable à l'attaque, il se montre tout aussi fruité au palais, élégant et de bonne longueur. Un grand riesling qui confirme le savoir-faire de cette exploitation. (Sucres résiduels : 10 g/l.)

🐦 Pierre Kirschner, 26, rue Théophile-Bader, 67650 Dambach-la-Ville, tél. 03.88.92.40.55, fax 03.88.92.62.54, e-mail kirschner@reperes.com ☑ Ⴈ t.l.j. sf dim. 8h-12h 13h-19h

MICHEL NARTZ Muscat 1998

	0,16 ha	1 200	🍶 50 à 69 F

Installé dans une maison du XVIIes., Michel Nartz a aménagé pour les visiteurs un caveau de dégustation et des chambres d'hôte. Marqué par son origine granitique, son muscat grand cru se révèle très intense au nez, des arômes de fleurs blanches et de menthe s'ajoutant à ceux du raisin. Sa puissance et sa présence au palais sont renforcées par une petite touche de gaz carbonique qui prolonge sa jeunesse. (Sucres résiduels : 10,5 g/l.)

🐦 Michel Nartz, 12, pl. du Marché, 67650 Dambach-la-Ville, tél. 03.88.92.41.11, fax 03.88.92.63.01 ☑ Ⴈ r.-v.

Alsace grand cru froehn

SCHEIDECKER Muscat 1998★

	0,15 ha	1 200	🍶 30 à 49 F

Petit village pittoresque perché sur son éperon rocheux, Zellenberg domine les pentes du grand cru froehn. Très racé au nez par ses arômes frais, d'épices et de fruits mûrs, qui trahissent son origine marno-calcaire, ce muscat légèrement rond au palais s'avère très persistant. Un régal sur des asperges sauce mousseline ! (Sucres résiduels : 13 g/l.)

🐦 Philippe Scheidecker, 13, rue des Merles, 68630 Mittelwihr, tél. 03.89.49.01.29, fax 03.89.49.06.63 ☑ Ⴈ t.l.j. 9h-12h30 14h-20h

Alsace grand cru furstentum

DOM. PAUL BLANCK
Riesling Sélection de grains nobles 1995★★

	1,65 ha	900	🍶 300 à 499 F

Les autres Blanck de Kientzheim sont eux aussi résolument tournés vers les marchés internationaux, puisqu'ils écoulent 55 % de leur production à l'étranger. Ils ont réussi avec ce vin un petit chef-d'œuvre. D'un jaune profond tirant sur l'or, ce riesling montre d'emblée son intensité, avec un nez expressif mêlant le miel, les agrumes et les fruits secs. Cette puissance se confirme au palais, où elle se conjugue avec une belle souplesse. On y retrouve le miel (d'acacia), à côté de notes d'abricot et d'une touche de citron confit. La fraîcheur et la persistance complètent le portrait de ce vin précieux. (Bouteilles de 37,5 cl.)

🐦 Dom. Paul Blanck anc. Comtes de Lupfen, 32, Grand-Rue, 68240 Kientzheim, tél. 03.89.78.23.56, fax 03.89.47.16.45, e-mail info@claude-alsace.com ☑ Ⴈ t.l.j. sf dim. 9h-12h 13h30-18h

ANDRE BLANCK ET SES FILS
Ancienne Cour des Chevaliers de Malte Gewurztraminer VT 1997★

	0,6 ha	2 000	70 à 99 F

Cette exploitation est établie à Kientzheim, à côté du château de Schwendi qui est aujourd'hui le siège de la confrérie Saint-Étienne. Elle exporte la moitié de la production. Jaune paille à reflets ambrés, son gewurztraminer de vendanges tardives présente des arômes complexes, légèrement mentholés en fin de nez, et une bouche expressive où dominent coing et autres fruits confits. (Bouteilles de 50 cl.)

🐦 EARL André Blanck et Fils, Ancienne Cour des Chevaliers de Malte, 68240 Kientzheim, tél. 03.89.78.24.72, fax 03.89.47.17.07 ☑ Ⴈ t.l.j. sf dim. 8h-12h 14h-19h

DOM. BOTT-GEYL
Gewurztraminer 1998★★

	0,5 ha	3 000	🍶 100 à 149 F

Jean-Christophe Bott, à la tête du domaine familial depuis 1993, exploite une grande diversité de crus. Il a vendangé plusieurs coups de cœur ces dernières années, et l'on guette ses nouveaux millésimes. Ce 98 ne trompera pas l'attente des amateurs. D'une couleur jaune doré, il exprime des arômes d'agrumes nuancés de notes minérales d'une grande finesse. Gras, fruité et élégant, le palais révèle un superbe équilibre. Pourquoi ne pas l'essayer sur du munster ? (Sucres résiduels : 27 g/l.)

🐦 Dom. Bott-Geyl, 1, rue du Petit-Château, 68980 Beblenheim, tél. 03.89.47.90.04, fax 03.89.47.97.33 ☑ Ⴈ r.-v.

🐦 Jean-Christophe Bott

RENE FLEITH-ESCHARD
Tokay-pinot gris 1998★★★

	0,33 ha	1 800	🍶 70 à 99 F

René Fleith et son fils Vincent exploitent un domaine de 9 ha. Leur méthode de vinification, disent-ils, est la plus naturelle possible afin de favoriser le gras et l'expression des vins. Avec ce pinot gris, l'objectif est atteint ! Ce 98 frappe d'entrée par la puissance aromatique de son nez, dominé par les fruits exotiques (mangue et fruit de la passion), que l'on retrouve longuement

dans un palais rond, moelleux et charpenté.
« Une liqueur de tokay », qui mérite d'être dégustée pour elle-même, à moins qu'on ne préfère la servir sur du foie gras ou un dessert. (Sucres résiduels : 45 g/l.)
➥ René Fleith-Eschard, lieu-dit Lange Matten, 68040 Ingersheim, tél. 03.89.27.24.19, fax 03.89.27.56.79 ☑ ⌕ r.-v.

DOM. ALBERT MANN
Tokay-pinot gris 1998★★

	0,38 ha	3 000	▮⌕ 70 à 99 F

Par son sol marno-calcaire où se mêle du grès des Vosges, son exposition sud-sud-ouest et sa pente très marquée, jusqu'à près de 40 %, le grand cru Furstentum est un terroir particulier. Ces caractéristiques sont autant d'atouts, et les vignerons du cru rivalisent avec succès pour en tirer le meilleur ! Voici encore un tokay admirable, avec son nez riche, associant fruits confits et abricot sec avec les notes fumées et grillées évocatrices du cépage. D'une belle présence au palais, il se montre riche, charpenté, rond et long. Un vin de caractère, à déguster à l'apéritif ou sur du foie gras. (Sucres résiduels : 31 g/l.)
➥ Dom. Albert Mann, 13, rue du Château, 68920 Wettolsheim, tél. 03.89.80.62.00, fax 03.89.80.34.23, e-mail vins@mann-albert.com ☑ ⌕ r.-v.
➥ Barthelmé

ALBERT MANN Gewurztraminer 1998★★

	0,54 ha	3 500	▮⌕ 70 à 99 F

Situé à l'entrée de la vallée de la Weiss, près de Kaysersberg, le coteau de Furstentum se caractérise par un sol brun calcaire, présentant une structure caillouteuse squelettique et filtrante. Sa pente assez vive favorise l'ensoleillement. Grâce aux soins de Barthelmé, il a donné un grand gewurztraminer. Jaune pâle à reflets dorés, ce 98 séduit par son nez franc qui fait ressortir des arômes de fruits très mûrs mêlés à des nuances florales. Fruité et épicé en bouche, il conjugue le gras, l'ampleur et la persistance. (Sucres résiduels : 36 g/l.)
➥ Dom. Albert Mann, 13, rue du Château, 68920 Wettolsheim, tél. 03.89.80.62.00, fax 03.89.80.34.23, e-mail vins@mann-albert.com ☑ ⌕ r.-v.

Alsace grand cru geisberg

KIENTZLER
Riesling Vendanges tardives 1997★

	0,5 ha	1 200	⫼ 150 à 199 F

Le Geisberg est un terroir réputé depuis le XIVᵉs. grâce à son exposition au midi et son caillouteux argilo-calcaire où naissent des vins de garde. D'un jaune d'or brillant, ce 97 au nez discret, livrant des notes beurrées, laisse cependant deviner son potentiel. Complexe et riche en bouche, légèrement minéral avec une touche de poire confite, il est déjà très agréable à boire et, selon le jury, « donne du plaisir ».

➥ André Kientzler, 50, rte de Bergheim. 68150 Ribeauvillé, tél. 03.89.73.67.10, fax 03.89.73.35.81 ☑ ⌕ r.-v.

KIENTZLER Riesling 1998

	1,3 ha	6 800	⫼ 100 à 149 F

Cette exploitation de Ribeauvillé a également été retenue pour un riesling aux notes intenses de fleurs fraîches qui invitent à la dégustation. En bouche, l'équilibre est apprécié. On retrouve les caractères du cépage, avec les premières nuances minérales. (Sucres résiduels : 4 g/l.)
➥ André Kientzler, 50, rte de Bergheim, 68150 Ribeauvillé, tél. 03.89.73.67.10, fax 03.89.73.35.81 ☑ ⌕ r.-v.

Alsace grand cru gloeckelberg

KOEBERLE KREYER
Tokay-pinot gris 1998★

	0,13 ha	900	▮⌕ 50 à 69 F

Mis en valeur dès le Moyen Age, ce lieu-dit, qui s'étend sur 23 ha seulement, se caractérise par des sols sableux sur substrat granitique. Il a donné un pinot gris au nez axé sur les fruits mûrs, avec une note de miel. Riche, ronde et souple, la bouche dénote un vin jeune, qui devra séjourner trois ou quatre ans en cave pour trouver sa pleine harmonie. (Sucres résiduels : 10 g/l.)
➥ Koeberlé Kreyer, 28, rue du Pinot-Noir. 68590 Rodern, tél. 03.89.73.00.55, fax 03.89.73.00.55 ☑ ⌕ r.-v.

CHARLES NOLL Tokay-pinot gris 1998

	0,1 ha	980	⫼ 50 à 69 F

Viticulteurs depuis 1864, les Noll exploitent un domaine de 6 ha. Ils possèdent des vignes dans le Gloeckelberg, surtout planté en gewurztraminer et pinot gris. Né de ce dernier cépage. ce 98 aux arômes fins de fruits et de miel d'acacia se caractérise par l'élégance et la légèreté. Un beau vin, qui devrait prendre du caractère avec l'âge. (Sucres résiduels : 18,5 g/l.)
➥ EARL Charles Noll, 2, rue de l'Ecole, 68630 Mittelwihr, tél. 03.89.47.93.21, fax 03.89.47.86.23 ☑ ⌕ t.l.j. 9h-21h

Alsace grand cru goldert

LUCIEN GANTZER Riesling 1998★

	0,26 ha	2 000	▮⌕ 30 à 49 F

Lucien Gantzer a quitté la coopérative pour fonder sa cave particulière en 1970. L'exploitation, qui a été reprise par sa fille Jeannine en 1995, a très bien réussi ce riesling du Goldert, comme l'an dernier. Le 98 présente un nez riche et intense de fruits, où ressortent les agrumes. L'attaque franche est suivie d'un gras bien pré-

sent. La puissance s'affirme dans une très bonne persistance. Le terroir s'exprimera mieux au cours des mois à venir. (Sucres résiduels : 8 g/l.)
🍷 SCEA Lucien Gantzer, 9, rue du Nord, 68420 Gueberschwihr, tél. 03.89.49.31.81, fax 03.89.49.23.34 ☑ Ⴈ r.-v.

CLAUDE ET GEORGES HUMBRECHT Gewurztraminer 1998

| | 0,25 ha | 1 800 | ▮❙▯ 50 à 69 F |

Terroir d'altitude, le Goldert présente une très forte pente dans sa partie haute. Son exposition est-sud-est, qui lui permet de capter la plus grande partie de la journée les rayons du soleil, et les sols calcaires sont autant d'atouts pour une bonne maturation du raisin. Ce gewurztraminer présente des reflets jaune paille qui lui donnent un bel aspect. Le nez, encore fermé, laisse percer des arômes de litchi. Le palais, déjà développé, gras, révèle une bonne matière première, mais demande un peu de temps pour parfaire son harmonie.
🍷 EARL Claude et Georges Humbrecht, 31, rue de Pfaffenheim, 68420 Gueberschwihr, tél. 03.89.49.31.51 ☑ Ⴈ r.-v.

MAURICE SCHUELLER
Gewurztraminer 1998★

| | 0,3 ha | n.c. | ❙▯ 70 à 99 F |

Gueberschwihr, où se déroule chaque année en août une fête du Vin, possède l'un des grands crus les plus propices au gewurztraminer. Le terroir du Goldert, où les calcaires oolithiques voisinent avec les conglomérats tertiaires et les dépôts quaternaires, communique une belle complexité aux vins. Celui-ci fait miroiter des reflets jaunes dans le verre. Le nez, encore fermé, montre cependant un potentiel intéressant. Le palais est déjà d'un équilibre presque parfait : ce vin ne demande qu'un peu de temps pour gagner en expression. (Sucres résiduels : 18 g/l.)
🍷 EARL Maurice Schueller, 17, rue Basse, 68420 Gueberschwihr, tél. 03.89.49.31.80, fax 03.89.49.26.60 ☑ Ⴈ r.-v.
🍷 Marc Schueller

Alsace grand cru hatschbourg

DOM. JOSEPH CATTIN
Gewurztraminer 1998★

| | 1,67 ha | 11 000 | ❙▯ 50 à 69 F |

Fondée en 1850, cette exploitation compte plus de 30 ha, ce qui est important pour la région. Elle vient de s'équiper d'une cuverie pour vinifier par terroir et par parcelle. Issu d'un grand cru établi sur un cailloutis marno-calcaire, ce gewurztraminer jaune à reflets or frappe par l'intensité de son nez, marqué à la fois par le terroir et la surmaturation. La bouche est fruitée et concentrée, mais dominée pour le moment par une douceur qui masque la finesse des arômes. Ce 98 atteindra son apogée d'ici un an ou deux. (Sucres résiduels : 30 g/l.)

🍷 Joseph Cattin, 18, rue Roger-Frémeaux, 68420 Voegtlinshoffen, tél. 03.89.49.30.21, fax 03.89.49.26.02 ☑ Ⴈ t.l.j. 8h-12h 14h-18h; dim. sur r.-v.
🍷 Jacques et Jean-Marie Cattin

ANDRE HARTMANN
Tokay-pinot gris Armoirie Hartmann 1998★

| | 0,3 ha | n.c. | ▮👌 50 à 69 F |

La famille Hartmann exploite son domaine depuis le XVIIᵉˢ. Elle a la chance de posséder des vignes dans le Hatschbourg, lieu-dit dont la notoriété est bien antérieure à sa consécration en grand cru et où est né ce tokay. Ce 98 offre un nez fin, fruité, avec une note de mandarine que l'on retrouve au palais. Un peu aérien, équilibré et persistant, il trouvera facilement sa place au repas. (Sucres résiduels : 20 g/l.)
🍷 André Hartmann, 11, rue Roger-Frémeaux, 68420 Voegtlinshoffen, tél. 03.89.49.38.34, fax 03.89.49.26.18 ☑ Ⴈ t.l.j. sf dim. 9h-12h 13h30-18h

GERARD ET SERGE HARTMANN
Tokay-pinot gris Vendanges tardives 1996★

| | 0,2 ha | 1 500 | 100 à 149 F |

Ces autres Hartmann de Voegtlinshoffen, établis eux aussi dans ce village depuis le XVIIᵉˢ., proposent un pinot gris jaune d'or, au nez tirant sur les fruits confits avec des nuances de sous-bois. De longueur moyenne, la bouche, plutôt florale, s'appuie sur une bonne acidité. Un vin de vendanges tardives déjà prêt à boire.
🍷 Gérard et Serge Hartmann, 13, rue Roger-Frémeaux, 68420 Voegtlinshoffen, tél. 03.89.49.30.27, fax 03.89.49.29.78 ☑ Ⴈ r.-v.

LES VIGNERONS DE PFAFFENHEIM ET GUEBERSCHWIHR Riesling 1998★★

| | 0,62 ha | 5 000 | ▮👌 70 à 99 F |

Ce riesling est né à Hattstat, village dominé par le grand cru Hatschbourg, terroir renommé dès le XVIᵉˢ. aux sols marno-calcaires, caillouteux. Sa belle couleur or vert annonce une palette aromatique complexe qui décline les fleurs, la pêche, les agrumes et la citronnelle. Franc et rafraîchissant à l'attaque, ce 98 trouve son équilibre dans le gras, l'ampleur de la structure, la puissance et la persistance. Un vin prometteur, pour poisson et viandes blanches. (Sucres résiduels : 8,2 g/l.)
🍷 Cave vinicole de Pfaffenheim, 5, rue du Chai, B.P. 33, 68250 Pfaffenheim, tél. 03.89.78.08.08, fax 03.89.49.71.65, e-mail cave@pfaffenheim ☑ Ⴈ t.l.j. 8h-12h 14h-18h

Alsace grand cru hengst

BUECHER-FIX Tokay-pinot gris 1998★★★

| | 0,42 ha | 5 400 | ▮👌 50 à 69 F |

L'étiquette, naïve, représente un étalon (Hengst) dominant le village de Wettolsheim.

Ces vignerons l'ont apprivoisé dans leur cave, où les pratiques traditionnelles, appliquées avec discernement, garantissent la grande classe des vins. Celui-ci, nuancé d'or pâle, dévoile un joli fumet, fin et typé du cépage. D'un équilibre riche et gras, sans excès de rondeur, il se prolonge dans une finale soyeuse qui enchante. « On aimerait l'avoir dans sa cave ! », conclut un dégustateur. (Sucres résiduels : 20 g/l.) (Bouteilles de 50 cl.)

🔓 Buecher-Fix, 21, rue Sainte-Gertrude, 68920 Wettolsheim, tél. 03.89.80.64.93, fax 03.89.79.61.56 ☑ ⌶ r.-v.

BUECHER-FIX Gewurztraminer 1998★

| | 0,71 ha | 6 000 | ▣⬇ 70 à 89 F |

Situé à l'ouest de Colmar, sur le territoire de Wintzenheim et de Wettolsheim, le grand cru Hengst a la réputation de donner des vins dont la générosité n'apparaît qu'au bout d'un certain temps. Mais ce gewurztraminer, pour le grand plaisir des amateurs, n'a pas besoin d'attendre. De couleur jaune d'or, il offre un nez de rose intense, parfaitement dans le ton du cépage. Au palais, il présente un équilibre harmonieux entre le sucre et l'acidité, et fait preuve d'une bonne longueur. Sa concentration ne l'empêche pas d'être facile à déguster, même à l'apéritif. (Sucres résiduels : 15 g/l.)
🔓 Buecher-Fix, 21, rue Sainte-Gertrude, 68920 Wettolsheim, tél. 03.89.80.64.93, fax 03.89.79.61.56 ☑ ⌶ r.-v.

J.-V. HEBINGER ET FILS
Tokay-pinot gris 1998

| | 0,25 ha | 2 000 | ▣⬇ 30 à 49 F |

De ce grand cru marno-calcaire naissent des vins au caractère un peu sauvage, dont la fougue évoque l'animal fétiche du lieu-dit. Ce n'est pas vraiment le cas de celui-ci, facile à boire et prêt à accompagner un repas. C'est un tokay sans complexité mais sans défaut, aux arômes caractéristiques du cépage. Plutôt sec, il présente une belle attaque et un bon équilibre. Un classique. (Sucres résiduels : 14 g/l.)
🔓 Jean-Victor Hebinger et Fils, 14, Grand-Rue, 68420 Eguisheim, tél. 03.89.41.19.90, fax 03.89.41.15.61 ☑ ⌶ t.l.j. sf dim. 8h-12h 14h-18h

BERNARD STAEHLE
Gewurztraminer 1998

| | 0,25 ha | n.c. | ⬛ 50 à 69 F |

D'exposition sud-sud-est, le grand cru Hengst s'étage entre 170 et 360 m d'altitude. Sa pente prononcée lui permet de capter de manière optimale les rayons du soleil. Jaune paille à l'œil, ce

vin libère des arômes de fruits très mûrs avec des nuances minérales. Ample, riche et équilibré en bouche, il montre déjà une belle profondeur mais gagnera à attendre. (Sucres résiduels : 24 g/l.)
🔓 Bernard Staehlé, 15, rue Clemenceau, 68920 Wintzenheim, tél. 03.89.27.39.02, fax 03.89.27.59.37 ☑ ⌶ t.l.j. sf dim. 9h-12h 13h30-19h30

Alsace grand cru kastelberg

ANDRE ET REMY GRESSER
Riesling Vieilles vignes 1998★★

| | 0,84 ha | 1 500 | ▣⬛⬇ 100 à 149 F |

Très anciennement reconnu, ce terroir de 5,82 ha se caractérise par des sols de schistes du silurien qui font très bon ménage avec le riesling. Celui-ci semble un panier de fleurs et de fruits, riche en parfums surmûris et exotiques. On retrouve ce beau fruité dans un palais plein de rondeur et de gras, qui se prolonge dans une belle finale. (Sucres résiduels : 15,6 g/l.)
🔓 Dom. André et Rémy Gresser, 2, rue de l'Ecole, 67140 Andlau, tél. 03.88.08.95.88, fax 03.88.08.55.99, e-mail remy.gresser@wanadoo.fr ☑ ⌶ r.-v.

GUY WACH
Riesling Vendanges tardives 1997★★

| | 0,22 ha | 650 | ⬛ 100 à 149 F |

Terroir unique en Alsace, le Kastelberg repose sur des schistes qui donnent naissance à des sols très caillouteux et parfaitement drainés. Les vins qui en sont issus sont d'une grande originalité. D'un jaune intense dans le verre, celui-ci se distingue d'emblée par la finesse de son nez de fruit de la Passion et d'agrumes. Le palais est en parfaite continuité, avec sa palette complexe d'arômes et sa belle harmonie. « Un vin difficile à décrire... En le dégustant, c'est comme si on partait en voyage... et quel beau voyage ! », écrit un des membres du jury sous le charme.
🔓 Guy Wach, Dom. des Marronniers, 67140 Andlau, tél. 03.88.08.93.20, fax 03.88.08.45.59 ☑ ⌶ r.-v.

GUY WACH
Riesling Cuvée Vieilles vignes 1998★★

| | 0,6 ha | 3 800 | ▣⬛ 70 à 99 F |

Guy Wach a décidément tiré le meilleur de ce grand cru. Des vignes âgées de quarante-cinq ans, des raisins vendangés le 9 novembre ont donné ce remarquable riesling, dont la gamme aromatique décline les fleurs blanches, le miel et les agrumes, avec une note minérale. La surmaturation se confirme au palais, par une structure riche et ample et un beau fruité. On retrouve en finale les nuances florales et minérales au nez. (Sucres résiduels : 22 g/l.)
🔓 Guy Wach, Dom. des Marronniers, 67140 Andlau, tél. 03.88.08.93.20, fax 03.88.08.45.59 ☑ ⌶ r.-v.

Alsace grand cru kirchberg de Barr

DOM. HERING
Gewurztraminer Clos Gaensbroennel Cuvée des Frimas 1998

| | 0,5 ha | 3 000 | ⅢD | 70 à 99 F |

Ce domaine de Barr, fondé en 1652, maintient le cap de la qualité. L'arrière-grand-père Hering avait créé par hybridation un porte-greffe adapté au terroir. Cette cuvée des Frimas doit peut-être son nom à la date tardive des vendanges (le 10 novembre 1998). Si le nez livre des arômes puissants et d'une grande finesse, les sucres résiduels se montrent encore trop présents au palais. Son avenir semble assuré. (Sucres résiduels : 20 g/l.)
� Pierre et Jean-Daniel Hering, 6, rue Sultzer, 67140 Barr, tél. 03.88.08.90.07, fax 03.88.08.08.54, e-mail jdh@infonie.fr
☑ ☖ t.l.j. sf dim. 8h30-12h 13h30-18h30

ANDRE KLEINKNECHT Riesling 1998

| | 0,3 ha | 1 500 | ⅢD | 30 à 49 F |

Viticulteurs depuis 1621, les Kleinknecht exploitent 8 ha de vignes. Le Kirchberg, grand cru marno-calcaire, donne des vins à maturation lente. De fait, les dégustateurs recommandent d'attendre ce riesling, qui mêle au nez de fines notes d'agrumes avec une touche de miel. Après une belle attaque, il révèle un palais assez équilibré, de bonne longueur, marqué par un soupçon d'amertume en finale. (Sucres résiduels : 6 g/l.)
➫ André Kleinknecht, 45, rue Principale, 67140 Mittelbergheim, tél. 03.88.08.49.46, fax 03.88.08.49.46 ☑ ☖ t.l.j. 10h-11h30 13h-19h

KLIPFEL
Clos Zisser Gewurztraminer Vendanges tardives 1997★

| | 3 ha | 4 000 | ⅢD | 100 à 149 F |

Cette maison de négoce, qui possède 40 ha de vignes en propre, a joué un rôle pionnier dans la promotion des vins d'Alsace. Jaune paille d'une belle limpidité, ce 97 exhale des parfums de vanille, de fruits confits et de sucre candi. Onctueux à l'attaque, le palais conjugue fraîcheur et concentration. Un vin à devenir.
➫ Klipfel, 6, av. de la Gare, 67140 Barr, tél. 03.88.58.59.00, fax 03.88.08.53.18 ☑ ☖ r.-v.
➫ A. Lorentz

LUCAS ET ANDRE RIEFFEL
Tokay-pinot gris 1998★

| | 0,48 ha | 2 900 | ■☖ | 50 à 69 F |

Encore typé du cépage, ce pinot gris affiche des nuances fumées, grillées, avec quelques notes minérales. D'attaque franche, il se montre puissant, riche et élégant. Sa belle longueur inspire à un dégustateur la conclusion suivante : « Un tokay tel que je les aime ! ». (Sucres résiduels : 26,3 g/l.)
➫ André et Lucas Rieffel, 11, rue Principale, 67140 Mittelbergheim, tél. 03.88.08.95.48, fax 03.88.08.28.94 ☑ ☖ t.l.j. sf dim. 8h-12h 13h-18h

WILLM Tokay-pinot gris 1998★

| | n.c. | 2 000 | ☖ | 70 à 99 F |

Terroir marno-calcaire à cailloux calcaires exposé au sud-est, le Kirchberg domine la ville de Barr. Il a donné un 98 aux arômes fruités assortis de nuances mentholées. D'un corps impressionnant par son moelleux et son gras, ce vin exprime surtout la surmaturation. (Sucres résiduels : 25 g/l.)
➫ Alsace Willm SA, 32, rue du Dr-Sultzer, 67140 Barr, tél. 03.88.08.19.11, fax 03.88.08.56.21 ☑ ☖ r.-v.

Alsace grand cru mambourg

DOM. JEAN-MARC BERNHARD
Gewurztraminer Vendanges tardives 1997★

| | 0,28 ha | 1 500 | ■ | 100 à 149 F |

La famille Bernhard est dans la viticulture depuis 1802. La nouvelle génération est représentée par Frédéric, œnologue, qui vient de rejoindre l'exploitation après plusieurs stages qui l'ont mené jusqu'en Afrique du Sud. Avec sa robe jaune d'or, son gewurztraminer de vendanges tardives se présente sous les meilleurs auspices. Un nez complexe de tabac blond et de fleurs confirme cette première impression. Les arômes sont présents au palais, qui a déjà acquis une bonne persistance et une belle harmonie.
➫ Domaine Jean-Marc Bernhard, 21, Grand-Rue, 68230 Katzenthal, tél. 03.89.27.05.34, fax 03.89.27.58.72 ☑ ☖ t.l.j. sf dim. 9h-12h 13h30-19h

DOM. PIERRE SCHILLE
Gewurztraminer 1998

| | 0,35 ha | 3 000 | ■☖ | 70 à 99 F |

Le Mambourg se caractérise par des sols de conglomérats marno-calcaires. Son exposition au sud procure à ce terroir un ensoleillement optimal. Ce grand cru a donné un gewurztraminer au jaune intense, aux arômes de rose. En bouche, ce vin apparaît très gras, mais dominé par les sucres résiduels, ce qui incite à l'attendre pour obtenir une meilleure harmonie. (Sucres résiduels : 52 g/l.)
➫ Pierre Schillé et Fils, 14, rue du Stade, 68240 Sigolsheim, tél. 03.89.47.10.67, fax 03.89.47.39.12 ☑ ☖ r.-v.

MARC TEMPE
Riesling Vendanges tardives 1997

| | 0,21 ha | 1 200 | ⅢD | 200 à 249 F |

Issu d'une famille de vignerons de Sigolsheim, Marc Tempé, après un passage de quelques années à l'INAO, s'est installé en 1995 à Zellenberg. Du Mambourg, lieu-dit exposé au sud, il a tiré un vin jaune paille au nez discret d'agrumes. La bouche, assez équilibrée, reste dominée par les sucres résiduels. Puissance et charpente laissent augurer une bonne évolution. A attendre.

🔑 Marc Tempé, 16, rue du Schlossberg, 68340 Zellenberg, tél. 03.89.47.85.22, fax 03.89.47.85.22 ☑ 🍷 r.-v.

🔑 Cave de Bestheim-Bennwihr, 3, rue du Gal-de-Gaulle, 68630 Bennwihr, tél. 03.89.49.09.29, fax 03.89.49.09.20 ☑ 🍷 t.l.j. 9h-12h 14h-18h

Alsace grand cru mandelberg

DOM. DU BOUXHOF
Gewurztraminer 1998★

☐ 0,2 ha 1 500 🛢 50 à 69 F

Un domaine créé il y a quelque huit siècles et un terroir d'élite, célèbre pour sa précocité, le Mandelberg ou « mont des Amandiers ». Les vignes s'étagent sur le flanc sud de la colline, plantées sur des sols marno-calcaires qui favorisent l'expression aromatique des vins. Jaune pâle et très jeune à l'œil, celui-ci possède un nez déjà expressif, où des notes confites s'associent au miel. La bouche révèle la même intensité, avec du fruité, de l'équilibre et de la fraîcheur. Un gewurztraminer tel qu'on les aime. (Sucres résiduels : 43,3 g/l.)

🔑 EARL François Edel et Fils, Dom. du Bouxhof, 68630 Mittelwihr, tél. 03.89.47.90.34, fax 03.89.47.84.82 ☑ 🍷 t.l.j. 9h-19h

DOM. BURGHART-SPETTEL
Riesling 1998

☐ 0,4 ha 3 000 🛢 50 à 69 F

Les amandiers, qui fleurissent ici dès février, ont donné leur nom à ce grand cru. Ce riesling, au nez discret mais franc, possède un assez bon équilibre, une certaine finesse, du gras et fait preuve d'une bonne persistance. (Sucres résiduels : 5 g/l.)

🔑 Dom. Burghart-Spettel, 9, rte du Vin, 68630 Mittelwihr, tél. 03.89.47.93.19, fax 03.89.49.07.62 ☑ 🍷 r.-v.

Alsace grand cru marckrain

BESTHEIM Gewurztraminer 1998★

☐ 9,37 ha n.c. 🍾🌡 50 à 69 F

Les vignerons de Bennwihr se sont unis à ceux de Westhalten pour former une importante unité dénommée Bestheim. Ils exploitent les meilleurs terroirs de leurs communes respectives. D'exposition est-sud-est, le Marckrain se caractérise par des sols marno-calcaires et donne des gewurztraminer de belle expression. Celui-ci, à reflets dorés, possède un nez très fin où ressort l'ananas. Puissant, fruité et long en bouche, il reste équilibré malgré un côté moelleux dominant. Il devrait gagner en harmonie avec un peu de temps. (Sucres résiduels : 18 g/l.)

Alsace grand cru muenchberg

RENE KOCH ET FILS Riesling 1998★

☐ 0,57 ha 4 000 🍾 30 à 49 F

Ce terroir gréseux, caillouteux et sableux était déjà cultivé par les cisterciens au XIIe s., d'où son nom de Muenchberg ou « montagne des Moines ». Le riesling y réussit bien. Celui-ci libère d'intenses arômes de fleurs blanches avec quelques notes minérales et citronnées. Au palais, le fruité se développe agréablement. Une belle fraîcheur se prolonge en finale. Ce vin, qui sera à l'aise avec du poisson grillé, évoluera favorablement dans les quatre ou cinq prochaines années. (Sucres résiduels : 8 g/l.)

🔑 GAEC René et Michel Koch, 5, rue de la Fontaine, 67680 Nothalten, tél. 03.88.92.41.03, fax 03.88.92.63.99 ☑ 🍷 r.-v.

Alsace grand cru ollwiller

VIEIL ARMAND Tokay-pinot gris 1998★

☐ n.c. 5 000 70 à 99 F

Au sud de Guebwiller, Wuenheim est dominé par le château d'Ollwiller qui a donné son nom à ce grand cru, situé à l'extrême sud du vignoble alsacien. Le château proprement dit a été presque complètement détruit pendant la Première Guerre mondiale, mais le vignoble a subsisté. Si le terroir passe pour être favorable au riesling et au gewurztraminer, il a bien réussi à ce pinot gris, au nez franc, fruité avec une note minérale. D'une persistance moyenne, le palais révèle un bel équilibre qui mise sur l'élégance plutôt que sur le corps. (Sucres résiduels : 15 g/l.)

🔑 Cave vinicole du Vieil-Armand, 3, rte de Cernay, 68360 Soultz-Wuenheim, tél. 03.89.76.73.75, fax 03.89.76.70.75 ☑ 🍷 r.-v.

Alsace grand cru pfersigberg

PAUL GINGLINGER Riesling 1998★★

☐ 0,48 ha 3 500 🛢 50 à 69 F

Cette famille était déjà au service du vin en 1636... dans la même cave ! La génération aujourd'hui aux commandes exploite 12 ha de vignes. Elle écoule 40 % de ses vins à l'étranger. On retrouve cette année son riesling du Pfersig-

berg, remarquable dans le millésime 98. Le nez évoque les fruits mûrs, avec une note muscatée et un accent minéral. Assez souple en attaque, équilibré, le palais révèle une grande puissance, en particulier en finale. (Sucres résiduels : 5 g/l.)
➥ Paul Ginglinger, 8, pl. Charles-de-Gaulle, 68420 Eguisheim, tél. 03.89.41.44.25, fax 03.89.24.94.88 ☑ ⊤ r.-v.

ROGER HEYBERGER Riesling 1998*

☐	0,15 ha	850	⦀	50 à 69 F

Terroir marno-calcaire situé sur les hauteurs d'Eguisheim, le Pfersigberg est mentionné dès le XVIᵉs. Ce terroir a été remis à l'honneur en 1927 lors de la première foire aux Vins de Colmar. Il a donné un riesling au nez aromatique, mariant harmonieusement des notes fleuries et une touche minérale. L'équilibre est généreux, mais non dénué de fraîcheur. Un vin qu'il faut savoir attendre pour permettre une meilleure expression du terroir. (Sucres résiduels : 3,7 g/l.)
➥ Roger Heyberger et Fils, 5, rue Principale, 68420 Obermorschwihr, tél. 03.89.49.30.01, fax 03.89.49.22.28 ☑ ⊤ t.l.j. sf dim. 8h-11h45 14h-18h30

ROGER HEYBERGER
Tokay-pinot gris 1998

☐	0,25 ha	1 400	⦀	50 à 69 F

Le Pfersigberg (« mont des Pêchers » en alsacien) évoque une certaine douceur climatique. Il devrait son nom aux pêchers qui croissaient autrefois sur ses pentes. Ses sols marno-calcaires favorisent la richesse et l'élégance des vins qui y naissent. Intensément fruité, sur des notes grillées, celui-ci fait preuve d'un bel équilibre. D'une structure moyenne, il présente une bonne longueur et finit sur une pointe d'amertume. (Sucres résiduels : 10,5 g/l.)
➥ Roger Heyberger et Fils, 5, rue Principale, 68420 Obermorschwihr, tél. 03.89.49.30.01, fax 03.89.49.22.28 ☑ ⊤ t.l.j. sf dim. 8h-11h45 14h-18h30

JEAN-LOUIS ET FABIENNE MANN
Riesling 1998***

☐	0,38 ha	2 300	50 à 69 F

D'un jaune doré, ce riesling possède un nez attirant, aux arômes fruités subtils, typés et précis. Après une attaque franche, on retrouve un fruité d'agrumes évoluant du citron au pamplemousse. Equilibre et finesse confèrent beaucoup d'élégance à ce vin qui persiste longuement en bouche. (Sucres résiduels : 12 g/l.)
➥ EARL Jean-Louis Mann, 6 A, rue de Colmar, 68420 Eguisheim, tél. 03.89.24.26.47, fax 03.89.24.09.41 ☑ ⊤ r.-v.

FERNAND STENTZ Riesling 1998

☐	0,28 ha	2 400	▇ ⬇	50 à 69 F

Le nez, discret, laisse apparaître quelques nuances d'agrumes. En bouche, une note de pamplemousse domine le fruité. La fraîcheur lui donne de la longueur et marque agréablement la finale. Un riesling qui ne porte pas encore la marque du terroir : à attendre. (Sucres résiduels : 4 g/l.)

➥ Fernand Stentz, 40, rte du Vin, 68420 Husseren-les-Châteaux, tél. 03.89.49.30.04, fax 03.89.49.32.88 ☑ ⊤ r.-v.

Alsace grand cru pfingstberg

FRANCOIS SCHMITT Riesling 1998

☐	0,23 ha	2 000	▇	30 à 49 F

Ce 98 est issu de la partie supérieure du grand cru Pfingstberg, où les sols gréseux donnent naissance à des rieslings aux arômes floraux. Celui-ci ne renie pas ses origines, avec un nez expressif de fleurs blanches. En bouche, l'attaque franche débouche sur une fraîcheur assez vive et agréable. Belle persistance. (Sucres résiduels : 7 g/l.)
➥ Cave François Schmitt, 19, rte de Soultzmatt, 68500 Orschwihr, tél. 03.89.76.08.45, fax 03.89.76.44.02 ☑ ⊤ r.-v.

Alsace grand cru praelatenberg

DOM. ENGEL Riesling 1998

☐	1,5 ha	10 000	▇ ⬇	50 à 69 F

Les frères Christian et Hubert Engel représentent la 3ᵉ génération sur ce domaine de 18 ha situé pour les trois quarts dans le Praelatenberg. Jaune à reflets verts, leur riesling grand cru offre un nez de bonne intensité qui mêle les fruits, une note confite et une impression minérale. Le fruité revient au palais, dans une structure équilibrée, gouleyante, légèrement dominée par les sucres restants qui devront se fondre. A attendre deux ou trois ans. (Sucres résiduels : 14,7 g/l.)
➥ Dom. Christian et Hubert Engel, 1, rue des Vignes, 67600 Orschwiller, tél. 03.88.92.01.83, fax 03.88.82.25.09 ☑ ⊤ t.l.j. 9h-11h30 14h-18h

CAVE D'ORSCHWILLER-KINTZHEIM Riesling 1998*

☐	0,7 ha	5 000	⦀	30 à 49 F

Le Praelatenberg (18,70 ha) repose sur du gneiss. Les sols siliceux sont lourds et peu profonds. Un lieu-dit reconnu et convoité depuis plus d'un millénaire ! Il a donné naissance à un riesling à fruité complexe, puissant et fin au nez. Equilibré entre la vivacité et la rondeur, agréable et montrant une bonne tenue en fin de bouche, ce vin gagnera toutefois à séjourner deux ou trois ans en cave. (Sucres résiduels : 4 g/l.)
➥ Cave vinicole d'Orschwiller-Kintzheim, rte du Vin, BP 2, 67600 Orschwiller, tél. 03.88.92.09.87, fax 03.88.82.30.92 ☑ ⊤ t.l.j. 10h-12h 14h-17h

SIFFERT Gewurztraminer 1998★

☐	0,52 ha	4 010	❚❚	70 à 99 F

Fondé il y a plus de deux cents ans au pied du Haut-Kœnigsbourg, ce domaine s'est fait, par sa rigoureuse politique de qualité, une bonne place au sein de la profession. Une partie de sa production provient du Praelatenberg, terroir de sols siliceux propices au gewurztraminer. Celui-ci s'annonce par une robe jaune aux brillants reflets dorés et par un nez aux intenses fragrances de rose. Ces fins arômes se poursuivent longuement au palais, dont la fraîcheur, l'équilibre, la bonne maturité et la persistance sont les maîtres atouts. Un ensemble prometteur. (Sucres résiduels : 26 g/l.)
☛ SCEA Dom. Siffert, 16, rte du Vin, 67600 Orschwiller, tél. 03.88.92.02.77, fax 03.88.82.70.02, e-mail siffert@rmcnet.fr
☑ ⟍ t.l.j. 9h-12h 13h30-19h; dim. sur r.-v.; f. 15 janv.-15 fév.

Alsace grand cru rangen de thann

CLOS SAINT-THEOBALD
Tokay-pinot gris Sélection de grains nobles 1996★★

☐	0,5 ha	1000	❚ ⬧	250 à 299 F

Véritable quintessence, cette Sélection de grains nobles représente ce que l'on peut réussir de mieux. Jaune d'or dans le verre, ce pinot gris possède un nez puissant de confit, de surmaturation, une bouche équilibrée, ample et grasse, soutenue par une bonne acidité. La finale est marquée par des arômes de fruits confits et de miel. Un vin précieux, qui s'affirmera davantage. (Bouteilles de 50 cl.)
☛ Dom. Schoffit , 66 Nonnenholz-Weg (par la rue des Aubépines), 68000 Colmar, tél. 03.89.24.41.14, fax 03.89.41.40.52 ☑ ⟍ r.-v.

CLOS SAINT-THEOBALD
Tokay-pinot gris Vendanges tardives 1996★★★

☐	1,5 ha	5 000	❚ ⬧	200 à 249 F

Le domaine Schoffit est l'un des rares à détenir des vignes dans le Rangen, un grand cru constitué de roches schisteuses. Il en tire des vins très remarqués dans le Guide, comme ce tokay de vendanges tardives en livrée jaune paille, au nez charmeur fait de fruits confits, d'un zeste de mandarine et d'écorce d'orange. Avec une structure à la fois solide et agréable, l'équilibre est parfait. Une bouteille d'exception.
☛ Dom. Schoffit , 66 Nonnenholz-Weg (par la rue des Aubépines), 68000 Colmar, tél. 03.89.24.41.14, fax 03.89.41.40.52 ☑ ⟍ r.-v.

Alsace grand cru rosacker

DAVID ERMEL Riesling 1998★

☐	0,3 ha	3 600	❚ ⬧	30 à 49 F

Très expressif, ce riesling joue sur la gamme des fleurs blanches avec quelques notes de surmaturation. Il commence à révéler cette touche minérale propre aux terroirs marno-calcaires. L'attaque est agréable par sa fraîcheur citronnée qui persiste dans une bouche équilibrée, puissante et ample. (Sucres résiduels : 7 g/l.)
☛ Jean-David Ermel, 30, rte de Ribeauvillé, 68150 Hunawihr, tél. 03.89.73.61.71, fax 03.89.73.32.56, e-mail ermeldavid.com
☑ ⟍ t.l.j. 8h-12h 13h30-19h; groupes sur r.-v.

CAVE VINICOLE DE HUNAWIHR
Riesling 1998

☐	4 ha	28 000	❚ ⬧	30 à 49 F

Créée en 1954, la cave de Hunawihr vinifie la récolte de 200 ha de vignes. On retrouve cette année son riesling du Rosacker, terroir argilo-calcaire de 26 ha, planté pour moitié de ce cépage, et qui bénéficie d'une renommée millénaire. Ce 98 s'affirme par un nez puissant d'agrumes. Cette dominante aromatique marque aussi le palais dès l'attaque franche et vive. Des saveurs plus minérales devraient apparaître avec le temps. (Sucres résiduels : 5 g/l.)
☛ Cave vinicole de Hunawihr, 48, rte de Ribeauvillé, 68150 Hunawihr, tél. 03.89.73.61.67, fax 03.89.73.33.95 ☑ ⟍ t.l.j. 8h-12h 14h-18h

MADER Riesling 1998

☐	0,5 ha	3 500	❚	50 à 69 F

Fin et typique au nez, ce 98 demande encore à s'ouvrir. Un peu moelleux à l'attaque, il montre ensuite une bonne fraîcheur. Ses arômes de fruits s'affirment un peu plus au palais. Un joli vin qui gagnera à attendre pour exprimer davantage le terroir. (Sucres résiduels : 10 g/l.)
☛ EARL Jean-Luc Mader, 13, Grand-Rue, 68150 Hunawihr, tél. 03.89.73.80.32, fax 03.89.73.31.22 ☑ ⟍ r.-v.

FREDERIC MALLO ET FILS
Riesling Vieilles vignes 1998★

☐	0,35 ha	1 800	❚❚	50 à 69 F

Issu de vignes de quarante-cinq ans, ce riesling possède un nez joliment puissant. Les parfums, surtout fruités, sont marqués d'une légère surmaturation. La bouche confirme l'intensité et la générosité de ce vin. On y retrouve des notes de maturité (miel), de cépage (agrumes) et de terroir (fumé, grillé). Une finale longue et puissante conclut la dégustation. (Sucres résiduels : 7 g/l.)
☛ EARL Frédéric Mallo et Fils, 2, rue Saint-Jacques, 68150 Hunawihr, tél. 03.89.73.61.41, fax 03.89.73.68.46 ☑ ⟍ r.-v.
☛ Dominique Mallo

FRANCOIS SCHWACH ET FILS
Riesling 1998★

☐	0,2 ha	1 600	❚ ⬧	50 à 69 F

Cette exploitation qui compte 20 ha s'est beaucoup développée durant les quinze dernières années. Sélection des terroirs et recherche de qualité sont ses maîtres-mots. Encore un peu fermé, son riesling Rosacker libère avec retenue des nuances fruitées qui s'expriment davantage au palais. Son caractère sec, son ampleur et son gras lui donnent un bel équilibre. Sa puissance, ses arômes variétaux et une pointe de fraîcheur le rendent plaisant. (Sucres résiduels : 7 g/l.)

↙ Dom. François Schwach et Fils, 28, rte de Ribeauvillé, 68150 Hunawihr,
tél. 03.89.73.62.15, fax 03.89.73.37.84,
e-mail schwach@rmcnet.fr ☑ ☗ r.-v.

Alsace grand cru saering

DIRLER Riesling 1998

| | 0,14 ha | 1 230 | ☖ ☙ | 70 à 99 F |

Le sol marno-sableux du Saering est particulièrement favorable au riesling. Celui-ci affiche sa typicité : un bouquet floral très fin, complété par quelques notes d'agrumes et de grillé. En bouche, la surmaturation lui donne rondeur et puissance ; le fruité accompagne une fine fraîcheur. Il faudra l'attendre pour qu'il gagne en fondu. (Sucres résiduels : 11 g/l.)

↙ EARL Dirler, 13, rue d'Issenheim, 68500 Bergholtz, tél. 03.89.76.91.00, fax 03.89.76.85.97, e-mail jpdirler@terre-net.fr ☑ ☗ r.-v.

Alsace grand cru schlossberg

ANDRE BLANCK
Riesling Vendanges tardives Cuvée Pierre Louis 1997★★

| | 2 ha | 1 200 | | 70 à 99 F |

Installé dans l'ancienne cour des chevaliers de Malte à Kientzheim, André Blanck est voisin du château où siège la confrérie Saint-Etienne, et qui appartenait au baron de Schwendi, propagateur du pinot gris en Alsace. Il avait enthousiasmé le jury de l'édition 2000 avec un riesling 97 du même grand cru. Ce vin de vendanges tardives est dans la même lignée. Il affiche une robe éclatante, d'un or jaune soutenu. Le nez frais libère des senteurs de fleurs et de citron qui

se prolongent agréablement en bouche par des notes de fruit de la passion. Après une belle attaque, on découvre une harmonie presque parfaite. Un vin distingué, qu'un dégustateur suggère de servir avec un poisson en croûte. (Bouteilles de 50 cl.)

↙ EARL André Blanck et Fils, Ancienne Cour des Chevaliers de Malte, 68240 Kientzheim, tél. 03.89.78.24.72, fax 03.89.47.17.07 ☑ ☗ t.l.j. sf dim. 8h-12h 14h-19h

SALZMANN Tokay-pinot gris 1998★

| | 0,17 ha | 1 500 | ☖ ☙ | 70 à 99 F |

D'origine monastique - elle dépendait de l'abbaye de Pairis -, cette exploitation est dans la famille Salzmann-Thomann depuis la Révolution. La cave est une ancienne cour dîmière. Ce tokay grand cru se distingue par des notes de fruits secs et des arômes de surmaturation. Impressionnant par son attaque moelleuse, il s'affirme avec ampleur sur des notes de coing. (Sucres résiduels : 30 g/l.)

↙ Salzmann-Thomann, Dom. de l'Oberhof, 3, rue de l'Oberhof, 68240 Kaysersberg, tél. 03.89.47.10.26, fax 03.89.78.13.08 ☑ ☗ r.-v.

SALZMANN Gewurztraminer 1998★

| | 0,39 ha | 2 000 | ☖ ☙ | 70 à 99 F |

Patrie du Dr Schweitzer, Kaysersberg est l'une des bourgades les plus connues d'Alsace. Son terroir de grand cru, le Schlossberg, repose sur un substrat granitique qui imprime sa marque sur les vins. Doré à l'œil, relevé d'un arôme profond de rose au nez, celui-ci est riche, très complexe. Sa bouche ronde, où l'on trouve quelques caractères de surmaturation, se révèle corsée et persistante. (Sucres résiduels : 50 g/l.)

↙ Salzmann-Thomann, Dom. de l'Oberhof, 3, rue de l'Oberhof, 68240 Kaysersberg, tél. 03.89.47.10.26, fax 03.89.78.13.08 ☑ ☗ r.-v.

SALZMANN
Gewurztraminer Vendanges tardives 1997★★

| | 0,25 ha | 800 | ☖ ☙ | 70 à 99 F |

Voici un remarquable gewurztraminer de vendanges tardives : paré d'une robe jaune à reflets dorés d'une grande brillance, il possède un nez puissant dominé par les fleurs blanches. Au palais, la première impression est particulièrement agréable et l'équilibre déjà très bon. Les arômes sont surtout fruités, et la finale persiste avec beaucoup de fraîcheur. Un dégustateur conclut : « On frôle la quintessence. » (Bouteilles de 50 cl.)

↙ Salzmann-Thomann, Dom. de l'Oberhof, 3, rue de l'Oberhof, 68240 Kaysersberg, tél. 03.89.47.10.26, fax 03.89.78.13.08 ☑ ☗ r.-v.

DOM. WEINBACH
Riesling Clos des Capucins 1998★★

| | 1 ha | 6 400 | | 70 à 99 F |

Le Schlossberg est un grand cru très réputé, non seulement en raison de son étendue - près de 82 ha - mais aussi grâce à des normes rigoureuses de production définies dès 1928. Il donne de grands rieslings. Renommé bien au-delà de nos frontières, le domaine géré par Colette Faller et ses filles en a tiré un 98 au nez d'abord intensément floral, puis minéral. Après une attaque fraîche, on découvre une bouche grasse, équilibrée et persistante, avec un retour du minéral. (Sucres résiduels : 3,8 g/l.)

☛ Colette Faller et ses Filles, Dom. Weinbach, Clos des Capucins, 68240 Kaysersberg, tél. 03.89.47.13.21, fax 03.89.47.38.18 ☑ ⵑ r.-v.

Alsace grand cru schoenenbourg

DOPFF ET IRION Riesling 1998★

| ☐ | 2,16 ha | 12 000 | 🍷🕹 | 100 à 149 F |

Le château de Riquewihr appartenait aux ducs de Wurtemberg. En 1752, Voltaire leur prêta quelque 540 000 livres et bénéficia en contrepartie d'une hypothèque sur les vignes qu'ils possédaient dans le Schoenenbourg ! En 1998, ce grand cru a donné un riesling au joli nez de fleurs blanches et de tilleul. On retrouve ces arômes, accompagnés d'une touche de miel, dans un palais racé, frais, bien fondu, à la finale persistante. Une personnalité remarquée et une bouteille d'avenir. (Sucres résiduels : 9,4 g/l.)

☛ Dopff et Irion, Dom. du château de Riquewihr, 68340 Riquewihr, tél. 03.89.47.92.51, fax 03.89.47.98.90, e-mail post@dopff-irion.com ☑ ⵑ r.-v.

ANTOINE ZIMMER Riesling 1998★

| ☐ | 0,95 ha | 7 300 | 🍷 | 70 à 99 F |

En 1644, Merian mentionne le Schoenenbourg dans sa *Topographia Alsatiae*, un terroir où, écrit-il, « pousse le vin le plus noble du pays ». Le riesling y tient aujourd'hui une place de choix. D'un jaune doré brillant, celui-ci s'ouvre sur des arômes frais de pêche et d'abricot, assortis d'une touche florale. Après une bonne attaque, la bouche affirme sa richesse, avec du volume, du gras et de la nervosité. Une note citronnée contribue à la persistance de la finale. Un vin à attendre pour lui permettre de gagner en fondu. (Sucres résiduels : 8 g/l.)

☛ Antoine Zimmer, 44, rue du Gal-de-Gaulle, 68340 Riquewihr, tél. 03.89.47.85.01, fax 03.89.47.99.39 ☑ ⵑ r.-v.

Alsace grand cru sommerberg

ALBERT BOXLER Riesling 1998★★

| ☐ | n.c. | 2 800 | 🍷 | 70 à 99 F |

Sur une pente exposée plein sud, au-dessus du village de Niedermorschwihr, naissent des rieslings très typés, portant l'empreinte du granite à deux micas. Souvent « étoilé » dans le Guide, Albert Boxler sait tirer le meilleur du Sommerberg. On se souvient du 92, qui obtint un coup de cœur. Le 98 possède des arômes expressifs et fins. La nuance minérale est toutefois légère. Au

palais, l'ampleur s'équilibre avec la vivacité. Déjà persistant et très prometteur, ce grand cru s'épanouira dans deux à trois ans. (Sucres résiduels : 7 à 8 g/l.)

☛ Albert Boxler, 78, rue des Trois-Epis, 68230 Niedermorschwihr, tél. 03.89.27.11.32, fax 03.89.27.70.14 ☑ ⵑ r.-v.

KUEHN Riesling 1998

| ☐ | 2 ha | 14 800 | 🍾 | 50 à 69 F |

Ce riesling jaune clair associe des nuances minérales et une note musquée. En bouche, l'attaque agréable se poursuit en finesse sur du fruité. Malgré une persistance moyenne, l'harmonie est intéressante. (Sucres résiduels : 8 g/l.)

☛ Kuehn Vins d'Alsace, 3, Grand-Rue, 68770 Ammerschwihr, tél. 03.89.78.23.16, fax 03.89.47.18.32 ☑ ⵑ t.l.j. 8h-12h 13h30-18h

GERARD WEINZORN
Tokay-pinot gris 1998

| ☐ | 0,64 ha | 1 400 | 🍾 | 50 à 69 F |

Claude Weinzorn a repris l'exploitation familiale en 1992. Un domaine fondé il y a quatre siècles, et dont la maison classée Monument historique dit l'ancienneté. Du Sommerberg, terroir bien connu pour ses rieslings, il a tiré un pinot gris qui ne manque pas d'intérêt. Le nez exprime un fruité très mûr et fin. L'attaque franche est relayée par une fraîcheur plutôt surprenante. La richesse et l'équilibre de ce vin laissent présager une évolution favorable. (Sucres résiduels : 22 g/l.)

☛ EARL Gérard Weinzorn et Fils, 133, rue des Trois-Epis, 68230 Niedermorschwihr, tél. 03.89.27.40.55, fax 03.89.27.04.23, e-mail weinzorn@free.fr ☑ ⵑ t.l.j. 8h-12h 14h-18h

GERARD WEINZORN
Riesling Vieilles vignes 1998★

| ☐ | 0,15 ha | 600 | 🍾 | 70 à 99 F |

Ce riesling vendangé à la mi-novembre présente une robe dorée qui s'accorde avec ses arômes de fleurs et de fruits en surmaturation. Peu nerveuse, la bouche est marquée par une certaine lourdeur, mais la matière est belle. (Sucres résiduels : 13 g/l.)

☛ EARL Gérard Weinzorn et Fils, 133, rue des Trois-Epis, 68230 Niedermorschwihr, tél. 03.89.27.40.55, fax 03.89.27.04.23, e-mail weinzorn@free.fr ☑ ⵑ t.l.j. 8h-12h 14h-18h

Alsace grand cru sonnenglanz

DOM. BOTT-GEYL Tokay-pinot gris 1998★

| ☐ | 1 ha | 5 600 | 🍷🕹 | 100 à 149 F |

Terroir marno-calcaire lourd et caillouteux, le Sonnenglanz est particulièrement favorable au gewurztraminer et au pinot gris. Cette dernière variété avait donné un superbe 96 sur ce même grand cru. Le 98 présente surtout des caractères

de jeunesse : ses beaux arômes, intenses, sont ceux du cépage. L'attaque douce est suivie d'une structure riche. La finale est dominée par les sucres restants. (Sucres résiduels : 37 g/l.)
🍷 Dom. Bott-Geyl, 1, rue du Petit-Château, 68980 Beblenheim, tél. 03.89.47.90.04, fax 03.89.47.97.33 ☑ ⵉ r.-v.
🍷 Jean-Christophe Bott

HEIMBERGER Gewurztraminer 1998★

☐	3 ha	18 000	ⵉ ⵊ	50 à 69 F

Le Sonnenglanz est l'un des plus anciens terroirs d'Alsace mentionné sur les étiquettes. D'exposition sud-est, ce grand cru possède un sol lourd de calcaire et de marne, aéré par un cailloutis. Il a donné un gewurztraminer d'un jaune intense, dont le nez encore discret laisse percevoir des notes de pêche et d'abricot. On retrouve des notes fruitées, accompagnées de poivre, dans un palais de bonne puissance. Un ensemble harmonieux. (Sucres résiduels : 30 g/l.)
🍷 Cave vinicole de Beblenheim, 14, rue de Hoen, 68980 Beblenheim, tél. 03.89.47.90.02, fax 03.89.47.86.85 ☑ ⵉ r.-v.

HEIMBERGER Riesling 1998★★

☐	1 ha	8 000	ⵉ ⵊ	50 à 69 F

Bénéficiant déjà d'une grande notoriété au siècle dernier, le Sonnenglanz est surtout connu pour ses pinots gris et ses gewurztraminer qui occupent majoritairement les 38 ha de ce terroir. Et pourtant, la cave de Beblenheim en a tiré un très joli riesling. L'or blanc de la robe montre des reflets verts. Le nez, très expressif, mêle des notes d'agrumes, de fleurs blanches et de surmaturité. Le palais apparaît puissant et gras, avec des arômes fruités, fins et francs qui prolongent ceux perçus à l'olfaction. D'une belle typicité fruitée, la finale est d'une rondeur agréable. Un vin élégant et charmeur. (Sucres résiduels : 15 g/l.)
🍷 Cave vinicole de Beblenheim, 14, rue de Hoen, 68980 Beblenheim, tél. 03.89.47.90.02, fax 03.89.47.86.85 ☑ ⵉ r.-v.

Alsace grand cru spiegel

LOBERGER
Riesling Vendanges tardives 1997★

☐	0,45 ha	1 500	100 à 149 F

Cette exploitation de 6 ha, qui remonte à 1617, possède des parcelles dans deux grands crus, le Saering et le Spiegel. Ce dernier a donné naissance à ce riesling vêtu d'or avec des reflets verts. Ce vin mêle au nez le miel et des notes épicées qui dominent le palais. Très expressif et d'une grande élégance, il révèle un beau potentiel d'évolution. Un dégustateur le servirait bien sur un poisson en croûte ou un soufflé au brochet.
🍷 Dom. Joseph Loberger, 10, rue de Bergholtz-Zell, 68500 Bergholtz, tél. 03.89.76.88.03, fax 03.89.74.16.89 ☑ ⵉ t.l.j. sf dim. 8h-12h 14h-18h

LOBERGER Gewurztraminer 1998★

☐	0,2 ha	1 500	50 à 69 F

Tourné vers l'est, le Spiegel est constitué de conglomérats gréseux et de marnes ponctuées d'éboulis. Sa pente relativement douce rend son exploitation assez aisée. D'un or pâle à l'œil, ce gewurztraminer offre des arômes fins et un peu réglissés, typiques du terroir. La bouche, harmonieuse, révèle des notes de fruits confits nuancées de fleurs. Un beau vin, puissant et complexe. (Sucres résiduels : 22 g/l.)
🍷 Dom. Joseph Loberger, 10, rue de Bergholtz-Zell, 68500 Bergholtz, tél. 03.89.76.88.03, fax 03.89.74.16.89 ☑ ⵉ t.l.j. sf dim. 8h-12h 14h-18h

DOM. SCHLUMBERGER
Pinot gris 1998★

☐	2,6 ha	10 000	ⵉ ⵊⵊ	100 à 149 F

Cette vaste propriété exporte près des deux tiers de sa production. Née en 1810, elle a surtout été développée par Ernest Schlumberger. Aujourd'hui elle compte quelque 70 ha classés en grand cru. Le Spiegel, au sol argilo-gréseux, est réputé depuis plus de cinquante ans. Ce pinot gris libère des notes fruitées et surmaturées. Très souple, fin et expressif, il est d'un équilibre agréable. La finale est marquée par des notes confites et épicées. (Sucres résiduels : 25 g/l.)
🍷 Domaines Schlumberger, 100, rue Théodore-Deck, 68501 Guebwiller Cedex, tél. 03.89.74.27.00, fax 03.89.74.85.75, e-mail jvschlum@aol.com ☑ ⵉ r.-v.

Alsace grand cru sporen

ROGER JUNG ET FILS
Gewurztraminer 1998★★

☐	0,25 ha	1 500	ⵉ ⵊ	70 à 99 F

Par sa constitution minéralogique, le Sporen a la réputation d'accroître la précocité des cépages et d'engendrer des vins d'une belle complexité. Le savoir-faire de Rémy et de Jacques Jung a fait le reste. Leur gewurztraminer, revêtu d'une robe jeune, très claire, est remarquable. Ses arômes discrets mais d'une grande finesse, évoquent la rose et les fruits confits. On les retrouve dans une bouche puissante, harmonieuse et très longue. (Sucres résiduels : 27 g/l.)
🍷 SARL Roger Jung et Fils, 23, rue de la 1ʳᵉ-Armée, 68340 Riquewihr, tél. 03.89.47.92.17, fax 03.89.47.87.63, e-mail rjung@terre-net.fr ☑ ⵉ t.l.j. 10h-12h 14h-19h

DOM. DE LA VIEILLE FORGE
Gewurztraminer 1998

☐	0,2 ha	600	70 à 99 F

Le Sporen est un cirque naturel en pente douce orienté au sud-est. Son sol argilo-marneux, très riche en acide phosphorique, hâte la maturation des raisins. Œnologue, Denis Wurtz en a tiré ce gewurztraminer qui constitue son premier millésime. Ce vin est très jeune, à en juger par sa couleur jaune pâle et par la retenue de ses arômes

de fruits confits, encore peu complexes. La bouche puissante et de bonne harmonie donne de l'espoir. A attendre. (Sucres résiduels : 16 g/l.)
☛ Dom. de La Vieille Forge, 5, rue de Hoen, 68980 Beblenheim, tél. 03.89.86.01.58, fax 03.89.86.01.58 ☑ ⟙ t.l.j. sf dim. 10h-12h30 13h-19h30
☛ Denis Wurtz

ANTOINE ZIMMER
Gewurztraminer 1998★

| | 0,58 ha | 3 700 | ⦀ | 100 à 149 F |

Antoine Zimmer est à la tête d'un vignoble de 10 ha fondé en 1848. Son gewurztraminer du Sporen affiche une superbe robe d'or. Les arômes de fruits confits dominent le nez, assortis d'une nuance de fruits exotiques. Le palais est en continuité, gras, ample, confit comme le nez et de bonne longueur. Un vin élégant qui peut être dégusté dès maintenant. Un membre du jury suggère de le servir à 16 heures avec des petits fours secs. (Sucres résiduels : 20 g/l.)
☛ Antoine Zimmer, 44, rue du Gal-de-Gaulle, 68340 Riquewihr, tél. 03.89.47.85.01, fax 03.89.47.99.39 ☑ ⟙ r.-v.

Alsace grand cru steinert

ANTOINE MOLTES ET FILS
Tokay-pinot gris Vendanges tardives 1997★

| | 0,31 ha | 1 600 | ▮ | 70 à 99 F |

Par sa structure calcaire pierreuse, le Steinert confère aux vins qui en sont issus l'ossature et la générosité qui font les grandes bouteilles. Celui-ci, d'un jaune doré brillant, libère des senteurs florales (bruyère) et fruitées (pêche). D'une attaque délicate, la bouche réglissée n'apparaît pas encore ouverte, mais elle est de bonne longueur. Un ensemble prometteur.
☛ GAEC Dom. Antoine Moltès et Fils, 8-10, rue du Fossé, 68250 Pfaffenheim, tél. 03.89.49.60.85, fax 03.89.49.50.43, e-mail gmoltes@terre-net.fr ☑ ⟙ t.l.j. 8h-12h 14h-19h

RIEFLE Gewurztraminer 1998★

| | 0,68 ha | 6 000 | ▮⦀⚭ | 70 à 99 F |

Le domaine Rieflé fait aujourd'hui figure de référence. M. Rieflé a d'ailleurs présidé aux destinées du Conseil interprofessionnel du vin d'Alsace. Jaune paille à l'œil, son gewurztraminer du Steinert est très marqué par les fruits confits, avec des nuances de fleurs. C'est un « vin plaisir ». Élégant, équilibré, riche en bouche, épicé à souhait, il peut dès maintenant réjouir les palais les plus difficiles. (Sucres résiduels : 23 g/l.)
☛ Dom. Rieflé, 11, pl. de la Mairie, 68250 Pfaffenheim, tél. 03.89.78.52.21, fax 03.89.49.50.98, e-mail riefle@riefle.com ☑ ⟙ r.-v.

RIEFLE Riesling 1998★

| | 0,4 ha | 3 200 | ▮⦀⚭ | 70 à 99 F |

Depuis plus de quarante ans, la qualité et les sélections de terroir font l'objet d'une attention constante dans cette exploitation couverte de lauriers ces dernières années (le 96 avait obtenu un coup de cœur). Ce riesling, d'abord discret, monte en puissance sur des notes d'agrumes, avec une nuance exotique. Doux en attaque, il retrouve, avec la fraîcheur, un bel équilibre, puis finit sur une petite rondeur. La finale est soutenue et agréable. (Sucres résiduels : 13,7 g/l.)
☛ Dom. Rieflé, 11, pl. de la Mairie, 68250 Pfaffenheim, tél. 03.89.78.52.21, fax 03.89.49.50.98, e-mail riefle@riefle.com ☑ ⟙ r.-v.

PIERRE-PAUL ZINK
Gewurztraminer 1998★

| | 0,15 ha | 1000 | ⦀ | 50 à 69 F |

Tourné vers l'est, le Steinert possède un sol largement calcaire, aéré par un cailloutis très important qui a donné son nom au lieu-dit (le terme de Steinert renvoie à un terroir pierreux). Il a donné naissance à un vin jaune clair à reflets dorés et au nez « éclatant ». Complexe et intense, sa palette aromatique, qui mêle notes minérales, fruits, fleurs et épices, se prolonge en bouche. Un grand vin tout en finesse. (Sucres résiduels : 16 g/l.)
☛ Pierre-Paul Zink, 27, rue de la Lauch, 68250 Pfaffenheim, tél. 03.89.49.60.87, fax 03.89.49.73.05 ☑ ⟙ r.-v.

PIERRE-PAUL ZINK Riesling 1998

| | 0,14 ha | 800 | ⦀ | 50 à 69 F |

Terroir argilo-calcaire particulièrement caillouteux, le Steinert est reconnu depuis le Haut Moyen Age. De nombreuses abbayes y détenaient des vignobles. D'un doré prononcé, ce 98 est intense au nez, avec des notes de fruits mûrs ou légèrement confits et des nuances grillées. En bouche, il apparaît très puissant, tout en restant équilibré. Il devra attendre pour gagner en finesse. (Sucres résiduels : 3 g/l.)
☛ Pierre-Paul Zink, 27, rue de la Lauch, 68250 Pfaffenheim, tél. 03.89.49.60.87, fax 03.89.49.73.05 ☑ ⟙ r.-v.

Alsace grand cru steingrübler

STENTZ-BUECHER Riesling 1998

| | 0,38 ha | 1 600 | ▮ | 70 à 99 F |

Le Steingrübler est connu depuis le XVᵉ s. Sa partie haute, plutôt sablonneuse, est un grand terroir à riesling. Celui-ci possède un nez discret mais élégant, qui s'ouvre progressivement sur des notes florales fines et agréables. Le palais, plutôt moelleux à l'attaque, franc et frais, légèrement fruité, donne une impression de puissance. Un vin jeune et prometteur. (Sucres résiduels : 11 g/l.)

➥ Dom. Stentz-Buecher, 21, rue Kleb, 68920 Wettolsheim, tél. 03.89.80.68.09, fax 03.89.79.60.53 ☑ ⊥ r.-v.

➥ Dom. André et Rémy Gresser, 2, rue de l'Ecole, 67140 Andlau, tél. 03.88.08.95.88, fax 03.88.08.55.99, e-mail remy.gresser@wanadoo.fr ☑ ⊥ r.-v.

Alsace grand cru vorbourg

DOM. DE L'ECOLE
Tokay-pinot gris 1998★★

☐	0,8 ha	2 100	▮▲	50 à 69 F

Le domaine de l'Ecole dépend du lycée viticole de Rouffach. La production y est étroitement liée, depuis plus de cinquante ans, à la formation des jeunes viticulteurs et des techniciens. L'alliance du terroir et des bonnes pratiques raisonnées conduit à des vins remarquables comme ce tokay-pinot gris. D'un or pâle, ce 98 rassemble des parfums complexes : fruits confits, notes grillées avec une légère touche de surmaturation. D'un bel équilibre en bouche, il exprime avec persistance sa riche palette aromatique. Un vin bien typé et harmonieux. (Sucres résiduels : 22 g/l.)
➥ Dom. de L'Ecole, Lycée viticole, 8, Aux Remparts, 68250 Rouffach, tél. 03.89.78.73.16, fax 03.89.78.73.01, e-mail legta.rouffach@educagri.fr ☑ ⊥ t.l.j. sf sam. dim. 9h-12h 13h15-17h15; août sur r.-v.

Alsace grand cru wiebelsberg

BOECKEL Riesling 1998

☐	2,5 ha	11 000	▥	50 à 69 F

Déjà réputé en 1852, le coteau du Wiebelsberg (12,52 ha) se caractérise par un sol sablo-gréseux. C'est une terre d'élection du riesling. Celui-ci séduit par ses arômes de fruits exotiques qui imprègnent une belle matière. On attendrait plus de sève et de fraîcheur en attaque, mais son côté miellé donne à cette bouteille une persistance satisfaisante. (Sucres résiduels : 6 g/l.)
➥ Emile Boeckel, 2, rue de la Montagne, 67140 Mittelbergheim, tél. 03.88.08.91.91, fax 03.88.08.91.88 ☑ ⊥ r.-v.

ANDRE ET REMY GRESSER
Riesling Vendanges tardives 1997★★

☐	0,82 ha	2 000	▮▲	150 à 199 F

Un document de 1520, signé par Thiebaut Gresser, vigneron et prévôt d'Andlau, atteste l'ancienneté de l'activité viticole dans la famille. Le savoir-faire est toujours là, témoin ce riesling de vendanges tardives au potentiel remarquable. Or pâle dans le verre, ce 97 libère des parfums complexes d'agrumes et de fruits confits. Ample, harmonieux, riche d'arômes d'une grande finesse, le palais est une merveille.

Alsace grand cru wineck-schlossberg

JEAN-MARC BERNHARD
Riesling 1998★★

☐	0,35 ha	2 000	▮ 50 à 69 F

La famille Bernhard est au service du vin depuis deux siècles. Frédéric, le fils, vient de rejoindre l'exploitation après de nombreux stages en France et à l'étranger. Son riesling du Wineck-Schlossberg se montre très floral au nez, avec une pointe de citron vert et une nuance minérale. En bouche, il séduit par son caractère à la fois fin et intense, gras et puissant. Un vin qui a tout pour plaire. (Sucres résiduels : 16 g/l.)
➥ Domaine Jean-Marc Bernhard, 21, Grand-Rue, 68230 Katzenthal, tél. 03.89.27.05.34, fax 03.89.27.58.72 ☑ ⊥ t.l.j. sf dim. 9h-12h 13h30-19h

JEAN-PAUL ECKLE Riesling 1998★

☐	0,21 ha	1 500	▥	50 à 69 F

Le château du Wineck, qui domine le vignoble, a donné son nom à ce grand cru. Les sols de granite à deux micas contribuent au caractère aromatique et à la structure des vins qui y naissent. Jaune clair à reflets dorés, celui-ci est puissant et gras. Ses parfums sont complexes, avec une touche épicée et une nuance minérale. Une harmonie généreuse. Le 96 avait obtenu un coup de cœur. (Sucres résiduels : 5 g/l.)
➥ Jean-Paul Ecklé, 29, Grand-Rue, 68230 Katzenthal, tél. 03.89.27.09.41, fax 03.89.80.86.18 ☑ ⊥ t.l.j. 8h-12h 14h-19h

VINCENT SPANNAGEL
Riesling Vendanges tardives 1997★★

☐	0,3 ha	1 500	▥	70 à 99 F

Le village de Katzenthal, lové au fond d'un vallon fermé sur trois côtés et abrité des vents dominants, bénéficie d'un microclimat très favorable. Le père de Vincent Spannagel y a acheté les premières parcelles en 1958 et a constitué patiemment le vignoble familial. Le domaine compte aujourd'hui 9 ha. Son riesling de vendanges tardives s'annonce par une robe d'un jaune d'or soutenu et par un nez d'une grande

finesse mêlant les fruits confits et le miel. Ces arômes se retrouvent dans un palais puissant, équilibré, riche et gras.
🕷 Vincent Spannagel, 82, rue du Vignoble, 68230 Katzenthal, tél. 03.89.27.52.13, fax 03.89.27.56.48 ☑ ⊤ r.-v.

DOM. MICHELE ET JEAN-LUC STOECKLE Gewurztraminer 1998

| | 0,45 ha | 3 000 | ▮ ♠ | 50 à 69 F |

Cette exploitation de 6 ha est issue de l'ancienne société Klur-Stoecklé, formée de deux familles qui ont repris leur liberté en 1999. Jean-Luc Stoecklé, montagnard passionné, est fier de son vignoble de coteau du Wineck-Schlossberg, dont les sols de granite à deux micas relativement dégradés engendrent des vins complexes. D'un jaune doré brillant, celui-ci possède un nez très floral nuancé de fruits secs. Le palais aurait pu être plus vif, mais il ne manque pas d'agrément. (Sucres résiduels : 43 g/l.)
🕷 Michèle et Jean-Luc Stoecklé, 9, Grand-Rue, 68230 Katzenthal, tél. 03.89.27.05.08, fax 03.89.27.33.61 ☑ ⊤ t.l.j. sf dim. après-midi 8h-12h 13h-19h

Alsace grand cru winzenberg

RENE KIENTZ FILS Riesling 1998★

| | 0,2 ha | 1 500 | ◖▮▮ | 30 à 49 F |

Le vignoble de Blienschwiller est mentionné dès le IX^{e}s. Ce grand cru, qui ne compte que 19,20 ha, repose sur un terroir granitique à deux micas particulièrement propice au riesling. Celui-ci, encore fermé au nez, présente un bon équilibre et une fraîcheur aux nuances de citron. Sa bonne longueur dénote un vin prometteur, qui doit s'ouvrir d'ici la fin 2000. (Sucres résiduels : 6 g/l.)
🕷 René Kientz Fils, 49, rte du Vin, 67650 Blienschwiller, tél. 03.88.92.49.06, fax 03.88.92.45.87 ☑ ⊤ r.-v.

HUBERT METZ Riesling 1998★

| | 0,33 ha | 2 500 | ◖▮▮ | 50 à 69 F |

Cette exploitation a son siège dans une ancienne cave de la dîme construite en 1728. Elle abrite toujours sous sa voûte de beaux foudres ornés où mûrissent encore les grands vins comme ce riesling. Ce 98 allie au nez les fruits, le miel et des notes de terroir. Equilibré, bien fondu, il présente une acidité finement citronnée en harmonie avec les arômes de fruits exotiques qui agrémentent la longue finale. (Sucres résiduels : 7 g/l.)
🕷 Hubert Metz, 3, rue du Winzenberg, 67650 Blienschwiller, tél. 03.88.92.43.06, fax 03.88.92.62.08, e-mail hubertmetz@aol.com
☑ ⊤ t.l.j. sf dim. 8h-19h

Alsace grand cru zinnkoepflé

LEON BOESCH ET FILS
Gewurztraminer Vendanges tardives 1997★

| | 0,5 ha | 3 000 | ◖▮▮ | 100 à 149 F |

Le Zinnkoepflé domine la pittoresque vallée de l'Ohmbach, appelée vallée Noble. Il bénéficie d'une exposition sud propice à la croissance d'une flore de type méditerranéen. Ce domaine, qui y est établi depuis 1832, exploite aujourd'hui plus de 10 ha. Comme l'an dernier, c'est un gewurztraminer de vendanges tardives que les dégustateurs ont apprécié. Jaune d'or, ce 97 offre un nez intense mariant le miel, l'abricot confit et les fruits exotiques. Puissant, gras, riche en arômes, le palais en fait un vin très prometteur.
🕷 Léon Boesch et Fils, 6, rue Saint-Blaise, 68250 Westhalten, tél. 03.89.47.01.83, fax 03.89.47.64.95 ☑ ⊤ t.l.j. sf dim. 9h30-11h30 14h-18h
🕷 Gérard Boesch

DIRINGER Gewurztraminer 1998★

| | 0,7 ha | 5 000 | ▮ ♠ | 50 à 69 F |

Sébastien et Thomas Diringer sont depuis 1982 à la tête de cette exploitation de 13 ha fondée en 1740. Cette année, ils proposent un gewurztraminer très intéressant. Jaune clair, presque transparent, ce vin développe des parfums de fruits exotiques assortis de notes épicées. La bouche, puissante sans aucune lourdeur, est dominée par des arômes intenses de rose. Un vin de gastronomie, que l'on pourra marier à des spécialités asiatiques. (Sucres résiduels : 31 g/l.)
🕷 Dom. Diringer, 18, rue de Rouffach, 68250 Westhalten, tél. 03.89.47.01.06, fax 03.89.47.62.64, e-mail diringer.westhalten@wanadoo.fr
☑ ⊤ t.l.j. sf dim. 9h-12h 14h-19h

DIRINGER Riesling 1998★

| | 0,5 ha | 4 000 | ◖▮▮ | 50 à 69 F |

Lorsque l'on monte au Zinnkoepflé, « toit » du vignoble alsacien, on découvre sa pente aride et ses sols de calcaire coquillier. C'est là qu'est né ce riesling au beau nez intense de fleurs. La bouche, qui surprend par son caractère plus citronné, se montre puissante à l'attaque. Equilibrée, elle révèle une pointe d'amertume et une bonne finale. Le 95 avait obtenu un coup de cœur. (Sucres résiduels : 10 g/l.)
🕷 Dom. Diringer, 18, rue de Rouffach, 68250 Westhalten, tél. 03.89.47.01.06, fax 03.89.47.62.64, e-mail diringer.westhalten@wanadoo.fr
☑ ⊤ t.l.j. sf dim. 9h-12h 14h-19h

JEAN-MARIE HAAG
Tokay-pinot gris Cuvée Théo 1998★

| | 0,38 ha | 1 200 | ▮ | 100 à 149 F |

Cette cuvée, au fruité fin, présente aussi quelques notes minérales. Une belle expression de fruits mûrs se développe au palais, sur un fond souple et rond. La persistance, liée à la fraîcheur, donne de l'élégance à la finale. Un vin marqué par la surmaturation - peut-être trop - mais qui

devrait plaire aux amateurs de vendanges tardives. (Sucres résiduels : 60 g/l.)
☛ Jean-Marie Haag, 17, rue des Chèvres, 68570 Soultzmatt, tél. 03.89.47.02.38, fax 03.89.47.64.79 ☑ ⵏ t.l.j. 9h-12h 14h-18h; dim. et groupes sur r.-v.

RAYMOND ET MARTIN KLEIN
Gewurztraminer Vendanges tardives 1997★

	0,92 ha	3 000	ⅢⅠ 70 à 99 F

Etablie à Soultzmatt, charmant village situé à l'entrée de la vallée Noble, au pied du Zinnkoepflé, cette exploitation propose un gewurztraminer de vendanges tardives jaune or, au nez encore fermé qui laisse cependant s'échapper des notes épicées, des fragrances de rose et de confit. Le palais, ample et délicat, annonce un vin captivant, qui n'atteindra son apogée que dans quelques années. Le 93 avait obtenu un coup de cœur.
☛ Raymond et Martin Klein, 61, rue de la Vallée, 68570 Soultzmatt, tél. 03.89.47.01.76, fax 03.89.47.64.53 ☑ ⵏ t.l.j. 9h-12h 14h-18h

FRANCIS MURE Gewurztraminer 1998★

	0,2 ha	1 600	ⵏ ↓ 50 à 69 F

Le Zinnkoepflé est sans doute le terroir le plus élevé du vignoble alsacien. Il est protégé des influences océaniques humides par les plus hauts sommets vosgiens. Son sol calcaro-gréseux donne naissance à de grands vins, comme ce gewurztraminer jaune intense à reflets d'or, au nez très confit de coing et de rose, à la bouche ample, structurée et longue. Une bouteille dans le style des vendanges tardives, à boire dès maintenant à l'apéritif ou sur du foie gras. (Sucres résiduels : 30 g/l.)
☛ Francis Muré, 30, rue de Rouffach, 68250 Westhalten, tél. 03.89.47.64.20, fax 03.89.47.09.39 ☑ ⵏ r.-v.

ERIC ROMINGER
Gewurztraminer Les Sinneles 1998★★★

	0,8 ha	2 300	ⵏ ↓ 70 à 99 F

Décidément, Eric Rominger (Grappe d'argent du Guide en 1998) semble s'être fait une spécialité des coups de cœur. Son gewurztraminer Les Sinneles, plus d'une fois remarqué dans le Guide, décroche cette année la plus haute distinction. D'un jaune d'or très soutenu, il possède un nez intense qui reflète autant le cépage que le terroir. Harmonieuse et délicate, la bouche révèle des arômes fruités où ressort la pâte de coings. Sa puissance et sa longueur sont saluées. Pour un apéritif mémorable ou pour le foie gras d'un grand repas. (Sucres résiduels : 45 g/l.)

☛ SCEA Eric Rominger, 16, rue Saint-Blaise, 68250 Westhalten, tél. 03.89.76.14.71, fax 03.89.74.81.44 ☑ ⵏ r.-v.

ERIC ROMINGER Riesling 1998★★

	0,6 ha	2 000	ⵏ ↓ 50 à 69 F

Ce riesling d'Eric Rominger est remarquable. Son fruité d'agrumes nuancé de fruits exotiques se retrouve au palais. Puissant, ce vin remplit agréablement la bouche. Les accents du terroir devraient apparaître au temps. Le 96 avait obtenu un coup de cœur. (Sucres résiduels : 13 g/l.)
☛ SCEA Eric Rominger, 16, rue Saint-Blaise, 68250 Westhalten, tél. 03.89.76.14.71, fax 03.89.74.81.44 ☑ ⵏ r.-v.

SCHLEGEL-BOEGLIN Riesling 1998★

	0,6 ha	3 000	ⵏ ↓ 30 à 49 F

Jean-Luc Schlegel, qui a repris l'exploitation familiale (11,5 ha) en 1991, s'est fait remarquer l'an dernier avec un riesling qui a obtenu un coup de cœur. Le 98 est encore fermé. Au palais, il est puissant, plein de feu tout en conservant une belle acidité. Les arômes sont encore timides : un vin à garder trois ou quatre ans pour lui permettre d'atteindre sa plénitude. (Sucres résiduels : 13 g/l.)
☛ Dom. Schlegel-Boeglin, 22, rue d'Orschwihr, 68250 Westhalten, tél. 03.89.47.00.93, fax 03.89.47.65.32 ☑ ⵏ t.l.j. sf dim. 8h-12h 14h-18h

FRANCOIS WISCHLEN
Tokay-pinot gris 1997★

	0,4 ha	2 600	100 à 149 F

François Wischlen exploite depuis 1981 le domaine familial de 5 ha fondé par son grand-père à Westhalten. On retrouve dans cette édition son tokay grand cru. Le 97 jaune d'or reflète par sa chaleur le terroir ensoleillé du Zinnkoepflé, exposé plein sud. Le nez exprime un fruité fin aux nuances confites, et le palais révèle un bel équilibre, une bonne présence et une fraîcheur agréable, gage d'une longue garde. (Sucres résiduels : 32 g/l.)
☛ François Wischlen, 4, rue de Soultzmatt, 68250 Westhalten, tél. 03.89.47.01.24, fax 03.89.47.62.90 ☑ ⵏ r.-v.

Alsace grand cru zotzenberg

PIERRE ET JEAN-PIERRE RIETSCH
Riesling 1998★★

	0,3 ha	2 600	ⵏ Ⅲ ↓ 50 à 69 F

Cet ancien domaine se signale par l'originalité de ses étiquettes et la qualité de ses vins (voir déjà, dans la précédente édition du Guide, le chapitre Alsace riesling). A la manière de Magritte, l'étiquette de ce 98 présente deux baies de raisin tombées du ciel, ou du Zotzenberg, suscitant la curiosité des hommes qui ont l'air de Lilliputiens. Serions-nous si petits devant un riesling ? Peut-être. Car celui-ci est grand. Son nez, expressif, complexe et typique, marie des notes citronnées et grillées et des effluves de fleurs blanches qui se prolongent en bouche. Ample à l'attaque, le palais allie moelleux et fraîcheur dans un bel équilibre. Persistante et élégante, la finale laisse le souvenir d'une réelle harmonie. (Sucres résiduels : 7,5 g/l.)

☛ Pierre et Jean-Pierre Rietsch, 32, rue Principale, 67140 Mittelbergheim, tél. 03.88.08.00.64, fax 03.88.08.40.91 ☑ ⚥ r.-v.

FERNAND SELTZ ET FILS
Riesling 1998

	n.c.	2 700	▮	50 à 69 F

Le terroir marno-calcaire du Zotzenberg était autrefois surtout connu pour son sylvaner. Aujourd'hui, d'autres cépages alsaciens, tel ce riesling, contribuent à sa renommée. D'un bel or, ce 98 libère d'abord des arômes de surmaturation, qui laissent quelque peu au second plan des nuances florales et fruitées. De même en bouche, le moelleux et le gras l'emportent sur la fraîcheur et masquent l'expression du terroir. A attendre. (Sucres résiduels : 29,5 g/l.)

☛ EARL Fernand Seltz et Fils, 42, rue Principale, 67140 Mittelbergheim, tél. 03.88.08.93.92, fax 03.88.08.93.92 ☑ ⚥ t.l.j. sf dim. 8h30-19h

ALFRED WANTZ Riesling 1998★

	0,25 ha	2 000	◀▮▶	30 à 49 F

La famille était déjà au service du vin à la fin du XIIIᵉs., et les caves datent de 1618. Quant au terroir, il est déjà mentionné au XIVᵉs. Il a donné un riesling au nez délicat mêlant fruits exotiques et notes grillées. L'attaque franche est relayée par une acidité superbe. La puissance, l'ampleur et le gras révèlent une belle matière, tandis que les arômes persistent longuement. Du caractère. (Sucres résiduels : 6 g/l.)

☛ Jean-Marc et Liliane Wantz, 3, rue des Vosges, 67140 Mittelbergheim, tél. 03.88.08.91.43, fax 03.88.08.58.74 ☑ ⚥ r.-v.

Crémant d'alsace

La création de cette appellation, en 1976, a donné un nouvel essor à la production de vins effervescents élaborés selon la méthode traditionnelle, qui existait depuis longtemps à une échelle réduite. Les cépages qui peuvent entrer dans la composition de ce produit de plus en plus apprécié sont le pinot blanc, l'auxerrois, le pinot gris, le pinot noir, le riesling et le chardonnay. La production de crémant d'Alsace a atteint 163 000 hl en 1999.

AMBERG 1997★

	1 ha	10 000		50 à 69 F

A la tête de l'exploitation depuis 1987, Yves Amberg exploite aujourd'hui 10 ha de vignes à Epfig. Régulièrement mentionné dans le Guide, il s'est lancé lui aussi dans la production de crémant d'alsace. Issu de millésime 1997 et d'un assemblage de pinot blanc et d'auxerrois, celui-ci affiche déjà une certaine évolution, comme en témoignent des notes de miel perceptibles au nez. D'une belle ampleur au palais, c'est un vin équilibré, expressif, et d'une grande harmonie.

☛ Yves Amberg, 19, rue Fronholz, 67680 Epfig, tél. 03.88.85.51.28, fax 03.88.85.52.71 ☑ ⚥ r.-v.

BARON KIRMANN 1998★

	0,68 ha	7 500	▮ ⚥	30 à 49 F

Avec leurs 10 ha de vignes, les Kirmann occupent une place enviée à Rosheim. Placer ce crémant sous l'effigie du baron d'Empire Kirmann était tout indiqué. Le nez, par son intensité et ses nuances miellées, traduit bien un assemblage de pinot blanc et d'auxerrois. Le palais est d'une belle vivacité, équilibré et élégant. Un crémant pour l'apéritif.

☛ Philippe Kirmann, 2, rue du Gal-de-Gaulle, 67560 Rosheim, tél. 03.88.50.43.01, fax 03.88.50.22.72 ☑ ⚥ r.-v.

RENE BARTH 1998★

	0,65 ha	7 000	▮ ⚥	30 à 49 F

Michel Fonné, œnologue de formation, a repris l'exploitation de son oncle René Barth en 1989 ; une exploitation modeste par la superficie (5 ha), ce qui n'empêche pas la qualité, témoin ce crémant ample et floral au nez, qui affiche une belle tenue de mousse. Bien structuré en bouche, c'est un vin long et présent, conforme à la nature de l'assemblage - pinot, auxerrois et riesling - qui le compose.

☛ Dom. René Barth succ. Michel Fonné, 24, rue du Gal-de-Gaulle, 68630 Bennwihr, tél. 03.89.47.92.69, fax 03.89.49.04.86 ☑ ⚥ r.-v.

FREY-SOHLER Cuvée de l'An 2000 1997★

	n.c.	3 000	▮	50 à 69 F

Transmise de génération en génération, la maison Frey-Sohler est établie à Scherwiller, au nord-est de Sélestat et à mi-chemin des châteaux du Haut-Kœnigsbourg et de l'Ortenbourg. Cette cuvée spéciale, issue du millésime 1997 et composée à 100 % de riesling, possède un nez intense et complexe associant arômes floraux et minéraux. D'une attaque plutôt vive, c'est un vin très puissant et persistant. Une belle harmonie !

☛ Frey-Sohler, 72, rue de l'Ortenbourg, 67750 Scherwiller, tél. 03.88.92.10.13, fax 03.88.82.57.11 ☑ ⚥ t.l.j. 8h-12h 13h15-19h; dim. sur r.-v.

☛ Sohler

JOSEPH GRUSS ET FILS Brut 1998★

	1,41 ha	16 000		30 à 49 F

Depuis 1997, André Gruss, œnologue de formation, seconde son père Bernard. Ils ne sont pas trop de deux pour mener cette exploitation de 13 ha installée dans le superbe village d'Eguisheim. Originaire d'un terroir argilo-calcaire, ce

crémant est un assemblage de 80 % de pinot blanc et de 20 % de riesling qui lui confère un nez remarquable de fleur et de miel. Bien équilibré au palais, vif et charpenté, ce vin conviendra aussi bien à l'apéritif qu'au repas.
☛ Joseph Gruss et Fils, 25, Grand-Rue, 68420 Éguisheim, tél. 03.89.41.28.78, fax 03.89.41.76.66, e-mail gruss@hotmail.com
▨ 𝑌 t.l.j. 8h-12h 13h30-18h

DOM. HERING
Blanc de noirs Cuvée du troisième millénaire 1997★

| ○ | 0,15 ha | 1 500 | ◫ 70 à 99 F |

Depuis cinq générations, la famille Hering produit des vins de haute expression, dans le style sec et gastronomique de la région. Pierre et son fils Jean-Daniel poursuivent cette tradition. Leur blanc de noirs, très ample au nez, est dominé par des notes fruitées et grillées. D'une attaque franche, c'est un vin long et structuré, qui possède l'étoffe requise pour le repas.
☛ Pierre et Jean-Daniel Hering, 6, rue Sultzer, 67140 Barr, tél. 03.88.08.90.07, fax 03.88.08.08.54, e-mail jdh@infonie.fr
▨ 𝑌 t.l.j. sf dim. 8h30-12h 13h30-18h30

KIEFFER Blanc de noirs 1998★

| ○ | 0,6 ha | 6 000 | ▤ 30 à 49 F |

Descendant d'une lignée de vignerons qui remonte à 1737, Jean-Charles Kieffer, à la tête du domaine depuis 1985, a choisi pour son siège une demeure remarquable par ses colombages. Élégant et complexe au nez, son blanc de noirs affiche déjà une belle évolution. Franc et frais à l'attaque, le palais est marqué par des arômes de fruits mûrs persistants, et par une certaine souplesse en finale.
☛ Jean-Charles Kieffer, 7, rte des Vins, 67140 Itterswiller, tél. 03.88.85.59.80, fax 03.88.57.81.44 ▨ 𝑌 r.-v.

DOM. KIEFFER 1997★

| ○ | 0,31 ha | 3 600 | ▤⚖ 30 à 49 F |

La beauté du village et la qualité de l'accueil ont fait la renommée d'Itterswiller. François et Vincent Kieffer y exploitent 7 ha de vignes. Ils proposent un crémant plutôt rare, car composé de chardonnay pur. Le nez porte l'empreinte du cépage par ses notes grillées très intenses. Agrémenté d'une mousse fine et légère qui relève sa vivacité à l'attaque, c'est un vin élégant et bien équilibré.
☛ François Kieffer, 76, rte du Vin, 67140 Itterswiller, tél. 03.88.85.50.22, fax 03.88.57.80.91, e-mail kiefferfrançois@minitel.net ▨ 𝑌 t.l.j. sf dim. 8h-12h 13h-18h

KOBUS 1997

| ○ | n.c. | 80 000 | ▤⚖ 30 à 49 F |

La Cave vinicole d'Obernai, qui, avec le groupe Divinal, occupe une place de premier plan en Alsace, a choisi de placer ce crémant sous la figure emblématique de Fritz Kobus (l'Ami Fritz). Resté très jeune pour un 1997, il apparaît d'une grande élégance avec ses arômes de pain frais qui fleurent bon la fermentation en bouteilles. Très présent et persistant au palais, il montre une pointe de rondeur en finale.
☛ Cave vinicole d'Obernai, 30, rue du Gal-Leclerc, 67210 Obernai, tél. 03.88.47.60.20, fax 03.88.47.60.22 ▨ 𝑌 r.-v.

DOM. DE LA TOUR
Cuvée Jean-Sébastien 1997

| ○ | 0,6 ha | 6 000 | ▤ 30 à 49 F |

Les ancêtres de Jean-François Straub sont vignerons ou tonneliers depuis le début du XVIᵉ s., et la cave a conservé son torchis et ses piliers de grès d'origine. Portant la marque du millésime 97 et de son terroir schisteux, ce crémant se révèle très intense au nez. Sa relative souplesse au palais laisse deviner son cépage d'origine, l'auxerrois.
☛ Jean-François Straub, Dom. de la Tour, 35 rte du Vin, 67650 Blienschwiller, tél. 03.88.92.48.72, fax 03.88.92.62.90 ▨ 𝑌 t.l.j. 8h-12h 14h-18h; sam. dim. sur r.-v.

ARTHUR METZ Blanc de noirs 1997★

| ○ | n.c. | n.c. | ▤⚖ 30 à 49 F |

Issu de la fusion des deux maisons Arthur Metz et Léon Laugel, la société Metz-Laugel occupe aujourd'hui une position de leader, en particulier pour le crémant d'alsace. Ce blanc de noirs, obtenu par assemblage d'origines diverses, affiche déjà une belle évolution au nez, avec des arômes fruités et briochés très intenses. D'une attaque assez vive au palais, il se caractérise par une excellente tenue de mousse et une belle fraîcheur.
☛ Sté vins et crémants d'Alsace Metz-Laugel, 102, rue du Gal-de-Gaulle, 67520 Marlenheim, tél. 03.88.59.28.60, fax 03.88.87.67.58 ▨ 𝑌 t.l.j. 10h-19h; groupes sur r.-v.

RENE MURE Cuvée Prestige★

| ○ | 10 ha | 80 000 | ◫ 50 à 69 F |

Descendant de Michel Muré, venu de Suisse en 1648, la famille Muré a acquis le clos Saint-Landelin en 1935 et se trouve aujourd'hui à la tête d'un des plus beaux domaines de la région. Elle propose un crémant issu d'un savant assemblage de riesling, pinot et chardonnay. Très limpide, ce vin présente un nez puissant, mêlant nuances florales, végétales et délicatement minérales. D'une tenue de mousse bien affirmée, il apparaît souple et s'achève sur une note flatteuse.
☛ René Muré, Clos Saint-Landelin, rte du Vin, 68250 Rouffach, tél. 03.89.78.58.00, fax 03.89.78.58.01, e-mail rene@mure.com.fr
▨ 𝑌 r.-v.

SCHIRMER 1998

| ○ | 0,6 ha | 6 000 | ▤⚖ 30 à 49 F |

Héritier d'un domaine fondé en 1865 dans le bourg pittoresque de Soultzmatt, Lucien Schirmer exploite 7 ha de vignes. Assemblage de pinot blanc vrai et d'auxerrois, son crémant développe un nez floral et brioché très typique. D'une belle vivacité à l'attaque, il se montre présent et expressif au palais. Un vin pour l'apéritif.
☛ Dom. Lucien Schirmer et Fils, 22, rue de la Vallée, 68570 Soultzmatt, tél. 03.89.47.03.82, fax 03.89.47.02.33 ▨ 𝑌 t.l.j. 8h-12h 13h-19h

SPERRY Cuvée 2000 1997

○　　　　0,43 ha　　4 000　　▊▮ 50 à 69 F

Cette exploitation viticole très connue à Blienschwiller avec ses 10 ha de vignes propose un crémant marqué par le cépage chardonnay avec son nez grillé et brioché. D'une attaque assez franche au palais, ce vin possède une tenue de mousse très harmonieuse.

☛ EARL Pierre Sperry Fils, 3, rte du Vin, 67650 Blienschwiller, tél. 03.88.92.41.29, fax 03.88.92.62.38, e-mail sperry@reperes.com ☑ ⊤ t.l.j. 8h-12h 13h-19h

DOM. SPERRY-KOBLOTH
Le Burgrave 1997

○　　　　0,23 ha　　2 500　　◰▮ 150 à 199 F

Appartenant à une famille attachée depuis longtemps à la viticulture, non seulement comme exploitants mais aussi comme courtiers en vins, les Sperry-Kobloth sont à la tête de près de 7 ha de vignes. Conforme à son origine granitique, ce Burgrave est déjà très ouvert au nez par ses notes fumées et complexes. D'une belle attaque au palais, il développe en bouche des arômes de fruits très persistants.

☛ Sperry-Kobloth, 50, rue du Winzenberg, 67650 Blienschwiller, tél. 03.88.92.40.66, fax 03.88.92.63.95 ☑ ⊤ r.-v.
☛ Jean Sperry

A. WITTMANN FILS 1997★

○　　　　0,66 ha　　4 800　　▊↓ 30 à 49 F

Au service du vin depuis 1785, les Wittmann produisent aujourd'hui la gamme complète des appellations alsaciennes sur 8 ha de vignes. Marqué au nez par des arômes de surmaturité et de fruits exotiques, leur crémant possède toute l'ampleur du millésime 97. Issu d'un assemblage de pinots blanc et gris et de riesling, il se montre bien équilibré et long au palais.

☛ EARL André et Nicolas Wittmann, 7-9, rue Principale, 67140 Mittelbergheim, tél. 03.88.08.95.79, fax 03.88.08.53.81 ☑ ⊤ t.l.j. 9h-12h 18h-20h; dim. 9h-12h

Les vins de l'Est

Les vignobles des Côtes de Toul et de la Moselle restent les deux seuls témoins d'une viticulture lorraine autrefois florissante. Florissant, le vignoble lorrain l'était par son étendue, supérieure à 30 000 ha en 1890. Il l'était aussi par sa notoriété. Les deux vignobles connurent leur apogée à la fin du XIXᵉ s. Dès cette époque, plusieurs facteurs se conjuguèrent pour entraîner leur déclin : la crise phylloxérique, qui introduisit l'usage de cépages hybrides de moindre qualité ; la crise économique viticole de 1907 ; la proximité des champs de bataille de la Première Guerre mondiale ; l'industrialisation de la région, à l'origine d'un formidable exode rural. Ce n'est qu'en 1951 que les pouvoirs publics reconnurent l'originalité de ces vignobles et définirent les côtes de toul et vins de moselle, les rangeant ainsi définitivement parmi les grands vins de France.

Côtes de toul

Situé à l'ouest de Toul et du coude caractéristique de la Moselle, le vignoble se trouve sur le territoire de huit communes qui s'échelonnent le long d'une côte résultant de l'érosion de couches sédimentaires du Bassin parisien. On y rencontre des sols de période jurassique, composés d'argiles oxfordiennes, avec des éboulis calcaires en notable quantité, très bien drainés et d'exposition sud ou sud-est. Le climat semi-continental qui renforce les températures estivales est favorable à la vigne. Toutefois, les gelées de printemps sont fréquentes.

Le gamay domine toujours, bien qu'il régresse sensiblement au profit du pinot noir. L'assemblage de ces deux cépages produit des vins gris caractéristiques, obtenus par pressurage direct. En outre, le décret précise l'obligation d'assembler au minimum 10 % de pinot noir au gamay en superficie pour la production de gris, ceci conférant au vin une plus grande rondeur. Le pinot noir seul, vinifié en rouge, donne des vins corsés et agréables, l'auxerrois d'origine locale, en progression constante, des vins blancs tendres.

La vigne couvre actuellement près de 100 ha, qui assurent une production parfois supérieure à 6 000 hl. En 1999, seuls 4 460 hl ont été agréés.

Parfaitement fléchée au départ de Toul, une route du Vin et de la Mirabelle parcourt le vignoble.

Ce vignoble vient d'accéder à l'appellation d'origine contrôlée (décret du 31 mars 1998).

VINCENT GORNY Pinot noir 1999★★

	1,5 ha	7 200		20 à 29 F

Vincent Gorny a repris l'exploitation familiale en 1991, un modeste domaine de 6,5 ha. Plantation de vignes, puis rénovation, en 2000, de la cave de vinification attestent son engagement dans une viticulture de qualité. Ses efforts et ses investissements seront récompensés par le coup de cœur attribué à son pinot noir. D'un rouge très soutenu, ce vin présente un nez discret mais agréable. Par sa très belle structure, son équilibre et son fruité, il emporte l'adhésion. Du même domaine, le **vin gris Collection 2000** a obtenu une étoile. C'est un vin au nez vif et parfumé, équilibré et long en bouche.

☛ Vincent Gorny, 86, rue des Triboulottes, 54200 Bruley, tél. 03.83.63.80.41, fax 03.83.63.80.41 ☑ ♈ r.-v.

DOM. DE LA LINOTTE Pinot noir 1999

	0,34 ha	2 400		20 à 29 F

Ce jeune domaine créé par Marc Laroppe en 1997 propose un pinot noir d'un beau rouge framboise limpide. Son agrément ne tient pas à la puissance de sa structure, car il est peu tannique, mais à son joli nez intense axé sur les fruits rouges et à son côté gouleyant et agréable.

☛ Marc Laroppe, 90, rue Victor-Hugo, 54200 Bruley, tél. 03.83.63.29.02 ☑ ♈ r.-v.

MARCEL ET MICHEL LAROPPE Auxerrois 1999★

	2,5 ha	12 000		30 à 49 F

Les Laroppe sont établis à Bruley depuis 1722. Marcel et Michel Laroppe, à la tête d'un coquet vignoble de 18 ha, sont des valeurs sûres de l'appellation. Ils ont été rejoints en 1988 par Vincent, le fils de Marcel, titulaire d'un diplôme d'œnologie. Leur auxerrois séduit d'emblée par sa belle couleur et ses reflets brillants. Le nez est discret, mais d'une plaisante subtilité ; le palais, bien fruité, garde la même finesse.

☛ Marcel et Michel Laroppe, 253, rue de la République, 54200 Bruley, tél. 03.83.43.11.04, fax 03.83.43.36.92 ☑ ♈ t.l.j. sf dim. 8h-12h 13h30-19h

ANDRE ET ROLAND LELIEVRE Auxerrois 1999

	2,6 ha	17 060		30 à 49 F

Créée en 1970, cette exploitation, qui compte aujourd'hui 15 ha, a contribué au renom de l'appellation grâce à des cuvées souvent très remarquées. Cette année, elle obtient deux citations : l'une pour cet auxerrois, un vin pâle à reflets brillants, au nez d'agrumes discret mais agréable, acidulé sous la langue et finissant sur une pointe d'amertume ; l'autre pour un **pinot noir 98** dont la robe soutenue, le nez puissant et boisé, le palais structuré, aux tanins bien dosés, traduisent un élevage en fût.

☛ André et Roland Lelièvre, 3, rue de la Gare, 54200 Lucey, tél. 03.83.63.81.36, fax 03.83.63.84.45 ☑ ♈ r.-v.

LES VIGNERONS DU TOULOIS Pinot noir 1999

	1,15 ha	8 200		20 à 29 F

Cette cave, qui a pris la suite d'une maison de négoce en 1990, se proclame la plus petite coopérative de France. Elle propose un pinot noir rouge pâle, discret au nez mais fruité en bouche, sans trop de structure mais agréable.

☛ Les Vignerons du Toulois, 43, pl. de la Mairie, 54113 Mont-le-Vignoble, tél. 03.83.62.59.93, fax 03.83.62.59.93 ☑ ♈ t.l.j. sf lun.14h-18h

Moselle AOVDQS

Le vignoble représentant moins de 20 ha s'étend sur les coteaux qui bordent la vallée de la Moselle ; ils ont pour origine les couches sédimentaires formant la bordure orientale du Bassin parisien. L'aire délimitée se concentre autour de trois pôles principaux : le premier au sud et à l'ouest de Metz, le second dans la région de Sierck-les-Bains ; le troisième pôle se situe dans la vallée de la Seille autour de Vic-sur-Seille. La viticulture est influencée par celle du Luxembourg tout proche, avec ses vignes hautes et larges et sa dominante de vins blancs secs et fruités. En volume, cette AOVDQS reste très modeste, 1 214 hl ayant été agréés pour le millésime 1999. Son expansion est contrariée par l'extrême morcellement de la région.

GAUTHIER
Cuvée Georges de La Tour 1999★

| | 0,8 ha | 2 000 | | 30 à 49 F |

Ses ancêtres travaillaient la vigne du châtelain avant la Révolution. Aussi Claude Gauthier ne s'est-il pas résigné à la voir disparaître de Vic-sur-Seille. Il élabore plusieurs types de vin à partir de son domaine de 2 ha. La cuvée Georges de La Tour, d'un rouge cerise limpide, est née d'un assemblage de pinot noir (70 %), complété par du gamay. La présence du pinot se traduit par d'agréables parfums très fruités que l'on retrouve dans un palais souple et rond. Un beau vin bien équilibré. Pour son **muller-thurgau 99 Réserve de la Porte des Evêques**, Claude Gauthier reçoit une étoile (20 à 29 F).
➥Claude Gauthier, 4, pl. du Palais, 57630 Vic-sur-Seille, tél. 03.87.01.11.55, fax 03.87.05.41.91 ☑ ⵏ r.-v.

LA VACQUINIERE Pinot gris 1999★

| | 0,45 ha | 3 500 | | 30 à 49 F |

Le vignoble de La Vacquinière (1,60 ha) a été créé en 1988 par un avocat de Thionville, amoureux de la nature et du vin. Quelques années plus tard, il a donné un pinot gris pâle à l'œil, au nez très aromatique de bonbon anglais, fin et sans excès de vivacité au palais. Un ensemble équilibré.
➥Jean-Philippe Bertrand, La Vacquinière, 57570 Berg-sur-Moselle, tél. 03.82.54.82.60, fax 03.82.53.11.15 ☑ ⵏ r.-v.

MICHEL MAURICE
Vignobles d'Ancy 1999★

| | 0,46 ha | 7 200 | | 20 à 29 F |

Assemblage à parts égales de pinot et de gamay, cette cuvée attire l'œil par sa robe délicate, saumon pâle à reflets rosés. Après un agréable nez fruité, on découvre un palais à la fois souple et légèrement acidulé, équilibré et rafraîchissant. Michel Maurice a obtenu par ailleurs une citation pour un vin blanc **auxerrois du même millésime**, au nez aromatique caractéristique du cépage, au palais souple et gras.
➥Michel Maurice, 1-3, pl. Foch, 57130 Ancy-sur-Moselle, tél. 03.87.30.90.07, fax 03.87.30.90.07 ☑ ⵏ r.-v.

OURY-SCHREIBER
Cuvée du Maréchal Fabert 1999★★

| | 0,6 ha | 3 900 | | 30 à 49 F |

Dans la hiérarchie du Guide Hachette, un maréchal peut avoir deux étoiles et c'est une dis-

tinction éminente ! Pourquoi ce nom de Fabert ? Parce que Abraham de Fabert, maréchal de Louis XIV, détenait un vignoble à l'emplacement des parcelles où Pascal Oury cultive les plants qui ont donné cette cuvée. Issu d'un assemblage dominé par le pinot gris (80 %), complété à parts égales par l'auxerrois et le gewurztraminer, ce 99 est pâle à l'œil mais très aromatique au nez, avec des fragrances de mangue et de bonbon anglais. Très équilibré, il emplit bien la bouche, avec vivacité et longueur.

➥Pascal Oury, 29, rue des Côtes, 57420 Marieulles-Vezon, tél. 03.87.52.09.02, fax 03.87.52.09.17, e-mail oury-pascal-viticulteur@wanadoo.fr ☑ ⵏ r.-v.

OURY-SCHREIBER Auxerrois 1999★★

| | 0,4 ha | 3 500 | | 20 à 29 F |

Un domaine viticole créé il y a cinq ans à peine, et déjà une belle récolte d'étoiles pour Pascal Oury ! Très pâle dans le verre, son auxerrois est remarquable par l'intensité de son nez de fruits exotiques et d'agrumes, et par le très bel équilibre de son palais, rond et d'une grande longueur. Quant au **pinot noir 99** (30 à 49 F), cité par le jury, c'est un vin prometteur, élevé partiellement en fût. Il présente une robe profonde à reflets violacés, un nez boisé, vanillé, un peu grillé, et un palais équilibré où l'on retrouve les notes empyreumatiques du nez.
➥Pascal Oury, 29, rue des Côtes, 57420 Marieulles-Vezon, tél. 03.87.52.09.02, fax 03.87.52.09.17, e-mail oury-pascal-viticulteur@wanadoo.fr ☑ ⵏ r.-v.

JEANNE SIMON-HOLLERICH
Pinot blanc 1999★

| | 0,44 ha | 4 000 | | 20 à 29 F |

Cette viticultrice a très bien réussi son pinot blanc. De couleur pâle, ce vin séduit par son nez typé, d'une belle intensité. Le palais, bien équilibré, gras avec ce qu'il faut de vivacité, est agrémenté d'arômes floraux. Le même domaine a obtenu une citation pour une petite cuvée de **muller-thurgau 99**, un vin limpide, agrumes au nez, léger et vif au palais.
➥Jeanne Simon-Hollerich, 16, rue du Pressoir, 57480 Contz-les-Bains, tél. 03.82.83.74.81, fax 03.82.83.69.70 ☑ ⵏ r.-v.

LE BEAUJOLAIS ET LE LYONNAIS

Le Beaujolais

Officiellement - et légalement - rattachée à la Bourgogne viticole, la région du Beaujolais n'en a pas moins une spécificité largement consacrée par l'usage. Celle-ci est d'ailleurs renforcée par la promotion dynamique de ses vins, menée avec ardeur par tous ceux qui ont rendu le beaujolais célèbre dans le monde entier. Ainsi, qui pourrait ignorer, chaque troisième jeudi de novembre, la joyeuse arrivée du beaujolais nouveau ? Déjà, sur le terrain, les paysages diffèrent de ceux de l'illustre voisine ; ici, point de côte linéaire et presque régulière, mais le jeu varié de collines et de vallons, qui multiplient à plaisir les coteaux ensoleillés ; et les maisons elles-mêmes, où les tuiles romaines remplacent les tuiles plates, prennent déjà un petit air du Midi.

Extrême midi de la Bourgogne, et déjà porte du Sud, le Beaujolais s'étend sur 23 000 ha et quatre-vingt-seize communes des départements de Saône-et-Loire et du Rhône, formant une région de 50 km du nord au sud, sur une largeur moyenne d'environ 15 km. Il est plus étroit dans sa partie septentrionale. Au nord, l'Arlois semble être la limite avec le Mâconnais. A l'est, en revanche, la plaine de la Saône, où scintillent les méandres de la majestueuse rivière dont Jules César disait qu'« elle coule avec tant de lenteur que l'œil à peine peut juger de quel côté elle va », est une frontière évidente. A l'ouest, les monts du Beaujolais sont les premiers contreforts du Massif central : leur point culminant, le mont Saint-Rigaux (1 012 m), apparaît comme une borne entre les pays de Saône et de Loire. Au sud enfin, le vignoble lyonnais prend le relais pour conduire jusqu'à la métropole, irriguée, comme chacun sait, par trois « fleuves » : le Rhône, la Saône et le... beaujolais !

Il est sûr que les vins du Beaujolais doivent beaucoup à Lyon, dont ils alimentent toujours les célèbres « bouchons », et où ils trouvèrent évidemment un marché privilégié après que le vignoble eut pris son essor au XVIIIᵉ s. Deux siècles plus tôt, Villefranche-sur-Saône avait succédé à Beaujeu comme capitale du pays, qui en avait pris le nom. Habiles et sages, les sires de Beaujeu avaient assuré l'expansion et la prospérité de leurs domaines, stimulés en cela par la puissance de leurs illustres voisins, les comtes de Mâcon et du Forez, les abbés de Cluny et les archevêques de Lyon. L'entrée du Beaujolais dans l'étendue des cinq grosses fermes royales dispensées de certains droits pour les transports vers Paris (qui se firent longtemps par le canal de Briare) entraîna donc le développement rapide du vignoble.

Aujourd'hui, le Beaujolais produit en moyenne 1 400 000 hl de vins rouges typés (la production de blancs est extrêmement limitée), mais - et c'est là une différence essentielle avec la Bourgogne - à partir d'un cépage presque exclusif, le gamay. Cette production se répartit entre les trois appellations beaujolais, beaujolais supérieur et beaujolais-villages, ainsi qu'entre les dix « crus » : brouilly, côte de

Beaujolais

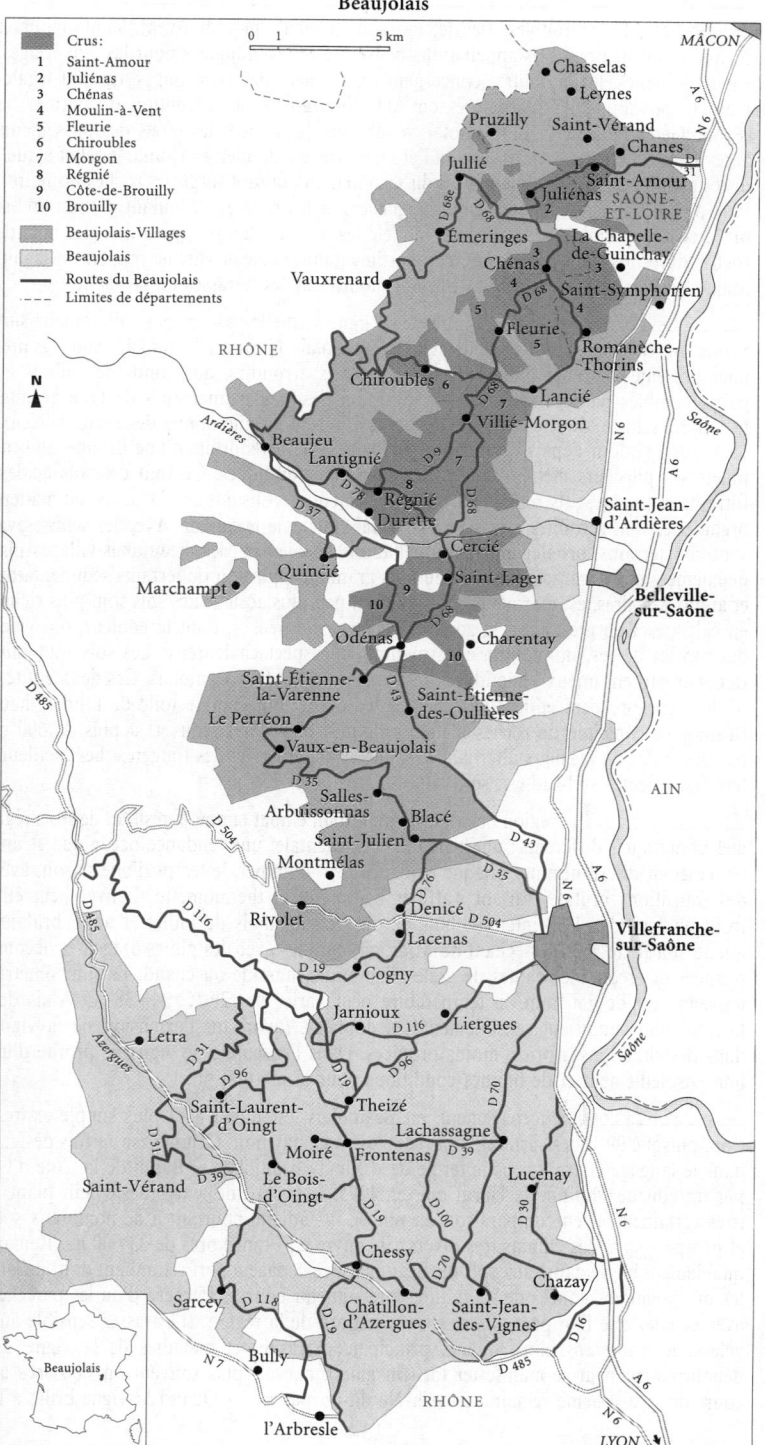

brouilly, chénas, chiroubles, fleurie, morgon, juliénas, moulin-à-vent, saint-amour et régnié. Les trois premières appellations peuvent être revendiquées pour les vins rouges, rosés ou blancs, les dix autres concernent uniquement des vins rouges, qui ont légalement la possibilité d'être déclarés en AOC bourgogne, à l'exception du dernier, le régnié. Géologiquement, le Beaujolais a subi successivement les effets des plissements hercyniens à l'ère primaire et alpin à l'ère tertiaire. Ce dernier a façonné le relief actuel, disloquant les couches sédimentaires du secondaire et faisant surgir les roches primaires. Plus près de nous, au quaternaire, les glaciers et les rivières s'écoulant d'ouest en est ont creusé de nombreuses vallées et modelé les terroirs, faisant apparaître des îlots de roches dures résistant à l'érosion, compartimentant le coteau viticole qui, tel un gigantesque escalier, regarde le levant et vient mourir sur les terrasses de la Saône.

De part et d'autre d'une ligne virtuelle passant par Villefranche-sur-Saône, on distingue traditionnellement le Beaujolais Nord du Beaujolais Sud. Le premier présente un relief plutôt doux, aux formes arrondies, aux fonds de vallons en partie comblés par des sables. C'est la région des roches anciennes de type granite, porphyre, schiste, diorite. La lente décomposition du granite donne des sables siliceux, ou « gore », dont l'épaisseur peut varier dans certains endroits d'une dizaine de centimètres à plusieurs mètres, sous forme d'arènes granitiques. Ce sont des sols acides, filtrants et pauvres. Ils retiennent mal les éléments fertilisants en l'absence de matière organique, sont sensibles à la sécheresse mais faciles à travailler. Avec les schistes, ce sont les terrains privilégiés des appellations locales et des beaujolais-villages. Le deuxième secteur, caractérisé par une plus grande proportion de terrains sédimentaires et argilo-calcaires, est marqué par un relief un peu plus accusé. Les sols sont plus riches en calcaire et en grès. C'est la zone des « pierres dorées », dont la couleur, qui vient des oxydes de fer, donne aux constructions un aspect chaleureux. Les sols sont plus riches et gardent mieux l'humidité. C'est la zone de l'AOC beaujolais. Ces deux entités, où la vigne prospère entre 190 et 550 m d'altitude, ont comme toile de fond le haut Beaujolais, constitué de roches métamorphiques plus dures, couvert à plus de 600 m par des forêts de résineux alternant avec des châtaigniers et des fougères. Les meilleurs terroirs, orientés sud-sud-est, sont situés entre 190 et 350 m.

La région beaujolaise jouit d'un climat tempéré, résultat de trois régimes climatiques différents : une tendance continentale, une tendance océanique et une tendance méditerranéenne. Chaque tendance peut dominer, le temps d'une saison, avec des transitions brutales faisant s'affoler baromètre et thermomètre. L'hiver peut être froid ou humide ; le printemps, humide ou sec ; les mois de juillet et août, brûlants quand souffle le vent desséchant du Midi, ou humides avec des pluies orageuses accompagnées de fréquentes chutes de grêle ; l'automne, humide ou chaud. La pluviométrie moyenne est de 750 mm, la température peut varier de -20 °C à +38 °C. Mais des microclimats modifient sensiblement ces données, favorisant l'extension de la vigne dans des situations *a priori* moins propices. Dans l'ensemble, le vignoble profite d'un bon ensoleillement et de bonnes conditions pour la maturation.

L'encépagement, en Beaujolais, est réduit à sa plus simple expression, puisque 99 % des surfaces sont plantées en gamay noir. Celui-ci est parfois désigné dans le langage courant sous le terme de « gamay beaujolais ». Banni de la Côte d'Or par un édit de Philippe le Hardi qui, en 1395, le traitait de « très desloyault plant » (très certainement en comparaison du pinot), il s'adapte pourtant à de nombreux sols et prospère sous des climats très divers ; il couvre en France près de 33 000 ha. Remarquablement bien adapté aux sols du Beaujolais, ce cépage à port retombant doit, durant les dix premières années de sa culture, être soutenu pour se former ; d'où les parcelles avec échalas que l'on peut observer dans le nord de la région. Il est assez sensible aux gelées de printemps, ainsi qu'aux principaux parasites et maladies de la vigne. Le débourrement peut se manifester tôt (fin mars), mais le plus souvent on l'observe au cours de la deuxième semaine d'avril. Ne dit-on pas ici : « Quand la vigne brille à la

Saint-Georges, elle n'est pas en retard » ? La floraison a lieu dans la première quinzaine de juin et les vendanges commencent à la mi-septembre.

_____ **L**es autres cépages ouvrant le droit à l'appellation sont le pinot noir pour les vins rouges et rosés, et, pour les vins blancs, le chardonnay et l'aligoté. Jusqu'en 2015, les parcelles de pinot noir pourront être assemblées dans la limite de 15 % ; l'usage d'incorporer en mélange dans les vignes des plants de pinot noir et gris, de chardonnay, de melon et d'aligoté dans la limite de 15 % reste autorisé pour l'élaboration des vins rouges et rosés. Deux principaux modes de taille sont pratiqués : une taille courte en forme de gobelet ou d'éventail pour toutes les appellations, et une taille avec baguette (ou taille guyot simple) pour l'appellation beaujolais. La taille cordon peut également être pratiquée dans l'AOC beaujolais.

_____ **T**ous les vins rouges du Beaujolais sont élaborés selon le même principe : respect de l'intégralité de la grappe associé à une macération courte (de trois à sept jours en fonction du type de vin). Cette technique combine la fermentation alcoolique classique dans 10 à 20 % du volume de moût libéré à l'encuvage, et la fermentation intracellulaire qui assure une dégradation non négligeable de l'acide malique du raisin avec l'apparition d'arômes spécifiques. Elle confère aux vins du Beaujolais une constitution ainsi qu'une trame aromatique caractéristiques, exaltées ou complétées en fonction du terroir. Elle explique aussi les difficultés qu'ont les vignerons à maîtriser d'une façon parfaite leurs interventions œnologiques, du fait de l'évolution aléatoire du volume initial du moût par rapport à l'ensemble. Schématiquement, les vins du Beaujolais sont secs, peu tanniques, souples, frais, très aromatiques ; ils présentent un degré alcoolique compris entre 12 et 13°, et une acidité totale de 3,5 g/l exprimée en équivalence de $H_2 SO_4$.

_____ **L'**une des caractéristiques du vignoble beaujolais, héritée du passé mais tenace et vivante, est le métayage : la récolte et certains frais sont partagés par moitié entre l'exploitant et le propriétaire, ce dernier fournissant les terres, le logement, le cuvage avec le gros matériel de vinification, les produits de traitement, les plants. Le vigneron ou métayer, qui possède l'outillage pour la culture, assure la main-d'œuvre, les dépenses dues aux récoltes, le parfait état des vignes. Les contrats de métayage, qui prennent effet à la Saint-Martin (11 novembre), intéressent de nombreux exploitants ; 46 % des surfaces sont exploitées de cette façon et viennent en concurrence avec l'exploitation directe (45 %). Le fermage, quant à lui, concerne 9 % des surfaces. Il n'est pas rare de trouver des exploitants à la fois propriétaires de quelques parcelles et métayers. Les exploitations types du Beaujolais s'étendent sur 7 à 10 ha. Elles sont plus petites dans la zone des crus, où le métayage domine, et plus grandes dans le sud, où la polyculture est omniprésente. Dix-neuf caves coopératives vinifient 30 % de la production. Eleveurs et expéditeurs locaux assurent 85 % des ventes, exprimées à la pièce, par fûts de 216 l pour l'AOC beaujolais, 215 l pour l'AOC beaujolais-villages et les crus, et qui se vendent tout au long de l'année ; mais ce sont les premiers mois de la campagne, avec la libération des vins de primeur, qui marquent l'économie régionale. Près de 50 % de la production est exportée, essentiellement vers la Suisse, l'Allemagne, la Belgique, le Luxembourg, la Grande-Bretagne, les Etats-Unis, les Pays-Bas, le Danemark, le Canada, le Japon, la Suède, l'Italie.

_____ **S**eules les appellations beaujolais et beaujolais-villages ouvrent pour les vins rouges et rosés la possibilité de dénomination « vin de primeur » ou « vin nouveau ». Ces vins, à l'origine récoltés sur les sables granitiques de certaines zones de beaujolais-villages, sont vinifiés après une macération courte de l'ordre de quatre jours, favorisant le caractère tendre et gouleyant du vin, une coloration pas trop soutenue, et des arômes de fruits rappelant la banane mûre. Des textes réglementaires précisent les normes analytiques et de mise en marché. Dès la mi-novembre, ces vins de primeur sont prêts à être dégustés dans le monde entier. Les volumes présentés dans ce type sont passés de 13 000 hl en 1956 à 100 000 hl en 1970, 200 000 hl en 1976, 400 000 hl en 1982, 500 000 hl en 1985, plus de 600 000 hl en 1990 et 655 000 hl en 1996... A partir du 15 décembre, ce sont les « crus » qui, après analyse et dégustation, commencent à être commercialisés, l'optimum de leurs ventes se situant après Pâques. Les vins du Beaujolais ne sont pas faits pour une très longue conservation ; mais si, dans la majorité des cas, ils sont appréciés au cours des deux années qui suivent leur récolte, de très belles bouteilles peuvent cependant être savourées au bout d'une décennie. L'intérêt de ces vins réside dans la fraîcheur et la finesse des parfums qui rappellent certaines fleurs - pivoine, rose, violette, iris - et aussi quelques fruits - abricot, cerise, pêche et petits fruits rouges.

Beaujolais et beaujolais supérieur

L'appellation beaujolais est celle de près de la moitié de la production. 10 363 ha, localisés en majorité au sud de Villefranche, fournissent en moyenne 669 000 hl dont 8 758 hl de vins blancs élaborés à partir du chardonnay et récoltés pour 20 % des volumes dans le canton de La Chapelle-de-Guinchay, zone de transition entre les terrains siliceux des crus et les terrains calcaires du Mâconnais. Dans la zone des « pierres dorées », à l'est du Bois-d'Oingt et au sud de Villefranche, on trouve des vins rouges aux arômes plus fruités que floraux, parfois avec des pointes olfactives végétales ; ces vins colorés, charpentés, un peu rustiques, se conservent assez bien. Dans la partie haute de la vallée de l'Azergues, à l'ouest de la région, on retrouve des roches cristallines qui communiquent aux vins une mâche plus minérale, ce qui les fait apprécier un peu plus tardivement. Enfin, les zones plus en altitude offrent des vins vifs, plus légers en couleur, mais aussi plus frais les années chaudes. Les neuf caves coopératives implantées dans ce secteur ont fait considérablement évoluer les technologies et l'économie de cette région, dont sont issus près de 75 % des vins de primeur.

L'appellation beaujolais supérieur ne comporte pas de territoire délimité spécifique, mais une identification des vignes est réalisée chaque année. Elle peut être revendiquée pour des vins dont les moûts présentent, à la récolte, une richesse en équivalent alcool de 0,5° supérieure à ceux de l'appellation beaujolais. 4 000 hl sont ainsi déclarés chaque année, principalement sur le territoire de l'AOC beaujolais.

L'habitat est dispersé, et l'on admirera l'architecture traditionnelle des maisons vigneronnes : l'escalier extérieur donne accès à un balcon à auvent et à l'habitation, au-dessus de la cave située au niveau du sol. A la fin du XVIIIe s., on construisit de grands cuvages extérieurs à la maison de maître. Celui de Lacenas, à 6 km de Villefranche, dépendance du château de Montauzan, abrite la confrérie des Compagnons du Beaujolais, créée en 1947 pour servir les vins du Beaujolais, et qui a aujourd'hui une audience internationale. Une autre confrérie, les Grappilleurs des Pierres Dorées, anime depuis 1968 les nombreuses manifestations beaujolaises. Quant à déguster un « pot » de beaujolais, ce flacon de 46 cl à fond épais qui garnit les tables des bistrots, on le fera avec gratons, tripes, boudin, cervelas, saucisson et toute cochonnaille, ou sur un gratin de quenelles lyonnaises. Les primeurs iront sur les cardons à la moelle ou les pommes de terre gratinées avec des oignons.

Beaujolais

MICHEL BARROT 1999

| | 0,27 ha | 2 500 | | 20 à 29 F |

Une trentaine d'ares de très jeunes vignes plantées sur un sol argilo-calcaire ont donné un rosé à la robe saumon et aux parfums caractéristiques de bonbon anglais. Frais, aromatique et bien équilibré, ce 99 est à déguster dès maintenant sur des grillades.

➥ Michel Jean Barrot, Chantemerle, 69380 Charnay, tél. 04.78.43.96.45, fax 04.78.47.98.45 ☑ ☿ r.-v.

CAVE DU BEAU VALLON
Au pays des pierres dorées 1998★

	7 ha	30 000	🥩♨ 30 à 49 F

Le Beaujolais est un pays aux multiples facettes. Ici les maisons ont la couleur du pain bien cuit ; cette couleur provient des sols argilo-calcaires qui ont fourni un vin brillant très jeune aux parfums de fleurs et de fruits blancs. Sa grande fraîcheur qui enrobe une chair typée de chardonnay le fera apprécier tout au long de l'année.

☛ Cave du Beau Vallon, Le Beau Vallon, 69620 Theizé, tél. 04.74.71.48.00, fax 04.74.71.84.46, e-mail info@cave-beauvallon.com ☑ ⛾ r.-v.

DOM. DE BELLEVUE 1999

	5,5 ha	60 000	🥩♨ 20 à 29 F

La famille Saint-Cyr, dont l'un des membres a été désigné « agriculteur de l'année 1999 », propose, outre le **beaujolais blanc 99** cité par le jury, un vin à la belle robe rouge soutenu, parée de reflets violets. Les parfums de fruits rouges et de fleurs assez intenses précèdent une bouche où dominent encore des impressions tanniques.

☛ EARL Saint-Cyr, Les Perrelles, 69480 Anse, tél. 04.74.60.23.69, fax 04.74.60.23.26 ☑ ⛾ t.l.j. sf dim. 10h-12h 16h-19h

BELVEDERE DES PIERRES DOREES
1999

	3,5 ha	30 000	🥩♨ 20 à 29 F

Du caveau de dégustation de la coopérative, on découvre un très beau panorama sur la région des Pierres Dorées. Le **beaujolais blanc 98** cité par le jury sera apprécié tout autant que cette cuvée d'un rouge léger, limpide et brillante, dominée par des parfums de banane mais aussi de framboise et de cerise mûre. Ce 99 équilibré et très fruité rappelle le vin nouveau, et est à boire dès maintenant.

☛ Cave coop. Beaujolaise de Saint-Laurent-d'Oingt, Le Gonnet, 69620 Saint-Laurent-d'Oingt, tél. 04.74.71.20.51, fax 04.74.71.23.46 ☑ ⛾ r.-v.

XAVIER BENIER Cuvée Réserve 1998★

	n.c.	5 000	🥩🍶 30 à 49 F

Créée en 1995, cette maison de négoce a élevé mi-cuve, mi-fût cette cuvée Réserve. Ce 98, jaune pâle, brillant et limpide, est tout d'abord marqué par le boisé et les fruits secs, puis laisse percevoir des notes florales plus fraîches qui lui confèrent de l'élégance. Typé, plutôt puissant tout en restant équilibré et agréable, il est à boire dans les deux ans.

☛ Xavier Benier, av. Germain, 69640 Saint-Julien, tél. 04.74.60.51.41, fax 04.74.67.52.58 ☑ ⛾ r.-v.

CLAUDE BERNARDIN 1999

	3 ha	10 000	🥩♨ 30 à 49 F

Un domaine familial qui exporte près de 60 % de sa production. Cette cuvée rouge clair, limpide, au bon nez de fruits rouges net et fin, évoque le vin nouveau. Equilibrée et facile à boire, elle a été vinifiée pour une consommation rapide.

☛ Claude Bernardin, Le Genetay, 69480 Lucenay, tél. 04.74.67.02.59, fax 04.74.62.00.19 ☑ ⛾ r.-v.

CH. DE BLACERET-ROY
Cuvée de l'Artiste 1998

	1,5 ha	8 000	🥩♨ 20 à 29 F

Brillante, pleine de rondeurs, cette cuvée dédiée au sculpteur du Beaujolais, Pierre Fouesnant, se montre toujours jeune. Ce vin équilibré s'épanouit en bouche avec une vivacité de bon aloi. Il peut attendre un an et sera apprécié avec un poisson ou une pâtisserie.

☛ Thierry Canard, Ch. de Blaceret-Roy, 69460 Saint-Etienne-des-Oullières, tél. 04.74.03.45.42, fax 04.74.03.52.10 ☑ ⛾ r.-v.

CAVE DU BOIS DE LA SALLE
Cuvée des Amis 1999

	n.c.	8 000	🥩 20 à 29 F

D'un rose légèrement orangé, cette cuvée des Amis proposée par la coopérative de Juliénas fleure bon la groseille. Sa vivacité initiale associée à l'agréable équilibre de sa chair seront appréciés dès l'automne.

☛ Cave coop. du Ch. du Bois de La Salle, Ch. du Bois de La Salle, 69840 Juliénas, tél. 04.74.04.42.61, fax 04.74.04.47.47 ☑ ⛾ r.-v.

DOM. DU BOIS DU JOUR 1998

	0,25 ha	2 400	🥩♨ 20 à 29 F

Le premier nez de ce 98 jaune pâle à reflets verts libère des impressions muscatées. Des notes de grillé associées à des parfums de fleurs blanches viennent ensuite. Rond et équilibré, c'est un vin facile à boire, qu'il faut apprécier dans l'année.

☛ Gilles Carreau, Lachanal, 69640 Cogny, tél. 04.74.67.41.40, fax 04.74.67.46.24 ☑ ⛾ r.-v.

MICHEL CARRON
Coteaux de Terre Noire 1998★

	0,5 ha	3 000	🥩♨ 20 à 29 F

Sous la même étiquette, Michel Carron a présenté un **beaujolais rouge 99** cité par le jury et un vin blanc de couleur jaune-vert aux parfums de fleurs évoluant vers des notes de pain d'épice et de miel. Garnissant totalement la bouche de sa riche matière, ce 98 persistant et équilibré est prêt à boire mais il peut attendre aussi deux ans.

☛ Michel Carron, Terre-Noire, 69620 Moiré, tél. 04.74.71.62.02, fax 04.74.71.62.02 ☑ ⛾ t.l.j. 8h-20h

CH. DE CHANZE 1998

	0,65 ha	2 000	🥩♨ 20 à 29 F

Cultivés autour d'un beau château du milieu du XIXᵉs. et vinifiés avec soin par la cave coopérative, les chardonnays ont donné un vin jaune paille soutenu, au nez légèrement floral et citronné. D'une grande fraîcheur initiale, la bouche évolue vers le moelleux. Equilibré, plaisant mais un peu fin, ce 98 est à boire dans l'année.

☛ Cave Beaujolaise de Saint-Vérand, Le Bady, 69620 Saint-Vérand, tél. 04.74.71.73.19, fax 04.74.71.83.45, e-mail c.b.s.v.@wanadoo.fr ☑ ⛾ r.-v.

LUCIEN ET JEAN-MARC CHARMET
Cuvée la Ronze 1999

■   4 ha   20 000   ▮ � 30 à 49 F

Les amateurs de vins gouleyants et faciles à boire, apprécieront ce 99 d'un rouge clair, limpide et brillant qui libère des parfums exubérants et caractéristiques de bonbon anglais.
☛ Lucien et Jean-Marc Charmet, La Ronze, 69620 Le Breuil, tél. 04.78.43.92.69, fax 04.78.43.90.31 ☑ ⊥ r.-v.

DOM. CHASSELAY
Cuvée des Quatre Saisons 1999★

■   3 ha   4 000   ▮ 20 à 29 F

Appartenant à la même famille depuis plus de trois cents ans, ce vignoble implanté sur sol argilo-calcaire a donné un vin rubis soutenu et limpide aux agréables nuances de groseille et de pêche. L'attaque charnue, accompagnée d'impressions acidulées qui se fondent rapidement avec les arômes, composent une bouche harmonieuse. Cette cuvée des Quatre Saisons sera à boire tout au long de l'année comme le suggère son nom.
☛ Jean-Gilles Chasselay, La Roche, 69380 Châtillon-d'Azergues, tél. 04.78.47.93.73, fax 04.78.43.94.41 ☑ ⊥ t.l.j. sf dim. 9h-12h 14h-18h

CH. DU CHATELARD
Vieilles vignes 1998

□   1,3 ha   8 000   ▮ 30 à 49 F

Des vignes presque centenaires sont à l'origine de ce vin vert-or au nez de pain d'épice et de fruits secs qu'accompagnent les notes mentholées. D'une vivacité mesurée mais constante, ce 98 persiste agréablement et longuement en bouche. Bien typé, il est à boire mais peut attendre de un à deux ans. A déguster sur un fromage de chèvre ou un plat de poisson blanc.
☛ Robert Grossot, Ch. du Châtelard, 69220 Lancié, tél. 04.74.04.12.99, fax 04.74.69.86.17 ☑ ⊥ r.-v.

DOM. CHATELUS DE LA ROCHE
1999★

■   19 ha   140 000   ▮ 20 à 29 F

Proche de Oingt, Saint-Laurent-d'Oingt est sur la D 96. Ce très beau vin rubis soutenu fleure bon le cassis et la mûre. Ronde puissante, ronde, équilibrée, vineuse et longue commande quelques mois de garde. Ce 99 sera à boire dans un an.
☛ Pascal Chatelus, La Roche, 69620 Saint-Laurent-d'Oingt, tél. 04.74.71.24.78, fax 04.74.71.28.36 ☑ ⊥ r.-v.

MICHEL CHATOUX Vieille vigne 1999

■   1,5 ha   5 000   ▮ ◫ 20 à 29 F

L'une des dernières étiquettes beaujolaises représentant une cave sur un parchemin... Cette cuvée rouge foncé révèle de timides parfums de framboise. Sa riche matière compense la discrétion du nez. Quelques mois de garde lui donneront plus d'expression. Elle sera à boire entre Noël et le jour de l'an.
☛ Michel Chatoux, Le Favrot, 69620 Sainte-Paule, tél. 04.74.71.20.50 ☑ ⊥ r.-v.

DOMINIQUE CHERMETTE
Cuvée Vieilles vignes 1999

■   2 ha   15 000   ▮ � 30 à 49 F

Non loin du pittoresque village médiéval d'Oingt, les vieilles vignes de l'exploitation ont donné une cuvée rubis aux parfums de fruits exotiques. Ce vin fin et élégant, aux arômes de violette, se laisse boire dès maintenant.
☛ Dominique Chermette, Le Barnigat, 69620 Saint-Laurent-d'Oingt, tél. 04.74.71.20.05, fax 04.74.71.20.05 ☑ ⊥ r.-v.

DOM. CHEVALIER-METRAT 1999

■   0,6 ha   5 000   ▮ � 20 à 29 F

Les vignes, exploitées en fermage depuis 1956, ont été acquises par Sylvian Métrat il y a treize ans. Cette cuvée rouge foncé, aux parfums développés et fruités de mûre, de pêche et de cerise, garnit assez longuement le palais. Equilibrée et « réveillée », elle devra cependant patienter quelques mois avant d'accompagner un repas familial.
☛ Sylvain Métrat, Le Roux, 69460 Odenas, tél. 04.74.03.50.33, fax 04.74.03.50.33 ☑ ⊥ t.l.j. 8h-20h

CLOS DU MUZARD
Cuvée Alain Gardon 1999

■   1,5 ha   5 000   ▮ � 30 à 49 F

La tradition viticole de la famille remonte à plus de trois siècles. Ce 99 rouge soutenu et limpide évoque la cerise et la fraise. Bien en chair, assez long, il est à boire dans l'année.
☛ EARL Jean-Claude et Maryse Arnaud, chem. des Oncins, 69210 Saint-Germain-sur-l'Arbresle, tél. 04.78.47.91.28, fax 04.78.47.91.57 ☑ ⊥ r.-v.

OLIVIER COQUARD
Réserve particulière 1999

■   0,65 ha   1000   ▮ ◫ � 30 à 49 F

Installé depuis trois ans, ce viticulteur s'est officiellement engagé dans une démarche de respect de l'environnement. La belle robe rouge violacé et les notes boisées, agréables mais dominantes de sa Réserve particulière, évoquent un vin qui doit encore attendre. L'attaque franche, associée à de la rondeur et à une bonne structure tannique, est prometteuse.
☛ Olivier Coquard, Chalier, rte de Saint-Fonds, 69480 Pommiers, tél. 04.74.03.92.91, e-mail olivier.coquard@mageos.com ☑ ⊥ r.-v.

CH. DE CORCELLES 1998

□   1,5 ha   12 000   ▮ � 30 à 49 F

Dans la superbe cave de ce château du XVᵉˢ., classé Monument historique et qui appartient depuis quinze ans à la famille Richard, est élevé ce vin jaune pâle, brillant et limpide. Des parfums de bonne intensité qui évoquent la fleur d'acacia et la noisette réveillent une chair plutôt légère. A déguster de préférence dans l'année.
☛ SA Ch. de Corcelles, 69220 Corcelles, tél. 04.74.66.00.24, fax 04.74.69.60.94 ☑ ⊥ t.l.j. sf dim. 10h-12h 14h-18h30

DOM. DES CRETES
Cuvée des Varennes 1999★★

■ 2,1 ha 15 000 🍷⚬ 30 à 49 F

Ce beaujolais rouge sombre, d'une grande complexité, comblera les amateurs qui sauront attendre 2001 ou plus. Sa matière, riche et belle, structurée par des tanins jeunes associés à une bonne acidité, promet un bel avenir à ce 99 aux notes de cassis et de fruits bien mûrs.
🕭 GAEC Brondel Père et Fils, rte des Crêtes, 69480 Graves-sur-Anse, tél. 04.74.67.11.62, fax 04.74.60.24.30,
e-mail domaine.descretes@wanadoo.fr
☑ ⵑ r.-v.

DOM. DE CRUIX 1999★

■ 11,71 ha 20 000 🍷 20 à 29 F

Issu de vignes quadragénaires, et proposé dans des bouteilles sérigraphiées, ce beau représentant de son appellation, revêtu d'une robe claire, est marqué par des parfums exacerbés de groseille et de bourgeon de cassis. La bouche, assez complexe et en harmonie avec les impressions olfactives, paraît à son optimum. Ce 99 est à boire dans l'année.
🕭 Jean-Claude Brossette, Dom. de Cruix, 69620 Theizé, tél. 04.74.71.24.74, fax 04.74.72.29.16 ☑ ⵑ r.-v.

BERNARD DUMAS 1999

■ 1 ha 2 000 🍷 30 à 49 F

Quatre générations de vignerons se sont succédé sur ce domaine situé à 3 km du bourg médiéval de Ternand. La propriété a donné une cuvée rubis aux parfums vifs et agréables dominés par une nuance d'amande. Long, doté d'une belle charpente, équilibré, ce 99 sera à son optimum au printemps prochain.
🕭 Bernard Dumas, Ronzières, 69620 Ternand, tél. 04.74.71.38.57 ☑ ⵑ r.-v.

VINCENT FONTAINE
Vieilles vignes 1999

■ 1 ha 2 500 🍷⚬ 20 à 29 F

L'exploitation, située à 1,5 km d'un point de vue unique sur la vallée de la Saône et les monts de Beaujolais, a vinifié un vin rubis à reflets pourpres. La rondeur de l'attaque accompagnée de parfums discrets de mûre et de fruits rouges n'escamote pas une structure tannique encore jeune. Ce 99, déjà plaisant, s'affirmera dans quelques mois.
🕭 Vincent Fontaine, Les Gondoins, 69480 Pommiers, tél. 04.74.02.59.15, fax 04.74.65.97.68 ☑ ⵑ r.-v.

DOM. DES FORETS FULLY 1998

▢ 0,8 ha 3 000 ⵑⵑ 30 à 49 F

Dans ce secteur argilo-calcaire dominé par un exemplaire du télégraphe de Chappe, Martine Vermorel a élevé un 98 d'un or vert brillant d'où émanent des parfums puissants et complexes. L'attaque, agréable et franche, suivie de notes de miel, constitue le temps fort de la dégustation. Un vin plaisant à boire dans l'année.
🕭 Martine Vermorel, Les Forests, 69480 Marcy, tél. 04.74.67.56.37, fax 04.74.67.51.08 ☑ ⵑ r.-v.

DOM. DES FORTIERES 1999

■ 3 ha 6 000 🍷⚬ 30 à 49 F

Un propriété fondée par le grand-père de l'actuel propriétaire, au XXᵉs. De puissants parfums de fruits et de bonbon anglais émanent de ce vin rouge vif. Le fruité est bien présent au palais. Un 99 à boire maintenant. Le cloître roman de Salles-Arbuissonnas, situé à 2 km du domaine, mérite une visite.
🕭 Daniel Texier, Les Fortières, 69460 Blacé, tél. 04.74.67.58.57, fax 04.74.67.58.57,
e-mail dtexier@vins-du-beaujolais.com
☑ ⵑ r.-v.

JEAN-FRANCOIS GARLON
Cuvée Vieilles vignes 1999★

■ n.c. 20 000 🍷⚬ 30 à 49 F

Proche d'un autre pôle œnologique traitant des vendanges et de la vinification, ce domaine propose une cuvée d'un rouge profond et brillant. Des parfums originaux et assez intenses de griotte, d'amande et d'anis se prolongent au palais. Ce vin fruité, garnissant agréablement la bouche, typé et équilibré avec sa belle finale, sera apprécié pendant une année.
🕭 Jean-François Garlon, Le Bourg, 69620 Theizé, tél. 04.74.71.11.97, fax 04.74.71.23.30 ☑ ⵑ r.-v.

CH. DU GRAND TALANCE 1999

■ 14 ha 123 200 🍷ⵑⵑ⚬ 20 à 29 F

Le domaine, dont les origines remontent à 1842, a vinifié un 99 rubis vif, limpide et très brillant. Des parfums flatteurs de fleurs sont associés à des notes plus minérales. Fruité, frais et souple, ce vin n'a pas vocation à vieillir mais c'est un agréable vin de soif.
🕭 Jean-Marc Truchot, GFA du Grand Talancé, Ch. du Grand Talancé, 69640 Denicé, tél. 04.74.67.55.04 ☑ ⵑ r.-v.

VIGNOBLE GRANGE-NEUVE 1999

■ 5 ha 20 000 ⵑⵑ 20 à 29 F

Cette exploitation aménagée dans un ancien vendangeoir réhabilité accueillera prochainement des vacanciers. Son 99 offre des parfums de fruits rouges nets mais timides qui sont associés à une robe rubis. La bouche, agréablement composée d'arômes amyliques et de tanins souples, plaide pour une consommation dans l'année.
🕭 Denis Carron, chem. des Brosses, 69620 Frontenas, tél. 04.74.71.70.31, fax 04.74.71.86.30 ☑ ⵑ r.-v.

DOM. LA CRUISILLE 1999★★★

■ 0,5 ha 2 500 ⵑⵑ 20 à 29 F

Les deux frères Laverrière, Hubert et Vincent, ont repris en 1986 le domaine familial situé au cœur de Theizé, pittoresque village bâti en pierres dorées. Elu à l'unanimité par le grand jury des coups de cœur du Beaujolais, leur 99 est issu de vignes de quarante ans plantées sur un sol argilo-calcaire. Une robe rubis soutenu, limpide, est associée à des parfums discrets de petits fruits avec des nuances de cerise. L'attaque assez ferme révèle de la puissance, de la chair et des arômes de fruits très mûrs. Persistant harmonieusement, ce 99 riche et distingué est un bel exemple de beaujolais. A boire pendant deux à trois ans.

☛ Hubert et Vincent Laverrière, GAEC de La Cruisille, rue de la Treille, 69620 Theizé, tél. 04.74.71.22.10, fax 04.74.71.22.90, e-mail gcruisil@terrenet.fr ☑ ♈ r.-v.

DOM. LAFOND 1999*

■ 12,5 ha 20 000 ▮♦ 20 à 29 F

Ce très beau vin grenat, limpide et brillant, aux parfums ouverts et frais de framboise, de mûre et de violette, a été élaboré à partir de vignes implantées sur des sols à tendance argileuse. Ce 99 riche et puissant est doté d'une structure tannique encore un peu sévère. Il devra attendre un ou deux ans avant de réjouir votre table.

☛ EARL Dom. Lafond, Bel Air, 69220 Saint-Lager, tél. 04.74.66.04.46, fax 04.74.66.37.91 ☑ ♈ t.l.j. 7h-12h 13h-20h

DOM. DE LA LOGERE 1999

■ 11,9 ha 10 000 ▮▯♦ 20 à 29 F

Dans cet ancien rendez-vous de chasse, un musée des Outils de la Vigne et de la Tonnelerie a été créé par son propriétaire qui propose un 99 violine clair, aux légers parfums de fraise et de citron. Ce beaujolais aux arômes de groseille se montre fin, frais, gouleyant et très agréable. Il est à boire avant Noël.

☛ Pascal Gayot, La Logère, 69480 Anse, tél. 04.74.67.00.34, fax 04.74.67.20.37 ☑ ♈ r.-v.

VIGNOBLE LA MANTELLIERE 1999

■ 2,5 ha 20 000 ▯ 30 à 49 F

La tradition viticole de la famille Braymand remonte à 1895. Cette belle cuvée d'un rubis assez vif, aux parfums de fruits rouges et de fleurs, légèrement imprégnée de gaz, tapisse sans heurt le palais. Ronde, tendre et onctueuse, elle est appréciée aujourd'hui, mais qu'en sera-t-il demain ?

☛ Christophe Braymand, Le Bourg, 69620 Le Breuil, tél. 04.74.71.85.77, fax 04.74.71.85.72 ☑ ♈ r.-v.

L'AME DU TERROIR 1999

■ n.c. 120 000 ▮ 20 à 29 F

Elaborée par la Maison Thorin à Quincié pour la marque Cora, cette cuvée rubis limpide, tout imprégnée de parfums de framboise et de mûre, se déguste comme une friandise. Longue et gouleyante, sa structure légère incite à la boire dès maintenant. Signalons au lecteur que l'étiquette

mentionne à juste titre le nom de son élaborateur et metteur en bouteille, Thorin, et non celui du distributeur.

☛ Cora, Dom. de Beaubourg, B.P. 81, Croissy-Beaubourg, 77423 Marne-la-Vallée Cedex, tél. 04.74.69.09.10, fax 04.74.69.09.28

DOM. DE LA REVOL 1999

■ 1 ha 5 000 ▮♦ 20 à 29 F

L'exploitation, située à quelques kilomètres du musée Thimonnier, consacré à l'inventeur de la machine à coudre, à l'Arbresle, propose une cuvée rouge profond s'ouvrant sur des notes d'amande, de fruits mûrs et d'épices. Long en bouche, ample mais encore ferme, ce vin dans son « écorce » est à attendre un à deux ans.

☛ Bruno Debourg, La Croix, 69490 Dareizé, tél. 04.74.05.78.01, fax 04.74.05.66.40 ♈ r.-v.

CH. DE LAVERNETTE 1998*

☐ 2,5 ha 18 000 ▮♦ 30 à 49 F

Issue du lieu-dit « Le vignoble de la Roche », cette cuvée jaune intense aux jolis reflets verts livre des parfums de chèvrefeuille et de miel auxquels se mêlent des nuances mentholées ; elle affirme une belle typicité. La bouche, plutôt ronde et équilibrée, s'exprime sur les mêmes notes avec une pointe de poivre. D'une grande longueur, ce 98 est à boire au cours des deux prochaines années.

☛ Bertrand et Anke de Boissieu, Ch. de Lavernette, 71570 Leynes, tél. 03.85.35.63.21, fax 03.85.35.67.32, e-mail ba.de-boissieu@wanadoo.fr ☑ ♈ r.-v.

CH. DE L'ECLAIR 1999**

■ 7,8 ha 15 000 ▮♦ 30 à 49 F

La propriété, fondée par Victor Vermorel, inventeur et fabricant du pulvérisateur à dos « l'Eclair », est en partie consacrée à l'expérimentation viti-vinicole. Le **beaujolais blanc 99**, cité par le jury, accompagne au palmarès ce vin rouge assez soutenu et vif, consacré coup de cœur par le grand jury des beaujolais. D'une agréable intensité, les parfums mêlant les notes amyliques, framboise, fraise et cassis composent avec la chair ronde, structurée et équilibrée, un ensemble à la fois puissant et fin. Ce 99 est à boire pendant un à deux ans.

☛ SICAREX Beaujolais, Ch. de l'Eclair, 69400 Liergues, tél. 04.74.68.76.27, fax 04.74.68.76.27 ☑ ♈ r.-v.

CH. DE LEYNES 1998★

☐ | 2 ha | 10 000 | ■ & | 30 à 49 F

Ce château, dont le vignoble dépendait des moines de Tournus, est caractéristique de la région par sa galerie mâconnaise. Son 98 jaune paille, brillant et limpide offre des reflets légèrement ambrés. Le nez assez intense de noisette est suivi d'une bouche fraîche et florale qui paraît cependant à son optimum. Bien équilibré, plutôt fin, ce vin est à consommer dans l'année.

☛ Jean Bernard, Les Correaux, 71570 Leynes, tél. 03.85.35.11.59, fax 03.85.35.13.94, e-mail jean.bernard@wanadoo.fr ☑ � r.-v.

LA CAVE DES VIGNERONS DE LIERGUES 1999

◢ | 5 ha | 20 000 | ■ & | 20 à 29 F

La plus ancienne cave coopérative du Beaujolais, régulièrement citée dans le Guide, a vinifié une cuvée d'un rose brillant dotée d'agréables parfums de raisin et de fraise. Fraîche et garnissant bien la bouche de sa chair et de ses arômes floraux, cette bouteille est à boire sans attendre.

☛ Cave des Vignerons de Liergues, 69400 Liergues, tél. 04.74.65.86.00, fax 04.74.62.81.20 ☑ ⍖ t.l.j. sf dim. 8h-12h 14h-18h

CH. DE LONGSARD 1998

☐ | 0,5 ha | 2 000 | ◫ | 30 à 49 F

Ce château du XVIIIᵉs., agrémenté d'un jardin à la française, propose une cuvée élevée en foudre de bois, d'un jaune lumineux aux reflets vieil or. Des parfums complexes de citron vert, de tilleul et de fleur d'acacia émanent de ce 98 nerveux en bouche et marqué par des impressions minérales.

☛ SCI Ch. de Longsard, Ch. de Longsard, 69400 Arnas, tél. 04.74.65.55.12, fax 04.74.65.03.17, e-mail longsard@wanadoo.fr ☑ ⍖ t.l.j. 14h-17h30
☛ Du Mesnil

DOM. DU LOUP 1999★★

■ | 5 ha | 42 000 | ■ & | 20 à 29 F

Le rouge soutenu à reflets sombres de la robe accompagne de puissants parfums de pivoine et d'épices (clou de girofle). La bouche aromatique, vineuse et ronde est élégante et harmonieuse. Ce beaujolais typé sera apprécié au cours des deux prochaines années et s'accordera avec une volaille de Bresse.

☛ Jean Bosse-Platière, Les Places, 69480 Lucenay, tél. 04.74.09.60.00, fax 04.74.67.67.40

DOM. MANOIR DU CARRA 1999

■ | 1,5 ha | 3 000 | ■ & | 20 à 29 F

D'un rouge intense, cette cuvée exprime de puissants parfums : notes amyliques, framboise et cassis. Très aromatique mais très jeune, ce vin encore rustique doit s'affiner.

☛ Jean-Noël Sambardier, Dom. Manoir du Carra, 69640 Denicé, tél. 04.74.67.38.24, fax 04.74.67.40.61 ☑ ⍖ r.-v.

DOM. DE MILHOMME 1999★

■ | n.c. | n.c. | ■ | 30 à 49 F

Non loin du pittoresque village perché de Ternand, la famille Perrin perpétue la tradition viticole depuis plus de quatre siècles. Ce 99 rouge violacé, marqué par des parfums persistants mêlant notes amyliques et petits fruits rouges, révèle une forte constitution. Elaboré comme vin de garde, ce beau représentant de l'AOC, complexe, jeune et solide, doit mûrir un an ou deux.

☛ Robert et Bernard Perrin, Dom. de Milhomme, 69620 Ternand, tél. 04.74.71.33.13, fax 04.74.71.30.87 ☑ ⍖ r.-v.

PIERRE MONTESSUY 1999

■ | 0,75 ha | 5 000 | ■ & | 30 à 49 F

Dans ce très ancien village dominé par un beau château du XIIᵉs., il sera agréable de déguster, dans le caveau agrémenté d'un petit musée lapidaire et de vieux outils, ce 99 à la robe plutôt claire et aux parfums caractéristiques - notes amyliques et framboise. Sa structure équilibrée incite à apprécier ce beaujolais dans l'année.

☛ Pierre Montessuy, La Chanal, 69400 Jarnioux, tél. 04.74.03.83.13 ☑ ⍖ r.-v.

DOM. DU MOULIN BLANC 1999

■ | 1,5 ha | 13 000 | ■ | 20 à 29 F

Cette cuvée rouge soutenu, issue de sols argilo-calcaires, livre d'intenses parfums de banane, de fruits rouges et de cassis. La bouche ample et acidulée a une certaine rudesse. Un vin aromatique à déguster dans l'avenir. Le domaine a également présenté une cuvée de **beaujolais blanc** qui reçoit la même note (30 à 49 F).

☛ Alain et Danièle Germain, Dom. du Moulin Blanc, Crière, 69380 Charnay, tél. 04.78.43.98.60, fax 04.78.43.98.60 ☑ ⍖ t.l.j. 8h-20h

DOM. DES PAMPRES D'OR
Cuvée Vieilles vignes 1999

■ | 2 ha | 10 000 | ■ | 30 à 49 F

L'exploitation s'est lancée dans la vente directe il y a plus de dix ans. D'un rouge limpide, sa cuvée Vieilles vignes livre des parfums amyliques et des notes de cassis assez prononcés qui se prolongent au palais. Sa structure légère et ses arômes de type primeur invitent à la boire dans l'année.

☛ Paul et Nicole Perras, Dom. des Pampres d'Or, Le Guérin, 69210 Nuelles, tél. 04.74.01.42.85, fax 04.74.01.31.15 ☑ ⍖ r.-v.

DOM. PEROL 1999

■ | 1,5 ha | 5 000 | ■ & | 20 à 29 F

Située non loin de l'énigmatique château médiéval qui domine la ville, cette exploitation a élevé une cuvée rouge violacé aux agréables parfums de bonbon anglais. Très bien équilibré malgré la présence de gaz, ce vin un peu léger en matière reste fruité et à boire dans l'année.

☛ Frédéric Pérol, La Colletière, 69380 Châtillon-d'Azergues, tél. 04.78.43.99.84, fax 04.78.43.90.06 ☑ ⍖ r.-v.

DOM. DE PIERRE FOLLE 1998

| | 1,5 ha | 5 000 | 🍶 ⬇ 30 à 49 F |

Non loin du musée des Pierres Folles consacré aux terroirs viticoles, le cépage chardonnay a donné un vin doré aux parfums de beurre frais et de vanille. Doté d'une attaque franche, bien construit et fruité, ce 98 est à boire dans les deux ans.

☞ Bouteille Frères, Rotaval, 69380 Saint-Jean-des-Vignes, tél. 04.78.43.73.27, fax 04.78.43.08.94 ☑ ⟂ t.l.j. sf dim. 8h-12h 13h30-19h

RESERVE DU MAITRE DE CHAIS DE PIZAY 1999★

| | 7 ha | 50 000 | 🍶 ⬇ 20 à 29 F |

La métairie du château de Pizay a élaboré un vin rouge sombre, limpide et brillant, aux parfums intenses de fruits rouges et de cassis qui se prolongent au palais. Le style moderne de ce 99 équilibré et long, doté d'une structure tannique agréable, le fait conseiller pour une consommation dans l'année.

☞ Gilles Perez, Pizay, 69220 Saint-Jean-d'Ardières, tél. 04.74.66.26.10, fax 04.74.69.60.66
☞ Ch. de Pizay

CAVE DE PONCHON 1999★

| | n.c. | n.c. | 30 à 49 F |

Issu de terrains sablonneux, ce 99 d'un rubis brillant et limpide s'ouvre sur des notes de fruits rouges et de réglisse. Son attaque réveillée et ses tanins fins le rendent agréable. Ample avec de la chair, ce vin gagnera à attendre un an ; il sera alors très apprécié avec un saucisson lyonnais.

☞ EARL cave de Ponchon, Ponchon, 69430 Régnié, tél. 04.74.04.35.46, fax 04.74.69.03.89 ☑ ⟂ r.-v.

DOM. DE POUILLY-LE-CHATEL 1999★★

| | 0,8 ha | 4 000 | 🍶 30 à 49 F |

Dirigeant depuis vingt ans la propriété familiale, Bruno Chevalier a vinifié un très beau beaujolais blanc. La palette aromatique complexe de cette cuvée or vert évoque tout d'abord la pêche blanche puis viennent des sensations florales et des notes d'amande qui se prolongent agréablement en bouche. Après une attaque franche, une certaine puissance se dégage de ce 99 rond qui remplit bien le palais et n'est pas dénué de vivacité. Ce vin bien typé et persistant sera à boire pendant deux ans à l'apéritif ou sur un poisson grillé.

☞ Sylvaine et Bruno Chevalier, Pouilly-le-Chatel, 69640 Denicé, tél. 04.74.67.41.01, fax 04.74.67.37.86, e-mail br.chevalier@free.fr ☑ ⟂ r.-v.

DOM. DE ROCHEBONNE 1998★

| | 0,7 ha | 3 000 | 🍶 20 à 29 F |

Cette exploitation familiale remontant au XVIIᵉˢ. ne vinifie en blanc que depuis onze ans. Le jaune soutenu de la robe exprime déjà le caractère concentré de ce 98. Très vite, d'amples parfums de pomme fraîche, de tilleul et d'épices impressionnent le nez. L'intensité de l'attaque et la complexité des arômes alliées à de la rondeur mais aussi de la vivacité sont agréablement ressenties.

☞ Jean-François Pein, La Roche, 69620 Theizé, tél. 04.74.71.21.47, fax 04.74.71.21.47 ☑ ⟂ t.l.j. 8h-20h

DOM. DE ROTISSON
Cuvée Tradition 1999

| | 1,66 ha | 14 000 | 🍶 ⬇ 20 à 29 F |

Passionné de vin et exploitant lui-même, le nouveau propriétaire, qui a racheté en 1998 ce domaine bien connu du Guide Hachette, propose une cuvée rubis limpide aux parfums fruités et épicés d'une intensité honorable. La bouche aromatique et équilibrée laisse percevoir encore de jeunes tanins. On attendra quelques mois avant de boire ce 99.

☞ Dom. de Rotisson, rte de Conzy, 69210 Saint-Germain-sur-L'Arbresle, tél. 04.74.01.23.08, fax 04.74.01.55.41, e-mail domaine-de-rotisson@wanadoo.fr ☑ ⟂ t.l.j. sf dim. 9h-13h 14h-19h
☞ Didier Pouget

DOM. DES SABLES D'OR 1999★

| | 10 ha | n.c. | 🍶🍶 30 à 49 F |

Produit sur un sol siliceux sur mâchefer et élaboré en foudre, le beaujolais des Sables d'Or, rouge grenat à reflets violets, livre des parfums complexes d'une douce intensité où l'on décèle le cassis, la pêche et la fraise des bois. Fruité, équilibré et long, ce vin très bien vinifié présente une note tannique en finale qui incite à l'attendre un an.

☞ EARL Olivier Ravier, Dom. des Sables d'Or, Les Descours, 69220 Belleville-sur-Saône, tél. 04.74.66.12.66, fax 04.74.66.57.50, e-mail olivier.ravier@wanadoo.fr ☑ ⟂ r.-v.

DOM. DES SOURCES 1999

| | 6 ha | 8 000 | 🍶 ⬇ 20 à 29 F |

S'ouvrant sur de frais parfums de fruits rouges, ce vin d'un rouge violet se montre limpide, friand et réveillé. Equilibré et agréable, il est à boire dans l'année.

☞ Stéphane Lacondemine, Dom. des Sources, 69460 Le Perréon, tél. 04.74.02.14.20, fax 04.74.02.14.21 ☑ ⟂ r.-v.

DOM. DE TANTE ALICE 1999★★★

| | 0,4 ha | 3 000 | 🍶 ⬇ 30 à 49 F |

Au pied de la colline de Brouilly, au cœur du Beaujolais, le domaine de Tante Alice a élevé cet

exceptionnel 99 que le grand jury des beaujolais blancs a consacré coup de cœur. Cet élégant vin jaune paille doté de reflets presque bleus, plein de force et de chair, livre d'agréables parfums de fleurs, de beurre frais et des nuances vanillées. Frais, long et typé, il est à déguster au cours des deux prochaines années avec les mets les plus fins.

☛ SCEA Dom. de Tante Alice, La Pilonnière, 69220 Saint-Lager, tél. 04.74.66.89.33, fax 04.74.66.86.20 ☑ 🍷 r.-v.

DOM. DES TERRASSES DE SAINT-PRÉ 1999

■	5 ha	40 000	■ 20 à 29 F

Des vignes d'une quarantaine d'années exposées au sud sont à l'origine de ce 99 d'un rubis violacé profond. Le nez de fruits rouges a beaucoup de finesse. Équilibré, souple et gouleyant, ce vin s'apparente plus à un type primeur qu'à un vin de garde ; aussi l'appréciera-t-on dès à présent.

☛ Jean-Michel Coquard, chem. du Neyra, 69480 Pommiers, tél. 04.74.62.20.73 ☑ 🍷 r.-v.

DOM. DES TREILLES 1999

■	4,5 ha	12 000	■ ♦ 20 à 29 F

Une vinification traditionnelle à 80 % avec un assemblage de vins issus d'une macération préfermentaire à chaud a produit ce joli vin rouge cerise, limpide, aux parfums de fruits bien mûrs et de violette, qui garnit agréablement la bouche. Équilibré, il sera apprécié dans l'année.

☛ Dominique Romy, 1020, rte de Saint-Pierre, 69480 Morancé, tél. 04.78.43.65.06, fax 04.78.43.65.06 ☑ 🍷 r.-v.

JEAN-MARC TRONCY 1999

■	1 ha	n.c.	■ 20 à 29 F

Cette cuvée dotée d'une belle robe rubis soutenu laisse découvrir rapidement une typicité marquée par des parfums de cassis assez intenses qui se prolongent en bouche. Assez charnue et équilibrée, elle est à boire dans l'année.

☛ Jean-Marc Troncy, Le Brêt, 69640 Cogny, tél. 04.74.67.41.19, fax 04.74.67.41.19 ☑ 🍷 r.-v.

Beaujolais supérieur

ALAIN CHATOUX
Cuvée Vieilles vignes 1999★★

■	2,5 ha	10 000	■ 🔲 20 à 29 F

Une sélection de vieilles vignes de plus de soixante ans d'âge a donné cette cuvée grenat, limpide et brillante ; le nez de réglisse, de poivre et d'iris annonce une belle charpente très bien équilibrée. Ce vin tout en rondeur, ample, qui présente une jolie fin de bouche, est à apprécier dans l'année.

☛ Alain Chatoux, Le Bourg, 69620 Sainte-Paule, tél. 04.74.71.24.02 ☑ 🍷 r.-v.

CUVIER DE LA MARTINIÈRE

■	17,27 ha	60 000	99★

Issue de parcelles préidentifiées avant les vendanges, cette cuvée rouge soutenu, limpide et brillante, aux parfums floraux (pivoine) d'une grande netteté garnit agréablement la bouche. Frais, équilibré et gouleyant, ce vin de soif est à boire dans l'année. Également recommandé, le **beaujolais blanc 99** (30 à 49 F) de la Cave beaujolaise de Bully est cité par le jury.

☛ Cave beaujolaise de Bully, 69210 Bully, tél. 04.74.01.27.77, fax 04.74.01.14.53 ☑ 🍷 r.-v.

Beaujolais-villages

L e mot « villages » a été adopté pour remplacer la multiplicité des noms de communes qui pouvaient être ajoutés à l'appellation beaujolais pour distinguer des productions considérées comme supérieures. La quasi-totalité des producteurs a opté pour la formule beaujolais-villages.

T rente-huit communes, dont huit dans le canton de La Chapelle-de-Guinchay, ont droit à l'appellation beaujolais-villages, mais seulement trente peuvent ajouter le nom de la commune à celui de beaujolais. Si le terme de beaujolais-villages facilite la commercialisation depuis 1950, certains noms synonymes d'un cru peuvent créer des confusions. Les 6 017 ha, dont la quasi-totalité est comprise entre la zone des beaujolais et celle des crus, ont assuré en 1999 une production de 356 250 hl de rouges et 3 188 hl de blancs.

L es vins de l'appellation se rapprochent des crus et en ont les contraintes culturales (taille en gobelet ou éventail, degré initial des moûts supérieur de 0,5 ° à ceux des beaujolais). Originaires de sables granitiques, ils sont fruités, gouleyants, parés d'une robe d'un beau rouge vif : ce sont les inimitables têtes de cuvée des vins de primeur. Sur les terrains granitiques, plus en altitude, ils apportent la vivacité requise pour l'élaboration de bouteilles consommables toute l'année. Entre ces extrêmes, toutes les nuances sont représentées, alliant finesse, arôme et corps, s'accommodant aux mets les plus variés, pour la plus grande joie des convives : le brochet à la crème, les terrines, le pavé de

... bien avec un beaujolais-vil-
~~charolais~~ de finesse.

lages ...

... DES AMPHORES 1999

| | 6 ha | 10 000 | ■ | 20 à 29 F |

L'exploitation, qui s'étend sur neuf communes, propose un beaujolais-villages d'un rubis
limpide, au nez de framboise, de fraise et de cassis d'une bonne intensité. Souple, frais, long et
très aromatique, ce vin est fait pour être bu au
printemps prochain (2001).
☛ Pascal Gonnachon, La Ville, 71570 Saint-
Amour-Bellevue, tél. 03.85.37.42.44,
fax 03.85.37.43.01 ☑ ☲ r.-v.

ANTOINE BARRIER 1999

| | 26 ha | 200 000 | ■ | 20 à 29 F |

La sélection de ce négociant répond à un
cahier des charges rigoureux et à des critères de
traçabilité. Elle révèle de discrètes notes de fruits
rouges et de confiserie. L'attaque corsée et
complexe annonce une belle matière vive, riche
et puissante. Avec le temps, les parfums gagne-
ront en harmonie, les tanins s'arrondiront. D'ici
quelques mois, ce 99 accompagnera au mieux des
viandes grillées et du saint-marcelin.
☛ SCAMARK, 52, rue Camille-Desmoulins,
92135 Issy-les-Moulineaux, tél. 01.46.62.76.37,
fax 01.46.44.38.32

DOM. DE BEL AIR 1999

| | 6 ha | 18 000 | ■ | 30 à 49 F |

L'exploitation a donné un vin rouge vif et brillant aux agréables parfums de fruits rouges. Une
attaque franche et souple est suivie d'impressions
charnues et élégantes. Une légère amertume en
finale atteste la jeunesse de ce 99 à boire dans
l'année.
☛ EARL Jean-Marc Lafont, Bel-Air,
69430 Lantignié, tél. 04.74.04.82.08,
fax 04.74.04.89.33 ☑ ☲ r.-v.

DOM. FRANCOIS BEROUJON 1999★★

| | 6 ha | 47 000 | ■ | 20 à 29 F |

De nombreux comédiens et chanteurs ont
visité les caves où s'élabore ce vin splendide couleur grenat à reflets violets. Les délicates et harmonieuses senteurs fruitées, d'une grande pureté,
accompagnent la structure puissante, équilibrée
par des tanins fermes et élégants. Une finale de
sous-bois à l'automne complète la palette aromatique de ce 99 remarquable.
☛ François Beroujon, La Laveuse,
69460 Salles-Arbuissonnas, tél. 04.74.67.52.47,
fax 04.74.67.52.47 ☑ ☲ r.-v.

DOM. DU BOIS DE LA BOSSE
Cuvée Prestige 1999★

| | 6 ha | 10 000 | ■ | 20 à 29 F |

Installé depuis 1980 sur le domaine familial,
Georges Després a élaboré un 99 d'un rubis très
brillant à reflets pourpres. Des notes de sous-bois
et d'argile qui devraient évoluer vers la pivoine
sont associées à une longue bouche remarquablement structurée, ayant de la mâche. Ce vin de
terroir, qui pourra être servi tout au long du
repas, est prêt à boire mais il supportera une
garde d'un an ou deux.

☛ Georges Després, Le Vernay, 69460 Saint-
Etienne-des-Oullières, tél. 04.74.03.48.98,
fax 04.74.03.31.55 ☑ ☲ r.-v.

GERARD BRISSON 1999

| | 1 ha | n.c. | ■ ⚖ | 30 à 49 F |

La mairie de Villié-Morgon occupe le château
du XVII[s]. qui possède un caveau de dégustation
où est fêté chaque 11 novembre le vin nouveau.
Sur le chemin des Romains - on rejoint là aussi
l'Histoire -, vous rencontrerez Gérard Brisson
sur un domaine consacré à la vigne depuis 1431.
Il a élevé cette cuvée rouge violacé qui s'avère
discrète au nez. La bouche, bien structurée et
équilibrée, présente des tanins assez fermes qui
suggèrent un vieillissement de quelques mois.
☛ Gérard Brisson, chem. des Romains,
69910 Villié-Morgon, tél. 04.74.04.21.60,
e-mail gérard.brisson@wanadoo.fr ☑ ☲ t.l.j. sf
dim. 9h-12h 13h30-19h; f. 15 jrs en août, 25-31
déc.

DOM. DES CHARMEUSES 1999

| | 1,2 ha | 6 000 | ■ ⦙⦙⦙ | 20 à 29 F |

Une vendangeuse plutôt aguichante orne l'étiquette de cette sélection de vieilles vignes d'un
rubis limpide et brillant. Son joli nez de groseille
et de cassis laisse percevoir des nuances animales. Après une attaque agréable, la bouche révèle
des tanins soyeux. Plaisant tout au long de la
dégustation, ce vin est à boire dans l'année.
☛ Bruno Jambon, Le Charnay,
69430 Lantignié, tél. 04.74.69.53.93,
fax 04.74.69.53.95 ☑ ☲ r.-v.

DOM. CHASSAGNE Lantignié 1999★

| | 8,96 ha | 10 000 | ■ ⚖ | 30 à 49 F |

Le **beaujolais-villages Bouquet rosé 99**, jugé
très réussi, fait jeu égal avec cette cuvée d'un
rubis violacé brillant, au nez intense de fruits
rouges et de confiture de pêche. Charnu, aromatique et harmonieux, ce vin termine agréablement. A boire dans l'année.
☛ SCEA Chassagne-Bertoldo, Les Bruyères,
69430 Lantignié, tél. 04.74.04.82.11,
fax 04.74.69.25.53 ☑

CORINNE ET ANDRE CHAVEL
Le Perréon 1999

| | 1 ha | 7 000 | ■ | 20 à 29 F |

Située au pied du sentier de randonnée dit
« Les Cadolles », cette exploitation propose un
vin foncé aux parfums de fruits rouges et de
prune. Souple, équilibré, ce 99 franc et simple
est à boire maintenant.
☛ André et Corinne Chavel, Le Glabat,
69460 Le Perréon, tél. 04.74.03.24.17 ☑ ☲ r.-v.

CH. DU CHAYLARD 1999

| | 5,33 ha | 4 500 | ⦙⦙⦙ | 20 à 29 F |

L'ancien château d'Emeringes et son vignoble
sont détenus par la famille Chaylard depuis 1636.
Les propriétaires ont dû rebaptiser l'exploitation
il y a quarante ans et lui ont donné leur nom.
Grenat brillant, cette cuvée s'ouvre sur des parfums fruités. Typé et friand, avec de fins tanins,
ce 99 sera à point dans un an.

➤GFA du Ch. du Chaylard, Les Chavannes, 69840 Emeringes-en-Beaujolais, tél. 04.74.04.44.95 ☑ ⵏ r.-v.
➤ J. du Chaylard

CH. DU CHAYLARD Emeringes 1999

■   5,5 ha   7 000   ▐ 20 à 29 F

Le métayer du château du Chaylard a vinifié pour son propre compte cette cuvée à la robe d'un rubis assez léger et au séduisant nez fruité. La présence de tanins fermes lui donne une structure apte à la garde. A attendre.
➤Bernard et Josiane Canard, Les Grandes Vignes, 69840 Emeringes, tél. 04.74.04.44.49, fax 04.74.04.45.16, e-mail bernard.canard@wanadoo.fr ☑ ⵏ r.-v.

RECOLTE CHERMIEUX 1999★

■   3 ha   5 000   ▐♦ 30 à 49 F

De couleur rubis soutenu, ce 99 se distingue par des parfums superbes, intenses de framboise, de fraise des bois et de cassis qui s'épanouissent dans une bouche élégante. La finesse et le bel équilibre de ce vin soyeux inciteront à le boire dans l'année.
➤Gérard Genty, Vaugervan, 69430 Lantignié, tél. 04.74.69.23.56, fax 04.74.69.23.56 ☑ ⵏ t.l.j. 8h-20h

DOM. DES COMBIERS 1999

■   5 ha   4 000   30 à 49 F

Située sur le sentier viticole de Vauxrenard, cette exploitation, où se sont succédé plusieurs générations de vignerons de la même famille, a produit une cuvée rubis intense, aux puissants parfums de framboise et de groseille associés à des notes plus exotiques. La bonne attaque aromatique a de la vivacité. La bouche harmonieuse évoque un primeur par sa légèreté. A boire.
➤Yves Savoye, Les Combiers, 69820 Vauxrenard, tél. 04.74.69.92.69, fax 04.74.69.92.69 ☑ ⵏ r.-v.

DOM. COTES DE MONTJOLY 1999

■   6,76 ha   34 000   ▐♦ 30 à 49 F

Situé à 2 km du musée Claude Bernard de Saint-Julien, ce domaine a élaboré un vin pourpre à reflets violets, au nez amylique sur un fond de fruits rouges frais. Charnu, équilibré, ce 99 est prêt à boire.
➤Yves Mathieu, Mont-Joli, 69460 Blacé, tél. 04.74.67.51.13, fax 04.74.67.51.96 ☑ ⵏ r.-v.

DOM. CROIX-CHARNAY
Cuvée Vieilles vignes 1999★★

■   1 ha   5 500   ▐♦ 30 à 49 F

Des vignes de quatre-vingts ans sont à l'origine de cette cuvée d'un rouge soutenu, élue coup de cœur par le grand jury des beaujolais-villages. Ses parfums intenses et assez vifs de groseille sont associés en bouche à la myrtille. Sa belle attaque fruitée et sa riche matière bien structurée en font un vin délicieux qui pourra être consommé dans les deux prochaines années.

➤Jérôme Lacondemine, Dom. Croix-Charnay, 69430 Beaujeu, tél. 04.74.69.29.80, fax 04.74.69.29.80, e-mail domcharnay@aol.com ☑ ⵏ r.-v.
➤ Maillot

F. DESCOMBES 1999

■   5,4 ha   6 000   ▐ 20 à 29 F

Des vignes âgées de quarante-cinq ans, au rendement particulièrement maîtrisé sont à l'origine de ce vin grenat profond qui développe d'intenses parfums de cassis mêlé de beurre frais. La bouche structurée, aromatique et équilibrée se montre très agréable. Un 99 prêt à boire.
➤François Descombes, 69430 Lantignié, tél. 04.74.69.20.33 ☑ ⵏ r.-v.

DOM. DES ESSERVIES 1999★

■   1,7 ha   9 330   ▐♦ 30 à 49 F

Produite sur un sol sec composé de pierres et de graviers siliceux, cette cuvée arbore une robe d'un beau rouge brillant, vif et limpide. De subtils parfums de cerise, de cassis et de framboise accompagnent une chair souple et équilibrée, construite sur d'harmonieux tanins. Ce vin est prêt à boire mais il peut attendre un an.
➤Jean-Luc Tissier, 71570 Leynes, tél. 04.74.06.10.10, fax 04.74.66.13.77 ☑ ⵏ r.-v.

EMMANUEL FELLOT
Cuvée Tradition 1999★

■   1,5 ha   2 300   ◖▮ 20 à 29 F

Des vignes plantées sur des coteaux très pentus sont à l'origine de ce 99 vinifié de façon très classique. D'un rouge profond, il s'ouvre sur d'élégantes notes de fruits rouges, de violette et d'épices. La bouche aromatique, bien en chair et structurée est harmonieuse. Ce vin typé et concentré sera à déguster au cours des deux ou trois prochaines années.
➤Emmanuel Fellot, Dom. de Pierre-Filant, 69640 Rivolet, tél. 04.74.67.37.75, fax 04.74.67.39.06 ☑ ⵏ r.-v.

DOM. DES FOUDRES 1999★

■   1 ha   6 000   ▐ 20 à 29 F

Gabriel Chevallier, auteur de *Clochemerle*, publié en 1934, n'aurait pas désavoué cette cuvée rouge intense aux beaux reflets violets qui livre à profusion d'agréables senteurs fruitées. Ces arômes persistants accompagnent une bouche fraîche, harmonieuse et remarquablement équilibrée. Gaie et séduisante, cette bouteille est à boire dans l'année.

☛ Roger et Jean-Philippe Sanlaville, Le Plageret, 69460 Vaux-en-Beaujolais, tél. 04.74.03.24.03, fax 04.74.03.21.77 ☑ ⏀ t.l.j. 8h-19h

DOM. DES GAROCHES 1999

■   0,4 ha   3 000   ■ ⸮ 30 à 49 F

La famille Dufaitre se consacre au travail de la vigne depuis 1750. De couleur grenat, son beaujolais-villages s'ouvre sur des impressions empyreumatiques mêlées à des notes de framboise et de fruits à noyau. Les tanins très présents ne manquent pas d'intérêt, mais il faudra attendre un an pour boire ce 99 avec un coq au vin.
☛ Pierre-Louis Dufaitre, Garanches, 69460 Odenas, tél. 04.74.03.40.16, fax 04.74.03.40.16 ☑ ⏀ t.l.j. 9h-18h

GÉRARD ET JEAN-PAUL GAUTHIER 1999

■   16 ha   40 000   ■ ⸮ 30 à 49 F

Mise en valeur par deux frères associés, Gérard et Jean-Paul Gauthier, qui ont créé le GAEC de La Merlatière, l'exploitation a produit une cuvée grenat, au nez évoluant vers la groseille et la cerise. Avec sa bouche fruitée assez corsée et d'une bonne fraîcheur, elle est à boire dans l'année. Le moulin-à-vent 99 du domaine a également été cité.
☛ GAEC de La Merlatière, Gérard Gauthier, 69220 Lancié, tél. 04.74.04.13.29, fax 04.74.69.86.84 ☑ ⏀ r.-v.

DOM. DE GIMELANDE 1999

■   1,2 ha   8 000   ■ 30 à 49 F

Montmelas possède un imposant château entièrement remanié au XIXᵉ s. par Louis Dupasquier, dont les audaces architecturales sont dignes de Viollet-le-Duc. Le domaine de Gimelande propose un beaujolais-villages rouge sombre libérant des parfums fruités assez intenses. Ce 99 à la puissante structure tannique est promis à une excellente garde.
☛ Armand Large, Dom. de Gimelande, Le Clerjon, 69640 Montmelas, tél. 04.74.67.30.95, fax 04.74.67.47.34 ☑ ⏀ r.-v.

DAVID GOBET 1999

■   1,5 ha   n.c.   ■ ⸮ 30 à 49 F

Installé sur la commune de Régnié-Durette, David Gobet possède 3 ha dont la moitié a été consacrée à ce beaujolais-village d'un rouge brillant peu soutenu. Ce vin développe de puissants parfums amyliques et floraux. Souple, aromatique, flatteur et doté d'une matière peu concentrée, il est à boire maintenant.
☛ David Gobet, L'Hermitage, 69430 Régnié-Durette, tél. 04.74.69.22.10, fax 04.74.69.22.10, e-mail dgobetaol.fr ☑ ⏀ r.-v.

DOM. DU GRAND CHENE 1999★

■   6,5 ha   13 330   ■ ⸮ 30 à 49 F

La vigne fut implantée ici il y a une centaine d'années. Certains ceps ont quatre-vingts ans ! Commercialisé par l'Eventail des Vignerons Producteurs à Corcelles, ce vin d'un rouge léger et brillant offre des parfums fruités délicats et friands. Souple avec une chair fine et aromatique, il est à boire au cours de l'année.
☛ André Jaffre, 69220 Charentay, tél. 04.74.06.10.10, fax 04.74.66.13.77 ☑ ⏀ r.-v.

DOM. DU GUELET 1999

■   0,8 ha   6 000   ❙❙❙ 30 à 49 F

La commune de Rivolet est environnée d'un paysage pittoresque, qui mêle bois, vignes et pâturages. Elle recèle des carrières de porphyre exploitées pour la constitution du ballast des voies de TGV. D'un rouge moyen assez vif, cette cuvée au nez délicat où framboise et groseille dominent se révèle plutôt légère en bouche malgré quelques jeunes tanins. Elle sera à boire dans l'année, comme le **beaujolais 99** (20 à 29 F) également cité par le jury.
☛ Didier Puillat, Le Fournel, 69640 Rivolet, tél. 04.74.67.34.05, fax 04.74.67.34.05 ☑ ⏀ r.-v.
☛ Branciard

DOM. DES HAYES 1999

■   10 ha   30 000   ■ 30 à 49 F

La cave de vinification, rénovée en 1993, a permis l'élaboration d'une cuvée grenat limpide qui s'ouvre sur les nuances de fruits rouges et de pêche. Bien équilibré avec des tanins agréables, ce vin est prêt à boire.
☛ Pierre Deshayes, Les Grandes-Vignes, 69460 Le Perréon, tél. 04.74.03.25.47, fax 04.74.03.23.90 ☑ ⏀ r.-v.

DOM. DE LA BEAUCARNE
Quintessence 1999

■   2 ha   10 000   ■ ⸮ 30 à 49 F

Le nom d'un chanteur et poète belge a été donné à ce 99 rubis brillant, au nez expressif de groseille, de cassis et d'épices. L'attaque souple et ronde annonce un vin léger, à boire dès maintenant.
☛ Michel Nesme, La Combe de Chavanne, 69430 Beaujeu, tél. 04.74.04.86.23, fax 04.74.04.83.41 ☑ ⏀ r.-v.

DOM. DE LA BOURDISSONNE
Cuvée Vieilles vignes 1999

■   1 ha   4 000   ■ 30 à 49 F

Des vignes de quatre-vingts ans d'âge sont à l'origine de cette cuvée grenat limpide qui s'ouvre sur des nuances de cerise. Marqué par des tanins encore jeunes mais prometteurs, ce vin généreux est à attendre un an.
☛ Nicole et Robert Santiquet-Loup, Dom. de La Bourdissonne, 69460 Vaux-en-Beaujolais, tél. 04.74.03.22.18, fax 04.74.03.28.80 ☑ ⏀ t.l.j. 9h-19h; groupes sur r.-v.

DOM. DE LA CHAPELLE DE VATRE
Cuvée Allys 1999

■   2 ha   n.c.   ■ ⸮ 30 à 49 F

Le vignoble, qui entoure une chapelle romane du XIIᵉ s., à 450 m d'altitude, a donné une cuvée rubis intense, aux parfums de fruits rouges confits, de cassis et de cerise. La bouche, plutôt ferme et longue, doit s'affiner. Il faudra l'attendre au moins un an. Ne disait-on pas, au début du XXᵉ s., que le vin de Vâtre « se rebiffait » ?

•┐ Dom. de La Chapelle de Vâtre, Le Bourbon, 69840 Jullié, tél. 04.74.04.43.57, fax 04.74.04.40.27 ☑ ⵙ r.-v.
•┐ Dominique Capart

DOM. DE LA COMBE DES FEES 1999*

| ■ | 1 ha | 6 000 | ⓘ 30 à 49 F |

La propriété familiale, créée en 1862 a été citée pour une cuvée de **beaujolais blanc 98**. C'est ce *villages* qui l'emporte. Rubis à reflets violets, il s'ouvre peu à peu sur des notes de torréfaction. La belle matière, qui remplit le palais, corsée, charnue, longue et équilibrée permet de l'apprécier dès maintenant mais aussi pendant un an.
•┐ Jean-Charles Perrin, La Maison Jaune, 69460 Vaux-en-Beaujolais, tél. 04.74.03.24.55, fax 04.74.03.24.55 ☑ ⵙ r.-v.

DOM. DE LA CROIX SAUNIER
Sélection Vieilles vignes 1999

| ■ | 3 ha | 10 000 | ⓘ 30 à 49 F |

De très vieilles vignes ont donné ce vin rubis brillant au bon nez de cerise et de jacinthe. La bouche, quant à elle, est plutôt vive mais d'une longueur convenable. A boire dans l'année sur les bonnes charcuteries lyonnaises.
•┐ GAEC dom. de La Croix Saunier, Jean Dulac et Fils, 69460 Vaux-en-Beaujolais, tél. 04.74.03.22.46, fax 04.74.03.28.97 ☑ ⵙ r.-v.

DOM. DE LA FLEUR DE BRUYERE
1999*

| ■ | 2 ha | 4 000 | ■⑪⬇ 30 à 49 F |

La marque, liée au nom de la parcelle cadastrée « Grandes Bruyères », est représentée par un vin d'un rouge soutenu au nez agréable de fraise écrasée, de cassis et de kirsch. Doté d'une belle matière équilibrée, où la chair domine les tanins, cet élégant 99 pourra être apprécié durant deux ans.
•┐ Mireille et Jean-Michel Sauzon, Nety, 69460 Saint-Etienne-des-Oullières, tél. 04.74.03.42.84, fax 04.74.03.42.84 ☑ ⵙ t.l.j. 8h-20h

GERARD ET JEANNINE LAGNEAU
1999**

| ■ | 4,61 ha | 7 000 | ⓘ 20 à 29 F |

L'exploitation, qui possède quatre chambres d'hôte de caractère, a vinifié ce 99 pourpre à reflets violets qui a été classé premier coup de cœur par le grand jury des beaujolais-villages. De subtils parfums de fruits rouges accompagnent une excellente bouche de fruits bien mûrs,

comme confits, dotée de tanins fondus. Typé, persistant, riche d'une belle matière, ce vin remarquable sera apprécié pendant deux ou trois ans avec des viandes rouges, du petit gibier ou du fromage.
•┐ Gérard et Jeannine Lagneau, Huire, 69430 Quincié-en-Beaujolais, tél. 04.74.69.20.70, fax 04.74.89.44 ☑ ⵙ r.-v.

DOM. DE LA JOUBETTE 1999*

| ■ | 0,5 ha | 1000 | ⓘ 20 à 29 F |

C'est le premier millésime commercialisé sous cette marque, mais Chantal Guignier est assurément une viticultrice à suivre. Des parfums complexes et puissants, avec des touches de fruits rouges et de sous-bois, émanent de cette cuvée grenat, limpide et brillante. La bouche ronde, très bien structurée, livre de discrets arômes fruités. Ce beau vin concentré est à attendre un ou deux ans.
•┐ Chantal Guignier, Le Bourg, 69820 Vauxrenard, tél. 04.74.69.90.65, fax 04.74.69.90.65 ☑ ⵙ r.-v.

DOM. DE LA MADONE Le Perréon 1999

| ■ | 15 ha | 120 000 | ■⬇ 30 à 49 F |

Proche du col de la Croix-Rosier, Le Perréon est une halte vineuse sur la route des cols du Beaujolais. Ce vin, rubis intense à reflets grenat, livre sans exubérance des parfums de fleurs et de fruits. Un beaujolais-villages long et désaltérant à boire dès maintenant.
•┐ Jean Bérerd et Fils, SCEA de La Madone, 69460 Le Perréon, tél. 04.74.03.21.85, fax 04.74.03.27.19 ☑ ⵙ t.l.j. sf dim. 9h-12h 14h-19h

DOM. DE LA MILLERANCHE 1999

| ■ | 4 ha | 7 000 | 20 à 29 F |

Né sur des terrasses granitiques, ce vin rouge assez léger, limpide, offre un nez de groseille et de fruits rouges frais. Sa bonne attaque, suivie d'impressions plus corsées et d'une chair plutôt fine, le prédispose à être bu dans l'année.
•┐ Fernand Corsin, Le Bourg, 69840 Jullié, tél. 04.74.04.40.64, fax 04.74.04.49.36 ☑ ⵙ r.-v.

CUVEE DE LA MOUTONNIERE 1999

| ■ | n.c. | n.c. | 30 à 49 F |

La société des vins du château de Pizay, chargée de la commercialisation des vins de producteurs associés, propose une cuvée rouge intense aux parfums violents de cassis, de framboise et de violette. Persistant en bouche, plutôt rond, ce vin surprenant et très aromatique est à boire. NDLR : l'étiquette est jolie ; les informations qu'elle donne sont les suivantes : Cuvée de La Moutonnière, mise en bouteilles à la propriété à Saint-Jean-d'Ardières 69220 pour François de Nanton 69910.
•┐ Sté des vins de Pizay, 69910 Villié-Morgon, tél. 04.74.66.26.10, fax 04.74.69.60.66 ⵙ r.-v.

DOM. DE LA PLAIGNE 1999**

| ■ | 2 ha | 16 000 | ⓘ 30 à 49 F |

Egalement producteur d'un **régnié 99** qui a reçu une citation, ce domaine propose une cuvée de beaujolais-villages rubis profond, aux parfums développés de fruits rouges et de cassis. La belle bouche, charnue, aromatique avec des nuances de groseille, est harmonieusement structurée et équilibrée. Ce vin plein de jeunesse et prometteur sera à boire pendant les trois prochaines années.

☛ Gilles et Cécile Roux, La Plaigne, 69430 Régnié-Durette, tél. 04.74.04.80.86, fax 04.74.04.83.72 ☑ 𝚼 r.-v.

DOM. DE LA ROCHE 1999

| ■ | 6,94 ha | 6 000 | 📷 | 20 à 29 F |

Le domaine, en grande partie implanté sur la roche, a produit un vin rubis léger, au nez élégant de fleurs et de fruits rouges. Amylique et guilleret, ce sympathique 99 est à boire dans l'année et accompagnera tout un repas.

☛ Alain Démule, La Roche, 69430 Quincié-en-Beaujolais, tél. 04.74.04.31.37 ☑ 𝚼 r.-v.

DOM. DE LA TONNELLE 1999★★

| ■ | n.c. | 4 000 | 📷 | 20 à 29 F |

Il fera bon sous la tonnelle déguster cette cuvée rubis soutenu aux reflets pleins de jeunesse. Elle s'ouvre sur des parfums intenses de framboise et de cassis qui accompagnent une bouche très bien équilibrée et longue. Ce vin concentré et prometteur sera apprécié pendant les deux prochaines années.

☛ Gilles et Nathalie Nesme, Appagnié, 69430 Lantignié, tél. 04.74.04.88.40, fax 04.74.04.88.40 ☑ 𝚼 r.-v.

DOM. DE LA TREILLE 1999

| ■ | 2 ha | 2 500 | 📷 | 30 à 49 F |

Les Gauthier vous ouvriront leur caveau de dégustation (sur rendez-vous) et vous y découvrirez un *villages*, un « vrai », avec cette cuvée rouge limpide aux parfums assez intenses et nets. Fruité et bien structuré, ce vin classique est à attendre quelques mois.

☛ EARL Jean-Paul et Hervé Gauthier, Les Frébouches, 69220 Lancié, tél. 04.74.04.11.03, fax 04.74.69.84.13 ☑ 𝚼 r.-v.

PATRICK LE BOURLAY 1999

| ■ | 4 ha | 10 000 | 📷 | 20 à 29 F |

Tout est légèreté dans ce vin fruité et plaisant qui persiste assez longuement. D'abord la robe limpide et claire, puis les parfums de framboise, de groseille et de cassis qui enrobent le primeur, enfin la bouche qui, après une attaque vive, se montre aromatique et équilibrée. Ce vin agréable est à boire dans l'année.

☛ EARL Patrick et Odile Le Bourlay, Forétal, 69820 Vauxrenard, tél. 04.74.69.90.44, fax 04.74.69.90.44 ☑ 𝚼 r.-v.

DOM. LES MARGOTS 1999★

| ■ | 1 ha | 4 000 | 📷 | 20 à 29 F |

Cette exploitation familiale a élevé une cuvée d'un très beau rubis limpide et brillant qui libère des parfums de cerise et de groseille. La bouche fruitée, fraîche et équilibrée a du charme. Ce « vin plaisir » est prêt, mais il pourra attendre de un à deux ans.

☛ André Longin, Les Laforest, Andilleys, 69430 Beaujeu, tél. 04.74.04.83.25, fax 04.74.04.83.25 ☑ 𝚼 r.-v.

DOM. LES VILLIERS 1999

| ■ | 5 ha | 6 000 | 📷 | 20 à 29 F |

Egalement cité pour son **blanc 99** (30 à 49 F) de la même appellation, ce domaine a vinifié une cuvée rubis limpide aux discrets parfums de cassis et de fruits mûrs. Riche, assez structuré, ce *villages* est à boire.

☛ Lucien Chemarin, Les Villiers, 69430 Marchampt, tél. 04.74.04.37.11 ☑ 𝚼 t.l.j. 8h-20h

CH. DES LOGES 1999★

| ■ | n.c. | 25 000 | 📷🥄 | 30 à 49 F |

Le château des Loges abrite, dans de belles caves voûtées, le caveau de dégustation de la cave coopérative du Perréon. Celle-ci a également présenté un **brouilly 99** qui a reçu une citation, sous la marque du château. Quant à ce beaujolais-villages, c'est un vin rouge très sombre aux parfums de kirsch et de réglisse. Riche, complexe et capiteux, il est prêt à boire mais peut attendre un ou deux ans.

☛ Cave Beaujolaise du Perréon, 69460 Le Perréon, tél. 04.74.03.22.83, fax 04.74.03.27.60 ☑ 𝚼 r.-v.

DOM. DES MAISONS NEUVES 1999★★★

| ■ | n.c. | 5 000 | 📷🥄 | 20 à 29 F |

Pour sa première vinification à la tête du domaine, ce viticulteur s'est particulièrement distingué avec cette cuvée rouge soutenu à reflets violets qui offre un très beau nez de fruits où se mêlent des nuances de sous-bois. Doté d'une excellente structure puissante et fruitée, ce vin, très harmonieux et d'une grande finesse, est prêt à boire mais il peut attendre un an et peut-être plus.

☛ Emmanuel Jambon, Le Gonnu, 69460 Blacé, tél. 04.74.60.56.36, fax 04.74.66.70.00 ☑ 𝚼 t.l.j. 8h-18h

DOM. DU MARRONNIER ROSE 1999

| ■ | 4 ha | 5 000 | 📷🥄 | 20 à 29 F |

Issu d'un terroir de sable et de granit, ce 99 rouge clair livre de très jeunes parfums aux nuances de bonbon anglais. Aromatique et gouleyant, ce vin de type primeur est à boire.

☛ Sylvain et Nathalie Dory, Le Bourg, 69820 Vauxrenard, tél. 04.74.69.90.80, fax 04.74.69.90.80 ☑ 𝚼 r.-v.

DOM. CHRISTIAN MIOLANE 1999★

| ■ | 10 ha | 15 000 | 📷 | 20 à 29 F |

Le village de Salles-Arbuissonnas est bien connu pour le cloître de son prieuré (XIIᵉs.) et son ancien chapitre de chanoinesses, dames bénédictines accueillies en 1300 et qui y vécurent assez librement jusqu'à la Révolution. Cette cuvée, d'un beau rubis limpide, libère d'élégants parfums de cassis et de raisin. La bouche, aromatique, pleine et structurée, se révèle agréablement fraîche et vive. Ce 99, homogène et fruité, est à boire pendant deux ans.

☛ EARL Dom. Christian Miolane, La Folie, 69460 Salles-Arbuissonnas, tél. 04.74.67.52.67, fax 04.74.67.59.95 ☑ 𝚼 r.-v.

CH. DE MONTMELAS 1999★★

■ 2,5 ha 5 000 ▮▯↓ 30 à 49 F

Tel le château de la « Belle au bois dormant », cette forteresse du X^{e}s., entièrement reconstruite au XIX^{e}s. et propriété de la famille d'Harcourt depuis 1566, domine une grande partie du vignoble. Dans l'une de ses caves a été élevée cette cuvée bien travaillée, d'un rouge profond, limpide, aux parfums de framboise et de cerise. Une belle attaque tout en rondeur associée à de fins tanins et de remarquables arômes composent un vin élégant et long.
☛ SARL d'Harcourt, Ch. de Montmelas, 69640 Montmelas, tél. 04.74.67.32.94, fax 04.74.67.30.54, e-mail chateau.de.montmelas@wanadoo.fr ☑ ⊺ r.-v.

DOM. PERRIER 1999

■ 9 ha 18 000 ▮ 30 à 49 F

Depuis 1864, les Perrier cultivent ici la vigne. De beaux éclats brillants illuminent une robe rubis peu intense. Les parfums bien développés évoquent la banane mûre et les fruits rouges. Flatteur, garnissant bien la bouche, ce vin est à boire dans l'année avec de bons amis.
☛ Marlyse et Gérard Perrier, Le Saule, 69430 Lantignié, tél. 04.74.04.88.93, fax 04.74.04.88.93 ☑ ⊺ r.-v.

DOM. DES QUARANTE ECUS 1999

■ 1,5 ha 10 000 ▮ 30 à 49 F

Cette propriété, également gîte de France, propose un vin rubis aux parfums complexes de fleurs et de fruits, à la bouche aromatique, légère et dotée de fins tanins. On aura plaisir à le déguster dans l'année avec une volaille de Bresse.
☛ Bernard Nesme, Les Vergers, 69430 Lantignié, tél. 04.74.04.85.80, fax 04.74.69.27.79 ☑ ⊺ r.-v.

CAVE BEAUJOLAISE DE QUINCIE 1999★

■ 5 ha 30 000 ▮ 20 à 29 F

Ce vin d'un rouge sombre brillant et limpide s'ouvre sur de très agréables notes de fruits rouges. Corsé avec une finale un peu vive, typé, ce 99 aux jeunes tanins en évolution sera à découvrir dans un an ou deux. Dans le même millésime, la production de **brouilly** (30 à 49 F) a été jugée très réussie par le jury qui lui a attribué une étoile.
☛ Cave coopérative de Quincié-en-Beaujolais, 69430 Quincié-en-Beaujolais, tél. 04.74.04.32.54, fax 04.74.69.01.30 ☑ ⊺ r.-v.

DOM. DE ROCHEBRUNE 1999

■ 6 ha 2 000 ▮↓ 20 à 29 F

Depuis Le Perréon, il faut descendre à travers les beaux vignobles de Saint-Etienne-des-Oullières pour découvrir ce domaine qui propose un *villages* 99. Des parfums de poivre et de petits fruits rouges émanent de cette cuvée dotée d'une jolie robe rubis très brillante et franche. Fruitée et bien structurée, elle possède des tanins qui devront encore se fondre.

☛ EARL dom. de Rochebrune, Le Pont-Mathivet, 69460 Saint-Etienne-des-Oullières, tél. 04.74.03.46.41 ☑ ⊺ r.-v.
☛ Xavier Dumont

JOEL ROCHETTE 1999★

■ 1,98 ha 15 000 ▮↓ 20 à 29 F

Elaboré dans le nouveau chai de vinification de l'exploitation, ce vin rubis soutenu s'ouvre assez timidement. La bouche révèle des tanins soyeux et un très bel équilibre. Bien réussi et long, ce 99 est à boire au cours des deux prochaines années.
☛ Joël Rochette, Le Chalet, 69430 Régnié-Durette, tél. 04.74.04.35.78, fax 04.74.04.31.62 ☑ ⊺ r.-v.

CH. SAINT-VINCENT 1999

■ 5,5 ha 42 000 ▮↓ 20 à 29 F

Le château, qui date de 1880, a produit un vin couleur cerise noire au nez intense, fait de notes amyliques et de bourgeon de cassis. Plutôt vif, avec des tanins qui ne masquent pas la chair, ce 99 est à boire.
☛ Philippe de Vaublanc, Le Saint-Vincent, 69430 Quincié, tél. 04.74.04.39.59

DOM. DE SERMEZY 1999★★

■ 5 ha 12 000 ▮↓ 20 à 29 F

Une partie de ce vignoble de 12 ha, réparti sur différents terroirs, a produit un vin rouge brillant au nez intense de fruits et de fleurs. De jeunes tanins, qu'enrobe un fruité persistant d'une belle fraîcheur, donnent beaucoup de plaisir à la dégustation. Un 99 harmonieux à boire pendant un an.
☛ Patrice Chevrier, Dom. de Sermezy, 69220 Charentay, tél. 04.74.66.86.55, fax 04.74.66.86.55, e-mail pchevrier@free.fr ☑ ⊺ r.-v.

DOM. DU TRACOT
Cuvée Côte d'Appagnié et des Pins 1999

■ 9 ha 90 000 ▮↓ 30 à 49 F

Des sols granitiques et caillouteux ont donné un vin sombre, presque opaque. Les nuances olfactives vont des fruits rouges bien mûrs aux impressions vanillées plus douces. Sa belle matière reste cependant dominée par les tanins. A attendre un an ou deux.
☛ Henri et Jean-Paul Dubost, Le Tracot, 69430 Lantignié, tél. 04.74.04.87.51, fax 04.74.69.27.33, e-mail dubost@francebeaujolais.com ☑ ⊺ r.-v.

TROPHEE DIRIET 1999★

■ 8 ha 3 000 ▮↓ 30 à 49 F

Le Trophée Diriet qui chaque année, lors du concours des vins de Beaujeu, récompense le meilleur beaujolais-villages, a été attribué pour la première fois à la cave de Saint-Julien grâce à cette cuvée rouge foncé aux parfums bien développés de framboise et autres fruits rouges. Son élégant fruité associé à de la chair et à une structure équilibrée permettront de l'apprécier pendant un à deux ans. Un **beaujolais 99 de la Cave de Saint-Julien** a obtenu une citation.

☛ Cave beaujolaise de Saint-Julien,
Les Fournelles, 69640 Saint-Julien,
tél. 04.74.67.57.46, fax 04.74.67.51.93,
e-mail stjulien@vins-du-beaujolais.com
☑ ⊤ r.-v.

CH. DE VAUX Cuvée traditionnelle 1999

■   3 ha   20 000   ■ 30 à 49 F

Au cœur du village de Vaux-en-Beaujolais, le
Clochemerle de G. Chevallier, les caves de ce
petit château, dont les origines remontent au
XII⁵s., abritent ce vin rubis très limpide qui
s'ouvre sur des fruits rouges mêlés de à légères
notes de sous-bois. Le palais, impressionné par
des arômes de framboise et de fraise, révèle de
la souplesse. A apprécier maintenant.
☛ EARL Jacques de Vermont, Le Bourg,
69460 Vaux-en-Beaujolais, tél. 04.74.03.20.03,
fax 04.74.03.24.10 ☑ ⊤ r.-v.

CH. DES VERGERS Cuvée Tradition 1999

■   18 ha   35 000   ■ 30 à 49 F

La toiture du château est en forme de carène
renversée. Dans ses caves, a été élevé ce *villages*
grenat qui libère de puissants parfums de griotte
et de cassis. Assez chaleureux et tannique au
palais, ce vin typé, très jeune et persistant, est à
attendre quelques mois.
☛ GFA Les Vergers du Chayla, Les Vergers,
69430 Lantignié, tél. 04.74.04.85.63,
fax 04.74.04.83.50 ☑ ⊤ r.-v.
☛ Robert du Chayla

HENRI DE VILLAMONT
Les Trois Grâces 1999★★

■   n.c.   18 000   ■ 30 à 49 F

La sélection **Le Chambellan en moulin-à-vent
98** (50 à 69 F), de cette maison beaunoise a reçu
une étoile. Quant à ce beaujolais-villages, sa robe
d'un rubis profond et vif à la fois s'accorde aux
parfums complexes de fruits mûrs et de nuances
vineuses. Sa longue structure tannique et concentrée se révèle agréable. Ce vin riche, qui fait penser à un « petit cru », sera apprécié pendant deux
à trois ans.
☛ Henri de Villamont, rue du Dr-Guyot,
21420 Savigny-lès-Beaune, tél. 03.80.24.70.07,
fax 03.80.22.54.31, e-mail hdv@planetb.fr
⊤ t.l.j. sf mar. 10h-18h30 ; jeu. 14h-18h30 ; f. 15
nov.-Pâques ☑

Brouilly et côte de brouilly

Le dernier samedi d'août, le
vignoble retentit de chants et de musique ;
les vendanges ne sont pas commencées et
pourtant une nuée de marcheurs, panier de
victuailles au bras, escaladent les 484 m de
la colline de Brouilly, en direction du sommet où s'élève une chapelle près de laquelle
seront offerts le pain, le vin et le sel ! De là,
les pèlerins découvrent le Beaujolais, le

Mâconnais, la Dombes, le mont d'Or.
Deux appellations sœurs se sont disputé la
délimitation des terroirs environnants :
brouilly et côte de brouilly.

Le vignoble de l'AOC côte
de brouilly, installé sur les pentes du mont,
repose sur des granites et des schistes très
durs, vert-bleu, dénommés « cornes-ver-
tes » ou diorites. Cette montagne serait un
reliquat de l'activité volcanique du primaire, à défaut d'être, selon la légende, le
résultat du déchargement de la hotte d'un
géant ayant creusé la Saône... La production (18 800 hl pour 325 ha) est répartie sur
quatre communes : Odenas, Saint-Lager,
Cercié et Quincié. L'appellation brouilly,
elle, ceinture la montagne en position de
piémont sur 1 300 ha, pour une production
de 75 000 hl. Outre les communes déjà
citées, elle déborde sur Saint-Etienne-la-
Varenne et Charentay ; sur la commune de
Cercié se trouve le terroir bien connu de la
« Pisse Vieille ».

Brouilly

CH. DE BAGNOLS 1998★

■   9 ha   10 000   ■ 30 à 49 F

Situé à 700 m d'une église romane, ce château
de Bagnols, qui date du XVIII⁵s., se consacre
exclusivement à la viticulture. Ce millésime d'un
rubis intense, limpide et brillant livre de riches
parfums de fruits rouges. La bouche, ample et
généreuse, aromatique, se révèle souple, dotée de
beaux tanins. Un vin que l'on pourra boire pendant deux ans et sur une viande rouge rôtie.
☛ EARL Alain Ravier, Bagnols, 69460 Saint-
Etienne-la-Varenne, tél. 04.74.03.42.77,
fax 04.74.03.42.77 ☑ ⊤ t.l.j. 10h-12h 14h-18h

DOM. DE BERGIRON 1999

■   5,75 ha   3 000   ■ 30 à 49 F

Le chai de l'exploitation familiale a été rénové
en 1995. D'un rouge vif d'intensité moyenne,
cette cuvée livre de discrets parfums de fruits
rouges. La bouche souple, légère et élégante
laisse percevoir une finale minérale. Ce vin typique, qualifié de féminin, est à boire.
☛ Jean-Luc Laplace, Bergiron, 69220 Saint-
Lager, tél. 04.74.66.88.42 ☑ ⊤ r.-v.

DOM. BERTRAND 1998★★

■   2,5 ha   8 000   ■ 30 à 49 F

L'exploitation, située au pied de la colline de
Brouilly, a élevé un vin rubis soutenu aux parfums de fruits mûrs en harmonie avec la bouche.
L'excellente attaque, riche et ronde, est soutenue
par une structure tannique équilibrée. Une « puis-

sance tranquille » émane de ce 98 complet, qu'agrémente une pointe épicée. Il sera encore là dans deux à trois ans.

➤ Jean-Pierre et Maryse Bertrand, Bonnège, 69220 Charentay, tél. 04.74.66.85.96, fax 04.74.66.72.46 ☑ ⍙ r.-v.

DOM. LIONEL BERTRAND
Bonnège 1999★

| | 1,7 ha | 13 330 | ■ ⍩ | 30 à 49 F |

L'Eventail des vignerons à Corcelles commercialise la production de cette métairie installée au lieu-dit Bonnège et exploitée par un jeune vigneron, Lionel Bertrand. De subtils parfums de verveine et de foin coupé émanent de ce vin pourpre intense. L'attaque nette est suivie de sensations souples, harmonieuses et veloutées de tanins doux. Typé et présentant beaucoup de finesse, ce brouilly 99 est à boire.

➤ Lionel Bertrand, 69220 Charentay, tél. 04.74.06.10.10, fax 04.74.66.13.77 ⍙ r.-v.

CH. DU BLUIZARD 1998★

| | 8 ha | 60 000 | ⍰ | 50 à 69 F |

Jean de Saint-Charles possède 43 ha dans ce beau pays du Beaujolais. Il a proposé un **beaujolais-villages blanc 99** (30 à 49 F) qui s'est attiré les compliments du jury, tout comme ce brouilly rouge vif aux parfums très développés de cerise. Ce vin, doté d'une bonne ampleur tannique, évolue vers le kirsch et des nuances de noyau, d'épices et de boisé, et remplit totalement et agréablement la bouche. Prêt à boire, il accompagnera les volailles.

➤ SCE des Dom. Saint-Charles, Le Bluizard, 69460 Saint-Etienne-la-Varenne, tél. 04.74.03.30.90, fax 04.74.03.30.90 ☑ ⍙ r.-v.
➤ Jean de Saint-Charles

PIERRE CHANAU 1999

| | n.c. | 150 000 | ■ | 30 à 49 F |

Une sélection limpide, d'un rubis soutenu et vif à la fois, au nez discret de fruits rouges confits mêlés à une nuance de peau de pêche. L'attaque vive précède des tanins fondus et une chair aromatique. Ce vin bien fait est à boire au cours des deux prochaines années.

➤ Chanut Frères, Les Chers, 69840 Juliénas, tél. 04.74.06.78.00, fax 04.74.06.78.71, e-mail auf@free.fr ⍙ r.-v.

DOM. CRET DES GARANCHES
1999★★

| | 8 ha | n.c. | ■⍰⍩ | 30 à 49 F |

Ce vin grenat limpide est marqué par d'intenses parfums de cassis. Ample et longue, la bouche harmonieusement composée offre beaucoup de rondeur. Ce 99 très agréable pourra être bu pendant un an ou deux sur une viande rouge ou du petit gibier.

➤ Yvonne Dufaitre, Dom. Crêt des Garanches, 69460 Odenas, tél. 04.74.03.41.46, fax 04.74.03.51.65 ☑ ⍙ r.-v.

DOM. DIT BARRON 1998★

| | 9 ha | 10 000 | ■ | 30 à 49 F |

Cette propriété de 14 ha, créée en 1983, a élevé un vin rouge intense, limpide, au nez fin et harmonieux de fruits rouges bien mûrs. La belle

expression de la bouche, franche, aromatique et structurée, arrivée à sa plénitude, lui permettra d'être apprécié pendant deux ans.

➤ Gilles Aujogues, Les Bruyères, 69220 Cercié-en-Beaujolais, tél. 04.74.66.87.59, fax 04.74.66.72.55 ☑ ⍙ r.-v.

HENRY FESSY Cuvée Pur Sang 1998★

| | n.c. | 4 000 | ■⍩ | 50 à 69 F |

La robe rouge, d'intensité moyenne, est nette. Les parfums bien développés sont dominés par des nuances de kirsch et de noyau. Fin, frais et aromatique, ce vin élégant peut attendre un an.

➤ SCI Vignoble de Bel-Air, Bel-Air, 69220 Saint-Jean-d'Ardières, tél. 04.74.66.00.16, fax 04.74.69.61.67, e-mail vins-fessy@wanadoo.fr ☑ ⍙ r.-v.
➤ Henry Fessy

JEAN-FRANCOIS GAGET 1998★

| | 6,3 ha | 10 000 | ■ | 30 à 49 F |

A côté d'un **beaujolais-villages rouge 99** cité par le jury, Jean-François Gaget a élevé ce brouilly 98 à la robe rouge profond, bien conservée. De fins et puissants parfums de fruits confits accompagnent une bouche souple, composée de chair et de tanins fondus. On aura plaisir à boire ce vin avec une viande rouge en sauce, au cours des deux prochaines années.

➤ Jean-François Gaget, La Roche, 69460 Odenas, tél. 04.74.03.46.23, fax 04.74.03.51.40 ☑ ⍙ r.-v.

GRAND CLOS DE BRIANTE 1999

| | 15 ha | 60 000 | ■⍩ | 30 à 49 F |

Ce brouilly d'un rubis brillant et assez clair développe des parfums d'amande et de rose de bonne intensité. Après une attaque vive, presque nerveuse, ce vin se montre encore très jeune. Une garde d'un à deux ans lui permettra de trouver son harmonie.

➤ GFA des Beillard, Briante, 69220 Saint-Lager, tél. 04.74.09.60.00, fax 04.74.67.67.40

DANIEL GUILLET 1999★

| | 1,5 ha | 10 000 | ⍰ | 30 à 49 F |

Un terroir sablonneux est à l'origine de cette cuvée rubis limpide au nez agréable et ouvert de framboise et autres fruits rouges. En bouche, on découvre une riche matière très bien équilibrée. Ses tanins assez ronds, son fruité et sa vinosité harmonieusement répartis feront apprécier ce brouilly pendant un à deux ans. Le **beaujolais-villages Vieilles vignes 99** a également obtenu une étoile ; c'est un excellent rapport qualité-prix (20 à 29 F).

➤ Daniel Guillet, Les Lions, 69460 Odenas, tél. 04.74.03.48.06, fax 04.74.03.48.06 ☑ ⍙ r.-v.

CH. DE LA CHAIZE 1998

| | 95,7 ha | 432 000 | ■⍰ | 30 à 49 F |

Construits sur les plans de Mansart en 1676, agrémentés d'un jardin dû à Lenôtre, le château et la cave, classés monuments historiques, ont accueilli en 1996 les épouses des chefs d'Etat lors de la réunion du G7 à Lyon. Le millésime 98 se présente dans une robe cerise noire intense et brillante. Quelques nuances rouge brique, des parfums subtils et racés de cerise, de cassis et de

mûre avec quelques nuances florales, le rendent très flatteur. La bouche doit encore se fondre. Ce vin peut se conserver de un à deux ans.
☛ Marquise de Roussy de Sales, Ch. de La Chaize, 69460 Odenas, tél. 04.74.03.41.05, fax 04.74.03.52.73,
e-mail chateaudelachaize@wanadoo.fr
☑ ⵏ r.-v.

DOM. DE LA MAISON ROSE 1999★★

| ■ | n.c. | n.c. | ■ | 30 à 49 F |

La sélection de **moulin-à-vent 99 issue du climat Champ de Cour** de ce négociant obtient la même note que ce brouilly rouge foncé qui s'ouvre sur des parfums assez puissants, amples et complexes de fruits rouges bien mûrs. Les premières impressions de souplesse sont associées à une matière tannique riche mais sans dureté. Equilibré, flatteur et typé, ce vin sera apprécié pendant trois ans.
☛ Jacques Charlet, 71570 La Chapelle-de-Guinchay, tél. 03.85.36.82.41, fax 03.85.33.83.19

DOM. DE LA PISSEVIEILLE 1999

| ■ | n.c. | 27 000 | ■ ⱷ | 30 à 49 F |

Venu lui aussi du *climat* de La Pissevieille, ce vin d'un rouge soutenu, au nez de fruits bien mûrs, assez riche, offre une bonne matière qui tarde cependant à s'exprimer. Il doit s'affiner dans la fraîcheur de votre cave.
☛ Mme Gaillard, 435, rte du Beaujolais, 69220 Cercié-en-Beaujolais, tél. 04.74.09.60.00, fax 04.74.67.67.40

DOM. M. LARGE 1999

| ■ | 1,2 ha | 5 330 | ◫◫ | 30 à 49 F |

Les vignes de M. Large, cultivées sur les pentes du mont Brouilly, constituées de granit et de schistes durs vert-bleu, ont donné un **côte de brouilly 99** cité par le jury, et cette cuvée grenat brillant, au nez de cassis et de cerise associé à de délicates touches de pivoine. Puissante, l'attaque est éblouissante, à l'image du nez. La bouche révèle ensuite une structure fine qui engage à boire ce vin dans l'année 2001.
☛ Michel Large, 69460 Odenas, tél. 04.74.06.10.10, fax 04.74.66.13.77 ☑ ⵏ r.-v.

DOM. DE LA ROCHE SAINT MARTIN 1999

| ■ | 6,3 ha | 20 000 | ■ ⱷ | 30 à 49 F |

Etabli non loin du carrefour de la Croix Briante, Jean-François Bériziat propose deux cuvées réussies. Leurs deux étiquettes représentent un taste-vin en or empli de pampres et dominé par la chapelle de Brouilly. A côté du **côte-de-brouilly 99**, qui a obtenu la même note, ce brouilly rouge assez vif offre un nez amylique et finement aromatique très agréable. Rond et sans faiblesse, avec de bons tanins de raisins, ce 99, facile à boire, plaira immédiatement à de nombreux amateurs.
☛ Jean-Jacques Bériziat, Briante, 69220 Saint-Lager, tél. 04.74.66.85.39, fax 04.74.66.70.54
☑ ⵏ r.-v.

DOM. DE LA SAIGNE 1999

| ■ | 0,5 ha | 3 500 | ◫◫ | 30 à 49 F |

Le domaine, créé en 1957, a vinifié cette petite cuvée élevée en fût, parée d'une robe grenat foncé à reflets violets. Les parfums de bonne intensité qui apparaissent après aération évoquent les fruits rouges (cerise). La bouche se montre plus intéressante : après une attaque souple, elle révèle des impressions tanniques et vineuses équilibrées et harmonieuses.
☛ Lenoir Fils, Cimes de Cherves, 69430 Quincié-en-Beaujolais, tél. 04.74.69.02.03, fax 04.74.69.01.45 ☑ ⵏ r.-v.

JEAN LATHUILIERE Pisse-Vieille 1999★

| ■ | 10 ha | 50 000 | ■ | 30 à 49 F |

Sur ce coteau d'exposition sud est née la légende qui a donné son nom aux vins de ce *climat*. La robe rubis aux beaux reflets grenat et les francs parfums de fruits rouges et d'épices sont évocateurs du terroir. Très vite, de riches impressions de chair, de tanins fondus et de frais arômes viennent au palais. Harmonieux et élégant, ce 99 est à déguster pendant deux ans.
☛ Jean Lathuilière, La Pisse-Vieille, 69220 Cercié-en-Beaujolais, tél. 04.74.66.81.80, fax 04.74.66.70.55 ☑ ⵏ r.-v.

DOM. DU CH. DE LA VALETTE 1999

| ■ | 2,74 ha | 14 000 | ■ | 30 à 49 F |

Jean-Pierre Crespin s'est installé en 1983, achetant des vignes qui atteignent aujourd'hui l'âge respectable de quarante-cinq ans. Implantées sur une roche friable au pied du mont Brouilly, elles sont à l'origine de ce vin rubis violacé qui distille des parfums de fruits rouges à noyau et d'épices. Sa riche structure tannique est prometteuse. On attendra au moins un an son épanouissement. Elégante étiquette à découvrir.
☛ Jean-Pierre Crespin, Le Bourg, 69220 Charentay, tél. 04.74.66.81.96, fax 04.74.66.71.72 ☑ ⵏ r.-v.

LA VANDAME 1999★

| ■ | n.c. | n.c. | ■ | 30 à 49 F |

Négociant à Villefranche, cette maison a proposé un **beaujolais-villages château de Vauxonne 99** qui a reçu une étoile, un **juliénas domaine Grand Croix 99**, cité par le jury, et cette sélection rubis vif, limpide, au bon nez de fruits rouges, qui remplit très agréablement le palais d'arômes et de tanins fondus. Très bien équilibrée et longue, elle donnera satisfaction pendant deux années.
☛ Dupond d'Halluin, B.P. 79, 69653 Villefranche-en-Beaujolais, tél. 04.74.60.34.74, fax 04.74.68.04.14

LE JARDIN DES RAVATYS 1999★★

| ■ | 7 ha | 10 000 | ■ ⱷ | 30 à 49 F |

Ce domaine, légué en 1937 par Mathilde Courbe à l'Institut Pasteur, a vinifié un brouilly rouge profond, limpide et brillant. Les parfums très présents de framboise, de cassis et de violette remplissent aussi le palais. La rondeur initiale se conjugue bien avec l'acidité et la tannicité sous-jacente. Une garde de trois ou quatre années peut être envisagée avant de servir ce grand vin sur un gibier. Ne manquez pas d'aider aussi agréablement la recherche.

➤ Institut Pasteur, Ch. des Ravatys, 69220 Saint-Lager, tél. 04.74.66.47.81 ☑ ⫟ r.-v.

DOM. DE MONTBRIAND 1999

■　　　　　3 ha　　18 000　　■ `100 à 149 F`

Pierre André, grande maison d'Aloxe-Corton en Côte d'Or, ne néglige pas le Beaujolais. Son **domaine des Poiriers 98** (70 à 99 F) exploité en **juliénas** a été cité, tout comme ce brouilly. Rubis à reflets violets, ce vin au nez de fruits rouges très mûrs, de confiture et de sous-bois, offre une bouche fruitée, souple, tendre et persistante, qui a été très appréciée. A boire dans l'année.

➤ Pierre André, Dom. de Montbriand, Ch. de Corton André, 21420 Aloxe-Corton, tél. 03.80.26.44.25, fax 03.80.26.43.57, e-mail pandre@axnet.fr

PARDON ET FILS Les Quartelets 1998

■　　　　　n.c.　　　4 000　　■ `30 à 49 F`

Installée à Beaujeu depuis 1820, cette maison de négoce propose une sélection 98 rubis intense, limpide, à reflets violets et tuilés à la fois. Des parfums frais de fruits rouges et de fleurs font bon ménage avec des tanins que l'on ressent légèrement en finale. Aromatique et bien structurée, cette bouteille est à boire.

➤ Pardon et Fils, 39, rue du Gal-Leclerc, 69430 Beaujeu, tél. 04.74.04.86.97, fax 04.74.69.24.08, e-mail pardon-fils.vins@wanadoo.fr ☑ ⫟ r.-v.

DOM. ROLLAND 1999

■　　　　　n.c.　　　80 000　　`50 à 69 F`

Cette maison de négoce conduite par la cinquième génération, a élevé un vin grenat profond, limpide, au nez dominé par de petits fruits rouges accompagnés de légères nuances animales. Vifs et harmonieux, ces arômes se font plus discrets au palais puis s'affirment dans une bonne finale.

➤ Pierre Ferraud et Fils, 31, rue du Mal-Foch, 69220 Belleville, tél. 04.74.06.47.60, fax 04.74.66.05.50, e-mail ferraud@asi.fr ☑ ⫟ r.-v.

DOM. ROLLAND-SIGAUX 1998★

■　　　　　17 ha　　　1 500　　`30 à 49 F`

Pratiquant la technique classique de vinification du « pied de cuve », cette exploitation a élaboré un vin rubis limpide qui s'ouvre sur des notes fruitées. Puissant et structuré, tout en conservant de la rondeur, ce 98, typé du cru, sera apprécié pendant deux ans.

➤ Dom. Rolland-Sigaux, Les Sigaux, 69460 Odenas, tél. 04.74.03.42.23, fax 04.74.03.48.41 ☑ ⫟ t.l.j. sf dim. 8h-19h
➤ Rolland

DOM. RUET 1999★★

■　　　　　3 ha　　22 000　　■♦ `30 à 49 F`

Souvenez-vous : l'an dernier, le 98 avait reçu un coup de cœur ! Il ne faut pour rien au monde manquer de rendre visite à Jean-Paul Ruet, au hameau de Voujon. Ses vignes reposent sur des terrains granitiques exposés au sud qui ont contribué à l'élaboration de ce très beau vin gre-

nat intense et limpide, aux notes élégantes de fruits surmaturés, de mûre et de cerise. La bouche très complète, ample, dotée d'une belle structure de fins tanins, charpentée et longue, est remarquablement réussie. Ce vin vous ravira dès maintenant mais aussi pendant trois à quatre ans.

➤ Dom. Jean-Paul Ruet, Voujon, 69220 Cercié-en-Beaujolais, tél. 04.74.66.85.00, fax 04.74.66.89.64, e-mail ruet.beaujolais@wanadoo.fr ☑ ⫟ r.-v.

DOM. DE SAINT-ENNEMOND 1999

■　　　　　5,5 ha　　30 000　　■♦ `30 à 49 F`

S'étendant sur 15 ha, ce domaine propose des chambres d'hôtes et deux très jolis vins dont ce brouilly rubis limpide au plaisant nez de fruits rouges frais. Sa bonne structure tannique demande un à deux ans de garde. Egalement en millésime **99, le beaujolais-villages** est retenu par le jury. C'est un bon rapport qualité-prix (20 à 29 F).

➤ Christian Béréziat, Saint-Ennemond, 69220 Cercié-en-Beaujolais, tél. 04.74.69.67.17, fax 04.74.69.67.29, e-mail christian.bereziat@wanadoo.fr ☑ ⫟ t.l.j. 8h-20h

CH. DE SAINT-LAGER 1999

■　　　　　8,5 ha　　55 000　　■♦ `30 à 49 F`

Propriété du château de Pizay, ce domaine dont les origines remontent au XIV[e]s., a vinifié un vin d'un joli rouge soutenu, au bon nez de petits fruits rouges. Léger, très rond et agréablement équilibré, ce 99 est à boire dans l'année.

➤ Denis Geoffray, Ch. de Saint-Lager, 69220 Saint-Lager, tél. 04.74.66.26.10, fax 04.74.69.60.66 ☑ ⫟ r.-v.
➤ Ch. de Pizay

DOM. JEANNE TATOUX Garanche 1999

■　　　　　3 ha　　　9 790　　❚❚❙ `30 à 49 F`

Un sol de coteau plutôt maigre est à l'origine de ce vin d'un rouge soutenu, commercialisé par l'Eventail des Producteurs à Corcelles. Des parfums de framboise et de cassis accompagnent une bouche souple et ronde qui engage à le boire dès maintenant sur quelque terrine.

➤ Jeanne Tatoux, 69220 Charentay, tél. 04.74.06.10.10, fax 04.74.66.13.77 ☑ ⫟ r.-v.

DOM. BENOIT TRICHARD 1999★★

■　　　　　n.c.　　25 000　　■♦ `30 à 49 F`

Outre un **moulin-à-vent 98** (50 à 69 F) cité par le jury, ce domaine réputé a produit ce très beau brouilly grenat intense aux puissants parfums de

fruits noirs et rouges. L'attaque pleine de chair, tout en rondeur, est soutenue par des arômes de fruits et d'épices. Harmonieusement structuré et long, ce vin ravira les palais pendant deux ans.
☛ Dom. Benoît Trichard, Le Vieux-Bourg, 69460 Odenas, tél. 04.74.03.40.87, fax 04.74.03.52.02, e-mail dbtricha@club.internet.fr ☑ ⵣ r.-v.

FREDERIC TRICHARD 1998★

| ■ | 1,47 ha | 10 000 | 🍴 ◫ ⚲ | 30 à 49 F |

Située à 1 km du château de Saint-Lager, cette exploitation a élevé un vin pourpre limpide au nez fin où l'emportent de petits fruits rouges. Après une attaque souple et ronde, il garnit agréablement le palais. Équilibré et harmonieux, ce 98 paraît être à son optimum : il est à boire dans l'année.
☛ Frédéric Trichard, Polanche, 69220 Saint-Lager, tél. 04.74.66.07.16, fax 04.74.66.81.60 ☑ ⵣ t.l.j. 7h30-12h 13h30-19h

GEORGES VIORNERY 1999★★

| ■ | 5,15 ha | 10 000 | 30 à 49 F |

Une vinification beaujolaise traditionnelle a donné ce vin grenat intense presque violacé aux parfums complexes et fins, amyliques et de fruits rouges. La bouche ample, équilibrée et très longue, révèle une matière riche faite de tanins bien fondus et d'une chair remarquable. La dégustation, sans faille du début à la fin, laisse espérer une garde de plusieurs années. On recommande de servir ce 99 avec une viande blanche.
☛ Georges Viornery, Brouilly, 69460 Odenas, tél. 04.74.03.41.44, fax 04.74.03.41.44 ☑ ⵣ t.l.j. 8h-20h

DOM. DE VURIL 1998★

| ■ | 10 ha | 35 000 | 🍴 ⚲ | 30 à 49 F |

Les vignes, implantées sur un sol argilo-calcaire plutôt lourd, ont donné un vin de couleur pourpre assez soutenu. D'agréables notes minérales en émanent, associées à des odeurs de fruits et de sous-bois. L'attaque souple n'empêche pas une bonne présence en bouche. Ayant du charme mais aussi du caractère, ce brouilly sera apprécié au cours des deux prochaines années.
☛ EARL M.-France et Gabriel Jambon, Chapoly, 69220 Charentay, tél. 04.74.66.84.98, fax 04.74.66.80.58 ☑ ⵣ r.-v.

Côte de brouilly

DOM. DU BARVY 1999

| ■ | 0,39 ha | n.c. | 30 à 49 F |

Pascal et Dominique Bouillard vous accueilleront dans leur gîte rural situé non loin de l'étang de pêche d'Odenas, de l'autre côté de la D. 43. Les époux ont élaboré une cuvée 99 rubis clair aux parfums élégants de fleurs, de fruits rouges et de cuir. La bonne attaque met en valeur des tanins très fins et la suite joue dans le même registre. Finissant bien, ce côte-de-brouilly est à boire dès à présent.

☛ Dom. du Barvy, La Commune, 69460 Odenas, tél. 04.74.03.40.30, fax 04.74.03.49.27 ☑ ⵣ r.-v.
☛ Pascal Bouillard

DOM. DES BUSSIERES 1999

| ■ | 5,2 ha | 2 500 | 30 à 49 F |

Les vignes, implantées à Saint-Lager, déclarée « ville internationale de la vigne et du vin », ont donné ce vin d'un grenat soutenu, presque violacé, aux parfums de cerise, de fruits à noyau et de grillé. La bouche assez puissante, tannique et fraîche a une finale de fruits rouges un peu pointue. Encore jeune, cette bouteille pourra être servie avec des viandes rouges dans un à deux ans.
☛ Colette Deverchère, Dom. des Bussières, 144, av. de la Libération, 69400 Villefranche-sur-Saône, tél. 04.74.65.13.51, fax 04.74.65.47.00 ☑ ⵣ r.-v.

PAUL CHAMPIER 1998

| ■ | 3 ha | n.c. | 30 à 49 F |

La métairie du domaine Rolland-Sigaux commercialise pour son propre compte cette cuvée rubis soutenu à reflets violets qui développe d'intenses parfums de fruits confits, de cassis, de mûre, mais aussi de framboise. La belle structure des tanins enrobés, soutenue par des arômes fruités, s'avère élégante. Déjà prêt à accompagner une viande rouge en sauce, ce 98 peut attendre deux ans.
☛ GAEC Paul Champier, Les Sigaux, 69460 Odenas, tél. 04.74.03.42.23, fax 04.74.03.48.41, e-mail champier@vins.du.beaujolais ☑ ⵣ t.l.j. sf dim. 8h-19h
☛ Dom. Rolland

DOM. DE CHARDIGNON 1998★★

| ■ | 9 ha | 9 000 | 30 à 49 F |

Issu d'une cuvaison de plus de dix jours, ce remarquable 98, d'un grenat montrant quelques reflets tuilés, livre d'agréables et puissants parfums de fruits rouges avec des nuances de pain grillé. La bouche ronde, faite de tanins bien enveloppés, équilibrée et longue, révèle une bonne évolution. Ce vin sera à boire pendant deux à trois ans - voire davantage - avec du gibier à plume.
☛ Roger Manigand, Les Maisons-Neuves, 69220 Saint-Lager, tél. 04.74.66.84.97, fax 04.74.66.84.97 ☑ ⵣ r.-v.

DOM. DU CHEMIN DE RONDE 1999

| ■ | n.c. | 8 000 | 30 à 49 F |

Sur l'exploitation familiale a été élaborée cette cuvée grenat à reflets pourpres. Le nez plaisant de mûre et de cassis est associé à une bouche gouleyante, fruitée et fraîche. Ce vin souple, séduisant, semble fait pour la soif. A boire avec une quiche aux lardons.
☛ Gérard Monteil, 70, Grande-Rue, 69220 Cercié, tél. 04.74.66.80.50, fax 04.74.66.70.31 ☑ ⵣ r.-v.

DOM. CHEVALIER-METRAT 1998

| ■ | 1,6 ha | 10 000 | 🍴 ◫ | 30 à 49 F |

Exploitée depuis 1956, la propriété de 6 ha fut définitivement acquise en 1987 par Sylvain

Métrat. D'un grenat profond et limpide, ce vin est caractérisé par des parfums discrets de sous-bois et des nuances réglissées. L'attaque franche est associée à de la chair et à une bonne structure encore austère. L'ensemble, équilibré, doit encore s'affiner comme tout bon cru qui se respecte !

☛ Sylvain Métrat, Le Roux, 69460 Odenas, tél. 04.74.03.50.33, fax 04.74.03.50.33 ☑ ⟂ t.l.j. 8h-20h

DOM. DES FOURNELLES 1999

| ■ | 8 ha | 25 000 | ▤ ⬤‖ 30 à 49 F |

Dans la cave d'Alain Bernillon, construite avec la pierre bleue du mont Brouilly, a été élevé ce vin pourpre limpide au nez très agréable de fruits noirs bien mûrs avec des nuances d'épices, voire de pivoine. Assez long mais encore marqué par sa vivacité, ce 99 accompagnera un filet de bœuf, après une garde de un à deux ans.
☛ Alain Bernillon, Godefroy, 69220 Saint-Lager, tél. 04.74.66.81.68, fax 04.74.66.70.76 ☑ ⟂ r.-v.

DOM. DE LA FEUILLEE
Cuvée des Pêchers 1999

| ■ | 1,1 ha | 11 000 | ⬤‖ 30 à 49 F |

Situé sur les pentes du mont Brouilly à 1,5 km de sa chapelle, ce domaine a vinifié une cuvée mauve soutenu, limpide, qui s'avère fort discrète au nez. Imprégné de tanins très jeunes, l'ensemble présente une bonne structure, que les mois à venir rendront moins austère. On nous dit qu'une canette aux navets lui conviendra alors.
☛ Gilbert Thivend, La Côte de Brouilly, 69460 Odenas, tél. 04.74.03.45.13, fax 04.74.03.31.02 ☑ ⟂ r.-v.

BENOIT LAFONT 1999

| ■ | | n.c. | 18 000 | ▤ 50 à 69 F |

Les petits-fils de Benoît Lafont et la maison Paquet forment un groupe important du Beaujolais. Cette sélection, parée d'une robe pourpre profond à reflets rubis, livre de fins et complexes parfums de réglisse, de fleurs, de clou de girofle et de pain grillé. La bouche, structurée, fraîche, vive, manque peut-être d'un peu d'ampleur mais elle a du charme. A boire dans les deux ans.
☛ Benoît Lafont, Le Treve, B.P. 1, 69460 Le Perréon, tél. 04.74.02.10.00, fax 04.74.03.26.99 ☑ ⟂ r.-v.

DOM. DE LA MERLETTE
Cuvée Tradition 1999★★

| ■ | 0,77 ha | 5 500 | ⬤‖ ⬇ 30 à 49 F |

La Merlette possède plus de 16 ha et vinifie à Vaux, le célèbre village où Gabriel Chevallier a situé sa saga beaujolaise, *Clochemerle*. Si une étoile a été attribuée au **beaujolais-villages 99** de l'exploitation, le coup de cœur lui a été décerné par le grand jury des côte-de-brouilly pour ce vin limpide, rubis, à reflets grenat. Des impressions olfactives de bonne intensité, à base de violette, de pivoine et de notes minérales qui évoquent la pierre bleue, se poursuivent et accompagnent une bouche charpentée et fraîche, dotée d'une belle structure tannique. Bien équilibré et long, ce 99 plaira beaucoup d'amateurs et pourra être servi

pendant deux ou trois ans avec un bœuf bourguignon.

☛ René et Marie-Claire Tachon, Le Sottizon, 69460 Vaux-en-Beaujolais, tél. 04.74.03.24.80, fax 04.74.03.24.80, e-mail wine.tachon@wanadoo.fr ☑ ⟂ r.-v.

CH. DE LA PERRIERE 1998

| ■ | 2 ha | 12 000 | ▤ ⬤‖ 30 à 49 F |

La robe rubis clair de cette sélection du négociant de Nuits-Saint-Georges montre quelques reflets tuilés. Les parfums assez intenses sont rehaussés de notes de sous-bois. La bouche droite, assez longue, offre des nuances de réglisse. A boire dans l'année.
☛ Moillard SA, 2, rue François-Mignotte, 21701 Nuits-Saint-Georges, tél. 03.80.62.42.22, fax 03.80.61.28.13 ☑ ⟂ t.l.j. 10h-18h, f. janv.

RENE MONTERNIER 1999★

| ■ | 0,9 ha | 4 000 | ⬤‖ 30 à 49 F |

Ce petit domaine de 2 ha appartient aux Monternier depuis 1840. Des vignes dites du « paradis », âgées de trente-cinq ans, sont à l'origine de cette cuvée rubis limpide qu'éclairent quelques reflets roses, et aux plaisants parfums de fraise, de cassis et de mûre. La bouche offre un bel équilibre entre l'acidité, les tanins et l'alcool. Ce 99 bien fait, aromatique et rond, est à boire dans les deux prochaines années.
☛ René Monternier, Pierreux, 69460 Odenas, tél. 04.74.00.40.11 ☑ ⟂ r.-v.

DOM. DU PETIT PRESSOIR 1999

| ■ | 3 ha | 4 400 | ▤ ⬇ 30 à 49 F |

Des vignes exposées à l'est ont donné ce vin grenat, limpide, au nez de groseille moyennement intense, où se mêlent quelques notes animales. L'attaque, qui a du fruit, est suivie d'impressions plus chaleureuses. A boire dans l'année avec une poularde braisée.
☛ J. Mathon, 69220 Saint-Lager, tél. 04.74.06.10.10, fax 04.74.66.13.77 ☑ ⟂ r.-v.

JEAN-CHARLES PIVOT 1998★

| ■ | 3 ha | n.c. | ⬤‖ 30 à 49 F |

Une partie du terroir de la commune de Quincié est classée en côte-de-brouilly. Le vignoble est dominé par la chapelle dédiée à la Vierge aux raisins. Jean-Charles Pivot y a récolté des raisins de qualité qui ont donné ce vin d'un rubis assez jeune aux beaux reflets mauves. Les subtils parfums évoquent les fruits rouges confits avec des nuances de réglisse. Après une attaque assez douce, la structure tannique et les arômes se développent agréablement. L'ensemble est homogène, bien équilibré et d'une bonne longueur. Ce 98 sera apprécié pendant deux ans avec un coq au vin ou des cochonnailles.

➤ SARL des domaines Jean-Charles Pivot, Montmay, 69430 Quincié-en-Beaujolais, tél. 04.74.04.30.32, fax 04.74.69.00.70 ☑ ⊺ r.-v.

DOM. DU SANCILLON 1998

| ■ | 1,33 ha | n.c. | | 30 à 49 F |

Sur un sol de diorite la vigne a donné un vin rubis limpide aux parfums assez intenses, fins, plaisants et complexes à base de cuir, de réglisse, d'épices, de sous-bois complétés de nuances minérales. Après l'attaque assez harmonieuse apparaissent des impressions plus corsées. Ce vin structuré qui commence à s'affiner est à boire avec une viande rouge.

➤ Charles Champier, Le Moulin Favre, 69460 Odenas, tél. 04.74.03.42.18, fax 04.74.03.30.62 ☑ ⊺ r.-v.

➤ Mme Braillon

CH. THIVIN 1999

| ■ | 8,3 ha | 60 000 | ⬛ | 30 à 49 F |

Ce domaine et ses propriétaires ont joué un rôle prépondérant dans la vie de l'appellation et l'émancipation du Beaujolais. Citée comme le **brouilly du même millésime**, cette cuvée, d'un rouge profond violacé, laisse échapper des parfums de fruits noirs et rouges, comme la cerise bien mûre. La bouche puissante, charpentée est légèrement boisée et épicée. Cette bouteille sera appréciée pendant deux à trois ans.

➤ Claude Geoffray, Ch. Thivin, 69460 Odenas, tél. 04.74.03.47.53, fax 04.74.03.52.87 ☑ ⊺ r.-v.

GILLES VINCENT 1999*

| ■ | 1,6 ha | 7 000 | ⬛ | 30 à 49 F |

Depuis sa création en 1942, l'exploitation n'a cessé de s'agrandir pour arriver à 10 ha aujourd'hui. Bernadette et Gilles Vincent ont un fils qui étudie la viticulture : l'avenir leur appartient ! Paré d'une robe grenat, ce vin au nez complexe de fruits rouges et noirs de belle intensité remplit avec puissance la bouche de son fruité qui reste frais. Equilibré et long, il pourra être dégusté pendant trois ans avec une viande rouge.

➤ Gilles Vincent, Les Grands Croix, 69220 Saint-Lager, tél. 04.74.66.82.05, fax 04.74.66.82.05 ☑ ⊺ t.l.j. 9h-19h

Chénas

La légende explique que ce lieu était autrefois couvert d'une immense forêt de chênes, et qu'un bûcheron, constatant le développement de la vigne plantée naturellement par quelque oiseau, à n'en pas douter divin, se mit en devoir de défri-

cher pour introduire la noble plante ; celle-là même qui aujourd'hui s'appelle gamay noir.

L'une des plus petites appellations du Beaujolais, couvrant 285 ha aux confins du Rhône et de la Saône-et-Loire, donne 16 450 hl récoltés sur les communes de Chénas et de La Chapelle-de-Guinchay. Les chénas produits sur les terrains pentus et granitiques à l'ouest sont colorés, puissants, mais sans agressivité excessive, exprimant des arômes floraux à base de rose et de violette ; ils rappellent ceux du moulin-à-vent qui occupe la plus grande partie des terroirs de la commune. Les chénas issus de vignes du secteur plus limoneux et moins accidenté de l'est, présentent une charpente plus ténue. Cette appellation, qui, sans pour autant démériter, fait figure de parent pauvre par rapport aux autres crus du Beaujolais, souffre de la petitesse de son potentiel de production. La cave coopérative du château vinifie 45 % de l'appellation et offre une belle perspective de fûts de chêne sous ses voûtes datant du XVII[e]s.

CH. DES BOCCARDS 1999

| ■ | n.c. | 10 000 | ⬛ | 30 à 49 F |

Les origines du domaine remontent à 1800. Il est aujourd'hui conduit en agriculture biologique. Rubis profond, ce 99, qui développe d'intenses parfums de fruits rouges et d'épices, gagnera encore avec une aération. Les tanins assez ronds et tendres lui confèrent une belle structure. Aromatique, plein et assez long, c'est un excellent vin, à boire maintenant, après décantation.

➤ GFA du Ch. des Boccards, Ch. des Boccards, 71570 La Chapelle-de-Guinchay, tél. 03.85.36.81.70 ☑ ⊺ t.l.j. 9h-12h 14h-18h

➤ Pelloux

BERNARD BROYER 1999**

| ■ | 3,5 ha | 6 500 | ⬛ | 30 à 49 F |

Le domaine appartenait au grand-père de la femme de Bernard Broyer. Des vignes de quatre-vingt-cinq ans d'âge, plantées sur des sols plutôt argileux, ont donné ce chénas d'un rouge intense s'ouvrant sur de puissants parfums de fruits rouges très mûrs, de sous-bois et de fleurs. L'attaque ronde, puis la fraîcheur et les arômes de framboise, de bonbon anglais mais aussi de vanille font naître, avec les tanins très présents, d'harmonieuses impressions. Déjà agréable, ce vin typé pourra attendre un an ou deux. Le **juliénas** du domaine a été cité.

➤ Bernard Broyer, Les Bucherats, 69840 Juliénas, tél. 04.74.04.46.75, fax 04.74.04.45.18 ☑ ⊺ r.-v.

DOM. DE CHENEPIERRE
Sélection Vieilles vignes 1998

■ 　　　2,8 ha　　7 000　■ ❚❙❙ 30 à 49 F

Des parfums boisés de bonne intensité, assortis de notes de griotte et d'impressions vineuses, émanent de ce vin rouge grenat aux reflets légèrement orangés. On retrouve au palais les parfums du nez, associés à de la vanille et des nuances mentholées. Un peu marqué par le fût, ce 98 est à boire avec un rôti de veau ou un poulet rôti. Egalement cité, le **moulin-à-vent 98** de Gérard Lapierre a été élevé en foudre de chêne.
☛ Gérard Lapierre, Les Deschamps, 69840 Chénas, tél. 03.85.36.70.74, fax 03.85.33.85.73 ☑ ⏧ r.-v.

DOM. DES DARROUX 1999

■ 　　　3 ha　　15 000　■ 30 à 49 F

Le **moulin-à-vent** du même millésime est à égalité avec cette cuvée d'un grenat brillant. Un nez de bonne intensité, franc, qui porte sur les fruits rouges et les épices, se développe délicatement. L'attaque ferme et vive et des tanins puissants dénotent un beau potentiel de garde. Le charme des arômes de fruits bien mûrs s'impose. Il faudra cependant attendre ce 99 deux à trois ans pour lui permettre de s'arrondir.
☛ Pascal Colvray, Dom. des Darroux, 71570 La Chapelle-de-Guinchay, tél. 03.85.36.73.97, fax 03.85.36.79.37 ☑ ⏧ t.l.j. 8h30-19h

CH. DESVIGNES 1999★

■ 　　　13 ha　　80 000　■ 30 à 49 F

Le **beaujolais Domaine Romy 99** (20 à 29 F) et le **fleurie Domaine Vert-Pré 99** (50 à 69 F) de ce négociant ont été cités, mais c'est le chénas du domaine familial créé en 1824 qui obtient une étoile. Paré d'une robe rubis brillant, il embaume le verre de ses parfums très complexes de fruits rouges et de sous-bois, avec des nuances chaudes, voire animales. L'attaque vive et la belle charpente associée à des tanins qui se fondent harmonieusement avec des arômes de fruits rouges sont des gages pour l'avenir. Un vin complet, vineux et typé, que l'on gardera de deux à trois ans.
☛ Paul Beaudet, rue Paul-Beaudet, 71570 Pontanevaux, tél. 03.85.36.72.76, fax 03.85.36.72.02 ☑ ⏧ t.l.j. sf sam. dim. 8h-12h 13h30-17h; f. août

JEAN GEORGES ET FILS 1998

■ 　　　2,7 ha　　4 300　■ ❚❙❙ ⚏ 30 à 49 F

Ce domaine familial, également cité pour son **moulin-à-vent** du même millésime, a produit ce chénas d'une belle couleur grenat et au nez agréable de fruits rouges macérés, d'amande, de pivoine et d'épices. Après l'attaque charnue et fruitée, on apprécie la fraîcheur des tanins parfumés et les nuances de sous-bois. Assez harmonieux, ce vin est à boire.
☛ GAEC Jean Georges et Fils, Le Bourg, 69840 Chénas, tél. 04.74.04.48.21, fax 04.74.04.42.77 ☑ ⏧ r.-v.

DOM. DU GREFFEUR 1998★★

■ 　　　2 ha　　2 500　■ 30 à 49 F

Créé en 1977, ce domaine a élevé en foudre une cuvée grenat profond et brillant développant des parfums complexes de fruits rouges et d'épices. La bouche, ample et riche avec ses tanins souples, est superbe. Sa finale sur des notes de cuir et de vanille se prolonge longuement. Typé, cet excellent chénas est prêt à boire sur du gibier ou un civet mais il peut aussi attendre trois ans.
☛ Jean-Claude Lespinasse, 71570 La Chapelle-de-Guinchay, tél. 03.85.36.70.42, fax 03.85.33.85.49 ☑ ⏧ r.-v.

HUBERT LAPIERRE 1999

■ 　　　4,2 ha　　25 000　■ ⚏ 30 à 49 F

En 1997, d'importants travaux de climatisation et de régulation thermique des cuves ont été réalisés sur cette exploitation familiale. Rouge éclatant et limpide, ce 99 s'ouvre assez vite sur des parfums de cassis et de cerise sauvage. La bouche aromatique, fine et assez ronde incite à boire ce chénas dans l'année.
☛ Hubert Lapierre, Les Gandelins, 71570 La Chapelle-de-Guinchay, tél. 03.85.36.74.89, fax 03.85.36.79.69 ☑ ⏧ r.-v.

DOM. DU MATINAL 1999★★

■ 　　　0,8 ha　　5 500　■ 30 à 49 F

Cette cuvée rouge foncé s'ouvre sur des notes de fruits rouges et de sous-bois. L'attaque est ronde et aromatique ; on y retrouve la groseille et la cerise. Elle se poursuit par des sensations de chair et de puissance. Une dégustation en crescendo. Doté d'une belle matière, ce 99 équilibré, long et typé devrait pouvoir être gardé un à trois ans.
☛ EARL Simone et Guy Braillon, Le Bourg, 69840 Chénas, tél. 04.74.04.48.31, fax 04.74.04.47.64 ☑ ⏧ t.l.j. 9h-20h; groupes sur r.-v.; f. mi-août

DANIEL PASSOT 1999★

■ 　　　2,02 ha　　15 000　■ 30 à 49 F

Installé en 1968 à son retour du service militaire, ce viticulteur avait déjà une expérience du travail des vignes. Doté d'une très belle robe rouge sombre, son chénas libère des parfums assez intenses et complexes de fruits rouges des bois, de réglisse, de fleurs et d'épices. Une bonne charpente et une structure tannique parfaitement équilibrée lui assurent déjà un excellent potentiel de vieillissement. Ample, souple et fruité, ce 99 est prêt à boire mais peut attendre deux à trois ans.
☛ Daniel Passot, Les Journets, 71570 La Chapelle-de-Guinchay, tél. 03.85.36.75.35, fax 03.85.33.83.72 ☑ ⏧ t.l.j. 8h-12h 14h-19h

DOM. GILBERT PICOLET
Cuvée Vieilles vignes Vieilli en fût de chêne 1998

■ 　　　0,7 ha　　2 000　❚❙❙ 30 à 49 F

D'un rouge soutenu animé de reflets bleutés, ce chénas livre de fins parfums de framboise, de cerise et de mûre accompagnés de notes florales. La bouche franche, ronde et souple, plutôt légère mais harmonieuse, incite à boire ce 98 dans l'année. Le **moulin-à-vent 98** du domaine, issu de vieilles vignes et élevé en fût de chêne a obtenu la même note.

� Gilbert Picolet, Les Seignaux, 69840 Chénas, tél. 04.74.04.48.65, fax 04.74.04.40.94 ☑ ⊥ r.-v.

DOM. DES PINS 1998

| ■ | 4,5 ha | 4 000 | 🍶 30 à 49 F |

Plantées sur un terroir sablonneux, les vignes ont donné ce vin rouge sombre, au bouquet évolué de fruits à noyau bien mûrs, de bruyère, de sous-bois et de violette. A l'attaque de griotte et de vanille succèdent des impressions puissantes mais austères ; ce chénas doit encore s'assouplir une année.

� Pascal Aufranc, En Rémont, 69840 Chénas, tél. 04.74.04.47.95, fax 04.74.04.47.95 ☑ ⊥ r.-v.

DOM. DES ROSIERS 1999★★

| ■ | 2 ha | 12 000 | 🍶 30 à 49 F |

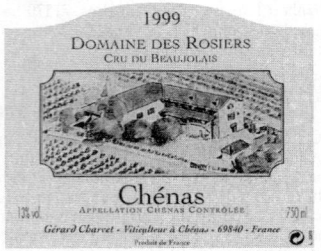

Le moulin-à-vent 97 de Gérard Charvet fut coup de cœur ; cette année, c'est le chénas qui se voit confirmer coup de cœur par le grand jury. Un domaine à ne pas manquer (il est situé à 500 m à l'ouest du village de Chénas). Sa robe engageante, d'un rubis soutenu révèle déjà cette cuvée aux senteurs expressives de kirsch, de cerise et de pivoine. On retrouve la même élégance dans la bouche étoffée et ronde. De fins tanins, racés et parfumés, concourent à une structure équilibrée. Harmonieuse et bien typée dans l'expression du terroir, cette bouteille accompagnera pendant deux à trois ans des viandes grillées ou en sauce.

� Gérard Charvet, Les Rosiers, 69840 Chénas, tél. 04.74.04.48.62, fax 04.74.04.49.80 ☑ ⊥ t.l.j. 8h-20h

GEORGES ROSSI
Vignoble en Guinchay 1999

| ■ | 2,5 ha | 9 330 | 🍶 30 à 49 F |

Acquis en 1962, ce domaine, qui adhère à l'Eventail des Vignerons à Corcelles, a récolté un vin rouge foncé qui s'épanouit rapidement autour de notes de fruits rouges, de fleurs et d'épices. Ses tanins présents restent élégants. Assez ample et fruité, ce 99 est à attendre un an.

� Georges Rossi, 71570 La Chapelle-de-Guinchay, tél. 04.74.06.10.10, fax 04.74.66.13.77 ☑ ⊥ r.-v.

Le plus « haut » des crus du Beaujolais. Récolté sur les 378 ha d'une seule commune perchée à près de 400 m d'altitude, dans un site en forme de cirque aux sols constitués de sable granitique léger et maigre, il produit 21 700 hl à partir du gamay noir. Le chiroubles, élégant, fin, peu chargé en tanins, gouleyant, charmeur, évoque la violette. Créée en 1996, la confrérie des Damoiselles de Chiroubles, assistée de ses chevaliers, fait connaître avec tact ce vin quelquefois désigné comme étant le plus féminin des crus. Rapidement consommable, il a parfois un peu le caractère du fleurie ou du morgon, crus limitrophes. Il accompagne à toute heure quelque plat de charcuterie. Pour s'en convaincre, il suffit de prendre la route au-delà du bourg, en direction du Fût d'Avenas, dont le sommet, à 700 m, domine le village et abrite un « chalet de dégustation ».

Chiroubles célèbre chaque année, en avril, l'un de ses enfants, le grand savant ampélographe Victor Pulliat, né en 1827, dont les travaux consacrés à l'échelle de précocité et au greffage des espèces de vigne sont mondialement connus ; pour parfaire ses observations, il avait rassemblé dans son domaine de Tempéré plus de 2 000 variétés ! Chiroubles possède une cave coopérative qui vinifie 3 000 hl du cru.

DOM. BERLIOZ SAINT-ROCH 1999

| ■ | 7 ha | 49 000 | 🍶 30 à 49 F |

Doté d'une superbe robe un peu violacée, ce 99 reste discret au nez. La bouche puissante, vineuse, tannique et charnue révèle un très beau potentiel qui doit mûrir. Cette bouteille est à attendre de un à deux ans.

� Louis Chedeville, 435, rte du Beaujolais, 69830 Saint-Georges-de-Reneins, tél. 04.74.09.60.00, fax 04.74.67.67.40
� Michel Rotival

ARMAND CHARVET Bel Air 1998

| ■ | n.c. | n.c. | 🍶 30 à 49 F |

Elaboré avec des levures indigènes, ce 98 d'un grenat violacé limpide révèle des parfums complexes d'une belle intensité de framboise et de fraise associés à de la pivoine et à des notes de beurre frais. Après une attaque assez ample, on trouve des tanins plutôt fermes mais bien dosés qui permettront à cette bouteille d'attendre deux ans.

� Armand Charvet, Bel Air, 69115 Chiroubles, tél. 04.74.69.13.08, fax 04.74.69.13.13 ☑ ⊥ t.l.j. 8h30-13h 13h30-20h

DOM. DU CLOCHER 1999

■   5 ha   6 000   ■ 30 à 49 F

Située à cinquante mètres de l'église coiffée d'un clocher de style oriental, cette exploitation a élevé un vin rubis à reflets violets qui s'ouvre sur de discrets parfums de fruits rouges et de pivoine. Ses arômes de framboise qui remplissent la bouche se montrent généreux. Friand, harmonieux et d'une grande fraîcheur, ce 99 est à boire pendant deux ans avec un lapin à la crème.
☛ Jean-Noël Mélinand, Le Bourg,
69115 Chiroubles, tél. 04.74.69.11.96,
fax 04.74.69.16.89 ☑ ⵏ t.l.j. 9h-12h 14h-18h

DOM. DU CLOS VERDY 1998★★

■   n.c.   30 000 ■ ⫿⫿ ↓ 30 à 49 F

Ce domaine qui n'a cessé de croître depuis 1970 propose un vin grenat limpide au nez complexe et intense de pivoine et de fraise. La bouche, puissante et riche, dotée de tanins fondus et d'arômes fruités associés à des notes minérales, est une très belle réussite. Typé, cet excellent chiroubles est à boire dans les deux prochaines années.
☛ Georges Boulon, Le Bourg,
69115 Chiroubles, tél. 04.74.04.27.27,
fax 04.74.69.13.16 ☑ ⵏ t.l.j. 8h-12h 14h-18h; sam. dim. sur r.-v.

DOM. DU CRET DES BRUYERES 1999

■   1,9 ha   6 000   ■ ↓ 30 à 49 F

Acquise en 1983, cette petite propriété a reçu la visite de champions automobiles comme Pescarolo et Beltoise. Sa cuvée 99 rouge intense, violacée, où dominent des senteurs de pétales de rose, de fruits confits et d'ananas, est encore très jeune. Ses tanins puissants mais non agressifs laissent cependant un peu d'amertume en finale. Sa riche matière doit encore s'affiner au moins un an.
☛ GFA Desplace Frères, Aux Bruyères,
69430 Régnié-Durette, tél. 04.74.04.30.21,
fax 04.74.04.30.55 ☑ ⵏ r.-v.

ANNE-MARIE ET ARMAND DESMURES 1998

■   6,3 ha   15 000   ■ 30 à 49 F

Des vignes de quarante ans ont donné ce vin à la robe légère aux reflets tuilés. Les parfums de fruits rouges avec des nuances de coing accompagnent une bouche très ronde et friande aux arômes de framboise et de fraise. Harmonieux, ce 98 n'a pas la prétention d'une grande garde mais est fort agréable à boire dès maintenant.
☛ Anne-Marie et Armand Desmures, Le Bourg,
69115 Chiroubles, tél. 04.74.69.10.61,
fax 04.74.69.15.12 ☑ ⵏ r.-v.

DOM. GOBET 1999

■   1,2 ha   5 500   ■ 30 à 49 F

En 1998, c'est le gendre qui a repris l'exploitation où six générations de la même famille se sont déjà succédé. Des parfums d'iris et de pivoine émanent de cette cuvée rubis éclatant. L'attaque puissante et généreuse se trouve relayée par des tanins encore jeunes. On attendra deux ans que cette bouteille s'affine.

☛ Christophe Jeannet, Le Bourg,
69115 Chiroubles, tél. 04.74.04.21.04,
fax 04.74.04.23.58,
e-mail christophe.jeannet@wanadoo.fr
☑ ⵏ t.l.j. sf dim. 8h-12h 14h-19h

DOM. DE GUISE 1998

■   3,8 ha   11 000   ■ 30 à 49 F

Le domaine a pris le nom du lieu-dit où il est implanté. Le nez de ce 98 rouge clair et vif est de bonne intensité. On y trouve la framboise, la cerise et des notes épicées. L'attaque aromatique, « réveillée », anime une bouche plutôt ronde, peu tannique et d'un bon équilibre. Représentatif de son AOC et très souple, ce 98 est à boire sur des viandes blanches.
☛ Michel et Claire Mélinand, Dom. de Guise,
69115 Chiroubles, tél. 04.74.04.24.22 ☑ ⵏ t.l.j. 8h-12h30 13h30-19h

DOM. DE LA COMBE AU LOUP 1998★★

■   5 ha   35 000   ■ ↓ 30 à 49 F

Sous la même marque créée en 1983, le **régnié 98** a été cité par notre jury qui a applaudi ce chiroubles du même millésime : sa très belle robe grenat qui montre des reflets fauves est associée à un nez intense aux superbes parfums de lilas, d'iris mais aussi de framboise et de groseille. La bouche ample et capiteuse révèle une splendide structure tannique aux arômes de fruits et de violette. Doté d'un corps soyeux et d'une belle persistance, ce 98 est à découvrir dans les deux ans.
☛ Méziat Père et Fils, Dom. de la Combe au Loup, Le Bourg, 69115 Chiroubles,
tél. 04.74.04.24.02, fax 04.74.69.14.07 ☑ ⵏ t.l.j. sf dim. 8h30-12h 14h-18h30

DOM. DE LA COUR PROFONDE 1999

■   2,8 ha   5 000   ■ 30 à 49 F

Cette maison du début du siècle repose sur sept caves voûtées. On y trouve un vin cerise burlat. Le nez profond et vineux est marqué par des nuances de sous-bois. Encore imprégné de gaz, ce 99 remplit avec puissance la bouche. Aromatique, agréable, malgré des tanins encore jeunes en finale, il doit s'affiner pendant un à deux ans en cave.
☛ EARL Revollat, La Cour Profonde,
69115 Chiroubles, tél. 04.74.69.13.72,
fax 04.74.04.22.84 ☑ ⵏ t.l.j. 9h-20h
☛ Méziat

VIGNOBLE LA FONTENELLE 1999

| | 5 ha | 10 400 | | 30 à 49 F |

Ce sont des parfums amyliques avec de subtiles nuances de groseille et de menthe qui émanent de ce vin rubis assez intense. La bouche ronde construite sur de fins tanins, fruitée et équilibrée, est sans défaut. Un chiroubles gouleyant, à boire dans l'année.

☛ Gobet-Jeannet, 69115 Chiroubles, tél. 04.74.06.10.10, fax 04.74.66.13.77 ☑ ⵞ r.-j.

DOM. DE LA GROSSE PIERRE 1999

| | 9 ha | 50 000 | | 30 à 49 F |

Sur la pente est de Chiroubles a été récolté un vin rouge pâle au nez vineux ouvert sur des nuances de fruits rouges. La bouche veloutée, tendre et typée conseille une dégustation dans l'année.

☛ Alain Passot, La Grosse Pierre, 69115 Chiroubles, tél. 04.74.69.12.17, fax 04.74.69.13.52 ☑ ⵞ t.l.j. 9h-19h

DOM. DE LA ROCASSIERE 1998

| | 6 ha | 8 000 | |

Le rouge vif de la robe montre quelques reflets orangés mais le nez épanoui révèle de purs et intenses parfums de pivoine, de rose et de violette. La structure tannique et une belle fraîcheur accompagnent des arômes fruités et floraux d'une bonne persistance. Assez harmonieux, ce vin est à boire dans les deux ans.

☛ Yves Laplace, Javernand, 69115 Chiroubles, tél. 04.74.69.12.23, fax 04.74.69.16.49 ☑ ⵞ r.-v.

DOM. BERNARD PAUL MELINAND 1998★

| | 2 ha | 8 000 | | 30 à 49 F |

Doté d'une robe rouge vif, limpide et jeune, ce 98 aux parfums assez complexes de fruits, de fleurs, d'épices, avec des notes végétales. La fraîcheur et la gaieté de ses tanins, qui baignent dans un fruité velouté et persistant assorti de nuances de violette, composent un ensemble plein de promesses à attendre un an ou deux.

☛ Bernard Mélinand, Le Verdy, 69115 Chiroubles, tél. 04.74.04.23.15 ☑ ⵞ r.-v.

DOM. MORIN 1999★★

| | 2,7 ha | 21 000 | | 30 à 49 F |

Situé au cœur du village, ce domaine a élevé une formidable cuvée rubis foncé aux beaux reflets violets. De très intenses mais néanmoins assez fins parfums de pivoine, de bourgeon de cassis avec quelques notes de fumée sont un appel à la dégustation. Recélant un peu de gaz, ce 99 a de la puissance. Des tanins solides et agréables, une chair aromatique caressent le palais comme du velours. Déjà appréciable, ce très beau représentant de l'AOC gagnera encore après un ou deux ans de garde.

☛ Sté Nouvelle J. Pellerin, 435, rte du Beaujolais, 69830 Saint-Georges-de-Reneins, tél. 04.74.09.60.08, fax 04.74.67.60.17
☛ Guy Morin

DOM. DU MOULIN 1999

| | n.c. | 5 000 | | 30 à 49 F |

Cet œnologue-conseil a créé en 1984 un négoce de vins de différents domaines. Celui-ci,

d'un rouge foncé ponctué de reflets violets, libère des notes minérales et fruitées. A la rondeur initiale font suite des sensations tanniques assez puissantes. Le tout reste fin même si ce 99 n'a pas l'exubérance d'un gamay vinifié à la beaujolaise. Il est à attendre de deux à trois ans.

☛ Janny, La Condemine, 71260 Péronne, tél. 03.85.36.97.03, fax 03.85.36.96.58 ⵞ r.-v.

DOM. DU MOULIN-FAVRE
Cuvée Vieilles vignes 1999

| | 1,5 ha | 8 000 | | 30 à 49 F |

Des parfums de fruits très mûrs, de framboise, de groseille et de griotte émanent de ce joli rouge profond et limpide aux beaux reflets. Assez puissants, ses tanins solides, encore austères mais prometteurs, doivent s'assouplir dans les deux années à venir.

☛ Armand Vernus, Le Vieux-Bourg, 69460 Odenas, tél. 04.74.03.40.63, fax 04.74.03.40.76 ☑ ⵞ r.-v.

DOM. DE PRE-NESME 1998

| | 6,68 ha | 8 148 | | 30 à 49 F |

En 1998, la cave de vinification a été rénovée et une cave voûtée a été construite pour accueillir les visiteurs. Ce millésime a donné un vin dont la robe rouge sombre à reflets violets est restée très jeune. Le nez complexe et intense est composé de fraise, de griotte et de pivoine. L'attaque assez puissante et une structure tannique qui s'arrondit confèrent de la virilité à ce vin déjà prêt mais qui peut aussi attendre un an pour s'affiner.

☛ André Dépré, Le Moulin, 69115 Chiroubles, tél. 04.74.69.11.18, fax 04.74.69.12.84 ☑ ⵞ t.l.j. 8h30-19h

DOM. RENE SAVOYE 1999★

| | 3,4 ha | 5 330 | | 30 à 49 F |

Les origines du vignoble remontent à 1870 mais ce sont des vignes d'une vingtaine d'années qui ont donné ce vin rubis violacé limpide et brillant aux agréables parfums de framboise et de cerise. La bouche ronde et fruitée n'en demeure pas moins structurée. Homogène, elle gagne en élégance avec une finale légèrement épicée.

☛ René Savoye, Le Bourg, 69115 Chiroubles, tél. 04.74.06.10.10, fax 04.74.66.13.77 ☑ ⵞ r.-v.

CHRISTOPHE SAVOYE 1999★★

| | 5 ha | 8 000 | | 30 à 49 F |

Au cœur du village, Christophe Savoye accueille dans une ancienne cave voûtée les amateurs qui apprécieront ce très beau chiroubles d'un pourpre violacé et limpide. Un nez plaisant et complexe, composé de framboise et de groseille, caractérise ce vin à la structure harmonieuse associée à des notes florales et fruitées. Très élégant et fin, ce 99 typé est à boire dans les deux à trois prochaines années avec une viande rouge.

☛ Christophe Savoye, Le Bourg, 69115 Chiroubles, tél. 04.74.69.11.24, fax 04.74.04.22.11 ☑ ⵞ t.l.j. sf dim. 8h-19h

Fleurie

Posée au sommet d'un mamelon totalement planté de gamay noir, une chapelle semble veiller sur le vignoble : c'est la madone de Fleurie, qui marque l'emplacement du troisième cru du Beaujolais par ordre d'importance, après le brouilly et le morgon. Les 860 ha de l'appellation ne s'échappent pas des limites communales, où l'on produit un vin issu d'un ensemble géologique assez homogène, constitué de granites à grands cristaux qui communiquent au vin une impression de finesse et de charme. La production atteint 49 000 hl. Certains l'aiment frais, d'autres tempéré, mais tous, à la suite de la famille Chabert qui créa le célèbre plat, apprécient l'andouillette beaujolaise préparée avec du fleurie. C'est un vin qui apparaît, tel un paysage printanier, plein de promesses, de lumière, d'arômes aux tonalités d'iris et de violette.

Au cœur du village, deux caveaux (l'un près de la mairie, l'autre à la cave coopérative qui est l'une des plus importantes puisqu'elle vinifie 30 % du cru) offrent toute la gamme des vins aux noms de terroirs évocateurs : la Rochette, la Chapelle-des-Bois, les Roches, Grille-Midi, la Joie-du-Palais...

FABIEN BAILLAIS
Cuvée spéciale Climat des Garants Elevé en fût de chêne 1998★

■   0,6 ha   2 000   ❶❶   30 à 49 F

Passée dans un pressoir en bois de plus de deux cents ans, cette cuvée rubis brillant ne peut pas renier son élevage en fût de chêne. Celui-ci, très bien conduit, domine sans écraser la fraîcheur ni les arômes de fruits confits et d'acacia sous-jacents. Cet excellent 98, typé, équilibré et persistant, est fait pour durer trois ou quatre ans.
☛ Fabien Baillais, Les Garants, 69820 Fleurie, tél. 04.74.04.13.28, fax 04.74.04.13.28 ☑ ⏀ t.l.j. 8h-12h 14h-20h; f. août

CH. DU BOURG 1999

■   6 ha   25 000   ▤   30 à 49 F

Le vignoble, les locaux et le matériel de cette propriété ont été rénovés en 1992. Ce 99 rubis violacé, aux délicates senteurs d'iris et de fumée est assez friand, peu puissant. Equilibré mais encore fermé, il devra être attendu un an.
☛ Bruno et Patrick Matray, Le Bourg, 69820 Fleurie, tél. 04.74.69.81.15, fax 04.74.69.86.80, e-mail matraybruno@minitel.net ☑ ⏀ r.-v.

CUVEE DU CARDINAL BIENFAITEUR 1998★★

■   1 ha   7 000   ▤↓   30 à 49 F

Cette cuvée 98, élaborée en l'honneur du cardinal de Fleury, est rubis sombre, limpide et brillante ; elle livre des parfums complexes où dominent la cerise et la groseille. Des notes de pivoine, de cassis et de myrtille complètent cette palette d'arômes. Doté d'un bel équilibre entre rondeur et charpente, ce vin ample, typique et homogène se révèle prêt à servir : les tanins souples associés à des arômes flatteurs en font un vin gai, expressif, à recommander sur une escalope de veau aux morilles.
☛ Cave Prod. des Grands Vins de Fleurie, B.P. 2, 69820 Fleurie, tél. 04.74.04.11.70, fax 04.74.69.84.73 ☑ ⏀ r.-v.

DOM. DES CHAFFANGEONS
Cuvée Michel et Martine 1999

■   6 ha   12 000   ▤❶❶↓   30 à 49 F

Les parfums assez puissants de ce vin rubis profond sont ceux des fruits rouges accompagnés de notes florales. En bouche, ces arômes s'expriment plus timidement. Ce 99 souple et long, assez harmonieux, est à boire dans les deux ans.
☛ Michel Perrier, La Chapelle-des-Bois, 69820 Fleurie, tél. 04.74.69.83.05 ☑ ⏀ r.-v.
☛ Robert Depardon

DOM. DU COTEAU DE BEL-AIR
Cuvée Tradition 1998

■   1 ha   4 000   ❶❶   30 à 49 F

Cette cuvée Tradition rubis violacé, limpide et brillante, semble tirer d'un sol de gore ses notes minérales d'argile mais aussi de sous-bois, mêlées aux fruits rouges. La bouche puissante, corsée et « kirschée », d'un bon équilibre, est représentative et assez longue. A boire dans les deux ans.
☛ Jean-Marie Appert, Bel-Air, 69115 Chiroubles, tél. 04.74.04.23.77, fax 04.74.69.17.13 ☑ ⏀ r.-v.

LA MAISON DES VIGNERONS 1999★

■   1,05 ha   8 000   ▤   30 à 49 F

La plus petite coopérative du Beaujolais, citée pour son **morgon cuvée de la Chenevière 98**, joue dans la cour des grands avec cette cuvée rubis soutenu et limpide. De fins et complexes parfums aux nuances de pivoine et de violette mais aussi de kirsch et d'épices accompagnent une bouche ample, charnue, qui a beaucoup de charme. Son fruité flatteur et élégant soutient une structure équilibrée. Typé et facile à boire, ce vin harmonieux sera encore là dans deux ou trois ans.
☛ La Maison des Vignerons de Chiroubles, Le Bourg, 69115 Chiroubles, tél. 04.74.69.14.94, fax 04.74.69.10.59 ☑ ⏀ t.l.j. 10h-12h 14h-18h

DOM. LARDY Vieilles vignes 1998★

■   1,5 ha   10 000   ▤❶❶   50 à 69 F

De vieilles vignes âgées de soixante ans ont donné un vin d'un rouge léger à reflets tuilés. Les parfums de pruneau, associés à des notes florales, se retrouvent au palais. La bonne attaque ne fait pas oublier les tanins. Un peu strict, ce 98 est à boire dans l'année. Le **beaujolais-villages 99** (20 à 29 F) a été récompensé d'une étoile.

🕿 Lucien Lardy, Le Vivier, 69820 Fleurie, tél. 04.74.69.81.74, fax 04.74.04.12.30 ☑ 👅 r.-v.

DOM. LES ROCHES DES GARANTS
Les Moriers 1999

| | 4 ha | 13 000 | 📗🍷 | 30 à 49 F |

En cinquante ans, cette exploitation a triplé la surface de ses vignes. Ce 99 grenat profond libère des parfums de cassis, d'amande et de pivoine plutôt intenses. Après une attaque assez ronde et pleine, la dégustation se poursuit sur des notes plus tanniques. Typé, ayant du corps et du bouquet, ce vin doit s'affiner encore un an avant d'être découvert.

🕿 Jean-Paul Champagnon, La Treille, 69820 Fleurie, tél. 04.74.04.15.62, fax 04.74.69.82.60 ☑ 👅 t.l.j. 8h-20h

DOM. MATHRAY 1998★

| | 2,5 ha | 3 000 | 📗 | 30 à 49 F |

D'intenses parfums d'iris, d'acacia et de sousbois mêlés à des fruits rouges émanent de cette cuvée rubis profond. Après une bonne attaque fruitée, une très belle structure de tanins denses et fondus agrémentée de notes florales s'épanouit au palais. La bouche excellente et harmonieuse fait espérer deux à quatre ans de garde.

🕿 Jean-Paul Mathray, Montgenas, 69820 Fleurie, tél. 04.74.04.13.84, fax 04.74.69.85.69 ☑ 👅 r.-v.

DOM. MÉTRAT ET FILS
La Roilette 1998★★

| | 2 ha | 10 000 | | 30 à 49 F |

Des vignes âgées de cinquante-cinq ans sont à l'origine de ce vin élu coup de cœur par le grand jury des fleurie. La robe grenat profond à reflets cristallins a conservé une grande pureté. Des parfums assez intenses de violette, de pivoine, d'iris complétés de notes épicées et confites envahissent le verre. Remplissant de façon onctueuse la bouche, ce vin révèle d'élégants tanins, frais et denses. Persistant et d'une excellente harmonie, il sera apprécié pendant trois à cinq ans.

🕿 Bernard Métrat, Le Brie, 69820 Fleurie, tél. 04.74.69.84.26, fax 04.74.69.84.49 ☑ 👅 r.-v.

CLOS DES MORIERS Moriers 1999★

| | 5 ha | 20 000 | 📗 | 30 à 49 F |

Cette production rouge foncé s'ouvre sur des parfums complexes et fins aux nuances de sousbois, d'anis et de fleurs. La bouche puissante va

encore s'assouplir. Elle ne manque ni de chair ni de structure ; un vin à recommander pour les trois années à venir.

🕿 GFA Clos des Moriers, Les Moriers, 69820 Fleurie, tél. 04.74.09.60.00, fax 04.74.67.67.40

DOM. PARDON 1999

| | 1,2 ha | 9 000 | 📗 | 30 à 49 F |

La robe rubis à reflets violets est d'une intensité moyenne. La structure légère et les arômes qui s'affirment en bouche feront apprécier ce 99 dès maintenant.

🕿 GFA Pardon des Labourons, 39, rue du Gal-Leclerc, 69430 Beaujeu, tél. 04.74.04.86.97, fax 04.74.69.24.08, e-mail pardon.fils.vins@wanadoo.fr ☑ 👅 r.-v.

DOM. DU PRESSOIR FLEURI 1998★

| | 1 ha | 5 000 | 📗 | 50 à 69 F |

Le **morgon 99** (30 à 49 F) de ce domaine créé en 1999 se voit retenu avec une étoile. C'est un excellent rapport qualité-prix. Mais ce fleurie a un petit supplément d'âme ! D'un rubis moyennement limpide, il possède un nez assez intense de cassis, de fraise associé à des notes d'épices et de pivoine. Souple et ronde, la bouche finement structurée révèle des arômes de fruits secs. Très harmonieux, ce vin est à boire dans les deux ans.

🕿 André et Monique Méziat, Le Bourg, 69115 Chiroubles, tél. 04.74.04.23.12, fax 04.74.69.12.65 ☑ 👅 t.l.j. 8h-12h 13h-18h; dim. et groupes sur r.-v.

DOM. DE ROCHE-GUILLON 1999★

| | 3 ha | 8 000 | | 30 à 49 F |

Cette exploitation possède deux chambres d'hôtes. Elle a présenté deux vins, un **beaujolais-villages 99**, cité par le jury, et ce beau fleurie. Ce vin à la robe rouge profond s'ouvre sur des parfums nets et fins d'abricot, de pruneau et d'épices. Sa riche matière offrant beaucoup de rondeur, fort bien équilibrée et concentrée, gagnera sur le plan aromatique à mûrir quelques mois de plus.

🕿 Bruno Coperet, Roche-Guillon, 69820 Fleurie, tél. 04.74.69.85.34, fax 04.74.04.10.25 ☑ 👅 r.-v.

Juliénas

Cru impérial d'après l'étymologie, Juliénas tiendrait en effet son nom de Jules César, de même que Jullié, l'une des quatre communes qui composent l'aire géographique de l'appellation (avec Emeringes et Pruzilly, cette dernière se trouvant en Saône-et-Loire). Occupant des terrains granitiques à l'ouest et des terrains sédimentaires avec des alluvions anciennes à l'est, les 605 ha de gamay noir permettent la production de 34 900 hl de vins bien charpentés, riches en couleur, appréciés au printemps après quelques mois de conservation. Gaillards et espiègles, ils sont à l'image des fresques qui ornent le caveau de la Vieille Eglise, au centre du bourg. Dans cette chapelle désaffectée, chaque année à la mi-novembre est remis le prix Victor-Peyret à l'artiste, peintre, écrivain ou journaliste qui a le mieux « tasté » les vins du cru ; celui-ci reçoit 104 bouteilles : 2 par week-end... La cave coopérative, installée dans l'enceinte de l'ancien prieuré du château du Bois de la Salle, vinifie 30 % de l'appellation.

JEAN ET BENOIT AUJAS 1998*

■ 9 ha 3 000 ▪ 30 à 49 F

A 200 m de la maison de la Dîme, ce domaine dispose de vieilles vignes. La belle robe pourpre à reflets grenat et le très agréable nez de pivoine et de cerise de ce vin appellent à la dégustation. Charnu, avec un bon soutien de tanins serrés, ce 98 à la fois équilibré, frais, typé et puissant peut être servi dès maintenant avec du veau, par exemple. Il peut aussi attendre de deux à trois ans.

➦ GAEC Jean et Benoît Aujas, La Ville, 69840 Juliénas, tél. 04.74.04.41.35 ☑ ⟓ r.-v.

CH. BONNET Vieilles vignes 1999

■ 1,8 ha 12 000 ▪ᵭ 30 à 49 F

Ce domaine, dont l'histoire remonte à 1630, a élevé un vin grenat plutôt clair qui développe de fins et élégants parfums de violette, de poivre et de menthol. La rondeur de la bouche ne masque pas des tanins nobles. Assez ferme et apte au vieillissement, ce vin devra être attendu de deux à trois ans. Cité également par le jury, le moulin-à-vent du même millésime est lui aussi issu de vieilles vignes.

➦ Pierre-Yves Perrachon, Ch. Bonnet, Les Paquelets, 71570 La Chapelle-de-Guinchay, tél. 03.85.36.77.47, fax 03.85.36.77.27 ☑ ⟓ r.-v.

DOM. CHATAIGNIER DURAND 1999

■ 2 ha n.c. 30 à 49 F

Ce vin rubis s'ouvre sur les petits fruits rouges et le poivre. Doté d'une charpente équilibrée, finement aromatique, il est à boire dans les deux ans.

➦ Jean-Marc Monnet, 69840 Juliénas, tél. 04.74.04.45.46, fax 04.74.04.44.24 ☑ ⟓ r.-v.

DOM. DU CLOS DU FIEF 1999

■ 7 ha 35 000 ▪ᵭ 30 à 49 F

Le beaujolais-villages 99 (20 à 29 F), cité, accompagne au palmarès ce vin rubis soutenu qui s'ouvre sur des notes fruitées bien nettes. Rond, équilibré avec une structure fine, ce 99 ne s'impose pas pour une longue conservation mais il est agréable à boire dès à présent.

➦ Michel Tête, Les Gonnards, 69840 Juliénas, tél. 04.74.04.41.62, fax 04.74.04.47.09 ☑ ⟓ t.l.j. sf dim. 8h-12h 14h-18h; f. 12-25 août

THIERRY DESCOMBES
Coteau des vignes 1999

■ 2,5 ha 10 000 ▪ᵭ 30 à 49 F

Depuis 1978, la quatrième génération de Descombes est à la tête de l'exploitation familiale. Celle-ci a produit un vin grenat au nez développé d'épices, de vanille, avec de fines notes de pivoine et de sous-bois. La bouche puissante, de prime abord tannique, s'exprime encore peu. Son beau potentiel permettra de l'attendre de un à deux ans.

➦ Thierry Descombes, Les Vignes, 69840 Jullié, tél. 04.74.04.42.03 ☑ ⟓ r.-v.

J. GONARD ET FILS 1998

■ 2 ha 10 000 ▪⦙⦙ 30 à 49 F

Négociant à Juliénas, cette maison a sélectionné un morgon 98 qui reçoit la même note que ce 98 rubis brillant aux parfums intenses et fins de fruits rouges. L'attaque douce comme du velours est suivie de tanins ronds peu puissants mais harmonieux. Long et tout en finesse, ce vin est prêt à boire mais peut aussi attendre de un à deux ans.

➦ J. Gonard et Fils, Les Gonnards, 69840 Juliénas, tél. 04.74.04.45.20, fax 04.74.04.45.69 ☑ ⟓ t.l.j. 9h-12h 14h-19h

P. GRANGER Cuvée spéciale 1999

■ 2 ha 10 000 ▪⦙⦙ᵭ 30 à 49 F

Cette cuvée spéciale de vieilles vignes, très jeune lors de la dégustation, a bien des atouts mais a divisé le jury. Le pourpre de sa robe est associé à des parfums fruités et à des nuances d'iris et de sureau. La bouche est aromatique. Sa puissance est associée à de jeunes tanins qui devront s'assagir. Ce vin doit s'affiner pour s'imposer à l'unanimité.

➦ Pascal Granger, Les Poupets, 69840 Juliénas, tél. 04.74.04.44.79, fax 04.74.04.41.24 ☑ ⟓ t.l.j. 8h-19h; f. 15-30 août

DOM. DU GRANIT DORE 1999

■ 3,5 ha 15 000 ⦙⦙ 30 à 49 F

Une partie du vignoble de Georges Rollet est exploitée en métayage, mais ce sont les vignes en propriété depuis 1924 qui ont donné ce vin rouge brillant et limpide au puissant nez de fruits rouges qu'accompagnent des notes vineuses. Après une bonne attaque, des sensations plus chaudes se développent au palais. Ce 99 est à boire avec des viandes en sauce.

➦ Georges Rollet, La Pouge, 69840 Jullié, tél. 04.74.04.44.81, fax 04.74.04.49.12 ☑ ⟓ r.-v.

FRANCK JUILLARD
Vieilles vignes 1999**

■ 5 ha 19 400 ▪ 30 à 49 F

Dans les belles caves voûtées du domaine est élevé ce vin grenat à reflets pourpres, issu de très vieilles vignes. Les agréables parfums de fruits noirs, de muscade et de pain d'épices se prolongent en bouche. Harmonieusement structuré, doté de tanins souples, ce 99 long et typé pourra

accompagner pendant trois ou quatre ans des viandes rouges, du gibier et du fromage.
☛ Franck et Nicole Juillard, Les Poupets, 69840 Juliénas, tél. 04.74.04.42.56, fax 04.74.04.43.82, e-mail fjuillard@waika9.com ☑ ☖ r.-v.

DOM. JUILLARD 1999★★

■ 2 ha 15 000 ▮ 30 à 49 F

Le **domaine Bourisset en moulin-à-vent 99** (50 à 69 F), cité, le **domaine de La Charrière en régnié 99** (30 à 49 F), une étoile, viennent compléter le palmarès de cette maison de négoce créée en 1821. Ce juliénas pourpre profond développe d'excellents parfums de fruits rouges et noirs bien mûrs et d'épices. Un beau compromis entre les tanins, les arômes et la vinosité vient couronner le tout. Remplissant totalement et longuement le palais, ce vin riche et puissant, bien typé, peut attendre de deux à trois ans, et même plus.
☛ Collin-Bourisset Vins Fins, av. de la Gare, 71680 Crèches-sur-Saône, tél. 03.85.36.57.25, fax 03.85.37.15.38, e-mail cbourisset@compuserve.com ☖ r.-v.

CH. DE JULIENAS
Vieilli en fût de chêne 1998

■ 33 ha 35 000 ▮ ♦ 30 à 49 F

Une partie de ce beau château du vin date de 1582. Dans sa cave a été élevé un juliénas rubis limpide au nez fin, fruité et floral avec d'agréables notes minérales. La bouche charpentée et structurée a de la puissance. Ce 98 est à boire dans les deux années à venir.
☛ F. et T. Condemine, Ch. de Juliénas, 69840 Juliénas, tél. 04.74.04.41.43, fax 04.74.04.42.38 ☑

DOM. DE LA COMBE-DARROUX 1999

■ 4 ha 10 000 ▮ ♦ 30 à 49 F

Le domaine dont l'origine remonte à 1818 a produit un vin rubis moyennement intense, au nez assez expressif de groseille et de poivre. Sa structure garnie d'une chair fine est légèrement acidulée et aromatique. Son joli grain laisse espérer une garde d'un à deux ans.
☛ EARL Anne et Pascal Guignet, Dom. de La Combe-Darroux, 71570 La Chapelle-de-Guinchay, tél. 04.74.06.70.90, fax 04.74.04.45.08 ☑

DOM. DE LA COTE DE CHEVENAL 1999

■ 1,2 ha 5 000 ▮ ♦ 30 à 49 F

Dans le nouveau cuvage construit en 1998 a été vinifiée cette cuvée rubis brillant au nez intense et fin de fruits rouges, d'épices et de fleurs. Après une bonne attaque, son fruité s'épanouit en bouche puis sa finale se révèle encore vive. Péché de jeunesse. Elle sera à boire dans deux ans.
☛ GAEC Jean-François et Pierre Bergeron, Les Rougelons, 69840 Emeringes, tél. 04.74.04.41.19, fax 04.74.04.40.72 ☑ ☖ r.-v.

DOM. DE LA MAISON DE LA DIME 1999★

■ 5 ha 37 000 ▮ ♦ 30 à 49 F

La cuvée **La Chapelle des Bois en fleurie 99** marque de Roland Bouchacourt, a été citée tandis que cette sélection se voit attribuer une étoile. Dotée d'une belle robe rubis brillant, cette dernière s'ouvre sur d'agréables senteurs fruitées de fève de cacao et d'épices. Une structure puissante composée de tanins fermes, des arômes de groseille et de fraise envahissent la bouche. Ce 99 rustique et sérieux ne peut que progresser. On l'attendra deux ou trois ans. Présenté sous la marque Roland Bouchacourt, le **domaine de La Bottière-Pavillon en juliénas 99** reçoit une étoile : « un beau travail du raisin », note le jury.
☛ Vins et Vignobles, 435, rte du Beaujolais, 69830 Saint-Georges-de-Reneins, tél. 04.74.09.60.00, fax 04.74.67.67.40, e-mail info@vinsetvignobles.com

DOM. DE L'ANCIEN RELAIS
Vieille vigne 1998★

■ 0,75 ha 2 800 ▮ 30 à 49 F

Construit sur l'emplacement d'un ancien relais de poste, ce domaine possède une belle cave voûtée. Il a produit une cuvée d'un grenat profond et limpide au nez assez intense de fleurs et de fruits rouges. L'attaque franche et volumineuse, les tanins souples accompagnant une bonne chair sont harmonieusement structurés et prometteurs. Ce vin peut encore attendre un an ou deux...
☛ EARL André Poitevin, Les Chamonards, 71570 Saint-Amour-Bellevue, tél. 03.85.37.16.05, fax 03.85.37.40.87 ☑ ☖ r.-v.

DOM. DE LA VIEILLE EGLISE 1999

■ n.c. n.c. 30 à 49 F

Le domaine familial de ce négociant a produit un vin rouge vif à reflets violets qui s'ouvre sur des notes d'épices plutôt fines mais prometteuses. L'attaque a de la puissance, et les tanins souples s'avèrent tenaces en bouche. Assez riche et long, ce 99 doit mûrir quelques mois avant de s'imposer.
☛ Ets Loron et Fils, Pontanevaux, 71570 La Chapelle-de-Guinchay, tél. 03.85.36.81.20, fax 03.85.33.83.19, e-mail vinloron@wanadoo.fr

LE CLOS DU FIEF 1998

■ 0,5 ha 2 500 ▮ 30 à 49 F

Des vieilles vignes sont à l'origine de cette petite cuvée d'un rouge assez intense qui s'ouvre sur des notes de sous-bois. La bouche est agréable et ne manque ni de rondeur ni de tanins. Une bouteille à boire cet hiver avec une andouillette.
☛ Gabriel Gauthier, Les Chanoriers, 69840 Jullié, tél. 04.74.04.43.31 ☑ ☖ t.l.j. 8h-12h 13h-20h

DOM. JEAN-PIERRE MARGERAND 1999★

■ 6,1 ha 10 000 ▮ ♦ 30 à 49 F

On retrouve les traces de cette exploitation familiale en 1760. Elle a très bien réussi les deux vins présentés cette année, une petite production de **beaujolais-villages 99** et ce juliénas. Une belle robe rubis intense et limpide accompagne un nez fruité de groseille. La bouche, finement aromatique et structurée, offre un joli grain. Une garde de deux ans permettra à ce 99 de se bien tenir à table !

• Jean-Pierre Margerand, Les Crots, 69840 Juliénas, tél. 04.74.04.40.86, fax 04.74.04.46.54 ☑ ⵠ r.-v.

DOM. DES MOUILLES 1999**

| ■ | 4,4 ha | 10 000 | ■ | 30 à 49 F |

Le nom de la famille apparaît à Juliénas en 1601. Les Perrachon étaient-ils déjà vignerons ? Près de quatre siècles plus tard, Laurent Perrachon a réussi un **morgon Les Versands 98** cité par le jury et ce vin coup de cœur dont le grand jury des juliénas a apprécié la jolie robe rubis intense, les parfums bien développés de fleurs ainsi que la belle vinosité. Ce 99 remplit la bouche d'une chair harmonieuse, équilibrée, légèrement acidulée en finale, aromatique et longue. Cette remarquable bouteille pourra attendre de trois à quatre ans.

• Laurent Perrachon, Dom. des Mouilles, 69840 Juliénas, tél. 04.74.04.40.44, fax 04.74.04.40.44 ⵠ r.-v.

DOM. DU MOULIN BERGER
Vayolette 1999

| ■ | 2,7 ha | 8 000 | ■ ⵡ | 30 à 49 F |

Mise en valeur et dirigée depuis fort longtemps par les précédentes générations de Laplace, l'exploitation ne fut acquise qu'en 1985. Ce vin d'un très beau rouge grenat profond se montre encore peu expressif au nez : des parfums de fruits noirs émergent peu à peu. Il en va de même en bouche où sa chair puissante laisse une finale plus chaude. A attendre, bien sûr.

• Michel et Pascale Laplace, Le Moulin Berger, 71570 Saint-Amour-Bellevue, tél. 03.85.37.41.57, fax 03.85.37.44.75 ⵠ r.-v.

JEAN-FRANCOIS PERRAUD 1999

| ■ | 6,8 ha | 8 000 | ■ ⵡ | 30 à 49 F |

Jean-François Perraud possède 10 ha de vignes. Il a proposé deux vins tous deux retenus par le jury. Un **beaujolais-villages 99** à la belle étiquette et ce juliénas d'un rubis assez vif et brillant. Le nez s'ouvre sur des notes épicées, voire animales. La bouche fruitée et savoureuse se révèle plutôt souple. Bien fait, peu concentré, ce 99 est à boire dans l'année.

• Jean-François Perraud, Les Chanoriers, 69840 Jullié, tél. 04.74.04.49.09, fax 04.74.04.49.09 ☑ ⵠ r.-v.

DOM. PLACE DES VIGNES 1998

| ■ | n.c. | 300 | ■ | 30 à 49 F |

Repris en 1995 par la troisième génération, ce domaine a produit une petite cuvée rouge intense avec quelques reflets tuilés. Ses parfums complexes de fruits cuits se retrouvent en bouche. Sa structure tannique lui confère de la typicité.

• Agnès et Thierry Roussot, Les Darroux, 71570 La Chapelle-de-Guinchay, tél. 03.85.33.85.51, fax 03.85.33.85.51 ☑ ⵠ r.-v.

ESPRIT THORIN TERRES DE GALENE 1999

| ■ | n.c. | 60 000 | ■ ⵡ | 30 à 49 F |

Cette marque du groupe Boisset a été citée pour son **fleurie Esprit Thorin Terres de Granit rose 99** et ce juliénas grenat sombre en provenance d'un sol riche en sulfure de plomb. Ce 99 livre d'intenses et complexes parfums de fruits à l'alcool. La bouche ronde, nette et plaisante est structurée par des tanins jeunes mais légers. Des arômes qui rappellent la garrigue complètent le palais. Ce vin jeune est à boire au cours des deux prochaines années.

• Maison Thorin, Le Pont des Samsons, 69430 Quincié-en-Beaujolais, tél. 04.74.69.09.10, fax 04.74.69.09.28, e-mail information@maisonthorin.com ⵠ r.-v.

RAYMOND TRICHARD 1999

| ■ | 1 ha | 4 000 | ■ | 30 à 49 F |

Cinquante ans, c'est un âge très honorable pour les vignes qui ont donné naissance à ce 99. Doté d'une robe intense et limpide, ce vin s'ouvre peu à peu sur de puissantes notes de fruits mûrs et concentrés. La belle attaque est suivie d'une structure tannique développée. Ce juliénas doit s'assouplir et sera à découvrir dans un an.

• Raymond Trichard, Les Blémonts, 71570 La Chapelle-de-Guinchay, tél. 03.85.36.79.41, fax 03.85.36.79.41 ☑ ⵠ t.l.j. 8h-12h 14h-20h

Morgon

Le deuxième cru en importance après le brouilly est localisé sur une seule commune. Ses 1 115 ha revendiqués en AOC fournissent en moyenne 64 500 hl d'un vin robuste, généreux, fruité, évoquant la cerise, le kirsch et l'abricot. Ces caractéristiques sont dues aux sols issus de la désagrégation des schistes à prédominance basique, imprégnés d'oxyde de fer et de manganèse, que les vignerons désignent par les termes de « terre pourrie » et qui confèrent aux vins des qualités particulières ; celles qui font dire que les vins de Morgon... « morgonnent ». Cette situation est propice à l'élaboration, à partir du gamay noir, d'un vin de garde qui peut prendre des allures de bourgogne, et qui accompagne parfaitement un coq au vin. Non loin de l'ancienne voie romaine reliant Lyon à Autun, le terroir de la colline de Py, situé à 300 m d'altitude sur cette croupe aux formes parfaites, en est l'archétype.

La commune de Villié-Morgon s'enorgueillit à juste titre d'avoir été la première à se préoccuper de l'accueil des amateurs de vin de Beaujolais : son caveau, construit dans les caves du château de Fontcrenne, peut recevoir plusieurs centaines de personnes. Ce lieu privilégié, aux équipements modernes, fait le bonheur des visiteurs et des associations à la recherche d'une « ambiance vigneronne »...

DOM. AUCŒUR Cuvée Prestige 1998

■ 1 ha 6 000 ▮ 30à49F

La première vinification de la huitième génération ! Rouge sombre et limpide, ce vin s'ouvre sur de bons parfums moyennement intenses de fruits des bois, avec des nuances vanillées. Très jeune en attaque, il se révèle souple et laisse d'agréables arômes de fruits et de menthe en finale. Rond, aimable, il est à boire dans les deux prochaines années.

⊶ Dom. Aucœur, Le Rochaud, 69910 Villié-Morgon, tél. 04.74.04.22.10, fax 04.74.69.16.82, e-mail AUCOEUR@aol.com ☑ Y r.-v.

CAVE DES VIGNERONS DE BEL-AIR 1999*

■ 16 ha 30 000 ▮♁ 30à49F

Sur un domaine de 400 ha, la coopérative a produit un **beaujolais-villages 99** cité par le jury, un **brouilly 99** auquel est attribuée une étoile, et ce morgon rouge foncé qui s'ouvre sur des parfums de fruits très mûrs s'épanouissant longuement au palais. Sa belle charpente et sa chair composent une bouche complète et harmonieuse qui le fera apprécier pendant deux ans.

⊶ Cave des Vignerons de Bel-Air, rte de Beaujeu, 69220 Saint-Jean-d'Ardières, tél. 04.74.06.16.05, fax 04.74.06.16.09, e-mail cvba@wanadoo.fr ☑ Y t.l.j. sf dim. 9h-12h 14h-18h

DOM. DES BOIS 1998*

■ 1,1 ha 7 700 ⦀ 30à49F

L'exploitation, également gîte avec chambres d'hôtes, a élevé en fût une cuvée rubis brillante et limpide, au très bon nez, mêlant fruits, pivoine, sureau, épices mais aussi un léger poivron. Sa structure tannique, moyennement développée, assure cependant un séduisant équilibre avec sa chair. Pleine de fraîcheur, facile à boire, cette bouteille accompagnera, dès la fin de l'année, une viande blanche rôtie.

⊶ Roger et Marie-Hélène Labruyère, Les Bois, 69430 Régnié-Durette, tél. 04.74.04.24.09, fax 04.74.69.15.16, e-mail roger-labruyere@wanadoo.fr ☑ Y r.-v.

ROLAND BOUCHACOURT 1999

■ 10 ha 75 000 ▮♁ 30à49F

Ce vin couleur grenat avec de beaux reflets violets, assemblage de la production d'une dizaine d'hectares, exprime d'agréables et complexes parfums primaires et secondaires à base de fruits noirs, de framboise, d'épices et de fleurs, qui se poursuivent en bouche. Aromatique, frais, moyennement concentré mais d'une bonne harmonie, il est à boire dans les deux prochaines années.

⊶ Roland Bouchacourt, 435, rte du Beaujolais, 69830 Saint-Georges-de-Reneins, tél. 04.74.09.60.00, fax 04.74.67.67.40

DANIEL BOULAND Vieilles vignes Vieilli en fût de chêne 1998

■ 1 ha 6 000 ⦀ 30à49F

Les vieilles vignes dont est issu ce vin grenat foncé, brillant et limpide, sont âgées de soixante-douze ans. Le nez intense de fruits rouges et de cuir accompagne une bouche charnue aux arômes d'épices et de fruits à l'alcool et qui garde de la vivacité. Ce bon 98 est prêt à boire, mais il peut être attendu un an.

⊶ Daniel Bouland, Corcelette, 69910 Villié-Morgon, tél. 04.74.69.14.71, fax 04.74.69.14.71 ☑ Y t.l.j. 9h-12h 14h-18h

DOM. JEAN-PAUL BOULAND 1998

■ 5 ha 20 000 ▮ 30à49F

La robe rubis à reflets violacés ne semble pas avoir pris un pli ! Le nez frais et délicat où pointe de la réglisse est, dans une première approche, flatteur mais fugace. Aromatique et de structure plutôt légère, ce 98, facile et agréable, est à boire dans l'année.

⊶ Dom. Jean-Paul Bouland, Fond-Long, 69910 Villié-Morgon, tél. 04.74.04.25.23, fax 04.74.04.21.06 ☑ Y r.-v.

NOEL BULLIAT Cuvée Vieilles vignes 1998

■ 0,7 ha 4 000 ⦀ 30à49F

Des vignes de soixante-dix ans sont à l'origine de cette cuvée grenat foncé, limpide, marquée par quelques reflets orangés. Net et d'une bonne intensité, le nez développe des nuances de grillé, de cerise et d'épices. La bouche, tout d'abord franche, aromatique et ronde termine sur des tanins qui demandent à se fondre. Ce vin agréable doit être attendu un an.

⊶ Noël Bulliat, Le Colombier, 69910 Villié-Morgon, tél. 04.74.69.13.51, fax 04.74.69.14.09 ☑ Y r.-v.

DOM. DU CALVAIRE DE ROCHE GRES Les Charmes 1999**

■ 0,9 ha 7 000 30à49F

Au milieu des vignes se dressent depuis 1934 treize stations monumentales ainsi qu'une réplique de la grotte de Lourdes. A côté d'un **fleurie 99** cité par le jury, ce morgon a été consacré premier coup de cœur de l'appellation par le grand jury. Ce vin à la très belle robe pourpre

Morgon

profond avec des reflets grenat livre d'intenses notes de rose, de pivoine, d'iris et de sureau. Un charme exceptionnel envahit le palais, qui évoque un panier de fruits rouges soutenu par des tanins serrés et élégants. Ample, équilibré et remarquablement harmonieux, ce 99 est prêt à boire avec un bœuf au four, mais peut encore gagner dans les cinq prochaines années.

➥ EARL Didier Desvignes, Saint-Joseph, 69910 Villié-Morgon, tél. 04.74.69.92.29, fax 04.74.69.91.23 ☑ ⵣ r.-v.

ARMAND ET RICHARD CHATELET
1998★

| ■ | | 3,2 ha | 25 000 | ■ 30 à 49 F |

De vieilles vignes sur sol schisteux sont des atouts dont les Chatelet ont su tirer parti. Le grenat de la robe limpide et brillante porte quelques reflets orangés. Le nez, assez vineux et intense, livre des nuances de cerise, de cassis et de cuir alors que la bouche épicée et fruitée a beaucoup de rondeur. Harmonieusement structuré et d'une bonne longueur, ce 98 est à boire dans les deux ans.

➥ EARL Armand et Richard Chatelet, Les Marcellins, 69910 Villié-Morgon, tél. 04.74.04.21.08, fax 04.74.69.16.48 ☑ ⵣ t.l.j. 9h-12h 14h-18h

CYRILLE CHAVY 1999

| ■ | | 2,5 ha | 8 000 | ■▥♦ 30 à 49 F |

Le domaine a appartenu à l'inventeur du pressoir vertical Marmonier dit « américain ». Ce 99 très foncé, avec de nombreux reflets violets, livre de discrètes notes de fruits rouges et d'alcool. L'attaque franche, assez intense, est accompagnée d'arômes de cassis. Ne manquant pas de puissance, ni de longueur, ce vin devra attendre un à deux ans encore afin que sa finale s'adoucisse.

➥ Cyrille Chavy, Les Versauds, 69910 Villié-Morgon, tél. 04.74.04.20.47, fax 04.74.69.20.00 ☑

DOM. DU COTEAU DES LYS 1998

| ■ | | 4 ha | 15 000 | ■ 30 à 49 F |

20 % de la production des Passot est distribuée en Allemagne, en Hollande et en Grande-Bretagne. Rouge brillant soutenu, ce 98 s'ouvre sur les fruits rouges et les épices. Une puissante structure, accompagnée d'arômes fruités complexes et évolutifs, le destinent à une garde moyenne.

➥ Maurice Passot, Corcelette, 69910 Villié-Morgon, tél. 04.74.04.20.27, fax 04.74.69.15.57, e-mail maurice.passot@wanadoo.fr ☑ ⵣ r.-v.

CAVE JEAN ERNEST DESCOMBES
1999

| ■ | | 1 ha | 7 500 | ■♦ 30 à 49 F |

Cette exploitation familiale existe depuis plusieurs générations. Elle a reçu la visite de bien des grands de la restauration... Un nez minéral d'argile et de granit décomposé, mais aussi de rose fanée et de fruits caractérise cette cuvée rouge foncé très intense. Charpentée avec une bonne structure, elle doit vieillir pour se civiliser un peu plus. On attendra un à trois ans pour la déguster avec une côte de bœuf ou du fromage fort.

➥ Nicole Descombes-Savoye, Les Micouds, 69910 Villié-Morgon, tél. 04.74.04.20.11, fax 04.74.04.26.04 ☑ ⵣ r.-v.

DOM. DONZEL Cuvée An 2000 1998

| ■ | | 1,5 ha | 9 000 | ■♦ 30 à 49 F |

Grenat avec des reflets pourpres, ce 98 au nez de cassis, de cerise, de pivoine et de cuir, a été bichonné pour la dernière année du siècle. Fin et élégant dans l'attaque, plaisant et équilibré, il est à boire avec de la charcuterie dans les deux ans à venir.

➥ Bernard Donzel, Fondlong, 69910 Villié-Morgon, tél. 04.74.04.20.56, fax 04.74.69.14.52 ☑ ⵣ r.-v.

GERARD DUCROUX 1999

| ■ | | 1,08 ha | 8 100 | ■ 30 à 49 F |

Des parfums complexes, floraux et fruités, émanent de ce 99 rubis limpide et brillant. L'ample et puissante bouche aux arômes épicés a une finale encore un peu austère. Ce vin réussi affirmera son caractère d'ici quelques mois.

➥ Gérard Ducroux, Saint-Joseph-en-Beaujolais, 69910 Villié-Morgon, tél. 04.74.69.90.14, fax 04.74.69.90.14 ⵣ r.-v.

DOM. DE FONTRIANTE 1999

| ■ | | 4,6 ha | 10 000 | ■♦ 30 à 49 F |

Récolté sur un sol schisteux caractéristique, ce vin rubis aux beaux reflets violets n'est pas avare de notes de cassis et de nuances vineuses. L'attaque ronde cède la place à des impressions plus chaudes. Ce 99 de moyenne garde, assez bien structuré et équilibré, est à boire dans les deux ans.

➥ Jacky Passot, Fontriante, 69910 Villié-Morgon, tél. 04.74.69.10.03, fax 04.74.69.14.29, e-mail jacky.passot@wanadoo.fr ☑ ⵣ t.l.j. 8h-20h

DOM. GOUILLON 1998

| ■ | | 0,6 ha | 4 500 | 30 à 49 F |

Sur un sol argileux, les vignes ont donné une cuvée rubis avec quelques reflets dorés. Le bon nez de groseille et de cassis est soutenu par de la vinosité. Charpentée, cette bouteille conserve une fraîcheur intéressante pour une consommation dans l'année. Le **beaujolais-villages 99** a, lui aussi, reçu une citation.

➥ Danielle Gouillon, Les Grandes Granges, 69430 Quincié-en-Beaujolais, tél. 04.74.04.30.41, fax 04.74.69.00.67 ☑ ⵣ t.l.j. 8h-12h 14h-19h

DOM. DE GRY-SABLON 1999★★

■ 2,4 ha 10 000 ▮❶♨ 30 à 49 F

Thermorégulation et macération préfermentaire sont à la base de l'élaboration de ce vin rouge violacé, limpide, confirmé second coup de cœur par le grand jury des morgons. Le nez, épanoui et expressif, évoque les fruits mûrs et la violette. Concentré, gras, doté d'une belle structure portant un fruit agréable, ce 99 plaira à un large public pendant un à deux ans.
🠖 Dominique Morel, Les Chavannes, 69840 Emeringes, tél. 04.74.04.45.35, fax 04.74.04.42.66 ☑ ⅈ r.-v.

DOM. DOMINIQUE JAMBON 1999

■ 2 ha 5 000 ▮ 30 à 49 F

Métayer d'autres domaines jusqu'en 1995, Dominique Jambon a repris les vignes familiales qui ont donné une cuvée rouge soutenu. Le nez de cerise laisse poindre des notes épicées. Si la rondeur est là, la structure tannique semble légère. Ce 99 est prêt à boire.
🠖 Dominique Jambon, Arnas, 69430 Lantignié, tél. 04.74.04.80.59, fax 04.74.04.80.59 ☑ ⅈ r.-v.

JEAN DE MOULINSART 1998★

■ n.c. 30 000 ▮♨ 30 à 49 F

La société Tresch a acheté les vins Maurice Chenu et a créé plusieurs marques. Sous la marque **Charles Aîné, le beaujolais** de ce négociant a été cité (20 à 29 F). Le morgon Jean de Moulinsart se présente dans une robe rouge profond à reflets violets, restée très jeune ; en revanche, le nez se montre peu expressif. Un bon équilibre entre les puissantes impressions tanniques, l'acidité et les arômes fruités d'épices et de vanille révèle beaucoup de typicité. Prêt à accompagner une viande rouge ou un gibier, ce vin peut aussi attendre un à deux ans.
🠖 Jean de Moulinsart, chem. de la Pierre-qui-Vire, 21200 Montagny-lès-Beaune, tél. 03.80.26.37.37, fax 03.80.24.14.81

DOM. DE LA CHANAISE
Côte du Py 1998★

■ 4 ha 25 000 ▮ 50 à 69 F

Un **régnié 99** (30 à 49 F) cité par le jury complète le palmarès de cette exploitation dont l'origine remonte au XVIe s. Pourpre intense et brillant, ce morgon libère de fins et nets parfums de pivoine, d'épices mais aussi de fruits bien mûrs, voire de gibier. Une belle attaque, suivie de beaucoup de chair soutenue par le fruité et de tanins encore forts, sont agréablement ressentis.

Complexe et persistant, ce 98 sera apprécié pendant deux à trois ans.
🠖 Dominique Piron, Morgon, 69910 Villié-Morgon, tél. 04.74.69.10.20, fax 04.74.69.16.65, e-mail dominique-piron@domaines-piron.fr ☑ ⅈ t.l.j. sf dim. 9h-18h; sam. sur r.-v.

DOM. DE LA CHAPONNE 1999★

■ 6 ha n.c. ▮♨ 30 à 49 F

Une cuvaison d'une douzaine de jours à chapeau immergé a abouti à ce vin rouge chaud aux beaux reflets violets. Les parfums intenses de fruits rouges à l'alcool, de cassis, de framboise et de violette se retrouvent au palais. Très équilibré avec des tanins fondus, une chair riche et assez longue, ce 99 sera apprécié durant deux ans avec une viande rouge, un sanglier braisé ou un fromage.
🠖 Laurent Guillet, Morgon, 69910 Villié-Morgon, tél. 04.74.69.15.73, fax 04.74.69.11.43 ☑ ⅈ t.l.j. 9h-12h 14h-18h

DOM. DE LA COTE DES CHARMES
Les Charmes 1999★

■ 6,3 ha 12 000 ▮❶♨ 30 à 49 F

Des notes complexes et assez intenses de cerise, de fraise et de cassis mêlées à des épices émanent de ce vin à la robe rouge violine. Le bel équilibre entre les tanins et les fruits a de la puissance tout en étant harmonieux et agréablement aromatique. C'est un 99 très réussi, typé et long, qui est prêt à boire avec du gros gibier mais qui peut attendre trois à quatre ans.
🠖 Jacques Trichard, Les Charmes, 69910 Villié-Morgon, tél. 04.74.04.20.35, fax 04.74.69.13.49 ☑ ⅈ t.l.j. 9h-12h 14h-18h

DOM. DE LA CROIX MULINS 1999

■ 6 ha 44 000 ▮♨ 30 à 49 F

Ce vin rubis, moyennement limpide, exhale des parfums puissants de cassis, de pivoine et de fruits rouges. Sa matière, plutôt généreuse, qui garnit la bouche, se révèle en finale encore vive. A garder quelques mois en cave.
🠖 Pierre Depardon, Les Raisses, 69910 Villié-Morgon, tél. 04.74.03.45.75 ☑

JEAN-MARC LAFONT
Les Versauds 1998★★

■ 3,5 ha n.c. ▮♨ 30 à 49 F

Négociant en vins depuis quelques années, Jean-Marc Lafont est cité pour un **juliénas Vieilles vignes 98** et décroche une étoile pour le **brouilly, domaine de Bel-Air, cuvée Briante 99**. Quant à ce morgon rouge soutenu, il libère d'assez intenses parfums de kirsch, de mûre mais aussi des notes animales et de cuir. Sa belle et agréable structure tannique, enrobée de chair, compose avec les arômes développés, un ensemble équilibré et très homogène qui sera apprécié pendant deux ans.
🠖 EARL Jean-Marc Lafont, Bel-Air, 69430 Lantignié, tél. 04.74.04.82.08, fax 04.74.04.89.33 ☑ ⅈ r.-v.

DOM. DE LA FOUDRIERE 1999

■ 1,8 ha 10 000 ▮❶♨ 30 à 49 F

De cette sélection rubis profond et limpide du négociant de Beaujeu montent des parfums de raisin, de framboise, de pêche et de cassis. On retrouve dans la bouche délicate et nerveuse, la framboise, mais aussi la résine de pin. Équilibrée mais légère, cette bouteille est à boire au cours des deux prochaines années.

🍂 Les Vins Gabriel Aligne, La Chevalière, 69430 Beaujeu, tél. 04.74.04.84.36, fax 04.74.69.29.87 ☑ ⊺ t.l.j. sf sam. dim. 8h-12h 14h-18h

DOM. DE LA LEVRATIERE 1998

■	7 ha	20 000	■ ♦ 30 à 49 F

Ce vignoble appartient, comme bien d'autres, à la famille Marmonier. André Meyran a produit un vin rouge foncé avec de jeunes reflets violets. Les parfums discrets et nets sont ceux des fruits des bois. Doté d'une bonne et fraîche structure et d'un fruité allié à la vanille, ce 98 facile et plaisant est à boire dans l'année.

🍂 André et Marylenn Meyran, Dom. de La Levratière, Les Presles, 69910 Villié-Morgon, tél. 04.74.69.11.80, fax 04.74.69.16.51 ☑ ⊺ r.-v.

DOM. DE LA MERLATIERE 1998

■	2,2 ha	16 000	■ 30 à 49 F

Lancié est situé à l'est de Villié-Morgon. On l'atteint par la D9. Ce vin pourpre a des reflets orangés. Le nez aux notes intenses de cassis, de rose, de kirsch et d'épices est bien agréable. La bouche légère et vive incite à la boire dès maintenant avec de la charcuterie ou du petit gibier.

🍂 Paul Pariaud, La Merlatière, 69220 Lancié, tél. 04.74.04.10.16, fax 04.74.69.83.64 ☑ ⊺ r.-v.

DOM. DE LA TOUR DES BANS 1998★

■	2 ha	10 000	■ ♦ 20 à 29 F

Cette métairie du château de Pizay a produit un vin rubis limpide aux reflets roses. Les parfums évoquent d'abord un bouquet de fleurs, puis évoluent vers le cassis et les fruits rouges. Charnu, gouleyant avec des tanins très fins, ce charmeur au goût de griotte a conservé beaucoup de fraîcheur. Il est à boire. Une cuvée de **beaujolais 99** a été citée par le jury.

🍂 Raphaël Blanco, Pizay, 69220 Saint-Jean-d'Ardières, tél. 04.74.66.20.10, fax 04.74.69.60.66 ☑ ⊺ r.-v.

🍂 Château de Pizay

DOM. DE L'HERMINETTE
Cuvée Prestige 1998

■	0,4 ha	2 500	◖◗ 30 à 49 F

L'herminette est l'outil utilisé par les tonneliers pour façonner les douelles. Situé à 1 km du château de Pizay, ce domaine familial propose un morgon 98 d'un rouge brique intense et brillant qui ne peut pas renier son nom d'herminette tant le chêne est présent. Des parfums de grillé et de fût neuf dominent les nuances de cassis. La bouche, tout imprégnée d'arômes boisés et empyreumatiques, reste équilibrée et réussie. Ce 98 a de quoi tenir au moins deux ans.

🍂 EARL Laurent et Marinette Gauthier, Morgon-le-Bas, 69910 Villié-Morgon, tél. 04.74.04.26.57, fax 04.74.69.12.08 ☑ ⊺ r.-v.

DOM. MARIE-ANTOINETTE
Climat Douby 1999

■	3,15 ha	20 000	■ 30 à 49 F

Certains pieds de vigne, plantés à la fin du XIXᵉ s., sont toujours récoltés sur quelques ares. Il émane de ce vin grenat limpide des parfums sauvages de fleurs mais aussi de banane et de réglisse. Sa chair, qui a encore de la vivacité, est agréable et assez longue. D'un style plutôt léger, ce 99 sera apprécié au cours de l'année.

🍂 Marie-Antoinette Cimetière, Dom. de Font Chatonne, rte de Fleurie, 69910 Villié-Morgon, tél. 04.74.69.15.10, fax 04.74.69.14.86 ☑ ⊺ t.l.j. 8h-20h

CAVEAU DE MORGON 1998★★

■	2,8 ha	18 600	■ ♦ 30 à 49 F

Le premier caveau de dégustation créé par les producteurs continue depuis 1953 à faire connaître les vins du cru. Cette sélection rouge foncé, pleine de fraîcheur, livre des parfums élégants et fins de fruits mûrs et de cuir. La belle attaque, tout en rondeur, est suivie d'arômes complexes qui révèlent une évolution sensible et agréable. Associant maturité et jeunesse, ce vin remarquable est à point pour les deux années à venir.

🍂 Caveau de Morgon, rue du Château de Fontcrenne, 69910 Villié-Morgon, tél. 04.74.04.20.99, fax 04.74.04.20.25 ☑ ⊺ t.l.j. 9h-12h 14h-19h; f. 2 semaines en jan.

🍂 Assoc. Producteurs Cru Morgon

DOM. DES MULINS 1999

■	8 ha	n.c.	▮◖◗ 30 à 49 F

Un sol sablonneux est à l'origine de ce vin rubis très foncé où dominent la pivoine et l'iris. L'attaque ronde se poursuit sur des notes plus fermes. Doté d'une bonne structure, bien typé, ce 99 doit encore s'assouplir au moins une année ; il accompagnera ensuite une viande rouge.

🍂 Alain Aufranc, Les Mulins, 69910 Villié-Morgon, tél. 04.74.69.13.02 ☑ ⊺ r.-v.

DOM. DES NUGUES 1999★

■	0,45 ha	n.c.	■ ♦ 30 à 49 F

Ce domaine de 20 ha a élevé un morgon pourpre, brillant et limpide, qui livre des notes fruitées et épicées intenses et fines à la fois. Les tanins puissants conservent un bon équilibre. Fruité, élégant et assez long, ce vin peut attendre deux ans.

🍂 EARL Gelin, Les Pasquiers, 69220 Lancié, tél. 04.74.04.14.00, fax 04.74.04.16.73 ☑ ⊺ r.-v.

CH. DE PIZAY 1999★

■	19 ha	150 000	■ ♦ 30 à 49 F

Les origines du château remontent à 970. Composé de plusieurs bâtiments, c'est aujourd'hui un hôtel-restaurant réputé. Outre le **beaujolais blanc 99** une étoile, le domaine élève ce morgon rubis à reflets sombres. Les parfums très ouverts de senteurs des bois, de pivoine et de sureau, sont associés à une bouche où domine la cerise. Le palais, assez charnu, finit sur des notes plus corsées avec des tanins encore fermes. Ce 99, prometteur, pourra accompagner une viande rouge.

SCEA Dom. Château de Pizay, 69220 Saint-Jean-d'Ardières, tél. 04.74.66.26.10, fax 04.74.69.60.66 ☑ ⏀ r.-v.

DANIEL RAMPON 1998★★

■　　　　　2 ha　　15 000　　■ ♨ ⏀ 30 à 49 F

Rouge foncé avec quelques reflets orangés, ce 98 livre des parfums fins et soutenus de cuir, de grillé, de réglisse et des notes vineuses. La bouche, franche et intense, est imprégnée d'arômes de café et d'épices. La mâche de ce vin remarquable et sa finale fortement structurée laissent présager une bonne garde d'un à deux ans.

Daniel Rampon, Les Marcellins, 69910 Villié-Morgon, tél. 04.74.69.11.02, fax 04.74.69.15.88 ☑ ⏀ t.l.j. sf dim. 9h-12h 14h-18h

DOM. SAVOYE Côte du Py 1999★

■　　　　　1,2 ha　　8 500　　■ 30 à 49 F

Les vignes, implantées au cœur de l'appellation au lieu-dit la Côte du Py, sont à l'origine d'un vin rouge profond. Les parfums développés de fruits surmûris évoquent la cerise noire, le cassis et la mûre. Puissant et aromatique avec une bonne charpente et des tanins fondus qui ressortent en finale, ce 99 est typé et riche. Il s'ouvrira encore davantage et pourra attendre trois à cinq ans.

Pierre Savoye, Les Micouds, 69910 Villié-Morgon, tél. 04.74.04.21.92, fax 04.74.04.26.04 ☑ ⏀ t.l.j. 8h30-11h30 13h30-18h30; sam. dim. sur r.-v.

DOM. DES SORNAY Les Versauds 1999

■　　　　17 ha　　60 000　　■ ⏀⏀ 30 à 49 F

Cet autre domaine, qui appartient à la famille du célèbre inventeur des pressoirs Marmonier, a élevé ce vin grenat sombre et limpide, au nez bien développé de fruits rouges et vineux. Très agréable, le début de bouche montre une matière riche d'une belle structure. C'est un vin à attendre deux ou trois ans afin que les tanins se fondent.

Jacques Dépagneux, Les Chers, 69840 Juliénas, tél. 04.74.06.78.00, fax 04.74.06.78.71, e-mail avf@free.fr ☑ ⏀ r.-v.

DOM. DES SOUCHONS 1998★★

■　　　　10 ha　　60 000　　　30 à 49 F

La passion du vin anime cette famille depuis 1752 comme en témoigne sa devise fièrement transcrite sur l'étiquette : « Notre vin est notre vie ». Eh bien, celui-ci a réjoui le jury : beaucoup de puissance émane de cette cuvée rouge sombre limpide au nez assez ouvert de raisin, de mûre et de cuir. La bouche révèle une bonne vinosité. Les fortes et agréables sensations équilibrées de sa structure, de ses arômes de kirsch et de sa chair, sont dignes du cru. Ce 98 harmonieux et riche pourra être apprécié pendant deux à trois ans.

Serge Condemine-Pillet, Morgon-le-Bas, 69910 Villié-Morgon, tél. 04.74.69.14.45, fax 04.74.69.15.43 ☑ ⏀ t.l.j. 8h30-12h 14h-18h; f. 25 déc.-2 jan.

DOM. DU THIZY Cave Collonge 1998

■　　　　1,5 ha　　10 000　　⏀⏀ 30 à 49 F

Sur des sables limoneux, la vigne a donné un vin rubis limpide, au nez encore juvénile et plaisant de fruits rouges frais. La bouche, agréable et fraîche, offrant quelques nuances de réglisse, paraît prête. A servir dès cet automne.

GAEC du Dom. du Thizy, Le Thizy, 69430 Lantignié, tél. 04.74.04.84.29, fax 04.74.04.84.29 ☑ ⏀ t.l.j. 8h-12h 14h-18h

Collonge Frères

THOMAS FRERES 1998

■　　　　8 ha　　40 000　　■ ♨ 50 à 69 F

Le **beaujolais-villages 99** (30 à 49 F) de cette maison de négoce a été cité, tout comme cette sélection rubis soutenu avec quelques reflets jaunes. Le nez, moyennement intense, rappelle le kirsch. Puissant et chaleureux en bouche, ce vin est à boire.

Thomas Frères, 2, rue François-Mignotte, 21700 Nuits-Saint-Georges, tél. 03.80.62.42.10, fax 03.80.61.28.13 ☑ ⏀ t.l.j. sf dim. 10h-18h; f. jan.

Moulin à vent

Le « seigneur » des crus du Beaujolais campe ses 660 ha sur les communes de Chénas, dans le Rhône, et de Romanèche-Thorins, en Saône-et-Loire. L'appellation est symbolisée par le vénérable moulin à vent qui a retrouvé ses ailes en 1999, en présence des navigateurs Laurent et Yvan Bourgnon, se dresse à une altitude de 240 m au sommet d'un mamelon aux formes douces, de pur sable granitique, au lieu-dit Les Thorins. Elle produit 38 000 hl élaborés à partir de gamay noir. Les sols peu profonds, riches en éléments minéraux tels que le manganèse, apportent aux vins une couleur d'un rouge profond, un arôme rappelant l'iris, du bouquet et du corps, qui, quelquefois, les font comparer à leurs cousins bourguignons de la Côte d'Or. Selon un rite traditionnel, chaque millésime est porté aux fonts baptismaux, d'abord à Romanèche-Thorins (fin octobre), puis dans tous les villages et, début décembre, dans la « capitale ».

S'il peut être apprécié dans les premiers mois de sa naissance, le moulin à vent supporte sans problème une garde de quelques années. Ce « prince » fut l'un des premiers crus reconnus appellation d'origine contrôlée, en 1936, après qu'un jugement du tribunal civil de Mâcon en eut défini les limites. Deux caveaux permettent de le déguster, l'un au pied du moulin, l'autre au bord de la route nationale. Ici ou ailleurs, on appréciera pleinement le moulin à vent sur tous les plats généralement accompagnés de vin rouge.

DOM. JEAN BRIDAY 1999

| ■ | 1 ha | 7 700 | ■ ♦ | 30 à 49 |

La troisième génération, qui a repris l'exploitation familiale en 1986, commercialise par l'intermédiaire de l'Eventail de Vignerons à Corcelles, un vin rouge violacé aux parfums soutenus de fleurs, d'épices, avec des nuances de cassis. Doté d'une riche matière, d'une finale acidulée et de tanins bien présents, ce 99 pourra attendre de deux à trois ans avant d'accompagner des viandes rouges.
☛ Jean Briday, 69820 Fleurie, tél. 04.74.06.10.10, fax 04.74.66.13.77 ☑ ☗ r.-v.

DOM. MICHEL BRUGNE
Le Vivier 1999★

| ■ | 1,2 ha | 9 000 | ■ ♦ | 30 à 49 F |

Cette cuvée issue de vignes encore jeunes se présente dans une robe cerise noire. Le nez très concentré est dans le registre des fruits noirs bien mûrs. L'attaque souple et ronde se développe sur des tanins plus affirmés et chauds. Equilibré, riche mais un peu rustique, ce vin devra vieillir une année afin de s'affiner. Il accompagnera un tournedos à l'échalote.
☛ Michel Brugne, 69820 Fleurie, tél. 04.74.06.10.10, fax 04.74.66.13.77 ☑ ☗ r.-v.

DOM. DES CAVES Cuvée Etalon 1998

| ■ | 2 ha | 8 000 | ❚❚❙ | 30 à 49 F |

Dans des caves voûtées qui datent de 1620, a été élevé ce vin grenat qui s'ouvre sur des notes de sous-bois, d'épices et de chêne. La bouche d'une bonne longueur, fruitée, reste impressionnée par le boisé et les épices. Encore austère, ce 98 est à attendre un an ou deux.
☛ Laurent Gauthier, Les Caves, 69840 Chénas, tél. 04.74.69.86.59, fax 04.74.69.83.15 ☑ ☗ r.-v.

DOM. DE CHAMP DE COUR
Réserve 1998★

| ■ | n.c. | n.c. | ■ | 30 à 49 F |

Commercialisé par la maison Mommessin du groupe Boisset, ce vin grenat très foncé s'exprime progressivement sur des notes de réglisse, de cuir et de vanille. L'attaque « réveillée » et une puissante matière faite de tanins encore verts qu'égayent des arômes de fruits rouges bien mûrs lui assurent un fort potentiel de la garde. Il faudra oublier ce 98, le temps qu'il s'affine, trois ou quatre ans.
☛ GFA Champ de cour, 71570 Romanèche-Thorins, tél. 04.74.69.09.30, fax 04.74.69.09.28

DOM. A. DEGRANGE 1998★

| ■ | 2 ha | 12 000 | ■ ❚❚❙ ♦ | 30 à 49 F |

Le vignoble qui date de 1933 a fourni un vin rubis limpide avec quelques reflets orangés. Le nez très expressif et complexe est à base de fruits rouges à noyau et d'épices. Les tanins présents sont unis harmonieusement à la chair. Ample, rond avec une nervosité contenue, ce 98 qui fait déjà plaisir peut encore grandir durant les deux prochaines années.

☛ Amédée Degrange, Les Vérillats, 69840 Chénas, tél. 04.74.04.48.48, fax 04.74.04.46.35 ☑ ☗ r.-v.

GEORGES DUBŒUF 1998★★

| ■ | n.c. | 30 000 | ■ ❚❚❙ ♦ | 30 à 49 |

Ce négociant, qui est à l'origine du « Hameau en Beaujolais », espace muséologique et culturel sur la vigne et le vin, a été cité pour son **fleurie 99** et couronné par le grand jury des moulin à vent. Premier coup de cœur, ce vin grenat profond et limpide offre un nez expressif de torréfaction, de grillé et de vanille. Après une attaque franche, un festival de notes de café et de vanille envahit la bouche. Parfaitement équilibré et harmonieux avec de belles rondeurs mariées à une structure tannique prometteuse, ce 98, élevé dans le bois et très réussi, sera présent sur les tables pendant quatre ou cinq ans avec des grillades et des volailles.
☛ Les Vins Georges Dubœuf SA, quartier de la Gare, B.P. 12, 71570 Romanèche-Thorins, tél. 03.85.35.34.20, fax 03.85.35.34.25, e-mail mcvgd@csi.com ☗ t.l.j. 9h-18h au Hameau en Beaujolais; f. 1ᵉʳ-15 jan.

DOM. CHRISTIAN FLAMY
Les Amandilliers 1999

| ■ | 0,85 ha | 6 660 | ■ ♦ | 30 à 49 F |

Cette cuvée rubis limpide libère de légers parfums de framboise, de cerise, de fruits surmûris avec des notes de pain grillé qui se prolongent en bouche. Assez ample, dotée de tanins satisfaisants, elle reste équilibrée. On attendra cependant une année qu'elle s'épanouisse.
☛ Christian Flamy, 71570 Romanèche-Thorins, tél. 04.74.06.10.10, fax 04.74.66.13.77 ☑ ☗ r.-v.

CH. DES GIMARETS 1999

| ■ | 1 ha | 5 000 | ❚❚❙ | 30 à 49 F |

Ce domaine de 9 ha date de 1850. Grenat profond à reflets violets, cette cuvée fleure bon la pêche de vigne, la prune et la vanille. Riche et corsée, la bouche reste dominée par des arômes boisés et les tanins. Bien typé, ce vin s'exprimera après une garde d'au moins deux ans.
☛ SCEA ch. des Gimarets, Les Maisons-Neuves, 71570 Romanèche-Thorins, tél. 04.74.66.47.81, fax 04.74.69.61.38 ☑ ☗ r.-v.
☛ Jacquemont

DOM. DU GRANIT
Cuvée Vieilles vignes Elevé en fût de chêne 1998

■	1,4 ha	4 500	❶❶	50 à 69 F

Cette cuvée, élevée en fût de chêne, montre une robe d'un rubis foncé limpide. Le nez offre un mélange de groseille et de cuir. La bouche reste longuement imprégnée par les tanins encore un peu austères. Doit encore s'affiner.
☛ Dom. du Granit, La Rochelle, 69840 Chénas, tél. 04.74.04.48.40, fax 04.74.04.47.66 ✉ ☥ r.-v.
☛ Alfred-Gino Bertolla

DOM. DU HAUT-PONCIE 1998

■	3,2 ha	6 800	❶❶	50 à 69 F

Ce 98 aux parfums d'intensité moyenne de boisé et d'anis est resté jeune d'apparence. La bouche assez bien structurée montre aussi une certaine réserve aromatique. L'ensemble est typé.
☛ GAEC Tranchand, Dom. du Haut-Poncié, 69820 Fleurie, tél. 04.74.04.16.06, fax 04.74.69.89.97 ☥ t.l.j. 8h-20h; dim. sur r.-v.

DOM. DE LA ROCHELLE 1998★★

■	8 ha	8 000	■ ♦	30 à 49 F

Le domaine, qui appartient à une famille dont les origines remontent au XVIIes., a produit un vin grenat profond à reflets violets, qui laisse percer de fins parfums de myrtille, de mûre et de réglisse. En bouche, ce sont les arômes de fruits rouges et de fleurs qui s'épanouissent, accompagnés d'agréables sensations de rondeur. D'une belle longueur avec un bouquet complexe et harmonieusement homogène, ce 98 est prêt à boire mais peut attendre trois ou quatre ans.
☛ GFA des domaines Sparre, La Tour du Bief, 69840 Chénas, tél. 04.74.66.47.81, fax 04.74.69.61.38 ✉ ☥ r.-v.

DOM. LES FINES GRAVES 1998

■	2,5 ha	16 000	❶❶	30 à 49 F

Ce domaine, situé au lieu-dit les Fines Graves, a élevé ce vin grenat montrant quelques reflets bruns, qui libère une multitude de fins parfums de fruits rouges et noirs. Souple et de bonne structure, ce 98 est à boire dans les deux ans.
☛ Jacky Janodet, Les Garniers, 71570 Romanèche-Thorins, tél. 03.85.35.57.17, fax 03.85.35.21.69 ✉ ☥ r.-v.

LE VIEUX DOMAINE 1998★

■	9 ha	6 000	❶❶	30 à 49 F

Avec le **chénas 98**, cité par le jury, c'est la totalité de la production 1998 du Vieux Domaine qui est à l'honneur. Ce moulin à vent pourpre soutenu, limpide, livre d'élégantes senteurs de framboise, de cassis et d'épices. Avec sa belle structure de tanins fondus, la bouche ample, ronde et souple montre beaucoup de concentration. Aromatique et d'une bonne longueur, ce 98 savoureux et charmeur est à boire pendant trois ans.
☛ EARL M.-C. et D. Joseph, Le Vieux Bourg, 69840 Chénas, tél. 04.74.04.48.08, fax 04.74.04.47.36, e-mail le.vieux.domaine@wanadoo.fr ✉ ☥ r.-v.

DOM. JACQUES ET ANNIE LORON 1999★

■	1,3 ha	6 000	■ ❶❶	30 à 49 F

Des vignes d'une soixantaine d'années exposées au sud-est et plantées sur des sols granitiques ont donné un vin pourpre d'une bonne intensité, aux complexes parfums de fruits à noyau très mûrs et d'épices. S'il montre tout d'abord de jeunes tanins assez fermes, ce 99 termine sur un élégant fruité qui accompagne de savoureuses impressions. Dans un an, il s'exprimera à merveille avec des viandes en sauce.
☛ EARL Jacques et Annie Loron, Les Blancs, 69840 Chénas, tél. 04.74.04.48.76, fax 04.74.04.42.14 ✉ ☥ r.-v.

CH. DES MICHAUDS 1999★

■	4 ha	6 400	■ ♦	30 à 49 F

Le château, qui possède une belle cave voûtée en anse de panier, propose un vin grenat intense à reflets bleutés, au nez concentré de fruits très mûrs. La belle attaque est associée à une bonne structure. Remplissant bien la bouche, ce 99 généreux, prometteur, est prêt à boire mais peut attendre.
☛ Ch. de Chénas, 69840 Chénas, tél. 04.74.06.10.10, fax 04.74.66.13.77 ☥ r.-v.

DOM. DU MOULIN D'EOLE
Les Thorins Réserve 1998★★

■	1,72 ha	13 000	❶❶	50 à 69 F

Des vignes enracinées dans le gore, granit décomposé, sont à l'origine de ce coup de cœur attribué par le grand jury des moulin à vent. Pourpre soutenu à reflets grenat, ce 98 développe des parfums élégants, dont les nuances d'épices et de boisé sont héritées d'un élevage de dix mois en foudre. La bouche fruitée, équilibrée avec de fins tanins, conserve de la fraîcheur. Elle persiste longuement, et le chêne sait se faire discret. Ce 98 est crédité de trois à cinq ans de garde.
☛ Philippe Guérin, Le Bourg, 69840 Chénas, tél. 04.74.04.46.88, fax 04.74.04.47.29 ✉ ☥ t.l.j. sf dim. 9h-12h 14h-19h

DOM. DES PERELLES
Cuvée spéciale Elevé en fût de chêne 1998★

■	2 ha	10 000	❶❶	30 à 49 F

Le domaine acquis en 1877 a élevé pendant un an, en fût de chêne, ce vin grenat foncé très peu évolué. D'intenses et jolies notes boisées de vanille et de fruits à l'alcool caressent le nez. Le chêne, toujours lui, s'impose en bouche avec des tanins qui ressortent en finale. Très bien structuré, grâce à un élevage maîtrisé, ce 98 est à boire avec une pièce de bœuf, pendant deux ans. Le **Château de La Bottière en juliénas 98** a reçu une citation.

🖝Jacques Perrachon, La Bottière, 69840 Juliénas, tél. 03.85.36.75.42, fax 03.85.33.86.36 ☑ ⟲ r.-v.

DOM. DU POURPRE 1999★

■	10 ha	20 000	🍴 ⑪	30 à 49 F

Dans la cave qui vient d'être rénovée, a été vinifié un bien joli vin pourpre qui s'ouvre sur des parfums assez intenses de rose, de pivoine avec quelques notes de fruits rouges. La bouche riche et concentrée est marquée par des arômes de fruits très mûrs. Savoureux et puissant, ce 99 est prêt à boire mais peut attendre de un à deux ans.

🖝EARL Dom. du Pourpre, Les Pinchons, 69840 Chénas, tél. 04.74.04.48.81, fax 04.74.04.49.22 ☑ ⟲ t.l.j. 9h-11h30 14h-19h
🖝 Méziat

DOM. DE ROCHE NOIRE 1999★

■	2 ha	5 000	🍴 ⑪	30 à 49 F

Les raisins du **chénas 99**, qui reçoit une citation, et cette cuvée grenat très foncé, limpide et brillante, ont été récoltés sur des sols sablonneux. Les parfums bien concentrés de fruits rouges et de poivre accompagnent une bouche charnue, ample et aromatique. L'équilibre réussi entre son fruité et sa structure ainsi que la bonne longueur de ce 99 seront appréciés dès maintenant et pendant deux années.

🖝Patrick Balvay, Le Vieux Bourg, 69840 Chénas, tél. 04.74.04.49.08, fax 04.74.04.49.81 ☑ ⟲ t.l.j. 8h-12h 14h-19h

Régnié

Officiellement reconnu en 1988, le plus jeune des crus s'insère entre le morgon au nord et le brouilly au sud, confortant ainsi la continuité des limites entre les dix appellations locales beaujolaises.

A l'exception de 5,93 ha sur la commune voisine de Lantigné, les 746 ha délimités de l'appellation sont totalement inclus dans le territoire de la commune de Régnié-Durette. Par analogie avec son aîné le morgon, seul le nom de l'une des communes fusionnées a été retenu pour le désigner. Seuls 577 ha ont été déclarés en AOC régnié en 1999.

Le territoire de la commune est orienté nord-ouest-sud-est et s'ouvre largement au soleil levant et à son zénith, ce qui a permis au vignoble de s'implanter entre 300 et 500 m d'altitude.

Dans la majorité des cas, les racines de l'unique cépage de l'appellation, le gamay noir, explorent un sous-sol sablonneux et caillouteux ; on est ici dans le massif granitique dit de Fleurie. Mais il y a aussi quelques secteurs à tendance légèrement argileuse.

La conduite des vignes et le mode de vinification sont identiques à ceux des autres appellations locales. Toutefois, une exception d'ordre réglementaire ne permet pas la revendication en AOC bourgogne.

Au Caveau des Deux Clochers, près de l'église dont l'architecture originale symbolise le vin, les amateurs peuvent apprécier quelques échantillons des 33 880 hl de l'appellation. Les vins aux arômes développés de groseille, de framboise et de fleurs, charnus, souples, équilibrés, élégants sont qualifiés par certains de rieurs et de féminins.

DOM. DU CHAZELAY 1999

■	2 ha	10 000	🍴 ↓	30 à 49 F

Le **morgon 99** de l'exploitation, cité par le jury, fait jeu égal avec ce régnié rouge soutenu strié de reflets violets, dont le nez complexe évoque fruits et fleurs. Aromatique et de constitution assez fine, ce 99 est très agréable à boire maintenant.
🖝Henri Chavy, Le Chazelet, 69430 Régnié-Durette, tél. 04.74.69.24.34, fax 04.74.69.20.00 ☑ ⟲ r.-v.

CLAUDINE ET CLAUDE CINQUIN 1999★

■	1,2 ha	8 000	🍴 ↓	30 à 49 F

Installé en 1973, Claude Cinquin ne vend lui-même ses vins que depuis 1990. Une étoile pour cette cuvée d'un rubis intense et limpide qui remplit le palais d'arômes nets et frais de fruits rouges. Construite sur des tanins soyeux, la bouche est équilibrée et assez souple. Une bouteille prête à boire.
🖝Claudine et Claude Cinquin, Les Forchets, 69430 Régnié-Durette, tél. 04.74.69.01.28, fax 04.74.69.01.28 ☑ ⟲ r.-v.

DOM. DE COLETTE
Sélection Vieilles vignes 1999★

■	7,5 ha	15 000	🍴 ↓	30 à 49 F

Respectueux de l'environnement, Jacky Gauthier pratique la lutte raisonnée. Soucieux de la qualité de ses vins, il effectue un tri minutieux des raisins avant l'encuvage. Sa sélection de vieilles vignes grenat foncé livre de beaux parfums fruités où dominent le cassis, le bonbon anglais, les fruits rouges et aussi la poire. L'attaque franche et intense laisse un agréable goût de fruits rouges. Bien vinifiée, ronde et harmonieuse, cette bouteille accompagnera des viandes blanches d'ici un an. Le **beaujolais-villages 99** du domaine

a été cité par le jury et conviendra aux charcuteries lyonnaises.
☛ Jacky Gauthier, Colette, 69430 Lantignié, tél. 04.74.69.25.73, fax 04.74.69.25.14 ☑ ⵏ r.-v.

DOM. DE COLONAT
Cuvée Vieilles vignes 1998

| ■ | 0,76 ha | 5 000 | ▮ | 30 à 48 F |

Bernard Collonge fut deux fois coup de cœur du Guide, pour un morgon 90 et un régnié 95. Représentant de la sixième génération sur ce domaine, il travaille les vignes depuis 1977. D'un rubis soutenu, sa cuvée Vieilles vignes présente un nez agréable de fruits rouges bien mûrs. Malgré une finale un peu austère, ce vin se révèle fruité et équilibré.
☛ Bernard Collonge, Dom. de Colonat, Saint-Joseph, 69910 Villié-Morgon, tél. 04.74.69.91.43, fax 04.74.69.92.47 ☑ ⵏ r.-v.

DOM. DU COTEAU DE VALLIERES
1999*

| ■ | 4,9 ha | 8 000 | ▮ | 30 à 49 F |

Ce joli domaine de 11,70 ha a produit un **beaujolais-villages 99**, cité par le jury (20-29 F), et ce régnié très réussi. De fines et agréables senteurs d'œillet et de petits fruits rouges émanent de ce vin grenat foncé à reflets violacés. En bouche, on appréhende encore mieux sa riche matière. Une belle charpente et des tanins prometteurs supportent des arômes floraux délicats et persistants. Ce 99 typé pourra attendre de deux à trois ans.
☛ Lucien et Lydie Grandjean, Vallières, 69430 Régnié, tél. 04.74.69.24.92, fax 04.74.69.23.36 ☑ ⵏ r.-v.

DOM. DU CRET D'ŒILLAT 1999

| ■ | 9,4 ha | 6 000 | ▮ | 20 à 29 F |

Des vignes de quarante ans ont donné naissance à ce vin pourpre foncé, au nez de fruits rouges franc d'une bonne intensité. En bouche, on perçoit encore le picotement du gaz autour d'une chair fine et fraîche.
☛ EARL du Crêt d'Œillat, Le Bourg, 69430 Régnié-Durette, tél. 04.74.04.38.75, fax 04.74.04.38.75 ☑ ⵏ r.-v.
☛ J.-F. Matray

DOM. CROIX DE CHEVRE 1999

| ■ | 3 ha | 3 000 | ▮⬛▮ | 30 à 49 F |

Exportant 30 % de sa production jusqu'aux Etats-Unis, Bernard Striffling est un bon ambassadeur du régnié à en juger par cette cuvée à la robe rouge sombre et limpide, aux parfums légers dominés par le cassis. La bouche charpentée annonce un vin de garde qui doit attendre deux ans pour exprimer toutes ses potentialités.
☛ Bernard Striffling, La Ronze, 69430 Régnié-Durette, tél. 04.74.69.20.16, fax 04.74.04.84.79 ☑ ⵏ r.-v.

REMY CROZIER 1999

| ■ | 2 ha | 3 500 | ▮ | 20 à 29 F |

Cette cuvée grenat brillant s'exprime au nez par de discrètes et fines notes de groseille et de cassis. Après une attaque franche et fraîche, on trouve de la rondeur et une structure équilibrée. La finale montre néanmoins de la vivacité.

☛ Rémy Crozier, Les Maisons Neuves, 69430 Régnié-Durette, tél. 04.74.04.39.59, fax 04.74.04.39.59 ☑ ⵏ r.-v.

FRANCOIS ET MONIQUE DESIGAUD 1998

| ■ | 4 ha | 4 000 | ▮ | 30 à 49 F |

A égale distance de Villié-Morgon et Régnié-Durette, proche du village de Saint-Joseph où il ne faut pas manquer l'église aux deux clochers, cette exploitation propose un vin grenat animé de reflets vifs qui exhale des effluves épicés sur un fond de fruits rouges. D'une belle finesse, ce 98 équilibré et assez long est à boire.
☛ François et Monique Désigaud, Les Fûts, 69430 Régnié-Durette, tél. 04.74.69.92.68, fax 04.74.69.92.68 ☑ ⵏ r.-v.

CAVEAU DES DEUX CLOCHERS
1999**

| ■ | n.c. | n.c. | ▮ | 30 à 49 F |

Le caveau, lieu de rassemblement annuel de deux cents coureurs cyclistes, a présenté ce 99 à l'intense robe rubis aux reflets sombres, limpide et brillant, consacré coup de cœur par le grand jury. Le nez s'affirme sur des notes de pivoine, de clou de girofle, de réglisse et d'épices très fines. L'attaque veloutée fait l'unanimité. Des tanins serrés et élégants structurent ce vin harmonieux, racé, charpenté, d'une belle ampleur et typé. Il est à boire mais peut attendre un an ou deux.
☛ Caveau des Deux Clochers, Le Bourg, 69430 Régnié-Durette, tél. 04.74.04.38.33 ☑ ⵏ t.l.j. sf mer. mat. 10h-12h 14h30-19h; f. 23 déc.-15 jan.

DOM. DU LABOUREUR 1999*

| ■ | 5 ha | 8 530 | ▮ | 30 à 49 F |

Jean-Charles Braillon, œnologue, dirige le domaine familial depuis 1983. Il a élaboré un vin rubis intense, brillant et limpide, au nez de cerise, de groseille et de fleurs. Souple et gouleyant, ce 99 tapisse le palais comme du velours avec de beaux arômes frais de cerise. Elégant et racé, il est à boire dans les deux ans. On pourra le servir sur une épaule roulée.
☛ Jean-Charles Braillon, 69430 Régnié-Durette, tél. 04.74.06.10.10, fax 04.74.66.13.77 ☑ ⵏ r.-v.

JEAN-MARC LAFOREST 1999★

■   7,75 ha   45 000 ■ ♦ 30 à 49 F

Une cuverie en Inox (depuis 1993) et un caveau de dégustation voûté accueillent l'amateur qui ne sera pas déçu par les deux cuvées sélectionnées cette année. D'un pourpre intense aux jolis reflets violets, ce régnié livre des parfums de fruits bien mûrs de bonne intensité, frais et complexes, amorce d'une agréable dégustation. Rond, bien structuré et long, ce régnié sera apprécié pendant un à deux ans. Tout aussi réussi, le **brouilly 99** de Jean-Marc Laforest reçoit une étoile.

●┑Jean-Marc Laforest, Chez le Bois, 69430 Régnié-Durette, tél. 04.74.04.35.03, fax 04.74.04.69.01 ☑ ⊺ t.l.j. 8h-20h

STEPHANE LAPUTE 1999★★

■   7,6 ha   2 500 ■ ♦ 30 à 49 F

Les origines de la propriété remontent au XVIIIᵉ. Depuis cinq générations une même famille l'exploite. Stéphane, ne l'oubliez pas, reçut le coup de cœur l'an dernier. Il propose à nouveau un vin remarquable. Le rouge prune de la robe est associé à une palette de parfums de cassis, de mûre et de myrtille. Ces arômes s'épanouissent assez longuement en bouche autour d'une belle matière équilibrée. Bien vinifié et typé, ce 99 sera apprécié au cours des prochains mois.

●┑Stéphane Lapute, Les Braves, 69430 Régnié-Durette, tél. 04.74.04.36.65, fax 04.74.04.36.65 ☑ ⊺ r.-v.

●┑Clément

DOM. DE LA ROCHE ROSE 1999★

■   7 ha   5 000 ■ ♦ 30 à 49 F

En 1976, la quatrième génération a repris l'exploitation familiale créée en 1911. Une robe intense, violacée, caractérise ce vin aux parfums frais et jeunes de cassis et de pivoine. Une élégante structure et des arômes fruités persistants sauront le faire apprécier dès à présent mais également d'ici deux ans sur toutes les viandes grillées.

●┑Georges Demont, Les Braves, 69430 Régnié-Durette, tél. 04.74.04.38.98, fax 04.74.04.33.28 ☑ ⊺ r.-v.

DOM. DE LA ROCHE THULON 1999★★

■   7 ha   10 000 ■ ♦ 30 à 49 F

Pascal Nigay est à la tête de la Roche Thulon depuis 1990. Il a élaboré, à partir de vignes de trente-cinq ans, un remarquable régnié 99. D'élégants et intenses parfums de groseille et de mûre, mêlés à quelques notes de caramel, émanent de ce beau spécimen pourpre soutenu. D'une grande ampleur, très concentré et dense, ce « gros calibre pour une cuisine gourmande » sera recherché pour son fruité et sa persistance pendant trois ans. Le jury a beaucoup aimé...

●┑Pascal et Chantal Nigay, Dom. de la Roche Thulon, 69430 Lantignié, tél. 04.74.69.23.14, fax 04.74.69.26.85 ☑ ⊺ r.-v.

DOM. DE LA RONZE
Grande sélection Cuvée vieillie en fût de chêne 1998

■   1 ha   6 000 ◖▯ 30 à 49 F

Ce domaine familial, depuis plusieurs générations, a élevé neuf mois en fût ce vin d'un rouge intense et limpide, au nez d'amande grillée, de café et de vanille. Malgré le bois qui domine encore la bouche, ce 98 garde de la fraîcheur. Il est à boire avec une viande rouge.

●┑Séraphin Bernardo, La Haute-Ronze, 69430 Régnié-Durette, tél. 04.74.69.20.06, fax 04.74.69.21.69 ☑ ⊺ r.-v.

DENIS ET VALERIE MATRAY 1998★

■   0,5 ha   3 000 ■ 30 à 49 F

Propriété des Hospices de Beaujeu, cette métairie a élaboré une cuvée d'un rouge vif et brillant qui présente quelques nuances d'évolution. Discrets, frais et jeunes, les parfums de fruits rouges et de feuille de cassis s'affirment un peu plus en bouche. Une bouteille équilibrée, harmonieuse et d'une bonne longueur.

●┑Denis Matray, La Plaigne, 69430 Régnié, tél. 04.74.69.22.54, fax 04.74.69.22.54 ☑ ⊺ r.-v.

DOM. PASSOT LES RAMPAUX
Les Côtes 1998

■   1,8 ha   7 000 ■ ♦ 30 à 49 F

Situé à Chiroubles, ce domaine signe un régnié d'un rouge sombre prononcé, aux parfums assez puissants de cassis et de petits fruits rouges. Equilibré malgré une solide structure dotée de tanins bien présents et légèrement astringents en finale, ce 98 toujours jeune et solide doit encore s'affiner pendant un an ou deux. Puis il saura accompagner les viandes blanches.

●┑EARL Dominique et Rémy Passot, Les Prés, 69115 Chiroubles, tél. 04.74.69.16.19, fax 04.74.04.21.93 ☑ ⊺ r.-v.

DOM. PASSOT LES RAMPAUX
La Ronze 1998★

■   1 ha   4 000 ■ 30 à 49 F

La quatrième génération de vignerons a élevé cette cuvée rouge vif, au nez riche et intense de fruits rouges, de kirsch et de cassis. Si ce vin remplit agréablement la bouche, se montre complet et d'une bonne longueur, il s'avère encore un peu ferme en finale et doit poursuivre son évolution. Il sera prêt dans un an et pourra accompagner tout un repas.

●┑Bernard et Monique Passot, Le Colombier, rte de Fleurie, 69910 Villié-Morgon, tél. 04.74.69.10.77, fax 04.74.69.13.59 ☑ ⊺ r.-v.

CH. DE PIZAY 1999★

■   n.c.   n.c. ■ ♦ 30 à 49 F

Le château de Pizay, très bel hôtel-restaurant, commercialise en outre le vin élaboré par un groupe de producteurs associés. Le régnié 99, d'un rubis dense, brillant et limpide, livre de complexes parfums de kirsch, de fraise, de myrtille et de groseille. D'élégantes impressions tanniques, tout en finesse, remplissent le palais. Séduisant et racé, ce vin peut attendre un à deux ans et accompagnera des charcuteries lyonnaises.

●┑Sté des vins de Pizay, 69910 Villié-Morgon, tél. 04.74.66.26.10, fax 04.74.69.60.66 ☑ ⊺ r.-v.

DOM. DE PONCHON 1999★

■　　　10 ha　　4 000　　■ ♦ 30 à 49 F

Dans la cave de vinification régulièrement rénovée depuis 1984, année d'arrivée à la direction de Yves Durand, a été élaborée cette cuvée rubis, limpide et brillante, qui s'ouvre sur des notes expressives de fruits rouges très mûrs. Une plaisante fraîcheur en équilibre avec les tanins emplit le palais. Vive, fruitée et finissant agréablement, cette bouteille est à boire au cours des deux prochaines années.
☛ Yves Durand, Ponchon, 69430 Régnié-Durette, tél. 04.74.04.34.78, fax 04.74.04.34.78 ☑ ⏁ r.-v.

DOM. DE PONCHON 1999

■　　　1,7 ha　　10 000　　■ ♦ 30 à 49 F

Depuis 1961, Jean Durand dirige ce domaine. Son **brouilly 99** a été cité, tout comme le régnié à la robe rouge, brillante et limpide, aux parfums prononcés de bonbon acidulé et de cassis. Gouleyant et frais, de structure un peu fine pour un cru, mais néanmoins flatteur, il offre des arômes de cerise ; « il étanchera parfaitement la soif ».
☛ Jean Durand, Ponchon, 69430 Régnié-Durette, tél. 04.74.04.30.97 ☑ ⏁ t.l.j. 8h-20h

JEAN-LUC ET MURIELLE PROLANGE 1999

■　　　6,3 ha　　8 000　　■ 30 à 49 F

Après des débuts comme caviste aux Hospices de Beaujeu, ce viticulteur a repris l'exploitation familiale. D'un rouge sombre, son régnié livre d'intenses parfums fruités avec des notes de bourgeon de cassis. L'attaque fraîche reste vive et jeune : les tanins bien présents doivent s'arrondir. Riche et corsé, ce 99 demande un à deux ans de garde pour s'assagir.
☛ Jean-Luc Prolange, Les Vergers, 69430 Régnié-Durette, tél. 04.74.69.00.22, fax 04.74.69.00.22 ☑ ⏁ r.-v.
☛ Yemeniz

JEAN-PAUL RAMPON 1998

■　　　6 ha　　15 000　　■ 30 à 49 F

Depuis six générations les mêmes familles d'exploitants et de propriétaires sont associées pour cultiver la vigne sur ce domaine. Son 98 présente une robe sombre montrant quelques reflets bruns, un nez discret de fruits rouges. Il remplit la bouche avec souplesse. Des notes épicées viennent compléter ses arômes fruités. Lors de la dégustation, des tanins contrariaient encore sa finale mais ils devraient être fondus cet hiver.
☛ EARL Jean-Paul Rampon, Les Rampeaux, 69430 Régnié-Durette, tél. 04.74.04.36.32, fax 04.74.69.00.04 ☑ ⏁ r.-v.

MICHEL RAMPON ET FILS 1999

■　　　6,7 ha　　15 000　　■ 30 à 49 F

Michel Rampon avait proposé l'an dernier un très beau morgon 97. Cette année, il présente un régnié 99, lui aussi de garde. La robe pourpre et vive attire l'œil ; les parfums complexes de fruits rouges, de cassis et les notes amyliques composent aussi une belle entrée en matière. L'attaque révèle un vin très jeune dont la bonne tenue en bouche incite à patienter pour qu'il s'arrondisse.

☛ GAEC Michel Rampon et Fils, La Tour Bourdon, 69430 Régnié-Durette, tél. 04.74.04.32.15, fax 04.74.69.00.81 ☑ ⏁ r.-v.

DOM. THIERRY ROBIN 1998

■　　　5,6 ha　　7 000　　⦿ 30 à 49 F

Thierry Robin cultive 3,5 ha en faire-valoir direct ; il exploite aussi des terres appartenant à la nièce de la comtesse de Flamericourt. Des tapis à vendange servent à remplir les cuves. La couleur de ce 98 est restée vive et brillante. Les parfums nets et fruités ont également de la fraîcheur. Équilibrée et friande, la bouche présente un fruité en bonne évolution.
☛ Thierry Robin, Le Bourg, 69430 Régnié-Durette, tél. 04.74.04.37.71, fax 04.74.04.37.71 ☑ ⏁ r.-v.

DOM. TANO PECHARD 1999

■　　　6 ha　　18 000　　■ ♦ 30 à 49 F

Patrick Péchard aime recevoir ses confrères vignerons, mais aussi les amateurs, sur son domaine dont certains bâtiments existaient déjà sous Napoléon Ier. Il a vinifié ce régnié violacé au nez discret de fruits rouges bien mûrs et de cassis. Aromatique et puissant à la fois, ce 99 possède une bonne aptitude à la garde. On le mariera avec un coq au vin. Egalement sélectionné par le jury, le **beaujolais-villages 99** (20-29 F) pourra accompagner des charcuteries.
☛ Patrick Péchard, Aux Bruyères, 69430 Régnié-Durette, tél. 04.74.04.38.89, fax 04.74.04.33.35 ☑ ⏁ r.-v.

DOM. DE THULON 1999★

■　　　4 ha　　25 000　　■ ♦ 30 à 49 F

Cette exploitation, ancienne métairie du château de Thulon, dont les origines remontent au XVᵉ's., s'est vue citée pour un **morgon-charmes 98**. Ce régnié grenat foncé révèle une belle palette de fruits rouges et confits. L'attaque franche confirme toute la complexité des arômes. Harmonieux et bien vinifié, il pourra être consommé dans l'année avec une épaule de veau farcie.
☛ Annie et René Jambon, hameau Thulon, 69430 Lantignié, tél. 04.74.04.80.29, fax 04.74.69.29.50 ☑ ⏁ r.-v.

Saint-amour

Totalement inclus dans le département de Saône-et-Loire, les 317 ha de l'appellation produisent 18 400 hl sur des sols argilo-siliceux décalcifiés, de grès et de cailloutis granitiques, faisant la transition entre les terrains purement primaires au sud et les terrains calcaires voisins au nord, qui portent les appellations saint-véran et mâcon. Deux « tendances œnologiques » émergent pour épanouir les qualités du gamay noir : l'une favorise une cuvaison longue dans le respect des traditions beaujolaises, donnant aux vins nés sur les roches granitiques le corps et la couleur nécessaires pour faire des bouteilles de garde ; l'autre préconise un traitement de type primeur, donnant des vins consommables plus tôt pour assouvir la curiosité des amateurs. Le saint-amour accompagnera des escargots, de la friture, des grenouilles, des champignons ou une poularde à la crème.

L'appellation a conquis de nombreux consommateurs étrangers et une très grande part des volumes produits alimente le marché extérieur. Le visiteur pourra découvrir le saint-amour dans le caveau créé en 1965, au lieu-dit le Plâtre-Durand, avant de continuer sa route vers l'église et la mairie qui, au sommet d'un mamelon de 309 m d'altitude, dominent la région. A l'angle de l'église, une statuette rappelle la conversion du soldat romain qui donna son nom à la commune ; elle fait oublier les peintures, aujourd'hui disparues, d'une maison du hameau des Thévenins, qui auraient témoigné de la joyeuse vie menée pendant la Révolution dans cet « hôtel des Vierges » et qui expliqueraient, elles aussi, le nom de ce village...

MICHEL BENON ET FILS 1999

| ■ | 1,1 ha | 8 600 | ■ | 30 à 49 F |

La robe vermeille accentue l'impression de fluidité de cette cuvée qui s'ouvre sur de complexes parfums de fruits avec des nuances empyreumatiques et de sous-bois. La bouche tendre et fraîche incite à boire dès à présent ce vin sympathique.
☛ Michel et Rémy Benon, Les Blémonts,
71570 La Chapelle-de-Guinchay,
tél. 03.85.33.84.22, fax 03.85.33.89.54 ☑ ⵏ r.-v.

DOM. DU CARJOT 1999

| ■ | 3 ha | 20 000 | ■ | 30 à 49 F |

La sélection du domaine du Carjot, présentée par une maison de négoce dont le siège est à Juliénas, porte une robe rouge clair et limpide. Caractérisée par des parfums complexes et originaux de fruits confits, de fleurs, de bonbon anglais, mais aussi de foin frais, elle garnit agréablement la bouche. Une bouteille prête à boire mais qui pourra aussi attendre. Jean-Marc Aujoux a également présenté le **Domaine Charles Jenny en morgon Côte-de-Py 98** : ce très joli vin, élevé à la fois en cuve et en fût, est cité par le jury.
☛ Jean-Marc Aujoux, Les Chers,
69840 Juliénas, tél. 04.74.06.78.00,
fax 04.74.06.78.01, e-mail avf@free.fr ⵏ r.-v.

DOM. DES DUC 1999

| ■ | 9,5 ha | 55 500 | ■ ⵏ | 30 à 49 F |

Ce domaine qui n'a cessé de grandir et qui atteint aujourd'hui 27 ha, a vinifié un vin pourpre aux senteurs vanillées dominant encore le fruité. Sa riche et ferme matière lui confère de la virilité. Une bouteille à attendre deux à quatre ans.
☛ GAEC des Duc, La Piat,
71570 Saint-Amour-Bellevue, tél. 03.85.37.10.08,
fax 03.85.36.55.75 ☑ ⵏ r.-v.

PASCAL DURAND 1999

| ■ | 2,5 ha | 15 000 | ■ | 30 à 49 F |

L'origine du vignoble de Pascal Durand remonte à 1864. Habiter « en Paradis » et produire du saint-amour est le plus beau des programmes ! Ses parfums complexes, agréables et frais d'agrumes, de framboise et de fleurs, associés à une bouche ronde et souple, prédisposent ce 99 rubis violet aux plaisirs immédiats.
☛ Pascal Durand, En Paradis,
71570 Saint-Amour-Bellevue, tél. 03.85.36.52.97,
fax 03.85.36.52.50 ☑ ⵏ r.-v.

DOM. DE LA CERISAIE 1998★

| ■ | 2,5 ha | 10 000 | | 30 à 49 F |

Ce 98 rouge brillant à reflets foncés développe des parfums de fruits rouges bien mûrs qui accompagnent des notes de kirsch et de prune. Les puissantes saveurs de fruits à noyau qui enrobent à une bouche ronde et souple sont prometteuses. Ce vin très intéressant peut encore attendre trois ans et peut-être plus !
☛ Gérard Besson, En Bossu, 71570 Chânes,
tél. 03.85.33.83.27, fax 03.85.33.86.87 ☑ ⵏ r.-v.

FRANCOIS LAUNAY Vieilles vignes 1999

| ■ | 0,5 ha | 2 500 | ◗◗ | 50 à 69 F |

Une jolie étiquette où un petit amour musicien chante le saint-amour annonce ce vin rubis soutenu qui s'ouvre sur de riches et puissants parfums de fruits à noyau bien mûrs et d'où émergent des notes fraîches, mentholées ; il se déguste en deux temps : tout d'abord souple, il laisse apparaître ensuite des tanins concentrés. Il est conseillé d'attendre cette bouteille jusqu'à l'automne 2001.
☛ François Launay, Les Bruyères,
71570 Chânes, tél. 03.85.36.52.11,
fax 03.85.37.46.62 ☑ ⵏ r.-v.

DOM. LE COTOYON 1999★★

| ■ | 2 ha | 5 000 | | 30 à 49 F |

Régulièrement sélectionné par nos sévères dégustateurs, Frédéric Bénat propose un gîte rural. Vous pourrez y découvrir ce remarquable saint-amour. De subtils parfums de pivoine, de groseille et d'épices émanent de ce vin grenat marbré de noir. La chair et le fruité très jeune, qui dominent une structure tannique puissante, ont beaucoup d'élégance. Lorsqu'elle sera à son apogée, dans deux ou trois ans « Saint-Valentin », cette bouteille accompagnera avec bonheur une pièce de bœuf grillé.
☛ Frédéric Bénat, Les Ravinets, 71570 Pruzilly,
tél. 03.85.35.12.90, fax 03.85.35.12.90 ☑ ⵏ r.-v.

DOM. DES PIERRES 1999

■　　　　6 ha　40 000　　■ 30 à 49 F

Georges Trichard, ne l'oubliez pas, fut coup de cœur pour son 97 dans le Guide 99. Les meilleurs sommeliers du monde ont dégusté les vins de la propriété qui a vinifié ce 99 rubis foncé aux subtils parfums de pêche, de fleurs et de réglisse. La bonne attaque, franche et fruitée, est suivie d'impressions plus sévères et plus puissantes. C'est un cru typé qui peut encore s'affiner en cave d'ici deux à trois ans.
☛ Georges Trichard, rte de Juliénas,
71570 La Chapelle-de-Guinchay,
tél. 03.85.36.70.70, fax 03.85.33.82.31 ☑ ⵟ r.-v.

DOM. DES PINS 1999

■　　　　3 ha　22 800　　◫ 30 à 49 F

Entouré de pins, ce domaine de 8 ha élève ses vins en foudre de chêne. Si le rouge vif de la robe aux nuances violettes rappelle la pivoine, ce 99 n'en a cependant pas le nez. Des parfums floraux et fruités, moyennement intenses, se prolongent au palais. Ce vin, qui a de la matière et qui se montre aussi affriolant, sera apprécié au cours des deux prochaines années avec une viande blanche grillée.
☛ Jean-François Echallier, La Piat,
71570 Saint-Amour-Bellevue, tél. 03.85.37.15.76,
fax 03.85.37.19.17 ☑ ⵟ r.-v.

Le Lyonnais

L'aire de production des vins de l'appellation coteaux du lyonnais, située sur la bordure orientale du Massif central, est limitée à l'est par le Rhône et la Saône, à l'ouest par les monts du Lyonnais, au nord et au sud par les vignobles du Beaujolais et de la vallée du Rhône. Vignoble historique de Lyon depuis l'époque romaine, il connut une période faste à la fin du XVIe s., religieux et riches bourgeois favorisant et protégeant la culture de la vigne. En 1836, le cadastre mentionnait 13 500 ha. La crise phylloxérique et l'expansion de l'agglomération lyonnaise ont réduit la zone de production. Aujourd'hui, la superficie en production s'élève à 346 ha, répartis sur quarante-neuf communes ceinturant la grande ville par l'ouest, depuis le mont d'Or, au nord, jusqu'à la vallée du Gier, au sud.

Cette zone de 40 km de long sur 30 km de large est structurée par un relief sud-ouest-nord-est qui détermine une succession de vallées à 250 m d'altitude et de collines atteignant 500 m. La nature des terrains est variée ; on y rencontre des granites, des roches métamorphiques, sédimentaires, des limons, des alluvions et du lœss. La structure perméable et légère, la faible épaisseur de certains de ces sols sont le facteur commun qui caractérise la zone viticole où prédominent les roches anciennes.

Coteaux du lyonnais

Les trois principales tendances climatiques du Beaujolais sont présentes ici, avec toutefois une influence méditerranéenne plus prononcée. Cependant, le relief, plus ouvert aux aléas climatiques de type océanique et continental, limite l'implantation de la vigne à moins de 500 m d'altitude et l'exclut des expositions nord. Les meilleures situations se trouvent au niveau du plateau. L'encépagement de cette zone est essentiellement à base de gamay noir, cépage qui, vinifié selon la méthode beaujolaise, donne les produits les plus intéressants et les plus recherchés de la clientèle lyonnaise. Les autres cépages admis dans l'appellation sont, en blanc, le chardonnay et l'aligoté. La densité requise est au minimum de 6 000 pieds/ha, les tailles autorisées étant le gobelet ou le cordon et la taille guyot. Le rendement de base est de 60 hl/ha, les degrés d'alcool minimum et maximum étant de 10° et 13° pour les vins rouges, 9,5° et 12,5° pour les vins blancs. La production est de 19 763 hl en rouge, et 2 057 hl en blanc. Vinifiant les trois quarts de la récolte, la cave coopérative de Sain-Bel est un élément moteur dans cette région de polyculture, où l'arboriculture fruitière est fortement implantée.

Consacrés AOC en 1984, les vins des coteaux du lyonnais sont fruités, gouleyants, riches en parfums, et accompagnent agréablement et simplement toutes les cochonnailles lyonnaises, saucisson, cervelas, queue de cochon, petit salé, pieds de porc, jambonneau, ainsi que les fromages de chèvre.

MICHEL DESCOTES 1999★

| ☐ | 1 ha | 7 000 | 🍴 ⚬ | 20 à 29 F |

Si la robe jaune à reflets violets paraît intense, les parfums qui émanent de ce 99 sont très fins. On y reconnaît le muguet, le miel puis la violette. Le bel équilibre entre son boisé et son acidité permettra d'apprécier ce vin pendant un ou deux ans.
🍷 Michel Descotes, 12, rue de la Tourtière, 69390 Millery, tél. 04.78.46.31.03, fax 04.72.30.16.65 ☑ ⌾ r.-v.

REGIS DESCOTES 1999

| ■ | 1,57 ha | 12 000 | 🍴 ⚬ | 20 à 29 F |

Plus d'un quart de siècle pour ces vignes de gamay qui ont donné cette cuvée limpide à la robe peu intense, au nez discret mais plaisant, associant notes amyliques et fruits rouges. Équilibrée et légère, elle est faite pour être appréciée dans l'année. Un bœuf ficelle lui conviendra.
🍷 Régis Descotes, 16, av. du Sentier, 69390 Millery, tél. 04.78.46.18.77, fax 04.78.46.16.22 ☑ ⌾ r.-v.

ETIENNE DESCOTES ET FILS
Vieilles vignes 1999

| ■ | 1,2 ha | 10 000 | 🍴 ⊞ ⚬ | 30 à 49 F |

Des vendanges entières, des vignes âgées de soixante ans, une macération semi-carbonique, un passage en fût de chêne ont donné cette cuvée violine d'où émanent des parfums assez développés et complexes de fruits rouges. Sa structure tannique soyeuse s'associe harmonieusement au fruité et à la chair assez fine. A boire dans l'année.
🍷 GAEC Etienne Descotes et Fils, 12, rue des Grès, 69390 Millery, tél. 04.78.46.18.38, fax 04.72.30.70.68 ☑ ⌾ t.l.j. sf dim. 8h-12h 14h-19h

DOM. DE LA PETITE GALLEE 1998

| ☐ | 2 ha | 10 000 | 🍴 | 20 à 29 F |

Le mariage entre aligoté et chardonnay apporte à ce 98 des parfums floraux très agréables et longs, soutenus par une vivacité omniprésente. Ce vin jaune pâle avec quelques reflets verts, frais, assez harmonieux, est à boire dans l'année.

🍷 Robert et Patrice Thollet, La Petite Gallée, 69390 Millery, tél. 04.78.46.24.30, fax 04.72.30.73.48, e-mail www.domainethollet.free.fr ☑ ⌾ r.-v.

ANNE MAZILLE 1999

| ■ | 1,5 ha | 9 000 | 🍴 ⚬ | 20 à 29 F |

Anne Mazille est à la barre de ce domaine de 5 ha depuis 1995. Le rouge violacé peu soutenu de la robe, les parfums amyliques et de fruits rouges de ce vin évoquent une production élaborée pour une consommation rapide. La bouche souple et gouleyante confirme le style « vin de primeur » de ce 99 bien équilibré et long, qui pourra accompagner une charcuterie ou un fromage blanc.
🍷 Anne Mazille, 10, rue du 8-Mai, 69390 Millery, tél. 04.72.30.14.91, fax 04.72.30.16.65 ☑ ⌾ r.-v.

DOM. DE PETIT FROMENTIN
Vieilles vignes 1999★★

| ■ | 2 ha | 15 000 | 🍴 ⚬ | 20 à 29 F |

Au nord de Lyon, la zone des monts d'Or, qui s'appelaient monts des Sources en langue celtique, présente de nombreuses curiosités touristiques. Cette superbe cuvée rouge profond, aux agréables et intenses senteurs de raisin et de petits fruits, est issue de vignes de soixante-dix ans d'âge. Doté d'une puissante structure tannique enrobée d'arômes fruités, ce 99 harmonieux, corsé et original avec sa note minérale pourra attendre deux ou trois ans. Le **coteaux du lyonnais blanc 99** de l'exploitation a été cité par le jury.
🍷 André et Franck Decrenisse, Petit Fromentin, 69380 Chasselay, tél. 04.78.47.35.11, fax 04.78.47.35.11 ☑ ⌾ r.-v.

DOM. DE PRAPIN 1999

| ■ | 5 ha | 40 000 | 🍴 ⚬ | 20 à 29 F |

Avec sa robe légère et ses parfums agréables et intenses de raisin qui se prolongent en bouche, ce 99 semble avoir été vinifié pour une consommation dans l'année. D'une bonne structure et d'une persistance aromatique honorable, il accompagnera volontiers une grillade ou un fromage de chèvre.
🍷 Henri et François Jullian, Prapin, 69440 Taluyers, tél. 04.78.48.24.84 ☑ ⌾ t.l.j. 9h-19h

CAVE DE SAIN-BEL L'Hommée 1999★

| ■ | 8 ha | 60 000 | 🍴 ⚬ | 30 à 49 F |

Le nom de cette cuvée évoque l'unité de superficie travaillée chaque jour par un homme au siècle dernier. Plus de cent quatre-vingt-cinq hommées ont donc été nécessaires pour l'élaboration de ce vin limpide aux frais parfums de fraise et de groseille qui accompagnent en bouche des tanins encore jeunes. Ce vin « réveillé », élégant et typé, est à boire dans l'année. Une cuvée de **beaujolais rouge 99 Domaine du Soly**, seconde production de la cave, a été également jugée digne de leurs rayons.
🍷 Cave de Vignerons réunis de Sain-Bel, RN 89, 69210 Sain-Bel, tél. 04.74.01.11.33, fax 04.74.01.10.27 ☑ ⌾ t.l.j. 8h30-12h 14h-18h; groupes sur r.-v.

LE BORDELAIS

<u>   </u> **P**artout dans le monde, Bordeaux représente l'image même du vin. Pourtant, le visiteur éprouve aujourd'hui quelques difficultés à déceler l'empreinte vinicole dans une ville délaissée par les beaux alignements de barriques sur le port et par les grands chais du négoce, partis vers les zones industrielles de la périphérie. Et les petits bars-caves où l'on venait le matin boire un verre de liquoreux ont presque tous disparu. Autres temps, autres mœurs.

<u>   </u> **I**l est vrai que la longue histoire vinicole de Bordeaux n'en est pas à son premier paradoxe. Songeons qu'ici le vin fut connu avant... la vigne, quand, dans la première moitié du Ier s. av. J.-C. (avant même l'arrivée des légions romaines en Aquitaine), des négociants campaniens commençaient à vendre du vin aux Bordelais. Si bien que, d'une certaine façon, c'est par le vin que les Aquitains ont fait l'apprentissage de la romanité... Par la suite, au Ier s. de notre ère, la vigne est apparue. Mais il semble que ce soit surtout à partir du XIIe s. qu'elle ait connu une certaine extension : le mariage d'Aliénor d'Aquitaine avec Henri Plantagenêt, futur roi d'Angleterre, favorisa l'exportation des « clarets » sur le marché britannique. Les expéditions de vin de l'année se faisaient par mer, avant Noël. On ne savait pas conserver les vins ; après une année, ils étaient moins prisés parce qu'ils étaient partiellement altérés.

<u>   </u> **A** la fin du XVIIe s., les « clarets » ont été concurrencés par l'introduction de nouvelles boissons (thé, café, chocolat) et par les vins plus riches de la péninsule ibérique. D'autre part, les guerres de Louis XIV entraînèrent des mesures de rétorsion économique contre les vins français. Cependant, la haute société anglaise restait attachée au goût des « clarets ». Aussi quelques négociants londoniens cherchèrent-ils, au début du XVIIIe s., à créer un nouveau style de vins plus raffinés, les « new French clarets » qu'ils achetaient jeunes pour les élever. Afin d'accroître leurs bénéfices, ils imaginèrent de les vendre en bouteilles. Bouchées et scellées, celles-ci garantissaient l'origine du vin. Insensiblement, la relation terroir-château-grand vin s'effectua, marquant l'avènement de la qualité. A partir de ce moment, les vins commencèrent à être jugés, appréciés et payés en fonction de leur qualité. Cette situation encouragea les viticulteurs à faire des efforts pour la sélection des terroirs, la limitation des rendements et l'élevage en fût ; parallèlement, ils introduisirent la protection des vins par l'anhydride sulfureux qui permit le vieillissement, ainsi que la clarification par collage et soutirage. A la fin du XVIIIe s., la hiérarchie des crus bordelais était établie. Malgré la Révolution et les guerres de l'Empire, qui fermèrent provisoirement les marchés anglais, le prestige des grands vins de Bordeaux ne cessa de croître au XIXe s., pour aboutir, en 1855, à la célèbre classification des crus du Médoc, qui est toujours en vigueur malgré les critiques que l'on peut émettre à son égard.

<u>   </u> **A**près cette période faste, le vignoble fut profondément affecté par les maladies de la vigne, phylloxéra et mildiou, et par les crises économiques et les guerres mondiales. De 1960 à la fin des années 80, le vin de Bordeaux a connu un regain de prospérité, lié à une remarquable amélioration de la qualité et à l'intérêt que l'on porte, dans le monde entier, aux grands vins. La notion de hiérarchie des terroirs et des crus retrouve sa valeur originelle ; mais les vins rouges ont mieux bénéficié de cette évolution que les vins blancs. Au début des années 90, le marché connaît des difficultés qui ne seront pas sans incidence sur la structure du vignoble.

<u>   </u> **L**e vignoble bordelais est organisé autour de trois axes fluviaux : la Garonne, la Dordogne et leur estuaire commun, la Gironde. Ils créent des conditions de milieux (coteaux bien exposés et régulation de la température) favorables à la culture de la vigne. En outre, ils ont joué un rôle économique important en permettant le transport du vin vers les lieux de consommation. Le climat de la région bordelaise est rela-

tivement tempéré (moyennes annuelles 7,5 °C minimum, 17 °C maximum), et le vignoble protégé de l'Océan par la forêt de pins. Les gelées d'hiver sont exceptionnelles (1956, 1958, 1985), mais une température inférieure à -2 °C sur les jeunes bourgeons (avril-mai) peut entraîner leur destruction. Un temps froid et humide au moment de la floraison (juin) provoque un risque de coulure, qui correspond à un avortement des grains. Ces deux accidents entraînent des pertes de récolte et expliquent la variation de leur importance. En revanche, la qualité de la récolte suppose un temps chaud et sec de juillet à octobre, tout particulièrement pendant les quatre dernières semaines précédant les vendanges (globalement, 2 008 heures de soleil par an). Le climat bordelais est assez humide (900 mm de précipitations annuelles) ; particulièrement au printemps, où le temps n'est pas toujours très bon. Mais les automnes sont réputés, et de nombreux millésimes ont été sauvés *in extremis* par une arrière-saison exceptionnelle ; les grands vins de Bordeaux n'auraient jamais pu exister sans cette circonstance heureuse.

La vigne est cultivée en Gironde sur des sols de nature très diverse et le niveau de qualité n'est pas lié à un type de sol particulier. La plupart des grands crus de vin rouge sont établis sur des alluvions gravelo-sableuses siliceuses ; mais on trouve aussi des vignobles réputés sur les calcaires à astéries, sur les molasses et même sur des sédiments argileux. Les vins blancs secs sont produits indifféremment sur des nappes alluviales gravelo-sableuses, sur calcaire à astéries et sur limons ou molasses. Les deux premiers types se retrouvent dans les régions productrices de vins liquoreux, avec les argiles. Dans tous les cas, les mécanismes naturels ou artificiels (drainage) de régulation de l'alimentation en eau constituent une caractéristique essentielle de la production de vins de qualité. Il s'avère donc qu'il peut exister des crus ayant la même réputation de haut niveau sur des roches-mères différentes. Cependant, les caractères aromatiques et gustatifs des vins sont influencés par la nature des sols ; les vignobles du Médoc et de Saint-Emilion en fournissent de bons exemples. Par ailleurs, sur un même type de sol, on produit indifféremment des vins rouges, des vins blancs secs et des vins blancs liquoreux.

Le vignoble bordelais dépasse 115 000 ha ; à la fin du XIXe s., il s'est étendu sur plus de 150 000 ha, mais la culture de la vigne a été supprimée sur les sols les moins favorables. Les conditions de culture ayant été améliorées, la production globale est restée assez constante : elle approche les 7 millions d'hectolitres actuellement. Si la surface moyenne des exploitations est de 7 ha, on assiste à une concentration des propriétés, avec une diminution du nombre de producteurs (de 22 200 en 1983 à 16 000 en 1992, 13 358 en 1993 et 12 852 en 1996.)

Les vins de Bordeaux ont toujours été produits à partir de plusieurs cépages qui ont des caractéristiques complémentaires. En rouge, les cabernets et le merlot sont les principales variétés (90 % des surfaces). Les premiers donnent aux vins leur structure tannique, mais il faut plusieurs années pour qu'ils atteignent leur qualité optimale ; en outre, le cabernet-sauvignon est un cépage tardif, qui résiste bien à la pourriture, mais avec parfois des difficultés de maturation. Le merlot donne un vin plus souple, d'évolution plus rapide ; il est plus précoce et mûrit bien, mais il est sensible à la coulure, à la gelée et à la pourriture. Sur une longue période, l'association des deux cépages, dont les proportions varient en fonction des sols et des types de vin, donne les meilleurs résultats. Pour les vins blancs, le cépage essentiel est le sémillon (52 %), complété dans certaines zones par le colombard (11 %) et surtout par le sauvignon - qui tend à se développer - et la muscadelle (15 %), qui possèdent des arômes spécifiques très fins. L'ugni blanc est en retrait.

La vigne est conduite en rangs palissés, avec une densité de ceps à l'hectare très variable. Elle atteint 10 000 pieds dans les grands crus du Médoc et des Graves ; elle se situe à 4 000 pieds dans les plantations classiques de l'Entre-deux-Mers, pour tomber à moins de 2 500 pieds dans les vignes dites hautes et larges. Les densités élevées permettent une diminution de la récolte par pied, ce qui est favorable à la maturité ; par contre, elles entraînent des frais de plantation et de culture plus élevés et lut-

Le Bordelais

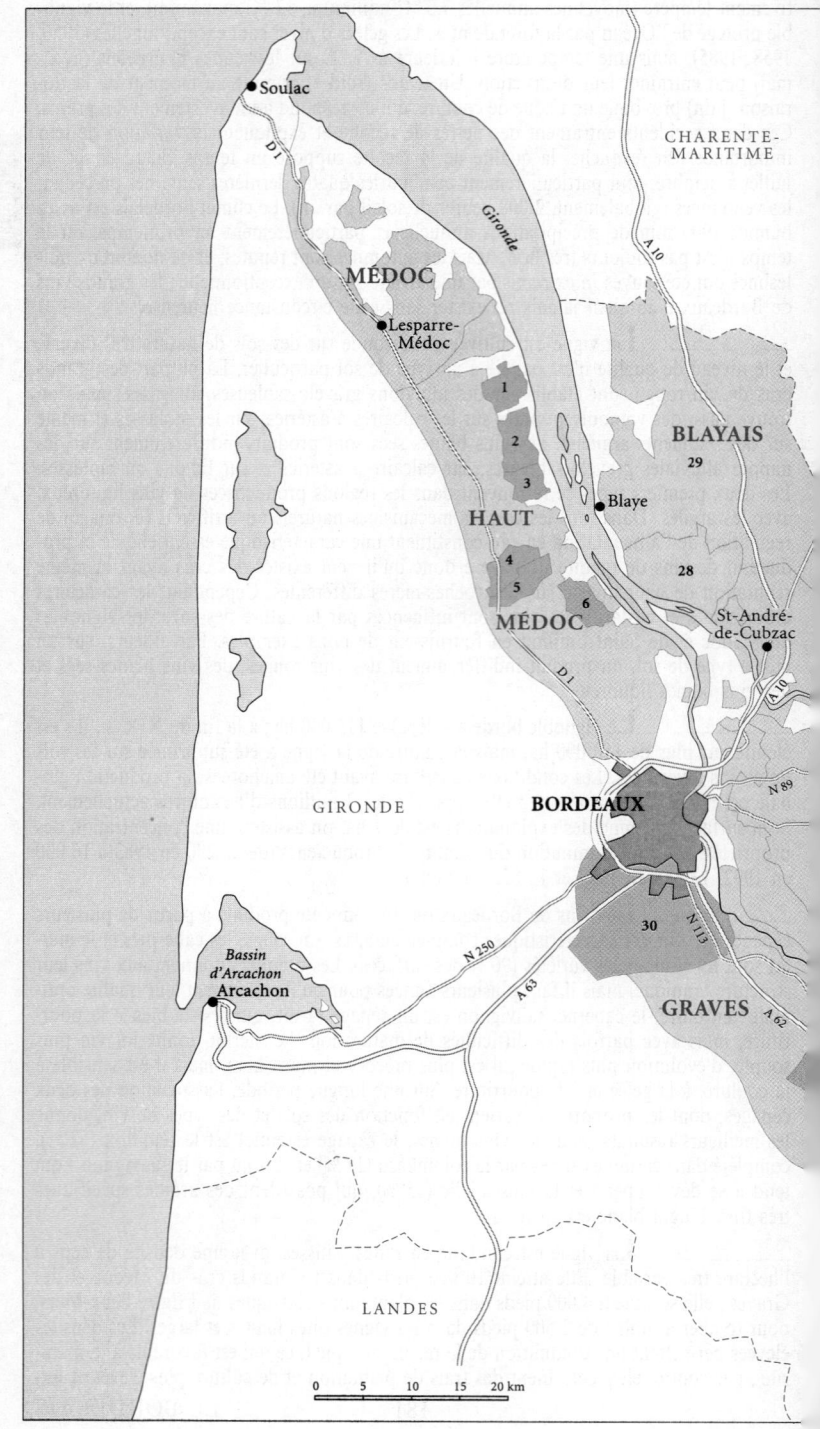

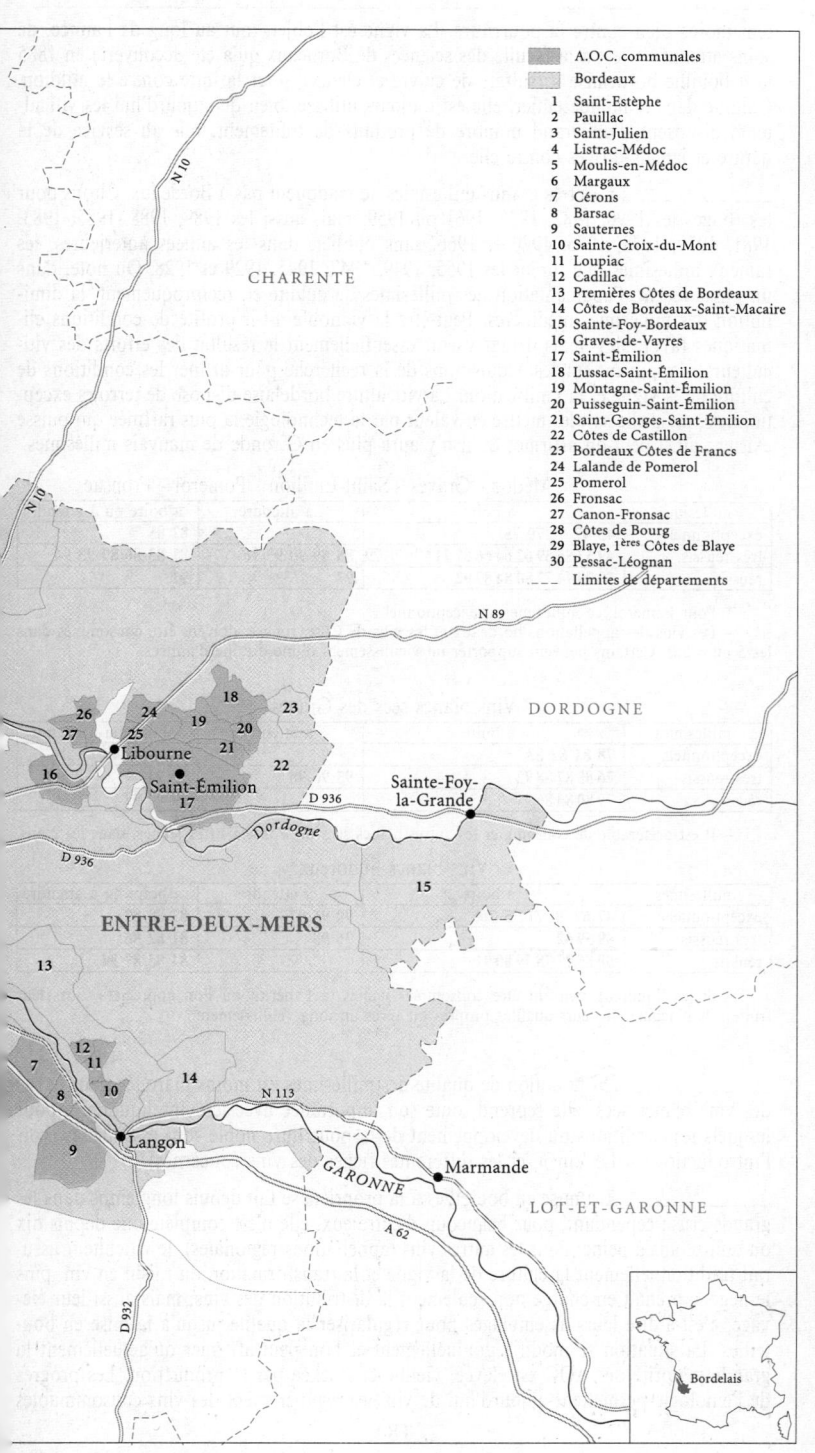

A.O.C. communales
Bordeaux

1 Saint-Estèphe
2 Pauillac
3 Saint-Julien
4 Listrac-Médoc
5 Moulis-en-Médoc
6 Margaux
7 Cérons
8 Barsac
9 Sauternes
10 Sainte-Croix-du-Mont
11 Loupiac
12 Cadillac
13 Premières Côtes de Bordeaux
14 Côtes de Bordeaux-Saint-Macaire
15 Sainte-Foy-Bordeaux
16 Graves-de-Vayres
17 Saint-Émilion
18 Lussac-Saint-Émilion
19 Montagne-Saint-Émilion
20 Puisseguin-Saint-Émilion
21 Saint-Georges-Saint-Émilion
22 Côtes de Castillon
23 Bordeaux Côtes de Francs
24 Lalande de Pomerol
25 Pomerol
26 Fronsac
27 Canon-Fronsac
28 Côtes de Bourg
29 Blaye, 1ᵉʳᵉˢ Côtes de Blaye
30 Pessac-Léognan
---- Limites de départements

CHARENTE

N 10

N 10

N 89

DORDOGNE

26
24
18
19 20 23
27 25 21
Libourne 22
16
Saint-Émilion
17
D 936
Dordogne
Sainte-Foy-la-Grande

D 936

ENTRE-DEUX-MERS

15

13

12
11
7 10 14
8 N 113
9
Langon
GARONNE
Marmande

LOT-ET-GARONNE

A 62

D 932

Bordelais

tent moins bien contre la pourriture. La vigne est l'objet, tout au long de l'année, de soins attentifs. C'est à la faculté des sciences de Bordeaux qu'a été découverte en 1885 la « bouillie bordelaise » (sulfate de cuivre et chaux), pour la lutte contre le mildiou. Connue dans le monde entier, elle est toujours utilisée, bien qu'aujourd'hui les viticulteurs disposent d'un grand nombre de produits de traitement, mis au service de la nature et jamais dirigés contre elle.

_____ **L**es très grands millésimes ne manquent pas à Bordeaux. Citons pour les rouges les 1990, 1982, 1975, 1961 ou 1959, mais aussi les 1989, 1988, 1985, 1983, 1981, 1979, 1978, 1976, 1970 et 1966, sans oublier, dans les années antérieures, les fameux millésimes que furent les 1955, 1949, 1947, 1945, 1929 et 1928. On note, dans un passé récent, l'augmentation des millésimes de qualité et, réciproquement, la diminution des millésimes médiocres. Peut-être le vignoble a-t-il profité de conditions climatiques favorables, mais il faut y voir essentiellement le résultat des efforts des viticulteurs, s'appuyant sur les acquisitions de la recherche pour affiner les conditions de culture de la vigne et la vinification. La viticulture bordelaise dispose de terroirs exceptionnels, mais elle sait les mettre en valeur par la technologie la plus raffinée qui puisse exister ; ainsi peut-on affirmer qu'il n'y aura plus en Gironde de mauvais millésimes.

Médoc - Graves - Saint-Émilion - Pomerol - Fronsac

millésimes	à boire	à attendre	à boire ou à attendre
exceptionnels	45 47 61 70 75		82 85
très réussis	49 53 55 59 62 64 66 67 71* 76 78 79	88 89 90 95 96	81 83 86 89 93 94
réussis	50 73 74 77 80 84 87 92	97	91

* Pour Pomerol, ce millésime est exceptionnel.
– Les vins des appellations bordeaux et les vins de Côte, rouges, doivent être consommés dans les 5 ou 6 ans. Certains peuvent supporter un vieillissement d'une dizaine d'années.

Vins blancs secs des Graves

millésimes	à boire	à attendre	à boire ou à attendre
exceptionnels	78 81 82 83		
très réussis	76 85 87 88 92	95 96 98	93 94
réussis	79 80 84 86		89 90 97

– Il est préférable de consommer les autres blancs secs du Bordelais très jeunes, dans les 2 ans.

Vins blancs liquoreux

millésimes	à boire	à attendre	à boire ou à attendre
exceptionnels	47 67 70 71 75 76	90 95 97	83 88 89
très réussis	49 59 62	96 98	81 82 86
réussis	50 55 77 78 79 80 91		84 85 87 94

– Si les liquoreux peuvent être consommés jeunes (à l'apéritif où l'on appréciera alors leur fruité), ils n'acquièrent leurs qualités propres qu'après un long vieillissement.

_____ **S**i la notion de qualité des millésimes est moins marquée dans le cas des vins blancs secs, elle reprend toute son importance avec les vins liquoreux, pour lesquels les conditions du développement de la pourriture noble sont essentielles (voir l'introduction : « Le Vin », et les différentes fiches des vins concernés).

_____ **L**a mise en bouteilles à la propriété se fait depuis longtemps dans les grands crus ; cependant, pour beaucoup d'entre eux, elle n'est complète que depuis dix ou quinze ans à peine. Pour les autres vins (appellations régionales), le viticulteur assurait traditionnellement la culture de la vigne et la transformation du raisin en vin, puis le négoce prenait en charge non seulement la distribution des vins, mais aussi leur élevage, c'est-à-dire leurs assemblages pour régulariser la qualité jusqu'à la mise en bouteilles. La situation se modifie graduellement et l'on peut affirmer qu'actuellement la grande majorité des AOC est élevée, vieillie et stockée par la production. Les progrès de l'œnologie permettent aujourd'hui de vinifier régulièrement des vins consommables en l'état ; tout naturellement, les viticulteurs cherchent donc à les valoriser en les mettant eux-mêmes en bouteilles ; les caves coopératives ont joué un rôle dans cette évolution, en créant des unions qui assurent le conditionnement et la commercialisation des vins. Le négoce conserve toujours un rôle important au niveau de la distribution, en particulier à l'exportation, grâce à ses réseaux bien implantés depuis longtemps. Il n'est pas impossible cependant que, dans l'avenir, les vins de marque des négociants trouvent un regain d'intérêt auprès de la grande distribution de détail.

_____ **L**a commercialisation de l'importante production de vin de Bordeaux est bien sûr soumise aux aléas de la conjoncture économique, au volume et à la qualité de la récolte. Dans un passé récent, le Conseil interprofessionnel des vins de Bordeaux a pu jouer un grand rôle en matière de commercialisation, par la mise en place d'un stock régulateur, d'une mise en réserve qualitative et de mesures financières d'organisation du marché.

_____ **L**es syndicats viticoles, eux, assurent la protection des différentes appellations d'origine contrôlée, en définissant les critères de la qualité. Ils effectuent sous le contrôle de l'INAO des dégustations d'agréage de tous les vins produits chaque année ; elles peuvent donner lieu à la perte du droit à l'appellation si la qualité est jugée insuffisante.

_____ **L**es confréries vineuses (Jurade de Saint-Emilion, Commanderie du Bontemps du Médoc et des Graves, Connétablie de Guyenne, etc.) organisent régulièrement des manifestations à caractère folklorique dont le but est l'information en faveur des vins de Bordeaux ; leur action est coordonnée au sein du Grand Conseil du vin de Bordeaux.

_____ **T**outes ces actions de promotion, de commercialisation et de production le démontrent : le vin de Bordeaux est aujourd'hui un produit économique géré avec rigueur. Représentant 26,54 % de la production AOC de France avec un volume de 6 879 693 hl en 1999, la production s'évalue en milliards de francs, dont trois à l'exportation. Son importance dans la vie régionale aussi, puisque l'on estime qu'un Girondin sur six dépend directement ou indirectement des activités viti-vinicoles. Mais qu'il soit rouge, blanc sec ou liquoreux, dans ce pays gascon qu'est le Bordelais, le vin n'est pas seulement un produit économique. C'est aussi et surtout un fait de culture. Car derrière chaque étiquette se cachent tantôt des châteaux à l'architecture de rêve, tantôt de simples maisons paysannes, mais toujours des vignes et des chais où travaillent des hommes, apportant, avec leur savoir-faire, leurs traditions et leurs souvenirs.

Les appellations régionales bordeaux

Si le public situe assez facilement les appellations communales, il lui est souvent plus difficile de se faire une idée exacte de ce que représente l'appellation bordeaux. Pourtant, la définir est apparemment simple : ont droit à cette appellation tous les vins de qualité produits dans la zone délimitée du département de la Gironde, à l'exclusion de ceux qui viendraient de la zone sablonneuse située à l'ouest et au sud (la lande, consacrée depuis le XIXe s. à la forêt de pins).

Autrement dit, ce sont tous les terroirs à vocation viticole de la Gironde qui ont droit à cette appellation. Et tous les vins qui y sont produits peuvent l'utiliser, à condition qu'ils soient conformes aux règles assez strictes fixées pour son attribution (sélection des cépages, rendements à ne pas dépasser...). Mais derrière cette simplicité se cache une grande variété. Variété, tout d'abord, des types de vins. En effet, plus que d'une appellation bordeaux, il convient de parler des appellations bordeaux, celles-ci comportant des vins rouges, mais aussi des rosés et des clairets, des vins blancs (secs et liquoreux) et des mousseux (blancs ou rosés). Variété des origines ensuite, les bordeaux pouvant être de plusieurs types : pour les uns, il s'agit de vins produits dans des secteurs de la Gironde n'ayant droit qu'à la seule appellation bordeaux, comme les régions de palus (certains sols alluviaux) proches des fleuves, ou quelques zones du Libournais (communes de Saint-André-de-Cubzac, Guîtres, Coutras...). Pour les autres, il s'agit de vins provenant de régions ayant droit à une appellation spécifique (Médoc, Saint-Emilion, Pomerol, etc.). Dans certains cas, l'utilisation de l'appellation régionale s'explique alors par le fait que l'appellation locale est commercialement peu connue (comme pour les bordeaux côtes-de-francs, les bordeaux hautbenauge, les bordeaux sainte-foy ou les bordeaux saint-macaire) ; l'appellation spécifique n'est, en définitive, qu'un complément de l'appellation régionale, et, en outre, n'apporte rien de plus à la valorisation du produit. Aussi les viticulteurs préfèrent-ils se contenter de l'image de marque bordeaux. Mais il arrive également que l'on trouve des bordeaux provenant d'une propriété située dans l'aire de production d'une appellation spécifique prestigieuse, ce qui ne manque pas d'intriguer certains amateurs curieux. Mais là aussi l'explication est aisée à trouver : traditionnellement, beaucoup de propriétés en Gironde produisent plusieurs types de vins (notamment des rouges et des blancs) ; or dans de nombreux cas (médoc, saint-émilion, entre-deux-mers ou sauternes), l'appellation spécifique ne s'applique qu'à un seul type. Les autres productions sont donc commercialisées comme bordeaux ou bordeaux supérieurs.

S'ils sont moins célèbres que les grands crus, tous ces bordeaux n'en constituent pas moins quantitativement la première appellation de la Gironde, avec en 1999, en rouge, 3 267 768 hl, 568 180 hl pour les blancs et 12 715 hl pour les crémants de bordeaux.

L'importance de cette production et l'impressionnante surface du vignoble (58 000 ha) pourraient laisser penser qu'il n'existe guère de similitudes entre deux bordeaux. Pourtant, si l'on trouve une certaine diversité de caractères, il existe aussi des points communs, donnant leur unité aux différentes appellations régionales. Ainsi les bordeaux rouges sont des vins équilibrés, harmonieux, délicats ; généralement, ils doivent être fruités, mais pas trop corsés, pour pouvoir être consommés jeunes. Les bordeaux supérieurs rouges se veulent des vins plus complets. Ils utilisent les meilleurs raisins, sont vinifiés de façon à leur assurer une certaine longévité. Ils constituent en somme une sélection parmi les bordeaux.

Les bordeaux clairets et rosés, eux, sont obtenus par faible macération de raisins de cépages rouges ; les clairets ont une couleur un peu plus soutenue. Ils sont frais et fruités, mais leur production reste très limitée.

Les bordeaux blancs sont des vins secs, nerveux et fruités. Leur qualité a été récemment améliorée par les progrès réalisés dans les techniques de conduite de la vinification, mais cette appellation ne jouit pas encore de la notoriété à laquelle elle devrait pouvoir prétendre. Ce qui explique que certains vins soient « repliés » en vins de table, puisque, la différence de cotation étant parfois assez faible, il est plus avantageux commercialement de vendre du vin de table que du bordeaux blanc. Constituant une sélection, les bordeaux supérieurs blancs sont moelleux et onctueux ; leur production est limitée.

Il existe enfin une appellation crémant de bordeaux. Les vins de base doivent être produits dans l'aire d'appellation bordeaux. La deuxième fermentation (prise de mousse) doit être effectuée en bouteilles dans la région de Bordeaux.

Bordeaux

CH. ARNEAU-BOUCHER 1998

■   20,6 ha   12 000   ▮ 30 à 49 F

Cassis et framboise rehaussés de litchi dominent un nez un peu discret, et plus nettement une bouche ronde, ferme, élégante, quoique vineuse : il s'agit d'un vin de merlot dans la force de l'âge, qui accompagnera sans défaillance les grillades rouges.
➥ EARL Jacques Sartron et ses Enfants, 8, le Bourg, 33240 Saint-Genès-de-Fronsac, tél. 05.57.43.11.12, fax 05.57.43.56.34 ☑

CH. D'AUGAN 1998*

■   5 ha   40 000   ▮▲ 30 à 49 F

On trouve souvent les vins de cette coopérative dans ce Guide (elle a par exemple mérité un coup de cœur dans l'édition 1999 pour le château Langel Mauriac 95). Le Château d'Augan est très réussi ; le jury en apprécie la chair ronde et grasse, parfumée de fruits rouges, et les tanins de bonne garde. Ce vin enchantera une entrecôte aux cèpes pendant deux à cinq ans... Le **Château Langel Mauriac 98**, élevé en fût, obtient une citation. Il s'offre en rondeurs vanillées, très intensément et finement parfumées de petits fruits rouges à l'eau-de-vie. Les tanins ne tiendront pas dans le temps tout ce que promet le nez. Il faut visiter à proximité des chais une élégante abbaye au portail remarquable.
🖝 Vignerons de Guyenne, Union des producteurs de Blasimon, 33540 Blasimon, tél. 05.56.71.55.28, fax 05.56.71.59.32 ☑ ☗ r.-v.

CH. BASTIAN 1998**

■   7 ha   53 000   ▮▲ 20 à 29 F

Le vignoble de cette ancienne métairie de l'abbaye du Rivet est encore jeune puisqu'il fut créé en 1988. Déjà pointe la réussite. Né sur un sol sablo-limoneux, le merlot d'où provient ce vin est équilibré par les cabernets, et chante en une bouche volumineuse, ronde, parfumée de fruits noirs. Les tanins sont soyeux mais bien présents ; ils permettront un excellent vieillissement. « Au-dessus de son appellation », remarque un juré.
🖝 Stéphane Savigneux, Ch. Bastian, 33124 Auros, tél. 05.56.65.51.59, fax 05.56.65.43.78, e-mail stéphane.savigneux@wanadoo.fr ☑ ☗ r.-v.

BEAU MAYNE 1998*

■   n.c.   n.c.   ▮▲ 20 à 29 F

Construit de façon classique par Dourthe sur 50 % de merlot et 35 % de cabernet-sauvignon, ce vin élégant porte une jolie robe pourpre à reflets orangés et offre une palette aromatique complexe, faite de fruits confits mêlés d'amande et de fleurs. Une belle longueur prolonge le corps rond sur quelques notes épicées. À boire maintenant tout au long du repas, plutôt sur des viandes en sauce et des fromages de type tomme fraîche.
🖝 Dourthe, 35, rte de Bordeaux, B.P. 49, 33290 Parempuyre, tél. 05.56.35.53.00, fax 05.56.35.53.29, e-mail contact@cvbg.com ☑ ☗ r.-v.

BEAU RIVAGE 1998*

■   100 ha   350 000   ▮▲ – de 20 F

Cet important assemblage de la grande maison bordelaise a été construit sur 45 % de merlot, 45 % de cabernet-sauvignon, 10 % de cabernet franc. Sa robe est superbe, d'un beau rouge pourpre franc, et met en appétit. Sa chair parfumée de fruits mûrs (mûre, framboise) présente une structure tannique équilibrée. La finale ample permet une dégustation agréable dès maintenant, mais on peut envisager une évolution de qualité si la cave le permet. C'est un bordeaux classique

que l'on pourra aisément trouver dans soixante-cinq pays de la planète.
🖝 Borie Manoux, 86, cours Balguerie-Stuttenberg, 33082 Bordeaux Cedex, tél. 05.56.00.00.70, fax 05.57.87.48.61

CH. BEL AIR Perponcher 1998**

■   n.c.   n.c.   ▮▲ 30 à 49 F

La famille Despagne partage avec son maître de chai et son œnologue une passion pour la vigne et le vin qui lui attire chaque année une pluie d'étoiles. Voici son « simple » bordeaux ! Né sur un superbe terroir argilo-calcaire et composé de 75 % de merlot et de 25 % de cabernet-sauvignon, il porte une robe profonde, concentrée, annonciatrice de grandes découvertes. Le nez est à l'avenant, marqué par les fruits rouges, alors que la bouche se montre puissante, riche de flaveurs fruitées légèrement fumées ; la chair repose sur des tanins à la fois solides, fins et longs. Ce 98 demande à vieillir : l'amateur de bonne cave s'en réjouira !
🖝 GFA de Perponcher, Ch. Bel Air, 33420 Naujan-et-Postiac, tél. 05.57.84.55.08, fax 05.57.84.57.31, e-mail despagne@vignobles-despagne.com ☑ ☗ r.-v.
🖝 J. Despagne

CH. BELLE-GARDE
Cuvée élevée en fût de chêne 1998*

■   6 ha   40 000   ◀▮▶ 30 à 49 F

Il est né de vignes de trente ans : merlot (70 %) accompagné de cabernet-sauvignon (20 %) et de cabernet franc (10 %). Habitué aux étoiles, ce vin est riche de framboise et de cassis, de boisé grillé et d'épices. En bouche, le boisé ne domine pas le fruit. On peut donc commencer à goûter cette bouteille, et en suivre l'évolution dans le temps. Un juré affirme son espoir.
🖝 Eric Duffau, Ch. Belle-Garde, Monplaisir, 33420 Génissac, tél. 05.57.24.49.12, fax 05.57.24.41.28 ☗ t.l.j. sf dim. 8h-12h 14h-19h ; f. 15-31 août

CH. DE BERTIN 1998*

■   4 ha   20 000   ▮▲ 30 à 49 F

Quatre hectares de vignes sur argilo-calcaire ont donné ce vin à dominante tempérée de cabernets (60 %), d'une richesse veloutée qu'émoustille une flaveur légère de sous-bois. Un charme à examiner sur des salaisons.
🖝 EARL Bertin, lieu-dit Bertin, 33760 Cantois, tél. 05.56.23.61.02, fax 05.56.23.94.77, e-mail bertin@caves-particulieres.com ☑ ☗ r.-v.
🖝 Mano

CH. BONNET
Réserve Eleué en fût de chêne 1998**

■   57 ha   n.c.   ▮◀▮▶▲ 30 à 49 F

André Lurton est un propriétaire heureux. Il réussit de grands vins tout en étant l'un des responsables les plus écoutés de la viticulture bordelaise. Bonnet est le quartier général de ses vignobles. Il a reçu un coup de cœur pour le 96 et, avec la même note pour le 97, le frôle pour le 98... Le dégustateur averti soupçonnera peut-être que l'ampleur l'emporte sur la finesse, mais à ce niveau qualitatif, l'opulence complexe de la chair mûre, bien accompagnée de tanins de raisin et de merrain, réjouira l'amateur quel qu'il soit ! Le **Château Guibon 98** mérite, comme l'an dernier, une étoile : son harmonie concentrée de fruits mûrs à peine soulignée de menthe est d'une élégance qu'il faut apprécier sans se presser sur les viandes rouges grillées ou du gibier à plume.

↝ Vignobles André Lurton, Ch. Bonnet, 33420 Grézillac, tél. 05.57.25.58.58, fax 05.57.74.98.59, e-mail andre.lurton@wanadoo.fr ☑ ⵝ r.-v.

CELLIER DE BORDES 1998

■　　　　n.c.　100 000　■↕ 20à29F

Cellier de Bordes est une marque déposée par Cheval Quancard. Le vin, très rond, souple, sans mollesse ni tanins encombrants, fleure la fraise des bois ; il permet une approche agréable et immédiate d'un type de bordeaux, tout comme la marque **Chai de Bordes 98**. Le **Grande Tradition Gourmet 98** a vieilli dix mois en fût. Il est distribué par la chaîne Monoprix-Prisunic. Il est simple, net, facile, plutôt destiné au repas quotidien. Tous ces vins obtiennent une citation.

↝ Cheval Quancard, La Mouline, 33560 Carbon-Blanc, tél. 05.57.77.88.88, fax 05.57.77.88.99 ⵝ r.-v.

CH. BRION DE LALANDE 1998★

■　　　3 ha　12 000　⦀ 30à49F

Certes, le boisé domine les flaveurs, mais avec une délicatesse enrichissante : la corpulence charnue et longue du vin y répond volontiers en notes fruitées et vanillées. Ce merlot 100 % est un « vin plaisir » à déguster maintenant, mais sans se presser, sur des volailles rôties et du magret de canard.

↝ Roux, Brion, 33750 Baron, tél. 05.57.88.78.52 ☑ ⵝ r.-v.

CH. CHANTELOISEAU 1998★★

■　　25,03 ha　65 000　■↕ 30à49F

La basilique et le calvaire de Verdelais dominent le paysage des coteaux de la rive droite de la Garonne. Merlot et cabernets se partagent à peu près par moitié un vignoble de trente ans : un bel âge que reflète le vin, à la robe rubis et au nez intense et complexe de fruits mûrs, confits. Une attaque ample précède les sensations onctueuses d'une chair très équilibrée, intensément parfumée de baies des bois. « Un gigot conviendrait à merveille », signale un expert.

↝ SCEA Dulac et Séraphon, 2, Pantoc, 33490 Verdelais, tél. 05.56.62.02.08, fax 05.56.76.71.49 ☑ ⵝ r.-v.

CHAPELLE DE BRIVAZAC 1998★

■　　13,64 ha　110 000　⦀ 30à49F

Entre le petit port de Bourg et la citadelle de Blaye, le château de Barbe domine la Gironde. La chapelle, située au milieu du vignoble, a longtemps servi d'amer aux voiliers. Né de la cuvaison longue de vendanges bien maîtrisées (55 % de merlot, 20 % de cabernet franc), ce vin à la robe sombre offre un corps ample, robuste, déjà gras et parfumé de notes de réglisse et de fumet, épicées. Les tanins cependant peuvent paraître encore astringents : il faut y voir une aptitude au vieillissement, dont profiteront les amoureux de vins de tradition.

↝ Société viticole du Ch. de Barbe, 33710 Villeneuve-de-Blaye, tél. 05.57.42.64.00, fax 05.57.64.94.10 ☑ ⵝ r.-v.
↝ Famille Richard

CH. CHAUBINET 1998

■　　12 ha　93 000　■↕ -de20F

Cette puissante société menée par des coopératives est présente ici par son Château Chaubinet, séduisant par un nez tout en finesse, fait de fruits, d'épices, de café vert, qu'il faut goûter sur des plats froids, ainsi que par le **Château de Laborde 98**, élevé en fût pendant neuf mois, au boisé respectueux d'un vin fin, subtil, de bon volume, mais aux tanins un peu rustiques dont il faudra suivre l'évolution.

↝ Producta SA, 21, cours Xavier-Arnozan, 33082 Bordeaux Cedex, tél. 05.57.81.18.18, fax 05.56.81.22.12, e-mail producta@producta.com ⵝ r.-v.

CLOS DE PELIGON 1998★

■　　7 ha　40 000　■⦀↕ 20à29F

Le vignoble, constitué en près de quarante ans sur les graves et argiles de la rive sud de la Dordogne, en aval de Libourne, est labouré selon les usages anciens, et les vendanges restent manuelles. Le vin (70 % de merlot) offre un corps rond et souple, presque gouleyant, aux parfums de fleurs et de fruits finement vanillés que le bois sait mettre en valeur. Un plaisir à goûter sans hâte sur les viandes rôties.

↝ EARL Vignobles Reynaud, 13, rte de Libourne, 33450 Saint-Loubès, tél. 05.56.20.47.52, fax 05.56.20.47.52 ☑ ⵝ r.-v.

CH. DUCLA Permanence IV 1998★★

■　　2 ha　8 000　⦀ 30à49F

Propriété de 85 ha appartenant à la famille Mau, le Château Ducla élabore sa quatrième cuvée Permanence, sélection de 64 % de merlot complété par le cabernet-sauvignon, qui a fait sa fermentation malolactique en barrique de chêne neuve - uniquement de chêne français - dans lesquelles le vin a été élevé pendant douze mois. Elle offre au dégustateur une grande harmonie dans la complexité du fruit, dans le boisé bien maîtrisé. D'une jolie longueur, cette cuvée est allée jusqu'en finale du grand jury ! La cuvée principale de **Ducla 98** ne connaît pas le bois et produit 266 000 bouteilles d'un vin tout en rondeur, parfumé de fruits confits concentrés. Elle obtient une étoile.

↝ SA Yvon Mau, B.P. 1, 33193 Gironde-sur-Dropt Cedex, tél. 05.56.61.54.54, fax 05.56.61.54.61 ☑ ⵝ r.-v.

FONT-DESTIAC 1998★

■　　10 ha　66 000　■↕ 20à29F

Autre marque du groupe de coopératives Univitis, ce vin ne cache pas ses objectifs : être bu sans trop attendre. Il est élaboré à partir du seul merlot, et la cuvaison a duré une semaine. La couleur soutenue de la robe, la fraîcheur aromatique (cassis) des flaveurs, la rondeur souple et ferme du corps procurent un plaisir incontestable.

☞ Closerie d'Estiac, Les Lèves, 33320 Sainte-Foy-la-Grande, tél. 05.57.56.02.02, fax 05.57.56.02.22 ☑ ⛾ t.l.j. sf dim. lun. 9h-12h 15h-19h

CH. DE FONTENILLE 1998

■　　　30 ha　　185 000　🍷 ◫ ♨ 30 à 49 F

Le vignoble est encore jeune, quinze ans, planté sur des sols sableux, limoneux ou graveleux. L'équilibre entre le merlot (50 %), le cabernet franc (35 %) et le cabernet-sauvignon (15 %) s'exprime donc en un vin délicat, rond, aux tanins peu marqués. La complexité aromatique est intéressante : des notes de sous-bois, de feuillage d'automne, y chantent sur les fruits épicés. C'est un agréable compagnon de viandes blanches dont on doit profiter maintenant.
☞ SC Ch. de Fontenille, 33670 La Sauve, tél. 05.56.23.03.26, fax 05.56.23.30.03, e-mail defraine@chateau-fontenille.com ☑ ⛾ r.-v.

CH. GILLET 1998★

■　　　68 ha　　48 000　🍷 20 à 29 F

A mi-chemin entre Branne et Targon, ce château est situé au cœur de l'Entre-deux-Mers. A dominante de merlot rehaussé de cabernet-sauvignon, ce 98, d'abord timide, offre un nez de fruits soulignés de touches de cuir, voire animales. Le corps est simple mais élégant et de bonne persistance. La **Réserve 97 élevée en fût** s'arrondit sur des notes de fruits à noyau (griotte) et de vanille. L'ensemble ne manquera pas d'allure dès maintenant pour accompagner des viandes blanches.
☞ EARL Nadau, La Gourdine, 33760 Faleyras, tél. 05.56.23.94.58, fax 05.57.34.40.21 ☑ ⛾ r.-v.

CH. GIRUNDIA 1998★

■　　　3 ha　　25 000　🍷 ♨ 30 à 49 F

Né à portée de la citadelle de Blaye, qui garde la Gironde en aval de Bordeaux, ce vin fait preuve d'originalité en se composant par moitié de merlot et de malbec. Le rouge rubis violine en est lumineux, et les flaveurs (cassis) s'y affirment et s'épanouissent tout au long de la dégustation. La bouche toute ronde, sans agressivité tannique, signe un sympathique compagnon des repas familiaux.
☞ SCEA Ch. Segonzac, 39, Segonzac, 33390 Saint-Genès-de-Blaye, tél. 05.57.42.18.16, fax 05.57.42.24.80, e-mail segonzac@chateau-segonzac.com ☑ ⛾ r.-v.

CH. GRAND CLAUSET 1998★

■　　　5 ha　　33 000　🍷 ♨ 30 à 49 F

Patrick Carteyron fait partie des excellents vignerons du Bordelais, devenu vinificateur en 1982. Fidèle à son étoile, ce vin compte cette année 20 % de cabernets, la base demeurant le merlot, ramassé à parfaite maturité : voici donc une chair dense et ronde, au fruit concentré ; les tanins sont sagement présents. Une très belle matière, élégante et longue, incite à un vrai plaisir de table.
☞ SCEA Patrick Carteyron, Ch. Penin, 33420 Génissac, tél. 05.57.24.46.98, fax 05.57.24.41.99 ☑ ⛾ r.-v.

CH. DE GRANDE-FONT 1998

■　　　1,5 ha　　12 000　🍷 ♨ 20 à 29 F

Le vignoble, encore jeune, est implanté sur des graves et des limons. Le vin est élaboré à partir de merlot et de cabernets (chacun par moitié). Sa rondeur fruitée a enchanté un juré et inquiété un autre ; le débat ainsi ouvert ne sera clos que par un jugement de plaisir personnel, mais il ne faudra pas tarder à boire ce 98, car sa structure a été voulue pour une consommation relativement rapide.
☞ SCEA du Bru, 33220 Saint-Avit-Saint-Nazaire, tél. 05.57.46.12.71, fax 05.57.46.10.64 ⛾ r.-v.
☞ Guy Duchant

CH. DU GRAND FERRAND 1998

■　　　30,2 ha　　38 000　🍷 ♨ 30 à 49 F

Appartenant aux vignobles Rocher-Cap de Rive, ce cru est un classique. Sa belle présentation accompagne des flaveurs de fruits rouges. C'est un vin de plaisir qui offre dès maintenant sa chair ronde et équilibrée pour agrémenter les grillades.
☞ SCEA Ch. Grand Ferrand, 33540 Sauveterre-de-Guyenne, tél. 05.56.71.51.34

CH. GROSSOMBRE
Elevé en fût de chêne 1998★★

■　　　7 ha　　n.c.　🍷 ◫ ♨ 30 à 49 F

Les bâtiments de la chartreuse sont austères, élégants et beaux, comme le vin qu'ils abritent. Le cabernet-sauvignon (60 %), conduit sur des terres calcaires argilo-limoneuses, donne puissance et structure à un vin par ailleurs très fruité. Le merrain parfaitement maîtrisé y contribue aussi. Ce bordeaux de garde, fait pour les viandes rouges et le gibier (il présente lui-même quelques notes animales), exige qu'on attende son épanouissement. Mais quelles promesses !
☞ Béatrice Lurton, B.P. 10, 33420 Grézillac, tél. 05.57.25.58.58, fax 05.57.74.98.59, e-mail andre.lurton@wanadoo.fr ☑ ⛾ r.-v.

CH. HAUT-GRAVEYRON 1998★

■　　　4 ha　　32 000　🍷 ♨ 30 à 49 F

Jean-Louis Roumage conduit une vaste propriété regroupant également des vins d'AOC bordeaux supérieur. Voici un vin vêtu de rouge sombre, presque noir, au nez intense, où les notes animales (il y a 90 % de merlot) soulignent l'ampleur des fruits (myrtille et raisin de Corinthe...). Le corps révèle une rondeur bien structurée, grasse et persistante : c'est le compagnon rêvé des viandes rouges, mais il mérite de patienter un peu.
☞ Jean-Louis Roumage, Lestrille, 33750 Saint-Germain-du-Puch, tél. 05.57.24.51.02, fax 05.57.24.04.58 ☑ ⛾ r.-v.

CH. HAUT-MAZIERES 1998★★

■　　　n.c.　　154 133　◫ ♨ 30 à 49 F

A quelques centaines de mètres d'un château féodal visible de loin, les chais de cette Union méritent une visite. Le Château Haut-Mazières, dont la vendange (environ 60 % de merlot), la vinification, puis l'élevage en fût (douze mois) furent parfaitement maîtrisés, témoigne du savoir-faire d'une équipe passionnée et exigeante. Coup de cœur salué par le grand jury, ce vin est paré d'une robe limpide très bordeaux ! Elégance du corps, superbe présence du fruit, courtoisie des tanins de merrain, complexité aromatique, tout satisfait le palais.

🍷 Union de producteurs de Rauzan, 33420 Rauzan, tél. 05.57.84.13.22, fax 05.57.84.12.67 ☑ 🍸 r.-v.

CH. HAUT-PIGEONNIER 1998★★

| ■ | 2,35 ha | 16 000 | ▮⬇ | 20 à 29 F |

Il est né sur des graves argileuses qui prolongent dans la vallée de l'Isle le vignoble libournais. Son vinificateur (le propriétaire) n'utilise que le minimum de produits de traitement car il veut produire un « vin naturel ». Cela demande une maîtrise que l'on peut saluer ici : ce 98 exhale le fruit très mûr, voire confit (pruneau, cerise) et caresse le palais de sa rondeur ample, bien structurée, complexe et persistante. C'est un vin de viandes rouges que l'on peut commencer à déguster, sans hâte.
🍷 Philippe Junquas, Ch. Haut-Pigeonnier, 72, chem. des Treilles, 33910 Saint-Denis-de-Pile, tél. 05.57.24.30.96, fax 05.57.24.30.96 ☑ 🍸 r.-v.

CH. DE JABASTAS 1998★

| ■ | 1 ha | 6 600 | ▮ | 20 à 29 F |

Les visiteurs du château peuvent à l'occasion observer le mascaret qui remonte la Dordogne aux fortes marées et les surfeurs qui en profitent... Le charme du vin est plus accessible : la gamme des flaveurs s'épanouit de la fleur au sous-bois d'été en passant par la cerise, la muscade, le poivron et les épices. Cette complexité chante en bouche sur une chair ronde aux tanins soyeux et laisse un joli souvenir. Voilà une jolie bouteille à déguster sans hâte (pendant deux à quatre ans), sur de la lamproie, par exemple.
🍷 Jean-Marie Nadau, Ch. de Jabastas, 35, av. des Prades, 33450 Izon, tél. 05.57.84.97.13, fax 05.57.84.97.14 ☑ 🍸 r.-v.

KRESSMANN Grande Réserve 1998★

| ■ | n.c. | n.c. | ▮⬇ | 20 à 29 F |

Sélectionné et élevé par Kressmann, négociant plus que centenaire de Bordeaux faisant partie du groupe CVBG, voici un vin de tendance merlot, au grenat frangé de feu, au nez de fruits cuits et de fumet. La bouche bien structurée est éveillée par des flaveurs épicées, mentholées. Un expert conclut : « Pour les amateurs de notes aromatiques puissantes. »

🍷 Kressmann, 35, rte de Bordeaux, 33290 Parempuyre, tél. 05.56.35.53.00, fax 05.56.35.53.29, e-mail contact@cvbg.com ☑ 🍸 r.-v.

DOM. DE LA FONTANILLE 1998

| ■ | 5 ha | 40 000 | ▮ | 20 à 29 F |

Les flaveurs tout en finesse florale et fruitée (grenadine mêlée à la framboise et au cassis), avec une pointe de bourgeon, donnent à ce vin un charme réel.
🍷 Vignobles Arnaud et Marcuzzi, Le Vic n° 13, 33410 Cardan, tél. 05.56.62.60.91, fax 05.56.62.67.05 ☑ 🍸 r.-v.

CH. LA GRAVE 1998★★

| ■ | 6,8 ha | 6 500 | ▮▮▮ | 30 à 49 F |

Ce vin à la robe pourpre superbe s'impose au nez qui exprime d'abord la violette, puis le fruit mûr vanillé, le toast, le café, chaque note contribuant à une complexe et subtile harmonie. Son corps rond, gras, charnu, s'appuie sur des tanins de merrain bien présents mais courtois, soyeux et respectueux du raisin. Ce vin a frôlé le coup de cœur. La cuvée principale **Sentiers d'Automne 98**, qui n'est pas passée en fût, est jugée très réussie : la complexité de ses parfums (cerise, groseille, cassis, sous-bois), son corps souple et franc, peut-être un peu svelte, en font un joli vin de viandes blanches et de fromages à pâte molle. Que le visiteur n'oublie pas qu'il est à Sainte-Croix-du-Mont, cité médiévale, pays de vins blancs moelleux...
🍷 Jean-Marie Tinon, Ch. La Grave, 33410 Sainte-Croix-du-Mont, tél. 05.56.62.01.65, fax 05.56.62.00.04, e-mail tinon@terre-net.fr ☑ 🍸 r.-v.

CH. LALANDE-LABATUT
Cuvée Prestige Vieilli en fût de chêne 1998★

| ■ | 10 ha | 72 000 | ▮▮▮ | 30 à 49 F |

Ce château de 45 ha consacre une part importante de ses vignes à sa cuvée Prestige. C'est un mariage de merlot (70 %) et de cabernets (25 % de sauvignon), qui réjouit par sa jeunesse. La robe grenat foncé et la palette aromatique de fruits surmûris et de vanille légèrement mentholée engagent à poursuivre la dégustation. Le corps charnu et gras est porté par des tanins fondus, dont la persistance est remarquable, prometteuse d'un vieillissement intéressant : il accompagnera les magrets et viandes rouges grillés.
🍷 SCEA Vignobles Falxa, 38, Labatut, 33370 Sallebœuf, tél. 05.56.21.23.18, fax 05.56.21.20.98, e-mail chateau.lalande-labatut@wanadoo.fr ☑ 🍸 r.-v.

CH. DE LA MINGERIE 1998

| ■ | 4 ha | 13 000 | ▮⬇ | 20 à 29 F |

Si le merlot (75 %) domine ce vin, le cabernet franc (20 %) y apporte un fondant qu'épice le poivron venu du cabernet-sauvignon (5 %). L'ensemble est harmonieux, agréablement parfumé de fruits rouges. Un vin à boire sans façon, qui fera plaisir sur des volailles rôties. La **cuvée Prestige 97** vieillie en fût de chêne est plus riche en cabernet-sauvignon (20 %) aux dépens du merlot. Le mariage vin-bois développe un charme soyeux au bouquet délicat et parfois jugé discret. Il faut consommer ce vin maintenant sur des viandes blanches ou sur des fromages doux (30 à 49 F).

☛GAEC Jean-Jean Père et Fils, Girolatte, 33420 Naujan-et-Postiac, tél. 05.57.84.60.51, fax 05.57.74.98.03 ▽

CH. LA MIRANDELLE 1998★

■　　　　　8,66 ha　　50 000　　▯▯ ⬇ ｜20 à 29 F｜

Cette importante coopérative se situe juste hors les murs de la bastide de Sauveterre-de-Guyenne. Ses moyens d'exploitation modernes lui permettent des qualités de vins rouges et blancs reconnues. Témoin ce Château La Mirandelle, né sur un terroir argilo-calcaire de vignes de vingt-cinq ans, le merlot intervenant pour environ 60 %. Rond, expressif, légèrement mentholé et épicé, doté d'une finale alerte, c'est un vin pour des repas simples mais de bon goût.

☛Cellier de La Bastide, Cave coop. vinicole, 33540 Sauveterre-de-Guyenne, tél. 05.56.61.55.21, fax 05.56.71.60.11 ▽ ＴＴ t.l.j. sf dim. 9h-12h15 13h30-18h15; groupes sur r.-v.

☛ Yves Moncontier

CH. LA MOTHE DU BARRY
Cuvée Design 1998★

■　　　　　3 ha　　24 000　　◖▮◗ ｜30 à 49 F｜

Comme pour les millésimes 96 et 97, la cuvée Design mérite une étoile : cette sélection de merlot a vieilli douze mois en barrique. La première impression olfactive évoque la violette, puis les fruits rouges mûrs, soulignés de notes toastées bien grillées, voire de café. La dégustation confirme la nature gourmande de ce vin rond, harmonieux, long, fait pour être bu sans hâte sur des viandes rouges. La cuvée Le Barry 98 (50 à 69 F) comporte 25 % de cabernet-sauvignon ; lui aussi élevé en fût, ce vin reçoit une étoile pour son corps jeune et dense, aux flaveurs concentrées de cassis et de groseille, soulignées de touches viandées, grillées, épicées. Les tanins sont déjà élégants, soyeux, mais le temps ne pourra que diversifier et enrichir le plaisir. Deux cuvées particulièrement recommandées aux amateurs.

☛Joël Duffau, Les Arromans n°2, 33420 Moulon, tél. 05.57.74.93.98, fax 05.57.84.66.10 ▽ ＴＴ t.l.j. sf dim. 8h-12h 14h-19h

CH. LANGRAGNAT 1998★

■　　　　　6 ha　　36 000　　▮ ⬇ ｜20 à 29 F｜

Prodiffu est une importante société gérée par des viticulteurs de cette région au relief parfois tourmenté, proche du Lot-et-Garonne. Elle est représentée ici par le Château Langragnat, à la robe grenat violacé, qui s'offre en une bouche ronde, pleine et grasse, parfumée de fruits frais - cerise, fraise, groseille. Ce vin gourmand est à boire maintenant sur tout un repas.

☛Union Prodiffu, 17-19, rte des Vignerons, 33790 Landerrouat, tél. 05.56.61.33.73, fax 05.56.61.40.57, e-mail prodiffu@prodiffu.com

CH. DE L'AUBRADE 1998

■　　　　　22,41 ha　　n.c.　　▮ ⬇ ｜30 à 49 F｜

Ce domaine est situé non loin de Castelmoron-d'Albret, réputée la plus petite commune de France, enfermée dans des fortifications. Les jurés ont été conquis par la fraîcheur aromatique (framboise), soulignée de nuances empyreumatiques (noix, cuir, grillé) dont la structure des tanins pourtant présents est timide. Sa très bonne persistance en finale incite à le mettre en cave un an ou deux.

☛ EARL Jean-Pierre et Paulette Lobre, 33580 Rimons, tél. 05.56.71.55.10, fax 05.56.71.61.94 ▽ ＴＴ r.-v.

LA VIEILLE EGLISE 1998★★

■　　　　　20 ha　　133 000　　▮ ⬇ ｜- de 20 F｜

Sélectionné par Jean-Marie Portier, œnologue de l'équipe d'Univitis, voici un vin superbe : les parfums puissants évoluent de la fleur sauvage à la terre brûlée en s'attardant sur les petits fruits des bois. Ils mettent en valeur une chair souple mais soutenue de tanins de qualité. La finale est prolongée, fondante et généreuse... Une seule voix du grand jury lui a fait manquer le coup de cœur. **Mayne Sansac 98** (20 à 29 F), aussi bien noté, est né d'une cuvaison courte (sept jours) de pur merlot. Son nez complexe de fruits confits enrichis d'épices et de chocolat, sa bouche savamment structurée, où les tanins soyeux servent une chair dense et parfumée, ont enchanté le jury.

☛ Domaine de Sansac, Les Lèves, 33220 Sainte-Foy-la-Grande, tél. 05.57.56.02.02, fax 05.57.56.02.22 ＴＴ r.-v.

CH. L'EGLISE DE SAGET 1998★

■　　　　　12 ha　　36 000　　▮ ⬇ ｜30 à 49 F｜

Quai des Chartrons à Bordeaux : c'est toute l'histoire du négoce et des vins d'Aquitaine qui est passée par là. Schröder et Schÿler est une maison de grand renom. Elle présente un vin de propriété. Quelques touches animales et épicées ajoutent à la complexité aromatique de ce 98 à la robe rouge profond. Le corps est concentré, rond et gras, structuré de tanins encore présents mais mûrs. C'est un classique. A consommer pendant deux ans, sur un civet par exemple.

☛ Maison Schröder et Schÿler, 55, quai des Chartrons, 33027 Bordeaux Cedex, tél. 05.57.87.64.55, fax 05.57.87.57.20 ＴＴ r.-v.

☛ Bouffard

CH. LE NOBLE 1998★

■　　　　　n.c.　　21 000　　▮ ⬇ ｜30 à 49 F｜

Pierre Coste, homme du vin mais aussi homme de lettres, a marqué fortement la maison de négoce familiale gérée actuellement par le négociant Sichel. L'équilibre entre cabernets (55 %) et merlot (45 %) caractérise ce vin aux parfums de cerise et de menthe légèrement épicés. Son corps, tout rond, prolonge en une finale enveloppée et aromatique un plaisir que l'on peut goûter dès maintenant sans se hâter. Du même négociant, nos jurys ont attribué une note identique au **Château Tuilerie Rivière 98**, très rond et aimablement parfumé, facile d'accès. Ils citent **Cave Bel-Air 98** et **Château Mondeau 98** à la fois souples et structurés, à boire maintenant.

☛ Maison Sichel-Coste, 8, rue de la Poste, 33210 Langon, tél. 05.56.63.50.52, fax 05.56.63.42.28

CH. LES BRUGES 1998★★

■ 32 ha 175 000 ■ `20 à 29 F`

Très sérieuse maison de négoce bordelaise créée en 1873, et depuis lors restée au sein de la même famille. Plusieurs vins ont retenu l'attention du jury. Celui-ci offre une attaque ronde et une chair dense. Les flaveurs évoquent les fruits mûrs et cuits (pruneau, tarte aux griottes), avec une puissance encore jeune, où l'on reconnaîtra la signature des cabernets qui représentent 70 % de l'assemblage, complétés par le merlot. Proposé au grand jury des coups de cœur, ce 98 est arrivé en bonne position, les experts estimant que la vraie valeur de ce vin, déjà remarquable, se révélera à ceux qui auront su l'attendre. Autres vins retenus : le **Château Hermitage des Bruges 98**, charnu et concentré, cité ; le **Château Carayon-la-Rose 98** à la prestance fraîche et enlevée, une étoile (jolie étiquette et excellent rapport qualité-prix comme Les Bruges) ; dans un même registre, le **Château Cailloux du Haut 98**, aux senteurs marquées de noyau, prêt à être dégusté, une étoile ; le **Château des Deux Rives 98** à la bouche ronde, parfumé de fruits cuits et de réglisse, cité.
●➤ Dulong Frères et Fils, 29, rue Jules-Guesde, 33270 Floirac, tél. 05.56.86.51.15, fax 05.56.40.66.41, e-mail dulong@mmkm.com ⊺ r.-v.

LES DERNIERS MILLESIMES DU SIECLE 1998★

■ 500 000 ■ ⬥ `20 à 29 F`

Grande maison de négoce bordelaise, Ginestet a proposé quelques cuvées de sa vaste gamme. Marque créée pour l'événement, ces Derniers Millésimes du Siècle (1998) un classique de haut niveau : parfumé (fruits rouges écrasés), épicé, bien structuré, assuré, rassurant, disponible... Le **Château La Jalgue 98**, lui aussi important (266 000 bouteilles), révèle un joli potentiel : nez complexe, bouche un peu ferme mais fruitée, poivrée, de longueur harmonieuse. Il obtient une étoile ; c'est « un vin séduisant qui réjouira son consommateur », note un juré. Le **bordeaux 98 sélectionné par Bernard Taillan pour Carrefour** obtient une citation : à moins de 20 F, ce vin soyeux et d'accès facile accompagnera volontiers les repas de tous les jours. **Terres Douces 98** reçoit une étoile. Ses 231 000 bouteilles seront de bonnes ambassadrices de l'appellation.
●➤ SA Maison Ginestet, 19, av. de Fontenille, 33360 Carignan-de-Bordeaux, tél. 05.56.68.81.82, fax 05.56.20.96.99, e-mail contact@ginestet.fr ⊺ r.-v.

CH. LES FAURES
Vieilli en fût de chêne 1998★

■ 2,5 ha 19 000 ⬥⬥ `30 à 49 F`

La vallée du Dropt est située au pied de cette propriété établie sur un sol de boulbènes. Les cabernets (60 % de sauvignon, 15 % de franc) dominent. Une partie (20 %) de la récolte a été élevée en fût. Fruits surmûris et boisé élégant, discret, composent un vin gras, légèrement vanillé, fin et long. Un compagnon de rôtis.

●➤ Jacky Certain, 9, Les Faures-Est, 33190 Camiran, tél. 05.56.71.41.86, fax 05.56.71.32.76 ☑ ⊺ r.-v.

CH. LES VERGNES 1998

■ 20 ha 133 000 ■ ⬥ `20 à 29 F`

La puissante équipe technique du groupe de coopératives Univitis propose ici le Château Les Vergnes, dont la vendange (75 % de merlot) fut vinifiée sur dix jours. Des flaveurs complexes, où les notes de réglisse et de fumé se mêlent aux fruits, agrémentent un corps rond aux tanins soyeux. C'est un vin à boire sans plus attendre, sur les grillades et les fromages.
●➤ Univitis, Closerie d'Estiac, 33220 Sainte-Foy-la-Grande, tél. 05.57.56.02.02, fax 05.57.56.02.22 ☑ ⊺ t.l.j. sf dim. lun. 9h-12h30 15h-19h

CH. LION BEAULIEU 1998★

■ n.c. n.c. ■ ⬥ `30 à 49 F`

La propriété de l'œnologue des vignobles Despagne. Une couleur profonde, presque noire, attire le regard. Le nez intense exprime les qualités d'un raisin de belle maturité (80 % de merlot, 20 % de cabernet-sauvignon). La bouche, franche et croquante, révèle des tanins structurés qui réclament un vieillissement de plus de deux ans pour mûrir ! Patience donc.
●➤ GFA de Lyon, 33420 Naujan-et-Postiac, tél. 05.57.84.55.08, fax 05.57.84.57.31, e-mail despagne@vignobles-despagne.com ⊺ r.-v.
●➤ J. Elissalde.

CH. DE LYNE 1998★

■ 9 ha 54 000 ■⬥⬥ `30 à 49 F`

Les châteaux de Lyne et de **La Cour d'Argent** poursuivent leur brillante carrière dans ce Guide. Dans le millésime 98, chacun mérite son étoile ! Ils sont essentiellement bâtis sur le merlot (90 %). Le cabernet-sauvignon (5 %) différencie la Cour d'Argent de Lyne. Un vieillissement en fût, maîtrisé, ajoute à la complexité des fruits mûrs quelques notes vanillées. La chair est ronde et solide, les tanins (raisin et bois) demandent à s'assagir, comme la finale, épicée. Les flaveurs marquées de tubéreuses (narcisse) distinguent la Cour de Lyne, aux parfums de cèdre et miel... A comparer sans se presser !
●➤ SCEA des Vignobles Denis Barraud, Ch. Haut-Renaissance, 33330 Saint-Sulpice-de-Faleyrens, tél. 05.57.84.54.73, fax 05.57.84.52.07, e-mail denis.barraud@wanadoo.fr ☑ ⊺ r.-v.

HENRY BARON DE MONTESQUIEU
Le Secondat 1998

■ n.c. n.c. ■⬥⬥ `30 à 49 F`

Charles de Secondat, baron de La Brède et de Montesquieu, est l'un des plus grands philosophes du XVIIIe. Il était aussi vigneron, tout comme l'est aujourd'hui H. de Montesquieu, négociant à La Brède. Voici un vin classique qui marie aux raisins mûrs les tanins de fûts d'âges différents (un quart environ sont neufs). Le but est atteint avec élégance : ce bordeaux est maintenant à servir sans façon.

☛Vins et Dom. Henry de Montesquieu, Aux Fougères, 33650 La Brède, tél. 05.56.78.45.45, fax 05.56.20.25.07, e-mail montesquieu@bordeaux-montesquieu.com ▼

CH. MOTTE MAUCOURT 1998*

■　　　8 ha　　30 000　　▮♨　20 à 29 F

Le vignoble du château (proche d'une église du XIIes. agrémentée de fresques) entoure une butte féodale. Il a fortement augmenté de surface, planté de vignes plus ou moins jeunes. Le merlot domine la cuvée principale du 98 élevé en cuve. Ce vin offre de beaux arômes de fruits (cassis, cerise), mêlés de touches animales discrètes, et un corps bien construit, de bonne persistance : un vin joyeux. Le merlot compose seul la **sélection 98 vieillie en fût** pendant douze mois (30 à 49 F), une citation. Le bois marque la finale, les notes de toast et de réglisse enrichissent le nez fruité et la mise en bouche d'un vin à goûter sur des viandes en marinade.
☛GAEC Villeneuve et Fils, Ch. Motte Maucourt, 33760 Saint-Genis-du-Bois, tél. 05.56.71.54.77, fax 05.56.71.64.23 ▼ ⵜ t.l.j. sf dim. 9h-12h 14h-19h

CH. MOUSSEYRON 1998

■　　　16 ha　　40 000　　▮♨　30 à 49 F

Jacques Larriaut dirige depuis vingt-cinq ans ce domaine familial situé près de Saint-Macaire, sur la rive droite de la Garonne. Un beau sol argilo-calcaire, 60 % de cabernet-sauvignon allié au merlot, ont donné ce vin à la robe très soutenue, au nez de petits fruits rouges. La bouche est structurée, mais ses tanins sont encore bien jeunes. Un classique qui accompagnera des civets.
☛Jacques Larriaut, 33490 Saint-Pierre-d'Aurillac, tél. 05.56.76.44.53, fax 05.56.76.44.04 ▼ ⵜ r.-v.

NAPOLEON 1998*

■　　　n.c.　　n.c.　　▮　30 à 49 F

Les fruits mûrs à noyau (pruneau, cerise) parfument toute la dégustation, d'une intensité sûre et élégante. L'équilibre entre la chair et les tanins ne se dément jamais en bouche, et la finale sait s'épanouir longuement... Voilà qui définit ce vin à attendre plusieurs mois au moins !
☛Ets E. Parrot et Cie, Dom. de Fleurenne, B.P. 61, 33292 Blanquefort Cedex, tél. 05.56.95.55.20, fax 05.56.95.55.29, e-mail e.parrot@parrot-et-cie.fr

CH. NARDIQUE LA GRAVIERE 1998*

■　　　11,35 ha　　40 000　　▮♨　30 à 49 F

Sur un sol graveleux, les cabernets (sauvignon 30 %, franc 20 %) équilibrent le merlot, et l'ensemble est le produit d'une cuvaison gouvernée par la dégustation. Le résultat est convaincant : robe d'un rubis encore nuancé de pourpre, parfums intenses de fruits (cassis, myrtille, mûre) enrichis d'épices. La corpulence est maîtrisée, à la fois concentrée et fine, de belle persistance. A déguster sans hâte sur tout un repas ou sur des viandes rouges.
☛Vignobles Thérèse, Ch. Nardique La Gravière, 33670 Saint-Genès-de-Lombaud, tél. 05.56.23.01.37, fax 05.56.23.25.89 ▼ ⵜ t.l.j. sf dim. 9h-12h 15h-18h; f. 15-31 août

CH. DE PERRE 1998

■　　　22 ha　　23 000　　▮　20 à 29 F

A quelques kilomètres de la cité médiévale de Saint-Macaire, le vignoble âgé de vingt ans s'étale sur des sols de limon et sable mêlés d'argile. Le cabernet-sauvignon domine ce vin et fut apprécié d'un juré médocain qui mise sur son aptitude au vieillissement. Un autre préfère en saisir le plaisir parfumé immédiat : un choix à faire, verre en main !
☛Claude Mayle, 15, rue de Gaussen, 33490 Caudrot, tél. 05.56.62.83.31, fax 05.56.62.75.30 ▼ ⵜ r.-v.

CH. PICHAUD SOLIGNAC 1998*

■　　　2,8 ha　　20 000　　▮♨　30 à 49 F

Propriété datant du début du XIXes., reprise en 1998 par ses nouveaux propriétaires. Voici un 98 prometteur. 25 % de cabernets et une touche (5 %) de malbec accompagnent le merlot en ce vin de belle extraction : la robe pourpre violine habille un corps rond, charnu, aux tanins encore jeunes mais de qualité. Les parfums riches et complexes évoquent avec élégance les fruits noirs - mûre, cerise, pruneau. « Pour une entrecôte bien épaisse », suggère un juré...
☛EARL Delbeuf Pichaud Solignac, La Niocaise, 33790 Pellegrue, tél. 05.56.61.43.55, fax 05.56.61.43.55, e-mail ch-pic-sol@terre-net.fr ▼ ⵜ t.l.j. 9h-19h

PREMIUS Elevé en fût de chêne 1998***

■　　　n.c.　　n.c.　　◫　30 à 49 F

Yvon Mau présente deux vins de marques exceptionnelles. Le nombre de flacons n'est malheureusement pas indiqué ! Premius, coup de cœur, et **Millénium**, sont nés de sélections parcellaires établies sur cahier des charges et ont été élaborés par une équipe d'œnologues de la maison. Les merrains, parfaitement choisis, mettent en valeur des vins de raisins mûrs, produits d'une cuvaison maîtrisée. Un juré conclut sa dégustation de Millénium par cette phrase : « Très belle harmonie de ce vin élevé sous bois ; un nez superbe et une bouche ample, très équilibrée entre le fruit et le bois. » Autres cuvées retenues qui ne connaissent pas la barrique : **Yvecourt 98**, vin facile qui obtient une citation pour son classicisme, et **Château La Forêt 98** (une étoile), qui offre une chair élégante et des tanins soyeux. Ces deux derniers vins entrent dans une fourchette de 20 à 29 F.
☛SA Yvon Mau, B.P. 1, 33193 Gironde-sur-Dropt Cedex, tél. 05.56.61.54.54, fax 05.56.61.54.61 ⵜ r.-v.

CH. PREVOST 1998★

■　　　　30 ha　225 000　　■ å 20 à 29 F

Essentiellement bâti sur le merlot, Prévost offre toute la générosité de ce cépage. La bouche ronde et grasse se parfume de cassis, et la finale affirme avec élégance une bonne aptitude au vieillissement. Une réussite. Elisabeth Garzaro présente d'autres vins attachants dans ce millésime, tel le **Château Les Murailles**, aux tanins plus structurés, ou le **Château Bel Air Moulard** (30 à 49 F) au nez de framboise avivé d'un léger poivron, au corps bien construit, parfumé de fruits rouges.
☛ Elisabeth Garzaro, Ch. Le Prieur, 33750 Baron, tél. 05.56.30.16.16, fax 05.56.30.12.63, e-mail garzaro@vingarzaro.com ☙ r.-v.

CH. PRIEURE GUILLAUME
Elevé en fût de chêne 1998★

■　　　　13,7 ha　110 000　　⊪ 20 à 29 F

Ce prieuré étale ses vignes sur des coteaux pentus à quelques kilomètres de la bastide de Sainte-Foy-la-Grande, cité autrefois assez belliqueuse des bords de la Dordogne. Le vin (35 % de merlot pour 65 % de cabernets) a mûri six mois en barrique. Il y a acquis un bouquet vanillé aux nuances toastées qui accompagne bien le fruité légèrement réglissé du raisin. « Intéressant par sa complexité, son volume, son équilibre », écrit un dégustateur qui lui promet un bel avenir.
☛ SCEA Ch. Guillaume, lieu-dit Guillaume-Blanc, 33220 Saint-Philippe-du-Seignal, tél. 05.57.41.91.50, fax 05.57.46.42.76 ☑ ☙ r.-v.

CH. RAUZAN DESPAGNE 1998★

■　　　　n.c.　　n.c.　　■ å 30 à 49 F

On ne présente plus l'équipe des Vignobles Despagne : leurs vins collectionnent étoiles et coups de cœur dans plusieurs styles de couleurs et AOC bordelaises. Les deux cuvées de 1998 sont aussi bien notées : une étoile. La **cuvée Passion** (70 à 99 F) est passée en fût pendant douze mois ; le cabernet-sauvignon compte pour 30 %. C'est un vin volumineux, puissant, d'une complexité aromatique déjà remarquable - fruits rouges vanillés, notes de cuisson et boisé de qualité. La charpente est encore très perceptible, mais il est certain que ses tanins enrobés sauront se civiliser dans quelques mois : on accompagnera alors ce vin de cèpes et de rôtis, de gigots ou de canards cuisinés en maître. Quant à cette cuvée principale (20 % de cabernet-sauvignon), ronde et grasse, aux flaveurs de fruits épicés, elle possède des tanins fermes mais construits pour servir le vin pendant des années sans l'agresser dans sa jeunesse. Il faut en profiter !
☛ GFA de Landeron, 33420 Naujan-et-Postiac, tél. 05.57.84.55.08, fax 05.57.84.57.31, e-mail despagne@vignobles-despagne.com ☙ r.-v.
☛ Despagne

CH. ROC DE LEVRAUT 1998

■　　　　19 ha　30 000　　■ 20 à 29 F

Il a fallu déplacer d'énormes rochers pour installer ce vignoble, il y a quinze ans environ. Le cabernet-sauvignon (60 %) et le cabernet franc (10 %) dominent la dégustation de notes florales (violette) teintées de poivron. La puissance du corps est soulignée de tanins drus et épicés... C'est un vin de civet ou de lapin chasseur, note le jury qui pourtant ne connaissait pas le nom du vin... nom d'un jeune lièvre !
☛ Roger Ballarin, 33540 Sauveterre-de-Guyenne, tél. 05.56.71.53.65, fax 05.56.71.53.65 ☑ ☙ r.-v.

CH. SAINT-ANTOINE
Réserve du Château 1998★

■　　　　70 ha　490 000　　■ å 30 à 49 F

Propriétaires de La Couspaude à Saint-Emilion, les vignobles Aubert possèdent des vignes en Entre-deux-Mers. La Réserve du Château Saint-Antoine offre une place (35 %) au cabernet franc. Quelques notes animales animent les flaveurs de fruits mûrs ; le corps charnu révèle des tanins soyeux et une longueur séduisante. Le charme s'affirmera dans quelques mois pour qui saura attendre un peu. Egalement retenu, le **Château Haut-Mérigot 98** ne décevra pas. Il est charnu, élégant, et ses tanins frais s'apaiseront en même temps que ceux de son « frère » Château Saint-Antoine.
☛ Vignobles Aubert, Ch. La Couspaude, 33330 Saint-Emilion, tél. 05.57.40.15.76, fax 05.57.40.10.14 ☑ ☙ r.-v.

CH. SEGONZAC LA FORET 1998

■　　　　18 ha　76 000　　■ å 30 à 49 F

Un vignoble âgé de trente-cinq ans et un vin dans lequel le merlot (44 %) est en équilibre avec le cabernet-sauvignon (38 %), le cabernet franc complétant l'assemblage. D'où cette sensation de rondeur paisible aimablement parfumée et fruitée, éveillée d'une finale légèrement épicée. C'est un vin de viandes blanches, à consommer sans trop tarder. La marque **Baron de Luze** signe un **98 élevé en fût de chêne** pendant douze mois : le charme de son corps est certain ; les notes de framboise s'y mêlent à la vanille toastée et au sous-bois d'été. Rond, souple, friand, ce vin est fait pour accompagner les viandes blanches et les volailles froides.
☛ A. de Luze et Fils, Dom. du Ribet, 33450 Saint-Loubès, tél. 05.57.97.07.20, fax 05.57.97.07.27 ☙ r.-v.
☛ Jeanine Segonzac

CH. TIRE PE La Côte 1998★★

■　　　　1 ha　6 000　　⊪ 30 à 49 F

La cuvée La Côte est née sur des rochers noyés dans un sol argilo-calcaire. Le merlot (20 %) et le cabernet-sauvignon s'y marient en une chair soyeuse, finement parfumée de fruits très mûrs et de merrain élégant. Les tanins du raisin comme du fût sont bien présents mais déjà fondants, complexes, Un ensemble harmonieux, sûr de ses richesses qui saura développer encore quelques années. « Remarquable ; mériterait l'AOC bordeaux supérieur », note un juré. La **cuvée principale 98**, qui n'a pas connu le fût, se révèle imposante de complexité charnue, mûre et bien structurée. Elle est aussi bien notée que La Côte.
☛ David Barrault, Ch. Tire Pé, 33190 Gironde-sur-Dropt, tél. 05.56.71.10.09, fax 05.56.71.10.09, e-mail tirepe@aol.com ☑ ☙ r.-v.

CH. TOUR DE BIOT 1998★

■   12 ha   95 000   ▪ ⬥   20 à 29 F

Ce château a reçu un coup de cœur dans l'édition 2000 pour une cuvée Vieilles vignes 97 élevée en fût. La même distinction a été accordée à la cuvée principale 96 dans le Guide 1999. On la retrouve cette année dans le millésime 98. D'une très belle couleur pourpre soutenu, ce vin affiche un nez très intense de fruits mûrs. Rond dès l'attaque, il a du volume et une belle matière première.
☛Gilles Gremen, EARL La Tour Rouge, 33220 La Roquille, tél. 05.57.41.26.49, fax 05.57.41.29.84 ☑ ⵟ r.-v.

CH. TOUR DE MIRAMBEAU 1998★

■   n.c.   n.c.   ▪ ⬥   30 à 49 F

Né de 80 % de merlot et de 20 % de cabernet-sauvignon - encépagement classique à l'époque des plantations (il y a trente, trente-cinq ans) -, voici un vin concentré, aux flaveurs de fruits rouges et d'épices avec des notes animales. Les tanins marquent d'une empreinte encore bourrue, une chair de qualité. Ce millésime robuste se fera désirer ! Le goûter pour commencer sur des sauces et plats relevés.
☛SCEA Vignobles Despagne, 33420 Naujan-et-Postiac, tél. 05.57.84.55.08, fax 05.57.84.57.31, e-mail despagne@vignobles-despagne.com ☑ ⵟ r.-v.

CH. TURCAUD 1998

■   20 ha   146 000   ▪ ⬤⬤   30 à 49 F

Né sur les sols silico-graveleux de La Sauve, ce vin assemble les trois cépages bordelais. Le nez et la mise en bouche sont prometteurs ; les fruits nuancés d'épices relèvent une rondeur bien assise en début de dégustation. Puis les tanins s'affichent jusqu'à la finale. Il faudra mettre cette bouteille deux ans en cave afin que tout son potentiel puisse s'exprimer.
☛EARL Vignobles Robert, Ch. Turcaud, 33670 La Sauve, tél. 05.56.23.04.41, fax 05.56.23.35.85 ☑ ⵟ r.-v.

TUTIAC 1998★★

■   15 ha   100 000   ▪ 20 à 29 F

Cette cave coopérative située au nord de la citadelle de Blaye offre une large gamme de produits. La marque Tutiac est bâtie sur une sélection sévère. Comportant 80 % de merlot et 20 % de cabernet-sauvignon, elle est née d'une cuvaison courte pour maintenir la fraîcheur des fruits et éviter une trop forte structure. Voici un vin charnu, rond, vineux et sans faiblesses car les tanins savent être présents. Les flaveurs de confiture de fruits rouges, marquées d'une pointe de tabac, exhalent avec finesse leurs richesses naissantes ; un bordeaux à déguster dès maintenant en prenant soin d'en suivre l'évolution, car ce 98 méritera sans doute de vieillir.
☛Cave des Hauts de Gironde, La Cafourche, 33860 Marcillac, tél. 05.57.32.48.33, fax 05.57.32.49.63, e-mail contact@tutiac.com ☑ ⵟ r.-v.

CH. DE VAURE 1998★

■   21 ha   100 000   ▪ ⬥   20 à 29 F

Vinifié par les coopérateurs de Ruch, dont les chais donnent sur une jolie vallée, il embaume la violette, puis la cerise, la framboise et la fraise bien mûres avec une pointe de cuisson ; il s'épanouit en une chair toute ronde, un peu acidulée en finale. La même équipe a élaboré le **Château de Blaignac 98** qui obtient une citation. Il a un nez frais de cassis et de prairie, une bouche souple, de bon volume mais aux tanins rustiques, épicés. C'est un vin de charcuteries chaudes et de pique-nique.
☛Producteurs réunis Chais de Vaure, 33350 Ruch, tél. 05.57.40.54.09, fax 05.57.40.70.22 ☑ ⵟ t.l.j. sf dim. 8h30-12h30 14h-18h

CH. DE VERTHEUIL
Elevé en fût de chêne 1998★

■   2 ha   7 000   ⬤⬤   30 à 49 F

Sainte-Croix-du-Mont et Saint-Macaire, communes proches du château, sont à visiter. Le vin, construit sur 60 % de cabernets, a vieilli dix mois en barrique. Sa palette aromatique de fruits noirs mûrs y a gagné des notes finement boisées, vanillées, qui s'ouvrent à l'aération. Cette harmonie parfume un corps bien équilibré, aux tanins de velours persistant sans arrogance. Le **Château Grand Picque-Caillou 98** (cité) n'est pas élevé en barrique. Les petits fruits à pointe végétale, associés à un corps puissant, imposent un style enlevé qui aura ses partisans. A choisir plutôt pour des salaisons et des mets épicés (20 à 29 F).
☛SCEA des Vignobles Ricard, Ch. de Vertheuil, 33410 Sainte-Croix-du-Mont, tél. 05.56.62.02.70, fax 05.56.76.73.23 ☑ ⵟ r.-v.
☛Geneviève Ricard

DOM. DU VIEIL ORME 1998★

■   3 ha   16 000   ▪ ⬥   20 à 29 F

Les cabernets, largement dominants (80 % de sauvignon, 5 % de franc), contribuent à une élégance aromatique très fruitée - fraise, framboise. Le corps bien rond rehausse le charme de ce vin parfumé de quelques touches acidulées. « Pour le plaisir d'un bordeaux ! », conclut un juré. Même récompense que l'an dernier pour le 96 : une étoile.
☛Jean-Pierre et Michèle Peyrondet, 33760 Saint-Pierre-de-Bat, tél. 05.56.23.93.96, fax 05.57.34.40.17 ☑ ⵟ r.-v.

Bordeaux clairet

BENJAMIN DU PREVOST 1999★★

◢ 8 ha 60 000 ▮♨ 20 à 29 F

Ce Benjamin d'un château bien connu du Guide marie 40 % de cabernets (franc et sauvignon à parts égales) au merlot. Sa robe d'un joli rose mauve tirant sur le carmin annonce une fraîcheur que le nez confirme : il offre sans retenue fleurs (seringa, oranger) et fruits (pêche, framboise, groseille, fraise) que modulent quelques touches de bourgeon. Le corps évoque le raisin et sait être croquant, avant de s'arrondir en un volumineux bonbon que la finale prolonge en perlé frissonnant. Ce charmeur a frôlé le coup de cœur... mais un clairet doit-il proposer cette insolente fraîcheur ? La discussion est ouverte aux spécialistes : elle se poursuivra de toute façon dans le plaisir partagé !
☛ Elisabeth Garzaro, Ch. Le Prieur, 33750 Baron, tél. 05.56.30.16.16, fax 05.56.30.12.63, e-mail garzaro@vingarzaro.com ☖ r.-v.

CH. FAYAU 1999★★

◢ 5 ha 20 000 ▮♨ 20 à 29 F

Le château du duc d'Epernon impose la majesté de son architecture renaissance et classique au bourg de Cadillac. Ce clairet répond aux règles de l'art : à partir de merlot (60 %) et de cabernet-sauvignon, il fut élaboré pour partie par saignée et partie par pressurage direct des raisins. Sa fermentation malolactique fut interrompue pour garder une certaine fraîcheur au corps. Grand jeu parfaitement maîtrisé : il faut prendre le temps de humer les fleurs et les fruits à noyau de ses parfums et de sentir vivre sa chair, grasse et ferme. Sa finale émoustillée par un léger perlant n'est pas en reste. « Un vin éclatant et séduisant », conclut un juré.
☛ SCEA Jean Médeville et Fils, Ch. Fayau, 33410 Cadillac, tél. 05.57.98.08.08, fax 05.56.62.18.22 ☑ ☖ t.l.j. sf sam. dim. 8h30-12h 14h-18h

CH. HAUT MAURIN 1999★★

◢ 2 ha 15 000 ▮♨ 20 à 29 F

Il est né dans un chai proche du château de Benauge, citadelle féodale dominant le paysage, et à quelques kilomètres de Cadillac, cité du duc d'Epernon, favori de Henri III, qui y bâtit un imposant château. Merlot et cabernet-sauvignon se partagent ce vin très fruité, complexe, d'une harmonie savoureuse marquée de touches animales ; sa structure comme la robe rubis pâle le rapproche des rosés. Un clairet de style frais et léger qui trouvera sa place sur des viandes blanches froides ou une paëlla.
☛ Jean-Louis Sanfourche, Grand Village Nord, 33410 Donzac, tél. 05.56.62.97.43, fax 05.56.62.16.87 ☑ ☖ r.-v.

CH. HAUT-MONGEAT 1999★

◢ 2 ha 8 000 ▮♨ 20 à 29 F

Producteur indépendant dès 1988, Bernard Bouchon travaille avec sa fille depuis 1996 ; conseillés par Gilles Pauquet, ils ont réussi un fort joli clairet. La robe brille comme un rubis, animée de reflets ambrés. Le nez de ce pur merlot évoque les fruits à noyau. La chair ronde, souple, fraîche, et la finale bien enveloppée, en font un vin de barbecue et de cuisine exotique.
☛ Bernard Bouchon, Le Mongeat, 33420 Génissac, tél. 05.57.24.47.55, fax 05.57.24.41.21, e-mail mongeat@aol.com ☑ ☖ r.-v.

CH. DE HAUX 1999★

◢ 2 ha 15 000 ▮♨ 30 à 49 F

Voici un clairet qui confirme le savoir-faire du vigneron et de son équipe œnologique : cabernets (70 %) et merlot forment un ensemble allègre, intensément floral, au corps bien rond, gras, à la persistance fruitée (litchi). Un joli vin qui accompagnera saumon fumé et grillades sur sarment.
☛ Peter et Plenning Jorgensen, SCA Ch. de Haux, 33550 Haux, tél. 05.57.34.51.12, fax 05.57.34.51.15 ☑ ☖ r.-v.

CH. LA BRETONNIERE 1999

◢ 2 ha 15 000 ▮♨ 20 à 29 F

Le château se trouve au nord-est de la belle citadelle de Blaye. Le merlot se présente seul ici. Il embaume la framboise, la prunelle, et sa chair très ronde s'alourdit de notes plus complexes de confit avec un soupçon de réglisse.
☛ Stéphane Heurlier, EARL La Bretonnière, 33390 Mazion, tél. 05.57.64.59.23, fax 05.57.64.59.23 ☑ ☖ t.l.j. sf dim. 9h-12h30 14h-19h

CH. LA SALARGUE 1999★★

◢ 2,8 ha 24 000 ▮♨ 20 à 29 F

La Dordogne sépare cette région du Saint-Emilionnais, et l'encépagement y fait appel au merlot essentiellement, suivi du cabernet franc. Ces deux cépages (71 % et 14 %) sont la chair de ce vin remarquable qui a flirté avec un coup de cœur. La robe est d'un rubis franc typé clairet. Le nez intense présente des notes de fleurs (rose, seringa) et de fruits à noyau (pêche, cerise) avec une élégance qui imprègne aussi la chair souple et ronde mais ferme. La finale y ajoute des plaisirs de fruits confits... Croquant, craquant.
☛ SCEA Vignoble Bruno Le Roy, La Salargue, 33420 Moulon, tél. 05.57.24.48.44, fax 05.57.24.49.93, e-mail vignoble-bruno-le-roy@wanadoo.fr ☑ ☖ r.-v.

CH. LESTRILLE CAPMARTIN
Cuvée Tradition 1999★

◢ 0,75 ha 6 000 ▮♨ 30 à 49 F

Dans la gamme des vins présentés par ce propriétaire bien connu du Guide, ce clairet est un plaisant compagnon d'entrées et d'entremets ; ce 99 bien construit, d'une rondeur grasse proche d'un rouge léger, présente une richesse aromatique fraîche, riche de fruits mûrs. Un clairet qui répond à sa définition ! Une référence.
☛ Jean-Louis Roumage, Lestrille, 33750 Saint-Germain-du-Puch, tél. 05.57.24.51.02, fax 05.57.24.04.58 ☑ ☖ r.-v.

CH. DE LISENNES 1999★

◩ 10 ha 80 000 🛢 👌 20 à 29 F

Le château est situé à quelques kilomètres de Bordeaux et gouverne un domaine de 50 ha. Le clairet est ici de tradition : les propriétaires successifs en exportent vers l'Angleterre depuis le XVIIIᵉˢ. Les deux cabernets (30 % de sauvignon, 20 % de franc) équilibrent le merlot. Les reflets de la robe framboise et la qualité des flaveurs incitent à la dégustation. Si l'attaque est discrète, la chair grasse et la finale aromatique signent tout simplement un vrai « vin plaisir. »
☛ Jean-Pierre Soubie, Ch. de Lisennes, 33370 Tresses, tél. 05.57.34.13.03, fax 05.57.34.05.36 ☑ ⍑ r.-v.

CH. DE MONS 1999

◩ 2 ha 16 000 🛢 👌 30 à 49 F

Daniel Mouty possède plusieurs propriétés et a de nombreuses raisons d'être mentionné dans ce guide. Ce clairet est né sur des graves du Saint-Emilionnais, de cabernet franc (70 %) et de sauvignon (30 %). Les deux cépages se retrouvent en notes de petits fruits dans des flaveurs un peu discrètes mais fines. Le corps frais, élégant, et la finale plus nerveuse réclament une certaine attention pour révéler leurs richesses délicates. Un vin d'entrée.
☛ SCEA Daniel Mouty, Ch. du Barry, B.P. 5, 33350 Sainte-Terre, tél. 05.57.84.55.88, fax 05.57.74.92.99, e-mail daniel-mouty@wanadoo.fr ☑ ⍑ r.-v.

CH. PENIN 1999★★

◩ 4,7 ha 40 000 🛢 👌 30 à 49 F

Ce château est l'un des domaines les plus réguliers qui soient. Au fil des ans, des millésimes... et des éditions du Guide, il glane une floraison d'étoiles. Merlot de graves épicé de cabernet-sauvignon (10 %), ce clairet a séjourné trois mois sur ses lies de fermentation. Ses flaveurs élégantes et très persistantes évoquent le bourgeon de cassis et la rose. Le corps reste souple et frais malgré une certaine puissance ; l'harmonie d'ensemble, fondue sans mollesse, fruitée, sait se prolonger. Un vin pour charcuterie et salades composées.
☛ SCEA Patrick Carteyron, Ch. Penin, 33420 Génissac, tél. 05.57.24.46.98, fax 05.57.24.41.99 ☑ ⍑ r.-v.

LES VIGNERONS DE SAINT-MARTIN 1999★

◩ 1,27 ha 10 800 🛢 👌 20 à 29 F

Elaboré par les coopérateurs de Génissac, voici un pur merlot qui affiche son cépage : jolie robe rubis franc, nez de fruits avec des touches plus complexes de noyau et de réglisse, attaque moelleuse d'un corps rond, souple, développant en finale une fraîcheur parfumée relevée d'une pointe amère : pour les salades composées et certains fromages frais...
☛ Cave coop. vinicole de Génissac, 54, le Bourg, 33420 Génissac, tél. 05.57.55.55.65, fax 05.57.24.40.87 ☑ ⍑ t.l.j. sf dim. 8h-12h 14h-18h; sam. 9h-12h

CH. THIEULEY 1999★

◩ 13 ha 120 000 🛢 👌 30 à 49 F

L'abbaye de La Sauve-Majeure est proche de cette propriété, réputée elle aussi. Le cabernet franc (50 %) domine ce vin rouge grenadine. Si le nez est un peu discret, les arômes se révèlent en bouche : bourgeon de cassis et noyau sont portés par une attaque fraîche, et la rondeur marque la chair et la finale. Un classique qui accompagnera des plats exotiques ou des volailles froides.
☛ Sté des Vignobles Francis Courselle, Ch. Thieuley, 33670 La Sauve, tél. 05.56.23.00.01, fax 05.56.23.34.37 ☑ ⍑ r.-v.

Bordeaux sec

BARON DE GRAVELINES
Vieilli en fût de chêne 1999★

☐ n.c. n.c. ❿ - de 20 F

Vin de marque, ce Baron est le résultat d'un beau travail de négociant : robe pâle jaune-vert brillant, nez intense, fin et délicat, où les fruits (litchi et agrumes) sont accompagnés de notes boisées discrètes et élégantes. La bouche est ronde et souple ; la finale, enlevée, évolue sur fond de chêne, de caramel et de miel... On prendra le temps d'apprécier cette bouteille sur des entrées et des poissons au four ou au gril.
☛ SA Yvon Mau, B.P. 1, 33193 Gironde-sur-Dropt Cedex, tél. 05.56.61.54.54, fax 05.56.61.54.61 ⍑ r.-v.

CH. BAUDUC 1999

☐ 6,88 ha 53 000 🛢 👌 30 à 49 F

La transparence brillante de la robe est à peine teintée de jaune. 63 % de sauvignon et 37 % de sémillon apportent à ce vin une joyeuse complexité aromatique où se mêlent pêche, fraise et mangue. La chair offre une élégance délicate, ronde, plus vive à l'attaque et en finale. Une belle composition apéritive.
☛ SCEA Vignobles Quinney, Ch. Bauduc, 33670 Créon, tél. 05.56.23.23.58, fax 05.56.23.06.05 ☑ ⍑ r.-v.

CAVE BEL-AIR 1999★

☐ n.c. 30 000 🛢 👌 20 à 29 F

Ce pur sauvignon a été vinifié par le négociant Sichel. Sélection des raisins, macération pelliculaire partielle et mesurée dans le temps, séjour sur lies de trois mois, tout était voulu pour élaborer un joli vin. Objectif atteint : les parfums du cépage bien extraits accompagnent gaiement toute la dégustation ; la chair ronde et pleine prend ses aises en bouche, la finale est une invite...
☛ Maison Sichel-Coste, 8, rue de la Poste, 33210 Langon, tél. 05.56.63.50.52, fax 05.56.63.42.28

CH. BELLE-GARDE 1999★★

☐ 4 ha 30 000 ▮⚬ 20à29F

La macération pelliculaire fut sélective et partielle, et la maintenance sur lies dura trois mois : bien joué ! Ce mariage sauvignon (60 %) et sémillon (40 %) est un enchantement aromatique : complexe et délicat, il mêle aux classiques parfums des cépages des notes élaborées de noix de coco et de brioche avec des nuances fumées et toastées. Une touche minérale avive le corps riche de flaveurs, plein, et enlève la finale. A inviter sur un bar grillé ou sur une alose !
☛ Eric Duffau, Ch. Belle-Garde, Monplaisir, 33420 Génissac, tél. 05.57.24.49.12, fax 05.57.24.41.28 ☑ ⵏ t.l.j. sf dim. 8h-12h 14h-19h; f. 15-31 août

CH. BOIS-MALOT Tradition 1999★

☐ 0,5 ha 4 000 ⫼ 30à49F

Cet ensemble de sémillon (50 %) et de sauvignon (40 %) comprend, de plus, 10 % de sauvignon gris, mutant reconnu pour sa richesse aromatique et sa bonne maturité. Il est ici marié au bois. Après un séjour de six mois en fût apparaît un perlant léger qui révèle une harmonie soyeuse, ronde et grasse, voire puissante (trop ?). Les flaveurs s'épanouissent, évoluant de la fleur blanche (acacia) au bonbon anglais, miellées et boisées, relevées de pointes de clou de girofle... ce 99 « donne envie de passer à table », se réjouit un juré !
☛ F. Meynard et Fils, 133, rte des Valentons, 33450 Saint-Loubès, tél. 05.56.38.94.18, fax 05.56.38.92.47 ☑ ⵏ t.l.j. sf sam. dim. 8h-12h 14h-18h30

CH. DE BONHOSTE 1999★

☐ 8 ha 20 000 ▮⚬ 30à49F

C'est à un dialogue entre sauvignon (40 %), sémillon (50 %) et muscadelle (10 %) qu'il invite ce château. Un filet de bulles microscopiques anime, au service, la robe pâle à reflets dorés et verts de ce vin parfumé où acacia, agrumes, pomme, ananas dansent en flaveurs abondantes sur une chair pimpante. Frais, flatteur, élégant, ce compagnon des poissons, fruits de mer et fromages n'attend que vous. Ce château nous a habitués à de bien jolis vins !
☛ SCEA des Vignobles Fournier, Ch. de Bonhoste, 33420 Saint-Jean-de-Blaignac, tél. 05.57.84.12.18, fax 05.57.84.15.36 ☑ ⵏ r.-v.
☛ Bernard Fournier

CH. BOURDICOTTE
Haut de gamme 1999★

☐ 5,04 ha 40 000 ⫼ 20à29F

Cazaugitat signifie en gascon « jardin jeté », à cause des crocus, narcisses et autres plantes à bulbe qui y fleurissent naturellement dans les vignes au début du printemps... Une réalité que les propriétaires de la région se plaisent à entretenir... Les moûts de ce vin issu de sémillon et de sauvignon ont macéré dix-huit heures avec les peaux des raisins, puis ont été décantés après sept jours de stabulation à froid, avant de fermenter en barrique neuve et d'y rester six mois sur lies... Ces techniques sophistiquées réclament des moyens techniques modernes et des savoir-faire traditionnels parfaitement maîtrisés. Les flaveurs

sont ici très délicates mais timides. Un perlant léger les porte sur une chair fine et fraîche, équilibrée. Le plaisir est bien là.
☛ SCEA Rolet Jarbin, Dom. de Bourdicotte, 33790 Cazaugitat, tél. 05.56.61.32.55, fax 05.56.61.38.26

CH. DE BRANDEY
Vieilli en fût de chêne 1999

☐ 1 ha 4 200 ⫼ 30à49F

Il s'agit d'une sélection de sauvignon fermenté et élevé en fût neuf. Quelques touches de menthe animent un nez fondu où défilent des notes de miel, d'agrumes, de fumé, de cire. Le contraste apparaît dans une bouche florale, vive, où chantent litchi et pamplemousse sur un perlant insistant. Ce vin de coquillages devrait pouvoir patienter plusieurs mois en gardant sa fraîcheur.
☛ GAEC Vignobles Chevillard, Ch. de Brandey, 33350 Ruch, tél. 05.57.40.54.18, fax 05.57.40.54.18 ☑ ⵏ r.-v.

CH. CARSIN 1998★

☐ 15 ha 54 000 ▮⚬ 30à49F

Un Finlandais amoureux de la Garonne acheta en 1990 quelques arpents près de la petite cité médiévale de Rions, pour y habiter une maison de campagne... Et l'amour des bordeaux porta la propriété à 56 ha de vignoble... Sémillon (70 %) et sauvignon (30 %) ont séjourné dix mois sur lies. La complexité aromatique se révèle dans un bouquet mariant aux fruits et au miel d'acacia des notes de muscat et de brioche. L'harmonie du corps et l'ampleur de la finale suggèrent une dégustation sur des fromages... La Gabarre 99 (citée) est née pour une part (15 %) en barrique. Ce bordeaux sec a été élevé sur lies. La diversité de ses flaveurs a séduit : de la pierre à fusil aux raisins mûrs confits en passant par l'écorce d'orange amère et le citron. La chair est ronde et fraîche. Un vin de contrastes pour fruits de mer.
☛ Berglund, GFA Ch. Carsin, 33410 Rions, tél. 05.56.76.93.06, fax 05.56.62.64.80 ☑ ⵏ r.-v.

CORDIER
Collection privée Désiré Cordier 1999★

☐ n.c. n.c. ▮ 20à29F

Le célèbre négociant Cordier a été retenu pour deux marques élaborées à partir du seul sauvignon. Les parfums intenses et distingués de la Collection privée signent un vin très largement distribué : pêche, abricot, mandarine dansent en une heureuse complexité, et le corps s'offre avec une élégance riche, équilibrée, de bonne persistance. Un juré lui propose d'accompagner un brochet... Labottière 99 (cité) vient du nom d'un hôtel particulier classé de Bordeaux, datant du XVIIIᵉˢ. Le vin est délicat, svelte et long ; il sera l'aimable compagnon de coquillages ou d'entrées froides.
☛ Ets D. Cordier, 53, rue du Dehez, 33290 Blanquefort, tél. 05.56.95.53.00, fax 05.56.95.53.01

CH. DE CUGAT
Cuvée Fleur Elevé en barrique de chêne 1998

☐ 2,4 ha 5 000 ⫼ 30à49F

A côté de fort jolis vins rouges, cette propriété proche de l'abbaye de Blasimon et d'un moulin à eau fortifié propose un vin blanc vinifié et élevé en fût : le sauvignon domine à 70 % en touches florales et minérales, et le bois s'expose en notes toastées, grillées, vanillées, qui alourdissent aujourd'hui un peu le corps, mais qui chanteront sur des viandes blanches.

☛ Benoît Meyer, Ch. de Cugat, 33540 Blasimon, tél. 05.56.71.52.08, fax 05.56.71.60.29 ▨ ⊼ r.-v.

CHARLES DELATOUR
Cuvée Callypso 1999★

☐	n.c.	n.c.	▤ ↧	50 à 69 F

La société de négoce Charles Delatour est associée au château Citran (Haut-Médoc). Cet ensemble des trois cépages (il ne comporte que 5 % de muscadelle) réclame un peu d'attention pour être bien dégusté ; il révèle alors une belle harmonie de fleurs blanches agrémentée de notes de pain frais et de brioche. Il offre délicatement un corps bien fait, équilibré, de bonne persistance. Une recherche accomplie de distinction.

☛ Charles Delatour, Ch. Citran, 33480 Avensan, tél. 05.56.58.21.01 ▨

CH. DOISY-DAENE 1998★

☐	7 ha	26 000	⬗	70 à 99 F

Le blanc sec du cru classé de Sauternes. Bien sûr, cette région est mondialement connue pour ses grands liquoreux, mais ce pur sauvignon est une réussite qui a charmé ses dégustateurs : fermenté et élevé sur lies pendant dix mois, il a enrichi les flaveurs caractéristiques du cépage (citronnelle, pamplemousse, genêt) de nuances boisées et vanillées bien maîtrisées, qui soulignent l'élégance du corps séveux, équilibré et frais. On pourra prendre le temps d'en suivre l'évolution sur plusieurs mois.

☛ EARL Vignobles Pierre et Denis Dubourdieu, Ch. Doisy-Daène, quartier Gravas, 33720 Barsac, tél. 05.56.27.15.84, fax 05.56.27.18.99 ▨ ⊼ t.l.j. sf sam. dim. 9h-12h30 13h30-18h

CH. FONREAUD Le Cygne 1999

☐	1,9 ha	12 000	⬗	50 à 69 F

Listrac est surtout réputé pour son AOC rouge médocaine, mais on y a toujours maintenu un peu de vignes blanches. Ce vignoble a été reconstitué en 1988-1989, autour des cépages classiques : sauvignon (60 %), sémillon (20 %) et muscadelle (20 %). Cette composition a séjourné sur ses lies, dans les fûts où elle avait fermenté. L'harmonie aromatique (citron, vanille, pain d'épice et kouglof) accompagne gaiement un corps rond, gras, joliment enlevé, en attaque comme en finale, par une touche de vivacité : un vin d'entrées, de poissons et de plateau de coquillages.

☛ Ch. Fonréaud, 33480 Listrac-Médoc, tél. 05.56.58.02.43, fax 05.56.58.04.33 ▨ ⊼ t.l.j. sf sam. dim. 9h-12h 14h-17h
☛ Héritiers Chanfreau

CH. FRANC-PERAT 1998★

☐	6 ha	30 000	▤ ↧	50 à 69 F

C'est un vin d'une grande fraîcheur, mariant sémillon (70 %) et sauvignon (30 %) en une harmonie aromatique d'une grande finesse (fleurs

blanches et agrumes verts). Svelte mais très élégant, long, joyeusement parfumé de pamplemousse, il accompagnera les fruits de mer s'il n'a pas été servi en apéritif.

☛ SCEA de Mont-Pérat, 33550 Capian, tél. 05.57.84.55.08, fax 05.57.84.57.31, e-mail despagne@vignobles-despagne.com ⊼ r.-v.
☛ J.-L. Despagne

GINESTET
Vinifié et élevé en fût de chêne 1999★

☐	n.c.	95 000	⬗	20 à 29 F

Le bordeaux sec de Ginestet embaumait la fleur d'oranger, l'ananas, le boisé, avec du caramel doux et soyeux lors de la dégustation du 21 avril 2000. Sa bouche grasse, onctueuse, avivée en finale d'une fraîcheur entretenue par un léger perlant, esquissait un joli vin...

☛ SA Maison Ginestet, 19, av. de Fontenille, 33360 Carignan-de-Bordeaux, tél. 05.56.68.81.82, fax 05.56.20.96.99, e-mail contact@ginestet.fr ⊼ r.-v.

CH. GREYSAC 1999

☐	n.c.	11 000	⬗	30 à 49 F

Il y a une dizaine d'années, des Médocains ont planté, parmi les dernières croupes de graves argilo-calcaires de la Gironde, avant l'Océan, du sauvignon et de la muscadelle... Peut-être pour rappeler que, cinquante ans plus tôt, le blanc faisait encore partie de l'encépagement classique de cette région ? Après avoir fermenté en barrique, ce vin y a été élevé sur ses lies. Ainsi le rappellent son attaque ronde, son corps gras et fondant, sa finale bien longue, le tout enchanté par une palette aromatique harmonieuse : acacia, fleurs blanches, citron et vanille sur merrain sagement grillé. Un vin de viandes blanches et de fromages.

☛ SA Domaines Codem, Ch. Greysac, 33340 Bégadan, tél. 05.56.73.26.56, fax 05.56.73.26.58 ▨ ⊼ r.-v.

CH. GUILLAUME BLANC
Vinifié et élevé en fût de chêne 1999

☐	2,31 ha	9 000	⬗	30 à 49 F

Le créateur du nom de cette propriété était, au XIIIe s., jurat de la bastide de Sainte-Foy-la-Grande, à quelques kilomètres de là. Ce vin de graves assemble sémillon à 66 % et sauvignon à 34 %. Il a fermenté et séjourné en fût. La robe jaune doré annonce la maturité qu'affichent les arômes : les notes florales du sauvignon se glissent dans un soyeux intense de miel, de vanille... « Presque un nez de liquoreux », note un dégustateur. Le corps est bien fait, rond, frais, appétissant. A goûter sur un camembert mi-fait.

☛ SCEA Ch. Guillaume, lieu-dit Guillaume-Blanc, 33220 Saint-Philippe-du-Seignal, tél. 05.57.41.91.50, fax 05.57.46.42.76 ▨ ⊼ r.-v.

CH. HAUT-CHARDON 1999

☐	3 ha	15 000		20 à 29 F

Les vignobles Louis Marinier sont souvent cités en AOC rouges dans le Guide ! Les voici en blanc : la muscadelle (40 %, avec 40 % de sauvignon et 20 % de sémillon) participe beaucoup à la grande finesse aromatique de ce vin au corps d'apparence un peu fragile, mais intéressant par sa suavité.

☛ Vignobles Louis Marinier,
Dom. Florimond-La Brède, 33390 Berson,
tél. 05.57.64.39.07, fax 05.57.64.23.27 ☑ ☂ t.l.j.
8h-12h 14h-18h; sam. dim. sur r.-v.; f. août

CH. HAUT-GUILLEBOT 1999

| | n.c. | n.c. | 🍴 🍷 | 20 à 29 F |

Cette exploitation se transmet de mère en fille depuis sept générations. Connue et distribuée sur trois continents, elle propose de jolis vins, tel ce bordeaux sec dont l'harmonie aromatique est bâtie sur le sauvignon (60 % du vin). Les flaveurs et la structure de la bouche révèlent l'élevage sur lies fines : la chair est grasse, nuancée de fruits confits et de brioche, avivée en finale. Un partenaire de crustacés, après l'apéritif.

☛ Evelyne Rénier, Lugaignac, 33420 Branne,
tél. 05.57.84.53.92, fax 05.57.84.62.73 ☑ r.-v.

CH. HAUT RIAN Cuvée Excellence 1998

| | 2 ha | 12 000 | 📖 | 30 à 49 F |

Ce vaste vignoble, constitué peu à peu par son actuel propriétaire, est proche de Rions, cité qui a su garder ses portes et ses remparts de bastide. Le pur sémillon proposé ici est une sélection vinifiée et élevée sur lies fines pendant neuf mois en barrique neuve. Les parfums délicats marient vanille et noix de coco aux agrumes. Le temps permettra au bois de se fondre dans la vivacité d'un corps frais, friand, floral et miellé. Voilà donc un vin que l'on dégustera sans hâte sur des viandes blanches et des poissons en sauce.

☛ Michel Dietrich, La Bastide, 33410 Rions,
tél. 05.56.76.95.01, fax 05.56.76.93.51 ☑ ☂ t.l.j.
sf dim. 9h-12h 14h-18h

CH. LA CHEZE
Elevé en fût de chêne 1998★

| | 0,6 ha | 3 000 | 📖 | 30 à 49 F |

Né sur un beau terroir argilo-graveleux, voici un pur sauvignon vinifié en barrique neuve et élevé dix mois sur ses lies. L'intensité aromatique se double d'une remarquable complexité. On décèle des nuances de fleurs d'oranger et de citronnier, de fruits (pamplemousse, écorce d'agrumes) et de joli boisé (vanille, noix de coco). Elle accompagne un corps frais, séveux, friand et long : une bouteille d'un charme exquis, à déguster sans hâte, sur des viandes blanches ou du fromage, ou pour elle-même.

☛ SCEA Ch. La Chèze, 33550 Capian,
tél. 05.56.72.11.77, fax 05.56.25.96.82 ☑ r.-v.
☛ Rontein et Priou

DOM. DE LA CROIX 1999

| | 5 ha | 6 000 | 🍴 🍷 | - de 20 F |

L'amateur trouvera cette propriété à Gabarnac, à quelques kilomètres du château d'Epernon à Cadillac, le temps d'une promenade. Voici un bon classique apprécié et décrit comme tel par les dégustateurs, et... voulu ainsi par son élaborateur ! On y goûtera une chair volumineuse, équilibrée, entourée de parfums de fleurs blanches et d'agrumes.

☛ Jean-Yves Arnaud, La Croix,
33410 Gabarnac, tél. 05.56.20.23.52,
fax 05.56.20.23.52 ☑ r.-v.

CH. LA FREYNELLE 1999★

| | 6 ha | 50 000 | 🍴 🍷 | 30 à 49 F |

Les vignobles Barthe présentent deux vins qui intéresseront les amateurs par leurs différences, dues aux proportions relatives des cépages qui les composent. Ce vin, La Freynelle 99, marie 40 % de muscadelle à 30 % de sémillon et à 30 % de sauvignon. Il a été élevé sur lies. Ses parfums intenses évoquent l'orange, le tilleul, le kouglof. Le corps est harmonieux, gras, et les arômes tournent autour des fruits secs, de la figue, de l'abricot, de la réglisse et du miel. La finale, à la fois enlevée et soyeuse, signe un vin de bonne tenue, à déguster sur des viandes blanches ou du poisson au four. Le sauvignon (40 %, pour 30 % de sémillon et 30 % de muscadelle) marque le **Château Moulin de Poncet 99** : l'intensité florale - genêt, seringa -, la chair ronde et fraîche, et la finale nerveuse, citronnée, caractérisent un vin typé, convenant aux huîtres, aux coquillages et au poisson froid.

☛ Vignobles Ph. Barthe, Peyrefus,
33420 Daignac, tél. 05.57.84.55.90,
fax 05.57.74.96.57, e-mail vbarthe@club-internet.fr ☑ ☂ r.-v.

DOM. DE LA GRAVE
Cuvée Tradition 1999★

| | 0,5 ha | 4 000 | 🍴 🍷 | 20 à 29 F |

La maison de maître est une chartreuse du XVIIIᵉs., sise à environ 500 m de la Maison des bordeaux et bordeaux supérieurs. Le vignoble appartient à la famille Roche depuis cinq générations. La cuvée Tradition, bâtie sur 80 % de sémillon et 20 % de sauvignon, a été élevée sur ses lies en cuve. Le nez intense, fin, souligné de genêt et de citronnelle, laisse place en bouche au litchi et aux agrumes qui parfument et prolongent un corps charnu, gras, et une finale vive de bonne persistance : un classique. La **cuvée Prestige 99** (30 à 49 F) est une sélection de vignes de quarante-cinq ans, comportant 70 % de sémillon, et élevée en totalité en barrique neuve pendant huit mois. Ses parfums élégants évoquent l'abricot, la cire d'abeille, le boisé de qualité. La bouche ample est enrichie de notes discrètes de torréfaction. Un vin de poisson au four ou de cuisse de volaille en papillote. Une étoile.

☛ SCEA Roche, Perriche, 33750 Beychac-et-Caillau, tél. 05.56.72.41.28, fax 05.56.72.41.28 ☑ ☂ t.l.j. 8h-19h

CH. LA MOTHE DU BARRY 1999

| | 1 ha | 6 000 | 🍴 🍷 | 20 à 29 F |

À côté de fort jolis bordeaux rouges, Joël Duffau présente ici un ensemble de sauvignon (70 %) et de sémillon (30 %) très marqué par les fleurs blanches et les fruits (mandarine) et souligné de buis discret. La vivacité de la finale citrique contraste avec la souplesse parfumée du corps : c'est le vin idéal des plateaux de fruits de mer.

☛ Joël Duffau, Les Arromans n°2,
33420 Moulon, tél. 05.57.74.93.98,
fax 05.57.84.66.10 ☑ ☂ t.l.j. sf dim. 8h-12h
14h-19h

CH. LANGEL MAURIAC
Elevé en fût de chêne 1999

| | 5 ha | 32 000 | **◫** - de 20 F |

Le **bordeaux sec 99** de Producta destiné à Carrefour est un assemblage de sémillon (50 %), de sauvignon (40 %) et de muscadelle (10 %) : chaque cépage y apporte une personnalité que les dégustateurs ont détaillée. Ils ont approuvé la rondeur un peu lourde de la chair parfumée de zeste d'orange et de mandarine, et l'ampleur d'une finale harmonieuse : un vin destiné aux entrées et au poisson froid. Le Château Langel Mauriac a été vinifié et élevé en fût par un des sociétaires : le sauvignon y compte pour 40 % et la muscadelle pour 10 %. La discrétion du nez est compensée par la finesse et l'élégance de ses parfums de fleurs blanches et de fruits confits. Un léger frémissement gazeux souligne la fraîcheur du corps, contrastant avec le boisé qui prolonge sans arrogance la finale. A goûter en apéritif ou au début du repas.
↳ Producta SA, 21, cours Xavier-Arnozan, 33082 Bordeaux Cedex, tél. 05.57.81.18.18, fax 05.56.81.22.12, e-mail producta@producta.com ⅄ r.-v.

DOM. DE LAUBERTRIE 1999

| | n.c. | 6 000 | **▮♨** 20 à 29 F |

Ce domaine de 14 ha appartient à la famille Pontallier depuis le XVIᵉˢ. Rare continuité. Né sur argilo-calcaire, ce vin assemble 60 % de sauvignon, 30 % de muscadelle et 10 % de sémillon. Clair et limpide avec un beau reflet vert, il est tout en finesse. Equilibré, frais et fruité, il laisse une bouche citronnée. Les fruits de mer lui conviendront.
↳ Bernard Pontallier, Laubertrie, 33240 Salignac, tél. 05.57.43.24.73, fax 05.57.43.24.73 ☑ ⅄ r.-v.

CH. LE BOUSCAT 1999★

| | n.c. | n.c. | **▮** 20 à 29 F |

Présenté par la puissante Union de producteurs de Rauzan, voici un vin charmeur, parfumé de bonbon anglais et de citronnelle, au corps frais perlé de petites bulles florales, à la finale ourlée d'écorce d'orange amère. Il saura accompagner un plateau de fruits de mer et la friture de rivière.
↳ Union de producteurs de Rauzan, 33420 Rauzan, tél. 05.57.84.13.22, fax 05.57.84.12.67 ⅄ r.-v.

CH. LES FAURES 1999

| | 6 ha | 3 500 | **▮♨** 20 à 29 F |

La macération pelliculaire à froid qui a précédé la fermentation est sans doute responsable de la pointe d'amertume de la finale, qui a partagé les dégustateurs. Mais tous ont reconnu et apprécié la belle typicité de ce trio de cépages où le sauvignon (60 %) chante au nez (pêche et pamplemousse) ; le sémillon (25 %) apporte la souplesse alors que la muscadelle (15 %) joue en finesse du contre-chant aromatique des flaveurs (abricot-miel) de la chair et de la finale. Un classique pour le millésime.
↳ Jacky Certain, 9, Les Faures-Est, 33190 Camiran, tél. 05.56.71.41.86, fax 05.56.71.32.76 ☑ ⅄ r.-v.

CH. LES VIEILLES TUILERIES 1999★

| | n.c. | n.c. | **▮♨** 20 à 29 F |

Ce château est proche de celui du Haut-Benauge, aux remparts visibles de loin. Le sauvignon pur exprime ici une maturité raffinée : parfums délicats de pêche, d'abricot ; corps tendre, frais ; perlant aguicheur ; retour aromatique complexe et persistant. Un vrai bonheur que ce vin maîtrisé de la vigne à la bouteille ! A partager sur un plateau de fruits de mer.
↳ SCEA des Vignobles Menguin, 194, Gouas, 33760 Arbis, tél. 05.56.23.61.70, fax 05.56.23.49.79 ☑ ⅄ r.-v.

CH. DE L'ORANGERIE 1999★

| | 16 ha | 106 000 | **▮♨** 20 à 29 F |

Le vignoble fut créé en 1789. Issu du seul sauvignon, ce vin a été obtenu selon les règles modernes de l'art, dont l'élevage sur lies qui donne au nez une complexité fumée et toastée, et au corps son ampleur grasse et fondue. La persistance séduisante est à peine soulignée de notes minérales aguicheuses. Une réussite parmi les bordeaux monocépages.
↳ Jean-Christophe Icard, Ch. de l'Orangerie, 33540 Saint-Félix-de-Foncaude, tél. 05.56.71.53.67, fax 05.56.71.59.11, e-mail orangerie@quaternet.fr ☑ ⅄ r.-v.

CH. DE LOS 1999

| | 2,5 ha | 15 000 | **▮** 20 à 29 F |

Un moulin à eau se trouve à la limite de cette très vieille propriété familiale, dont le vignoble a été créé en 1713. Ce vin blanc ? Il est vif, long, acidulé en finale. Du service à la dernière goutte, il embaume la fleur de seringa, d'acacia, le bourgeon de cassis, et mêle en bouche pêche, mandarine et miel. C'est un bordeaux de plaisir, né de sémillon (60 %), de muscadelle (30 %) et de sauvignon (10 %), qui a su profiter de ses lies ; il aurait mérité une étoile s'il avait été légèrement moins pointu. Il conviendra ainsi aux crustacés, à la charcuterie et aux salades composées.
↳ SCEA Vignobles Signé, 505, Petit Moulin Sud, 33760 Arbis, tél. 05.56.23.93.22, fax 05.56.23.45.75, e-mail signevignobles@wanadoo.fr ☑ ⅄ r.-v.

CH. MALAGAR 1999★

| | 7,5 ha | 49 000 | **◫** 30 à 49 F |

On ne peut citer Malagar sans évoquer François Mauriac, prix Nobel de littérature... La maison de l'écrivain est devenue un musée du Conseil régional d'Aquitaine, et les Domaines Cordier exploitent le vignoble depuis 1989. Ce vin est né sur des terres sablo-graveleuses plantées de sémillon (60 %) et de sauvignon (40 %). Il a fermenté en barriques, dont 50 % neuves, et y a séjourné sur lies pendant quatre mois. Le boisé, fin, bien maîtrisé, souligne la rondeur d'un corps parfumé d'agrumes et d'ananas, rafraîchi par un frémissement gazeux. Cette harmonie peut prendre le temps de s'épanouir encore. Le **Château Tanesse 99**, issu d'un tertre des coteaux de Langoiran, obtient une citation. Jaune doré pâle, il a séjourné trois mois en barrique. Le sauvignon (60 %) domine le nez, mais son ardeur est tempérée en bouche par le sémillon (40 %) et par le boisé, qui se manifeste surtout en finale. Un agréable classique.

☛ Domaines Cordier, 160, cours du Médoc, 33300 Bordeaux, tél. 05.57.19.57.77, fax 05.57.19.57.87 ⟁ r.-v.

CH. MÉMOIRES 1999

☐   2,5 ha   16 000   ■ ↓ 20 à 29 F

Tout près de Malagar, la maison de François Mauriac, l'auteur de *Thérèse Desqueyroux*, le château Mémoires offre un sauvignon aux nuances de fleurs et de brioche, charmant, bien bâti ; on appréciera son côté rafraîchissant au retour d'une promenade.

☛ SCEA Vignobles Ménard, Ch. Mémoires, 33490 Saint-Maixant, tél. 05.56.62.06.43, fax 05.56.62.04.32, e-mail memoires@aol.com ☑ ⟁ r.-v.

CH. MEZAIN 1999★

☐   5 ha   40 000   ■ ↓ - de 20 F

Deux vins présentés par le négociant réputé de Floirac reçoivent chacun une étoile, dont ce Château Mezain bâti, chose assez rare, sur le sauvignon et la muscadelle par moitié. Ampleur et finesse aromatique le caractérisent : fleurs blanches et litchi sont la base de sa palette, mais chacun aura plaisir à découvrir d'autres richesses. La marque **Marquis d'Alban 99**, pur sauvignon, rassure par son volume rond, long, aux arômes de miel et de fruits mûrs imposants, à la finale à peine vive. Deux styles de vins, le premier pour les produits de la mer, le second pour les viandes blanches... Prix du second : 20 à 29 F.

☛ Dulong Frères et Fils, 29, rue Jules-Guesde, 33270 Floirac, tél. 05.56.86.51.15, fax 05.56.40.66.41, e-mail dulong@mmkm.com ⟁ r.-v.

CH. MONIER-LA FRAISSE 1999★★

☐   8 ha   10 000   ■ ↓ 20 à 29 F

Les chais de cette Union, l'une des plus importantes unités de production de Gironde, sont aux portes de la bastide bien ordonnée de Sauveterre-de-Guyenne, au cœur de l'Entre-deux-Mers. Le Château Monier-La Fraisse est bâti sur 70 % de sauvignon, 20 % de sémillon et 10 % de muscadelle. Les spécialistes salueront le savoir-faire du maître de chai, qui a adapté les durées des macérations pelliculaires à la maturité de chaque cépage. Le nez se fait un peu désirer, mais la récompense tient à la finesse exquise et la complexité des flaveurs de fleurs et de fruits. L'équilibre du corps et la persistance aromatique signent un maître bordeaux, qui a manqué de peu le coup de cœur ! La cuvée **Cellier de La Bastide 99** est un pur sauvignon : le nez très floral (citronnier, oranger), à peine teinté de genêt, le gras de la chair, la grande longueur parfumée d'agrumes ont enchanté les jurés qui lui ont décerné une étoile.

☛ Cellier de La Bastide, Cave coop. vinicole, 33540 Sauveterre-de-Guyenne, tél. 05.56.61.55.21, fax 05.56.71.60.11 ☑ ⟁ t.l.j. sf dim. 9h-12h15 13h30-18h15; groupes sur r.-v.
☛ Claude Laveix

CH. MONTAUNOIR 1999★

☐   3 ha   12 500   ■ 20 à 29 F

Sainte-Croix-du-Mont, plus connu pour ses vins que pour ses bancs d'huîtres fossilisés, et le village fortifié de Saint-Macaire, sont à quelques kilomètres. 5 % de muscadelle complètent le mariage sémillon-sauvignon, qui a été maintenu sur lies plus d'un mois. Le buis et le litchi sont à la base de flaveurs qui se révèlent plus en bouche qu'au nez, et assurent avec finesse le plaisir de la dégustation de ce vin frais, à la chair ronde, fruitée et de bonne longueur.

☛ SCEA des Vignobles Ricard, Ch. de Vertheuil, 33410 Sainte-Croix-du-Mont, tél. 05.56.62.02.70, fax 05.56.76.73.23 ☑ ⟁ r.-v.

HENRY BARON DE MONTESQUIEU
Réserve le Secondat 1999★

☐   n.c.   n.c.   ■ ↓ 20 à 29 F

Naturellement, le château du célèbre gentilhomme vigneron, auteur de *De l'esprit des lois*, est proche ! Le mariage sauvignon-sémillon est ici souligné d'une pointe (5 %) de muscadelle. Il chante, en une bouche ronde et grasse, une mélodie de fruits exotiques (mangue, litchi) accompagnés d'agrumes qui s'estompe lentement en touches concentrées, fines. Un vin très réussi pour les entrées ou le saumon fumé.

☛ Vins et Dom. Henry de Montesquieu, Aux Fougères, 33650 La Brède, tél. 05.56.78.45.45, fax 05.56.20.25.07, e-mail montesquieu@bordeaux-montesquieu.com ☑

CH. MYLORD 1999★

☐   1,5 ha   15 000   ■ ↓ 20 à 29 F

Les promenades autour de Grézillac ne manquent pas de charme, entre les petites églises, les châteaux plus ou moins anciens, les points de vue sur le Saint-Emilionnais... Les différents éléments de cet assemblage parfaitement équilibré ont été sélectionnés et vinifiés selon des techniques adaptées. Et ce vin est resté sur lies en cuve jusqu'à la mise en bouteilles. Les trois cépages bordelais y sont présents par tiers. Les arômes expressifs de fleurs et de fruits se partagent une gamme de nuances allant de l'acacia au citron vert en passant par la pêche et l'abricot. Ce plaisir envahit la bouche, s'y épanouit dans une chair dense et ronde et persiste allègrement : pour des mets bien cuisinés, et du fromage (crottin).

☛ Michel et Alain Large, Ch. Mylord, 33420 Grézillac, tél. 05.57.84.52.19, fax 05.57.74.93.95 ☑ ⟁ r.-v.

PAVILLON BLANC DU CHATEAU MARGAUX 1998★★

☐   n.c.   n.c.   ◐ 200 à 249 F

Comme de nombreux bordeaux blancs élaborés par des crus médocains, ce vin est issu d'un vignoble graveleux, particulièrement propice à une production d'un haut niveau qualitatif. Ce millésime se charge d'en apporter la preuve par l'élégance avec laquelle sa belle matière, grasse et pleine, se marie à un bouquet expressif (fleurs blanches, fruits à chair blanche et menthol). Un ensemble à la fois frais, croquant, ample et long.

☛ SC du Ch. Margaux, 33460 Margaux, tél. 05.57.88.83.83, fax 05.57.88.83.32

CH. RAUZAN DESPAGNE
Cuvée Passion 1998★

| | 7 ha | 10 000 | ❚❙❚ | 50 à 69 F |

Vignes de quarante ans, rendements maîtrisés, 70 % de sauvignon, 30 % de sémillon, fermentation et élevage en barrique neuve... c'est le travail de l'équipe Despagne ! Ce vin embaume les fleurs blanches et les fruits exotiques légèrement vanillés. La bouche en corbeille de fruits s'appuie sur un boisé de qualité. Ce sera un beau compagnon de poissons en sauce et de viandes blanches. La **cuvée principale 99** (30 à 49 F) n'a pas connu d'élevage en fût. Elle est citée pour sa vivacité, son nez de pêche et d'abricot, sa bouche de fleurs blanches. C'est un vin de plaisir à inviter maintenant sur un buisson de crustacés. Du même producteur, les deux cuvées **Château Tour de Mirambeau 99** dans cette AOC obtiennent la même note.

☛ GFA de Landeron, 33420 Naujan-et-Postiac, tél. 05.57.84.55.08, fax 05.57.84.57.31, e-mail despagne@vignobles-despagne.com ⵛ r.-v.

☛ J.-L. Despagne

CH. REYNON Vieilles vignes 1998★

| | 12 ha | 73 000 | ❚❙❚ ⵛ | 50 à 69 F |

Le château Reynon, créé en 1850, est propriété de Denis Dubourdieu, œnologue universitaire de réputation internationale. Ce vin est né d'un sol de graves et d'argilo-calcaire ; il assemble 90 % de sauvignon au sémillon et il est vinifié en macération pelliculaire. La barrique est parfaitement dosée dans ce 99 d'une très belle couleur jaune pâle à reflets verts. Le nez est typé par son cépage principal ; on lui trouve des notes de fleurs et de citronnelle. Fraîche, la bouche apparaît friande et séveuse.

☛ Denis et Florence Dubourdieu, Ch. Reynon, 33410 Béguey, tél. 05.56.62.96.51, fax 05.56.62.14.89, e-mail reynon@gofornet.com ✓ ⵛ r.-v.

CH. DE RICAUD 1999★

| | 1,5 ha | 10 000 | ❚ ⵛ | 30 à 49 F |

Ce mariage sauvignon-sémillon représente la production de 1,5 ha de vignes, sur une propriété de 120 ha, orientée en majeure vers les liquoreux, car proche de Loupiac. La silhouette du château fut revue en style néo-gothique au XIXᵉs. L'équilibre de ce 99 est certes un peu discret, mais harmonieux, tant au nez qu'en bouche. Des notes de cacao et de miel se mêlent au litchi et à la fleur d'oranger en une complexité savoureuse, élégante, persistante : un plaisir pour l'amateur attentif et délicat.

☛ Ch. de Ricaud, 33410 Loupiac, tél. 05.56.62.66.16, fax 05.56.76.93.30 ✓ ⵛ r.-v.

☛ Alain Thiénot

DOM. DE RICAUD 1999★

| | 4,3 ha | 35 000 | ❚ ⵛ | 30 à 49 F |

C'est un vin de haute technicité, deux tiers de sémillon, un tiers de sauvignon, qui a d'abord connu une macération pelliculaire à froid puis, après débourbage, a fermenté à 16-18 °C et a été élevé sur lies. La robe jaune paille soutenu est attirante. Les arômes du sauvignon sont affirmés alors que le sémillon joue dans la rondeur grasse

de la chair. La finale rappelle les extractions de la macération. Ce vin s'accordera avec des volailles en sauce et des fromages secs.

☛ Vignobles Chaigne et Fils, Ch. Ballan-Larquette, 33540 Saint-Laurent-du-Bois, tél. 05.56.76.46.02, fax 05.56.76.40.90, e-mail rchaigne@vins-bordeaux.fr ✓ ⵛ r.-v.

R DE RIEUSSEC 1999★★

| | n.c. | n.c. | ❚ ❚❙❚ ⵛ | 50 à 69 F |

Né sur un vignoble appartenant à l'un des crus les plus prestigieux du Sauternais, ce bordeaux sec est à la hauteur de sa noble origine : composé de 40 % de sauvignon et de 60 % de sémillon, délicatement soutenu par un bois bien dosé, ce vin or pâle à reflets verts charme par la finesse de son bouquet aux notes fleuries (chèvrefeuille) et fruitées (agrumes) ; très savoureux à l'attaque, le palais est, lui aussi, fort séduisant par sa fraîcheur et sa tendresse, qui mettent en valeur l'élégance de son expression aromatique.

☛ Ch. Rieussec, 33210 Fargues-de-Langon, tél. 01.53.89.78.00, fax 01.53.89.78.01 ⵛ r.-v.

CH. ROQUEFORT 1999★

| | n.c. | n.c. | ❚ ⵛ | 30 à 49 F |

Vaste domaine que Jean Bellanger mène avec art, comme le prouve une fois encore son succès dans ce millésime. Les agrumes (pamplemousse, orange) sont l'âme de ce vin, mais ils partagent parfums et chair avec les raisins mûrs, concentrés, séveux. D'une harmonie complexe, grasse et fraîche, cette bouteille a séduit les jurés.

☛ SCE du Ch. Roquefort, 33760 Lugasson, tél. 05.56.23.97.48, fax 05.56.23.51.44 ✓ ⵛ r.-v.

☛ J. Bellanger

CH. DE SEGUIN Cuvée Prestige 1999

| | 2,5 ha | 20 000 | ❚❙❚ | 50 à 69 F |

A 15 km à l'est de Bordeaux, le château de Seguin offre au visiteur l'élégante sobriété de ses tours, l'immensité de son vignoble (127 ha) et la beauté moderne de ses chais. Ce vin est le résultat d'une attentive sélection de cépages et de parcelles avant que le moût fermente puis séjourne en barrique neuve. On prendra plaisir à retrouver dans les flaveurs de fruits mûrs le sémillon (60 %), les sauvignons blanc (30 %) et gris (5 %) et un soupçon de muscadelle (5 %). Le boisé du merrain n'est pas absent. Le corps a de l'ampleur, et la vivacité de la finale apporte une jolie fraîcheur. Un vin de poisson.

☛ Michael Carl, Ch. de Seguin, 33360 Lignan-de-Bordeaux, tél. 05.57.97.19.75, fax 05.57.97.19.72, e-mail cwi@chris-wine.dk ✓ ⵛ r.-v.

CH. THIEULEY 1999

| | 24 ha | 200 000 | ❚ ⵛ | 30 à 49 F |

Francis Courselle a parfaitement tempéré ici le sauvignon, en lui imposant 50 % de sémillon. Le genêt se manifeste d'abord, puis il est vite enrobé de fleurs (acacia) et de fruits exotiques, et même de notes toastées et briochées. Bouche et finale sont rondes, charnues, miellées. Pour un apéritif ou une salade de volaille.

☛ Sté des Vignobles Francis Courselle, Ch. Thieuley, 33670 La Sauve, tél. 05.56.23.00.01, fax 05.56.23.34.37 ✓ ⵛ r.-v.

LE BLANC DE JEAN-LOUIS TROCARD 1999★

☐ 3,33 ha 20 000 ▮♦ 20 à 29 F

Jean-Louis Trocard est plus connu pour ses vins rouges (et ses activités professionnelles dans le monde vinicole), mais ce vin blanc (sémillon-sauvignon par moitié) a été retenu pour ses caractères très tranchés de fruits verts, de buis, de fleurs blanches qui avivent la chair et la finale. Un style qui a ses partisans inconditionnels pour accompagner les huîtres.

☛Cellier des Charmettes, 2, Les Petits Jays Ouest, 33570 Les Artigues-de-Lussac, tél. 05.57.55.57.99, fax 05.57.55.57.98, e-mail trocard@wanadoo.fr ☑ ⊤ r.-v.

Bordeaux rosé

CELLIER DE BORDES 1999★

◿ n.c. 50 000 ▮♦ 20 à 29 F

C'est un vin de plaisir, bien construit par le négociant Cheval Quancard : très expressif par ses arômes marqués de cassis, il offre un corps et une finale agréablement frais et même vifs. Un rosé d'apéritif.

☛Cheval Quancard, La Mouline, 33560 Carbon-Blanc, tél. 05.57.77.88.88, fax 05.57.77.88.99 ⊤ r.-v.

COUP DE SOLEIL 1999★

◿ 1 ha 5 000 ▮♦ 20 à 29 F

De vieilles vignes - quarante ans - ont donné naissance à ce rosé : merlot (60 %), cabernet franc (25 %), appuyés par du cabernet sauvignon (15 %). La grande finesse des arômes et leur intensité bien dosée apportent au corps sa complexité de fruits mûrs concentrés : on évoquera la confiture de cassis ou de groseille, la framboise sur lit de caramel... une longueur cajoleuse.

☛Arnaud Pauchet, Le Pin, 33420 Saint-Vincent-de-Pertignas, tél. 05.57.84.02.56, fax 05.57.84.02.56, e-mail arno.pauchet@wanadoo.fr ☑ ⊤ r.-v.

CH. CRABITAN-BELLEVUE 1999★

◿ 0,5 ha 4 500 ▮♦ 20 à 29 F

Le rosé de cépage unique, et surtout de merlot, est souvent l'objet de discussions : ce fut le cas pour ce vin, l'un craignant une évolution rapide en se fondant sur un corps rond aux arômes complexes, d'autres affirmant leur plaisir et leur confiance dans les flaveurs d'agrumes (écorce d'orange, pamplemousse) et le fruit intense de la chair... Il faut prendre parti... sans tarder et en confiance, car ce château est réputé.

☛GFA Bernard Solane et Fils, 33410 Sainte-Croix-du-Mont, tél. 05.56.62.01.53, fax 05.56.76.72.09 ☑ ⊤ t.l.j. sf dim. 8h-12h 14h-18h

CH. GABARON 1999★

◿ 11,36 ha 100 000 ▮ 20 à 29 F

Le clocher ruiné de l'ancienne abbaye de La Sauve domine le vignoble de cette importante propriété aux chais ultramodernes. Deux visites intéressantes ! Chaque cabernet participe pour 30 % à la construction de ce rosé. Le merlot y paraît pour 40 %. La robe brille d'un rubis légèrement saumoné, et les parfums évoquent fraise et framboise. Le corps exprime en rondeur les arômes de ces fruits mûrs. La finale en fait un vin de repas, destiné aux entrées et volailles froides.

☛GAEC des vignobles Latorse, 33670 La Sauve, tél. 05.56.23.92.76, fax 05.56.23.61.65 ☑ ⊤ r.-v.

ROSE DE GENIBON 1999

◿ 0,23 ha 2 000 ▮♦ 20 à 29 F

Il est relativement rare de goûter dans le Bordelais un cabernet franc pur. Ce rosé mérite attention : ses arômes agréables, frais et fondants, sa bouche fruitée dont la rondeur est mise en valeur par un perlant taquin, sa finale élégante, ont séduit.

☛Jean-Claude et Christine Sudre, Genibon, 33710 Bourg-sur-Gironde, tél. 05.57.68.25.34, fax 05.57.68.25.34 ☑ ⊤ r.-v.

GRANDES VERSANNES 1999★

◿ 4 ha 35 000 ▮♦ 20 à 29 F

Le maître de chai de cette puissante union de producteurs est connu pour son savoir-faire et sa rigueur technique. Composé à 70 % de merlot et à 30 % de cabernet-sauvignon, obtenu par saignées et fermenté après débourbage, ce rosé embaume avec distinction la framboise. Sa chair fondante est avivée d'un perlant fringant, qui émoustille sa longue persistance. Un rosé spirituel destiné à l'apéritif et au crottin de chèvre.

☛Union de producteurs de Lugon, 6, rue Louis-Pasteur, 33240 Lugon, tél. 05.57.55.00.88, fax 05.57.84.83.16 ☑ ⊤ r.-v.

CH. GROSSOMBRE 1999★

◿ n.c. n.c. ▮♦ 30 à 49 F

Dans la gamme des jolis vins de cette propriété, ce rosé trouve une place pour sa fraîcheur aromatique construite sur le fruité du merlot (cassis-fraise) et le bourgeon du cabernet-sauvignon (les deux cépages sont représentés par moitié). Le corps est svelte, souple, habillé d'une robe très pâle. La finale ne manque pas de vivacité heureuse.

☛Béatrice Lurton, B.P. 10, 33420 Grézillac, tél. 05.57.25.58.58, fax 05.57.74.98.59, e-mail andre.lurton@wanadoo.fr ☑ ⊤ r.-v.

CH. HAUT-GARRIGA 1999★

◿ 6 ha 35 000 ▮♦ 20 à 29 F

Un pur merlot à reflets saumonés, au nez puissant et élégant de pêche, de fleurs blanches, puis de prune et de grenadine. Sa chair ronde, sa finale de fruits fondants lui donnent un caractère particulier. Un rosé très sympathique, de soleil...

●┐ EARL Vignobles Claude Barreau et Fils,
Ch. Haut-Garriga, 33420 Grézillac,
tél. 05.57.74.90.06, fax 05.57.74.96.63 ☑ ⏚ t.l.j.
sf dim. 9h-12h 14h-18h
●┐ Claude Barreau

CH. DE JABASTAS 1999★

| ◩ | | 0,5 ha | 4 000 | 🍾 | 20 à 29 F |

Lorsque le cabernet-sauvignon est bien mûr,
son vin perd son agressivité poivronnée : c'est le
cas ici. Le corps y gagne en rondeur, et les parfums, plus complexes que le simple fruit, proches
d'un bouquet de vin mûr, affirment une élégance
que le perlant met en valeur... Voilà une jolie
signature.
●┐ Jean-Marie Nadau, Ch. de Jabastas,
35, av. des Prades, 33450 Izon,
tél. 05.57.84.97.13, fax 05.57.84.97.14 ☑ ⏚ r.-v.

CH. LA COMMANDERIE DE QUEYRET 1999★

| ◩ | | n.c. | 14 000 | 🍾⏚ | 30 à 49 F |

Au XIIIᵉˢ., les chevaliers de Saint-Jean-de-
Jérusalem fondèrent en ces lieux une commanderie : la vigne y existe depuis. Cabernet-sauvignon et merlot se marient en un rosé couleur
cerise, fruité (framboise et banane), frais et épicé.
La bonhomie, la rondeur de la chair aux flaveurs
persistantes signent une réussite à apprécier sur
la charcuterie.
●┐ Claude Comin, La Commanderie,
33790 Saint-Antoine-du-Queyret,
tél. 05.56.61.31.98, fax 05.56.61.34.22 ☑ ⏚ r.-v.

CH. LAGNET 1999★

| ◩ | | 2,85 ha | 22 000 | 🍾⏚ | – de 20 F |

Hélène Levieux gère depuis 1976 les trois propriétés bordelaises de son père Edouard Leclerc.
Merlot (60 %) et cabernet franc (40 %) se marient
ici en un vin pâle à peine saumoné, au nez délicat
de petits fruits rouges (fraise et framboise) avec
un soupçon de bonbon anglais. Un perlant bienvenu émoustille le corps souple, charnu, et la
finale parfumée, beurrée, longue : une bouteille
très réussie destinée à l'apéritif.
●┐ GFA Leclerc, Ch. Lagnet, 33350 Doulezon,
tél. 05.57.40.51.84, fax 05.57.40.55.48 ☑ ⏚ r.-v.

LA ROSE CASTENET 1999★

| ◩ | | 4 ha | 34 000 | 🍾⏚ | 20 à 29 F |

A cinq kilomètres de l'abbaye de Saint-Ferme,
austère mais pleine de charme, l'amateur trouvera un tilleul et un marronnier tout juste centenaires : ils sont sur la propriété, qui appartient à
la même famille depuis quatre générations. Ce
rosé de conception classique à l'art de l'équilibre.
Tout y est à sa place : la qualité aromatique du
mariage contrasté « sucre-acide » des fruits, le
corps tendre et l'attaque, ou encore la finale aux
élans de vives fraîcheurs. Un vin d'apéritif ou
d'entrées.
●┐ EARL François Greffier, Castenet,
33790 Auriolles, tél. 05.56.61.40.67,
fax 05.56.61.38.82,
e-mail ch.castenet@wanadoo.fr ☑ ⏚ r.-v.

CH. DE LA VIEILLE TOUR 1999

| ◩ | | 3 ha | 20 000 | 🍾⏚ | 30 à 49 F |

C'est un rosé de tonnelle, à boire frappé, en
fin d'après-midi, après une journée ardue ou
chaude : sa robe est joliment transparente,
cerise ; le bourgeon et la groseille animent le nez,
et son corps a la fraîcheur acidulée des cabernets
juste mûrs (ces deux cépages représentent 60 %
du vin) ; des bretzels ou de petites pizzas le mettront en valeur.
●┐ Vignobles Boissonneau, Cathelicq,
33190 Saint-Michel-de-Lapujade,
tél. 05.56.61.72.14, fax 05.56.61.71.01,
e-mail vignobles.boissonneau@wanadoo.fr
☑ ⏚ r.-v.

CH. LESTRILLE 1999★

| ◩ | | 2,38 ha | 20 000 | 🍾⏚ | 30 à 49 F |

Propriétaire et château ont acquis une grande
notoriété. Ce très joli rosé a séduit par sa robe
framboise lumineuse et ses flaveurs intenses de
fleurs (rose) et de fruits aux notes exotiques de
litchi ; elles chantent jusqu'en finale, accompagnant une chair fraîche et ronde, avivée par une
nervosité qui participe à son charme.
●┐ Jean-Louis Roumage, Lestrille, 33750 Saint-
Germain-du-Puch, tél. 05.57.24.51.02,
fax 05.57.24.04.58 ☑ ⏚ r.-v.

CH. LE TREBUCHET 1999★

| ◩ | | 2 ha | 12 000 | 🍾⏚ | 20 à 29 F |

Certes, le trébuchet était une grosse machine
de guerre du Moyen Age... mais c'est aussi un
piège à petit oiseau, ce qu'évoque plutôt ce rosé
pimpant, frais, qui embaume avec élégance la
framboise : un classique, pour les salades de
volaille froides ou la charcuterie...
●┐ Bernard Berger, Ch. Le Trébuchet, 33190 Les
Esseintes, tél. 05.56.71.42.28, fax 05.56.71.30.16
☑ ⏚ t.l.j. sf dim. 8h-12h 14h-18h

CH. MARAC 1999★

| ◩ | | 1,1 ha | 9 600 | 🍾⏚ | 30 à 49 F |

Le bourg de Pujols domine la Dordogne au
sud de Castillon-la-Bataille : depuis la terrasse
du château (ruines du XIIᵉˢ.), le panorama est
vaste et beau, jusqu'au Saint-Emilionnais. Ici, le
merlot apporte sa couleur rosée et sa générosité ; il
représente 55 % du vin obtenu par saignée après
une macération légère des peaux. Mais le cabernet franc (45 %), issu du pressurage direct des
raisins, signe la finesse aromatique. L'ensemble
sent délicatement la fraise, la framboise, le fruit
frais ; un léger perlant avive un corps bien équilibré et une finale plaisante, alerte : un vin net,
bien réussi, destiné aux entrées, voire aux fromages.
●┐ SA Bonville Fils, Ch. Marac, 33350 Pujols,
tél. 05.57.40.53.21, fax 05.57.40.71.36 ☑ ⏚ r.-v.

MAYNE SANSAC 1999★

| ◩ | | 5 ha | 33 000 | 🍾⏚ | 20 à 29 F |

Bâti par moitié merlot et cabernet, voici un
joli vin en robe framboise brillante, dont les parfums de fruits rouges, de confiture de groseilles
et de bananes animent la dégustation, avec un
perlant tonique. La chair harmonieuse, assez ten-

dre, est d'un grand classicisme : un vin frais et agréable.

☛ Domaine de Sansac, Les Lèves,
33220 Sainte-Foy-la-Grande, tél. 05.57.56.02.02, fax 05.57.56.02.22 ⊤ r.-v.

MISSION SAINT-VINCENT
Vieilli en fût de chêne 1999★

◢ | | 40 ha | 290 000 | ▮ ◡ | – de 20 F |

Les jurys ont retenu du groupe Producta trois rosés vinifiés par ses adhérents et assemblés sous sa direction. Les deux premiers sont de même composition : 50 % de merlot, 30 % de cabernet-sauvignon, 20 % de cabernet franc. Cet assemblage a bien réussi à la marque Mission Saint-Vincent, très typique, très classique : plaisir assuré. La marque **Étalon** est pratiquement aussi bien notée. Sa fraîcheur aromatique intense a réjoui. L'étiquette **Maine-Brilland** (citée) correspond à un assemblage de 55 % de merlot, 15 % de cabernet franc, 30 % de cabernet-sauvignon : les parfums s'y révèlent surtout en bouche, et le gras du corps est titillé de pointes acidulées qui accentuent le plaisir. Une esquisse d'amande amère relève la finale. A boire dès cet automne.

☛ Producta SA, 21, cours Xavier-Arnozan, 33082 Bordeaux Cedex, tél. 05.57.81.18.18, fax 05.56.81.22.12,
e-mail producta@producta.com ⊤ r.-v.

CH. MOUSSEYRON 1999★★

◢ | | 1 ha | 9 000 | ▮ ◡ | 20 à 29 F |

L'art du rosé n'est pas aisé : il faut savoir récolter à l'apogée aromatique des raisins, respecter les levures et le vin, doser les cépages... C'est ce qui a été fait ici. 50 % de cabernet-sauvignon, 15 % de cabernet franc, 35 % de merlot s'unissent en ce vin pâle. Le plaisir s'épanouit dans la complexité recherchée des relations fleurs-fruits-levures, d'une élégance discrète au nez, et que la chair confirme en sa souplesse acidulée. Remarquable, et à cueillir sans tarder.

☛ Jacques Larriaut, 33490 Saint-Pierre-d'Aurillac, tél. 05.56.76.44.53, fax 05.56.76.44.04 ▮ ⊤ r.-v.

CH. NAUDONNET PLAISANCE
Perle Rose d'Avril 1999

◢ | | 1 ha | 5 000 | ◫ | 30 à 49 F |

Ce rosé de merlot (90 %) a fermenté en barrique neuve et y est resté sur lies pendant huit mois. Cette technique ancienne a été reprise il y a quelques années, surtout pour les vinifications de vins blancs. Elle confère aux arômes et aux saveurs une complexité grasse, enrobant fraise et framboise de brioche beurrée. Plus qu'une curiosité, un plaisir original.

☛ Danièle Mallard, Ch. Naudonnet-Plaisance, 33760 Escoussans, tél. 05.56.23.93.04, fax 05.57.34.40.78, e-mail mallard@caves-particulieres.com ▮ ⊤ r.-v.

CH. PENIN 1999★

◢ | | 3 ha | 26 000 | ▮ ◡ | 30 à 49 F |

Ce familier du Guide présente ici un rosé de merlot dominant (75 %), au corps rond, tendre. Les fleurs plus que les fruits parfument le palais

et apaisent la finale. Un vin de plaisir à découvrir pour lui-même.

☛ SCEA Patrick Carteyron, Ch. Penin, 33420 Génissac, tél. 05.57.24.46.98, fax 05.57.24.41.99 ▮ ⊤ r.-v.

CH. DE RICAUD 1999★

◢ | | 1,5 ha | 11 000 | ▮ ◡ | 30 à 49 F |

Le château de Ricaud est proche de Loupiac, territoire de vins blancs reconnus. Son rosé y est cependant à l'aise. On peut louer le mariage de merlot et de cabernet qui allie puissance et finesse aromatique, rondeur et fraîcheur du corps. Les notes vives de la finale rappellent qu'il faut plutôt boire ce vin à la jolie robe rose à peine saumonée sur des entrées ou des salaisons.

☛ Ch. de Ricaud, 33410 Loupiac, tél. 05.56.62.66.16, fax 05.56.76.93.30 ▮ ⊤ r.-v.
☛ Alain Thiénot

CH. DE SOURS 1999★★

◢ | | 12 ha | 80 000 | ▮ ◡ | 30 à 49 F |

Ce spécialiste du rosé est connu du Guide : il y compte fleurette aux étoiles et a manqué de peu le coup de cœur cette année. Issu de merlot mûr (90 %) accompagné des deux cabernets, il a fermenté à basse température (de 10 à 14 °C) et a été gardé en cuve à 8 °C jusqu'à la mise en bouteilles. Ainsi ont été obtenus et maintenus les parfums intenses et complexes qui le caractérisent : fleurs et fruits frais (rose, tilleul, framboise, fraise) se mêlent en une harmonie fondue, équilibrée, longue. Un plaisir intense, à savourer jusqu'à l'été 2001.

☛ SCEA Ch. de Sours, 33750 Saint-Quentin-de-Baron, tél. 05.57.24.10.81, fax 05.57.24.10.83 ▮ ⊤ r.-v.
☛ E. Johnstone

TERRES DOUCES 1999★

◢ | | n.c. | 300 000 | ▮ ◡ | 20 à 29 F |

En « Terres douces », la maison Ginestet propose une composition classique : 50 % de merlot, 50 % de cabernets. Une nuance feu souligne le rose de la robe ; le nez exprime en élégance ce qu'il tait en intensité. Et le fruit fond en bouche, volumineux, persistant... Un vrai vin de copains, à boire pour se faire la bouche en entrée de repas.

☛ SA Maison Ginestet, 19, av. de Fontenille, 33360 Carignan-de-Bordeaux, tél. 05.56.68.81.82, fax 05.56.20.96.99, e-mail contact@ginestet.fr ▮ ⊤ r.-v.

VILLOTTE 1999★

◢ | | n.c. | n.c. | ▮ | 30 à 49 F |

Trois entrées de Rauzan offrent un monument à visiter : l'une propose une charmante église romane à deux nefs, l'autre les ruines imposantes du château féodal, et la troisième les chais de l'importante et très moderne Union des producteurs. Villotte est un rosé très réussi : le groseille de sa robe est lumineux, et ses parfums intenses rappellent le cassis et le bonbon anglais. Le volume sait être accueillant, confortable, frais, et la finale acidulée invite à revenir... Un vin de crudités. **Comte de Rudel rosé 99** (20 à 29 F) reçoit la même note.

•┑ Union de producteurs de Rauzan,
33420 Rauzan, tél. 05.57.84.13.22,
fax 05.57.84.12.67 ⵣ r.-v.

Bordeaux supérieur

CH. BARDOS 1998★★

| ◼ | 16,89 ha | 136 800 | 📻 ❙❙ 30 à 49 F |

Un château féodal, de fière allure, garde une
entrée du bourg de Rauzan. L'Union des producteurs a établi ses chais imposants, à visiter, à
l'autre extrémité. Ce Château Bardos y a été vinifié et élevé douze mois en fût de façon magistrale : il n'est pas loin des trois étoiles ! La robe
pourpre profond, déjà, attire le regard par son
éclat. Un nez capiteux, épanoui, mêlant senteurs
vanillées, épicées et grillées aux fruits cuits (tarte
aux prunes ou aux cerises), invite à la dégustation. Alors se révèle une chair dense et onctueuse,
riche, longue, aux saveurs fines, torréfiées, bien
accompagnée de tanins solides mais fondus, boisés... (trop sans doute pour un expert qui réfréna
son enthousiasme !)... Le **Château Balan 98**, cité,
est jugé plus austère, mais ses saveurs élégantes
(boisé et petits fruits) et son corps équilibré en
font un joli vin de gibier.
•┑ Union de producteurs de Rauzan,
33420 Rauzan, tél. 05.57.84.13.22,
fax 05.57.84.12.67 ⵣ r.-v.

BARON D'ESPIET 1998★★

| ◼ | 4,69 ha | 40 000 | 📻 ❙❙ 30 à 49 F |

Si elle paraît un peu perdue dans le vignoble,
cette coopérative, la première créée en Gironde
(1932), s'inscrit pourtant dans un circuit touristique, comprenant grotte préhistorique, abbaye,
églises et ruines romaines. Baron d'Espiet est un
vin remarquable, né de l'assemblage savant de
vins vieillis en cuve et en fût (30 %) ; sa riche
palette aromatique marie les fruits mûrs, le pruneau aux épices, à la vanille, et au toast à peine
grillé. Certes le boisé domine encore la bouche
et la finale, et les tanins jeunes masquent un peu
une chair ronde et veloutée, mais le temps, qu'il
faut impérativement laisser agir, assagira cette
belle personnalité. **Seigneur des Ormes 98, Cuvée
réservée**, cité, a été élevé entièrement en fût, ce
qui le marque intensément (trop pour certains).
Le temps devrait aussi lui permettre de s'arrondir, mais il demeurera réservé à l'amateur de
boisé.
•┑ Union de producteurs Baron d'Espiet, Lieu-
dit Fourcade, 33420 Espiet, tél. 05.57.24.24.08,
fax 05.57.24.18.91,
e-mail baron-espiet@dial.oleane.com ☑ ⵣ r.-v.

CH. BARREYRE 1998★

| ◼ | 7 ha | 45 000 | ❙❙ 30 à 49 F |

Petit verdot (10 %) et cabernet-sauvignon
(40 %) accompagnent le merlot dans ce bordeaux
médocain né près du petit port de Macau - il faut
y contempler le mariage du fleuve et du ciel. Le
bois met discrètement en valeur les arômes
(framboise, cassis et touche de poivron vert)
encore jeunes de ce vin bien équilibré, rond,

réglissé, que le temps doit servir. Il pourra
accompagner un gigot, spécialité de la région. Le
94 avait obtenu un coup de cœur.
•┑ SC Ch. Barreyre, Beau-Rivage,
33460 Macau, tél. 05.57.88.07.64,
fax 05.57.88.07.00 ☑ ⵣ r.-v.
•┑ Giron

BEAURILEGE
Elevé en fût de chêne 1997★★

| ◼ | 10 ha | 66 000 | ❙❙ 30 à 49 F |

Le merlot, cépage unique de ce vin de marque,
a été contrôlé dès sa production par son distributeur. Il a vieilli douze mois en barrique. Ses
parfums explosifs affirment un boisé bien
conduit, avec des notes de torréfaction et de café,
sur un fond intense de fruits très mûrs, cuits,
confits, où dominent cassis et pruneau. La chair,
souple et généreuse, et la finale réglissée sont
admirablement servies par des tanins soyeux,
distingués. Un vin intéressant à goûter dès maintenant, et à suivre pendant plusieurs années. A
signaler encore, proposé par le même coopérative, le **Château Bellevue 98** (20 à 29 F), issu de
merlot et des deux cabernets à parts égales. Il
obtient une étoile.
•┑ Domainie de Sansac, Les Lèves,
33220 Sainte-Foy-la-Grande, tél. 05.57.56.02.02,
fax 05.57.56.02.22 ⵣ r.-v.

CH. BEAU RIVAGE
Elevé en fût de chêne 1998★

| ◼ | 4,5 ha | 32 000 | ❙❙ 30 à 49 F |

Situés dans les palus de Macau, le chai, où se
trouvent des cuves en bois, et les vignes ont été
noyés lors de la tempête du 27 décembre 1999...
Le vignoble compte du malbec, assez rare en
Gironde, et du petit verdot qui subsiste en
Médoc. A l'originalité du vignoble répond celle
de la cuvaison comportant une macération préfermentaire à froid. La cuvée principale offre un
nez de belle intensité marqué de griotte et de
fruits à l'eau-de-vie. La structure tannique puissante est équilibrée par le gras parfumé d'une
chair de raisin mûr. La **cuvée Prestige 98** (70 à
99 F), citée, a séjourné seize mois en barrique :
les flaveurs en sont enrichies de notes vanillées,
toastées, torréfiées, respectueuses du raisin. Le
corps est puissant, capiteux, et la finale est une
invite à revenir... mais il serait préférable de laisser cette bouteille apaiser l'ardeur de sa jeunesse
pour une meilleure harmonie...

➲ SCEA Ch. Beau Rivage, 7, chem. du Bord-
de-l'eau, 33460 Macau-en-Médoc,
tél. 05.57.10.02.03, fax 05.57.10.02.00 ☑ ☏ t.l.j.
8h-12h 13h-17h; sam. dim. sur r.-v.
➲ Christine Nadalié

CH. BEL AIR PERPONCHER
Grande Cuvée 1998★★

| ■ | n.c. | n.c. | ❙❙❙ | 70 à 99 F |

Il est né de vignes et de techniques guidées par
la brillante équipe également à la tête du château
Tour de Mirambeau et, n'eût été un boisé jugé
par certains dégustateurs encore un peu dominateur, il aurait obtenu un coup de cœur comme le
millésime précédent. Un magnifique raisin, une
chair concentrée dans son grain comme dans ses
flaveurs ont paru à certains contraints par un
bois encore imposant. Une belle discussion à
proposer aux amateurs de très bons vins, qui, de
toute façon, se réjouiront de la richesse et de la
complexité de cette œuvre d'art.
➲ GFA de Perponcher, Ch. Bel Air,
33420 Naujan-et-Postiac, tél. 05.57.84.55.08,
fax 05.57.84.57.31, e-mail despagne@vignobles-
despagne.com ☑ ☏ r.-v.
➲ J.-L. Despagne

CH. BELLEVUE LA MONGIE
Cuvée vieillie en fût de chêne 1998★

| ■ | 2,3 ha | 15 000 | ❙❙❙ | 30 à 49 F |

La région de Génissac, sur la rive sud de la
Dordogne libournaise, suit une certaine tradition
saint-émilionnaise. Ce vin y souscrit, issu de merlot à 90 % et de cabernet franc à 10 %, et fruit
d'une cuvaison longue et d'un élevage de douze
mois en barrique. Son attaque souple, son corps
ample aux parfums et arômes de fruits confits,
de fleur d'oranger, de zeste d'orange et de
vanille, sont autant d'invites à le déguster sur des
viandes rouges, et sur la lamproie quand les
tanins seront apaisés - une affaire de mois.
➲ Michel Boyer, Ch. Bellevue La Mongie,
33420 Génissac, tél. 05.57.24.48.43,
fax 05.57.24.48.43 ☑ ☏ r.-v.

CH. BELLEVUE PEYCHARNEAU
Vieilli en fût de chêne 1998★

| ■ | n.c. | 72 000 | ❙❙❙ | 20 à 29 F |

Ce vin est né de merlot (60 %) et de cabernet-
sauvignon (40 %) implantés sur des coteaux
argilo-calcaires très accidentés. Revêtu d'une
robe pourpre à reflets groseille, il révèle une
bonne structure, un bel équilibre entre le raisin
et le fût avec des flaveurs de fruits rouges acidulés
et des notes rôties, vanillées, adoucies de cire
d'abeille. Le bois marque encore la finale d'une
pointe astringente dont il faut suivre l'évolution.
A servir sur des viandes grillées.
➲ Louis Eschenauer, rte de Balizac,
33720 Landiras, tél. 05.57.98.07.33,
fax 05.56.62.49.14

CH. BOIS NOIR
Elevé en fût de chêne 1998★

| ■ | 22,09 ha | 40 000 | ❙❙❙ | 30 à 49 F |

Ce 98 provient d'un vignoble encore jeune
(quinze ans environ), implanté sur les boulbènes
du pays de Guîtres, dont on visitera avec plaisir
l'église abbatiale. Un dégustateur lui a reproché

un boisé « trop présent » (douze mois de fût).
Les autres ont apprécié ses flaveurs complexes
d'agrumes et de fruits confits qui imprègnent une
chair puissante, aux tanins encore solides. Le
temps effacera l'austérité de cette bouteille de
tradition. Le **Château Vieux Dominique 98** (20 à
29 F), élevé en cuve, est cité. Il mêle la fraise
écrasée, le petit fruit des bois relevé d'effluves
animaux. Son corps est tout rond, son grain
serré, et sa finale longue. Il accompagnera maintenant et pendant plusieurs mois les viandes brai-
sées et la lamproie.
➲ SARL Ch. Bois Noir, 33230 Maransin,
tél. 05.57.49.41.09, fax 05.57.49.49.43 ☑ ☏ r.-v.

DOM. DE BOUILLEROT 1998★

| ■ | 1,8 ha | 8 000 | ■ ♦ | 30 à 49 F |

Composé à 80 % de merlot et à 20 % de cabernet franc d'un quart de siècle, ce vin est le résultat
d'une forte extraction et d'une longue macération ; il révèle des tanins jeunes. Ses parfums épicés, sa chair ferme, dense au grain agréable,
et sa longueur sont très appréciables. Sans doute
gagnera-t-on à le laisser vieillir, avant de lui
offrir gibier et viandes rouges marinées.
➲ Thierry Bos, Lacombe, 33190 Gironde-
sur-Dropt, tél. 05.56.71.46.04, fax 05.56.71.46.04
☑ ☏ r.-v.

CH. DE CAMARSAC
Sélection élevée en barrique 1998★

| ■ | 8 ha | 50 600 | ■ ❙❙❙ ♦ | 30 à 49 F |

Le château de Camarsac est une ancienne forteresse des XIᵉ et XIIIᵉs. remaniée en 1857. Il
domine un vaste paysage, de la Garonne au
Saint-Emilionnais. Les sols du vignoble sont
variés - calcaire plus ou moins profond, bancs
graveleux -, et la sélection parcellaire prend ici
tout son sens. Le vin présenté marie 69 % de
merlot à 31 % de cabernet-sauvignon, une robe
d'un beau rubis révèle sa jeunesse. Fruits rouges
et cassis partagent ses parfums avec un léger
boisé. La bouche évolue sur des tanins assez fins
qui vont encore se fondre.
➲ Bérénice Lurton, Sté Fermière
Ch. de Camarsac, 33750 Camarsac,
tél. 05.56.30.11.02, fax 05.56.30.12.92 ☑ ☏ r.-v.

CH. CANTELON LA SABLIERE 1998

| ■ | 3 ha | n.c. | ❙❙❙ | 30 à 49 F |

Ce vin, mariage de merlot (60 %) et de cabernet (40 %), est le produit d'une longue cuvaison
suivie d'un séjour de quatorze mois en fût. Il plaît
par son nez intense de griotte et de fruits confits,
assortis de notes épicées et vanillées. La mise en
bouche est ronde, ample ; les tanins puissants
respectent la chair dense mais s'imposent en
finale, qui évoque le noyau de cerise. Un classique.
➲ EARL Bertin, lieu-dit Bertin, 33760 Cantois,
tél. 05.56.23.61.02, fax 05.56.23.94.77,
e-mail bertin@caves-particulieres.com ☑ ☏ r.-v.
➲ Mans

CH. CANTELOUP 1997

| ■ | n.c. | 20 000 | ■ | 20 à 29 F |

Proche de la Maison des bordeaux, qu'il faut
aussi visiter, ce château, établi sur des sols argilo-
graveleux, propose un 97 rond, corsé, parfumé

de fruits rouges cuits, aux tanins présents sans orgueil. Destiné à des repas simples, un vin plaisant qui honore son millésime.

☞ EARL Landreau, l'Hermette, 33750 Beychac-et-Caillau, tél. 05.56.72.97.72, fax 05.56.72.49.48 ☑

DOM. DE CANTEMERLE
Cuvée Prestige Vieilli en fût de chêne 1998

■ 33 ha 10 000 ◫ 50 à 69 F

Deux jeunes frères ont repris en 1998 cette propriété sise à Saint-Gervais, dont l'église romane domine la plaine de la Dordogne, au nord de Bordeaux. Issue pour l'essentiel de merlot (90 %), leur cuvée Prestige possède un joli nez de fruits des bois (framboise, fraise) et de pain d'épice. Le corps bien structuré, aux tanins fondus révèle un passage en fût par ses parfums boisés sans excès. Ce 98 accompagnera viandes rouges et lamproie dès maintenant.

☞ Vignobles Mabille, 9, Cantemerle, 33240 Saint-Gervais, tél. 05.57.43.11.39, fax 05.57.43.11.39, e-mail cantemerle@wanadoo.fr ☑ ⵏ r.-v.

CH. DE CAZENOVE 1998

■ 4,67 ha 27 300 ◫ 30 à 49 F

Un vignoble jeune par l'âge des plantations, composé à parts égales de merlot et de cabernet-sauvignon, et implanté sur des palus de Macau... On trouve aussi de jolis bordeaux nés sur les terres jouxtant l'aire du margaux ! Celui-ci, qui a connu huit mois de barrique, libère de délicates fragrances de cassis vanillé. Le charme charnu de son corps se prolonge en une finale encore tannique, qui s'adoucira sans doute avec le temps. On servira alors cette bouteille sur des viandes rouges ou du gibier accompagné d'une sauce au vin.

☞ Mme de Cazenove, Ch. de Cazenove, 33460 Macau, tél. 05.57.88.79.98, fax 05.57.88.79.98, e-mail cazessen@club-internet.fr ☑ ⵏ r.-v.

CH. CHAMP DE FLEURET 1998

■ 24 ha 120 000 ■⚘ 20 à 29 F

Venu du Libournais et issu des principes de la culture raisonnée, ce vin de propriété est élaboré par la coopérative de Puisseguin. Modeste par sa robe et timide par son nez, ce 98 se révèle en bouche. Rond, souple, chaleureux, d'une persistance bienvenue, il saura plaire plusieurs mois sur des volailles et des grillades. A inviter avec les copains !

☞ Cave coop. de Puisseguin-Lussac-Saint-Emilion, Durand, 33570 Puisseguin, tél. 05.57.55.50.40, fax 05.57.74.57.43 ⵏ r.-v.

☞ Lacroix

CHAPELLE DE BARBE 1998

■ 12,85 ha 102 000 ■◫⚘ 30 à 49 F

Le château de Barbe domine la Gironde et la jolie route menant de Bourg à Blaye, près de Roque-de-Thau. La chapelle se dresse au milieu des vignes. Ce vin est composé de 55 % de merlot, de 25 % de cabernet-sauvignon et de 20 % de cabernet franc. Le boisé (dix-huit mois de fût) met subtilement en valeur les arômes complexes

de fruits rouges, qui chantent sur la rondeur flatteuse du corps. Les tanins bien présents se montrent pourtant courtois ; ils servent une finale parfumée de violette.

☞ SCV villeneuvoise, Ch. de Barbe, 33710 Villeneuve, tél. 05.57.42.64.00, fax 05.57.64.94.10 ☑ ⵏ r.-v.

☞ Famille Richard

CH. DE CORNEMPS 1998★★

■ 27 ha 150 000 ■⚘ 20 à 29 F

Entre le point haut de Puynormand et l'église nichée au creux de Petit-Palais, on trouve, dominant les coteaux sud de l'Isle, les ruines de l'abbaye de Cornemps. Les chais de la propriété sont sous la falaise. Habitué du Guide, ce cru signe cette année un vin remarquable par son harmonie générale : nez élégant et complexe de raisins mûrs aux notes fumées et toastées, corps rond et soyeux, à la charpente tannique enrobée, finale parfumée et persistante, finement boisée. Un charme certain, et fait pour durer plusieurs années.

☞ Henri-Louis Fagard, Cornemps, 33570 Petit-Palais, tél. 05.57.69.73.19, fax 05.57.69.73.75, e-mail vignobles.fagard@wanadoo.fr ☑ ⵏ r.-v.

CH. COTES DE CASSAGNE 1998

■ n.c. 7 500 ■ 30 à 49 F

Cette minuscule propriété (1,8 ha), achetée en mars 1998, est bien tenue. Son vin, de composition classique en Libournais (70 % de merlot, 30 % de cabernet-sauvignon) est de la vendange mûre des terres de rochers. L'équilibre entre la chair onctueuse et des tanins non agressifs est souligné de flaveurs de fruits à noyau (griotte), d'épices et de pain grillé.

☞ Cyril Chancelier, Ch. Côtes de Cassagne, 33350 Castillon-la-Bataille, tél. 05.57.40.53.13 ☑

CH. COTTE DES RAMBAUX
Cuvée Jean-Claude Jambon 1998★

■ n.c. 30 000 ■⚘ 20 à 29 F

Ce vin reflète une approche traditionnelle de l'appellation : issu principalement de merlot (70 %) complété de 20 % de cabernet-sauvignon et de 10 % de cabernet franc, il offre sans retenue des flaveurs nettes de raisin mûr et de grillé à peine épicé, un corps bien structuré à la finale persistante. De la même maison, le **Château Poncharac 98**, dans lequel les cabernets (25 % chacun) équilibrent le merlot, a été cité. Une note tannique structure ce vin aux arômes frais de fruits sauvages (fraise des bois) et de pruneau. Il sera « sympathique à maturité », dans quelques mois.

☞ SA Yvon Mau, B.P. 1, 33193 Gironde-sur-Dropt Cedex, tél. 05.56.61.54.54, fax 05.56.61.54.61 ⵏ r.-v.

CH. COURONNEAU
Cuvée Pierre de Cartier Elevé en barrique 1998★

■ 4 ha 12 000 ◫ 50 à 69 F

Ligueux se cache à la frontière du département, à quelques kilomètres au sud de Sainte-Foy-la-Grande. Son château du XVᵉˢ., austère mais cossu, vaut le détour ! On y admirera aussi un cuvier et un chai à barriques de haute tenue.

Une sélection de 4 ha de merlot pur est à l'origine de ce vin dont les flaveurs complexes mêlent fruits, boisé torréfié, café et touches animales. Son corps, rond, vineux, gras, offre une harmonie que certains ont jugée remarquable. S'il mérite d'attendre pour s'exprimer mieux encore, les impatients pourront déjà l'inviter sur du gibier et un rôti de bœuf.

➥ Piat, Ch. Couronneau, 33220 Ligueux, tél. 05.57.41.26.55, fax 05.57.41.27.58 ☑ ⅂ r.-v.

DOM. DE COURTEILLAC 1998★

| ■ | 8 ha | 90 000 | ⦀ | 50 à 69 F |

Ce 98 provient du plateau vinicole de Ruch qui domine les vallons de la Gamage. C'est un vin harmonieux dont les flaveurs évoquent les fruits mûrs à l'eau-de-vie, le sureau et la vanille. Son charme est fait d'une chair ronde et de tanins fondus, qui soutiennent une longue finale, encore marquée par le bois. Cette bouteille accompagnera bientôt le fromage.

➥ SCEA Dom. de Courteillac, 33350 Ruch, tél. 05.57.40.79.48, fax 05.57.40.57.05

CH. DE CRAIN 1998

| ■ | 22 ha | 20 000 | ■ ⅃ | 20 à 29 F |

Cette propriété existait déjà au XIXᵉs., et l'on y trouve des vestiges de bâtiments du XIIIᵉs. Son vin de merlot (90 %) a intrigué les dégustateurs par ses notes animales et minérales, qui rehaussent un fruité épicé. Son attaque est ronde, souple, son corps puissant et sa finale, enlevée. Il accompagne viandes blanches et salaisons.

➥ SCA de Crain, Ch. de Crain, 33750 Baron, tél. 05.57.24.50.66, fax 05.45.25.03.73 ☑ ⅂ r.-v.

➥ Fougère

CH. CROIX DE CALENS 1998★

| ■ | 8 ha | 40 000 | ■ ⅃ | 30 à 49 F |

Situé non loin du château de La Brède qui appartint à Montesquieu, le vignoble a été entièrement reconstruit à partir de 1965, sur des sols argilo-limoneux de la rive gauche de la Garonne. Le vin, équilibré entre merlot et cabernet-sauvignon, est né d'une cuvaison longue dans un chai aux techniques très modernes. Sa structure solide mais fine, ses arômes de fruits frais bien mûrs (griotte), sa finale légèrement marquée de noyau signent un bordeaux supérieur très représentatif de l'appellation.

➥ EARL Vignobles Albert Yung, Ch. Haut-Calens, 33640 Beautiran, tél. 05.56.67.05.25, fax 05.56.67.24.91 ☑ ⅂ r.-v.

CH. DE CUGAT
Cuvée Francis Meyer 1998★★

| ■ | 2,5 ha | 9 000 | ⦀ | 50 à 69 F |

Situé dans la charmante vallée de la Gamage que domine le château de Cugat, Blasimon est connu pour son abbaye du XIIIᵉs. au très beau portail et pour un moulin à eau fortifié. Benoît Meyer y a produit un 100 % merlot vendangé en clayettes, qui a fait sa fermentation malolactique en barrique, où il a séjourné quatorze mois. Cette recherche signe l'élégance et l'intensité des flaveurs, mariage complexe de raisin, de vanille, d'eucalyptus, de tabac et de notes toastées. L'harmonie du corps souple est confortée de tanins savoureux. « Du joli travail, un bon équilibre

matière-bois », écrit un dégustateur. Un beau type de l'appellation, que l'on peut déjà apprécier sur des viandes rouges cuisinées (en sauce aux champignons par exemple...).

➥ Benoît Meyer, Ch. de Cugat, 33540 Blasimon, tél. 05.56.71.52.08, fax 05.56.71.60.29 ☑ ⅂ r.-v.

CH. DALLAU 1998

| ■ | 30 ha | n.c. | ■ | 30 à 49 F |

Ce 98 est né de vignes situées sur les terrasses silico-argileuses de la vallée de l'Isle, au nord de Libourne. Le merlot y domine (environ 70 %). Il s'habille de pourpre profond, et ses parfums complexes (cassis mentholé et réglisse, épices) impressionnent. La bouche révèle une opulence souple et longue, mais les tanins bourrus paraissent encore rustiques en finale. Le temps devra les arrondir.

➥ SCEA Bertin et Fils, Dallau, 8, rte de Lamarche, 33910 Saint-Denis-de-Pile, tél. 05.57.84.21.17, fax 05.57.84.29.44 ☑ ⅂ r.-v.

CH. DAMASE 1998★

| ■ | 10 ha | 80 000 | ⦀ | 30 à 49 F |

Savignac, perché sur des coteaux de la rive droite de l'Isle, offre de belles vues sur Pomerol et le Saint-Emilionnais. Des bâtiments élégants et sobres abritent les chais où a été élevé ce vin de pur merlot. Des parfums de tubéreuses (narcisse), de fruits rouges, de vanille et de cacao accompagnent la dégustation. Le corps, sous des aspects bourrus, ne manque pas d'agréments : une bouteille faite pour les amis invités à passer « un bon moment ».

➥ Xavier Milhade, Ch. Damase, 33910 Savignac-de-l'Isle, tél. 05.57.55.48.90, fax 05.57.84.31.27, e-mail milhadeg@aol.com ⅂ r.-v.

CH. FONCHEREAU 1997★

| ■ | 20,05 ha | n.c. | ■ | 20 à 29 F |

Les quatre cépages traditionnels sont présents dans ce 97 issu de graves et d'argilo-calcaires : 60 % de merlot, 20 % de cabernet-sauvignon, 17 % de cabernet franc, et 3 % de malbec. L'ensemble s'exprime en notes de fruits puis de confiture, mêlées de mousse, d'humus, et en un vin corsé, charpenté de tanins courtois dont la présence, de plus en plus affirmée, signe une capacité de garde. A servir sur de la charcuterie et des confits.

➥ SCA Ch. Fonchereau, BP 9, 33450 Montussan, tél. 05.56.72.96.12, fax 05.56.72.44.91 ☑ ⅂ r.-v.

➥ Madar

CH. FON DE SERGAY 1998

| ■ | | n.c. | 36 000 | ■ ⅃ | 20 à 29 F |

Cette cuvée 98 est une sélection de 5 ha environ de cabernet-sauvignon (70 %) et de merlot (30 %) : des notes de sous-bois et de cuir apportent leur complexité aux flaveurs ; la bouche révèle une belle harmonie, plutôt que de la puissance. « Un vin sympathique », conclut un juré. Le cru a obtenu une autre citation pour un 97 toujours dominé par le cabernet-sauvignon (70 %), accompagné de cabernet franc (10 %) et de merlot (20 %). Un élevage d'un an en fût a complété l'éducation de ce vin souple, rond, aux

arômes de petits fruits (cassis, groseille) finement boisés. Il est à boire maintenant (30 à 49 F).
⌖ Pierre Aroldi, Ch. Fon de Sergay, 33540 Saint-Hilaire-du-Bois, tél. 05.56.71.53.77, fax 05.56.71.61.78 ✔ ⊥ r.-v.

CH. FREYNEAU 1997★★

■　　　　　　9 ha　　40 000　　🍷 ♦ 20 à 29 F

A mi-chemin entre Bordeaux et l'imposant château de Vayres, proche de la Maison des bordeaux et bordeaux supérieurs de Beychac, vitrine élégante du syndicat de ces appellations, le vignoble est constitué de merlot (80 % au moins) et de cabernets implantés sur des sols de graves et d'argilo-calcaires. Cette cuvée principale compte 5 % de cabernet franc ; sa souplesse gouleyante étoffée de tanins soyeux, son bouquet élaboré, aux notes de sous-bois, de champignon, de fruits rouges épicés, ont enchanté les jurés qui l'ont jugée remarquable dans son millésime. La **Cuvée traditionnelle 97** (30 à 49 F), où le cabernet-sauvignon remplace, pour 10 %, le cabernet franc, a vieilli douze mois en fût. Sa bouche souple et ample, ses flaveurs de fruits mûrs, épicées et toastées, sa structure tannique, sa finale agréablement boisée composent un vin réussi.
⌖ GAEC Maulin et Fils, Ch. Freyneau, 33450 Montussan, tél. 05.56.72.95.46, fax 05.56.72.84.29, e-mail chateau-freyneau @ wanadoo.fr ✔ ⊥ r.-v.

CH. DE FUSSIGNAC 1998★

■　　　　14 ha　　80 000　🍷 ◫ ♦ 30 à 49 F

La façade de l'église de Petit-Palais est connue pour la pureté de ses lignes et ses sculptures. Elle est dominée par des coteaux couverts de vignes. Ce 98 est un assemblage de cabernet-sauvignon (30 %) et de merlot (70 %), vieilli pour une petite partie (15 %) en fût. Cet élevage a marqué subtilement ses flaveurs de fruits et de réglisse d'un boisé vanillé. L'harmonie souple de la chair et la persistance composent une bouteille d'une belle finesse, à déguster dès maintenant sur des viandes blanches ou du fromage.
⌖ Jean-François Carrille, pl. du Marcadieu, 33330 Saint-Emilion, tél. 05.57.24.74.46, fax 05.57.24.64.40 ✔ ⊥ r.-v.

CH. GAILLARTEAU 1998

■　　　　0,92 ha　　8 000　　◫ ♦ 30 à 49 F

Cette sélection de merlot (65 %) et de cabernet-sauvignon (35 %), provenant de vignes de quarante ans, a vieilli dix-huit mois en fût. Le boisé se montre puissant, avec ses accents de pain grillé, mais respectueux des notes fruitées du vin, qu'il accompagne en soulignant cependant une certaine astringence des tanins de raisin : un style solide pour viandes grillées et relevées. Une bouteille qui devra mûrir pour séduire les palais délicats, mais qui réjouira d'emblée les tenants de la tradition.
⌖ GFA Ch. Gaillarteau, 5, Ch. Gaillarteau, 33410 Mourens, tél. 05.56.61.98.21, fax 05.56.61.99.06 ✔ ⊥ r.-v.

CH. GAMAGE Elevé en barrique 1998★

■　　　　31 ha　　n.c.　◫ ♦ 50 à 69 F

Une belle vue sur la vallée de la Dordogne attend le visiteur qui montera jusqu'à l'église templière dominant le bourg de Saint-Pey. Ce vin correspond à une conception classique du vignoble (70 % de merlot, 20 % de cabernet-sauvignon, 10 % de cabernet franc) et de la vinification. L'élevage fait appel à un tiers de barriques neuves, qui marquent intensément les saveurs ; le nez conserve ses accents de fruits un peu torréfiés quand la bouche est dominée par des tanins de chêne intéressants qui devront se fondre quelques mois encore. C'est un vin de caractère, de viandes rouges et de confits. Le **Château Dartigues 98** (30 à 49 F) du même propriétaire est bâti sur 80 % de merlot et 20 % de cabernet. Le bois le possède moins, et la bouche, ronde, souple, laisse paraître des fruits rouges légèrement épicés et vanillés, très fondus ; mais la finale demeure encore austère : à déguster sans précipitation.
⌖ SARL Ch. Gamage, 33350 Saint-Pey-de-Castets, tél. 05.57.40.52.02, fax 05.57.40.53.77 ✔ ⊥ r.-v.
⌖ Lavie-Spurrier

CH. GRAND-JEAN
Elevé en fût de chêne 1998★

■　　　　7 ha　　57 000　　◫ 30 à 49 F

Le cabernet-sauvignon (70 %) domine le merlot (30 %) dans ce 98 élevé douze mois en fût. Sa robe profonde presque noire, à reflets violacés, annonce un vin dense au nez boisé où les notes de pain grillé se mêlent à celles de fruits noirs sauvages. La bouche savoureuse évolue sur des tanins qui deviendront de velours après deux ou trois ans de garde.
⌖ Michel Dulon, Ch. Grand-Jean, 33760 Soulignac, tél. 05.56.23.69.16, fax 05.57.34.41.29 ✔ ⊥ r.-v.

CH. HAUT MALLET 1998★

■　　　　5 ha　　29 000　　◫ 30 à 49 F

Voici un vin né de l'agriculture biologique, à 5 km du château de Benauge et de l'austère église de Targon. Un nez subtil mêle fleurs (violette), fruits (mûre, framboise) et un caramel vanillé discret. Le plaisir s'affirme en bouche, où se marient aimablement tanins et chair. Très réussi par ses arômes flatteurs, ce 98 peut convenir à des plats légèrement épicés.
⌖ SCA Vignoble Boudon, Le Bourdieu, 33760 Soulignac, tél. 05.56.23.65.60, fax 05.56.23.45.58 ✔ ⊥ t.l.j. 9h-12h 14h-18h; sam. dim. sur r.-v.; f. fin août

CH. HAUT NADEAU 1998★★

■　　　　6 ha　　45 000　🍷 ◫ ♦ 30 à 49 F

Proche de la massive église de Targon et de la tour de l'abbaye de La Sauve, cette propriété propose un vin qui a séjourné douze mois en barriques renouvelées par tiers chaque année : habit grenat foncé, nez de truffe, de viande rôtie, avec des notes de pruneau. L'attaque est fraîche, mais très vite, le volume d'une chair mûre aux tanins enveloppés remplit la bouche. Un boisé subtil et discret prolonge la finale : « Vin d'une belle complexité, très élégant »... Saluons l'œnologue vigneron !
⌖ SCEA Ch. Haut Nadeau, 3, chem. d'Estévenadeau, 33760 Targon, tél. 05.56.20.44.07, fax 05.56.20.44.07 ✔
⌖ Audouit

CH. HAUT NIVELLE 1998★

■　　　　　18 ha　　　　n.c.　　❶❶ 30 à 49 F

Le vignoble encore jeune (douze ans) de cette propriété est implanté sur les coteaux de l'Isle près de l'église de Petit-Palais et de l'abbaye de Cornemps. Les deux cabernets (10 % de franc) équilibrent le merlot dans ce 98, produit d'une cuvaison longue et d'une fermentation malolactique sous marc, élevé ensuite quelques mois en cuve avec microbullage puis en fût pendant douze mois. On peut visiter ces installations modernes. Le nez délicat fleure le raisin, le pruneau, la vanille et la réglisse. La mise en bouche est souple, puis les tanins s'affirment pour devenir un peu envahissants en finale ; mais l'ensemble, bien conçu et aromatique, révélera bientôt ses atouts. Un vin à apprécier sans façon entre amis.
➥SCEA Les Ducs d'Aquitaine, Favereau, 33660 Saint-Sauveur-de-Puynormand, tél. 05.57.69.69.69, fax 05.57.69.62.84, e-mail scealesducsdaquitaine@wanadoo.fr
☑ ⵏ r.-v.
➥ Le Pottier

CH. HAUT-PEYREDOULLE 1997★

■　　　5 ha　　　15 000　　■ ⵏ 50 à 69 F

Sélection de merlot (60 %), de cabernet (30 %), de malbec (10 %), ce vin est dans la tradition bordelaise. Encore mêlé de notes fraîches et végétales, un bouquet de pruneau cuit, à peine viandé, occupe le corps concentré, aux tanins robustes, ce 97 qui saura résister au temps : un vin intéressant qui permettra de garder quelques années le souvenir de ce millésime irrégulier...
➥Vignobles Louis Marinier, Dom. Florimond-La Brède, 33390 Berson, tél. 05.57.64.39.07, fax 05.57.64.23.27 ☑ ⵏ t.l.j. 8h-12h 14h-18h; sam. dim. sur r.-v.; f. août

CH. HAUT SORILLON Prestige 1998★

■　　　3 ha　　　24 000　　❶❶ 50 à 69 F

Ce vin de pur merlot est né sur les terrasses de l'Isle, à l'extrémité nord-est du Libournais. Il a été mis en barrique pour y « faire sa malo », et y a séjourné quatorze mois. Les dégustateurs furent partagés, certains appréciant des notes « animales » (cuir) qui participent à la palette complexe de parfums déclinant fruits, cacao, épices et pain grillé. La barrique domine encore, sans l'assécher, un corps harmonieux, à la finale agréablement réglissée. Un vin de viandes rouges bien cuisinées et, dans quelques mois, de fromage.
➥Jean-Marie Rousseau, Petit-Sorillon, 33230 Abzac, tél. 05.57.49.06.10, fax 05.57.49.38.96 ☑ ⵏ r.-v.

CH. JALOUSIE-BEAULIEU 1997★

■　　　90 ha　　　60 000　　■ ⵏ 20 à 29 F

Ce 97, né sur les coteaux au nord du Fronsadais, a été apprécié pour son nez de griotte cuite avivé de nuances plus complexes, surprenantes, et pour l'aspect un peu sauvage d'un corps bien structuré autour d'une chair aux flaveurs de confiture, mais aux tanins encore austères. Un vin original à servir sur des plats relevés et des grillades. La Guyennoise, maison de négoce éta-

blie à Sauveterre-de-Guyenne, propose aussi le **Château Gandoy-Perrinat 98**, né au cœur de l'Entre-deux-Mers, et dans lequel les deux cabernets équilibrent le merlot. Son nez floral et fruité et son corps croquant font le charme de ce vin cité par le jury.
➥La Guyennoise, B.P. 17, 33540 Sauveterre-de-Guyenne, tél. 05.56.71.50.76, fax 05.56.71.87.70

CH. DES JOUALLES 1998★

■　　　30 ha　　200 000　　■ ⵏ 30 à 49 F

Situé à Ruch, ce château appartient aux propriétaires du château Lassègue. Issu de 65 % de merlot, de 25 % de cabernet franc et de 10 % de cabernet-sauvignon, plantés sur des argilo-calcaires, ce vin présente une structure dense parfumée de petits fruits rouges. Si ce style de vin mérite de mûrir, il faut en suivre l'évolution en le dégustant sur des volailles en sauce ou en pâté.
➥SC des Vignobles Freylon, 33330 Saint-Hippolyte, tél. 05.57.24.72.83, fax 05.57.74.48.88
ⵏ r.-v.
➥ Bruno Freylon

DOM. DES JUSTICES 1998★

■　　　6 ha　　　22 000　　❶❶ 30 à 49 F

Tout le monde connaît Christian Médeville surnommé « l'antiquaire des sauternes » car il élève longuement son cru vedette, Château Gilette, ne mettant sur le marché que des millésimes anciens. Mais il ne néglige pas sa production de vin rouge comme le montre ce bordeaux supérieur assemblant presque à parts égales merlot et cabernet-sauvignon implantés sur sables et alluvions modernes. Elevé douze mois en barrique, ce 98 est paré d'une robe brillante, et ses parfums intenses rappellent davantage le cabernet que le merlot ; il commence à peine à s'ouvrir. La bouche ne se confie pas encore ; équilibrée, puissante et longue, elle signe un vin bien travaillé. Signalons que Christian Médeville fut lauréat de la grappe d'or du Guide Hachette l'an dernier pour son sauternes.
➥Christian Médeville, Ch. Gilette, 33210 Preignac, tél. 05.56.76.28.44, fax 05.56.76.28.43, e-mail christian.medeville@wanadoo.fr
☑ ⵏ r.-v.

CH. LA BASTIDE MONGIRON
Cuvée noire 1998

■　　　1 ha　　　6 000　　❶❶ 30 à 49 F

Né de merlot accompagné de 10 % de malbec, fermenté après macération à froid, et élevé sur lies en fût, voici un vin peu classique qui a partagé le jury : sa souplesse, sa chair gouleyante aux tanins assagis ont inquiété ou littéralement envoûté. Mais l'ensemble du jury a apprécié la robe carmin profond et les flaveurs puissantes et subtiles de tarte à la framboise, de chocolat et de caramel, avec un soupçon de fourrure ou de cuir. A découvrir sur du fromage.
➥Jean-Michel Queron, Mongiron, 33750 Nerigean, tél. 05.57.24.53.16, fax 05.57.24.06.36 ☑ ⵏ r.-v.

CH. LABATUT Cuvée Prestige 1998

■   n.c.   n.c.   ▮ ⚊ 30 à 49 F

Détenu jadis par les seigneurs de Duras, ce château du XIII°s. domine les coteaux proches du bourg de Pujols. Les vignobles sont conduits selon les règles de l'agriculture biologique. La couleur bordeaux de la robe sied à ce 98 aux arômes de fruits. Cette harmonie jeune, fraîche, souple et longue semble liée à de jolis cabernets francs mûrs (40 % du vin) : il faut y goûter maintenant et en suivre l'évolution. Du même producteur, le **Château Lagnet 98**, également cité, est né de la même inspiration : son amabilité gracile joliment parfumée séduira les amateurs de vins sveltes mais bien soutenus.

☛ GFA Leclerc, Ch. Lagnet, 33350 Doulezon, tél. 05.57.40.51.84, fax 05.57.40.55.48 ⟂ r.-v.

CH. LA CADERIE
Elevé en fût de chêne 1997

■   6 ha   n.c.   ▮▮ 30 à 49 F

Le vignoble se cache au milieu d'un monde de petites églises romanes austères, proches de l'église abbatiale de Guîtres, monumentale et plus belle encore dedans que dehors. La vinification de ce 97, issu essentiellement de merlot (90 %), a été précédée d'une macération à froid de plusieurs jours, et la température du début de fermentation a été maintenue relativement basse pour favoriser l'apparition d'arômes frais dans le vin. Le vieillissement en fût a duré dix-huit mois. Les experts ont remarqué, outre le fruité de raisin, des notes de tilleul et de fleurs séchées dans les parfums délicats qui accompagnent la dégustation d'une chair souple, fondue. L'ensemble manque peut-être de puissance, mais non d'agrément, avec un joli boisé.

☛ François Landais, Ch. La Caderie, 33910 Saint-Martin-du-Bois, tél. 05.57.49.41.32, fax 05.57.49.41.32 ☑ ⟂ r.-v.

CH. LA COMMANDERIE DE QUEYRET 1998★★

■   13 ha   40 000   ▮ ⚊ 30 à 49 F

Cet habitué du Guide frôle le coup de cœur avec son 98 bâti de façon assez classique sur 60 % de merlot et 40 % de cabernet-sauvignon. Son charme est lié à la maîtrise du vigneron-vinificateur, qui signe ici une réussite remarquable. Le nez intense et complexe mêle fruits rouges et noirs (cassis dominant) à des touches discrètes, animales et végétales (foin). Charnue, dense, avec des tanins amicalement présents et persistants, la bouche laisse une impression d'équilibre tranquille. Un très beau vin, qui peut se boire jeune mais qui est également apte à une garde de dix ans. Les dégustateurs suggèrent de le servir avec un gigot d'agneau. La **cuvée 98 élevée en fût de chêne** obtient une étoile. C'est un vin plantureux et bien élevé.

☛ Claude Comin, La Commanderie, 33790 Saint-Antoine-du-Queyret, tél. 05.56.61.31.98, fax 05.56.61.34.22 ☑ ⟂ r.-v.

CH. LA FAVIERE 1998

■   15,88 ha   100 000   ▮ ⚊ 20 à 29 F

Le vignoble s'étend sur les terrasses de l'Isle, à quelques kilomètres de la belle église romane de Petit-Palais. Un même sérieux préside à la conduite du vignoble et aux vinifications : taille, éclaircissage, date des vendanges effectuées par parcelles et cuvaisons, rien n'est laissé au hasard. Ce bordeaux de tradition offre un nez fin de raisins mûrs assortis de notes rôties ; la bouche ronde est encore un peu ferme. Ce vin possède un potentiel certain qui s'affirmera avec le temps ; il pourra être apprécié plusieurs années.

☛ SCEA Dom. de La Cabanne, 32, rue Antoine-de-Saint-Exupéry, 33660 Saint-Seurin-sur-l'Isle, tél. 05.57.49.72.02, fax 05.57.49.64.89 ☑ ⟂ r.-v.

☛ Grawitz

CH. LA FRANCE Cuvée barriques 1997★

■   66 ha   53 000   ▮▮▮ 30 à 49 F

Le vignoble de cette ancienne (1689), vaste (77 ha) et belle propriété est constitué de cabernets (20 % chacun) et de 60 % de merlot. Si les équipements sont très modernes, la vinification et l'élevage (quinze mois en fût) se réclament de la pure tradition. Quelques notes de poivron vert et de menthe chantent sur des flaveurs de fruits confits vanillés. Cette complexité sied aux tanins fondus et puissants d'un vin atypique mais très flatteur.

☛ SCEA de Foncaude, Ch. La France, 33750 Beychac-et-Caillau, tél. 05.57.55.24.10, fax 05.57.55.24.19 ☑ ⟂ r.-v.

DOM. DE LA GRAVE
Cuvée Prestige 1998★★

■   3 ha   10 000   ▮▮▮ 30 à 49 F

A 500 m environ de la Maison des bordeaux et bordeaux supérieurs, la famille Roche exploite depuis cinq générations des vignes implantées sur terrains graveleux. Une sélection rigoureuse de vieilles vignes (90 % de merlot), une vinification longue et un élevage en fût neuf ont donné ce vin remarquable, qui a manqué de peu le coup de cœur. Son boisé s'affirme, élégant, vanillé, torréfié, intense mais respectueux des raisins mûrs qui ont construit un corps charnu, charpenté, offrant une belle progression de l'attaque fruitée à la finale complexe. Ce 98 mérite d'être attendu trois ans et plus pour atteindre son plein épanouissement.

☛ SCEA Roche, Perriche, 33750 Beychac-et-Caillau, tél. 05.56.72.41.28, fax 05.56.72.41.28 ☑ ⟂ t.l.j. 8h-19h

CH. LA GRAVETTE DES LUCQUES 1998★

■   4 ha   32 000   ▮ ⚊ 30 à 49 F

En 1991, Patrice Haverlan a repris l'exploitation familiale, située dans les Graves. Le chai recèle une curiosité : un cep de vigne évoquant un Christ en croix. Ce vin, issu à 90 % de merlot, est le produit d'une longue macération. Le nez apparaît un peu fermé alors que la maturité du raisin et la structure au palais révèlent déjà d'authentiques richesses.

☛ Vignobles Patrice Haverlan, 11, rue de l'Hospital, 33640 Portets, tél. 05.56.67.11.32, fax 05.56.67.11.32, e-mail patrice.haverlan@worldonline.fr ☑ ⟂ r.-v.

CH. LAMARCHE Lutet 1998★

■ 5 ha 30 000 ▤ ◖▮◗ ⬇ 30 à 49 F

Ce vin de vieilles vignes (plus de soixante ans) a été élevé en fût de 400 l, selon une coutume due sans doute à la proximité (relationnelle plus que topographique) des tonneliers de Cognac. Cassis, fraise, réglisse composent avec le merrain une harmonie un peu grillée, qui chante bien en un corps rond, élégant, de raisins mûrs. Des tanins, que le temps adoucira se manifestent en finale.

☛ Vignobles Germain et Associés, Ch. Peyredoulle, 33390 Berson, tél. 05.57.42.66.66, fax 05.57.64.36.20, e-mail bordeaux@vgas.com ⅄ r.-v.

☛ L. Julien

CH. LANDEREAU
Cuvée Prestige Elevé en fût neuf 1998★

■ 5 ha 30 000 ◖▮◗ 70 à 99 F

Du même propriétaire que le Château L'Hoste blanc, le Château Landereau se distingue également par la qualité régulière de sa production. Sa cuvée Prestige a vieilli dix-huit mois en barrique neuve. Sa corpulence élégante, charnue, relevée en finale de tanins courtoisement présents, se parfume de cassis et de fruits rouges suaves soulignés d'un boisé vanillé. La **cuvée principale 98**, élevée en cuve (30 à 49 F), est, elle aussi, très réussie : bien structurée, robuste sans rudesse, elle offre sa fraîcheur de fruits mûrs, dont on peut profiter dès maintenant sur des viandes rôties.

☛ Vignobles Michel Baylet, Ch. Landereau, 33670 Sadirac, tél. 05.56.30.64.28, fax 05.56.30.63.90 ☑ ⅄ t.l.j. sf sam. dim. 8h-12h 13h30-17h

CH. DE LA TOUR
Réserve du Château 1997★

■ 98,28 ha 220 500 ◖▮◗ 50 à 69 F

Ce cru tire son nom d'une tour, vestige d'un château construit par Bertrand de Got, qui devint le pape Clément V. Il domine un vaste panorama de l'Entre-deux-Mers. Les chais et les équipements datent de 1990, et permettent toutes les sélections, des parcelles comme des vins. Ceux-ci sont élevés plus de douze mois en barrique. La concentration des parfums et de la chair de ce 97 a étonné le jury. Les tanins bien enrobés en soulignent le fruit mûr, aux accents de pruneau, de noyau, accompagné d'un boisé courtois. La finale encore puissante laisse présager une belle évolution, à suivre pendant deux ou trois ans.

☛ SC du Ch. de La Tour, 23, chem. de Cougnot, 33270 Sallebœuf, tél. 05.56.35.53.00, fax 05.56.35.53.29, e-mail contact@cvbg.com ⅄ r.-v.

☛ Dourthe

CH. LATOUR-LAGUENS 1998★

■ n.c. n.c. ▤ ⬇ 30 à 49 F

La maison Louis Eschenauer présente deux vins sous le nom du Château Latour-Laguens. C'est la cuvée principale, élevée en cuve, qui a eu la préférence du jury. C'est un classique qui charme par ses flaveurs de fruits rouges épicés où ressortent cassis et cannelle. La chair, ronde et ferme, est portée par des tanins mûrs et réglis-sés, qui assurent une structure harmonieuse et une bonne aptitude à la garde : il « mérite une surveillance particulière dans son évolution », signale un dégustateur. Le boisé du lot **élevé en barrique 98** (cité) ajoute une complexité de noyau et de figue sèche, mais qui n'étaient pas encore mariés lors de la présentation.

☛ Louis Eschenauer, rte de Balizac, 33720 Landiras, tél. 05.57.98.07.33, fax 05.56.62.49.14

CH. LAUDUC
Cuvée Prestige Elevé en fût de chêne 1998★★

■ 3,5 ha 25 000 ◖▮◗ 30 à 49 F

Une sélection sévère de vieilles vignes âgées de quarante ans, vinifiée selon des techniques modernes respectueuses des traditions, un élevage de douze mois en barrique de chêne, mais aussi un tour de main en matière de remontages et une juste appréciation de la durée des macérations ont conduit à ce vin remarquable. L'assemblage savant des cépages (60 % de merlot, 35 % de cabernets et 5 % de malbec) exprime avec bonheur la cerise et le pruneau, un boisé flatteur, vanillé et toasté. Une harmonie concentrée, souple, exaltant le raisin mûr, où le merrain courtois prend le temps de visiter la bouche et s'arrondit en queue de paon. A réserver aux magret, gibier et entrecôte.

☛ GAEC Grandeau et Fils, Ch. Lauduc, 33370 Tresses, tél. 05.57.34.11.82, fax 05.57.34.08.19, e-mail maison.grandeau.lauduc@wanadoo.fr ☑ ⅄ r.-v.

CH. LA VERRIÈRE 1998★

■ 25 ha 80 000 ▤ ⬇ 30 à 49 F

Situé dans la partie orientale du Bordelais, le château La Verrière exporte plus de la moitié de sa production. Ce 98, un classique, est né sur des coteaux argileux assez proches du Lot-et-Garonne, à quelques kilomètres de la bastide de Sainte-Foy-la-Grande. Il sent le raisin mûr, le fruit confit. Son corps bien équilibré aux arômes de miel privilégie peut-être la finesse aux dépens de la vigueur, ce qui n'est pas son seul défaut !

☛ GAEC La Verrière-Bessette, La Verrière, 33790 Landerrouat, tél. 05.56.61.36.91, fax 05.56.61.41.12 ☑ ⅄ r.-v.

☛ André et Jean-Paul Bessette

CH. LE COMTE 1998*

■   3,12 ha   26 700   ❚❙❘   30 à 49 F

Vinifié par l'Union de producteurs Baron d'Espiet, ce 98 provient d'un vignoble situé à Blessignac, près de l'abbaye de La Sauve-Majeure. 80 % de merlot et 20 % de cabernet-sauvignon s'harmonisent en ce vin vineux, agréablement boisé, au fruité de fraise des bois bien présent, et aux tanins tempérés. Très bien fait, il peut encore mûrir.

🔖 Union de producteurs Baron d'Espiet, Lieu-dit Fourcade, 33420 Espiet, tél. 05.57.24.24.08, fax 05.57.24.18.91,
e-mail baron-espiet@dial.oleane.com ☑ ⅄ r.-v.
🔖 Jean-Louis Maigné

CH. LE GARDERA 1998*

■   23 ha   120 000   ❚♦   30 à 49 F

Ce 98 est né à Langoiran, dominé par les ruines d'un château féodal accrochées aux pentes abruptes des coteaux de la Garonne. Il est issu de merlot (60 %) et de cabernet-sauvignon (40 %) plantés sur graves et terres d'alluvions. La robe flatteuse, le nez subtil (raisins mûrs) et la chair ronde, avec une note cuite, les tanins présents mais fondus donnent un vin concentré aux arômes de fruits confits ; la finale est longue et réglissée. A déguster dès maintenant, mais sans hâte.

🔖 Domaines Cordier, 160, cours du Médoc, 33300 Bordeaux, tél. 05.57.19.57.77, fax 05.57.19.57.87 ⅄ r.-v.

CH. LE GRAND VERDUS
Cuvée Tradition 1998**

■   77,5 ha   450 000   ❚♦   30 à 49 F

Toujours à décrocher des étoiles ! Même s'il a manqué d'un souffle le coup de cœur, ce Grand Verdus 98 offre avec assurance le bonheur du bordeaux supérieur haut de gamme, l'harmonie puissante d'une chair ronde et souple, de tanins fondus, de parfums complexes où chantent merlot (50 %) et cabernets (30 % de sauvignon et 20 % de franc) ; on y découvre des notes de raisin mûr, avec des touches de chocolat mentholé. Le tout dans un fourreau noir brillant de feux pourprés... La **Cuvée réservée 98** (50 à 69 F) a été élevée en fût neuf pendant dix mois. Véritable concentré de fruits confits, avec des notes de menthe, d'aneth, de poivre et de grillé, le corps affirme une rondeur chaude, réglissée, aux tanins longs bien fondus. Deux vins remarquables à avoir dans sa cave.

🔖 SCEA Ph. et A. Legrix de La Salle, Le Grand Verdus, 33670 Sadirac, tél. 05.56.30.50.90, fax 05.56.30.50.98,
e-mail
le.grand.verdus.legris.de.la.salle@wanadoo.fr
☑ ⅄ r.-v.

CH. LE MUGRON Cuvée 2000 1998

■   n.c.   14 000   ❚❙❘   30 à 49 F

La grotte de Pair-non-Pair est toute proche, et le site panoramique attachant de Bourg-sur-Gironde à quelques kilomètres. Certains lecteurs connaissent la propriété sans le savoir : plusieurs films y furent tournés ! Merlot et cabernets se partagent à égalité un vin au nez curieux, fumé avec des touches animales, à la bouche très sou-

ple, dotée d'une structure tannique harmonieuse et d'une finale « brûlée ». Un vin de lamproie et de grillade que l'on peut commencer à boire.
🔖 SCEA Ch. Grand-Jour, 87, av. des Côtes-de-Bourg, 33710 Prignac-et-Marcamps, tél. 05.57.68.44.06, fax 05.57.68.37.59

CH. LE PIN BEAUSOLEIL 1998**

■   4,7 ha   10 000   ❚❙❘   50 à 69 F

Il faut visiter l'église de Saint-Vincent-de-Pertignas, village dominant la vallée de la Gamage. Deuxième coup de cœur consécutif pour ce vin amoureusement produit et élevé sur une petite propriété très ancienne (XVᵉ s.), reprise en 1994. Le merrain, parfaitement choisi, domine encore la dégustation de ses notes épicées et grillées, mais déjà s'expriment des flaveurs élégantes et complexes de fruits confits vanillés. La chair dense, onctueuse, à la puissance veloutée, aux tanins mûrs, présents mais aimables, s'abandonne en une finale qui ne demande qu'à s'épanouir encore longtemps... « C'est tellement bon ! » s'extasie un juré.
🔖 Arnaud Pauchet, Le Pin, 33420 Saint-Vincent-de-Pertignas, tél. 05.57.84.02.56, fax 05.57.84.02.56,
e-mail arno.pauchet@wanadoo.fr ☑ ⅄ r.-v.

CH. LE PRIEUR 1998*

■   4 ha   25 000   ❚❙❘♦   30 à 49 F

Cette propriété comptait 2 ha de vignes lorsqu'elle est entrée dans la famille d'Elisabeth Garzaro au début du XXᵉ s. Elle dispose aujourd'hui de 80 ha. Le Château Le Prieur 98 est un vin solide aux tanins jeunes, encore envahissants. Il a plu par sa robustesse aux accents de myrtille. Né selon des traditions de cuvaison longue, il a passé six mois en barrique, dans laquelle il a achevé sa fermentation malolactique. Un mode de vinification et d'élevage qui explique sans doute pourquoi ce 98 demande à vieillir. On aimera suivre son évolution en le goûtant d'abord sur des viandes rouge, puis sur des mets relevés.
🔖 Elisabeth Garzaro, Ch. Le Prieur, 33750 Baron, tél. 05.56.30.16.16, fax 05.56.30.12.63,
e-mail garzaro@vingarzaro.com ☑ ⅄ r.-v.

CH. L'ESCART
Cuvée Omar Khayyam Vieilli en fût de chêne 1998**

■   1,4 ha   4 800   ❚❙❘   70 à 99 F

Le vinificateur pratique ici la macération préfermentaire à froid, une fermentation à 28 °C et une macération longue, avec remontages légers. L'élevage se prolonge douze mois en barrique.

La mise en œuvre de ces techniques élaborées demande une bonne connaissance des raisins et un doigté certain. Hommage au chantre persan du vin, la cuvée Omar Khayyam est composée des trois cépages bordelais à parts égales. C'est un vin remarquable par ses parfums et sa chair volumineuse : boisé, fruits confits, vanille, cire, poivre et épices, encre de chine. Une jeune complexité que le temps enrichira encore ! La **cuvée Prestige Julien 98** (50 à 69 F) est principalement bâtie sur le merlot (62 %) et le cabernet-sauvignon (34 %), plus 4 % de cabernet franc. Sa large palette aromatique mêlant fruits confits, pruneau et réglisse, sa corpulence ample et grasse, aux tanins mûrs, signent une réussite que les amateurs de boisé prononcé apprécieront d'emblée. Le temps assagira l'ardeur du merrain pour le plaisir des autres.

➥ Ch. L'Escart, 70, chem. Couvertaire, B.P. 8, 33450 Saint-Loubès, tél. 05.56.77.53.19, fax 05.56.77.68.59 ☑ ⵎ r.-v.

➥ Gérard Laurent

CH. LES GRANDS JAYS 1998★

■　　　　10 ha　　70 000　　▮⬥　30 à 49 F

La propriété de cette famille dont les archives remontent au XVIIᵉs. se situe à proximité d'un petit aérodrome, et à 4 km du menhir de Lussac ou des moulins de Calon, magnifique point de vue sur le Libournais. Son vin est bâti sur 95 % de merlot : le nez développe intensément des senteurs balsamiques que l'on retrouve dans une bouche ronde mais solide, à la maturité complexe. Le **Grand Lavergne 98**, aux notes plus fruitées marquées de cabernet (70 %), offre un corps charpenté aux tanins bien présents : l'amateur l'appréciera sur des viandes grillées.

➥ EARL Vignobles Boireau, Les Grands Jays, B.P. 2, 33570 Les Artigues-de-Lussac, tél. 05.57.24.32.08, fax 05.57.24.33.24 ☑ ⵎ r.-v.

CH. LESTRILLE CAPMARTIN
Cuvée Tradition Elevé en fût de chêne 1998★

■　　　　9 ha　　70 000　　▮▮▮　30 à 49 F

Comme en témoigne le Guide sur plusieurs années, la réputation de ce cru n'est plus à faire. La cuvée Tradition a séduit le jury. Le merlot a subi une longue cuvaison et a été élevé douze mois en fût. Il développe ses flaveurs de raisin bien mûr. Un vin aux tanins fondants et à la chair savoureuse légèrement masquée, mise en valeur par un boisé efficace et courtois. La finale flatteuse incitera à la dégustation sur des rôtis et des fromages au lait de vache. La **cuvée Prestige** (50 à 69 F), qui a passé douze mois en barrique neuve, souffre encore de son merrain. Mais cet handicap très provisoire est compensé par une complexité aromatique (fruits et toast, pain grillé, épices, café) qui enchante une chair déjà savoureuse, élégante et veloutée. A ouvrir sur un gigot ou un magret aux haricots verts et champignons dans trois ou quatre ans.

➥ Jean-Louis Roumage, Lestrille, 33750 Saint-Germain-du-Puch, tél. 05.57.24.51.02, fax 05.57.24.04.58 ☑ ⵎ r.-v.

CH. L'HOSTE-BLANC
Elevé en fût de chêne 1998★★

■　　　　5 ha　　30 000　　▮▮▮　30 à 49 F

Ce vignoble, repris en main en 1980 par l'actuel propriétaire, a conservé de vieilles vignes sur des sols variés. Le vin présenté, né de merlot et de cabernet-sauvignon à parts égales, a été mis en fût dès la fin des fermentations et y a mûri douze mois. Sa robe grenat sombre attire l'attention. Sa gamme aromatique complexe marie, sur fond de fruits mûrs, des touches florales (rose), épicées, puis toastées, voire réglissées et torréfiées. Cette richesse embellit un corps charmeur, séveux, aux tanins un peu fuyants en finale, ce qui laisse présager une évolution assez rapide et invite à servir ce 98 dès maintenant sur un gibier ou une viande rouge. Sa maturité devrait être intéressante.

➥ Vignobles Michel Baylet, Ch. Landereau, 33670 Sadirac, tél. 05.56.30.64.28, fax 05.56.30.63.90 ☑ ⵎ t.l.j. sf sam. dim. 8h-12h 13h30-17h

CH. DE LISENNES 1998

■　　　　10 ha　　65 000　　▮▮▮⬥　30 à 49 F

Le nom de cette vaste propriété située aux portes de Bordeaux tient à la nature de ses sols argilo-calcaires que Rabelais qualifiait de « lize ». Les cabernets (35 % chacun) dominent un vin au nez de cassis nuancé de poivron vert, au corps rond et concentré. Les tanins du merrain comme ceux du raisin apparaissent discrets, soulignés d'une flaveur vanillée qui ouvre la finale : c'est un vin à déguster maintenant avec des sauces pas trop relevées et peut-être déjà avec du fromage.

➥ Jean-Pierre Soubie, Ch. de Lisennes, 33370 Tresses, tél. 05.57.34.13.03, fax 05.57.34.05.36 ☑ ⵎ r.-v.

CH. DE LUGAGNAC 1997

■　　　　49 ha　　105 000　　▮⬥　30 à 49 F

Situé entre la petite bastide de Pellegrue et le minuscule bourg fortifié de Castelmoron, le château de Lugagnac est une maison forte sobre, de belle allure. Les trois cépages sont présents dans le vignoble, dont 50 % de merlot. Ce 97 a plu par sa fraîcheur aromatique et la rondeur enlevée de sa chair, aux tanins un peu austères, mais sympathiques : pour les repas familiaux festifs.

➥ Mylène et Maurice Bon, SCEA du Ch. de Lugagnac, 33790 Pellegrue, tél. 05.56.61.30.60, fax 05.56.61.38.48, e-mail lugagnac@caves-particulieres.com ☑ ⵎ t.l.j. 9h-19h

CH. MAJUREAU-SERCILLAN 1998

■　　　　n.c.　　58 000　　▮▮▮　30 à 49 F

Cette propriété exportait déjà ses vins au XVIIIᵉs. ; cet usage perdure tant vers l'Europe que vers les Etats-Unis. Voici un vin agréable vin classique, né de vignes de quinze ans. Il offre allègrement un corps rond bien habillé de rubis, structuré de tanins apaisés, parfumé de fruits rouges, de pruneau, et d'un boisé finement vanillé : il est prêt à boire maintenant, sur des viandes ou des fromages (cantal, laguiole).

☛ Alain Vironneau, Le Majureau, 33240 Salignac, tél. 05.57.43.00.25, fax 05.57.43.91.34, e-mail alainvironneau@wanadoo.fr ✉ ☊ r.-v.

CH. MALEDAN 1998

■ 11 ha 35 000 ▮↧ `30 à 49 F`

Cet ancien pavillon de chasse du XVIII°s. établit son vignoble sur des graves. Merlot (75 %) et cabernet franc (25 %) se marient en un vin parfumé de cassis, souligné de notes animales et épicées. La chair est savoureuse, tout en fruit mûr ; la longueur agréable. Il faut goûter ce 98 maintenant, sur la lamproie par exemple.
☛ SCEA J.B. Brunot et Fils, 60, rte de l'Eglise, 33370 Loupes, tél. 05.57.55.09.99, fax 05.57.55.09.95, e-mail vignobles.brunot@wanadoo.fr ✉ ☊ r.-v.

CH. MALROME
Cuvée Comtesse Adèle 1998

■ n.c. 80 000 ▮▮▮ `50 à 69 F`

Des étiquettes de ce château reproduisent des œuvres de Toulouse-Lautrec qui mourut dans cette propriété familiale, et fut enterré à Verdelais. La cuvée Comtesse Adèle (nom de la mère de l'artiste) est un assemblage de merlot (50 %), de cabernet-sauvignon (30 %) et de cabernet franc (20 %) élevé en fût neuf (80 %). Le séjour a duré quatorze mois : il marque encore un corps rond dont les flaveurs fruitées intéressantes (raisin cassis) sont soulignées de boisé vanillé et de touches animales. Il faudra attendre un an ou deux pour que les tanins se fondent.
☛ Ch. Malromé, 33490 Saint-André-du-Bois, tél. 05.56.76.44.92, fax 05.56.76.46.18, e-mail p.decroix@malrome.com ✉ ☊ r.-v.
☛ Ph. Decroix

CH. MARAC 1998★

■ 7,26 ha 60 000 ▮↧ `30 à 49 F`

L'église et la terrasse de l'ancien château de Pujols, mairie actuelle, offrent de beaux panoramas sur la vallée de la Dordogne et le Saint-Emilionnais. Ce vin est fait de 80 % de merlot. Des notes épicées, poivrées, avivent les flaveurs intenses de fruits rouges. Le corps charnu et concentré, aux tanins harmonieux, révèle un joli savoir-faire, respectueux de la maturité de raisins bien conduits. « Beau vin à laisser vieillir », « J'aime beaucoup », concluent les jurés.
☛ Alain Bonville, Ch. Marac, 33350 Pujols, tél. 05.57.40.53.21, fax 05.57.40.71.36 ✉ ☊ r.-v.

MARQUIS D'ABEYLIE 1997★★

■ 10 ha 66 000 ▮▮▮ `30 à 49 F`

Ce Marquis porte un habit d'un « pourpre intense à inspirer le tailleur d'un cardinal », s'exclame un juré. C'est un pur merlot, grillé, torréfié par un séjour d'un an en fût de chêne « français », précise l'éleveur. Le fruit profite de cette complexité : il exprime tout au long de la dégustation le raisin, le cassis, la groseille et la mûre. Les tanins, puissants mais enrobés, soulignent la densité souple d'une chair légèrement capiteuse. Superbe. Proposé par la même coopérative, le **Château de la Beauze 98** (20 à 29 F) a été cité un « vin plaisir » pour maintenant.

☛ Closerie d'Estiac, Les Lèves, 33320 Sainte-Foy-la-Grande, tél. 05.57.56.02.02, fax 05.57.56.02.22 ✉ ☊ t.l.j. sf dim. lun. 9h-12h 15h-19h

CH. MARTOURET
Vieilli en barrique 1998★

■ 20 ha n.c. ▮▮▮ `30 à 49 F`

Dominique Lurton mène ce joli domaine de 37 ha avec la passion que montrent les nombreux membres de cette grande famille bordelaise. Martouret est composé de 66 % de merlot complété par les deux cabernets, nés sur un sol argilo-calcaire. Douze mois de vieillissement en barrique ont donné un vin à la belle robe profonde à reflets grenat. Le bois est présent mais il ne domine à aucun moment la dégustation. Le fruit s'y retrouve avec des arômes de cerise confite ; vanille et réglisse signent l'élevage. A servir dans un an ou deux.
☛ Dominique Lurton, Ch. Martouret, 33750 Nérigean, tél. 05.57.24.50.02, fax 05.57.24.03.30, e-mail d.lurton@martouret.com ✉ ☊ r.-v.

CH. MEILLAC Elevé en barrique 1997★

■ 6,5 ha 19 000 ▮ ▮▮▮ `30 à 49 F`

Une tour, ancien moulin, domine à 55 m la vallée de la Dordogne. Le cru est proche des ponts Eiffel (dont il faut voir le dessous des voûtes d'accès). Le merlot (85 %) anime ce vin, le cabernet-sauvignon ne fait que signer sa présence (3 %), le cabernet franc y affirme sa part (12 %). La rondeur onctueuse de la chair se parfume d'écorce d'orange épicée et boisée. Le merrain, fruit de douze mois de vieillissement d'une partie du vin en fût neuf, épouse ici le raisin : une belle bouteille que l'on peut apprécier maintenant ou attendre quelque temps.
☛ Claude Bertrand, Ch. Meillac, 33240 Saint-André-de-Cubzac, tél. 05.57.58.20.58, fax 05.57.58.21.73 ✉ ☊ r.-v.

CH. MESTE JEAN
Elevé en fût de chêne 1998

■ 2,5 ha 17 000 ▮▮▮ `30 à 49 F`

Aux environs de ce cru, un parcours vallonné conduira le visiteur au bourg fortifié de Rions ou au château imposant des ducs d'Epernon à Cadillac. Ce vin a été élevé pour partie en fût de chêne américain, dont les apports aromatiques ne sont jamais négligeables ; ils atténuent ici, au profit du pruneau et de la figue sèche, le côté poivron fort souvent lié au cabernet-sauvignon (50 % pour 50 % de merlot), et renforcent un caractère tannique que certains amateurs recherchent : un style, une signature.
☛ EARL Vignobles Cailleux, La Pereyre, 33760 Escoussans, tél. 05.56.23.63.23, fax 05.56.23.64.21 ✉ ☊ r.-v.

DOM. DE MONREPOS 1998

■ 5 ha 40 000 ▮ ▮▮▮ `30 à 49 F`

Les propriétaires de ce domaine sont mentionnés depuis longtemps et à plus d'un titre dans le Guide. Le 98 a des arômes de fruits à noyau (griotte et pruneau) et de toast. Le corps offre un beau potentiel de garde. Le **Château de Faise 98**, né dans l'ancien domaine viticole de l'abbaye

cistercienne de Faise, se montre plus discret et plus classique, mais il sera bienvenu sur les grillades et rôtis des repas sans façon entre amis.
☛ EARL Vignobles D. et C. Devaud, Faise, 33570 Les Artigues-de-Lussac, tél. 05.57.24.31.39, fax 05.57.24.34.17 ☑ ⵑ r.-v.

CH. MONTLAU Vieilli en fût de chêne 1997

■ | 15 ha | 100 000 | 🍷🔷 30 à 49 F

Le vignoble (deux tiers de merlot, un tiers de cabernet franc) est installé sur les coteaux de Moulon, sur la rive sud de la Dordogne, face au clocher de Saint-Emilion. Le visiteur admirera la beauté du panorama et la sobre élégance des tours du château. Vendanges, vinification et élevage (sept mois en fûts, renouvelés au cinquième chaque année) sont menés avec rigueur et art, selon la stricte tradition. Ce 97 à la robe cerise a étonné par ses flaveurs de griotte, de cassis mentholé et de réglisse. Son corps équilibré et harmonieux révèle une chair fondante, des tanins assagis et une finale fraîche, douce et longue : il sera dès maintenant à l'aise sur les viandes rouges ou la lamproie.
☛ Armand Schuster de Ballwil, Ch. Montlau, 33420 Moulon, tél. 05.57.84.50.71, fax 05.57.84.64.65 ☑ ⵑ r.-v.

CH. MORTON 1998

■ | n.c. | 80 000 | 🍷🔷🥂 30 à 49 F

Ce vin né de graves et de limons de Garonne provient à 90 % de vieilles vignes de merlot. Des arômes de griotte se mêlent aux puissantes flaveurs grillées et vanillées du bois. Si la mise en bouche est souple, les tanins affirment leur présence en finale : c'est un vin pour des grillades et des rôtis saignants.
☛ EARL Dom. de La Mette, Ch. Morton, 33640 Portets, tél. 05.56.67.18.18, fax 05.56.67.53.66 ☑ ⵑ r.-v.
☛ Solorzano

CH. MOULIN DE FERRAND 1998★

■ | 7 ha | 55 000 | 🍷🥂 30 à 49 F

Saint-Michel-de-Lapujade se blottit sur des coteaux situés à une dizaine de kilomètres du bourg fortifié de La Réole. Ce cru est destiné aux marchés extérieurs. Il équilibre merlot et cabernets (30 % sauvignon, 20 % franc). Sa rondeur toastée de pruneau et de cassis légèrement épicée charme la bouche : un vin de plaisir à boire dans les deux ans, sur des volailles grillées. Le **Château de la Vieille Tour 98** marie 35 % de cabernet-sauvignon à 25 % de cabernet franc et 40 % de merlot. Le cassis domine un corps bien rond, aux tanins équilibrés, à la finale soyeuse. Cet ensemble frais accompagnera viandes blanches et volailles.
☛ Vignobles Boissonneau, Catheliсq, 33190 Saint-Michel-de-Lapujade, tél. 05.56.61.72.14, fax 05.56.61.71.01, e-mail vignobles.boissonneau@wanadoo.fr ⵑ r.-v.

CH. MOUTON 1998★★

■ | 9 ha | n.c. | 🔷 70 à 99 F

Bienvenue à cette deuxième récolte de J.-Ph. Janoueix, qui a repris le château en 1997. « Mouton » a ici pour origine le terme « motte »,

c'est-à-dire « au-dessus ». La présence de 5 % de petit verdot dans l'encépagement de ce vignoble de quarante-deux ares est une curiosité. Le merlot à 70 % et le cabernet franc (25 %) sont plus traditionnels dans cette région. Un nez « explosif » mêlant fruits noirs sauvages, écorce d'orange, cannelle, vanille, cardamome sur fond torréfié, annonce une chair volumineuse, onctueuse, solidement structurée par des tanins enveloppés, mûrs et élégants. Le boisé imposant nécessite un vieillissement de deux à cinq ans dont la majorité des amateurs se réjouiront. On nous parle d'un mariage avec une anguille confite au jus de truffe...
☛ Jean-Philippe Janoueix, 83, cours des Girondins, 33500 Libourne, tél. 05.57.25.91.19, fax 05.57.48.00.04 ☑ ⵑ r.-v.

CH. MOUTTE BLANC 1998★

■ | 2,4 ha | 14 000 | 🔷 30 à 49 F

Ce bordeaux supérieur est un Médocain de Macau. Il comporte 30 % de petit verdot, ce qui lui donne une originalité accentuée par les fermentations malolactiques et un élevage en fût neuf de 20 % de la récolte. Chaque parcelle ayant été vinifiée à part selon des conduites adaptées, on peut imaginer le plaisir du maître à assembler les lots... Le résultat a enchanté un dégustateur par sa générosité tannique. D'autres, plus réservés sur l'avenir de ces mêmes tanins, ont surtout apprécié sa complexité aromatique mariant cassis, fraise des bois, prunelle et nuances animales, et la corpulence confortable de la bouche. Une curiosité à laisser mûrir pour les entrecôtes. Le 93 avait obtenu un coup de cœur.
☛ Dejean-de Bortoli, 33, av. de la Coste, 33460 Macau, tél. 05.57.88.42.36, fax 05.57.88.42.36 ☑ ⵑ r.-v.

CH. NARDIQUE LA GRAVIERE
Elevé en fût de chêne 1998

■ | 6,08 ha | 25 000 | 🔷 30 à 49 F

Des dégustations régulières ont déterminé la durée de cuvaison de cet ensemble, composé à parts égales de merlot et de cabernets (dont 20 % de franc), qui a vieilli quinze mois en fût. L'élevage a fortement marqué le vin, et certains jurés ont trouvé excessif un boisé très puissant, malgré sa qualité. Le temps saura-t-il épanouir une chair que l'on devine dense et ample, et dont on peut humer les notes de fruits mûrs ? Il faudrait attendre un à trois ans pour en tâter... Mais les inconditionnels ne patienteront pas !
☛ Vignobles Thérèse, Ch. Nardique La Gravière, 33670 Saint-Genès-de-Lombaud, tél. 05.56.23.01.37, fax 05.56.23.25.89 ☑ ⵑ t.l.j. sf dim. 9h-12h 15h-18h; f. 15-31 août

CH. NAUDONNET-PLAISANCE
Vieilli en fût de chêne 1998★

■ | 25 ha | 180 000 | 🔷 30 à 49 F

C'est un vin de graves, composé par moitié de merlot et de cabernets. Les amateurs de vins boisés se réjouiront : il a vieilli dix-huit mois en fût, et en porte la marque avec prestance, car les raisins et le merrain étaient faits pour se marier : la robe est certes légère, mais le nez est puissant, composé de fruits mûrs, de cake ; la bouche charnue accepte bien ses tanins. Pour accompagner des plats en sauces et du gibier. Mais trois ans de garde sont nécessaires.

🖙 Danièle Mallard, Ch. Naudonnet-Plaisance, 33760 Escoussans, tél. 05.56.23.93.04, fax 05.57.34.40.78, e-mail mallard@ caves-particulieres.com ☑ ⊥ r.-v.

CH. PANCHILLE 1998*

■ 8 ha · 50 000 ▐ ♨ 20 à 29 F

Ce vignoble de trente ans est installé sur les terres hétérogènes des terrasses de la Dordogne en aval de Libourne. Le merlot domine (70 %), puis le cabernet franc (20 %) devance le cabernet-sauvignon (10 %). Si l'attaque est encore un peu rude, la bouche dense, très parfumée (cassis, griotte avec un soupçon de terre brûlée), légèrement viandée en une finale longue et complexe, annonce un joli vin de garde. La **cuvée Alix 98** (30 à 49 F) est une sélection de ce vin, élevée pour 70 % en fûts de différents âges. Un boisé de qualité, vanillé, grillé, ajoute au raisin une complexité que l'amateur appréciera. Une même note pour ces deux vins qu'il sera intéressant de comparer.

🖙 Pascal Sirat, Ch. Panchille, 33500 Arveyres, tél. 05.57.51.57.39, fax 05.57.51.57.39 ☑ ⊥ r.-v.

CH. DE PARENCHERE
Cuvée Raphaël Gazaniol 1998★★

■ n.c. 60 000 ▐▐▐ 50 à 69 F

Ligueux se cache modestement à une dizaine de kilomètres au sud de la bastide de Sainte-Foy-la-Grande, à la limite du département. Mais le château de Parenchère y brille par ses qualités que le Guide salue depuis plusieurs années. La robe rouge-noir de cette cuvée, ses flaveurs intenses de fruits cuits légèrement mentholés, subtiles quoique encore très marquées par le merrain (grillé, épices, cèdre) ont enchanté le jury. La chair dense, ample, le corps bien charpenté, aux tanins distingués, la finale longue et parfumée (vanille, réglisse) indiquent une très bonne aptitude au vieillissement. La **cuvée principale 98** (30 à 49 F), citée, exprime la puissance et la richesse du raisin mûr : un vin que l'on aimera avoir dans sa cave.

🖙 Jean Gazaniol, Ch. de Parenchère, 33220 Ligueux, tél. 05.57.46.04.17, fax 05.57.46.42.80 ⊥ r.-v.

CH. PASCAUD Vieilli en fût de chêne 1998

■ 3 ha 20 000 ▐▐▐ 30 à 49 F

C'est une sélection de vieilles vignes (90 % de merlot, 10 % de cabernet franc) élevée douze mois en barriques, dont 25 % neuves. Cet effort qualitatif se retrouve dans les flaveurs de raisin mûr, de pruneau, de vanille, qui accompagnent une bouche ayant encore besoin de se fondre.

🖙 SCEA Vignobles Avril, B.P. 12, 33133 Galgon, tél. 05.57.84.32.11, fax 05.57.74.38.62, e-mail ch.pascaud@aol.com ☑ ⊥ r.-v.

CH. PENIN Tradition 1998*

■ 15 ha 95 000 ▐ ♨ 30 à 49 F

Patrick Carteyron a obtenu de nombreux coups de cœur ces dernières années. Cette cuvée constituée de 85 % de merlot est née sur des graves. Sous une robe pourpre violine, elle présente un corps dont l'attaque ronde et charnue contraste avec une finale nerveuse mais riche. Les fruits mûrs, épicés et toastés, accompagnent toute la dégustation : ils ont enchanté par leur distinction. La **cuvée Sélection 98**, une étoile également, compte 10 % de cabernet franc, et a été élevée un an en fût. Ce mariage avec un boisé de qualité donne un nez subtil. Le vin se révèle croquant et charmeur. Goûtons sans attendre ce joli classique (50 à 69 F) !

🖙 SCEA Patrick Carteyron, Ch. Penin, 33420 Génissac, tél. 05.57.24.46.98, fax 05.57.24.41.99 ☑ ⊥ r.-v.

CH. PEUY-SAINCRIT Montalon 1998

■ 4 ha 20 000 ▐▐▐ 30 à 49 F

Le château Peuy-Saincrit est « posé » sur le 45e parallèle. Un moulin perché sur la butte de Montalon, au-dessus de Saint-André-de-Cubzac, autorise un large tour d'horizon sur la Dordogne girondine. Ce vignoble comporte de très vieilles vignes, croissant sur des pentes argilo-calcaires orientées au sud. Vieilli douze mois en barrique, ce vin offre une jolie concentration tannique, peut-être aux dépens du gras de la chair... Le nez est discret, finement boisé. Il faudra attendre, et guetter, par dégustations attentives, l'apparition d'un bouquet pour mieux juger ce personnage aujourd'hui sévère.

🖙 Vignobles Germain et Associés, Ch. Peyredoulle, 33390 Berson, tél. 05.57.42.66.66, fax 05.57.64.36.20, e-mail bordeaux@vgas.com ☑ ⊥ r.-v.

CH. PEYNAUD 1998*

■ 9 ha 40 000 ▐ 30 à 49 F

A quelques kilomètres de la propriété, le visiteur pourra contempler l'église de Castelviel, puis rouler jusqu'à Verdelais... Le cabernet-sauvignon compose presque la moitié de ce vin, et le merlot plus du tiers. Le raisin, dont on retrouve la maturité dans la chair ronde et les parfums, a fermenté et macéré longuement ; les tanins bien présents mais de qualité assureront une bonne garde. Voilà donc un beau convive pour accompagner viandes rouges rôties ou gibier.

🖙 Vignobles Chaigne et Fils, Ch. Ballan-Larquette, 33540 Saint-Laurent-du-Bois, tél. 05.56.76.46.02, fax 05.56.76.40.90, e-mail rchaigne@vins-bordeaux.fr ☑ ⊥ r.-v.

LES GRAVES DE CH. PICON 1997*

■ 10 ha 40 000 ▐▐▐ 30 à 49 F

Ce château établi sur des graves est situé à quelques kilomètres de la bastide de Sainte-Foy-la-Grande. Les deux cabernets se partagent 50 % du vin, mais le merlot (50 %) prévaut. La robe de ce 97 est demeurée d'un rubis dense nuancé de noir. Fruits exotiques, baies sauvages et touches végétales animent une bouche onctueuse, volumineuse, dont les tanins sont encore marqués. Le nez est jeune et discret, et la finale doit s'assagir : l'amateur de vin charpenté suivra l'évolution de ce 97 pendant quelques années.

🖙 SCEA Ch. Picon, 33220 Eynesse, tél. 05.57.41.01.91, fax 05.57.41.01.02 ☑ ⊥ r.-v.

CH. POLIN Elevé en barrique de chêne 1998

■ 12 ha 30 000 ◫ `30 à 49 F`

Ce vin provient de Beychac-et-Caillau, dont il faut visiter la Maison des bordeaux et bordeaux supérieurs gérée par le syndicat de ces AOC. Le vignoble de trente ans est installé sur des argiles graveleuses. Le passage en fût sert un vin à la chair ronde, aux parfums nets et réjouissants de framboise, de cassis et de boisé, qui accompagnera les repas entre amis : un plaisir de bons vivants.

☛ GAEC La Lande de Taleyran, Ch. Polin, 33750 Beychac-et-Caillau, tél. 05.56.72.98.93, fax 05.56.72.81.94 ☑ ⵟ r.-v.

☛ J. Burliga

CH. PUY-LABORDE 1998

■ n.c. n.c. ▮ `20 à 29 F`

Le vignoble a vingt ans, mais la propriété, implantée sur un éperon rocheux, appartient depuis plusieurs générations à la même famille. Bâti sur les trois cépages de l'AOC, par tiers, voilà un vin bien représentatif de son année, dans une tendance ronde et fruitée, déjà accessible à l'amateur : il sera l'un des repas dominicaux en famille. Distribué par la maison Cordier de Blanquefort.

☛ EARL Trabut-Cussac, 32, le Bourg, 33580 Taillecavat, tél. 05.56.61.62.66

CH. RECOUGNE 1998★

■ 55 ha 200 000 ▮ ⵖ `30 à 49 F`

Recougne signifie « reconnu » (dans sa valeur). C'est le cas dans le Guide ces dernières années ! Le 98 exhale des parfums épicés, poivrés, qui chantent sur les fruits mûrs. On retrouve cette complexité dans une bouche ronde aux tanins enrobés. Le vrai plaisir du raisin mûr... Un vin de viandes rouges à goûter sans hâte. Le **Château Montcabrier 98**, que se partagent à égalité merlot et cabernets, est le deuxième vin de Recougne ; il présente un corps plus nerveux et plus poivré (aux dépens du fruit) ; il est cité.

☛ SCEV Jean Milhade, Ch. Recougne, 33133 Galgon, tél. 05.57.55.48.90, fax 05.57.84.31.27 ⵟ r.-v.

CH. DE REIGNAC Cuvée Prestige 1998★★

■ 45 ha 307 000 ◫ `30 à 49 F`

Le malbec (5 %) ajoute sa touche à la composition classique de ce vin (60 % de merlot, 35 % de cabernets). La vinification fait appel à la micro-oxygénation sous marc, et les barriques neuves participent à l'élevage (un an). Ces techniques ont donné un vin remarquable : la robe est pourpre profond à reflets framboise. Les flaveurs intenses s'ouvrent, évoluant de la fleur (violette) à la poire et au fruit rouge intensément toasté, grillé. L'attaque est souple puis la chair volumineuse. L'ampleur tannique sera assagie par le temps. Ce vin, riche et harmonieux, a un potentiel magnifique qu'il serait fâcheux de ne pas exploiter.

☛ SCI Ch. de Reignac, 33450 Saint-Loubès, tél. 05.56.20.41.05, fax 05.56.68.63.31 ☑ ⵟ r.-v.

☛ Yves Vatelot

ROC DU BEL AIR 1998★

■ n.c. 550 000 ▮ ⵖ `20 à 29 F`

Ce vin est composé de merlot (50 %), de cabernet-sauvignon (40 %) et de cabernet franc (10 %). Il se montre très aromatique, complexe (quelques notes animales animent les fruits rouges), charmeur, et sa corpulence ronde invite l'amateur à y revenir : on ne se laissera tenter sans attendre. Le puissant groupe Producta présente aussi la marque **Roque Bel Air**, de même conception que le précédent, et pratiquement aussi bien noté. Un juré résume ainsi l'opinion de la majorité absolue : « Peut être apprécié jeune du fait de son côté très fruité et agréable, mais a un beau potentiel de garde. » Les étiquettes représentent des bâtiments classés de la ville de Bordeaux.

☛ Producta SA, 21, cours Xavier-Arnozan, 33082 Bordeaux Cedex, tél. 05.57.81.18.18, fax 05.56.81.22.12, e-mail producta@producta.com ⵟ r.-v.

CH. ROC MEYNARD 1998★

■ 12 ha 60 000 ▮ ⵖ `30 à 49 F`

Le vignoble de ce château, proche des coteaux de Fronsac, entre dans l'âge adulte. Ses terres argilo-calcaires portent principalement du merlot, qui compose 90 % de ce vin. Une couleur noire, une chair dense, ronde mais bien charpentée, des flaveurs jeunes de fruits des bois (mûre, framboise, myrtille), annoncent une aptitude au vieillissement dont il faudra profiter dans un an ou deux sur des grillades et des rôtis.

☛ Philippe Hermouet, Clos du Roy, 33141 Saillans, tél. 05.57.55.07.41, fax 05.57.55.07.45, e-mail hermouetclosduroy@wanadoo.fr ☑ ⵟ r.-v.

CH. ROQUES MAURIAC 1998

■ n.c. n.c. ▮ ⵖ `30 à 49 F`

Cette propriété, menée en agriculture biologique, propose un vin marqué par les cabernets, comme l'a deviné un dégustateur : « Nez agréable, des notes de cabernet, de la finesse. » Le cabernet franc en représente 40 %, le cabernet-sauvignon 10 % : tous deux signent une structure svelte mais équilibrée, parfumée (avec une pointe de poivron épicé). Il faut prendre le temps de goûter ce vin sur des viandes blanches, et le comparer à la **cuvée Hélène 98**, dans laquelle le fût (séjour de dix-huit mois) ajoute sa complexité vanillée délicate.

☛ GFA Leclerc, Ch. Lagnet, 33350 Douelzon, tél. 05.57.40.51.84, fax 05.57.40.55.48 ⵟ r.-v.

CH. SAINT-GERMAIN 1998★

■ 85 ha 660 000 ▮ ⵖ `20 à 29 F`

Le célèbre négociant, Calvet, présente deux crus dont il a l'exclusivité. Il assure la vinification et l'élevage des vins du château Saint-Germain, monument historique dont il faut à l'occasion admirer la façade. Le merlot domine à 80 % ce vin souple à l'attaque, puis corsé et puissant. Les tanins ne sont pas encore fondus, mais leur qualité est prometteuse. Ses arômes de fruits mûrs aux nuances animales accompagnent une bouche d'un bon volume. Cité, le **Château La Croix de Nauze 98** (85 % de merlot), aux parfums de fraise des bois et de fruits confits, offre un

corps souple et charmeur aux tanins légers et fins. Un vin à servir dès aujourd'hui, plutôt frais, avec des viandes blanches ou des fromages doux.
➽ Calvet, 75, cours du Médoc, B.P. 11, 33028 Bordeaux Cedex, tél. 05.56.43.59.00, fax 05.56.43.17.78
➽ Weber

CH. SAINT-PIERRE 1997★

■   8,11 ha   50 000   ▮ ◖▮ ♨ `20 à 29 F`

Tout est mis en œuvre pour réussir les vins de cette propriété proche de l'église classée de Haux : contrôle des maturités parcellaires, tri et nettoyage des vendanges, réglage des macérations, durée et qualité du passage en fût... Ce 97 est un séducteur ! Il porte bien l'habit sombre et embaume la griotte, la figue sèche, le pain d'épice, le fumet de merrain, le café, en touches successives puis harmonieusement mêlées. L'équilibre en bouche révèle la chair mûrie des raisins (50 % de cabernet-sauvignon) et... l'ampleur du boisé dont il faut attendre l'assouplissement ; la matière le permet sans réserve.
➽ Peter et Plenning Jorgensen, SCA
Ch. de Haux, 33550 Haux, tél. 05.57.34.51.12, fax 05.57.34.51.15 ☑ ⵘ r.-v.
➽ Denis Roumegous

CH. TAYET
Cuvée Prestige Elevé en fût de chêne neuf 1998★

■   4,09 ha   30 000   ▮ ◖▮ `50 à 69 F`

Un vin médocain venu des palus de Macau. La cuvée Prestige a séjourné onze mois en fût. Ses flaveurs amples et complexes, mêlant cerise, framboise, cassis et boisé souligné d'eucalyptus, enchantent une chair souple et riche. Des tanins séveux en prolongent l'harmonie. Un vin de gigot à la ficelle. La **cuvée principale 98** (élevée en cuve) est certes plus simple, mais d'un charme indéniable, avec ses arômes de fruits rouges et ses tanins soyeux. Un vin à apprécier sans attendre, sur les volailles ou la lamproie (30 à 49 F).
➽ SCEA Ch. Haut Breton Larigaudière, 33460 Soussans, tél. 05.57.88.94.17, fax 05.57.88.39.14 ☑ ⵘ r.-v.

CH. TERTRE CABARON 1997★

■   12,12 ha   16 435   ▮ `30 à 49 F`

Cette propriété située au cœur de l'Entre-deux-Mers présente un joli 97 à la robe grenat ourlée de feu, qui évoque le fruit cuit, au nez comme en bouche. La chair ronde a des accents de gibier, et la finale, agréablement longue, s'éteint en notes réglissées : un vin de viande grillée, voire de fromage (chèvre), à consommer maintenant en attendant les 98.
➽ GAEC Dom. de Bastorre, 33540 Saint-Brice, tél. 05.56.71.54.19, fax 05.56.71.50.29 ☑ ⵘ r.-v.
➽ Dugrand

CH. THIEULEY
Réserve Francis Courselle 1998★★

■   8 ha   48 000   ◖▮ `70 à 99 F`

La Sauve, dominée par son abbaye célèbre, est située dans l'Entre-deux-Mers. Le château Thieuley garde ses habitudes dans le guide ! Cette Réserve Francis Courselle est un merlot pur, né de sols argilo-graveleux. Les flaveurs

intenses mêlant pruneau, cacao, épices (girofle), le tout grillé sans excès, manifestent leur complexité dès le service, et accompagnent la finale. Le volume structuré du corps inspire confiance en l'avenir de cette bouteille. Un vin de cèpes et de magrets.
➽ Sté des Vignobles Francis Courselle, Ch. Thieuley, 33670 La Sauve, tél. 05.56.23.00.01, fax 05.56.23.34.37 ☑ ⵘ r.-v.

CH. TOUR D'ALBRET 1998★

■   n.c.   n.c.   ▮ `20 à 29 F`

On dit que le bon roi Henri IV passa une nuit au château, alors qu'il rendait visite à sa mère Jeanne d'Albret à Castelmoron, minuscule cité fortifiée voisine. Merlot (60 %) et cabernet-sauvignon (40 %) se partagent le vignoble de vingt ans. On retrouve dans le vin bien coloré cet équilibre charnu, presque corsé, très fruité ; sa fine structure tannique en fait un vin à boire maintenant, sans hâte. Exclusivité du négociant Cordier de Blanquefort.
➽ GAEC Lopez et Frères, Saint-Martin-du-Puy, 33540 Sauveterre-de-Guyenne, tél. 05.56.71.57.58

CH. TOUR DE MIRAMBEAU
Cuvée Passion 1998★★★

■   n.c.   n.c.   ◖▮ `70 à 99 F`

Pour sa deuxième année en bordeaux supérieur, Tour de Mirambeau reçoit son second coup de cœur. Il est bâti de façon très classique sur 70 % de merlot et 30 % de cabernet-sauvignon, mais les vignes ont quarante ans, leur vigueur et leur rendement sont maîtrisés, et l'équipe œnologique n'est pas que technique : il faut pratiquer l'art du vin et du bois pour signer une telle qualité ! Voici donc l'harmonie raisin-fût par excellence : robe encre noire à flammes pourpres ; flaveurs élégantes et persistantes - fruits rouges (cassis), confiture d'oranges, fruits secs, vanille, toast grillé à point et beurré, cire, cèdre, praline... - un enchantement olfactif prolongement distillé par une chair dense, souple, aux tanins (dont ceux du fût) vigoureux certes, mais gras, courtois. Quelle queue de paon ! A déguster souvent et longtemps.
➽ SCEA Vignobles Despagne, 33420 Naujan-et-Postiac, tél. 05.57.84.55.08, fax 05.57.84.57.31, e-mail despagne@vignobles-despagne.com
☑ ⵘ r.-v.
➽ J.-L. Despagne

CH. TROCARD 1998*

■   35 ha   220 000   ▯ ♦ `20 à 29 F`

Situé à proximité d'un petit aéroport connu des amateurs d'ULM, ce vignoble s'organise autour du merlot. Vinification et élevage (ce vin a été conservé en cuve, mais d'autres passent en fût) se réclament de la tradition. Une volonté de Jean-Louis Trocard qui tient une place importante dans les organisations viti-vinicoles régionales et nationales. Des notes de sous-bois augmentent le charme fruité (cassis) des flaveurs. La bouche est ronde, charnue, et les tanins du raisin se manifestent par une élégance fondue qui prolonge le plaisir. Ce vin de viande rouge a déjà sa place dans les repas entre amis, mais sa personnalité doit pouvoir s'épanouir encore.
➥ SCEA des Vignobles Jean-Louis Trocard, 2, Les Petits Jays ouest, 33570 Les Artigues-de-Lussac, tél. 05.57.55.57.90, fax 05.57.55.57.98, e-mail trocard@wanadoo.fr ☑ Ⴀ r.-v.

CH. VERTHAMON 1998

■   n.c.   45 000   ▯ ♦ `30 à 49 F`

Un rouge pivoine lumineux et un nez jeune, cassis-cerise-framboise, appellent à la dégustation. L'attaque sur les fruits mûrs est franche, et l'équilibre très attrayant. Des notes réglissées prolongent la finale. Ce vin charnu est fruité, agréable dès maintenant, a tout de même un bon potentiel de garde.
➥ Christian Quancard, Dom. Auberive, 33360 Latresne, tél. 05.56.20.71.03, fax 05.56.20.11.30 ☑ Ⴀ r.-v.

CH. VIALLET NOUHANT 1998

■   4,6 ha   12 000   ▯ `20 à 29 F`

Ce vin de cabernet-sauvignon (70 %) et de merlot est né sur les rives médocaines de la Gironde. Sa robe est pourpre-violet, et ses arômes de fruits noirs mûrs chantent sur les tanins souples mais bien présents. Un plaisir que l'on pourra faire durer.
➥ Alain Nouhant, 5, rue Jeanne-d'Arc, 33460 Cussac-Fort-Médoc, tél. 05.57.88.51.43, fax 05.57.88.51.43, e-mail alain.nouhant@libertysurf.fr ☑ Ⴀ r.-v.

CH. VIEUX BOMALE 1998*

■   5 ha   15 000   ▯ ♦ `20 à 29 F`

Le lieu est à visiter, à la fois pour le site qu'il occupe sur la Dordogne, mais aussi pour les galeries de carrières souterraines qui courent dans le calcaire, sous les vignes. Le merlot domine ce vin à 80 %. Le nez développe une agréable complexité de fruits rouges frais, mêlés de touches de bourgeon. Le pruneau apparaît en bouche. Celle-ci possède une chair souple, harmonieuse et des tanins discrets ; la finale est longue et goûteuse. Un vin pour cèpes et grillades.
➥ SCEA Jean-Pierre Chaudet, Caneveau, 33240 Lugon, tél. 05.57.84.49.10, fax 05.57.84.42.07, e-mail sceachaudet-j.p.@wanadoo.fr ☑ Ⴀ t.l.j. 9h-12h 14h-17h30; sam. dim. sur r.-v.

CH. VIEUX CARREFOUR 1998

■   10,5 ha   45 000   ▯ `20 à 29 F`

Il s'agit là d'une vieille propriété, puisque des documents de 1745 mentionnent déjà le nom de l'actuel maître des lieux. Mais le chai est moderne, comme le vignoble, de douze ans en moyenne. Le merlot compte pour 75 % dans ce vin, et le cabernet franc pour 10 %. Le nez fin, floral, est encore réservé. La souplesse caractérise le corps, mais les tanins se réveillent en finale : c'est un vin que l'on peut commencer à goûter sur des viandes en sauce... au vin.
➥ EARL François Gabard, Le Carrefour, 33133 Galgon, tél. 05.57.74.30.77, fax 05.57.84.35.73 ☑ Ⴀ r.-v.

Crémant de bordeaux

Créé en 1990, le crémant est élaboré selon des règles très strictes communes à toutes les appellations de crémant, à partir de cépages traditionnels du Bordelais. En forte expansion, les crémants (12 715 hl en 1999) sont généralement blancs mais ils peuvent aussi être rosés.

REMY BREQUE Cuvée Prestige**

○   n.c.   6 500   `30 à 49 F`

La petite église romane de Saint-Gervais domine la large vallée de la basse Dordogne à quelques kilomètres des ponts d'Eiffel. Le couple voluptueux sémillon-muscadelle (50 % de chaque cépage) s'habille de jaune pâle, brillant d'un perlé continu, fin, stable. Le corps, de volume agréable et long, est paré de la fraîcheur de la menthe, sur fond de poire, de confiture de coings, de tilleul et de miel. La vivacité de la finale accentue le plaisir. Un vin de fête.
➥ Maison Rémy Brèque, 8, rue du Cdt-Cousteau, 33240 Saint-Gervais, tél. 05.57.43.10.42, fax 05.57.43.91.61 ☑ Ⴀ r.-v.

BROUETTE PETIT-FILS Grande Cuvée*

○   n.c.   25 000   `30 à 49 F`

La société Brouette Petit-Fils est installée dans les galeries du « Pain de Sucre », aux portes de la cité perchée de Bourg-sur-Gironde qui domine le confluent de la Garonne et de la Dordogne. Sa gamme de crémants est établie sur des assemblages très variés. Les jurés ont remarqué la Grande Cuvée, où l'ugni blanc (20 %) se lie au sémillon pour offrir un vin jaune à reflets verts, à la mousse discrète mais fine, qui sent bon l'abricot, l'agrume, la pomme acide. La bouche grasse évoque la noisette et le poivre. Cette complexité aromatique prolonge vivement la finale. Par ailleurs la cuvée **Tradition**, de sémillon pur, au nez intense de fleur d'oranger et de citron vert, au corps vif, est citée ainsi que la **cuvée de l'Abbaye**, harmonie fraîche et complexe de sémillon (60 %), muscadelle (30 %) et sauvignon (10 %).

❦SA Brouette Petit-Fils, Le Pain de Sucre, 33710 Bourg-sur-Gironde, tél. 05.57.68.42.09, fax 05.57.68.26.48 ☊ t.l.j. sf dim. lun. 9h-12h 14h-18h

GRANGENEUVE 1998

○ 5 ha 6 000 ▮▯ 50 à 69 F

Le sémillon signe seul ce crémant de la coopérative de Romagne. Un cordon régulier, une mousse persistante, une teinte jaune pâle engagent au plaisir d'un corps frais et rond, bien équilibré, vivant, parfumé de fruits et de fleurs. Un vin d'apéritif.
❦Cave coop. de Grangeneuve, 33760 Romagne, tél. 05.57.97.09.40, fax 05.57.97.09.41 ☑ ☊ t.l.j. sf dim. lun. 8h-12h 14h-17h

BRUT DE LANDEREAU
Blanc de blancs 1998*

○ 1 ha 4 000 ▮▯ 50 à 69 F

Ce vin de sémillon pur est né de tries sur des parcelles argilo-silico-graveleuses proches de la bastide de Créon. Son perlé persistant sent le fruit sec, le citron et la vanille. Le corps est gras, volumineux, mais attaque et finale ont une vivacité qui donne à l'ensemble un joli relief. A boire en apéritif.
❦SC Vignobles Michel Baylet, Ch. Landereau, 33570 Sadirac, tél. 05.56.30.64.28, fax 05.56.30.63.90 ☑ ☊ t.l.j. sf sam. dim. 8h-12h 13h30-17h

LATEYRON 1998*

◑ n.c. 7 000 ▮ 30 à 49 F

Ce rosé millésimé est né du mariage cabernet franc (80 %) cabernet-sauvignon. Il a séjourné quinze mois en cave près des moulins de Calon, d'où la vue est vaste et belle sur le Libournais et au-delà ! Une mousse fine et abondante émoustille la robe saumonée, brillante. La chair, ronde, fine, parfumée de fruits rouges, s'épanouit en une finale d'une fraîcheur réjouissante : une bouteille destinée au dessert. Le **blanc brut 98**, issu de sémillon (75 %) et de sauvignon (25 %), fut discuté : sa corpulence aux saveurs de fruits secs et grillés s'affiche aux dépens de la fraîcheur ; sa place est dans l'accompagnement de pâtisseries... ou de fromages étuvés. Il obtient une citation.
❦SA Lateyron, Ch. Tour Calon, B.P. 1, 33570 Montagne, tél. 05.57.74.62.05, fax 05.57.74.58.58, e-mail lateyron@wanadoo.fr ☑ ☊ r.-v.

LE TREBUCHET 1998*

○ 0,5 ha 5 000 30 à 49 F

La machine de guerre qui menaçait La Réole a disparu. Le Trébuchet est aujourd'hui une propriété vigneronne. Son crémant associe sémillon (70 %) et sauvignon en une ronde de perles très aromatiques évoquant les fruits mûrs. Le corps bien équilibré entre fraîcheur et souplesse se montre homogène et long. A boire maintenant, en apéritif par exemple.
❦Bernard Berger, Ch. Le Trébuchet, 33190 Les Esseintes, tél. 05.56.71.42.28, fax 05.56.71.30.16 ☑ ☊ t.l.j. sf dim. 8h-12h 14h-18h

LISENNES**

○ n.c. 5 000 30 à 49 F

Le vaste château de Lisennes, à la grille monumentale, est réputé. Ici, le sémillon est effleuré par la muscadelle (10 %). La complexité aromatique, portée avec allégresse par un cordon de bulles bien formé, est remarquable : fleur d'oranger, pamplemousse chantent sur un fond de pain frais et de brioche élégamment persistant. Le corps est rond ; la dégustation est charmeuse, homogène et longue. C'est un vin de repas.
❦Jean-Luc Soubie, Ch. de Lisennes, 33370 Tresses, tél. 05.57.34.13.03, fax 05.57.34.05.36 ☑ ☊ r.-v.

PAUL RIBES 1998*

○ n.c. 30 000 ▮▯ 30 à 49 F

Cette union de vignerons s'intéressa à l'élaboration de crémants dès la création de l'appellation, en 1990. Elle investit alors beaucoup pour aménager ses postes de réception de vendanges et ses chais en vue de la sélection des raisins, moûts et vins, selon les critères de l'AOC. La cuvée Paul Ribes est bâtie sur 70 % de sémillon et 30 % de muscadelle. Son effervescence de bulles fines et la paille pâle de sa robe séduisent ; le nez révèle la finesse et l'intensité des arômes. La finale prolonge agréablement le plaisir d'une chair ronde et fraîche des raisins à bonne maturité.
❦Union Vignerons d'Aquitaine, ZI de Barbet, 33350 Castillon-la-Bataille, tél. 05.57.40.04.31, fax 05.57.40.17.60 ☊ r.-v.

DU PREVOST*

◑ n.c. n.c. ▮▯ 30 à 49 F

Le merlot représente 60 % de ce crémant, ce qui est assez rare. Les deux cabernets se partagent le solde à égalité. Le rose de la robe est franc et vif. Le nez élégant, fruité, beurré, prolonge sa beauté en flaveurs dans une chair nerveuse et fraîche. La finale est bien enlevée. Le **crémant du Prieur blanc**, cité, libère des parfums de fruits et de pâte de coings qui accompagnent et prolongent la dégustation. Un vin bien équilibré, frais, vivant et harmonieux.
❦EARL Vignobles Garzaro, Ch. Le Prieur, 33750 Baron, tél. 05.56.30.16.16, fax 05.56.30.12.63, e-mail garzaro@vingarzaro.com ☑ ☊ r.-v.

PRINCESSE LEA**

○ n.c. 30 000 30 à 49 F

J.-L. Ballarin, négociant-éleveur de crémants, est installé à proximité de la petite église romane de Haux, à mi-chemin entre l'aimable bastide de Créon et les restes féodaux de Langoiran. Sa gamme de produits, essentiellement bâtie sur l'équilibre sémillon-muscadelle, révèle des richesses comme cette Princesse Léa. La robe jaune très pâle à reflets verts est animée d'un chapelet persistant de bulles fines et abondantes. Le nez développe ses notes citronnées sur fond de fruits confits et de figue sèche. La chair souple reste savoureuse jusque dans une finale fraîche et longue... Un crémant remarquable qu'un juré suggère de servir sur des fruits de mer... Autres vins sélectionnés : **Etiquette Bleue**, destiné à l'apéritif, ainsi que le **Marquis de Haux** qui aura sa place sur les coquillages. Tous deux obtiennent une étoile.

☛ Jean-Louis Ballarin, Haux, 33550 Langoiran, tél. 05.56.67.11.30, fax 05.56.67.54.60 ☑ ⊤ r.-v.

PERLE DE SEGUIN Cuvée Prestige★

| ○ | 1,3 ha | 13 000 | 50 à 69 F |

Ce mariage sémillon (70 %)-sauvignon est né à une dizaine de kilomètres de Bordeaux et a été élevé dans les caves de Saint-Emilion. Son corps est mince, frais. La finale acidulée amplifie les arômes un peu discrets du nez et de l'attaque. Elle en épanouit le caractère floral, évoquant la rose et l'œillet... C'est un plaisir d'apéritif.

☛ Michael Carl, Ch. de Seguin, 33360 Lignan-de-Bordeaux, tél. 05.57.97.19.75, fax 05.57.97.19.72, e-mail cwi@chris-wine.dk ☑ ⊤ r.-v.

Le Blayais et le Bourgeais

Blayais et Bourgeais, deux petits pays aux confins charentais de la Gironde que l'on découvre toujours avec plaisir. Peut-être en raison de leurs sites historiques, de la grotte de Pair-Non-Pair (avec ses fresques préhistoriques, presque dignes de Lascaux), de la citadelle de Blaye ou de celle de Bourg, ou des petits châteaux et autres anciens pavillons de chasse. Mais plus encore parce que de cette région très vallonnée se dégage une atmosphère intimiste, apportée par de nombreuses vallées et qui contraste avec l'horizon quasi marin des bords de l'estuaire. Pays de l'esturgeon et du caviar, c'est aussi celui d'un vignoble qui, depuis les temps gallo-romains, contribue à son charme particulier. Pendant longtemps, la production de vins blancs a été importante ; jusqu'au début du XXe s., ils étaient utilisés pour la distillation du cognac ; cette ancienne coutume a été ravivée par la création récente de la fine de bordeaux, eau-de-vie de vin distillée dans l'alambic charentais. Mais aujourd'hui, les vins blancs sont en très nette régression, car les rouges jouissent d'une prospérité économique beaucoup plus grande.

Blaye, premières côtes de blaye, côtes de blaye, bourg, bourgeais, côtes de bourg, rouges et blancs : il est parfois un peu difficile de se retrouver dans les appellations de cette région. Toutefois, on peut distinguer deux grands groupes : celui de Blaye, avec des sols assez diversifiés, et celui de Bourg, géologiquement plus homogène.

Côtes de blaye et premières côtes de blaye

Sous la protection, désormais toute morale, de la citadelle de Blaye due à Vauban, le vignoble blayais s'étend sur environ 4 600 ha plantés de vignes rouges et blanches. Les appellations blaye et blayais sont désormais de moins en moins utilisées, la plupart des viticulteurs préférant produire des vins à partir de cépages plus nobles qui ont droit aux appellations côtes de blaye et premières côtes de blaye. Cependant l'AOC blaye a revendiqué 6 688 hl en 1999. Les premières côtes de blaye rouges (316 683 hl en 1999) sont des vins assez colorés qui présentent une rusticité de bon aloi, avec de la puissance et du fruité. Les blancs (12 138 hl en 1999) sont aromatiques. Les côtes de blaye blancs (2 854 hl en 1999) sont en général des vins secs, d'une couleur légère, que l'on sert en début de repas, alors que les premières côtes rouges vont plutôt sur des viandes ou des fromages.

Premières côtes de blaye

CH. ANGLADE-BELLEVUE
Cuvée Prestige 1998★

| ■ | 5 ha | n.c. | ▐⏻ | 30 à 49 F |

Valeur sûre et reconnue, ce cru reste fidèle à sa tradition de qualité avec cette jolie cuvée Prestige. D'une conception résolument classique, elle allie des tanins de bon augure pour l'avenir avec un bouquet sobre et élégant (épices, pruneau et fruits mûrs). Autre production du cru distribuée par le négoce, le **Château Moulin d'Anglade 98**, élevé en cuve, a obtenu une citation.

☛ SCEA Mège Frères, Aux Lamberts, 33920 Générac, tél. 05.57.64.73.28, fax 05.57.64.53.90 ☑ ⊤ r.-v.

CH. BERTHENON
Cuvée spéciale du Père Henri Elevé en fut de chêne 1998

■ Cru bourg.   4 ha   24 000   `30 à 49 F`

Simple mais bien faite, cette cuvée au nom sympathique est un peu austère en finale, mais elle laisse le souvenir d'un ensemble rond et souple, en accord avec le bouquet aux notes fruitées et florales.

GFA Henri Ponz, Berthenon, 33390 Saint-Paul-de-Blaye, tél. 05.57.42.52.24, fax 05.57.42.52.24, e-mail chateauberthenon@epicuria.com ☑ ☏ t.l.j. 8h-12h 14h-19h; sam. dim. sur r.-v.

CH. CANTELOUP 1998★

■   9 ha   15 000   ⦅⦆ `30 à 49 F`

Avec ce millésime, ce cru obtient une jolie réussite : déjà agréable, avec un bouquet expressif, ce 98 montre qu'il possède un bon potentiel d'évolution grâce à sa structure de qualité équilibrant les tanins du raisin avec ceux du chêne (il a passé treize mois en barrique).

Eric Vezain, Canteloup, 33390 Fours, tél. 05.57.42.13.16, fax 05.57.42.26.28 ☑ ☏ r.-v.

CH. CAP SAINT-MARTIN 1998★

■   10 ha   36 000   ▤ ⦅⦆ ⚲ `30 à 49 F`

Un nom qui siérait à quelque cargo parti chercher l'aventure sur les océans pour un vin évoquant lui aussi les destinations lointaines par son bouquet aux notes épicées et vanillées. Bien constitué, comme l'indique sa robe d'un rubis intense, il s'appuie sur des tanins à la fois puissants et fins qui promettent une évolution favorable et invitent à attendre deux ans avant de déboucher ce flacon. Autre cru du même producteur, le **Château Les Rousseaux rouge 98**, qui ne connaît pas le bois, a obtenu une citation et devra également être attendu.

Le Blayais et le Bourgeais

Blayais
Bourgeais
- - - Limites de départements

❦ Vignobles Ardoin, 13, rte de Mazerolles, 33390 Saint-Martin-Lacaussade, tél. 05.57.42.91.73, fax 05.57.42.91.73 ☑ ⏍ r.-v.

CH. CHANTE ALOUETTE
Elevé en fût de chêne 1998★

■　　　　　21 ha　100 000 ▮⏍⚭ 50 à 69 F

Un nom charmant pour un vin d'un abord agréable, paré d'une intense robe grenat et au bouquet d'un bel équilibre entre les notes fruitées et vanillées. Ses tanins bien fondus lui assureront un potentiel de garde de deux à trois ans.
❦ SCEA Lorteaud et Filles, Ch. Chante Alouette, 33390 Plassac, tél. 05.57.42.16.38, fax 05.57.42.85.66 ☑ ⏍ r.-v.

CH. CHARRON Les Gruppes 1998

■　　　　　6 ha　40 000 ▮⏍⚭ 50 à 69 F

S'il est spécialisé dans le blanc, ce cru produit un rouge intéressant, comme en témoigne le 98 au bouquet de fruits mûrs et d'une structure concentrée ; les tanins appellent une attente de deux ou trois ans pour mûrir.
❦ SCEA Ch. Charron, Vignobles Germain et Associés, 33390 Berson, tél. 05.57.42.66.66, fax 05.57.64.36.20, e-mail bordeaux@vgas.com ☑ ⏍ r.-v.

CH. CORPS DE LOUP 1998

■ Cru bourg.　7 ha　20 000 ⏍ 30 à 49 F

Selon la légende, en 1589 un loup chassé et blessé par le captal de Buch et Henri IV, en Médoc, aurait réussi à leur échapper (à Trompeloup à Pauillac) en traversant la Gironde pour mourir ici. Tannique et d'une bonne expression aromatique (fruits noirs mûrs et épices), ce vin à la belle robe grenat profond est lui aussi résistant et devra être attendu environ trois ans pour qu'il se fonde.
❦ Françoise Vidal-Leguénédal, Ch. Corps de Loup, 33390 Anglade, tél. 05.57.64.45.10, fax 05.57.64.45.05 ☑ ⏍ t.l.j. 10h-12h 15h-18h30; sam. dim. sur r.-v.

CH. CRUSQUET DE LAGARCIE
1998★★

■ Cru bourg.　20 ha　70 000 ⏍ 30 à 49 F

Né dans un chai-cuvier à deux étages, unique en Blayais, ce vin montre qu'il possède une forte personnalité. Celle-ci s'exprime à travers son bouquet, où se développent d'élégantes notes de torréfaction, comme au palais où de beaux tanins annoncent une réelle aptitude au vieillissement. Riche et fin, ce 98 tient toutes les promesses de la robe, d'une couleur soutenue, et se montre digne de la tradition familiale, déjà séculaire sur ce cru. Notez qu'il reçut de nombreux coups de cœur et qu'il a même été proposé cette année au grand jury... Une autre production de la même exploitation, le **Château Le Cone de Taillasson de Lagarcie, rouge 98** (30 à 49 F), a obtenu une étoile.
❦ GFA des vignobles Ph. de Lagarcie, Le Crusquet, 33390 Cars, tél. 05.57.42.15.21, fax 05.57.42.90.87 ☑ ⏍ t.l.j. sf sam. dim. 9h-12h 14h-18h

CH. CRUSQUET SABOURIN
Elevé en barrique de chêne 1997

■ Cru bourg.　20 ha　120 000 ⏍ 30 à 49 F

Cuvée élevée en fût, ce vin porte la marque du millésime, mais il n'en possède pas moins un bon équilibre et d'agréables arômes fruités qui le rendent sympathique. A boire dès à présent.
❦ Sabourin Frères, 49, Le Bourg, 33390 Cars, tél. 05.57.42.15.27, fax 05.57.42.05.47 ☑ ⏍ r.-v.

CH. GAUTHIER
Elevé en fût de chêne 1998

■　　　　　9,88 ha　50 000 ⏍ 30 à 49 F

Propriété située à Civrac-de-Blaye et vinifiée à la cave de Pugnac. Vieilli six mois en fût, ce vin possède du répondant, avec de solides tanins mûrs qui assurent une bonne présence au palais.
❦ Union de producteurs de Pugnac, Bellevue, 33710 Pugnac, tél. 05.57.68.81.01, fax 05.57.68.83.17, e-mail udep.pugnac@wanadoo.fr ⏍ r.-v.
❦ Michel Massé

CH. DU GRAND BARRAIL
Cuvée Prestige Elevée en fût de chêne neuf 1998★★

■　　　　　n.c.　5 000 ⏍ 50 à 69 F

Réguliers en qualité, les vignobles Lafon restent fidèles à leur tradition et à leur réputation avec cette petite cuvée élevée douze mois en fût, qui a participé à la finale du grand jury des coups de cœur. Encore jeune dans sa présentation, elle affirme sa personnalité par sa solide charpente, bien mise en valeur grâce au judicieux dosage dont l'élevage a fait l'objet. Une jolie bouteille à garder un peu en cave.
❦ Denis Lafon, 1, Bracaille, 33390 Cars, tél. 05.57.42.33.04, fax 05.57.42.08.92, e-mail denislafon@aol.com ☑ ⏍ r.-v.

CH. GRAULET Cuvée Prestige 1998★★

■　　　　　n.c.　5 000 ⏍ 50 à 69 F

Née sur un cru exploité par l'équipe du château Grand-Barrail, cette cuvée spéciale présente plus qu'un air de famille avec sa cousine : dans les deux cas, il s'agit de vins suffisamment charpentés pour affronter une jolie garde, avec un bon équilibre entre la puissance et l'élégance.
❦ Denis Lafon, 1, Bracaille, 33390 Cars, tél. 05.57.42.33.04, fax 05.57.42.08.92, e-mail denislafon@aol.com ☑ ⏍ r.-v.

DOM. DES GRAVES D'ARDONNEAU
Cuvée Prestige Vieilli en fût de chêne 1998★

■　　　　　2,9 ha　20 000 ▮⏍⚭ 30 à 49 F

Un domaine de 28 ha et une petite cuvée vieillie en fût de chêne : ce vin souple et rond sera fort plaisant à boire jeune pour tirer le meilleur profit possible de l'équilibre entre le fruit et le bois.
❦ Simon Rey et Fils, Dom. des Graves d'Ardonneau, 33620 Saint-Mariens, tél. 05.57.68.66.98, fax 05.57.68.19.30 ☑ ⏍ t.l.j. 8h-13h 15h-19h
❦ Christian Rey

CH. GUILLONNET
Cuvée Excellence Elevé en fût de chêne 1998★

■　　　　4 ha　　45 000　　◖◗ ▐30 à 49 F▌

Cuvée numérotée, vieillie en fût, ce vin s'inscrit dans la tradition du cru par son bon équilibre. Simple, souple et élégant, il peut être bu sans attendre. Le jury a apprécié sa finale fruitée rappelant la cerise.
↬ EARL Menanteau, Guillonnet,
33390 Anglade, tél. 05.57.64.62.97,
fax 05.57.64.52.54 ☑ ⵣ t.l.j. 8h30-12h 14h30-19h

CH. HAUT CANTELOUP 1999

▢　　　　1,5 ha　　9 000　　▣⬇ ▐20 à 29 F▌

Cette exploitation familiale de 33 ha a proposé cette jolie cuvée pâle et brillante. Simple mais frais, gras et d'une bonne expression aromatique, ce vin porte la marque du sauvignon dans ses notes de genêt et de bourgeon de cassis. Il sera plaisant à l'apéritif.
↬ Sylvain Bordenave, La Palanque,
33390 Fours, tél. 05.57.42.87.12,
fax 05.57.42.36.69 ☑ ⵣ t.l.j. sf dim. 9h-12h
14h-18h

CH. HAUT DU PEYRAT 1998

■　　　　8 ha　　40 000　　▣◖◗ ▐20 à 29 F▌

Cette propriété a connu une importante restructuration depuis 1985. Elle atteint aujourd'hui 33 ha. S'ils se font un peu austères en finale, ses tanins assurent à ce vin de bonnes possibilités d'évolution dans les deux ans à venir. Le **Clos Lascombes cuvée Prestige rouge 98**, du même producteur (30 à 49 F), a également reçu une citation. Il faudra attendre un peu que le bois se fonde.
↬ Muriel et Patrick Revaire, 33390 Cars,
tél. 05.57.42.20.35, fax 05.57.42.12.84 ☑ ⵣ r.-v.

CH. HAUT-GRELOT
Coteau de Methez 1998★★

■　　　　3,3 ha　　20 000　　▣◖◗⬇ ▐30 à 49 F▌

L'Esprit du bordeaux met en évidence la qualité, pour les vins rouges, des terroirs de coteaux de la région de Saint-Ciers, trop souvent considérés comme voués aux blancs pour des raisons culturelles. Cette superbe bouteille en apporte la plus brillante démonstration qui soit. Sa robe, d'un grenat sombre, est son bouquet, complexe à souhait, lui apportent une présentation irréprochable. Quant au palais, ses tanins, sa concentration et sa longueur ne laissent planer aucun doute sur sa classe et son potentiel de garde.

↬ Joël Bonneau, Ch. Haut-Grelot, 33820 Saint-Ciers-sur-Gironde, tél. 05.57.32.65.98,
fax 05.57.32.71.81 ☑ ⵣ t.l.j. sf dim. 8h-12h30
14h-19h

CH. HAUT GRELOT 1999★

▢　　　　14 ha　　100 000　　▐20 à 29 F▌

Son succès en rouge n'a pas pour autant conduit Joël Bonneau à négliger son blanc. Un peu surprenant au début par quelques notes de bourgeon de cassis, ce 99 laisse ensuite découvrir son caractère harmonieux, avec de jolis parfums de pêche blanche et une structure d'une réelle finesse.
↬ Joël Bonneau, Ch. Haut-Grelot, 33820 Saint-Ciers-sur-Gironde, tél. 05.57.32.65.98,
fax 05.57.32.71.81 ☑ ⵣ t.l.j. sf dim. 8h-12h30
14h-19h

HOMMAGE A SAINT VINCENT
1998★★

■　　　　n.c.　　20 000　　◖◗ ▐70 à 99 F▌

Premier millésime de cette cuvée, issue d'une sélection des meilleurs raisins, ce vin a bénéficié de l'engagement total de l'équipe de la cave de Marcillac. Avec ce vin d'un rubis profond, le résultat est à la hauteur des espérances ; le bouquet marie sans faiblesse les fruits et le bois, et le palais révèle des tanins doux et voluptueux qui portent la marque du merlot.
↬ Cave des Hauts de Gironde, La Cafourche,
33860 Marcillac, tél. 05.57.32.48.33,
fax 05.57.32.49.63, e-mail contact@tutiac.com
☑ ⵣ r.-v.

CH. LA BRAULTERIE DE PEYRAUD
Cuvée Prestige Vieilli en fût de chêne neuf 1998★

■　　　　2 ha　　12 000　　◖◗ ▐30 à 49 F▌

Sur les 36 ha de la propriété, deux sont consacrés à cette cuvée Prestige, dont l'élevage en barrique a été bien conduit, comme en témoigne la façon avec laquelle la vanille vient enrichir les arômes de raisin et les tanins agréablement fondus. Le **blanc 99** (20 à 29 F) a également obtenu un étoile.
↬ SCA La Braulterie-Morisset, Les Graves,
33390 Berson, tél. 05.57.64.39.51,
fax 05.57.64.23.60 ☑ ⵣ t.l.j. sf sam. dim. 9h-18h

CH. LA BRETONNIERE 1998

■　　　　8 ha　　35 000　　▣⬇ ▐30 à 49 F▌

Saluons l'entrée de ce cru dans le Guide avec un vin aux aimables tanins ronds et souples qui s'associent aux arômes de raisins mûrs, pour signaler l'influence de l'encépagement à dominante de merlot (avec 30 % de cabernet-sauvignon). Bien équilibré et réussi, le **blanc 99** a également reçu une citation.
↬ Stéphane Heurlier, EARL La Bretonnière,
33390 Mazion, tél. 05.57.64.59.23,
fax 05.57.64.59.23 ☑ ⵣ t.l.j. sf dim. 9h-12h30
14h-19h

CH. LA CROIX DE ROUSSET
Fût de chêne 1998★

| | 0,9 ha | 6 000 | | 30 à 49 F |

Belle unité d'une trentaine d'hectares, proposant ici sa cuvée élevée en barrique qui porte la marque de l'élevage dans son bouquet aux notes épicées et grillées. Sa robe intense, légèrement violine, annonce un vin charpenté, harmonieusement équilibré, doté d'une finale agréable. A mettre en cave deux ou trois ans.
➤ EARL La Croix de Rousset,
30, av. du Bourg, 33390 Berson,
tél. 05.57.64.32.77, fax 05.57.64.24.29 ☑ ￢ t.l.j. sf dim. 9h-12h 14h-18h
➤ Alins Frères

CH. LAFON LAMARTINE
Elevé en fût de chêne 1998★★

| | 8,28 ha | 8 000 | | 50 à 69 F |

Issu d'un vignoble intégralement planté en merlot, ce vin en porte la marque dans la rondeur de ses tanins, qui lui confère un charme réel. Le bouquet est encore sous l'influence de l'élevage, mais le bois a été bien dosé et respecte l'équilibre de cette bouteille riche et mûre. La **cuvée principale**, 15 000 bouteilles, dans le même millésime, non passée en barriques (30 à 49 F), a reçu une citation.
➤ Bruno Lafon, 7, pl. de La Libération,
33710 Cars, tél. 05.57.68.36.84,
fax 05.57.68.36.84 ☑ ￢ t.l.j. 8h-12h 14h-19h; f. 1er-15 août

CH. DE LA SALLE 1999★

| | n.c. | n.c. | | 30 à 49 F |

Ce château du XVIe s. offre aux amateurs des chambres d'hôtes. Une façon de découvrir non seulement une région mais aussi un vin sachant retenir l'attention par l'intensité et la complexité de son expression aromatique aux notes fruitées (agrumes et pêche blanche). Bien équilibré, frais et harmonieux, ce 99 se mariera avec un fromage de brebis des Pyrénées.
➤ SCEA Ch. de La Salle, 33390 Saint-Genès-de-Blaye, tél. 05.57.42.12.15, fax 05.57.42.87.11 ☑ ￢ r.-v.
➤ Bonnin

CH. LE MENAUDAT
Elevé en fût de chêne 1998★

| | 0,5 ha | 4 800 | | 30 à 49 F |

Issue d'une petite partie du cru, qui compte 15 ha au total, cette cuvée reste assez confidentielle. Ce qui ne lui interdit pas d'être un authentique vin de côtes, de garde et très coloré. Deux qualités auxquelles il ajoute un bouquet complexe (fruits mûrs et vanille).
➤ SCEA F.J.D.N. Cruse, Le Menaudat,
33390 Saint-Androny, tél. 05.56.65.20.08,
fax 05.57.65.21.37 ☑ ￢ t.l.j. sf sam. dim. 8h-12h 14h-18h

CH. LE QUEYROUX 1997★

| | 1,3 ha | 7 000 | | 70 à 99 F |

Un petit vignoble traditionnel où merlot et cabernet-sauvignon à parts égales donnent un vin vendangé le 5 octobre. Sa forte personnalité constituée de solides tanins et d'un bouquet puissant promettent une évolution des plus favorables avec le temps.
➤ Léandre-Chevalier, 6, Coulon,
33390 Anglade, tél. 05.57.64.46.54,
fax 05.57.64.42.41 ☑ ￢ r.-v.

CH. LES BERTRANDS
Cuvée Prestige Elevé en fût de chêne 1999★★

| | 2,5 ha | 10 000 | | 30 à 49 F |

Sérieuse unité de 75 ha, ce cru a obtenu une belle réussite avec cette cuvée Prestige élevée en fût de chêne, en macération pelliculaire ; le sauvignon, dont elle est issue, a allié ses arômes à ceux du bois pour composer un bouquet de qualité. C'est un même sens de l'équilibre qu'il cultive pour faire apparaître un ensemble rond, charnu et frais. Déjà très agréable, ce 99 gagnera toutefois à attendre deux ans pour laisser le bouquet parvenir à sa plénitude. La **cuvée Prestige 98 rouge** a obtenu une étoile. A attendre deux ou trois ans.
➤ EARL Vignobles Dubois et Fils,
Les Bertrands, 33860 Reignac,
tél. 05.57.32.40.27, fax 05.57.32.41.36,
e-mail chateau.les.bertrands@wanadoo.fr ☑ ￢ r.-v.

CH. L'ESCADRE Grande Réserve 1998

| | 2,5 ha | 16 000 | | 30 à 49 F |

Belle unité d'une trentaine d'hectares, ce cru devrait son nom à un capitaine au long cours qui posséda le domaine au XIXe s. Simple, souple et ronde, sa cuvée Prestige est suffisamment bien équilibrée pour permettre aux arômes d'exprimer leur délicatesse sans contrainte.
➤ Carreau et Fils, Ch. Les Petits Arnauds,
33390 Cars, tél. 05.57.42.36.57,
fax 05.57.42.14.02,
e-mail scevcarreau@wanadoo.fr ☑ ￢ r.-v.

CH. LES GRAVES
Elevé en fût de chêne 1998★★

| | 4 ha | 25 000 | | 30 à 49 F |

Très régulier en qualité, ce cru propose une fois encore une superbe cuvée passée dans le bois, dont la jeunesse se lit dans la robe rubis à reflets violacés. Si au bouquet le bois est encore très présent, il n'écrase pas les parfums de fruits rouges mais, au contraire, forme avec eux un ensemble dont la richesse se retrouve dans la structure. Celle-ci s'appuie sur d'harmonieux tanins et incite à attendre un peu avant d'ouvrir cette jolie bouteille que couronne une finale gourmande, entre vanille et chocolat.
➤ SCEA Pauvif, 33920 Saint-Vivien-de-Blaye,
tél. 05.57.42.47.37, fax 05.57.42.55.89 ☑ ￢ r.-v.

CH. LES HAUTS DE FONTARABIE
1998

| ■ | 15 ha | 110 000 | ▮♣ 30 à 49 F |

Egalement producteur en côtes de bourg, les vignobles Faure proposent un vin aux solides tanins qui devrait se révéler pleinement d'ici un à deux ans.

➤ Vignobles Alain Faure, 33710 Saint-Ciers-de-Canesse, tél. 05.57.42.68.80, fax 05.57.42.68.81, e-mail belair-coubet@wanadoo.fr ✇ ⵣ r.-v.

CH. LES JONQUEYRES 1997

| ■ | 5,5 ha | 30 000 | ◗▯ 70 à 99 F |

Ce vin, à la structure caractéristique du millésime, est plaisant par sa rondeur et sa finesse. Il est né sur des argiles bleues et grises à fossiles, du mariage de 90 % de merlot avec 5 % de cabernet franc et 5 % de malbec. Douze mois de fût lui ont apporté une élégante note boisée qui ne masque pas le fruit.

➤ Isabelle et Pascal Montaut, Courgeau, 33390 Saint-Paul-de-Blaye, tél. 05.57.42.34.88, fax 05.57.42.93.80 ✇ ⵣ r.-v.

CH. LES RICARDS 1998

| ■ | 5 ha | 30 000 | ◗▯ 50 à 69 F |

Né sur un vignoble conservant une part non négligeable de malbec (25 %), ce vin d'une bonne présence tannique sait se rendre agréable par son équilibre général.

➤ EARL Chevrier-Loriaud, Les Ricards, 33390 Cars, tél. 05.57.42.91.34, fax 05.57.42.32.87 ✇ ⵣ r.-v.

CH. LE VIROU Les Vieilles Vignes 1998★

| ■ | 7 ha | 45 500 | ◗▯ 30 à 49 F |

Vaste unité (une centaine d'hectares au total), ce cru a mis à profit ses parcelles de vignes trentenaires pour proposer cette cuvée dont l'élevage en fût a mis en valeur les tanins, riches et concentrés. Bien équilibré, l'ensemble est prometteur et gagnera à être un peu attendu.

➤ Ch. Le Virou, Le Virou, 33920 Saint-Girons-d'Aiguevives, tél. 05.57.42.44.40, fax 05.57.42.44.40

➤ Bessede

CH. DES MATARDS
Cuvée Nathan Elevé en fût de chêne 1998

| ■ | 4 ha | 30 000 | ◗▯ 30 à 49 F |

Cuvée élevée en barrique, ce vin bien typé exprime sa personnalité par une structure aux tanins souples et ronds qui s'entendent avec le bouquet, où l'apport du bois respecte les parfums de fruits.

➤ GAEC Terrigeol, 27, av. du Pont-de-la-Grâce, 33820 Saint-Ciers-sur-Gironde, tél. 05.57.32.61.96, fax 05.57.32.79.21 ✇ ⵣ r.-v.

CH. MONTFOLLET Vieilles vignes 1998★★

| ■ | 8 ha | 35 000 | ◗▯ 30 à 49 F |

Elaborée à partir des vignes les plus âgées de la propriété par la cave coopérative du Blayais, cette cuvée a tiré un bon profit de son élevage en barrique. L'apport aromatique du bois (vanille, noix de coco et pain grillé) s'accorde en effet parfaitement avec le côté moelleux et bien fondu

des tanins qui plongent le palais dans une douce harmonie, de l'attaque à la finale.

➤ Cave coop. du Blayais, 9, Le Piquet, 33390 Cars, tél. 05.57.42.13.15, fax 05.57.42.84.92 ✇ ⵣ r.-v.

➤ SCEA Raimond

CH. PETIT-BOYER 1998

| ■ | 3 ha | 5 300 | ◗▯♣ 30 à 49 F |

Cuvée numérotée, issue de vignes trentenaires et élevée en fût, ce vin est un peu discret dans son expression aromatique mais il reste plaisant par son équilibre et sa rondeur. Il faut l'attendre deux ans avant de lui offrir un civet de lièvre.

➤ EARL Vignobles Bideau, 5, les Bonnets, 33390 Cars, tél. 05.57.42.19.40, fax 05.57.42.19.40 ✇ ⵣ t.l.j. 10h-12h 14h-18h

CH. PEYBONHOMME LES TOURS
1998★

| ■ Cru bourg. | 55 ha | 300 000 | ◗▯ 30 à 49 F |

Belle unité, ce cru peut offrir un vin qui n'a rien de confidentiel. Personne ne s'en plaindra en découvrant son bouquet de fruits mûrs et sa structure aux tanins ronds et fondus qui font de cette bouteille une plaisante gourmandise. Dans le même millésime, la cuvée de prestige, de 6 000 flacons, nommée **Quintessence de Peybonhomme 98**, issue des vignes les plus âgées (70 à 99 F), a également obtenu une étoile.

➤ Vignobles Bossuet-Hubert, Ch. Peybonhomme-les-Tours, 33390 Cars, tél. 05.57.42.11.95, fax 05.57.42.38.15, e-mail peybonhomme@terre-net.fr ✇ ⵣ r.-v.

CH. PEYREDOULLE
Maine Criquau Vieilles vignes 1998★★

| ■ | 4 ha | 25 000 | ▮◗▯♣ 50 à 69 F |

Sélection à dominante de merlot (90 %) du fait des sols calcaires, cette cuvée fait honneur à son producteur : non seulement par sa belle couleur mais aussi par sa tenue tout au long de la dégustation. Bien servie par la complexité de son bouquet aux notes de fruits frais et secs, elle développe une solide structure tannique qui demande encore à s'assouplir, mais qui prendra sa place sur des mets corsés comme le gibier.

➤ Vignobles Bernard Germain, 33390 Berson, tél. 05.57.42.66.66, fax 05.57.64.36.20 ✇ ⵣ r.-v.

CH. RICAUD Elevé en fût de chêne 1998★

| ■ | 15 ha | 100 000 | ▮◗▯♣ 30 à 49 F |

Fidèle aux traditions blayaises avec 10 % de malbec dans l'encépagement, ce cru propose un vin bien constitué possédant une belle robe sombre, un bouquet aux élégantes notes de café et une réelle présence au palais que soutiennent des tanins bien fondus.

➤ Vignobles Michel Baudet, Ch. Monconseil Gazin, 33390 Plassac, tél. 05.57.42.16.63, fax 05.57.42.31.22 ✇ ⵣ r.-v.

CH. ROLAND LA GARDE 1998★★★

| ■ | 6 ha | 18 000 | ▮◗▯♣ 100 à 149 F |

Brillant et sympathique représentant de la génération montante, Bruno Martin apporte ici de quoi rassurer ceux qui auraient pu craindre que le vignoble bordelais ait épuisé toutes ses réserves d'évolution ! D'un grenat presque noir

BORDELAIS

à reflets violacés, la robe de son vin laisse deviner l'intensité et la complexité du bouquet, où les notes grillées côtoient le cassis, le cuir et les épices. La richesse de la matière tannique, les côtés charnus et soyeux du corps, les arômes fruités du palais, la longue finale, tout a fait l'unanimité du jury et invite à un séjour en cave d'au moins cinq ans.

🠒 Ch. Roland La Garde, 8, La Garde, 33390 Saint-Seurin-de-Cursac, tél. 05.57.42.32.29, fax 05.57.42.01.86 ☑ ⵏ t.l.j. sf dim. 8h-12h 14h-19h
🠒 Bruno Martin

CH. ROLAND LA GARDE
Prestige 1998★★

| ■ | | 10 ha | 60 000 | ■ ⵏ ♨ | 50 à 69 F |

Si elle n'égale pas le grand vin, cette cuvée Prestige est elle aussi d'une très belle tenue. Moins expressive et complexe sur le plan aromatique, elle possède cependant une riche matière, grasse et charpentée, qui lui assure un bon potentiel d'évolution (de trois à quatre ans).
🠒 Ch. Roland La Garde, 8, La Garde, 33390 Saint-Seurin-de-Cursac, tél. 05.57.42.32.29, fax 05.57.42.01.86 ☑ ⵏ t.l.j. sf dim. 8h-12h 14h-19h

CH. SEGONZAC Les Vieilles vignes 1997★

| ■ Cru bourg. | 7 ha | 50 000 | ⵏ | 50 à 69 F |

Créé par Jean Dupuy, ministre de l'Agriculture sous la IIIᵉ République, ce cru profite de l'âge d'une partie de ses ceps (quarante et un ans) pour proposer une cuvée Vieilles vignes. Délicatement bouqueté avec de jolies notes de fruits rouges et bien constitué grâce à une structure ronde et ample, ce 97 réussit l'alliance du volume et de l'élégance. Une belle démonstration qu'un millésime trop systématiquement décrié peut réserver d'agréables surprises.
🠒 SCEA Ch. Segonzac, 39, Segonzac, 33390 Saint-Genès-de-Blaye, tél. 05.57.42.18.16, fax 05.57.42.24.80, e-mail segonzac@chateau-segonzac.com ☑ ⵏ r.-v.

CH. TERRE-BLANCHE
Cuvée Noémie 1998★

| ■ | 2 ha | 5 000 | ⵏ | 50 à 69 F |

Avec ce millésime, ce cru a inauguré sa nouvelle politique qualitative, marquée par une limitation des rendements, un effeuillage, des vendanges vertes et une macération renforcée. Cette bouteille prouve le bien fondé de ces mutations : une très belle structure tannique, un bouquet fruité et un bon appoint du bois donnent un

ensemble harmonieux et charmeur qui gagnera à être attendu environ deux ans.
🠒 Paul-Emmanuel Boulmé, Ch. Terre-Blanche, 33990 Saint-Genès-de-Blaye, tél. 05.57.42.18.48 ☑ ⵏ r.-v.

CH. DES TOURTES
Cuvée Prestige Vinifié en fût de chêne 1999★

| ☐ | 4 ha | 26 000 | ⵏ | 50 à 69 F |

Belle exploitation familiale de près de 50 ha, héritière d'une longue tradition, ce cru propose sa cuvée spéciale, un vin puissant, aromatique, frais et rond. Il faudra l'attendre un an pour permettre aux tanins de se fondre.
🠒 EARL Raguenot-Lallez, Ch. des Tourtes, 33820 Saint-Caprais-de-Blaye, tél. 05.57.32.65.15, fax 05.57.32.99.38 ☑ ⵏ t.l.j. 9h-12h30 13h30-19h; dim. sur r.-v.

CH. VOLLAND 1998

| ■ | 1,5 ha | 12 000 | ⵏ ♨ | 30 à 49 F |

Distribué par le négoce, ce vin est simple mais aimable et sérieux, avec une bonne constitution tannique et d'agréables arômes de fruits rouges.
🠒 Germe, rue de la Cabeyre, 33240 Saint-André-de-Cubzac, tél. 05.57.33.42.42, fax 05.57.43.22.22
🠒 GAEC Baillou

Côtes de bourg

L'AOC couvre environ 3 600 ha. Avec comme cépage dominant le merlot, les rouges (230 000 hl en 1999) se distinguent souvent par une belle couleur et des arômes assez typés de fruits rouges. Assez tanniques, ils permettent dans bien des cas d'envisager favorablement un certain vieillissement. Peu nombreux, les blancs (1 331 hl en 1999) sont en général secs, avec un bouquet assez typé.

CLOS ALPHONSE DUBREUIL 1997★

| ■ | n.c. | 3 500 | ⵏ | 70 à 99 F |

Plus connus pour leurs crus blayais, les Montaut ne négligent pas pour autant cette petite propriété bourquaise. Ce vin le prouve par la puissance de sa structure qui réussit à intégrer l'apport du fût, reconnaissable à ses arômes grillés, pour donner un ensemble déjà plaisant tout en possédant une réserve d'évolution.
🠒 Isabelle et Pascal Montaut, Courgeau, 33390 Saint-Paul-de-Blaye, tél. 05.57.42.34.88, fax 05.57.42.93.90 ⵏ r.-v.

BAILLI DE BOURG 1998

| ■ | 4,4 ha | 35 000 | ⵏ | 20 à 29 F |

Marque de la cave coopérative de Bourg et Tauriac, ce vin associe un bouquet expressif de fruits mûrs à une charpente suffisamment bien

Le Blayais et le Bourgeais

construite pour permettre aux tanins de se fondre.

☛ Cave de Bourg-Tauriac, 3, av. des Côtes-de-Bourg, 33710 Tauriac, tél. 05.57.94.07.07, fax 05.57.94.07.00, e-mail cave.bourg-tauriac@wanadoo.fr ☑ ⏀ t.l.j. sf dim. 8h-12h 14h-18h

CH. BEGOT 1998

■	n.c.	20 000	▪� 30 à 49 F

Propriété familiale de 16 ha, Bégot a proposé un 98 à la robe très intense, presque noire. S'il se montre un peu court en finale, ce vin laisse le dégustateur sur le souvenir d'un ensemble intéressant, notamment par son expression aromatique aux notes de fruits mûrs ou cuits et par ses tanins très concentrés.

☛ Alain Gracia, Ch. Bégot, 33710 Lansac, tél. 05.57.68.42.14, fax 05.57.68.29.90 ☑ ⏀ t.l.j. 9h-12h 14h-18h; sam. dim. sur r.-v.

CH. DU BOIS DE TAU 1998★★

■	14 ha	100 000	▪⏀ 30 à 49 F

En côtes de bourg, mais aussi en premières côtes de blaye et en bordeaux, les vignobles de la famille Faure sont devenus des habitués du Guide Hachette. Après Belair-Coubet, coup de cœur l'an dernier pour le 97, c'est au tour du Bois de Tau de se mettre en vedette. Son 98 ne cache rien de sa richesse et de sa complexité : à un bouquet où se marient des notes aussi diverses que les fruits rouges, le tabac, le clou de girofle ou d'autres épices s'ajoute une structure ample, ronde, tannique et grasse. Une belle bouteille à attendre entre trois et cinq ans.

☛ Vignobles Alain Faure, 33710 Saint-Ciers-de-Canesse, tél. 05.57.42.68.80, fax 05.57.42.68.81, e-mail belair-coubet@wanadoo.fr ⏀ r.-v.

CH. BRULESECAILLE 1998★★

■	20 ha	120 000	⏀ 50 à 69 F

Belle unité aux coteaux argilo-calcaires et argilo-graveleux, ce cru figure parmi les valeurs sûres et reconnues de l'appellation. Prometteur par sa puissante structure tannique, sa longueur et son intense bouquet où les fruits mûrs se marient heureusement avec des notes grillées, son 98 se charge de démontrer le bien-fondé d'une telle réputation.

☛ Jacques Rodet, Brulesécaille, 33710 Tauriac, tél. 05.57.68.40.31, fax 05.57.68.21.27, e-mail brulesecaille@cavesparticulieres.com ☑ ⏀ r.-v.

CH. BUJAN 1998★

■	8,3 ha	60 800	⏀ 50 à 69 F

Château Bujan (16,3 ha) a été repris par Pascal Méli en 1987. Venant d'un tout autre univers, celui-ci s'est passionné pour son nouveau « métier ». Avec ce millésime, il propose un vin bien typé par des tanins de qualité, riches et veloutés, qui s'accordent avec le bouquet aux notes de fruits mûrs et avec la robe d'une couleur profonde. Un ensemble équilibré et de bonne garde.

☛ Pascal Méli, Ch. Bujan, 33710 Gauriac, tél. 05.57.64.86.56, fax 05.57.64.93.96, e-mail pmeli@alienor.fr ☑ ⏀ t.l.j. 9h-12h 14h-19h; dim. sur r.-v.

CH. CANA-BEAUBOURG 1998★

■	1,5 ha	10 000	▪ 30 à 49 F

Distribué par le négoce, ce vin assemblant à parts égales merlot et cabernet, est équilibré, bien construit, avec des tanins puissants mais fondus. Agréablement bouqueté, il a d'élégants arômes de fruits rouges mûrs.

☛ André Quancard-André, rue de la Cabeyre, 33240 Saint-André-de-Cubzac, tél. 05.57.33.42.42, fax 05.57.43.01.71

☛ GFA Château Cana

CH. COLBERT
Cuvée Prestige Elevé en fût de chêne 1998★

■	2 ha	10 000	⏀ 30 à 49 F

N'ayant rien à voir avec le ministre du Roi-Soleil, le nom de ce cru s'explique par le naufrage dans l'estuaire d'un bateau, le Colbert, qui fut renfloué grâce à un procédé mis au point par le propriétaire du cru. Le château, de style éclectique, a été bâti avec l'argent de la prime. Encore un peu sévère, sa cuvée Prestige 98 possède la structure tannique, la réserve aromatique (fruits rouges) et la longueur nécessaires pour donner une très jolie bouteille d'ici deux à trois ans.

☛ Duwer, Ch. Colbert, 33710 Comps, tél. 05.57.64.95.04, fax 05.57.64.88.41 ☑ ⏀ t.l.j. 9h-18h

☛ SCA Château Colbert

CH. CONILH HAUTE-LIBARDE
Vieilli en fût de chêne 1998

■ Cru bourg.	5,5 ha	25 000	▪⏀ 30 à 49 F

Né sur un vignoble entourant une chartreuse du XVIII's., ce vin possède une expression aromatique de qualité et une constitution ample, ronde et tannique. Il évoluera favorablement dans les deux ou trois ans à venir.

☛ Dom. Bernier, 33710 Lansac, tél. 05.57.68.46.46, fax 05.57.68.36.09, e-mail maximebernier@berniervins.fr ☑ ⏀ r.-v.

CH. CROUTE-CHARLUS 1998★

■	6 ha	40 000	▪ 20 à 29 F

Fruit du mariage du merlot (45 %), du cabernet-sauvignon (45 %) et du malbec (10 %), cépage implanté sur sa terre d'élection argilo-calcaire, ce vin se distingue par sa complexité aromatique (des fruits mûrs au chocolat). Encore un peu sévère mais puissante et d'une bonne présence tannique, sa matière demandera à être attendue pendant deux ou trois ans.

☛ Cédric Baudouin, Ch. Croûte-Charlus, 5, rte de Croûte, 33710 Bourg-sur-Gironde, tél. 05.57.68.25.67, fax 05.57.68.25.77 ⏀ r.-v.

CH. ESCALETTE 1998

■	8 ha	64 000	▪⏀ 20 à 29 F

Un vignoble de taille relativement modeste mais appartenant à un vaste ensemble familial. Délicatement bouqueté, avec des notes florales, son 98 s'appuie sur une bonne matière où s'allient les fruits et les tanins. Le **Château Tour Bidou 98**, du même producteur, a également obtenu une citation.

●┑ SCV villeneuvoise, Ch. de Barbe,
33710 Villeneuve, tél. 05.57.42.64.00,
fax 05.57.64.94.10 ☓ r.-v.
●┑ Famille Richard

CH. FALFAS Elevé en fût de chêne 1998★

■ 22 ha 120 000 ◫ 50 à 69 F

Cette gentilhommière Louis XIII est l'une des plus belles demeures du canton de Bourg. Son vin, très expressif, est bien typé par son solide caractère tannique, qui appelle une garde de trois ou quatre ans.
●┑ John et Véronique Cochran, Ch. Falfas,
33710 Bayon, tél. 05.57.64.80.41,
fax 05.57.64.93.24 ☓ r.-v.

CH. FOUGAS Maldoror 1998★★

■ 5 ha 30 000 ◫ 70 à 99 F

Cuvée spéciale créée en 1993 pour exprimer l'originalité du terroir (colluvions sableuses), ce vin le fait une fois encore avec brio. Drapé dans une robe d'un rubis aussi brillant qu'intense, il annonce d'emblée de sérieuses ambitions. Au bouquet, un boisé de qualité vient soutenir de belles notes de fruits mûrs. Une superbe matière, longue, charnue, complexe, soutenue par des tanins bien fondus et enrobés apporte la meilleure garantie qui soit sur le potentiel de cette bouteille à garder en cave entre quatre et neuf ans. La **cuvée Prestige 98 du Château Fougas** obtient également deux étoiles (30 à 49 F).
●┑ Jean-Yves Béchet, Ch. Fougas,
33710 Lansac, tél. 05.57.68.42.15,
fax 05.57.68.28.59, e-mail jean-yves.bechet@wanadoo.fr ☑ ☓ t.l.j. sf sam. dim. 9h-18h
●┑ GFA Fougas

CH. GALAU 1998★★

■ 6,5 ha 40 000 ◫ 30 à 49 F

Pour être moins connu que le Château Nodoz, du même producteur, ce vin n'en fait pas un complexe. Bien au contraire, l'élégance de son bouquet, aux notes de clou de girofle et de grillé, et la densité de sa structure, ample et complexe, forment un ensemble harmonieux que tout promet de gouter après une fructueuse garde de plusieurs années.
●┑ Magdeleine, Ch. Nodoz, 33710 Tauriac,
tél. 05.57.68.41.03, fax 05.57.68.37.34 ☓ r.-v.

CH. GRAND LAUNAY 1998★

■ 9 ha 47 700 ▌ 30 à 49 F

Un vin doit-il obligatoirement être élevé en barrique ? Ce 98 fort réussi prouve qu'il n'en est rien : d'une belle présentation, avec une robe intense et un bouquet aux agréables notes fruitées et florales, il développe un palais bien bâti, déjà

harmonieux mais qui pourra être attendu. Egalement bien équilibrée et charpentée, la **cuvée Réserve Lion Noir 98**, une étoile (50 à 69 F), a intégré l'apport du bois et appelle une garde de quatre à cinq ans.
●┑ Michel Cosyns, Ch. Grand Launay,
33710 Teuillac, tél. 05.57.64.39.03,
fax 05.57.64.39.03 ☑ ☓ r.-v.

CH. GRAVETTES-SAMONAC
Sélection Vieilli en fût de chêne 1998★

■ 7 ha 20 000 ◫ 50 à 69 F

Sélection des meilleures cuvées, élevé en fût et présenté en bouteilles numérotées, ce vin possède un beau potentiel de vieillissement qu'annoncent sa puissance tannique et sa longueur. Il méritera donc d'être attendu au moins deux ou trois ans pour permettre au bois, encore très présent, de se fondre dans le bouquet. La **cuvée principale 98** (étiquette jaune, 30 à 49 F), non passée en barrique, a reçu une citation.
●┑ Gérard Giresse, Le Bourg, 33710 Samonac,
tél. 05.57.68.21.16, fax 05.57.68.36.43 ☑ ☓ r.-v.

CH. GUERRY Elevé en fût de chêne 1998★

■ 22 ha 140 000 ◫ ⬤ ⬇ 30 à 49 F

Propriété personnelle du négociant Bertrand de Rivoyre, ce cru offre ici un vin encore un peu austère, mais qui devrait donner une bouteille très agréable dans environ trois ans si l'on en croit sa couleur grenat intense, son bouquet de fruits mûrs et sa structure tannique.
●┑ SC du Ch. Guerry, 33710 Tauriac,
tél. 05.57.68.20.78, fax 05.57.68.41.31 ☓ r.-v.
●┑ B. de Rivoyre

CH. GUIRAUD
Vieilli en fût de chêne 1997★

■ 3 ha 20 000 ◫ 30 à 49 F

Un domaine d'une dizaine d'hectares dont trois sont consacrés à cette cuvée prestige. Ce 97 pourra être attendu. Long et complexe, il associe un bouquet aux élégants parfums de fruits rouges et un palais bien construit, à la structure grasse et ronde.
●┑ Jacky Bernard, 3, Guiraud, 33710 Saint-Ciers-de-Canesse, tél. 05.57.64.91.02,
fax 05.57.64.91.46 ☓ r.-v.

CH. HAUT-GUIRAUD
Péché du Roy 1998★★

■ 10 ha n.c. ◫ 30 à 49 F

On raconte que Louis XIV enfant aurait fort apprécié les pêches du domaine... d'où le nom de cette cuvée vieillie douze mois en fût. Succomber à la tentation de ce vin sera facilement excusable car ce serait une faute de goût de ne pas l'apprécier. Derrière un bois de qualité percent de sympathiques arômes de fruits rouges et d'épices ; on devine qu'ils prendront le dessus en mettant à profit l'aptitude à la garde qu'indique une solide matière tannique.
●┑ EARL Bonnet et Fils, Ch. Haut-Guiraud,
33710 Saint-Ciers-de-Canesse,
tél. 05.57.64.91.39, fax 05.57.64.90.95 ☑ ☓ r.-v.

CH. HAUT-LAUNAY
Vieilli en fût de chêne 1997★

| ■ | 9 ha | 12 000 | ❙❙❙ | 30 à 49 F |

Cuvée élevée en fût, ce vin est bien typé côtes par sa puissance tannique. Agréablement marqué par le merlot dans son expression aromatique aux notes de fruits rouges, il est intéressant par son potentiel de garde.
☛ François Noailles, 7, Ch. Haut-Launay, 33710 Teuillac, tél. 05.57.64.34.26, fax 05.57.64.23.16 ☑ ♈ r.-v.

HAUT-MEVRET 1998★★

| ■ | 15 ha | 100 000 | ■ | 30 à 49 F |

Marque de la cave de Pugnac, ce vin lui offre une très belle carte de visite. Aussi agréable à l'œil qu'au bouquet où se développent de fines notes de fruits rouges, il montre la puissance de sa matière tout en conservant un caractère rond et bien équilibré.
☛ Union de producteurs de Pugnac, Bellevue, 33710 Pugnac, tél. 05.57.68.81.01, fax 05.57.68.83.17, e-mail udep.pugnac@wanadoo.fr ☑ ♈ r.-v.

CH. HAUT-MOUSSEAU 1998★

| ■ | 30 ha | 10 000 | ■ | 30 à 49 F |

Ce vin ne demandera pas à être attendu très longtemps. D'ici un à deux ans, il montrera toute son élégance et son harmonie, avec un bouquet aux aimables notes de fruits rouges et une bonne structure, que soutiennent des tanins présents mais bien fondus.
☛ Dominique Briolais, 1, Ch. Haut-Mousseau, 33710 Teuillac, tél. 05.57.64.34.38, fax 05.57.64.31.73 ☑ ♈ r.-v.

CH. JANSENANT 1998★★

| ■ | 13 ha | 85 000 | ■ ⬇ | 30 à 49 F |

A la fois producteur et négociant, cette maison propose un 98 à la robe grenat sombre, un bouquet intense à dominante de parfums de fruits mûrs, un palais ample, consistant et parfaitement équilibré, tout contribue à faire de cette bouteille un vrai « vin plaisir » à attendre trois ou quatre ans. Le **Château Tour Neuve 98** a obtenu une étoile.
☛ Belair Sélection, Coubet, 33710 Villeneuve, tél. 05.57.42.68.80, fax 05.57.42.68.81 ♈ r.-v.

CH. LABADIE
Vieilli en fût de chêne 1998★★

| ■ | 10,5 ha | 84 000 | ❙❙❙ | 30 à 49 F |

Cuvée élevée en barrique, ce 98 des plus réussis offre un bel exemple de vin à la fois élégant et bien structuré. Son raffinement se lit dans la délicatesse du bouquet aux fraîches notes fruitées et vanillées, mais aussi dans sa matière tannique, même si celle-ci ne cache rien de sa puissante charpente, gage de bonnes perspectives de vieillissement. D'un classicisme de fort bon aloi, le **Château Laroche Joubert 98**, élevé en cuve, a obtenu une étoile.

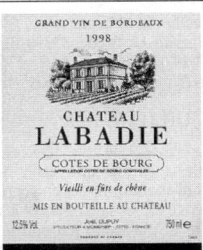

☛ Joël Dupuy, 1, Cagna, 33710 Mombrier, tél. 05.57.64.23.84, fax 05.57.64.23.85 ☑ ♈ t.l.j. sf sam. dim. 9h-12h 14h-18h

CH. LA COULEE DE BAYON 1998★

| ■ | 0,36 ha | 1 200 | ❙❙❙ | 30 à 49 F |

Micropropriété de création récente, ce cru n'en possède pas moins des vignes d'un âge respectable et d'un encépagement diversifié (merlot 65 %, malbec 20 % et cabernet-sauvignon 15 %). Le résultat est intéressant avec un vin certes un peu marqué par l'élevage en fût, mais bien constitué et agrémenté de beaux arômes fruités et épicés. Attendre trois ou quatre ans avant de le faire servir avec un baron d'agneau.
☛ Jean-Marc Delhaye, 2, Le Bourg, 33710 Bayon, tél. 05.57.64.81.74 ☑ ♈ r.-v.

CH. LA CROIX-DAVIDS Prestige 1998★

| ■ | 4,5 ha | n.c. | ❙❙❙ | 30 à 49 F |

Un domaine de 38 ha, et cette petite cuvée Prestige finement bouquetée et soutenue par une solide matière tannique. Elle tient les promesses d'une belle robe brillante et profonde. Renforçant la structure, le bois devrait se fondre avec le temps.
☛ SCE Birot Meneuvrier, 57, rue Valentin-Bernard, 33710 Bourg-sur-Gironde, tél. 05.57.94.03.94, fax 05.57.94.03.90 ☑ ♈ r.-v.

CH. LA CROIX DE ROUSSET
Cuvée Séduction 1998★

| ■ | 0,7 ha | 4 000 | ❙❙❙ | 50 à 69 F |

Elaborée à partir de raisins ayant fait l'objet d'une sélection très rigoureuse, la propriété atteignant les 30 ha, cette cuvée mérite bien son nom : très « tendance » par son bois, elle possède néanmoins la jeunesse et la matière nécessaire pour pouvoir se fondre dans de bonnes conditions d'ici trois à quatre ans.
☛ EARL La Croix de Rousset, 30, av. du Bourg, 33390 Berson, tél. 05.57.64.32.77, fax 05.57.64.24.29 ☑ ♈ t.l.j. sf dim. 9h-12h 14h-18h
☛ Alins Frères

LA PETITE CHARDONNE
Elevé en fût de chêne 1998★

| ■ | 5 ha | 32 000 | ❙❙❙ | 30 à 49 F |

Belle réussite, le millésime 98 de la cuvée boisée des héritiers de Louis Marinier se signale par son élégance, tant au bouquet, où le merrain sait respecter les fruits, qu'au palais dont la structure est pleine de fraîcheur et de jeunesse.

➥ Vignobles Louis Marinier,
Dom. Florimond-La Brède, 33390 Berson,
tél. 05.57.64.39.07, fax 05.57.64.23.27 ☑ ⵙ t.l.j.
8h-12h 14h-18h; sam. dim. sur r.-v.; f. août

CH. LA TUILIERE 1998★

■　　　12,5 ha　　n.c.　　⬤ 30 à 49 F

Une belle aventure que celle de Philippe
Estournet, qui abandonna ses entreprises en 1991
pour acheter ce cru et se consacrer à sa passion :
la vigne. Vin de caractère par son bouquet aux
notes de fruits, de café et de grillé, comme par
sa structure, dense et prometteuse, ce 98 saura le
récompenser, comme il gratifiera d'un vrai plaisir l'amateur patient qui attendra quatre ou cinq
ans avant d'ouvrir cette bouteille.
➥ Les Vignobles Philippe Estournet,
Ch. La Tuilière, 33710 Saint-Ciers-de-Canesse,
tél. 05.57.64.80.90, fax 05.57.64.89.97 ☑ ⵙ r.-v.

CH. LE BREUIL
Cuvée du Dragon Elevé en fût de chêne 1997

■　　　1 ha　　7 640　　⬤ 30 à 49 F

Propriété familiale d'une vingtaine d'hectares,
Le Breuil a proposé cette petite cuvée prestige,
élevée en barrique ; ce vin est bien construit, avec
une bonne structure tannique et une expression
aromatique sympathique (fruits rouges et bois).
A mettre trois ans en cave.
➥ GAEC Doyen et Fils, Ch. Le Breuil,
33710 Bayon-sur-Gironde, tél. 05.57.64.80.10,
fax 05.57.64.93.75,
e-mail chateau.le.breuil@wanadoo.fr ☑ ⵙ t.l.j.
sf sam. dim. 9h-12h 15h-19h

CH. LE CLOS DU NOTAIRE 1998★★

■　　15 ha　　90 000　■⬤♨　50 à 69 F

Situé au confluent de la Dordogne et de la
Garonne, ce vignoble possède un petit oratoire
construit au milieu des ceps. Régulier en qualité,
il présente ici un vin à la belle robe rubis brillant
et au bouquet intense et complexe. Harmonieuse,
équilibrée et longue, sa structure permettra de
prendre autant de plaisir en le buvant jeune
qu'en le gardant en cave trois ou quatre ans.
➥ Roland Charbonnier, SCEA du Ch. Le Clos
du Notaire, 33710 Bourg-sur-Gironde,
tél. 05.57.68.44.36, fax 05.57.68.32.87,
e-mail closnot@club-internet.fr ☑ ⵙ r.-v.

LES MOULINS DU HAUT-LANSAC
Séduction Vieilli en fût de chêne 1998★

■　　　n.c.　　12 000　　⬤ 30 à 49 F

Petite cuvée de prestige élevée en barrique, ce
vin est d'un bel aspect dans sa robe d'un rouge
profond. Développant un élégant bouquet fruité
et une bonne structure, il montre qu'il peut évoluer favorablement dans l'avenir.
➥ Les Vignerons de la Cave de Lansac,
La Croix, 33710 Lansac, tél. 05.57.68.41.01,
fax 05.57.68.21.29 ☑ ⵙ t.l.j. sf sam. dim. lun.
8h-12h 14h-18h

CH. LES ROCQUES
Cuvée Elégance Elevé en fût de chêne 1998★

■　　　1 ha　　6 000　■⬤♨　50 à 69 F

Petite cuvée numérotée élevée en chêne neuf,
ce vin est encore marqué par le bois. Mais avec

le temps le fruit va se révéler et l'emporter grâce
aux réserves de sa matière tannique et longue.
➥ Feillon Frères et Fils, Ch. Les Rocques,
33710 Saint-Seurin-de-Bourg, tél. 05.57.68.42.82,
fax 05.57.68.36.25 ☑ ⵙ t.l.j. sf dim. 9h-12h
14h-18h

CH. MACAY Original 1998★

■　　　2 ha　　12 000　　⬤ 70 à 99 F

Originale, cette cuvée spéciale l'est assurément
par son encépagement à 70 % de cabernet franc.
C'est sûrement ce qui explique l'élégance du bouquet aux notes de fruits mûrs. Bien équilibré,
rond et long, le palais témoigne d'une bonne présence tannique qui promet une évolution favorable d'ici environ trois ans.
➥ Eric et Bernard Latouche, Ch. Macay,
33710 Samonac, tél. 05.57.68.41.50,
fax 05.57.68.35.23 ☑ ⵙ t.l.j. sf dim. 8h-12h
14h-18h; sam. sur r.-v.

CH. MERCIER Cuvée Prestige 1998★★

■　　11 ha　　72 000　■⬤♨　30 à 49 F

Pionnier de la lutte raisonnée, Philippe Chéty
apporte une preuve magistrale de son efficacité
avec ce 98 très réussi. D'une belle couleur grenat,
ce vin trouve un bon point d'accord entre le fruit
du raisin et les notes grillées d'un élevage en
barrique bien maîtrisé. Il faudra montrer de la
patience, mais le résultat s'annonce intéressant.
➥ Philippe et Christophe Chéty, Ch. Mercier,
33710 Saint-Trojan, tél. 05.57.42.66.99,
fax 05.57.42.66.96 ☑ ⵙ r.-v.

CH. MONTAIGUT
Vieilli et élevé en fût de chêne 1998★★

■　　2,5 ha　　17 000　　⬤ 30 à 49 F

Petite propriété de 12 ha en 1975 lorsque François de Pardieu l'acheta, ce cru est devenu
aujourd'hui une belle unité de 33 ha. Vin de
caractère, son 98 exprime sa personnalité au
palais avec une matière charnue, ample, ronde
et bien enrobée. A cela s'ajoute un bouquet
complexe (fruits, vanille, et grillé). Une bouteille
à attendre un an ou deux puis à servir longtemps.
➥ François de Pardieu, 2, Nodeau,
33710 Saint-Ciers-de-Canesse,
tél. 05.57.64.92.49, fax 05.57.64.94.20 ☑ ⵙ r.-v.

CH. MOULIN DE GUIET
Vieilli en fût de chêne 1998★★

■　　9,01 ha　　50 000　　⬤ 30 à 49 F

Petite propriété vinifiant à la cave coopérative
de Pugnac, ce cru propose un très joli 98. Elevé
en barrique mais sans excès, ce vin donne libre
cours aux arômes de fruits rouges et de raisin
mûr. Fin, bien équilibré et harmonieux, le palais
s'appuie sur des tanins souples et frais pour donner un ensemble de qualité, à attendre deux ou
trois ans.
➥ Union de producteurs de Pugnac, Bellevue,
33710 Pugnac, tél. 05.57.68.81.01,
fax 05.57.68.83.17,
e-mail udep.pugnac@wanadoo.fr ☑ ⵙ r.-v.
➥ Philippe Blanchard

CH. NODOZ 1998★★

■   10 ha   60 000   ◫ 30 à 49 F

Coup de cœur l'an dernier dans le difficile millésime 97, Nodoz a fait la preuve de son savoir-faire et de la qualité de son terroir. Son 98 ne démentira pas sa réputation. D'une belle couleur grenat, il développe un bouquet généreux (fruits mûrs avec des notes grillées et empyreumatiques) et une structure riche, dont la matière dit clairement que cette bouteille devra séjourner en cave.

☞ Magdeleine, Ch. Nodoz, 33710 Tauriac, tél. 05.57.68.41.03, fax 05.57.68.37.34 ☑ ⵏ r.-v.

CH. PEYCHAUD
Maisonneuve Vieilles vignes 1998★

■   6 ha   40 000   ▌◫⚐   50 à 69 F

Appartenant à la cuvée élevée en barrique, ce vin, encore assez ferme, est voué à la garde : sa structure tannique lui apporte en effet de bonnes possibilités d'évolution, de même que le bouquet qui commence à percer derrière le bois.

☞ Vignobles Germain et Associés, Ch. Peyredoulle, 33390 Berson, tél. 05.57.42.66.66, fax 05.57.64.36.20, e-mail bordeaux@vgas.com ☑ ⵏ r.-v.

CH. SAUMAN
Cuvée particulière Elevé en fût de chêne 1998

■   2 ha   12 000   ◫ 50 à 69 F

Cette propriété familiale de 24 ha propose une petite Cuvée particulière bien constituée, concentrée et tannique, qui possède la matière nécessaire pour bien évoluer d'ici deux à trois ans.

☞ SCEA des Vignobles Braud, Ch. Sauman, 33710 Villeneuve, tél. 05.57.42.16.64, fax 05.57.42.93.00, e-mail chateau.sauman@libertysurf.fr ☑ ⵏ t.l.j. 10h-13h 15h-19h

CH. VIEUX PLANTIER
Cuvée Collection 1998

■   0,5 ha   3 000   ◫ 50 à 69 F

Petite cuvée de prestige assez confidentielle, ce vin porte encore la marque de l'élevage qui le rend un peu austère. Mais sa bonne structure tannique et l'intensité de son bouquet doivent lui permettre de s'arrondir pour donner une jolie bouteille.

☞ SCEA Ch. Vieux Plantier, La Loge, 33710 Teuillac, tél. 05.57.64.34.60, fax 05.57.64.25.54 ☑ ⵏ t.l.j. sf dim. 10h-12h 14h-19h
☞ Pauvif

Le Libournais

Même s'il n'existe aucune appellation « Libourne », le Libournais est bien une réalité. Avec la ville-filleule de Bordeaux comme centre et la Dordogne comme axe, il s'individualise fortement par rapport au reste de la Gironde en dépendant moins directement de la métropole régionale. Il n'est pas rare, d'ailleurs, que l'on oppose le Libournais au Bordelais proprement dit, en invoquant par exemple l'architecture, moins ostentatoire, des « châteaux du vin », ou la place des « Corréziens » dans le négoce de Libourne. Mais ce qui individualise le plus le Libournais, c'est sans doute la concentration du vignoble, qui apparaît dès la sortie de la ville et recouvre presque intégralement plusieurs communes aux appellations renommées comme Fronsac, Pomerol ou Saint-Emilion, avec un morcellement en une multitude de petites ou moyennes propriétés. Les grands domaines, du type médocain, ou les grands espaces caractéristiques de l'Aquitaine étant presque d'un autre monde.

Le vignoble s'individualise également par son encépagement dans lequel domine le merlot, qui donne finesse et fruité aux vins et leur permet de bien vieillir, même s'ils sont de moins longue garde que ceux d'appellations à dominante de cabernet-sauvignon. En revanche, ils peuvent être bus un peu plus tôt, et s'accommodent de beaucoup de mets (viandes rouges ou blanches, fromages, mais aussi certains poissons, comme la lamproie).

Canon-fronsac et fronsac

Bordé par la Dordogne et l'Isle, le Fronsadais offre de beaux paysages, très tourmentés, avec deux sommets, ou « tertres », atteignant 60 et 75 mètres, d'où la vue est magnifique. Point stratégique, cette région joua un rôle important, notamment au Moyen Age et lors de la Fronde de Bordeaux, une puissante forteresse y ayant été édifiée dès l'époque de Charlemagne. Aujourd'hui, celle-ci n'existe plus, mais le Fronsadais possède de belles églises et de nombreux châteaux. Très ancien, le vignoble produit sur six communes des vins personnalisés, complets et corsés, tout en étant fins et distingués. Toutes les communes peuvent revendiquer l'appellation fronsac (46 670 hl en 1999), mais Fronsac et Saint-Michel-de-Fronsac sont les seules à avoir droit, pour les vins produits sur leurs coteaux (sols argilo-calcaires sur banc de calcaire à astéries), à l'appellation canon-fronsac (16 607 hl en 1999).

Canon-fronsac

CH. BARRABAQUE Prestige 1997★★

■	4 ha	25 000	◗◖◗	70 à 99 F

88 |89| |90| 91 92 |94| ⑨⑤ ⑨⑥ 97

1995, 1996 et maintenant 1997 : un triplé rarissime ! Trois coups de cœur pour ce cru assurément au sommet de son appellation. Cette année, le vin présente une robe rubis dense et brillante. Son bouquet, intense et complexe, évoque le fruit mûr, la vanille, le café grillé. C'est en bouche que ce 97 révèle tout son potentiel dans la puissance de tanins mûrs et équilibrés qui évoluent avec beaucoup de persistance. Une bouteille à ouvrir d'ici deux ans et à garder jusqu'en 2005. En toute confiance !
➥ SCEA Noël Père et Fils, Ch. Barrabaque, 33126 Fronsac, tél. 05.57.55.09.09, fax 05.57.55.09.00, e-mail chateaubarrabaque@yahoo.fr ☑ � r.-v.

CH. CAPET BEGAUD 1997

■	4 ha	15 000	▮◗◖◗▮	50 à 69 F

Ce 97 d'une couleur profonde à reflets rubis possède un bouquet complexe de caramel et de fruits mûrs et une structure tannique moelleuse et fraîche, très aromatique en finale. A boire dans les trois ans à venir.
➥ GFA Vignobles Alain Roux, Ch. Coustolle, 33126 Fronsac, tél. 05.57.51.31.25, fax 05.57.74.00.32 ☑ ⥾ r.-v.

CH. CASSAGNE HAUT-CANON
La Truffière 1997★

■	13 ha	36 000	◗◖◗	70 à 99 F

86 88 |89| 90 91 |93| 94 96 97

Ce vin est appelé « La Truffière » en raison de la présence au milieu même des vignes d'une truffière en production. Régulièrement distingué dans le Guide, il est encore très réussi dans le millésime 97 : sa robe grenat profond, ses arômes intenses d'épices, de fruits rouges et de vanille ont su séduire le jury. Ses tanins souples et savou-

reux en attaque évoluent avec puissance et élégance. Une garde de deux à trois ans en bouteille devrait permettre à la fin de bouche d'oublier une certaine austérité de jeunesse.
➥ Jean-Jacques Dubois, Ch. Cassagne Haut-Canon, 33126 Saint-Michel-de-Fronsac, tél. 05.57.51.63.98, fax 05.57.51.62.20 ☑ ⥾ r.-v.

CLOS SAINT-MICHEL 1997

■	0,46 ha	2 500	◗◖◗	50 à 69 F

Issu d'un vignoble mouchoir de poche (46 ares), ce 97 mérite d'être cité pour sa fraîcheur aromatique (cerise, épices) et son bon équilibre tannique. Une bouteille agréable à boire dès maintenant mais qui devrait vieillir deux ou trois ans.
➥ Marie-Christine Aguerre, 1, Lariveau, 33126 Saint-Michel-de-Fronsac, tél. 05.57.24.95.81 ☑ ⥾ t.l.j. 17h-20h

CH. COUSTOLLE 1997★

■	20 ha	60 000	▮◗◖◗⥾	50 à 69 F

|90| 93 94 |95| 96 |97|

Dans le millésime 97, en complément du merlot, ce canon-fronsac possède 30 % de cabernet et 5 % de malbec qui lui confèrent un caractère particulier : les arômes de fruits confits, de noisette, de grillé dominent. En bouche, le vin se révèle velouté, soyeux, bien équilibré et apporte déjà beaucoup de plaisir. Il s'ouvrira cependant totalement d'ici deux à cinq ans.
➥ GFA Vignobles Alain Roux, Ch. Coustolle, 33126 Fronsac, tél. 05.57.51.31.25, fax 05.57.74.00.32 ☑ ⥾ r.-v.

CH. HAUT BALLET 1997

■	3 ha	16 000	▮◗◖◗⥾	50 à 69 F

Ce vin provient presque exclusivement de merlot (95 %). Il se distingue essentiellement en bouche, où les tanins veloutés et élégants s'harmonisent bien avec un boisé vanillé discret. Une bouteille agréable à boire d'ici un à trois ans.
➥ Fournial, Ch. Haut Ballet, 33126 Saint-Michel-de-Fronsac, tél. 05.57.68.00.56, fax 05.57.68.03.22 ☑ ⥾ r.-v.

CH. HAUT-MAZERIS 1997

■	5,97 ha	44 000	▮◗◖◗	50 à 69 F

Ce 97 possède une robe rubis à reflets brillants, des arômes fruités intenses et des tanins puissants, voire un peu durs en finale. L'équilibre devrait être atteint d'ici un à trois ans.
➥ SCEA de Haut-Mazeris, Ch. Haut-Mazeris, 33126 Saint-Michel-de-Fronsac, tél. 05.57.24.98.14, fax 05.57.24.91.07 ☑ ⥾ r.-v.

LA FLEUR CAILLEAU 43 1997★

■	n.c.	1 200	◗◖◗	200 à 249 F

Seulement 1 200 bouteilles pour cette cuvée spéciale issue d'une viticulture menée en biodynamie et qui a passé dix-huit mois en barrique. La robe est profonde. Les arômes intenses évoquent les raisins très mûrs et le café. Des tanins francs, massifs et persistants dominent encore. Il est nécessaire d'attendre de deux à six ans avant d'ouvrir cette bouteille. Notez la cuvée classique du **château La Fleur Cailleau 97** (70 à 99 F), citée pour sa souplesse et qui peut être appréciée dès maintenant.

🖛 Paul et Pascale Barre, La Grave, 33126 Fronsac, tél. 05.57.51.31.11, fax 05.57.25.08.61, e-mail p.p.barre@wanadoo.fr ☑ ⵝ r.-v.

CH. LAMARCHE CANON
Candelaire 1997

■		3 ha	20 000	🗎 ⵙ ⵜ	50 à 69 F

|94| 95 |96| |97|

Situé sur le versant est de Canon, ce château élève ses vins en fût de 400 l. Cette cuvée mérite d'être citée pour la qualité de ses arômes de fruits rouges et de boisé vanillé. Sa souplesse et son harmonie en bouche en font un vin agréable à boire dès aujourd'hui et pendant deux ou trois ans.

🖛 Eric Julien, Ch. Lamarche, 33126 Fronsac, tél. 05.57.51.28.13, fax 05.57.51.28.13, e-mail bordeaux@vgas.com ☑ ⵝ t.l.j. sf dim. 8h-12h 14h-18h

CH. LARCHEVESQUE 1997

■		3,62 ha	14 000	🗎	50 à 69 F

Ce 97 se distingue surtout par la qualité de ses arômes de fruits (cerise confite) et par sa fraîcheur tannique en bouche. La rondeur finale autorise l'ouverture de cette bouteille dès maintenant.

🖛 SARL Cave de Larchevesque, 1, rue Guadet, 33330 Saint-Emilion, tél. 05.57.24.67.78, fax 05.57.24.71.31 ☑ ⵝ t.l.j. 10h-12h30 13h30-19h
🖛 Viaud

CH. MAZERIS 1997★

■		13 ha	60 000	🗎 ⵙ ⵜ	50 à 69 F

92 94 95 |96| 97

Ce château, situé sur des terres de molasses argilo-calcaires, est exploité par la même famille depuis 1769 ! L'expérience acquise au fil du temps a permis de produire un 97 très fruité et dont les tanins ronds et souples s'harmonisent déjà parfaitement. La cuvée spéciale nommée **La Part des Anges 97** est citée ; elle combine les amateurs de vins boisés et épicés. Ce sont des bouteilles à boire d'ici deux à cinq ans.

🖛 EARL de Cournuaud, Ch. Mazeris, 33126 Saint-Michel-de-Fronsac, tél. 05.57.24.96.93, fax 05.57.24.98.25 ☑ ⵝ r.-v.

CH. MAZERIS-BELLEVUE 1997

■		10 ha	60 000	🗎 ⵙ	50 à 69 F

Depuis plus de cent ans dans la même famille, ce cru propose un 97 à la robe grenat soutenu, aux arômes complexes d'épices et de confiture et aux tanins présents mais assez fins. Une bouteille à apprécier dans les trois ans à venir.

🖛 Jacques Bussier, Ch. Mazeris Bellevue, 33126 Saint-Michel-de-Fronsac, tél. 05.57.24.98.19, fax 05.57.24.98.19, e-mail ch-mageris-bellevue@wanadoo.fr ☑ ⵝ t.l.j. sf dim. 8h-12h 14h-18h

CH. MOULIN PEY-LABRIE 1997★

■		6,5 ha	30 000	ⵙ	70 à 99 F

88 |89| |90| 91 92 |93| |94| 95 96 97

Ce château doit son nom à un très vieux moulin situé au sommet (pey) d'un coteau dominant toute l'appellation. Cette année encore, le vin produit est de qualité comme en témoignent sa robe profonde presque noire et son bouquet

Libournais

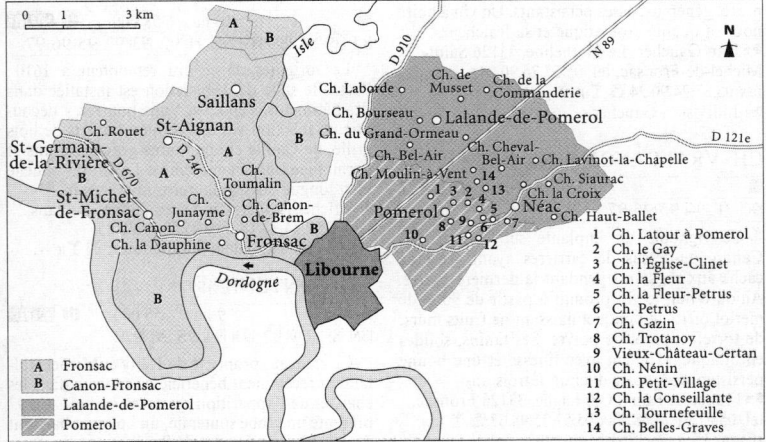

A Fronsac
B Canon-Fronsac
   Lalande-de-Pomerol
   Pomerol

1 Ch. Latour à Pomerol
2 Ch. le Gay
3 Ch. l'Église-Clinet
4 Ch. la Fleur
5 Ch. la Fleur-Petrus
6 Ch. Petrus
7 Ch. Gazin
8 Ch. Trotanoy
9 Vieux-Château-Certan
10 Ch. Nénin
11 Ch. Petit-Village
12 Ch. la Conseillante
13 Ch. Tournefeuille
14 Ch. Belles-Graves

Fronsac

expressif de bois grillé, de fruits noirs et de poivre. Les tanins amples et gras évoluent avec finesse et persistance bien que le boisé domine. Une bouteille à ouvrir dans deux à cinq ans.

➤ B. et G. Hubau, Ch. Moulin Pey-Labrie, 33126 Fronsac, tél. 05.57.51.14.37, fax 05.57.51.53.45 ☑ ☒ r.-v.

CH. ROC DE CANON 1997

■   4 ha   18 000   ☒ ◧▮ 50 à 69 F

Ce 97 mérite l'attention des amateurs de vins puissants et typés. Il possède un bouquet développé de gibier, de cuir, de menthol et une structure ample et équilibrée. Une bouteille à boire avant 2002.

➤ Françoise Roux, Bordeaux Rive droite, 33500 Libourne, tél. 05.57.55.00.50, fax 05.57.55.00.56 ☑

CH. ROULLET 1997★

■   2,61 ha   7 500   ◧▮ 50 à 69 F

Ce petit cru d'à peine plus de 2 ha est exploité de père en fils depuis quatre générations. Son 97 présente une couleur pourpre à reflets rubis, un bouquet naissant de fumé, de café, de cuir et des tanins riches, gras et complexes. La fin de bouche, très boisée, nécessite cependant une garde de deux à quatre ans pour une meilleure harmonie. Le **Haut-Gros Bonnet 97**, du nom d'une propriété en fermage, gérée depuis vingt-trois ans par les Dorneau et située sur la commune de Saint-Michel-de-Fronsac, reçoit la même note.

➤ SCEA Dorneau, Ch. La Croix, 33126 Fronsac, tél. 05.57.51.31.28, fax 05.57.74.08.88, e-mail sceadorneau@wanadoo.fr ☑ ☒ r.-v.

CH. SAINT-BERNARD 1997★

■   0,26 ha   2 500   ◧▮ 30 à 49 F

Issu à 100 % de merlot, ce petit château à vocation familiale a bien réussi son 97 : la robe est dense et profonde ; les arômes délicats de fruits, encore dominés par un boisé important, annoncent une bouche aux tanins à la fois souples et généreux, assez persistants. Un vin à boire pour sa qualité aromatique et sa fraîcheur.

➤ Jean Gaucher, La Matheline, 33126 Saint-Michel-de-Fronsac, tél. 05.57.24.90.24, fax 05.57.24.90.24 ☑ ☒ r.-v.

➤ Indivision Gaucher

CH. VRAI CANON BOUCHE 1997★

■   8 ha   40 000   ◧▮ 70 à 99 F
|90| 91 |94| 95 96 97

Ce vignoble est implanté sur le tertre de Canon, au-dessus de carrières ayant servi de cache aux résistants pendant la dernière guerre. Aujourd'hui, le vin produit à partir de 90 % de merlot offre un bouquet naissant de fruits mûrs, de torréfaction et de poivre. Ses tanins, solides en attaque, évoluent avec finesse et une bonne persistance. A boire d'ici un à trois ans.

➤ Françoise Roux, Ch. Lagüe, 33126 Fronsac, tél. 05.57.51.24.68, fax 05.57.25.98.67 ☑ ☒ t.l.j. sf sam. dim. 9h-12h15 14h-18h

CH. BARRAIL CHEVROL 1997

■   6 ha   46 000   ☒▮ ☒ 30 à 49 F

Une sélection proposée par le négociant Yvon Mau et choisie par Jean-Claude Jambon, Meilleur sommelier du monde 98. Ce 97 présente un bouquet fruité aux notes animales et une structure tannique franche et équilibrée, sans grande ampleur en finale. Un vin à boire dans sa jeunesse et pendant deux ans.

➤ SA Yvon Mau, B.P. 1, 33193 Gironde-sur-Dropt Cedex, tél. 05.56.61.54.54, fax 05.56.61.54.61 ☒ r.-v.

➤ Dorneau

CH. BEAU SITE DE LA TOUR 1997

■   10,5 ha   70 000   ☒ ◧▮ ☒ 30 à 49 F

Ce 97 mérite l'attention du consommateur pour son élégance aromatique et sa structure tannique concentrée et harmonieuse, tout en rondeur. C'est l'exemple typique d'un grand respect du terroir, sans fioritures. Il s'épanouira totalement d'ici deux à trois ans.

➤ De La Tour du Fayet Frères, Ch. Gueyrot, 33330 Saint-Emilion, tél. 05.57.24.72.08, fax 05.57.24.67.51 ☑ ☒ r.-v.

CLOS DU ROY Cuvée Arthur 1997★

■   5 ha   30 000   ◧▮ 50 à 69 F

Cette cuvée Arthur est issue de vieilles vignes de merlot (90 %) et de cabernet franc (10 %). La robe du 97 est sombre ; le nez de fruits rouges se fond bien dans les notes boisées et les tanins souples et épicés qui possèdent suffisamment de puissance en fin de bouche, avec un retour aromatique épicé très agréable. Une bouteille à boire dans les cinq ans à venir.

➤ Philippe Hermouet, Clos du Roy, 33141 Saillans, tél. 05.57.55.07.41, fax 05.57.55.07.45, e-mail hermouetclosduroy@wanadoo.fr ☑ ☒ r.-v.

CH. DALEM 1997★

■   10 ha   58 000   ◧▮ 100 à 149 F
82 ⑧⑤ 86 |88| |89| |90| 91 92 |93| 94 95 96 97

Les origines de ce cru remontent à 1610 ; l'actuelle salle de dégustation est installée dans des bâtiments d'époque. Vous pourrez y découvrir un très bon vin aux arômes ouverts de bois grillé, de vanille et aux tanins gras, puissants et harmonieux en même temps. La fin de bouche bien longue laisse augurer un bel avenir.

➤ Michel Rullier, Ch. Dalem, 33141 Saillans, tél. 05.57.84.34.18, fax 05.57.74.39.85, e-mail château-dalem@wanadoo.fr ☑ ☒ r.-v.

CH. FONTENIL 1997★

■   9 ha   55 000   ◧▮ 70 à 99 F
|88| |89| ⑨⑩ 92 |93| |94| **95** 96 |97|

Ce château, propriété de Dany et Michel Rolland, a récemment bénéficié de travaux dans les chais et de l'apparition de cuves en bois. Ce 97 présente une robe soutenue, un bouquet naissant de pruneau, de figue et de fleurs et une structure

en bouche ferme et équilibrée. Il pourra s'apprécier dans les trois ans à venir.
☛ Michel et Dany Rolland, Catusseau, 33500 Pomerol, tél. 05.57.51.23.05, fax 05.57.51.66.08 ☑

CH. HAUT-CARLES 1997★★★

■　　　　5 ha　　25 000　　❙❙❙ 100 à 149 F

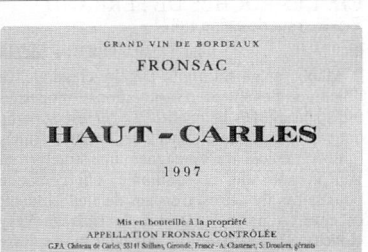

5 ha du château de Carles ont été sélectionnés avec rigueur pour cette cuvée haut de gamme composée de 99 % de merlot. D'une superbe couleur pourpre profonde et brillante, ce 97 a séduit le grand jury par ses arômes intenses et complexes où se mêlent fruits des bois, café, réglisse et vanille. En bouche, le plaisir est intense, la maturité des tanins et leur fraîcheur s'équilibrant parfaitement avec un élevage en barrique bien dosé. La finale tout en velours et en fruits rouges est d'une grande persistance. Ce vin mérite assurément deux à huit ans de garde. La cuvée principale, **Château de Carles 97**, est citée par le jury (30 à 49 F). Elle permettra d'attendre cette cuvée spéciale Haut-Carles.
☛ SCEV du Ch. de Carles, Ch. de Carles, 33141 Saillans, tél. 05.57.84.32.03, fax 05.57.84.31.91, e-mail droulers.cs@aol.fr ☑ ⵏ r.-v.

CH. HAUT LARIVEAU 1997

■　　　　7,9 ha　　30 000　　❙❙❙ 70 à 99 F
89 |90| 91 92 |93| |94| 95 96 |97|

Ce vin provient uniquement de vieilles vignes de merlot plantées sur un sol argilo-graveleux ; il possède beaucoup d'arômes de bois grillé, de noix de coco, d'épices. Sa structure tannique souple et équilibrée évolue en finale avec fermeté et une persistance soyeuse. Une bouteille à boire dans les trois ans.
☛ B. et G. Hubau, Ch. Haut Lariveau, 33126 Saint-Michel-de-Fronsac, tél. 05.57.51.14.37, fax 05.57.51.53.45 ☑ ⵏ r.-v.

CH. HAUT-MAZERIS 1997

■　　　　4,94 ha　　38 000　　❚❙❙❙ 50 à 69 F

Ce 97 présente une robe grenat brillant, un bouquet naissant d'épices et une structure tannique onctueuse et équilibrée, un peu simple en fin de bouche. Une bouteille à boire ou à garder de deux à trois ans.
☛ SCEA de Haut-Mazeris, Ch. Haut-Mazeris, 33126 Saint-Michel-de-Fronsac, tél. 05.57.24.98.14, fax 05.57.24.91.07 ⵏ r.-v.

CH. JEANDEMAN 1997

■　　　　6 ha　　35 000　　❚❙ 30 à 49 F

Situé au point culminant des coteaux de Fronsac, ce château présente un vin encore discret dans ses arômes mais dont la structure tannique souple et fruitée mérite attention. Une bouteille à boire dans les trois ans à venir.
☛ SCEV Roy-Trocard, Ch. Jeandeman, 33126 Fronsac, tél. 05.57.74.30.52, fax 05.57.74.39.96 ☑ ⵏ r.-v.

CH. JEANROUSSE
Elevé en fût de chêne 1997

■　　　　14,25 ha　　59 800　　❙❙❙ 30 à 49 F

Ce 97 provient de la cave coopérative de Lugon qui a déjà fait ses preuves. Les arômes bien fruités (cerise, fraise) se retrouvent en bouche, en équilibre avec des saveurs délicatement boisées. Une bouteille aimable, à boire dès maintenant.
☛ Union de producteurs de Lugon, 6, rue Louis-Pasteur, 33240 Lugon, tél. 05.57.55.00.88, fax 05.57.84.83.16 ☑ ⵏ r.-v.

CH. LA BRANDE 1997★★

■　　　　5 ha　　30 000　　❚❙❙❙ 50 à 69 F

Cette vaste propriété (22 ha) dont l'origine remonte au XVIIIe s. propose un 97 à la robe dense, presque noire. Le bouquet de pruneau, de fruits mûrs et de cuir est très expressif. Les tanins souples et typés évoluent avec une grande maturité et beaucoup de charme. La finale particulièrement équilibrée laisse entrevoir des possibilités de vieillissement importantes (de trois à cinq ans minimum).
☛ Vignobles Béraud, La Brande, 33141 Saillans, tél. 05.57.74.36.38, fax 05.57.74.38.46 ☑ ⵏ t.l.j. 9h-12h30 14h-19h; groupes sur r.-v.
☛ Pierre Béraud

CH. LA GARDE Elevé en fût de chêne 1997

■　　　　2,71 ha　　4 800　　❚❙ 30 à 49 F

Premier millésime des nouveaux propriétaires, ce 97 présente une couleur grenat profond, un bouquet intense de fruits, d'épices ainsi que des tanins souples, simples mais harmonieux. A boire dans les trois ans à venir.
☛ M. et Mme Ronald Wilmot, La Fontenelle, 33240 Lugon, tél. 05.57.84.82.13, fax 05.57.84.84.17 ☑ ⵏ r.-v.

CH. DE LA HUSTE 1997★

■　　　　5 ha　　30 000　　❚❚❙❙❙ 70 à 99 F

Cette propriété appartient à la même famille depuis le milieu du XIXe s. et son vignoble composé de 95 % de merlot produit d'excellents vins : la robe du 97 est noire ; le nez de fruits mûrs se fond dans des notes boisées vanillées. La structure tannique, franche et corsée, évolue avec encore une certaine fermeté. Attendre au moins deux ou trois ans avant d'ouvrir cette bouteille.
☛ Michel Rullier, Ch. de la Huste, 33141 Saillans, tél. 05.57.84.34.18, fax 05.57.74.39.85, e-mail chateaudalem@wanadoo.fr ☑ ⵏ r.-v.

CH. DE LA RIVIERE 1997★

■   56 ha   215 000 🍶 ❙❙❙ ⚓   70 à 99 F

Ce superbe château, très remanié, est l'un des domaines fronsadais les plus intéressants. Tous les efforts entrepris depuis quelques années pour améliorer la qualité commencent à porter leurs fruits, témoin ce 97 expressif au nez (cuir, fruits rouges) et puissant en bouche. Les tanins onctueux et équilibrés sont encore très jeunes : il est indispensable d'attendre deux à trois ans avant de boire cette bouteille.
➥ SA Ch. de La Rivière, B.P. 50, 33126 Fronsac, tél. 05.57.55.56.56, fax 05.57.24.94.39 ☑ ⵐ r.-v.
➥ Jean Leprince

CH. LAROCHE PIPEAU
Elevé en fût de chêne 1997

■   3,88 ha   25 000   ❙❙❙   70 à 99 F

Ce vin bénéficie d'un vieillissement en barrique dans des carrières de 10 000 m². La finesse de ses arômes fruités s'équilibre bien avec ses tanins souples et ronds, délicatement boisés. Une bouteille plaisir, à apprécier dès maintenant.
➥ Jean Grima, Ch. Laroche Pipeau, 33126 La Rivière, tél. 05.57.24.90.69, fax 05.57.24.90.61, e-mail jean.grima@wanadoo.fr ☑ ⵐ r.-v.

CH. LA ROUSSELLE 1997

■   3,06 ha   14 500   ❙❙❙   70 à 99 F
|88| |89| |90| 91 92 |93| 94 ⑨⑤ 96 |97|

Une propriété sauvée de l'abandon en 1972 : les chais ont été restaurés, les vignes replantées (elles ont aujourd'hui vingt-quatre ans). Les Davau proposent un 97 rond et fruité, à boire dans les trois ans à venir.
➥ Jacques et Viviane Davau, Ch. La Rousselle, 33126 La Rivière, tél. 05.57.24.96.73, fax 05.57.24.91.05 ☑ ⵐ r.-v.

CH. LA VIEILLE CROIX
Cuvée DM 1997★

■   5 ha   30 000   ❙❙❙   50 à 69 F

Ce château a vu se succéder huit générations de filles uniques et c'est aujourd'hui une jeune femme qui assure la direction du vignoble. Cette cuvée est très réussie : robe grenat profond, bouquet de fruits rouges, de cuir et de vanille, tanins moelleux et tendres, encore dominés par le bois toasté, longueur intéressante. Un vin à boire ou à garder de trois à cinq ans.
➥ SCEA de La Vieille Croix, La Croix, 33141 Saillans, tél. 05.57.74.30.50, fax 05.57.84.30.96 ☑ ⵐ r.-v.
➥ Isabelle Dupuy

CH. LA VIEILLE CURE 1997★★

■   20 ha   60 000   ❙❙❙   70 à 99 F
|88| |89| |90| 91 92 |93| |94| 95 96 97

Ce château idéalement placé sur des coteaux argilo-calcaires produit tous les ans d'excellents vins, comme le prouve une fois de plus ce 97 à la robe grenat profond, aux parfums de boisé torréfié, de gibier et de tabac. En bouche, la matière est bien présente, accompagnée de tanins puissants, gras et en même temps très élégants. Le vinificateur a su tirer le meilleur parti des raisins. Cette excellente bouteille sera parfaite dans deux à six ans.
➥ SNC Ch. La Vieille Cure, 1, Coutreau, 33141 Saillans, tél. 05.57.84.32.05, fax 05.57.74.39.83, e-mail vieillecur@aol.com ⵐ r.-v.
➥ Ferenbach

CH. LES ROCHES DE FERRAND
Elevé en fût de chêne 1997★

■   5 ha   30 000 🍶 ❙❙❙ ⚓   50 à 69 F

Etabli sur un sol argilo-calcaire classique, ce domaine bénéficie d'installations modernes indispensables à la qualité. Le 97 est superbe dans sa robe grenat foncé ; les arômes fruités (mûre) et épicés acccompagnent une structure en bouche puissante et équilibrée, qui demande pour se fondre deux à trois ans de vieillissement en cave. A noter également, le **Château Vray Houchat 97**, deuxième vin, cité pour sa souplesse et sa fraîcheur, prêt à boire dès aujourd'hui (30 à 49 F).
➥ Rémy Rousselot, Ch. Les Roches de Ferrand, Hulmat, 33126 Saint-Aignan, tél. 05.57.24.95.16, fax 05.57.24.91.44 ☑ ⵐ r.-v.

CH. LES TROIS CROIX 1997★★

■   12,2 ha   80 000   ❙❙❙   100 à 149 F

Après un premier coup de cœur l'an dernier, ce château, acheté en 1995 par Patrick Léon, renouvelle l'exploit pour ce magnifique 97. La robe pourpre brille de tous ses feux ; le bouquet intense et complexe évoque les fruits confits, le café, la réglisse et la vanille, annonçant des tanins amples en attaque qui évoluent avec beaucoup de maturité, d'harmonie et une grande longueur. C'est un vin qui fait honneur à son appellation et qui s'appréciera d'ici deux à huit ans.
➥ Famille Patrick Léon, Ch. Les Trois Croix, 33126 Fronsac, tél. 05.57.84.32.09, fax 05.57.84.34.03 ⵐ r.-v.

CH. MAGONDEAU Beausite 1997

■   n.c.   35 000 🍶 ❙❙❙ ⚓   50 à 69 F

Ce château propose un 97 de couleur grenat, au bouquet naissant de fruits mûrs et de boisé torréfié. En bouche, les tanins sont ronds et fondus, la finale est très agréable. On pourra boire cette bouteille dès aujourd'hui.
➥ SCEV Ch. Magondeau, 1, le Port-de-Saillans, 33141 Saillans, tél. 05.57.84.32.02, fax 05.57.84.39.51 ☑ ⵐ r.-v.

CH. MAYNE-VIEIL Cuvée Aliénor 1997

■ 3 ha 18 500 ❚❚❙ 50 à 69 F

Cette cuvée Aliénor, sélection de 3 ha sur les 45 ha que comporte le château, provient exclusivement du cépage merlot. Elle possède une robe rubis assez vive, des arômes de fruits et d'épices, des tanins ronds et délicatement boisés, de persistance honorable. A laisser vieillir de un à deux ans.

➤ SCEA du Mayne-Vieil, 33133 Galgon, tél. 05.57.74.30.06, fax 05.57.84.39.33, e-mail maynevieil@aol.com ☑ ❚ r.-v.

➤ Famille Seze

CH. MEYNEY 1997★★

■ 7,58 ha 53 300 ❚❚❙ 50 à 69 F

Issu à 100 % de merlot, ce très beau vin a enthousiasmé le jury tant par sa robe pourpre intense à reflets cerise que par ses arômes de fruits noirs, de poivre, de vanille et de pain grillé. L'ampleur et la générosité des tanins, bien extraits et joliment enrobés par un boisé élégant, ne sont pas en reste. C'est une bouteille harmonieuse dès aujourd'hui, mais qui s'épanouira totalement après un vieillissement de deux à trois ans.

➤ Vignobles Olivier Devigne, Ch. La Cabanelle, 33220 Port-Sainte-Foy, tél. 05.53.61.63.41, fax 05.53.22.45.59 ☑ ❚ r.-v.

CH. MOULIN HAUT-LAROQUE 1997★★

■ 13 ha n.c. ❚❚❙ 70 à 99 F

86 |88| ⑧⑨ |90| 91 92 |93| |94| 95 **96 97**

Dans la même famille depuis le XVIᵉs. - ce qui est très rare à Bordeaux - ce château bénéficie depuis de nombreuses années d'un grand savoir-faire au vignoble comme aux chais. Encore une fois, son vin fait partie des meilleurs de l'appellation. Sa robe intense offre des reflets noirs ; ses arômes puissants de vanille, de fumé, de kirsch et de fruits mûrs annoncent des tanins fondus, pleins et soutenus par un boisé bien dosé. La finale tout en finesse et en longueur laisse espérer un avenir de trois à huit ans.

➤ Jean-Noël Hervé, Ch. Cardeneau, 33141 Saillans, tél. 05.57.84.32.07, fax 05.57.84.31.84, e-mail hervejnoel@aol.com ☑ r.-v.

CH. PETRARQUE 1997★★

■ 1,5 ha n.c. ❚❚❙ 50 à 69 F

Implanté sur un terroir argilo-graveleux, ce cru minuscule, portant le nom du poète italien du XIVᵉs. qui célébra Laure, est régulièrement remarqué par le Guide. C'est encore le cas avec ce 97 somptueux dans sa robe pourpre presque noire ; le bouquet naissant de réglisse, de fruits mûrs, de vanille et de café grillé anime toute la dégustation. La structure tannique, moelleuse en attaque, évolue avec beaucoup d'équilibre, de finesse et d'arômes fruités. Ce vin s'épanouira totalement après un vieillissement en cave de deux à trois ans.

➤ GFA Chabiran, 1, av. de la Mairie, 33500 Néac, tél. 05.57.25.93.79, fax 05.57.25.93.44 ☑ ❚ r.-v.

CH. PUY GUILHEM 1997★★

■ 4 ha 20 000 ❚❚❙ 50 à 69 F

Ce vignoble datant du XVIIIᵉs. a changé de propriétaire en 1995 et la nouvelle politique commence à porter ses fruits, comme en témoigne ce 97 à la robe profonde presque noire, aux parfums puissants de pruneau, de cacao, d'épices et de vanille. En bouche, les tanins sont gras, mûrs et puissants à la fois ; ils évoluent avec harmonie et beaucoup d'arômes en finale. Un vin au sommet de son appellation dans un millésime difficile. A boire dans deux ans et pendant cinq à six ans. Du même producteur, le **Château Puy-Saint-Vincent 97** a passé quatre mois en barrique. Cité, il est prêt à boire.

➤ SCEA Ch. Puy Guilhem, 33141 Saillans, tél. 05.57.84.32.08, fax 05.57.74.36.45 ☑ ❚ r.-v.

➤ M. et Mme J.-F. Enixon

CH. RENARD MONDESIR 1997★

■ 7 ha 21 000 ▮❚❚❙ ♣ 70 à 99 F

|93| |94| |95| 96 |97|

Ce château se distingue par la grande diversité de ses sols : sables de « renard », d'où probablement le nom du cru, pieds de côte et argilo-calcaires. Le 97 possède une robe pourpre brillante, un bouquet expressif de fruits rouges, d'épices et de café grillé, et révèle un équilibre parfait en bouche, avec des tanins puissants et gras, légèrement évolués en finale. Une bouteille déjà prête à boire que l'on pourra également attendre de deux à cinq ans.

➤ Xavier Chassagnoux, Ch. Renard-Mondésir, 33126 La Rivière, tél. 05.57.24.96.37, fax 05.57.24.90.18, e-mail chassag@quaternet.fr ☑ ❚ r.-v.

CH. REYNAUD 1997

■ 1,86 ha 6 500 ▮❚❚❙ 50 à 69 F

Un petit cru créé en 1990. Marie-Christine Aguerre propose des chambres d'hôtes et ce 97 à la robe dense et brillante, aux parfums délicats, frais et fruités. En bouche, ce fronsac s'épanouit avec franchise et puissance pour terminer sur une finale persistante et très typée. Une bouteille authentique, à apprécier dans deux à cinq ans.

➤ Marie-Christine Aguerre, 1, Lariveau, 33126 Saint-Michel-de-Fronsac, tél. 05.57.24.95.81 ☑ ❚ t.l.j. 17h-20h

CH. RICHELIEU
Vieilli en fût de chêne 1997★

■ n.c. 25 000 ▮❚❚❙ 50 à 69 F

Cette chartreuse édifiée en 1630 a appartenu au maréchal de Richelieu, neveu du cardinal, appelé « Fronsac » à la cour. Achetée en 1996 par un couple d'industriels parisiens qui a tout mis en œuvre pour y produire des vins de qualité, elle propose un 97 à la robe grenat intense ; son bouquet développé de fruits noirs, de café grillé, de pruneau et sa structure tannique souple et généreuse sont en parfaite harmonie avec un élevage en barrique maîtrisé. Attendre de deux à trois ans pour boire cette bonne bouteille.

➤ EARL Ch. Richelieu, 1, chem. du Tertre, 33126 Fronsac, tél. 05.57.51.13.94, fax 05.57.51.13.94 ☑ ❚ t.l.j. 9h30-12h30 14h-18h

CH. ROUMAGNAC LA MARECHALE
1997

| ■ | | n.c. | 23 000 | ■ ❚❚❚ 🍷 | 30 à 49 F |

93 |94| 95 96 97

Bénéficiant d'un magnifique point de vue sur la Dordogne, ce château propose un 97 délicat et fruité, avec des notes épicées et animales. En bouche, le vin est charnu et assez puissant mais la finale encore austère demande un à deux ans de vieillissement en cave.

☛ SCEA Pierre Dumeynieu, Roumagnac, 33126 La Rivière, tél. 05.57.24.98.48, fax 05.57.24.90.44 ☑ 🍷 r.-v.

CH. TOUR DU MOULIN 1997*

| ■ | | 7 ha | 25 000 | ❚❚❚ | 50 à 69 F |

Ce château à vocation familiale propose tous les ans des vins de qualité. C'est encore le cas avec ce 97 qui possède une robe grenat brillant des plus prometteuses, un bouquet complexe de cassis, de mûre, de vanille et une structure riche et charnue. Une bouteille à boire dans les trois prochaines années sur un civet de chevreuil.

☛ SCEA Ch. Tour du Moulin, 22, av. de l'Europe, 33290 Blanquefort, tél. 05.56.35.10.23, fax 05.56.35.10.23 ☑ 🍷 r.-v.

☛ Mme Dupuch

Pomerol

Avec environ 800 ha, Pomerol est l'une des plus petites appellations girondines, et l'une des plus discrètes sur le plan architectural.

Au XIXᵉˢ., la mode des châteaux du vin, d'architecture éclectique, ne semble pas avoir séduit les Pomerolais, qui sont restés fidèles à leurs habitations rurales ou bourgeoises. Cela n'empêche pas l'appellation de posséder la demeure qui est sans doute l'ancêtre de toutes les chartreuses girondines, le château de Sales (XVIIᵉˢ.), et l'une des plus charmantes constructions du XVIIIᵉˢ., le château Beauregard, qui a été reproduit par les Guggenheim, dans leur propriété new-yorkaise de Long Island.

Cette modestie du bâti sied à une AOC dont l'une des originalités est de constituer une sorte de petite « république villageoise » où chaque habitant cherche à conserver l'harmonie et la cohésion de la communauté ; souci qui explique pourquoi les producteurs sont toujours restés plus que réservés quant au bien-fondé d'un classement des crus.

La qualité et la spécificité des terroirs auraient justifié une reconnaissance officielle du mérite des vins de l'appellation. Comme tous les grands terroirs, celui de Pomerol est né du travail d'une rivière, l'Isle, qui a commencé par démanteler la table calcaire pour y déposer en désordre des nappes de cailloux, que s'est chargée de travailler l'érosion. Le résultat est un enchevêtrement complexe de graves ou cailloux roulés, originaires du Massif central. La complexité des terrains semble inextricable : toutefois il est possible de distinguer quatre grands ensembles : au sud, vers Libourne, une zone sablonneuse ; près de Saint-Emilion, des graves sur sables ou argiles (terroir proche de celui du plateau de Figeac) ; au centre de l'AOC, des graves sur ou parfois sous des argiles (Petrus) ; enfin, au nord-est et au nord-ouest, des graves plus fines et plus sablonneuses.

Cette diversité n'empêche pas les pomerol de présenter une analogie de structure. Très bouquetés, ils allient la rondeur et la souplesse à une réelle puissance, ce qui leur permet d'être de longue garde tout en pouvant être bus assez jeunes. Ce caractère leur ouvre une large palette d'accords gourmands, aussi bien avec des mets sophistiqués qu'avec des plats très simples. En 1999, l'appellation a produit 39 944 hl.

CH. BEAUCHENE 1997**

| ■ | | 3,2 ha | 18 000 | ❚❚❚ | 150 à 199 F |

⑨⑤ 96 **97**

Entré dans le Guide avec un 95 exceptionnel qui fut coup de cœur il y a deux ans, ce cru était à nouveau présent l'an passé avec un 96 très réussi, et il propose aujourd'hui un 97 remarquable, toujours élaboré à partir de vieux merlots plantés sur sables anciens et graves. La robe grenat est sombre et dense, avec des reflets noirs en profondeur. Très expressif, le bouquet rappelle le bon bois brûlé associé à des arômes de fruits cuits, de vanille et de caramel. Les tanins charnus, gras et onctueux se développent en bouche autour d'une matière élégante et racée jusqu'à la finale savoureuse et bien persistante.

☛ Charles Leymarie et Fils, SCEA Clos Mazeyres, B.P. 132, 33502 Libourne Cedex, tél. 05.57.51.07.83, fax 05.57.51.99.94, e-mail leymarie@ch-leymarie.com 🍷 r.-v.

CH. BEAUREGARD 1997★★

| ■ | 12 ha | 53 000 | ❚❙❚ | 200 à 249 F |

75 78 81 ⑧② 83 84 85 86 |88| 89 |90| |92| |93| 94 95 96 97

Après une série de deux étoiles lors des trois millésimes précédents, Beauregard, ravissante chartreuse du XVIII's., décroche à l'unanimité un coup de cœur dans une année pourtant difficile. C'est à cela que l'on reconnaît les bons vinificateurs. L'excellent terroir argilo-graveleux y est peut-être aussi pour quelque chose. Toujours est-il que ce vin est remarquable, tant par sa belle robe bordeaux sombre que par son nez puissant et complexe mariant bien le raisin et le merrain toasté, vanillé. La bouche chaleureuse, harmonieuse, savoureuse, s'achève sur de superbes tanins. Très beau vin de garde, l'un des meilleurs « placements » du Guide, à n'ouvrir qu'après 2004.
☛ SCEA Ch. Beauregard, 33500 Pomerol, tél. 05.57.51.13.36, fax 05.57.25.09.55, e-mail beauregard@dial.oleane.com ✓ ⌶ r.-v.

LE BENJAMIN DE BEAUREGARD 1997

| ■ | 5 ha | 30 000 | ❚❙❚ | 70 à 99 F |

Second de Beauregard, le Benjamin provient des vignes les plus jeunes et de sols moins favorables. Son élevage moins long permet de l'apprécier plus jeune. Sa couleur est rubis franc, d'intensité moyenne. Son nez, encore fruité, repose sur un boisé légèrement épicé. Souple à l'attaque, ce 97 révèle sur des tanins un peu austères mais qui devraient évoluer assez vite. A boire sur des viandes rouges grillées.
☛ SCEA Ch. Beauregard, 33500 Pomerol, tél. 05.57.51.13.36, fax 05.57.25.09.55, e-mail beauregard@dial.oleane.com ✓ ⌶ r.-v.

CH. BELLEGRAVE 1997★★

| ■ | 7 ha | 39 000 | ❚❙❚ | 100 à 149 F |

88 89 91 92 |93| |94| |95| |96| 97

Eh oui, comme son nom l'indique, ce cru de 7 ha est produit sur un beau terroir de graves fines, avec trois quarts de merlot pour un quart de cabernet franc. Doté d'une superbe robe grenat très sombre et encore jeune, ce 97 révèle un bouquet élégant où les arômes de fruits rouges et de bon bois grillé se marient harmonieusement, délicatement rafraîchis par des notes de réglisse et de menthe. La bouche n'est pas en reste et propose des tanins soyeux et veloutés, bien enrobés dans une matière vineuse, corsée et charnue.

La finale longue, savoureuse et persistante conclut en beauté la dégustation.
☛ Jean-Marie Bouldy, "René", 33500 Pomerol, tél. 05.57.51.20.47, fax 05.57.51.23.14 ✓ ⌶ r.-v.

CH. BONALGUE 1997★

| ■ | 5,5 ha | 26 000 | ❚❙❚ | 100 à 149 F |

|85| |86| |88| |89| |90| |93| 94 95 96 97

Un cru régulièrement sélectionné par nos experts. Le vignoble se répartit entre 85 % de merlot et 15 % de cabernet franc plantés sur des sols mêlant sables, graves et argiles. Bien présenté dans sa robe grenat, sombre et profonde, ce 97 attire par son bouquet très mûr aux arômes de prune à l'eau-de-vie, avec des notes rancio et un boisé bien fondu, légèrement vanillé. La bouche ne déçoit pas, corsée, vineuse et généreuse, dotée d'une belle charpente et d'une bonne longueur sur des saveurs de fruits cuits agréablement persistantes.
☛ SA Pierre Bourotte, 62, quai du Priourat, 33500 Libourne, tél. 05.57.51.62.17, fax 05.57.51.28.28, e-mail jeanbaptiste.audy@wanadoo.fr ⌶ r.-v.

CH. BOURGNEUF-VAYRON 1997★

| ■ | 9 ha | 40 000 | ❚❙❚ | 150 à 199 F |

|89| |90| 91 93 94 95 96 97

Belle propriété viticole d'un seul tenant sur argiles et sols argilo-graveleux plantés à 90 % de merlots et ayant donné un vin très coloré aux arômes de cassis. Charnu, structuré par les bons tanins du raisin et du bois, ce 97 a inspiré une dégustatrice qui a relevé « une belle maturité née sur un sol d'argile ». A l'aveugle, on n'était pas si mal vu !
☛ Xavier Vayron, Ch. Bourgneuf-Vayron, 1, le Bourg-Neuf, 33500 Pomerol, tél. 05.57.51.42.03, fax 05.57.25.01.40 ✓ ⌶ r.-v.

CH. CERTAN DE MAY DE CERTAN 1997★

| ■ | 5 ha | 24 000 | ❚❙❚ | 300 à 499 F |

85 86 88 |89| |90| 94 95 96 97

De vieilles vignes constituées par 70 % de merlot et 30 % de cabernets sont implantées sur un terroir argilo-graveleux classique de l'AOC. Le vin est régulièrement retenu par nos experts. C'est encore le cas avec ce 97 très réussi. Sa teinte présente quelques reflets d'évolution. Ses arômes sont encore fruités, mûrs, framboisés. Bien plaisant en bouche, ce vin fruité, viandé, joliment boisé, termine son parcours sur des tanins persistants. Il s'appréciera avec une bonne entrecôte sur des sarments de merlot.
☛ Mme Barreau-Badar, Ch. Certan de May de Certan, 33500 Pomerol, tél. 05.57.51.41.53, fax 05.57.51.88.51 ✓ ⌶ r.-v.

CLOS DES AMANDIERS
Vieilli en fût de chêne 1997

| ■ | 1 ha | 6 000 | ▤❚❙❚⬥ | 70 à 99 F |

Ce vin est issu d'une parcelle de 1 ha sur les 4 ha que possède, à Pomerol, la famille Garzaro, par ailleurs propriétaire d'un important domaine viticole dans l'Entre-deux-Mers. Cette vigne est plantée à 100 % de merlot sur sols sablonneux. Le vin a une couleur pourpre à reflets ambrés.

BORDELAIS

Son bouquet finement boisé présente aussi des notes épicées et vanillées. Fin en attaque, soutenu par des tanins élégants, ce 97 pourra se boire assez rapidement, par exemple sur des viandes blanches en sauce.

🖐 EARL Vignobles Garzaro, Ch. Le Prieur, 33750 Baron, tél. 05.56.30.16.16, fax 05.56.30.12.63, e-mail garzaro@vingarzaro.com ☑ �🍷 r.-v.

CLOS DU CLOCHER 1997

| ■ | | 5 ha | 21 800 | ⓘⓘ | 150 à 199 F |

| 82 | 83 | |85| | |86| | |88| | |89| | |90| | 92 | |93| | 94 | 95 | 97 |

Douze mois de barrique pour ce 97 né sur un terroir argilo-graveleux et assemblant 80 % de merlot au cabernet franc. De bonne typicité, il est très bien présenté dans une robe rubis sombre et limpide ; son bouquet fin et fruité libère également des odeurs boisées fondues. La bouche est agréable, avec une bonne matière et une structure équilibrée. Ce vin sera rapidement prêt mais pourra aussi se garder de trois à cinq ans.

🖐 SC Clos du Clocher, 41, rue des Quatre-Frères-Robert, 33500 Libourne, tél. 05.57.51.62.17, fax 05.57.51.28.28, e-mail jeanbaptiste.audy@wanadoo.fr �🍷 r.-v.

CLOS DU PELERIN 1997

| ■ | | 3,2 ha | 10 000 | 🍶 ⓘⓘ | 70 à 99 F |

| |93| | |95| | 96 | |97| |

Ce petit vignoble de 3 ha a produit sur sols sablonneux un pomerol de bonne typicité, simple et délicat, à un prix abordable. Les merlots dominent et sont épaulés par 10 % de cabernet franc et 10 % de cabernet-sauvignon. Affichant une couleur grenat de belle intensité, ce 97 propose un bouquet suave, composé d'arômes de fruits mûrs et d'odeurs boisées très fines. Corsé, souple et rond, le palais compense un léger manque de puissance par le charme de tanins soyeux et doux qui laissent une impression très plaisante en finale.

🖐 Norbert Egreteau, Clos du Pèlerin, 3, chem. de Sales, 33500 Pomerol, tél. 05.57.74.03.66, fax 05.57.25.06.17 ☑ �🍷 r.-v.

CH. ELISEE Vieilli en fût de chêne 1997★

| ■ | | 1,5 ha | 10 000 | 🍶 ⓘⓘ 🍶 | 100 à 149 F |

On note la présence de 10 % de cabernet franc en complément du merlot dans ce vin issu d'une sélection. Sa couleur grenat d'intensité moyenne commence à se tuiler. Le bouquet déjà complexe égrène des notes boisées, assorties d'humus, de cannelle, de girofle. A la fois souple et étoffé en bouche, construit sur des tanins élégants et réglissés, ce 97 pourra se boire assez rapidement, par exemple sur des viandes rouges grillées.

🖐 EARL Vignobles Garzaro, Ch. Le Prieur, 33750 Baron, tél. 05.56.30.16.16, fax 05.56.30.12.63, e-mail garzaro@vingarzaro.com ⍦ ⍓ r.-v.

CH. FERRAND 1997

| ■ | | 12,17 ha | n.c. | ⓘⓘ | 70 à 99 F |

Ce beau domaine d'une douzaine d'hectares repose sur des sables et des graves où le cabernet franc domine à 60 %, ce qui n'est pas si fréquent en Libournais. Délicat, son 97 va pouvoir se boire assez rapidement : sa teinte est déjà évoluée ; son bouquet fin et élégant. Un pomerol souple et facile en bouche.

🖐 SCE du Ch. Ferrand, 33500 Pomerol, tél. 05.57.51.21.67, fax 05.57.25.01.41 ☑ ⍓ r.-v.
🖐 H. Gasparoux

CH. FONTMARTY 1997★

| ■ | | 11,5 ha | 21 100 | ⓘⓘ | 100 à 149 F |

Ce cru de 11,5 ha appartient à la société de négoce libournaise Bernard Moueix, tout comme le Château Taillefer. Ici, le sol est constitué de sables et de graves, et l'encépagement comprend trois quarts de merlot et un quart de cabernet franc. Cela donne un 97 équilibré et plaisant, paré d'une robe profonde et limpide, et encore bien fruité au nez où pointent également des odeurs épicées et vanillées. La bouche est structurée, un peu ferme pour l'instant, mais d'une assez bonne tenue pour envisager une garde de trois à cinq ans.

🖐 SC Bernard Moueix, Ch. Taillefer, 33500 Libourne, tél. 05.57.25.50.45, fax 05.57.25.50.45

CH. FRANC MAILLET
Cuvée Jean-Baptiste 1997★

| ■ | | 5,65 ha | 38 400 | 🍶 🍶 | 100 à 149 F |

Etabli sur des sols graveleux avec une majorité de merlot et un appoint de 10 % en cabernet franc, ce cru propose un joli 97. La couleur rouge sombre est encore très jeune. Le bouquet, fin et subtil, libère des arômes de fruits rouges, de vanille et de cacao. La bouche est équilibrée, avec des tanins soyeux et ronds, bien présents. Un ensemble harmonieux et déjà fort plaisant.

🖐 Vignobles G. Arpin, Maillet, 33500 Pomerol, tél. 06.16.97.53.09, fax 06.57.51.96.75, e-mail gaelarpin@excite.com ☑ ⍓ r.-v.

CH. GAZIN 1997

| ■ | | 23 ha | 56 000 | ⓘⓘ | 300 à 499 F |

| 70 | 75 | 76 | 78 | 79 | 80 | 81 | 82 | 83 | 84 | 85 | |86| | 87 | |88| |
| |89| | |90| | 91 | 92 | |93| | 94 | 95 | 96 | 97 |

Nicolas de Bailliencourt est l'héritier d'une vieille famille dont l'un des ancêtres fut distingué pour ses faits d'armes, en 1214, par Philippe Auguste, roi de France. Gazin est l'un des meilleurs crus de Pomerol, et fait partie du club très fermé de ceux qui ont reçu plusieurs coups de cœur. Ce millésime où le merlot représente 85 % est difficile à noter car après une robe superbe, rubis à reflets noirs et un nez complexe et remarquable où fruits mûrs, épices (clou de girofle et poivre) se mêlent aux notes boisées, la bouche donne une bonne impression à l'attaque puis ne dit mot car la barrique l'emporte. Il faut attendre de deux à trois ans qu'il sorte de sa réserve.

🖐 GFA Ch. Gazin, 33500 Pomerol, tél. 05.57.51.07.05, fax 05.57.51.69.96, e-mail chateau.gazin@wanadoo.fr ☑ ⍓ r.-v.

CH. GRAND MOULINET 1997

| ■ | | 1 ha | 7 000 | ⓘⓘ | 70 à 99 F |

| |94| | |96| | |97| |

Malgré son qualificatif, ce cru ne couvre qu'un hectare de sol sableux sur crasse de fer, planté à 90 % de merlot. Il est rattaché au château Haut-

Surget à Néac. Le vin est d'un rouge franc et profond. Le bouquet discret repose sur des notes encore fruitées. La saveur également fraîche et fruitée permettra de le boire assez rapidement.

☛ Ollet-Fourreau, Ch. Haut-Surget, 33500 Néac, tél. 05.57.51.28.68, fax 05.57.51.91.79 ☑ ⵊ r.-v.

CH. GRANDS SILLONS GABACHOT
1997

| ■ | 4 ha | 18 000 | 🍶 ⵏ ↓ | 100 à 149 F |

D'origine corrézienne, la famille Janoueix s'est établie au XIXᵉs. en Libournais pour pratiquer le négoce des vins ; elle y possède plusieurs vignobles. Celui-ci est planté de très vieilles vignes sur sols de graves argileuses ou siliceuses. Le vin a une couleur rubis franc. Encore discret au nez, il commence à s'ouvrir sur des notes de raisin mûr. Souple et plaisant en bouche, net et équilibré, il est bien fait dans son millésime.

☛ François Janoueix, 20, quai du Priourat, B.P. 135, 33500 Libourne, tél. 05.57.55.55.44, fax 05.57.51.83.70 ☑ ⵊ r.-v.

CH. GUILLOT 1997

| ■ | 4,7 ha | 30 000 | ⵏ | 100 à 149 F |

82 83 |**85**| 86 |**88**| |**89**| |**93**| 94 95 96 97

Ce cru de presque 5 ha appartient à la famille Luquot depuis 1937. Il est installé sur des graves argilo-siliceuses ; l'encépagement équilibré comporte deux tiers de merlot pour un tiers de cabernet franc. Ce vin affiche une robe limpide et chatoyante, mêlant des teintes de grenat, de rubis et de carmin. Le bouquet naissant, encore un peu fermé, diffuse des notes fraîches de sous-bois avec des nuances animales de cuir. Frais, nerveux et corsé en bouche, ce 97 devrait évoluer favorablement dans les deux à trois ans à venir.

☛ SCEA Vignobles Luquot, 152, av. de l'Epinette, 33500 Libourne, tél. 05.57.51.18.95, fax 05.57.25.10.59 ☑ ⵊ r.-v.

CH. HAUT-MAILLET 1997

| ■ | 5 ha | 28 000 | ⵏ | 100 à 149 F |

86 88 90 92 |**94**| |**95**| 96 97

Ce cru de 5 ha, composé de 60 % de merlot et 40 % de cabernet franc, est installé à la limite de l'appellation saint-émilion, sur des sables anciens mêlés de graves. Grenat profond avec des reflets carminés, ce vin présente un bouquet fin et élégant alliant des odeurs de cuir et d'épices à des arômes de pruneau cuit et de caramel. Corsé et nerveux en bouche, il dispose d'une belle structure, certes un peu ferme et austère actuellement, mais gage d'une bonne évolution.

☛ Jean-Pierre Estager, 33-41, rue de Montaudon, 33500 Libourne, tél. 05.57.51.04.09, fax 05.57.25.13.38, e-mail estager@estager.com ☑ ⵊ r.-v.

☛ Delteil

CH. HAUT-TROPCHAUD 1997★★

| ■ | 2,1 ha | 12 000 | ⵏ | 100 à 149 F |

88 |**90**| |**93**| 94 95 96 |**97**|

Ce cru de 2 ha que les 58 qu'exploite Michel Coudroy se situe sur la terrasse argilo-graveleuse la plus haute de Pomerol. La vigne, très vieille, est uniquement composée de merlot noir ; elle a

produit un 97 remarquable, paré d'une belle robe bordeaux presque noire. Son bouquet commence à exprimer des fruits rouges et un boisé très bien dosé. La bouche est, elle aussi, superbement équilibrée : son harmonie tient à la présence du raisin mûr et de tanins fins. Ce 97 incarne le style classique d'un bon pomerol.

☛ Michel Coudroy, Maison-Neuve, 33570 Montagne, tél. 05.57.74.62.23, fax 05.57.74.64.18 ☑ ⵊ t.l.j. sf sam. dim. 8h-12h 14h-17h

CH. LA BASSONNERIE 1997★

| ■ | 3,07 ha | 15 000 | ⵏ | 100 à 149 F |

Composé de deux tiers de merlot et d'un tiers de cabernets installés sur sables, graves et argiles, ce cru doit son nom au fait que l'ancien propriétaire, M. Faisandier, était un joueur réputé de basson. Il appartient depuis 1995 à Dominique Leymarie. De teinte grenat avec des reflets rubis, ce 97 libère un bouquet élégant et complexe mêlant des arômes fruités vifs, des notes épicées et des odeurs animales de cuir. Suave et généreux en bouche, il dispose de tanins charnus, gras et veloutés qui persistent longuement en finale.

☛ SCEA La Bassonnerie, "René", 33500 Pomerol, tél. 06.09.73.12.78, fax 06.57.51.99.94, e-mail leymarie@ch-leymarie.com ☑ ⵊ r.-v.

CH. LA CONSEILLANTE 1997

| ■ | 12 ha | n.c. | ⵏ | + de 500 F |

82 85 88 |**89**| |**90**| 91 |**92**| |**93**| 95 96 97

Catherine Conseillante donna au XVIIᵉs. son nom à ce cru que le monde se dispute (65 % de sa production part sur trois continents !). Un beau terroir argilo-graveleux planté de 70 % de merlot et de 30 % de cabernet franc. Après vingt et un mois de barrique, ce vin est plutôt fermé derrière une belle robe grenat intense et limpide, très jeune - sans les marques d'évolution que portent bien des vins de ce millésime. Le boisé apparaît ensuite et ne permet pas de juger le vin dont la structure est ferme et tannique.

☛ SC Héritiers L. Nicolas, Ch. La Conseillante, 33500 Pomerol, tél. 05.57.51.15.32, fax 05.57.51.42.39 ☑ ⵊ r.-v.

CH. LA CROIX 1997

| ■ | | n.c. | 53 000 | ⵏ | 150 à 199 F |

86 |**89**| |**90**| 92 |**94**| |**95**| |**(96)**| 97

Installé sur 10 ha de sols sableux et graveleux au cœur de l'AOC, ce cru est composé par 60 % de merlot, 20 % de cabernet franc et 20 % de cabernet-sauvignon. Cela donne un 97 intéressant, paré d'une belle robe grenat sombre et intense, aux reflets orangés chatoyants. Le bouquet évoque les fruits rouges, avec une pointe épicée de poivre vert et des arômes vanillés de bon bois. La bouche, équilibrée, révèle des tanins bien présents, mais encore un peu fermes, et qui demandent quelques années de vieillissement.

☛ SC Joseph Janoueix, 37, rue Pline-Parmentier, B.P. 192, 33506 Libourne Cedex, tél. 05.57.51.41.86, fax 05.57.51.53.16, e-mail info@j-janoueix-bordeaux.com ☑ ⵊ r.-v.

CH. LA CROIX SAINT GEORGES 1997

■ 3,5 ha 20 000 **◖▮◗ 150 à 199 F**

⑧② 83 85 86 |88| |89| |90| 92 |93| |94| |96| |97|

Derrière un portail du XVIIIᵉˢ., autrefois propriété des Hospitaliers de Saint-Jean de Jérusalem, le château, restauré, montre sur le chai un saint Georges à cheval sculpté. On devait alors déjà connaître les vertus du vin pour remonter croisés et pèlerins de Compostelle ! Doté d'une belle couleur pourpre sombre, il mêle au nez des arômes de fruits noirs à un boisé expressif, grillé et beurré. La structure est bien équilibrée, avec un fruité agréable et une bonne rondeur qui permettent une consommation immédiate.

☛ SC Joseph Janoueix, 37, rue Pline-Parmentier, B.P. 192, 33506 Libourne Cedex, tél. 05.57.51.41.86, fax 05.57.51.53.16, e-mail info@j-janoueix-bordeaux.com ☑ ⊺ r.-v.

CH. LA CROIX-TOULIFAUT 1997★★

■ 1,62 ha 8 500 **◖▮◗ 150 à 199 F**

75 78 79 81 82 83 **85** 86 88 |89| |90| 92 93 |94| |95| |⑨⑥| **97**

Deux coups de cœur consécutifs pour ce petit cru, exclusivement planté de merlot sur sables et graves avec un fond ferrugineux. Après le 96 exceptionnel, le sens de « Toulifaut » qui, en vieux français signifie « tous y succombent », se justifie pleinement avec ce 97 remarquable. Ce dernier a d'abord séduit notre jury par sa belle présentation pourpre, dense et complexe qui marie élégamment les arômes de fruits noirs mûrs (cassis, myrtille) aux odeurs épicées, vanillées et cacaotées d'un superbe boisé. Le plaisir se poursuit harmonieusement en bouche grâce à une matière ample et dense, et à des tanins ronds, gras et charnus qui persistent longuement en finale. Bravo !

☛ Jean-François Janoueix, 37, rue Pline-Parmentier, B.P. 192, 33506 Libourne Cedex, tél. 05.57.51.41.86, fax 05.57.51.53.16, e-mail info@j-janoueix-bordeaux.com ☑ ⊺ r.-v.

CH. LAFLEUR 1997★

■ 3,15 ha 12 000 **◖▮◗ + de 500 F**

|85| |86| |88| 89 |90| |92| |⑨③| 94 95 96 97

Un pomerol à l'encépagement original : 50 % de merlot et 50 % de cabernet franc installés sur un terroir mêlant sables, argiles et graves. La proportion de cabernet oblige les vins à une période de maturation en bouteilles assez longue afin qu'ils puissent s'exprimer pleinement. C'est le cas

de ce 97 de couleur rubis intense et encore très jeune. Il développe au nez des arômes de fruits rouges frais et acidulés, d'épices et de cuir. La dégustation, d'abord suave et friande, révèle une belle structure tannique, aujourd'hui un peu marquée par le bois mais fort prometteuse pour l'avenir.

☛ Sylvie et Jacques Guinaudeau, Grand Village, 33240 Mouillac, tél. 05.57.84.44.03, fax 05.57.84.83.31 ⊺ r.-v.

☛ Marie Robin

PENSEES DE LAFLEUR 1997

■ 1,35 ha 4 800 **◖▮◗ 250 à 299 F**

Il s'agit du second vin du château Lafleur, propriété de Mlle Robin, exploitée par Sylvie et Jacques Guinaudeau et dont la production est commercialisée par les établissements Jean-Pierre Moueix. Organisation très libournaise. Le vin a une belle couleur rubis intense et un nez encore un peu fermé ; l'agitation permet l'expression de notes de fruits mûrs, de cassis. La bouche fruitée et bien équilibrée est déjà agréable.

☛ Sylvie et Jacques Guinaudeau, Grand Village, 33240 Mouillac, tél. 05.57.84.44.03, fax 05.57.84.83.31 ⊺ r.-v.

CH. LAFLEUR-GAZIN 1997

■ 8,6 ha 40 000 **◖▮◗ 200 à 249 F**

Un cru essentiellement planté de merlot (92 %) installé sur argiles et sables. Il présente un 97 plein de fraîcheur, d'une couleur bordeaux encore très vive. Le bouquet naissant exprime les fruits rouges acidulés avec des parfums de sous-bois et des nuances épicées. Après une attaque souple et agréable, la bouche évolue sur une structure équilibrée, composée de tanins fermes, qu'il faudra attendre de trois à cinq ans.

☛ Ets Jean-Pierre Moueix, 54, quai du Priourat, 33500 Libourne

☛ Mme Delfour-Borderie

CH. LAFLEUR GRANGENEUVE 1997

■ 1,66 ha 11 000 **▮ ◖▮◗ ♨ 70 à 99 F**

93 95 96 97

Petit domaine viticole qui s'ajoute aux vignes que la famille Estager possède en lalande de pomerol et en montagne saint-émilion. 80 % de merlot plantés sur des sols sableux et graveleux composent ce vin qui présente une couleur grenat d'intensité moyenne. Son nez commence à exprimer des notes animales (fourrure), avec encore du fruit rouge et une touche boisée. Souple et frais en bouche, ce 97 devrait évoluer assez vite mais se montre plaisant aujourd'hui.

☛ Claude Estager et Fils, Ch. Fougeailles, 33500 Néac, tél. 05.57.51.35.09, fax 05.57.25.95.20 ☑ ⊺ r.-v.

CH. LA FLEUR-PETRUS 1997★

■ 10,41 ha n.c. **◖▮◗ 250 à 299 F**

82 83 |85| 86 |88| |⑧⑨| **90** 92 |94| 95 **96** 97

Une route sépare La Fleur Pétrus de Petrus : si ce sont les mêmes hommes qui gèrent les deux propriétés, celles-ci n'ont pas le même terroir (graves sur sous-sol argileux ici), ni le même encépagement (trois quarts de merlot pour un quart de cabernet franc). Bien présenté dans une belle robe rubis, vive et intense, ce 97 est encore un peu marqué au nez par son élevage en fût, avec des arômes torréfiés et des odeurs de pain grillé. La bouche équilibrée révèle une bonne trame tannique et une agréable vinosité. La finale, longue et aromatique, demeure un peu ferme, et l'ensemble demande quelques années de vieillissement pour s'épanouir.

➥ SC du Ch. La Fleur-Pétrus, 33500 Pomerol

CH. LA GANNE 1997

■	3,8 ha	n.c.	◖▮▮ 70 à 99 F

86 88 |90| |93| 94 96 97

Cette petite propriété familiale établie sur des sables ferrugineux complantés de quatre cinquièmes de merlot et d'un cinquième de cabernet franc produit un pomerol bien fait. Grenat de bonne intensité, franc et encore très jeune, ce 97 est fort agréable au nez par ses arômes de pruneau cuit et de vanille mêlés d'odeurs plus fraîches de cuir et de noyau. La bouche est équilibrée, avec des tanins certes encore nerveux et fermes, mais prometteurs.

➥ Michel Dubois, 224, av. Foch, 33500 Libourne, tél. 05.57.51.18.24, fax 05.57.51.62.20, e-mail laganne@aol.com
☑ ⵏ r.-v.

LA GRAVETTE DE CERTAN 1997

■	14 ha	20 000	◖▮▮ 150 à 199 F

Second vin de Vieux Château Certan, appartenant à la famille Thienpont bien connue en Libournais. Produit sur sols argilo-graveleux où les cabernets sont à parité avec les merlots, il se déguste souvent très bien - on se souvient du 95. Bien qu'inférieur, le 97 a été retenu car son caractère est intéressant. Sa couleur grenat est encore un peu épaisse. Le bouquet naissant est beurré, animal, avec une évolution florale. Sa saveur est charmante, agréable par sa fraîcheur. A attendre un peu.

➥ SC du Vieux Château Certan, 33500 Pomerol, tél. 05.57.51.17.33, fax 05.57.25.35.08, e-mail vieuxchateaucertan@wanadoo.fr

CH. LA POINTE 1997

■	22 ha	120 000	◖▮▮ 100 à 149 F

82 83 85 86 88 |89| |93| |94| 95 (96) |97|

Une belle demeure de style Directoire règne sur cette importante propriété viticole de 25 ha installée entre Libourne et Pomerol sur un terroir complexe mêlant sables et graves à des éléments ferrugineux et marneux. Constitué par trois quarts de merlot et un quart de cabernet, ce 97 déjà évolué pourra être consommé dès maintenant. La robe grenat limpide et de bonne intensité montre des reflets ambrés. Des odeurs boisées et balsamiques très élégantes s'affichent au nez. La bouche est souple, délicate et fine, sur des tanins doux et soyeux. Rappelons que le 96 reçut un coup de cœur l'an dernier.

➥ SCE Ch. La Pointe-Pomerol, 33500 Pomerol, tél. 05.57.51.02.11, fax 05.57.51.02.11 ☑ ⵏ r.-v.
➥ d'Arfeuille

CH. LA ROSE FIGEAC 1997★★

■	2,5 ha	12 000	◖▮▮ 150 à 199 F

82 (85) 86 |88| |89| |90| 92 93 94 95 96 97

La famille Despagne-Rapin, propriétaire dans le Saint-Emilionnais depuis 1812, exploite plusieurs domaines viticoles dont les vins retiennent toujours l'attention de nos dégustateurs. Celui-ci, issu de vieilles vignes du secteur de Figeac, est particulièrement remarquable pour son millésime et décroche un coup de cœur. Sa robe est d'un beau bordeaux sombre. Au nez, le fruit très présent se marie harmonieusement aux tanins vanillés du merrain. Chaleureux, concentré en bouche, avec de la mâche et de la longueur, ce 97 pourrait déjà s'apprécier sur une poularde aux morilles, mais gagnera à être un peu attendu.

➥ SCEA Despagne-Rapin, Ch. Maison Blanche, 33570 Montagne, tél. 05.57.74.62.18, fax 05.57.74.58.98 ☑ ⵏ r.-v.

CH. LATOUR A POMEROL 1997

■	7,93 ha	n.c.	◖▮▮ 250 à 299 F

61 64 66 67 70 71 75 (76) 80 81 82 83 85 86 |87| 88 89 90 92 |(93)| 94 95 96 |97|

Madame Lily Lacoste-Loubat a confié Latour-à-Pomerol à l'équipe de Christian Moueix. Le millésime 97 a donné un vin moins dense que les précédents. Une jolie robe l'habille. Ses parfums sont élégants et fins : leur caractère floral s'accompagne de fruits rouges et d'une note mentholée boisée. La bouche joue sur le même registre, équilibrée, assez marquée par l'élevage en fût. La structure délicate de ce 97 suggère une garde de deux à cinq ans.

➥ Ets Jean-Pierre Moueix, 54, quai du Priourat, 33500 Libourne
➥ Lily Lacoste

CH. LE BON PASTEUR 1997★★

■	7 ha	35 000	◖▮▮ 250 à 299 F

78 79 81 |(82)| 83 |85| |86| |88| |89| 90 92 93 94 (95) 96 97

Installé au lieu-dit « Maillet », sur un terroir mêlant argiles, graves et sables, ce cru appartient à l'œnologue libournais Michel Rolland. Toujours fort bien noté, plusieurs fois coup de cœur, il a su gérer ce millésime difficile. En effet, son 97 est remarquable de puissance et d'harmonie. La couleur grenat, sombre et dense, puis le bouquet complexe mariant fruits rouges confits, vanille et odeurs toastées annoncent la superbe concentration de la bouche où des tanins charnus et gras, très riches et bien mûrs, s'affirment dans un ensemble vineux et ample. La finale impres-

sionnante fait durer les saveurs fruitées et boisées. Une grande bouteille à garder un peu pour mieux l'apprécier.
🕿 SCEA Fermières des domaines Rolland, « Maillet », 33500 Pomerol, tél. 05.57.51.23.05, fax 05.57.51.66.08 ☑ ⊺ r.-v.

CH. DU DOM. DE L'EGLISE 1997

■   7 ha   38 000   ⊞ 150 à 199 F

Vignoble de 7 ha où merlot (75 %) et cabernets sont plantés sur un sol de graves. Le vin a une jolie couleur cerise. Son nez, encore un peu fermé, sent le fruit à noyau. Bien équilibré en bouche, ce 97 finit sur des tanins agréables et devrait bien s'accorder avec des volailles à la crème. Exclusivité Borie-Manoux.
🕿 Indivision Castéja-Preben-Hansen, 33500 Pomerol, tél. 05.56.00.00.70, fax 05.57.87.48.61 ⊺ r.-v.

CLOS L'EGLISE 1997★

■   5 ha   13 146   ⊞ + de 500 F

Repris en 1997 par l'actuelle propriétaire, ce cru de 5 ha est établi sur le fameux plateau de Pomerol au sol argilo-graveleux mêlé de crasse de fer. Composé de 80 % de merlot pour 20 % de cabernet franc, ce 97 est paré d'une superbe robe grenat, sombre et limpide. Il développe un bouquet puissant où les odeurs grillées et toastées s'associent agréablement aux arômes de fruits mûrs et de vanille. La bouche révèle une structure tannique bien ferme et harmonieusement équilibrée par une belle vinosité. L'ensemble est très prometteur.
🕿 Sylviane Garcin-Cathiard, Clos L'Eglise, 33500 Pomerol, tél. 05.57.51.70.25, fax 05.57.51.70.25, e-mail h-bergey@worldnet.fr ☑ ⊺ r.-v.

ESPRIT DE L'EGLISE 1997

■   1 ha   2 358   ⊞ 250 à 299 F

Cuvée microscopique, ce cru est constitué de cabernet franc pour seulement 25 % de merlot : une curiosité dans l'appellation. Cela donne un vin très coloré, de teinte rubis sombre et intense. Le nez, franc et net, exprime la vanille et le cacao, avec des notes épicées et des nuances animales de cuir. La structure tannique intéressante et ferme, laisse une belle harmonie en bouche qui devrait s'épanouir dans deux à trois ans.
🕿 Sylviane Garcin-Cathiard, Clos L'Eglise, 33500 Pomerol, tél. 05.57.51.70.25, fax 05.57.51.70.25, e-mail h-bergey@worldnet.fr ☑ ⊺ r.-v.

CLOS DES LITANIES 1997

■   0,74 ha   3 200   ⊞ 150 à 199 F

Issu uniquement de vignes de merlot qui atteindront bientôt un demi-siècle, implantées sur des sables reposant sur fond très ferrugineux, ce 97 constitue une bouteille bien plaisante. La robe grenat montre des reflets tuilés, signe d'évolution, et le bouquet se révèle élégant et fruité avec des nuances épicées et finement boisées. La bouche équilibrée, d'une bonne rondeur et d'une belle présence tannique, apparaît encore un petit peu ferme en finale.

🕿 SC Joseph Janoueix, 37, rue Pline-Parmentier, B.P. 192, 33506 Libourne Cedex, tél. 05.57.51.41.86, fax 05.57.51.53.16, e-mail info@j-janoueix-bordeaux.com ☑ ⊺ r.-v.

CH. MAZEYRES 1997

■   19,6 ha   77 000   🗑 ⊞ ♦ 100 à 149 F
92 |93| |94| |95| 96 97

Important domaine viticole implanté sur des graves siliceuses ou argileuses. Cette année, pour mieux comprendre ce terroir complexe, quatre-vingts fosses ont été creusées dans le vignoble. Ceci afin d'adapter plus finement les méthodes culturales. Ici, lorsqu'on parle d'idées à creuser, on le fait ! Le vin a une robe grenat sombre et des arômes très boisés au nez, toastés, mais on lui trouve également un peu de fruit. La bouche, elle aussi encore dominée par le bois, est un peu austère et demande à évoluer avant consommation.
🕿 SC Ch. Mazeyres, 56, av. Georges-Pompidou, 33500 Libourne, tél. 05.57.51.00.48, fax 05.57.25.22.56, e-mail mazeyres@wanadoo.fr ⊺ r.-v.

CH. MONTVIEL 1997

■   5,16 ha   16 500   ⊞ 150 à 199 F
88 |89| |90| 91 |93| |94| |95| 96 97

Arrivés il y a dix ans, les Péré-Vergé viennent de créer un deuxième vin afin de mieux sélectionner le « grand vin ». Né sur un terroir mêlant sables, graves et argiles à partir de 80 % de merlot et 20 % de cabernet franc, le 97 passe la rampe. Doté d'une séduisante couleur grenat sombre, il est encore légèrement fermé, mais la finesse des arômes qui percent laisse espérer un bel épanouissement. La bouche est bien équilibrée, avec des tanins très présents et un peu fermes qui nécessitent une garde de trois à cinq ans pour s'assouplir.
🕿 SCA Ch. Montviel, 1, rue du Grand-Moulinet, 33500 Pomerol, tél. 05.57.51.87.92, fax 05.21.93.21.03 ⊺ r.-v.
🕿 Yves et Catherine Péré-Vergé

CH. MOULINET-LASSERRE 1997★★

■   5 ha   25 000   ⊞ 100 à 149 F
|89| |90| 91 92 93 **94 95 96 97**

Très ancienne propriété limitrophe du clos René et gérée par la même famille, cela depuis plusieurs générations. Les sols sont sablo-graveleux sur fond de crasse de fer, et le merlot représente les deux tiers de l'encépagement, avec un appoint de 20 % de cabernet franc et de 10 % de malbec. La robe est sombre, d'un beau grenat très intense. Le nez évoque les fruits mûrs, le pruneau cuit, le café et la vanille avec une légère connotation animale. La bouche révèle une matière puissante et dense, encore ferme en finale. Cette superbe bouteille a séduit nos dégustateurs par sa race et son élégance. Proposé en coup de cœur, il a cédé la place au Clos René.
🕿 SCEA Garde-Lasserre, Clos René, 33500 Pomerol, tél. 05.57.51.10.41, fax 05.57.51.16.28 ☑ ⊺ r.-v.

CH. PETIT VILLAGE 1997★

■ 10 ha 48 000 **◫** 250 à 299 F

85 86 88 |89| 90 |92| 93 |94| 95 96 |97|

Petit village est l'un de ces châteaux qui font la réputation des grands bordeaux. Il appartient à la galaxie des grands crus du groupe d'assurances AXA. Né sur sols argilo-graveleux avec 65 % de merlot, 18 % de cabernet-sauvignon et 17 % de cabernet franc, ce 97 a passé dix-huit mois en barrique. Paré d'une belle robe grenat sombre et intense, il séduit d'emblée. Son bouquet puissant et mûr exhale des odeurs boisées fines et élégantes. La dégustation révèle une matière dense et harmonieuse et des tanins charnus et très longs. Cette bouteille est digne d'une bonne garde, mais pourquoi attendre lorsque le vin est déjà si agréable ?

☛ Jean-Michel Cazes, Ch. Petit Village, 33500 Pomerol, tél. 05.57.51.21.08, fax 05.57.51.87.31, e-mail infochato@petit-village.com **Ⓥ Ⓨ** r.-v.

☛ AXA Millésimes

PETRUS 1997★★

■ 11,42 ha n.c. **◫** + de 500 F

61 **67** 71 74 **75** |76| |77| 78 |79| |81| ⑧② |83| |85| |86| |87| ⑧⑧ |89| 90 |92| 93 |94| ⑨⑤ ⑨⑥ 97

Petrus, le plus célèbre mais aussi le plus mythique des pomerols, occupe une place à part dans le monde du vin. C'est lors du mariage d'Elisabeth, aujourd'hui reine d'Angleterre, qu'il acquit sa notoriété. Sur l'étiquette, une gravure représente saint Pierre et la clé du Paradis : heureux soient les mortels qui ont le plaisir d'y goûter ! Admirablement vêtu d'une robe sombre et profonde à reflets noirs, le 97 développe un bouquet déjà très expressif, à la fois fruité et vineux, vanillé et toasté. La bouche, savoureuse et charnue, révèle une belle charpente constituée de tanins mûrs, mais encore fermes en finale. Un vin prometteur pour les dix prochaines années.

☛ SC du Ch. Petrus, 33500 Pomerol

CH. PONT-CLOQUET 1997★

■ 0,53 ha 3 600 **🍶◫ⓢ** 150 à 199 F

Production confidentielle pour ce tout petit cru de moins d'un hectare, créé en 1996 par les vignobles Rousseau et dont c'est la première apparition dans le Guide. Gageons au vu de la réussite de ce 97 qu'il y reviendra régulièrement. De couleur rubis franche et brillante, ce vin développe un bouquet complexe, un peu empyreumatique, avec des arômes de fruits cuits, de vanille et de pain grillé, ainsi que des odeurs aériennes de tabac. La bouche est bien équilibrée et étoffée par des tanins mûrs, de belle tenue et très longs en finale, sur des notes épicées.

☛ Stéphane Rousseau, Petit Sorillon, 33230 Abzac, tél. 05.57.49.06.10, fax 05.57.49.38.96 **Ⓥ Ⓨ** r.-v.

CH. PRIEURS DE LA COMMANDERIE 1997★★

■ 3,5 ha 10 800 **◫** 150 à 199 F

86 88 |89| |90| 91 |⑨③| |94| 96 97

Acheté en 1984 par Clément Fayat, ce petit cru est géré par la même équipe que le château

La Dominique, saint-émilion grand cru classé tout proche et appartenant au même propriétaire. Doté d'une superbe robe d'un rubis sombre et profond, ce 97 s'exprime déjà intensément au nez par des arômes boisés et vanillés très élégants. La bouche ample et suave, bien aromatique, repose sur une remarquable matière et offre une longue persistance en finale sur des notes épicées de cannelle. Un vin fort intéressant qui devrait s'épanouir dans trois à cinq ans.

☛ Clément Fayat, Ch. La Dominique, 33330 Saint-Emilion, tél. 05.57.51.31.36, fax 05.57.51.63.04, e-mail info@vignobles.fayat-group.com **Ⓥ**

CLOS RENE 1997★★

■ 12 ha 65 000 **◫** 100 à 149 F

|86| |88| |89| |90| 91 92 93 95 96 **97**

Cette très ancienne propriété viticole était déjà mentionnée sous le nom de « Reney » en 1764 sur la carte de l'ingénieur géographe Pierre de Belleyme. Elle est depuis plusieurs générations dans la famille des actuels propriétaires. Généreux, vineux et puissant, ce 97 a séduit notre jury par sa belle couleur grenat sombre et dense, par son bouquet intense de fruits cuits et de vanille avec une pointe de rancio, et par son exceptionnelle matière en bouche. Corsé, charnu, gras et remarquablement structuré, il développe en finale des arômes de prune à l'eau-de-vie harmonieusement associés à un élégant boisé.

☛ SCEA Garde-Lasserre, Clos René, 33500 Pomerol, tél. 05.57.51.10.41, fax 05.57.51.16.28 **Ⓥ Ⓨ** r.-v.

CH. ROCHER-BONREGARD 1997

■ 2,5 ha 15 000 **🍶◫ⓢ** 50 à 69 F

Petit vignoble de 2,5 ha du secteur de Tailhas, planté à 85 % de merlot et 15 % de cabernet franc. La couleur, d'intensité moyenne, de ce 97 présente quelques reflets d'évolution alors que le nez est encore un peu fermé, et laisse poindre une note de feuille de cassis. La bouche, un peu légère, finit sur des tanins finement boisés et agréables. A boire dès à présent.

☛ Jean-Pierre Tournier, Tailhas, 194, rte de Saint-Emilion, 33500 Libourne, tél. 05.57.51.36.49, fax 05.57.51.98.70 **Ⓥ Ⓨ** r.-v.

CH. ROUGET 1997★

■ 18,5 ha 30 000 **◫** 150 à 199 F

|94| 95 |96| 97

Cette belle bâtisse du XVIIIᵉ s. règne sur un vignoble de 18,5 ha, proche du bourg et de l'ancienne église, et planté sur des sols argilo-graveleux en pente douce. Doté d'une robe rubis intense, ce 97 est de bonne typicité. Le bouquet évoque les fruits rouges confits, harmonieusement associés aux arômes grillés et épicés d'un beau boisé bien fondu. Souple en attaque, la bouche évolue agréablement sur des tanins et une matière de qualité, jusqu'à une finale fruitée et persistante qui permettra une garde de trois à cinq ans.

☛ SARL SGVP, Ch. Rouget, 33500 Pomerol, tél. 05.57.51.05.85, fax 05.57.55.22.45 ☑ ⊤ r.-v.
☛ Labruyère

CH. DE SALES 1997★

| ■ | | 47,5 ha | 150 000 | ⬛◫♨ | 100 à 149 F |

86 |88| |89| |90| |92| |94| |97|

Le superbe château datant de la fin du XVIᵉˢ. règne sur le plus grand domaine viticole de Pomerol et l'un des plus anciens. Il appartient depuis 1464 à la famille de Bruno de Lambert. Presque 50 ha de vignes, dont 70 % de merlot, 15 % de cabernet franc et 15 % de cabernet-sauvignon, plantées sur petites graves et sables, n'ont produit que 150 000 bouteilles du premier vin dans ce millésime 97 réussi et élégant. D'un beau rubis brillant, celui-ci développe au nez un bouquet complexe où les arômes de fruits sont associés à des odeurs animales et empyreumatiques. La dégustation, équilibrée et savoureuse, souple et délicate, permet une consommation immédiate.

☛ Bruno de Lambert, Ch. de Sales, 33500 Pomerol, tél. 05.57.51.04.92, fax 05.57.25.23.91 ☑ ⊤ r.-v.

CH. DU TAILHAS 1997

| ■ | | 10,5 ha | 60 000 | ◫♨ | 100 à 149 F |

L'origine du nom de ce cru remonte à une lettre patente du 7 juin 1289 par laquelle Edouard Iᵉʳ, roi d'Angleterre et d'Aquitaine, fixait la limite entre les communes de Pomerol et de Saint-Emilion au ruisseau Tailhayhat. Plus de sept cents ans plus tard, le vin porte une robe légère et possède un nez charmant de fruits rouges. La suite est plus austère mais sincère.

☛ Nebout et Fils, SC Ch. du Tailhas, 33500 Pomerol, tél. 05.57.51.26.02, fax 05.57.25.17.70 ☑ ⊤ r.-v.

CH. TAILLEFER 1997★

| ■ | | 11,5 ha | 55 000 | ◫ | 150 à 199 F |

93 94 95 96 97

Ce beau domaine viticole entoure un château du XIXᵉˢ., bien visible de la rocade est de Libourne. Ce fut la première propriété acquise par Antoine Moueix en 1923. Le terroir y est sablo-graveleux, planté pour les trois quarts en merlot et pour un quart en cabernet franc. Le vin y est toujours réussi - même ce 97. Sa couleur est profonde. Ses arômes sont déjà complexes, conjuguant fruits rouges, brioche, café et toast. La bouche apparaît concentrée, structurée par des tanins de bois très grillé. Un vin qui gagnera à être un peu attendu.

☛ SC Bernard Moueix, Ch. Taillefer, 33500 Libourne, tél. 05.57.25.50.45, fax 05.57.25.50.45

CH. THIBEAUD-MAILLET 1997★

| ■ | | 1 ha | 6 300 | ◫ | 100 à 149 F |

88 |89| |90| 92 |93| |94| 95 |96| 97

Située au lieu-dit « Maillet », cette petite propriété de 1,4 ha doit son nom à la famille Thibeaud qui l'a fondée au début du XIXᵉˢ. Composé de 85 % de merlot et à 15 % de cabernet franc plantés sur sol argilo-graveleux, ce cru propose un joli 97, très attrayant dans sa robe grenat sombre et profonde. Finement boisé au nez, ce vin développe des arômes de fruits bien mûrs, de pruneau cuit et de vanille, avec des nuances plus fraîches de sous-bois et de cuir. La bouche charmeuse, tout en souplesse, rondeur et délicatesse, révèle des tanins soyeux et veloutés très persistants. Une bouteille élégante à réserver à des mets fins.

☛ Roger et Andrée Duroux, Ch. Thibeaud-Maillet, 33500 Pomerol, tél. 05.57.51.82.68, fax 05.57.51.58.43 ☑ ⊤ t.l.j. 9h-12h 14h-20h; f. mars

CH. TOUR ROBERT 1997★

| ■ | | 1,2 ha | 6 000 | ◫ | 100 à 149 F |

|93| 94 95 97

Essentiellement constitué de merlot planté sur sols sablo-graveleux, ce cru est conseillé par Michel Rolland, comme La Bassonnerie. La robe grenat sombre et profonde de ce 97 annonce une bonne concentration, confirmée au nez par des arômes intenses de fruits noirs bien mûrs, mêlés aux notes épicées et grillées d'un joli boisé agréablement fondu. La dégustation est harmonieuse grâce à des tanins suaves et gras, de bonne densité, persistant en finale. Ce vin très agréable devra attendre de deux à trois ans pour un meilleur épanouissement.

☛ Dominique Leymarie, Ch. Tour-Robert, B.P. 132, 33502 Libourne Cedex, tél. 05.57.51.07.83, fax 05.57.51.99.94, e-mail leymarie@ch-leymarie.com ☑ ⊤ r.-v.

CH. TROTANOY 1997

| ■ | | 7,16 ha | n.c. | ◫ | 300 à 499 F |

79 80 ⑧② |85| |86| 87 |88| |89| ⑨⓪ |92| 94 ⑨⑤ ⑨⑥ 97

Ce cru de 7 ha, essentiellement planté en merlot avec un appoint de 7 % de cabernet franc, est l'un des fleurons de la société de négoce libournaise Jean-Pierre Moueix. Le terroir argilo-graveleux permet d'élaborer des vins puissants et tanniques, à l'image de ce 97, un peu austère, mais doté d'un réel potentiel de vieillissement. La couleur sombre et profonde émet des reflets carminés. Le bouquet, élégant et délicat, diffuse un joli boisé très fin et demande à s'ouvrir. La bouche a une structure intense et ferme, actuellement un peu sévère mais tout à fait prometteuse.

☛ Ets Jean-Pierre Moueix, 54, quai du Priourat, 33500 Libourne

VIEUX CHATEAU CERTAN 1997

| ■ | | 14 ha | 43 000 | ◫ | 300 à 499 F |

81 82 83 85 86 |⑧⑧| |89| |90| 92 93 |94| 95 96 97

Bon exemple de chartreuse, Vieux Château Certan offre une belle architecture. Tout est classique dans ce vin, si ce n'est le terroir qui lui a donné naissance proche de celui de Petrus, moins marqué cependant, une légère couche de graves masquant l'argile. Rouge cerise, la robe est très jeune. Le nez est tout entier sur des notes de torréfaction. L'attaque est à la fois moelleuse et tannique, puis en milieu de bouche les tanins l'emportent sur le fruit. La charpente, solide, est prometteuse. Un vin dans la tradition des pomerol.

➛ SC du Vieux Château Certan,
33500 Pomerol, tél. 05.57.51.17.33,
fax 05.57.25.35.08,
e-mail vieuxchateaucertan@wanadoo.fr

VIEUX CHATEAU FERRON 1997★

| ■ | | 1,5 ha | 10 000 | 📶 🏛 🍷 | 150 à 199 F |

|89| |90| 93 |95| |96| 97

Encore une parcelle de vigne acquise en 1987 par la famille Garzaro. L'encépagement et le terroir s'apparentent à ceux de la cuvée Elisée, comme cette dernière, ce vin a été jugé très réussi, mais il a davantage d'aptitude à la garde ; la couleur est légèrement plus profonde. Le bouquet naissant demande un peu d'aération pour exprimer du fruit, du bois, des notes minérales. La bonne structure tannique de ce 97 en fait un pomerol de garde (quatre à cinq ans), qui pourra se boire sur des mets de caractère : entrecôte bordelaise, cèpes, gibier.

➛ Elisabeth Garzaro, Ch. Le Prieur,
33750 Baron, tél. 05.56.30.16.16,
fax 05.56.30.12.63,
e-mail garzaro@vingarzaro.com ☑ 🍷 r.-v.

CH. VIEUX MAILLET 1997

| ■ | | 2,62 ha | 11 000 | 🏛 | 100 à 149 F |

Isabelle Motte s'est installée ici en 1994. Sables et argiles, quatre cinquièmes de merlot pour un cinquième de cabernet franc, douze mois de barrique : cela donne un 97 encore très jeune, de couleur rubis intense et vive. Le nez se dévoile à l'agitation, bien fin et fruité, avec de subtiles notes boisées. La bouche, actuellement un peu austère, révèle des tanins fermes, fort présents mais sans agressivité, qui devraient évoluer très favorablement au vieillissement.

➛ Isabelle Motte, Ch. Vieux Maillet,
33500 Pomerol, tél. 05.57.51.04.67,
fax 05.57.51.04.67,
e-mail chateau.vieux.maillet@wanadoo.fr
🍷 r.-v.

CH. VRAY CROIX DE GAY 1997★

| ■ | | 3,66 ha | 22 500 | 📶 🏛 🍷 | 100 à 149 F |

85 86 88 |89| |90| |93| |94| 95 97

Ce cru est rattaché au château Siaurac et, comme lui, appartient à la famille d'Olivier Guichard, ancien ministre du général de Gaulle. Ici, la vigne est plantée à 80 % de merlot et à 20 % de cabernets sur un terroir argilo-graveleux. Nos dégustateurs ont jugé ce 97 très réussi par sa jolie robe à reflets rubis et son nez encore floral et fruité (griotte), subtil et élégant. Souple en attaque, la bouche est soutenue par une trame tannique serrée qui lui permettra de bien évoluer.

➛ SCE Baronne Guichard, Ch. Siaurac,
33500 Néac, tél. 05.57.51.64.58,
fax 05.57.51.41.56 ☑ 🍷 r.-v.
➛ Olivier Guichard

Lalande de pomerol

Créé, comme celui de pomerol dont il est voisin, par les hospitaliers de Saint-Jean (à qui l'on doit aussi la belle église de Lalande qui date du XIIᵉ s.), ce vignoble d'environ 1 100 ha, produit, à partir des cépages classiques du Bordelais, des vins rouges colorés, puissants et bouquetés, qui jouissent d'une bonne réputation, les meilleurs pouvant rivaliser avec les pomerol et les saint-émilion. 59 335 hl ont été revendiqués en 1999.

CH. DES ANNEREAUX 1997

| ■ | | 22 ha | 100 000 | 🏛 🍷 | 50 à 69 F |

Ce 97 se distingue par des arômes de fruits rouges acidulés (groseille), de poivre, de fumé et par une structure en bouche souple et équilibrée quoiqu'un peu simple. Un vin plaisir à apprécier dès maintenant et pendant deux ans.

➛ SCE du Ch. des Annereaux, 33500 Lalande-de-Pomerol, tél. 05.57.55.48.90,
fax 05.57.84.31.27
➛ Milhade-Hessel

CH. BECHEREAU 1997

| ■ | | n.c. | 10 000 | 🏛 🍷 | 50 à 69 F |

Ce 97 est le produit d'un assemblage classique pour l'appellation : 80 % de merlot et 20 % de cabernet franc. La robe rouge cerise est limpide. Le bouquet de fruits rouges et de sous-bois assez intense annonce la finesse des tanins souples et élégants. C'est un vin prêt à boire, mais qui vieillira quelques années.

➛ SCE J.-M. Bertrand, Béchereau,
33570 Les Artigues-de-Lussac,
tél. 05.57.24.31.22, fax 05.57.24.34.69
☑ 🍷 t.l.j. 8h-12h 14h-18h

CH. DE BEL-AIR 1997

| ■ | | 16 ha | n.c. | 📶 🏛 🍷 | 100 à 149 F |

Né sur un sol de belles graves, ce 97 possède une robe rouge cerise à reflets déjà légèrement tuilés, un bouquet de cuir et de fruits rouges et des tanins souples et charnus, encore un peu marqués par leur élevage en barrique. Un vieillissement d'un an ou deux devrait lui permettre de trouver son harmonie en cave.

➛ Vignobles Jean-Pierre Musset, Ch. de Bel-Air, 33500 Lalande-de-Pomerol,
tél. 05.57.51.40.07, fax 05.57.74.17.43 ☑ 🍷 r.-v.

CH. BELLES-GRAVES 1997*

■　　　14,1 ha　　80 000　　◨◫　50 à 69 F

Cette très belle chartreuse du XVIIIᵉˢ. offre un point de vue exceptionnel sur le vignoble du cru, constitué de merlot (80 %) et de cabernet franc (20 %). Le millésime 97 est très réussi. Sa robe cerise sombre, ses parfums puissants de fruits rouges (fraise), de vanille et de cacao, ses tanins veloutés et amples, bien mûrs et d'une longueur intéressante en font une bouteille qui peut déjà s'apprécier mais qui se bonifiera pendant trois à cinq ans.
☛GFA Theallet-Piton, SC Ch. Belles-Graves, 33500 Néac, tél. 05.57.51.09.61, fax 05.57.51.01.41 ☑ ⵑ r.-v.

CH. BOIS DE LABORDE 1997

■　　　n.c.　　n.c.　　◨◫　100 à 149 F

Ce 97 possède une robe grenat à reflets déjà tuilés, un bouquet d'épices douces, de caramel et de fruits grillés. En bouche, c'est un vin intense et vif, assez puissant en finale. Un vin qui trouvera son harmonie dans un à trois ans, destiné aux viandes rouges grillées.
☛Bruno Vedelago, Bois de Laborde, 33500 Lalande de Pomerol, tél. 06.07.13.95.49 ☑

CH. BOURSEAU 1997

■　　　10,35 ha　　150 000　　◨◫　50 à 69 F

Situé à 200 m de l'église (XIIᵉˢ.) du village, ce château, l'un des plus anciens de l'appellation, est installé sur un terroir argilo-graveleux qui a produit un vin aux arômes délicats mais encore fermés et aux tanins puissants et équilibrés. La finale, empreinte par l'élevage en barrique, mérite deux ou trois ans de garde qui lui permettront de s'assouplir.
☛SARL Vignobles V. Gaboriaud-Bernard, Ch. Bourseau, 33500 Lalande-de-Pomerol, tél. 05.57.51.52.39, fax 05.57.51.70.19, e-mail matras@cavesparticulieres.com ☑ ⵑ t.l.j. 9h-12h 14h-17h

CH. CANON CHAIGNEAU 1997

■　　　n.c.　　18 000　　◨◫　70 à 99 F

Ce domaine de 20 ha est implanté sur un sol argilo-sablonneux. Son 97, bien équilibré entre merlot (60 %) et cabernet (40 %), présente un bouquet de fruits confits et de boisé grillé. Les tanins présents et harmonieux en bouche marquent cependant la finale. Attendre un an ou deux.
☛SCEA Marin Audra, 3 bis, rue Porte-Brunet, 33330 Saint-Emilion, tél. 05.57.24.69.13, fax 05.57.24.69.11, e-mail louismarin@wanadoo.fr ☑ ⵑ r.-v.

CH. DE CHAMBRUN 1997

■　　　1,42 ha　　7 200　　◨◫　250 à 299 F

Novateur dans ses méthodes d'élevage en barrique, ce cru présente un vin qui n'a pas fait l'unanimité : les uns louent sa puissance aromatique et son caractère généreusement boisé, les autres regrettent ce type d'élevage (dix-huit mois en barrique pour un millésime 97 peu structuré). Cependant une constante se dégage : c'est un vin qui devrait plaire lorsque le temps aura assoupli ses tanins.

☛Jean-Philippe Janoueix, 83, cours des Girondins, 33500 Libourne, tél. 05.57.25.91.19, fax 05.57.48.00.04 ☑ ⵑ r.-v.

DOM. GALVESSES GRAND MOINE 1997

■　　　1,65 ha　　10 000　　▮◨◫　50 à 69 F

Ce 97, issu du seul cépage merlot et né sur un sol argilo-siliceux, est cité pour son équilibre, les tanins souples et fruités étant déjà bien fondus. Une légère pointe végétale apparaît en finale, mais elle devrait s'estomper d'ici un an ou deux.
☛SCEA Chanet et Fils, n° 1 A Jacques, 33570 Puisseguin, tél. 05.57.74.60.85, fax 05.57.74.59.90 ☑ ⵑ t.l.j. 8h-12h 14h-18h

CH. DE GARDOUR 1997

■　　　19 ha　　30 000　　◨◫　50 à 69 F

Avec deux tiers de merlot et un tiers de cabernet, ce 97 mérite l'attention du consommateur. Ses arômes élégants de fleurs et de fruits mûrs, ses tanins ronds et flatteurs, évoluant avec une belle harmonie, se marieront, selon le jury, avec une poularde fermière aux petits légumes relevée de quelques pleurotes ! C'est assurément un vin facile à boire jeune.
☛A. de Luze et Fils, Dom. du Ribet, 33450 Saint-Loubès, tél. 05.57.97.07.20, fax 05.57.97.07.27 ⵑ r.-v.
☛SCEA de Jerphanion

CH. GARRAUD 1997★★

■　　　20 ha　　75 000　　◨◫　70 à 99 F

Le comte de Kermartin créa le château Garraud au XIXᵉˢ. Le cru a su se moderniser au cours du temps et pratique aujourd'hui des techniques au service de la qualité tant à la vigne qu'aux chais. Ce 97 en administre la preuve. Paré d'une robe sombre et dense, il libère des arômes puissants et élégants de fruits rouges très mûrs (framboise, cassis), de tabac, de vanille. Les tanins charnus et fins évoluent ensuite avec suavité, harmonie et persistance. Ce vin a tous les atouts pour séduire l'amateur dans les trois à huit ans à venir. Un exemple dans le millésime !
☛Vignobles Léon Nony, Ch. Garraud, 33500 Néac, tél. 05.57.55.58.58, fax 05.57.25.13.43 ☑ ⵑ t.l.j. sf sam. dim. 9h-12h 14h-17h

CH. DU GRAND CHAMBELLAN 1997

■　　　7 ha　　40 000　　◨◫　70 à 99 F

Cette propriété, déjà répertoriée au XVIIIᵉˢ., possède un très beau sol graveleux. Les arômes de cerise et de sous-bois de ce 97 sont élégants et, en bouche, les notes boisées se fondent bien avec des tanins plaisants et équilibrés. Un vin plaisir à boire dès aujourd'hui.
☛SCEA Ch. de Viaud, 33500 Lalande-de-Pomerol, tél. 05.57.51.17.86, fax 05.57.51.79.77 ⵑ r.-v.

CH. GRAND ORMEAU 1997

■　　　7 ha　　47 000　　◨◫　100 à 149 F

Ce domaine, situé sur un terroir limono-graveleux, a produit un 97 à la robe rouge soutenu, au bouquet naissant mais discret de fruits cuits, aux tanins ronds et légèrement boisés (il a été élevé treize mois en barrique). Une bouteille à boire dans les trois prochaines années.

🍷 Ch. Grand Ormeau, 33500 Lalande-de-Pomerol, tél. 05.57.25.30.20, fax 05.57.25.22.80 ☑ ⵏ r.-v.

🍷 Beton

CH. HAUT-CHAIGNEAU
Cuvée Prestige Elevé en fût de chêne 1997★

| ■ | 8 ha | 48 000 | ⅢⅠ 100 à 149 F |

Régulièrement distingué dans le Guide, ce château qui a fait de gros investissements, tant pour les chais que pour la demeure, ne fait pas exception à sa régularité qualitative en proposant ce 97 très réussi : la robe rubis est intense ; le bouquet expressif marie le cassis, la menthe et un joli boisé vanillé et cacaoté. En bouche, les tanins charmeurs et ronds évoluent avec une ampleur et une finesse remarquables. Une bouteille déjà agréable mais qui se gardera deux à cinq ans. A noter aussi, le **Château Tour Saint-André 97**, deuxième vin, cité pour son bouquet complexe de cuir, de fleurs et de fruits, mais plus simple en bouche ; il est à boire jeune (70 à 99 F).

🍷 André Chatonnet, Haut-Chaigneau, 33500 Néac, tél. 05.57.51.31.31, fax 05.57.25.08.93 ☑ ⵏ r.-v.

CH. HAUT-GOUJON 1997★

| ■ | 8,5 ha | 19 000 | 🍶ⅢⅠ⌁ 50 à 69 F |

Provenant d'un sol argilo-sablonneux, ce 97 brille par sa couleur rubis foncé et son bouquet développé de cuir, de fruits confits (pruneau) et de boisé. En bouche, c'est un vin élégant et charnu, délicatement vanillé et harmonieux en finale ; il faut l'apprécier dès maintenant et pendant deux à quatre ans.

🍷 SCEA Garde et Fils, Goujon, 33570 Montagne, tél. 05.57.51.50.05, fax 05.57.25.33.93 ☑ ⵏ r.-v.

CH. HAUT-SURGET 1997★

| ■ | 36 ha | 100 000 | 🍶ⅢⅠ⌁ 70 à 99 F |

Cette grande propriété familiale en est à la cinquième génération se succédant à sa tête pour le plus grand bonheur des amateurs. La robe grenat de ce 97 est profonde ; ses arômes puissants évoquent la vanille, le cuir, les fruits noirs, et les tanins francs et équilibrés possèdent un bon potentiel d'évolution. Ce 97 s'exprimera totalement après deux ans de garde. Un très beau vin !

🍷 Ollet-Fourreau, Ch. Haut-Surget, 33500 Néac, tél. 05.57.51.28.68, fax 05.57.51.91.79 ☑ ⵏ r.-v.

CH. JEAN DE GUE
Cuvée Prestige 1997★★★

| ■ | 10 ha | n.c. | ⅢⅠ⌁ 50 à 69 F |

Cette cuvée Prestige du château Jean de Gué décroche trois étoiles, fait rare dans ce millésime 97, et un coup de cœur. Issu d'un terroir argilo-graveleux, c'est un vin riche en couleur (pourpre à reflets grenat), aux arômes intenses et complexes (fruits noirs, pain grillé, épices, vanille). Les tanins sont superbes et pleins en attaque, puis ils évoluent avec une grande élégance et beaucoup de persistance aromatique (cassis, cèdre). C'est une magnifique bouteille qu'il faudra apprécier dans trois à six ans environ.

🍷 Vignobles Aubert, Ch. La Couspaude, 33330 Saint-Emilion, tél. 05.57.40.15.76, fax 05.57.40.10.14 ⵏ r.-v.

CH. LABORDE Mil six cent vingt-huit 1997

| ■ | 4 ha | 12 000 | ⅢⅠ 70 à 99 F |

Cette cuvée spéciale du château Laborde correspond à une sélection de raisins, dont 90 % de merlot, et à un élevage de douze mois en barrique. Fruité au nez et délicatement boisé, ce vin possède un réel potentiel. Ses tanins fermes et élégants sont encore dominés en finale par l'élevage sous bois. L'harmonie devrait être atteinte d'ici deux à trois ans.

🍷 SCEV J.M. Trocard, Laborde, 33500 Lalande-de-Pomerol, tél. 05.57.74.30.52, fax 05.57.74.39.96 ☑ ⵏ r.-v.

CH. LA BORDERIE-MONDESIR 1997★★

| ■ | 2,19 ha | n.c. | 🍶ⅢⅠ⌁ 70 à 99 F |

Cette petite propriété familiale est située sur un terroir de graves et de mâchefer. Assemblant 60 % de merlot et 40 % de cabernet-sauvignon, ce 97 porte une robe grenat, profonde et brillante. Ses arômes intenses évoquent le cuir, les fruits mûrs, la torréfaction, la vanille. En bouche, les tanins se révèlent puissants et généreux, car ils présentent beaucoup de gras et de race ; l'évolution est élégante et très persistante avec un retour aromatique fort agréable. Bravo ! Ce vin sera au meilleur de sa forme dans deux à trois ans.

🍷 Jean-Marie Rousseau, Petit-Sorillon, 33230 Abzac, tél. 05.57.49.06.10, fax 05.57.49.38.96 ☑ ⵏ r.-v.

CH. LA CROIX BELLEVUE 1997

| ■ | 8 ha | n.c. | 🍶ⅢⅠ⌁ 70 à 99 F |

Issu d'un encépagement marqué par le cabernet-sauvignon (70 %), ce qui n'est pas fréquent dans le Libournais, ce 97 est intéressant par sa vivacité aromatique, tant au nez qu'en bouche. La structure, nerveuse, assez puissante, est encore boisée en finale, mais les tanins seront fondus dans quelques mois. A boire dès janvier 2001 ou à garder trois ans au maximum.

🍷 SC Dom. viticoles Armand Moueix, Ch. Fonplégade, 33330 Saint-Emilion, tél. 05.57.74.43.11, fax 05.57.74.44.67 ☑ ⵏ r.-v.

🍷 GFA du Dom. de Moulinet

CH. LA CROIX DES MOINES 1997

| ■ | 8 ha | 50 000 | ⅢⅠ 70 à 99 F |

Issu d'un magnifique terroir de graves sur sous-sol ferrugineux, ce 97, brillant à l'œil, possède des arômes très fruités (framboise, prune) et confits. Les tanins, élégants et souples, sont fondus avec des notes boisées un peu brûlées. Un vin à boire dans les trois ans.

☛ SCEA des Vignobles Jean-Louis Trocard, 2, Les Petits Jays ouest, 33570 Les Artigues-de-Lussac, tél. 05.57.55.57.90, fax 05.57.55.57.98, e-mail trocard@wanadoo.fr ☑ ⵏ r.-v.

CH. LA CROIX SAINT-JEAN 1997

| ■ | 1,34 ha | 8 000 | 🍴↓ | 70 à 99 F |

Les vignobles Tapon sont bien implantés dans le Libournais. Leur lalande 97, agréable sur le plan aromatique (fruits rouges), possède une structure tannique souple mais un peu rustique en finale. Le jury conseille de l'attendre un an ou deux afin que l'harmonie préside à l'ensemble de la dégustation.

☛ Vignobles Raymond Tapon, Lafleur Vachon, 33330 Saint-Emilion, tél. 05.57.74.61.20, fax 05.57.74.61.19, e-mail vinstapon@aol.com ☑ ⵏ r.-v.

CH. LA FAURIE MAISON NEUVE 1997

| ■ | 3,8 ha | 25 000 | ⑪ | 50 à 69 F |

Ce 97 présente une robe grenat intense, des arômes complexes et élégants de cerise, cuir, de boisé grillé. Sa structure est harmonieuse et équilibrée bien que le boisé l'emporte encore en finale. Mais il y a du fruit, ce qui permet de le boire ; on peut aussi le laisser s'assouplir deux ou trois ans en cave.

☛ Michel Coudroy, Maison-Neuve, 33570 Montagne, tél. 05.57.74.62.23, fax 05.57.74.64.18 ☑ ⵏ t.l.j. sf sam. dim. 8h-12h 14h-17h

CH. LA FLEUR SAINT-GEORGES 1997

| ■ | 17 ha | 110 000 | ⑪ | 70 à 99 F |

Achetée le 1ᵉʳ juillet 1998 par Hubert de Bouard et sa femme, copropriétaires du château Angelus à Saint-Emilion, cette très belle propriété, dont le terroir argilo-sableux et graveleux est intéressant, devrait dans les années à venir présenter d'excellents vins. Le 97, élaboré par l'ancienne équipe, offre un bouquet grillé, toasté, accompagné de notes minérales. Les tanins sont un peu rustiques. Une bouteille à ne pas trop attendre.

☛ Hubert de Bouard de Laforest, SC Ch. La Fleur Saint-Georges, B.P. 7, 33500 Pomerol, tél. 05.57.25.25.13, fax 05.57.51.65.14 ☑ ⵏ r.-v.

CH. LA ROSE HAUT MUSSET 1997*

| ■ | 1 ha | n.c. | | 100 à 149 F |

Cette minuscule propriété d'un hectare pratique la viticulture biologique sur son terroir de sables argileux et de graves. Le millésime 97 se distingue par des parfums délicats de fruits un peu grillés, de fleurs, de boisé vanillé, et par une finesse et un très bel équilibre en bouche. La finale, longue et aromatique, autorise tous les espoirs pour les trois ans à venir.

☛ Jean-Baptiste Abbadie, 3, Grands Jays, 33570 Les Artigues-de-Lussac, tél. 05.57.24.34.71, fax 05.57.24.30.59 ☑ ⵏ r.-v.

CH. LA SERGUE 1997*

| ■ | 5 ha | 15 000 | ⑪ | 150 à 199 F |

Ce vin a été créé par Pascal Chatonnet, fils d'André, œnologue. Ce petit château bénéficie de techniques couramment employées dans les grands crus de la région, tant à la vigne qu'au chai. Vinifié en cuve de bois et élevé à 100 % en fût neuf, ce 97 ne masque pas son côté très boisé mais sa structure de tanins serrés et élégants le supporte bien. La longueur en bouche, remarquable pour le millésime, autorise tous les espoirs pour un vieillissement harmonieux et durable (trois à dix ans).

☛ André Chatonnet, Haut-Chaigneau, 33500 Néac, tél. 05.57.51.31.31, fax 05.57.25.08.93 ⵏ r.-v.

CH. LA VALLIERE 1997

| ■ | 1 ha | 5 000 | ⑪ | 50 à 69 F |

L'étiquette de ce cru reproduit une aquarelle représentant la belle église de Lalande-de-Pomerol, construction de l'ordre des Hospitaliers. Ce 97 se distingue par un bouquet agréable, floral et fumé, et une structure souple et fondante, un peu animale en finale. A boire pour son charme, dans sa jeunesse.

☛ SARL L. Dubost, Catusseau, 33500 Pomerol, tél. 05.57.51.74.57, fax 05.57.25.99.95 ☑ ⵏ r.-v.

CH. LES HAUTS-CONSEILLANTS 1997**

| ■ | 9 ha | 38 200 | ⑪ | 70 à 99 F |

Etabli sur un sol sablo-limoneux de Néac, ce château fait partie des valeurs sûres de l'appellation, comme le montre ce remarquable 97 : robe d'un grenat brillant et soutenu, bouquet complexe de fruits rouges mûrs, de fleurs, de caramel et de vanille. En bouche, l'attaque charnue et séveuse est suivie par une sensation de fermeté et de longueur. C'est un vin charpenté, certes encore un peu austère, mais on sent de la race sous la carapace ! Il s'épanouira d'ici deux ans. Bravo !

☛ SA Pierre Bourotte, 62, quai du Priourat, 33500 Libourne, tél. 05.57.51.62.17, fax 05.57.51.28.28, e-mail jeanbaptiste.audy@wanadoo.fr ⵏ r.-v.

CH. L'ETOILE DE SALLES 1997

| ■ | n.c. | 20 000 | 🍴⑪↓ | 30 à 49 F |

Des graves sur crasse de fer, un assemblage classique (80 % de merlot) ont donné ce vin à la présentation irréprochable pour un 97 : robe cerise brillant à reflets violacés, arômes élégants de petits fruits rouges avec une légère touche florale. En bouche, c'est un vin très rond et souple. A boire dès maintenant ou à garder deux ou trois ans.

☛ Dubois et Fils, Pont de Guitres, 33500 Lalande-de-Pomerol, tél. 05.57.51.13.53, fax 05.57.25.91.81 ☑ ⵏ r.-v.

CH. PAVILLON BEL AIR 1997

| ■ | 7 ha | 37 000 | ⑪ | 70 à 99 F |

Acquise en 1994, cette propriété présente un vin agréable, au bouquet discret de cuir, d'épices et de fruits. En bouche, les tanins moelleux évoluent avec finesse et légèreté. Une bouteille à boire dans sa jeunesse.

☛ J.-F. et D. Quenin, Ch. Pavillon Bel Air, 33500 Néac, tél. 05.57.40.18.02, fax 05.57.40.10.07 ☑ ⊤ r.-v.

CH. PERRON La Fleur 1997★

■	n.c.	2 400	⦿ 100 à 149 F

Cette cuvée prestige du château Perron (un des plus anciens de l'appellation) provient d'une sélection de vignes de merlot. La robe grenat est soutenue. Le bouquet développe des notes épicées et boisées assorties de quelques nuances de fruits. Les tanins généreux et mûrs évoluent avec une certaine puissance en finale. Un vin équilibré, agréable, au potentiel de vieillissement certain (deux à trois ans).

☛ Michel-Pierre Massonie, Ch. Perron, B.P. 88, 33503 Libourne Cedex, tél. 05.57.51.40.29, fax 05.57.51.13.37 ☑ ⊤ r.-v.

DOM. PONT DE GUESTRES 1997★

■	2 ha	12 000	ⲙⲙ⦿ 70 à 99 F

Provenant uniquement du cépage merlot et élevé douze mois en barrique, ce 97 présente une robe rouge cerise à reflets violacés, un bouquet intense, épicé et boisé, légèrement capiteux, et une structure de tanins ronds et complexes. Il exprimera tout son potentiel dans deux à trois ans.

☛ Rémy Rousselot, Ch. Les Roches de Ferrand, Huchat, 33126 Saint-Aignan, tél. 05.57.24.95.16, fax 05.57.24.91.44 ☑ ⊤ r.-v.

CH. AU PONT DE GUITRES 1997★★

■	1,5 ha	10 000	ⲙⲙ⦿ 50 à 69 F

Surprenant pour un second vin, ce coup de cœur. Mais ce n'est pas du tout le même assemblage (ici, 30 % de cabernet franc complètent le merlot), et l'élevage n'a duré que neuf mois en barrique. Le jury a privilégié la délicatesse et la complexité aromatique (fruits rouges mûrs, épices, vanille) ainsi que l'équilibre général en bouche. Les tanins se révèlent amples, moelleux et très persistants en finale, tout en gardant beaucoup de fraîcheur. Finesse, typicité et élégance sont les mots qui reviennent le plus souvent dans les commentaires des dégustateurs. Un vin à laisser deux ans en cave puis à boire pendant huit ans.

☛ Rémy Rousselot, Ch. Les Roches de Ferrand, Huchat, 33126 Saint-Aignan, tél. 05.57.24.95.16, fax 05.57.24.91.44 ☑ ⊤ r.-v.

CH. REAL-CAILLOU
Elevé en fût de chêne 1997

■	4,5 ha	26 694	ⲙⲙ⦿ 70 à 99 F

Ce cru est la propriété du lycée viticole de Montagne qui forme un grand nombre du personnel viticole qualifié de la région ainsi que les fils et filles d'exploitants venus de toute la France. Comme dans tous les lycées viticoles, l'enseignement n'est pas uniquement théorique, le vignoble étant le lieu des travaux pratiques menant de la culture à l'élaboration sous le contrôle vigilant des professeurs. Ce 97 présente une robe rubis à reflets violacés, des arômes dominés par des notes boisées délicates et une structure tannique fruitée et nerveuse. Une bouteille intéressante, à boire assez rapidement.

☛ Lycée viticole de Libourne-Montagne, Goujon, 33570 Montagne, tél. 05.57.55.21.22, fax 05.57.51.66.13, e-mail legta.libourne@educagri.fr ☑ ⊤ t.l.j. 8h30-12h 13h30-17h30

CH. SERGANT 1997

■	18 ha	80 000	⦿ 50 à 69 F

Ce château présente un 97 d'une belle couleur rubis, aux arômes fruités (cerise, groseille) et vanillés. En bouche, c'est un vin très frais, encore ferme, qui demande pour s'épanouir un ou deux ans de garde.

☛ SCEV Jean Milhade, Ch. Recougne, 33133 Galgon, tél. 05.57.55.48.90, fax 05.57.84.31.27 ⊤ r.-v.

CH. TOUR DE MARCHESSEAU 1997

■	5 ha	35 000	⦿ 50 à 69 F

Appartenant à Jean-Louis Trocard, actuel président du CIVB, ce cru propose un 97 aux parfums encore dominés par le boisé grillé et cacaoté, les fruits secs et la vanille. Equilibré, très souple mais sans grande puissance, ce vin est à boire dans les trois ans à venir.

☛ SCEA des Vignobles Jean-Louis Trocard, 2, Les Petits Jays ouest, 33570 Les Artigues-de-Lussac, tél. 05.57.55.57.90, fax 05.57.55.57.98, e-mail trocard@wanadoo.fr ⊤ r.-v.

VIEUX CLOS CHAMBRUN 1997

■	n.c.	1 800	⦿ 150 à 199 F

Sur ce vignoble de 2,7 ha proche de Néac, une sélection rigoureuse a donné cette cuvée limitée. La robe rouge cerise a des reflets tuilés ; des parfums intenses d'épices, de moka et de vanille accompagnent une structure tannique nerveuse et très boisée. Attendre deux à trois ans que tout cela s'harmonise !

☛ Jean-Jacques Chollet, La Chapelle, 50210 Camprond, tél. 02.33.45.19.61, fax 02.33.45.35.54 ☑ ⊤ r.-v.

> Au restaurant, il est conseillé de choisir un « petit » vin sur un menu préétabli, et de composer son menu à partir d'un grand vin ; mais en accordant les niveaux respectifs de qualité des mets et des vins.

Saint-émilion et saint-émilion grand cru

Etalé sur les pentes d'une colline dominant la vallée de la Dordogne, Saint-Emilion (3 300 habitants) est une petite ville viticole charmante et paisible. Mais c'est aussi une cité chargée d'histoire. Etape sur le chemin de Saint-Jacques-de-Compostelle, ville forte pendant la guerre de Cent Ans et refuge des députés girondins proscrits sous la Convention, elle possède de nombreux vestiges évoquant son passé. La légende fait remonter le vignoble à l'époque romaine et attribue sa plantation à des légionnaires. Mais il semble que son véritable début, du moins sur une certaine surface, se situe au XIIIᵉ s. Quoi qu'il en soit, Saint-Emilion est aujourd'hui le centre de l'un des plus célèbres vignobles du monde. Celui-ci, réparti sur neuf communes, comporte une riche gamme de sols. Tout autour de la ville, le plateau calcaire et la côte argilo-calcaire (d'où proviennent de nombreux crus classés) donnent des vins d'une belle couleur, corsés et charpentés. Aux confins de Pomerol, les graves produisent des vins qui se remarquent par leur très grande finesse (cette région possédant aussi de nombreux grands crus). Mais l'essentiel de l'appellation saint-émilion est représenté par les terrains d'alluvions sableuses, descendant vers la Dordogne, qui produisent de bons vins. Pour les cépages, on note une nette domination du merlot, que complètent le cabernet franc, appelé bouchet dans cette région, et, dans une moindre mesure, le cabernet-sauvignon.

L'une des originalités de la région de Saint-Emilion est son classement. Assez récent (il ne date que de 1955), il est régulièrement et systématiquement revu (la première révision a eu lieu en 1958, la dernière en 1996). L'appellation saint-émilion peut être revendiquée par tous les vins produits sur la commune et sur huit autres communes l'entourant. La seconde appellation, saint-émilion grand cru, ne correspond donc pas à un terroir défini, mais à une sélection de vins, devant satisfaire à des critères qualitatifs plus exigeants, attestés par la dégustation. Les vins doivent subir une seconde dégustation avant la mise en bouteilles. C'est parmi les saint-émilion grand cru que sont choisis les châteaux qui font l'objet d'un classement. En 1986, 74 ont été classés, dont 11 premiers grands crus. Dans le classement de 1996, 68 ont été classés dont 13 en premiers crus. Ceux-ci se répartissent en deux groupes : A pour deux d'entre eux (Ausone et Cheval Blanc) et B pour les onze autres. Il faut signaler que l'Union des producteurs de Saint-Emilion est sans nul doute la plus importante cave coopérative française située dans une zone de grande appellation. En 1999, l'AOC saint-émilion a produit 118 428 hl et saint-émilion grand cru 156 506 hl.

La dégustation Hachette n'a pas été globale au sein de l'appellation saint-émilion grand cru. Une commission a sélectionné les saint-émilion grand cru classé (sans distinction des premiers) ; une autre commission a dégusté les saint-émilion grand cru. Les étoiles correspondent donc à ces deux critères.

Saint-émilion

CH. BARBEROUSSE 1997

| ■ | 7 ha | 40 000 | ⅡⅠ | 30 à 49 F |

Ce cru, régulièrement retenu par le Guide, est établi sur sols silico-graveleux, et complanté de 70 % de merlot et de 30 % de cabernets. Issu de raisins bien mûrs, vinifié et élevé avec soin, son 97 constitue une bouteille agréable. La robe rouge cerise est franche et sombre. Le bouquet libère des arômes frais, fruités et épicés. La bouche ronde, souple et équilibrée offre une bonne tenue en finale sur des arômes de pain d'épice. A boire ou à attendre deux à trois ans.
☛GAEC Jean Puyol et Fils, 33330 Saint-Emilion, tél. 05.57.24.74.24, fax 05.57.24.62.77
☑ Ⅰ r.-v.

CLOS CANON 1997★

| ■ | 14 ha | 33 000 | ⅡⅠ | 70 à 99 F |

Le second vin du château Canon, 1ᵉʳ classé de saint-émilion, est constitué de 70 % de merlot et de 30 % de cabernet franc implantés sur les prestigieux sols argilo-calcaires du coteau saint-émilionnais. Cela donne un 97 fort réussi, paré d'une robe rubis, dense et sombre, très profonde, encore vive et jeune. Le bouquet puissant et complexe mêle des arômes de fruits mûrs, des odeurs boisées, grillées, toastées et vanillées, ainsi qu'une palette de senteurs épicées (cannelle et poivre). La bouche révèle un beau volume avec des tanins ronds en attaque et encore fermes en finale. Une bouteille à garder en cave trois à cinq ans.

🌂 SC Ch. Canon, B.P. 22, 33330 Saint-Emilion, tél. 05.57.55.23.45, fax 05.57.24.68.00 ⛳ r.-v.

CH. CHEVALIER BLANC 1997

| ■ | 1,3 ha | 8 000 | ⦚⦚ 30 à 49 F |

La robe rubis, légère et brillante, montre des signes d'évolution par ses reflets carmin chatoyants. Le bouquet est dominé par des senteurs animales un peu sauvages, puis libère à l'agitation des arômes de petits fruits rouges et noirs, de fruits des bois. La bouche fraîche et souple, très agréable, est construite sur le fruit, tout en rondeur. Un vin facile et de plaisir, prêt à boire.

🌂 SARL SOVIFA, 36 A, rue de la Dordogne, 33330 Saint-Sulpice-de-Faleyrens, tél. 05.57.24.68.83, fax 05.57.24.68.83 ☑ ⛳ r.-v.

CH. CLOS SAINT-EMILION
PHILIPPE Cuvée du Père 1997*

| ■ | 2 ha | 12 000 | 50 à 69 F |

Les producteurs de ce clos sont les descendants de Léon Galhaud, ingénieur agronome et pépiniériste. Cette Cuvée du Père est produite sur les sables, sur machefer et argile proches de Libourne. La robe est d'un rubis encore dense, le bouquet, profond. Souple, la bouche est étoffée par des tanins présents mais déjà flatteurs.

🌂 SEA Philippe, 101, av. Gallieni, 33500 Libourne, tél. 05.57.51.05.93, fax 05.57.25.96.39 ☑ ⛳ r.-v.

CH. CROIX DE FIGEAC 1997

| ■ | 1,3 ha | 8 000 | ▮ ⦚⦚ 30 à 49 F |

Le vignoble est ancien mais la marque récente (1997). En fait, il s'agit du second vin du Vieux Château Croix de Figeac produit par le merlot sur des sables. De jolis reflets grenat brillent à l'œil. Un bouquet déjà harmonieux libère de fines notes de fruits des bois. La bouche est équilibrée avec une aimable rondeur et des tanins élégants.

🌂 SCEA Meunier et Fils, Vieux Château Croix de Figeac, 33330 Saint-Emilion, tél. 05.57.24.72.54, fax 05.57.24.72.54 ☑ ⛳ r.-v.

LE D DE DASSAULT 1997

| ■ | 10,45 ha | n.c. | ⦚⦚ 70 à 99 F |

Depuis 1997, le second vin du château Dassault (acheté en 1955 par Marcel Dassault et qui portait antérieurement le nom de Château Merissac) s'appelle désormais : « Le D » de Dassault. Le vin est correct, même dans ce millésime un peu difficile. Sa robe est d'un pourpre de bonne intensité. Après des senteurs de sous-bois et d'épices, il se montre chaleureux et assez charpenté en bouche pour que l'on conseille de l'attendre deux ans.

🌂 SARL Ch. Dassault, 33330 Saint-Emilion, tél. 05.57.24.71.30, fax 05.57.74.40.33 ☑ ⛳ r.-v.

FORTIN PLAISANCE 1997

| ■ | n.c. | n.c. | ⦚⦚ 30 à 49 F |

Cette marque appartient à un négociant bordelais bien connu qui s'était déjà fait remarquer avec un excellent saint-émilion 95. Son 97 est intéressant, avec une couleur grenat foncé, un

bouquet naissant, encore fruité mais assez complexe. Volume et structure tannique sont bien équilibrés.

🌂 Cheval Quancard, La Mouline, 33560 Carbon-Blanc, tél. 05.57.77.88.88, fax 05.57.77.88.99 ⛳ r.-v.

CH. FRANC LE MAINE 1997

| ■ | 12,66 ha | 98 266 | ▮↓ 30 à 49 F |

Importante propriété viticole de près de 13 ha établie sur les sables de Saint-Laurent-des-Combes, au sud-est de l'appellation, et plantée pour les deux tiers de merlot et pour un tiers de cabernets. La teinte de ce 97 est déjà évoluée, cerise à reflets tuilés. Au nez, des notes de fruits à l'alcool et de bourgeon de cassis annoncent une bouche souple évoluant vers des tanins veloutés qui permettront de le boire assez rapidement.

🌂 Union de producteurs de Saint-Emilion, Haut-Gravet, B.P. 27, 33330 Saint-Emilion, tél. 05.57.24.70.71, fax 05.57.24.65.18, e-mail udp-vins.saint-emilion@gofornet.com ⛳ t.l.j. sf dim. 8h-12h 14h-18h
🌂 Vignobles Beaubatit

CH. GRAND BERT 1997*

| ■ | 5 ha | 37 000 | ▮ ⦚⦚ 30 à 49 F |

La famille Lavigne possède plusieurs vignobles dans le Saint-Emilionnais et le Castillonnais. Ce vin est issu d'une propriété de 11 ha implantée sur les sables et les graves de Saint-Sulpice-de-Faleyrens, au sud de l'appellation. Les merlots dominent à 85 %, complétés par 15 % de bouchet. Le vin a une jolie couleur rubis vif. Très flatteur au nez par un boisé vanillé, torréfié, et une touche de fruits noirs, il se montre

La région de Saint-Émilion

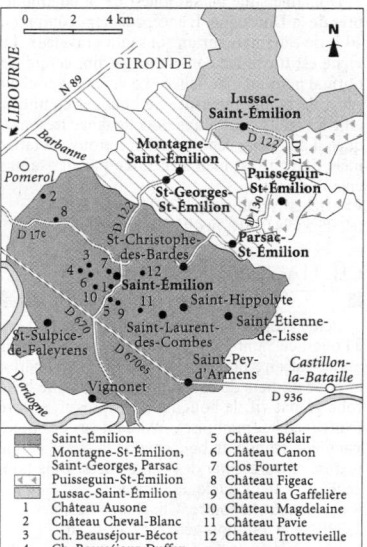

	5	Château Bélair
Saint-Émilion	6	Château Canon
Montagne-St-Émilion,	7	Clos Fourtet
Saint-Georges, Parsac	8	Château Figeac
Puisseguin-St-Émilion	9	Château la Gaffelière
Lussac-Saint-Émilion	10	Château Magdelaine
1	Château Ausone	11	Château Pavie
2	Château Cheval-Blanc	12	Château Trottevieille
3	Ch. Beauséjour-Bécot		
4	Ch. Beauséjour-Duffau		

souple et rond, soutenu par des tanins élégants.
A attendre un peu.

🔒 SCEA Lavigne, 33350 Saint-Philippe-
d'Aiguilhe, tél. 05.57.40.60.09,
fax 05.57.40.66.67,
e-mail scealavigne@wanadoo.fr ✔ ⊺ r.-v.

CH. GUERIN BELLEVUE 1997

| ■ | 4,81 ha | 6 000 | 🔲 ♦ | 30 à 49 F |

Cette propriété viticole est exploitée par la sixième génération de la même famille depuis 1869. Elle est complantée à 70 % de merlot et à 30 % de cabernets sur les sols argilo-sableux et graveleux du sud de l'appellation. Le vin a une jolie couleur rubis à reflets orangés. Son bouquet fin exprime des notes de fruits cuits et d'épices. Charmeur en bouche, il termine sur des tanins soyeux qui permettront de le boire assez vite.

🔒 Bernard Augereau, La Croix, 33330 Saint-Pey-d'Armens, tél. 05.57.47.15.58,
fax 05.57.47.15.58 ✔ ⊺ r.-v.

CH. HAUT-BRISSON 1997

| ■ | n.c. | n.c. | 🔲 | 50 à 69 F |

Première récolte pour les nouveaux propriétaires de ce domaine viticole situé au sud de l'appellation et constitué à 60 % de merlot et à 40 % de cabernets plantés sur sables et graves sur crasse de fer. Le vin a une belle robe rubis avec des reflets d'évolution. Le nez et la bouche sont dominés par les notes de chêne qui masquent encore le fruit mais qui pourront plaire dans quelques années aux amateurs de boisé.

🔒 SCEA Ch. Haut-Brisson, 33330 Vignonet,
tél. 05.57.84.69.57, fax 05.57.74.93.11 ✔ ⊺ r.-v.

CH. HAUTES VERGNES 1997

| ■ | 6,92 ha | 8 000 | 🔲 🔲 | 30 à 49 F |

Domaine situé au sud-ouest de la commune, près de la Dordogne. L'encépagement comprend 40 % de cabernets sur un sol sablo-graveleux. La vigne est travaillée comme un jardin, ce qui est normal pour un maraîcher ! Le vin a une couleur rubis de bonne intensité. Le bouquet complexe allie les fruits cuits à une note de tabac très marquée. La bouche dense, où l'on retrouve le tabac mêlé de cuir, est bien structurée par des tanins encore présents.

🔒 Michel Nicoulaud, 33330 Saint-Emilion,
tél. 05.57.74.03.04, fax 05.57.74.03.04 ✔

CH. HAUT POURRET 1997★

| ■ | 2,75 ha | 15 000 | 🔲 🔲 ♦ | 50 à 69 F |

Petite propriété familiale située à peine à 1 km à l'ouest de Saint-Emilion, installée sur un terroir argilo-calcaire planté pour deux tiers de merlot et pour un tiers de cabernets. Derrière une belle robe grenat vif, le bouquet est expressif, encore fruité (cerise, framboise), évoluant sur des notes vanillées. Ronde, la bouche a de la chair, et une texture renforcée par des tanins racés. Déjà bon, ce 97 peut tenir quelques années.

🔒 Mourgout-Lepoutre, Ch. Haut-Pourret,
33330 Saint-Emilion, tél. 05.57.74.46.76,
fax 05.57.74.46.76 ✔ ⊺ r.-v.

CH. HAUT-RENAISSANCE 1997★★

| ■ | 2,5 ha | 16 000 | 🔲 | 50 à 69 F |

Quatrième coup de cœur consécutif pour ce cru remarquable produit par Denis Barraud. Une sélection de vieux merlot et beaucoup de soins à la vigne et au chai permettent ce superbe résultat. La robe rubis, dense et profonde, montre des reflets pourpres. Le bouquet concentré, très expressif livre des arômes de cerise et de fruits rouges confits, harmonieusement mariés à un superbe boisé, grillé et vanillé. La bouche est exquise avec ses tanins ronds, mûrs et soyeux. Beaucoup de finesse et d'élégance dans cette bouteille admirable à faire mûrir un à deux ans en cave.

🔒 SCEA des Vignobles Denis Barraud,
Ch. Haut-Renaissance, 33330 Saint-Sulpice-de-Faleyrens, tél. 05.57.84.54.73, fax 05.57.84.52.07,
e-mail denis.barraud@wanadoo.fr ✔ ⊺ r.-v.

CH. DE LA COUR 1997

| ■ | 3 ha | 23 000 | 🔲 🔲 ♦ | 30 à 49 F |

Depuis qu'il a acheté cette propriété de Vignonet, en 1995, Hugues Delacour produit un saint-émilion retenu par nos dégustateurs. C'est encore le cas pour le millésime 97, pourtant difficile à élaborer. Il se pare d'une couleur bigarreau attirante. Le bouquet est déjà complexe, alliant notes minérales, noyau de cerise et une touche animale. Souple en attaque, le palais révèle une bonne extraction, avec des tanins présents mais veloutés et finissant sur une note boisée. Un vin de plaisir.

🔒 EARL du Châtel-Delacour, Ch. de La Cour,
33330 Vignonet, tél. 05.57.84.64.95,
fax 05.57.84.65.00, e-mail delacour@caves-particulieres.com ✔ ⊺ r.-v.

CH. LA CROIX BONNELLE 1997

| ■ | 6 ha | 30 000 | 🔲 ♦ | 30 à 49 F |

Installé sur sols argilo-siliceux, ce cru est composé à 90 % de merlot avec un appoint de 10 % de cabernet franc. Revêtu d'une robe rubis légère et brillante, ce 97 se révèle plaisant et prêt à être consommé. Le bouquet libère à l'agitation des odeurs animales de cuir et des notes fraîches de sous-bois et de réglisse. La bouche, souple et soyeuse, compense un certain manque de concentration par une belle harmonie et des arômes agréables de fruits rouges frais.

🔒 SCEA des Vignobles Sulzer, La Bonnelle,
33330 Saint-Pey-d'Armens, tél. 05.57.47.15.12,
fax 05.57.47.16.83 ✔ ⊺ r.-v.

CH. LA FLEUR GARDEROSE 1997

■   1,86 ha   14 400   ▮ ⅓ ⬤   50 à 69 F

Petit cru situé à Libourne dans l'ancienne appellation « sables saint-émilion », planté pour deux tiers de merlot et pour un tiers de bouchet (nom saint-émilionnais du cabernet franc). Le vin a une couleur rubis encore jeune. Le bouquet naissant est lui aussi encore jeune et aromatique. Corsée, la bouche offre un volume soutenu par de bons tanins.

⚲ GAEC Pueyo Frères, 15, av. de Gourinat, 33500 Libourne, tél. 05.57.51.71.12, fax 05.57.51.82.88, e-mail contact@belregard-figeac ☑ ⅄ r.-v.

LA GRANDE CUVEE DE DOURTHE 1997★★

■   n.c.   n.c.   50 à 69 F

Remarquable réussite que cette Grande Cuvée créée, élevée et mise en bouteilles par la société de négoce Dourthe Frères, présidée par Jean-Marie Chadronnier. La robe rubis est intense et reste très vive dans sa teinte. Le bouquet puissant et complexe associe des arômes de fruits rouges et d'épices, avec des nuances de tabac et de poivre. La bouche souple, ronde et ample révèle une belle matière et une grande harmonie, avec une finale longue et de bonne tenue, sur des arômes fruités frais. A boire dès maintenant ou à garder trois à quatre ans.

⚲ Dourthe, 35, rte de Bordeaux, B.P. 49, 33290 Parempuyre, tél. 05.56.35.53.00, fax 05.56.35.53.29, e-mail contact@cvbg.com ☑ ⅄ r.-v.

CH. LE SABLE 1997

■   4,18 ha   9 900   ▮   50 à 69 F

Vignoble de 4 ha constitué à 80 % de merlot et à 20 % de cabernet de plus de quarante ans, plantés sur les sables et les argilo-calcaires de Saint-Laurent-des-Combes, au sud-est de Saint-Emilion. La couleur de ce 97 est rubis foncé. Ses arômes sont fruités, mentholés, assez complexes. A la fois souple et frais en bouche, il finit sur des tanins soyeux qui devraient bien évoluer.

⚲ SARL Cave de Larchevesque, 1, rue Guadet, 33330 Saint-Emilion, tél. 05.57.24.67.78, fax 05.57.24.71.31 ☑ ⅄ t.l.j. 10h-12h30 13h30-19h

⚲ Viaud

CH. LES VIEUX MAURINS 1997

■   8 ha   20 000   ▮ ⅓   30 à 49 F

Régulièrement retenu par nos dégustateurs, ce cru se bonifie au fur et à mesure que les vignes vieillissent ; elles ont maintenant plus de quarante ans. Elle ont donné un 97 tout à fait correct, vêtu d'une jolie robe rubis à franges grenat. Faisant preuve de caractère au nez (poivré, épicé, viandé), souple et savoureux, ce vin évolue sur des tanins délicats en finale.

⚲ Michel et Jocelyne Goudal, Les Vieux-Maurins, 33330 Saint-Sulpice-de-Faleyrens, tél. 05.57.24.62.96, fax 05.57.24.65.03 ☑ ⅄ r.-v.

CH. MONTREMBLANT 1997★

■   1 ha   5 000   ⅏   30 à 49 F

Ce tout petit cru de 1 ha représente un vingtième des vignobles de la famille Puyol. Installé sur sols silico-graveleux avec 70 % de merlot, 15 % de cabernet franc, et 15 % de cabernet-sauvignon, il a produit un 97 en robe rubis d'intensité moyenne, montrant des reflets d'évolution. Au premier nez, discret, libère à l'agitation des effluves floraux, épicés et boisés, mêlés de senteurs animales de cuir. La dégustation révèle un bon équilibre, des tanins ronds et moelleux, qui restent longtemps en finale sur des notes de fruits frais. Une bouteille agréable, à consommer dans les deux ans à venir.

⚲ GAEC Jean Puyol et Fils, 33330 Saint-Emilion, tél. 05.57.24.74.24, fax 05.57.24.62.77 ☑ ⅄ r.-v.

CH. MOULIN DE LAGNET 1997★

■   6 ha   18 000   ▮ ⅏   30 à 49 F

Cette petite propriété familiale, établie sur les sols argilo-sableux de Saint-Christophe-des-Bardes, est constituée de 80 % de merlot pour 20 % de cabernet. La robe rubis, limpide et brillante, montre quelques reflets d'évolution. Le bouquet exprime les fruits secs (pruneau et abricot) assortis de jolies notes finement boisées. Souple en bouche avec des tanins de bonne qualité, ce vin compense son léger manque de puissance par une belle persistance fruitée. Un 97 plaisant et facile, prêt à boire.

⚲ A.-L. Goujon et P. Chatenet, Moulin de Lagnet, 33330 Saint-Christophe-des-Bardes, tél. 05.57.74.40.06, fax 05.57.24.62.80 ☑ ⅄ r.-v.

⚲ GFA Héritiers Olivet

CH. MOULIN DES GRAVES 1997★

■   9,87 ha   75 000   ⅏   50 à 69 F

Vignoble familial implanté sur graves et sables ferrugineux, ce cru est complanté à 80 % de merlot, à 10 % de cabernet franc et à 10 % de cabernet-sauvignon. Il propose un 97 bien présenté dans une robe rubis brillante à reflets orangés. Le nez associe les arômes de fruits rouges à de fines notes boisées légèrement vanillées. La bouche révèle une belle structure tannique, ronde et soyeuse, une finale persistante et harmonieuse, discrètement réglissée. A boire dès maintenant ou dans les trois ou quatre ans.

⚲ EARL des Vignobles J.-F. Musset, Ch. Hautes Graves d'Arthus, 33330 Vignonet, tél. 05.57.84.53.15, fax 05.57.84.53.15 ☑ ⅄ r.-v.

CH. PATARABET Vieilli en fût 1997

■   8,29 ha   60 100   ▮ ⅏   70 à 99 F

Créé en 1912, ce cru régulièrement présent dans le Guide est exploité par Eric Bordas depuis 1959 ; les sols mêlent sables, graves et crasse de fer, complantés de 70 % de merlot et de 30 % de cabernet franc. La robe de son 97, de teinte grenat sombre, montre de jolis reflets tuilés. Le nez fin et expressif rappelle les fruits rouges (cerise), avec des notes florales (pivoine) et des nuances vanillées et épicées. La bouche souple et ronde s'appuie sur une structure correcte et de bonne tenue. Une bouteille élégante, prête à boire.

BORDELAIS

➤ SCE du Ch. Patarabet, 33330 Saint-Emilion, tél. 05.57.24.74.73, fax 05.57.24.78.62 ☑ ☖ t.l.j. 8h-12h 14h-19h
➤ Eric Bordas

PAVILLON DU HAUT ROCHER 1997

■　　　　2 ha　　14 400　⊟⚋❂ ⌷50 à 69 F⌷

Exposée plein sud au flanc d'un coteau argilo-calcaire, à l'est de Saint-Etienne-de-Lisse, cette belle propriété compte 18 ha. Jean de Monteil consacre deux des 9 ha qu'il a en AOC saint-émilion à ce cru élevé pour moitié en fût. Paré d'une robe rubis légère et brillante, avec quelques reflets carminés, ce 97 dégage un bouquet fin et subtil fait de fruits rouges à noyau, de notes florales et de nuances boisées. La dégustation révèle un bon équilibre, des tanins croquants et frais, et beaucoup de souplesse. Une bouteille simple et agréable, prête à boire.
➤ Jean de Monteil, Ch. Haut Rocher, 33330 Saint-Etienne-de-Lisse, tél. 05.57.40.18.09, fax 05.57.40.08.23, e-mail hautrocher@caves-particulieres.com ☑ ☖ r.-v.

CH. PEREY-GROULEY 1997

■　　　　4,5 ha　　30 000　⊟⚋ ⌷30 à 49 F⌷

Ce vin est produit par un tiers du vignoble que Florence et Alain Xans exploitent sur les sols sablo-graveleux du sud de l'appellation, plantés presque exclusivement en merlot. Le vin se pare de pourpre intense. Encore animal au nez, rond en attaque, il évolue vers des tanins soyeux et un retour aromatique intéressant.
➤ Vignobles F. et A. Xans, Perey, 33330 Saint-Sulpice-de-Faleyrens, tél. 06.80.72.84.87, fax 06.57.24.63.61 ☑ ☖ r.-v.

CH. RASTOUILLET LESCURE 1997

■　　　　8,01 ha　　61 152　⊟⚋ ⌷30 à 49 F⌷

Issu des sols argilo-siliceux et sableux de Saint-Hippolyte, ce vin assemble 75 % de merlot et 25 % de cabernet. Simple et plaisant, il revêt une robe brillante de teinte rubis encore vive, avec des reflets ambrés en surface. Le bouquet agréable libère des notes de fruits rouges confits mêlées d'odeurs animales et de nuances de grillé et de fumée. La bouche est souple et facile sur des arômes fruités et frais. Une bouteille aimable, à boire sur des volailles rôties dans les deux ans à venir.
➤ Union de producteurs de Saint-Emilion, Haut-Gravet, B.P. 27, 33330 Saint-Emilion, tél. 05.57.24.70.71, fax 05.57.24.65.18, e-mail udp-vins.saint-emilion@gofornet.com ☖ t.l.j. sf dim. 8h-12h 14h-18h
➤ Geneviève Dumery

CH. DE SARPE 1997

■　　　　2,1 ha　　13 600　⌷⌷ ⌷70 à 99 F⌷

Une des nombreuses propriétés viticoles libournaises appartenant aux vignobles J.-F. Janoueix. Avant d'être acquis par cette famille corrézienne, ce cru a appartenu au comte Amédée de Carles, lieutenant général du roi Louis XV. Le vin a une jolie couleur grenat de bonne intensité. Les arômes encore fruités (cassis) évoluent sur des notes épicées. Bien équilibré en bouche, ce millésime offre un volume char-

penté par des tanins soyeux et veloutés qui permettront de le boire assez vite.
➤ Jean-François Janoueix, 37, rue Pline-Parmentier, B.P. 192, 33506 Libourne Cedex, tél. 05.57.51.41.86, fax 05.57.51.53.16, e-mail info@j-janoueix-bordeaux.com ☑ ☖ r.-v.

CH. TOINET-FOMBRAUGE 1997

■　　　　6,55 ha　　6 000　⊟⌷⌷ ⌷50 à 69 F⌷

Propriété détenue par la même famille depuis le début du siècle, ce vignoble, installé sur les terroirs argilo-calcaires de Saint-Christophe-des-Bardes et constitué de 60 % de merlot, de 25 % de cabernet franc et de 15 % de cabernet-sauvignon, produit également sous le même nom un saint-émilion grand cru. Le saint-émilion 97 se pare d'une robe rubis intense et profonde. Le bouquet finement boisé développe des arômes de fruits rouges mûrs avec quelques notes épicées. L'attaque est souple, suivie de tanins bien présents et équilibrés, malgré une certaine fermeté en finale. Ce vin sera prêt à boire fin 2000.
➤ Bernard Sierra, Toinet-Fombrauge, 33330 Saint-Christophe-des-Bardes, tél. 05.57.24.77.70, fax 05.57.24.76.49 ☑ ☖ t.l.j. 10h-12h 15h-19h

CH. TONNERET 1997★★

■　　　　3,2 ha　　7 000　⊟⌷⌷ ⌷50 à 69 F⌷

Propriété familiale, ce petit cru installé sur les sols argilo-calcaires et siliceux de Saint-Christophe-des-Bardes est complanté de 70 % de merlot et de 30 % de cabernets. Il propose un remarquable 97, très bien présenté dans une robe rubis éclatante à reflets carminés. Le bouquet intense, très expressif, mêle des arômes de fruits rouges mûrs à des odeurs boisées de vanille et de réglisse relevées de nuances poivrées. La bouche révèle une belle structure tannique de garde avec du fruit, du gras et de la longueur. Une bouteille à attendre trois ou quatre ans.
➤ Jacky Gresta, Tonneret, 33330 Saint-Christophe-des-Bardes, tél. 05.57.24.60.01 ☑ ☖ t.l.j. sf dim. 9h-12h 14h-18h

Saint-émilion grand cru

CH. ARNAUD DE JACQUEMEAU 1997★

■　　　　3,71 ha　　11 000　⊟⌷⌷⚋ ⌷70 à 99 F⌷

Petite propriété familiale portant le nom du fondateur (Arnaud) et du lieu-dit (Jacquemeau) sur lequel elle est établie, complantée pour les deux tiers de merlot et pour un tiers de cabernet sur sols argilo-calcaires. Nos dégustateurs ont bien aimé ce vin très réussi pour son millésime. Avec une belle robe grenat foncé, un bouquet fin et complexe aux senteurs boisées et épicées, il se montre charpenté en bouche, finissant sur une note de cerise bien mûre. Attendre trois ans pour le déguster.
➤ Dominique Dupuy, Jacquemeau, 33330 Saint-Emilion, tél. 05.57.24.73.09, fax 05.57.24.79.50 ☑ ☖ t.l.j. 9h-12h 14h-18h

CH. AUSONE 1997★★

■ 1er gd cru A   7 ha   22 000   **❰❱** **+ de 500 F**
61 64 **75 76 78 79** 80 **81** |82| **83** |85| **86** |87| |88|
⑧⑨ **90** |92| **93** |94| ⑨⑥ **97**

Cru emblématique de 7 ha, situé tout en haut de la hiérarchie saint-émilionnaise. Alain Vauthier a su garder ce joyau dans sa famille depuis deux cent cinquante ans. Merlot et cabernet jouent à parts égales dans ce millésime difficile et pourtant remarquable ici. Les dégustateurs ont aimé sa robe bordeaux attrayante, le caractère et la complexité de son bouquet composé de notes boisées certes, mais aussi de cuir, d'amandes grillées, de cassis, d'humus, de pain d'épice. La bouche est fraîche, dense, charpentée par de très bons tanins. Grand vin de garde.

☛ Famille Vauthier, Ch. Ausone, 33330 Saint-Emilion, tél. 05.57.24.70.26, fax 05.57.74.47.39

CH. BALESTARD LA TONNELLE 1997★

■ Gd cru clas. 10,35 ha   57 000   **🍾❰❱⚓** **150 à 199 F**
⑧③ **85 86** |88| |89| |90| 92 |94| 95 96 97

Ce cru a tiré son nom d'un chanoine du chapitre de Saint-Emilion. Sa renommée est très ancienne : au XVᵉ s. François Villon le citait déjà dans un poème qui figure sur l'étiquette. Aujourd'hui c'est Jacques Capdemourlin, premier jurat, qui assure sa bonne marche. Son savoir-faire se confirme avec ce 97 très réussi malgré les difficultés de l'année. La robe grenat sombre reste jeune. Le fumet est empyreumatique, épicé, boisé. Elégant en bouche, goûteux et structuré par des tanins soyeux, ce vin devrait accompagner agréablement le gibier et les civets dans quelques années.

☛ SCEA Capdemourlin, Ch. Roudier, 33570 Montagne, tél. 05.57.74.62.06, fax 05.57.74.59.34 **☑ ⅄** r.-v.

CH. BARDE-HAUT 1997★

■   17 ha   37 000   **❰❱** **150 à 199 F**

Ce beau vignoble de 17 ha, établi sur les sols argilo-calcaires de Saint-Christophe-des-Bardes et constitué de 85 % de merlot et de 15 % de cabernet franc, a produit un 97 à la robe pourpre sombre très profonde, qui annonce une grande concentration. Le bouquet puissant exprime des arômes de raisins bien mûrs et de fruits rouges et noirs, harmonieusement associés aux odeurs vanillées d'un joli boisé. Après une attaque suave, la dégustation révèle une très belle structure tannique bien fondue avec beaucoup de gras, de volume et de densité. Une bouteille déjà agréable et qui devrait s'épanouir dans quatre ou cinq ans.

☛ SCEA Barde-Haut, 33330 Saint-Christophe-des-Bardes, tél. 05.57.24.78.21, fax 05.57.24.61.15 **☑ ⅄** r.-v.
☛ Philippe

CH. BEAUSEJOUR 1997

■ 1er gd cru B 5,75 ha   20 000   **❰❱** **300 à 499 F**
75 78 79 81 |82| |83| **85 86** |88| |89| ⑨⓪ |91| |92|
|93| 94 **95** 96 97

Ce premier grand cru classé de 7 ha est exploité depuis plus de cent cinquante ans par la même famille. Son exposition sud-ouest, son terroir de calcaire à astéries, son encépagement équilibré justifient sa réputation et sa régularité. Le 97, bien qu'en retrait par rapport aux millésimes précédents (rappelons le très beau coup de cœur pour le 95), a été retenu pour son sérieux. La couleur rubis est de bonne intensité. Le bouquet profond est composé de fruits noirs, de notes boisées, de tabac, accompagnés d'une sensation mentholée. La bouche bien équilibrée est charpentée par des tanins un peu austères mais à la saveur intéressante.

☛ Héritiers Duffau-Lagarrosse, SC Ch. Beauséjour, 33330 Saint-Emilion, tél. 05.57.24.71.61, fax 05.57.74.48.40 **☑ ⅄** r.-v.

CH. BEAU-SEJOUR BECOT 1997

■ 1er gd cru B 16,5 ha   72 000   **❰❱** **300 à 499 F**
75 78 79 81 **82** 83 |85| |86| **87** |88| |89| |90| 91
|92| |93| |94| **95 96** 97

Les propriétaires de ce beau domaine viticole ont fait de très importants efforts pendant une décennie pour que leur château soit réintégré parmi les premiers grands crus de Saint-Emilion. C'est chose faite depuis le dernier classement de 1996 (ce millésime avait d'ailleurs obtenu un coup de cœur). Leur compétence leur a permis aussi d'élaborer un 97 tout à fait honorable, d'une jolie robe bordeaux classique. Son nez demande à s'ouvrir et, à l'aération, il dégage des odeurs de tourbe, de venaison, de tabac. La bouche est à la fois fraîche et chaleureuse, ce qui surprend un peu mais contribue à sa personnalité. Les tanins de bois sont assez charmeurs pour qu'on envisage une consommation dans les deux à trois ans.

☛ G. et D. Bécot, SCEA Beau-Séjour Bécot, 33330 Saint-Emilion, tél. 05.57.74.46.87, fax 05.57.24.66.88 **☑ ⅄** r.-v.

CH. BELLEFONT-BELCIER 1997

■   10,8 ha   46 000   **🍾❰❱⚓** **100 à 149 F**
95 96 |97|

Ce beau domaine viticole de 10 ha est exposé plein sud au pied du coteau argilo-calcaire de Saint-Laurent-des-Combes. Il doit son nom, « belle fontaine », aux nombreuse sources proches du château et à son fondateur, le marquis de Belcier. Les reflets orange de la robe rubis de ce 97 indiquent un début d'évolution. Le nez, fin et expressif, associe des arômes de petits fruits rouges et d'épices à un boisé flatteur aux nuances grillées, assorties de noix de coco. La bouche, souple et élégante, encore un peu marquée par l'élevage en fût de chêne, est équilibrée et délicate. Un vin agréable qui sera vite prêt à boire.

☛ SCI Bellefont-Belcier, 33330 Saint-Laurent-des-Combes, tél. 05.57.24.72.16, fax 05.57.74.45.06 **⅄** r.-v.

CH. BELLEVUE-FIGEAC 1997

■   5,5 ha   40 000   **❰❱** **70 à 99 F**

Autrefois rattaché au château Figeac, ce petit cru de 5,5 ha est installé sur des sables anciens éoliens, en bordure de la route Saint-Emilion-Libourne. La robe grenat brillant de son 97 présente des reflets orangés d'évolution. Le bouquet, encore discret, est finement boisé. La dégustation révèle un vin souple, rond et bien équilibré, mal-

CLASSEMENT 1996 DES GRANDS CRUS DE SAINT-ÉMILION

SAINT-ÉMILION, PREMIERS GRANDS CRUS CLASSÉS

A Château Ausone
   Château Cheval-Blanc

B Château Angelus
   Château Beau-Séjour (Bécot)
   Château Beauséjour
   (Duffau-Lagarrosse)

Château Belair
Château Canon
Clos Fourtet
Château Figeac
Château La Gaffelière
Château Magdelaine
Château Pavie
Château Trottevieille

SAINT-ÉMILION, GRANDS CRUS CLASSÉS

Château Balestard La Tonnelle
Château Bellevue
Château Bergat
Château Berliquet
Château Cadet-Bon
Château Cadet-Piola
Château Canon-La Gaffelière
Château Cap de Mourlin
Château Chauvin
   Clos des Jacobins
   Clos de L'Oratoire
   Clos Saint-Martin
Château Corbin
Château Corbin-Michotte
Château Couvent des Jacobins
Château Curé Bon La Madeleine
Château Dassault
Château Faurie de Souchard
Château Fonplégade
Château Fonroque
Château Franc-Mayne
Château Grandes Murailles
Château Grand Mayne
Château Grand Pontet
Château Guadet Saint-Julien
Château Haut Corbin
Château Haut Sarpe
Château La Clotte
Château La Clusière

Château La Couspaude
Château La Dominique
Château La Marzelle
Château Laniote
Château Larcis-Ducasse
Château Larmande
Château Laroque
Château Laroze
Château L'Arrosée
Château La Serre
Château La Tour du Pin-Figeac
   (Giraud-Belivier)
Château La Tour du Pin-Figeac
   (Moueix)
Château La Tour-Figeac
Château Le Prieuré
Château Matras
Château Moulin du Cadet
Château Pavie-Decesse
Château Pavie-Macquin
Château Petit-Faurie-de-Soutard
Château Ripeau
Château Saint-Georges Côte Pavie
Château Soutard
Château Tertre Daugay
Château Troplong-Mondot
Château Villemaurine
Château Yon-Figeac

gré un léger manque de matière. Une bouteille simple et facile, prête à consommer.
➻ Successeur J. de Coninck, Ch. Bellevue-Figeac, 33300 Saint-Emilion, tél. 05.57.55.58.00, fax 05.57.74.18.47

CH. BELLISLE MONDOTTE 1997★★

■		4,5 ha	19 000	ⅠⅠⅠ	100 à 149 F

Ce vignoble est établi sur des terroirs argilo-calcaires et graveleux et complanté de quatre cin-quièmes de merlot et d'un cinquième de cabernet franc. L'élevage est réalisé avec une moitié de fûts neufs et une moitié de fûts d'un vin. Cela donne un saint-émilion d'une belle couleur rubis, intense et riche. Le bouquet rappelle les fruits confits, les pruneaux cuits, agrémenté de notes boisées et grillées très fines et d'une nuance réglissée. La bouche est harmonieuse avec de la rondeur, du gras et une belle ampleur, grâce à des tanins mûrs, charnus et veloutés. Une étonnante bouteille dans ce millésime, à garder trois à quatre ans.
➻ GFA Héritiers Escure, Ch. Bellisle Mondotte, 33330 Saint-Laurent-des-Combes, tél. 05.57.74.41.17 ☑ ⅄ r.-v.

CH. BERGAT 1997

■ Gd cru clas.	4 ha	18 500	ⅠⅠⅠ	150 à 199 F
92 93	96	97				

Petite propriété viticole de 4 ha établie sur un sol argilo-calcaire. Dans les vignes, âgées de trente-cinq ans, les cabernets sont très présents (45 %). Cela donne un style particulier au vin. Sa couleur grenat aux reflets carminés. Le nez demande un peu d'aération pour libérer un bouquet épicé, mentholé, viandé, marqué d'une subtile touche florale. La bouche est bien structurée, mais les tanins encore un peu austères demanderont deux à trois ans pour s'assouplir.
➻ Indivision Castéja-Preben-Hansen, Ch. Trottevieille, 33330 Saint-Emilion, tél. 05.56.00.00.70, fax 05.57.87.48.61 ☑ ⅄ r.-v.

CH. BERLIQUET 1997★

■ Gd cru clas.	n.c.	21 000	ⅠⅠⅠ	150 à 199 F
88 89 91 92	93	94 95	96	97				

Ce cru occupe un site remarquable sur le pla-teau argilo-calcaire de Saint-Emilion. Planté de vignes de trente-cinq ans, il a assemblé 85 % de merlot au cabernet franc pour ce millésime 97. La robe est d'un pourpre sombre et profond. Le premier nez est très boisé puis l'agitation libère des notes florales et fruitées. La bouche est, elle aussi, dominée par un bois de qualité mais encore un peu sévère. Elle devrait s'épanouir d'ici deux à trois ans.
➻ Vte Patrick de Lesquen, SCEA Ch. Berliquet, Ch. Berliquet, 33330 Saint-Emilion, tél. 05.57.24.70.48, fax 05.57.24.70.24 ⅄ r.-v.

AILES DE BERLIQUET 1997

■		n.c.	12 700	ⅠⅠⅠ	70 à 99 F

Le second vin du château Berliquet, créé en 1993, bénéficie d'un élevage en barrique d'un an. Le vin a une couleur rubis bien soutenu ; il est encore discret au nez où le bouquet libère des parfums floraux et épicés. La bouche, souple et ronde à l'attaque, dispose d'une belle structure

tannique, encore ferme, qui lui assurera une garde de deux à trois ans.
➻ Vte Patrick de Lesquen, SCEA Ch. Berliquet, Ch. Berliquet, 33330 Saint-Emilion, tél. 05.57.24.70.48, fax 05.57.24.70.24 ⅄ r.-v.

CH. BERNATEAU
Elevé en fût de chêne 1997

■		10 ha	60 000	▐ⅠⅠⅠ◡	50 à 69 F

Dans la même famille depuis plus de trois générations, ce domaine viticole, établi sur des terroirs argilo-calcaires, est planté à 85 % de mer-lot avec un appoint de 15 % en cabernets. Paré d'une robe rubis, vive et éclatante, ce 97 se mon-tre élégant au nez grâce à des arômes de fruits rouges mariés à un boisé fin, grillé et épicé. La bouche est équilibrée, les tanins sont souples et friands. Un vin simple, mais très plaisant et prêt à boire.
➻ Régis Lavau, Ch. Bernateau, 33330 Saint-Etienne-de-Lisse, tél. 05.57.40.18.19, fax 05.57.40.27.31 ☑ ⅄ r.-v.

CH. BOUTISSE 1997

■		20 ha	60 000	ⅠⅠⅠ	70 à 99 F

Acheté en 1996 par les Milhade, viticulteurs-négociants originaires de Galgon dans le nord du Libournais, ce cru dispose d'un terroir argilo-calcaire, planté à 80 % de merlot et à 20 % de cabernets. Pour une première récolte dans un millésime difficile, le résultat est satisfaisant. Le vin a une jolie couleur rubis foncé à reflets gre-nat. Le bouquet, déjà expressif, joue sur les fruits rouges et le bois grillé. La bouche est soutenue par un boisé vanillé très plaisant.
➻ SCEA du Ch. Boutisse, 33330 Saint-Christophe-des-Bardes, tél. 05.57.55.48.90, fax 05.57.84.31.27 ☑ ⅄ r.-v.
➻ Milhade

CH. CADET-BON 1997

■ Gd cru clas.	4,48 ha	21 000	ⅠⅠⅠ	150 à 199 F
|90| 92 93 **94** 95 |96| |97|				

Après avoir perdu son classement en 1986, ce cru l'a retrouvé en 1996 - nos experts ne s'étaient pas trompés en attribuant un coup de cœur à ce millésime ; en 1997 les vendanges ont été plus difficiles, mais il a tout de même réussi son vin. Sa couleur se pare de reflets d'évolution. Expres-sif, le nez libère une succession de notes de vio-lette, de fruits cuits, de cuir et de bois vanillé. Souple et équilibrée, la bouche évolue sur des tanins déjà fondus. Ce 97 pourra se boire assez vite.
➻ Loriene SA, 1, Le Cadet, 33330 Saint-Emilion, tél. 05.57.74.43.20, fax 05.57.24.66.41, e-mail loriene@cadet-bon.com ☑ ⅄ r.-v.

CH. CANON 1997★

■ 1er gd cru B	14 ha	32 000	ⅠⅠⅠ	250 à 299 F
	89		90		94	96 97				

Ce domaine viticole prestigieux appartient à la famille Wertheimer, propriétaire de la maison Chanel. De très importants travaux y ont été réa-lisés dans les chais. Sur les 18 ha de vignes du coteau sud, argilo-calcaire, 14 ha sont sélection-nés pour produire ce premier vin, très réussi mal-gré les difficultés du millésime. Il présente une

BORDELAIS

jolie couleur rubis à franges carminées. Le bouquet est déjà très complexe, dominé par le bois torréfié : café, réglisse. L'aération libère des notes mentholées, des nuances de truffe. La bouche est elle aussi encore sous l'empire du merrain chauffé, mais la saveur crayeuse atteste l'origine. Vin de caractère.

➽ SC Ch. Canon, B.P. 22, 33330 Saint-Emilion, tél. 05.57.55.23.45, fax 05.57.24.68.00 ⍾ r.-v.

➽ Wertheimer

CH. CANON-LA-GAFFELIERE 1997★

■ Gd cru clas. 19,5 ha 55 000 ⦀ 250 à 299 F

Important domaine viticole d'une vingtaine d'hectares de vignes trentenaires où les cabernets croissent à parité avec le merlot sur un terroir argilo-calcaire. Cela donne un 97 très intéressant, revêtu d'une belle robe rubis sombre et dense. Son bouquet, déjà puissant et complexe, mêle cerise, cuir, bois torréfié, pruneau. Sa structure est étonnante, à la fois ample et très charpentée par des tanins de qualité qui lui permettront de bien vieillir.

➽ SCEV des Comtes de Neipperg, Ch. Canon-La-Gaffelière, 33330 Saint-Emilion, tél. 05.57.24.71.33, fax 05.57.24.67.95, e-mail vignobles.von.neipperg@wanadoo.fr ⍾ r.-v.

➽ Comtes Neipperg

CH. CARDINAL-VILLEMAURINE 1997

■ 6,5 ha 36 000 ▮⦀ 70 à 99 F

Un cru dont le nom évoque le souvenir du cardinal de Gaillard de Lamothe, neveu du pape Clément V, et celui d'un camp d'observation maure, établi lors de l'invasion arabe du VIIIᵉ. Il présente un 97 de bonne typicité, avec une robe pourpre, sombre et profonde, et des reflets violines en surface. Le bouquet, fruité et élégant, rappelle la cerise confite, la violette et la réglisse. La dégustation révèle une belle concentration, une matière dense aux tanins encore un peu nerveux et rugueux, qui demandent quelques années de patience.

➽ Jean-François Carrille, pl. du Marcadieu, 33330 Saint-Emilion, tél. 05.57.24.74.46, fax 05.57.24.64.40 ☑ ⍾ r.-v.

CH. CARTEAU COTES DAUGAY 1997★★

■ 12,3 ha 70 000 ▮⦀ 70 à 99 F

82 83 86 |88| |89| |90| |92| |93| |94| |95| 96 **97**

Ce joli cru de 12 ha, situé sur les premières pentes de Saint-Emilion en venant de Libourne, brille par sa régularité : il obtient chaque année une ou deux étoiles dans le Guide. Il propose un 97 remarquable, de couleur rubis profond. Le bouquet, vineux et complexe, exprime les fruits rouges cuits à l'alcool et de subtiles nuances boisées. La bouche ample et puissante, construite sur des tanins gras et ronds, offre une superbe longueur en finale avec des retours aromatiques harmonieux. Etonnant potentiel.

➽ SCEA Vignobles Jacques Bertrand, Carteau, 33330 Saint-Emilion, tél. 05.57.24.73.94, fax 05.57.24.69.07 ☑ ⍾ r.-v.

CH. DU CAUZE 1997

■ 20 ha 120 000 ⦀ 70 à 99 F

85 88 89 |90| |92| |93| |94| 95 97

Ce beau domaine viticole de 20 ha est installé sur des sols argilo-calcaires complantés à 90 % de merlot de quarante ans, avec un appoint de 10 % en cabernets. Paré d'une belle robe rubis brillant, son 97 développe au nez des arômes grillés et vanillés de bon bois harmonieusement mariés aux odeurs de fruits rouges mûrs et de pruneau. La bouche, assez ample et puissante, révèle des tanins qui demandent pour se fondre quelques années de vieillissement.

➽ Bruno Laporte-Bayard, SC du Ch. du Cauze, 33330 Saint-Emilion, tél. 05.57.74.62.47, fax 05.57.74.59.12 ☑ ⍾ r.-v.

CH. CHANTE ALOUETTE 1997

■ 5 ha 28 000 ⦀ 70 à 99 F

Guy d'Arfeuille dirige ce cru depuis 1995. Douze mois de barrique ont donné un 97 plaisant, bien présenté dans une robe rubis, limpide et brillante. Le bouquet naissant rappelle les fruits rouges confits, avec de fines odeurs boisées. La bouche est agréable, équilibrée ; les tanins fermes devraient s'assouplir dans les deux ou trois ans.

➽ Guy d'Arfeuille, Ch. Chante Alouette, 33330 Saint-Emilion, tél. 05.57.24.71.81, fax 05.57.24.71.81 ☑ ⍾ t.l.j. 9h-12h 14h-19h

CH. CHEVAL BLANC 1997★★

■ 1er gd cru A 35 ha n.c. ⦀ + de 500 F

61 64 66 69 70 71 72 73 74 |75| 76 77 |78| |79| 80 |81| |82| 83 85 86 87 88 89 ⑨⓪ |92| |93| 94 95 96 97

Un des deux crus les plus prestigieux de Saint-Emilion. Malgré toutes les savantes études dont il fait l'objet, il reste un mystère pour les spécialistes ; tout étonne chez lui : sa situation, son terroir, son encépagement médocain et surtout le plaisir qu'il procure aux heureux mortels qui ont la chance de le déguster. C'est encore vrai cette année : il a vaincu toutes les difficultés du millésime. Portant une somptueuse robe d'un bordeaux sombre et profond, il arbore un bouquet prometteur dans lequel le raisin est présent derrière un boisé vanillé et réglissé. La bouche est à la fois charnue et élégante, corsée par des tanins très fins. Du grand art !

➽ SC du Cheval Blanc, 33330 Saint-Emilion, tél. 05.57.55.55.55, fax 05.57.55.55.50 ⍾ r.-v.

CLOS DE LA CURE 1997

■ 6,87 ha 24 000 ▮⦀ 50 à 69 F

|93| 95 96 97

Autrefois rattaché à la cure de Saint-Christophe-des-Bardes, ce qui lui vaut son nom, ce domaine est exploité depuis sept générations par la famille Bouyer-Arteau. Son élégant 97 possède une jolie robe rubis, à peine évoluée. Le nez exprime les fruits rouges et la prune derrière un boisé un peu marqué actuellement. Souple, ronde et assez grasse en attaque, la bouche révèle par la suite des tanins un peu fermes et sévères qui demanderont deux à trois ans de patience.

☛Christian Bouyer, Ch. Milon, 33330 Saint-Christophe-des-Bardes, tél. 05.57.24.77.18, fax 05.57.24.64.20 ☑ ⵌ r.-v.

CLOS DE L'ORATOIRE 1997*

■ Gd cru clas. 10,32 ha	50 000	ⅢⅠ 150 à 199 F

82 |85| |88| |89| |90| 92 |93| 97

Un beau vignoble de 10 ha installé en pied de côte sur glacis sableux, complanté essentiellement de merlot avec un appoint de 5 % en cabernet franc. Propriété du comte Stephan von Neipperg depuis 1991, ce cru propose un 97 d'un rouge intense éclatant de jeunesse. Le bouquet, puissant et complexe, associe des arômes de griotte et de fraise très mûres aux notes vanillées et grillées d'un boisé fort élégant. Souple et rond à l'attaque, ce vin bénéficie d'une structure équilibrée et bien charpentée ; ses tanins mûrs persistent longuement en finale. A attendre deux ans puis à boire pendant cinq à six ans.
☛SC du Ch. Peyreau, Ch. Peyreau, 33330 Saint-Emilion, tél. 05.57.24.71.33, fax 05.57.24.67.95, e-mail vignobles.von.neipperg@wanadoo.fr ⵌ r.-v.
☛ Comtes de Neipperg

CH. CLOS DE SARPE 1997

■	3,68 ha	8 000	▐ Ⅲ 70 à 99 F

Une propriété familiale de 4 ha installée sur le plateau argilo-calcaire entre Saint-Emilion et Saint-Christophe-des-Bardes. Ce vin est issu de vieux merlot avec un appoint de 15 % en cabernet franc. De couleur rubis, franche et vive, il paraît encore très jeune et demande à s'aérer dans le verre pour s'ouvrir sur des arômes de fruits cuits mêlés d'odeurs grillées et épicées. La bouche confirme cette impression de jeunesse par des tanins fermes bien présents et une belle nervosité. A attendre quatre ou cinq ans.
☛SCA Beyney, Ch. Clos de Sarpe, 33330 Saint-Christophe-des-Bardes, tél. 05.57.24.72.39, fax 05.57.74.47.54 ☑ ⵌ r.-v.

CLOS FOURTET 1997***

■ 1er gd cru B	n.c.	60 000	ⅢⅠ 250 à 299 F

71 73 74 75 **76 78 79 81** 82 **83** |85| **86** 87 |88| |89| |90| |91| 92 |93| |94| 95 **96 97**

C'est dans les millésimes difficiles qu'on reconnaît les bons vinificateurs. Nos dégustateurs n'étaient pas portés à l'indulgence, mais ils n'ont pu refuser un coup de cœur à ce vin exceptionnel. Il est dû à deux frères, André et Lucien Lurton, fortes personnalités du monde viticole bordelais, à leur régisseur Tony Ballu et au maître de chai Daniel Alard. Les qualificatifs de dégustation sont unanimes : robe somptueuse ; concentration olfactive époustouflante où le bon bois respecte le raisin mûr ; richesse en bouche étonnante, charnue, dense, charpentée, racée, très saint-émilion... Précisons que 85 % de merlot président à l'assemblage, que ce cru est établi sur un sol argilo-calcaire remarquable ; que la demeure XVIIIe est élégante... et qu'on ne compte plus les millésimes coups de cœur du Guide Hachette.
☛ SC Clos Fourtet, 33330 Saint-Emilion, tél. 05.57.24.70.90, fax 05.57.74.46.52
☛ Lurton Frères

CLOS SAINT-MARTIN 1997

■ Gd cru clas. 1,26 ha	7 000	▐ Ⅲ ⬇ 150 à 199 F

81 85 86 **88** 89 |90| 92 93 |95| 96 97

Vigne de l'ancien presbytère de l'église Saint-Martin, acquis au XVIIes. par les ancêtres des propriétaires actuels, ce petit clos, planté à 70 % de merlot et à 30 % de cabernets sur un terroir argilo-calcaire, est le plus petit des grands crus classés. Les dégustateurs lui ont trouvé une belle couleur rubis, un bouquet déjà expressif : fruits rouges, épices et notes boisées. En bouche les tanins, encore dominés par le bois, sont d'une bonne longueur. A attendre un an ou deux.
☛GFA Les Grandes Murailles, Ch. Côte de Baleau, 33330 Saint-Emilion, tél. 05.57.24.71.09, fax 05.57.24.69.72 ⵌ r.-v.
☛ Famille Reiffers

CLOS SAINT-VINCENT 1997

■	4,64 ha	35 000	Ⅲ 50 à 69 F

Une étiquette recherchée et élégante incite à découvrir ce cru d'un peu moins de 5 ha, situé sur le terroir sablo-graveleux de Saint-Sulpice-de-Faleyrens et qui appartient à la famille Latorse, bien connue dans l'Entre-deux-Mers. Le vin a de jolis reflets rubis. Le bouquet, légèrement minéral, s'ouvre à l'aération sur des notes animales, réglissées et boisées. Souple et soyeuse, la bouche est soutenue par des tanins réglissés qui permettront de boire assez vite ce 97.
☛SC du Clos Saint Vincent, 33330 Saint-Sulpice-de-Faleyrens, tél. 05.56.23.92.76 ☑ ⵌ r.-v.

CLOS TRIMOULET 1997

■	7 ha	38 000	▐ Ⅲ ⬇ 50 à 69 F

Jolie propriété familiale située au nord de la commune sur des sols sablo-argileux et plantée à 80 % de merlot et à 20 % de cabernets. La couleur rubis, un peu légère, annonce la finesse du vin aux parfums de fruits rouges ; la bouche est bien équilibrée, fruitée et tapissée par des tanins discrets. La finale assez longue repose, elle aussi, sur le fruit.
☛EARL Appollot, Clos Trimoulet, 33330 Saint-Emilion, tél. 05.57.24.71.96, fax 05.57.74.45.88 ☑ ⵌ r.-v.

CLOS VILLEMAURINE 1997★

■	2 ha	8 000	🍷 🖐 ⬇	100 à 149 F

Ce cru, créé en 1966, revoit le jour avec le millésime 97 grâce à une belle sélection parcellaire de 2 ha, une vinification très soignée et un élevage réussi en fût de chêne neuf, menés par Jean-François Carrille avec compétence. Cela donne un vin à la robe pourpre, sombre et dense ; le bouquet puissant et complexe associe les arômes de fruits rouges mûrs à un joli boisé, toasté et épicé. La bouche très concentrée offre une matière riche et fruitée et des tanins de grande qualité qui persistent longuement en finale ; ils assureront une bonne garde.
🍇 Jean-François Carrille, pl. du Marcadieu, 33330 Saint-Emilion, tél. 05.57.24.74.46, fax 05.57.24.64.40 ⵏ r.-v.

CH. COTES DE ROL 1997★

■	3 ha	21 000	🖐	70 à 99 F

Robert Giraud est un important négociant-viticulteur bordelais. Son Côtes de Rol est composé de trois quarts de merlot de quarante ans et d'un quart de cabernets plantés sur des sables éoliens. Cela donne un 97 bien réussi, doté d'une belle robe rubis qui montre une légère évolution vermillon. Le bouquet puissant mêle épices, fruits noirs et de fines notes boisées légèrement grillées. La bouche, souple et ronde, révèle des tanins fondus et gras, bien intégrés dans une structure dense et solide. Une bouteille à attendre deux à trois ans pour un plus grand épanouissement.
🍇 SCA Vignobles Robert Giraud, B.P. 31, 33240 Saint-André-de-Cubzac, tél. 05.57.43.01.44, fax 05.57.43.08.75, e-mail direction@robertgiraud.com ☑

CH. COUDERT-PELLETAN 1997★

■	4 ha	24 600	🖐	70 à 99 F

86 |88| 92 |93| |94| **95** 96 97

Issu d'une sélection des parcelles les plus âgées de l'exploitation, ce vin élevé en fût de chêne est issu de 60 % de merlot, 20 % de cabernet franc et 20 % de cabernet-sauvignon nés sur les sols argilo-calcaires de Saint-Christophe-des-Bardes. Très réussi, ce 97 se pare d'une robe rubis vif et éclatant. Le bouquet est flatteur et élégant avec ses arômes fruités et ses notes grillées et toastées. La dégustation montre une bonne structure tannique, encore un peu ferme, qui devrait s'affiner dans les deux ou trois ans.
🍇 Pierre et Philippe Lavau, Ch. Coudert-Pelletan, 33330 Saint-Christophe-des-Bardes, tél. 05.57.24.77.30, fax 05.57.24.66.24 ☑ ⵏ t.l.j. 9h-18h; sam. dim. sur r.-v.

CH. CROIX DE LABRIE 1997★

■	0,37 ha	1 200	🖐	+de 500 F

|9||1| |92| |93| 95 **96** 97

Créé en 1991, ce cru microscopique a déjà obtenu deux coups de cœur pour le 92 et le 96. Exclusivement composé de vieux merlot planté sur graves, il bénéficie grâce à sa petite taille de soins artisanaux très poussés. D'une belle couleur rubis, sombre et intense, ce vin encore un peu fermé au nez, mais fort prometteur, libère des arômes de bon bois grillé et vanillé, sur des odeurs de fruits rouges bien mûrs. La bouche, équilibrée, corsée, souple et ronde, révèle de beaux tanins soyeux et fondus. Il sera prêt dans deux à trois ans, le temps de le laisser s'ouvrir complètement.
🍇 SCEA Puzio-Lesage, B.P. 41, 33330 Saint-Emilion, tél. 05.57.24.64.60, fax 05.57.24.64.60 ⵏ r.-v.

CH. DESTIEUX 1997★

	8 ha	35 000	🖐	70 à 99 F

81 82 83 85 86 |88| |89| |90| 92 93 **94** 95 96 97

8 ha de vignes exposées au sud, complantées aux deux tiers de merlot pour un tiers de cabernets, donnent ce vin régulièrement retenu par nos dégustateurs. Cette année, ils ont été impressionnés par son niveau, qui le rend apte à une bonne garde. La couleur est rubis profond. Le nez est intense, à base de fruits noirs et de bois torréfié. La bouche chaleureuse, puissante, est charpentée par des tanins solides qui s'exprimeront dans quelques années (trois à cinq ans).
🍇 Dauriac, Ch. Destieux, 33330 Saint-Hippolyte, tél. 05.57.24.77.44, fax 05.57.40.37.42 ☑ ⵏ r.-v.

CH. FAUGERES 1997★

■	25,6 ha	110 000	🖐	100 à 149 F

|93| |94| **95** 96 97

Habitué aux honneurs de nos jurys, le cru de Corinne Guisez affiche à nouveau une jolie réussite avec ce 97. La robe rubis, dense et profonde, montre des reflets violines en surface et annonce un vin encore plein de vigueur et de jeunesse. Le bouquet naissant libère à l'agitation des arômes de fruits rouges et d'épices associés à des parfums boisés agréables. La dégustation révèle une structure ferme et puissante, bien équilibrée, gage d'un bel avenir.
🍇 Corinne Guisez, Ch. Faugères, 33330 Saint-Etienne-de-Lisse, tél. 05.57.40.34.99, fax 05.57.40.36.14, e-mail faugeres@club-internet.fr ☑ ⵏ r.-v.

CH. FERRAND LARTIGUE 1997★★

■	6 ha	24 000	🖐	150 à 199 F

|94| 95 |96| 97

90 % de vieux merlot planté sur argilo-calcaires et sables, une vinification soignée et un bel élevage en fût ont permis de réussir ce 97 remarquable. La robe rubis est dense et profonde avec des reflets pourpres. Le bouquet, complexe et harmonieux, associe à merveille les arômes de fruits mûrs et les odeurs grillées d'un superbe boisé. Ample et puissant en bouche, doté d'une riche structure, intense et ferme, ce vin est bien armé pour une garde de quatre à six ans.
🍇 Michelle-Pierre Ferrand, 33330 Saint-Emilion, tél. 05.57.24.46.19, fax 05.57.24.46.19 ☑ ⵏ r.-v.

CH. FIGEAC 1997

■	1er gd cru B	40 ha	95 000	🖐	300 à 499 F

62 **64 66** ⑦ **71** 74 **75** 76 77 78 79 80 |81| |82| |83| |85| |86| 87 **88 89** 90 92 |93| 94 ⑨ 96 |97|

Situé sur les graves de Saint-Emilion, Figeac occupe l'emplacement d'une *villa* gallo-romaine qui portait le nom de Figeacus. L'histoire est bien

souvent présente dans les grands vignobles...
Depuis 1892, le château est propriété de la même
famille. Thierry Manoncourt fêtait son cinquan-
tième millésime avec le mémorable 95 qui fut
coup de cœur et lauréat de la grappe d'or du
Guide Hachette. Ce cru, aujourd'hui administré
par son gendre Eric d'Aramon, comporte 70 %
de cabernets, fait rare dans l'AOC. Le millésime
porte une robe rubis de bonne intensité, bordée
d'un liséré grenat à reflet légèrement orangé. Le
nez se tourne vers les fruits mûrs et le bon bois
vanillé. Bâtie de tanins fins et élégants, la bouche
est « une dentelle bien construite », selon
l'expression d'un dégustateur. Ce 97 permettra
d'attendre les remarquables vins des années précédentes.

☛ Thierry Manoncourt, Ch. Figeac,
33330 Saint-Emilion, tél. 05.57.24.72.26,
fax 05.57.74.45.74, e-mail chateau-
figeac@chateau-figeac.com ⌁ r.-v.

CH. FLEUR CARDINALE 1997★

■	10 ha	n.c.	◖▮▶	70 à 99 F
82 83 85 86	88		89		90	91 92	93		94	95 96 97				

Ce beau vignoble de 10 ha appartient à la
famille Asséo, venue de l'industrie textile au fut
au début des années 1980. Grâce à son encépagement équilibré (70 % de merlot, 15 % de cabernet franc et 15 % de cabernet-sauvignon), à son
superbe terroir argilo-calcaire sur rochers et à la
compétence des propriétaires, ce cru affiche une
belle régularité dans la qualité de ses millésimes.
Le 97, très réussi dans sa robe grenat dense, développe un bouquet intense et riche de pruneau, de
fruits confits, de café et de pain grillé, mêlés de
senteurs épicées. La dégustation révèle une très
belle matière, dont les tanins d'abord ronds, gras
et charnus deviennent un peu plus fermes en
finale : ils demanderont deux à trois ans de garde
pour se fondre.

☛ Alain et Claude Asséo, Ch. Fleur Cardinale,
33330 Saint-Etienne-de-Lisse,
tél. 05.57.40.14.05, fax 05.57.40.28.62 ☑ ⌁ r.-v.

CH. FOMBRAUGE 1997★★

■	43 ha	285 000	◖▮▶	70 à 99 F
86	88		90	91 92 93	95		96		97					

Ce très important domaine viticole de 75 ha,
dont 43 ha sont consacrés à la production de ce
vin, a été créé en 1679 ; il a appartenu récemment
à un groupe danois et vient d'être racheté par le
négociant bordelais Bernard Magrez. Son 97 a
une robe profonde, couleur bordeaux. A l'agitation, le nez encore un peu fermé livre des senteurs
complexes de fruits noirs, d'épices et des notes
grillées. La bouche pleine et charnue est étoffée
par des tanins finement boisés et persistants. Une
bien belle bouteille.

☛ SA Ch. Fombrauge, 33330 Saint-Christophe-
des-Bardes, tél. 05.57.24.77.12,
fax 05.57.24.66.95 ⌁ r.-v.
☛ Magrez

CH. FONPLEGADE 1997

■ Gd cru clas.	14,6 ha	80 000	◖▮▶	150 à 199 F
82 83 85 86 **88** |90| 92 |93| |94| 95 96 |97|				

Fonplégade tire son nom d'une fontaine
encore active qui se trouve dans la propriété, où

l'on peut observer des sillons tracés par les
Romains. Le vignoble, planté soit sur sols argilo-
calcaires, soit sur terrains silico-calcaires, bénéficie d'un encépagement équilibré : 60 % de merlot et 40 % de cabernet franc. Le 97 s'annonce
déjà évolué avec sa couleur carminée légère et
chatoyante. Le bouquet est fin, plutôt fruité, aux
arômes de cerise et de griotte, délicatement boisé
avec de la vanille et des épices. Une note de fraîcheur est apportée par une touche mentholée. La
dégustation compense un petit manque de
concentration en bouche par l'élégance de tanins
soyeux très plaisants.

☛ SC Dom. viticoles Armand Moueix,
Ch. Fonplégade, 33330 Saint-Emilion,
tél. 05.57.74.43.11, fax 05.57.74.44.67 ☑ ⌁ r.-v.

CH. FONROQUE 1997★

■ Gd cru clas.	19,26 ha	52 800	◖▮▶	100 à 149 F
81 82 83 85 86 88	89		90		92		93	95	97					

Né sur des sols argilo-calcaires et de 90 % de
merlot pour 10 % de cabernet franc, Fonroque
bénéficie d'une vinification traditionnelle soignée et d'un élevage attentif de quatorze mois en
fût de chêne. Cela donne toujours un vin élégant
et harmonieux, comme ce 97 qui s'annonce par
une belle robe grenat, sombre et brillante, légèrement tuilée. Le bouquet, fin et complexe,
exprime les fruits rouges cuits, la griotte, la
vanille et le pain grillé avec une nuance florale
de violette. Souple et ronde en attaque, la bouche
charme par ses tanins soyeux et fondus. « Elevé
avec tact », note un dégustateur.

☛ Ets Jean-Pierre Moueix,
54, quai du Priourat, 33500 Libourne
☛ GFA Fonroque

CH. FORTIN 1997

■	6 ha	36 000	◖▮▶	70 à 99 F

Ce vignoble est situé sur les graves du secteur
de Fortin. Son vin, couleur rubis d'intensité
moyenne, a des reflets ambrés. Le nez demande
de l'aération pour exprimer des notes fruitées,
viandées, mêlées de cuir mouillé. En bouche, la
structure est légère mais équilibrée, la saveur
encore fruitée. Vin à boire assez rapidement ; il
est distribué par la société de négoce Kressmann.

☛ Laubie et Fils, Ch. Fortin, 33330 Saint-
Emilion, tél. 05.56.35.53.00, fax 05.56.35.53.29,
e-mail contact@cvgb.com

CH. FRANC LARTIGUE 1997

■	7 ha	40 000	◖▮▶	70 à 99 F

Etabli au sud de l'appellation, à Vignonet, sur
sables et graves, ce vignoble est constitué de trois
cinquièmes de merlot et de deux cinquièmes de
cabernet franc. Il propose un 97 simple et plaisant, prêt à la consommation. Léger, agréable et
fin, le bouquet exprime des arômes de fruits rouges mûrs, associés à des notes vanillées et toastées. Souple et ronde, tendre et soyeuse, la bouche compense un certain manque de structure
par une harmonie déjà agréable. Ce 97 ne vieillira sans doute pas plus de deux ans.

☛ Vignobles Marcel Petit, 6, chem. de Pillebois,
33350 Saint-Magne-de-Castillon,
tél. 05.57.40.33.03, fax 05.57.40.06.05 ☑ ⌁ r.-v.
☛ Toxé

CH. FRANC-MAYNE 1997★★

■ Gd cru clas.   4 ha   22 000   ◨ 150 à 199 F
85 86 |88| |89| |90| |92| 95 **96 97**

Ce cru de 7 ha est installé sur argilo-calcaires et molasses, le long de l'ancienne voie gallo-romaine qui reliait Libourne à Saint-Emilion. Acheté au groupe AXA en 1996 par le négociant belge Georgy Fourcroy, il bénéficie depuis de gros investissements pour la mise en valeur de son terroir exceptionnel. Le 97 en est une belle preuve avec sa superbe robe rubis, sombre et dense, et son bouquet de fruits mûrs harmonieusement associés aux notes vanillées d'un élégant boisé bien fondu. La bouche révèle un vin puissant et équilibré, riche et concentré, encore un peu replié sur lui-même, mais très prometteur.
☛ Georgy Fourcroy, SCEA Ch. Franc-Mayne, 33330 Saint-Emilion, tél. 05.57.24.62.61, fax 05.57.24.68.25 ☑ ⊥ r.-v.

CH. FRANC PATARABET 1997★

■   6 ha   25 000   ◨ 50 à 69 F

Au cœur de la cité médiévale, le cru possède une belle cave monolithe dans laquelle les bouteilles vieillissent lentement. Le vignoble comprend 60 % de merlot pour 40 % de cabernets, plantés sur des sols argilo-siliceux. Paré d'une robe rubis, limpide et brillante, ce 97 se révèle encore un peu fermé au nez où percent des odeurs de fraise cuite et d'agréables effluves boisés. La bouche est très bien équilibrée, fine et élégante, avec des tanins fondus et soyeux. Belle longueur en finale sur des arômes de vanille et de réglisse. Ce vin peut être bu dès maintenant ou dans les cinq ans à venir.
☛ GFA Faure-Barraud, rue Guadet, B.P. 72, 33330 Saint-Emilion, tél. 05.57.24.65.93, fax 05.57.24.69.05, e-mail franc-patarabet@wanadoo.fr ☑ ⊥ r.-v.

CH. FRANC PIPEAU Descombes 1997

■   5,38 ha   30 000 ▣◨♨ 50 à 69 F
86 |88| |89| |90| 91 92 93 94 95 97

Cette ancienne propriété saint-émilionnaise débuta la monoculture de la vigne en 1880. Le vignoble compte aujourd'hui 5,4 ha sur sables et argilo-calcaire (70 % de merlot et 30 % de cabernets). Cela donne un 97 très plaisant, paré d'une robe bordeaux franche et vive. Le bouquet est agréablement boisé, avec une touche de vanille sur de beaux arômes de fruits rouges. La bouche, équilibrée et harmonieuse, compense un léger manque de structure par la finesse des tanins et des saveurs. Un vin plaisant qui sera vite prêt à boire, d'ici deux à trois ans.
☛ SCEA Vignobles Jacques Bertrand, Carteau, 33330 Saint-Emilion, tél. 05.57.24.73.94, fax 05.57.24.69.07 ☑ ⊥ r.-v.

CH. GRAND BARRAIL LAMARZELLE FIGEAC 1997★

■   15,12 ha   105 000   ◨ 100 à 149 F

Le premier millésime du nouveau propriétaire, installé en 1997 sur ce domaine viticole situé entre Libourne et Saint-Emilion, tout près du bel hôtel portant le même nom. Trois quarts de merlot et un quart de cabernet franc, plantés sur un terroir silico-graveleux riche en fer, ont donné ce vin à la couleur grenat sombre et dense, encore très jeune. Le bouquet naissant exprime cerise confite et autres fruits rouges, ainsi que des notes mentholées, épicées, mêlées du goudron d'un bois très brûlé. La structure est puissante et ferme : on devine une belle extraction et un bon élevage, mais il faudra attendre quelques années pour que l'ensemble se fonde et s'ouvre.
☛ Ch. Grand Barrail Lamarzelle Figeac, 33330 Saint-Emilion, tél. 05.57.24.71.43, fax 05.57.24.63.44, e-mail grandbarrail@wanadoo.fr
☛ MM. Parent

CH. GRAND CORBIN 1997

■   13,27 ha   77 866   ◨ 70 à 99 F

Jolie propriété familiale établie sur un terroir argilo-siliceux. Assemblant 68 % de merlot à 5 % de cabernet-sauvignon et à 27 % de cabernet franc, ce vin a une robe légère. Le bouquet se dévoile à l'aération sur des touches fruitées, poivrées. Bien équilibrée, la bouche a des saveurs de girofle et de boisé. Ses tanins soyeux mais bien présents lui permettront de vieillir.
☛ Sté Familiale Alain Giraud, 5, Grand Corbin, 33330 Saint-Emilion, tél. 05.57.24.70.62, fax 05.57.74.47.18 ☑ ⊥ r.-v.

CH. GRAND-CORBIN-DESPAGNE 1997★

■   17 ha   85 000   ◨ 70 à 99 F
|89| **90** |93| 94 95 96 97

La famille Despagne est largement implantée en Bordelais, et particulièrement en Libournais où l'on retrouve trace de sa présence dès le XVII°s. Situé au nord, au voisinage de Pomerol, ce cru est complanté de 80 % de merlot et de 20 % de cabernet franc sur des sols argilo-sableux et sables anciens. Une jolie couleur cerise flatte l'œil. L'aération révèle un nez encore fruité avec un boisé fin et des notes mentholées. La saveur est charmeuse, veloutée, finissant sur un boisé encore un peu marqué mais qui devrait évoluer dans les trois ou quatre ans.
☛ SCEV Consorts Despagne, Ch. Grand-Corbin-Despagne, 33330 Saint-Emilion, tél. 05.57.51.08.38, fax 05.57.51.29.18, e-mail f.despagne@grand-corbin-despagne.com ☑ ⊥ r.-v.

CH. GRAND MAYNE 1997★

■ Gd cru clas.   17 ha   58 000   ◨ 200 à 248 F
75 78 81 82 83 **85 86** 87 88 |89| |90| **91** 92 |93| 94 95 **96 97**

Beau domaine viticole entourant un manoir construit sous Henri IV. Après avoir obtenu un coup de cœur pour le millésime 96, ce cru propose un 97 très réussi, produit sur 17 ha parmi les 21 ha que compte le vignoble. Sa robe est d'un beau grenat foncé. Le bouquet naissant exprime des senteurs de fruits noirs et de bois réglissé. La bouche est chaleureuse, dominée par le bois qui demande à se fondre. L'extraction a été bien menée et permettra au vin une bonne évolution.
☛ Jean-Pierre Nony, 1, Le Grand-Mayne, 33330 Saint-Emilion, tél. 05.57.74.42.50, fax 05.57.24.68.34, e-mail grand-mayne@grand-mayne.com ☑ ⊥ r.-v.

CH. GRAND-PONTET 1997*

■ Gd cru clas.	14 ha	70 000	❑❙❙ 150 à 199 F

81 82 83 85 86 |88| |89| |90| 91 |93| 94 **95** 96 97

A 500 m de la vieille église Saint-Martin-de-Mazerat, sur le plateau calcaire situé à l'ouest de Saint-Emilion, Grand-Pontet élabore de jolis vins composés de 75 % de merlot, de 15 % de cabernet franc et de 10 % de cabernet-sauvignon. Solide et nerveux, ce 97 allie la rondeur du merlot à la vigueur du terroir. Il est paré d'une robe rubis sombre et profond. Le bouquet mêle des arômes de fruits rouges mûrs et d'épices à des notes boisées fines et bien fondues. Corsée, charnue et ample, la bouche révèle une bonne structure, charpentée et équilibrée, très persistante en finale. Un beau vin de garde à déguster dans quatre ou cinq ans sur viandes rouges et gibier.
☛ Ch. Grand-Pontet, 33330 Saint-Emilion, tél. 05.57.74.46.88, fax 05.57.24.66.88 ⊥ r.-v.
☛ Bécot-Pourquet.

CH. GROS CAILLOU 1997

■	6 ha	30 000	❑❙❙ 50 à 69 F

Un domaine viticole de 20 ha, dont 6 ha ont produit ce 97 dans lequel 60 % de merlot sont assemblés aux deux cabernets à parts égales. Le terroir de graves est de qualité. De teinte rubis à reflets vermillon, ce 97 développe un bouquet intense de fruits mûrs, de cuir et d'épices. La dégustation est harmonieuse, déroulant des tanins souples et ronds, une bonne chair et une agréable longueur en finale. Un saint-émilion de qualité, classique, qui sera vite prêt.
☛ SCEA des Vignobles Jacques Dupuy, Ch. Gros Caillou, 33330 Saint-Sulpice-de-Faleyrens, tél. 05.57.24.74.91, fax 05.57.74.40.98 ☑ ⊥ r.-v.

CH. GUEYROSSE 1997*

■	4,6 ha	18 000	■❑❙❙↓ 70 à 99 F

86 |90| 92 |93| |94| 96 97

Situé aux portes de Libourne, ce vignoble est complanté de deux tiers de merlot et d'un tiers de cabernets. Le vin, collé en barrique au blanc d'œuf, n'est pas filtré à la mise en bouteilles. La robe, de teinte rubis à reflet vermillon, est limpide. Le bouquet puissant est marqué par les effluves animaux (gibier) et des notes de fruits mûrs épicés. La bouche, corsée et souple, possède une structure dense mais sans dureté, un bon volume et une finale facile et plaisante. A attendre deux ans.
☛ EARL Vignobles Yves Delol, Ch. Gueyrosse, 33500 Libourne, tél. 05.57.51.02.63, fax 05.57.51.93.39 ☑ ⊥ r.-v.

CH. HAUT-CADET
Elevé en barrique de chêne 1997

■	1,32 ha	8 933	■❑❙❙↓ 70 à 99 F

|89| |90| |92| |93| |94| 95 97

Ce petit cru de 1,50 ha appartient aux vignobles Rocher Cap de Rive du Belge Roger Geens. Implanté sur des sols argilo-calcaires, il est composé par 80 % de merlot et 20 % de cabernet-sauvignon. De teinte grenat légèrement évoluée, ce 97 est un peu fermé au nez où percent cependant des arômes de fruits rouges et d'épices avec une nuance mentholée. L'attaque est souple,

puis la dégustation évolue vers une structure tannique dense et ferme, actuellement un peu sévère, mais qui devrait gagner en amabilité au vieillissement.
☛ Vignobles Rocher Cap de Rive 1, Ch. Haut-Cadet, 33330 Saint-Emilion, tél. 05.57.40.08.88, fax 05.57.40.19.93, e-mail vignoblesrochercaprive@wanadoo.fr

CH. HAUT-CORBIN 1997★★

■ Gd cru clas.	6,01 ha	40 300	❑❙❙ 150 à 199 F

81 ⑧② 83 85 86 |88| |90| |91| |92| |93| 94 ㊗

Situé au nord de Saint-Emilion, non loin de Pomerol, ce vignoble, planté sur des sables reposant sur une matrice argilo-calcaire, a un encépagement équilibré : 65 % de merlot, 25 % de cabernet-sauvignon et 10 % de cabernet franc. Le 97, hors norme pour le millésime, a séduit le jury par la superbe qualité de sa matière remarquablement vinifiée et élevée. La robe rubis, dense et profonde, ne présente pas encore de reflets évolués. Le bouquet, complexe et élégant, marie harmonieusement les odeurs de bon bois brûlé, de toasts grillés, de vanille et de caramel à des arômes de raisin mûr : fruits rouges confits, pruneau. La bouche n'est pas en reste ; elle révèle un ensemble corsé, charnu, vineux et savoureux, doté d'une magnifique structure tannique de vin de garde. Bravo.
☛ SC Ch. Haut-Corbin, 33330 Saint-Emilion, tél. 05.57.51.95.54, fax 05.57.51.90.93 ☑ ⊥ r.-v.

CH. HAUT LAVALLADE 1997*

■	5 ha	40 000	■❑❙❙↓ 70 à 99 F

94 95 96 97

Créé au milieu du XIX[e]s. et régulièrement retenu par les jurys Hachette, ce cru montre sa rigueur avec ce vin issu d'une sélection sévère de 5 ha sur les 12 que compte l'exploitation. Né sur un terroir argilo-siliceux et argilo-calcaire du nord de l'AOC, son 97 a une couleur intense. Le bouquet repose encore sur des notes boisées, mais la bouche a du volume, de la finesse, un potentiel intéressant. Elle laisse une bonne impression.
☛ SARL J.P.M.D. Chagneau, Ch. Haut-Lavallade, 33330 Saint-Christophe-des-Bardes, tél. 05.57.24.77.47, fax 05.57.74.43.25 ☑ ⊥ r.-v.

CH. HAUT-PONTET 1997

■	4,78 ha	n.c.	■❑❙❙ 70 à 99 F

93 |94| 96 97

Situé tout près de la cité de Saint-Emilion, ce cru étend ses vignes (essentiellement du merlot) sur des sables éoliens du mindel, déposés il y a plus de six cent mille ans sur des formations calcaires. Il a produit un 97 prêt à boire, de teinte grenat à reflets orangés, marqué au nez par l'élevage en fût de chêne, avec des odeurs de tabac, de goudron, de café et de pain grillé. La dégustation révèle un vin féminin, tout en finesse, grâce à ses tanins souples et à l'élégance de ses arômes.

☛ Jean Daspet, GFA Ch. Haut-Pontet, 33330 Saint-Emilion, tél. 05.57.43.17.82, fax 05.57.43.22.74 ☑ ☂ r.-v.

CH. HAUT ROCHER 1997

■   6 ha   40 000 ▐ ⦀ ♨ 70 à 99 F

Ce vin provient d'une sélection de 6 ha plantés pour deux tiers en merlot et pour un tiers en cabernet sur des sols argilo-calcaires. Il se pare d'une robe pourpre. Son nez encore très fruité exprime des notes de framboise, de groseille, de fruits confits. L'attaque est souple, la saveur fruitée. Les tanins encore un peu fermes en finale demanderont à être un peu attendus (deux à trois ans).

☛ Jean de Monteil, Ch. Haut Rocher, 33330 Saint-Etienne-de-Lisse, tél. 05.57.40.18.09, fax 05.57.40.08.23, e-mail hautrocher@caves-particulieres.com ☑ ☂ r.-v.

CH. HAUT-VEYRAC 1997*

■   6 ha   40 000   ⦀ 50 à 69 F

Ce vignoble, composé par trois quarts de merlot pour un quart de cabernet franc, est implanté sur des sols argilo-calcaires. D'un beau rouge rubis, vif et brillant, son 97 développe un bouquet fin et agréable, mêlant des arômes de fruits rouges à un élégant boisé. La structure est équilibrée, avec des tanins bien présents mais déjà veloutés et fondus, d'une belle longueur. Une jolie bouteille à prix abordable pour boire dans trois à cinq ans.

☛ SCA Ch. Haut-Veyrac, 33330 Saint-Etienne-de-Lisse, tél. 06.13.78.87.45, fax 06.57.74.05.98 ☑ ☂ r.-v.
☛ Claverie

CH. JEAN VOISIN Cuvée Amédée 1997*

■   14 ha   30 000 ▐ ⦀ ♨ 100 à 149 F

Cette cuvée porte le nom d'Amédée Chassagnoux, acquéreur du vignoble en 1955. Elle est régulièrement retenue par nos dégustateurs, même dans ce millésime qui n'était pas particulièrement facile. Une belle couleur à reflets grenat engage à poursuivre la découverte. Le fumet demande un peu d'aération pour exhaler des arômes de fruits rouges et de bois caramélisé. La bouche, dense et épicée, est structurée par de bons tanins de merrain déjà veloutés.

☛ SCEA du Ch. Jean Voisin, 33330 Saint-Emilion, tél. 05.57.24.70.40, fax 05.57.24.79.57, e-mail chassag@quaternet.fr ☑ ☂ r.-v.
☛ Chassagnoux

CH. LA BONNELLE 1997

■   6 ha   30 000 ▐ ⦀ ♨ 70 à 99 F
93 |94| |95| 96 97

La Bonnelle, château du début du XIXᵉs., règne sur un beau jardin que l'on peut visiter ; le vignoble est composé majoritairement de merlot avec un appoint de 10 % de cabernet franc.

L'ensemble est situé à l'est de l'appellation sur des sols argilo-siliceux. Ce 97 est d'un rouge rubis vif et brillant. Le bouquet, encore discret, diffuse des arômes frais de fruits rouges, mêlés de senteurs animales. La structure tannique est équilibrée quoiqu'un peu ferme actuellement, fermeté qui est gage d'une bonne aptitude à la garde.

☛ SCEA des Vignobles Sulzer, La Bonnelle, 33330 Saint-Pey-d'Armens, tél. 05.57.47.15.12, fax 05.57.47.16.83 ☑ ☂ r.-v.
☛ F. Sulzer

CH. LA CHAPELLE-LESCOURS 1997

■   4,18 ha   n.c.   ⦀ 50 à 69 F

Ancienne chapelle du château de Lescours, cette propriété est viticole depuis le XIVᵉs. Installée non loin de Libourne sur une croupe sablo-graveleuse, elle est complantée de quatre cinquièmes de merlot et d'un cinquième de cabernet franc vinifiés et élevés dans le respect des traditions saint-émilionnaises. Bien présenté dans une robe rubis, limpide et brillante, ce 97 se montre encore discret au nez qui mêle des arômes minéraux et des nuances fraîches légèrement mentholées. La bouche est souple et équilibrée, avec des tanins agréables qui seront vite prêts pour la consommation.

☛ François Quentin, Ch. La Chapelle-Lescours, 33330 Saint-Emilion, tél. 05.57.74.41.22, fax 05.57.74.41.22, e-mail Vitis33@Libertysurf.fr ☑ ☂ r.-v.

CH. DE LA COUR 1997

■   3,3 ha   22 000 ▐ ⦀ ♨ 70 à 99 F

Troisième millésime à Saint-Emilion pour Hugues Delacour, jeune viticulteur venu de Champagne s'installer à Vignonet sur une propriété de 9 ha. Il propose un 97 de couleur grenat sombre aux beaux reflets carminés. Le bouquet est marqué par les 95 % de merlot qui composent le vin ; les arômes de fruits rouges et noirs bien mûrs sont relevés par un fin boisé. La bouche est puissante et équilibrée, avec une structure charpentée.

☛ EARL du Châtel-Delacour, Ch. de La Cour, 33330 Vignonet, tél. 05.57.84.64.95, fax 05.57.84.65.00, e-mail delacour@caves-particulieres.com ☑ ☂ r.-v.

CH. LA COUSPAUDE 1997

▭ Gd cru clas. 7,01 ha 36 000   ⦀ 250 à 299 F
82 83 85 **86** 88 |⑧⑨| |90| 91 |92| |93| |94| **95** 96 |97|

Cette propriété familiale de 7 ha a rejoint le cercle très fermé des grands crus classés en 1996. Elle est située aux portes de Saint-Emilion sur la route de Saint-Christophe-des-Bardes. Chaque été elle héberge des activités culturelles. Le 97 se pare d'une couleur à reflets d'évolution. Le nez perçoit des odeurs de pruneau, de réglisse, de bois caramélisé. Déjà harmonieux en bouche, avec une attaque souple et des tanins veloutés, c'est un vin charmeur qui pourra se boire assez vite.

☛ Vignobles Aubert, Ch. La Couspaude, 33330 Saint-Emilion, tél. 05.57.40.15.76, fax 05.57.40.10.14 ☑ ☂ r.-v.

CH. LA DOMINIQUE 1997★

■ Gd cru clas.   22 ha   86 000   ◫ 800 à 499 F
⑧² 83 85 **86 87** |88| **|89|** |90| 91 92 **|93|** |94| 95 **96**
97

Installée tout près de Pomerol, cette propriété, achetée par Clément Fayat en 1969, doit son nom à l'île de La Dominique (aux Antilles) où un ancien propriétaire du XVIII°s. avait fait fortune. Né sur un terroir sablo-graveleux, de 80 % de merlot, 15 % de cabernet franc et d'un petit appoint de cabernet-sauvignon, ce 97, très réussi, est paré d'une jolie robe rouge sombre à reflets carminés. S'il est actuellement dominé par des odeurs boisées, vanillées et grillées, un peu brûlées, à côté d'arômes épicés et fruités, il se montre savoureux en attaque ; il possède des tanins gras et charnus qui évoluent longuement en bouche vers une finale encore un peu ferme. A attendre trois à cinq ans pour un plaisir optimal. Rappelons le grand coup de cœur obtenu pour le millésime 96.
➤ Clément Fayat, Ch. La Dominique, 33330 Saint-Emilion, tél. 05.57.51.31.36, fax 05.57.51.63.04,
e-mail info@vignobles.fayat-group.com ✓

CH. LA FLEUR CRAVIGNAC 1997

■   7,75 ha   51 000   ◫ 70 à 99 F

Créé au XVIII°s., ce cru est installé sur un terroir argilo-calcaire et argilo-siliceux à crasse de fer. Le vin présente une jolie couleur grenat de bonne intensité. A l'aération il exprime des notes de fleurs, de fruits rouges et de merrain. Bien structuré en bouche par de bons tanins qui devraient évoluer en finesse, il devra être attendu deux ou trois ans.
➤ SCEA Ch. Cravignac, Cravignac, 33330 Saint-Emilion, tél. 05.57.74.44.01, fax 05.57.84.56.70 ✓ ⵘ r.-v.
➤ L. et A. Beaupertuis

CH. LA FLEUR DE JAUGUE 1997★

■   n.c.   18 000   ◫ 70 à 99 F

Propriété familiale située aux portes est de Libourne sur l'ancienne appellation « sables saint-émilion ». En fait ce cru se situe sur une petite croupe d'argiles sur graves plantée à 80 % de merlot et à 20 % de cabernet. Le vin est bien réussi dans son millésime. Il porte une jolie robe grenat foncée. Son nez déjà intense exprime des senteurs boisées, toastées, épicées avec une touche de cuir. La bouche est charnue, franche ; les tanins sont présents mais agréables. Vin bien élevé, à attendre deux à trois ans.
➤ Georges Bigaud, 150, av. du Gal-de-Gaulle, 33500 Libourne, tél. 05.57.51.51.29, fax 05.57.51.29.70 ✓ ⵘ r.-v.

CH. LA FLEUR PEREY
Cuvée Prestige Vieillie en fût de chêne 1997

■   3,5 ha   24 000   ◫ 50 à 69 F
93 94 |95| |96| |97|

Florence et Alain Xans sélectionnent 3,5 ha sur les 13 ha qu'ils exploitent, pour produire cette cuvée Prestige. Ce sont des vignes d'une cinquantaine d'années, à 80 % merlot et à 20 % cabernets, plantées sur sols sablo-graveleux. La couleur du 97 se pare de reflets d'évolution. Le nez

s'annonce floral, puis évolue sur des petits fruits de type cassis. Souple à l'attaque, ce « vin plaisir » roule bien en bouche pour finir sur des tanins faciles. Il conviendra bien à des viandes blanches.
➤ Vignobles F. et A. Xans, Perey, 33330 Saint-Sulpice-de-Faleyrens, tél. 06.80.72.84.87, fax 06.57.24.63.61 ✓ ⵘ r.-v.

CH. LA FLEUR PICON 1997★

■   5,6 ha   25 000   ▮ ◫ ♂ 50 à 69 F
94 95 97

Christian Lassègues conduit la propriété familiale établie sur des sols argilo-siliceux plantés à 70 % de merlot et à 30 % de bouchet. Ce 97 a une couleur rouge foncé. Il demande un peu d'aération pour dégager des arômes de fruits noirs, d'épices, de bois chauffé et de poivre. Bien structuré en bouche par les tanins du vin et du merrain, il devrait évoluer favorablement.
➤ Christian Lassègues, La Fleur Picon, 33330 Saint-Emilion, tél. 05.57.24.70.60, fax 05.57.24.68.67 ✓ ⵘ r.-v.

CH. LA GAFFELIERE 1997★

■ 1er gd cru B   20 ha   80 000   ◫ 250 à 299 F
75 78 79 80 81 ⑧² **83** 84 **85** |86| 87 **88 89** |90|
91 92 |93| **|94|** **95** 96 |97|

Ce beau domaine viticole de plus de 20 ha est situé à quelques centaines de mètres de la porte sud de la cité médiévale, entre Ausone et Pavie ; la même famille le dirige depuis près de quatre siècles. Mais ici la vigne remonte à l'époque gallo-romaine, comme en témoigne une mosaïque à motif de cep de vigne. Le vin se pare d'une robe pourpre à reflets carminés. Le fumet est fin : figue sèche, vanille, boisé à note de tabac. La bouche élégante possède des tanins déjà soyeux, à saveur vanillée, cacaotée, qui permettront de boire ce vin assez vite.
➤ Léo de Malet Roquefort, Ch. La Gaffelière, B.P. 65, 33330 Saint-Emilion, tél. 05.57.24.72.15, fax 05.57.24.69.06 ✓ ⵘ r.-v.

CH. LA GARELLE 1997★

■   8,35 ha   30 000   ◫ 70 à 99 F

Quatrième millésime de Jean-Luc Marette, ce 97 montre le joli travail fait sur le cru. L'œil est flatté par une jolie couleur rubis intense. Le nez déjà complexe, mêlant fruits rouges et un fumet boisé et vanillé, annonce une structure de bonne extraction, charpentée par des tanins « costauds » qui permettront à ce vin de tenir au vieillissement.
➤ Jean-Luc Marette, Ch. La Garelle, 33330 Saint-Emilion, tél. 05.57.24.61.98, fax 05.57.24.75.22 ✓ ⵘ r.-v.

CH. LA GOMERIE 1997

■   2,52 ha   9 600   ◫ + de 500 F

Le manoir de La Gomerie resta attaché à l'abbaye de Faise pendant plus de quatre siècles. Le modeste vignoble actuel (2,5 ha) représente l'ancien enclos du prieuré qui y fut construit. Repris en 1995 par la famille Becot, ce cru, 100 % merlot, bénéficie des meilleurs soins et propose un 97 intéressant. La robe rubis foncé est profonde. Le nez, intense et complexe, marie les arômes fruités aux odeurs toastées et vanillées du bon bois neuf. La bouche est corsée, ronde et équilibrée, avec une certaine fermeté en finale qui devrait rapidement s'estomper.

↬ G. et D. Bécot, GFA La Gomerie, 33330 Saint-Emilion, tél. 05.57.74.46.87, fax 05.57.24.66.88 ⊺ r.-v.

CH. LA GRACE-DIEU-LES-MENUTS 1997★

	13,05 ha	72 500	◫	70 à 99 F

86 88 |89| 91 93 |94| 95 96 97

Domaine viticole de plus de 13 ha, exploité par la même famille depuis plusieurs générations. En 1999, Odile Audier a pris le relais de ses parents. Le fait que le 97 soit jugé très réussi par nos experts est méritoire car il est produit par l'ensemble de l'exploitation. Le jury a apprécié sa belle couleur grenat, son bouquet subtil, qui demande un peu d'aération pour exprimer des notes fruitées et épicées. Elégant en bouche, structuré par des tanins finement boisés, ce vin se montre très agréable et peut justifier trois à quatre ans de garde.

↬ EARL Vignobles Pilotte-Audier, La Grâce-Dieu, 33330 Saint-Emilion, tél. 05.57.24.73.10, fax 05.57.74.40.44 ☑ ⊺ r.-v.

CH. LA GRANGERE 1997★

■	6,88 ha	30 000	◫	100 à 149 F

Créé en 1995, ce cru est commercialisé par le négoce. Ce 97, de belle facture, est paré d'une jolie robe rubis. Le nez est dominé par des arômes de fruits rouges mûrs et cuits, rappelant la cerise confite, mêlés à de fines notes boisées, grillées et vanillées. La dégustation révèle une bonne structure tannique, puissante et robuste, enveloppée de velours par des tanins riches, charnus et gras, très longs en finale. Un vin de garde.

↬ SCEA Ch. La Grangère, 33330 Saint-Laurent-des-Combes, tél. 05.57.24.71.43, fax 05.57.24.63.44, e-mail grandbarrail@wanadoo.fr

↬ Louis et Jean Parent

CH. LAMARZELLE CORMEY 1997

■	5 ha	24 000	◧	50 à 69 F

Ce cru, planté uniquement de merlot, est installé sur une veine superficielle d'argile posée sur des sables anciens. Le 97 a une teinte grenat évoluée à reflets tuilés. Il exprime au nez des arômes de fruits rouges cuits mêlés de notes épicées. La bouche est souple et ronde, bien relevée par une certaine nervosité très fraîche et une finale épicée. Une bouteille simple et plaisante, à boire dès maintenant.

↬ SCEA Cormeil-Figeac, B.P. 49, 33330 Saint-Emilion, tél. 05.57.24.70.53, fax 05.57.24.68.20, e-mail moreau@cormeil-figeac.com ☑ ⊺ r.-v.

↬ Richard Moreau

CH. DES LANDES 1997

■	5 ha	15 000	◫	100 à 149 F

Installé sur les sables de Vignonet, ce cru a assemblé 60 % de merlot, 30 % de cabernet franc et 10 % de cabernet-sauvignon pour son premier millésime. La robe grenat est limpide et bien soutenue. Le bouquet, encore un peu marqué par l'élevage en fût, est dominé par des arômes vanil-

lés et grillés, avec des odeurs de cuir et de café ; puis à l'agitation des notes fraîches de réglisse apparaissent. Agréable, souple et ronde, la matière assez ample donne un ensemble élégant, prêt à créer du plaisir.

↬ GFA du Haut-Saint-Georges, Arvouet, 33330 Vignonet, tél. 05.57.55.38.00, fax 05.57.55.38.01 ☑ ⊺ r.-v.

CH. LAPELLETRIE 1997

■	12 ha	80 000	▤ ◫ ⬓		70 à 99 F

Importante propriété de 20 ha dont 12 sont consacrés à la production de ce vin commercialisé par la société Yvon Mau. Le merlot, planté sur des coteaux argilo-calcaires, domine à 90 %. Le vin se pare d'une couleur rubis très jeune. Encore fruité au nez avec une touche boisée, il garde un bon équilibre en bouche, fortifié par des tanins encore frais.

↬ SA Yvon Mau, B.P. 1, 33193 Gironde-sur-Dropt Cedex, tél. 05.56.61.54.54, fax 05.56.61.54.61 ⊺ r.-v.

CH. LAPLAGNOTTE-BELLEVUE 1997★

■	5,54 ha	31 000	◫	70 à 99 F

Jolie propriété exploitée par des descendants des Fourcaud-Laussac, anciens propriétaires de Cheval Blanc. Etablie sur les sols argilo-siliceux de Saint-Christophe-des-Bardes au nord-est de l'appellation, elle est plantée aux deux tiers de merlot pour un tiers de cabernets. La robe du vin, d'une belle couleur pourpre, montre des reflets d'évolution. Le bouquet discret mais élégant offre des notes de fruits rouges et de bois bien dosé, avec une touche d'épices. La saveur est à la fois fine et racée. La finale, sur une note de fruits confits, est fort agréable.

↬ Claude de Labarre, Ch. Laplagnotte-Bellevue, 33330 Saint-Christophe-des-Bardes, tél. 05.57.24.78.67, fax 05.57.24.63.62, e-mail arnauddl@aol.com ☑ ⊺ r.-v.

CH. L'APOLLINE 1997

■	2,8 ha	15 000	◫	70 à 99 F

Première présentation en saint-émilion grand cru pour cette propriété constituée de deux tiers de merlot et d'un tiers de cabernet-sauvignon, nés sur sols sablo-argileux posés sur un lit de graves, et examen de passage réussi avec ce 97 de bonne typicité. La robe grenat foncé montre encore des reflets rubis de jeunesse. Le bouquet, intense et puissant, associe les fruits rouges bien mûrs à des odeurs épicées, fumées et grillées de bon bois. La bouche, corsée et souple à l'attaque, montre ensuite une belle ampleur, avec du gras et du charnu. En finale, les tanins encore un peu sévères demandent deux à trois ans de vieillissement.

↬ EARL Ch. L'Apolline, Le Brégnet, 33330 Saint-Sulpice-de-Faleyrens, tél. 05.57.51.26.80, fax 05.57.51.26.80 ☑

↬ Genevey

CLOS LARCIS 1997★

■	1 ha	6 000	◫	100 à 149 F

|89| |90| 91 92 |93| |94| |97|

Production confidentielle pour ce petit cru d'un hectare, enclavé à flanc de coteau entre Pavie et Larcis-Ducasse, et constitué exclusivement de merlot trentenaire. Cela donne un 97 d'une couleur rubis limpide et vive. Le nez mêle les arômes de fruits rouges mûrs aux notes grillées de bon bois. La dégustation est très plaisante, avec des tanins souples et délicats et une belle harmonie entre les saveurs des raisins mûrs et celles d'un boisé bien maîtrisé.

☛ SCA Vignobles Robert Giraud, B.P. 31, 33240 Saint-André-de-Cubzac, tél. 05.57.43.01.44, fax 05.57.43.08.75, e-mail direction@robertgiraud.com ✅

CH. LARMANDE 1997★

■ Gd cru clas.	25 ha	150 000	▮ ⅷ ⚡	150 à 199 F

81 82 **83** **85** 86 |88| |89| |90| 92 |93| **94** **96** 97

Belle propriété viticole de 25 ha installée à 1 km au nord de Saint-Emilion sur un plateau argilo-calcaire et sableux, Larmande appartient depuis 1990 à la compagnie La Mondiale. Ce millésime a assemblé 65 % de merlot et 30 % de cabernet franc avec un apport de 5 % de cabernet-sauvignon. Il est joli, doté d'une couleur rubis sombre. Le bouquet mêle des arômes de fruits rouges à des odeurs boisées élégantes, grillées, brûlées et vanillées. Souple et ronde en attaque, la bouche évolue sur une structure charpentée et puissante, encore un peu ferme, mais gage d'un bon avenir.

☛ SCE du Ch. Larmande, Lieu-dit Larmande, 33000 Bordeaux, tél. 05.57.24.71.41, fax 05.57.74.42.80, e-mail chateau-larmande@wanadoo.fr ⚥ r.-v. ☛ La Mondiale

CH. LA ROSE COTES ROL 1997★

■	5 ha	31 000	▮ ⅷ ⚡	50 à 69 F

|94| 95 96 97

Ce cru régulièrement retenu par le Guide repose sur un glacis sableux où le merlot (65 %) est associé aux deux cabernets. Le vin se pare d'une jolie robe bordeaux. Le bouquet assez concentré est intéressant par sa note crayeuse associée au cuir. Corsé et charpenté, le palais possède des tanins savoureux et longs qui lui confèrent une bonne aptitude à la garde. A apprécier sur gibier et viandes rouges.

☛ SCEA Vignobles Mirande, Ch. La Rose Côtes Rol, 33330 Saint-Emilion, tél. 05.57.24.71.28, fax 05.57.74.40.42, e-mail mpmirande@aol.com ✅ ⚥ r.-v.

CH. LA ROSE-POURRET 1997★

■	8 ha	38 000	ⅷ	70 à 99 F

|94| |95| 96 97

Propriété familiale depuis cinq générations, ce cru de 8 ha est composé de 70 % de merlot, de 20 % de cabernet franc et de 10 % de cabernet-sauvignon, plantés à 1 km à l'ouest de la cité médiévale sur un terroir argilo-siliceux mêlé de crasse de fer. Cela donne un 97 à la robe bordeaux de belle tenue. Au nez, les arômes de fruits mûrs se marient aux odeurs grillées d'un bon boisé. La bouche est ronde et vineuse avec des tanins gras et longs qui persistent longuement en finale dans une harmonie aromatique.

☛ Warion, SCEA Ch. La Rose Pourret, 33330 Saint-Emilion, tél. 05.57.24.71.13, fax 05.57.74.43.93 ✅ ⚥ r.-v.

CH. LA ROSE PRESSAC 1997

■	5 ha	n.c.	▮ ⅷ	30 à 49 F

Petite propriété viticole appartenant à la famille Lafaye mais commercialisée sous exclusivité Cordier. Elle est située sur le coteau sud argilo-calcaire de Saint-Etienne-de-Lisse, à l'est de l'appellation. Ce vin joue sur la franchise, de la robe légère à la bouche souple et directe. Du nez, discret mais agréable, s'ouvre à l'agitation sur des notes fruitées. Les tanins déjà bien fondus permettront de boire assez vite ce 97.

☛ Vignobles Lafaye Père et Fils, Saint-Etienne-de-Lisse, 33330 Saint-Emilion, tél. 05.57.40.18.28, fax 05.57.40.02.70

CH. LAROZE 1997

■ Gd cru clas.	27 ha	80 000	ⅷ	100 à 149 F

85 **86** 88 89 |90| 91 92 |93| |94| 95 96 97

Guy Meslin mène ce domaine familial créé en 1882. Son 97 est dans la tonalité du millésime. Il a passé douze mois en barrique. Derrière une belle robe carminée, le nez perçoit des notes de caramel et de cuir ainsi qu'une touche animale. En bouche, le volume repose sur des tanins charpentés mais assez soyeux. A attendre un peu.

☛ Guy Meslin, SCE Ch. Laroze, 33330 Saint-Emilion, tél. 05.57.24.79.79, fax 05.57.24.79.80, e-mail ch.laroze@wanadoo.fr ✅ ⚥ r.-v.

CH. LASSEGUE 1997

■	25 ha	n.c.	▮ ⅷ	70 à 99 F

Beau domaine viticole entourant une chartreuse du XVIIIᵉˢ. située sur le flanc sud du coteau de Saint-Hippolyte, à l'est de Saint-Emilion. Le vignoble est planté sur des sols argilo-siliceux et argilo-calcaires. La robe de son 97 présente des reflets rubis clair. Le nez est fruité, mais révèle aussi une touche animale et mentholée. Souple et réglissé à l'attaque, étoffé par des tanins de qualité, ce vin devrait pouvoir se boire assez vite.

☛ SC des Vignobles Freylon, 33330 Saint-Hippolyte, tél. 05.57.24.72.83, fax 05.57.74.48.88 ✅ ⚥ r.-v.

CH. LA TOUR FIGEAC 1997

■ Gd cru clas.	8 ha	32 000	ⅷ	150 à 199 F

82 **83** **85** 86 |89| |90| 93 |94| 95 **96** 97

La Tour Figeac est un ancien rameau du château Figeac dont il fut détaché en 1879. Il doit son nom à une tour qui existait encore à la fin du XVIIIᵉˢ. Ce premier vin est sélectionné sur 8 ha de la quinzaine qui constitue la propriété sur les sables et graves, tout près de Pomerol. Sa robe a de jolis reflets grenat, son bouquet encore un peu fermé s'exprime à l'aération sur des fleurs (violette, églantine), de la venaison, et finit sur des notes minérales de pierre à fusil. Très souple à l'attaque, il évolue ensuite sur des tanins encore un peu amers qui demandent à se fondre un peu.

☛ SC Ch. La Tour Figeac, B.P. 007, 33330 Saint-Emilion, tél. 05.57.51.77.62, fax 05.57.25.36.92 ✅ ⚥ r.-v. ☛ Rettenmaier

BORDELAIS

CH. LA VOUTE 1997

■   1,19 ha   7 200   ⑪   70 à 99 F
|94| |95| 96 |97|

Ce cru confidentiel, créé en 1993 par la famille Moreau, est installé sur les argiles brunes du plateau de Saint-Etienne-de-Lisse et planté exclusivement de merlot. Il propose un 97 très plaisant, paré d'une superbe robe rubis profond à reflets pourpres. Le bouquet, fin et élégant, évoque les petits fruits rouges frais accompagnés de jolies notes boisées. Souple, rond, équilibré et très charmeur, c'est un « vin plaisir » à servir sur volailles et grillades dès maintenant.
☛ EARL Moreau, Ch. d'Arvouet,
33570 Montagne, tél. 05.57.74.56.60,
fax 05.57.74.58.33,
e-mail moreaulavoute@aol.com ☑ ⵉ r.-v.

CH. LE PRIEURE 1997

■ Gd cru clas.   6,02 ha   36 000   ▤ ⑪ ⚖   100 à 149 F

Issu du démembrement du célèbre cru des Cordeliers, ce vignoble a été acquis au milieu du XIXᵉs. par le grand-père de l'actuel propriétaire, M. Olivier Guichard, ancien ministre d'Etat du général de Gaulle. Avec 60 % de merlot pour 40 % de cabernets plantés sur des terroirs argilo-calcaires, ce 97 constitue une jolie bouteille où le manque de concentration est judicieusement compensé par la finesse et l'élégance. S'il paraît légèrement évolué dans le verre, il est encore un peu discret au nez où se mêlent des arômes de fruits rouges, des senteurs florales de violette, des odeurs fraîches de sous-bois et des notes vanillées. Les tanins ronds, fondus et soyeux, laissent une impression harmonieuse et permettent une consommation immédiate.
☛ SCE Baronne Guichard, Ch. Siaurac,
33500 Néac, tél. 05.57.51.64.58,
fax 05.57.51.41.56 ☑ ⵉ r.-v.
☛ Olivier Guichard

CH. LES GRANDES MURAILLES
1997★

■ Gd cru clas.   2 ha   8 500   ▤ ⑪ ⚖   150 à 199 F
88 |⟨89⟩| 94 |95| 96 97

Ce tout petit vignoble de 2 ha est situé au pied des ruines d'un couvent des jacobins du XIIᵉs., l'un des monuments les plus remarquables de Saint-Emilion. Dans la même famille depuis 1643, il est aujourd'hui dirigé par l'une des propriétaires, Sophie Fourcade. Le 97 porte une robe d'un grenat intense. Il est très expressif au nez, avec des notes d'épices, de fruits noirs, de pain grillé, de vanille et de réglisse. Chaleureux en bouche, équilibré, structuré par des tanins de bois qui devraient bien évoluer, c'est un vin de garde.
☛ GFA Les Grandes Murailles, Ch. Côte de Baleau, 33330 Saint-Emilion, tél. 05.57.24.71.09, fax 05.57.24.69.72 ☑ ⵉ r.-v.
☛ Famille Reiffers

CH. LES GRAVIERES
Cuvée Prestige Vieilli en fût de chêne 1997★

■   3,5 ha   18 000   ⑪   70 à 99 F
89 90 91 92 |93| |94| ⟨95⟩ 96 97

Le chai à barriques et les bureaux installés dans d'anciens bâtiments au bord de la Dordo-

gne ont récemment servi de lieu de tournage pour la série télévisée *La Rivière Espérance* avec Jean-Claude Drouot. Le vin, lui, est bien connu pour décrocher régulièrement des coups de cœur : il est issu d'une sélection d'un dixième des vignes exploitées. S'il n'a pas obtenu cette distinction en cette année difficile, il a tout de même été jugé très réussi : belle couleur grenat foncé, bouquet fruité et boisé, beau potentiel en bouche... c'est un vin de garde.
☛ SCEA des Vignobles Denis Barraud,
Ch. Haut-Renaissance, 33330 Saint-Sulpice-de-Faleyrens, tél. 05.57.84.54.73, fax 05.57.84.52.07, e-mail denis.barraud@wanadoo.fr ☑ ⵉ r.-v.

LES PLANTES DU MAYNE 1997★

■   n.c.   15 000   ▤ ⑪ ⚖   100 à 149 F

Le second vin du château Grand Mayne a bénéficié d'un bel élevage d'un an en fût. Paré d'une jolie robe rubis, limpide et brillante, ce 97 révèle un bouquet harmonieux et puissant, mariant finement les arômes de raisins bien mûrs à un élégant boisé. La bouche est équilibrée et plaisante avec des tanins soyeux et une finale savoureuse, rappelant les fruits rouges et noirs confits, mêlés de vanille.
☛ Jean-Pierre Nony, 1, Le Grand-Mayne,
33330 Saint-Emilion, tél. 05.57.74.42.50,
fax 05.57.24.68.34, e-mail grand-mayne@grand-mayne.com ☑ ⵉ r.-v.

CH. LUCIE 1997

■   3 ha   12 000   ⑪   70 à 99 F

Petite propriété, acquise en 1995 par Michel Bortolussi. Elle est pratiquement monocépage (90 % de merlot) mais les terroirs sont variés (argiles, graves, sables). Le vin a une couleur de bonne intensité. Le nez débute sur une note animale puis évolue sur du bois caramélisé. L'attaque est souple et fraîche, relayée par les notes chaudes d'un boisé bien maîtrisé. Bien fait, ce 97 est prêt mais peut attendre encore trois ou quatre ans.
☛ Michel Bortolussi, 316, Grands-Champs,
33330 Saint-Sulpice-de-Faleyrens,
tél. 05.57.74.44.42, fax 05.57.24.73.00 ☑ ⵉ r.-v.

CH. MAGDELAINE 1997★

■ 1er gd cru B 10,36 ha   28 800   ⑪   200 à 249 F
70 75 78 79 80 82 ⟨83⟩ 85 |86| |87| |88| |89| 90 |92| |93| |94| 95 |96| |97|

Cru d'une régularité à toute épreuve, même dans les millésimes difficiles : c'est à cela que l'on reconnaît les bons vinificateurs. Ils sont aussi un peu aidés ici par un terroir et une exploitation exceptionnels, au cœur des premiers grands crus classés de Saint-Emilion dont ils font partie. La jolie robe de ce 97 montre des reflets rubis et pourpres. Le nez livre des notes de fruits cuits, de pruneau, de tabac, de boisé fin. L'équilibre entre le raisin et le merrain est parfait en bouche où la saveur de pruneau est persistante, avec des tanins fins en finale. Une harmonie déjà très intéressante.
☛ Ets Jean-Pierre Moueix,
54, quai du Priourat, 33500 Libourne

CH. MAGNAN 1997

■   10 ha   50 000   Ⅲ 70 à 99 F
82 85 86 **88** |89| 91 92 |94| |96| 97

Installé sur des sables anciens avec 70 % de merlot et 30 % de cabernet franc, ce cru figurait parmi les premiers de Saint-Emilion dans l'édition Cocks et Féret de 1861 ! Racheté en 1979 par la famille Moreau, il a été depuis entièrement réaménagé. Il propose un 97 de bonne typicité. La robe grenat délivre des reflets tuilés. Le nez expressif libère des arômes de fruits rouges à l'alcool et de fruits confits, mêlés de nuances grillées. La bouche est souple et corsée, équilibrée par des tanins enrobés dans une jolie matière et une finale de bonne tenue qui permettront quelques années de garde.
☛ SCEA Cormeil-Figeac, B.P. 49, 33330 Saint-Emilion, tél. 05.57.24.70.53, fax 05.57.24.68.20, e-mail moreau@cormeil-figeac.com ☑ ⵏ r.-v.
☛ Richard Moreaud

CH. MANGOT 1997

■   30,5 ha   n.c.   Ⅲ 70 à 99 F

Le château Mangot est une importante propriété viticole de près de 30 ha, située à l'est de l'appellation sur des calcaires à astéries et coquilles d'huîtres fossilisées. Le vin, d'une jolie couleur rubis d'intensité moyenne, offre un bouquet fin, à dominante boisée, vanillée, épicée, toastée avec une touche de cerise. La bouche souple est étoffée par des tanins de bois plutôt charmeurs. « Vin plaisir » à boire assez rapidement ; la **cuvée Quintessence 97**, elle, est en devenir mais elle reçoit la même note (100 à 149 F).
☛ Vignobles Jean Petit, Ch. Mangot, 33330 Saint-Etienne-de-Lisse, tél. 05.57.40.18.23, fax 05.57.40.15.97, e-mail chmangot@terre-net.fr ☑ ⵏ t.l.j. 8h-12h 14h-18h; sam. dim. sur r.-v.

DOM. DE MARTIALIS 1997★

■   n.c.   23 000   ⅢⅢ 100 à 149 F

Il s'agit du second vin de Clos Fourtet, premier grand cru classé, établi à Saint-Emilion sur un beau terroir argilo-calcaire. Le cabernet franc atteint près de 40 % de l'assemblage. Cela donne un vin de caractère, de teinte rubis à reflets grenat, au fumet grillé, boisé et aux notes de clou de girofle. Le palais, tout en finesse et en élégance, permet de servir ce 97 dès cet hiver, mais il saura attendre quelques mois encore.
☛ SC Clos Fourtet, 33330 Saint-Emilion, tél. 05.57.24.70.90, fax 05.57.74.46.52
☛ Lurton Frères

CH. MATRAS 1997★

■ Gd cru clas.   9 ha   30 000 ■ Ⅲ ⵙ 100 à 149 F
82 **83** 85 86 |90| 92 |93| 94 97

Installé sur le versant sud des coteaux de Saint-Emilion dont les terroirs argilo-calcaires sont mêlés d'alios ou crasse de fer, Matras bénéficie d'un encépagement original à Saint-Emilion : 40 % de merlot, 30 % de cabernet franc, 20 % de cabernet-sauvignon et 10 % de malbec. Bien présenté dans sa robe grenat sombre et profond, ce 97 s'exprime intensément au nez par des arômes de fruits rouges mêlés d'épices et de notes grillées, le tout rafraîchi par des odeurs de réglisse et de sous-bois. La bouche est souple, ronde, harmonieuse et élégante, avec de bons tanins mûrs et charnus et une belle longueur sur le fruit.
☛ Vignobles Bernard et Véronique Gaboriaud, Ch. Matras, 33330 Saint-Emilion, tél. 05.57.51.52.39, fax 05.57.51.70.19 ☑ ⵏ r.-v.

CH. MAUVEZIN 1997

■   3,5 ha   15 000   ⅢⅢ 100 à 149 F
|90| |94| |95| 96 97

Acheté en 1968 et composé par 55 % de merlot et 45 % de cabernets quadragénaires implantés sur calcaires à astéries, ce domaine appartient à la famille Cassat qui fit breveter une table de tri des vendanges climatisée. Ce 97 a une belle couleur rubis brillant. Le bouquet grillé et vanillé dialogue avec des arômes de fruits rouges mûrs. La bouche révèle une structure encore un peu sévère, marquée par le fort taux de cabernets. Elle devrait s'assouplir dans les trois à cinq ans à venir.
☛ GFA P. Cassat et Fils, B.P. 44, 33330 Saint-Emilion, tél. 05.57.24.72.36, fax 05.57.74.48.54 ☑ ⵏ r.-v.

CH. MONBOUSQUET 1997★★

■   33 ha   80 000   ⅢⅢ 250 à 299 F
|93| |94| |95| 96 97

Ce cru de 33 ha fait partie des domaines viticoles acquis par la famille Perse à Saint-Emilion (Pavie, Pavie-Decesse, La Clusière). En constante progression depuis son rachat en 1993, il présente un étonnant 97 à la robe pourpre très soutenu, sombre et profonde. Le bouquet, intense et harmonieux, associe des arômes de fruits rouges confits et des parfums élégants de bon bois, grillés, toastés et épicés. Riche et dense, grâce à une très belle matière charnue et puissante, le palais révèle des tanins racés, gras et longs. Un grand vin très prometteur.
☛ SA Ch. Monbousquet, 33330 Saint-Sulpice-de-Faleyrens, tél. 05.57.55.43.43, fax 05.57.24.63.99 ⵏ r.-v.
☛ Gérard Perse

MONDOT 1997★

■   3,6 ha   11 000   ⅢⅢ 100 à 149 F

Mondot est le point culminant de la commune de Saint-Emilion (106 m). C'est aussi le second vin de Troplong Mondot (grand cru classé), né sur cette butte argilo-calcaire d'un assemblage composé par 40 % de merlot, complété par les cabernets. Ce 97 est doté d'une superbe couleur rubis intense et vif, à reflets pourpres. Le bouquet, déjà expressif, rappelle la griotte et le bourgeon de cassis, avec des parfums boisés fondus très agréables. La bouche, ferme et dense, révèle des tanins encore un peu sévères, garants d'une bonne garde.
☛ Christine Valette, Ch. Troplong-Mondot, 33330 Saint-Emilion, tél. 05.57.55.32.05, fax 05.57.55.32.07 ☑ ⵏ r.-v.

CH. MONLOT CAPET 1997

■   7 ha   45 000   ❙❙❙ 100 à 149 F

|90| 92 **93 94** |95| |96| 97

Un vieillissement en barriques neuves à 50 % pendant dix-huit mois pour ce 97 dont la robe légère a des franges tuilées. Le nez discret demande à être aéré pour exprimer les notes animales de cuir. La bouche débute de façon plaisante, presque suave, puis évolue sur des tanins assez persistants qui demandent à s'assouplir un peu.

☛ Bernard Rivals, Ch. Monlot-Capet, 33330 Saint-Hippolyte, tél. 05.57.74.49.47, fax 05.57.24.62.33,
e-mail musset-rivals@belair-monlot.com
☑ ⵙ t.l.j. sf sam. dim. 9h-12h 14h-18h

CH. MOULIN GALHAUD 1997

■   2 ha   6 000   ❙❙❙ 100 à 149 F

Un nouveau venu. Ce cru de 2 ha fait partie des 5,6 ha que Martine Galhaud exploite à Vignonet. Elle a associé son nom de jeune fille, « Moulin », à celui de son mari, « Galhaud », négociant bien connu. Ce 97 se pare d'une jolie robe pourpre à reflets d'évolution. Le nez de pruneau associé à des notes poivrées, torréfiées, est déjà complexe. La bouche à la fois souple et fraîche évolue sur des tanins bien fondus. Un vin réussi dans son millésime, tout comme le **Château La Rose Brisson 97** (50 à 69 F) qui a été cité.

☛ SCEA Martine Galhaud, 33330 Vignonet, tél. 05.57.97.39.73, fax 05.57.74.96.64 ☑ ⵙ r.-v.

CH. MOULIN SAINT-GEORGES 1997★★

■   7 ha   32 000 ⵙ ❙❙❙ ⵙ 200 à 249 F

86 89 |⟨90⟩| 91 |93| |94| |95| **96 97**

Ce joli cru a obtenu un coup de cœur l'an dernier. Etabli à l'entrée de Saint-Emilion sur des sols argilo-calcaires, il est exploité depuis le début du siècle par la famille Vauthier, propriétaire d'Ausone. Assemblant 70 % de merlot au cabernet franc (20 %) et au cabernet-sauvignon (10 %), ce millésime est remarquable. La couleur rubis, sombre et intense, montre des reflets pourpres. Le nez évoque les fruits mûrs et confits, harmonieusement associés aux notes grillées et vanillées de bon bois. La bouche riche, puissante et ample repose sur des tanins fermes et charnus, et une belle vinosité. Une longue finale savoureuse avec des retours aromatiques fruités et boisés très agréables conclut la dégustation. Trois à quatre ans de garde assurés.

☛ Famille Vauthier, Ch. Moulin Saint-Georges, 33330 Saint-Emilion, tél. 05.57.24.70.26, fax 05.57.74.47.39 ☑ ⵙ r.-v.

CH. MUSSET-CHEVALIER 1997

■   12 ha   91 000 ⵙ ❙❙❙ ⵙ 30 à 49 F

Vignoble de 12 ha implanté sur les sols sableux et argilo-calcaires de Saint-Pey d'Armens au sud-est de l'appellation. Les cabernets sont à égalité avec le merlot. Le vin a une couleur de bonne intensité et des parfums fruités. Encore fraîche, la bouche offre des saveurs fruitées et finement boisées. Ce 97 pourra se boire assez vite.

☛ SC du Ch. Musset-Chevalier, Saint-Pey-d'Armens, 33240 Saint-Gervais, tél. 05.57.94.00.20, fax 05.57.43.45.72 ⵙ r.-v.
☛ Raivico SA

CH. DU PARC 1997★

■   2,1 ha   11 000   ❙❙❙ 70 à 99 F

Première récolte pour le nouveau propriétaire de ce petit vignoble de 2 ha complanté aux trois quarts de merlot et au quart de cabernets sur les graves et sables du sud de l'appellation. Pour une première, c'est réussi, d'autant que le millésime n'était pas facile. Le vin se pare d'une robe pourpre profond. Le bouquet, déjà complexe, offre une succession de notes florales, de fruits confits, d'épices. L'attaque est généreuse, relayée par des tanins présents mais suffisamment veloutés pour laisser envisager une consommation assez rapide.

☛ Philippe Lavau, Ch. du Parc, 33330 Saint-Emilion, tél. 05.57.24.77.30, fax 05.57.24.66.24 ☑ ⵙ r.-v.

CH. PATRIS 1997★

■   6 ha   24 000   ❙❙❙ 150 à 199 F

88 |90| 92 |⟨93⟩| 95 96 97

Des ceps de quarante ans implantés en pied de côte, sur sables, limons et argiles, entre Libourne et Saint-Emilion, ont donné un joli 97 d'un bordeaux sombre et profond. Le bouquet puissant exprime les fruits rouges et noirs mariés à des arômes grillés, toastés et chocolatés. La bouche est bien équilibrée, avec des tanins souples et soyeux de belle qualité, persistant en finale. Attendre deux à trois ans pour mieux l'apprécier.

☛ Michel Querre, Ch. Patris, B.P. 51, 33330 Saint-Emilion, tél. 05.57.55.51.60, fax 05.57.55.51.61 ⵙ r.-v.

CH. PAVIE-DECESSE 1997★★

■ Gd cru clas.   10 ha   33 000   ❙❙❙ 300 à 499 F

81 82 83 85 86 |88| |⟨89⟩| |90| 92 |93| |94| 96 **97**

C'est en 1997 que Gérard Perse a acquis ce grand cru classé d'une dizaine d'hectares. Pour son premier millésime il obtient un coup de cœur, fait méritoire car l'année n'était pas particulièrement facile. « Bravo ! » « Beau travail », nos dégustateurs ont été impressionnés par ce vin particulièrement concentré : la robe est flatteuse par son bordeaux sombre, presque noir. Le bouquet, complexe et puissant, s'ouvre sur du fruit rouge, des épices, du bois torréfié ; la bouche, d'un remarquable volume, a des rondeurs séduisantes. Charpenté par des tanins fins et bien présents, c'est un grand vin de garde.

☛ SCA Pavie-Decesse, 33330 Saint-Emilion, tél. 05.57.55.43.43, fax 05.57.24.63.99

☛ Gérard Perse

CH. PAVIE MACQUIN 1997★★

■ Gd cru clas.	n.c.	n.c.	◖▮❙ 300 à 499 F
83 85 86	88		89		90	91 92	93	94 96	97	

Proche de la cité de Saint-Emilion, ce cru domine la côte Pavie depuis son plateau argilo-calcaire. Il doit son nom à son fondateur, Albert Macquin, qui sauva le vignoble du phylloxéra en introduisant l'usage du plant greffé. Ce 97 est étonnant par sa concentration, son ampleur et sa puissance. La robe, grenat à reflets vifs, est sombre et dense. Le bouquet associe les fruits rouges et noirs mûrs et le bon bois brûlé de l'élevage avec des arômes de réglisse et de menthe très frais. La structure est remarquable : des tanins superbes, charnus et fermes à la fois ; une présence aromatique impressionnante et une finale très longue et harmonieuse. Bravo !

☛ SCEA Ch. Pavie Macquin, 33330 Saint-Emilion, tél. 05.57.24.74.23, fax 05.57.24.63.78 ☑ ⍓ r.-v.

☛ Corre-Macquin

CH. PETIT-FAURIE-DE-SOUTARD 1997

■ Gd cru clas.	7,61 ha	46 000	▮◖▮❙⚲ 100 à 149 F
82 83 85 86 88	89		90	91 92	93		94	96	97	

Le château Petit Faurie de Soutard est situé aux portes de la cité médiévale de Saint-Emilion sur un point culminant du plateau nord. Jacques Capdemourlin gère cette propriété qui appartient à son épouse. Le vin a une robe légère à reflets rubis, et son bouquet encore discret évoque le bois vanillé et réglissé. Cependant il se montre souple et déjà harmonieux : sa structure plutôt légère permettra de le boire assez rapidement.

☛ SCE Vignobles Aberlen, Ch. Petit-Faurie-de-Soutard, 33330 Saint-Emilion, tél. 05.57.74.62.06, fax 05.57.74.59.34 ☑ ⍓ r.-v.

☛ Mme Capdemourlin

CH. PETIT-FIGEAC 1997

■	n.c.	14 000	▮◖▮❙⚲ 100 à 149 F
88	89		93		94	95	96	97

Ce petit vignoble de 3 ha appartient depuis 1989 au groupe Axa Millésime. Il dispose d'un encépagement équilibré : 60 % de merlot, 30 % de cabernet franc et 10 % de cabernet-sauvignon. La robe rubis, limpide et brillante, libère des reflets grenat. Au nez, les odeurs boisées, à connotations épicées et animales, dominent

encore les notes de fruits rouges. La structure est équilibrée, avec une attaque souple et ronde, puis un développement bien ferme qui permettra une garde de trois à quatre ans.

☛ Jean-Michel Cazes, Ch. Petit-Figeac, 33330 Saint-Emilion, tél. 05.57.51.21.08, fax 05.57.51.87.31, e-mail infochato@chateauxassociés.com

☛ Axa Millésime

CH. PETIT FOMBRAUGE 1997★

■	2,5 ha	12 000	◖▮❙ 100 à 149 F

Pour sa deuxième récolte, Pierre Lavau confirme la bonne impression donnée à nos dégustateurs l'an dernier. Elle est produite par un petit vignoble planté à 90 % de merlot sur argilo-calcaires au nord-est de l'appellation. La robe rubis présente quelques reflets tuilés. Si le nez est marqué par le bois, le fruit mûr reste présent. Equilibrée et savoureuse, la bouche est très réussie même si la finale encore tannique demande à se fondre. Le potentiel de ce 97 est étonnant.

☛ Pierre Lavau, Ch. Petit Fombrauge, 33330 Saint-Christophe-des-Bardes, tél. 05.57.24.77.30, fax 05.57.24.66.24 ☑ ⍓ r.-v.

CH. PIGANEAU 1997

■	5 ha	25 000	▮◖▮❙⚲ 50 à 69 F

Ancien propriétaire de ce cru, Piganeau fut directeur de l'école des Beaux-Arts de Bordeaux au XIX^{e}s. Aujourd'hui, le vin qui porte son nom revêt une robe légère à nuances rubis. Il est déjà expressif, évoquant la griotte, le bois réglissé, le cuir et la venaison. Sa bouche est souple, structurée par de fins tanins de bois qui permettront de le boire assez rapidement.

☛ SCEA J.-B. Brunot et Fils, 1, Jean-Melin, 33330 Saint-Emilion, tél. 05.57.55.09.99, fax 05.57.55.09.95, e-mail vignobles.brunot@wanadoo.fr ☑ ⍓ r.-v.

CH. PIPEAU 1997★

■	35 ha	180 000	◖▮❙ 70 à 99 F
86 88	89	92 93	94	95 96 97

Implanté à Saint-Laurent-des-Combes, ce vignoble de 35 ha propose un 97 de bien belle facture. La robe rubis foncé est profonde avec quelques reflets grenat. Le bouquet, fin et élégant, marie harmonieusement des arômes de fruits rouges mûrs à de jolies notes grillées et toastées de bon bois. La dégustation révèle des tanins équilibrés, souples et ronds, et une structure intéressante permettant d'envisager une petite garde (trois à cinq ans).

☛ GAEC Mestreguilhem, Ch. Pipeau, 33330 Saint-Laurent-des-Combes, tél. 05.57.24.72.95, fax 05.57.24.71.25, e-mail chateau.pipeau@wanadoo.fr ☑ ⍓ r.-v.

CH. PONTET-FUMET 1997

■	11 ha	70 000	▮◖▮❙⚲ 50 à 69 F
86 88	89	92	93	94 95 96 97

Faisant partie de l'ensemble des propriétés que la famille Bardet exploite dans le Saint-Emilionnais et le Castillonnais, ce cru est établi sur des sols sablo-graveleux. Le vin assemble 72 % de merlot et 28 % de cabernets. Il se pare d'une jolie robe rubis franc. Son bouquet déjà intense est marqué par du fruit et du bois de merrain vanillé. Charpentée par des tanins de bois encore sévères mais qui devraient bien évoluer, la bouche est prometteuse.

➥ SCEA des Vignobles Bardet, 17, La Cale, 33330 Vignonet, tél. 05.57.84.53.16, fax 05.57.74.93.47, e-mail vignobles@vignobles-bardet.fr 🍷 r.-v.

CH. DE PRESSAC 1997★

| ■ | 9 ha | 56 000 | 🔢 | 100 à 149 F |

Le 20 juillet 1453 fut signée au château de Pressac, après la bataille de Castillon, la reddition anglaise mettant fin à la guerre de Cent Ans. C'est également dans ce cru que, de 1737 à 1747, Vassal de Monteil implanta le cépage auxerrois, ou cot, qui prit dans la région le nom de pressac. Il en reste ici 1 %. Le vin, aujourd'hui, se présente dans une belle robe rubis franc. Son bouquet est déjà puissant, à caractère chocolaté avec des notes de bois toasté. A la fois élégant et corsé au palais, structuré par de bons tanins goûteux, il possède une personnalité intéressante.

➥ GFA Ch. de Pressac, 33330 Saint-Etienne-de-Lisse, tél. 05.57.40.18.02, fax 05.57.40.10.07 ☑ 🍷 r.-v.

➥ J.-F. et D. Quenin

CH. ROC DE BOISSEAUX 1997

| ■ | 5,4 ha | 35 000 | 🔢 | 50 à 69 F |
|92| |93| |94| |97|

Situé sur les sols sablo-graveleux de Saint-Sulpice-de-Faleyrens, ce cru est depuis 1989 propriété de la famille Clowez. Assemblant quatre cinquièmes de merlot et un cinquième de cabernet franc, ce 97 de bonne typicité se présente dans une robe rubis légèrement évoluée. Le nez rappelle les fruits rouges (surtout la cerise) avec des nuances boisées fines évoquant la vanille et la réglisse. La bouche est agréable et équilibrée, l'élégance compensant un certain manque de puissance. Une bouteille très plaisante et prête à boire.

➥ SCEA du Ch. Roc de Boisseaux, Trapeau, 33330 Saint-Sulpice-de-Faleyrens, tél. 05.57.88.07.64, fax 05.57.88.07.00 ☑ 🍷 r.-v.

➥ GFA Clowez

CH. ROCHEBELLE 1997★

| ■ | 2,8 ha | 17 000 | 🔢 | 70 à 99 F |

Petite propriété viticole située sur le coteau argilo-calcaire de Saint-Laurent-des-Combes, à laquelle on peut accéder directement par le pittoresque petit train touristique de Saint-Emilion. Après avoir obtenu un coup de cœur pour son 96, ce cru présente un 97 très réussi, paré d'une robe grenat intense. A l'agitation le nez perçoit des notes très boisées qui laissent poindre des touches fruitées. La bouche est, elle aussi, marquée par le bois, mais le volume et la structure sont de bon niveau et devraient bien évoluer d'ici un an ou deux.

➥ Philippe Faniest, Ch. Rochebelle, 33330 Saint-Laurent-des-Combes, tél. 05.57.25.15.44, fax 05.57.51.01.99, e-mail faniest@archimedia.com ☑ 🍷 r.-v.

CH. ROCHER BELLEVUE FIGEAC 1997

| ■ | 10,62 ha | n.c. | 🔢 | 70 à 99 F |
86 |88| |89| 91 92 94 95 96 97

Nos experts retiennent régulièrement ce vin : c'est le cas dans ce millésime pourtant ingrat. Il est produit sur les sables anciens sur graves, à l'ouest de l'appellation. La couleur rubis est dense. Le bouquet associe le fruit rouge et un boisé délicatement vanillé. La bouche est ample, à la fois chaleureuse et fraîche. Le bois encore très présent en finale demandera à se fondre un peu.

➥ SC Rocher Bellevue Figeac, 14, rue d'Aviau, 33000 Bordeaux, tél. 05.57.24.71.41

➥ M. Dutruilh

CH. ROLLAND-MAILLET 1997★

| ■ | 3,35 ha | 15 000 | 🔢 | 70 à 99 F |
|82| 85 |86| |89| |90| |93| 94 95 97

Ce cru de 3,5 ha, installé dans la zone de Corbin sur des sols argilo-siliceux et gravelo-siliceux, fait partie de la propriété familiale de l'œnologue libournais Michel Rolland. Assemblant trois quarts de merlot et un quart de cabernet franc, son 97 est joliment élevé. La robe rubis, dense et profonde, montre encore des reflets violines. Le bouquet intense et suave associe des arômes de fruits rouges bien mûrs aux odeurs grillées et vanillées du bon bois. La bouche est ample, avec des tanins fermes bien présents et une bonne longueur en finale. Une bouteille classique à attendre trois à cinq ans pour l'apprécier au mieux.

➥ SCEA Fermières des domaines Rolland, « Maillet », 33500 Pomerol, tél. 05.57.51.23.05, fax 05.57.51.66.08 ☑ 🍷 r.-v.

ROYAL 1997

| ■ | 10 ha | 63 000 | 🔢 | 50 à 69 F |

Il s'agit de l'une des marques les plus anciennes de l'importante cave des producteurs située au pied du coteau sud de la cité. Elle collecte les raisins de toute l'aire de l'appellation mais ce vin provient d'une dizaine d'hectares de sables et de graves plantés à 60 % de merlot et à 40 % de cabernets. Cela donne un vin particulier, à la robe grenat d'intensité moyenne. Le nez encore un peu fermé s'ouvre à l'agitation sur du fruit et de la réglisse. La bouche est souple et équilibrée. Ce 97 pourra se boire assez rapidement.

➥ Union de producteurs de Saint-Emilion, Haut-Gravet, B.P. 27, 33330 Saint-Emilion, tél. 05.57.24.70.71, fax 05.57.24.65.18, e-mail udp-vins.saint-emilion@gofornet.com ☑ 🍷 t.l.j. sf dim. 8h-12h 14h-18h

CH. ROZIER 1997

| ■ | 18 ha | 90 000 | 🔢 | 70 à 99 F |
86 88 |89| |90| |93| |94| 96 97

Une première parcelle fut achetée par la famille Saby en 1796. Depuis, neuf générations se sont succédé sur ce domaine qui compte aujourd'hui 18 ha de vignes, plantées sur des terroirs d'argilo-calcaires et de sables profonds. Ce 97 est de teinte rubis de bonne intensité, encore très vive. Le bouquet frais mêle des odeurs de cuir, de réglisse et de menthe, puis des notes boisées fines et harmonieuses. D'une belle élégance, la bouche compense un léger manque de puissance par la grande qualité des tanins veloutés et soyeux, qui permettront une consommation assez rapide.

🔖 Vignobles Jean-Bernard Saby et Fils, Ch. Rozier , 33330 Saint-Laurent-des-Combes, tél. 05.57.24.73.03, fax 05.57.24.67.77, e-mail vignobles.saby@wanadoo.fr ☑ �👃 r.-v.

CH. SAINT GEORGES COTE PAVIE 1997

■ Gd cru clas.	n.c.	26 000	◫ 100 à 149 F

82 83 ⑧⑤ 86 88 |89| |90| |92| 95 97

Très ancienne propriété familiale saint-émilionnaise, installée face à Ausone sur un beau coteau argilo-calcaire, avec 80 % de merlot pour 20 % de cabernet franc. La robe grenat bien soutenu de ce 97 a des reflets carminés. Le nez associe les fruits rouges et la confiture de prunes à des nuances boisées élégantes de café et de vanille, puis à des notes plus fraîches de réglisse et de menthe. En bouche, le léger manque de puissance du millésime est agréablement compensé par la qualité des tanins soyeux et veloutés, ronds et mûrs, ce qui donne un vin tout en harmonie et en finesse, déjà très plaisant à boire.

🔖 Jacques et Marie-Gabrielle Masson, Ch. Saint-Georges Côte Pavie, 33330 Saint-Emilion, tél. 05.57.74.44.23 ☑ �👃 r.-v.

CH. TAUZINAT L'HERMITAGE 1997

■	9,5 ha	60 000	◫ 100 à 149 F

88 89 |93| |94| **95 96** 97

La vigne complantée aux trois quarts de merlot pour un quart de cabernets couvre un coteau argilo-calcaire. Les millésimes 94 et 95 avaient reçu chacun un coup de cœur, 96 deux étoiles. C'est donc un beau et bon domaine. Ce 97 est d'une jolie couleur d'intensité moyenne. Le nez, encore un peu fermé, demande à être aéré pour exprimer des notes fruitées. La bouche fraîche doit vieillir un peu pour s'épanouir, mais pas trop, millésime oblige.

🔖 SC Bernard Moueix, Ch. Taillefer, 33500 Libourne, tél. 05.57.25.50.45, fax 05.57.25.50.45
🔖 Héritiers B. Moueix

CH. TOINET FOMBRAUGE 1997*

■	0,75 ha	5 300	⬛◫ 50 à 69 F

|93| |94| 95 96 97

Cette propriété familiale de 7,25 ha ne consacre que 0,75 de ses plus vieilles vignes à la production de ce cru, le reste donnant un vin d'AOC saint-émilion. Le 97 est très réussi, avec une belle couleur rubis sombre et soutenu et des arômes intenses de fruits confits, de griotte et de pruneau cuit. La bouche est harmonieuse, ronde, élégante et charnue grâce à des tanins suaves et onctueux, très finement boisés. La finale est dense, et l'ensemble demande encore un peu de temps pour se fondre.

🔖 Bernard Sierra, Toinet-Fombrauge, 33330 Saint-Christophe-des-Bardes, tél. 05.57.24.77.70, fax 05.57.24.76.49 ☑ ⛊ t.l.j. 10h-12h 15h-19h

CH. TOURANS 1997*

■	6,34 ha	43 100	◫ 70 à 99 F

Un des crus bordelais de la société Rocher Cap de Rive dirigée par le Belge Roger Geens ; Tourans assemble 80 % de merlot et 20 % de cabernet-sauvignon nés de terroirs argilo-calcaires. C'est un 97 vigoureux et de belle typicité, d'une jolie couleur grenat, sombre et dense. Le bouquet, intense et complexe, assemble les arômes de confiture de fruits rouges, de pruneau cuit, de caramel et d'épices. La bouche allie rondeur et solidité avec de beaux tanins pleins et veloutés puis fermes en finale, d'une grande tenue. Une bouteille à ouvrir dans trois à quatre ans sur une lamproie ou du gibier.

🔖 Vignobles Rocher Cap de Rive, Ch. Tourans, 33330 Saint-Etienne-de-Lisse, tél. 05.57.40.08.88, fax 05.57.40.19.93, e-mail vignoblesrochercaprive@wanadoo.fr

CH. TOUR BALADOZ 1997

■	n.c.	57 000	⬛◫⛊ 70 à 99 F

|93| |94| 95 96 97

Jolie propriété de près de 9 ha située à l'est de l'AOC sur le coteau argilo-calcaire. Le merlot domine à plus de 80 %. Le vin est très régulièrement retenu par nos experts. En 1997 il a une couleur rubis d'intensité moyenne, des arômes frais et fruités, une saveur souple et fraîche. Deux années de garde sont conseillées.

🔖 SCEA Ch. Tour Baladoz, 33330 Saint-Laurent-des-Combes, tél. 05.57.88.94.17, fax 05.57.88.39.14 ☑

CH. TOUR GESSAN 1997**

■	n.c.	20 000	◫ 70 à 99 F

Ce cru, composé de 80 % de merlot et de 20 % de cabernet-sauvignon, appartient à Daniel Mouty et est distribué par la maison de négoce Sichel-Coste. Il a produit un 97 remarquable, d'une belle couleur grenat intense et sombre. Le bouquet puissant, très grillé et torréfié, laisse poindre de jolis arômes de fruits rouges et noirs confits. Souple, rond, velouté et élégant en bouche, ce vin dispose d'une structure équilibrée dont les tanins mûrs pourront soutenir une bonne garde.

🔖 Maison Sichel-Coste, 8, rue de la Poste, 33210 Langon, tél. 05.56.63.50.52, fax 05.56.63.42.28
🔖 Daniel Mouty

CH. TOUR GRAND FAURIE 1997

■	3,6 ha	29 000	⬛◫⛊ 70 à 99 F

88 |90| |94| |95| |96| |97|

Ce cru fait la part belle au vieux merlot planté sur argilo-calcaires (90 % de l'encépagement, l'appoint étant constitué de cabernet franc). Cela donne un 97 charmeur et plaisant, d'une couleur rubis brillant et au nez de petits fruits acidulés accompagnés de quelques notes animales. La bouche est souple, ronde et charnue, bien équilibrée, d'une bonne persistance aromatique. Déjà agréable, ce vin pourra également se conserver quatre à cinq ans.

🔖 Georgette Feytit, Ch. Tour Grand-Faurie, B.P. 3, 33330 Saint-Emilion, tél. 05.57.24.73.75, fax 05.57.74.46.94 ☑ ⛊ t.l.j. 9h-20h

CH. TOUR RENAISSANCE 1997

■ 4 ha 24 000 ◖◗ 50 à 69 F
89 |90| 92 93 94 |96| |97|

Ce cru est un vieil habitué du Guide. Situé sur une croupe de graves de 4 ha à Saint-Sulpice-de-Faleyrens, il donne une qualité régulière, même dans un millésime difficile comme celui-ci. La couleur agréable montre quelques signes d'évolution, mais le nez est encore fruité, soutenu par un boisé délicat. Bien équilibrées, les saveurs fruitées et boisées reposent sur des tanins fondus qui permettront de boire ce 97 assez vite.
☛ SCEA Daniel Mouty, Ch. du Barry, B.P. 5, 33350 Sainte-Terre, tél. 05.57.84.55.88, fax 05.57.74.92.99, e-mail daniel-mouty@wanadoo.fr ☑ ⊺ r.-v.

CH. TRIMOULET 1997

■ 7 ha 52 000 ▤ ◖◗ ♠ 70 à 99 F
|94| 95 96 97

Cette importante propriété située au nord de l'appellation appartient à la même famille depuis deux cents ans ; elle doit son nom à Jean Trimoulet, qui fut jurat de la ville au début du XVIIIᵉˢ. Le cabernet franc, né sur sol argilo-siliceux mêlé d'alios, est relativement présent (40 %) dans ce vin rubis vif. Le nez est encore un peu marqué par le bois et le cabernet, tout comme la bouche, très corsée : ce 97 demande à vieillir.
☛ Michel Jean, Ch. Trimoulet, 33330 Saint-Emilion, tél. 05.57.24.70.56, fax 05.57.74.41.69 ⊺ r.-v.

EMILIUS DE TRIMOULET 1997

■ 6 ha 42 000 ▤ ◖◗ ♠ 50 à 69 F
Second vin du château Trimoulet, ce cru est produit par les plus jeunes vignes de l'exploitation installées sur les sols argilo-siliceux mêlés d'alios du plateau nord de Saint-Emilion. Doté d'une jolie couleur rubis vive, ce 97, encore discret, mêle des arômes fruités à un boisé agréable et flatteur. Après une belle attaque, la structure tannique se révèle encore un peu ferme sur la finale. Quelques années de vieillissement seront nécessaires.
☛ Michel Jean, Ch. Trimoulet, 33330 Saint-Emilion, tél. 05.57.24.70.56, fax 05.57.74.41.69 ⊺ r.-v.

CH. TROPLONG MONDOT 1997

▦ Gd cru clas. 21 ha 67 200 ◖◗ 250 à 299 F
82 83 85 86 88 |89| |90| 92 |93| 95 96 |97|

Ce grand cru classé de près de 30 ha a été fondé en 1745 par la famille de Sèze alors que sa construction est due à Raymond Troplong (1850-1870) qui lui a laissé son nom. Depuis 1936, il est resté dans la famille Valette. Le vin a une couleur pourpre sombre et jeune. Discret au nez, il exprime des senteurs de fleurs séchées, de tabac, de noyau de cerise. Après une attaque souple, la saveur rappelle le tabac et les feuilles mortes. Les tanins sont déjà évolués. Ce 97 sera prêt à boire assez rapidement.
☛ Christine Valette, Ch. Troplong-Mondot, 33330 Saint-Emilion, tél. 05.57.55.32.05, fax 05.57.55.32.07 ☑ ⊺ r.-v.

CH. TROTTEVIEILLE 1997

■ 1er gd cru B 10 ha 42 000 ◖◗ 200 à 249 F
75 76 82 85 86 |88| |90| 91 93 |94| 95 96 |97|

Beau domaine viticole de 10 ha implantés sur argilo-calcaire où les cabernets font jeu égal avec le merlot ; il est situé à quelques centaines de mètres au nord-est de Saint-Emilion. Le nom vient d'une vieille dame qui trottait pour aller aux nouvelles quand passait la diligence. Le vin aussi va « son petit bonhomme de chemin », même dans ce millésime jaloux. Sa robe grenat se frange de carmin. Le bouquet demande un peu d'agitation pour exprimer du tabac blond, du cèdre, du miel, des fleurs séchées. La structure de bouche délicate permettra de boire cette bouteille assez vite, par exemple sur des fromages à pâte molle.
☛ Indivision Castéja-Preben-Hansen, Ch. Trottevieille, 33330 Saint-Emilion, tél. 05.56.00.00.70, fax 05.57.87.48.61 ☑ ⊺ r.-v.

CH. DU VAL D'OR 1997

■ n.c. n.c. 70 à 99 F
Ce cru, produit par la famille Barbet, est situé à Vignonet, au sud de l'appellation. Le vin commercialisé par la Société Yvon Mau, important négociant girondin, a une jolie couleur rubis à reflets grenat. Le bouquet, déjà expressif, offre des nuances boisées, de cuir et de goudron. Equilibré, corsé par des tanins encore un peu fermes, c'est un vin bien travaillé dans le millésime.
☛ SA Yvon Mau, B.P. 1, 33193 Gironde-sur-Dropt Cedex, tél. 05.56.61.54.54, fax 05.56.61.54.61 ⊺ r.-v.

CH. VIEILLE TOUR LA ROSE 1997★★

■ 4,06 ha 23 000 ▤ ◖◗ 50 à 69 F
Propriété familiale d'une dizaine d'hectares implantée sur les sables ferrugineux du secteur de La Rose au nord de Saint-Emilion. Issu à 80 % de merlot, ce 97 est paré d'une robe bordeaux attrayante. Le bouquet intense et complexe égrène des notes de fruits rouges, de fleurs, de clou de girofle, de cacao. La bouche tient bien les promesses du nez, en finissant sur des tanins virils. Remarquable vin de caractère.
☛ SCEA Vignobles Daniel Ybert, La Rose, 33330 Saint-Emilion, tél. 05.57.24.73.41, fax 05.57.74.44.83 ☑ ⊺ r.-v.

VIEUX CHATEAU L'ABBAYE
Cuvée Claude Lladères 1997

■ 1,73 ha 11 400 ◖◗ 70 à 99 F
Petit vignoble situé tout près de l'église de Saint-Christophe-des-Bardes au nord-est de l'appellation. De vieilles vignes constituées à 85 % de merlot et à 15 % de bouchet sur terroir argilo-calcaire ont donné un vin de couleur bordeaux intense, au très bon équilibre aromatique entre le raisin et le chêne. Il se montre chaleureux et corsé en bouche, soutenu par des tanins encore un peu fermes mais prometteurs.
☛ Françoise Lladères, Le Bourg, B.P 69, 33330 Saint-Christophe-des-Bardes, tél. 05.57.47.98.76, fax 05.57.47.93.03 ☑ ⊺ r.-v.

CH. VIEUX FORTIN 1997*

■　　　　　5,39 ha　　30 000　　◫ 200 à 249 F

Ce cru a fort bien réussi ce millésime difficile. Son terroir argilo-graveleux est planté à 60 % de merlot et à 40 % de cabernets. Cela donne un vin au caractère assez marqué, même si sa robe rubis est d'intensité moyenne. Le bouquet, lui, est complexe, évoquant fruits rouges, réglisse, épices multiples. Egalement très fruité, la bouche possède une structure tannique encore un peu ferme qui devrait évoluer harmonieusement d'ici deux à trois ans.

☛ Claude Sellan, Ch. Vieux Fortin, 6, Fortin, 33330 Saint-Emilion, tél. 05.57.24.69.97, fax 05.57.24.69.97 ☑ Ⴤ r.-v.

CH. VIEUX POURRET 1997*

■　　　　　4,24 ha　　24 000　　◫ 70 à 99 F

86 88 |89| |90| |93| |94| 95 96 |97|

Tout près du bourg, ce petit vignoble de 4 ha installé en pied de côte sur glacis sableux est complanté de quatre cinquièmes de merlot et d'un cinquième de cabernet franc. C'est l'une des trois propriétés saint-émilionnaises de Michel Boutet. Les reflets brique de la robe rubis brillant indiquent un début d'évolution. Le nez, fin et discret, libère des arômes de petits fruits rouges acidulés et des senteurs florales flatteuses. La bouche est fraîche, friande et fruitée, avec un bon équilibre. Un ensemble simple et plaisant, à consommer dans les trois ans à venir.

☛ SCEA des Vignobles Michel Boutet, Ch. Vieux Pourret, B.P. 70, 33330 Saint-Emilion, tél. 05.57.24.70.86, fax 05.57.24.68.30 ☑ Ⴤ r.-v.

CH. VILLEMAURINE 1997

■ Gd cru clas.　　7 ha　　45 000　　◫ 100 à 149 F

82 **83 85 86** |88| |89| |90| 92 |93| |94| |97|

Situé aux portes de Saint-Emilion sur le plateau argilo-calcaire, ce vignoble, composé par 70 % de merlot et 30 % de cabernet-sauvignon, recouvre un immense réseau de caves souterraines qui servirent de refuge aux Maures. Doté d'une robe rubis vif et intense, ce 97 révèle une belle fraîcheur au nez avec des arômes de petits fruits rouges acidulés et de griotte à l'eau-de-vie, associés à un boisé fin et discret. La bouche souple et ronde s'appuie sur des tanins fins, de bonne tenue jusqu'en finale. Une bouteille qui devrait s'épanouir dans trois à quatre ans.

☛ SCA Vignobles Robert Giraud, B.P. 31, 33240 Saint-André-de-Cubzac, tél. 05.57.43.01.44, fax 05.57.43.08.75, e-mail direction@robertgiraud.com ☑ Ⴤ r.-v.

CH. VIRAMIERE 1997*

■　　　　　12,94 ha　　18 000　　◫♨ 50 à 69 F

Ce cru de près de 13 ha, établi sur les sols argilo-siliceux de Saint-Etienne-de-Lisse, appartient à la famille Dumon. La vinification et la commercialisation du vin sont assurées par l'Union de producteurs de Saint-Emilion. La robe du 97 est légère mais attirante. Le bouquet agréable exprime des senteurs florales, fruitées, de sous-bois. La bouche, plaisante et souple, finit sur des tanins soyeux qui permettront de boire ce vin assez rapidement.

☛ Union de producteurs de Saint-Emilion, Haut-Gravet, B.P. 27, 33330 Saint-Emilion, tél. 05.57.24.70.71, fax 05.57.24.65.18, e-mail udp-vins.saint-emilion@gofornet.com Ⴤ t.l.j. sf dim. 8h-12h 14h-18h

☛ Vignobles Dumon

Les autres appellations de la région de Saint-Emilion

Plusieurs communes, limitrophes de Saint-Emilion et placées jadis sous l'autorité de sa jurade, sont autorisées à faire suivre leur nom de celui de leur célèbre voisine. Ce sont les appellations de lussac saint-émilion (1 400 ha, 83 960 hl), montagne saint-émilion (1 540 ha, 91 720 hl), puisseguin saint-émilion (740 ha, 43 436 hl), saint-georges saint-émilion (168 ha, 9 649 hl), les deux dernières correspondant d'ailleurs à des communes aujourd'hui fusionnées avec Montagne. Toutes sont situées au nord-est de la petite ville, dans une région au relief tourmenté qui en fait le charme, avec des collines dominées par nombre de prestigieuses demeures historiques. Les sols sont très variés, et l'encépagement est le même qu'à Saint-Emilion ; aussi la qualité des vins est-elle proche de celle des saint-émilion.

Lussac saint-émilion

CH. DE BARBE-BLANCHE
Cuvée Henri IV 1997*

■　　　　　n.c.　　8 200　　◫ 50 à 69 F

La cuvée Henri IV du château de Barbe-Blanche est une sélection de vieilles vignes élevée un an en barrique. La robe grenat est limpide, le bouquet intense ; le bois domine encore un peu les notes fruitées alors que les tanins souples et enrobés possèdent une puissance intéressante pour ce millésime. La finale est persistante. Une bouteille à boire ou à laisser vieillir deux ou trois ans.

☛ SCE Ch. de Barbe-Blanche, 33570 Lussac, tél. 05.57.74.56.52, fax 05.57.74.52.68 ☑ Ⴤ t.l.j. sf sam. dim. 8h-12h 14h-18h

☛ André Magnon

CH. BEL-AIR 1997

■   21 ha   150 000   ⊟ ⑪ ♨   30 à 49 F

Ce vin à la robe grenat intense révèle une complexité aromatique intéressante (cassis, café, cuir) et très classique. Les tanins sont souples et bien fondus. Une bouteille à boire dès aujourd'hui et pendant deux ou trois ans.
☛ Jean-Noël Roi, EARL Ch. Bel-Air, 33570 Lussac, tél. 05.57.74.60.40, fax 05.57.74.52.11, e-mail jean.roi@wanadoo.fr Ⓥ Ⓣ r.-v.

CH. DE BELLEVUE 1997★

■   8 ha   64 000 ⊟ ⑪ ♨   50 à 69 F

En 1997, le château a choisi d'élaborer ce vin à partir du seul merlot, et c'est une réussite. En effet, celui-ci présente une belle couleur brillante et des arômes intenses de fruit cuit, avec une note de fraîcheur bien venue. En bouche, les tanins, enrobés et gras, offrent un retour aromatique de fruits et de café grillé très agréable. Cette bouteille s'exprimera complètement dans un an.
☛ Ch. Chatenoud et Fils, Ch. de Bellevue, 33570 Lussac, tél. 05.57.74.60.25, fax 05.57.74.53.69 Ⓥ Ⓣ r.-v.

CH. BONNIN 1997★

■   1 ha   4 500   ⑪   50 à 69 F

Ce vin est le premier millésime vinifié par le nouveau propriétaire de ce petit cru qui fait son entrée dans le Guide avec une étoile et qui était à la limite d'en obtenir une deuxième. La robe rubis est profonde, le bouquet expressif évoque le fruit mûr, la réglisse, le poivron, et les tanins gras et intenses sont bien extraits : ils ont du volume et de la persistance. Un vin plaisir à boire dès à présent, ou à garder deux ou trois ans.
☛ Philippe Bonnin, Pichon, 33570 Lussac Saint-Emilion, tél. 05.57.74.53.12, fax 05.57.74.58.26 Ⓥ Ⓣ r.-v.

CH. DE BORDES 1997

■   0,25 ha   2 100   ⑪   50 à 69 F

Cette petite cuvée spéciale aux bouteilles numérotées mérite d'être citée pour sa robe à reflets noirs, son bouquet de cerise mûre encore dominé par un boisé intense. Ses tanins très présents sont marqués par un long élevage en barrique. A attendre deux ou trois ans.
☛ Vignobles Paul Bordes, Faize, 33570 Les Artigues-de-Lussac, tél. 05.57.24.33.66, fax 05.57.24.30.42 Ⓥ Ⓣ r.-v.

CH. CAILLOU LES MARTINS 1997★★

■   8 ha   45 000 ⊟ ⑪ ♨   30 à 49 F

Issu d'un terroir argileux, ce cru présente un 97 d'une remarquable facture. La robe profonde a de beaux reflets violacés. Le bouquet intense évoque le cassis, la cerise et les épices. Les tanins, équilibrés et veloutés en attaque, évoluent ensuite avec beaucoup de rondeur et d'harmonie. Une grande réussite, particulièrement dans ce millésime difficile. Bravo à Paul Carrille, le maître de chai, et à Gilles Pauquet, l'œnologue.
☛ Jean-François Carrille, pl. du Marcadieu, 33330 Saint-Emilion, tél. 05.57.24.74.46, fax 05.57.24.64.40 Ⓥ Ⓣ r.-v.

CH. CHEREAU 1997

■   22 ha   50 000   ⊟ ♨   30 à 49 F

Ce 97 a des reflets rubis brillants, un bouquet développé de fruits noirs (mûre), de réglisse, et une structure tannique souple et équilibrée, mais simple. Un vin agréable à boire dès maintenant.
☛ SCEA Vignoble Silvestrini, Chéreau, 33570 Lussac, tél. 05.57.74.50.76, fax 05.57.74.53.22 Ⓥ Ⓣ t.l.j. 9h-12h 14h-19h

CH. CLAYMORE 1997★

■   12 ha   80 000   ⑪   50 à 69 F

Epée des *Highlanders*, la claymore rappelle l'occupation de ce lieu par les Ecossais durant la guerre de Cent Ans. Aujourd'hui, les armes ont cécé la place à la culture de la vigne, et ce 97 mérite le détour : robe intense, bouquet expressif marqué par un bon boisé, tanins puissants et harmonieux à la fois, de bonne longueur. Une bouteille qui s'ouvrira rapidement (deux ou trois ans). Le second vin, le **Cadet du château Claymore 97**, est cité pour sa finesse et son équilibre ; il est à boire dès aujourd'hui (30 à 49 F).
☛ SCEA vignobles Dubard, Ch. Claymore, 33500 Lussac, tél. 05.53.82.48.31, fax 05.53.82.47.64

CH. COURRIERE-RONGIERAS 1997

■   1,5 ha   10 000   ⑪   50 à 69 F

Des parcelles achetées à Lussac et vinifiées au château Rozier à Saint-Emilion ont donné ce 97 qui possède une robe rubis brillante, des parfums délicats de framboise et une structure virile mais bien fruitée. Avec plus de persistance, il aurait mérité une étoile.
☛ Vignobles Jean-Bernard Saby et Fils, Ch. Rozier , 33330 Saint-Laurent-des-Combes, tél. 05.57.24.73.03, fax 05.57.24.67.77, e-mail vignobles.saby@wanadoo.fr Ⓥ Ⓣ r.-v.

CH. CROIX DE CHOUTEAU 1997

■   12 ha   25 000   ⊟ ⑪   30 à 49 F

Etablie dans le vignoble lussacais depuis le XVIᵉˢ., la famille Coudroy présente un 97 floral et typé, aux notes de cassis, à la structure tannique charpentée et persistante. La finale est marquée par le bois, mais ce caractère devrait s'estomper après un an ou deux de vieillissement.
☛ Serge Coudroy, Chouteau, 33570 Lussac, tél. 05.57.74.67.73, fax 05.57.74.56.05 Ⓥ Ⓣ r.-v.

CH. GONNAT 1997

■   11 ha   78 000   ⊟ ♨   30 à 49 F

Propriété de Jean Boireau, ce vin est commercialisé par André Quancard. Avec sa robe limpide et presque noire, son bouquet floral et fruité, ce 97 a tous les atouts pour séduire l'amateur de vins souples. Il est équilibré en bouche, sans grande capacité de garde cependant. A boire dans les deux prochaines années.
☛ André Quancard-André, rue de la Cabeyre, 33240 Saint-André-de-Cubzac, tél. 05.57.33.42.42, fax 05.57.43.01.71
☛ J. Boireau

CH. HAUT-PIQUAT 1997★

◼ 22 ha   150 000   ◼ ⦙⦙ ⚤   50 à 69 F

Tous les moyens modernes sont mis en œuvre à la vigne pour produire une vendange de grande qualité dans ce cru. Le résultat ? Un vin à la belle robe pourpre brillante, aux arômes fins de groseille, de myrtille et de vanille. Ses tanins veloutés et puissants à la fois, superbement équilibrés en fin de bouche, donnent une bouteille très typée, à boire dès maintenant.
➥Jean-Pierre Rivière, Ch. Haut-Piquat, 33570 Lussac, tél. 05.57.55.59.59, fax 05.57.55.59.51 ☑ ⍊ t.l.j. 9h-12h 14h-18h

CH. DE LA GRENIERE
Cuvée de la Chartreuse Elevé en fût de chêne 1997★

◼ 2 ha   11 000   ◼ ⦙⦙ ⚤   50 à 69 F

La cuvée de la Chartreuse du château de La Grenière est une sélection de vieilles vignes de merlot (55 %) et de cabernets (45 %). Le 97 est riche, coloré et très aromatique (épices, fruits rouges, vanille). En bouche, la structure soyeuse et ample évolue avec finesse et harmonie, le dosage du boisé étant particulièrement réussi. Un vin qui s'épanouira totalement dans les deux ou trois années à venir.
➥EARL Vignobles Dubreuil, La Grenière n° 14, 33570 Lussac, tél. 05.57.74.64.96, fax 05.57.74.56.28 ☑ ⍊ r.-v.

CH. LA HAUTE CLAYMORE 1997★★

◼ 2 ha   13 000   ◼ ⦙⦙ ⚤   30 à 49 F

Ce vignoble de l'ancienne abbaye cistercienne de Faise tire son nom de la guerre de Cent Ans. La robe profonde et brillante de ce 97 annonce des arômes de sous-bois intenses. La structure puissante et équilibrée est bien enrobée par un élevage de qualité. La fin de bouche longue et aromatique autorise tous les espoirs de vieillissement (au moins deux à cinq ans).
➥EARL Vignobles D. et C. Devaud, Faise, 33570 Les Artigues-de-Lussac, tél. 05.57.24.31.39, fax 05.57.24.34.17 ☑ ⍊ r.-v.

CH. LA JORINE 1997

◼ 3,5 ha   26 000   ◼ ⦙⦙ ⚤   30 à 49 F

Ce petit cru d'un peu plus de 3 ha présente un 97 agréable, au bouquet naissant de fruits (framboise) et de café. Sa structure en bouche se montre souple et équilibrée, sans grande ampleur cependant. A boire dès maintenant.
➥Henri-Louis Fagard, Cornemps, 33570 Petit-Palais, tél. 05.57.69.73.19, fax 05.57.69.73.75, e-mail vignobles.fagard@wanadoo.fr ☑ ⍊ r.-v.

CH. LA TUILERIE 1997

◼ 3,5 ha   24 000   ◼ ⚤   30 à 49 F

Voici un 97 intéressant par sa finesse aromatique (cerise, framboise, groseille) et par sa structure tannique souple et équilibrée, de longueur moyenne. C'est un vin facile à boire dès aujourd'hui, sur son fruit. Une sélection du négociant André Quancard, élevée en cuve.
➥André Quancard-André, rue de la Cabeyre, 33240 Saint-André-de-Cubzac, tél. 05.57.33.42.42, fax 05.57.43.01.71
➥H. Le Grelle

CH. LE GRAND BOIS 1997

◼ 0,8 ha   6 500   ◼ ⦙⦙ ⚤   50 à 69 F

Ce château possède de superbes caves monolithiques où sont conservés les vins comme ce 97 à la robe profonde, au bouquet boisé et fruité (framboise). Ses tanins, corsés en attaque, évoluent avec une finesse et une persistance honorables pour le millésime. C'est une bouteille à boire dans ce qui sera trois années à venir.
➥SARL Roc de Boissac, Pleniers de Boissac, 33570 Puisseguin, tél. 05.57.74.61.22, fax 05.57.74.59.54 ☑ ⍊ r.-v.

CLOS LES HAUTS MARTINS 1997

◼ 3,2 ha   15 000   ◼   30 à 49 F

Seulement 50 % de merlot pour 34 % de cabernet franc et 16 % de cabernet-sauvignon dans ce 97 qui possède une robe rubis déjà assez tuilée, un bouquet très frais de groseille et de cachou, et des tanins souples et veloutés. Un vin à apprécier dans sa jeunesse, pour sa fraîcheur.
➥EARL Les Hauts Martins, 33570 Lussac, tél. 05.57.74.56.67, fax 05.57.74.56.67 ☑ ⍊ r.-v.

CH. LION PERRUCHON 1997

◼ 10,08 ha   n.c.   ◼ ⦙⦙   50 à 69 F

Ce 97 au bouquet développé de pruneaux confits possède une charpente fruitée et assez puissante, avec cependant une fin de bouche un peu sévère. Un vin à boire dans deux ou trois ans.
➥Jean-Pierre Thézard, Ch. Lion Perruchon, 33570 Lussac, tél. 05.57.74.58.21, fax 05.57.74.58.39 ☑ ⍊ r.-v.

CH. LYONNAT 1997★

◼ 45 ha   240 000   ⦙⦙   50 à 69 F

Ancien fournisseur des caves du Vatican, ce cru de grande taille appartient à la famille Milhade, bien connue dans le Libournais. Le bouquet, vineux et boisé, de ce 97 est encore un peu fermé. C'est surtout en bouche que ce vin s'exprime par des tanins fruités très présents, remarquablement équilibrés. Une bouteille de caractère, que l'on peut apprécier dès aujourd'hui mais qui vieillira harmonieusement durant deux à cinq ans.
➥SCEV Jean Milhade, Ch. Recougne, 33133 Galgon, tél. 05.57.55.48.90, fax 05.57.84.31.27 ☑ ⍊ r.-v.

CH. MAYNE BLANC
Cuvée Tradition 1997★★

◼ 11 ha   45 000   ◼ ⦙⦙ ⚤   50 à 69 F

Cette exploitation familiale possède un cadre très accueillant où vous pourrez déguster des vins régulièrement retenus dans le Guide. La robe cerise de ce 97 annonce un nez évoquant les fruits rouges et noirs. Les tanins veloutés au champagne évoluent avec puissance et harmonie jusqu'à la finale très aromatique. Une bouteille à boire dans les cinq ans à venir. Une fois n'est pas coutume, la cuvée élevée en barrique, **Château Mayne-Blanc, cuvée Saint-Vincent 97** (70 à 99 F), a été moins appréciée car le boisé est intense ; elle est cependant citée.

☛ EARL Jean Boncheau, Ch. Mayne-Blanc,
33570 Lussac, tél. 05.57.74.60.56,
fax 05.57.74.51.77 ▣ ⊤ t.l.j. 8h-12h 14h-19h; f.
janv.-fév.

CH. MICHEL DE VERT 1997

■　　　　　　n.c.　　62 600　　■ ▣ 30 à 49 F

Ce 97 se distingue par sa jolie couleur à reflets
carminés, son bouquet vineux et intense et sa
structure tannique ample et généreuse, légèrement austère en finale. L'équilibre devrait être
meilleur dans deux ou trois ans.
☛ SA Maison Ginestet, 19, av. de Fontenille,
33360 Carignan-de-Bordeaux,
tél. 05.56.68.81.82, fax 05.56.20.96.99,
e-mail contact@ginestet.fr ⊤ r.-v.
☛ Laubie

CH. MOULIN DE GRENET 1997

■　　　　　　5 ha　　35 000　　■ ▮ 50 à 69 F

Le moulin, construit en 1711, domine toute
l'appellation et, en particulier, les vignes de cette
propriété. Ce 97 a un bouquet encore fermé, mais
des tanins équilibrés et fruités (cassis), de longueur moyenne. Une bouteille à boire dans les
trois années à venir.
☛ Nicole Roskam-Brunot, SCEA
Ch. Cantenac, 33330 Saint-Emilion,
tél. 05.57.51.35.22, fax 05.57.25.19.15,
e-mail roskam@club-internet.fr ▣ ⊤ r.-v.

CH. DU MOULIN NOIR 1997★

■　　　　　　5,45 ha　　41 000　　■ ▣ 50 à 69 F

Situé près des ruines du Moulin Noir, ce cru
pratique depuis quelques années les techniques
les plus modernes à la vigne comme au chai : le
vin est régulièrement distingué dans le Guide.
C'est encore le cas pour ce 97 à la robe cerise
brillante aux arômes intenses de fruits rouges
et de sous-bois. Les tanins, amples et généreux,
lui garantissent un avenir très prometteur pour
les trois années à venir.
☛ SC Ch. du Moulin Noir, Lescalle,
33460 Macau, tél. 05.57.88.07.64,
fax 05.57.88.07.00 ▣ ⊤ r.-v.

CH. DE TABUTEAU 1997

■　　　　　　18,83 ha　　150 000　　■ ▮ 30 à 49 F

Ce château propose un vin riche en couleur,
complexe au nez, avec des notes de cuir et de
fruits rouges ; il est équilibré en bouche, où ses
tanins, pleins et assez longs, apparaissent encore
un peu durs en finale. A boire dans un an ou
deux.
☛ Vignobles Bessou, Ch. Durand-Laplagne,
33570 Puisseguin, tél. 05.57.74.63.07,
fax 05.57.74.59.58 ▣ ⊤ r.-v.

CH. VERDU 1997

■　　　　　　20,97 ha　　20 000　　■ ▣ 50 à 69 F

Ce 97 est cité pour la qualité de sa structure
tannique, souple et boisée, qui demande cependant encore à s'harmoniser en bouteille - ce qui
devrait être le cas d'ici un à deux ans.
☛ SCEA Gaury-Dubos, Tripoteau,
33230 Abzac, tél. 05.57.74.51.16,
fax 05.57.74.61.24 ▣ ⊤ r.-v.

VIEUX CHATEAU CHAMBEAU 1997★

■　　　　　　32 ha　　79 000　　■ ▮ ▣ 50 à 69 F

Régulièrement distingué par le Guide, ce vin
est encore très réussi dans le millésime 97 : robe
grenat brillante, arômes de fruits rouges, de pruneau, de vanille, de pain grillé et structure tannique souple et mûre, particulièrement bien fondue avec un élevage en barrique de qualité. A
boire ou à garder deux ou trois ans.
☛ SC Ch. du Branda, Roques,
33570 Puisseguin, tél. 05.57.74.62.55,
fax 05.57.74.57.33 ▣ ⊤ r.-v.

Montagne saint-émilion

CH. D'ARVOUET 1997★★

■　　　　　　3,76 ha　　6 100　　▮ ▣ 50 à 69 F

Situé au sud-est de l'appellation, ce petit château fait preuve année après année de beaucoup
de régularité dans la qualité des vins présentés.
Son 97 obtient encore deux étoiles pour sa robe
profonde à reflets grenat, ses parfums grillés,
mentholés, avec une petite note animale élégante,
et sa structure tannique très présente, ample et
généreuse, bien équilibrée par un élevage en barrique maîtrisé. Un vin techniquement irréprochable, possédant un potentiel de vieillissement de
quatre à huit ans.
☛ EARL Moreau, Ch. d'Arvouet,
33570 Montagne, tél. 05.57.74.56.60,
fax 05.57.74.58.33,
e-mail moreaulavoute@aol.com ▣ ⊤ r.-v.

CH. BEAUSEJOUR Clos l'Eglise 1997★

■　　　　　　5 ha　　30 000　　■ ▮ ▣ 50 à 69 F

Ce cru de 11 ha a été repris en 1995 par
B. Germain. Sa cuvée spéciale Clos l'Eglise est
produite à partir de très vieilles vignes dont certaines datent de 1903. Cela donne un 97 aux arômes complexes de réglisse, de menthol, de tabac
et de cannelle. La structure tannique suave et
bien fondue, veloutée en fin de bouche, est d'une
réelle harmonie. Une belle bouteille, à ouvrir
d'ici deux à cinq ans.
☛ Vignobles Germain et Associés,
Ch. Peyredoulle, 33390 Berson,
tél. 05.57.42.66.66, fax 05.57.64.36.20 ▣ ⊤ r.-v.

CH. CAZELON 1997★

■　　　　　　4 ha　　15 000　　▮ ▣ 30 à 49 F

Né sur un terroir argilo-calcaire classique, ce
vin possède une robe grenat limpide, un bouquet
naissant de cuir, de fruits rouges et de boisé. En
bouche, les tanins savoureux et présents sont en
harmonie avec un élevage en barrique maîtrisé.
Ce 97 sera particulièrement agréable dans les
deux à cinq ans à venir.
☛ Denis Fourloubey, Cazelon,
33570 Montagne, tél. 05.57.74.58.78,
fax 05.57.74.57.47 ▣ ⊤ r.-v.

CH. CORBIN 1997

■   20 ha   60 000   ▮▯↓ 30 à 49 F

Un vin marqué par son millésime, plaisant, au bouquet naissant de cuir et de fruits noirs, dont les tanins souples et équilibrés sont déjà agréables. A boire dans les trois ans à venir.
☛ François Rambeaud, Ch. Corbin, 33570 Montagne, tél. 05.57.74.62.41, fax 05.57.74.55.91 ☑ ⵎ r.-v.

CH. COUCY 1997★★

■   20 ha   100 000   ▮▯↓ 50 à 69 F

Le château Coucy est établi sur un beau terroir argilo-calcaire qui révèle tout son potentiel avec ce 97 : robe pourpre intense et brillante ; arômes complexes et puissants de fruits rouges, d'épices, de cuir ; structure tannique veloutée en attaque, évoluant ensuite avec de la race, de l'élégance et une bonne maturité. C'est surtout en finale que ce vin se dévoile, grâce à son équilibre et à sa grande persistance. Une bouteille au sommet de son appellation dans ce millésime, à boire dans deux à trois ans.
☛ SCEA du Ch. Coucy, 33570 Montagne, tél. 05.57.74.62.14, fax 05.57.74.56.07 ☑ ⵎ r.-v.
☛ Maurèze

CH. FAIZEAU
Sélection Vieilles vignes 1997★★★

■   10 ha   n.c.   ▮▯↓ 50 à 69 F

Une fois de plus, ce château se retrouve au sommet de l'appellation, comme le montrent ses trois étoiles et ce coup de cœur unanime. Produit uniquement à partir de merlot, ce vin possède une robe pourpre magnifique, un bouquet expressif et complexe de cerise bigarreau, de pâte d'amande, de boisé grillé. Les tanins souples et fruités en attaque évoluent avec finesse, équilibre et puissance en même temps. L'élevage en barrique est remarquable : tout est harmonie et persistance. Une bouteille exceptionnelle pour le millésime, à ouvrir dans deux à dix ans. Le 95 avait obtenu la même distinction.
☛ SCE du Ch. Faizeau, 33570 Montagne, tél. 05.57.24.68.94, fax 05.57.24.60.37 ☑ ⵎ r.-v.

CH. GARDEROSE 1997

■   2 ha   18 000   ▮↓ 30 à 49 F

Présentée par la maison Yvon Mau, une sélection issue d'une vinification et d'un élevage en cuve. Elle mérite l'attention pour son bouquet déjà évolué de fleurs et de cuir et sa structure tannique souple et mûre, bien qu'un peu fugace en finale. Un vin agréable dès aujourd'hui.

☛ SA Yvon Mau, B.P. 1, 33193 Gironde-sur-Dropt Cedex, tél. 05.56.61.54.54, fax 05.56.61.54.61 ⵎ r.-v.
☛ Garde et Fils

CH. GRAND BARAIL 1997★★

■   7 ha   50 000   ▮▯↓ 50 à 69 F

Produit par de vieux ceps de merlot (80 %) et de cabernet franc (20 %), ce château propose dans ce millésime difficile un vin à la robe rouge grenat profonde. Le bouquet intense évoque le fruit rouge, la vanille, le grillé, le fumé. Les tanins puissants et veloutés en attaque évoluent avec délicatesse, équilibre et persistance. Une superbe bouteille, caractéristique de son appellation, qu'il faudra ouvrir après deux à cinq ans de vieillissement.
☛ EARL Vignobles D. et C. Devaud, Faise, 33570 Les Artigues-de-Lussac, tél. 05.57.24.31.39, fax 05.57.24.34.17 ☑ ⵎ r.-v.

CH. GRAND BARIL 1997★★

■   28 ha   90 000   ▮↓ 30 à 49 F

Créé en 1969 pour former les jeunes de la région aux métiers de la vigne et du vin, le lycée viticole de Montagne possède un vignoble qui sert de terrain d'expérimentation pour les élèves. Son 97 est remarquable : étonnant par sa robe noire attrayante, il offre un nez complexe d'épices, de fleurs. Sa structure tannique, élégante en attaque, évolue avec une bonne présence, de la maturité et un équilibre final marqué par des notes de poivre. Une bouteille agréable à boire dès aujourd'hui et qui se bonifiera dans les trois ou quatre années à venir.
☛ Lycée viticole de Montagne-Libourne, Goujon, 33570 Montagne, tél. 05.57.55.21.22, fax 05.57.51.66.13, e-mail legta-libourne@edueagri.fr ☑ ⵎ r.-v.

CH. HAUT-BERTIN 1997★

■   7,1 ha   56 000   ▮▯↓ 30 à 49 F

Produit d'un assemblage classique de merlot (70 %) et de cabernets (30 %), ce 97 possédant une structure en bouche ample et typée, élégante en finale, a tout pour séduire l'amateur de vins aromatiques (menthol, petits fruits mûrs). Une bouteille typique du millésime qui se boira dans les trois ou quatre prochaines années.
☛ Fortin et Fils, Ch. Haut-Bertin, Laumure, 33570 Montagne, tél. 05.57.74.64.99, fax 05.57.74.53.97, e-mail afortin@fr.packardbell.org ☑ ⵎ r.-v.
☛ GFA Fortin-Belot

CH. HAUT-GOUJON 1997

■   7,5 ha   10 000   ▮↓ 30 à 49 F

Issu d'un sol argilo-sableux complanté à 70 % de merlot et à 30 % de cabernets, ce 97 ne manque pas de charme : robe rubis, bouquet naissant de cuir et de petits fruits rouges, tanins souples et élégants, avec un équilibre final prometteur. A boire dans les prochaines années.
☛ SCEA Garde et Fils, Goujon, 33570 Montagne, tél. 05.57.51.50.05, fax 05.57.25.33.93 ☑ ⵎ r.-v.

CH. HAUT PLATEAU 1997★

| | n.c. | 6 000 | 20 à 29 F |

Mis en bouteilles par le négociant Cheval Quancard, ce vin mérite votre intérêt pour sa robe grenat profond, ses arômes de fruits noirs, de fumé et ses tanins puissants et veloutés, d'un très bel équilibre. La fin de bouche persistante autorise une garde de deux à trois ans.
☛ Cheval Quancard, La Mouline, 33560 Carbon-Blanc, tél. 05.57.77.88.88, fax 05.57.77.88.99 ⵣ r.-v.

CH. JURA PLAISANCE 1997

| | n.c. | 10 000 | ⫴ | 30 à 49 F |

Propriété depuis 1938 de la famille Delol, ce domaine de 8 ha propose un 97 au bouquet intense d'épices, de fumé, de petits fruits rouges. Sa structure tannique souple et équilibrée se révèle très fraîche en finale, bien qu'un peu fugace. Un vin à boire dans sa jeunesse.
☛ SCEV B. Delol, Ch. Jura-Plaisance, 33570 Montagne, tél. 05.57.51.91.44, fax 05.57.51.88.92 ✓ ⵣ r.-v.

CH. LA CHAPELLE
Elevé en fût de chêne 1997★

| | 11,5 ha | 75 000 | ⵜⵏ | 30 à 49 F |

Cette petite propriété familiale est située sur les coteaux sud et est de la commune de Parsac où l'on peut voir une belle église romane. Ce 97 aux arômes expressifs de cuir, de menthol et de réglisse révèle une structure puissante, avec du gras et un boisé encore marqué. Il ne révélera tout son potentiel que dans deux à quatre ans.
☛ SCEA du Ch. La Chapelle, Berlière, Parsac, 33570 Montagne, tél. 05.57.24.78.33, fax 05.57.24.78.33 ✓ ⵣ r.-v.
☛ G. H. et Th. Demur

CH. LA COURONNE 1997

| | 11 ha | 24 000 | ⫴ | 50 à 69 F |

Du merlot pur pour ce 97 à la robe pourpre soutenu, développant des arômes agréables de fruits mûrs et d'épices que l'on retrouve en bouche, en harmonie avec des tanins ronds et fondus. C'est un vin assez souple, à boire dans les deux ou trois prochaines années.
☛ Thomas Thiou, Ch. La Couronne, B.P. 10, 33570 Montagne, tél. 05.57.74.66.62, fax 05.57.74.51.65, e-mail Lacouronne@aol.com ✓ ⵣ r.-v.

CLOS LA CROIX D'ARRIAILH 1997★★

| | 0,8 ha | 4 200 | ⵜⵏ | 50 à 69 F |

Le millésime 97 est le premier de ce petit clos conseillé par Michel Rolland. Il correspond à une sélection de vieilles vignes de merlot (70 %) et de cabernets (30 %). Pour une première, c'est une réussite comme en témoignent la robe intense, le bouquet complexe de fruits, de vanille, de fleurs et une présence de tanins francs, puissants, évoluant avec beaucoup de charme et d'harmonie. La finale s'appuie sur un équilibre fruité (cassis) d'une grande longueur. Ce vin devrait vieillir remarquablement bien pour un 97, au moins trois à six ans.

☛ Olivier Laporte, Ch. Croix-Beauséjour, Arriailh, 33570 Montagne, tél. 05.57.74.69.62, fax 05.57.74.59.21 ✓ ⵣ r.-v.

CH. LA CROIX DE MOUCHET
Cuvée sélectionnée vieillie en fût 1997

| | 12 ha | 25 000 | ⫴ | 30 à 49 F |

Avec sa robe brillante à reflets tuilés et son bouquet d'épices, de menthol et de fumé, ce vin est déjà séduisant. En bouche, il est souple et équilibré, sans grande puissance. C'est une bouteille prête à boire.
☛ SCEA Ch. La Croix de Mouchet, 33570 Montagne, tél. 05.57.74.62.83, fax 05.57.74.59.61 ✓ ⵣ r.-v.
☛ Grando

CH. LA FAUCONNERIE 1997

| | 1 ha | 7 000 | ⫴ | 30 à 49 F |

Ce 97 se distingue par sa complexité aromatique (notes fruitées et délicatement boisées) et sa structure tannique équilibrée. La fin de bouche un peu alcooleuse et dure invite à suivre l'évolution de cette bouteille.
☛ Bernadette Paret, Ch. Tricot, 33570 Montagne, tél. 05.57.74.65.47, fax 05.57.74.65.47 ✓ ⵣ r.-v.

CH. LA FLEUR MUSSET 1997

| | 10,5 ha | n.c. | ■ | 20 à 29 F |

Une exclusivité de la maison Cordier de Blanquefort produite par un cru de Montagne. Issu d'un terroir argilo-calcaire, ce 97 possède un bouquet naissant de réglisse, avec des notes fumées, et une structure souple et équilibrée, bien qu'un peu simple. A boire dans les deux ou trois prochaines années.
☛ Ets D. Cordier, 53, rue du Dehez, 33290 Blanquefort, tél. 05.56.95.53.00, fax 05.56.95.53.01
☛ Dominique Nicoletti

CH. LA PAPETERIE 1997

| | 10 ha | 55 000 | ⫴ | 50 à 69 F |

Situé à l'emplacement d'un ancien moulin de pâte à papier, ce château présente un 97 encore fermé au nez mais dont les tanins fermes et fruités, assez persistants, révèlent un certain potentiel. Une bouteille qui s'épanouira dans les deux prochaines années.
☛ Jean-Pierre Estager, 33-41, rue de Montaudon, 33500 Libourne, tél. 05.57.51.04.09, fax 05.57.25.13.38, e-mail estager@estager.com ✓ ⵣ r.-v.

CH. LA TOUR CALON
Premier des Tours 1997★★

| | 3 ha | 25 000 | ⫴ | 50 à 69 F |

Cette cuvée Premier des Tours est issue d'une sélection de vieilles vignes de cinquante ans. Le résultat est impressionnant : robe pourpre intense, parfums généreux de fruits mûrs et de vanille, tanins ronds et puissants en même temps, particulièrement longs et équilibrés. Ce vin est presque prêt mais s'épanouira totalement avec un vieillissement de deux à cinq ans. A noter aussi, le **Château Tour Calon**, du même propriétaire, cité sans étoile pour son agréable fruité et sa structure en bouche souple et harmonieuse, à déguster dès maintenant.

☛ Claude Lateyron, B.P. 1, 33570 Montagne, tél. 05.57.74.50.00, fax 05.57.74.58.58 ☑ ♈ r.-v.

CH. DES MOINES 1997

| ■ | 19 ha | 50 000 | 🍶 ♨ | 50 à 69 F |

Le nom de ce château provient de sa fondation par les moines cisterciens de l'abbaye de Faize, au XVIe s. Vous y découvrirez un vin plaisant et équilibré, avec des notes florales au nez et des tanins souples et fruités en bouche. A boire dans les trois ou quatre prochaines années

☛ Vignobles Raymond Tapon, Mirande, 33570 Montagne, tél. 05.57.74.61.20, fax 05.57.74.61.19, e-mail vinstapon@aol.com ☑ ♈ r.-v.

CH. MONTAIGUILLON 1997

| ■ | 28 ha | 100 000 | ⑪ | 50 à 69 F |

Avec 75 % de sa production exportée annuellement, Montaiguillon renouvelle ses barriques par tiers chaque année. Son 97 se distingue par ses arômes fins et élégants, bien fruités, sa structure en bouche suave et généreuse, où le boisé s'affirme en finale. Il faut attendre un à deux ans pour lui permettre d'arrondir ses angles.

☛ Amart, Ch. Montaiguillon, 33570 Montagne, tél. 05.57.74.62.34, fax 05.57.74.59.07 ☑ ♈ r.-v.

CH. DU MOULIN NOIR 1997

| ■ | 6,8 ha | 52 000 | ⑪ ♨ | 50 à 69 F |

Ce 97 se présente fort bien avec une robe rouge très vive et une finesse aromatique agréable (cuir, épices, notes florales et fruitées). En bouche, il possède une structure équilibrée et moyennement persistante : il faudra le boire dans les deux à trois ans à venir.

☛ SC Ch. du Moulin Noir, Lescalle, 33460 Macau, tél. 05.57.88.07.64, fax 05.57.88.07.00 ☑ ♈ r.-v.

CH. NÉGRIT 1997

| ■ | 15,5 ha | 60 000 | 🍶 ♨ | 30 à 49 F |

Ce 97 de bonne intensité aromatique (fruits rouges, épices) mérite d'être cité pour sa structure de tanins ronds et très frais, presque acidulés, évoluant en finale avec simplicité. A boire rapidement.

☛ SCEV Lagardère, Ch. Négrit, 33570 Montagne, tél. 05.57.74.61.63, fax 05.57.74.59.62 ☑ ♈ r.-v.

CH. PETIT CLOS DU ROY 1997

| ■ | 20 ha | 85 000 | ⑪ ♨ | 50 à 69 F |

Une chartreuse du XVIIIe s. située au cœur de 20 ha de vignes qui produisent chaque année de bons vins. C'est le cas de ce 97, épicé et boisé, au caractère un peu animal et qui possède des tanins souples et harmonieux, déjà assez évolués. Une bouteille à boire dès à présent.

☛ François Janoueix, 20, quai du Priourat, B.P. 135, 33500 Libourne, tél. 05.57.55.55.44, fax 05.57.51.83.70 ☑ ♈ r.-v.

CH. ROCHER CORBIN 1997★★

| ■ | 10 ha | 60 000 | ⑪ | 50 à 69 F |

Autrefois rattaché à la seigneurie de Corbin, ce château bénéficie d'un superbe terroir sur le flanc ouest du tertre de Calon. Il a su en tirer le meilleur parti comme le prouve son 97 intense au nez - pruneau, fruits confits, confiture - et en bouche : les tanins veloutés en attaque évoluent avec puissance et équilibre mais ils demandent à se fondre. C'est une bouteille remarquable pour le millésime qui se révélera totalement après deux à cinq ans de garde.

☛ SCE du Ch. Rocher Corbin, 33570 Montagne, tél. 05.57.74.55.92, fax 05.57.74.53.15 ☑ ♈ r.-v.

☛ Ph. Durand

CH. ROSE D'ORION 1997★★

| ■ | 3 ha | 20 000 | ⑪ | 30 à 49 F |

Ce petit cru de 3 ha se distingue une fois encore dans le Guide avec ce remarquable 97. La robe pourpre est profonde et brillante. Les arômes plaisants marient les fruits rouges (fraise) et un boisé distingué. Les tanins puissants et mûrs en attaque évoluent avec finesse, équilibre et persistance. Tout est réuni pour faire de ce vin une agréable surprise après un vieillissement de deux à six ans. Félicitations à MM. Hénot et Péquignot, respectivement œnologue et maître de chai de ces deux crus.

☛ EARL Vignobles D. et C. Devaud, Faise, 33570 Les Artigues-de-Lussac, tél. 05.57.24.31.39, fax 05.57.24.34.17 ☑ ♈ r.-v.

L'AS DE ROUDIER
Elevé en fût de chêne 1997★

| ■ | 29,73 ha | 9 000 | 🍶 ⑪ | 70 à 99 F |

Né sur un terroir argilo-calcaire et siliceux, ce 97 correspond à une sélection très sévère de certaines parcelles du château Roudier. La robe rubis brille de mille feux. Le bouquet naissant associe le fruit mûr et un boisé élégant. Les tanins fondus et gras en attaque sont suffisamment puissants et longs pour autoriser une garde de deux à cinq ans.

☛ SCEA Capdemourlin, Ch. Roudier, 33570 Montagne, tél. 05.57.74.62.06, fax 05.57.74.59.34 ☑ ♈ r.-v.

DOM. DU ROUDIER 1997★

| ■ | n.c. | n.c. | ⑪ | 50 à 69 F |

Ce 97 est issu d'un bon assemblage entre merlot (60 %), cabernet franc (20 %) et cabernet-sauvignon (20 %). Très plaisant à l'œil, il l'est aussi dans ses parfums aux notes fruitées et grillées. C'est en bouche avec son potentiel tannique se révèle, avec une présence du bois un peu dominatrice. Un vin à boire ou à garder de deux à quatre ans.

☛ Vignobles Aubert, Ch. La Couspaude, 33330 Saint-Emilion, tél. 05.57.40.15.76, fax 05.57.40.10.14 ☑ ♈ r.-v.

CH. SAMION
Elevé en barrique de chêne 1997★

| ■ | 0,55 ha | 4 250 | 🍶 ⑪ ♨ | 30 à 49 F |

Ce 97 intéressant développe un bouquet discret et sincère. Il possède des tanins solides,

Puisseguin saint-émilion

mûrs, encore un peu vifs en finale. Il trouvera son équilibre après deux à quatre ans de vieillissement.

🍷 Vignobles Rocher-Cap-de-Rive 1, Ch. Cap d'Or, 33570 Montagne, tél. 05.57.40.08.88, fax 05.57.40.19.93, e-mail vignobles.rocherca-prive@wanadoo.fr

CH. TEYSSIER 1997★

| ■ | 19,2 ha | 66 000 | ■ ♦ | 50 à 69 F |

Géré par le grand négociant Dourthe, qui commercialise ce vin, ce cru propose un 97 issu presque exclusivement du cépage merlot. Sa robe grenat brillant, son nez expressif et vineux avec des notes de fruits mûrs, sa structure tannique dense et riche, sa finale très puissante bien qu'encore un peu austère composent une bouteille qui devrait bien vieillir (au moins trois à cinq ans).

🍷 Ch. Teyssier, 1, rue Teyssier, 33570 Lussac-Saint-Emilion, tél. 05.56.35.53.00, fax 05.56.35.53.29, e-mail contact@cvbg.com Ⴆ r.-v.

🍷 Famille Durand-Teyssier

CH. VIEUX BONNEAU 1997★★

| ■ | 14 ha | 50 000 | ■ ◫ | 30 à 49 F |

Ce château appartient à la famille Despagne qui a élaboré un 97 remarquable, associant finesse et puissance. La robe montre de beaux reflets pourpres ; les parfums intenses évoquent le cassis, la vanille et l'eau-de-vie. Chaleureux et gras en attaque, les tanins évoluent avec une grande densité et un bon équilibre entre le fruit et le boisé. La finale particulièrement longue et harmonieuse laisse présager une bonne aptitude à la garde, au moins quatre à six ans. Joli succès pour le millésime !

🍷 SCEV Despagne et Fils, Bonneau, 33570 Montagne, tél. 05.57.74.60.72, fax 05.57.74.58.22 ☑ Ⴆ t.l.j. sf dim. 8h-12h 14h-18h

VIEUX CHATEAU BIROT 1997★

| ■ | 4 ha | 20 000 | ■ ♦ | 30 à 49 F |

Ce petit château de seulement 4 ha a réussi un 97 très intéressant : robe pourpre soutenu, bouquet expressif de cassis, d'épices et de poivron vert, tanins souples et fruités, possédant également du gras et une fraîcheur finale fort agréable. C'est une bouteille élégante, à découvrir d'ici un à trois ans.

🍷 Jean-Loup Robin, Ch. Gontet, 33570 Puisseguin, tél. 05.57.84.26.16, fax 05.57.84.29.13 ☑ Ⴆ r.-v.

CH. VIEUX MOULINS DE CHEREAU 1997★

| ■ | 5,5 ha | 30 000 | ■ ♦ | 30 à 49 F |

Vinifié et élevé avec passion par un ancien ingénieur chimiste, ce 97 se distingue par une robe grenat, une palette aromatique très fruitée, et une structure souple déjà bien harmonieuse. C'est une bouteille prête à boire, mais qui se gardera aussi deux à quatre ans.

🍷 SCEA Vignoble Silvestrini, Chéreau, 33570 Lussac, tél. 05.57.74.50.76, fax 05.57.74.53.22 ☑ Ⴆ t.l.j. 9h-12h 14h-19h

CH. BEL-AIR
Bacchus Vieilli en fût de chêne 1997

| ■ | n.c. | n.c. | ■ ◫ ♦ | 30 à 49 F |

Cette cuvée spéciale du château élevée six mois en cuve de ciment puis douze mois en barrique mérite l'attention pour sa présentation parfaite : robe rubis attrayante, bouquet naissant de fleurs, de réglisse et de cannelle. En bouche, les tanins sont très présents ; il demandent pour se fondre un vieillissement de deux à trois ans.

🍷 SCEA Adoue Bel-Air, Bel-Air, 33570 Puisseguin, tél. 05.57.74.51.82, fax 05.57.74.59.94 ☑ Ⴆ r.-v.

🍷 Adoue Frères

CH. BRANDA 1997★

| ■ | 5,5 ha | 40 000 | ◫ | 50 à 69 F |

Un pourcentage important (40 %) de cabernet franc pour ce château régulièrement distingué dans le Guide. Le 97 est encore très réussi avec son bouquet expressif de fruits et de vanille bien fondus. En bouche, les tanins, présents en attaque, évoluent avec une bonne persistance. Il est nécessaire d'attendre deux ou trois ans avant d'ouvrir cette bouteille.

🍷 SC Ch. du Branda, Roques, 33570 Puisseguin, tél. 05.57.74.62.55, fax 05.57.74.57.33 ☑ Ⴆ r.-v.

CH. DURAND-LAPLAGNE
Cuvée Sélection 1997

| ■ | 3,5 ha | 9 000 | ■ ◫ ♦ | 50 à 69 F |

Le Château Durand-Laplagne se décline sous deux étiquettes ayant obtenu la même note cette année. Cette cuvée Sélection provient d'un tri parcellaire et d'un élevage en barrique ; les notes boisées sont bien équilibrées avec le cuir et la violette. Les tanins sont souples. C'est un vin déjà prêt à boire. La cuvée classique élevée en cuve assemble les mêmes pourcentages de cépages (merlot 70 %). Elle offre un bouquet de petites baies rouges et de fleurs. Les tanins très présents nécessitent un vieillissement en bouteille de un à trois ans (30 à 49 F). Pour un pigeonneau aux petits pois, le moment venu.

🍷 Vignobles Bessou, Ch. Durand-Laplagne, 33570 Puisseguin, tél. 05.57.74.63.07, fax 05.57.74.59.58 ☑ Ⴆ r.-v.

🍷 Sylvie et Bertrand Bessou

CH. FONGABAN 1997

| ■ | 7,5 ha | 40 000 | ◫ | 30 à 49 F |

Situé sur un bon terroir argilo-calcaire, ce château a réussi un 97 concentré, aussi bien dans sa robe que dans ses parfums de fruits mûrs et de vanille. En bouche, ce puisseguin évolue avec fermeté mais affiche une trame longueur ; on pourra l'attendre de deux à trois ans.

🍷 SARL de Fongaban, Monbadon, 33570 Puisseguin, tél. 05.57.74.54.07, fax 05.57.74.50.97 ☑ Ⴆ r.-v.

BORDELAIS

CH. GONTET-ROBIN 1997★★

■   9 ha   50 000   ▮↕   30 à 49 F

Avec 70 % de merlot et 30 % de cabernet, ce vin élevé uniquement en cuve - ce qui est rare pour la région mais particulièrement bien venu pour ce millésime - possède de l'opulence et de l'éclat. Les notes épicées et florales se retrouvent en bouche sur des tanins ronds et puissants, bien mûrs, qui évoluent avec beaucoup d'harmonie et une persistance aromatique très élégante. Voilà un vin authentique et racé, à apprécier dans deux ou trois ans.
🕿 Jean-Loup Robin, Ch. Gontet, 33570 Puisseguin, tél. 05.57.84.28.16, fax 05.57.84.29.13 ☑ ⊤ r.-v.

CH. GRAND RIGAUD 1997

■   6 ha   40 000   ▮❶↕   30 à 49 F

Brillant à l'œil, ce vin est tout aussi séduisant dans son bouquet de fruits rouges et de boisé toasté. En bouche, les tanins sont présents et ronds mais ils ne laissent pas espérer une longue garde. Une bouteille à apprécier dès aujourd'hui.
🕿 Guy Desplat, 33570 Puisseguin, tél. 05.57.74.61.10, fax 05.57.74.58.30 ☑ ⊤ r.-v.

CH. HAUT-BERNAT
Vieilli en fût de chêne 1997★★

■   5,65 ha   32 000   ❶↕   50 à 69 F

Château
Haut-Bernat
PUISSEGUIN-SAINT-EMILION
Appellation Puisseguin-Saint-Emilion Contrôlée
1997
GFA du Château Haut Bernat Propriétaire à Puisseguin - Gironde - France
13% vol.   MIS EN BOUTEILLE AU CHÂTEAU   75 cl

Depuis dix ans, le nouveau propriétaire a multiplié les progrès techniques, tant au vignoble qu'aux chais. Voici un 97 plus que réussi pour un... 97 ! Composé exclusivement de merlot, c'est un vin riche en couleur et en arômes (cerise confite, épices, réglisse), particulièrement équilibré en bouche. Les tanins sont en effet veloutés, gras, bien fondus dans un boisé élégant et charmeur ; ils évoluent avec de la puissance et une persistance aromatique très plaisante. Un vin au sommet de son appellation qui sera parfait dans trois à six ans.
🕿 SA Vignobles Bessineau, 8, Brousse, B.P. 42, 33350 Belvès-de-Castillon, tél. 05.57.56.05.55, fax 05.57.56.05.56, e-mail bessineau@cote-montpezat.com ☑ ⊤ t.l.j. sf sam. dim. 9h-12h 14h-18h ; f. en août

CH. HAUT-FAYAN 1997★

■   n.c.   13 000   ▮❶↕   30 à 49 F

Une sélection rigoureuse est à l'origine de ce vin issu d'un vignoble de 8 ha. Ce 97 présente une robe pourpre flatteuse, des parfums intenses de fruits et une structure tannique ronde et équi-

librée. Une bouteille de charme, bien faite, à boire dans les cinq prochaines années.
🕿 Guy Poitou, Ch. Haut-Fayan, 33570 Puisseguin, tél. 05.57.74.67.38, fax 05.57.74.54.82 ☑ ⊤ r.-v.

CH. LACABANNE-DUVIGNEAU 1997★

■   6 ha   20 000   ▮❶↕   30 à 49 F

Ce château a la particularité de posséder un gîte rural ; vous pourrez donc y séjourner tout en dégustant d'excellents vins comme celui-ci : robe rubis brillant, bouquet complexe de fruits noirs délicatement boisé, tanins charnus et mûrs évoluant avec une grande persistance aromatique. Une bouteille à laisser vieillir un à trois ans.
🕿 EARL Vignobles J.-P. et M. Celerier, Moulin Courrech, 33570 Puisseguin, tél. 05.57.74.61.75, fax 05.57.74.52.79 ☑ ⊤ t.l.j. 8h-12h 14h-20h

CH. LAFAURIE 1997

■   5 ha   30 000   ❶↕   30 à 49 F

Du fût de chêne neuf pour ce 97. Sa robe brillante a des reflets carminés. Ses parfums délicats associent fruits cuits et réglisse. Des tanins frais (menthol) s'appuient en bouche sur une trame assez serrée, un peu sèche en finale. L'harmonie devrait se faire après deux ou trois ans de garde.
🕿 Vignobles Paul Bordes, Faize, 33570 Les Artigues-de-Lussac, tél. 05.57.24.33.66, fax 05.57.24.30.42 ☑ ⊤ r.-v.

LA MAURIANE 1997★★

■   n.c.   12 000   ❶↕   70 à 99 F

La Mauriane correspond à une sélection de 3 ha de vignes, du merlot essentiellement (90 %), provenant du château Rigaud. Ce 97 est remarquable pour ce millésime : robe profonde presque noire, parfums intenses de fruits noirs mûrs, de café torréfié, de pain grillé ; tanins à la fois puissants et veloutés ; longue persistance aromatique. Tout est réuni pour que ce vin s'épanouisse totalement dans trois à six ans.
🕿 Josette Taïx, Rigaud, 33570 Puisseguin, tél. 05.57.74.54.07, fax 05.57.74.50.97 ☑ ⊤ r.-v.

CH. DE MOLE 1997

■   9,35 ha   60 000   ▮❶↕   30 à 49 F

Ce 97 mérite d'être cité pour son bouquet composé de griotte, de fleurs et d'épices et pour sa structure souple, bien équilibrée en finale. Un vin déjà prêt à boire.
🕿 Ginette Lenier, Ch. de Môle, B.P. 15, 33570 Puisseguin, tél. 05.57.74.60.86, fax 05.57.74.60.86 ☑ ⊤ r.-v.

CH. MOUCHET
Vieilli en fût de chêne 1997★

■   6 ha   12 000   ❶↕   30 à 49 F

Avec 90 % de merlot dans l'assemblage, ce château joue la carte d'un vin très flatteur : robe chatoyante, arômes complexes de fruits mûrs, de réglisse et notes boisées discrètes. En bouche, le volume des tanins est impressionnant, et leur fermeté impose deux ou trois ans de vieillissement en bouteilles.
🕿 SCEA Ch. La Croix de Mouchet, 33570 Montagne, tél. 05.57.74.62.83, fax 05.57.74.59.61 ☑ ⊤ r.-v.
🕿 Grando

CH. DU MOULIN 1997

■   8 ha   50 000 ▮▮▮▮ 50 à 69 F

Comme son nom l'indique, ce château possède un moulin situé sur un point culminant. Un terroir argilo-calcaire de qualité est à l'origine de ce vin très aromatique (fruits rouges, fleurs, épices), possédant une structure pleine et équilibrée. L'agréable finale est marquée par le cassis. Une bonne bouteille à boire dans les deux ans.
☛SCEA Chanet et Fils, n° 1 A Jacques, 33570 Puisseguin, tél. 05.57.74.60.85, fax 05.57.74.59.90 ☑ ⟊ t.l.j. 8h-12h 14h-18h

CH. MOULIN DE CURAT 1997

■   n.c.   139 000 ▮▮ 30 à 49 F

Petit frère du château de Puisseguin-Curat mais élaboré en cuve et distribué par Ginestet, ce 97 possède une robe rubis à reflets légèrement orangés et des parfums élégants de violette, de fleurs et de fruits confits. Sa structure tannique est simple et soyeuse, déjà équilibrée en finale. A boire dans les deux ou trois prochaines années.
☛SA Maison Ginestet, 19, av. de Fontenille, 33360 Carignan-de-Bordeaux, tél. 05.56.68.81.82, fax 05.56.20.96.99, e-mail contact@ginestet.fr ⟊ r.-v.
☛Robin

CH. DE PUISSEGUIN-CURAT 1997★

■   2 ha   6 000 ▮▮▮ 30 à 49 F

On dit que ce château fut géré par Montaigne. Il possède d'autres lettres de noblesse puisqu'il appartint à Jeanne d'Albret. L'encépagement comprend 75 % de merlot. Ce 97 aux arômes complexes de cuir et de gibier révèle des tanins amples et élégants qui évoluent avec beaucoup d'harmonie et d'équilibre. Une bouteille à boire dès aujourd'hui.
☛GAEC Ch. de Puisseguin-Curat, 33570 Puisseguin, tél. 05.57.74.51.06, fax 05.57.74.54.29 ☑ ⟊ r.-v.
☛Robin

CH. RIGAUD 1997★

■   n.c.   2 000 ▮▮▮▮ 30 à 49 F

L'encépagement de ce vignoble situé sur un plateau argilo-calcaire est dominé par le merlot (80 %). Le 97 porte une robe profonde à reflets carminés ; le bouquet élégant est tout en fruits, accompagné de notes de poivre et de torréfaction. Les tanins puissants et généreux, très fruités, évoluent avec finesse. Il sera nécessaire de patienter deux ans pour boire cette bouteille.
☛Josette Taïx, Rigaud, 33570 Puisseguin, tél. 05.57.74.54.07, fax 05.57.74.50.97 ☑ ⟊ r.-v.

CH. ROC DE BERNON 1997★★

■   14,08 ha   85 000 ▮▮ 30 à 49 F

Un coup de cœur unanime pour ce vin issu d'une sélection parcellaire rigoureuse et élevé uniquement en cuve. Très concentré en couleur (reflets violacés) et au bouquet (gibier, cuir, poivre), ce 97 révèle en bouche toute sa race. En effet, les tanins sont amples et puissants, particulièrement persistants et fruités. Un de nos dégustateurs l'a qualifié de « vin intelligent, qui laissera un grand souvenir au consommateur ».

A ouvrir dans deux ans et à boire pendant trois ans.

☛Jean-Marie Lenier, Ch. Roc de Bernon,, 33570 Puisseguin, tél. 05.57.74.53.42, fax 05.57.74.53.42, e-mail roc.de.bernon@wanadoo.fr ☑ ⟊ r.-v.

CH. ROC DE BOISSAC
Elevé en fût de chêne 1997

■   32 ha   50 000 ▮▮▮▮ 50 à 69 F

Avec ses 40 ha d'un seul tenant exposés plein sud, ce château fait partie des fleurons de l'appellation. Le 97 possède des arômes de fruits rouges encore marqués par un boisé important. Sa structure tannique, souple et flatteuse en attaque, évolue avec suffisamment de puissance pour laisser augurer un bel avenir : au moins deux à trois ans.
☛SARL Roc de Boissac, Pleniers de Boissac, 33570 Puisseguin, tél. 05.57.74.61.22, fax 05.57.74.59.54 ☑ ⟊ r.-v.

Saint-georges
saint-émilion

CH. CALON 1997★★

■   6 ha   30 000 ▮▮▮▮ 70 à 99 F

Ce vignoble existe depuis plus de deux siècles. Situé sur les pentes sud du plateau calcaire faisant face à Saint-Emilion, il reçoit un ensoleillement remarquable, et le drainage naturel du sol y est parfait. Ce 97, élevé à 50 % en barrique et à 50 % en cuve, possède une robe rubis soutenu, des arômes concentrés et mûrs de fruits rouges, de cuir, de bois vanillé délicat. En bouche, les tanins sont charnus et puissants, particulièrement savoureux et persistants. D'un excellent équilibre général, ce vin se révèlera d'ici deux à cinq ans.
☛Jean-Noël Boidron, Ch. Calon, 33570 Montagne, tél. 05.57.51.64.88, fax 05.57.51.56.30 ☑ ⟊ t.l.j. sf sam. dim. 8h-12h 14h-18h

CH. CAP D'OR
Elevé en barrique de chêne 1997★

■   5,39 ha   42 400 ▮▮▮▮ 30 à 49 F

Ce cru est implanté sur un terroir argilo-calcaire à astéries, avec un encépagement où domine le merlot (80 %). Son 97 possède un bouquet intense de fruits mûrs et de café. Souple en attaque, il évolue avec du gras, du fruit et une bonne concentration finale. Une bouteille à déguster d'ici un an ou deux.

Vignobles Rocher-Cap-de-Rive 1, Ch. Cap d'Or, 33570 Montagne, tél. 05.57.40.08.88, fax 05.57.40.19.93,
e-mail vignobles.rochercaprive@wanadoo.fr

CH. HAUT SAINT-GEORGES 1997*

| ■ | 3 ha | 18 000 | ■ ❙❙❙ ❘ | 50 à 69 F |

Seulement 3 ha pour ce petit cru qui vient de rénover son cuvier en faisant appel aux techniques les plus modernes. En 1997, le tri effectué sur les raisins a donné un vin corsé et racé, aux arômes de sous-bois, de fruits mûrs et de boisé élégant. Il faut cependant encore attendre un à trois ans afin que la finale perde son agressivité et gagne en harmonie.

SCE du ch. La Grande-Barde, 33570 Montagne, tél. 05.57.74.64.98, fax 05.57.74.64.98 ☑ 工 r.-v.

CH. LA CROIX DE SAINT-GEORGES 1997*

| ■ | 6,58 ha | 48 000 | ■ ❙❙❙ ❘ | 30 à 49 F |

Cette propriété possède un encépagement équilibré entre merlot (51 %) et cabernets (49 %), qui ressort bien dans ce 97. En effet, le vin présente un bouquet très fruité, une structure encore austère mais prometteuse, avec des tanins puissants en finale. Une bouteille qui se révélera mieux dans deux ans.

Jean de Coninck, Ch. du Pintey, 33500 Libourne, tél. 05.57.51.03.04, fax 05.57.51.59.61 ☑ 工 r.-v.

CH. LE ROC DE TROQUARD 1997

| ■ | 3,05 ha | 5 200 | ■ | 30 à 49 F |

Ce 97, assez typé, présente une belle robe bordeaux brillant et un bouquet naissant de cuir. En bouche, les tanins, corsés et assez persistants, doivent s'épanouir et gagner en équilibre. Une garde de un à deux ans en cave est conseillée.

SCEA des Vignobles Visage, Jupille, 33330 Saint-Sulpice-de-Faleyrens, tél. 05.57.24.62.92, fax 05.57.24.69.40 ☑ 工 r.-v.

CH. MACQUIN 1997*

| ■ | 2 ha | 10 000 | ■ ❙❙❙ ❘ | 50 à 69 F |

Etabli sur un bon terroir argilo-calcaire, ce château a réussi un 97 digne d'intérêt : robe rubis intense, bouquet naissant d'épices, de fruits confits, de framboise. Sa structure tannique, charpentée et élégante, s'arrondira avec un vieillissement en cave de un à trois ans.

Denis Corre-Macquin, Saint-Georges, 33570 Montagne, tél. 05.57.74.64.66, fax 05.57.74.55.47 ☑ 工 r.-v.

CH. SAINT-ANDRE CORBIN 1997*

| ◀ | 17,5 ha | n.c. | ❙❙❙ ❘ | 50 à 69 F |

Cette propriété de 22,50 ha est gérée par Jean-Claude Berrouet et Alain Moueix, deux fortes personnalités du Libournais qui partagent la même passion, cherchant à donner de grands vins élégants exprimant leur terroir. Ce 97 en est une illustration parfaite, avec sa robe rubis soutenu, ses arômes élégants et complexes de fruits

rouges et d'épices. Sa structure tannique étoffée est très typique de l'appellation. Un vin encore un peu fermé qui s'ouvrira après deux à trois ans de garde.

SCEA du Priourat, 10, quai du Priourat, 33500 Libourne, tél. 05.57.55.00.50, fax 05.57.25.22.56 ☑

CH. SAINT-GEORGES 1997**

| ■ | 45 ha | 300 000 | ❙❙❙ | 100 à 149 F |

Habitué aux honneurs du Guide, ce très beau château du XVIII^{e}s. domine toutes les collines de saint-georges-saint-émilion. Il produit chaque année d'excellents vins, comme en témoigne ce 97, une nouvelle fois coup de cœur du jury à l'unanimité (après le 95). La robe sombre brille de reflets grenat. Les arômes intenses et expressifs évoquent le cacao, les épices, les fruits mûrs, le bois toasté. En bouche, les tanins sont gras et puissants ; ils évoluent avec beaucoup de rondeur, d'harmonie et d'équilibre. Une bouteille à ouvrir sur un gibier dans deux à six ans.

Famille Desbois, 33570 Montagne, tél. 05.57.74.62.11, fax 05.57.74.58.62, e-mail g.desbois@chateau-saint-georges.com ☑ 工 r.-v.

Côtes de castillon

En 1989, une nouvelle appellation est née, côtes de castillon. Elle reprend sur 2 855 ha la zone qui était dévolue à l'appellation bordeaux côtes de castillon, c'est-à-dire les neuf communes de Belvès-de-Castillon, Castillon-la-Bataille, Saint-Magne-de-Castillon, Gardegan-et-Tourtirac, Sainte-Colombe, Saint-Genès-de-Castillon, Saint-Philippe-d'Aiguilhe, Les Salles-de-Castillon et Monbadon. Néanmoins, pour quitter le groupe « bordeaux » les viticulteurs doivent respecter des normes de production plus sévères, notamment en ce qui concerne les densités de plantation, qui sont fixées à 5 000 pieds par hectare. Un délai est laissé jusqu'en 2010, pour tenir compte des vignes existantes. En 1999, la production de côtes de castillon a atteint 180 764 hl.

ARTHUS 1997★

| | 3 ha | 14 500 | ■ ❙❙❙ ♦ | 50 à 69 F |

Ce vin est issu de sélections rigoureuses de vignes situées sur les coteaux de Sainte-Colombe qui donnent d'excellents raisins. Le millésime 97 est tout naturellement bon. La robe intense et brillante annonce des parfums puissants de cerise, de groseille, de fraise. Les tanins charnus, finement extraits, sans exagération, révèlent un réel savoir-faire. Une bouteille de caractère, déjà aimable mais qui se gardera deux à cinq ans.
➊ Danielle et Richard Dubois, Ch. Bertinat Lartigue, 33330 Saint-Sulpice-de-Faleyrens, tél. 05.57.24.72.75, fax 05.57.74.45.43, e-mail dubricru@aol.com ☑ ☒ r.-v.

CH. BEL-AIR Elevé en fût de chêne 1997★

| | 15 ha | 120 000 | ❙❙❙ | 50 à 69 F |

Ce domaine a été reconstitué en 1994 ; il produit aujourd'hui de jolis vins, à l'image de ce 97 riche en couleur, en arômes complexes de fruits mûrs et de boisé vanillé. En bouche, l'équilibre des saveurs est très réussi, avec une finale encore marquée par l'élevage en barrique. L'harmonie sera parfaite dans deux ou trois ans.
➊ SCEA du Dom. de Bellair, 33350 Belvès-de-Castillon, tél. 05.56.08.15.25, fax 05.56.42.44.47 ☒ r.-v.
➊ David

CH. DE BELCIER
Vieilli en barrique de chêne 1997★★

| | 52 ha | 120 000 | ❙❙❙ | 50 à 69 F |

Ce très grand domaine, d'une cinquantaine d'hectares, appartient à la MACIF et propose régulièrement de bons vins. Le millésime 97 obtient deux étoiles pour sa robe grenat à reflets violets, son bouquet expressif de petits fruits mûrs, de vanille, avec une note fumée et grillée. Volumineux en attaque, les tanins sont ensuite bien fondus dans un boisé élégant et laissent en finale une impression de caractère et d'harmonie. Au sommet de son appellation dans ce millésime, cette bouteille sera appréciée dans deux à cinq ans.
➊ SCA du Ch. de Belcier, 2, Ch. de Belcier, 33350 Les Salles-de-Castillon, tél. 05.57.40.67.58, fax 05.57.40.67.58 ☑ ☒ r.-v.
➊ MACIF

CH. BELLEVUE
Cuvée Vieilles vignes Vieilli en fût de chêne 1998★

| | 5,5 ha | 15 000 | ❙❙❙ | 30 à 49 F |

Le château Bellevue a produit dans le millésime 98 deux vins en quantités sensiblement égales : cette cuvée Vieilles vignes se voit décerner une étoile pour le caractère agréable de son bouquet de fruits, d'épices et de pain grillé. En bouche, les tanins souples et généreux possèdent beaucoup de volume et d'élégance ; c'est un vin à boire ou à garder trois à cinq ans. La **cuvée traditionnelle 98**, qui ne connaît pas le fût, est citée pour la fraîcheur de ses arômes de fruits à l'eau-de-vie et pour son caractère aimable. A boire dans les trois ans à venir.

➊ Michel Lydoire, Ch. Bellevue, 33350 Belvès-de-Castillon, tél. 05.57.47.94.29, fax 05.57.47.94.29 ☑ ☒ r.-v.

CH. BEYNAT Cuvée Léonard 1997

| | 15,01 ha | 3 150 | ■ ❙❙❙ | 30 à 49 F |

Vinifiée avec une grande rigueur, cette cuvée Léonard a été diversement appréciée par le jury : certains ont aimé ses arômes de boisé vanillé et fumé ainsi que la puissance de ses tanins, d'autres ont été gênés par l'élevage en barrique. Il est donc nécessaire d'attendre deux ou trois ans que ce vin gagne en harmonie...
➊ Xavier Borliachon, 27, rte de Beynat, 33350 Saint-Magne-de-Castillon, tél. 05.57.40.01.14, fax 05.57.40.18.51 ☑ ☒ t.l.j. sf dim. 9h-12h 14h-19h

CH. BLANZAC Cuvée Prestige 1997

| | 7 ha | 25 000 | ❙❙❙ | 50 à 69 F |

Cette cuvée Prestige mérite d'être citée pour ses arômes intenses de fruits rouges et pour la qualité de ses tanins équilibrés, bien mis en valeur par un boisé élégant et non dominateur. Un joli vin à boire dans un an ou deux.
➊ Bernard Depons, Ch. Blanzac, 33350 Saint-Magne-de-Castillon, tél. 05.57.40.11.89, fax 05.57.40.49.69 ☑ ☒ t.l.j. 8h30-19h

CH. BRANDEAU 1997

| | 9,42 ha | 13 000 | ■ ♦ | 30 à 49 F |

Issu de l'agriculture biologique, ce vin mérite l'attention pour ses parfums capiteux et fruités, assortis d'une note épicée, et pour sa structure souple et gouleyante. Une bouteille gourmande, à boire, comme bien des millésimes 97, dans sa jeunesse.
➊ Antony King et Andréa Gray, Brandeau, 33350 Les Salles-de-Castillon, tél. 05.57.40.65.48, fax 05.57.40.65.65 ☒ r.-v.

CH. CANTEGRIVE 1997

| | 16,78 ha | 60 000 | ■ ❙❙❙ ♦ | 30 à 49 F |

Ce très vieux domaine, autrefois propriété de Barton et Guestier, a élaboré un 97 puissant et complexe sur le plan aromatique, aux notes de fruits mûrs et de sous-bois. En bouche, les tanins très ronds font place à une certaine austérité en finale que deux ou trois ans de vieillissement estomperont.
➊ SC Ch. Cantegrive, Monbadon-Terrasson, 33570 Puisseguin, tél. 03.26.52.14.74, fax 03.26.52.24.02 ☑ ☒ r.-v.

CH. CAP DE FAUGÈRES 1997★★

| | 23,25 ha | 87 000 | ■ ❙❙❙ ♦ | 50 à 69 F |

En 1987, cette propriété a été reprise par le producteur de cinéma Péby Guisez et son épouse Corinne qui poursuit aujourd'hui seule la renaissance de ce cru. Dix ans après, un coup de cœur récompense le travail accompli sur un millésime difficile : la robe rouge cerise, brillante, séduit tout autant que les arômes complexes de fruits rouges mûrs (confiture), de vanille, de torréfaction et de menthe. En bouche, le vin souple et gras évolue avec beaucoup de présence et de persistance. La finale marquée par le pruneau est fort agréable. Cette bouteille remarquable se boira dans deux à six ans.

CHÂTEAU
· CAP DE ·
FAUGÈRES
1997
Côtes-de-Castillon
MIS EN BOUTEILLE
AU CHÂTEAU

🕭 Corinne Guisez, Ch. Cap de Faugeres,
33350 Sainte-Colombe, tél. 05.57.40.34.99,
fax 05.57.40.36.14,
e-mail faugeres@club-internet.fr ☑ ⵣ r.-v.

CH. DE CLOTTE 1997★

■ | 14 ha | 50 000 | ▤ 30 à 49 F

Situé au cœur de l'appellation, ce château possède 35 % de merlot, 55 % de cabernets et 10 % de malbec. Ce 97 est habillé d'une robe grenat à reflets tuilés ; son bouquet, riche et complexe, mêle les fruits noirs à des notes légèrement boisées. Souples à l'attaque, les tanins évoluent avec puissance, gras, et une persistance très élégante. Une bouteille à boire dans deux à cinq ans.
🕭 SCEA Ch. de Clotte,
33350 Les Salles-de-Castillon,
tél. 05.57.40.60.15, e-mail declotte@club-internet.fr ☑ ⵣ r.-v.
🕭 Guerret-Denies

CH. DE COLOMBE 1998

■ | 7 ha | 38 000 | ▤ ⵣ 30 à 49 F

Ce vin encore un peu fermé se distingue par sa structure de tanins mûrs et ronds, bien fruités. Sa simplicité finale ne laisse pas espérer une longue garde, deux ou trois ans maximum.
🕭 SARL Vignobles Lenne-Mourgues,
Ch. du Bois, 8, rte de Sainte-Colombe,
33350 Saint-Magne-de-Castillon,
tél. 05.57.40.07.87, fax 05.57.40.30.59 ☑ ⵣ r.-v.

CH. COTE MONTPEZAT 1998★

■ | n.c. | 130 000 | ▤ ⑪ ⵣ 30 à 49 F

Ce cru figure parmi les valeurs sûres de l'appellation, témoin le coup de cœur décerné au millésime précédent. Le 98 est un cran au dessous, mais fort honorable tout de même. Encore fermé, il présente un bouquet fruité et épicé, mais l'élevage en barrique domine encore la bouche où les tanins se révèlent austères. Cependant deux à trois ans de vieillissement devraient permetttre à cette bouteille d'atteindre un meilleur équilibre.
🕭 SA Vignobles Bessineau, 8, Brousse, B.P. 42, 33350 Belvès-de-Castillon, tél. 05.57.56.05.55, fax 05.57.56.05.56, e-mail bessineau@cote-montpezat.com ☑ ⵣ t.l.j. sf sam. dim. 9h-12h 14h-18h; f. en août

CH. FONGABAN 1997

■ | 34 ha | 30 000 | ▤ ⵣ 30 à 49 F

Cité pour son expression aromatique intense dominée par les épices, des notes fumées et mentholées, ce vin possède un volume correct en bouche, avec du gras et une pointe végétale en finale

qui devrait disparaître après deux ou trois ans de garde.
🕭 SARL de Fongaban, Monbadon,
33570 Puisseguin, tél. 05.57.74.54.07,
fax 05.57.74.50.97 ☑ ⵣ r.-v.

CH. FONTBAUDE
Vielles vignes Elevé en fût de chêne 1998★

■ | 3 ha | 15 000 | ⑪ 50 à 69 F

Les millésimes 95 et 96 avaient reçu deux étoiles pour la cuvée principale. Ici, il s'agit d'une cuvée barrique. Ce 98 présente une couleur rouge cerise à reflets noirs, un bouquet encore jeune de fruits noirs (mûre) et de fleurs, avec une note minérale. La structure tannique souple et franche est encore dominée par un boisé un peu vert. Il faut attendre un an ou deux pour que la finale devienne flatteuse, à l'image du nez !
🕭 GAEC Sabaté-Zavan, 34, rue de l'Eglise,
33350 Saint-Magne-de-Castillon,
tél. 05.57.40.06.58, fax 05.57.40.26.54,
e-mail chateau.fontbaude@wanadoo.fr
☑ ⵣ t.l.j. sf dim. 9h-12h 14h-18h

CH. HAUT-TUQUET 1998

■ | n.c. | 200 000 | ▤ 30 à 49 F

Ce Château Haut-Tuquet à la robe pourpre intense se distingue par la finesse de ses parfums fruités et grillés et par sa structure tannique puissante, malheureusement un peu dense en fin de bouche. A boire dans deux ou trois ans.
🕭 Vignobles Lafaye Père et Fils, Ch. Viramon,
33330 Saint-Etienne-de-Lisse,
tél. 05.57.40.18.28, fax 05.57.40.02.70 ☑ ⵣ r.-v.

CH. LABESSE 1998

■ | n.c. | n.c. | ⑪ 30 à 49 F

Des qualités qui séduiront l'amateur de fragrances exotiques : en effet, ce 98 est très marqué sur le plan aromatique par des notes de noix de coco, de mangue, de vanille qui se retrouvent en bouche avec des tanins souples et assez persistants, un peu beurrés en finale.
🕭 Vignobles Aubert, Ch. La Coussade,
33330 Saint-Emilion, tél. 05.57.40.15.76,
fax 05.57.40.10.14 ☑

CH. LA BOURREE 1998★

■ | n.c. | 30 000 | ⑪ 20 à 29 F

Après un coup de cœur pour le millésime 97, ce château a produit un très beau 98. Ce vin présente une robe pourpre à reflets noirs. Ses arômes complexes de fruits noirs très mûrs sont accompagnés de notes boisées grillées et cacaotées. En bouche, les tanins suaves et généreux évoluent avec finesse et équilibre jusqu'à la finale délicatement boisée, de toute beauté. A boire dans deux ou trois ans. Du même producteur, le **Château Roque Le Mayne 98**, élevé en fût de chêne, reçoit la même note (30 à 49 F).
🕭 GAEC des Vignobles Meynard et Fils,
101, rte de La Bourrée, 33350 Saint-Magne-de-Castillon, tél. 05.57.40.17.32, fax 05.57.40.17.32
☑ ⵣ r.-v.

CH. LA CLARIERE LAITHWAITE 1997

■ | 4,6 ha | 25 600 | ▤ ⑪ 50 à 69 F

Ce 97 présente un bouquet naissant d'amande, de cacao, de fleurs des marais, d'iris, de sous-bois. Sa structure tannique, ample en attaque, évolue avec fermeté. C'est un vin agréable, qui s'épanouira d'ici un à trois ans. Il est diffusé à 99 % en Angleterre au club de vin anglais « Les Confrères de La Clarière ».

↖ SARL Direct Wines (Castillon) La Clarière Laithwaite, Les Confrères de La Clarière, 33350 Sainte-Colombe, tél. 05.57.47.95.14, fax 05.57.47.94.47 ☑ ⵀ r.-v.

CH. LA FONT DU JEU 1997★

■   5 ha   20 000   ⵀ 50 à 69 F

Elevé par le propriétaire du Château Lapeyronie, ce 97 se distingue par son caractère très épicé (noix de cajou) et sa rondeur en bouche : il sera à boire d'ici un an ou deux.

↖ Jean-Frédéric Lapeyronie, 4, Castelmerle, 33350 Sainte-Colombe, tél. 05.57.40.19.27, fax 05.57.40.14.38 ☑ ⵀ r.-v.

CH. LA GRANDE MAYE
Elevé et vieilli en barrique de chêne 1997★

■   15 ha   50 000   ⵀ 50 à 69 F

Un cru régulièrement retenu dans le Guide, parfois au sommet de son appellation (le 94 avait obtenu un coup de cœur). La robe sombre du 97 a de beaux reflets carminés, et son bouquet naissant est toasté, fruité et animal. En bouche, les tanins, souples et gras, se révèlent bien charpentés et finissent sur une note florale très aimable. Une bouteille d'avenir, à boire dans deux à six ans.

↖ EARL P.L. Valade, Rouye, 33350 Belvès-de-Castillon, tél. 05.57.47.93.92, fax 05.57.47.93.92, e-mail paul.valade@wanadoo.fr ☑ ⵀ r.-v.

CH. LA ROCHE BEAULIEU
Elevé en fût de chêne 1998

■   1 ha   5 000   ⵀ 30 à 49 F

Cette cuvée, élevée en fût, représente seulement un hectare sur les 8,5 que compte la propriété. Le bouquet expressif, encore discret, s'ouvre au palais en harmonie avec des tanins souples et gras pour le moment dominés par le bois. Une bouteille à boire dans les trois ans.

↖ EARL du Vignoble Rousset, Ch. La Roche Beaulieu, 33350 Les Salles-de-Castillon, tél. 05.57.40.64.37, fax 05.57.40.65.05, e-mail olivier.rousset@waika9.com ☑ ⵀ t.l.j. sf dim. 9h30-12h 14h-18h

CH. LA SENTINELLE
Elevé un an en fût de chêne 1998

■   3 ha   15 300   ⵀ 30 à 49 F

Le 98 est le premier millésime de la nouvelle propriétaire du château. Le bouquet élégant évoque les fruits rouges et la bruyère. Les tanins très présents sont assez bien fondus mais la finale montre une pointe d'amertume qui devrait s'estomper après deux ou trois ans de vieillissement.

↖ Sté viticole du Dom. de Lezin, 11, Giraud-Arnaud, 33750 Saint-Germain-du-Puch, tél. 05.57.24.00.00, fax 05.57.24.00.98 ☑ ⵀ r.-v.
↖ Muriel Huillier

CH. LA TREILLE DES GIRONDINS
Cuvée Cronos Top 2000 Elevé en fût de chêne 1998★★

■   1 ha   6 000   ▦ ⵀ 30 à 49 F

Cette cuvée Cronos est une sélection de vieilles vignes de quarante ans plantées sur un terroir argilo-siliceux. Elevée en barrique, elle présente une robe pourpre limpide, des arômes puissants et fruités encore dominés par un élégant boisé cacaoté et vanillé. En bouche, les tanins sont superbes, denses, mûrs et très gras ; la finale est marquée par un retour aromatique fruité et long. Un remarquable travail de vinification et d'élevage, à apprécier dès aujourd'hui, mais qui peut également vieillir deux à cinq ans.

↖ Alain Goumaud, Mézières, 33350 Saint-Magne-de-Castillon, tél. 05.57.40.05.38, fax 05.57.40.26.60 ☑ ⵀ t.l.j. sf sam. dim. 9h-12h 14h-18h

DOM. LA TUQUE BEL-AIR
Vieilli en fût de chêne neuf 1998

■   20 ha   45 000   ⵀ 30 à 49 F

Ce 98 se présente bien avec sa robe grenat sombre et ses arômes de violette, dominés par des notes boisées exotiques (noix de coco). En bouche, les tanins sont encore écrasés par le boisé qui apporte un peu d'amertume en finale. Attendre deux à trois ans pour une meilleure harmonie.

↖ GAEC Jean Lavau et Fils, B.P. 13, 33330 Saint-Emilion, tél. 05.57.24.77.30, fax 05.57.24.66.24 ☑ ⵀ t.l.j. 9h-12h30 14h-18h; sam. dim. sur r.-v.

CH. DE L'ESTANG 1998★

■   6 ha   40 000   ▦ ⵀ 30 à 49 F

Ce château, établi sur un sol argilo-calcaire, produit un vin à partir du seul merlot. Le bouquet élégant et floral de ce 98 se développe sur des notes de fruits confits et de pruneau. Souple et soyeux, les tanins se révèlent bien fondus et équilibrés. Une belle bouteille, à apprécier dans deux à cinq ans.

↖ Bocquillon de l'Estang SA, Ch. de L'Estang, 33350 Saint-Genès-de-Castillon, tél. 05.57.47.91.81, fax 05.57.47.92.13 ☑ ⵀ r.-v.

CH. MONBADON
Cuvée Jeanne de l'Isle 1998★

■   25 ha   n.c.   ⵀ 30 à 49 F

Créée pour le millésime 98, la cuvée Jeanne de l'Isle est une sélection des barriques du château Monbadon. Sa robe cerise est profonde. Son bouquet de fruits mûrs et de boisé toasté est en harmonie avec les tanins francs et soyeux assez puissants pour faire de cette bouteille un vin de garde (trois à huit ans).

↖ J. Lebègue, 33330 Saint-Emilion, tél. 05.57.51.31.05, fax 05.57.74.18.47, e-mail lebegue@lebegue
↖ Montfort

CH. MOULIN COURRECH 1997

■   10 ha   20 000   ▦ ⵀ 30 à 49 F

Cette propriété se transmet de génération en génération depuis 1880. Elle propose un 97 bien fruité (mûre, cassis) avec une touche de cuir et

d'épices. C'est un vin rond et agréable, à boire dans les deux ans à venir sur des viandes rouges.
🕿 EARL Vignobles J.-P. et M. Celerier, Moulin Courrech, 33570 Puisseguin, tél. 05.57.74.61.75, fax 05.57.74.52.79 ☑ ☏ t.l.j. 8h-12h 14h-20h

CH. MOULIN DE CLOTTE 1998*

| ■ | 7,2 ha | 55 000 | ▌ 30 à 49 F |

Avec 60 % de merlot et 40 % de cabernets, l'encépagement de ce château est classique. La robe pourpre de son 98 est brillante ; le bouquet développe des notes de pruneau. C'est surtout en bouche que ce vin se révèle grâce à une présence tannique moelleuse, puissante et harmonieuse en même temps. Une bouteille qui donnera tout son potentiel dans deux à trois ans. Vieillie en fût de chêne, la **cuvée Dominique 98** est une sélection de 2 000 bouteilles, qui obtient également une étoile ; elle se caractérise par des arômes boisés, bien intégrés à un joli fruit (myrtille, cassis). A boire d'ici un an ou deux.
🕿 Vignobles Chupin, Ch. Moulin de Clotte, 33350 Les Salles-de-Castillon, tél. 05.57.40.60.94, fax 05.57.40.66.68 ☑ ☏ r.-v.

CH. PERVENCHE PUY-ARNAUD 1998

| ■ | 8 ha | 16 000 | ◖❙❙ 30 à 49 F |

Un site fréquenté par les chouettes effraie que vous aurez peut-être l'occasion d'apercevoir lors d'une visite. Vous pourrez y apprécier ce 98 très aromatique (pruneau, cerise, vanille), à la présence tannique souple et fondue, mais au boisé bien présent en finale. A attendre trois à six ans.
🕿 André Loretz, 7, Puy Arnaud, 33350 Belvès-de-Castillon, tél. 05.57.47.90.33, fax 05.57.47.90.33 ☑ ☏ r.-v.

CH. PEYROU 1997

| ■ | 5 ha | 25 000 | 30 à 49 F |

Implanté sur un beau terroir argileux au pied des coteaux de Saint-Emilion, ce château appartient à une jeune œnologue qui apporte un soin extrême à la conduite de son vignoble ; ce 97 offre un bouquet marqué par des fruits rouges bien mûrs et une note élégante de vanille. Souple et gouleyant en attaque, c'est un vin déjà très harmonieux, à boire dans les trois années à venir.
🕿 Catherine Papon-Nouvel, Peyrou, 33350 Saint-Magne-de-Castillon, tél. 05.57.24.72.05, fax 05.57.74.40.03 ☑ ☏ t.l.j. sf dim. 8h-19h

CH. PITRAY 1997**

| ■ | 30 ha | 225 000 | ▌◖❙❙♨ 50 à 69 F |

Situé au cœur de l'appellation, ce magnifique château mérite une visite à lui tout seul. Vous pourrez également y découvrir ce vin - étiquette large en deux parties - élevé douze mois en barrique, qui décroche deux étoiles pour le 97 paré d'une robe grenat profond. La richesse et la complexité du bouquet reposent sur des notes fruitées et élégamment boisées. Les tanins souples et onctueux sont bien mûrs et intégrés au boisé d'un élevage en barrique maîtrisé. Une bouteille qui devrait vieillir deux à cinq ans, mais qui peut également s'apprécier jeune. La **cuvée traditionnelle** qui ne connaît pas la barrique et porte une étiquette jaune en hauteur (30 à 49 F), est citée pour sa constitution tannique élégante

et fruitée, sans grande complexité : à apprécier dès maintenant.
🕿 SC de La Frérie, Ch. de Pitray, 33350 Gardegan, tél. 05.57.40.63.38, fax 05.57.40.66.24 ☑ ☏ r.-v.
🕿 Comtesse de Boigne

CH. ROBIN 1997*

| ■ | 12 ha | 59 000 | ◖❙❙ 50 à 69 F |

On se souvient encore du très beau 95, coup de cœur du Guide 99. Parmi les valeurs sûres de l'appellation, ce cru idéalement situé sur les coteaux sud-est de Belvès propose encore un vin très réussi. La robe grenat de ce 97 brille de mille feux. Les arômes intenses de fruits rouges sont fondus à ceux du boisé vanillé et toasté. La structure tannique soyeuse et dense évolue avec bonheur vers une finale tout en rondeur et en équilibre. Un vrai plaisir dans deux à cinq ans.
🕿 SCEA Ch. Robin, 33350 Belvès-de-Castillon, tél. 05.57.47.92.47, fax 05.57.47.94.45 ☑ ☏ t.l.j. sf sam. dim. 10h-12h 14h-18h
🕿 Sté Lurckroft

CH. ROQUEVIEILLE
Vieilli en fût de chêne 1997

| ■ | 11,41 ha | 70 000 | ◖❙❙ 30 à 49 F |

Une robe grenat ambré, un bouquet expressif et complexe de réglisse et d'épices caractérisent ce 97. Sa structure repose sur des tanins souples et mûrs, bien équilibrés ; la finale au goût de fumée est encore un peu austère mais devrait se fondre dans les mois qui viennent. On pourra peut-être boire ce vin dès 2001. A servir plutôt sur des viandes blanches.
🕿 SCEA Ch. Roquevieille, 33350 Saint-Philippe-d'Aiguilhe, tél. 05.57.74.47.11, fax 05.57.24.69.08 ☑ ☏ r.-v.
🕿 Palatin

CH. TARREYRO 1997*

| ■ | n.c. | 7 200 | ◖❙❙ 30 à 49 F |

Elevé en fût, ce vin est une sélection du négociant Robert Giraud. Il possède une robe sombre et brillante, un bouquet animal (cuir), épicé (poivre) et grillé. En bouche, les tanins sont souples et fondus, mais ils évoluent avec suffisamment de puissance et d'harmonie pour autoriser une garde d'au moins trois ans.
🕿 SCA Vignobles Robert Giraud, B.P. 31, 33240 Saint-André-de-Cubzac, tél. 05.57.43.01.44, fax 05.57.43.08.75, e-mail direction@robertgiraud.com
🕿 Francis Bonneaud

CH. TERRASSON Cuvée Prévenche 1997*

| ■ | 1,3 ha | 12 000 | ◖❙❙ 30 à 49 F |

La cuvée Prévenche du château Terrasson est une sélection de vieilles vignes. Le 97 est dominé par des arômes de framboise et de cassis. En bouche, il est souple et équilibré avec un boisé vanillé bien fondu en finale. Une bouteille très réussie à ouvrir d'ici un an ou deux. La **cuvée principale 97**, citée sans étoile, peut être appréciée dès aujourd'hui.
🕿 EARL Christophe et Marie-Jo Lavau, Ch. Terrasson, B.P. 9, 33570 Puisseguin, tél. 05.57.56.06.65, fax 05.57.56.06.76, e-mail clavau@terre-net.fr ☑ ☏ r.-v.

CH. TIFAYNE 1998★

■ 1,3 ha 12 000 🍷 `30 à 49 F`

Ce 98 est le premier millésime des nouveaux propriétaires de ce cru situé à Monbadon et qui s'étend sur plusieurs AOC. Avec sa belle robe grenat limpide et son bouquet de fruits rouges écrasés, ce vin déjà séduisant s'exprime totalement en bouche, doté d'une structure de tanins mûrs, puissants et aromatiques. Un grand plaisir dans deux à quatre ans.
🏵 SCEA des Vignobles Limbosch-Zavagli, Tifayne, 33570 Puisseguin, tél. 05.57.40.61.29, fax 05.57.40.60.98, e-mail info@tifayne.com
☑ ⲩ r.-v.

CH. TUILIERE DE LA BORDE 1998★

■ 4,7 ha 21 000 🍷⬇ `30 à 49 F`

Ce château à tradition familiale a produit un 98 pourpre brillant issu exclusivement de merlot. Les arômes fruités et épicés sont bien fondus. En bouche, ce vin souple et généreux, de grande maturité, évolue avec élégance et persistance et magnifie le terroir. A boire dans trois à six ans.
🏵 SCEA Grelaud, Ch. Tenein, 33660 Gours, tél. 05.56.71.11.64, fax 05.56.71.11.61 ☑ ⲩ r.-v.

VALMY DUBOURDIEU-LANGE 1998★★

■ 5 ha 20 000 ⦀ `100 à 149 F`

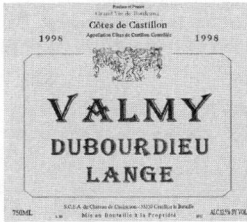

Tous les soins sont apportés à cette cuvée spéciale parfaitement vinifiée à partir de 70 % de merlot, complété par du cabernet-sauvignon. Ce vin décroche cette année à l'unanimité la plus haute distinction, bien méritée après les deux étoiles du millésime 97 et le coup de cœur du 96. La robe intense et profonde est presque noire, les parfums puissants de fruits mûrs et confits sont en harmonie avec un boisé élégant aux notes de caramel et de vanille. Net en attaque, ce 98 possède des tanins serrés et équilibrés dont l'évolution est fort séduisante. C'est une excellente bouteille à ouvrir dans deux à cinq ans sur une viande rouge grillée. Bravo au premier de la classe !
🏵 Patrick Erésué, Ch. de Chainchon, 33350 Castillon-la-Bataille, tél. 05.57.40.14.78, fax 05.57.40.25.45 ☑ ⲩ r.-v.

VIEUX CHATEAU DE NOAILLES
Vieilli en fût de chêne 1998

■ 14,6 ha 13 000 ⦀ `30 à 49 F`

Ce 98 mérite l'attention pour ses parfums agréables de noisette, de cerise confite, de gibier et pour sa structure tannique typée et puissante, un peu chaleureuse en fin de bouche. Il lui faudra

deux à trois ans de vieillissement pour parvenir à son équilibre.
🏵 Roland Mas, Ch. des Faures, 33570 Puisseguin, tél. 05.57.40.61.07, fax 05.57.40.64.87, e-mail cdesfaures@aol.com
☑ ⲩ r.-v.

Bordeaux côtes de francs

S'étendant, à 12 km à l'est de Saint-Emilion, sur les communes de Francs, Saint-Cibard et Tayac, le vignoble de bordeaux côtes de francs (487 ha en production) bénéficie d'une situation privilégiée sur des coteaux argilo-calcaires et marneux parmi les plus élevés de la Gironde. Presque intégralement consacré aux vins rouges (à l'exception d'une vingtaine d'hectares), il est exploité par quelques viticulteurs dynamiques et une cave coopérative, qui produisent de très jolis vins, riches et bouquetés.

VIGNOBLE D'ALFRED 1997

■ 1,5 ha 5 000 ⦀ `50 à 69 F`

Quatre semaines de macération, dix-huit mois de barrique, ni collage ni filtration : Le pourcentage important de cabernet-sauvignon domine l'équilibre général de ce 97, avec des saveurs de fruits rouges acidulés (groseille) et des tanins encore légèrement mordants. C'est un vin prometteur qui devrait s'épanouir après un an ou deux de vieillissement.
🏵 Jean-Frédéric Lapeyronie, 4, Castelmerle, 33350 Sainte-Colombe, tél. 05.57.40.19.27, fax 05.57.40.14.38 ☑ ⲩ r.-v.
🏵 A. Charrier

CH. DU BOIS MENEY 1998

■ 5 ha 48 000 🍷⬇ `30 à 49 F`

Ce 98 est le premier millésime vinifié par le nouveau propriétaire ; il est cité pour son bouquet élégant, fruité et floral et pour sa bouche où souplesse et moelleux se conjuguent jusqu'à une finale de charme ! Un vin bien fait. Du même propriétaire, le **Château Nardou en rouge 98** (douze mois de barrique) est à apprécier lui aussi pour son amabilité. Il reçoit la même note.
🏵 EARL Vignobles Dubard, Nardou, 33570 Tayac, tél. 05.57.40.69.60, fax 05.57.40.69.20 ⲩ r.-v.
🏵 Florent Dubard

CH. DE FRANCS
Les Cerisiers Vieilli en fût de chêne 1997★

■ 5 ha 5 000 ⦀ `50 à 69 F`

Cette nouvelle cuvée Les Cerisiers a été créée pour ce millésime 97 et le résultat est déjà encourageant : robe pourpre intense, bouquet expressif de fruits, d'épices, de notes boisées torréfiées. Riche, plein, le palais possède un charme certain et une bonne persistance, malgré une pointe encore austère en finale. A boire d'ici un an ou deux. Le **vin blanc 98** de la propriété est cité : il présente des arômes d'agrumes, de miel et de vanille. Rond et puissant en bouche, il est un peu dominé par la barrique.

☛ SCEA Ch. de Francs, 33570 Francs, tél. 05.57.40.65.91, fax 05.57.40.63.04 ☑ ⵏ r.-v.

☛ Hébrard et de Bouard

CH. HAUT PELAN
Cuvée La Rocheline 1997

■	3,22 ha	2 949	▮◖◗	30 à 49 F

Cette cuvée spéciale d'à peine 3 000 bouteilles se présente bien dans le millésime 97 : robe rubis, déjà tuilée, arômes de petits fruits rouges délicatement vanillés, tanins présents et charnus. Très flatteur en finale par sa touche de boisé, c'est un vin déjà prêt à boire sur des viandes blanches.

☛ Pascal Pallaro, 14, Le Pin, 33350 Les Salles-de-Castillon, tél. 05.57.40.61.00, fax 05.57.40.61.00 ☑ ⵏ r.-v.

CH. LALANDE DE TAYAC 1998

■	12 ha	45 000	■	30 à 49 F

Ce 98 présente une robe d'un rouge rubis profond, des parfums de fruits mûrs ou confiturés et une structure de tanins ronds et élégants, évoluant avec harmonie et persistance. Avec un peu plus de puissance, ce vin aurait décroché une étoile. A attendre un à trois ans.

☛ Vignobles Lafaye Père et Fils, Ch. Viramon, 33330 Saint-Etienne-de-Lisse, tél. 05.57.40.18.28, fax 05.57.40.02.70 ☑ ⵏ r.-v.

CH. LALANDE DE TIFAYNE 1998

■	0,75 ha	6 000	■	30 à 49 F

Première récolte pour ce jeune couple d'agronomes, nouvellement installé dans cette belle appellation. Le résultat est encourageant : une robe pourpre soutenu, des arômes de fruits rouges, de prunelle et de réglisse qui se retrouvent en bouche, en harmonie avec des tanins souples et très frais. Un vin à boire dans les trois ans à venir.

☛ SCEA des Vignobles Limbosch-Zavagli, Tifayne, 33570 Puisseguin, tél. 05.57.40.61.29, fax 05.57.40.60.98, e-mail info@tifayne.com ☑ ⵏ r.-v.

CH. LAULAN 1998

■	7 ha	45 000	■ ⵙ	30 à 49 F

Ce 98 se caractérise par une couleur pourpre soutenu, un bouquet fruité très mûr (confiture) avec des notes épicées, et des tanins étoffés en attaque, puissants, austères en finale. Il devra attendre un an ou deux pour gagner en harmonie.

☛ Bruno Citerne, Seignade, 33570 Francs, tél. 05.57.40.63.37, fax 05.57.40.68.05 ☑ ⵏ r.-v.

CH. LES CHARMES-GODARD 1998*

☐	1,65 ha	10 700	◖◗	50 à 69 F

Régulièrement distingué dans le Guide, ce petit cru présente comme l'an dernier un vin blanc sec fort réussi : robe claire aux reflets dorés, arômes de fleurs encore un peu dominés par des notes boisées, volume et rondeur en bouche, avec un équilibre intéressant entre le fruit du raisin et l'élevage en barrique. Un vin char-

meur, à savourer entre amis et dès maintenant. Egalement propriété de Nicolas Thienpont, le **Château La Claverie 97 rouge** offre un joli nez (fruits rouges, épices, pivoine). La bouche légèrement boisée sera prête dans un an ou deux (30 à 49 F).

☛ GFA Les Charmes-Godard, Lauriol, 33570 Saint-Cibard, tél. 05.57.56.07.47, fax 05.57.56.07.48 ☑ ⵏ r.-v.

☛ Nicolas Thienpont

CH. MARSAU 1997*

■	6 ha	28 000	◖◗	50 à 69 F

L'ambition affichée de ce cru, planté à 100 % de merlot sur argile, est de se hisser au sommet de son appellation. Depuis 1994, les résultats prouvent un réel savoir-faire : pour ce 97 une robe pourpre brillante, des arômes de fruits mûrs, de cacao, de pruneau, de cuir, des tanins étoffés et suaves, avec beaucoup de moelleux et d'harmonie en finale. Un vin qui atteindra un équilibre parfait dans deux ou trois ans.

☛ Ch. Marsau, Ch. Marsau Bernarderie, 33570 Francs, tél. 05.56.02.26.41, fax 05.56.02.26.41 ⵏ r.-v.

☛ S. et J.-M. Chadronnier

PELAN 1997**

■	4 ha	15 000	◖◗	100 à 149 F

Ce coup de cœur récompense un vin à l'assemblage atypique : 80 % de cabernet-sauvignon et 20 % de merlot sur calcaire à astéries. La robe est profonde et brillante, les arômes complexes et puissants évoquent le fruit rouge, le poivre, la vanille et le cuir. La bouche, ample et riche, monte en puissance tout en gardant un remarquable équilibre de tanins mûrs et boisés. Une bouteille à laisser vieillir deux à cinq ans. Du même propriétaire, le **Château Pelan Bellevue 97** est cité pour sa richesse fruitée et sa maturité en bouche (30 à 49 F).

☛ Régis Moro, Champs-de-Mars, 33350 Saint-Philippe-d'Aiguilhe, tél. 05.57.40.63.49, fax 05.57.40.61.41 ☑ ⵏ r.-v.

CH. PUYANCHE Moelleux 1997**

☐	2 ha	1 800	◖◗	50 à 69 F

Le château Puyanché est le seul de l'appellation à produire un vin blanc moelleux mais avec quel succès ! Dépêchez-vous car la production est confidentielle et les heureux acheteurs de ce 97 ne seront pas déçus... La robe jaune d'or est brillante, les arômes puissants et complexes évoquent l'abricot, le raisin sec, le caramel et les fruits confits. En bouche, la puissance et le gras sont en équilibre parfait avec un boisé délicat.

La finale tout en fraîcheur est remarquablement longue. A boire pendant cinq à dix ans.
🍷 EARL Arbo, Godard, 33570 Francs, tél. 05.57.40.65.77, fax 05.57.40.68.48 ☑ 🍴 r.-v.

CH. PUYGUERAUD 1997**

■	n.c.	66 000	◖◗ 50 à 69 F

Année après année, ce très beau château du XVIᵉs., qui commande un vignoble de 32 ha, s'affirme comme une des vedettes de l'appellation. Encore deux étoiles pour le 97 à la robe profonde presque noire, aux parfums évocateurs et complexes de fruits rouges, d'épices, de vanille, de pain grillé. Le palais, ample et riche, possède beaucoup de volume et une finale très élégante, rehaussée de notes fruitées. Une performance pour le millésime. Un vin que l'on pourra apprécier dès aujourd'hui mais qui saura également vieillir de deux à quatre ans. Le 95 avait obtenu la même distinction.
🍷 Ch. Puygueraud, 33570 Saint-Cibard, tél. 05.57.56.07.47, fax 05.57.56.07.48, e-mail ch.puygueraud@wanadoo.fr ☑ 🍴 r.-v.

CH. TERRASSON 1997

■	1,4 ha	11 000	▮ 30 à 49 F

Un 97 très aromatique (fruits, fleurs, notes de gibier), qui possède une structure de tanins ronds et élégants, un peu austère en fin de bouche. A boire dans les trois ans.
🍷 EARL Christophe et Marie-Jo Lavau, Ch. Terrasson, B.P. 9, 33570 Puisseguin, tél. 05.57.56.06.65, fax 05.57.56.06.76, e-mail clavau@terre-net.fr ☑ 🍴 r.-v.

Entre Garonne et Dordogne

La région géographique de l'Entre-deux-Mers forme un vaste triangle délimité par la Garonne, la Dordogne et la frontière sud-est du département de la Gironde ; c'est sûrement l'une des plus riantes et des plus agréables de tout le Bordelais, avec ses vignes qui couvrent 23 000 ha, soit le quart de tout le vignoble. Très accidentée, elle permet de découvrir de vastes horizons comme de petits coins tranquilles qu'agrémentent de splendides monuments, souvent très caractéristiques (maisons fortes, petits châteaux nichés dans la verdure et, surtout, moulins fortifiés). C'est aussi un haut lieu de la Gironde de l'imaginaire, avec ses croyances et traditions venues de la nuit des temps.

Entre-deux-mers

L'appellation entre-deux-mers ne correspond pas exactement à l'Entre-deux-Mers géographique, puisque, regroupant les communes situées entre les deux fleuves, elle en exclut celles qui disposent d'une appellation spécifique. Il s'agit d'une appellation de vins blancs secs dont la réglementation n'est guère plus contraignante que pour l'appellation bordeaux. Mais dans la pratique, les viticulteurs cherchent à réserver pour cette appellation leurs meilleurs vins blancs. Aussi la production est-elle volontairement limitée (2 394 ha en production, 94 328 hl en 1999), et les dégustations d'agréage sont-elles particulièrement exigeantes. Le cépage le plus important est le sauvignon qui communique aux entre-deux-mers un arôme particulier très apprécié, surtout lorsque le vin est jeune.

CH. D'AUGAN 1999

☐	n.c.	9 000	▮ 30 à 49 F

Sauvignon à 75 % et sémillon à 25 %, ce cru offre une grande finesse, des flaveurs élégantes (pétales de rose, fruits exotiques mûrs, litchi) et un corps frais, léger, svelte mais bien fait. Un vin d'apéritif à goûter pour lui-même. Le **Château Langel-Mauriac 99** (55 % de sauvignon, 30 % de sémillon, 15 % de muscadelle) sent le bonbon anglais, le pain frais, l'acacia. L'attaque est souple, l'évolution fraîche, et la nervosité paraît en finale, emportée par un perlé acidulé. Un vin gourmand, sur des entrées ou un plat de volailles froides.
🍷 Vignerons de Guyenne, Union des producteurs de Blasimon, 33540 Blasimon, tél. 05.56.71.55.28, fax 05.56.71.59.32 ☑ 🍴 r.-v.

BARON D'ESPIET 1999

☐	1,1 ha	10 000	▮ 🍷 20 à 29 F

Grotte du Luc, galeries romaines de Bonnefond, abbaye de La Sauve, coopérative moderne... La région est riche en centres d'intérêt. Le sauvignon a séjourné quatre mois sur lies en cuve. Il y a perdu son agressivité de buis et gagné des flaveurs de pain frais qui complètent sa gamme aromatique florale. Frais, léger mais

corsé, vif, il signe sa finale d'une pointe minérale
allègre : un vin de fruits de mer.
☛ Union de Producteurs Baron d'Espiet, La
Fourcade, 33420 Espiet, tél. 05.57.24.24.08,
fax 05.57.24.18.91, e-mail baron-
espiet@dial.oleane.com ☑ ☝ r.-v.

CH. BONNET 1999★

	n.c.	n.c.	☷ ⬩ 30 à 49 F

Fief des vignobles d'André Lurton, Bonnet est
un charmant château du XVIIIᵉs. Ce 99
commence à exprimer le miel, la fleur d'acacia
et le tilleul qui parfumeront bientôt plus amplement la chair de ce vin destiné à un apéritif élégant ou à un poisson.
☛ Vignobles André Lurton, Ch. Bonnet,
33420 Grézillac, tél. 05.57.25.58.58,
fax 05.57.74.98.59,
e-mail andre.lurton@wanadoo.fr ☑ ☝ r.-v.

CH. BOURDICOTTE 1999

	6,45 ha	53 000	☷ ⬩ 30 à 49 F

Certains vignobles de la région s'ornent au
printemps de fleurs de bulbes indigènes fragiles,
en un « jardin jeté » à la beauté éphémère. Vin
des trois cépages, ce 99 est cependant fortement
marqué par le sauvignon. Son corps robuste, vif,
presque acide, a ses partisans. Le temps devrait
apaiser cette bouteille qui peut déjà accompagner
des moules marinières.
☛ SCEA Rolet Jarbin, Dom. de Bourdicotte,
33790 Cazaugitat, tél. 05.56.61.32.55,
fax 05.56.61.38.26

CH. DE CASTELNEAU 1999★

	8 ha	35 000	☷ ⬩ 20 à 29 F

Le château est établi à l'emplacement d'une
petite place forte du XVᵉs., flanquée de quatre
tours. La cuvée principale est bâtie sur les trois
cépages, la muscadelle n'y comptant que pour
10 %. L'équilibre souple, ample et vivant de la
bouche met en valeur toute l'harmonieuse
complexité des flaveurs, fleurs et fruits élégamment marqués de noisette jusqu'en finale. A
marier à des viandes blanches et à des crottins.
Des ceps de sémillon centenaires ont été sélectionnés pour la **cuvée barrique Réserve du Château 98** (30 à 49 F), aussi bien notée. Elevée dix
mois en barrique, avec bâtonnage hebdomadaire, ils ont donné un bois dominateur, même
s'il est de qualité, que le temps apaisera. A découvrir sur des volailles rôties.
☛ Vicomte Loïc de Roquefeuil,
Ch. de Castelneau, 33670 Saint-Léon,
tél. 05.56.23.47.01, fax 05.56.23.46.31,
e-mail castelneau-roquefeuil@wanadoo.fr
☑ ☝ r.-v.

CH. CASTENET-GREFFIER 1999

	6 ha	44 000	☷ ⬩ 20 à 29 F

Le sauvignon (70 %) compose cette cuvée où
sémillon et muscadelle complètent l'assemblage.
Un élevage partiel sur lies fines a donné un vin
typé entre-deux-mers, frais et fruité, prêt à
accompagner un poisson grillé.

Entre Garonne et Dordogne

➤ EARL François Greffier, Castenet,
33790 Auriolles, tél. 05.56.61.40.67,
fax 05.56.61.38.82,
e-mail ch.castenet@wanadoo.fr ☑ ⊤ r.-v.

CH. DE CRAIN 1999★

☐	12 ha	20 000	▮ ♦	– de 20 F

Le sauvignon gris, mutant très aromatique du
sauvignon blanc, participe avec ce dernier à la
construction de ce vin, à côté de la muscadelle
(30 %) et du sémillon (30 %). Le séjour sur lies a
duré quatre mois. Rond, gras, persistant, riche,
ce vin expose une harmonie de flaveurs : il
s'évase de la fleur d'acacia à la brioche, en
musardant sur la citronnelle et les zestes d'orange
et de pamplemousse. Il est à goûter en apéritif
ou sur des crustacés. Bâti de la même façon, le
Château Noulet 99 lui ressemble.
➤ SCA de Crain, Ch. de Crain, 33750 Baron,
tél. 05.57.24.50.66, fax 05.45.25.03.73 ☑ ⊤ r.-v.

CH. FONDARZAC 1999★

☐	10 ha	120 000	▮ ♦	30 à 49 F

Le sauvignon est tempéré par 20 % de muscadelle et 20 % de sémillon. Le nez très minéral,
pierre à fusil, aux accents de laurier et de fruits
secs, et la structure fraîche, équilibrée, de belle
tenue, caractérisent ce vin typé : pour les
pêcheurs !
➤ SCA Vignobles Claude Barthe,
22, rte de Bordeaux, 33420 Naujean-et-Postiac,
tél. 05.57.84.55.04, fax 05.57.84.60.23 ☑ ⊤ r.-v.

CH. DE FONTENILLE 1999★

☐	6 ha	48 000	▮	30 à 49 F

Le clocher de l'abbaye de La Sauve domine
les salles du syndicat de l'entre-deux-mers : il faut
s'y arrêter ! Les trois cépages principaux du terroir se partagent équitablement 90 % du vin, et
l'apport du sauvignon gris est important : 10 %
de ce raisin de caractère. Le 99 fleure l'acacia, le
genêt, la fleur d'oranger et le kouglof, avec des
nuances de miel et de noisette appétissantes. La
bouche, à l'attaque ronde et grasse, évolue vers
une finale plus vive (qui a rebuté un dégustateur),
toujours imprégnée de flaveurs complexes, fines,
allègres... Ce vin semble fait pour les viandes
blanches et les poissons fumés.
➤ SC Ch. de Fontenille, 33670 La Sauve,
tél. 05.56.23.03.26, fax 05.56.23.30.03,
e-mail defraine@chateau-fontenille.com
☑ ⊤ r.-v.

CH. GAMAGE 1999

☐	3 ha	6 000	▮ ♦	30 à 49 F

Un dégustateur écrit : « C'est un style un peu
AOC graves ». Il est frais et corsé à la fois, et
ses arômes jouent sur un registre de pain, de cire,
de fruits secs. Il devrait bien vieillir et aimera les
poissons.
➤ SARL Ch. Gamage,
33350 Saint-Pey-de-Castets, tél. 05.57.40.52.02,
fax 05.57.40.53.77 ☑ ⊤ r.-v.

CH. GRAND FERRAND 1999

☐	5,38 ha	43 000	▮ ♦	20 à 29 F

Ce pur sauvignon joue sur la fine élégance de
ses parfums : discrets mais savants, harmonieusement disposés en bouquet de fleurs printaniè-

res, ils embaument toute la dégustation. La chair
souple, ronde, finit sur une vivacité de bon aloi,
laissant un souvenir de fleur d'acacia.
➤ SCEA Vignobles Rocher Cap Rive 2,
Ch. Grand-Ferrand, 33540 Sauveterre-
de-Guyenne, tél. 05.56.61.32.55

CH. GRAND-JEAN 1999★

☐	6 ha	40 000	▮	20 à 29 F

Classique et réjouissant, il embaume l'écorce
d'orange citronnée, légèrement miellée ; le
corps volumineux sait se montrer élégant, émoustillé
en finale d'une pointe perlée : un vin d'apéritif
et de viandes froides, né sur les lies de sémillon
(50 %), muscadelle (10 %) et sauvignon de trente
ans. La **cuvée élevée en fût de chêne 98** (30 à 49 F)
devra attendre encore un peu que le bois se
fonde. Elle obtient une citation.
➤ Michel Dulon, Ch. Grand-Jean,
33760 Soulignac, tél. 05.56.23.69.16,
fax 05.57.34.41.29 ☑ ⊤ r.-v.

CH. GROSSOMBRE 1999★

☐	n.c.	n.c.	▮ ♦	30 à 49 F

Béatrice Lurton signe Grossombre, à la transparence étincelante à peine paillée, qui distille la
fleur de seringa et d'oranger sur fond de pierre
à fusil. Le buis apparaît plus dans la sève de la
bouche, svelte, vive, longuement fruitée, et
s'affine dans le minéral de la persistance... Le vin
des huîtres.
➤ Béatrice Lurton, B.P. 10, 33420 Grézillac,
tél. 05.57.25.58.58, fax 05.57.74.98.59,
e-mail andre.lurton@wanadoo.fr ☑ ⊤ r.-v.

CH. HAUT-GUILLEBOT 1999

☐	15 ha	80 000	▮ ♦	20 à 29 F

Cette propriété se transmet de mère en fille
depuis longtemps. Le savoir-faire (tri des vendanges, macération pelliculaire, élevage six mois
sur lies) permet de présenter un vin aromatique
(fruits mûrs et exotiques), à la chair ronde,
confortable (agrume et pain brioché), frais et
enlevé en finale : un classique sympathique.
➤ Evelyne Rénier, Lugaignac, 33420 Branne,
tél. 05.57.84.53.92, fax 05.57.84.62.73 ☑ ⊤ r.-v.

CH. HAUT NADEAU 1999★

☐	2 ha	17 000	▮ ♦	30 à 49 F

Le village de Targon se serre sur une butte
autour d'une solide église à 5 km de l'abbaye de
La Sauve-Majeure. L'ardeur du sauvignon est
tempérée par la muscadelle (15 %), le sémillon
(21 %), et un élevage sur lies total. Les parfums
y gagnent en complexité (pêche, fruits de la Passion, agrumes, brioche fraîche), et le corps en
rondeur. La finale longue et vive rappelle qu'il
s'agit d'un entre-deux-mers... heureux !
➤ SCEA Ch. Haut-Nadeau,
3, chem. d'Estévenadeau, 33760 Targon,
tél. 05.56.20.44.07, fax 05.56.20.44.07 ☑
➤ Audouit

CH. HAUT RIAN 1999★

☐	13,7 ha	120 000	▮ ♦	20 à 29 F

Ce château apparaît depuis plusieurs années
dans ce Guide. Composé pour deux tiers de
sémillon et pour un tiers de sauvignon, raisins
ramassés à pleine maturité et vinifiés en macéra-

tion pelliculaire pour 30 %, ce vin exprime avec élégance l'entre-deux-mers, parfumé de fleurs blanches, puissant et frais, gaiement perlé.
☛ Michel Dietrich, La Bastide, 33410 Rions, tél. 05.56.76.95.01, fax 05.56.76.93.51 ☑ ☒ t.l.j. sf dim. 9h-12h 14h-18h

CH. JANDILLE 1999★

☐   3,93 ha   20 000   ☐☐   20 à 29 F

Ce vin proposé par la coopérative de Ruch, net, bien construit sur 80 % de sauvignon et 20 % de sémillon, fleure bon le pamplemousse citronné, le litchi, le bourgeon de cassis. On a l'impression de croquer le raisin à pleines dents avant que des effluves d'acacia n'apparaissent en finale. Un plaisir à apprécier sur les fromages de chèvre.
☛ Producteurs réunis Chais de Vaure, 33350 Ruch, tél. 05.57.40.54.09, fax 05.57.40.70.22 ☑ ☒ t.l.j. sf dim. 8h30-12h 14h-18h

LA COQUILLE 1999

☐   n.c.   n.c.   30 à 49 F

On le conseille pour les huîtres ou des toasts au saumon. Car tout est citronné dans ce 99, de l'œil à la bouche en passant par les senteurs. Mais des fleurs blanches accompagnent également la dégustation de ce vin vif, à boire dès maintenant.
☛ Mähler-Besse, 49, rue Camille-Godard, B.P. 23, 33026 Bordeaux, tél. 05.56.56.04.35, fax 05.56.56.04.59, e-mail france.mahler-besse@wanadoo.fr ☒ r.-v.

CH. LA FORET SAINT-HILAIRE 1999★

☐   7 ha   n.c.   ☐☐   20 à 29 F

Yvon Mau, négociant, souvent cité dans le Guide ces dernières années, offre ici deux vins de conceptions voisines, puisque construits sur l'axe sauvignon-sémillon, agrémenté de 10 % de muscadelle. Le **Château La Forêt Saint-Hilaire** est très marqué par le sauvignon à peine mûr : nez puissant, vif, de bois et noyau de pêche ; bouche aromatique de belle longueur, d'une vivacité plaisante. Un vin d'huîtres et coquillages. Le **Château Girème 99** est cité pour son élégance : ses arômes très fins sont teintés d'agrumes, et son corps vif, pointu, presque iodé est plus spirituel que matériel. Un vin de fruits de mer.
☛ SA Yvon Mau, B.P. 1, 33193 Gironde-sur-Dropt Cedex, tél. 05.56.61.54.54, fax 05.56.61.54.61 ☒ r.-v.

CH. LA JALGUE 1999★★

☐   4 ha   32 000   ☐☐   - de 20 F

Ce sauvignon (75 %) épaulé de sémillon embaume littéralement : le bouquet délicat de fleurs printanières, de pêche blanche, de litchi légèrement fumé lui donne une élégance espiègle. Le corps, vif et long, élargit encore la palette de notes poivrées. Un grand plaisir d'apéritif ! Un beau travail de l'équipe œnologique du négociant Ginestet.
☛ SA Maison Ginestet, 19, av. de Fontenille, 33360 Carignan-de-Bordeaux, tél. 05.56.68.81.82, fax 05.56.20.96.99, e-mail contact@ginestet.fr ☒ r.-v.

CH. LA ROSE DU PIN 1999

☐   7 ha   n.c.   ☐☐   30 à 49 F

Deux châteaux vinifiés par la même équipe sont cités : celui-ci est composé de 65 % de sauvignon, 12 % de sémillon et 23 % de cépages divers (dont la muscadelle) : le nez offre une harmonie ouverte de fleurs, fruits muscatés, croûte de pain frais. Le corps, agréablement porté par des perles de gaz, présente en finale une pointe de verdeur qui lui sied. Le **Château de Beauregard-Ducourt 99**, à base de 63 % de sémillon, 34 % de sauvignon et un soupçon de muscadelle (3 %), affiche un nez complexe mêlant fleurs blanches, poire très mûre, toast bien grillé et une chair grasse dans un corps frais, nerveux, avivé en finale par le perlé. Deux approches de l'appellation à comparer !
☛ SCEA Vignobles Ducourt, 18, rte de Montignac, 33760 Ladaux, tél. 05.57.34.54.00, fax 05.56.23.48.78, e-mail vignobles-ducourt@wanadoo.fr ☑ ☒ r.-v.

CH. DE LAUNAY 1999

☐   14 ha   100 000   20 à 29 F

Ce château vient de changer de mains : bienvenue à la nouvelle équipe œnologique ! 40 % de muscadelle et 30 % de sémillon donnent à ce vin une consistance ronde et grasse. Le nez ajoute aux agrumes et pêche blanche des notes discrètes de confit et de fumet. La vivacité attendue d'un entre-deux-mers s'en trouve sans doute atténuée, et cela a interrogé certains. Mais ce style a ses partisans qui l'apprécient sur les poissons passés au four et les fromages. Le **Château de Bridoire 99**, bâti de façon identique, présente le même profil.
☛ SCEA du Ch. de Launay, 33790 Soussac, tél. 05.56.61.31.44, fax 05.56.61.39.76 ☑ ☒ r.-v.

CH. LE PRIEUR 1999★

☐   n.c.   n.c.   ☐☐   30 à 49 F

En quatre générations, les propriétés familiales sont passées de 4 à 80 ha, produisant différentes appellations que le Guide retient souvent. Le Prieur associe sauvignon (60 %) et sémillon (40 %) en une personnalité séduisante, à l'habit citron, au corps nerveux, svelte, parfumé de fruits exotiques et de buis : une approche typique et réussie de son appellation. Le **Château Prevost 99** est aussi bien noté mais a été plus discuté : sous une limpidité jaune dorée, son corps rond, gras, charnu et ses arômes de fruits très mûrs (litchi, ananas), voire concentrés (abricot sec), ont déconcerté ou enchanté. C'est un vin de poissons (20 à 29 F).
☛ EARL Vignobles Garzaro, Ch. Le Prieur, 33750 Baron, tél. 05.56.30.16.16, fax 05.56.30.12.63, e-mail garzaro@vingarzaro.com ☑ ☒ r.-v.

CH. LESTRILLE 1999

☐   2,22 ha   15 000   ☐☐   30 à 49 F

« Il se présente bien », note un dégustateur. « Il est bien fait », écrit un autre. Vif, équilibré, avec à la fois du gras et de la fraîcheur, il est à boire dès maintenant.

☛Jean-Louis Roumage, Lestrille, 33750 Saint-Germain-du-Puch, tél. 05.57.24.51.02, fax 05.57.24.04.58 ☑ ⊥ r.-v.

CH. MONTLAU 1999

| ☐ | 3 ha | 11 330 | 🍴🍷 | 20 à 29 F |

Deux sobres bâtiments anciens accueillent le visiteur. La muscadelle et le sémillon se partagent 80 % du vin (avec 20 % de sauvignon) : sans doute une détermination moderne, puisque le vignoble a dix ans. Grâce à sa chair parfumée (fleurs blanches, agrumes et poire), qui prolonge le plaisir du nez, cet entre-deux-mers accompagnera volontiers une volaille rôtie.
☛Armand Schuster de Ballwil, Ch. Montlau, 33420 Moulon, tél. 05.57.84.50.71, fax 05.57.84.64.65 ☑ ⊥ r.-v.

CH. MYLORD 1999★

| ☐ | 18 ha | 150 000 | 🍴🍷 | 20 à 29 F |

Assemblage des trois cépages par tiers, élevé sur lies pendant six mois ; ce vin s'annonce avec élégance dans une robe jaune doré ourlée de fines perles. Il explose en parfums de sauvignon, buis et agrumes, et prend le temps de faire apprécier sa chair souple, soulignée de flaveurs briochées, et sa finale nerveuse. Voilà qui accompagnera poissons et buissons de crustacés.
☛Michel et Alain Large, Ch. Mylord, 33420 Grézillac, tél. 05.57.84.52.19, fax 05.57.74.93.95 ☑ ⊥ r.-v.

CH. POUCHAUD-LARQUEY 1999

| ☐ | 6 ha | 30 000 | 🍴🍷 | 20 à 29 F |

Les Piva maîtrisent l'agriculture biologique, dont ils parlent savamment. Le sauvignon, qui représente 60 % de ce vin, sait se montrer discret dans le concert des flaveurs très florales (bouquet de printemps, tilleul) de la chair grasse et enlevée de ce vin à retenir dès maintenant pour des poissons cuits au four.
☛Piva Père et Fils, Ch. Pouchaud-Larquey, 33190 Morizès, tél. 05.56.71.44.97, fax 05.56.71.65.16 ☑ ⊥ r.-v.

CH. RAUZAN DESPAGNE 1999★★

| ☐ | n.c. | n.c. | 🍴🍷 | 30 à 49 F |

Incontournable ! L'équipe J.-L. Despagne, menée par l'œnologue Elissalde, paraît dans bien des AOC, sur plusieurs propriétés. Des vins toujours remarqués... Elle signe ici une symphonie soyeuse, chatoyante, en trois cépages équitablement répartis. Bouquet de fleurs printanières intense, sur fond d'oranger et citronnier ; chair complexe et pulpeuse, enveloppée et vive ; finale longue en coupe de fruits. Remarquable donc !
☛GFA de Landeron, 33420 Naujan-et-Postiac, tél. 05.57.84.55.08, fax 05.57.84.57.31, e-mail despagne@vignobles-despagne.com ⊥ r.-v.

CH. REYNIER 1998

| ☐ | 2 ha | n.c. | 🍷 | 30 à 49 F |

Cuvée boisée (six mois d'élevage en barrique) de Marc Lurton, ce vin est beau à regarder (jaune vert des plus avenants), bon à sentir (agrumes et vanille, notes grillées avec une pointe florale) et léger à boire. La fine amertume finale engage à attendre quelques mois que le bois se fonde.

☛Marc Lurton, Ch. Reynier, 33420 Grézillac, tél. 05.57.84.52.02, fax 05.57.84.56.93 ☑ ⊥ r.-v.

CH. SAINTE-MARIE
Cuvée Madlys Elevé en fût de chêne 1999

| ☐ | 1,1 ha | 4 200 | 🍷 | 30 à 49 F |

Coup de cœur l'an dernier pour le millésime 98, cette cuvée élevée six mois en barrique provient d'une vaste propriété que les pèlerins de Saint-Jacques-de-Compostelle traversaient pour goûter l'eau d'une source que l'on disait miraculeuse. 99 est un millésime plus difficile, mais le vinificateur a réussi un vin à la belle robe à reflets verts. Fruits exotiques confits et notes boisées dialoguent avec le miel. C'est un vin à attendre quelque temps.
☛Gilles et Stéphane Dupuch, 51, rte de Bordeaux, 33760 Targon, tél. 05.56.23.64.30, fax 05.56.23.66.80, e-mail ch.ste.marie@wanadoo.fr ☑ ⊥ r.-v.

CH. SEGONZAC LA FORET 1999★

| ☐ | 4,5 ha | 29 000 | 🍴🍷 | 30 à 49 F |

Cet entre-deux-mers proche de la large Dordogne de Saint-Loubès est construit sur les trois cépages de l'AOC, par tiers. Son équilibre très fruité, où le sauvignon se fait cependant remarquer, exclut l'agressivité et l'acidité. Le perlant anime un corps rond et une finale parfumée. C'est un vin de poissons.
☛A. de Luze et Fils, Dom. du Ribet, 33450 Saint-Loubès, tél. 05.57.97.07.20, fax 05.57.97.07.27 ⊥ r.-v.
☛Jeanine Segonzac

CH. TOUR DE MIRAMBEAU 1999★

| ☐ | n.c. | 135 000 | 🍴🍷 | 30 à 49 F |

Propriété Despagne, conduite comme le château Rauzan-Despagne. Les trois cépages sont assemblés par tiers. Ce vin se parfume de sauvignon puissant, genêt-pamplemousse, et de fleurs blanches. Ces arômes imprègnent la chair ronde et vive et signent avec une plaisante insolence la finale. Le temps devrait nuancer agréablement cette exubérance d'entre-deux-mers très typé.
☛SCEA Vignobles Despagne, 33420 Naujan-et-Postiac, tél. 05.57.84.55.08, fax 05.57.84.57.31, e-mail despagne@vignobles-despagne.com ☑ ⊥ r.-v.

CH. TURCAUD 1999★

| ☐ | 10,45 ha | 85 500 | 🍴🍷 | 30 à 49 F |

Pratiquement 60 % de sauvignon et un zeste de muscadelle (4 %) dans ce vin élevé sur lies, au nez discret, citronné, souligné de notes minérales puis de mie de pain frais. Le fruit sec, la brioche s'inscrivent dans une bouche grasse, ample. Ce 99 trouvera facilement sa place sur des poissons au four et des fromages à pâte cuite.
☛EARL Vignobles Robert, Ch. Turcaud, 33670 La Sauve, tél. 05.56.23.04.41, fax 05.56.23.35.85 ☑ ⊥ r.-v.

CH. VIGNOL 1999★

| ☐ | 5,69 ha | 40 000 | 🍴🍷 | 30 à 49 F |

Les amateurs de bicyclette pourront emprunter la « piste cyclable de l'Entre-deux-Mers » qui passe à proximité. Le sauvignon (50 % du vin) affirme puissamment ses flaveurs de genêt et de buis. La mise en bouche est souple, le corps gras, ample, le corps gras, ample, la finale longue et vive. C'est un vin à l'aise dans son type.

☛ B. et D. Doublet, Ch. Vignol, 33750 Saint-Quentin-de-Baron, tél. 05.57.24.12.93, fax 05.57.24.12.83 ☑ ⵑ r.-v.

Entre-deux-mers haut-benauge

CH. NICOT 1998

☐	20 ha	25 000	⦀	30 à 49 F

80 % de sémillon et 20 % de sauvignon composent ce haut-benauge élevé cinq mois sur lies fines en barrique. La robe est paille et le nez fruité et boisé. Gras en bouche, équilibré, ce vin est à boire sur son fruit.

☛ Vignobles Dubourg, Ch. Nicot, 33760 Escoussans, tél. 05.56.23.93.08, fax 05.56.23.65.77 ☑ ⵑ r.-v.

Graves de vayres

Malgré l'analogie du nom, cette région viticole située sur la rive gauche de la Dordogne, non loin de Libourne, est sans rapport avec la zone viticole des Graves. Les graves de vayres correspondent à une enclave relativement restreinte de terrains graveleux, différents de ceux de l'Entre-deux-Mers. Cette appellation a été utilisée depuis le XIXe s., avant d'être officialisée en 1931. Initialement, elle correspondait à des vins blancs secs ou moelleux, mais la conjoncture actuelle tend à augmenter la production des vins rouges qui peuvent bénéficier de la même appellation.

La superficie totale du vignoble de cette région représente, environ 360 ha de vignes rouges et 165 ha de vignes à raisins blancs ; une part importante des vins rouges est commercialisée sous l'appellation régionale bordeaux. En AOC graves de vayres, la production a atteint en 1999 36 970 hl dont 8 374 en blanc.

CH. BARRE GENTILLOT 1998★

■	10,87 ha	50 000	■ ♦	30 à 49 F

Avec 95 % de merlot dans son assemblage, ce 98 présente, sous une robe rubis brillant, des arômes intenses de cerise et de groseille et une structure tannique souple et équilibrée, évoluant avec une bonne puissance et une persistance très aromatique. Une bouteille à ouvrir dans deux à quatre ans.

☛ SCEA Yvette Cazenave-Mahé, Ch. de Barre, 33500 Arveyres, tél. 05.57.24.80.26, fax 05.57.24.84.54 ☑ ⵑ r.-v.

CH. CANTELAUDETTE 1999

☐	12,22 ha	95 000		20 à 29 F

Ce vin blanc possède une robe jaune doré à reflets verts, des parfums fleuris et fruités bien présents, et une bouche où le gras initial fait place à une fraîcheur et à une élégance très harmonieuses. Une bouteille à boire dès aujourd'hui sur des fruits de mer.

☛ Jean-Michel Chatelier, Cantelaudette, 33500 Arveyres, tél. 05.57.24.84.71, fax 05.57.24.83.41 ☑ ⵑ r.-v.

CH. CANTELOUP 1999★

☐	1,5 ha	6 000	■ ♦	20 à 29 F

A base de sauvignon (70 %) et de sémillon (30 %), ce 99 présente de jolis reflets dorés, un nez floral (genêt, buis) et délicatement fruité (pêche) ainsi que beaucoup de fraîcheur en bouche. C'est un vin sec très élégant et possédant beaucoup de classe, à apprécier dès maintenant.

☛ EARL Landreau, L'Hermette, 33750 Beychac-et-Caillau, tél. 05.56.72.97.72, fax 05.56.72.49.48 ☑

CH. FAGE Elevé en fût de chêne 1998★

■	12 ha	26 000	⦀	30 à 49 F

Copropriété d'un négociant bordelais, Joël Quancard, et d'un producteur languedocien, Max Cazottes, ce château propose un 98 riche en couleur, d'une bonne intensité de fruits (groseille, cassis), avec une touche de réglisse. Il possède des tanins serrés mais bien fondus, très frais, avec cependant une petite austérité finale. L'attendre deux ou trois ans pour une meilleure harmonie.

☛ SA Ch. Fage, 33500 Arveyres, tél. 04.67.39.10.51, fax 04.67.39.15.33 ☑

CH. HAUT-GAYAT 1998★★

■	12 ha	90 000	⦀	30 à 49 F

Cette très ancienne propriété familiale (huit générations) est située sur un terroir graveleux ; il a la particularité de posséder 50 % de cabernet-sauvignon dans son encépagement, complété par 50 % de merlot. En 98, le résultat est impressionnant grâce à une excellente maturité. La robe rubis est soutenue ; le bouquet, expressif et puis-

BORDELAIS

sant, évoque le cassis, la myrtille, la vanille et le café. En bouche, les tanins sont gras, veloutés, vineux, et ils évoluent avec de la finesse et un excellent équilibre entre le fruit et le boisé. Une jolie bouteille à oublier en cave trois à huit ans.

☛ Marie-José Degas, La Souloire, 33750 Saint-Germain-du-Puch, tél. 05.57.24.52.32, fax 05.57.24.03.72 ☑ ⵣ r.-v.

CH. HAUT-MONGEAT
Vieilli en fût de chêne 1998★

| ■ | 2,5 ha | 13 000 | ◖▮▮ 30 à 49 F |

Née sur une propriété de 27 ha et provenant d'un travail soigné et familial (père et fille) sous les conseils de Gilles Pauquet, cette cuvée a tout pour séduire l'amateur de vins riches en arômes (cassis, griotte, pruneau, boisé, vanillé) et en tanins puissants, délicatement équilibrés avec un élevage en barrique maîtrisé. Un vrai plaisir dans deux à trois ans.

☛ Bernard Bouchon, Le Mongeat, 33420 Génissac, tél. 05.57.24.47.55, fax 05.57.24.41.21, e-mail mongeat@aol.com ☑ ⵣ r.-v.

CH. LA CAUSSADE
Vieilli en fût de chêne 1998

| ■ | 10 ha | 7 000 | ▮▮◖▮♦ 30 à 49 F |

Ce 98 au bouquet naissant de cuir et de café développe en bouche une saveur épicée et équilibrée, avec cependant une petite dureté en finale. C'est un vin relativement complexe qui gagnera à vieillir un à deux ans.

☛ GFA Jean-Claude et Nathalie Ballet, Ch. La Caussade, 33870 Vayres, tél. 05.57.74.83.17, fax 05.57.84.94.53 ☑ ⵣ r.-v.

CH. LA CHAPELLE BELLEVUE
Prestige Elevé en barrique 1997

| ■ | 3,6 ha | 5 500 | ◖▮▮ 30 à 49 F |

Cette cuvée Prestige d'un peu plus de 5 000 bouteilles possède une robe déjà tuilée, un bouquet intense toasté, animal (cuir) avec des notes de sous-bois, et des tanins ronds et charmeurs. En résumé, c'est un vin plaisant pour une dégustation sympathique.

☛ Lisette Labeille, Ch. La Chapelle Bellevue, chem. du Pin, 33870 Vayres, tél. 05.57.84.90.39, fax 05.57.74.82.40 ☑ ⵣ r.-v.

CH. LESPARRE
Vieilli en fût de chêne 1999★

| ☐ | 5,93 ha | 52 766 | ◖▮▮ 30 à 49 F |

Cette immense propriété (180 ha) appartient à la famille champenoise Michel Gonet. Elle produit un **rouge 98** et un blanc 99 qui obtiennent tous les deux une étoile dans notre Guide. Le vin rouge, bien qu'encore très marqué par un boisé grillé important provenant de barriques neuves de multiples origines, possède des tanins mûrs, fruités, encore nerveux ; il est nécessaire de patienter trois à cinq ans pour qu'apparaisse une plus grande harmonie. Le vin blanc, fermenté en barrique, développe des parfums délicats d'acacia, de vanille, de fruits mûrs. En bouche, il est gras et puissant, aromatique (bois et agrumes), puis termine sur une élégante acidité finale.

☛ SCEV Michel Gonet et Fils, Ch. Lesparre, 33750 Beychac-et-Caillau, tél. 05.57.24.51.23, fax 05.57.24.03.99, e-mail gonet@imaginet.fr ☑ ⵣ r.-v.

CH. LES TUILERIES DU DEROC 1998

| ■ | 8 ha | 44 000 | ▮ 50 à 69 F |

A l'emplacement d'une ancienne tuilerie, au bord de la Dordogne, ce cru a réussi un 98 agréable : fruits rouges intenses et tanins souples bien présents sont en harmonie : c'est une bouteille à boire dans les trois ou quatre années à venir.

☛ SCEA Colombier, Montifaut, V.C. 101, 33870 Vayres, tél. 05.57.74.71.59, fax 05.26.52.97.45, e-mail vignobles-colombier@wanadoo.fr ☑ ⵣ r.-v.

CH. L'HOSANNE
Elevé en barrique de chêne 1998

| ☐ | 1 ha | 5 000 | ◖▮▮ 30 à 49 F |

Avec un assemblage équilibré entre sauvignon et sémillon, ce vin a bénéficié d'une fermentation et d'un élevage en barrique neuve, ce qui lui confère un caractère boisé fort. Heureusement, il reste des notes aromatiques florales et fruitées. Une bouteille à boire dans l'année.

☛ SCEA Chastel-Labat, 124, av. de Libourne, 33870 Vayres, tél. 05.57.74.70.55, fax 05.57.74.70.36 ⵣ r.-v.

CH. PICHON BELLEVUE 1998

| ■ | 26 ha | 140 000 | ◖▮▮ 30 à 49 F |

Tout proche du château de Vayres, Pichon Bellevue propose un 98 à la robe violacé soutenu, aux parfums de cassis et de banane. En bouche, les tanins sont présents et équilibrés. Un vin agréable, presque de type primeur, à boire jeune.

☛ EARL Ch. Pichon Bellevue, 33870 Vayres, tél. 05.57.74.84.08, fax 05.57.84.95.04 ☑ ⵣ r.-v.
☛ Reclus

Sainte-foy-bordeaux

CH. CAPELLE 1998

| ■ | 2,6 ha | 18 000 | ◖▮▮ 20 à 29 F |

Présenté par l'union de coopérateurs Univitis, ce 98 possède une palette aromatique complexe, marquée par la violette, le poivre, les fruits rouges et la vanille. Si le nez semble prometteur, la bouche est rapidement marquée par une sensation chaleureuse et tannique qui engage à mettre ce vin en cave pendant deux ans.

☛ Univitis, Closerie d'Estiac, 33220 Sainte-Foy-la-Grande, tél. 05.57.56.02.02, fax 05.57.56.02.22 ☑ ⵣ t.l.j. sf dim. lun. 9h-12h30 15h-19h

CH. CARBONNEAU-FERRIERE
Vieilli en fût de chêne 1998

| ■ | 6 ha | 8 000 | ◖▮▮ 30 à 49 F |

Ce château de style Napoléon III propose en 98 un vin fruité et légèrement animal (cuir) au nez, développant en bouche une structure de tanins puissants et encore très austères. L'harmonie devrait être supérieure après deux ans de vieillissement.

☛ Wilfrid Franc de Ferrière,
Ch. de Carbonneau,
33890 Pessac-sur-Dordogne, tél. 05.57.47.46.46,
fax 05.57.47.46.46,
e-mail carbonneau@wanadoo.fr ☑ ⵏ t.l.j. 8h-18h; f. déc.-fév.

CH. DU CHAMP DES TREILLES
Moelleux Vieilles vignes 1998

☐	0,95 ha	2 300	ⅠⅠⅠ	50 à 69 F

Première récolte de Jean-Michel Comme qui renoue avec la tradition des vins doux. Ce moelleux, de production confidentielle, possède une robe dorée aux reflets verts, des arômes de fleurs et de fruits confits (abricot, coing). La bouche montre du gras en même temps qu'une acidité rafraîchissante. Une bouteille à boire d'ici un an.
☛ Corinne et Jean-Michel Comme,
La Bouchère, 33220 Margueron,
tél. 05.56.59.15.88 ☑ ⵏ r.-v.

CH. DES CHAPELAINS
Elevé en fût de chêne 1998★

■	5,5 ha	40 000	ⅠⅠⅠ	30 à 49 F

Ce château est une valeur sûre de l'appellation, à l'image de son 98. La robe rubis possède de jolis reflets pourpres ; le bouquet intense marie les notes de tabac et de fruits mûrs avec les épices (clou de girofle) et un bon boisé. Les tanins onctueux et gras possèdent beaucoup de puissance en finale. Un vin charmeur dans deux ou trois ans. En **blanc sec, la cuvée de la Découverte 98** mérite d'être citée pour ses arômes de melon, de vanille, d'épices et pour son équilibre agréable en bouche.
☛ Pierre Charlot, Les Chapelains, 33220 Saint-André-et-Appelles, tél. 05.57.41.21.74,
fax 05.57.41.27.42 ☑ ⵏ t.l.j. 8h-12h 14h-18h; sam. dim. sur r.-v.

CH. CLAIRE ABBAYE
Elevé en fût de chêne 1998★★

■	n.c.	9 700	ⅠⅠⅠ	30 à 49 F

La visite de ce château est intéressante car on vous y racontera la découverte récente d'une sépulture néolithique datant de 3 000 ans av. J.-C. Vous y dégusterez également ce remarquable 98 paré d'une robe rubis aux reflets violacés dont les parfums, de grande maturité, offrent des notes fruitées (confiture) et boisées (vanille), ainsi qu'épicées. En bouche, le plaisir est immédiat car les tanins sont à la fois puissants et suaves, avec du gras et une bonne typicité. L'équilibre sera parfait dans deux à trois ans.
☛ Sellier de Brugière, Ch. Claire Abbaye,
33890 Gensac, tél. 05.57.47.42.04,
fax 05.57.47.48.16, e-mail bruno.sellier@free.fr ☑ ⵏ r.-v.

CH. HOSTENS-PICANT 1998★★

■	17 ha	n.c.	ⅠⅠⅠ	50 à 69 F

Ce château à l'origine du renouveau de l'appellation produit chaque année des vins excellents en rouge comme en blanc. Le millésime 98 est remarquable : robe presque noire, arômes profonds de fruits confits, de réglisse, de boisé vanillé. Sa structure tannique, franche et dense en attaque, évolue avec beaucoup de puissance et de noblesse grâce à un élevage en barrique tout en finesse. Un vin au potentiel très intéressant, à apprécier dans trois à six ans. En **blanc, la cuvée des Demoiselles 99** vinifiée en barrique se voit décerner une étoile pour sa complexité aromatique (fleurs, fruits et boisé en harmonie) et sa bonne tenue en bouche (70 à 99 F).
☛ Ch. Hostens-Picant, Grangeneuve Nord, 33220 Les Lèves-et-Thoumeyragues,
tél. 05.57.46.38.11, fax 05.57.46.26.23,
e-mail chateauhp@aol.com ⵏ t.l.j. sf dim. 9h-12h 14h-18h

CH. HOSTENS-PICANT
Cuvée Lucullus 1998★★

■	2 ha	8 800	ⅠⅠⅠ	150 à 199 F

Cette cuvée d'exception du château Hostens-Picant, appelée Lucullus, est une sélection de vignes de merlot plantées sur un terroir de graves et de silex, élevée dix-huit mois en fût neuf. La robe profonde brille de reflets pourpres ; le bouquet intense marqué par le boisé laisse apparaître des notes de fruits noirs (mûre), et les tanins particulièrement suaves et généreux en attaque évoluent avec beaucoup de fraîcheur et d'harmonie. La persistance laisse deviner un long avenir, au moins trois à six ans.
☛ Ch. Hostens-Picant, Grangeneuve Nord, 33220 Les Lèves-et-Thoumeyragues,
tél. 05.57.46.38.11, fax 05.57.46.26.23,
e-mail chateauhp@aol.com ☑ ⵏ t.l.j. sf dim. 9h-12h 14h-18h

CH. LA VERRIERE 1998★

☐	1 ha	4 600	■ ⵏ	30 à 49 F

Après un coup de cœur l'an dernier pour le 97, ce château présente un 98 qui se situe dans la lignée des bons vins doux. La robe dorée brille de jolis reflets ; les parfums de miel, de confit, de pâte de fruits sont très présents. En bouche, c'est un vin qui laisse apparaître beaucoup de gras et d'équilibre, avec cependant une certaine lourdeur finale. Une harmonie totale devrait être meilleure dans deux à cinq ans.
☛ GAEC La Verrière-Bessette, La Verrière, 33790 Landerrouat, tél. 05.56.61.36.91,
fax 05.56.61.41.12 ☑ ⵏ r.-v.

CH. LE MANSE DU VINAYROL
Vieilli en fût de chêne 1998★

■	0,6 ha	5 000	ⅠⅠⅠ	30 à 49 F

Cette cuvée spéciale du château des Thibeaud est une sélection de vignes de cabernets (70 %) et de merlot (30 %). En 98, la robe est rubis et limpide ; les parfums complexes évoquent le poivre, l'œillet et les fruits rouges bien mûrs. Puissant en attaque, c'est un vin qui évolue ensuite avec une bonne typicité et de la fraîcheur. La finale laisse apparaître une note délicate de boisé vanillé qui apporte à l'ensemble un grand équilibre. A ouvrir dans deux ans.
☛ EARL Dom. Le Canton, 33220 Caplong,
tél. 05.57.41.25.65, fax 05.57.41.27.84 ☑ ⵏ r.-v.
☛ Delaplace

CH. L'ENCLOS 1998★

■ 5 ha 13 000 🛢 30 à 49 F

Ce château appartient à Armelle de Pianelli, dynamique présidente de l'appellation sainte-foy-bordeaux. Son 98 est paré d'une robe dense à reflets violacés ; le bouquet explosif évoque les fruits rouges et noirs, le cuir, la vanille du fût. Ample, la bouche évolue sur des tanins équilibrés. Un vin de garde, à boire dans deux à trois ans.

🔑 SCEA Ch. L'Enclos, 33220 Pineuilh,
tél. 05.57.46.55.97, fax 05.57.46.55.97,
e-mail sceachateaulenclos@wanadoo.fr
☑ 🍷 r.-v.
🔑 Armelle de Pianelli

CH. MARTET
Réserve de Famille Vieilles vignes Elevé en barrique 1998★★

■ 6,5 ha 30 000 🛢 100 à 149 F

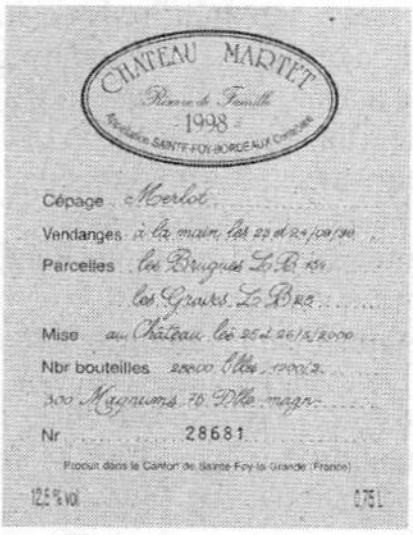

La Réserve de Famille 98 du château Martet décroche cette année le coup de cœur de l'appellation après les deux étoiles du 97 ! Issu exclusivement du merlot, c'est un vin à la robe noire profonde, aux arômes puissants de fraise, de réglisse, de grillé vanillé. Très élégants en attaque, les tanins se montrent puissants et charnus, bien intégrés à un élevage en barrique de qualité. Une bouteille racée, de longue garde (trois à huit ans minimum). La **cuvée Les Hauts de Martet 98** (30 à 49 F) est citée sans étoile pour son équilibre des arômes comme des saveurs, malgré une certaine acidité. A boire d'ici un à deux ans.

🔑 SCEA Ch. Martet, 33220 Eynesse,
tél. 05.57.41.00.49, fax 05.57.41.00.49 ☑ 🍷 r.-v.

CH. DE VACQUES 1998★

■ 4 ha 12 000 🛢 30 à 49 F

Créé au XVIᵉs., ce château domine toute la région. Son 98, vêtu de pourpre, offre des arômes de fruits mûrs et d'épices relevés par une note minérale. Les tanins souples et gras évoluent avec de la fraîcheur sur des notes très agréables de fleurs, d'une bonne longueur. Un vin à boire dans les trois ou quatre ans à venir.

🔑 Christian Birac, 6 Vacques, 33220 Pineuilh,
tél. 05.57.46.15.01, fax 05.57.46.16.12 ☑ 🍷 t.l.j. 10h-12h 16h-18h

> Les vins mentionnés en caractère gras dans les notices sont également recommandés par les jurys.

Premières côtes de bordeaux

La région des premières côtes de bordeaux s'étend, sur une soixantaine de kilomètres, le long de la rive droite de la Garonne, depuis les portes de Bordeaux jusqu'à Cadillac. Les vignobles sont implantés sur des coteaux qui dominent le fleuve et offrent de magnifiques points de vue. Les sols y sont très variés : en bordure de la Garonne, ils sont constitués d'alluvions récentes, et certains donnent d'excellents vins rouges ; sur les coteaux, on trouve des sols graveleux ou calcaires ; l'argile devient de plus en plus abondante au fur et à mesure que l'on s'éloigne du fleuve. L'encépagement, les conditions de culture et de vinification sont classiques. Le vignoble pouvant revendiquer cette appellation représente 2 868 ha en rouge et 470 ha en blanc doux ; une part importante des vins, surtout blancs, est commercialisée sous des appellations régionales bordeaux. Les vins rouges (185 644 hl en 1999) ont acquis depuis longtemps une réelle notoriété. Ils sont colorés, corsés, puissants ; les vins produits sur les coteaux ont en outre une certaine finesse. Les vins blancs (15 756 hl) sont des moelleux qui tendent de plus en plus à se rapprocher des liquoreux.

L'appellation côtes de bordeaux saint-macaire prolonge, vers le sud-est, celle des premières côtes de bordeaux. Elle produit des vins blancs souples et liquoreux qui ont représenté 2 855 hl en 1999. Quantitativement assez réduite, l'appellation sainte-foy bordeaux prolonge l'entre-deux-mers proprement dit le long de la rive gauche de la Dordogne (23 475 hl en 1999 dont 3 613 hl de vin blanc)

CH. BALOT Tradition d'Excellence 1997★

■ n.c. n.c. 🛢 30 à 49 F

Comme de nombreux premières côtes, ce vin joue résolument la carte du bois. Sa présence se lit au bouquet comme au palais. Mais les arômes de fruits ne sont pas occultés pour autant, et le caractère corsé de la structure devrait permettre au merrain de se fondre.

🔑 SCEA Yvan Réglat, Ch. Balot,
33410 Monprimblanc, tél. 05.56.62.98.96,
fax 05.56.62.19.48 ☑ 🍷 r.-v.

DOM. DU BARRAIL La Charmille 1998★★

■   2,5 ha   13 000   📶 30 à 49 F

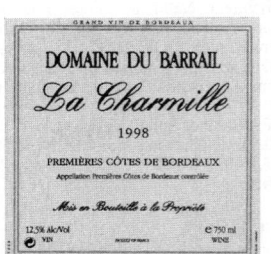

GRAND VIN DE BORDEAUX

DOMAINE DU BARRAIL

La Charmille

1998

PREMIÈRES CÔTES DE BORDEAUX
Appellation Premières Côtes de Bordeaux contrôlée

Mis en Bouteille à la Propriété

12,5% alc/Vol   e 750 ml

Du même producteur que le Château La Rame (sainte-croix), ce vin ne bénéficie pas de la même notoriété. Cela ne l'empêche pas de se distinguer par l'harmonie de sa structure aux tanins bien fondus, soutenue par un élevage bien mené. Une très jolie bouteille, à attendre environ trois ans.
☛ Yves Armand, Ch. La Rame, 33410 Sainte-Croix-du-Mont, tél. 05.56.62.01.50, fax 05.56.62.01.94, e-mail chateau.larame@wanadoo.fr ☑ ✗ t.l.j. 8h30-12h 13h30-19h; sam. dim. sur r.-v.

CH. BAUDUC Les Faures 1998

■   5,12 ha   40 000   ▮📶♦ 30 à 49 F

Racheté par David Thomas, ce vin, sans être un athlète, se montre bien constitué et agréablement bouqueté. Sa fraîcheur invite à le boire jeune.
☛ SCEA Vignobles Quinney, Ch. Bauduc, 33670 Créon, tél. 05.56.23.23.58, fax 05.56.23.06.05 ☑ ✗ r.-v.

CH. DU BIAC Elevé en barrique 1997★

■   6,25 ha   8 000   📶 30 à 49 F

Elevé en fût, ce 97 est intéressant tout au long de la dégustation. Son palais, souple en même temps que tannique, répond au bouquet aux belles notes épicées. Garde bénéfique de trois à quatre ans.
☛ SCEA Ch. du Biac, 19, rte de Ruasse, 33550 Langoiran, tél. 05.56.67.19.98, fax 05.56.67.32.63 ☑ ✗ r.-v.
☛ Patrick Rossini

CH. DE BIROT 1997★

■   7,8 ha   52 300   ▮📶♦ 30 à 49 F

Belle demeure comme les aime la région des coteaux de Garonne, ce château possède aussi un bon savoir-faire. Ce 97 en témoigne, par sa typicité, avec un bouquet épicé et une charpente souple, ronde et charnue. A boire dans les trois à quatre ans qui viennent.
☛ Fournier-Castéja, Ch. de Birot, Béguey, 33410 Cadillac, tél. 05.56.62.68.16, fax 05.56.62.68.16, e-mail efcdur@hotmail.com ☑ ✗ r.-v.

CH. DU BROUSTARET
Elevé en fût de chêne 1997

□   n.c.   6 300   📶 30 à 49 F

Cuvée spéciale, ce vin porte la marque du millésime. Il reste discret dans son développement

au palais ; mais sa structure équilibrée lui permettra de mieux s'exprimer dans deux ou trois ans.
☛ SCEA Guillot de Suduiraut, Ch. du Broustaret, 33410 Rions, tél. 05.56.76.93.15, fax 05.56.76.93.73 ☑ ✗ r.-v.
☛ J.-C. Brunet

CH. DE CAILLAVET
Cuvée Prestige Elevée en fût de chêne 1998★★

■   4,14 ha   32 500   📶 30 à 49 F

Issu des meilleures vignes qui dévalent les collines ensoleillées, ce vin pourra surprendre par la marque très sensible de l'élevage en barrique. Mais la matière est là, qui permettra au boisé de se fondre et au bouquet de s'épanouir sans avoir à attendre trop longtemps.
☛ SA Ch. de Caillavet, Morin, 33550 Capian, tél. 05.57.97.75.75, fax 05.56.72.13.23 ☑ ✗ r.-v.
☛ MAAF Assurances

CH. CARIGNAN 1998★★

■   n.c.   60 000   📶 100 à 149 F

Bâtiments, superficie, tout fait de ce cru l'une des plus impressionnantes unités de l'appellation. Avec ce millésime, le vin n'est pas en reste : d'emblée sa robe profonde à reflets pourpres annonce un vrai vin de garde. La complexité du bouquet naissant, la richesse et la puissance de la charpente, la force et l'équilibre de tanins bien mûrs, la longueur de la finale confirment pleinement la première impression et témoignent d'une excellente maîtrise de la vinification comme de l'élevage. La **cuvée Prima 97** (50 à 69 F) a obtenu une étoile.
☛ GFA Philippe Pieraerts, Ch. Carignan, 33360 Carignan-de-Bordeaux, tél. 05.56.21.21.30, fax 05.56.78.36.65, e-mail tt@chateau-carignan.com ☑ ✗ r.-v.

CH. CARSIN Cuvée noire 1998★

■   5 ha   20 000   📶 70 à 99 F

Fils d'un chef d'orchestre réputé, M. Berglund, citoyen finlandais, est, depuis une dizaine d'années, passionné par son vignoble. Cuvée prestige de ce cru de 59 ha, ce vin d'une couleur magnifique est tout en fruits rouges et notes boisées au nez. Il joue la carte de la finesse et de la souplesse, tout en révélant une bonne structure tannique et une longue finale.
☛ Berglund, GFA Ch. Carsin, 33410 Rions, tél. 05.56.76.93.06, fax 05.56.62.64.80 ☑ ✗ r.-v.

CH. DES CEDRES 1997★

□   1 ha   4 000   ▮♦ 30 à 49 F

Essentiellement voué aux rouges, ce cru consacre une petite parcelle au blanc liquoreux. Celle-ci a donné d'heureux résultats dans le millésime 97 avec ce vin, où l'on sent bien la présence du botrytis dans une structure souple et aromatique. Fruits confits, miel, pêche : tout le côté « rôti » que l'on attend d'un liquoreux.
☛ SCEA Vignobles Larroque, Ch. des Cèdres, 33550 Paillet, tél. 05.56.72.16.02, fax 05.56.72.34.44 ☑ ✗ r.-v.

BORDELAIS

CH. DE CHASTELET 1998★★

■   6,35 ha   32 000   ◖▮   30 à 49 F

Des sols de graves et argilo-graveleux, un encépagement diversifié (cabernets, merlot à 40 % et petit verdot pour 10 %), beaucoup de sérieux dans la conduite de la vigne comme dans la vinification, toutes les conditions sont réunies pour donner un très beau vin. Aussi intense dans son bouquet que profond dans sa couleur, celui-ci concilie harmonieusement souplesse et persistance, richesse et élégance. Une bouteille racée et de garde.

☛ SA Dom. de Chastelet, 33360 Quinsac, tél. 05.56.44.45.10, fax 05.56.44.49.11, e-mail chateauchastelet@aol.com ☑ ⵣ r.-v.
☛ Vincens

CH. DE CHELIVETTE 1997★

■   2,4 ha   16 000   ◖▮   30 à 49 F

Viticulteur passionné et entier, Jean-Louis Boulière élabore le vin qu'il aime. Il ne recule pas devant le bois neuf. Le bouquet de 97 en porte la marque avec de jolies notes grillées. Le palais demande encore à se fondre mais son corps charpenté est bien fait et le raisin suffisamment présent pour permettre une évolution favorable.

☛ Jean-Louis Boulière, Ch. de Chelivette, B.P. 6, 33560 Sainte-Eulalie, tél. 05.56.06.11.79, fax 05.56.38.01.97 ☑ ⵣ r.-v.

CLOS BOURBON
Vieilli en fût de chêne 1998

■   6 ha   26 000   ◖▮   30 à 49 F

D'une belle couleur rubis, ce vin s'annonce par un bouquet aux jolies notes fruitées dont l'agrément n'a rien à envier à celui du palais jeune et frais.

☛ Catherine D'Halluin, SCEA Clos Bourbon, 33550 Paillet, tél. 05.56.72.11.58, fax 05.56.72.13.76 ☑ ⵣ r.-v.

CH. CLOS CHAUMONT 1997★

■   2,71 ha   11 000   ◖▮   50 à 69 F

Fidèle à son habitude, ce cru propose un vin encore un peu sévère mais qui possède un bon potentiel de garde. De la robe sombre au beau retour aromatique, tout annonce ses possibilités, notamment l'intensité du bouquet et l'équilibre de la structure.

☛ EARL Ch. Clos Chaumont, 33550 Haux, tél. 06.07.17.18.40, fax 05.56.23.30.54 ☑ ⵣ r.-v.

CLOS SAINTE ANNE 1998★

■   3 ha   24 000   ◖▮   50 à 69 F

Personnalité marquante de la viticulture entre Garonne et Dordogne, Francis Courselle montre une fois encore que sa renommée n'est pas usurpée. Une couleur intense, un bouquet expressif (fruits rouges mûrs avec de fines notes boisées), une solide matière, tout plaide en faveur de cette jolie bouteille.

☛ Sté des Vignobles Francis Courselle, Ch. Thieuley, 33670 La Sauve, tél. 05.56.23.00.01, fax 05.56.23.34.37 ☑ ⵣ r.-v.

CH. CRABITAN-BELLEVUE 1998★

☐   5 ha   9 000   ▮⌣   30 à 49 F

Viticulteur établi à Sainte-Croix-du-Mont, Bernard Solane propose ici un authentique liquoreux, puissant et concentré. Ample, gras et aromatique (toast et abricot), ce 98 est déjà plaisant mais gagnera à être attendu quatre ou cinq ans.

☛ GFA Bernard Solane et Fils, 33410 Sainte-Croix-du-Mont, tél. 05.56.62.01.53, fax 05.56.76.72.09 ☑ ⵣ t.l.j. sf dim. 8h-12h 14h-18h

CH. DUDON
Cuvée Jean-Baptiste Dudon 1997★

■   2 ha   14 600   ◖▮   30 à 49 F

Si les Merlaut possèdent une belle collection de grands crus, Dudon est sans doute l'un des plus chargés de valeur sentimentale à leurs yeux. La qualité de cette cuvée spéciale le prouve. Richement bouqueté, avec des notes boisées (grillé, épices), de la truffe et, bien sûr, du fruit, elle est d'une bonne présence au palais, avant de s'ouvrir sur une longue et fraîche finale.

☛ SARL Dudon, Ch. Dudon, 33880 Baurech, tél. 05.57.97.77.35, fax 05.57.97.77.39, e-mail jmdudon@alienor.fr ☑ ⵣ r.-v.
☛ Jean Merlaut

CH. FAYAU Cuvée Jean Médeville 1998★

■   n.c.   15 000   ◖▮   30 à 49 F

Siège des établissements Médeville, maison de négoce cadillacaise, ce cru nous offre une fois encore une belle illustration de son savoir-faire avec cette cuvée aussi plaisante par son palais, souple et équilibrée, que par son bouquet, à la fois puissant et nuancé. Assez proche, la **cuvée principale 98**, non élevée en barrique, a aussi obtenu une étoile : souple et ronde, une bouteille à boire.

☛ SCEA Jean Médeville et Fils, Ch. Fayau, 33410 Cadillac, tél. 05.57.98.08.08, fax 05.57.98.08.08 ☑ ⵣ t.l.j. sf sam. dim. 8h30-12h 14h-17h30

CH. DU GRAND MOUEYS 1997★★

■   15 ha   80 000   ◖▮   50 à 69 F

Depuis 1989, les Bömers, négociants de Brême, dirigent ce domaine viticole bordelais de 76 ha. Jolie réussite pour le millésime, leur 97 se montre plaisant tout au long de la dégustation qui débute par une couleur intense. Les arômes apparaissent de délicats parfums fruités. A la fois souple et concentré, le palais annonce une bonne garde (de quatre à six ans) par son volume et sa longueur.

☛ SCA Les Trois Collines, Ch. du Grand Mouëys, 33550 Capian, tél. 05.57.97.04.66, fax 05.57.97.04.60 ☑ ⵣ r.-v.

CH. GRIMONT Prestige 1998★

■   8 ha   55 000   ◖▮   30 à 49 F

Elevé en fût, ce vin est très moderne car il fait une large place au bois. Toutefois, la structure est suffisante pour permettre au merrain de se fondre, et le bouquet incite à la patience (pendant trois ou quatre ans) par sa complexité et son élégance. Egalement d'une belle présence au palais, le **Château Sissan 98 Grande Réserve** a obtenu une étoile.

☛ SCEA Pierre Yung et Fils, Ch. Grimont, 33360 Quinsac, tél. 05.56.20.86.18, fax 05.56.20.82.50 ☑ ⍨ r.-v.

CH. JONCHET
Cuvée Prestige Elevé en fût de chêne 1997★

| ◼ | 6,5 ha | n.c. | 🍶 | 30 à 49 F |

Ce vin est à l'image de sa robe, légère mais chatoyante. Souple et bouqueté, il se montre très agréable, notamment par la bonne intégration du bois.

☛ Philippe Rullaud, Ch. Jonchet, La Roberie, 33880 Cambes, tél. 05.56.21.34.16, fax 05.56.78.75.32, e-mail jonchet@caves-particulieres.com ☑ ⍨ r.-v.

CH. JORDY-D'ORIENT
Vieilli en fût de chêne 1998★★

| ◼ | 5 ha | 33 000 | ◼ 🍶 ⚘ | 30 à 49 F |

Ce cru semble avoir trouvé son rythme de croisière. Son 98, composé de 90 % de merlot né sur argilo-calcaire, affronte sans difficulté la dégustation, qui mène d'une belle robe grenat à une longue finale. Bien servi par le bois, il fait preuve d'élégance et d'équilibre. Une jolie bouteille, à ouvrir d'ici deux à trois ans.

☛ Laurent Descorps, Ch. Haut-Liloie, 33760 Escoussans, tél. 05.56.23.94.23, fax 05.57.34.40.09 ☑ ⍨ r.-v.

CH. DU JUGE Cru Quinette 1998★★

| ◼ | 2 ha | 12 000 | 🍶 | 30 à 49 F |

Habitué du Guide, le château du Juge offre ici sa cuvée Quinette, élevée en fût. Si elle est encore marquée par le bois, celle-ci montre par son bouquet fruité comme par sa bonne matière qu'elle a des réserves pour évoluer favorablement.

☛ Pierre Dupleich, Ch. du Juge, rte de Branne, 33410 Cadillac, tél. 05.56.62.17.77, fax 05.56.62.17.59, e-mail pierre.dupleich@wanadoo.fr ☑ ⍨ r.-v.

CH. LABATUT-BOUCHARD 1998★

| ◼ | n.c. | n.c. | ◼ 🍶 | 30 à 49 F |

Situé dans un bel environnement, au-dessus de Saint-Macaire, ce cru offre ici un vin bien fait, que sa rondeur et ses tanins soyeux rendent plaisant. Une vinification fort réussie.

☛ Ch. Labatut-Bouchard, 2, des Arnauds, 33490 Saint-Maixant, tél. 05.56.62.02.44, fax 05.56.62.09.46 ☑ ⍨ r.-v.

☛ F. Mehaye

CH. LA BERTRANDE
Elevé en fût de chêne 1998★★

| ◼ | 2,5 ha | 15 000 | 🍶 | 50 à 69 F |

Avec cette cuvée numérotée élevée en fût, La Bertrande, beau domaine de 20 ha, connaît une jolie réussite : d'une belle teinte foncée, ce 98 révèle un bouquet naissant des plus expressifs (fruits rouges mûrs, pruneau), tandis qu'au palais la structure concilie rondeur et matière pour donner un ensemble équilibré et élégant.

☛ Vignobles Anne-Marie Gillet, Ch. La Bertrande, 33410 Omet, tél. 05.56.62.19.64, fax 05.56.76.90.55 ☑ ⍨ r.-v.

CH. LA CHEZE
Elevé en fût de chêne 1998★

| ◼ | 7 ha | 45 000 | 🍶🍶 | 30 à 49 F |

Premier millésime intégralement signé par les deux jeunes œnologues qui ont repris la propriété, ce 98 s'annonce très prometteur pour l'avenir du cru. Son bouquet, encore jeune, où le bois se fond dans les arômes de fruits, comme son palais, bien structuré avec des tanins enrobés, témoignent d'une parfaite maîtrise de la vinification.

☛ SCEA Ch. La Chèze, 33550 Capian, tél. 05.56.72.11.77, fax 05.57.25.96.82 ☑ ⍨ r.-v.

☛ Priou et Rontein

CH. LA FORET
Elevé en fût de chêne 1998★★

| ◼ | 2 ha | 5 600 | 🍶 | 30 à 49 F |

Partisan de la lutte raisonnée, ce cru entend concilier la préservation de la nature avec l'amélioration de la qualité. Cuvée spéciale, ce très joli 98 montre qu'il est sur la bonne voie : l'intensité de la robe n'a rien à envier à celle du bouquet ; riche, gras, ample et bien équilibré, le palais possède la matière nécessaire pour tirer profit d'une belle garde (de cinq à sept ans).

☛ Ch. La Forêt, 33880 Cambes, tél. 05.56.21.31.25, fax 05.56.78.71.80 ☑ ⍨ r.-v.

☛ Raba-Camus

CH. LAGAROSSE 1998★

| ◼ | 10 ha | 40 000 | 🍶 | 30 à 49 F |

Reconstruit en 1848 après un incendie, ce château avait été édifié au XVIᵉs. Le cru propose un 98 qui reflète sa spécificité de l'encépagement, à 80 % de merlot, par sa souplesse et sa rondeur. Complexe mais encore marqué par le bois, le bouquet invite à attendre un peu avant d'ouvrir cette bouteille.

☛ SCA des Vignobles du Ch. Lagarosse, B.P. 18, 33550 Tabanac, tél. 05.56.67.00.05, fax 05.56.67.12.64 ☑ ⍨ r.-v.

CH. LAROCHE Cuvée Eugénie 1998★

| ◼ | 1,3 ha | 7 200 | 🍶 | 50 à 69 F |

Si Martine Palau a acquis un cru en Libournais, elle ne néglige pas pour autant Laroche. Sa cuvée Eugénie, « qui fait sa malo en barrique », atteste le sérieux de son travail, tant par son bouquet, aux parfums de fruits rouges, que par sa structure, à la fois souple, ronde et charpentée. Bien équilibré, l'ensemble méritera d'être attendu deux ou trois ans. D'un volume de production plus limité (30 000 bouteilles), le **Château Laroche-Bel Air 98** (entre 30 et 49 F) a obtenu une citation.

☛ Martine Palau, Ch. Laroche, 33880 Baurech, tél. 05.56.21.31.03, fax 05.56.21.36.58 ☑ ⍨ r.-v.

CH. LENORMAND Cuvée Prestige 1998★★

| ◼ | n.c. | 12 000 | | 30 à 49 F |

Appartenant à la cuvée spéciale élevée en fût, ce vin porte encore la marque de l'élevage. Mais celui-ci a été bien dosé et n'étouffe pas le bouquet dont le jury a pu apprécier la complexité. Ample, gras et souple, le palais montre par son équilibre et sa matière qu'il possède un bon potentiel de garde.

➥SCEA des Vignobles Menguin, 194, Gouas, 33760 Arbis, tél. 05.56.23.61.70, fax 05.56.23.49.79 ☑ ⟁ r.-v.

CH. LES CONSEILLANS 1998★★

| ■ | 3,4 ha | n.c. | ⬗⬗⬗ | 70 à 99 F |

Un tout petit cru mais qui a eu le privilège d'appartenir à Jean Ribéreau-Gayon. Le célèbre œnologue n'aurait pas eu honte de signer un vin comme celui-ci. L'intensité et la complexité du bouquet, aux notes grillées, épicées et vanillées, traduisent l'élevage en barrique. Après une attaque souple, les tanins font sentir leur présence, mais dans un bon équilibre avec le vin. Une bouteille typée à attendre deux à trois ans.
➥GFA Dom. des Conseillans, 33880 Saint-Caprais-de-Bordeaux, tél. 05.56.68.55.88, fax 05.56.30.18.42

CH. LESCURE 1998

| ■ | 7,01 ha | 32 500 | ▮⬗⬗⬗ | 20 à 29 F |

Joliment bouqueté mais encore marqué par les tanins et la barrique, ce vin (proposé par un Centre d'aide par le travail) doit s'assouplir d'ici un an ou deux. Il ne faudra alors pas l'attendre davantage car sa structure n'a pas les épaules larges.
➥C.A.T. Ch. Lescure, 33490 Verdelais, tél. 05.57.98.04.68, fax 05.57.98.04.64 ☑ ⟁ r.-v.

CH. DE LESTIAC Cuvée Prestige 1998★★

| ■ | 55,7 ha | 80 000 | ⬗⬗⬗ | 30 à 49 F |

Une fois encore, cette cuvée Prestige mérite amplement son nom par sa qualité. Réussissant l'alliance de la complexité et de l'élégance, ce vin au bouquet expressif (moka, vanille et grillé) est à la fois souple, rond, gras et doté d'une bonne matière. Une très jolie bouteille qui donnera le meilleur d'elle-même d'ici trois ou quatre ans.
➥SCEA Gonfrier Frères, Ch. de Marsan, 33550 Lestiac-sur-Garonne, tél. 05.56.72.14.38, fax 05.56.72.10.38, e-mail gonfrier@terre-net.fr ⟁ r.-v.

CH. LEZONGARS 1998★

| ■ | 10 ha | 73 000 | ⬗⬗⬗ | 30 à 49 F |

Année de l'achat du cru par des sujets de Sa Très Gracieuse Majesté, 1998 aura été un millésime faste pour Lezongars. Bien servi par sa présentation avec de délicats parfums de fruits rouges et de grillé, ce 98 révèle au palais une structure bien construite et équilibrée.
➥SC du Ch. Lezongars, 324, Roques-Nord, 33550 Villenave-de-Rions, tél. 05.56.72.18.06, fax 05.56.72.31.44, e-mail lezongars@free.fr ☑ ⟁ r.-v.

CH. MELIN Elevé en fût de chêne 1998★★

| ■ | 5,5 ha | 34 000 | ▮⬗⬗⬗ | 30 à 49 F |

Si beaucoup de châteaux des premières côtes ont régulièrement changé de mains, les Modet, quant à eux, exploitent leur vignoble depuis cinq générations. L'attachement au terroir se lit dans la qualité de ce 98 qui méritera un séjour en cave de quatre ou cinq ans. A une robe superbe s'ajoutent un bouquet et une structure de même niveau. Le premier s'exprime par d'élégantes notes épicées, cacaotées, grillées et confites (fruits mûrs); et le second par une très belle matière, tannique,

longue et équilibrée. Moins imposant mais également travaillé avec soin alors qu'il est élevé en cuve, le **château Constantin 98** (30 à 49 F) a reçu une étoile.
➥EARL Vignobles Claude Modet, Constantin, 33880 Baurech, tél. 05.56.21.34.71, fax 05.56.21.37.72 ☑ ⟁ r.-v.

CH. MEMOIRES 1998★

| ■ | n.c. | n.c. | ⬗⬗⬗ | 30 à 49 F |

Surtout connu pour ses blancs liquoreux, ce cru offre aussi un très joli vin rouge. Agréable à l'œil, il reste encore discret par son bouquet mais déjà apparaît sa complexité au travers des notes de fruits rouges, de réglisse, de cassis et d'épices. Tannique et longue, sa structure demande une attente de deux ou trois ans.
➥SCEA Vignobles Ménard, Ch. Mémoires, 33490 Saint-Maixant, tél. 05.56.62.06.43, fax 05.56.62.04.32, e-mail memoires@aol.com ☑ ⟁ r.-v.

CH. MESTREPEYROT 1998★★

| □ | 4 ha | 12 000 | ⬗⬗⬗ | 30 à 49 F |

Comme il en a l'habitude, ce cru a choisi le registre de la force pour exprimer la personnalité de son vin, dont l'intensité apparaît dès le bouquet. Marqué par des notes grillées et confites, celui-ci réussit l'alliance de la puissance et de la complexité. Encore boisé mais velouté, le palais confirme l'impression première tout en invitant à une garde de quelques années (quatre ou cinq ans).
➥GAEC Vignobles Chassagnol, Bern, 33410 Gabarnac, tél. 05.56.62.98.00, fax 05.56.62.93.23 ☑ ⟁ r.-v.

CH. DES MILLE ANGES 1998

| ■ | 15,3 ha | 66 000 | ⬗⬗⬗ | 50 à 69 F |

Après avoir vécu en Angleterre, en Afrique et aux Etats-Unis, Heather Van Ekris s'installe sur un vignoble français en 1994. Un joli nom pour ce vin au caractère sympathique et à la bonne structure. Fruité, souple et bien équilibré pour un fin boisé, il pourra être bu jeune entre 2002 et 2004.
➥Heather Van Ekris, 33490 Saint-Germain-de-Graves, tél. 05.56.76.41.04, fax 05.56.76.46.72

CH. MONT-PERAT 1998★★

| ■ | 4 ha | 18 000 | ⬗⬗⬗ | 70 à 99 F |

Apparu en 1998, ce tout nouveau cru fait une entrée spectaculaire dans le Guide. Elle pourrait même sembler étonnante si ce vin n'était signé

BORDELAIS

par la famille Despagne, qui va de succès en succès. Une robe intense et concentrée, un bouquet aussi complexe que raffiné (vanille, moka, cacao, grillé...), une structure riche, ample et pleine, une longue finale. Tout invite à conserver ce vin modèle pendant quatre ou cinq ans. Plus simple mais bien constitué avec un bouquet expressif et une structure bien équilibrée, le **Château Franc-Pérat 98** (50 à 69 F), élevé en cuve, a obtenu une étoile.

☙SCEA de Mont-Pérat, 33550 Capian, tél. 05.57.84.55.08, fax 05.57.84.57.31, e-mail despagne@vignobles-despagne.com ⚜ r.-v.

DOM. DU MOULIN 1998★

| ■ | 8 ha | 30 000 | ■ | 30 à 49 F |

En dépit d'un encépagement à dominante merlot (80 %), les arômes (poivron) de ce vin font davantage penser à un cabernet. Toutefois, les fruits rouges et la rondeur du palais sont là pour rétablir l'ordre logique des choses. A ouvrir dans deux ans.

☙M. Gillet et B. Queyrens, Ch. Peyruchet, 33410 Loupiac, tél. 05.56.62.62.71, fax 05.56.76.92.09 ☑ ⚜ r.-v.

CH. NENINE 1998★

| ■ | 12 ha | 55 000 | ■ ◫ ♣ | 50 à 69 F |

Courtier, Stéphane Fouquet est un fin connaisseur des vins de Bordeaux. Riche et concentré dans son expression aromatique aux notes de moka et de torréfaction, son 98 est dans l'esprit bordelais par son style qui sait préserver l'équilibre entre une belle structure, qui ouvre de bonnes perspectives de garde, et la souplesse qui donnera son charme à cette bouteille d'ici trois ou quatre ans.

☙SCEA des coteaux de Nénine, Ch. Nénine, 33880 Baurech, tél. 05.56.78.70.78 ⚜ r.-v.

CH. OGIER DE GOURGUE 1998★

| ■ | 4,5 ha | 36 000 | ◫ ♣ | 50 à 69 F |

Bien maîtrisé, l'élevage a été adapté à l'encépagement où le merlot domine. Le résultat est un vin très réussi, dont l'équilibre et la complexité se lisent dans sa robe aux reflets soyeux, comme dans sa structure aux tanins bien fondus. Son expression aromatique, fruitée et épicée, est typique des premières côtes.

☙Josette Fourès, 41, av. de Gourgues, 33880 Saint-Caprais-de-Bordeaux, tél. 05.56.78.70.99, fax 05.56.76.46.18, e-mail p.decroix@wanadoo.fr ☑ ⚜ r.-v.

CH. PASCOT
Cuvée Prestige Vieilli en fût de chêne 1997★

| ■ | 2,1 ha | 14 000 | ◫ | 30 à 49 F |

Cuvée élevée en barrique, ce vin qui porte encore la marque du bois dans son bouquet révèle un caractère bien structuré. Il trouvera son plein équilibre après deux ou trois ans de garde.

☙Nicole et Frédéric Doermann, Ch. Pascot, 33360 Latresne, tél. 05.56.20.78.19, fax 05.56.20.78.19 ☑ ⚜ r.-v.

CH. PEYBRUN 1998★

| ■ | 4 ha | 12 000 | ■ ♣ | 30 à 49 F |

Une même famille exploite ce cru depuis quatre siècles. Bien réussi, ce 98 se présente dans une robe limpide et soutenue. Doté d'un bouquet aux puissantes notes épicées, il évolue très agréablement au palais. Souple à l'attaque puis ample, corsé et tannique, il possède les qualités requises pour affronter une garde bénéfique d'environ trois ans.

☙Catherine de Loze, Ch. Peybrun, 33410 Gabarnac, tél. 05.56.96.10.84, fax 05.56.96.10.84 ☑

CH. DE PIC 1998★

| ■ | 28 ha | 200 000 | ■ ♣ | 30 à 49 F |

Belle unité, ce cru propose avec ce 98 un vin franc et plaisant, à l'image de sa belle robe d'un grenat soutenu. Laissant apparaître un bouquet naissant aux intéressantes notes de fruits rouges et d'épices, il développe un palais chaleureux et bien équilibré.

☙François Masson-Regnault, Ch. de Pic, 33550 Le Tourne, tél. 05.56.67.07.51, fax 05.56.67.21.22 ☑ ⚜ r.-v.

CH. DE PLASSAN
Elevé en fût de chêne 1997

| ■ | 17 ha | 50 000 | ◫ | 30 à 49 F |

Mieux qu'une chartreuse, une vraie villa palladienne construite par la famille Clauzel, ce château est incontestablement plein de charme. A son image, ce 97, souple et délicat, joue résolument la carte de l'élégance.

☙Jean Brianceau, Ch. de Plassan, 33550 Langoiran, tél. 05.56.67.53.16, fax 05.56.67.26.28, e-mail chateauplassan@netclic.fr ☑ ⚜ r.-v.

CH. PRIEURE CANTELOUP
Cuvée Faustine Elevé en fût de chêne 1997★

| ■ | 10 ha | 10 000 | ◫ | 30 à 49 F |

Ce vin a bénéficié d'un élevage en barrique bien maîtrisé. Le résultat est un ensemble qui ne trahit pas les promesses de la robe d'un beau pourpre. Bouqueté et charpenté, il possède l'intensité et la complexité nécessaires pour mériter une attente de quatre à cinq ans.

☙Xavier et Valérie Germe, 63, chem. du Loup, 33370 Yvrac, tél. 05.56.31.58.61 ☑ ⚜ r.-v.

CH. PUY BARDENS Cuvée Prestige 1998

| ■ | n.c. | 50 000 | ◫ | 30 à 49 F |

Issu de la cuvée Prestige, élevée en barrique, ce vin est encore marqué par le bois, mais sa structure devrait lui permettre de s'arrondir d'ici deux à trois ans.

☙Yves Lamiable, Ch. Puy Bardens, 33880 Cambes, tél. 05.56.21.31.14, fax 05.56.21.86.40 ☑ ⚜ r.-v.

CH. REYNON 1998★★

| ■ | 16 ha | 66 000 | ◫ | 50 à 69 F |

Né sur de beaux coteaux argilo-calcaires exposés au midi, ce vin est bien typé « côtes ». D'une superbe couleur soutenue, il charme par son nez de bon bois, grillé, toasté, en même temps que

fruité. Volumineuse, charnue, charpentée, la bouche appelle une garde de deux à trois ans.
☛ Denis et Florence Dubourdieu, Ch. Reynon, 33410 Béguey, tél. 05.56.62.96.51, fax 05.56.62.14.89, e-mail reynon@gofornet.com ☑ 𝚼 r.-v.

CH. ROQUEBERT
Cuvée spéciale Elevée en barrique 1998★

| ■ | 3,4 ha | 25 000 | ◖▮▮ | 30 à 49 F |

Cuvée élevée en fûts, ce 98 porte encore fortement la marque de l'élevage. Il séduira donc les amateurs de vins fortement boisés, mais sans déplaire aux autres. Ceux-ci devront seulement attendre qu'il se soit fondu pour profiter pleinement de sa richesse aromatique.
☛ Christian et Philippe Neys, Ch. Roquebert, 33360 Quinsac, tél. 05.56.20.84.14, fax 05.56.20.84.14 ☑ 𝚼 t.l.j. sf dim. 9h-12h 14h30-18h

CH. SUAU Elevé en fût de chêne 1998★

| ■ | 14,15 ha | 100 000 | ◖▮▮ | 30 à 49 F |

Charmant petit relais de chasse du XVIIe s., ce château commande aujourd'hui une belle unité de 82 ha, dont 60 ha de vignes. Ce vin possède une belle couleur soutenue, un bouquet naissant et une matière souple à l'attaque évoluant vers des tanins encore austères. Attendre trois ans qu'ils se fondent.
☛ Monique Bonnet, Ch. Suau, 33550 Capian, tél. 05.56.72.19.06, fax 05.56.72.12.43, e-mail bonnet-suau@wanadoo.fr ☑ 𝚼 r.-v.

CH. DE TESTE 1998★★

| □ | 4 ha | 12 000 | ▮◖▮▮ | 30 à 49 F |

Avec ce millésime, Laurent Réglat connaît une remarquable réussite. L'or de sa robe, intense et brillant, annonce la richesse du bouquet et de la structure. Long, fruits confits, notes grillées sont complexes à souhait ; la bouche surprend par son ampleur, le bon support de la barrique et son équilibre.
☛ EARL Vignobles Laurent Réglat, Ch. de Teste, 33410 Monprimblanc, tél. 05.56.62.10.65, fax 05.56.62.98.80 ☑ 𝚼 r.-v.

Côtes de bordeaux saint-macaire

CH. FAYARD 1998

| □ | n.c. | n.c. | ▮◖▮▮ | 70 à 99 F |

Unique vin blanc sec dans une appellation de blanc moelleux, le Château Fayard présente une robe jaune doré, des parfums d'agrumes, d'écorce d'orange et de boisé. Fruité et gras en bouche, il évolue avec une pointe acidulée qui rafraîchit bien la finale. Une bouteille plaisante, à boire à l'apéritif dans les deux ans à venir.
☛ Jacques-Charles de Musset, Ch. Fayard, 33490 Le Pian-sur-Garonne, tél. 05.56.63.33.81, fax 05.56.63.60.20 𝚼 r.-v.
☛ Saint-Michel SA

La région des Graves

Vignoble bordelais par excellence, les graves n'ont plus à prouver leur antériorité : dès l'époque romaine, leurs rangs de vignes ont commencé à encercler la capitale de l'Aquitaine et à produire, selon l'agronome Columelle, « un vin se gardant longtemps et se bonifiant au bout de quelques années ». C'est au Moyen Age qu'apparaît le nom de « graves ». Il désigne alors tous les pays situés en amont de Bordeaux, entre la rive gauche de la Garonne et le plateau landais. Par la suite, le Sauternais s'individualise pour constituer une enclave, vouée aux liquoreux, dans la région des Graves.

Graves et graves supérieures

S'allongeant sur une cinquantaine de kilomètres, les graves doivent leur nom à la nature de leur sol : il est constitué principalement par des terrasses construites par la Garonne et ses ancêtres qui ont déposé une grande variété de débris caillouteux (galets et graviers, originaires des Pyrénées et du Massif central).

Depuis 1987, les vins qui y sont produits ne sont pas tous commercialisés comme graves, le secteur de Pessac-Léognan bénéficiant d'une appellation spécifique, tout en conservant la possibilité de préciser sur les étiquettes les mentions « vin de graves », « grand vin de graves » ou « cru classé de graves ». Concrètement, ce sont les crus du sud de la région qui revendiquent l'appellation graves.

L'une des particularités des graves réside dans l'équilibre qui s'est établi entre les superficies consacrées aux vignobles rouges (près de 2 128 ha, pessac-léognan non compris) et blancs secs (plus de 809 ha). Les graves rouges (128 342 hl en 1999) possèdent une structure corsée et élégante qui permet un bon vieillissement. Leur bouquet, finement fumé, est particulièrement typé. Les blancs secs (66 770 hl en 1999), élégants et charnus, sont parmi les meilleurs de la Gironde. Les plus grands, maintenant fréquemment élevés en barrique, gagnent en richesse et complexité après quelques années de vieillissement. On trouve aussi quelques vins moelleux qui ont conservé leurs amateurs et qui sont vendus sous l'appellation graves supérieures.

Graves

CH. D'ARCHAMBEAU 1997

■   20 ha   100 000 ▮ ◖▮ ◗ ♦ 30 à 49 F

Adapté au terroir argilo-graveleux, l'encépagement se partage également entre le merlot et le cabernet-sauvignon. De bonne tenue pour un 97, ce vin porte la marque des deux variétés qu'expriment la richesse du bouquet et une bonne présence tannique. Simple mais plaisant, le **blanc 98** a également obtenu une citation.
☛GFA Jean-Philippe Dubourdieu, Archambeau, 33720 Illats, tél. 05.56.62.51.46, fax 05.56.62.47.98 ☑ ⵏ r.-v.

CH. D'ARDENNES 1998★

■   20 ha   70 000 ▮ ◖▮ ◗ ♦ 50 à 69 F
88 |(89)| **90** 92 93 |**94**| **96** 97 98

Issu d'un territoire mariant les graves aux calcaires et d'un encépagement diversifié (cabernets, merlot et petit verdot), ce vin montre qu'il est de bonne origine. Très bien équilibré, il ne succombe pas à la tentation du « tout bois » : celui-ci respecte la matière, souple et tannique, comme l'expression aromatique, aux fines notes fruitées, pour former un ensemble d'une réelle élégance.
☛SCEA Ch. d'Ardennes, Ardennes, 33720 Illats, tél. 05.56.62.53.66, fax 05.56.62.43.67 ☑ ⵏ r.-v.
☛François Dubrey

CH. D'ARRICAUD 1998

☐   5 ha   30 000 ▮ ♦ 30 à 49 F

D'une bonne régularité qualitative, ce cru associe 70 % de sémillon, 25 % de sauvignon et 5 % de muscadelle. Ce millésime est un vin frais et vif qui affirme sa personnalité par un bouquet aux notes mentholées et aux parfums presque sauvages.

La Région des Graves

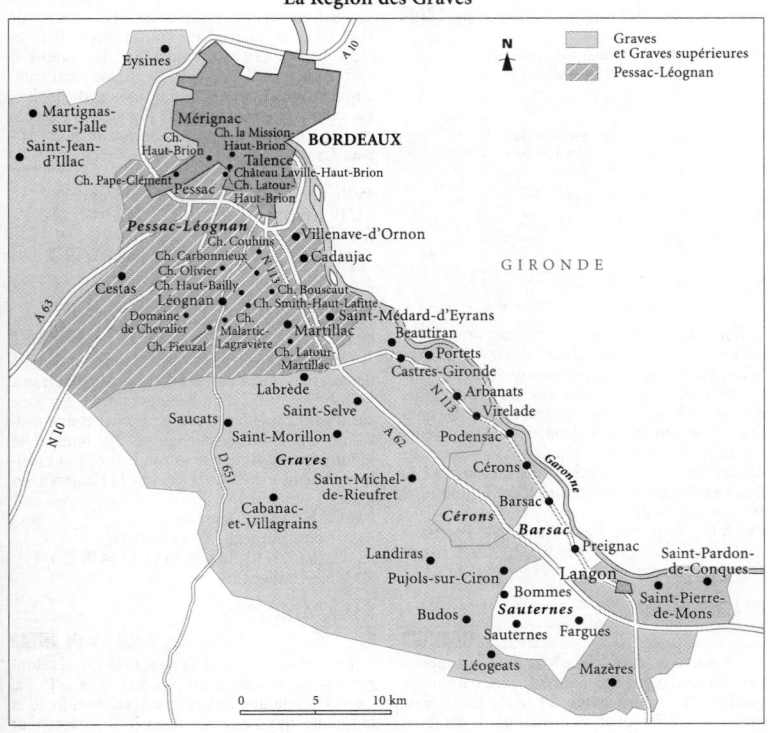

| | Graves et Graves supérieures |
| | Pessac-Léognan |

✒ EARL Bouyx, Ch. d'Arricaud,
33720 Landiras, tél. 05.56.62.51.29,
fax 05.56.62.41.47 ☑ ⊤ r.-v.

BARON PHILIPPE 1998

☐	n.c.	n.c.	50 à 69 F

Vin du négoce, ce 98 concilie matière et élégance pour constituer un ensemble d'une bonne complexité où le sauvignon (40 % de l'encépagement) réussit à apporter sa marque.
✒ Baron Philippe de Rothschild SA, B.P. 117,
33250 Pauillac, tél. 05.56.73.20.20,
fax 05.56.73.20.44

CH. BEAUREGARD-DUCASSE
Albert Duran 1997★

	5 ha	n.c.	◖▮	70 à 99 F
	93		94	95 96	97				

Née sur le vignoble le plus élevé de l'appellation, cette cuvée a tiré profit de son élevage en barrique. Bien maîtrisé, celui-ci n'a étouffé ni la complexité du bouquet ni la personnalité du palais. Longue, ample et généreuse, la structure garantit un bon potentiel de garde. Agréablement aromatique, la **cuvée Albertine Peyri blanc 99** (50 à 69 F) a obtenu une étoile pour son élégance. La **cuvée principale rouge 97** (30 à 49 F) est citée.
✒ Jacques Perromat, Ducasse, 33210 Mazères, tél. 05.56.76.18.97, fax 05.56.76.17.73 ☑ ⊤ r.-v.
✒ GFA de Gaillote

CH. DE BEAU-SITE 1998★★

☐	0,21 ha	1 500	◖▮	30 à 49 F

Issu d'un cru attaché aux méthodes traditionnelles, ce 98 a bénéficié d'une vendange manuelle. Le résultat est éloquent : la complexité du bouquet, où les parfums de fruits mûrs côtoient le bois, a séduit les dégustateurs. De qualité, le bois sait respecter la matière et les saveurs du palais. Ce dernier évolue avec vivacité pour déboucher sur une longue finale. En **rouge 97, le Château Beau-Site** reçoit une étoile. Equilibré, il est fort intéressant.
✒ SA Ch. Beau-Site, Beau-Site, 33640 Portets, tél. 05.56.67.18.15, fax 05.56.67.38.12 ☑ ⊤ r.-v.
✒ Mme Dumergue

CH. BERGER 1998

☐	4,22 ha	8 100	◖▮	50 à 69 F

Un domaine de plus de 7 ha dont le propriétaire est œnologue. Elevé sur lies avec bâtonnage pendant huit mois, ce vin sait se rendre intéressant par son bouquet bien marqué de nuances florales, beurrées et boisées, comme par sa rondeur au palais.
✒ SCA Ch. Berger, 6, chem. La Girafe,
33640 Portets, tél. 05.56.67.58.98,
fax 05.56.67.04.88 ☑ ⊤ r.-v.

CH. BICHON CASSIGNOLS 1998

☐	2 ha	6 600	▮◖▮	50 à 69 F

S'annonçant par une robe jaune pâle à reflets verts, ce vin s'appuie sur une structure souple pour mettre en valeur ses sympathiques arômes fruités, mêlés à des notes grillées données par un élevage de cinq mois en barriques dont un tiers sont neuves. « Ce vin typé se boit avec plaisir », fait remarquer un dégustateur.
✒ Lespinasse, 50, av. Edouard-Capdeville,
33650 La Brède, tél. 05.56.20.28.20,
fax 05.56.20.20.08 ☑ ⊤ r.-v.

CAPRICE DE BOURGELAT 1999★

☐	2,3 ha	3 500	◖▮	50 à 69 F

Produit par le Clos Bourgelat à Cérons, ce vin a tiré profit de son élevage en fût. Aux attraits d'un bouquet complexe (genêt, acacia, châtaigne, ananas et mangue), il ajoute celui d'une riche matière. Un vin plaisir.
✒ Dominique Lafosse, Clos Bourgelat,
33720 Cérons, tél. 05.56.27.01.73,
fax 05.56.27.13.72 ☑ ⊤ r.-v.

CH. BRONDELLE 1998★★

■	n.c.	70 000	◖▮	50 à 69 F

Au sud de l'appellation, cette propriété, établie sur un sol argilo-graveleux, élabore de jolis vins, tel ce 98. D'une belle couleur rubis, il développe un bouquet concentré (chocolat, vanille et épices) avant de révéler sa solide structure, ample, ronde et soutenue par un bois de qualité. En **blanc, la cuvée Anaïs 99** (70 à 99 F), élevée en fût, a obtenu une étoile ; en **rouge 98, le Château La Rose Sarron** (30 à 49 F) a reçu une citation.
✒ Vignobles Belloc-Rochet, Ch. Brondelle,
33210 Langon, tél. 05.56.62.38.14,
fax 05.56.62.23.14,
e-mail chateau.brondelle@wanadoo.fr ☑ ⊤ r.-v.

CH. CABANNIEUX
Réserve du Château Elevé en barrique 1997

■	13 ha	99 000	◖▮	50 à 69 F

Cette cuvée assemble 50 % de merlot à 45 % de cabernet-sauvignon et à 5 % de cabernet franc. Sa robe légère est d'un beau grenat. Le nez joue sur les épices, le pruneau, le caramel et une évocation du cabernet-sauvignon. La bouche se montre intéressante par sa rondeur et son moelleux. Attendre un à deux ans que la finale s'assagisse.
✒ SCEA du Ch. Cabannieux,
44, rte du Courneau, 33640 Portets,
tél. 05.56.67.22.01, fax 05.56.67.32.54 ☑ ⊤ r.-v.
✒ Mme Dudignac

CH. CALENS 1997

■	4 ha	6 600	▮◖▮	30 à 49 F

Le domaine connaît depuis 1995 un développement important : il est passé de 6 ha à 15 ha. Ce vin révèle une bonne structure, équilibrée et tannique, qui s'accorde avec le bouquet pour inviter à ouvrir cette bouteille dans les deux ans à venir.

➡ Vignobles Artaud et Fils, 6, rue des Mages, 33640 Beautiran, tél. 05.56.67.05.48, fax 05.56.67.04.72 ☑ ☂ r.-v.

CH. DE CALLAC 1998★

| ■ | 18 ha | 120 000 | ◫ 50 à 69 F |

Issu d'une propriété d'une taille respectable, 25 ha, ce vin n'a rien de confidentiel. Cela rend d'autant plus sympathiques ses qualités : un bouquet complexe et raffiné mêlant diverses épices (cannelle surtout) ; une structure équilibrée par une solide présence tannique. On assiste à une belle osmose entre la matière et le bois. Finale élégante.

➡ Philippe Rivière, Ch. de Callac, 33720 Illats, tél. 05.57.55.59.59, fax 05.57.55.59.51, e-mail riviere@riviere-stemilion.com ☑ ☂ r.-v.

CH. CAMARSET 1998

| ☐ | 1,3 ha | 5 000 | ◫ 30 à 49 F |

Sauvignon, sémillon et muscadelle plantés sur un sol de graves et d'argilo-calcaire, ce vin a bénéficié d'un encépagement diversifié. Frais, souple et léger, le résultat en a été une bonne complexité aromatique ; la citronnelle, la mandarine et le lilas formant un ensemble fin et délicat.

➡ SCEA Ch. Camarset, Ch. Camarset, 33650 Saint-Morillon, tél. 05.56.20.31.94, fax 05.56.20.31.94 ☑
➡ M. et Mme Lagardère

CH. CARBON D'ARTIGUES
Elevé en fût de chêne 1998★

| ■ | 10 ha | 60 000 | ◫ 50 à 69 F |

Régulier en qualité, ce cru offre ici un vin qui s'exprime tout en finesse, avec un réel sens de la nuance. Délicatement bouqueté, avec des notes de fruits mûrs, il possède la matière nécessaire pour intégrer le bois et évoluer favorablement dans les trois ou quatre ans à venir. Assez proche par ses notes de fruits rouges et sa subtilité, **Château La Fleur Clémence rouge 98** a également obtenu une étoile. Bien fondus, les tanins délicats sont élégants jusque dans la finale longue et complexe.

➡ SC Ch. Carbon d'Artigues, 33720 Landiras, tél. 05.56.62.53.24, fax 05.56.62.53.24 ☑ ☂ r.-v.

CH. DE CASTRES 1998

| ■ | 10 ha | 43 000 | ◫ 50 à 69 F |

En cours de rénovation, ce cru propose ici un vin d'un beau rubis, fin et délicat, comme les graves savent en produire. Il se distingue par l'originalité de son bouquet aux notes d'agrumes. Le **blanc 99** (70 à 99 F) a également obtenu une citation.

➡ Rodrigues-Lalande, Ch. de Castres, 33640 Castres-sur-Gironde, tél. 05.56.67.51.51, fax 05.56.67.52.22 ☑ ☂ r.-v.

CH. CAZEBONNE 1998

| ☐ | 5 ha | 30 000 | ▤ ⬇ 30 à 49 F |

Habitué du Guide, ce cru figure cette année avec un vin blanc qui met en confiance par sa présentation aux jolis reflets verts et aux délicats parfums floraux. Vif et rond, le palais est lui

aussi d'une bonne tenue avec des notes plus près du fruit.

➡ Jean-Marc Bridet, Vignobles de Bordeaux, 33210 Saint-Pierre-de-Mons, tél. 05.56.63.19.34, fax 05.56.63.21.60, e-mail lvb.sica@libertysurf.fr ☂ r.-v.

CH. DE CHANTEGRIVE 1998★★

| ■ | 30 ha | 100 000 | ◫ 50 à 69 F |

Figure marquante du vignoble bordelais, Henri Lévêque veille avec toujours autant de soins sur son cru. La réussite de ce beau 98 en témoigne ; sa robe bigarreau sombre est superbe, son bouquet, prometteur. Le palais manifeste une bonne présence tannique et même une réelle puissance, mais sans la moindre agressivité. Véritable point d'orgue, la finale poivrée invite à coucher cette bouteille en cave de cinq à huit ans. Très aromatique avec de savoureuses notes de fruits à chair blanche, d'agrumes, de vanille et de miel qui s'allient à des parfums floraux, la **cuvée Caroline blanche 98** (70 à 99 F) a obtenu une étoile.

➡ Françoise et Henri Lévêque, Ch. de Chantegrive, 33720 Podensac, tél. 05.56.27.17.38, fax 05.56.27.29.42, e-mail courrier@chateau.chantegrive.com ☑ ☂ t.l.j. sf dim. 8h-12h 14h-18h

CH. CHERET-PITRES 1997

| ■ | 1,2 ha | 9 160 | ◫ ⬇ 30 à 49 F |

60 % de merlot et 40 % de cabernet-sauvignon composent ce 97 né à 1 km du château médiéval de Langoiran. Encore un peu sévère dans son développement tannique, ce vin demande à être attendu ; mais l'ensemble est de bonne facture.

➡ Pascal et Caroline Dulugat, Ch. Cheret-Pitres, 33640 Portets, tél. 05.56.67.27.76, fax 05.56.67.27.76 ☑ ☂ r.-v.
➡ Boulanger

CLOS FLORIDENE 1998★★

| ■ | | 5 ha | 32 000 | ◫ 70 à 99 F |

| 85 | 86 | 88 | |89| | |90| | 91 | 92 | |93| | **94** | 95 | 96 | **98** |

Valeur sûre et reconnue de l'appellation, ce cru sort une nouvelle fois avec les honneurs de l'épreuve de la dégustation à l'aveugle. D'une belle couleur, ce vin montre sa personnalité par des notes fumées et minérales (silex), avant de s'ouvrir sur des parfums de fruits noirs et de cèdre. Au palais, le bois est encore présent mais laisse apparaître un ensemble souple et rond qui est déjà agréable et élégant, tout en méritant une garde de trois à quatre ans. Le **blanc 98** a obtenu une étoile. Il est très fleuri, accompagné d'un élégant boisé grillé. Il fut coup de cœur l'an dernier pour le millésime 97.

➡ Denis et Florence Dubourdieu, Ch. Reynon, 33410 Béguey, tél. 05.56.62.96.51, fax 05.56.62.14.89, e-mail reynon@goforn et.com ☑ ☂ r.-v.

CLOS LA BERNEDE 1998

| ■ | 0,35 ha | 2 000 | ◫ 30 à 49 F |

Issu d'un microcru (0,6 ha), ce vin d'une belle couleur rubis est un peu confidentiel mais intéressant par son expression aromatique aux notes surmûries avec du grillé. Le volume, imposant en

bouche, promet une bonne garde (trois à cinq ans).

➥ Thierry Dumas, La Bernède, 33210 Léogeats, tél. 05.56.76.62.54 ☑ ⵎ r.-v.

CLOS LA MAURASSE 1998★

☐	2 ha	5 000	▮⚲ 30 à 49 F

Sa taille modeste n'empêche pas ce cru d'offrir un vin affirmant sans complexe sa personnalité par de jolies flaveurs muscatées de sauvignon très mûr et par un bouquet aux puissants et chaleureux parfums de fleurs et d'orange confite.

➥ Rémy Sessacq, Clos La Maurasse, B.P. 78, 33210 Langon, tél. 05.56.63.39.27, fax 05.56.63.11.82 ☑ ⵎ t.l.j. 9h-19h

CH. DOMS 1998★

◣	6,5 ha	48 000	▮⚲ 30 à 49 F

Ancien établissement religieux, ce domaine est planté en vignes depuis longtemps. Ce 98 se montre à la hauteur de ce passé, tant par sa présentation que par sa structure. La première met en confiance par sa couleur violine et son bouquet aux notes de fruits mûrs. Pleine et chaleureuse, la seconde s'appuie sur des tanins fins qui inviteront à ouvrir cette bouteille dans les deux ou trois ans à venir.

➥ SCE Vignobles Parage, Ch. Doms, 33640 Portets, tél. 05.56.67.20.12, fax 05.56.67.31.89 ☑ ⵎ r.-v.

LA GRANDE CUVÉE DE DOURTHE 1998★★

☐	n.c.	n.c.	◫ 50 à 69 F

Depuis longtemps, la maison Dourthe a **l'habitude** de se distinguer par la qualité de ses **blancs**. Personne ne regrettera que la tradition perdure avec de belles réussites comme ce 98. L'élégance de sa robe or pâle et de son bouquet aux notes de pamplemousse et d'acacia se retrouve au palais, où s'épanouissent d'harmonieux arômes fruités et floraux autour d'une trame parfaitement équilibrée. Le **rouge 98** a obtenu une citation, de même que les **Grande Réserve rouge 98** et blanc 99 (toutes deux 30 à 49 F) de la firme sœur Kressmann.

➥ Dourthe, 35, rte de Bordeaux, B.P. 49, **33290 Parempuyre**, tél. 05.56.35.53.00, fax 05.56.35.53.29, e-mail contact@cvbg.com ☑ ⵎ r.-v.

CH. DUC D'ARNAUTON 1998★★

☐	8 ha	6 000	▮◫⚲ 30 à 49 F

Réputés pour la qualité de leur accueil, les Bernard bénéficient aussi d'une solide renommée pour leurs vins. Ce n'est pas ce 98 qui viendra l'entacher : à l'élégance de la robe jaune pâle à reflets or succède celle du bouquet, où les notes de fleurs blanches et d'orange confite sont soulignées par un bois bien maîtrisé. Puissant, gras, équilibré et expressif, le palais n'est pas en reste. Un vrai graves blanc. Le **rouge 98** a obtenu une citation.

➥ SCEA Domaines Bernard, Ch. Gravas, 33720 Barsac, tél. 05.56.27.06.91, fax 05.56.27.29.83 ☑ ⵎ r.-v.

CH. FERNON Dumez 1998★

◼	8,09 ha	64 300	▮⚲ 20 à 29 F

Présenté en bouteilles numérotées par le négociant Ginestet, ce vin se montre fort sympathique, tant par sa jolie matière et son équilibre irréprochable, que par son expression aromatique où le poivron s'associe à divers fruits et à des notes plus animales. Le **Château Fernon blanc 98** a aussi obtenu une étoile.

➥ SA Maison Ginestet, 19, av. de Fontenille, 33360 Carignan-de-Bordeaux, tél. 05.56.68.81.82, fax 05.56.20.96.99, e-mail contact@ginestet.fr ⵎ r.-v.

➥ M. et Mme de Langlade

CH. DES FOUGÈRES
Clos Montesquieu 1998★★

☐	8,2 ha	30 000	◫ 50 à 69 F

Propriété jouissant d'un beau parc, le château des Fougères appartient toujours à la famille du philosophe vigneron. « Bon sang ne saurait mentir », les Montesquieu d'aujourd'hui sont restés d'excellents viticulteurs comme en témoigne ce beau 98. Charmeur par son bouquet aux notes de noisette et de buis, il séduit le palais par sa fraîcheur, sa souplesse et son équilibre, avant de s'ouvrir sur une finale prometteuse.

➥ Vins et Dom. Henry de Montesquieu, Aux Fougères, 33650 La Brède, tél. 05.56.78.45.45, fax 05.56.20.25.07, e-mail montesquieu@bordeaux-montesquieu.com ☑

CH. DE GAILLAT
Courrèges Seguès 1997★★

◼	3,5 ha	15 000	◫ 70 à 99 F

Cuvée prestige de la propriété familiale des Coste, le Courrèges Seguès offre avec ce millésime - pourtant réputé difficile - une belle leçon d'œnologie. Si sa robe grenat promet beaucoup, la suite prouve qu'il ne s'agit pas de « promesses de Gascon ». Passant du cassis au gibier, le bouquet séduit par sa finesse et sa complexité. Attaquant franchement avant de développer des tanins de velours, le palais confirme les premières impressions en invitant à une garde de quatre à cinq ans pour que cette bouteille atteigne son optimum. Sans posséder autant d'harmonie, la **cuvée principale rouge 97** (50 à 69 F) révèle, elle aussi, une bonne matière qui lui a valu une étoile.

➥ SCEA Ch. de Gaillat, 33210 Langon, tél. 05.56.63.50.77, fax 05.56.62.20.96 ⵎ r.-v.

➥ Hélène Coste

CH. DU GRAND ABORD 1998★

☐	3,4 ha	6 000	▮ 30 à 49 F

Le sauvignon (20 %) accompagne le sémillon dans ce vin ; le volume de production, un peu confidentiel, n'empêche pas le réel plaisir ressenti par le dégustateur. Ce 98 découvre un bouquet expressif et un palais fin, délicat et aromatique, digne des meilleurs poissons.

➥ EARL Vignobles M.-C. Dugoua, Ch. du Grand Abord, 33640 Portets, tél. 05.56.67.22.79, fax 05.56.67.22.23 ☑ ⵎ r.-v.

CH. DU GRAND BOS 1998★

☐ 0,8 ha 2 600 ❚❚▶ 50 à 69 F

Affichant ses ambitions par son étiquette numérotée, ce vin, issu d'un petit vignoble appartenant à une vaste unité (40 ha), annonce qu'il entend les tenir. Fermentation et élevage en barrique avec bâtonnage sur lies ont duré huit mois. Ce 98 a une belle présentation. Accompagnées par un bois bien dosé, ses qualités aromatiques (richesse et complexité) et gustatives (souplesse et gras) montrent une grande élégance. Le **rouge 97**, également numéroté, a obtenu une citation. Ses tanins très souples suggèrent de le servir sur une viande blanche pendant un an ou deux.
🕿 SCEA du Ch. du Grand Bos, 33640 Castres, tél. 05.56.67.39.20, fax 05.56.67.16.77 ☛ r.-v.
🕿 Vincent

CH. GRAND MOUTA
Elevé en fût de chêne 1997

■ 1 ha 6 000 ❚❚▶ 30 à 49 F

Appartenant à la gamme des vins proposés par les vignobles Latrille-Bonnin, cette cuvée élevée en fût se montre fort plaisante par sa puissance aromatique, aux jolies notes de mie de pain chaud. La bouche empyreumatique demande un à deux ans de garde.
🕿 SCEA Dom. Latrille-Bonnin, Ch. Petit-Mouta, 33210 Mazères, tél. 05.56.63.41.70, fax 05.56.76.83.25 ☛ t.l.j. 9h-12h 14h-19h
🕿 GFA Brion

CH. DES GRAVIERES
Collection Prestige Elevé en fût 1998★

■ 7,8 ha 60 000 ■❚❚▶♨ 30 à 49 F

Assez original par son encépagement (à 90 % de merlot), ce vin appartenant à la cuvée Prestige, élevée en fût, porte encore la marque du bois ; mais celui-ci ne nuit en rien à l'harmonie de l'ensemble. Souple et bien constitué, il est servi par son expression aromatique, puissante et complexe avec des notes allant des fruits noirs au sous-bois.
🕿 Labuzan, Ch. des Gravières, Le Mirail, 33640 Portets, tél. 05.56.67.15.70, fax 05.56.67.07.50 ☛ r.-v.

CH. HAUT-GRAVIER 1999★

☐ 5 ha 17 000 ❚❚▶ 20 à 29 F

Vendanges manuelles, table de tri, ce cru ne ménage pas ses efforts pour favoriser la qualité. Ce travail a été récompensé avec ce 99, qui déploie une belle robe jaune-vert avant de développer un bouquet d'agrumes et de muscat. Le palais, équilibré et complexe, offre de chaleureuses notes exotiques accompagnées d'un boisé présent mais élégant.
🕿 Jean-Claude Labat, Téouley, 33720 Illats, tél. 05.56.62.54.17, fax 05.56.62.54.17 ☛ r.-v.

CH. HAUT SELVE 1997★

■ 50 ha 150 000 ❚❚▶ 70 à 99 F

Belle réussite pour le millésime, ce vin témoigne des progrès effectués ces derniers temps par les crus du secteur de Saint-Selve : d'une belle robe grenat, il confirme son potentiel par un joli bouquet de fruits rouges et de cuir. Soutenu par une bonne structure tannique, le palais s'inscrit

dans la continuité de la présentation par son expression aromatique aux notes de fruits rouges. Vrai vin plaisir, dont la structure harmonieuse soutient de sympathiques arômes de beurre et de fruits secs, le **blanc 98** a également obtenu une étoile (50 à 69 F).
🕿 SCA Branda et de Cadillac, Ch. Haut Selve, 33650 Saint-Selve, tél. 05.56.20.29.25, fax 05.56.78.47.63 ☛ r.-v.
🕿 Lesgourgues

CH. HURADIN 1999★

☐ 5,5 ha 4 000 ■ 30 à 49 F

Le sémillon (40 %) accompagne le sauvignon dans cette jolie bouteille. Paille clair, le vin est franc ; ses parfums de pamplemousse, de citron, d'ananas et de buis se retrouvent en bouche. Celle-ci se montre vive, fraîche et plaisante.
🕿 SCEA Vignobles Y. Ricaud-Lafosse, Ch. Huradin, 33720 Cérons, tél. 05.56.27.09.97, fax 05.56.27.09.97 ☛ r.-v.
🕿 Catherine Lafosse

CH. JOUVENTE
Elevé en fût de chêne 1998★

■ 5,5 ha 23 000 ❚❚▶ 30 à 49 F

Acquis à la fin des années 1980 et agrandi depuis par un Champenois, René Gruet, ce cru semble avoir trouvé son rythme de croisière. D'une agréable présentation, avec une robe à reflet violine et un bouquet aux notes de confiture et de caramel, ce 98 ne déçoit pas par la suite. Rond et élégant, il est soutenu par des tanins bien extraits qui lui assureront une bonne évolution d'ici trois à quatre ans.
🕿 SEV René Gruet, Le Bourg, 33720 Illats, tél. 05.56.62.49.69, fax 05.56.27.16.76 ☛ r.-v.

CH. LA BLANCHERIE 1998

☐ 12,54 ha 60 000 ■♨ 30 à 49 F

Né à 2 km du château de Montesquieu, ce cru assemble 45 % de sauvignon à 50 % de sémillon et à 5 % de muscadelle. Ce vin or à reflet vert peut surprendre par sa richesse, voire sa lourdeur à l'attaque ; mais la fraîcheur de la finale et du bouquet le fait oublier.
🕿 Françoise Coussié, La Blancherie, 33650 La Brède, tél. 05.56.20.20.39, fax 05.56.20.35.01 ☛ r.-v.

CH. DE LA GRAVELIERE 1999

☐ 6 ha 7 000 ■ 30 à 49 F

Elaboré en macération pelliculaire à partir de 70 % de sauvignon et de 30 % de sémillon nés sur un sol de graves sur sous-sol calcaire, ce vin révèle une matière bien construite et d'agréables arômes de genêt, d'acacia, d'agrumes et de fruits de la Passion.
🕿 Bernard Réglat, Ch. de La Mazerolle, 33410 Monprimblanc, tél. 05.56.62.98.63, fax 05.56.62.17.98, e-mail reglat.bernard@wanadoo.fr ☛ r.-v.

CH. DE LA MOTTE
Elevé en fût de chêne 1998★

☐ 1,07 ha 7 500 ❚❚▶ 50 à 69 F

S'il peut être fier de la chartreuse XVIIIᵉ qui le commande, ce cru n'a pas à rougir de son 98 blanc : à un bouquet aux fraîches notes de litchi et d'autres fruits exotiques sur fond de fruits secs, il ajoute un palais solidement bâti, d'une bonne expression aromatique (fleurs et fruits exotiques).

↬ SCEA Marie-Christine Moulin, Ch. de La Motte, 33640 Ayguemorte-les-Graves, tél. 05.56.67.18.55, fax 05.56.86.69.65 ☑ ⍊ r.-v.

CH. DE LANDIRAS 1997★★

◼ 2 ha · 8 000 · ⦀ 70 à 99 F

Vaste domaine de 75 ha (dont 26 ha de vignes), ce cru est l'héritier d'une forteresse médiévale dont subsiste une barbacane. Elevé en fût, ce vin offre un bel exemple de 97 bien réussi. Intense et complexe, le bouquet évolue du cassis et de la cannelle à la confiture et de roses. Plein et soutenu par une solide présence tannique, le palais affiche une jeunesse qui appellera une garde de quatre ou cinq ans.

↬ SCA Dom. La Grave, Ch. de Landiras, 33720 Landiras, tél. 05.56.62.44.70, fax 05.56.62.43.78, e-mail mail@chateau-de-landiras ☑ ⍊ r.-v.

↬ Vanquickelberghe

CH. LASSALLE 1998

◼ 4,12 ha · 24 000 · ⛴⬇ 30 à 49 F

Propriété familiale située à La Brède, ce cru propose avec ce 98 un vin qui marque sa personnalité d'une note épicée aussi sensible au bouquet qu'au palais. Celui-ci possède des tanins déjà souples à l'attaque mais plus austères en finale. A attendre un an ou deux.

↬ Louis Michel Labbé, 7, allée Lassalle, 33650 La Brède, tél. 05.56.20.20.19, fax 05.56.78.42.75 ☑ ⍊ t.l.j. sf dim. 9h-12h 14h-18h

CH. LA TUILERIE PEYROUX 1998

☐ 1,5 ha · 1 800 · ⛴⬇ 30 à 49 F

D'une belle présentation et délicatement bouqueté, ce vin marie à parts égales sauvignon et sémillon. C'est au palais qu'il manifeste pleinement toute la fraîcheur et l'élégance de sa personnalité.

↬ Eric Lavie, Peyrous, 33210 Mazères, tél. 05.56.76.26.64, fax 05.56.76.27.64 ☑ ⍊ t.l.j. sf sam. dim. 8h-12h30 14h-19h

CH. LA VIEILLE FRANCE
Cuvée Marie 1998★★

☐ 1 ha · 6 000 · ⦀ 70 à 99 F

Macération pelliculaire, fermentation en barrique, élevage sur lies, bâtonnage hebdomadaire... aucun effort n'a été épargné dans l'élaboration de cette cuvée. Le résultat est à la hauteur des espérances avec ce vin au bouquet expressif (beurre, fruits exotiques et agrumes) et au palais gras, ample et harmonieux. Autres productions du cru, le **Château La Vieille France rouge 97** (50 à 69 F), souple et à boire, et le **Château Cadet La Vieille France rouge 98** (30 à 49 F), très typé graves par sa concentration, ont obtenu chacun une étoile.

↬ Michel Dugoua, Ch. La Vieille France, 1, chem. du Malbec, 33640 Portets, tél. 05.56.67.19.11, fax 05.56.67.17.54, e-mail vieille.france.dugoua@wanadoo.fr ☑ ⍊ r.-v.

TENTATION
DU CH. LE BOURDILLOT 1998★★

◼ 2 ha · 12 000 · ⦀ 50 à 69 F

Issue d'un vignoble se partageant également entre le cabernet-sauvignon et le merlot, cette cuvée possède une matière dont la puissance et la complexité sont garants d'une bonne évolution ; la robe déjà annonce par sa couleur sombre et profonde un réel potentiel, tout comme le bouquet aux notes raffinées de baies sauvages et de fruits noirs confits. Un séjour en cave de trois ou quatre ans est à conseiller. La **cuvée Prestige rouge 98**, également élevée en fût, a obtenu une étoile.

↬ Vignobles Patrice Haverlan, 11, rue de l'Hospital, 33640 Portets, tél. 05.56.67.11.32, fax 05.56.67.11.32, e-mail patrice.haverlan@worldonline.fr ⍊ r.-v.

CH. LE CHEC 1998★★

☐ 2,5 ha · 9 000 · ⦀ 30 à 49 F

Depuis 1987, le sérieux des méthodes de travail sur ce cru porte ses fruits : drapé dans une robe brillante, ce vin a l'art de se présenter avec un bouquet dont la complexité va du litchi à la rose, en passant par le muscat et les amandes grillées. Souple, gras, long et puissant, le palais fait preuve d'un grand sens de l'équilibre et d'une belle richesse aromatique (figue et fruits exotiques). Bien typée graves, cette bouteille pourra être bue jeune ou attendue pendant quelques années.

↬ Christian et Sylvie Auney, La Girotte, 33650 La Brède, tél. 05.56.20.31.94, fax 05.56.20.31.94 ☑ ⍊ r.-v.

CH. LEHOUL 1999★

☐ 1 ha · 4 000 · ⛴⬇ 30 à 49 F

Ce cru d'une dizaine d'hectares propose un graves sec issu du seul sauvignon. Il est de bonne tenue. Ses parfums élégants aux nuances d'agrumes et sa fraîcheur en bouche où l'on trouve des notes d'acacia et de buis le rendent plaisant dès aujourd'hui.

↬ EARL Fonta et Fils, rte d'Auros, 33210 Langon, tél. 05.56.63.17.74, fax 05.56.63.06.06 ☑ ⍊ r.-v.

CH. DE L'EMIGRE 1998

☐ 2,6 ha · 7 200 · ⛴⬇ 30 à 49 F

Venu de Cérons, appellation de liquoreux, voici un graves sec à la très jolie robe pâle, brillante, à reflet vert. Son bouquet est éclatant, fruité, plutôt exotique et un peu sauvage. Alerte en bouche, il sauvignonne, ce qui plaira aux fruits de mer.

↬ Pierrette Despujols, Ch. de l'Emigré, 33720 Cérons, tél. 05.56.27.01.64, fax 05.56.27.13.70 ☑ ⍊ r.-v.

CH. LE PAVILLON DE BOYREIN 1998

◼ 13 ha · 100 000 · ⛴⦀ 30 à 49 F

Jouissant d'un beau point de vue sur la vallée de la Garonne, ce cru occupe un territoire qui appartint au pape bordelais Clément V (1305-1314). Ce vin fait preuve d'une réelle finesse aromatique, le bouquet comme le palais mariant des notes fruitées (fruits rouges) et épicées. Les tanins bien fondus engagent à ouvrir cette bouteille dès à présent. Le **blanc 99** (20 à 29 F) a de jolis arômes (jacinthe, mangue...) et du caractère ; il obtient une citation.

➥ SCEA Vignobles Pierre Bonnet, Le Pavillon de Boyrein, 33210 Roaillan, tél. 05.56.63.24.24, fax 05.56.62.31.59 ☑ ⏣ r.-v.

CH. LES CLAUZOTS 1998★

| ■ | 14 ha | 60 000 | ⏹ ⏣ ⏬ | 30 à 49 F |

Habitué du Guide avec sa cuvée Maxime, ce cru présente ici sa production principale. Affirmant sa jeunesse par sa robe, celle-ci est une bonne ambassadrice du domaine, tant par son bouquet, dont on devine la complexité future, que par sa structure, grasse et charpentée. Une jolie bouteille, à attendre trois à quatre ans.

➥ Frédéric Tach, Vignobles de Bordeaux, B.P. 114, 33210 Saint-Pierre-de-Mons, tél. 05.56.63.19.34, fax 05.56.63.21.60, e-mail lvb.sica.@libertysurf.fr ☑ ⏣ r.-v.

CH. LE TUQUET 1997★

| ■ | 35 ha | 100 000 | ⏹ | 30 à 49 F |

Authentique chartreuse du XVIIIᵉs. à laquelle conduit une longue allée traversant les vignes, ce château forme une belle unité dont la production est régulière en qualité. Fort réussi, ce 97 témoigne du savoir-faire de l'équipe de Paul Ragon. D'une bonne complexité dans son expression aromatique, il développe une solide structure avant de laisser le dégustateur sur le souvenir d'une finale élégante. **Elevé en fût de chêne, le blanc 98** (50 à 69 F) a également obtenu une étoile.

➥ GFA du Ch. Le Tuquet, Ch. Le Tuquet, 33640 Beautiran, tél. 05.56.20.21.23, fax 05.56.20.21.83 ☑ ⏣ r.-v.

➥ Paul Ragon

CH. DE L'HOSPITAL 1997★★

| ■ | 10 ha | 45 000 | ⏹ | 70 à 99 F |

Fidèle à sa réputation, ce cru propose un 97 étonnant. Ce vin se distingue par sa complexité aromatique qui évoque le café, la violette, le pruneau, la fumée, le grillé et le gibier. Très bien constituée, la structure s'appuie sur des tanins qui annoncent un joli potentiel de garde. Belle réussite, surtout pour ce millésime, cette bouteille mérite d'être attendue pendant quatre à cinq ans.

➥ SCS Vignobles Lafragette, Darrouban, 33640 Portets, tél. 05.56.67.54.73, fax 05.56.67.09.93 ☑ ⏣ r.-v.

CH. DE L'HOSPITAL 1998★★

| □ | 3 ha | 10 000 | ⏹ | 70 à 99 F |

S'annonçant par une jolie robe, jaune pâle à reflets dorés, ce vin, dont on devine qu'il méritera les honneurs de la cave, laisse apparaître un bouquet prometteur, avec des notes grillées que relaient des parfums de fruits. Frais, souple et corsé, le palais surprend par ses qualités qui se retrouvent dans la belle finale vanillée.

➥ SCS Vignobles Lafragette, Darrouban, 33640 Portets, tél. 05.56.67.54.73, fax 05.56.67.09.93 ☑ ⏣ r.-v.

DOM. DES LUCQUES 1998★★

| □ | 2,5 ha | n.c. | ⏹ | 50 à 69 F |

Du même producteur que le Château Le Bourdillot, ce vin est lui aussi de belle facture. Franc et frais, il développe un bouquet complexe avant de révéler une rondeur et beaucoup de gras. Une jolie bouteille à ouvrir sur des crustacés ou des plats en sauce. Le **rouge 98**, 90 % de merlot élevé en barrique, a obtenu une étoile. Il a des parfums d'une grande élégance mêlant fruits confits, musc, cuir, et une bouche charmeuse pleine d'avenir.

➥ Vignobles Patrice Haverlan, 11, rue de l'Hospital, 33640 Portets, tél. 05.56.67.11.32, fax 05.56.67.11.32, e-mail patrice.haverlan@worldonline.fr ☑ ⏣ r.-v.

CH. LUDEMAN LA COTE
Alix de Ludeman Elevé en fût de chêne 1998★

| ■ | 2,5 ha | 15 000 | ⏹ | 50 à 69 F |

Venue du sud de l'appellation, cette cuvée, élevée en fût neuf, demande encore à être attendue environ trois ans pour que le bois puisse se fondre. Mais celui-ci respecte la matière dont la structure possède un bon potentiel. Le bouquet, aux notes épicées et fumées, et la finale se distinguent par leur jeunesse. Du même producteur, **Le Clos Les Majureaux rouge 98** élevé en cuve (30 à 49 F) s'est vu attribuer une citation.

➥ SCEA Chaloupin-Lambrot, Ludeman, 33210 Langon, tél. 05.56.63.07.15, fax 05.56.63.48.17, e-mail mbelloc-ludeman@wanadoo.fr ☑ ⏣ r.-v.

CH. MAGENCE Elevé en fût de chêne 1997

| ■ | n.c. | 4 000 | ⏹ | 30 à 69 F |

Vaste domaine de 55 ha, Magence était déjà doté d'un grand vignoble au XVIIIᵉs. Ce 97 a fait l'objet d'un élevage de dix mois en barrique. Il reste équilibré, marqué par des arômes assez sauvages. A attendre un an ou deux.

➥ Ch. Magence, 33210 Saint-Pierre-de-Mons, tél. 05.56.63.07.05, fax 05.56.63.41.42, e-mail magence@magence.com ☑

CH. MAGNEAU
Cuvée Julien Elevé en fût de chêne 1998★★

| □ | 5 ha | 7 000 | ⏹ | 50 à 69 F |

Belle unité, ce cru jouit d'un terroir de qualité, que s'attachent à mettre en valeur les Ardurats, une famille d'authentiques hommes du vin girondins. Leur cuvée Julien est le produit d'une sélection parcellaire ; elle assemble 60 % de sémillon au sauvignon. Ce 98 blanc est d'une fort belle tenue. Le jury a aimé son bouquet, mariage réussi de fleurs, d'agrumes et de légères notes boisées, comme sa structure sans aspérité qui soutient avec élégance d'agréables arômes de fruits exotiques et de pêche blanche. Très bien construits également, le **Château Magneau rouge 98** (50 à 69 F) et le **Château Magneau blanc 99** (30 à 49 F), du même producteur, ont obtenu une étoile.

➥ Henri Ardurats et Fils, GAEC des Cabanasses,12, chem. Maxime-Ardurats, 33650 La Brède, tél. 05.56.20.20.57, fax 05.56.20.39.95, e-mail ardurats@chateau-magneau.com ☑ ⏣ t.l.j. 9h-12h 14h-18h; sam. dim. sur r.-v.

BORDELAIS

M. DE MALLE 1998★

☐　　　3 ha　　　n.c.　　⦿ 50 à 69 F

Issu des vignobles de graves du prestigieux château sauternais du XVIIᵉs., assemblant 70 % de sauvignon au sémillon, ce 98 se montre à la hauteur de ses nobles origines. Il offre un beau bouquet mêlant des notes de bois au pain grillé et aux agrumes. Sa structure puissante et grasse est tout aussi complexe.
☛ Comtesse de Bournazel, Ch. de Malle, 33210 Preignac, tél. 05.56.62.36.86, fax 05.56.76.82.40, e-mail chateaudemalle@wanadoo.fr ☑ ⴲ r.-v.

CH. DU MAYNE 1998

☐　　　5 ha　　　29 000　　⦿ 30 à 49 F

Un petit château de style Empire, construit en 1849, commande ce vignoble qui a assemblé 4 % de muscadelle à 66 % de sauvignon et à 30 % de sémillon. Ce vin révèle de jolis arômes d'agrumes et de fruits exotiques qui s'associent à la rondeur de la structure pour former un ensemble intéressant. Une bouteille à ouvrir assez tôt avant de la boire.
☛ Jean-Xavier Perromat, Ch. de Cérons, 33720 Cérons, tél. 05.56.27.01.13, fax 05.56.27.22.17 ☑ ⴲ r.-v.

CH. MAYNE DU CROS 1998★

☐　　　4 ha　　　9 670　　⦿ 50 à 69 F

Propriété d'un œnologue, ce cru reste fidèle à sa tradition avec ce joli vin. Déjà plaisant, il pourra être attendu pendant un an ou deux : son bouquet, d'une bonne complexité (abricot confit, figue sèche et toast), et son palais, riche et vif, s'accordent avec la longue finale pour laisser au dégustateur une impression des plus favorables.
☛ SA Vignobles M. Boyer, Ch. du Cros, 33410 Loupiac, tél. 05.56.62.99.31, fax 05.56.62.12.59, e-mail contact@chateauducros.com ☑ ⴲ t.l.j. sf sam. dim. 8h-12h 14h-18h

CH. MAYNE-LEVEQUE 1998★★

☐　　　15 ha　　　100 000　　⦿ 30 à 49 F

Du même producteur que le Château de Chantegrive, ce vin n'est pas avare de sensations au bouquet, avec de belles notes de pêche blanche. Mais c'est au palais qu'il trouve sa pleine expression. Attaquant avec beaucoup de moelleux, il évolue vers plus de vivacité tandis que se développent les arômes de sauvignon (buis). Une longue finale clôt heureusement ce parcours sans faute. Un vin de coquillages mais aussi de poissons fins (turbot à la crème).
☛ Françoise et Henri Lévêque, Ch. de Chantegrive, 33720 Podensac, tél. 05.56.27.17.38, fax 05.56.27.29.42, e-mail courrier@chateau.chantegrive.com ☑ ⴲ t.l.j. sf dim. 8h-12h 14h-18h

CH. MOUTIN 1997★★

■　　　3 ha　　　10 000　　⦿ 70 à 99 F

L'originalité de l'encépagement, avec 80 % de merlot, se lit dans le bouquet de ce vin, dont les parfums de fruits rouges résistent victorieusement au bois. Celui-ci est encore présent au palais, mais une solide structure tannique et une

longue finale se chargent de garantir un potentiel de garde (de cinq à dix ans) largement suffisant pour permettre au merrain de se fondre. Une bien jolie bouteille en perspective.
☛ SC Jean Darriet, Ch. Dauphiné-Rondillon, 33410 Loupiac, tél. 05.56.62.61.75, fax 05.56.62.63.73, e-mail vignoblesdarriet@wanadoo.fr ☑ ⴲ t.l.j. 8h-12h 14h-18h; sam. dim. sur r.-v.

CH. PERIN DE NAUDINE 1997★

■　　　6,25 ha　　　27 000　　🍾⦿♦ 30 à 49 F

Premier millésime entièrement produit par Olivier Colas, ancien banquier international ayant acheté cette belle chartreuse en 1996, ce vin est fort prometteur pour l'avenir de ce cru. Délicatement bouqueté, il développe une bonne structure, ronde et corsée, avec des tanins bien fondus. Une bouteille harmonieuse à garder en cave pendant trois ou quatre ans. Le **blanc 98** a obtenu une citation.
☛ Ch. Périn de Naudine, 8, imp. des Domaines, 33640 Castres, tél. 05.56.67.06.65, fax 05.56.67.59.68, e-mail chateauperin@wanadoo.fr ☑ ⴲ r.-v.
☛ Olivier Colas

CH. PEYREBLANQUE 1998★★

■　　　1,5 ha　　　7 000　　⦿ 50 à 69 F

Petit vignoble entièrement planté en cabernet-sauvignon, ce cru, appartenant à un négociant « d'outre-Garonne », jouit d'un bon terroir comme l'indique son nom (pierre blanche en gascon). D'une belle présentation, avec une robe cassis et un bouquet aux chauds parfums épicés, il montre par sa charpente et sa complexité qu'il méritera une garde de quatre à cinq ans.
☛ SCEA Jean Médeville et Fils, Ch. Fayau, 33410 Cadillac, tél. 05.57.98.08.08, fax 05.56.62.18.22 ☑ ⴲ t.l.j. sf sam. dim. 8h30-12h 14h-17h30

CH. PINSAN 1998★

■　　　n.c.　　　17 000　　🍾♦ 30 à 49 F

Proposé par une importante maison de négoce bordelaise, bien implantée dans les graves, ce vin associe une solide structure aux tanins fondus à de délicats arômes fruités. Apte à une garde de quelques années, cette bouteille pourra aussi être ouverte dans les deux ans à venir.
☛ Maison Sichel-Coste, 8, rue de la Poste, 33210 Langon, tél. 05.56.63.50.52, fax 05.56.63.42.28

CH. PONT DE BRION 1998★★

■　　　7 ha　　　35 000　　⦿ 50 à 69 F

Créée en 1987, cette étiquette regroupe les vignes les plus anciennes du cru. Le vin porte une belle robe sombre qui n'est pas trompeuse. Long et soutenu par de bons tanins, il est incontestablement destiné à la garde. Celle-ci permettra à sa complexité et à son élégance aromatiques de témoigner longtemps d'une vinification soignée. Le **blanc 98** a obtenu une citation.
☛ SCEA Molinari et Fils, Ludeman, 33210 Langon, tél. 05.56.63.09.52, fax 05.56.63.13.47, e-mail vignobles.molinari@wanadoo.fr ☑ ⴲ r.-v.

CH. DE PORTETS 1998*

☐   3,13 ha   21 000 ▤ ⏸ ♨ 50 à 69 F

Le château de Portets est une magnifique demeure du XVIII°s., précédée d'une remarquable grille en fer forgé. L'étiquette reproduit cet ensemble architectural. Les familiers de ce cru retrouveront ce millésime les caractéristiques propres à ce vin : beaucoup de souplesse et des arômes délicats de fleurs et de noisette. Longue et vive, la finale conclut heureusement cette agréable dégustation.
☛SCEA Théron-Portets, Ch. de Portets, 33640 Portets, tél. 05.56.67.12.30, fax 05.56.67.33.47, e-mail vignobles.theron@wanadoo.fr ☑ ⊺ r.-v.
☛ Jean-Pierre Théron

CH. PRIEURE LES TOURS 1998*

■   12 ha   96 000   50 à 69 F

Issu d'une vaste propriété comprenant plusieurs crus, ce vin, d'une belle teinte, développe des tanins bien extraits pour donner un ensemble élégant et dense dont l'harmonie se retrouve dans la longue finale. Souple, gras et fin (fleurs blanches et noisette), le **blanc 98** (30 à 49 F) a également obtenu une étoile.
☛ Domaines de La Mette, 33640 Portets, tél. 05.56.67.18.18, fax 05.56.67.53.66 ⊺ r.-v.

CH. RAHOUL 1998**

☐   2 ha   11 300   ⏸⏸ 70 à 99 F

Valeur sûre, ce cru tient son rôle avec ce superbe millésime. S'il n'exprime pas d'emblée sa personnalité, il sait ensuite la rendre particulièrement attachante : d'une agréable robe entre blanc et vert pâle, il reste d'abord discret sur le plan aromatique puis laisse apparaître de jolies notes fruitées sur fond boisé. Frais, équilibré et bien structuré, le palais offre de solides promesses de garde (quatre ans et plus) : un grand vin en devenir. Le **Château Constantin blanc 98**, bien typé graves (30 à 49 F), obtient une étoile. Il ne connaît pas la barrique et se livre déjà avec élégance.
☛ Alain Thienot, Ch. Rahoul, rte du Courneau, 33640 Portets, tél. 05.56.67.01.12, fax 05.56.67.02.88 ☑ ⊺ r.-v.

CH. RESPIDE-MEDEVILLE 1998*

☐   5,4 ha   18 000   ⏸⏸ 70 à 99 F

Une belle croupe argilo-graveleuse, une demeure littéraire (François Mauriac l'évoque), une famille passionnée par l'univers du vin. Sémillon, sauvignon, muscadelle, ici on est loin de la mode du monocépage. Rien d'étonnant d'y voir naître des vins comme ce joli 98, aux frais

arômes floraux et à la savoureuse finale. « Un style intéressant », note l'un de nos plus sévères experts. Le **rouge 97** a obtenu une citation.
☛Christian Médeville, Ch. Gilette, 33210 Preignac, tél. 05.56.76.28.44, fax 05.56.76.28.43, e-mail christian.medeville@wanadoo.fr ☑ ⊺ r.-v.

DOM. DU REYS 1997

■   5,87 ha   7 000   ▤ ♨ 30 à 49 F

Ce vin sait se rendre intéressant : une belle robe grenat, un bouquet complexe, une bonne matière et une finale agréable montrent qu'il possède des réserves d'évolution.
☛ Pouey International, chem. de Gaillardas, Jeansotte, 33650 Saint-Selve, tél. 05.56.78.49.10, fax 05.56.78.49.11, e-mail pouey.international.fr ☑ ⊺ r.-v.

CH. DE ROLLAND
Elevé en fût de chêne 1998*

☐   4 ha   6 000   ⏸⏸ 30 à 49 F

Né sur un petit vignoble dépendant du château de Rolland, ce vin porte fièrement la marque du sémillon bien mûr (70 % de l'encépagement). Rond, vif et charnu, l'ensemble est fort plaisant par sa typicité. « Une escalope de truite aux morilles lui conviendrait », nous dit-on.
☛Vignobles de Bordeaux, Saint-Pierre-de-Mons, 33212 Langon Cedex, tél. 05.56.63.19.34, fax 05.56.63.21.60, e-mail lvb.sica@libertysurf.fr ☑ ⊺ r.-v.

CH. FORT DE ROQUETAILLADE 1998*

☐   10 ha   n.c.   ▤ ♨ 30 à 49 F

Le privilège de naître dans un authentique château féodal impose des devoirs. Ce 98 de belle facture s'en acquitte brillamment : d'une avenante couleur jaune à reflet vert, il déploie un bouquet complexe et un palais vif, souple et gras. Un vin friand qui a su conserver sa jeunesse.
☛VBC SA Ch. de Roquetaillade, 33210 Mazères, tél. 05.56.76.14.16, fax 05.56.76.14.61 ☑ ⊺ r.-v.

CH. ROQUETAILLADE LA GRANGE 1999*

☐   12 ha   80 000   ⏸⏸ 30 à 49 F

Ancien vignoble du château médiéval, ce cru a pris son autonomie en 1962. C'est une belle unité située sur l'un des points culminants de l'appellation. Ce cru reste fidèle à sa tradition de qualité avec ce 99 ; débutant par des parfums de fruits exotiques, il évolue au palais sur des notes plus acidulées avant de révéler pleinement son caractère, rond et typique.
☛GAEC Guignard Frères, Ch. Roquetaillade La Grange, 33210 Mazères, tél. 05.56.76.14.23, fax 05.56.62.30.62, e-mail contact@roquetaillade.com ☑ ⊺ r.-v.

CH. ROUGEMONT 1998**

☐   n.c.   n.c.   ▤ 20 à 29 F

L'année 1998 est à marquer d'une pierre blanche pour ce cru, qui a fait un spectaculaire bond en avant. Frais et élégant, ce vin est dynamique et bien structuré, particulièrement agréable, par la complexité de son bouquet aux fines notes fruitées, fleuries et beurrées. Le **rouge 97** (30 à 49 F) a obtenu une citation ; si ses tanins se montrent encore austères, les saveurs de fruits rouges sont assez subtiles.

↬ Dominique Turtaut, Rougemont, 33210 Toulenne, tél. 05.56.76.22.77, fax 05.56.76.22.74 ☑ ⟂ r.-v.

CH. SAINT-JEAN-DES-GRAVES
1998★★

■	10 ha	n.c.	▭ 50 à 69 F

Dépendant d'un domaine sauternais, ce cru propose ici un authentique vin de garde. La puissance du bouquet, la souplesse de l'attaque, où l'on sent la marque du merlot (70 % de l'encépagement), la complexité des arômes aux belles notes grillées, la qualité des tanins et l'équilibre du palais, tout contribue à donner un ensemble généreux et plein de fougue, qui demandera et méritera une garde de quatre ou cinq ans, voire plus.

↬ SCEA J. David, Ch. Liot, 33720 Barsac, tél. 05.56.27.15.31, fax 05.56.27.14.42 ☑ ⟂ r.-v.

CH. SAINT-ROBERT
Cuvée Poncet-Deville 1998★★

■	4 ha	25 000	⦀ 70 à 99 F
	89		90	92	93		94	95 96 97 98			

Cuvée élevée en fût treize mois avec maîtrise, assemblant 70 % de merlot au cabernet-sauvignon, ce vin est bien dans l'esprit bordeaux, la quête de la puissance et du potentiel ne se faisant pas au détriment de l'harmonie. Certes, le bois est toujours présent, mais il n'empêche ni les fruits d'annoncer leur venue au bouquet ni la matière d'indiquer clairement par ses tanins bien fondus que cette bouteille trouvera une place de choix à la cave. Après une garde de deux à cinq ans, elle accompagnera gibier ou magret de canard. Finement bouquetée mais moins puissante, la **cuvée principale rouge 98** (50 à 69 F) a obtenu une étoile.

↬ SCEA Vignobles Bastor et Saint-Robert, Dom. de Lamontagne, 33210 Preignac, tél. 05.56.63.27.66, fax 05.56.76.87.03, e-mail bastor.lamontagne@dial.oleane.com ☑ ⟂ r.-v.
↬ Foncier-Vignobles

CH. SAINT-ROBERT
Cuvée Poncet-Deville 1998★★

☐	2 ha	12 000	⦀ 50 à 69 F

Le voisinage du pays des grands liquoreux aurait-il influencé ce vin ? En tout cas, son bouquet, intense et élégant, n'est pas sans les rappeler par de jolies notes d'amande grillée et de noisette. Gras, amples et d'une grande richesse aromatique, le palais et la finale ne sont pas en reste et laissent le dégustateur sur le souvenir d'agréables flaveurs de mandarine confite. La **cuvée principale blanc 98** (30 à 49 F) a obtenu une citation.

↬ SCEA Vignobles Bastor et Saint-Robert, Dom. de Lamontagne, 33210 Preignac, tél. 05.56.63.27.66, fax 05.56.76.87.03, e-mail bastor.lamontagne@dial.oleane.com ☑ ⟂ r.-v.

CH. DU SEUIL 1999★★

☐	6 ha	30 000	⦀ 50 à 69 F

Habitué du Guide, ce cru se distingue une fois encore avec son graves blanc. Frais et harmonieux d'un bout à l'autre de la dégustation, son 98 fait preuve d'une grande générosité aromatique, avec des notes de grillé, de sureau, d'acacia et de pamplemousse rose. Point d'orgue de sa belle prestation, la finale est aussi longue que fraîche et vive. A boire jeune, le **rouge 97** s'est vu attribuer une citation.

↬ Ch. du Seuil, 33720 Cérons, tél. 05.56.27.11.56, fax 05.56.27.28.79, e-mail chateau-du-seuil@wanadoo.fr ☑ ⟂ r.-v.
↬ T.-R. Watts

CH. SIMON 1997

■	5 ha	24 000	▮⦀⧋ 50 à 69 F

Sans être très ambitieux, ce vin, marqué par le millésime, se montre aimable et plaisant, avec une jolie petite structure qui soutient bien une expression aromatique intéressante, notamment par ses notes de gibier.

↬ EARL Dufour, Ch. Simon, 33720 Barsac, tél. 05.56.27.15.35, fax 05.56.27.24.79 ☑ ⟂ r.-v.

CH. TOUR DE CALENS
Elevé en fût de chêne 1999★

☐	1,1 ha	8 600	▮⦀⧋ 30 à 49 F

Ce vin reste sans doute assez confidentiel mais cela ne l'empêche pas de faire preuve de caractère avec une belle charpente, du gras et de délicats arômes d'agrumes et d'ananas.

↬ Bernard et Dominique Doublet, Ch. Tour de Calens, 33640 Beautiran, tél. 05.57.24.12.93, fax 05.57.24.12.83 ☑ ⟂ r.-v.

CH. TOUR DE CLUCHON 1998★

■	5 ha	36 000	▮⧋ 30 à 49 F

Issu d'un vignoble de taille modeste mais appartenant à une vaste unité de 63 ha, ce vin, aux tanins souples et bien équilibrés, fait preuve, jusqu'en finale, d'une certaine générosité dans son expression aromatique aux notes de fruits rouges.

●┑SCEA Counilh et Fils, 51-53, rte des Graves, 33640 Portets, tél. 05.56.67.18.61, fax 05.56.67.32.43, e-mail gervais@caves-particulières.com ☑ ☎ t.l.j. 9h-12h 14h-18h, sam. dim. et groupes sur r.-v.

CH. TREBIAC 1998*

| ■ | 3,5 ha | 25 000 | ▌ | 50 à 69 F |

Appartenant à un domaine issu d'un ancien prieuré, ce cru se montre sérieux : son 98 possède une solide charpente tannique et garde le côté sympathique du bouquet particulier des graves - sous-bois, fruits rouges, terre chaude. De son côté, le **Château Crabitey rouge 98 cuvée spéciale élevée en fût de chêne** a obtenu une citation. Marqué par le merrain, le vin offre des notes empyreumatiques, toastées. À attendre trois ans.
●┑Ass. Les Amis de la Chartreuse de Seillon, 63, rte du Courneau, 33640 Portets, tél. 05.56.67.18.64, fax 05.56.67.14.73

VIEUX CHATEAU GAUBERT 1998**

| ■ | 25 ha | 60 000 | ◖▮ | 70 à 99 F |

83 85 86 87 |88| |89| |90| 91 |93| 94 95 97 98

Une nouvelle fois, ce cru se distingue par la qualité de sa production avec ce superbe 98 dont la robe annonce le potentiel de garde. Évoluant de notes grillées et torréfiées à des touches poivrées, le bouquet confirme cette impression première. Ample dès l'attaque, le palais révèle une solide présence tannique et une bonne matière que soutient tout en la respectant un bois bien dosé. Très harmonieuse, cette bouteille est à attendre de trois à cinq ans. Moins complexe mais également de garde, le second vin du cru, le **Benjamin de Vieux Château Gaubert rouge 98** (50 à 69 F), a obtenu une étoile.
●┑Dominique Haverlan, Vieux Château Gaubert, 33640 Portets, tél. 05.56.67.52.76, fax 05.56.67.52.76 ☑ ☎ r.-v.

VIEUX CHATEAU GAUBERT 1999**

| □ | 6 ha | 25 000 | ◖▮ | 70 à 99 F |

(89) 90 91 |92| 93 |94| |95| |96| |98| 99

D'un beau jaune pâle, ce 99, issu de 55 % de sémillon et de 45 % de sauvignon, est un vin complet, dont la bonne constitution met parfaitement en valeur l'expression aromatique. D'une grande élégance tant au bouquet qu'au palais, ses parfums composent un cocktail complexe où les fruits blancs côtoient la vanille.
●┑Dominique Haverlan, Vieux Château Gaubert, 33640 Portets, tél. 05.56.67.52.76, fax 05.56.67.52.76 ☑ ☎ r.-v.

CH. VILLA BEL-AIR 1998**

| ■ | 24 ha | 180 000 | ◖▮ | 50 à 69 F |

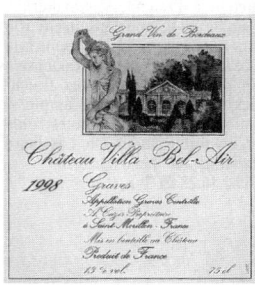

Ici le château, une élégante chartreuse du XVIIIᵉs., exige un vin qui puisse être un authentique porte-drapeau de l'appellation. C'est chose faite avec ce 98 qui s'appuie sur un bouquet frais et concentré et concilie la richesse de la matière avec la finesse des saveurs. Aussi charmeuse que prometteuse, cette bouteille pourra être ouverte immédiatement ou après un séjour en cave de quatre ou cinq ans. Bien équilibré et d'une belle complexité aromatique, le **blanc 99** a obtenu une étoile.
●┑Jean-Michel Cazes, Ch. Villa Bel-Air, 33650 Saint-Morillon, tél. 05.56.20.29.35, fax 05.56.78.44.80 ☎ r.-v.

CH. VILLEFRANCHE 1997*

| ■ | 5 ha | 15 000 | ▌◖▮ ♦ | 30 à 49 F |

Entré l'an dernier dans le Guide, ce cru confirme sa prestation cette année avec ce 97 fort réussi pour le millésime. S'annonçant par une robe intense, ce vin développe un bouquet tout en nuances, avec des notes grillées mêlées de sous-bois. Rond, souple et équilibré, le palais met en valeur de fins arômes fruités.
●┑Benoît Guinabert, Ch. Villefranche, 33720 Barsac, tél. 05.56.27.05.77, fax 05.56.27.33.02 ☑ ☎ r.-v.

Graves supérieures

CH. LEHOUL 1998*

| □ | 1,5 ha | 4 000 | ◖▮ | 50 à 69 F |

En matière de liquoreux, Lehoul est une valeur sûre et reconnue. Une fois encore, le cru confirme le bien-fondé de cette réputation : son 98 tient toutes les promesses d'une robe soutenue. Très agréable, son bouquet déploie de généreuses notes confites qui se marient avec bonheur aux parfums de miel, d'aubépine et d'acacia. Tout aussi complexe, le palais joue sur des touches de cire et de fumée pour soutenir une structure dont le volume, le gras, la texture et la surmaturation donnent un ensemble imposant.
●┑EARL Fonta et Fils, rte d'Auros, 33210 Langon, tél. 05.56.63.17.74, fax 05.56.63.06.06 ☑ ☎ r.-v.

BORDELAIS

CH. DE ROCHEFORT 1998★

☐   1,76 ha   2 000 ▮ ❙❚ ⬥ 30 à 49 F

Producteur à Preignac, en Sauternais, Jean-Christophe Barbe baigne dans un environnement où le liquoreux est roi. Cela se sent à la découverte de ce joli graves supérieures qui sait s'exprimer, tant par son bouquet, aux fraîches notes citronnées, que par son palais ample, équilibré et aromatique avec de belles notes confites.
☛Jean-Christophe Barbe, Ch. Laville, 33210 Preignac, tél. 05.56.63.28.14, fax 05.56.63.16.28 ☑ ⟟ r.-v.

Pessac-léognan

Correspondant à la partie nord des Graves (appelée autrefois Hautes-Graves), la région de Pessac et Léognan est aujourd'hui une appellation communale, inspirée de celles du Médoc. Sa création, qui aurait pu se justifier par son rôle historique (c'est l'ancien vignoble périurbain qui produisait les clarets médiévaux), s'explique par l'originalité de son sol. Les terrasses que l'on trouve plus au sud cèdent la place à une topographie plus accidentée. Le secteur compris entre Martillac et Mérignac est constitué d'un archipel de croupes graveleuses qui présentent d'excellentes aptitudes viti-vinicoles par leurs sols, composés de galets très mélangés, et par leurs fortes pentes. Celles-ci garantissent un très bon drainage. Les pessac-léognan présentent une grande originalité ; les spécialistes l'ont d'ailleurs remarquée depuis fort longtemps, sans attendre la création de l'appellation. Ainsi, lors du classement impérial de 1855, Haut-Brion fut le seul château non médocain à être classé (pre-

mier cru). Puis, lorsque, en 1959, 16 crus de graves furent classés, tous se trouvaient dans l'aire de l'actuelle appellation communale.

Les vins rouges (54 477 hl en 1999) possèdent les caractéristiques générales des graves, tout en se distinguant par leur bouquet, leur velouté et leur charpente. Quant aux blancs secs (14 280 hl en 1999), ils se prêtent tout particulièrement à l'élevage en fût et au vieillissement qui leur permet d'acquérir une très grande richesse aromatique, avec de fines notes de genêt et de tilleul.

CH. BOIS MARTIN 1997

▮   5 ha   30 000   ❙❚ 50 à 69 F

Acquis en 1997 par les Perrin (châteaux Carbonnieux et Le Sartre), ce cru va sûrement connaître d'importants changements dans les années à venir. Mais déjà, ce millésime indique que la base de départ est encourageante : frais, souple et délicatement bouqueté, avec de jolies notes fruitées, ce vin sera très plaisant à boire jeune.
☛GFA des Ch. Le Sartre et Bois Martin, 33850 Léognan, tél. 05.57.96.56.20, fax 05.57.96.59.19, e-mail chateau.carbonnieux@wanadoo.fr ☑ ⟟ r.-v.
☛ Perrin

CH. BOUSCAUT 1997★

▮ Cru clas.   39 ha   110 000   ❙❚ 100 à 149 F
76 79 80 **81** 82 83 84 **85** ⑧⑥ 87 |88| |89| |90| 91 92 |93| |94| 95 96 97

Rappelant par sa belle demeure du XVIIIᵉs., réhabilitée au cours des années 1970, l'importance du rôle joué par les parlementaires dans le développement du vignoble de Pessac-Léognan, cette propriété, dirigée par la fille de Lucien Lurton, propose ici un vin au beau potentiel de garde pour le millésime (de trois à cinq ans), dont la structure surprend par rapport à la tradition du domaine. Mais la finesse du bouquet et sa persistance restent dans l'esprit du cru.

LES CRUS CLASSÉS DES GRAVES

NOM DU CRU CLASSÉ	VIN CLASSÉ	NOM DU CRU CLASSÉ	VIN CLASSÉ
Château Bouscaut	en rouge et en blanc	Château La Mission-Haut-Brion	en rouge
		Château Latour-Haut-Brion	en rouge
Château Carbonnieux	en rouge et en blanc	Château La Tour-Martillac	en rouge et en blanc
Domaine de Chevalier	en rouge et en blanc	Château Laville-Haut-Brion	en blanc
		Château Malartic-Lagravière	en rouge et en blanc
Château Couhins	en blanc		
Château Couhins-Lurton	en blanc	Château Olivier	en rouge et en blanc
Château de Fieuzal	en rouge		
Château Haut-Bailly	en rouge	Château Pape-Clément	en rouge
Château Haut-Brion	en rouge	Château Smith-Haut-Lafitte	en rouge

•⊓SA Ch. Bouscaut, RN 113, 33140 Cadaujac, tél. 05.57.83.12.20, fax 05.57.83.12.21 ☑ ⊤ r.-v.
•⊓ Sophie Cogombles

CH. BOUSCAUT 1998

☐ Cru clas.   8 ha   26 000   ⫿⫿ 100 à 149 F
79 80 81 **82 83** 84 **85** 86 87 88 89 |90| **91 92** |93| 94 |95| |96| 97 |98|

Généreusement bouqueté, avec des notes de sauvignon mûr et de léger boisé, ce vin, plein et rond, équilibré, est également aromatique au palais. Un ensemble élégant et aimable.
•⊓SA Ch. Bouscaut, RN 113, 33140 Cadaujac, tél. 05.57.83.12.20, fax 05.57.83.12.21 ☑ ⊤ r.-v.

CH. BROWN 1998*

☐   3,34 ha   20 500   ⫿⫿ 100 à 149 F

Issu d'un vignoble à forte proportion de sauvignon (70 %), ce vin, fermenté et élevé en barrique, se montre des plus plaisants, tant par son expression aromatique aux élégantes notes de fleurs et de grillé que par sa vivacité et son équilibre. Un juré a écrit : « On prend beaucoup de plaisir à le déguster. » Egalement souple et frais, le second vin, **Le Colombier de Château Brown blanc 98** (50 à 69 F), a été cité par le jury.
•⊓SA Ch. Brown, allée John-Lewis-Brown, 33850 Léognan, tél. 05.56.87.08.10, fax 05.56.87.87.34 ☑
•⊓ Bernard Barthe

CH. CANTELYS 1997*

■   15 ha   30 000   ⫿⫿ 70 à 99 F

Situé sur une butte graveleuse face à la technopole de Martillac, ce cru jouit d'un beau terroir. Ce 97 en apporte la preuve tout au long de la dégustation. D'une séduisante couleur à reflets pourpres, il développe un bouquet élégant où les fruits rouges sont rehaussés par une note boisée discrète. Tannique et équilibré, avec une extraction et un élevage bien dosés, le palais est harmonieux et laisse augurer une garde de quatre ou cinq ans.
•⊓Ch. Cantelys, 33650 Martillac, tél. 05.57.83.11.22, fax 05.57.83.11.21 ☑ ⊤ r.-v.
•⊓ Daniel Cathiard

CH. CANTELYS 1998**

☐   10 ha   10 000   ⫿⫿ 70 à 99 F

Bien que moins étendu que le rouge, le vignoble blanc de Cantelys n'est en rien négligé. La parité exacte entre le sémillon et le sauvignon donne un ensemble parfaitement équilibré, à la fois gras, souple et très expressif : de belles notes fruitées (pêche et abricot sec) complètent un boisé élégant. Un vin qui « a du grain ».
•⊓Ch. Cantelys, 33650 Martillac, tél. 05.57.83.11.22, fax 05.57.83.11.21 ☑ ⊤ r.-v.

CH. CARBONNIEUX 1997*

■ Cru clas.   45 ha   200 000   ⫿⫿ 100 à 149 F
75 **81** 82 **83 85** 86 87 |88| |89| |90| |91| |92| |93| **94 95 96** |97|

Fondé à la fin du XIVᵉ s., ce cru est l'un des grands classiques des vins de graves ; il a été visité par Thomas Jefferson lors de son voyage à travers les vignobles avant la Révolution. Merlot, cabernets, malbec, petit verdot : par sa variété, l'encépagement respecte la logique bordelaise. Souple, rond et soutenu par des tanins soyeux, ce millésime ne vise pas une grande garde mais sera fort à propos servi jeune sur des viandes blanches qui permettront à son bouquet de s'exprimer sans contrainte, en donnant libre cours à ses notes fruitées, florales, chocolatées et torréfiées.
•⊓SC des Grandes Graves, Ch. Carbonnieux, 33850 Léognan, tél. 05.57.96.56.20, fax 05.57.96.59.19, e-mail chateau.carbonnieux@wanadoo.fr
☑ ⊤ r.-v.
•⊓ Perrin

CH. CARBONNIEUX 1998*

☐ Cru clas.   45 ha   180 000   ⫿⫿ 100 à 149 F
81 82 83 85 86 87 |88| |89| |90| |91| 92 |93| |94| 95 **96 97** |98|

Au XVIIIᵉ s., le vin blanc de Carbonnieux fut vendu au sultan de Turquie sous le nom de « Eau minérale de Carbonnieux ». Comme il en a l'habitude, le Carbonnieux blanc se présente avec classe, dans une belle robe à reflets paille. Complexe et friand, son bouquet passe joyeusement des arômes beurrés aux parfums floraux, sans oublier quelques notes de fruits secs. Frais et mûr, c'est un vin qui possède encore des réserves d'évolution. On ne peut succomber à la tentation d'y goûter.
•⊓SC des Grandes Graves, Ch. Carbonnieux, 33850 Léognan, tél. 05.57.96.56.20, fax 05.57.96.59.19, e-mail chateau.carbonnieux@wanadoo.fr
☑ ⊤ r.-v.

DOM. DE CHEVALIER 1997**

■ Cru clas.   33 ha   68 000   ⫿⫿ 200 à 249 F
64 66 70 73 |75| 78 79 |83| 84 |85| |86| 87 |88| |89|
|90| **91 92** |93| |94| **96 97**

S'il est resté « domaine » et n'a pas sacrifié à l'usage quasi rituel du terme de château, Chevalier, enclavé dans la forêt de pins, est bien devenu l'un des phares de la viticulture bordelaise. Il sait tenir son rang avec des vins comme ce 97. Une robe à reflets pourpres et rubis, un bouquet aussi expressif qu'harmonieux (fruits mûrs et senteurs boisées) : la présentation est irréprochable. Quant au palais, ses côtés ronds, pleins et amples, s'associent à des tanins de qualité pour donner un ensemble déjà savoureux mais qui gagnera à être attendu trois à quatre ans.
•⊓Dom. de Chevalier, 33850 Léognan, tél. 05.56.64.16.16, fax 05.56.64.18.18, e-mail domainedechevalier@domainedechevalier.com
⊤ r.-v.
•⊓ Famille Bernard

DOM. DE CHEVALIER 1997*

☐ Cru clas.   5 ha   n.c.   ⫿⫿ 300 à 499 F
82 83 85 86 |89| |90| **91 92** |93| |94| 96 |97|

Sans rivaliser avec certains millésimes antérieurs, véritables légendes œnologiques, ce vin possède de solides atouts ; qu'il s'agisse de l'intensité de son bouquet, aux belles notes d'agrumes confits et de miel, ou de son développement au palais où il se montre plein de caractère avant de s'achever dans une finale harmonieusement fruitée et boisée.

☛ Dom. de Chevalier, 33850 Léognan, tél. 05.56.64.16.16, fax 05.56.64.18.18, e-mail domainedechevalier@domainedechevalier.com ☒ r.-v.

CH. COUHINS-LURTON 1998★

☐ Cru clas.	5,5 ha	n.c.	⦀	150 à 199 F

82 83 85 **86** 87 **88 89** |90| 91 |92| 93 |94| **95** |96| **97** 98

Le domaine de Couhins fut partagé en 1968 entre l'INRA et André Lurton qui acquit en 1990 le château lui-même. Né sur un vignoble, planté entièrement de sauvignon, ce vin en porte la marque dans son expression aromatique. Mais son bouquet ne saurait se réduire à ce seul trait : diverses notes viennent l'enrichir et lui donner beaucoup de charme : beurre, citron et quelques touches grillées liées à l'élevage. Rond et doux, le palais laisse le souvenir d'un ensemble harmonieux, malgré une petite note d'austérité dans le retour qui incite à l'attendre deux ans.

☛ Vignobles André Lurton, Ch. Bonnet, 33420 Grézillac, tél. 05.57.25.58.58, fax 05.57.74.98.59, e-mail andre.lurton@wanadoo.fr ☒ ☒ r.-v.

CH. DE CRUZEAU 1997★

■	n.c.	n.c.	▮⦀♣	50 à 69 F

81 82 83 **85 86 88** 89 90 92 |93| |94| 95 96 97

Déjà réputé au XIXᵉs., si l'on en croit les journaux de l'époque, ce cru tient toujours son rang. D'un rouge profond, son 97 porte la marque de l'élevage dans son bouquet où les notes goudronnées puis grillées se mêlent à la réglisse. Suivant une attaque moelleuse, le palais développe des tanins serrés pour s'ouvrir sur une finale goûteuse. A ouvrir dans un an ou deux.

☛ Vignobles André Lurton, Ch. Bonnet, 33420 Grézillac, tél. 05.57.25.58.58, fax 05.57.74.98.59, e-mail andre.lurton@wanadoo.fr ☒ ☒ r.-v.

CH. DE CRUZEAU 1998★★

☐	12 ha	n.c.	⦀	50 à 69 F

88 89 90 92 93 94 95 |96| |97| |98|

Une fois encore, ce cru se distingue par la qualité de son blanc. Drapé dans une jolie robe verte à reflets or pâle, ce vin retient l'attention par l'intensité et la complexité de son bouquet qui associe harmonieusement la fumée, les agrumes et les fruits exotiques aux fleurs blanches. Tout aussi dense, riche et aromatique, le palais, comme la longue et douce finale font preuve d'une grande élégance. Un vrai vin plaisir, déjà agréable mais qui mérite d'être attendu deux ou trois ans.

☛ Vignobles André Lurton, Ch. Bonnet, 33420 Grézillac, tél. 05.57.25.58.58, fax 05.57.74.98.59, e-mail andre.lurton@wanadoo.fr ☒ ☒ r.-v.

CH. D'EYRAN 1997

■	12 ha	40 000	⦀	50 à 69 F

En 1348, le seigneur de Budos obtint de la cour d'Angleterre le droit de construire en ces lieux un château... Après bien des vicissitudes, les terres devinrent propriété de la famille de Sèze en 1796 et le sont toujours. Ce cru propose ici un 97 souple et léger que son élevage destine nettement aux amateurs de vins boisés.

☛ SCEA Ch. d'Eyran, 33650 Saint-Médard-d'Eyrans, tél. 05.56.65.51.59, fax 05.56.65.43.78 ☒ ☒ r.-v.

☛ de Sèze

CH. FERRAN Cuvée réservée 1997★

■	10 ha	60 000	⦀	50 à 69 F

83 85 88 89 |90| 94 |95| 97

Né sur un vignoble issu pour partie des anciens domaines de Montesquieu, ce vin porte la marque du merlot (55 % de l'encépagement) dans son bouquet au caractère charmeur. Étoffé et bien équilibré, le palais montre par ses tanins expressifs et ses arômes bien typés qu'il est de bonne origine.

☛ Ch. Ferran, 33650 Martillac, tél. 06.07.41.86.00 ☒ ☒ r.-v.

☛ Hervé Béraud-Sudreau

CH. FERRAN Cuvée réservée 1998★

☐	4 ha	27 000	⦀	50 à 69 F

94 |95| |97| |98|

Sans rivaliser avec le millésime 97, très beau coup de cœur l'an dernier en blanc, ce vin sait combiner charme et sérieux. S'annonçant par un bouquet frais et fin (fruits, fleurs et tilleul), il retrouve ces qualités dès l'attaque, souple et délicate, avant de se faire plus gras pour déboucher sur une longue finale.

☛ Ch. Ferran, 33650 Martillac, tél. 06.07.41.86.00 ☒ ☒ r.-v.

CH. DE FIEUZAL 1997★★

■ Cru clas.	60 ha	100 000	⦀	200 à 249 F

70 75 76 77 78 79 80 **81 82 83** 84 |85| |86| |88| |89| |90| 91 |92| **93 94** |95| |96| 97

Belle unité, ce cru souvent coup de cœur (sublime 96 !) est privilégié par son terroir de graves blanches. Ses qualités se retrouvent dans celles de ce vin. D'une présentation irréprochable, il déploie une belle livrée, entre pourpre et grenat, et un bouquet fruité d'une grande finesse. Ample, riche, charnu, croquant et soutenu par une fine présence tannique, le palais tient toutes les promesses de la robe et justifiera un séjour en cave de quatre ou cinq ans.

☛ Ch. de Fieuzal, 124, av. de Mont-de-Marsan, 33850 Léognan, tél. 05.56.64.77.86, fax 05.56.64.18.88 ☒ ☒ r.-v.

CH. DE FIEUZAL 1998★★

☐	18 ha	45 000	⦀	250 à 299 F

83 84 85 86 87 |88| |89| |90| 91 92 |93| |94| |95| |96| **97** 98

Issu d'un vignoble se partageant pour moitié entre sauvignon et sémillon, ce vin développe des arômes séducteurs de pêche et d'abricot, qui percent derrière un bois encore assez présent. Frais à l'attaque, vif, gras et long, le palais possède une belle structure, élégante et jeune ; on retrouve le caractère de Fieuzal qui s'est placé au premier rang des blancs bordelais.

☙ Ch. de Fieuzal, 124, av. de Mont-de-Marsan, 33850 Léognan, tél. 05.56.64.77.86, fax 05.56.64.18.88 ☑ ⍊ r.-v.

CH. DE FRANCE 1997★★

■	29 ha	50 000	ⅢⅠ	100 à 149 F

81 82 83 85 86 **88** |89| |90| **92** 93 94 95 **96 97**

Restructuré en 1971 par son nouveau propriétaire, et jouissant d'un beau terroir, ce cru très apprécié pour sa régularité ne perd pas ses bonnes habitudes avec ce millésime. Agréable à l'œil, avec une robe à la fois profonde et fraîche, il se montre expressif par son bouquet (fruits rouges et épices assortis d'une note animale) et bien constitué. Riche, longue et charnue, sa structure est soutenue par un bois élégant. Très bien équilibré, l'ensemble s'accorde avec la finale tannique pour promettre une garde très bénéfique de quatre à cinq ans.
☙ SA Bernard Thomassin, Ch. de France, 98, rte de Mont-de-Marsan, 33850 Léognan, tél. 05.56.64.75.39, fax 05.56.64.72.13, e-mail chateau-de-france@ chateau-de-france.com ☑ ⍊ r.-v.

CH. GAZIN ROCQUENCOURT 1997

■	6,5 ha	35 000	ⅢⅠ	70 à 99 F

Nullement handicapé par sa taille assez modeste pour l'appellation, ce cru propose un 97 bien campé, avec une bonne présence tannique et un bouquet expressif (groseille, cassis, noyau et feuille de noyer froissée, fumée, avec une petite note résineuse). Il faut attendre un à deux ans que la finale se fonde.
☙ SCEA Ch. Gazin Rocquencourt, 74, av. de Cestas, 33850 Léognan, tél. 05.56.64.77.89, fax 05.56.64.77.89 ☑
☙ Michotte

DOM. DE GRANDMAISON 1998

□	3 ha	17 000	■ ⅢⅠ	50 à 69 F

85 86 88 89 90 93 94 |96| 97 98

S'inscrivant dans la tradition du cru, ce vin, élevé pour un tiers en barriques neuves et pour les deux tiers en cuve Inox, associe 30 % de sémillon au sauvignon. Il est simple mais bien fait, avec une bouquet développant de jolis arômes (agrumes, fruits secs et croûte de pain) et une bonne matière, vive et légèrement citronnée. Finale plaisante.
☙ Jean Bouquier, Dom. de Grandmaison, 33850 Léognan, tél. 05.56.64.75.37, fax 05.56.64.55.24 ☑ ⍊ r.-v.

CH. HAUT-BAILLY 1997★★

■ Cru clas.	26 ha	75 000	ⅢⅠ	200 à 249 F

78 79 80 **81** 82 **83 85** |86| **87 88** ⑧⑨ **90** |92| **93 94** ㉕ **96 97**

Propriété d'un seul tenant, ce cru, dont l'existence remonte au moins au début du XVIᵉs., jouit d'un terroir intéressant, associant sables et graves sur un sous-sol de pierres fossiles. A cela s'ajoute une vinification respectueuse des traditions. Superbe 97 ! Sa couleur soutenue comme son bouquet, déjà très complexe (cerise, noyau et fumée), sont plus que prometteurs. Tout aussi riche et puissant mais sans agressivité grâce à ses tanins soyeux, le palais va dans le même sens et

s'accorde avec la finale pour annoncer une garde d'au moins quatre ou cinq ans.

☙ SCA du Ch. Haut-Bailly, rte de Cadaujac, 33850 Léognan, tél. 05.56.64.75.11, fax 05.56.64.53.60, e-mail mail@chateau-haut-bailly.com ⍊ r.-v.
☙ Robert G. Wilmers

LA PARDE DE HAUT-BAILLY 1997★

■	26 ha	35 000	ⅢⅠ	70 à 99 F

Seconde étiquette de Haut-Bailly, ce vin confirme la performance de son aîné par ses qualités : un bouquet expressif (noisette et cuir), des arômes de palais fruités, qui témoignent d'une vendange très saine, des tanins ronds, un bois bien dosé : cette bouteille est d'une belle tenue.
☙ SCA du Ch. Haut-Bailly, rte de Cadaujac, 33850 Léognan, tél. 05.56.64.75.11, fax 05.56.64.53.60, e-mail mail@chateau-haut-bailly.com ☑ ⍊ r.-v.

CH. HAUT-BERGEY 1997★

■	14 ha	48 058	ⅢⅠ	100 à 149 F

91 92 93 |94| 96 97

Situé au cœur de la commune de Léognan, à côté du bourg, ce cru a su tirer la quintessence du terroir avec ce 97 très réussi. Elégant, son bouquet fait preuve d'une grande complexité (épices, cuir, fumée et torréfaction, avec quelques notes empyreumatiques). Riche, équilibré et expressif, le palais possède la matière nécessaire pour pouvoir s'arrondir d'ici quatre à cinq ans.
☙ Sylviane Garcin-Cathiard, Ch. Haut-Bergey, 33850 Léognan, tél. 05.56.64.05.22, fax 05.56.64.06.98, e-mail h-bergey@worldnet.fr ☑ ⍊ r.-v.

CH. HAUT-BERGEY 1998★

□	1,5 ha	n.c.	ⅢⅠ	150 à 199 F

93 94 95 96 |98|

Issu d'un vignoble constitué en majorité de sauvignon (60 %), ce vin en porte la marque dans son bouquet aux intenses parfums de buis. Souple, ample et bien équilibré, il se développe agréablement au palais que soutient un apport bien dosé du bois.
☙ Sylviane Garcin-Cathiard, Ch. Haut-Bergey, 33850 Léognan, tél. 05.56.64.05.22, fax 05.56.64.06.98, e-mail h-bergey@worldnet.fr ☑ ⍊ r.-v.

CH. HAUT-BRION 1997★★

■ 1er cru clas.   43,2 ha   n.c.   ❚❙❘ + de 500 F
73 74 |75| 76 77 |78| |79| |81| (82) |83| 84 |85| |86| |87| **88 89** (90) |91| |92| |93| **94** (95) (96) 97

Comment ne pas être étonné par ce vignoble et ce beau manoir, aujourd'hui enclavés dans la ville ? Mais le plus surprenant reste l'ancienneté du cru et son rôle dans l'apparition des bordeaux modernes, nés ici grâce aux Pontac dès le XVIᵉˢ., et à la révolution vinicole du Siècle des lumières. Reconnu comme l'un des plus grands du Bordelais, il fut le seul cru non médocain à être classé 1ᵉʳ cru en 1855. Une nouvelle fois, il produit une bouteille remarquable qui ne fait pas mentir sa belle robe profonde, à reflets noirs : cuir, raisin sec, fruits à l'eau-de-vie et bois précieux, son bouquet se montre complexe et expressif, sans jamais tomber dans la violence. Des qualités que l'on retrouve au palais après une attaque exceptionnelle. Voluptueux, doté d'une structure élégante aux tanins veloutés, il joue sur les notes d'épices, de cacao et de cannelle pour déboucher sur une ample et longue finale qui appelle une sérieuse garde.
☛ SA Dom. Clarence Dillon, B.P. 24, 33602 Pessac Cedex, tél. 05.56.00.29.30, fax 05.56.98.75.14, e-mail info@haut-brion.com

CH. HAUT-BRION 1998★★★

□   2,7 ha   n.c.   ❚❙❘ + de 500 F
79 **80 81** (82) **83 84 85 87** |88| |89| |90| |93| |94| **95 96 97 98**

Pour être non classé et d'une taille modeste, le vignoble blanc de Haut-Brion n'en fait pas un complexe. De la robe, d'un beau jaune citron, à la finale, longue et grasse, la dégustation de ce 98 va de satisfaction en bonheur. De puissantes fragrances de fleurs blanches et de noisettes fraîches ; une attaque grasse et voluptueuse ; une structure riche et puissante ; un retour, aux notes d'agrumes, qui ne donne pas dans la demi-mesure : tout est remarquablement équilibré et typé. Une vraie bouteille de garde, et à attendre trois à dix ans.
☛ SA Dom. Clarence Dillon, B.P. 24, 33602 Pessac Cedex, tél. 05.56.00.29.30, fax 05.56.98.75.14, e-mail info@haut-brion.com

LE BAHANS DE HAUT-BRION 1997★

■   n.c.   n.c.   ❚❙❘ 200 à 249 F
Seconde étiquette de Haut-Brion, ce vin se montre séduisant, tant par son bouquet friand, qui mêle délicatement l'apport du bois à de fraîches notes fruitées, que par sa structure, aux tanins modérés. L'ensemble, que conclut une belle finale aux notes de fruits mûrs (cassis, mûre), est suffisamment charpenté pour tirer profit d'une garde de trois à cinq ans.
☛ SA Dom. Clarence Dillon, B.P. 24, 33602 Pessac Cedex, tél. 05.56.00.29.30, fax 05.56.98.75.14, e-mail info@haut-brion.com

CH. HAUT LAGRANGE 1998★

□   1,7 ha   12 000   ❙❚❙❘♨ 50 à 69 F
92 94 95 |96| 97 |98|

Bien que principalement consacré aux vins rouges, ce cru possède une petite production de blancs. Le sauvignon gris (5 %) vient compléter 45 % de sauvignon blanc et 50 % de sémillon dans ce vin dont 20 % est élevé en fût neuf pendant six mois. Bouqueté, avec des notes de fruits exotiques presque rôtis (fruits de la Passion et ananas), ce 98 résulte incontestablement d'une vendange bien mûre. Souple, rond, bien équilibré et soyeux, il conserve et renforce son caractère aromatique au palais.
☛ Francis Boutemy, SA Ch. Haut Lagrange, 31, rte de Loustalade, 33850 Léognan, tél. 05.56.64.09.93, fax 05.56.64.10.08, e-mail chateau-haut-lagrange@wanadoo.fr
☑ ❣ r.-v.

CH. HAUT-NOUCHET 1997

■   28 ha   89 613   ❚❙❘ 50 à 69 F
Louis Lurton a pris le parti de l'agriculture biologique. Assemblant 40 % de merlot au cabernet-sauvignon élevés douze mois en barrique, ce vin équilibré et délicat annonce sa personnalité par son bouquet naissant de sous-bois, d'humus et de fruits.
☛ Louis Lurton, Ch. Haut-Nouchet, 33650 Martillac, tél. 05.56.72.69.74, fax 05.56.72.56.11, e-mail info@louis-lurton.fr
☑ ❣ r.-v.

CH. HAUT-PLANTADE 1998

□   1,33 ha   5 000   ❚❙❘ 70 à 99 F
Si de nombreux crus de pessac-léognan appartiennent au vignoble historique de Bordeaux, celui-ci a été créé en 1975 par les Plantade. Très expressif au bouquet, avec des notes d'écorce d'agrumes, son 97 est plus discret au palais, mais l'ensemble reste de qualité, avec une finale toastée. Une bouteille à attendre un an.
☛ GAEC Plantade Père et Fils, Ch. Haut-Plantade, 33850 Léognan, tél. 05.56.64.07.09, fax 05.56.64.02.24 ☑ ❣ r.-v.

CH. HAUT VIGNEAU 1997

■   15 ha   80 000   ❚❙❘ 30 à 49 F
Exploité par les Perrin et leur équipe, ce cru n'entend pas rivaliser avec Carbonnieux, mais son vin a du répondant. Avec son bouquet fruité et fumé assez charmeur et sa constitution tannique, il mérite un séjour en cave de trois ou quatre ans qui lui permettra de se révéler pleinement.
☛ GFA du Ch. Haut-Vigneau, 20, rue Jules-Guesde, 33850 Léognan, tél. 05.57.96.56.20, fax 05.57.96.59.19, e-mail chateau.carbonnieux@wanadoo.fr
☑ ❣ r.-v.
☛ Perrin

CH. LAFARGUE Cuvée Alexandre 1998

□   1,76 ha   10 000   ❚❙❘ 70 à 99 F
Comme c'est fréquemment le cas avec ce cru, cette cuvée - 70 % de sauvignon blanc et 30 % de sauvignon gris - sera à conseiller principalement aux amateurs de vin boisé, qui y trouveront un ensemble assez imposant aux arômes généreux (beurre, fruits exotiques et confits, réglisse...).
☛ Jean-Pierre Leymarie, 5, imp. de Domy, 33650 Martillac, tél. 05.56.72.72.30, fax 05.56.72.64.61, e-mail lafargue@caves particulieres.com ☑ ❣ r.-v.

CH. LAFONT MENAUT 1997

| ■ | 9 ha | 35 000 | ◫ | 30 à 49 F |

Issu d'un cru constitué au début des années 1990, ce vin présente un bouquet friand de petits fruits rouges associés à un harmonieux côté fumé. Solidement constitué, il possède une bonne matière, corsée et charnue, qui lui permettra d'être découvert dans deux ou trois ans.
☛ SCEA Philibert Perrin, Ch. Lafont Menaut, 33850 Léognan, tél. 05.57.96.56.20, fax 05.57.96.59.19, e-mail chateau.carbonnieux@wanadoo.fr ☑

CH. LA GARDE 1997★

| ■ | 40,8 ha | 173 300 | ◫ | 100 à 149 F |

(90) 91 93 94 (95) 96 97

Une vraie chartreuse, de vastes chais bâtis en 1882, une belle croupe de graves, La Garde est un cru caractéristique de l'appellation. Son vin ne démérite pas dans ce millésime délicat : paré d'une robe bordeaux, il laisse apparaître un bouquet naissant qui associe très heureusement un bois bien dosé à un élégant fruité et à des notes de gibier. Au palais, qui attaque avec beaucoup de rondeur, on sent une belle concentration, un corps sain et une longue finale. « Il y a du vin dans le verre », s'exclame, ravi, un dégustateur. A attendre entre trois et dix ans.
☛ Dourthe, 35, rte de Bordeaux, B.P. 49, 33290 Parempuyre, tél. 05.56.35.53.00, fax 05.56.35.53.29, e-mail contact@cvbg.com ☑ ⊤ r.-v.

CH. LA GARDE 1998

| □ | 5,5 ha | 20 000 | ◫ | 70 à 99 F |

Issu du seul sauvignon, élevé en barrique avec bâtonnage sur ses lies pendant onze mois, ce blanc 98 se montre sympathique par son bouquet muscaté que complètent des arômes d'orange et de pamplemousse. Malgré quelques notes boisées dominantes en finale, le palais est plaisant et bien équilibré. On devra l'attendre un an avant de le servir avec des poissons à la crème.
☛ Dourthe, 35, rte de Bordeaux, B.P. 49, 33290 Parempuyre, tél. 05.56.35.53.00, fax 05.56.35.53.29, e-mail contact@cvbg.com ☑ ⊤ r.-v.

CH. LA LOUVIÈRE 1997★★

| ■ | 35 ha | n.c. | ◫ | 150 à 199 F |

75 80 81 82 83 85 86 |88| |89| (90) 91 92 93 94 95 96 97

Issu de l'un des rares crus dont le château, témoignant de l'élégance de l'architecture néoclassique, est classé Monument historique, ce vin se montre à la hauteur de ses nobles origines. A une robe d'un bordeaux soutenu succède un bouquet net et complexe : fruits rouges un peu confits, sous-bois et notes d'un boisé bien dosé (douze mois de barrique pour ce 97). Montrant son potentiel de garde (autour de cinq ans) par sa belle structure, le palais s'appuie sur des tanins à la fois denses et tendres pour donner une bouteille typique de l'appellation. Le **L de La Louvière rouge 97**, second vin du cru né de jeunes vignes (50 à 69 F), a été cité par le jury.

☛ Vignobles André Lurton, Ch. Bonnet, 33420 Grézillac, tél. 05.57.25.58.58, fax 05.57.74.98.59, e-mail andre.lurton@wanadoo.fr ☑ ⊤ r.-v.

CH. LA LOUVIÈRE 1998★★

| □ | 15 ha | n.c. | ◫ | 150 à 199 F |

82 85 86 88 89 (90) 91 92 93 |94| |95| |96| |97| 98

La part du sauvignon dans l'encépagement se retrouve dans le bouquet. Intense et complexe, celui-ci est souligné par un boisé dont la discrète présence met en valeur les notes minérales de pierre à fusil. Riche, ample, équilibré, bien structuré et aromatique, le palais très racé appelle une certaine garde (jusqu'à quatre ou cinq ans).
☛ Vignobles André Lurton, Ch. Bonnet, 33420 Grézillac, tél. 05.57.25.58.58, fax 05.57.74.98.59, e-mail andre.lurton@wanadoo.fr ☑ ⊤ r.-v.

L. DE LA LOUVIÈRE 1998★

| □ | n.c. | n.c. | ◫ | 50 à 69 F |

Frais, rond, gras, aromatique (pamplemousse et fruit de la Passion sous une dominante minérale) et bien constitué, le second vin blanc de La Louvière permettra d'attendre agréablement son aîné : il sera à boire d'ici un à deux ans.
☛ Vignobles André Lurton, Ch. Bonnet, 33420 Grézillac, tél. 05.57.25.58.58, fax 05.57.74.98.59, e-mail andre.lurton@wanadoo.fr ☑ ⊤ r.-v.

CH. LA MISSION HAUT-BRION 1997★★

| ■ Cru clas. | 20,9 ha | n.c. | ◫ | + de 500 F |

77 78 80 |81| |82| |83| 84 |85| |86| |87| |88| 89 (90) |92| 93 94 95 (96) 97

Ce sont les moines prêcheurs de la congrégation de Saint-Vincent-de-Paul qui donnèrent au domaine son nom. Mais aussi sa réputation viticole. Il y a de cela plusieurs siècles... Aujourd'hui, seule une rue, qu'emprunte la route d'Arcachon, sépare La Mission de Haut-Brion, mais chaque vignoble a sa propre personnalité. Il en est de même pour les vins. D'une belle teinte rouge à reflets bordeaux, celui-ci fait preuve d'originalité par ses notes de réglisse et de fruits à l'eau-de-vie. Soyeux, plein et gras, bien que ses tanins soient encore très jeunes, doté d'une chaleureuse finale épicée, il devra être attendu quatre à cinq ans, une garde qu'il affrontera grâce à sa concentration et à son potentiel aromatique. **La Chapelle de la Mission 97**, second vin, a obtenu une citation pour ses notes de cacao, de cire, de bourgeon de cassis et de pruneau...
☛ SA Dom. Clarence Dillon, B.P. 24, 33602 Pessac Cedex, tél. 05.56.00.29.30, fax 05.56.98.75.14, e-mail info@haut-brion.com

CH. LARRIVET HAUT-BRION 1997★

| ■ | 42 ha | 125 000 | ◫ | 150 à 199 F |

82 83 86 88 |89| |90| 92 |93| |94| 95 96 97

Propriété de charme où le parc et le vignoble sont encadrés de prairies et de bois, ce domaine est aussi un cru sérieux, comme en témoigne ce vin. Plaisant par sa couleur rouge rubis, il l'est aussi par son bouquet où les fruits rouges côtoient la torréfaction. Au palais, on retrouve les arômes grillés, qui se joignent aux tanins assez puissants pour former un ensemble dont l'harmonie repose sur un long élevage en barrique. A mettre en cave deux ou trois ans.

🍷 SNC du Ch. Larrivet Haut-Brion, 33850 Léognan, tél. 05.56.64.75.51, fax 05.56.64.53.47 ☑ ⊥ r.-v.

🍷 Andros

CH. LARRIVET HAUT-BRION 1998★

☐	9 ha	25 000	🍶 150 à 199 F

88 89 **90 96** |97| |98|

Si le rouge 97 est volontiers « mode », c'est dans le style classique que s'inscrit résolument le blanc 98, avec toutefois une touche grillée, liée à l'élevage, très perceptible dans le bouquet comme au palais. Notez - comme l'une de nos dégustatrices - que le sémillon s'exprime parfaitement dans ce vin qui pourra accompagner les poissons cuisinés.

🍷 SNC du Ch. Larrivet Haut-Brion, 33850 Léognan, tél. 05.56.64.75.51, fax 05.56.64.53.47 ☑ ⊥ r.-v.

CH. LATOUR HAUT-BRION 1997★

■ Cru clas.	4,9 ha	n.c.	🍶 200 à 249 F

78 79 80 81 |82| |83| 84 |85| |86| 87 |88| **89 90** 92 |93| |94| **95 96** 97

Voisin de La Mission, repris par les Woltner en 1953 avant que l'ensemble ne lie son sort à Haut-Brion au début des années 1980, Latour Haut-Brion possède un beau terroir, comme en témoigne ce 97. Si son bouquet se montre encore un peu fermé, il possède un potentiel de garde suffisant pour lui permettre de s'épanouir. Ample et soutenu par de solides tanins, le palais se porte garant de son avenir.

🍷 SA Dom. Clarence Dillon, B.P. 24, 33602 Pessac Cedex, tél. 05.56.00.29.30, fax 05.56.98.75.14, e-mail info@haut-brion.com

CH. LA TOUR LEOGNAN 1997

■	5 ha	32 000	🍶 50 à 69 F

Etroitement lié au destin du Château Carbonnieux, ce cru propose avec ce millésime un vin délicatement bouqueté, aux nombreuses nuances fruitées rehaussées d'une note de cuir. Il est agréable dans son développement au palais, étoffé et charnu. Destiné à un coq au vin dans deux à trois ans.

🍷 SC des Grandes Graves, Ch. Carbonnieux, 33850 Léognan, tél. 05.57.96.56.20, fax 05.57.96.59.19, e-mail chateau.carbonnieux@wanadoo.fr ☑ ⊥ r.-v.

🍷 Perrin

CH. LATOUR-MARTILLAC 1997★★

■ Cru clas.	30 ha	102 000	🍶 150 à 199 F

79 81 |82| 83 84 **85 86** 87 **88** |89| **90** 91 92 **93 94 95 96** 97

Cabernets, merlot et petit verdot, ce cru, qui appartient à la famille Kressmann depuis 1929, reste fidèle aux traditions bordelaises. Son vin aussi. Derrière sa robe de velours, son bouquet, où les notes fumées éclatent tandis que les arômes fruités se dévoilent en douceur, et son palais,

charnu, élégant et solide, on devine une vinification bien maîtrisée et un grand respect du terroir. Le **Lagrave-Martillac rouge 97** (70 à 99 F), second vin du cru, a obtenu une citation.

🍷 Dom. Kressmann, Ch. Latour-Martillac, 33650 Martillac, tél. 05.57.97.71.11, fax 05.57.97.71.17, e-mail latour-martillac@latour-martillac.com ⊥ r.-v.

CH. LATOUR-MARTILLAC 1998★★

☐	10 ha	42 000	🍶 150 à 199 F

81 82 83 84 **85 86 87** |88| **89 90 91 92** 93 |94| |95| **96** 97 |98|

Négociants depuis 1858, les Kressmann sont passés maîtres dans l'art des blancs ! Issu d'un vignoble comprenant des sémillons - dont une parcelle datant de 1884 - sauvignons et muscadelles, ce vin se montre d'une belle complexité aromatique, avec des notes boisées et fruitées. Souple, gras, onctueux, élégant et charnu, le palais laisse le souvenir d'une bouteille remarquable dont il serait dommage de ne pas profiter dans sa jeunesse.

🍷 Dom. Kressmann, Ch. Latour-Martillac, 33650 Martillac, tél. 05.57.97.71.11, fax 05.57.97.71.17, e-mail latour-martillac@latour-martillac.com ⊥ r.-v.

CH. LAVILLE HAUT-BRION 1998★★★

☐ Cru clas.	3,7 ha	n.c.	🍶 250 à 299 F

81 82 83 84 |85| 87 |88| |89| |90| |93| |94| **95 96** |97| |98|

Voisin du vignoble de La Mission et de Latour Haut-Brion, Laville jouit des mêmes soins sous l'autorité des hommes de Haut-Brion. Parfaitement dans l'esprit des grands classiques des vins de graves, ce 98 a bien des atouts. A la classe de sa robe, jaune pâle à reflets d'or, répond la complexité de son bouquet, unissant les agrumes (mandarine et citron) et la cire à la sève de pin pour terminer sur des notes sauvignonnées. Gras, onctueux et parfaitement équilibré, le palais est aussi fin que le bouquet. Fraîche et harmonieuse, cette superbe bouteille n'a qu'un défaut, celui de laisser perplexe sur la question de savoir quand elle produira le plus grand plaisir : maintenant ou dans trois ou quatre ans, voire plus ?

🍷 SA Dom. Clarence Dillon, B.P. 24, 33602 Pessac Cedex, tél. 05.56.00.29.30, fax 05.56.98.75.14, e-mail info@haut-brion.com

CH. LE SARTRE 1998★

| ☐ | | 7 ha | 50 000 | ◖▮▶ | 50 à 69 F |
| 92 93 94 95 |96| 97 |98| | | | | |

Elaboré par l'équipe de Carbonnieux, ce vin a incontestablement bénéficié de son savoir-faire : vif, jeune, frais, équilibré et harmonieux, il sait mettre en valeur ses arômes de fruits, d'agrumes et de vanille.

☛GFA des Ch. Le Sartre et Bois Martin, 33850 Léognan, tél. 05.57.96.56.20, fax 05.57.96.59.19, e-mail chateau.carbonnieux@wanadoo.fr

☑ ⵌ r.-v.
☛ Perrin

CH. LES CARMES HAUT-BRION
1997★

| ■ | | 4,5 ha | 25 000 | ◖▮▶ | 150 à 199 F |
| 80 82 83 85 |88| |89| |90| 91 92 93 94 |95| 96 97 | | | | |

Au cœur de la commune de Pessac, ce petit cru résiste toujours à l'urbanisation, protégeant son joli terroir dont ce vin illustre les vertus : très séduisant dans sa robe grenat, il laisse deviner la finesse de son bouquet naissant (notes de cuir, de fumée d'un boisé très présent), avant de révéler la richesse et la complexité de sa structure. Cette jolie bouteille méritera d'être attendue deux ou trois ans avant d'être servie sur un civet de canard.

☛Ch. Les Carmes Haut-Brion, 197, av. Jean-Cordier, 33600 Pessac, tél. 05.56.51.49.43, fax 05.56.93.10.71, e-mail chateau@les-carmes-haut-brion.com ⵌ r.-v.

☛ Didier Furt

CH. LESPAULT 1998★

| ☐ | | 1 ha | 3 000 | ◖▮▶ | 70 à 99 F |

Petit vignoble voisin de Latour-Martillac, ce cru peut porter la tête haute avec son 98. D'un beau jaune pâle à reflets dorés, il développe de jolis parfums, allant des pêches aux notes torréfiées. Gras, intense, homogène et bien structuré, le palais s'ouvre sur une longue et vive finale.

☛ Dom. Kressmann, Ch. Latour-Martillac, 33650 Martillac, tél. 05.57.97.71.11, fax 05.57.97.71.17, e-mail latour-martillac@latour-martillac.com ⵌ r.-v.

☛ SC Bolleau

CH. MALARTIC-LAGRAVIERE 1997★

| ■ Cru clas. | | 14,23 ha | 44 400 | ◖▮▶ | 150 à 199 F |
| 64 66 ⑦ 71 75 76 79 81 82 83 |85| |86| |88| |89| |90| |91| 92 |93| 95 96 97 | | | | |

Fondé par une famille d'armateurs et d'officiers de marine, ce cru rappelle toujours ses origines par le célèbre trois-mâts barque de son étiquette. Racheté en 1997 au groupe Laurent-Perrier par un industriel belge, Alfred Bonnie, le domaine connaît une restructuration dont le millésime 99 sera le premier bénéficiaire. Voici le 97 : encore marqué par le bois, le vin concilie souplesse et corps grâce à ses tanins de qualité, qui se chargeront de garantir son évolution pendant trois ou quatre ans.

☛SC du Ch. Malartic-Lagravière, 43, av. de Mont-de-Marsan, 33850 Léognan, tél. 05.56.64.75.08, fax 05.56.64.99.66, e-mail malartic-lagravière@malartic-lagravière.com ⵌ r.-v.

☛ A.-A. Bonnie

CH. MALARTIC-LAGRAVIERE 1998★★

| ☐ Cru clas. | n.c. | 14 215 | ◖▮▶ | 150 à 199 F |

Pour être plus modestes que les rouges par leur taille, les vignes blanches de Malartic ne sont en rien un vignoble secondaire. La très forte personnalité de ce vin issu à 100 % du sauvignon est là pour le prouver. Haut en couleur, il déploie un bouquet aussi intense que complexe (fleurs, pêche, cassis, litchi, vanille). Gras, équilibré et harmonieux, le palais s'appuie sur une solide structure qui s'entend avec la finale, pleine et séveuse, pour annoncer un vrai vin de garde, à attendre au moins deux ans.

☛SC du Ch. Malartic-Lagravière, 43, av. de Mont-de-Marsan, 33850 Léognan, tél. 05.56.64.75.08, fax 05.56.64.99.66, e-mail malartic-lagravière@malartic-lagravière.com ⵌ r.-v.

CLOS MARSALETTE 1998

| ☐ | ▮◖▮▶⚘ | 0,7 ha | 1 500 | | 50 à 69 F |

Une belle aventure que celle de ce petit cru constitué à partir de parcelles bien choisies par trois passionnés, le comte de Neipperg, propriétaire de Canon-La Gaffelière, M. Boutemy, propriétaire de Haut-Lagrange, et M. Sarpoulet expert géomètre. La qualité du terroir (deux croupes graveleuses) se retrouve dans ses vins, dont ce sympathique blanc 98. Souple et frais puis plus gras, il affiche une belle matière et un bouquet complexe (litchi, pêche blanche, fruits exotiques).

☛SCEA Marsalette, 31, rte de Loustalade, 33850 Léognan, tél. 05.56.64.09.93, fax 05.56.64.10.08 ☑ ⵌ r.-v.

☛ Boutemy-von Neipperg-Sarpoulet

CH. MIREBEAU 1997

| ■ | | 4,28 ha | 16 000 | ▮◖▮▶⚘ | 100 à 149 F |

Lié au Château d'Ardennes (graves), ce vin s'individualise fortement par son encépagement à forte proportion de cabernet franc (45 %). Fine et élégante, au bouquet comme au palais à la structure délicate, sa personnalité en porte sensiblement la marque. Pour la petite histoire, on nous dit que ce cru appartint à la fille d'Alexandre Dumas.

☛Cyril Dubrey, 35, rte de Mirebeau, 33650 Martillac, tél. 05.56.72.61.76, fax 05.56.62.43.67 ☑ ⵌ r.-v.

CH. OLIVIER 1997

| ■ Cru clas. | | 36 ha | 160 000 | ◖▮▶ | 100 à 149 F |
| 82 83 |85| |86| 87 |88| |89| |90| 91 92 93 94 95 96 97 | | | | |

Sévère forteresse féodale ayant revêtu les atours d'une aimable gentilhommière, ce manoir médiéval aurait été le lieu de détention de Du Guesclin en 1382, sur ordre du Prince Noir. C'est aujourd'hui le symbole même du rôle historique joué par la région de Pessac et Léognan dans le développement du vignoble bordelais. Son vin est digne de ce passé. S'annonçant par une robe profonde et tout en nuances, ce 97 montre une forte personnalité par ses parfums de truffe. S'appuyant sur le fruit, il révèle des tanins soyeux et beaucoup de gras. La finale élégante et concentrée est de bon augure pour une garde de trois à cinq ans.

🍷 Jean-Jacques de Bethmann, Ch. Olivier, 33850 Léognan, tél. 05.56.64.73.31, fax 05.56.64.54.23, e-mail chateau-olivier@wanadoo.fr ☑ ⛏ r.-v.

CH. OLIVIER 1998

☐ Cru clas.   12 ha   57 000   ⦀ 70 à 99 F

82 83 **85** 86 88 89 90 91 94 95 |96| |97| |98|

Né sur des sols argilo-calcaires en contrebas du vignoble rouge, ce vin assemble sémillon (48 %), sauvignon (44 %) et muscadelle (8 %). Elevé sur lies en barrique avec bâtonnage hebdomadaire, ce 98, en dépit d'une petite lourdeur passagère, se montre fort aimable par sa souplesse, sa rondeur et son gras, qui s'associent à la complexité et à la délicatesse du bouquet (fruits exotiques, agrumes, beurre) pour former un ensemble intéressant.

🍷 Jean-Jacques de Bethmann, Ch. Olivier, 33850 Léognan, tél. 05.56.64.73.31, fax 05.56.64.54.23, e-mail chateau-olivier@wanadoo.fr ☑ ⛏ r.-v.

CH. PAPE CLEMENT 1997★★

■ Cru clas.   30 ha   n.c.   ⦀ 250 à 299 F

75 78 79 80 ⑧ 82 83 **85** |86| 87 |88| **89 90 91 92** |93| |94| **95 96 97**

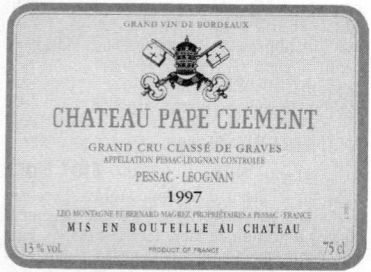

Aujourd'hui enclavé dans l'agglomération, ce cru est l'un des derniers représentants du vignoble médiéval périurbain bordelais, époque à laquelle il appartenait aux archevêques de Bordeaux. Une fois encore, il se montre à la hauteur de son passé et de sa renommée. Ample et complexe, son bouquet ne se contente pas de son caractère fruité pour séduire ; il possède de belles réserves de parfums (raisin bien mûr, épices, toast et même une note de miel). Charnu, concentré et rond, le palais retrouve l'élégance et la puissance du bouquet grâce à ses tanins soyeux. Très harmonieuse, la finale confirme que l'on est bien en présence d'un grand vin, à attendre au moins cinq ans.

🍷 Ch. Pape Clément, 33600 Pessac, tél. 05.57.26.38.38, fax 05.57.26.38.39 ⛏ r.-v.
🍷 L. Montagne, B. Magrez

CH. PAPE CLEMENT 1998★★

☐   2,5 ha   n.c.   ⦀ 300 à 499 F

92 ⑨③ **94** |96| |97| **98**

S'il doit sa célébrité à son vin rouge, Pape Clément est tout aussi renommé pour son blanc. Même s'il reste encore sur la réserve et n'a pas trouvé son expression définitive, son 98 laisse apparaître une grande richesse aromatique : fruits, miel et caramel, le tout relevé d'une jolie note toastée. Aussi bien structuré qu'équilibré, il s'annonce comme un vrai vin de garde.

🍷 Ch. Pape Clément, 33600 Pessac, tél. 05.57.26.38.38, fax 05.57.26.38.39 ⛏ r.-v.

CH. PONTAC MONPLAISIR 1997★

■   10 ha   50 000   ⦀ 50 à 69 F

91 |92| **94 95** ⑨⑥ **97**

Loin de se limiter au seul Haut-Brion, les Pontac ont marqué l'histoire de nombreux crus, dont celui-ci. Régulier en qualité, il reste fidèle à son habitude avec ce joli 97 aussi puissant et complexe au palais qu'au bouquet. Ample et longue, la finale laisse augurer une garde de trois ou quatre ans. Rappelons que le 96 fut coup de cœur l'an dernier.

🍷 Jean et Alain Maufras, Ch. Pontac Monplaisir, 33140 Villenave-d'Ornon, tél. 05.56.87.08.21, fax 05.56.87.35.10 ☑ ⛏ r.-v.

CH. DE ROCHEMORIN 1997

■   n.c.   n.c.   ⦀ 50 à 69 F

85 86 **88 89 90** 91 92 |93| |94| **95 96 97**

Ancienne ferme fortifiée des domaines de Montesquieu, ce cru, situé sur la plus haute croupe de Martillac, propose ici un vin bien construit, dans lequel apparaît un bon dosage du bois ; le merrain respecte, en effet, la personalité du bouquet, où les notes toastées et grillées viennent relever sans les éteindre les parfums de fruits rouges.

🍷 Vignobles André Lurton, Ch. Bonnet, 33420 Grézillac, tél. 05.57.25.58.58, fax 05.57.74.98.59, e-mail andre.lurton@wanadoo.fr ☑ ⛏ r.-v.

CH. DE ROUILLAC 1997

■   7,5 ha   15 000   ⦀ 100 à 149 F

Ancienne propriété du baron Haussmann, le père des grands boulevards de Paris, ce cru propose avec ce millésime un vin à la robe rubis léger, aux arômes très marqués par le brûlage de la barrique. Cependant, le jury perçoit, derrière ces notes empyreumatiques, une certaine maturité des tanins qui donnent sa chance à ce 97 fort classique par ailleurs.

🍷 SCS Vignobles Lafragette, Ch. de Rouillac, 33610 Canéjan, tél. 05.56.89.41.68, fax 05.56.89.41.68 ☑ ⛏ r.-v.

CH. SEGUIN 1997

■   3,75 ha   25 000   ▮ ⦀ 50 à 69 F

Né sur un petit vignoble abandonné après 1945 et reconstitué en 1987, se partageant équitablement entre le merlot et le cabernet-sauvignon, ce vin est encore un peu fermé, mais son caractère corsé et structuré doit lui permettre de bien évoluer d'ici trois ou quatre ans.

➤ SC Dom. de Seguin, chem. du Petit-Bordeaux, 33610 Canéjan, tél. 05.56.75.02.43, fax 05.56.89.35.41 ☑ ⵜ r.-v.

CH. SMITH HAUT LAFITTE 1997★

■ Cru clas.	44 ha	110 000	🃏	250 à 299 F

61 62 70 71 72 73 ⑦⑤ 80 82 **83 85 86** 87 |88| |89| |90| |91| 92 |93| **94** |95| 96 97

Du retour aux vendanges manuelles (en 1991) à la nouvelle cuverie (cette année) en passant par les « malo » en barrique ou la création d'une tonnellerie maison, il n'y a pas eu une seule année sans innovation sur ce cru. Un investissement efficace comme le montre ce vin à la belle robe à reflets violines. A un bouquet fin et complexe (fruits mûrs, animal, noisette et amande grillée) s'ajoute un palais puissant dès l'attaque. Ses tanins bien extraits et fondus lui apportent de l'élégance et un bon potentiel de garde (quatre à cinq ans). Egalement d'une bonne puissance et bien équilibré, le second vin **Les Hauts de Smith 97 rouge** (70 à 99 F) a obtenu une citation. Il devra attendre un an ou deux que ses tanins se fondent.
➤ SARL D. Cathiard, 33650 Martillac, tél. 05.57.83.11.22, fax 05.57.83.11.20, e-mail smithhautlafitte@smithhautlafitte.com ☑ ⵜ r.-v.

CH. SMITH HAUT LAFITTE 1998★★★

☐	11 ha	n.c.	🃏	250 à 299 F

88 89 90 91 |92| |93| |94| |95| **96** |97| ⑨⑧

La réputation de Smith Haut Lafitte en matière de vins blancs n'est plus à faire ; ce 98 ne peut que la consolider. Ayant parfaitement profité des excellentes conditions climatiques d'un mois d'août exceptionnellement chaud et sec, l'équipe de Daniel Cathiard et de son œnologue Gabriel Vialard a obtenu un vin de grande classe. Doté d'un bouquet puissant, fondant le sauvignon mûr dans un boisé élégant, il développe une structure impressionnante, avec de belles notes de surmaturation et d'orange confite. Une superbe bouteille, complexe, bien équilibrée, longue et de garde.
➤ SARL D. Cathiard, 33650 Martillac, tél. 05.57.83.11.22, fax 05.57.83.11.20, e-mail smithhautlafitte@smithhautlafitte.com ☑ ⵜ r.-v.

LES HAUTS DE SMITH 1998★★

☐	11 ha	15 000	🃏	70 à 99 F

Prétendrait-elle rivaliser avec le grand vin ? Cette seconde étiquette offre une remarquable prestation. Ce 98 séduit par sa couleur pâle, limpide et brillante, par son bouquet aux harmonieux parfums de buis, d'agrumes et de pêche, comme par sa matière, grasse, onctueuse et savoureuse, accompagnée par un boisé maîtrisé. « De belle origine », note un juré qui conseille de le servir, pendant trois ou quatre ans, à ses meilleurs amis.
➤ SARL D. Cathiard, 33650 Martillac, tél. 05.57.83.11.22, fax 05.57.83.11.20, e-mail smithhautlafitte@smithhautlafitte.com ☑ ⵜ r.-v.

Le Médoc

Dans l'ensemble girondin, le Médoc occupe une place à part. A la fois enclavés dans leur presqu'île et largement ouverts sur le monde par un profond estuaire, le Médoc et les Médocains apparaissent comme une parfaite illustration du tempérament aquitain, oscillant entre le repli sur soi et la tendance à l'universel. Et il n'est pas étonnant d'y trouver aussi bien de petites exploitations familiales presque inconnues que de grands domaines prestigieux appartenant à de puissantes sociétés françaises ou étrangères.

S'en étonner serait oublier que le vignoble médocain (qui ne représente qu'une partie du Médoc historique et géographique) s'étend sur plus de 80 km de long et 10 de large. C'est dire si le visiteur peut donc admirer non seulement les grands châteaux du vin du siècle dernier, avec leurs splendides chais-monuments, mais aussi partir à la découverte approfondie du pays. Très varié, celui-ci offre aussi bien des horizons plats et uniformes (près de Margaux) que de belles croupes (vers Pauillac), ou l'univers tout à fait original du bas Médoc, à la fois terrestre et maritime. La superficie des AOC du Médoc représente environ 14 890 ha.

Pour qui sait quitter les sentiers battus, le Médoc réserve de toute manière plus d'une heureuse surprise. Mais sa grande richesse, ce sont ses sols graveleux, descendant en pentes douces vers l'estuaire de la Gironde. Pauvre en éléments fertilisants, ce terroir est particulièrement favorable à la production de vins de qualité, la topographie permettant un drainage parfait des eaux.

Médoc

On a pris l'habitude de distinguer le haut Médoc, de Blanquefort à Saint-Seurin-de-Cadourne, et le bas Médoc, de Saint-Germain-d'Esteuil à Saint-Vivien. Au sein de la première zone, six appellations communales produisent les vins les plus réputés. Les soixante crus classés sont essentiellement implantés sur ces appellations communales ; cependant, cinq d'entre eux portent exclusivement l'appellation haut-médoc. Les crus classés représentent approximativement 25 % de la surface totale des vignes de Médoc, 20 % de la production de vins et plus de 40 % du chiffre d'affaires. À côté des crus classés, le Médoc compte de nombreux crus bourgeois qui assurent la mise en bouteilles au château et jouissent d'une excellente réputation. Plusieurs caves coopératives existent dans les appellations médoc et haut-médoc, mais aussi dans trois appellations communales.

Une partie importante des vins des appellations médoc et haut-médoc est vendue en vrac aux négociants qui en assurent la commercialisation sous des noms de marque.

Cépage traditionnel en Médoc, le cabernet-sauvignon est probablement moins important qu'autrefois, mais il couvre cependant 52 % de la totalité du vignoble. Avec 34 %, le merlot vient en second ; son vin, souple, est aussi d'excellente qualité et d'évolution plus rapide, il peut être consommé plus jeune. Le cabernet-franc, qui apporte la finesse, représente 10 %. Enfin, le petit verdot et le malbec ne jouent pas un bien grand rôle.

Les vins du Médoc jouissent d'une réputation exceptionnelle ; ils sont parmi les plus prestigieux vins rouges de France et du monde. Ils se remarquent à leur belle couleur rubis, évoluant vers une teinte tuilée, mais aussi à leur odeur fruitée, dans laquelle les notes épicées de cabernet se mêlent souvent à celles, vanillées, qu'apporte le chêne neuf. Leur structure tannique, dense et complète en même temps qu'élégante et moelleuse, et leur parfait équilibre autorisent un excellent comportement au vieillissement ; ils s'assouplissent sans maigrir et gagnent en richesse olfactive et gustative.

L'ensemble du vignoble médocain (4 740 ha) a droit à l'appellation médoc ; mais en pratique celle-ci n'est utilisée qu'en bas Médoc (la partie nord de la presqu'île, à proximité de Lesparre), les communes situées entre Blanquefort et Saint-Seurin-de-Cadourne pouvant revendiquer celle de haut-médoc. Malgré cela, la production est importante, représentant 291 274 hl en 1999.

Les médoc se distinguent par une belle couleur, généralement très soutenue. Avec un pourcentage de merlot plus important que dans les vins du haut Médoc et des appellations communales, ils possèdent souvent un bouquet fruité et beaucoup de rondeur en bouche. Certains, venant sur de belles croupes graveleuses isolées, présentent aussi une grande finesse et une belle richesse tannique.

CH. BELLEGRAVE
Cuvée spéciale Vieilli en fût de chêne neuf 1997

| ■ Cru bourg. | 2 ha | 3 000 | ❙❙❙❙ | 70 à 99 F |

Belle unité de quelque 18 ha, ce cru propose une cuvée bien équilibrée ; l'ensemble est de qualité, avec des tanins dont la souplesse respecte les fruits rouges cuits qui s'expriment tant au bouquet qu'au palais.
☛ Christian Caussèque, 8, rue de Janton, 33340 Valeyrac, tél. 05.56.41.53.82, fax 05.56.41.50.10 ☑ ⍭ r.-v.

CH. DE BENSSE 1997★

| ■ | 7,9 ha | 6 600 | ❚❙❙❙ | 30 à 49 F |

Signé par la cave coopérative de Prignac, ce vin de cru s'inscrit dans la tradition médocaine par l'intensité de sa couleur et par ses notes tanniques, qui trouvent un bon point d'équilibre avec l'apport du bois. Très marquée par le poivron, et également bien constituée, l'étiquette principale de la cave, **Les Vieux Colombiers 97**, a obtenu une citation.
☛ Cave Les Vieux Colombiers, 23, rue des Colombiers, 33340 Prignac-en-Médoc, tél. 05.56.09.01.02, fax 05.56.09.03.67 ☑ ⍭ t.l.j. sf dim. 8h30-12h30 14h-18h

CH. BLAIGNAN 1997

| ■ Cru bourg. | 85,66 ha | 474 930 | ❚❙❙❙ | 70 à 99 F |

Très vaste unité (plus de 140 ha au total), appartenant au groupe Mestrezat, ce cru propose un 97 bien équilibré dont les tanins savoureux s'ouvrent sur une finale pointue mais d'une bonne persistance aromatique.
☛ SC du Ch. Blaignan, La Croix-Bacalan, 109, rue Achard, B.P. 154, 33042 Bordeaux Cedex, tél. 05.56.11.29.00, fax 05.56.11.29.01 ⍭ r.-v.

CH. BOIS DE ROC 1997

| ■ Cru artisan | 14 ha | 90 000 | (|◖ | 50 à 69 F |

85 **86** 89 90 **92** ⑨③ |96| 97

Issu d'un encépagement dans la tradition bordelaise comprenant cinq variétés dont un peu de petit verdot et de carmenère, ce vin est d'une bonne complexité aromatique. Ses notes fruitées s'enchaînent bien avec le boisé, parfaitement dosé pour ce millésime.
☚ GAF Dom. du Taillanet, Ch. Bois de Roc, 2, rue des Sarments, 33340 St-Yzans-de-Médoc, tél. 05.56.09.09.79, fax 05.56.09.06.29, e-mail boisderoc@aol.com ☑ ⵟ t.l.j. sf sam. dim. 9h-12h 14h-18h; f. jan. fév.
☚ Cazenave

Le Médoc et le Haut-Médoc

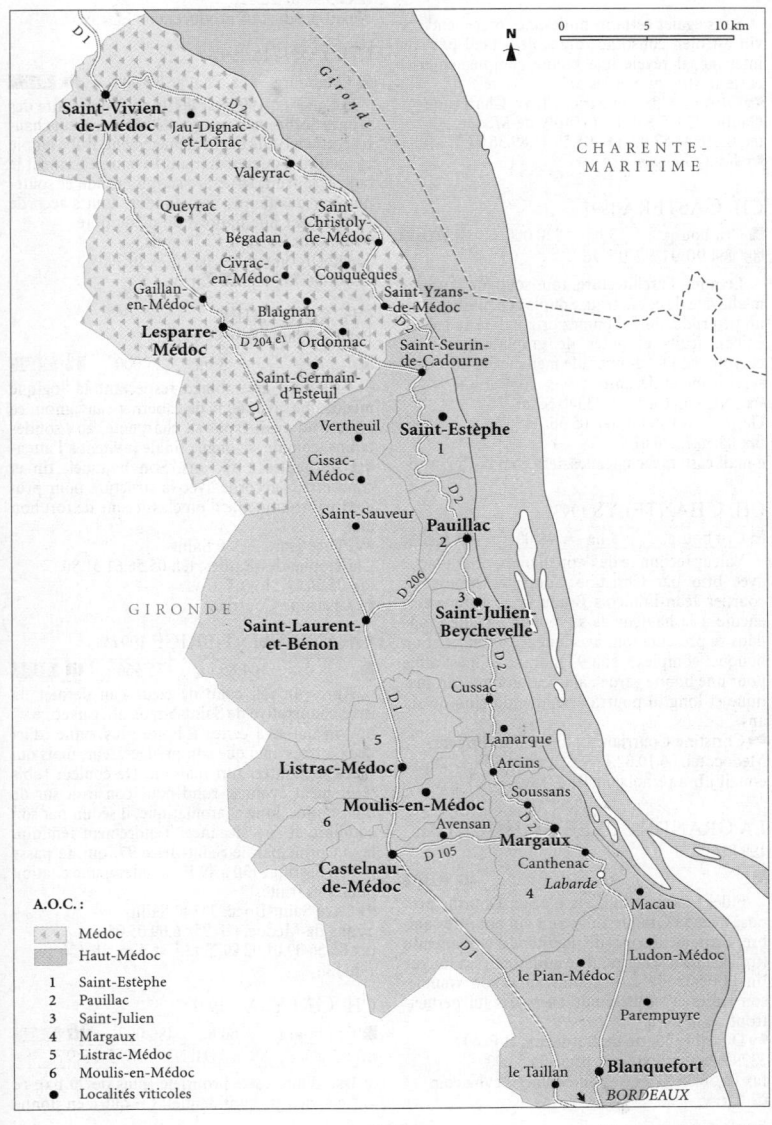

A.O.C. :

◄◄◄ Médoc

░░░ Haut-Médoc

1   Saint-Estèphe
2   Pauillac
3   Saint-Julien
4   Margaux
5   Listrac-Médoc
6   Moulis-en-Médoc
●   Localités viticoles

BOIS GALANT 1997

■   n.c.   28 000   **◫** 30 à 49 F

Marque de l'Union des coopératives du Médoc, ce vin, élevé en fût, compense le petit côté alcooleux de la finale par sa plénitude et sa souplesse.
☛ Union des caves coop. Uni-Médoc, 14, rte de Soulac, 33340 Gaillan, tél. 05.56.41.03.12, fax 05.56.41.00.66 ☑ ⵣ r.-v.

CH. CANTEGRIC 1997

■ Cru artisan   1 ha   6 000   **◫** 30 à 49 F
95 **96** |97|

Sans égaler certains millésimes précédents, ce vin est bien constitué : agréable à l'œil par son intensité, il révèle une bonne complémentarité entre la structure et les arômes fruités.
☛ GFA du Ch. Cantegric, 10, av. Charles-de-Gaulle, 33340 Saint-Christoly-de-Médoc, tél. 05.56.41.57.00, fax 05.56.41.89.36 ☑ ⵣ r.-v.
☛ Joany Feugas

CH. CASTERA 1997

■ Cru bourg.   63 ha   230 000   **◫** 50 à 69 F
|88| |89| 90 91 92 95 96 97

Le nom, l'architecture, tout souligne l'origine médiévale de ce château. Souple et équilibré mais un peu rude, doté d'un nez original où se mêlent épices, fruits et notes de graphite (mine de crayon), son 97 donnera le meilleur de lui-même servi jeune et décanté.
☛ SNC Ch. Castéra, 33340 Saint-Germain-d'Esteuil, tél. 05.56.73.20.60, fax 05.56.73.20.61, e-mail castera@chateaucastera.com ☑ ⵣ r.-v.

CH. CHANTELYS 1997★

■ Cru bourg.   8 ha   48 000   **◫** 50 à 69 F

Valeur reconnue de l'appellation, ce cru mené avec brio par Christine Courrian, épouse du courtier Jean-François Braquessac, est une fois encore à la hauteur de sa réputation. Bien typé dans sa présentation, avec une robe foncée et un bouquet complexe, son 97 montre qu'il est armé pour une bonne garde : ample, tannique, aromatique et long, il pourra être attendu cinq ou six ans.
☛ Christine Courrian, Lafon, 33340 Prignac-Médoc, tél. 06.10.02.12.92, fax 06.56.58.17.20, e-mail jfbraq@aol.com ☑ ⵣ r.-v.

LA GRANDE CUVEE DE DOURTHE 1997★

■   n.c.   n.c.   **◫** 50 à 69 F

Fidèle à sa tradition, la maison Dourthe propose avec sa Grande Cuvée un vin pourpre sombre, d'une belle vinosité, méritant d'être attendu (trois ou quatre ans pour ce millésime) : sa longue finale demande à s'arrondir, mais son volume, son fruité et sa plénitude au palais lui permettront de le faire.
☛ Dourthe, 35, rte de Bordeaux, B.P. 49, 33290 Parempuyre, tél. 05.56.35.53.00, fax 05.56.35.53.29, e-mail contact@cvbg.com ☑ ⵣ r.-v.

CH. FONGIRAS
Cuvée élevée en fût de chêne 1997★

■   7 ha   40 000   **◫** 50 à 69 F

Régulière en qualité, cette cuvée bois proposée par Producta n'aura pas à rougir du millésime 97. Après s'être annoncée par une jolie couleur grenat et un bouquet aux notes de fruits mûrs, cette bouteille confirme ensuite la présentation, en mariant heureusement le bois et le fruit. L'ensemble sera très agréable à boire d'ici deux à trois ans.
☛ Producta SA, 21, cours Xavier-Arnozan, 33082 Bordeaux Cedex, tél. 05.57.81.18.18, fax 05.56.81.22.12, e-mail producta@producta.com ⵣ r.-v.

CH. FONTIS 1997

■ Cru bourg.   8,5 ha   35 000   **◫** 70 à 99 F

Acquise en 1995 par le fils du propriétaire des Ormes Sorbet, cette propriété, située sur une hauteur, est en cours de réaménagement. Robe ample et sombre, bouquet mariant harmonieusement le bois et le fruit, structure souple, ronde et soutenue par des tanins bien fondus, tout s'accorde pour laisser une impression d'équilibre.
☛ Vincent Boivert, Ch. Fontis, 33340 Ordonnac, tél. 05.56.73.30.30, fax 05.56.73.30.31 ☑ ⵣ r.-v.

CH. GAUTHIER
Pavillon Saint-James 1997★

■   3 ha   15 000   ▬ ⌁ 30 à 49 F

Issu d'un assemblage respectant la logique médocaine, avec 60 % de cabernet-sauvignon, ce vin est lui aussi typé : sa charpente, aux solides tanins, comme sa longue finale invitent à l'attendre de quatre à six ans. Son bouquet, fin et concentré, s'accorde avec la structure pour promettre une bouteille d'un classicisme de fort bon aloi.
☛ Pierre Jean, 33330 Saint-Christophe-des-Bardes, tél. 05.56.61.51.80, fax 05.56.61.51.90 ⵣ r.-v.
☛ Christine Courrian

GRAND SAINT-BRICE 1997★

■   104,85 ha   76 666   **◫** 50 à 69 F

Après un joli coup de cœur l'an dernier, la cave coopérative de Saint-Yzans offre avec ce 97 un vin qui sera certes à boire plus jeune (d'ici deux à trois ans) que son prédécesseur, mais qui saura se montrer fort plaisant. De couleur rubis légèrement évoluée, rond mais construit sur de bons tanins, long et aromatique, il séduit par son équilibre et son élégance. Tendrement féminin, le vin principal, le **Saint-Brice 97**, qui ne passe pas en barrique (30 à 49 F), a obtenu une citation pour son fruité.
☛ Cave Saint-Brice, 33340 Saint-Yzans-de-Médoc, tél. 05.56.09.05.05, fax 05.56.09.01.92 ☑ ⵣ t.l.j. sf dim. 8h-12h 14h-18h

CH. GREYSAC 1997★

■ Cru bourg.   60 ha   480 000   **◫** 50 à 69 F
82 85 |86| 87 **88** |89| |91| |93| |94| 95 96 97

Issu d'une vaste propriété (plus de 90 ha), ce vin n'a rien de confidentiel. Ce qui n'en donne que plus d'intérêt à ses qualités. Qu'il s'agisse de l'élégance de sa robe, rouge à reflets violets, de sa complexité aromatique, qui marie les fruits rouges au grillé, ou de sa structure ample, ronde et bien équilibrée.

🍷 SA Domaines Codem, Ch. Greysac, 33340 Bégadan, tél. 05.56.73.26.56, fax 05.56.73.26.58 ☑ ⵠ r.-v.

CH. GRIVIERE 1997

| ■ Cru bourg. | 18 ha | n.c. | ◫ | 70 à 99 F |

92 93 |94| 95 96 |97|

Issu d'un terroir argilo-calcaire et d'un encépagement où le cabernet-sauvignon ne représente que 40 % face au merlot (55 %), complétés tous deux par le cabernet franc, ce vin se présente dans une robe classique grenat bordeaux. Son nez un peu caramélisé se montre assez fruité, légèrement confit. Bien équilibré, le palais offre une finale vivante et parfumée.

🍷 Les Domaines CGR, rte de la Cardonne, 33340 Blaignan, tél. 05.56.73.31.51, fax 05.56.73.31.52, e-mail cgr@vins-medoc.com ☑ ⵠ t.l.j. sf sam. dim. 8h30-11h30 13h30-17h; groupes sur r.-v.

CH. HAUT-BALIRAC
Vieilli en fût de chêne 1997*

| ■ | 1,8 ha | 7 000 | ◫ | 30 à 49 F |

Coopérateur, ce producteur a choisi en 1994 de vinifier lui-même une partie de son domaine de 8,66 ha. Son vin est étonnant ! Issue de vignes sélectionnées et élevée en fût de chêne, cette cuvée est encore très tannique, mais sa complexité, ses arômes de poivron, de fruits rouges, de vanille et de grillé, comme sa structure lui assurent une garde de trois à cinq ans, qui permettra à l'ensemble de se fondre. Signalons une rare étiquette parcheminée, à l'ancienne !

🍷 Cédric Chamaison, 2, rue du Maquis-des-Vignes, Oudides, 33340 Valeyrac, tél. 05.56.41.55.93 ☑ ⵠ r.-v.

CH. HAUT BRISEY 1997

| ■ Cru bourg. | 9 ha | 70 000 | ◫ | 30 à 49 F |

⑧⑥ 87 88 89 90 91 93 94 95 96 97

Un domaine récent, créé en 1983 - fait rare en Médoc. Né sur un terroir riche de graves, et de vignes de quatorze ans, ce vin se montre fort plaisant, tant par sa belle robe grenat que par son bouquet aux puissantes notes de cuir, de figue confite et d'épices. Son palais, équilibré, est fort convenable pour le millésime. A ouvrir dans un an.

🍷 SCEA Ch. Haut Brisey, Sestignan, 33590 Jau-Dignac-Loirac, tél. 05.56.09.56.77, fax 05.56.73.98.36 ☑ ⵠ r.-v.
🍷 Christian Denis

CH. HAUT-CANTELOUP
Collection 1997*

| ■ Cru bourg. | 6,25 ha | 50 000 | ◫ | 50 à 69 F |

|94| 95 96 97

Issu d'une propriété comptant plus de 40 ha, ce vin est actuellement très marqué par le merlot dans son expression aromatique. Mais il est loin d'avoir trouvé son visage définitif, qui devrait se définir d'ici deux à trois ans. Notez sa belle robe

rubis à reflets pourpre violacé qui a séduit d'emblée.

🍷 SARL du ch. Haut-Canteloup, 33340 Saint-Christoly-Médoc, tél. 05.56.41.58.98, fax 05.56.41.36.08 ☑ ⵠ r.-v.

CH. HAUTERIVE 1997

| ■ Cru bourg. | n.c. | 360 000 | ⵙ ◫ | 50 à 69 F |

Encore très jeune lors de la dégustation, ce vin n'a pas permis au jury d'aboutir à des conclusions définitives ; cependant ses tanins soyeux et épais, sa robe rouge sang, sa finale d'une bonne complexité sont de bon augure.

🍷 Vignobles Rocher Cap de Rive, SCEA 3, Ch. Hauterive, 33340 Saint-Germain-d'Esteuil, tél. 05.56.73.05.49, fax 05.56.73.07.56

CH. HAUT-GARIN 1997

| ■ Cru bourg. | 6,8 ha | 7 500 | ⵙ ◫ ↓ | 30 à 49 F |

|93| |94| 96 |97|

Cabernet-sauvignon, merlot, cabernet franc, petit verdot, ce cru respecte la diversité traditionnelle du Médoc. On ne sera donc pas surpris par les qualités de ce 97 : délicats parfums de fruits confits et d'épices douces ; tanins riches, charnus et aimables ; structure souple.

🍷 Gilles Hue, Lafon, 33340 Prignac-Médoc, tél. 05.56.09.00.02 ☑ ⵠ t.l.j. 9h-12h 14h-19h; dim. sur r.-v.

CH. LABADIE 1997★★

| ■ Cru bourg. | 9 ha | 70 000 | ◫ | 30 à 49 F |

⑨⓪ 92 93 94 95 |96| 97

Déjà présent sur la liste des crus bourgeois de 1932, ce vignoble se distingue tout particulièrement avec ce millésime. Très médoc par sa belle couleur rouge rubis, ce 97 a été élevé en fût, mais le boisé sait respecter les autres parfums pour donner un bouquet puissant et complexe. Plein, charpenté et rehaussé de notes chocolatées, le palais confirme par sa structure qu'on a là une vraie bouteille de garde, qui méritera de figurer en bonne place à la cave, pour être ouverte d'ici six à huit ans.

🍷 GFA Bibey, 1, rte de Chasse, Ch. Labadie, 33340 Bégadan, tél. 05.56.41.55.58, fax 05.56.41.39.47 ☑ ⵠ r.-v.
🍷 Yves Bibey

CH. LA CARDONNE 1997*

| ■ Cru bourg. | 75 ha | n.c. | ◫ | 70 à 99 F |

88 89 90 91 92 93 94 95 96 97

Etablie sur des graves sablonneuses en pente douce, cette vaste propriété tournée vers l'estuaire bénéficie de nombreux atouts, dont une forte densité à l'hectare. Après beaucoup d'autres, ce millésime en témoigne par ses qualités. C'est un vin classique de l'appellation : couleur soutenue, boisé de qualité, complexité, solide structure tannique.

➤ Les Domaines CGR, rte de la Cardonne, 33340 Blaignan, tél. 05.56.73.31.51, fax 05.56.73.31.52, e-mail cgr@vins-medoc.com ☑ ⲧ t.l.j. sf sam. dim. 8h30-11h30 13h30-17h; groupes sur r.-v.

CH. LA CAUSSADE 1997

■   8,84 ha   33 000 ▮ ◫ ⌇ 30 à 49 F

Vinifié à la cave coopérative de Saint-Jean (Bégadan), ce cru fournit ici un vin qui alimentera les discussions ; si certains amateurs pourront trouver l'extraction un peu poussée, beaucoup apprécieront son bouquet aux notes de fruits et de chocolat, son équilibre et ses tanins bien mûrs qui s'ouvrent sur une longue finale.

➤ Cave Saint-Jean, 2, rte de Canissac, 33340 Bégadan, tél. 05.56.41.50.13, fax 05.56.41.50.78 ☑ ⲧ t.l.j. sf dim. 8h30-12h30 14h-18h (ven. 17h); sam. 8h30-12h
➤ Jean-Jacques Billa

CH. LA CLARE 1997

■ Cru bourg.   20 ha   150 000 ▮ ◫ ⌇ 30 à 49 F
90 92 |94| 95 96 |97|

Fidèle à son habitude, Paul de Rozières a recherché l'équilibre pour élaborer ce vin agréable par sa rondeur, sa simplicité et ses fins parfums de fruits rouges. « Plaisant, pour un millésime si difficile », note un œnologue.

➤ Paul de Rozières, Ch. La Clare, 33340 Bégadan, tél. 05.56.41.50.61, fax 05.56.41.50.69 ☑ ⲧ t.l.j. 8h-18h

CH. LACOMBE NOAILLAC 1997

■ Cru bourg.   15 ha   100 000 ▮ ◫ ⌇ 50 à 69 F

Rajeunie, l'étiquette de ce cru est plus en accord avec le caractère de Jean-Michel Lapalu que la sévérité de l'ancienne. Son amabilité se retrouve dans ce 97, rond et agréablement aromatique, avec des notes de cassis, de liqueur de framboise et de fleurs, à boire maintenant. C'est à Bégadan, si vous visitez le Médoc, que vous trouverez ce vin, 1 rue du 19-Mars.

➤ SC Ch. Lacombe Noaillac, Le Broustera, 33590 Jau-Dignac-Loirac, tél. 05.56.41.50.18, fax 05.56.41.54.65, e-mail info@les.trois.chateaux.com

CUVÉE DE LA COMMANDERIE DU BONTEMPS 1997★

■   n.c.   n.c.   ▮ 30 à 49 F

Dirigée par John Kolasa, cette maison de négoce a réussi ce difficile millésime. En effet, ce vin au bouquet naissant sait faire preuve d'originalité par ses notes fruitées accompagnées - pour l'un de nos dégustateurs - d'une pointe de whisky. D'un classicisme de bon aloi par sa structure aux tanins étoffés et bien fondus, il est déjà plaisant.

➤ Ulysse Cazabonne, rte de Rauzan, 33460 Margaux, tél. 05.57.88.79.94, fax 05.57.88.36.54, e-mail ulys.c@wanadoo.fr

CH. DE LA CROIX 1997

■ Cru bourg.   n.c.   90 000 ▮ ◫ ⌇ 30 à 49 F
93 94 95 96 |97|

Assez important par son volume de production, ce vin issu de 54 % de cabernets, 1 % de petit verdot et 45 % de merlot, souple et simple, se montre plaisant par sa rondeur et ses délicats parfums fruités que relaie, en finale, un retour aromatique aux notes mûres. Le **Château Terre Rouge 97**, du même producteur mais diffusé par la maison Sichel Coste de Langon, et élevé en cuve Inox (50 à 69 F), a également obtenu une citation. Le merlot semble l'emporter.

➤ SCF Dom. de La Croix, 6, ch. de la Croix, Plautignan, 33340 Ordonnac, tél. 05.56.09.04.14, fax 05.56.09.01.32 ☑ ⲧ r.-v.
➤ J. Francisco

CH. LAFON 1997★★

■ Cru bourg.   7 ha   40 000 ◫ 70 à 99 F
93 ⑨⑤ 96 97

Une fois encore, le sérieux du travail de Rémy Fauchey a fait ses preuves : le bouquet, qui marie des notes vanillées, toastées et fruitées, comme le palais, où l'apport du merrain se fond harmonieusement dans la solide structure tannique, tout s'accorde pour former un ensemble de belle qualité et plein d'avenir. Un vin à attendre au moins deux ou trois ans, et destiné aux amateurs de flaveurs empyreumatiques.

➤ SCEA Lafon-Fauchey, 33340 Prignac-en-Médoc, tél. 05.56.09.02.17, fax 05.56.09.04.96 ☑ ⲧ t.l.j. 9h30-19h
➤ Fauchey

CH. LA HOURCADE
Vieilli en fût de chêne 1997★

■   14 ha   110 000 ◫ 30 à 49 F

Vendanges manuelles, élevage en fût, on est loin ici des débuts timides de ce cru, fondé il y a quelques décennies par le facteur du village. S'annonçant par une belle robe rouge sombre, son 97 possède de réels atouts : une bonne structure et de sympathiques arômes de fruits rouges, de poivron vert et de pruneau. Bien médocain.

➤ Gino et Florent Cecchini, 7, rue de Noaillac, Ch. La Hourcade, 33590 Jau-Dignac-Loirac, tél. 05.56.09.53.61, fax 05.56.09.57.53 ☑ ⲧ r.-v.

CH. LALANDE D'AUVION 1997★

■ Cru bourg.   20 ha   n.c.   ▮ ◫ 30 à 49 F

Cabernet-sauvignon (60 %), merlot (40 %), ici l'assemblage est adapté à la nature du terroir, argilo-calcaire, et au millésime. Une fois encore le résultat est convaincant. D'une belle couleur à reflets pourpres, ce 97 donne l'impression d'hésiter entre les senteurs animales et les notes de raisins mûrs avant de révéler au palais sa solide charpente tannique qui permettra au bois de se fondre : perspective de garde de six à huit ans. Le 95 avait obtenu un coup de cœur.

➤ Christian Benillan, 3, rue de Verdun, 33340 Blaignan, tél. 05.56.09.05.52, fax 05.56.09.08.54 ☑ ⲧ r.-v.

CH. LALANDE VILLENEUVE 1997

■ Cru artisan   8,21 ha   10 000   ■ [30 à 49 F]

D'un volume de production limité, ce vin pourra dérouter certains amateurs par ses arômes musqués. Il en séduira beaucoup d'autres, l'alliance d'une structure souple et d'un bouquet à la forte personnalité permettant aussi bien de l'attendre quatre ou cinq ans que de le boire rapidement.
☛SCEA Lalande de Gravelongue, 19, rte de Troussas, 33340 Valeyrac, tél. 05.56.41.59.68 ☑ ⵏ r.-v.

CH. LA PIROUETTE 1997*

■ Cru bourg.   4 ha   30 000   ■ ⵏ [30 à 49 F]

Yvan Roux, dont le cru est situé à 3 km du phare de Girard signalant les bords de Gironde, a élevé dix-huit mois en barrique ce 97. S'il surprend par sa finale aux notes de menthol et d'eucalyptus, ce vin n'ignore rien de l'art de bien évoluer tout au long de la dégustation : robe rouge brique, bouquet aux notes de poivron, de genièvre et d'épices, palais équilibré avec des tanins légers bien fondus. A boire.
☛SCEA Yvan Roux, Semensan, 33590 Jau-Dignac-Loirac, tél. 05.56.09.42.02, fax 05.56.09.42.02 ☑ ⵏ r.-v.

CH. LA TILLE CAMELON
Elevé en fût de chêne 1997*

■   14,38 ha   24 000   ⵏ [30 à 49 F]

Elaboré à la cave Saint-Brice, ce vin de cru porte heureusement la marque du cépage majoritaire (merlot) dans le côté fruits rouges de sa finale. Corsé, étoffé et bouqueté, il est déjà plaisant tout en pouvant évoluer favorablement dans les quatre à cinq ans à venir.
☛Cave Saint-Brice, 33340 Saint-Yzans-de-Médoc, tél. 05.56.09.05.05, fax 05.56.09.01.92 ☑ ⵏ t.l.j. sf dim. 8h-12h 14h-18h
☛G. Courrian

CH. LA TOUR DE BY 1997*

■ Cru bourg.   60 ha   500 000   ■ ⵏ [70 à 99 F]

82 83 85 86 |88| |89| |90| |91| |93| 94 95 **96** |97|

Célèbre par sa tour à feu, un ancien phare dominant l'estuaire, ce cru propose un vin qui aurait mérité un peu plus de gras, mais qui n'en reste pas moins fort bien construit et équilibré. Une plaisante note d'originalité s'exprime tant au bouquet, avec de discrètes odeurs d'amandes grillées accompagnant un fruité jeune et frais, qu'au palais où les tanins poivrés sont assez fermes mais sans verdeur. Un bon classique bien élevé.
☛Marc Pagès, La Tour de By, 33340 Bégadan, tél. 05.56.41.50.03, fax 05.56.41.36.10 ☑ ⵏ t.l.j. sf sam. dim. 8h-12h 13h30-16h30; groupes sur r.-v.

CH. LAULAN DUCOS 1997

■   20 ha   6 000   ■ ⵏ [30 à 49 F]

88 |89| 90 91 92 |93| **96** 97

Une production assez confidentielle pour ce vin à la robe sombre légèrement évoluée, marqué par le bois mais qui laisse percer de sympathiques arômes de pain grillé et de petits fruits rou-

ges. Il devrait rapidement s'assouplir pour donner une bouteille à boire assez jeune.
☛SCEA Ch. Laulan Ducos, 4, rte de Vertamont, 33590 Jau-Dignac-Loirac, tél. 05.56.09.42.37, fax 05.56.09.48.40 ☑ ⵏ r.-v.
☛Brigitte Ducos

CH. LE BERNARDOT 1997

■   12,27 ha   30 000   ■ ⵏ [30 à 49 F]

Seul cru girondin à être placé sous le double pavillon japonais et écossais, cette propriété propose ici un vin à la robe cardinalice très jeune, au nez de fumée, de truffe et de venaison, qui possède de sérieuses réserves pour évoluer : attaque tannique, bonne tenue au palais, finale réglissée très jeune.
☛Fujiko and John Robertson, Ch. Gaudin, 33590 Vensac, tél. 05.56.09.57.94, fax 05.56.73.98.87 ☑ ⵏ r.-v.

CH. LE BERNET 1997*

■   8 ha   73 600   ■ ⵏ [50 à 69 F]

Né sur une croupe de graves regardant l'estuaire, ce vin n'est pas destiné à une longue garde. Toutefois, son bouquet fruité et son équilibre au palais le rendront très plaisant dans les deux ou trois ans à venir.
☛La Guyennoise, B.P. 17, 33540 Sauveterre-de-Guyenne, tél. 05.56.71.50.76, fax 05.56.71.87.70
☛SARL Decas

CH. LE BOURDIEU 1997

■ Cru bourg.   23 ha   180 000   ⵏ [50 à 69 F]

88 89 |90| 91 92 93 |94| |95| 96 97

Belle unité de près de 49 ha au total, cette propriété offre avec ce millésime un vin dont la structure, agréable, charnue et bien équilibrée, reste dans l'esprit de la propriété. Le **Château Bois Cardon 97** élevé en fût de chêne, second vin du Bourdieu (30 à 49 F) mais diffusé par le négociant André-Quancard André, a obtenu une citation.
☛Guy Bailly, Ch. Le Bourdieu,1, rte de Troussas, 33340 Valeyrac, tél. 05.56.41.58.52, fax 05.56.41.36.09 ☑ ⵏ t.l.j. sf sam. dim. 9h-12h 14h-18h

CH. LE GRAND SIGOGNAC 1997*

■   5 ha   32 666   ■ ⵏ [30 à 49 F]

Si la tempête du 27 décembre 1997 n'a eu que peu d'effets directs sur la vigne, elle n'a pas épargné ce cru dont elle a emporté le chai. Son propriétaire, Philippe Olivier, ne méritait pas une telle injustice, comme le montre la qualité de ce 97 : intense et aristocratique par son bouquet (fruits confits et venaison), ce vin développe dès l'attaque des tanins souples et persistants qui soutiennent parfaitement une matière consistante et concentrée. Il est distribué par les Etablissements Audy à Libourne.
☛Philippe Olivier, Ch. Le Grand Sigognac, 33340 Saint-Yzans-de-Médoc, tél. 05.56.09.06.38, fax 05.56.09.06.38

CH. LE REYSSE
Elevé en fût de chêne 1997★

	5 ha	32 000	⦀ 30 à 49 F
93		94		95		96	97

Patrick Chaumont a créé sa marque en 1992, après plusieurs années de coopérative. Il a construit cuvier et chai, et suit de près l'état de ses vignes. Issu d'un joli terroir de graves, ce vin reflète le millésime. Ses tanins s'accordent avec le bouquet, aux notes gourmandes de fruits secs, de noisette, de vanille et de réglisse, pour former un ensemble souple et élégant. Le **Château Lassus 97** (30 à 49 F), du même producteur, a obtenu une citation. C'est un vin sérieux, un peu « médoc d'antan ».
☛ SCEA Vignobles Chaumont, 7, rte du Port-de-By, 33340 Bégadan, tél. 05.56.41.50.79, fax 05.56.41.51.36 ☑ ☨ t.l.j. sf dim. 9h-19h

CH. LES GRANDS CHENES
Cuvée Prestige 1997★★

■ Cru bourg.	7,16 ha	56 000	⦀ 70 à 99 F
86 88 **89** |90| 91 92 93 |94| |95| 96 **97**

Valeur sûre de l'appellation, ce cru, propriété de Bernard Magrez depuis 1998, propose ici sa cuvée Prestige, élevée en fût. Une belle couleur, profonde et vive ; un bouquet complexe (vanille, grillé, fruits) ; une matière de qualité, riche, racée et équilibrée ; un bon potentiel de garde (de trois à cinq ans), tout témoigne d'une bonne origine et d'une vinification bien maîtrisée.
☛ Bernard Magrez, rte de Lesparre, 33340 Saint-Christoly-de-Médoc, tél. 05.56.41.53.12, fax 05.56.41.35.69 ☨ r.-v.

LES GRANGES DE CIVRAC 1997★

■	16,92 ha	24 000	⦀ 30 à 49 F

Propriété du président de la cave coopérative de Saint-Yzans, ce cru civracais n'aura pas à rougir de sa prestation dans ce millésime réputé délicat : agréablement bouqueté (noyau de fruits mûrs), bien équilibré, avec des tanins sans agressivité, élégant en finale, son 97 promet une jolie bouteille pour ces trois prochaines années.
☛ Cave Saint-Brice, 33340 Saint-Yzans-de-Médoc, tél. 05.56.09.05.05, fax 05.56.09.01.92 ☑ ☨ t.l.j. sf dim. 8h-12h 14h-18h
☛ Jean-Paul Roland

CH. LES MOINES Prestige 1997★★

■ Cru bourg.	20 ha	150 000	▮⦀♦ 50 à 69 F
86 88 89 90 91 92 |93| |94| **95** **96 97**

Toujours fidèle à sa tradition, ce château propose une fois encore un vin fort réussi, qui s'inscrit parfaitement dans l'esprit du cru par sa riche et solide constitution. Montrant son envergure dès l'attaque, celle-ci autorisera de nombreux accords gourmands. Les viandes rouges mais aussi de nombreux gibiers ne feront pas peur à cette bouteille de caractère, qui saura plaire dès à présent aux amateurs de vins jeunes tout en réservant un bon potentiel d'évolution pendant quatre à cinq ans. Le 95 fut un très beau coup de cœur.
☛ SCEA Vignobles Pourreau, 9, rue Château-Plumeau, 33340 Couquèques, tél. 05.56.41.38.06, fax 05.56.41.37.81 ☑ ☨ r.-v.

CH. LES ORMES SORBET 1997★★

■ Cru bourg.	19 ha	110 000	⦀ 70 à 99 F
78 81 83 **85 86** 88 89 |90| 91 92 93 94 **95 96 97**

S'il n'entend pas rivaliser avec de nombreux millésimes antérieurs, ce 97 ne manque pas d'atouts pour affronter l'avenir ; il a su tirer le meilleur parti de sa matière première : s'annonçant très heureusement par une belle robe rouge, il développe un bouquet racé (fruits confits, cuir, sous-bois et pointe de marmelade) avant de montrer par son ampleur et sa concentration qu'il possède un solide corps aux tanins flatteurs. A attendre quatre ou cinq ans.
☛ Jean Boivert, Ch. Les Ormes-Sorbet, 33340 Couquèques, tél. 05.56.73.30.31, fax 05.56.73.30.31 ☑ ☨ r.-v.

CH. LE TEMPLE Cuvée Tradition 1997

■ Cru bourg.	15 ha	100 000	⦀ 50 à 69 F

Ce vin n'est sans doute pas destiné à une longue garde, mais sa structure, d'une bonne puissance en finale, le rendra fort plaisant d'ici un à deux ans en mettant en valeur ses notes fraîches de fruits rouges.
☛ Denis Bergey, Ch. Le Temple, 33340 Valeyrac, tél. 05.56.41.53.62, fax 05.56.41.57.35 ☑ ☨ t.l.j. 8h30-12h30 13h30-19h30

CH. LISTRAN 1997

■ Cru bourg.	12 ha	40 000	⦀ 30 à 49 F

Commandé par une jolie petite chartreuse, ce cru fait preuve d'originalité dans ce millésime où les fruits de la Passion dominent un bouquet qui n'ignore pas pour autant les fruits rouges et le gibier.
☛ Arnaud Crété, Ch. Listran, 33590 Jau-Dignac-Loirac, tél. 05.56.09.48.59, fax 05.56.09.58.70, e-mail arncrete@aol.com ☑ ☨ t.l.j. sf dim. 9h-12h 14h-19h

CH. LOUDENNE 1997★★

■ Cru bourg.	45 ha	233 900	⦀ 70 à 99 F
⑧② **83 85 86** 88 89 90 91 93 94 95 **96 97**

L'Union Jack ayant été amené en 1999 après une présence britannique remontant à l'ère victorienne, le millésime 97 est l'un des derniers à porter les couleurs anglaises. Une signature qu'il ne saurait renier : sa solide charpente tannique lui assurera un bon potentiel de garde qui permettra au bois de se fondre et au bouquet d'exprimer pleinement toute sa finesse et sa complexité. Le millésime précédent avait obtenu un coup de cœur.
☛ Ch. Loudenne, 33340 Saint-Yzans-de-Médoc, tél. 05.56.73.17.80, fax 05.56.09.02.87, e-mail brunot.bernet@udv.com ☑ ☨ r.-v.
☛ Jean-Paul Lafragette

CH. LOUSTEAUNEUF
Cuvée Art et Tradition 1997★

■ Cru bourg.	8 ha	50 000	⦀ 50 à 69 F
93 |94| **95** **96** 97

Régulier en qualité, ce cru sort fort honorablement de l'épreuve du millésime 97 avec cette cuvée issue d'une sélection de vieilles vignes (coup de cœur dans le millésime 95). Si sa finale est plus simple qu'à l'ordinaire, ce vin révèle une belle couleur, entre pourpre et rubis, un bouquet complexe, mêlant des notes animales, de sous-bois et de fruits rouges, une attaque souple et une bonne évolution au palais.

☛ Segond, Ch. Lousteauneuf, 33340 Valeyrac, tél. 05.56.41.52.11, fax 05.56.41.52.11, e-mail chateau.lousteauneuf@wanadoo.fr
☑ ⵣ r.-v.

MERRAIN ROUGE
Vieilli en fût de chêne 1997

■	18 ha	100 000	⫘ 50 à 69 F

Elevé en fût pendant douze mois, comme son nom l'indique, ce vin a bien assimilé l'apport du bois, tout en restant rond et souple, ce qui permettra de le boire jeune (d'ici un an) ; on profitera pleinement de ses arômes fruités et sauvages.

☛ Producta SA, 21, cours Xavier-Arnozan, 33082 Bordeaux Cedex, tél. 05.57.81.18.18, fax 05.56.81.22.12, e-mail producta@producta.com ⵣ r.-v.

CH. NOAILLAC 1997★

■ Cru bourg.	43 ha	160 000	⫘ 50 à 69 F

86 88 91 92 93 94 |95| **96** 97

Bien servi par un joli terroir de graves, ce cru est une valeur reconnue de l'appellation. Il le confirme une fois encore avec ce vin élaboré méticuleusement et qui sait exprimer sa personnalité par un bouquet intense et complexe (fruits rouges, grillé et gibier). Le corps est plus léger, typé du millésime, déjà rond.

☛ Ch. Noaillac, 33590 Jau-Dignac-et-Loirac, tél. 05.56.09.52.20, fax 05.56.09.58.75 ☑ ⵣ t.l.j. sf sam. dim. 8h-12h 13h30-17h30
☛ Xavier Pagès

CH. PATACHE D'AUX 1997★

■ Cru bourg.	43 ha	300 000	⫘ 70 à 99 F

82 83 **85** 86 88 **89** |90| 91 92 93 |94| 95 96 97

Appartenant à une famille solidement implantée dans les AOC médoc et haut-médoc, ce vaste cru a une production importante et de qualité. Se présentant dans une belle robe rouge, son 97 se montre agréable tant par son bouquet, aux notes vanillées et fruitées, que par sa structure ronde et tannique. Une aimable bouteille qui mérite d'être attendue pendant environ trois ans.

☛ SA Ch. Patache d'Aux, 1, rue du 19-Mars, 33340 Bégadan, tél. 05.56.41.50.18, fax 05.56.41.54.65, e-mail info@les-trois-chateaux.com ☑ ⵣ r.-v.

CH. DU PERIER 1997★

■ Cru bourg.	7 ha	30 000	⫘ 70 à 99 F

|89| |90| 91 92 |93| 94 95 96 97

Issu pour moitié de cabernet-sauvignon et de merlot, ce vin rouge profond aux reflets carmin et aux tanins carrés est attachant par son expression aromatique marquée par les fruits rouges et noirs (cassis, mûre).

☛ Bruno Saintout, EARL Ch. du Perier, 33340 Saint-Christoly-Médoc, tél. 05.56.41.58.32, fax 05.56.59.46.13 ☑

CH. PEY DE PONT
Vieilli en fût de chêne 1997★

■ Cru bourg.	13 ha	8 000	⫘ 30 à 49 F

Bénéficiant d'une palette variée de terroirs argilo-calcaires ou sablo-graveleux, ce cru fait son entrée dans le Guide avec ce vin. Mariant agréablement le bois et les fruits, son bouquet est racé et complexe, tandis que ses tanins, fins et structurés, permettent d'envisager une garde de quatre à cinq ans.

☛ EARL Henri Reich et Fils, 3, rte du Port-de-Goulée, Trembleaux, 33340 Civrac-Médoc, tél. 05.56.41.52.80, fax 05.56.41.52.80 ☑ ⵣ t.l.j. 9h-12h 14h-19h

PIERRE CHANAU 1997

■	n.c.	180 000	⫘ 30 à 49 F

Elaboré par la firme Dulong pour Auchan, ce vin est représentatif du millésime par ses tanins souples et ronds qui s'accordent avec l'agrément du bouquet (fruits rouges et amande). Une jolie bouteille à boire jeune.

☛ Dulong Frères et Fils, 29, rue Jules-Guesde, 33270 Floirac, tél. 05.56.86.51.15, fax 05.56.40.66.41, e-mail dulong@mmkm.com ☑ ⵣ r.-v.

CH. PLAGNAC 1997

■ Cru bourg.	30 ha	215 000	⫘ 50 à 69 F

Proposé par le groupe Cordier, ce vin est un peu desservi par une note végétale au bouquet ; mais celle-ci n'éclipse pas les arômes fruités et épicés, qui s'associent aux tanins et à la mâche pour donner une bouteille à servir sur une entrecôte à la bordelaise.

☛ Domaines Cordier, 160, cours du Médoc, 33300 Bordeaux, tél. 05.57.19.57.77, fax 05.57.19.57.87 ⵣ r.-v.

CH. PONTAC GADET 1997

■	10 ha	29 000	ⵎ ⫘ 50 à 69 F

Principalement producteur à Bourg, les Briolais exploitent ce vignoble à Jau. Encore un peu dominé par le bois, mais équilibré et agréable, leur 97 pourra être servi assez jeune, par exemple sur un fromage de type vacherin.

☛ Vignobles Briolais, Ch. Pontac-Gadet, 33590 Jau-Dignac-Loirac, tél. 05.57.64.34.38 ☑ ⵣ r.-v.

CH. PREUILLAC 1997

■ Cru bourg.	28,5 ha	7 000	⫘ 50 à 69 F

Acquise récemment par la famille Mau, cette propriété jouit d'une bonne réputation que ne contrariera sûrement pas ce 97. Sans être un athlète voué à une longue garde, il possède une bonne structure, souple et équilibrée, et un joli bouquet qui le rendent très représentatif du millésime.

☛ SCF Ch. Preuillac, 33340 Lesparre, tél. 05.56.09.00.29, fax 05.56.09.00.34 ⵣ r.-v.
☛ J.-F. Mau

CH. RAMAFORT 1997

■ Cru bourg.	n.c.	n.c.	⫘ 70 à 99 F

Du même producteur que le château La Cardonne, ce vin au caractère ample devra être attendu de deux à trois ans pour s'exprimer pleinement, le bois s'imposant encore.

↪ Les Domaines CGR, rte de la Cardonne, 33340 Blaignan, tél. 05.56.73.31.51, fax 05.56.73.31.52, e-mail cgr@vins-medoc.com ☑ ☱ t.l.j. sf sam. dim. 8h30-11h30 13h30-17h; groupes sur r.-v.

CH. ROLLAN DE BY 1997★★

■ Cru bourg.	14,23 ha	97 000	◖▮▶ 100 à 149 F

|89| **91 92 93 94** ⑨⑥ **97**

Original par son encépagement où le cabernet-sauvignon (20 %) s'efface derrière le merlot (70 %), le tout complété par un zeste de petit verdot, ce cru, qui a obtenu un coup de cœur l'an dernier, offre encore un fort joli vin. S'appuyant sur un bouquet d'une belle complexité (vanille et fruits : fraise et framboise) et sur des tanins de qualité, il affiche un bon potentiel de vieillissement. Sa finale est d'une grande élégance. Une fois de plus, il faut se réjouir que Jean Guyon, antiquaire parisien, ait succombé au charme du Médoc !

↪ SARL DGM Jean Guyon, 7, rte Rollan-de-By, 33340 Bégadan, tél. 05.56.41.58.59, fax 05.56.41.37.82 ☑ ☱ r.-v.

CH. ROSE DU PONT 1997★

■	1,19 ha	n.c.	◖▮▶ 30 à 49 F

Après une longue absence, ce cru fait un retour dans le Guide avec ce vin au bouquet séduisant par ses notes épicées. Sa matière promet une jolie bouteille quand les tanins et la finale se seront arrondis.

↪ Pierre Lambert, Courbian, 33340 Lesparre, tél. 05.56.41.36.04 ☑ ☱ t.l.j. 9h-19h

CH. SAINT-HILAIRE
Vieilli en fût de chêne 1997★

■	8 ha	60 000	◖▮▶ 30 à 49 F

D'une belle couleur rouge, ce vin développe de sympathiques notes aromatiques vanillées et mentholées qui s'accordent à sa structure légère. Les tanins persistent en finale sur une évocation de tabac. Cette jolie bouteille méritera les honneurs de la cave pendant cinq ans, même si elle est déjà plaisante.

↪ EARL Adrien et Fabienne Uijttewaal, 13, chem. de la Rivière, 33340 Queyrac, tél. 05.56.59.80.88, fax 05.56.59.80.88 ☑ ☱ t.l.j. sf sam. dim. 9h-12h 14h-18h

CAVE SAINT-JEAN Le Grand Art 1997★

■	10 ha	40 000	◖▮▶ 30 à 49 F

Etiquette vedette de la cave de Bégadan, cette marque est une valeur reconnue dont la notoriété n'aura pas à souffrir de ce millésime. Puissant et élégant dans sa présentation, tant par sa robe que par son bouquet aux notes épicées et grillées, ce vin garde toujours son équilibre, tout en permettant aux tanins d'affirmer leur présence et leur complexité.

↪ Cave Saint-Jean, 2, rte de Canissac, 33340 Bégadan, tél. 05.56.41.50.13, fax 05.56.41.50.78 ☑ ☱ t.l.j. sf dim. 8h30-12h30 14h-18h (ven. 17h); sam. 8h30-12h

CH. SEGUE LONGUE 1997★

■	12 ha	96 000	▮◖▮▶ 50 à 69 F

Issu d'un encépagement à majorité de merlot, ce vin présente un caractère agréable. La souplesse et la rondeur laissent libre cours aux arômes. Originaux et complexes, ceux-ci évoluent des notes animales aux fruits exotiques.

↪ SCV Segue Longue, 13, chem. de Lamale, 33590 Jau-Dignac-Loirac, tél. 05.56.09.57.28, fax 05.56.09.57.28 ☑
↪ Monnier

CH. TOUR BLANCHE 1997

■ Cru bourg.	27 ha	150 000	▮◖▮▶♨ 50 à 69 F

Distribué par le négociant Ed. Kressmann (C.V.B.G.), ce Château Tour Blanche assemble à parts égales merlot et cabernet-sauvignon accompagnés de 20 % de cabernet franc. D'une assez belle intensité colorante, il offre un nez grillé et fruité sur des notes animales. Souple, ce vin est déjà agréable car sa matière est assez légère.

↪ Ch. Tour Blanche, 33340 Saint-Christoly-de-Médoc, tél. 05.56.35.53.00, fax 05.56.35.53.29, e-mail contact@cvbg.com
↪ Dominique Hessel

CH. TOUR CASTILLON 1997

■ Cru bourg.	12 ha	12 000	▮◖▮▶ 30 à 49 F

Evoquant par son nom un ancien château fort gardant l'accès de la Gironde, ce vin porte une robe très fraîche. Cependant, il ne demandera pas à être attendu longtemps, même s'il fait preuve d'une bonne tenue au palais. Il est friand, accompagné de notes torréfiées de belle complexité.

↪ EARL Vignobles Pierre Peyruse, 3, rte du Fort-Castillon, 33340 Saint-Christoly-Médoc, tél. 05.56.41.54.98, fax 05.56.41.39.19 ☑ ☱ r.-v.

CH. TOUR HAUT-CAUSSAN 1997★★

■ Cru bourg.	17 ha	107 600	◖▮▶ 70 à 99 F

82 83 85 86 |89| ⑨⓪ **91 92 93** |94| **95** ⑨⑥ **97**

Un terroir de qualité, un exploitant connaissant et aimant son métier, une réelle tradition familiale, ici le succès ne doit rien au hasard. Ce vin, typique d'un médoc réussi, remarquable pour un 97, le prouve par sa robe, d'un beau pourpre à reflets violacés, comme par son bouquet, où le bois respecte le fruit ; sa matière sait être tannique et prometteuse sans jamais perdre sa finesse. Le 96 avait reçu un coup de cœur. Le **Château La Landotte 97** (30 à 49 F), seconde étiquette du cru, a obtenu une citation.

↪ Philippe Courrian, 33340 Blaignan, tél. 05.56.09.00.77, fax 05.56.09.06.24 ☑ ☱ r.-v.

VIEUX CHATEAU LANDON
Sélection Les Meilleurs Cépages 1997★

■ Cru bourg.	32 ha	160 000	◖▮▶ 50 à 69 F

Cuvée sélection du cru, ce vin est fidèle à la tradition qualitative de cette étiquette. Venant après une belle robe, profonde et brillante, et un bouquet complexe, l'attaque annonce par sa rondeur le caractère des tanins, mûrs, amples et soyeux.

EARL Philippe Gillet et Fils,
6, rte du Château-Landon, 33340 Bégadan,
tél. 05.56.41.50.42, fax 05.56.41.57.10 ☑ ⵣ r.-v.

CH. VIEUX GADET
Elevé en fût de chêne 1997

■	1 ha	6 600	◖▮▶	30 à 49 F

Une production assez confidentielle mais
agréable par son bouquet aux notes de petits
fruits rouges sur sa délicatesse au palais, qui
n'exclut pas un bon potentiel d'évolution.
Thierry Trento, 1, chem. des Chambres,
33340 Gaillan-Médoc, tél. 05.56.41.21.98,
fax 05.56.41.21.98 ☑ ⵣ r.-v.

CH. VIEUX ROBIN Bois de Lunier 1997★

■ Cru bourg.	14,25 ha	50 000	▮◖▮▶⎍	70 à 99 F

|82| 83 |85| |86| 87 |88| **89 90** |91| 93 **94 95 96** 97

Sans rivaliser avec d'autres millésimes de cette
cuvée de prestige qui fait sa fermentation malolactique en barrique (40 % de bois neuf), ce 97
sait retenir l'attention par l'originalité de son
bouquet aux fines notes de fleurs blanches et par
sa générosité au palais ; ce vin se montrera assez
flatteur dès à présent sur un gibier à plume.
SCE Ch. Vieux Robin, 33340 Bégadan,
tél. 05.56.41.50.60, fax 05.56.41.37.85,
e-mail contact@chateau-vieux-robin.com
☑ ⵣ r.-v.
Maryse et Didier Roba

Haut-médoc

Proches quantitativement de
l'appellation médoc, avec une production
de 246 819 hl en 1999 sur 4 269 ha, les
haut-médoc jouissent d'une réputation plus
grande, due en partie à la présence de cinq
crus classés dans leur région, les autres se
trouvant tous dans les six appellations
communales enclavées dans l'aire des haut-
médoc.

En médoc, le classement des
vins a été réalisé en 1855, soit près d'un
siècle avant les autres régions. Cela s'explique par l'avance prise par la viticulture
médocaine à partir du XVIIIᵉ s. ; car c'est
là que s'est en grande partie produit « l'avènement de la qualité », avec la découverte
des notions de terroirs et de crus, c'est-
à-dire la prise de conscience de l'existence
d'une relation entre le milieu naturel et la
qualité du vin. Les haut-médoc se caractérisent par de la générosité, mais sans excès
de puissance. Avec une réelle finesse au
nez, ils présentent généralement une bonne
aptitude au vieillissement. Ils devront alors

être bus chambrés et iront très bien avec des
viandes blanches et des volailles ou du
gibier à chair blanche. Mais bus plus jeunes
et servis frais, ils pourront aussi accompagner d'autres plats, comme certains poissons.

CH. D'AGASSAC 1997★

■ Cru bourg.	20 ha	128 000	◖▮▶	70 à 99 F

Premier millésime intégralement sous la bannière du producteur actuel, ce vin assemble 50 %
de merlot aux cabernets. Sa structure, ronde,
franche et équilibrée, sait mettre en valeur des
tanins fondus dans un boisé très fin et une belle
expression aromatique aux notes de cassis, cerise
et mûre. Bien représentatif de son appellation,
ce 97 pourra attendre quatre ou cinq ans.
SCA du Ch. d'Agassac, 15, rue du Château,
33290 Ludon-Médoc, tél. 05.57.88.15.47,
fax 05.57.88.17.61 ☑ ⵣ r.-v.
Groupama

CH. D'ARCHE 1997★★

■ Cru bourg.	9 ha	n.c.	◖▮▶	100 à 149 F

90 91 92 93 **94 95 96 97**

9 ha d'un seul tenant sur une belle croupe de
graves constituent ce cru qui confirme sa progression qualitative enregistrée l'an dernier avec
le 96 : ce 97 offre une fois encore un vin de caractère. D'une belle teinte sombre et soutenu par des
tanins puissants, il présente un bon potentiel de
garde tout en affirmant déjà sa personnalité par
sa rondeur et sa richesse aromatique : gibier,
cèdre, cannelle, clou de girofle et confiture, avec
en prime une finale une petite note de camphre.
Mähler-Besse, 49, rue Camille-Godard,
B.P. 23, 33026 Bordeaux, tél. 05.56.56.04.35,
fax 05.56.56.04.59, e-mail
france.mahler-besse@wanadoo.fr ☑ ⵣ r.-v.

CH. ARNAULD 1997★

■ Cru bourg.	24,82 ha	150 000	◖▮▶	70 à 99 F

82 83 85 |86| |88| |89| 91 92 |93| 95 96 97

Ancien prieuré, ce cru est situé en face de l'une
des meilleures tables du Médoc. Faut-il voir là
l'origine du caractère gourmand de son 97 ? En
tout cas, celui-ci ne fait aucun doute, la richesse
séveuse et charnue du palais s'accordant avec les
parfums du bouquet (fruits mûrs, réglisse et épices) pour mettre en appétit. Il sera bon toutefois
d'attendre deux ou trois ans pour ouvrir cette
jolie bouteille, dont le boisé demande encore à
se fondre.
SCEA Theil-Roggy, Ch. Arnauld,
33460 Arcins, tél. 05.57.88.89.10,
fax 05.57.88.89.20 ☑ ⵣ t.l.j. sf dim. 9h-12h
14h-18h; sam. sur r.-v.

CH. D'AURILHAC 1997★★

■ Cru bourg.	11 ha	90 000	◖▮▶	50 à 69 F

Beau coup de cœur l'an dernier pour le millésime 96, ce cru montre ici que cette récompense
n'avait rien d'usurpé. Son 97 assemble le petit
verdot au merlot (38 %) et aux deux cabernets
(59 %). Presque noir et richement bouqueté, avec
des notes de pruneau, griotte, genièvre, réglisse
et vanille, il reste dans le même esprit au palais :

BORDELAIS

LE CLASSEMENT DE 1855 REVU EN 1973

PREMIERS CRUS
- Château Lafite-Rothschild (Pauillac)
- Château Latour (Pauillac)
- Château Margaux (Margaux)
- Château Mouton-Rothschild (Pauillac)
- Château Haut-Brion (Pessac-Léognan)

SECONDS CRUS
- Château Brane-Cantenac (Margaux)
- Château Cos-d'Estournel (Saint-Estèphe)
- Château Ducru-Beaucaillou (Saint-Julien)
- Château Durfort-Vivens (Margaux)
- Château Gruaud-Larose (Saint-Julien)
- Château Lascombes (Margaux)
- Château Léoville-Barton (Saint-Julien)
- Château Léoville-Las-Cases (Saint-Julien)
- Château Léoville-Poyferré (Saint-Julien)
- Château Montrose (Saint-Estèphe)
- Château Pichon-Longueville-Baron (Pauillac)
- Château Pichon-Longueville
  Comtesse-de-Lalande (Pauillac)
- Château Rauzan-Ségla (Margaux)
- Château Rauzan-Gassies (Margaux)

TROISIÈMES CRUS
- Château Boyd-Cantenac (Margaux)
- Château Cantenac-Brown (Margaux)
- Château Calon-Ségur (Saint-Estèphe)
- Château Desmirail (Margaux)
- Château Ferrière (Margaux)
- Château Giscours (Margaux)
- Château d'Issan (Margaux)
- Château Kirwan (Margaux)
- Château Lagrange (Saint-Julien)
- Château La Lagune (Haut-Médoc)

- Château Langoa (Saint-Julien)
- Château Malescot-Saint-Exupéry (Margaux)
- Château Marquis d'Alesme-Becker (Margaux)
- Château Palmer (Margaux)

QUATRIÈMES CRUS
- Château Beychevelle (Saint-Julien)
- Château Branaire-Ducru (Saint-Julien)
- Château Duhart-Milon-Rothschild (Pauillac)
- Château Lafon-Rochet (Saint-Estèphe)
- Château Marquis-de-Terme (Margaux)
- Château Pouget (Margaux)
- Château Prieuré-Lichine (Margaux)
- Château Saint-Pierre (Saint-Julien)
- Château Talbot (Saint-Julien)
- Château La Tour-Carnet (Haut-Médoc)

CINQUIÈMES CRUS
- Château d'Armailhac (Pauillac)
- Château Batailley (Pauillac)
- Château Belgrave (Haut-Médoc)
- Château Camensac (Haut-Médoc)
- Château Cantemerle (Haut-Médoc)
- Château Clerc-Milon (Pauillac)
- Château Cos-Labory (Saint-Estèphe)
- Château Croizet-Bages (Pauillac)
- Château Dauzac (Margaux)
- Château Grand-Puy-Ducasse (Pauillac)
- Château Grand-Puy-Lacoste (Pauillac)
- Château Haut-Bages-Libéral (Pauillac)
- Château Haut-Batailley (Pauillac)
- Château Lynch-Bages (Pauillac)
- Château Lynch-Moussas (Pauillac)
- Château Pédesclaux (Pauillac)
- Château Pontet-Canet (Pauillac)
- Château du Tertre (Margaux)

LES CRUS CLASSÉS DU SAUTERNAIS EN 1855

PREMIER CRU SUPÉRIEUR
- Château d'Yquem

PREMIERS CRUS
- Château Climens
- Château Coutet
- Château Guiraud
- Château Lafaurie-Peyraguey
- Château La Tour-Blanche
- Clos Haut-Peyraguey
- Château Rabaud-Promis
- Château Rayne-Vigneau
- Château Rieussec
- Château Sigalas-Rabaud
- Château Suduiraut

SECONDS CRUS
- Château d'Arche
- Château Broustet
- Château Caillou
- Château Doisy-Daëne
- Château Doisy-Dubroca
- Château Doisy-Védrines
- Château Filhot
- Château Lamothe (Despujols)
- Château Lamothe (Guignard)
- Château de Malle
- Château Myrat
- Château Nairac
- Château Romer
- Château Romer-Du-Hayot
- Château Suau

concentré, complexe et parfaitement équilibré, il montre par sa puissance et sa longueur qu'il appartient à la lignée des très grands vins. A coucher sur le livre de cave pour le suivre pendant une dizaine d'années.

👉SCEA Ch. d'Aurilhac et La Fagotte, Sénilhac, 33180 Saint-Seurin-de-Cadourne, tél. 05.56.59.35.32, fax 05.56.59.35.32 ☑ ⵎ r.-v.

CH. BALAC Cuvée Prestige 1997

■ Cru bourg.	5 ha	40 000	⫴ 50 à 69 F

82 83 85 86 88 89 90 91 92 93 |94| |95| 96 97

Edifié au XVIIIᵉs., ce cru de 17 ha présente une cuvée vieillie en barrique neuve ; ce vin porte la marque du bois dans ses notes aromatiques de brûlé. Mais elles savent respecter les autres composantes, qui vont de la cerise aux épices et s'expriment pleinement au palais.

👉Luc Touchais, Ch. Balac, 33112 Saint-Laurent-Médoc, tél. 05.56.59.41.76, fax 05.56.59.93.90 ☑ ⵎ t.l.j. 10h-19h

CH. BARATEAU 1997★★

■ Cru bourg.	15 ha	90 000	⫴ 50 à 69 F

85 86 |88| |89| |90| 91 92 |93| |94| 95 96 |97|

Toujours d'une belle régularité, ce cru sort avec les honneurs de l'épreuve de ce millésime si délicat. D'une belle robe grenat, ce vin développe un bouquet intéressant, avant de se révéler pleinement au palais ; celui-ci est gras, soyeux, équilibré et sérieux. Déjà fort plaisant, ce 97 pourra aussi être attendu pendant quatre ou cinq ans.

👉Sté Fermière Ch. Barateau, 33112 Saint-Laurent-Médoc, tél. 05.56.59.42.07, fax 05.56.59.49.91 ☑ ⵎ t.l.j. sf sam. dim. 9h-12h 14h-18h; f. 25 déc.-2janv.

👉Famille Leroy

CH. BEAUMONT 1997★

■ Cru bourg.	n.c.	450 000	⫴ 70 à 99 F

86 88 89 90 |93| |94| |95| 96 |97|

Vaste unité que commande un beau château mariant le style Napoléon III au caractère girondin, ce cru est régulier en qualité. Rien d'étonnant d'y voir naître un joli vin comme ce 97 où les tanins, doux et bien présents, savent s'associer à la complexité du bouquet pour donner un ensemble bien équilibré.

👉SCE Ch. Beaumont, 33460 Cussac-Fort-Médoc, tél. 05.56.58.92.29, fax 05.56.58.90.94, e-mail chateau.beaumont@wanadoo.fr ☑ ⵎ r.-v.

👉Grands Millésimes de France

CH. BEL AIR 1997★

■ Cru bourg.	37 ha	249 000	⫴ 50 à 69 F

|88| |89| |90| 92 |93| 95 96 97

Né sur un vignoble cussacais, ce vin a de sérieux atouts pour bien évoluer en cave. D'une réelle intensité, tant visuelle qu'aromatique, il s'appuie sur des tanins encore assez austères ; il s'affirme par la solidité de sa structure mais aussi par l'agrément de sa finale.

👉Domaines Martin, Ch. Gloria, 33250 Saint-Julien-Beychevelle, tél. 05.56.59.08.18, fax 05.56.59.16.18 ☑ ⵎ r.-v.

👉Françoise Triaud

CH. BELGRAVE 1997★★

■ 5ème cru clas.	55 ha	260 000	⫴ 100 à 149 F

82 83 84 85 86 87 88 89 ⑨ 91 92 |93| |94| 95 96 97

Belle unité par sa taille, ce cru mérite aussi ce titre par la qualité de son terroir toujours parfaitement mis en valeur dans ses vins. Il suffira de goûter ce 97 pour s'en convaincre : bien équilibré avec un boisé qui sait rester discret, il développe des tanins fondus qui s'harmonisent avec les fines notes toastées et épicées du bouquet et les riches arômes (café, cacao) du palais pour donner un ensemble complexe et homogène. Couronnée par une belle finale, cette bouteille méritera d'être attendue pendant trois ou quatre ans. Plus simple mais fin et souple, le second vin **Diane de Belgrave 97** (50 à 69 F) a obtenu une citation.

👉Dourthe, Ch. Belgrave, 35, rue de Bordeaux, 33290 Parempuyre, tél. 05.56.35.53.00, fax 05.56.35.53.29, e-mail contact@cvbg.com ☑ ⵎ r.-v.

CH. BELLE-VUE 1997

■ Cru bourg.	7,1 ha	15 000	⫴ 70 à 99 F

Ici, le petit merlot représente 24 % de l'assemblage, complétant le merlot (34 %) et le cabernet. Grenat intense, ce vin offre un nez puissant où s'expriment les notes fruitées, animales et grillées. Assez concentrée, la bouche repose sur une bonne structure et un boisé bien dosé. Une finale « carrée » invite à l'attendre deux ou trois ans.

👉SC de La Gironville, 69, rte de Louens, 33460 Macau, tél. 05.57.88.19.79, fax 05.57.88.41.79 ⵎ r.-v.

CH. BEL ORME Tronquoy de Lalande 1997

■ Cru bourg.	26 ha	150 000	⫴ 70 à 99 F

Commandé par un château s'inscrivant dans l'esprit de l'architecture girondine, ce cru propose avec ce millésime un vin aimable. De sympathiques petits tanins donnent un ensemble bien équilibré, aux arômes de violette, accompagné d'un léger grillé.

👉Jean-Michel Quié, Ch. Bel Orme, 33180 Saint-Seurin-de-Cadourne, tél. 05.56.59.38.29, fax 05.56.59.72.83 ☑ ⵎ r.-v.

CH. BERNADOTTE 1997

■ Cru bourg.	30 ha	200 000	⫴ 70 à 99 F

Devant son nom à un ancêtre de la famille royale de Suède, ce cru a appartenu à un industriel suédois jusqu'en 1997, date à laquelle il a été acquis par le château Pichon-Longueville Comtesse de Lalande. Ce vin a passé dix-huit mois en barrique ; aussi est-il encore un peu austère, ses tanins étant bien marqués. Sa présentation convenable indique un potentiel de garde.

👉SC Ch. Le Fournas, Le Fournas Nord, 33250 Saint-Sauveur, tél. 05.56.59.57.04, fax 05.56.59.54.84 ⵎ r.-v.

👉May-Eliane de Lencquesaing

BRULIERES DE BEYCHEVELLE 1997

■		19 ha	110 000	⫴ 70 à 99 F

Son rang de joyau architectural de la presqu'île médulienne et de cru classé de saint-julien n'empêche pas Beychevelle de proposer ce haut-médoc frais et complexe par ses arômes, souple et bien constitué au palais.

☛ SC Ch. Beychevelle, 33250 Saint-Julien-Beychevelle, tél. 05.56.73.20.70, fax 05.56.73.20.71, e-mail beychevelle@beychevelle.com ☒ ☂ t.l.j. sf sam. dim. 9h30-12h 14h-17h; groupes sur r.-v.

CH. CAMBON LA PELOUSE 1997*

■ Cru bourg.　28 ha　180 000　⦀ 50 à 69 F

Ce vin, originaire de Macau, aurait-il été influencé par le « style margaux » ? On pourrait le penser en découvrant la caractère féminin qui apparaît tant dans la souplesse et la rondeur de sa structure tannique que dans la finesse de la finale. Gourmand dans son expression aromatique aux notes de brioche, fruits mûrs, pain frais et vanille, l'ensemble est équilibré et suffisamment bien construit pour évoluer favorablement pendant trois ou quatre ans.

☛ Jean-Pierre Marie, SCEA Cambon La Pelouse, 5, chem. de Canteloup, 33460 Macau, tél. 05.57.88.40.32, fax 05.57.88.19.12 ☒ ☂ r.-v.

CH. CAMENSAC 1997**

■ 5ème cru clas.　75 ha　370 000　⦀ 200 à 249 F
84 |85| |86| 87 |88| 92 |94| 95 96 97

Beau coup de cœur l'an dernier dans un grand millésime, Camensac prouve une fois encore que les années plus difficiles ne lui font pas peur. La robe et le bouquet annoncent clairement un vin puissant et complexe. Le palais ne les contredit pas mais il ne se contente pas de confirmer la présentation. Il la complète en développant l'élégance de l'expression aromatique, dont les notes d'épices douces s'accordent avec le côté soyeux des tanins. Ronde et bien structurée, cette bouteille est déjà plaisante tout en possédant un joli potentiel de garde (quatre ans et plus). Plus simple et souple, le second vin **La Closerie de Camensac 97** (170 000 bouteilles, 100 à 149 F) a obtenu une citation.

☛ Ch. Camensac, rte de Saint-Julien, B.P. 9, 33112 Saint-Laurent-Médoc, tél. 05.56.59.41.69, fax 05.56.59.41.73 ☒ ☂ r.-v.

CH. CANTEMERLE 1997**

■ 5ème cru clas.　87 ha　300 000　⦀ 100 à 149 F
81 82 83 ⑧⑤ 86 87 |88| |89| |90| |91| 92 |93| |94| 95 96 97

Jadis puissante seigneurie dont les ruines du premier château se cachent dans les vignes, ce cru se montre à la hauteur de son passé et de son classement avec de jolis vins comme ce 97. Au bouquet, d'intenses notes fumées et grillées témoignent de l'influence de l'élevage. Mais la matière est suffisamment consistante pour assimiler le bois et donner un ensemble équilibré, harmonieux et riche en arômes (fruits confits). Ce 97 promet une très bonne garde. Second vin, **Les Allées de Cantemerle 97** (70 à 99 F) a obtenu une citation. « C'est un haut-médoc de tradition », note le jury.

☛ SC Ch. Cantemerle, 33460 Macau, tél. 05.57.97.02.82, fax 05.57.97.02.84, e-mail cantemerle@cantemerle.com ☒ ☂ r.-v.

DOM. DE CARTUJAC 1997

■ Cru paysan　n.c.　30 000　⦀ 50 à 69 F

Portant avec modestie et fierté son titre de cru paysan, ce vin fait preuve d'une rusticité de bon aloi : sa structure témoigne d'une forte extraction et son intense bouquet cabernet (poivron, fruits mûrs, pruneau, aristoloche...) demande encore quelques années de vieillissement pour se révéler.

☛ Bruno Saintout, SCEA de Cartujac, 20, Cartujac, 33112 Saint-Laurent-Médoc, tél. 05.56.59.91.70, fax 05.56.59.46.13 ☒ ☂ r.-v.

CH. CHARMAIL 1997***

■ Cru bourg.　22 ha　110 000　▮⦀♨ 70 à 99 F
88 89 90 91 92 93 94 95 96 97

Coup de cœur l'an dernier, ce cru témoigne une fois encore de l'excellence des terroirs cadournais, notamment de ceux qui dominent la Gironde. Annonçant ses ambitions de longévité par une robe d'une profondeur impressionnante, son 97 ne cache pas qu'il a passé douze mois en barrique. Mais étant de qualité, le boisé s'intègre dans un bel équilibre entre rondeur et tanins pour aboutir à une magnifique tenue au palais, dont le caractère aromatique (cuir, tabac accompagné de la présence du raisin) est prolongé par une longue et puissante finale. Une grande bouteille parfaitement dans l'esprit bordeaux, à garder soigneusement en cave pendant sept ou huit ans, voire plus.

☛ Ch. Charmail, 33180 Saint-Seurin-de-Cadourne, tél. 05.56.59.70.63, fax 05.56.59.39.20 ☒ ☂ r.-v.
☛ Sèze

L'ERMITAGE DE CHASSE-SPLEEN 1997*

■　22 ha　n.c.　▮⦀♨ 50 à 69 F

Appartenant au château Chasse-Spleen, ce vin provient de vignes jeunes de grand cru mais aussi de vignes plantées dans l'aire du haut-médoc. Il ne se contente pas de développer un bouquet flatteur au fruité triomphant. Il fait preuve d'une

BORDELAIS

bonne présence au palais, dont le caractère équilibré contribue à mettre en valeur des tanins bien fondus qui débouchent sur une longue finale. A boire pendant quatre ans.

☛ C. Villars, Ch. Chasse-Spleen, 33480 Moulis-en-Médoc, tél. 05.56.58.02.37, fax 05.57.88.84.40, e-mail chasse-spleen@vins-bordeaux.fr ⏀ r.-v.

CH. CISSAC 1997★

■ Cru bourg.	82 ha	240 000	⏀ 100 à 149 F

Héritier d'une tradition familiale de treize décennies, ce vin ne se contente pas d'une belle teinte pour montrer sa personnalité. Bien servi par son bouquet où se marient les fruits mûrs et la vanille, il développe des tanins ronds et soyeux que met en valeur un bois bien dosé. Second vin, le **Reflets de Cissac 97** (50 à 69 F) a obtenu une citation.

☛ Domaines Vialard, Ch. Cissac, 33250 Cissac-Médoc, tél. 05.56.59.58.13, fax 05.56.59.55.67 ☑ ⏀ t.l.j. sf sam. dim. 9h-12h 14h-17h

CH. CITRAN 1997★★

■ Cru bourg.	79 ha	n.c.	⏀ 70 à 99 F

87 |88| |89| ⑨⓪ 91 92 |93| 94 ⑨⑤ 96 97

Haut-Médoc
Appellation Haut-Médoc Contrôlée

Grand Vin de

Château

CITRAN

CRU BOURGEOIS

1997

MIS EN BOUTEILLE AU CHÂTEAU

Citran doit beaucoup à un planteur portoricain nommé Clauzel qui créa le domaine au XIX°s. Toutefois, sans le travail, hier du groupe nippon Touko Haus et aujourd'hui des Merlaut Villars, il ne serait pas possible d'apprécier des réussites comme ce 97 qui sait tenir toutes les promesses d'une très belle robe. Très élégant dans son bouquet, aux notes de torréfaction, il révèle ensuite une concentration, une matière et un équilibre qui ne laissent aucun doute sur ses possibilités d'offrir une très grande bouteille d'ici cinq ou six ans. S'il ne partage pas la chair de son grand frère, le second vin **Moulins de Citran 97** a obtenu une citation (le prix indiqué est un prix de négoce).

☛ SA Ch. Citran, 33480 Avensan, tél. 05.56.58.21.01, fax 05.57.88.84.60, e-mail chasse-spleen@vins-bordeaux.fr ⏀ r.-v.

CH. CLEMENT-PICHON 1997

■ Cru bourg.	25 ha	120 000	⏀ 70 à 99 F

Bien qu'issu d'un cru célèbre pour son château aux allures ligériennes construit en 1881 dans le style Renaissance, ce vin fait davantage penser à une solide bâtisse médiévale par sa structure encore austère. Sa matière et son bouquet d'une bonne complexité (notes animales et torréfiées) invitent à l'attendre.

☛ Clément Fayat, 50, av. du Château-Pichon, 33290 Parempuyre, tél. 05.56.35.23.79, fax 05.56.35.85.23, e-mail info@vignobles.fayat-group.com ☑ ⏀ t.l.j. sf sam. dim. 8h-12h 14h-18h

CH. COLOMBE PEYLANDE 1997

■	3 ha	23 000	⏀ 30 à 49 F

Toujours d'une bonne régularité, cette petite propriété cussacaise propose ici un vin encore un peu timide par son bouquet, aux notes de fruits noirs et mûrs, mais prometteur par sa solide structure tannique. La cuvée spéciale célébrant le créateur du domaine, **Aïeul Léontin 97** (70 à 99 F), a également obtenu une citation.

☛ EARL Dedieu-Benoit, 6, chem. des Vignes, 33460 Cussac-Fort-Médoc, tél. 05.56.58.93.08, fax 05.57.88.50.81 ☑ ⏀ r.-v.

CH. CONSTANT LESQUIREAU 1997

■ Cru bourg.	n.c.	35 466	⏀ 30 à 49 F

Diffusé par la maison Sichel-Coste, ce vin à la belle robe grenat assez intense est encore un peu sévère ; mais son riche bouquet aux notes de fruits et de truffe ainsi que ses tanins équilibrés lui permettront d'être prêt d'ici un à deux ans pour accompagner les viandes rouges rôties.

☛ Maison Sichel-Coste, 8, rue de la Poste, 33210 Langon, tél. 05.56.63.50.52, fax 05.56.63.42.28

CH. CORCONNAC 1997

■ Cru bourg.	7,5 ha	17 000	⏀ 50 à 69 F

Egalement producteurs à Saint-Julien, les Pairault exploitent des vignes à Saint-Laurent. C'est là qu'est né ce vin assemblant 35 % de merlot au cabernet-sauvignon. Sa robe rubis à nuance pourpre annonce un nez où les fruits cuits se mêlent au poivron et aux notes vanillées. Les tanins encore un peu arides appellent une garde de deux ou trois ans.

☛ Ch. Corconnac, 33112 Saint-Laurent-Médoc, tél. 05.56.59.93.04, fax 05.56.59.46.12 ☑ ⏀ r.-v.
☛ F. et Ph. Pairault

CH. COUFRAN 1997★

■ Cru bourg.	76 ha	500 000	⏀ 70 à 99 F

82 83 85 86 88 89 90 91 92 93 94 |95| 96 97

Principal cru cadournais de la famille Miailhe, ce château est aussi son porte-drapeau. Un rôle dont s'acquitte avec talent ce 97 dont l'assemblage - peu médocain - allie 85 % de merlot au cabernet. Son bouquet, aux fines notes soyeuses, donne une place discrète au boisé. Dès l'attaque, le vin joue la carte de la puissance, avec une solide charpente qui montre sa fermeté, mais sans excès, et une finale aromatique. Une jolie bouteille à garder en cave pendant trois ou quatre ans.

☛ SCA Ch. Coufran, 33180 Saint-Seurin-de-Cadourne, tél. 05.56.59.31.02, fax 05.56.81.32.35 ⏀ r.-v.

CH. DILLON 1997

■ Cru bourg.   33,6 ha   200 000 ▤ ◫ ⬥   50 à 69 F

82 83 **85** ⑧⑥ 87 |88| |89| |90| 91 92 93 |94| 95 96 |97|

Aux portes de Bordeaux, ce cru abrite aujourd'hui un important lycée viticole dont les bâtiments ont été durement touchés par la tempête de décembre 1999. Sans rivaliser en structure avec d'autres millésimes, son 97 se montre agréable par son discret soutien tannique, qui s'accorde heureusement avec les parfums fruités du bouquet pour donner un ensemble plaisant à boire dans les deux ou trois ans à venir.
↪ Lycée agricole de Blanquefort, Ch. Dillon, 33290 Blanquefort, tél. 05.56.95.39.94, fax 05.56.95.36.75 ☑ ⟊ r.-v.
↪ Ministère de l'Agriculture

FORT DU ROY Le Grand Art 1997★★

■   5 ha   20 000   ◫ 50 à 69 F

Regroupement de dix-huit viticulteurs cussacais, cette cave jouit d'une solide réputation de qualité que n'entachera pas ce 97. Fruité, rond, souple, charnu et porté par des tanins soyeux, celui-ci donnera le meilleur de lui-même d'ici deux à trois ans.
↪ SCA les Viticulteurs du Fort-Médoc, 105, av. du Haut-Médoc, 33460 Cussac-Fort-Médoc, tél. 05.56.58.92.85, fax 05.56.58.92.86 ☑ ⟊ t.l.j. sf dim. 9h30-12h30 14h-18h

CH. DE GIRONVILLE 1997★

■ Cru bourg.   9,2 ha   70 000   ◫ 50 à 69 F

Sans doute *villa* gallo-romaine puis château fort, ce cru fut jadis un vaste domaine (plus de 150 ha). Pour être plus modeste aujourd'hui, il n'en élabore pas moins de jolis vins, tel ce 97 qui ne manque pas d'élégance, tant dans sa présentation, avec une robe brillante et soutenue, que dans son développement au palais, doté d'une bonne structure. Le **Belle Vue** (70 à 99 F) du même cru a obtenu une citation.
↪ SC de La Gironville, 69, rte de Louens, 33460 Macau, tél. 05.57.88.19.79, fax 05.57.88.41.79 ⟊ r.-v.

CH. GRANDIS 1997★

■ Cru bourg.   9,6 ha   40 000   ◫ 50 à 69 F

88 |89| |90| 91 92 |93| 95 96 |97|

Tirant son nom de Néerlandais venus en Médoc aménager des polders au XVIᵉs., ce cru propose avec ce 97 un vin très classique et bien construit. Au bouquet comme au palais, on sent que la vendange était bien mûre. Souple et rond, doté d'une finale fruitée, il est à boire dans les trois à quatre ans.
↪ F. J. Vergez, Ch. Grandis, 33180 Saint-Seurin-de-Cadourne, tél. 05.56.59.31.16, fax 05.56.59.39.85 ☑ ⟊ r.-v.

DOM. GRAND LAFONT 1997★

■ Cru artisan   4 ha   15 000   ◫ 50 à 69 F

82 85 86 88 89 **90** 91 |93| |94| 95 96 |97|

Ici, les vendanges manuelles sont effectuées par les étudiants du lycée de Blanquefort préparant un BTS de viti-œnologie. Une grande attention est portée à la qualité des raisins. Se présentant avec une étiquette portant le sympathique titre de domaine, un fait de plus en plus rare en Médoc, ce vin sait lui aussi se montrer fort aimable, tant par son bouquet où les notes fruitées côtoient la vanille que par son palais plein, aromatique, souple et bien armé pour une garde de trois à quatre ans.
↪ Lavanceau, Dom. Grand Lafont, 33290 Ludon-Médoc, tél. 05.57.88.44.31, fax 05.57.88.44.31 ☑ ⟊ r.-v.

CH. GUGES 1997★

■   0,76 ha   3 200 ▤ ◫ ⬥   70 à 99 F

Issu d'une micropropriété (1,5 ha au total), ce vin a réussi l'alliance du bois et de la matière, donnant un ensemble fort plaisant, tant par ses tanins fins que par son bouquet aux notes fruitées et épicées.
↪ Georges-Claude Gugès et Fils, Ch. Gugès, 29, rue de la Croix-des-Gunes, 33250 Cissac-Médoc, tél. 05.56.59.58.04, fax 05.56.59.56.19 ☑ ⟊ r.-v.

CH. GUITTOT-FELLONNEAU 1997★

■ Cru artisan   3,8 ha   16 000   ◫ ◫ 30 à 49 F

En dépit de sa taille modeste, ce cru s'offre un luxe rare : un vaste parc. C'est dire que l'on sait vivre dans ce gîte rural. Mais on sait aussi travailler dans cette exploitation comme le prouvent les qualités de ce 97 : couleur foncée ; bouquet racé (cuir, bois) ; palais gras, charnu et tannique ; finale consistante. Une belle réussite à garder en cave pendant deux à quatre ans.
↪ Guy Constantin, Ch. Guittot-Fellonneau, 33460 Macau, tél. 05.57.88.47.81, fax 05.57.88.09.94 ☑ ⟊ r.-v.

CH. HAUT-BELLEVUE 1997★

■ Cru artisan   7 ha   38 000   ◫ ◫ 30 à 49 F

Si elle ne se pare que du titre de cru artisan, cette propriété propose un vin solide qui sait exprimer son caractère par sa belle robe rubis et son bouquet aux notes de groseille et d'épices. Un beau volume en bouche, où la structure repose sur de beaux tanins bien fondus, permettra de le servir sur un canard rôti.
↪ Alain Roses, EARL Haut-Bellevue, 10, chem. des Calinottes, 33460 Lamarque, tél. 05.56.58.91.64, fax 05.57.88.50.64 ☑ ⟊ r.-v.

CH. HAUT-BREGA
Vieilli en fût de chêne 1997

■ Cru artisan   8 ha   48 000   ◫ ◫ 30 à 49 F

S'il pourra heurter certains amateurs par ses forts arômes à caractère animal, ce vin ample et gras méritera d'être attendu, sa puissante structure tannique lui permettant d'évoluer favorablement. « J'aime, mais c'est particulier », écrit un dégustateur souvent critiqué ! Pour amateur averti.
↪ Joseph Ambach, 16, rue des Frères-Razeau, 33180 Saint-Seurin-de-Cadourne, tél. 05.56.59.70.77, fax 05.56.59.62.50 ☑ ⟊ t.l.j. 10h-18h

CH. LACOUR JACQUET 1997★

■   5 ha   35 000   ‖▮ [30 à 49 F]
89 |90| 91 92 93 94 |95| 96 97

Question d'écoles, de modes ou de goûts, ce vin ne fera sans doute pas plus l'unanimité des amateurs qu'il n'a fait celle des membres du jury. Car la présence du bois est puissante. Mais on peut faire confiance à la densité de la structure et à la qualité du bouquet pour laisser cette bouteille suivre son évolution pendant deux ou trois ans.
☛GAEC Lartigue, 70, av. du Haut-Médoc, 33460 Cussac-Fort-Médoc, tél. 05.56.58.91.55, fax 05.56.58.94.82 ☑ ⌇ r.-v.

CH. LA CROIX MARGAUTOT 1997

■   n.c.   38 000   ‖▮ [30 à 49 F]
Négociants à Carbon-Blanc, Marcel et Christian Quancard sont aussi propriétaires à Cissac, où est né ce vin. Celui-ci demande à s'arrondir mais on voit déjà se dessiner son caractère qui s'affirmera d'ici deux ans. On note aujourd'hui une bonne expression aromatique d'épices et de fruits mûrs et des tanins équilibrés.
☛Cheval Quancard, La Mouline, 33560 Carbon-Blanc, tél. 05.57.77.88.88, fax 05.57.77.88.99 ⌇ r.-v.

CH. LA FAGOTTE 1997★

■ Cru bourg.   5,1 ha   40 000   ‖▮ [50 à 69 F]
Du même producteur que le château d'Auril-hac, ce vin assemble cabernet-sauvignon et merlot à parts égales. Il possède une fière allure tant par son bouquet aux élégantes notes de réglisse et fruits noirs que par sa solide structure tannique qui invitera à l'attendre trois ou quatre ans.
☛SCEA Ch. d'Aurilhac et La Fagotte, Sénilhac, 33180 Saint-Seurin-de-Cadourne, tél. 05.56.59.35.32, fax 05.56.59.35.32 ☑ ⌇ r.-v.

CH. LA HOURINGUE 1997

■ Cru bourg.   28 ha   110 000   ‖▮ [50 à 69 F]
Etabli sur deux croupes de graves proches de Giscours, mais à Macau, ce cru est exploité par la même équipe. Simple mais agréable dans son expression aromatique aux notes de cuir et d'épices, ce 97 est aimable et bien constitué, avec des tanins présents mais sans agressivité.
☛SAE Ch. Giscours, 10, rte de Giscours, Labarde, 33460 Margaux, tél. 05.57.97.09.09, fax 05.57.97.09.00, e-mail giscours@château-giscours.fr ⌇ r.-v.

CH. LA LAGUNE 1997

■ 3ème cru clas.   n.c.   n.c.   ‖▮ [100 à 149 F]
75 78 |81| |82| |83| |85| |86| 87 88 ⑧⑨ 90 |91| |92| 93 94 95 96 97

Commandé par une belle chartreuse XVIIIᵉˢ., ce cru inaugure avec beaucoup d'élégance la route des châteaux du Médoc, la célèbre D2. C'est toutefois le registre de la fermeté qu'a choisi le millésime pour exprimer sa personnalité. Encore marqué par le bois avec un bouquet aux notes torréfiées et des tanins très présents au palais, il demandera à être attendu.

☛Ch. La Lagune, 81, av. de l'Europe, 33290 Ludon-Médoc, tél. 05.57.88.82.77, fax 05.57.88.82.70 ⌇ r.-v.
☛Jean-Michel Ducellier

CH. DE LAMARQUE 1997

■ Cru bourg.   34 ha   190 000 ▮‖♦ [70 à 99 F]
83 86 88 89 90 91 92 93 |94| 95 96 97

Donjon, poterne, créneaux. Henry V d'Angleterre, le duc d'Epernon, les comtes de Fumel. Architecture, visiteurs, propriétaires, tout ici semble fait pour confier l'amateur d'histoire. Simple, souple, fin et bien équilibré, ce 97 ne demandera pas à s'inscrire dans la durée, mais, bu jeune, il saura se montrer fort plaisant.
☛Gromand d'Evry, Ch. de Lamarque, 33460 Lamarque, tél. 05.56.58.90.03, fax 05.56.58.93.43,
e-mail chdelamarque@aol.com
☑ ⌇ t.l.j. sf sam. dim. 9h30-12h 14h-17h

CH. LAMOTHE BERGERON 1997

■ Cru bourg.   66,04 ha   296 600   ‖▮ [70 à 99 F]
82 83 85 86 87 88 89 90 91 92 93 94 |95| 96 97

Si le château est typique du style Napoléon III, ses origines sont bien médiévales comme le rappelle son nom. Aujourd'hui intégré dans le groupe Mestrezat, il propose avec ce millésime un vin souple et charnu que soutiennent des tanins solides qui permettront de l'attendre deux ou trois ans.
☛SC du Ch. Grand-Puy Ducasse, La Croix Bacalan, 109, rue Achard, B.P. 154, 33042 Bordeaux Cedex, tél. 05.56.11.29.00, fax 05.56.11.29.01 ⌇ r.-v.

CH. LANESSAN 1997

■ Cru bourg.   40 ha   280 000   ‖▮ [100 à 149 F]
86 |88| |90| 91 |92| |93| 94 95 96 97

Dans un pays où les grands crus, bourgeois comme classés, ont l'habitude de changer régulièrement de mains, Lanessan se distingue par une continuité familiale exceptionnelle, le domaine appartenant aux Bouteiller et à leurs aïeux depuis 1793. Malgré une petit note tannique en finale, ce vin montre qu'il est de bonne origine par son bouquet aux profondes notes de fruits rouges et noirs. Sa structure ronde et souple demande encore une année de garde.
☛SCEA Delbos-Bouteiller, Ch. Lanessan, 33460 Cussac-Fort-Médoc, tél. 05.56.58.94.80, fax 05.56.58.93.10 ☑ ⌇ r.-v.
☛Bouteiller

CH. LA PEYRE 1997★

■   1,5 ha   9 000   ‖▮ [50 à 69 F]
Né sur un cru de Cissac appartenant à un producteur stéphanois, ce vin montre clairement qu'il est de bonne origine. D'emblée, il affirme sa jeunesse par une robe brillante et foncée. Ensuite, il confirme sa puissance par le bouquet, où les notes grillées et mentholées se marient à l'eucalyptus et à la fraise. Enfin, la charpente et la longue finale expriment l'excellent caractère de cette bouteille de bonne garde.

➤ EARL Vignobles Rabiller, Leyssac,
33180 Saint-Estèphe, tél. 05.56.59.32.51,
fax 05.56.59.70.09 ☑ ⊥ t.l.j. 10h-12h30 15h-19h

CH. LAROSE-TRINTAUDON 1997★★

■ Cru bourg.   119 ha 1 138 000   ⬛ 50 à 69 F
81 82 83 85 **86** 87 **88 89** |90| 91 92 93 |94| 95
96 **97**

Propriété des AGF, ce cru (180 ha) a bénéficié
d'un important programme d'investissements.
Ceux-ci n'ont pas été entrepris en vain. Ce 97
paré d'une robe rubis à reflets grenat en témoigne
par ses qualités. Le nez révèle un parfait mariage
du bois et du raisin, ce que confirme le palais
dont les tanins ont été bien extraits. L'ensemble
gras et soyeux débouche sur une longue finale.
Le **Château Larose Perganson 97** (153 000 bouteilles, 70 à 99 F) a obtenu une étoile. C'est un
vin de plaisir à boire pendant trois ou quatre ans.
➤ SA Ch. Larose-Trintaudon, rte de Pauillac,
33112 Saint-Laurent-Médoc, tél. 05.56.59.41.72,
fax 05.56.59.93.22,
e-mail larosetrintaudon@wanadoo.fr ☑ ⊥ r.-v.
➤ AGF

CH. LA TOUR CARNET 1997★★

■ 4ème cru clas.   43 ha   n.c.   ⬛ 200 à 249 F
79 **81** 82 **83** 85 |86| 87 |(88)| |89| |90| 91 92 |93| 94
⑨⑥ **97**

Ce cru classé de 126 ha, dont 48 ha sont plantés en vignes, qui appartenait à Mme Pélegrin,
vient d'être repris par Bernard Magrez, grand
négociant bordelais qui possède déjà Pape Clément et Fombrauge. A l'image du château qui
marie heureusement les âges et les styles, ce vin
affirme sa puissance, que ce soit par la jeunesse
de sa robe presque noire, par sa structure et par
la force de son bouquet où les clous de girofle
voisinent avec le poivron, la cannelle et des notes
boisées intenses. Une jolie bouteille de garde.
➤ SCEA Ch. La Tour Carnet, 33112 Saint-
Laurent-Médoc, tél. 05.56.73.30.90,
fax 05.56.59.48.54 ⊥ r.-v.

CH. LE BOURDIEU VERTHEUIL
1997★

■ Cru bourg.   57 ha   130 000   ⬛ 50 à 69 F

Disposant d'un vaste vignoble, ce cru peut
proposer un vin qui n'a rien de confidentiel. Bien
servi par la concentration de son bouquet où les
fruits jouent leur rôle, comme par son ampleur
et son équilibre au palais, il offre un développement harmonieux.
➤ SC Ch. Le Bourdieu-Vertheuil,
33180 Vertheuil, tél. 05.56.41.98.01,
fax 05.56.41.99.32 ☑ ⊥ r.-v.
➤ Richard

CH. LE SOULEY-SAINTE CROIX 1997

■   22 ha   160 000   ■⬛♦ 50 à 69 F

Né à 500 m de la très belle abbaye de Vertheuil, ce vin n'a sans doute pas la puissance de
l'édifice romain, mais il partage quelque chose
de son élégance qui s'exprime par un bouquet
complexe où le fruit voisine avec le musc et le
sous-bois.

➤ Jean et Marie-José Riffaud,
32, rue des Martyrs de la Résistance,
33180 Vertheuil, tél. 05.56.41.98.54,
fax 05.56.41.95.36 ☑ ⊥ t.l.j. sf dim. 9h-12h
14h-18h; sam. 9h-12h

CH. MAGNOL 1997

■ Cru bourg.   13,73 ha   86 000 ■⬛♦ 70 à 99 F

Né sur une propriété de la firme de négoce
Barton et Guestier, ce vin ne possède pas la
matière des millésimes précédents. Néanmoins,
il se montre séduisant par son expression aromatique aux délicates notes fruitées (pêche et litchi),
fumées et vanillées.
➤ Barton et Guestier, Ch. Magnol, B.P. 30,
33290 Blanquefort Cedex, tél. 05.56.95.48.00,
fax 05.56.95.48.01

CH. MALESCASSE 1997

■ Cru bourg.   37 ha   180 000   ⬛ 70 à 99 F
82 83 84 87 |88| |89| |90| 91 92 93 |94| 95 96 97

Construit en 1824, Malescasse est entré en
1992 dans le capital d'Alcatel qui a entrepris de
très gros travaux de rénovation (chai et cuvier
ont été entièrement refaits). Ce vin possède un
caractère bien trempé qui lui vaudra des amateurs. Ses tanins puissants et amples permettront
de le garder en cave pendant quatre ou cinq ans
et de le servir sur gibiers ou daubes.
➤ Ch. Malescasse, 6, rte du Moulin-Rose,
33460 Lamarque, tél. 05.56.73.15.20,
fax 05.56.59.64.72 ☑ ⊥ r.-v.
➤ Alcatel

CH. DE MALLERET 1997

■ Cru bourg.   32 ha   100 000 ■⬛♦ 50 à 69 F
86 87 **88 89** ⑨⓪ 91 92 |94| **95** 96 |97|

Ici un simple coup d'œil suffit pour se rendre
compte que le titre de château n'a rien d'usurpé.
Sans être aussi aristocratique, son 97 montre
qu'il a le sens des valeurs authentiques : une robe
brillante et intense ; un bouquet riche et fin
(notes de fruits rouges et de grillé) ; une bonne
structure tannique, harmonieuse et fine.
➤ SCEA Ch. de Malleret, Dom. du Ribet,
33450 Saint-Loubès, tél. 05.57.97.07.20,
fax 05.57.97.07.27 ⊥ r.-v.

CH. MAUCAILLOU-FELLETIN 1997

■ Cru bourg.   6,64 ha   n.c. ■⬛♦ 50 à 69 F

Issu d'un vignoble du domaine de Château
Maucaillou situé à Lamarque, ce vin est à l'image
de sa robe légère mais plaisante. Il tire en effet
son charme de la rondeur de ses tanins et de ses
arômes de fruits rouges.
➤ Magali Dourthe, 33480 Moulis-en-Médoc,
tél. 05.56.58.01.23 ☑

CH. MAUCAMPS 1997

■ Cru bourg.   18 ha   100 000   ⬛ 70 à 99 F
82 83 85 ⑧⑥ 88 |89| |90| 91 92 |93| |94| 95 96 |97|

Cette vaste propriété de 70 ha est implanté
sur une superbe croupe de graves garonnaises,
facteur évident de qualité. Le cru a joué avec c
millésime la carte de la souplesse et de l'équilibr
Soutenu par des tanins encore jeunes, il exprim
sa personnalité par de très agréables parfum
fruités, épicés et boisés. Bien constitué, l'ensem

ble sera prêt à boire d'ici trois à cinq ans. Rond et fruité, mais plus simple, le **Château Dasvin-Bel-Air 97** (30 à 49 F) a obtenu une citation.

☛Ch. Maucamps, B.P. 11, 33460 Macau, tél. 05.57.88.07.64, fax 05.57.88.07.00 ☑ ⵏ r.-v.

☛ Tessandier

CH. MAURAC 1997

■ Cru bourg.   6 ha   40 000   ❙❙❙ `50 à 69 F`

Né sur l'excellent terroir de Saint-Seurin, ce vin bénéficie d'un joli bouquet fruité et d'une charpente tannique arrondie. La conjonction des deux caractères permettra aussi bien d'ouvrir cette bouteille dès à présent que de l'attendre deux à trois ans.

☛SCEA Ch. Maurac, 33180 Saint-Seurin-de-Cadourne, tél. 05.57.88.07.64, fax 05.57.88.07.00 ☑ ⵏ r.-v.

CH. MAURIAN DE PRADE
Cuvée élevée en barrique 1997★

■ Cru bourg.   6 ha   42 000   ▮❙❙❙⚲ `50 à 69 F`

Replanté en 1981, ce vignoble propose une cuvée vieillie dans le bois, à garder en cave pendant au moins trois ans. Ce millésime affirme son originalité et se distingue par son sens de l'équilibre. Originalité du bouquet où les notes de rancio et de chocolat viennent s'associer aux parfums plus classiques de cassis et de pruneau ; équilibre du palais dont l'ample matière s'ouvre sur une belle finale réglissée.

☛ Vignoble Cantelaube, chem. des Vignes, Le Poujeau, 33290 Le Pian-Médoc, tél. 05.56.79.36.20, fax 05.56.39.22.98 ☑ ⵏ r.-v.

CH. MEYRE Cuvée Colette 1997★

■ Cru bourg.   15,5 ha   6 000   ❙❙❙ `50 à 69 F`
88 89 90 91 |93| |94| 95 96 97

Situé entre Avensan et Castelnau, ce cru offre avec sa cuvée Colette un vin régulier en qualité. Agréablement bouqueté, avec des notes de fruits mûrs accompagnées de notes toastées, gras et onctueux, ce 97 est intéressant par ses tanins d'une belle complexité.

☛Ch. Meyre SA, 16, rte de Castelnau, 33480 Avensan, tél. 05.56.58.10.77, fax 05.56.58.13.20, e-mail chateau.meyre@wanadoo.fr ☑ ⵏ t.l.j. sf sam. dim. 14h-17h; 1er nov.-30 mars sur r.-v.

CH. MICALET Elevé en fût de chêne 1997★

◀ Cru artisan   4 ha   27 000   ▮❙❙❙ `30 à 49 F`
82 83 85 86 88 89 90 91 92 93 **94 95 96** 97

Vendanges manuelles, élevage en fût, ce petit cru cussacais ne ménage pas ses efforts pour offrir un vin de qualité. Une fois encore, l'objectif est atteint avec ce 97 délicatement bouqueté que sa structure rend plaisant et harmonieux. Privilégiant l'élégance sur la puissance, ce haut-médoc est à attendre deux ou trois ans.

☛EARL Denis Fédieu, 10, rue Jeanne-d'Arc, 33460 Cussac-Fort-Médoc, tél. 05.56.58.95.48, fax 05.56.58.96.85 ☑ ⵏ t.l.j. sf dim. 9h-13h 15h-19h; groupes sur r.-v.

CH. MILOUCA 1997

■   1 ha   6 000   ❙❙❙ `30 à 49 F`

Petit vignoble en indivision, ce cru propose ici un vin qui n'est sans doute pas un athlète mais que sa bonne structure soutenue par un bois intelligemment dosé sait rendre intéressant, tout comme son bouquet aux notes de fruits cuits. A attendre un an ou deux.

☛Ind. Lartigue-Coulary, 33460 Cussac-Fort-Médoc, tél. 05.56.58.91.55 ☑ ⵏ r.-v.

CH. MOULIN DE BLANCHON 1997

■   6 ha   40 000   ❙❙❙ `30 à 49 F`

Fidèle à la tradition du cru, ce 97 se refuse aux concessions flatteuses. Discrètement boisé, il développe un bouquet empyreumatique et séveux avant de révéler une charpente qui ne laisse aucun doute sur son potentiel de garde. La finale se montre aimable et chaleureuse.

☛Henri Negrier, Ch. Moulin de Blanchon, 33180 Saint-Seurin-de-Cadourné, tél. 05.56.59.38.66, fax 05.56.59.32.31 ☑ ⵏ t.l.j. 8h30-12h30 14h-20h

CH. MURET 1997★

■ Cru bourg.   7,1 ha   57 000   ▮❙❙❙⚲ `50 à 69 F`
91 **93** 94 |95| 96 97

Joli vignoble d'un seul tenant situé sur un plateau argilo-calcaire, ce cru propose ici un 97 de belle tenue. Sans agressivité à l'attaque, il s'affirme ensuite par des tanins bien mûrs et un bon équilibre avant de s'ouvrir sur une longue finale boisée qui invitera à l'attendre deux ou trois ans.

☛SCA de Muret, Ch. Muret, 33180 Saint-Seurin-de-Cadourne, tél. 05.56.59.38.11, fax 05.56.59.37.03 ☑ ⵏ r.-v.

☛ Boufflerd

CH. D'OSMOND 1997

■ Cru artisan   7,25 ha   20 000   ▮❙❙❙⚲ `30 à 49 F`

Propriété entièrement refaite depuis douze ans, ce cru sait concilier simplicité et amabilité, ces deux traits se retrouvant dans ce 97 aux tanins souples et d'une agréable expression aromatique (fruits et sous-bois).

☛Philippe Tressol, EARL Les Gûnes, 36, rte des Gûnes, 33250 Cissac-Médoc, tél. 05.56.59.59.17, fax 05.56.59.59.17 ⵏ r.-v.

CH. PEYRABON 1997

■ Cru bourg.   40,69 ha   71 160   ❙❙❙ `70 à 99 F`
86 88 |89| |90| 91 92 93 |94| 96 |97|

Dernier millésime avant le changement de propriétaire (1998), ce vin simple et souple joue sur la finesse des tanins et l'amabilité de ses parfums de petits fruits rouges pour former un ensemble sympathique.

☛SARL Ch. Peyrabon, 33250 Saint-Sauveur, tél. 05.56.59.57.10, fax 05.56.59.59.45 ☑ ⵏ r.-v.

☛ Bernard

CH. PONTOISE-CABARRUS 1997

■ Cru bourg.   24 ha   180 000   🍾 ⦙⊞ ⬥ 50 à 69 F
75 76 81 82 83 85 ⑧⑥ 88 89 **90** |92| |93| |94| 95
96 97

Il suffit de rappeler qu'elle est située à Saint-Seurin pour indiquer que cette propriété jouit d'un bon terroir. Celui-ci a contribué à donner sa bonne structure à ce vin qui demandera à être attendu pendant encore un à deux ans.
🕿 François Tereygeol, Ch. Pontoise-Cabarrus, 33180 Saint-Seurin-de-Cadourne,
tél. 05.56.59.34.92, fax 05.56.59.72.42,
e-mail françoistereygeol@wanadoo.fr ☑ 🍸 r.-v.

CH. PUY CASTERA 1997

■ Cru bourg.   17,5 ha   150 000   🍾 ⦙⊞ ⬥ 50 à 69 F

Cabernets (sauvignon et franc), merlot mais aussi petit verdot et malbec, l'encépagement respecte la vieille règle bordelaise de la variété. Rien d'étonnant de trouver une belle diversité dans l'expression aromatique de ce 97 qui va des fruits mûrs aux notes anisées et mentholées en passant par un subtil très présent mais déjà élégant. Devrait être prêt en 2001 et vivre deux ou trois ans, peut-être davantage.
🕿 SCE Ch. Puy Castéra, 8, rte du Castéra, 33250 Cissac-Médoc, tél. 05.56.59.58.80, fax 05.56.59.54.57 ☑ 🍸 r.-v.
🕿 Marès

CH. RAMAGE LA BATISSE 1997★★

■ Cru bourg.   33 ha   264 000   🍾 ⦙⊞ ⬥ 70 à 99 F
85 86 88 89 |90| 91 92 94 95 96 **97**

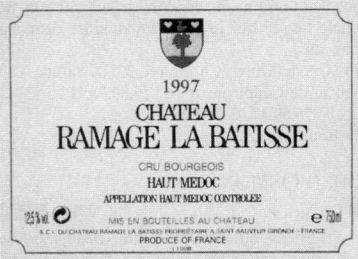

1997
CHATEAU
RAMAGE LA BATISSE
CRU BOURGEOIS
HAUT MÉDOC
APPELLATION HAUT MÉDOC CONTRÔLÉE

Vaste unité (plus de 60 ha pour l'ensemble du domaine), ce cru dispose des moyens de faire du bon travail et a particulièrement bien réussi ce millésime réputé difficile. Aussi expressif par sa robe pourpre que par son bouquet mûr, complexe et concentré avec de jolies notes florales, il développe un palais très bien construit, souple à l'attaque et soutenu par des tanins de caractère. Bien dans la tradition médocaine. A attendre deux ou trois ans.
🕿 SCI Ramage La Batisse, 33250 Saint-Sauveur, tél. 05.56.59.57.24, fax 05.56.59.54.14 ☑ 🍸 r.-v.
🕿 MACIF

CH. DU RETOUT 1997★★

■ Cru bourg. 28,11 ha   70 000   🍾 ⦙⊞ 50 à 69 F

Trois ans auront suffi à ce cru pour entrer dans le Guide et se hisser au plus haut niveau. Il en faudra plus (quatre ou cinq ans) pour que son 97 arrive à son optimum, comme l'indiquent sans ambages sa robe d'un rouge intense, son bouquet complexe, son volume et sa structure tannique. Aussi puissant qu'harmonieux, ce vin est une étonnante réussite.
🕿 Gérard Kopp, Ch. du Retout, 33460 Cussac-Fort-Médoc, tél. 05.56.58.91.08,
fax 05.56.58.91.08, e-mail chateau-du-retout.com ☑ 🍸 r.-v.

CH. REYSSON Réserve 1997

■ Cru bourg.   67 ha   61 400   ⦙⊞ 70 à 99 F

Proche de Vertheuil, et inscrit dans un site qui résume à lui seul l'histoire de la région, Reysson est géré par la société Mestrezat. Sans égaler le 96, joli coup de cœur l'an dernier, cette Réserve se montre charmeuse par sa souplesse et sa rondeur comme par l'élégance de ses tanins. La finesse de son bouquet aux parfums fruités, relevés par une note épicée, n'est pas en reste. Déjà prêt, ce vin saura attendre deux ou trois ans.
🕿 SARL du Ch. Reysson, La Croix Bacalan, 109, rue Achard, B.P. 154, 33027 Bordeaux Cedex, tél. 05.56.11.29.00, fax 05.56.11.29.01
🍸 r.-v.

CH. SAINT-PAUL 1997★★

■ Cru bourg.   20 ha   95 000   ⦙⊞ 50 à 69 F

Comme beaucoup de crus de Saint-Seurin-de-Cadourne, ce domaine s'est fort bien défendu dans ce millésime. Sa profonde robe à reflets violines cède la place à un bouquet puissant et complexe (cacao, réglisse, pruneau, confiture et pain grillé) pour donner de l'éclat à la présentation. Suit un palais ample, solidement structuré et harmonieux. Mariage réussi du bois et du fruit, ce vin à la belle finale réglissée est bien dans l'esprit médocain par son équilibre et son aptitude à la garde (de six à dix ans).
🕿 Ch. Saint-Paul, 33180 Saint-Seurin-de-Cadourne, tél. 05.56.59.34.72
☑ 🍸 r.-v.

CH. SENEJAC 1997★

■ Cru bourg.   27,6 ha   60 000   🍾 ⦙⊞ ⬥ 70 à 99 F
89 90 91 |93| |94| 95 **96** 97

La propriété ayant été vendue fin 99 au propriétaire du château Talbot (Saint-Julien), ce vin est l'un des derniers produits par le comte de Guigné. S'annonçant par une robe profonde et un beau bouquet aux notes de fruits mûrs et de pain grillé, il se rend savoureux par sa chair et ses tanins soyeux qui invitent à l'attendre deux ou trois ans.
🕿 SAS Ch. Sénéjac, 33290 Le Pian-Médoc, tél. 05.56.70.20.11, fax 05.56.70.23.91 🍸 r.-v.
🕿 Rustmann

CH. LA BASTIDE DE SIRAN 1997

■   1 ha   5 000   ⦙⊞ 50 à 69 F

Issu d'un cru de Labarde surtout connu pour son margaux, ce vin au caractère tannique bien marqué n'est pas sans évoquer les haut-médoc d'antan.
🕿 SC du Ch. Siran, Ch. Siran, 33460 Labarde, tél. 05.57.88.34.04, fax 05.57.88.70.05,
e-mail chateau.siran@wanadoo.fr ☑ 🍸 t.l.j. 10h-12h30 13h30-18h; groupes sur r.-v.

CH. SOCIANDO-MALLET 1997★★

■　　　46 ha　244 700　　⦿ 250 à 299 F

75 76 78 80 81 |82| 83 84 85 86 87 |88| |89| |90|
91 |92| |93| 94 ⑨⑤ ⑨⑥ 97

Des graves regardant l'estuaire, un encépagement diversifié (cabernets, merlot et petit verdot), ce cru cadournais ne manque pas d'atouts, comme le soulignent les nombreux millésimes récompensés par des coups de cœur. Très nouvelle vague mais son côté tannique et boisé, son 97 n'en conserve pas moins le caractère élégant et racé qui sied à un haut-médoc. Un ensemble de qualités à attendre trois ou quatre ans.

☛ SCEA Jean Gautreau, Ch. Sociando-Mallet, 33180 Saint-Seurin-de-Cadourne,
tél. 05.56.73.38.80, fax 05.56.73.38.88 ☑ ⵏ r.-v.

LA DEMOISELLE DE SOCIANDO-MALLET 1997★

■　　　13 ha　135 000　　⦿ 70 à 99 F

La petite sœur de Sociando-Mallet se pare des couleurs d'un grand vin, tant sa robe est profonde. Les parfums reposent sur une note boisée, vanillée, racée, que l'on retrouve dans une bouche séveuse, charnue, soutenue par des tanins équilibrés et puissants. A attendre quelques années.

☛ SCEA Jean Gautreau, Ch. Sociando-Mallet, 33180 Saint-Seurin-de-Cadourne,
tél. 05.56.73.38.80, fax 05.56.73.38.88 ☑ ⵏ r.-v.

CH. SOUDARS 1997★

■ Cru bourg.　22 ha　170 000　⦿ 70 à 99 F

82 83 85 86 |89| |90| 91 92 93 94 |95| 96 97

Du même producteur que le Coufran mais issu d'une propriété distincte, ce vin est proche de son cousin par son bouquet au caractère délicat ; mais il s'en distingue par son palais qui a choisi le registre de la rondeur. D'une aimable sérénité, cette bouteille pourra être ouverte d'ici trois à quatre ans.

☛ Vignobles E.-F. Miailhe, 33180 Saint-Seurin-de-Cadourne, tél. 05.56.59.31.02,
fax 05.56.59.72.39 ⵏ r.-v.

CH. TOUR DU HAUT-MOULIN 1997★

■ Cru bourg.　32 ha　160 000　⦿ 70 à 99 F

78 79 81 82 ⑧③ 84 85 |86| 87 |88| |89| |90| 91 92
|93| |94| 95 96 97

Plusieurs générations de tradition viticole en Médoc ont enseigné aux Poitou l'égale importance de la conduite de la vigne et du travail au chai. Ce vin en témoigne en rappelant qu'il est issu d'une jolie vendange et d'une vinification soignée : belle robe pourpre, bouquet complexe où les fruits et les épices se marient heureusement avec le bois, palais équilibré et soutenu par des tanins lisses et savoureux. A boire entre 2002 et 2005, peut-être davantage.

☛ SCEA Ch. Tour du Haut-Moulin,
7, rue des Aubarèdes, 33460 Cussac-Fort-Médoc, tél. 05.56.58.91.10,
fax 05.56.58.99.30 ☑ ⵏ r.-v.
☛ Famille Poitou

CH. TOUR-DU-ROC 1997

■　　　11,04 ha　70 000　■ ⦿ ⵏ 50 à 69 F

Belle maison bourgeoise située tout à côté de l'église d'Arcins, ce cru offre ici un vin encore un peu austère en finale mais dont on devine aisément qu'il possède la structure nécessaire pour évoluer favorablement, sa matière faisant preuve d'un classicisme de bon aloi.

☛ EARL Tour-du-Roc, Ch. Tour-du-Roc, 33460 Arcins, tél. 05.56.58.90.25,
fax 05.56.58.94.41 ☑ ⵏ r.-v.
☛ Philippe Robert

CH. DE VILLAMBIS 1997

■ Cru bourg.　38 ha　n.c.　■ ⦿ ⵏ 50 à 69 F

Sympathique par ses origines, le château est un centre d'aide par le travail. Le vin, diffusé par le CVBG, l'est aussi par son équilibre, sa souplesse et ses arômes fruités.

☛ Ch. de Villambis, 33250 Cissac-Médoc,
tél. 05.56.35.53.00, fax 05.56.35.52.29,
e-mail contact@cvbg.com
☛ CAT Cissac-Médoc

CH. DE VILLEGEORGE 1997★

■ Cru bourg.　15 ha　41 400　■ ⦿ 100 à 149 F

83 85 |86| 87 |89| |90| |93| 94 95 96 |97|

Jolie chartreuse entre Avensan et Margaux, ce cru sort un peu de sa ligne traditionnelle avec ce millésime aux tanins résolument carrés. Ceux-ci, toutefois, ne perturbent pas l'harmonie de l'ensemble. Déjà plaisant, ce vin n'en possède pas moins un bon potentiel de garde (autour de trois ou quatre ans) tant par sa structure que par ses arômes aux notes de gibier et d'épices.

☛ SC Les Grands Crus réunis, 33480 Moulis-en-Médoc, tél. 05.56.58.22.01, fax 05.56.58.15.10
ⵏ r.-v.
☛ M.-L. Lurton-Roux

Listrac-médoc

Correspondant exclusivement à la commune homonyme, l'appellation est la communale la plus éloignée de l'estuaire. C'est l'un des seuls vignobles que traverse le touriste se rendant à Soulac ou venant de la Pointe-de-Grave. Très original, son terroir correspond au dôme évidé d'un anticlinal, où l'érosion a créé une inversion de relief. A l'ouest, à la lisière de la forêt, se développent trois croupes de graves pyrénéennes, dont les pentes et le sous-sol souvent calcaire favorisent le drainage naturel des sols. Le centre de l'AOC, le dôme évidé, est occupé par la plaine de Peyrelebade, aux sols argilo-calcaires. Enfin, à l'est, s'étendent des croupes de graves garonnaises.

BORDELAIS

Le listrac est un vin vigoureux et robuste. Cependant, contrairement à ce qui se passait autrefois, sa robustesse n'implique plus aujourd'hui une certaine rudesse. Si certains vins restent un peu durs dans leur jeunesse, la plupart contrebalancent leur force tannique par leur rondeur. Tous offrent un bon potentiel de garde, entre sept et dix-huit ans selon les millésimes. En 1999, les 646 ha ont produit 37 828 hl.

CH. BAUDAN Elevé en fût de chêne 1997★

■	2,65 ha	17 000	◫ 100 à 149 F

Poursuivant son évolution et sa progression, ce cru sort avec les honneurs de l'épreuve du 97. A un bouquet friand et élégant, ce vin ajoute les attraits d'une attaque en finesse que suit une belle montée en puissance au palais.

☛ Sylvie et Alain Blasquez, Ch. Baudan,
33480 Listrac-Médoc, tél. 05.56.58.07.40,
fax 05.56.58.04.72,
e-mail chateau.baudan@wanadoo.fr ☑ ⵑ t.l.j.
9h-19h30

CH. CAP LEON VEYRIN 1997

■ Cru bourg.	17 ha	90 000	◫ 50 à 69 F

|90| 91 92 93 94 95 96 97

Assez original par la place du merlot dans sa composition (75 %), ce vin développe un bouquet délicat et élégant avant de révéler une structure tannique équilibrée qui s'ouvre sur une finale d'une agréable rondeur.

☛ Alain Meyre, Ch. Cap Léon Veyrin,
33480 Listrac-Médoc, tél. 05.56.58.07.28,
fax 05.56.58.07.50 ☑ ⵑ t.l.j. 9h-12h 14h-18h;
sam. dim. et groupes sur r.-v.

CH. CLARKE 1997★

■ Cru bourg.	n.c.	326 000	◫ 100 à 149 F

81 82 83 85 ⑧⑥ 88 |89| |90| 91 92 93 94 95 96 97

S'il n'a plus de château proprement dit, ce cru constitue par sa superficie comme par ses bâtiments l'une des plus belles unités de l'appellation créée à partir d'un très ancien domaine par le baron Edmond de Rothschild qui l'acheta en 1973. Richement bouqueté, avec des notes de vanille, de torréfaction et de fruits mûrs, son 97 s'appuie sur une structure souple et bien équilibrée pour donner le meilleur de lui-même d'ici deux à trois ans.

☛ Cie vin. barons Ed. et B. de Rothschild,
33480 Listrac-Médoc, tél. 05.56.58.38.00,
fax 05.56.58.26.46,
e-mail chateau.clarke@wanadoo.fr ☑ ⵑ r.-v.
☛ Benjamin de Rothschild

CH. DUCLUZEAU 1997★

■ Cru bourg.	4,5 ha	38 000	◫ 50 à 69 F

81 ⑧② 83 85 |86| |88| |89| |90| 91 92 |94| 96 |97|

Issu d'un cru appartenant à la famille Borie de Ducru-Beaucaillou, ce vin fait preuve de caractère, tant dans son bouquet, où les notes fumées et viandées côtoient les parfums de fleurs,

qu'au palais dont l'élégance et la douceur ne sont pas contrariées par des tanins ronds et bien fondus. Couronné par une finale confiturée, l'ensemble est déjà agréable tout en pouvant évoluer favorablement pendant trois ou quatre ans.

☛ Mme J.-E. Borie, Ch. Ducluzeau,
33480 Listrac-Médoc, tél. 05.56.73.16.73,
fax 05.56.59.27.37

CH. FONREAUD 1997★

■ Cru bourg.	30 ha	180 000	◫ 70 à 99 F

81 82 83 85 86 88 |89| |90| 91 92 |93| 95 96 97

Situé au bord de la route Bordeaux-Soulac, ce château donne l'impression de se révéler entièrement dès le premier regard. Pourtant, il faut voir sa façade postérieure pour découvrir la complexité de son organisation. Sans être aussi sophistiqué, ce vin fait preuve de diversité et d'intensité dans son bouquet avec un mariage gourmand de la vanille et de la fraise. Au palais, on retrouve ce côté vanillé fondu dans un ensemble charnu, que marque encore le merrain.

☛ Ch. Fonreaud, 33480 Listrac-Médoc,
tél. 05.56.58.02.43, fax 05.56.58.04.33 ☑ ⵑ t.l.j.
sf sam. dim. 9h-12h 14h-17h
☛ Héritiers Chanfreau

CH. FOURCAS-DUMONT 1997★

■	n.c.	35 000	◫ 100 à 149 F

Né sur une unité d'une trentaine d'hectares, ce vin se montre flatteur dans sa présentation, avec une belle robe et un bouquet de fruits rouges confits juste relevés d'une note goudronnée. Toutefois, c'est parvenu au palais qu'il trouve sa pleine expression, avec un côté fruité presque exceptionnel pour le millésime.

☛ SCA Ch. Fourcas-Dumont, 12, rue Odilon-Redon, 33480 Listrac-Médoc,
tél. 05.56.58.03.84, fax 05.56.58.01.20,
e-mail info@chateau-fourcas-dumont.com
☑ ⵑ t.l.j. 9h-12h 14h-17h; sam. dim. sur r.-v.

CH. FOURCAS DUPRE 1997

■ Cru bourg.	44 ha	241 000	◫ 70 à 99 F

⑦⑧ 79 81 82 83 |85| |86| |88| |89| |90| 91 92 |93| |94| 95 96 |97|

Ce château existe depuis 1843, implanté sur les graves pyrénéennes de Listrac. Sans prétendre rivaliser avec certains millésimes antérieurs du même cru, ce 97, élevé douze mois en fût et comportant 2 % de petit verdot, se montre séduisant par l'élégance et la fraîcheur de son bouquet aux notes boisées. Sa structure qui ferait presque penser à une belle dentelle permettra de le boire assez vite.

☛ Ch. Fourcas Dupré, 33480 Listrac-Médoc,
tél. 05.56.58.01.07, fax 05.56.58.02.27 ☑ ⵑ t.l.j.
sf sam. dim. 8h-12h 14h-17h30

CH. FOURCAS HOSTEN 1997★★

■ Cru bourg.	47 ha	260 000	◫ 70 à 99 F

75 78 81 ⑧② |83| |85| |86| |88| |89| |90| 91 92 93 94 95 96 97

Commandé par une élégante demeure typiquement girondine, ce cru fait preuve d'une belle régularité qualitative que ne dément pas ce millésime difficile. Soutenu par un apport bien dosé du bois, le bouquet marie les fruits rouges et noirs aux épices pour donner un ensemble complexe et intense. Rond, souple et velouté, le palais sait déjà se rendre agréable tout en montrant par ses jolis tanins que le vin méritera une garde de quatre ou cinq ans.

☛ SC du Ch. Fourcas-Hosten, rue de l'Eglise, 33480 Listrac-Médoc, tél. 05.56.58.01.15, fax 05.56.58.06.73 ☑ ⵏ t.l.j. sf sam. dim. 9h-11h30 14h-16h30

GRAND LISTRAC
La Caravelle Elevé en fût de chêne 1997*

| ■ | 4 ha | 25 000 | ❙❙❙ | 50 à 69 F |

Cuvée prestige de la cave coopérative, ce vin d'une belle teinte rouge sang réussit à composer un bouquet complexe et fin en associant les fruits et les épices. Rondelet, plein et d'un bon volume, le palais s'appuie sur une bonne présence tannique qui autorisera une garde de quelques années.

☛ Cave de vinification de Listrac-Médoc, 21, av. de Soulac, 33480 Listrac-Médoc, tél. 05.56.58.03.19, fax 05.56.58.07.22, e-mail grandlistrac@cave-listrac-medoc.com ☑ ⵏ r.-v.

CH. LALANDE Cuvée spéciale 1997

| ■ Cru bourg. | n.c. | 25 000 | 🍾❙❙❙⌛ | 50 à 69 F |

Issu de la cuvée spéciale du cru, ce vin est d'une bonne tenue tout au long de la dégustation. Agréable à l'œil, il se montre généreux dans son développement aromatique, avec de puissantes notes épicées et fruitées, bien accompagnées par le bois. Encore un peu sévère, son évolution au palais est sans faiblesse et laisse le dégustateur sur le souvenir d'un ensemble bien fait.

☛ EARL Darriet-Lescoutra, Ch. Lalande, 33480 Listrac-Médoc, tél. 05.56.58.19.45, fax 05.56.58.15.62 ☑ ⵏ t.l.j. 9h-12h 14h-18h; dim. sur r.-v.

CH. LA LAUZETTE-DECLERCQ 1997

| ■ Cru bourg. | 13 ha | 80 000 | ❙❙❙ | 50 à 69 F |

Bien qu'encore un peu rude dans son développement tannique, ce vin, qui se mariera bien avec une entrecôte, n'est pas dans le style des listrac d'antan. Il possède en effet une rondeur qui adoucit son caractère, tandis que son bouquet se singularise par des notes de caramel qui viennent se mêler aux parfums de fruits rouges.

☛ SC Vignobles Declercq, Couhenne nord 1229, 33480 Listrac-Médoc, tél. 32.51.30.40.81, fax 32.51.31.90.54 ☑ ⵏ r.-v.

CH. LAROSEY 1997

| ■ Cru bourg. | n.c. | 17 700 | ❙❙❙ | 50 à 69 F |

Du même producteur que le château Lalande mais diffusé par le négoce, ce vin est plus rustique. Quoi qu'il en soit, sa trame a été bien extraite, donnant un ensemble agréable.

☛ EARL Darriet-Lescoutra, 33480 Listrac-Médoc, tél. 05.57.43.01.44, fax 05.57.43.08.75, e-mail direction@robertgiraud.com

CH. LESTAGE 1997

| ■ Cru bourg. | 42 ha | 200 000 | ❙❙❙ | 70 à 99 F |
| 81 82 83 **85** |86| |89| |90| 91 92 94 95 96 97 |

Appartenant au même producteur que château Fonréaud, ce cru, qui possède un bel exemple de

château de style Second Empire, offre un vin simple et souple avec un bouquet épicé et un palais équilibré.

☛ Ch. Lestage, 33480 Listrac-Médoc, tél. 05.56.58.02.43, fax 05.56.58.04.33 ☑ ⵏ t.l.j. sf sam. dim. 9h-12h 14h-17h
☛ Héritiers Chanfreau

CH. MAYNE LALANDE 1997**

| ■ Cru bourg. | 15 ha | 50 000 | ❙❙❙ | 70 à 99 F |
| 85 86 88 |89| **90** 91 92 |94| |95| 96 **97** |

Valeur sûre et reconnue de l'appellation, ce cru se situe une nouvelle fois à la hauteur de sa réputation. Une très belle robe sombre l'habille. Son bouquet affiche cette complexité qui fait les grands vins : fruits rouges, cassis, vanille, chocolat noir et épices. Ample, rond et puissant, avec des tanins généreux, c'est un vrai vin de garde qui méritera un séjour en cave de cinq ans.

☛ Bernard Lartigue, Ch. Mayne Lalande, 33480 Listrac-Médoc, tél. 05.56.58.27.63, fax 05.56.58.22.41 ☑ ⵏ r.-v.

CH. PEYREDON LAGRAVETTE 1997**

| ■ Cru bourg. | 6,5 ha | 42 000 | ❙❙❙ | 50 à 69 F |
| 81 ⑧② 83 85 86 |88| |89| |90| 91 92 |93| 94 **95 96 97** | | | | |

Ce cru bénéficie d'un beau terroir de graves du günz dans le prolongement de la croupe de Poujeaux, mais cet atout ne serait rien sans la

Moulis et Listrac

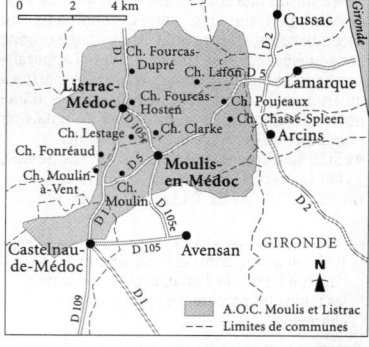

Margaux

grande compétence de Paul Hostein. Tout dans ce vin porte sa marque, à commencer par son bouquet. Intense et concentré, celui-ci va de fruits rouges très mûrs aux notes fleuries et crémeuses. Solide, souple et ronde à l'attaque, puis grasse, longue et tannique, la structure conduit naturellement vers une finale fraîche et élégante.

🍷 Paul Hostein, 2062 Médrac Est,
Ch. Peyredon-Lagravette, 33480 Listrac-Médoc,
tél. 05.56.58.05.55, fax 05.56.58.05.50 ☑ 𝖸 t.l.j.
sf dim. 9h-12h30 14h-19h; f. 20 sept.-10 oct.

CH. ROSE SAINTE-CROIX 1997★

| ■ | 9,01 ha | 72 000 | ▤ ⅡⅢ ♨ | 50 à 69 F |

La rose et la croix, les deux symboles constituant le nom de ce cru, pourraient bien se rapporter aux activités de l'une des nombreuses sociétés rosicruciennes qui fleurissaient sous la Révolution française et le Premier Empire. Heureusement, ce 97 ne s'entoure pas de tant de mystère : il décline les fleurs (jacinthe, narcisse, tubéreuse), très présentes dans son bouquet, et développe des tanins sans agressivité, donnant un ensemble équilibré et harmonieux.

🍷 SARL des Grands Crus, Lieu-dit Le Lieulet,
33480 Moulis-en-Médoc, tél. 05.56.58.35.77,
fax 05.56.58.14.24 ☑ 𝖸 lun. mar. jeu. ven.
8h30-12h 13h30-17h; f. août
🍷 Porcheron

CH. SARANSOT-DUPRE 1997

| ■ Cru bourg. | 13 ha | 75 000 | ⅡⅢ | 70 à 99 F |

70 71 75 78 81 **82** 83 85 |86| **88** |89| |90| 91 |93|
|94| **95** 96 |97|

Issu d'un vaste domaine comprenant des vignes et des bois, et dont les chais sont en cours de restructuration, ce vin porte la marque du merlot (70 % de l'encépagement) dans son caractère, rond et aimable. Plaisant à l'œil, il est prêt à boire et permettra d'attendre le remarquable millésime 95 qui reçut deux étoiles.

🍷 Yves Raymond, Ch. Saransot-Dupré,
33480 Listrac-Médoc, tél. 05.56.58.03.02,
fax 05.56.58.07.64 ☑ 𝖸 r.-v.

CH. SEMEILLAN MAZEAU
Cuvée Jander 1997★

| ■ Cru bourg. | 8 ha | 60 000 | ⅡⅢ | 70 à 99 F |

|94| 95 **96** |97|

Né sur un plateau portant le joli nom de Pey-de-Minjon (l'un des points culminants du Médoc), ce vin montre qu'il est de bonne origine par son élégance et sa finesse. Celles-ci apparaissent sans ambiguïté au bouquet, dont les parfums de fruits mûrs sont délicatement relevés d'une note boisée, avant de se confirmer au palais où la marque de l'élevage est plus sensible.

🍷 SCE Les Vignobles Jander, 41, av. de Soulac,
33480 Listrac-Médoc, tél. 05.56.58.01.12,
fax 05.56.58.01.57 ☑ 𝖸 t.l.j. 9h-12h 14h-19h

> L'alcool assure corps et rondeur au vin ;
> l'acidité lui donne l'attaque et la nervosité ;
> les tanins lui procurent structure et
> charpente.

Si Margaux est le seul nom d'appellation à être aussi un prénom féminin, ce n'est sans doute pas par pur hasard. Il suffit de goûter un vin bien typé provenant du terroir margalais pour saisir les liens subtils qui unissent les deux.

Les margaux présentent une excellente aptitude à la garde, mais ils se distinguent aussi par leur souplesse et leur délicatesse que soutiennent des arômes fruités d'une grande élégance. Ils constituent l'exemple même des bouteilles tanniques généreuses et suaves, à enregistrer sur le livre de cave dans la classe des vins de grande garde.

L'originalité des margaux tient à de nombreux facteurs. Les aspects humains ne sont pas à négliger. A l'écart des autres grandes communales médocaines, les viticulteurs margalais ont moins privilégié le cabernet-sauvignon. Ici, tout en restant minoritaire, le merlot prend une importance accrue. D'autre part, l'appellation s'étend sur le territoire de cinq communes : Margaux et Cantenac, Soussans, Labarde et Arsac. Dans chacune d'elles tous les terrains ne font pas partie de l'AOC ; seuls les sols présentant les meilleures aptitudes viti-vinicoles ont été retenus. Le résultat est un terroir homogène, composé par une série de croupes de graves.

Celles-ci s'articulent en deux ensembles : à la périphérie se développe un système faisant penser à une sorte d'archipel continental, dont les « îles » sont séparées par des vallons, ruisseaux ou marais tourbeux ; au cœur de l'appellation dans les communes de Margaux et de Cantenac s'étend un plateau de graves blanches, d'environ six kilomètres sur deux, que l'érosion a découpé en croupes. C'est dans ce secteur que sont situés nombre des dix-huit grands crus classés de l'appellation.

Remarquables par leur élégance, les margaux sont des vins qui appellent des mets raffinés, comme le chateaubriand, le canard, le perdreau ou, bordeaux oblige, l'entrecôte à la bordelaise. En 1999, 74 199 hl ont été produits.

CH. D'ANGLUDET 1997

■ Cru bourg.	32 ha	140 000	❚❙❚	150 à 199 F
85 ⑧⑥ 88 89 90 91 92 93 94 95 96 97				

Authentique maison médocaine à laquelle une pelouse descendant vers une petite rivière donne un air britannique, Angludet symbolise la double origine du vignoble bordelais. Quoique toujours marqué par le bois, son 97, paré d'une belle robe profonde et laissant paraître des notes fruitées, se révèle intéressant par son solide potentiel qui lui permettra d'évoluer favorablement au cours des trois ans à venir.

☛ Maison Sichel-Coste, 8, rue de la Poste, 33210 Langon, tél. 05.56.63.50.52, fax 05.56.63.42.28

CH. BOYD-CANTENAC 1997★

■ 3ème cru clas.	17 ha	68 000	❚❙❚	100 à 149 F
70 75 79 80 |81| ⑧② 83 |85| 86 |88| |89| |90| |91| |92| 94 95 96 |97|				

Lucien Guillemet fait partie des viticulteurs pour qui le vin doit exprimer la personnalité du terroir. C'est le cas de ce vin qui provient du rebord septentrional de l'excellent plateau de Cantenac. Avec 60 % de cabernet-sauvignon, il s'annonce par une robe profonde avant de développer un bouquet aux chaleureuses notes de fruits rouges, de grillé et d'épices. Souple mais bien concentré, avec des tanins serrés et mûrs, le palais reste dans le même esprit, comme le retour aromatique marqué par la réglisse. Un vrai margaux plein de charme, à boire d'ici 2007.

☛ SCE Ch. Boyd-Cantenac et Pouget, 33460 Cantenac, tél. 05.57.88.90.82, fax 05.57.88.33.27, e-mail lucien.guillemet@wanadoo.fr ☑ ⦿ r.-v.

CH. BRANE-CANTENAC 1997★★

■ 2ème cru clas.	84 ha	120 000	❚❙❚	200 à 249 F
70 71 75 76 78 79 |81| 82 |83| 84 |85| ⑧⑥ 87 |88| |89| |90| 91 92 93 94 95 ⑨⑥ 97				

Belle unité située sur le flanc méridional du plateau de Cantenac-Margaux, ce cru jouit d'un beau terroir. Bien exploitées par Henri Lurton, ces conditions naturelles favorables donnent un vin dans l'esprit margalais par ses tanins fins et élégants que complètent une attaque moelleuse, une longue finale et un bouquet complexe (fumée, réglisse et vanille avec quelques notes empyreumatiques). L'œil n'est pas en reste, la robe sombre et profonde témoignant de la qualité de l'ensemble. A attendre deux ans, puis à servir pendant au moins quatre ans.

☛ SCEA du Ch. Brane-Cantenac, 33460 Cantenac, tél. 05.57.88.83.33, fax 05.57.88.72.51 ☑ ⦿ r.-v.
☛ Henri Lurton

LE BARON DE BRANE 1997★

■		n.c.	90 000	❚❙❚	100 à 149 F

Seconde étiquette de Brane-Cantenac, ce vin n'a pas la personnalité de son aîné, ce qui ne l'empêche pas de se distinguer lui aussi par sa

BORDELAIS

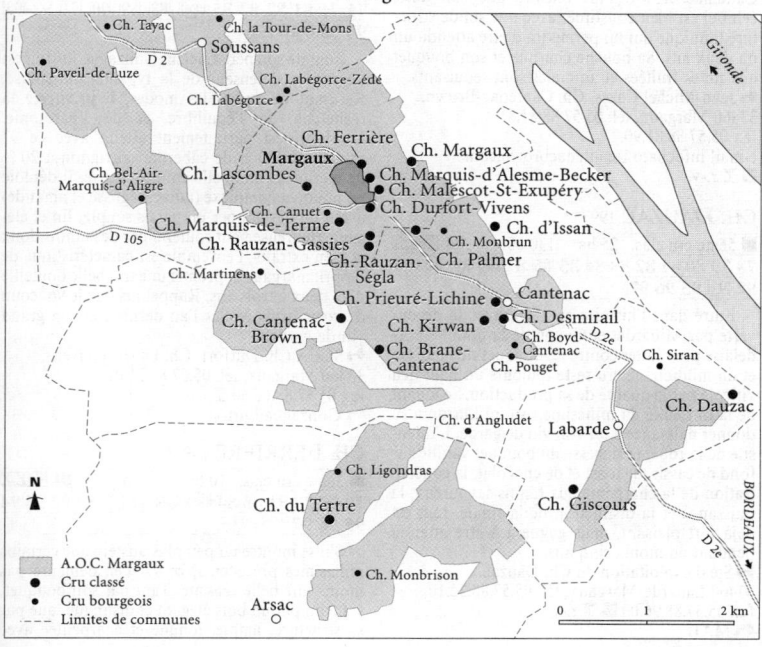

Margaux

Ch. Tayac
Ch. la Tour-de-Mons
Soussans
D 2
Ch. Paveil-de-Luze
Ch. Labégorce-Zédé
Ch. Labégorce
Ch. Ferrière
Ch. Margaux
Margaux
Ch. Bel-Air-Marquis-d'Aligre
Ch. Lascombes
Ch. Marquis-d'Alesme-Becker
Ch. Malescot-St-Exupéry
Ch. Canuet
Ch. Durfort-Vivens
Ch. Marquis-de-Terme
Ch. Monbrun
Ch. Rauzan-Gassies
Ch. d'Issan
D 105
Ch. Martinens
Ch. Rauzan-Ségla
Ch. Palmer
Ch. Prieuré-Lichine
Cantenac
Ch. Cantenac-Brown
Ch. Kirwan
Ch. Desmirail
Ch. Boyd-Cantenac
D 2e
Ch. Brane-Cantenac
Ch. Siran
Ch. Pouget
Ch. Dauzac
Ch. d'Angludet
Labarde
BORDEAUX
Ch. Ligondras
D 2e
N
Ch. du Tertre
Ch. Giscours
A.O.C. Margaux
● Cru classé
• Cru bourgeois
‒ ‒ ‒ Limites de communes
Ch. Monbrison
Arsac
0   1   2 km
Gironde

complexité aromatique, par ses tanins doux, amples et suaves, par sa persistance.

☛ SCEA du Ch. Brane-Cantenac, 33460 Cantenac, tél. 05.57.88.83.33, fax 05.57.88.72.51 ⵝ r.-v.

CH. CANTENAC-BROWN 1997*

■ 3ème cru clas.   42 ha   180 000   ◫ 150 à 199 F

75 76 79 80 **81 82** |83| **85** |86| |87| |88| |89| |⑨⓪|
|91| |92| **93 94 95 96** 97

Ce château fut construit en 1867 par John Louis Brown, peintre animalier anglais, ami de Toulouse-Lautrec. Il ressemble à certaines demeures britanniques. Depuis sa reprise par Axa Millésime et son exploitation par l'équipe de Jean-Michel Cazes, ce cru fait preuve d'une belle régularité qualitative. Ce millésime ne fait pas exception. Encore très jeune dans sa présentation, il offre une belle robe, rubis foncé moiré de pourpre, et un bouquet lui aussi tout en nuances (toast, cacao, épices et fruits rouges). Souple et bien structuré par des tanins fins, le palais jouit d'un bon équilibre qui le rend déjà agréable, tout en incitant à attendre trois ou quatre ans pour ouvrir cette jolie bouteille.

☛ Jean-Michel Cazes, Ch. Cantenac-Brown, 33460 Margaux, tél. 05.57.88.81.81, fax 05.57.88.81.90, e-mail infochato@cantenacbrown.com
☑ ⵝ r.-v.
☛ Axa Millésime

CH. CANUET 1997

■   n.c.   60 000   ◫ 100 à 149 F

Ancienne petite propriété autonome, cette étiquette correspond aujourd'hui au second vin de Cantenac-Brown. Plus linéaire que son aîné, celui-ci est bien constitué, avec une solide structure tannique qui lui permettra d'être attendu un ou deux ans. Sa bouche charnue et son bouquet aux notes fruitées et animales sont séduisants.

☛ Jean-Michel Cazes, Ch. Cantenac-Brown, 33460 Margaux, tél. 05.57.88.81.81, fax 05.57.88.81.90, e-mail infochato@cantenacbrown.com
☑ ⵝ r.-v.

CH. DAUZAC 1997**

■ 5ème cru clas.   25 ha   130 000   ◫ 200 à 249 F

78 79 80 **81 82 83** 84 **85** |86| 87 |88| |89| |⑨⓪| 91
92 |93| **95 96 97**

Entré dans l'histoire en 1880, avec la découverte par Millardet et Gayon de la bouillie bordelaise pour lutter contre les attaques de l'oïdium et du mildiou, ce cru reste toujours un haut lieu viticole par la qualité de sa production. Se jouant de la difficulté du millésime, André Lurton a su donner naissance à un vrai vin de garde. L'intensité de la robe, la richesse du bouquet vanillé sur fond de cassis, de toast et de chocolat, la concentration de la charpente aux tanins savoureux, la puissance et la distinction de la finale, tout est déjà fort plaisant, mais gagnera à être attendu pendant au moins cinq ans.

☛ Sté d'exploitation du Ch. Dauzac, 33460 Labarde-Margaux, tél. 05.57.88.32.10, fax 05.57.88.96.00 ☑ ⵝ r.-v.
☛ MAIF

CH. DESMIRAIL 1997*

■ 3ème cru clas.   30 ha   n.c.   ◫ 150 à 199 F

81 |82| ⑧③| |85| |86| 87 |88| |89| **90** |91| |92| |93| 94
95 96 |97|

Né sur un cru qui avait été créé à la fin du XVII°s. sur une parcelle de Rauzan, puis classé en 1855, reconstitué *ex nihilo* par Lucien Lurton, ce vin joue résolument la carte de la rondeur et de l'harmonie. S'appuyant sur des tanins friands et intégrant heureusement l'apport du bois dans le bouquet très fin de fruits noirs, il forme un ensemble sans aspérité qui s'ouvre sur une jolie robe grenat à reflets violets pour s'achever sur une belle finale. Il pourra être servi assez jeune après aération.

☛ SCEA du Ch. Desmirail, 33460 Cantenac, tél. 05.57.88.83.33, fax 05.57.88.72.51 ⵝ r.-v.
☛ Lucien Lurton

CH. DEYREM VALENTIN 1997*

■ Cru bourg.   7 ha   45 000   ◫ 70 à 99 F

75 76 81 82 **83** 85 |86| |88| |89| |90| 91 92 |93| |94|
95 97

Si de nombreux margaux privilégient la finesse et l'élégance, tradtionnellement ce cru soussanais préfère miser sur la force de la structure tannique. En parfait accord avec l'intensité du bouquet (fruits mûrs, noyau de cerise, fumée et torréfaction), le palais parviendra à se fondre après une petite garde.

☛ EARL des Vignobles Jean Sorge, Ch. Deyrem-Valentin, 33460 Soussans, tél. 05.57.88.35.70, fax 05.57.88.36.84 ☑ ⵝ r.-v.

CH. DURFORT-VIVENS 1997**

■ 2ème cru clas.   30 ha   65 000   ◫ 150 à 199 F

75 76 81 82 83 85 |⑧⑥| |88| |89| |90| |91| 92 |93|
94 **95** ⑨⑥| 97

Comme son père Lucien, Gonzague Lurton est un ardent défenseur de la typicité margalaise. Refusant de suivre les modes, il privilégie la recherche de l'équilibre et de l'harmonie. L'objectif est parfaitement atteint avec ce 97 assemblant 80 % de cabernet-sauvignon à 20 % de merlot. D'une belle couleur cerise, il déploie un bouquet complexe (tabac, réglisse et amande) avant de développer un palais souple, fin et élégant. Heureusement soutenu par des tanins doux et bien extraits, l'ensemble est caractéristique de l'esprit margaux et promet une très belle bouteille d'ici deux à trois ans. Rappelons que le 96, coup de cœur, trois étoiles l'an dernier, est un grand vin de garde.

☛ SCEA Ch. Durfort, Ch. Durfort-Vivens, 33460 Margaux, tél. 05.57.88.31.02, fax 05.57.88.60.60 ⵝ r.-v.
☛ Gonzague Lurton

CH. FERRIERE 1997*

■ 3ème cru clas.   10 ha   n.c.   ◫ 200 à 249 F

70 75 78 **81 83** 84 |⑧⑤| |86| 87 |88| 89 92 **93 94
95 96** 97

S'il se montre un peu plus austère que certains millésimes précédents, ce 97 n'en demeure pas moins une belle réussite. Tant par son bouquet, soutenu par un bois élégant et distingué, que par sa structure, ample, longue et charpentée avec des tanins ronds et gras, plus austères en finale. Attendre deux ou trois ans qu'ils se fondent. **Les Remparts de Ferrière 97**, le second vin, obtient une citation. (70 à 99 F)

☛Claire Villars-Lurton, Ch. La Ferrière, 33460 Margaux, tél. 05.56.58.02.37, fax 05.57.88.84.40, e-mail chasse-spleen@vins.bordeaux.fr ⌶ r.-v.

CH. GISCOURS 1997★

■ 3ème cru clas.	78 ha	215 000	�📶	200 à 249 F

75 78 81 **82 83 85** |86| |88| **89** 90 |91| **93** 94 97

Très vaste unité avec un château construit entre 1825 et 1845, aussi monumental que les bâtiments d'exploitation. Cette propriété, reprise en 1995 par Eric Albada-Jelgersma, est aussi un domaine moderne où l'ordinateur est roi. Cette modernité est mise au service de la tradition comme le prouve ce 97, avec un bouquet on ne peut plus classique du Bordelais. Franc, étoffé et corsé, le palais s'ouvre sur une longue finale que soutient un bois de qualité. Encore un peu austère, l'ensemble gagnera à être attendu pendant quatre à cinq ans. La **Sirène de Giscours 97**, le second vin, mérite une citation (100 à 149 F).

☛SAE Ch. Giscours, 10, rte de Giscours, Labarde, 33460 Margaux, tél. 05.57.97.09.09, fax 05.57.97.09.00, e-mail giscours@château-giscours.fr ☑ ⌶ r.-v.

CH. HAUT BRETON LARIGAUDIERE 1997★

■ Cru bourg.	12,46 ha	63 000	■📶♨	100 à 149 F

|90| |91| 92 |93| **94** 95 96 97

Régulier en qualité au cours des dernières années, ce cru n'a pas failli pour le millésime 97 qui présente une intéressante complexité aromatique, avec de fines notes vanillées et torréfiées. De beaux arômes de fruits noirs se fondant dans le bois rendent le palais très harmonieux, comme la finale, riche, puissante et élégante.

☛SCEA Ch. Haut Breton Larigaudière, 33460 Soussans, tél. 05.57.88.94.17, fax 05.57.88.39.14 ☑ ⌶ r.-v.

CH. D'ISSAN 1997★

■ 3ème cru clas.	28 ha	180 000	📶	250 à 299 F

82 **83 85 86** 87 |88| |89| |90| 92 93 **94** 95 96 97

Beau manoir du XVIIᵉs. encadré de vestiges féodaux, Issan est l'un des plus attachants châteaux médocains. Son vin ne manque pas d'attraits : sa robe brillante qu'éclairent des reflets cerise et son bouquet fruité d'une belle intensité procurent une sensation d'élégance que retrouve le palais avec un équilibre subtil entre la souplesse et l'ampleur.

☛Sté Fermière Viticole de Cantenac, Ch. d'Issan, 33460 Cantenac, tél. 05.57.88.35.91, fax 05.57.88.74.24 ☑ ⌶ r.-v.

☛Cruse

CH. KIRWAN 1997★

■ 3ème cru clas.	35 ha	90 000	📶	300 à 499 F

75 79 81 82 83 |85| |86| |88| **89** 91 92 |93| 94 **95** 96 97

C'est un propriétaire irlandais qui donna son nom au XVIIIᵉs. à ce domaine dont Thomas Jefferson dira en 1787 qu'il fait partie des meilleurs crus margalais. Deux siècles plus tard, les qualités de ce vin feront l'unanimité, notamment sa couleur d'un beau pourpre foncé, son attaque puissante et sa structure aux tanins serrés qui devraient se fondre d'ici cinq à six ans pour donner une très belle bouteille.

☛Jean-Henri Schÿler, Ch. Kirwan, 33460 Cantenac, tél. 05.57.88.71.00 ☑ ⌶ t.l.j. 9h-17h; sam. dim. sur r.-v.; f. janv.

☛Schröder et Schÿler SA

KRESSMANN Grande réserve 1997

■	n.c.	n.c.	■♨	70 à 99 F

Marque de l'une des plus célèbres maisons du négoce bordelais, ce vin aux tanins fermes trouve sa pleine expression au bouquet où le chocolat croise les épices et le menthol, le poivre, avec en prime une petite note fleurie. A attendre trois ou quatre ans. La **Grande Cuvée de Dourthe 97** (100 à 149 F), la maison sœur, a également obtenu une citation.

☛Kressmann, 35, rte de Bordeaux, 33290 Parempuyre, tél. 05.56.35.53.00, fax 05.56.35.53.29, e-mail contact@cvbg.com ☑ ⌶ r.-v.

CH. LABEGORCE 1997

■ Cru bourg.	34 ha	200 000	📶	100 à 149 F

78 82 83 **85 86** 87 |90| 91 92 |93| 95 96 97

Côté château, une superbe réalisation néoclassique d'aspect majestueux et rigoureux ; côté vin, un 97 délicat, presque timide, qui exprime sa personnalité par de fins arômes de fruits rouges, de noix de coco, de cassis et de cuir. Très aromatique, la bouche laisse encore la parole au fût.

☛Ch. Labégorce, 33460 Margaux, tél. 05.57.88.71.32, fax 05.57.88.35.01, e-mail labegorce@chateau-labegorce.fr ☑ ⌶ r.-v.

☛Hubert Perrodo

CH. LABEGORCE ZEDE 1997★★

■ Cru bourg.	n.c.	90 000	■📶♨	100 à 149 F

82 |83| |85| |86| 87 |88| 89 90 91 **92** |93| |94| **95** 96 97

Sous la férule de Luc Thienpont, à la tête de la propriété depuis 1979, Labégorce Zédé est devenu l'une des valeurs sûres de l'appellation. Ce millésime consolidera, s'il en était besoin, sa réputation. Sa robe grenat comme son bouquet aux notes d'épices, de cuir, de cerise noire et de cassis expriment toute la richesse de la personnalité de ce 97. Ample, aromatique, rond, gras et long, le palais possède une structure équilibrée qui permettra à ce vin d'atteindre son apogée d'ici trois à quatre ans.

☛GFA Labégorce-Zédé, 33460 Soussans, tél. 05.57.88.71.31, fax 05.57.88.72.54, e-mail Labegorce.zede@wanadoo.fr ☑ ⌶ t.l.j. 8h30-12h 14h-18h; f. 20-31 déc.

☛L. Thienpont

LA BERLANDE 1997

■	4 ha	25 000	📶	50 à 69 F

94 95 96 |97|

Henri Duboscq, propriétaire du Haut-Marbuzet, a créé cette cuvée La Berlande pour sa maison de négoce. Sans prétendre rivaliser avec certains millésimes antérieurs, ce vin, à la belle robe grenat très jeune, reste dans l'esprit du cru par son caractère aromatique qui marie avec bonheur les odeurs de fruits rouges, de vanille et de grillé.

🍷 Brusina-Brandler, 3, quai de Bacalan, 33300 Bordeaux, tél. 05.56.39.26.77, fax 05.56.69.16.84 ☑ Ⴥ r.-v.

CH. LA BESSANE 1997★

| ■ | 3 ha | 12 000 | ⅲ | 200 à 249 F |

Fait rare ici, non seulement le petit verdot est présent dans l'encépagement mais il occupe aussi la place principale (60 %) dans ce millésime. Toutefois, ses parfums fruités doivent composer avec les notes toastées de l'élevage. Toujours très présent, celui-ci s'accorde avec la matière pour assurer une garde de trois à quatre ans.

🍷 SA Ch. Paloumey, 50, rue Pouge-de-Beau, 33290 Ludon-Médoc, tél. 05.57.88.00.66, fax 05.57.88.00.67, e-mail chateaupaloumey@wanadoo.fr ☑ Ⴥ r.-v.

CH. LA GURGUE 1997★

| ■ Cru bourg. | 10 ha | n.c. | ⅲ | 70 à 99 F |

82 83 **85 86** 88 89 |90| 91 92 93 94 **95 96** |97|

Du même producteur que Château Ferrière, cette bouteille possède sa propre personnalité qui s'exprime par une belle livrée entre rubis et rouge foncé, un bouquet aux notes animales, de très agréables tanins mûrs et soyeux. Délicieux aujourd'hui, ce vin pourra encore bien évoluer.

🍷 Claire Villars-Lurton, Ch. La Gurgue, 33460 Margaux, tél. 05.56.58.02.37, fax 05.57.88.84.40, e-mail chasse-spleen@vins-bordeaux.fr Ⴥ r.-v.

CH. LARRUAU 1997

| ■ Cru bourg. | 11 ha | 60 000 | ⅲ | 70 à 99 F |

80 81 **82** 83 84 85 |86| 87 |88| |89| 90 91 |93| |94| **95 96 97**

55 % de cabernet-sauvignon complétés par du merlot, dix-huit mois de barrique dont 30 % de bois neuf, Larruau met en valeur son beau terroir. Fidèle à son habitude, ce cru privilégie la souplesse et la finesse, qui s'expriment par un agréable côté fruité et un boisé bien dosé.

🍷 Bernard Château, 4, rue de La Trémoille, 33460 Margaux, tél. 05.57.88.35.50, fax 05.57.88.76.69 ☑ Ⴥ r.-v.

CH. LASCOMBES 1997★

| ■ 2ème cru clas. | 50 ha | 200 000 | ⅲ | 200 à 249 F |

70 76 79 **81 82** 83 84 **85** (86) |88| |89| **90** 91 92 93 **95 96** 97

Au cœur du bourg de Margaux, cet étrange château, mi-*winery* mi-palais gothique, et le vaste vignoble qui l'entoure contribuent à façonner la personnalité de la petite ville médocaine en faisant de chaque quartier un village isolé. Bien dans l'esprit du cru et de l'appellation, ce 97 trouve un bon point d'équilibre entre puissance tannique et rondeur comme entre les arômes du fruit et du bois. A boire d'ici trois ou quatre ans, cette bouteille permettra d'attendre les 95 et 96, de longue garde. Le second vin **Chevalier de Lascombes 97** obtient une citation pour sa structure ronde et équilibrée (100 à 149 F).

🍷 Ch. Lascombes, 33460 Margaux, tél. 05.57.88.70.66, fax 05.57.88.72.17 ☑ Ⴥ r.-v.
🍷 Bass

L'ENCLOS MAUCAILLOU 1997

| ■ | 1,58 ha | 7 500 | ⅲ | 70 à 99 F |

|93| |94| **95 96 97**

Du même producteur que le château Meyre (haut-médoc), ce vin se montre particulièrement séduisant par son bouquet aux notes élégantes de vanille et de pain grillé. Encore un peu austère du fait de l'élevage, le palais possède la charpente nécessaire pour s'arrondir dans un à deux ans.

🍷 Ch. Meyre SA, 16, rte de Castelnau, 33480 Avensan, tél. 05.56.58.10.77, fax 05.56.58.13.20, e-mail chateau.meyre@wanadoo.fr ☑ Ⴥ t.l.j. sf sam. dim. 14h-17h; 1ᵉʳ nov.-30 mars sur r.-v.

CH. MARGAUX 1997★★★

| ■ 1er cru clas. | 78 ha | n.c. | ⅲ | + de 500 F |

59 |61| 66 **70 71** |75| 77 78 |79| 80 |81| (82) |83| 84 |85| |86| |87| **88 89 90 91** |92| **93 94** (95) (96) 97

MIS EN BOUTEILLE AU CHÂTEAU
CHATEAU MARGAUX
GRAND VIN
1997
PREMIER GRAND CRU CLASSÉ
MARGAUX
APPELLATION MARGAUX CONTRÔLÉE
S.C.A. CHÂTEAU MARGAUX PROPRIÉTAIRE A MARGAUX - FRANCE

A un remarquable ensemble architectural de style néoclassique, château Margaux ajoute un superbe terroir de graves, dont la répartition en trois grandes parcelles ne fait qu'accroître le potentiel qualitatif. Autant d'atouts qui permettent d'offrir un 97 dont la robe, rubis à reflets noirs, dément par son intensité la réputation du millésime. Fin et élégant, le bouquet passe allègrement des notes de moka à celles d'épices et de clou de girofle sur un fruité élégant. Généreux, gras et suave à l'attaque, le palais fait apparaître une matière tannique noble, veloutée, fraîche et bien structurée qui garantit une très belle aptitude au vieillissement. Remarquable par son équilibre, cette bouteille est grande par la longueur, le charme et la jeunesse de sa finale.

🍷 SC du Ch. Margaux, 33460 Margaux, tél. 05.57.88.83.83, fax 05.57.88.83.32

CH. MARQUIS D'ALESME BECKER 1997

| ■ 3ème cru clas. | 13 ha | 97 000 | ⅲ | 100 à 149 F |

Bien que situé dans la rue principale du bourg, ce château d'inspiration XVIIᵉˢ. est l'un des plus discrets des crus classés de l'appellation. Ce qui n'empêche pas son 97 de se montrer fort plaisant, tant par sa robe d'un rouge profond que par son bouquet d'une agréable complexité (menthol, épices, abricot, agrumes) ou par sa structure que soutiennent des tanins assez serrés. La finale joue

sur des notes de sous-bois. A mettre un ou deux ans en cave, puis à boire dans les cinq ans.
☛ Jean-Claude Zuger, Ch. Marquis d'Alesme Becker, 33460 Margaux, tél. 05.57.88.70.27, fax 05.57.88.73.78 ☑ ⵏ t.l.j. sf sam. dim. 8h-12h 14h-18h

CH. MARQUIS DE TERME 1997

■ 4ème cru clas.	40 ha	140 000	⫙ 150 à 199 F

75 81 82 ⑧ 85 86 87 89 90 91 92 93 94 95 96 97

En 1762, le marquis de Terme, gentilhomme gascon, reçoit la dot de sa femme : des parcelles de vignes auxquelles il donne son nom. Bien dans la ligne de l'AOC avec un pourcentage important de merlot (35 %) à côté d'une majorité de cabernets (58 %) et d'une touche de petit verdot (7 %), ce cru propose avec ce 97 un vin dans lequel la souplesse, la rondeur et la chair trouvent un point d'équilibre intéressant avec la charpente tannique. Passant des parfums de fleurs à des notes minérales, épicées et réglissées, le bouquet fait preuve lui aussi d'une bonne complexité.
☛ SCA Ch. Marquis de Terme, 3, rte de Rauzan, 33460 Margaux, tél. 05.57.88.31.60, fax 05.57.88.32.51 ☑ ⵏ t.l.j. sf sam. dim. 9h-11h30 14h-17h
☛ Séneclauze

CH. MARSAC SEGUINEAU 1997★

■ Cru bourg.	10,22 ha	56 600	⫙ 100 à 149 F

85 86 88 89 90 91 92 93 94 |95| 96 |97|

C'est en 1770 qu'un bourgeois bordelais, Pierre Séguineau, achète le vignoble constitué par un avocat au parlement de Bordeaux sur le plateau de Marsac. Appartenant aujourd'hui aux domaines Mestrezat, ce cru offre ici un 97 aux options claires : côté bouquet, la finesse et l'élégance avec des parfums d'amande grillée relevés d'une pointe d'épices ; côté palais, l'ampleur, au moins pour le millésime, avec des tanins bien fondus et des arômes de cuir et de gibier.
☛ SC du Ch. Marsac-Séguineau, La Croix Bacalan, 109, rue Achard, B.P. 154, 33042 Bordeaux Cedex, tél. 05.56.11.29.00, fax 05.56.11.29.01 ⵏ r.-v.

CH. MONBRISON 1997★★

■ Cru bourg.	13,2 ha	37 000	⫙ 200 à 249 F

82 83 84 |85| |⑧| 87 |88| |89| |90| 91 92 93 94 95 96 97

Propriété de charme à l'orée de la forêt landaise, Monbrison est aussi un cru bourgeois des plus sérieux et des plus réguliers. D'une couleur grenat à frange vive, son 97 forme un bel ensemble : à un bouquet intégrant bien les notes grillées de l'élevage dans les parfums de fruits rouges s'ajoute une structure souple, charnue et équilibrée. Encore marquée par le bois, cette jolie bouteille demandera à être attendue pendant quatre ou cinq ans.
☛ E.M. Davis et Fils, Ch. Monbrison, 33460 Arsac, tél. 05.56.58.80.04, fax 05.56.58.85.33 ☑ ⵏ r.-v.

CH. MONGRAVEY Cuvée Prestige 1997★

■	9 ha	36 000	⫙ 70 à 99 F

Ce vin associant 45 % de merlot au cabernet-sauvignon et élevé douze mois en barrique constitue un bel ambassadeur du cru. Prolongeant l'impression favorable produite par la robe (rubis à reflets pourpres et violets), le bouquet marie les fruits rouges, le cassis et le pruneau. Soutenue par un bois délicatement dosé, la structure prouve par sa concentration et ses tanins ronds et mûrs que cette bouteille pourra affronter l'épreuve du temps.
☛ Régis Bernaleau, Ch. Mongravey, 33460 Arsac, tél. 05.56.58.84.51, fax 05.56.58.83.39, e-mail chateau.mongravey@wanadoo.fr ☑ ⵏ r.-v.

CH. MOULIN DE TRICOT 1997

■	2 ha	15 000	⫚ ⫙ 70 à 99 F

Petit cru en cours de restructuration, repris en 1997 par Bruno Rey, cette propriété propose avec ce millésime un vin au bouquet d'une bonne complexité (fruits rouges et violette), une attaque ronde et des tanins encore très présents qui appellent une garde.
☛ Bruno Rey, 15, allée de Chappaz, 33460 Arsac, tél. 05.56.58.89.94, fax 05.56.58.89.94, e-mail brey@fr.packardbell.org ☑ ⵏ r.-v.

CH. PALMER 1997★★

■ 3ème cru clas.	50 ha	140 000	⫙ + de 500 F

78 79 80 |81| |82| |83| 84 |85| |⑧| |88| |89| 90 |91| |92| 93 94 95 96 97

En plein centre du hameau d'Issan, au cœur du plateau de Cantenac et Margaux, Palmer jouit d'un site et d'un terroir privilégiés, portant le nom du général anglais qui en fut propriétaire sous la Restauration ; le château fut construit par les frères Pereire en 1856. De la robe d'un pourpre profond à la longue finale, ce vin reste flatteur tout au long de la dégustation. Le bouquet révèle toute sa finesse par des notes grillées puis fruitées. Franche et moelleuse, l'attaque s'ouvre sur un volume, une mâche et des tanins qui constituent un ensemble équilibré, complexe et harmonieux, appelé à une belle garde.
☛ Ch. Palmer, 33460 Margaux, tél. 05.57.88.72.72 ⵏ r.-v.

PAVILLON ROUGE 1997★★

■	n.c.	n.c.	⫙ 150 à 199 F

78 |81| |82| |83| |84| |85| |86| 88 89 90 |92| 93 94 95 96 97

A l'image de l'étiquette principale, le Château Margaux, le Pavillon Rouge ignore les contraintes du millésime. Ici nous sommes en face d'une vraie grande réussite. Le bouquet élégant développe des arômes délicatement grillés sur fond de fruits rouges. Les tanins souples se fondent dans un ensemble homogène et de belle facture qui se prolonge sur une agréable impression épicée. Ce vin méritera un séjour en cave de quatre ou cinq ans.
☛ SC du Ch. Margaux, 33460 Margaux, tél. 05.57.88.83.83, fax 05.57.88.83.32

BORDELAIS

CH. POUGET 1997

■ 4ème cru clas.   10 ha   47 000   ❙❚❙ 100 à 149 F

75 78 81 |83| **85 86 88** |89| |90| 92 94 95 96 |97|

Pouget porte le nom de la famille qui le créa et s'en défit en 1906 lorsque les Guillemet en devinrent propriétaires, lui conservant le blason qu'avait octroyé le duc de Richelieu. Signé par Lucien Guillemet, comme le Boyd Cantenac, ce vin en diffère cependant profondément par son style moins complexe, tout en possédant lui aussi une bonne charpente.

☛ SCE Ch. Boyd-Cantenac et Pouget, 33460 Cantenac, tél. 05.57.88.90.82, fax 05.57.88.33.27, e-mail lucien.guillemet @ wanadoo.fr ☑ ⵂ r.-v.

CH. PRIEURE-LICHINE 1997★

■ 4ème cru clas.   40 ha   305 000   ❙❚❙ 150 à 199 F

82 83 86 |88| |89| **90** 91 |92| |93| **96** 97

Ancien monastère connu jadis sous le nom de prieuré Cantenac, ce cru doit sa célébrité à Alexis Lichine qui le dirigea pendant un demi-siècle. Il a changé de mains en 1999. Entouré d'un vaste vignoble implanté sur un terroir de qualité, il associe le petit verdot à 53 % de cabernet-sauvignon et à 42 % de merlot. D'une belle présentation, le 97 développe un bouquet concentré et complexe avant de révéler une solide charpente et une mâche persistante. L'ensemble donne un joli vin de garde (à attendre cinq ans ou plus), dans lequel l'apport du bois est intégré sans heurt.

☛ Ch. Prieuré-Lichine, 34, av. de la Vᵉ -République, 33460 Cantenac, tél. 05.57.88.36.28, fax 05.57.88.78.93, e-mail prieuré.lichine @ wanadoo.fr ☑ ⵂ r.-v.

☛ Ballande

CH. RAUZAN-GASSIES 1997★★

■ 2ème cru clas.   28 ha   130 000   ❙❚❙ 150 à 199 F

|93| |94| 96 **97**

Pendant des années, les Quié se sont consacrés à un patient travail d'amélioration de leurs crus, dont Rauzan-Gassies. Leur patience trouve une juste récompense avec ce millésime pourtant difficile. Il étonne par l'intensité de la robe, la fraîcheur du bouquet où se côtoient la framboise et la mûre, la souplesse et l'élégance des tanins, le soutien parfaitement dosé du bois. Tout exprime la personnalité du terroir pour donner un vin typique et authentique qui méritera d'être attendu entre trois et sept ans.

☛ SCA du Ch. Rauzan-Gassies, 33460 Margaux, tél. 05.57.88.71.88, fax 05.57.88.37.49 ☑ ⵂ t.l.j. 8h-12h 14h-18h

☛ J.-M. Quié

CH. RAUZAN-SEGLA 1997★★

■ 2ème cru clas.   51 ha   87 000   ❙❚❙ 250 à 299 F

81 |83| |85| |88| |89| **90** 91 **92 93 94 95** ⓢ **97**

Commandé par une aimable gentilhommière des XVIIᵉ et XVIIIᵉs., ce vaste cru offre avec ce millésime, fruit d'une sélection rigoureuse des raisins, un vin puissant et de bonne garde. Son bouquet joue habilement sur le contraste entre les fraîches notes mentholées et le côté presque sauvage des arômes de cuir, d'animal et de grillé.

Au palais se développe une structure ample et charnue qui s'ouvre sur une longue finale vanillée. Rappelons le superbe 96, coup de cœur.

☛ Ch. Rauzan-Ségla, B.P. 56, 33460 Margaux, tél. 05.57.88.82.10, fax 05.57.88.34.54 ⵂ r.-v.

☛ Wertheimer

SEGLA 1997★

■   n.c.   100 000   ❙❚❙ 70 à 99 F

Seconde étiquette du château Rauzan-Ségla, ce vin ne possède pas l'ampleur de son grand frère ; mais sa structure souple et ronde que soutiennent des tanins bien extraits, comme son bouquet aux fines notes de cassis et d'épices donnent une jolie bouteille, déjà plaisante même si elle devrait atteindre son apogée d'ici deux à trois ans.

☛ Ch. Rauzan-Ségla, B.P. 56, 33460 Margaux, tél. 05.57.88.82.10, fax 05.57.88.34.54 ⵂ r.-v.

CH. SAINT-MARC 1997

■   8 ha   21 600   ■ ⵂ 30 à 49 F

Issu d'une petite propriété de Soussans, ce vin porte fièrement la marque du cabernet-sauvignon (70 % de l'encépagement) dans son bouquet. Au palais apparaissent des tanins mûrs d'une élégante simplicité.

☛ La Guyennoise, B.P. 17, 33540 Sauveterre-de-Guyenne, tél. 05.56.71.50.76, fax 05.56.71.87.70

☛ Marc Faure

CH. SIRAN 1997★

■ Cru bourg.   24 ha   900 000   ❙❚❙ 100 à 149 F

64 66 78 79 80 81 82 83 84 |85| 86 87 88 |89| |90| 91 92 |93| **94 95 96** 97

Une belle et vaste unité comme les aime l'appellation margaux. Le 97 s'inscrit lui aussi dans l'esprit de l'appellation par son caractère à la fois souple et charpenté qui s'appuie sur de fins tanins. A cela s'ajoute une robe jeune et franche que suit un bouquet expressif (fruits, cacao et brûlé) ; le résultat est une jolie bouteille qui méritera un séjour de trois ou quatre ans en cave.

☛ SC du Ch. Siran, Ch. Siran, 33460 Labarde, tél. 05.57.88.34.04, fax 05.57.88.70.05, e-mail chateau.siran @ wanadoo.fr ☑ ⵂ t.l.j. 10h-13h30 13h30-18h; groupes sur r.-v.

☛ Alain Miailhe

CH. TAYAC 1997

■ Cru bourg.   18 ha   130 000   ❙❚❙ 70 à 99 F

Issu d'une belle unité possédant d'autres marques, ce vin fin et plaisant sera à boire jeune pour profiter de la rondeur de ses tanins. Le **Château Labory de Tayac 97**, diffusé par le négoce, a également fait l'objet d'une citation.

☛ SC Ch. Tayac, Tayac, 33460 Soussans, tél. 05.57.88.33.06, fax 05.57.88.36.06 ☑ ⵂ t.l.j. sf sam. dim. 9h-12h30 14h-18h

CH. TAYAC-PLAISANCE 1997★

■ Cru artisan   2,24 ha   15 000   ❙❚❙ 70 à 99 F

L'un des rares petits crus artisans margalais ayant su résister à la concentration des terres au sein des grands domaines. Doté d'un beau potentiel, son 97 est élaboré à partir de 5 % de petit verdot, 50 % de merlot et des deux cabernets

(45 %). Il possède de réels atouts pour affronter la garde nécessaire (quatre à cinq ans) à son assouplissement. Sa couleur est dense et profonde, et ses arômes racés égrènent des notes florales et épicées que le bois ne domine pas. « Beau travail », note un dégustateur.

☛ Paul Bajeux, 1, imp. Valmy-Tayac, 33460 Soussans, tél. 05.57.88.36.83, fax 05.57.88.36.83 ☑ Ⴈ r.-v.

CH. DES TROIS CHARDONS 1997

■	n.c.	15 000	❶❶	70 à 99 F

78 79 82 **83** **85** **86** |88| |89| |90| 91 92 |94| 95 96 97

Authentique vignoble de vignerons, ce petit cru cantenacais propose avec ce millésime un vin au caractère d'antan que sa belle matière et la marque toujours présente de l'élevage appelleront à une bonne garde.

☛ Claude et Yves Chardon, Issan, 33460 Cantenac, tél. 05.57.88.39.13, fax 05.57.88.33.94 ☑ Ⴈ r.-v.

CH. VINCENT 1997★★

■	n.c.	8 000	❶❶	100 à 149 F

Fondé par l'une des familles marquantes de l'histoire viticole margalaise au XIXᵉ s., les Jadouin, et toujours aux mains de leurs descendants, ce cru bénéficie d'un beau terroir et d'une exploitation assurée par l'équipe de Palmer. Le 97 annonce sa typicité par une robe profonde et un bouquet mêlant aux notes de cassis et de poivre. Ample, dense et parfaitement soutenu par d'élégants tanins, son palais illustre l'esprit des margaux en démontrant de façon magistrale qu'il est possible d'obtenir un vin riche, concentré et de belle garde sans tomber dans l'extraction forcenée.

☛ Marthe Domec, Ch. Vincent, Issan, 33460 Cantenac, tél. 02.43.29.35.57, fax 02.57.88.30.12 ☑

Moulis-en-médoc

Etroit ruban de 12 km de long sur 300 à 400 m de large, moulis est la moins étendue des appellations communa-les du Médoc. Elle offre pourtant une large palette de terroirs.

Comme à Listrac, ceux-ci forment trois grands ensembles. A l'ouest, près de la route de Bordeaux à Soulac, le secteur de Bouqueyran présente une topographie variée, avec une crête calcaire et un versant de graves anciennes (pyrénéennes). Au centre, on trouve une plaine argilo-calcaire qui est le prolongement de celle de Peyrelebade (voir listrac-médoc). Enfin, à l'est et au nord-est, près de la voie ferrée, se développent de belles croupes de graves du günz (graves garonnaises) qui constituent un terroir de choix. C'est dans ce dernier secteur que se trouvent les buttes réputées de Grand-Poujeaux, Maucaillou et Médrac.

Moelleux et charnus, les moulis se caractérisent par leur caractère suave et délicat. Tout en étant de bonne garde (de sept à huit ans), ils peuvent s'épanouir un peu plus rapidement que les vins des autres communales. Le millésime 99 a atteint 31 524 hl.

CH. ANTHONIC 1997★

■ Cru bourg.	20,53 ha	146 000	❚❶❶⚬	70 à 99 F

82 83 **85** ⑧⑥ 88 **89** |90| 91 92 |93| **94** **95** 96 97

Le vignoble fut ici constitué en 1789. Il ne prit son nom qu'en 1924 mais n'appartient aux Cordonnier que depuis 1977. Valeur sûre et solide, ce cru ne fera pas mentir sa réputation avec son 97 qui sait s'exprimer avec talent. Très agréable par son bouquet mêlant fruits mûrs et notes de merrain grillé, complexe et tout en finesse, il charme par sa structure. Ses tanins soyeux autoriseront sa consommation d'ici deux ou trois ans.

☛ SCEA Pierre Cordonnier, Ch. Anthonic, 33480 Moulis-en-Médoc, tél. 05.56.58.34.60, fax 05.56.58.72.76 ☑ Ⴈ t.l.j. sf sam. dim. 8h30-12h30 14h-17h30

CH. BEL-AIR LAGRAVE 1997

■ Cru bourg.	9 ha	50 000	❶❶	100 à 149 F

Du même producteur que La Closerie du Grand-Poujeaux, ce vin se présente dans une belle robe rouge foncé. Son nez fait de notes animales et de fruits noirs est profond. La bouche est plus vanillée, marquée par la barrique. Une bouteille bien armée pour affronter une garde de quelques années.

☛ GFA Le Grand-Poujeaux, 33480 Moulis-en-Médoc, tél. 05.56.58.01.89, fax 05.56.58.05.21 ☑ Ⴈ r.-v. ☛ J. Bacquey

CH. BISTON-BRILLETTE 1997★

■ Cru bourg.   21 ha   110 000   ❚❙❚ 70 à 99 F
86 |88| |89| |90| 91 92 |93| 94 95 **96** 97

Ce cru appartient aux Barbarin depuis 1930. L'assemblage comporte ici autant de merlot que de cabernet-sauvignon. En 1997, la sagesse préconisait d'adapter la vinification au potentiel du millésime. Visiblement ici, on a su être raisonnable, comme le montrent l'intensité de la robe, l'attrait du bouquet aux notes de cannelle et de gibier, ou la structure, aux tanins solides mais soyeux. Une jolie bouteille à attendre environ quatre ans.

•➤ EARL Ch. Biston-Brillette, Petit-Poujeaux, 33480 Moulis-en-Médoc, tél. 05.56.58.22.86, fax 05.56.58.13.16,
e-mail contact@châteaubistonbrillette.com
☑ ⵂ t.l.j. sf dim. 10h-12h 14h-18h;
sam. 10h- 12h
•➤ Michel Barbarin

CH. BOUQUEYRAN 1997★

■ Cru bourg. 10,72 ha   86 000 ❚❙❚❚❚↓ 70 à 99 F

Une majorité de merlot (57 %) et un élevage en douceur sur un bon dosage du bois ont donné son caractère à ce vin tannique mais souple. Son élégance, sensible au bouquet, avec des notes de fruits confits et d'épices, se retrouve dans les sensations délicates de la finale pour donner un ensemble des plus plaisants.

•➤ Philippe Porcheron, SARL des Grands Crus, Le Lieulet, 33480 Moulis-en-Médoc, tél. 05.56.58.35.77, fax 05.56.58.14.24 ☑ ⵂ lun. mar. jeu. ven. 8h30-12h 13h30-17h; f. août

CH. CHASSE-SPLEEN 1997★★

■   52 ha   275 370   ❚❙❚ 150 à 199 F
75 76 **78 79** 80 **81 82** |83| |85| |86| |88| |89| **90** |91| |92| |93| |94| **95 96 97**

Un certain Gressier élaborait ici du vin en 1560. Vers 1820, le château fut partagé entre deux héritiers. C'est alors que Chasse-Spleen prit son nom. 73 % de cabernet-sauvignon, 20 % de merlot et 7 % de petit verdot composent son encépagement. S'annonçant par une belle robe pourpre à reflets violets, son 97 montre son caractère aristocratique dans un bouquet où de jolies notes de grillé et de fruits mûrs percent derrière un bois de qualité. Ample, tannique, concentrée, fondue, équilibrée et persistante, la structure est à la hauteur de la présentation. Trois à quatre ans de garde.

•➤ C. Villars, Ch. Chasse-Spleen, 33480 Moulis-en-Médoc, tél. 05.56.58.02.37,
fax 05.57.88.84.40,
e-mail chasse-spleen@vins-bordeaux.fr ⵂ r.-v.

L'ORATOIRE DE CHASSE-SPLEEN 1997

■   9 ha   106 600   ❚❙❚ 70 à 100 F

Le second vin de Chasse-Spleen est élaboré à partir de jeunes vignes (80 % de cabernet-sauvignon et 20 % de merlot). Douze mois de barrique ont donné un 97 à la robe intense et profonde, d'un beau rouge cerise. Le nez marqué par des notes animales précède une bouche nette et équilibrée.

•➤ C. Villars, Ch. Chasse-Spleen, 33480 Moulis-en-Médoc, tél. 05.56.58.02.37,
fax 05.57.88.84.40,
e-mail chasse-spleen@vins-bordeaux.fr ⵂ r.-v.

CH. DUTRUCH GRAND-POUJEAUX 1997★

■ Cru bourg.   24 ha   150 000   ❚❙❚ 70 à 99 F
81 82 (83) **85** |86| |88| 89 |90| 91 |93| |94| 95 **96** |97|

François Cordonnier est aujourd'hui épaulé par son neveu Jean-Baptiste Cordonnier ; il construit de nouveaux chais depuis 1999. Associant 50 % de merlot au cabernet-sauvignon et à 5 % de petit verdot, et sans rivaliser avec certains millésimes antérieurs, ce vin au joli bouquet naissant (fleurs et grillé) fait preuve d'une bonne présence au palais. Soutenu par une structure délicate mais bien équilibrée, il se montre attractif par sa richesse aromatique.

•➤ EARL François Cordonnier, Ch. Dutruch Grand-Poujeaux, 33480 Moulis-en-Médoc, tél. 05.56.58.02.55, fax 05.56.58.06.22 ☑ ⵂ r.-v.

CH. GRANINS GRAND-POUJEAUX 1997★

■ Cru bourg.   8,08 ha   22 000   ❚❙❚ 70 à 99 F
|95| 96 |97|

De belles graves du günz dans le quartier de Poujeaux, un encépagement diversifié - merlot (45 %), cabernet-sauvignon (40 %), petit verdot (10 %), malbec (5 %) -, tout est réuni pour donner un joli vin comme ce 97 qui ne se contente pas d'une belle robe à reflets carmin pour plaire. L'intensité de son bouquet fruité (cerise) que mettent en valeur les notes de vanille et de réglisse, comme sa structure corsée et aromatique, forment un ensemble de qualité.

•➤ SCEA Batailley, Ch. Granins Grand-Poujeaux, 33480 Moulis-en-Médoc, tél. 05.56.58.05.82, fax 05.56.58.05.26,
e-mail sceabatailley@wanadoo.fr ☑ ⵂ r.-v.

CH. HAUT-FRANQUET 1997

■ Cru bourg.   5 ha   n.c.   ❚❙❚ 100 à 149 F

Ce cru, qui appartient au même ensemble que Bel-Air Lagrave, offre un vin de garde. Assez original par son bouquet aux notes briochées de caramel et d'eau-de-vie, il demandera à être attendu de trois à cinq ans pour que ses tanins s'arrondissent.

•➤ GFA Le Grand-Poujeaux, 33480 Moulis-en-Médoc, tél. 05.56.58.01.89, fax 05.56.58.05.21
☑ ⵂ r.-v.

CH. LA CLOSERIE DU GRAND-POUJEAUX 1997★

■ Cru bourg.   7 ha   35 000   ❚❙❚ 100 à 149 F

Ce vin affiche des ambitions élevées. De belle garde, il affirme sa jeunesse sans la moindre trace de rusticité. Très délicat dans son expression aromatique aux notes florales (rose et jacinthe), torréfiées, épicées et de cuir, il développe un palais moelleux, charnu et goûteux.

•➤ GFA Le Grand-Poujeaux, 33480 Moulis-en-Médoc, tél. 05.56.58.01.89, fax 05.56.58.05.21
☑ ⵂ r.-v.
•➤ J. Bacquey

CH. LA GARRICQ 1997★

■   3 ha   16 000   ❚❙❚ 100 à 149 F

93 94 |95| 96 97

Poursuivant son ascension qualitative, ce cru propose avec ce millésime un vin des plus réussis. Sa trame serrée, aux tanins charnus et élégants, s'entend avec le bouquet d'une belle complexité pour former un ensemble harmonieux et prometteur. Cette bouteille mérite un séjour à la cave de quatre ou cinq ans.
☛ SA Ch. Paloumey, 50, rue Pouge-de-Beau, 33290 Ludon-Médoc, tél. 05.57.88.00.66, fax 05.57.88.00.67,
e-mail châteaupaloumey@wanadoo.fr ☑ ⟙ r.-v.

CH. MALMAISON 1997★

■ Cru bourg. 24,13 ha   145 000   ❚❙❚ 70 à 99 F

88 89 90 **91** 92 93 |94| 95 96 97

Issu d'un vaste vignoble de 134 ha appartenant à Benjamin de Rothschild, ce vin associe 64 % de merlot au cabernet-sauvignon. Ses tanins de qualité indiquent par leur élégance aromatique que le bois commence à se fondre. Cependant, il faudra mettre en cave quelque temps cette bouteille bien faite et équilibrée, qui pourra accompagner une perdrix.
☛ Cie vin. barons Ed. et B. de Rothschild, 33480 Listrac-Médoc, tél. 05.56.58.38.00, fax 05.56.58.26.46,
e-mail chateau.clarke@wanadoo.fr ☑ ⟙ r.-v.
☛ Benjamin de Rothschild

CH. MAUCAILLOU 1997★

■   69 ha   530 000   ❚❙❚ 150 à 199 F

81 **82** 83 85 86 87 |88| |89| |90| 91 92 |93| |94| 95 ⑨⑥ 97

Cette vaste propriété fut construite en 1875 par M. Petit-Laroche pour être offerte en cadeau de mariage à sa jeune épouse. Elle appartient à la famille Dourthe depuis 1929. S'il n'entend pas rivaliser avec le 96, très beau coup de cœur du Guide 2000, ce millésime est néanmoins d'une belle tenue comme l'annonce sa robe intense et brillante. Encore marqué par le bois, avec de délicates notes de vanille et de cannelle, le bouquet laisse percer les fruits naissants. Au palais, il trouve toute son expression, révélant une solide matière qui s'ouvre sur une finale aromatique. Trois à quatre ans de garde.
☛ Ch. Maucaillou, quartier de la Gare, 33480 Moulis-en-Médoc, tél. 05.56.58.01.23, fax 05.56.58.00.88 ☑ ⟙ t.l.j. 10h-12h30 14h-19h
☛ Philippe Dourthe

CH. MOULIN A VENT 1997

■ Cru bourg. 25 ha   170 000   ❙❚❙& 70 à 99 F

81 **82 83** 85 86 88 |89| |90| 91 92 95 |96| |97|

Né sur la plus haute croupe de Moulis, à l'ouest de l'appellation, ce vin est simple mais bien fait avec une structure équilibrée et un sympathique bouquet fruité.
☛ Dominique Hessel, Ch. Moulin à Vent, Bouqueyran, 33480 Moulis-en-Médoc, tél. 05.56.58.15.79, fax 05.56.58.39.89, e-mail hessel@moulin-a-vent.com ☑ ⟙ t.l.j. sf sam. dim. 9h-12h 14h-18h

CH. MYON DE L'ENCLOS 1997

■   4 ha   20 000   ❚❙❚ 50 à 69 F

Même si son cousin listracais, Mayne Lalande, peut lui donner des complexes, ce vin n'a vraiment pas à rougir de sa prestation : un rien flatteur par son bouquet (fruits mûrs et cuir), il développe une structure ample et tannique qui demandera une petite garde de deux ou trois ans.
☛ Bernard Lartigue, Ch. Mayne Lalande, 33480 Listrac-Médoc, tél. 05.56.58.27.63, fax 05.56.58.22.41 ☑ ⟙ r.-v.

CH. PEY BERLAND 1997

■   0,9 ha   n.c.   ❙ ❚❙❚ 100 à 149 F

Intégralement merlot, avec moins d'un hectare, ce vin n'est pas insensible à la mode. On ne s'étonnera pas de son côté boisé très marqué qui ne laisse encore que peu de place au fruit mais qui séduira les amateurs de notes de réglisse, de moka, de grillé et d'une petite pointe exotique. Bon potentiel de garde.
☛ Jean Charpentier, Ch. Pey Berland, 33480 Moulis-en-Médoc, tél. 05.56.58.38.84, fax 05.56.58.38.84 ☑ ⟙ r.-v.

CH. POUJEAUX 1997★★

■ Cru bourg.   53 ha   300 000   ❙ ❚❙❚& 150 à 199 F

81 82 83 84 |85| |⑧⑥| 87 |88| |89| 90 |91| |92| **93** 94 95 96 97

Les Theil, qui fêtent cette année leur 80ᵉ anniversaire de présence sur ce cru, donnent un bel exemple de fidélité par la régularité de leur production. A l'image de sa robe d'une grande intensité, le bouquet et le palais montrent clairement que ce vin est de noble origine par leur puissance. La complexité de l'un et la richesse de l'autre sont l'expression même de la personnalité d'un grand terroir de graves. Une grande bouteille qui mérite d'être oubliée pendant six ou huit ans.
☛ Jean Theil SA, Ch. Poujeaux, 33480 Moulisen-Médoc, tél. 05.56.58.02.96, fax 05.56.58.01.25,
e-mail châteaupoujeaux@wanadoo.fr ☑ ⟙ t.l.j. sf sam. dim. 9h-12h 14h-17h

Pauillac

A peine plus peuplé qu'un gros bourg rural, Pauillac est une vraie petite ville, agrémentée, qui plus est, d'un port de plaisance sur la route du canal du Midi. C'est un endroit où il fait bon déguster les crevettes fraîchement pêchées dans l'estuaire, à la terrasse des cafés sur les quais. Mais c'est aussi, et surtout, la capitale du Médoc viticole, tant par sa situation géographique, au centre du vignoble, que par la présence de trois premiers crus classés (Lafite, Latour et Mouton) que complète une liste assez impressionnante de 18 crus classés. La coopérative assure une production importante. L'appellation a produit 63 585 hl en 1999.

L'appellation est coupée en deux en son centre par le chenal du Gahet, petit ruisseau séparant les deux plateaux qui portent le vignoble. Celui du nord, qui doit son nom au hameau de Pouyalet, se caractérise par une altitude légèrement plus élevée (une trentaine de mètres) et par des pentes plus marquées. Détenant le privilège de posséder deux premiers crus classés (Lafite et Mouton), il se caractérise par une parfaite adéquation entre sol et sous-sol, que l'on retrouve aussi dans le plateau de Saint-Lambert. S'étendant au sud du Gahet, ce dernier s'individualise par la proximité du vallon du Juillac, petit ruisseau marquant la limite méridionale de la commune, qui assure un très bon drainage, et par ses graves de grosse taille qui sont particulièrement remarquables sur le terroir du premier cru de ce secteur, Château Latour.

Venant sur des croupes graveleuses très pures, les pauillac sont des vins très corsés, puissants et charpentés, mais aussi fins et élégants, avec un bouquet délicat. Comme ils évoluent très heureusement au vieillissement, il convient de les attendre. Mais ensuite, il ne faut pas avoir peur de les servir sur des plats assez forts comme, par exemple, des préparations de champignons, des viandes rouges, du gibier à chair rouge ou des foies gras.

CH. D'ARMAILHAC 1997*

■ 5ème cru clas.   50 ha   n.c.   ❙❙❙ 100 à 149 F
72 73 74 75 78 **79 80 81** |82| |83| 84 |85| |⑧⑥| 87 |88| |89| **90** 92 **93** |94| **95** 96 97

Ayant retrouvé son nom d'origine au début des années 1990, Armailhac jouit d'un excellent terroir disposé autour d'un vaste parc - fait qui devient de plus en plus rare en Médoc. Ce vin, d'un rouge profond très intense, ample et charpenté, demandera trois à quatre ans pour se fondre. Il possède une solide matière et un bouquet grillé et épicé (genièvre, girofle, et menthol en retour) d'une belle intensité, qui lui apportent un bon potentiel de garde.
➥ Ch. d'Armailhac, 33250 Pauillac, tél. 05.56.73.20.20, fax 05.56.73.20.44
➥ Baronne Ph. de Rothschild GFA

BARON NATHANIEL 1997*

■   n.c.   n.c.   70 à 99 F

Marque de prestige de la société de négoce Baron Philippe de Rothschild, ce vin portant le nom du fondateur qui acheta Mouton en 1853

est à la hauteur des espérances placées en lui par son élaborateur. Assemblant 80 % de cabernet-sauvignon, 10 % de merlot, complétés par les cabernet franc, malbec et petit verdot, c'est un authentique pauillac destiné à la garde. Le vieillissement lui permettra de s'arrondir et de trouver sa parfaite expression aromatique, qu'annonce son bouquet à l'harmonieux équilibre entre le fruit et le bois.
➥ Baron Philippe de Rothschild SA, B.P. 117, 33350 Pauillac, tél. 05.56.73.20.20, fax 05.56.73.20.44

CH. BATAILLEY 1997**

■ 5ème cru clas.   55 ha   420 000   ❙❙❙ 150 à 199 F
70 75 76 78 79 80 81 |82| |83| |85| |86| |88| |89| |90| 91 **92 93 95** ⑨⑥ **97**

Des Guestier aux Castéja, cette vaste unité a vu son sort lié à celui de quelques-uns des plus grands noms du négoce bordelais. Elle leur doit une partie de sa notoriété, mais celle-ci tient aussi à son terroir de graves. L'alliance de la nature et de l'homme donne de jolis vins comme ce 97. Généreusement bouqueté (pain d'épice, café, grillé, pruneau et cassis), il développe une structure, aux tanins riches et imposants de belle extraction. Son harmonieuse finale aux arômes de cerise à l'eau-de-vie confirme son bon potentiel de garde.
➥ Héritiers Castéja, 33250 Pauillac, tél. 05.56.00.00.70, fax 05.57.87.48.61 ☑ ☒ r.-v.
➥ Emile Castéja

CH. BEHERE 1997

■ Cru artisan   1,8 ha   10 000   ❙❙❙ 100 à 149 F

Né sur un microcru (moins de 2 ha pour l'ensemble de la propriété) acquis parcelle par parcelle, ce vin ne peut s'appuyer que sur des vignes relativement jeunes. Toutefois, il possède une solide structure qui lui permettra de s'arrondir après une garde de trois ou quatre ans. Sa jolie robe foncée, son nez associant tubéreuse et notes torréfiées, sa bouche marquée par un boisé puissant qui n'exclut pas le fruit ont retenu l'attention du jury.
➥ Anne-Marie et Jean-Gabriel Camou, 13, rue Paul-Doumer, 33250 Pauillac, tél. 05.56.59.11.19, fax 05.56.59.11.19 ☑ ☒ t.l.j. sf dim. 8h-12h 14h-18h

CH. BELLEGRAVE 1997

■   6 ha   45 000   ❙❙❙ 100 à 149 F

Ce vin tannique et jeune fait preuve d'une certaine élégance dans son bouquet aux nuances fumées, et d'un bon équilibre au palais. Sa robe rubis à liséré orangé semble conseiller une garde de moins de cinq ans.
➥ EARL Ch. Bellegrave, 33250 Pauillac, tél. 05.56.59.06.47, fax 05.56.59.06.47 ☑ ☒ r.-v.

CH. CLERC MILON 1997**

■ 5ème cru clas.   30 ha   n.c.   150 à 199 F
|75| 76 78 79 |82| |83| |85| 86 87 **88 89 90** |92| 93 |94| ⑨⑤ **96 97**

La plupart des étiquettes de Philippine de Rothschild reproduisent des œuvres d'art constituant le Musée du château Mouton-Rothschild : ici, deux figurines en émail, or et perles du

XVIIᵉs. Ce cru bénéficie de deux belles croupes de graves (Milon et Mousset). Un atout bien mis en valeur comme le prouve ce millésime pourtant difficile, aussi expressif au palais qu'au bouquet (fumée, épices, grillé, café, genièvre avec des notes de poivron, de pruneau, de confiture de groseilles ou encore de menthol). Portée par une solide matière tannique, la structure est tout aussi riche et lui donne une certaine aptitude à la garde.

🍷 Ch. Clerc Milon, 33250 Pauillac,
tél. 05.56.73.20.20, fax 05.56.73.20.44
🍷 Baronne Ph. de Rothschild GFA

CH. COLOMBIER-MONPELOU 1997*

■ Cru bourg.   15 ha   115 000   ❚❚❚ 70 à 99 F
|94| 95 **96** 97

Propriété de Bernard Jugla depuis 1970, ce vignoble situé sur le plateau central de la commune a un encépagement médocain classique. Ce vin ne se contente pas d'un joli bouquet aux notes de cerise confite, de fumée et de gibier ; très bien équilibré, le palais développe de belles saveurs complexes et racées, puis débouche sur une riche finale aux notes chocolatées. Très expressive, cette bouteille témoigne d'une vinification soignée.

🍷 SC Vignobles Jugla, Ch. Colombier-Monpelou, 33250 Pauillac, tél. 05.56.59.01.48, fax 05.56.59.12.01 ☑ ⛾ r.-v.

CH. CORDEILLAN-BAGES 1997**

■ Cru bourg.   2 ha   12 000   ❚❚❚ 200 à 249 F
|89| |91| 93 **94** 95 96 **97**

Célèbre pour son château hôtel quatre étoiles, cette propriété est aussi un cru qui fait bonne figure par la qualité de sa production, témoin ce millésime réputé difficile. Sa robe rouge violine foncé est un heureux présage. Le vin évolue du poivron vers le cassis et le cuir avec des nuances de pain grillé, de torréfaction, et de confiture. Solidement charpenté, doté de tanins charnus, le palais est déjà bien fondu, tout en appelant une garde de six ou sept ans, voire plus.

🍷 Jean-Michel Cazes, Ch. Cordeillan-Bages, 33250 Pauillac, tél. 05.56.73.24.00,
fax 05.56.59.26.42, e-mail infochato@cordeillanbages.com

CH. CROIZET-BAGES 1997

■ 5ème cru clas.   28 ha   160 000   ❚❚❚ 100 à 149 F
|93| |94| 95 96 |97|

Un château sans château, mais un cru bien situé, disposant d'un terroir en pente douce dans le quartier de Bages. L'ancien domaine date du XVIᵉs. et fut propriété des Croizet qui lui donnèrent son nom au XVIIIᵉs. Paul Quié le racheta en 1942. Assez original pour un pauillac, ce vin joue la carte de la souplesse avec une agréable rondeur et de sympathiques arômes fruités qui invitent à ouvrir cette aimable bouteille dans les deux à trois ans à venir.

🍷 Jean-Michel Quié, Ch. Croizet-Bages, 33250 Pauillac, tél. 05.56.59.01.62,
fax 05.56.59.23.39 ☑ ⛾ t.l.j. sf dim. lun. 9h-13h 14h-18h

CH. DUHART-MILON 1997**

■ 4ème cru clas.   66 ha   270 000   ❚❚❚ 300 à 499 F
61 70 75 76 79 80 **81** |82| |83| |85| |86| **87 88 89 90** |91| |92| **93** 94 **95 96 97**

Situé en partie sur le plateau des Carruades et en partie près du village de Milon à la limite des vignes de Lafite, ce cru appartient depuis un peu moins de quarante ans aux barons de Rothschild. Si ses graves sont plus légères que celles de son grand voisin, elles n'en donnent pas moins un étonnant 97 qui, comme tous les millésimes de Duhart, devra laisser au temps le soin d'amabiliser son corps sévère, solide et équilibré. La jeunesse de sa robe profonde, le nez long à s'ouvrir sur des notes de torréfaction puis de fruits rouges, la bouche franche, un peu massive, aux tanins savoureux parfaitement extraits, sont autant de promesses d'un plaisir à partager dans quatre ou cinq ans. Le second vin, **Moulin de Duhart 97**, a obtenu une citation. Comme l'indiquent sa robe à reflets évolués, ses tanins fins et souples, son expression marquée par le cabernet et sa chair tendre et charnue, cette bouteille aimable pourra être consommée plus rapidement.

🍷 Ch. Duhart-Milon, 33250 Pauillac

CH. FONBADET 1997

■ Cru bourg.   20 ha   100 000   ▮ ❚❚❚ 100 à 149 F
75 76 78 79 81 |82| 83 85 |86| 87 |88| |89| |90| 91 |92| 93 |94| 95 96 97

Né sur le plateau de Saint-Lambert, ce vin n'a pas encore trouvé son expression définitive. Mais

Pauillac

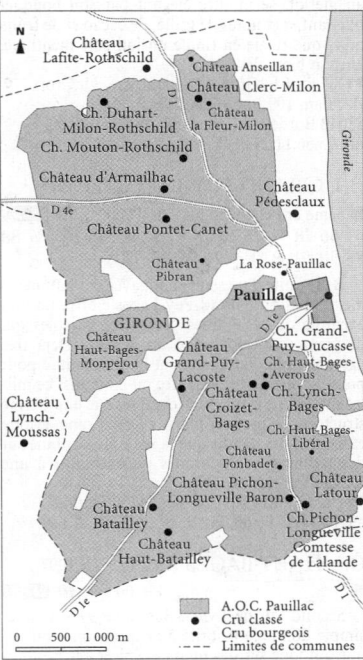

BORDELAIS

sa solide structure tannique lui garantit un potentiel d'évolution. La garde lui permettra d'affirmer sa typicité, déjà perceptible dans son bouquet marqué par le poivron. Le **Château Padarnac 97 élevé en fût**, second vin diffusé par La Guyennoise (30 à 49 F), a obtenu une citation.
☛ SCEA domaines Peyronie, Ch. Fonbadet, 33250 Pauillac, tél. 05.56.59.02.11, fax 05.56.59.22.61, e-mail pascale@chateaufonbadet.com ☑ ⵣ r.-v.

CH. GAUDIN 1997

■	10 ha	n.c.	∎ ⑪ 70 à 99 F

Né sur un cru à direction féminine, ce vin est simple et séduisant par la fraîcheur de son bouquet fruité et la délicatesse de sa présence tannique, plus médocaine que pauillacaise.
☛ Linette Capdevielle, SCI du Ch. Gaudin, B.P. 12, 33250 Pauillac, tél. 05.56.59.24.39, fax 05.56.59.25.26

CH. GRAND-PUY DUCASSE 1997★

■ 5e cru clas.	38,16 ha	163 300	⑪ 150 à 199 F

82 **83** 84 **85** 86 87 **88** 89 |90| 91 |92| |93| 94 |95| **96** 97

Pour être le plus citadin et portuaire des châteaux pauillacais par son implantation sur les quais, où il a succédé à une petite maison au bord de l'eau qui appartint à Jacques de Ségur jusqu'au milieu du XVIIes., ce cru n'en est pas moins représentatif de l'appellation par son vignoble réparti en trois parcelles sur tous les terroirs de la commune. Ample et bien construit sur une riche matière au caractère harmonieux, son 97, assemblant 62 % de cabernet-sauvignon au merlot, se montre élégant par son bouquet puissant, aux notes de grillé, de cacao et de fruits mûrs que relaie en finale un joli côté mentholé. Un vin bien élevé.
☛ SC du Ch. Grand-Puy Ducasse, La Croix Bacalan, 109, rue Achard, B.P. 154, 33042 Bordeaux Cedex, tél. 05.56.11.29.00, fax 05.56.11.29.01 ⵣ r.-v.

CH. GRAND-PUY-LACOSTE 1997★

■ 5ème cru clas.	50 ha	160 000	⑪ 200 à 249 F

61 66 70 71 **75 76 78** 81 **82** |83| |85| |(86)| 87 **88 89 90** |91| |92| |93| |94| **95 96** |97|

Belle unité d'un seul tenant avec des bâtiments d'exploitation, Grand-Puy-Lacoste offre un bon exemple de ces solides propriétés viticoles qui donnent sa personnalité au Médoc. Déjà très agréable mais suffisamment bien constitué pour pouvoir être attendu quatre ou cinq ans, ce millésime allie un bouquet complexe à une bonne structure. Le premier marie cacao, prune, griotte et fruits mûrs, tandis que la seconde s'appuie sur des tanins gras et enrobés pour aboutir à une longue finale.
☛ Ch. Grand-Puy-Lacoste, 33250 Pauillac, tél. 05.56.59.06.66, fax 05.56.59.22.22 ⵣ r.-v.

CH. HAUT-BAGES AVEROUS 1997

■	n.c.	120 000	⑪ 150 à 199 F

Second vin de Lynch-Bages, ce 97 souple et simple donne la priorité à l'expression aromatique qui joue sur des nuances épicées et mentho-

lées pour former un ensemble plaisant dès à présent.
☛ Jean-Michel Cazes, Ch. Lynch-Bages, 33250 Pauillac, tél. 05.56.73.24.00, fax 05.56.59.26.42, e-mail infochato@lynchbages.com ☑ ⵣ r.-v.

CH. HAUT-BAGES LIBERAL 1997★

■ 5ème cru clas.	28 ha	117 600	⑪ 150 à 199 F

75 76 78 79 80 81 |(82)| |83| 84 |85| |86| 87 88 89 **90** |91| |92| 93 94 **95 96** 97

La famille Libéral posséda ce cru des années 1750 jusqu'à la fin du XIXes. Depuis 1983, le domaine appartient à l'empire Merlaut ; il est administré par une femme de premier plan, Claire Villars-Lurton. Voici un vin dont l'extraction des tanins et l'élevage ont été bien dosés et adaptés au millésime. Le résultat ? Un vin charnu, savoureux et équilibré qui met en valeur la complexité de l'expression aromatique, avec de jolies notes de raisins mûrs, de résine et de réglisse que prolonge un retour vanillé.
☛ Claire Villars-Lurton, Ch. Haut-Bages Libéral, 33250 Pauillac, tél. 05.56.58.02.37, fax 05.57.88.84.40, e-mail infos@haut-bages-liberal.com ⵣ r.-v.

CH. HAUT-BATAILLEY 1997★

■ 5ème cru clas.	25 ha	110 000	⑪ 150 à 199 F

66 71 75 76 78 81 82 83 84 |85| |86| |87| 88 89 **90** 91 |92| |93| **94 95 96** 97

Jean-Eugène Borie a rendu son rang à ce cru qu'il a longtemps dirigé. Aujourd'hui, son fils François-Xavier prend le relais. Ce 97 « montre un côté saint-julien », note un dégustateur qui goûtait à l'aveugle, et ne pouvait savoir que le vinificateur était celui de Ducru-Beaucaillou. Ses tanins bien enrobés et l'élégance de son expression aromatique aux notes de pruneau, de musc et de vanille, donnent tout son charme à ce vin bien constitué et de petite garde.
☛ SA Jean-Eugène Borie, 33250 Saint-Julien-Beychevelle, tél. 05.56.73.16.73, fax 05.56.59.27.37
☛ Mme des Brest-Borie

CH. HAUT-MILON 1997

■	2 ha	12 884	∎ 100 à 149 F

Proposé par le négociant Robert Giraud, ce pauillac s'inscrit dans la tradition par sa puissante structure tannique. Son nez très mûr exprime des notes de marc, de tabac, de cannelle et de griotte.
☛ SCA Vignobles Robert Giraud, B.P. 31, 33240 Saint-André-de-Cubzac, tél. 05.57.43.01.44, fax 05.57.43.08.75, e-mail direction@robertgiraud.com

CH. LA BECASSE 1997

■	4,21 ha	30 000	⑪ 100 à 149 F

91 92 93 |94| **95 96** |97|

Bien qu'un peu en retrait par rapport aux millésimes précédents, ce vin se montre intéressant, tant par sa structure, souple à l'attaque puis marquée d'une bonne présence tannique, que par son bouquet où les fruits savent composer avec le bois. A ouvrir à partir de 2001.

⊶ Roland Fonteneau, 21, rue Edouard-de-Pontet, 33250 Pauillac, tél. 05.56.59.07.14, fax 05.56.59.18.44 ☑

LA CHAPELLE DE BAGES 1997★

■ 7 ha 60 400 🛢 70 à 99 F

Seconde étiquette de Haut-Bages Libéral, ce vin ne peut laisser indifférent. Ses arômes mêlent le pruneau et la groseille, avec des nuances de confiture caramélisée, de poivre, de rose et de cannelle. Bien structuré, associant un boisé bien dosé au fruit, il est plein de charme.

⊶ Claire Villars-Lurton, Ch. Haut-Bages Libéral, 33250 Pauillac, tél. 05.56.58.02.37, fax 05.57.88.84.40, e-mail infos@haut-bages-liberal.com 🍷 r.-v.

CH. LAFITE-ROTHSCHILD 1997★★

■ 1er cru clas. 100 ha 185 000 🛢 + de 500 F

59 (61) **64** |66| 69 |70| |73| **|75|** 77 **|78|** |79| |80| **|81|** **|82|** |83| |84| **85** |87| **88 89 90 92 93 94** (95) (96) **97**

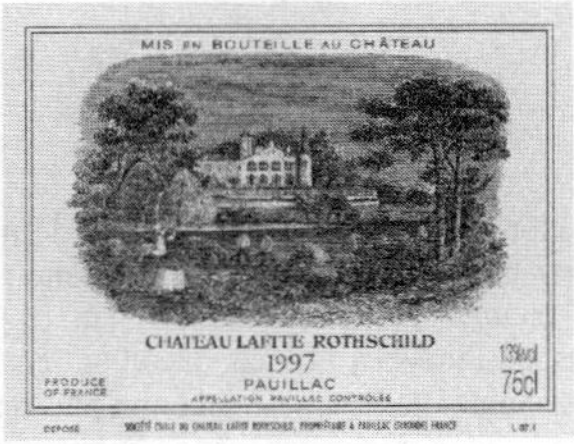

L'un des crus les plus élégants du Médoc, acheté en 1868 par James de Rothschild et dont les chais circulaires ont été conçus par Ricardo Bofill. Pour la petite histoire, notons que ce millésime marque le bicentenaire du plus ancien flacon connu et conservé de vin « mis en bouteille au château », un Lafite 1797. Son héritier ne demandera sans doute pas à rester en cave pendant deux siècles, mais un séjour de huit à dix ans sera à envisager : sa matière ne laisse planer aucun doute sur son caractère de vin de garde ; mais elle sait s'exprimer, notamment en finale, sans que l'élégance de l'ensemble ait à en souffrir. Sensible dès le bouquet aux jolis parfums naissants de fruits rouges sur fond de torréfaction, l'harmonie de cette bouteille va grandissant ensuite pour laisser le souvenir persistant d'un grand classique.

⊶ Ch. Lafite-Rothschild, 33250 Pauillac, tél. 01.53.89.78.00, fax 01.53.89.78.01 🍷 r.-v.

CARRUADES DE LAFITE 1997★★

■ n.c. 220 000 🛢 200 à 249 F

87 88 89 90 91 92 |93| |94| **95 96 97**

Seconde étiquette de Lafite, ce vin n'a rien d'un sous-produit. Il annonce d'emblée ses ambitions par sa robe d'un rubis sombre très jeune. Harmonieux et complexe, le bouquet de fruits rouges et de léger boisé annonce la montée en puissance du palais où se dévoile lentement, sur des tanins suaves, une belle texture, ample et complexe. La finale force l'admiration dans un tel millésime. Une bouteille à attendre au moins quatre ou cinq ans.

⊶ Ch. Lafite-Rothschild, 33250 Pauillac, tél. 01.53.89.78.00, fax 01.53.89.78.01 🍷 r.-v.

CH. LA FLEUR MILON 1997★

■ Cru bourg. 12,5 ha 80 000 ▮🛢 100 à 149 F

|94| (95) **96** 97

A 500 m de Mouton et Lafite, ce cru est incontestablement bien placé pour bénéficier d'un terroir de qualité. Sans rivaliser avec le 95, coup de cœur du Guide 1999, ce 97 ne manque pas d'atouts pour mériter un séjour en cave de trois ou quatre ans : un bouquet complexe (fumée, réglisse, vanille...), un palais bien équilibré et savoureux et des tanins doux et soyeux.

⊶ SCE Ch. La Fleur Milon, Le Pouyalet, 33250 Pauillac, tél. 05.56.59.29.01, fax 05.56.59.23.22 ☑ 🍷 t.l.j. sf sam. dim. 8h30-12h 14h-17h; f. dernière sem. août-sept.

CH. LA FLEUR PEYRABON 1997★★

■ Cru bourg. 4,86 ha 36 800 ▮🛢 100 à 149 F

Comme le château Peyrabon (haut-médoc) dont il dépend, ce petit cru fait l'objet depuis 1998 d'un important programme d'investissements de la part du groupe Bernard. On est heureusement surpris par ce 97. S'annonçant par une robe presque noire, il développe un bouquet aussi puissant que complexe (fraise, épices, cacao et cuir). Ample, puissant, charnu et charmeur, le palais possède une matière aussi riche que son expression aromatique aux accents de fruits, de vanille et de torréfaction. La finale conclut la dégustation sur une note harmonieuse, gage d'un beau potentiel de garde.

⊶ SARL Ch. Peyrabon, 33250 Saint-Sauveur, tél. 05.56.59.57.10, fax 05.56.59.59.45 ☑ 🍷 r.-v.

⊶ Bernard

CH. LATOUR 1997★★

■ 1er cru clas. 43 ha n.c. 🛢 + de 500 F

|(61)| **67 71** 73 74 75 |76| 77 |78| 79 |80| 81 |82| |83| |84| **85 86** |87| **88 89 90 91 92 93 94** (95) **96 97**

Si beaucoup de châteaux du vin n'ont pas d'histoire, tel n'est pas le cas de Latour qui fut un château fort et une seigneurie avant de devenir l'un des plus célèbres crus médocains. Longtemps propriété britannique, Latour appartient à François Pinault depuis 1993 qui entreprend en l'an 2000 de très importants travaux dans les chais, restant ainsi dans la grande tradition de Latour qui fut un « laboratoire de l'innovation ». Plutôt étonnant pour le millésime, son 97 présente un caractère imposant qui lui ouvre d'intéressantes perspectives de garde. Encore assez fermé, il ne livre pas le meilleur de lui-même en 2000 mais il se montre complet, équilibré, élégant, et développe un bouquet où les notes fruitées et grillées dialoguent avec les épices.

⊶ SCV de Ch. Latour, Saint-Lambert, 33250 Pauillac, tél. 05.56.73.19.80, fax 05.56.73.19.81 🍷 r.-v.

⊶ François Pinault

BORDELAIS

LES FORTS DE LATOUR 1997★

| ■ | n.c. | n.c. | ⦀ 300 à 499 F |

80 **81 82 83 85 86 87** |88| **89 90** |92| |94| **95 96 97**

Né des grappes récoltées dans les jeunes vignes de l'enclos de Latour ou dans les parcelles situées hors de l'enceinte, le second vin de Latour se montre bien typé par sa structure, aux tanins serrés, comme par son bouquet, aux notes de poivron et de gibier. Cette bouteille sera prête plus tôt que l'étiquette principale mais elle appelle néanmoins une garde de trois à cinq ans.
☛SCV de Ch. Latour, Saint-Lambert, 33250 Pauillac, tél. 05.56.73.19.80, fax 05.56.73.19.81 ☖ r.-v.

CH. LA TOURETTE 1997★

| ■ | 3 ha | 24 300 | ⦀ 70 à 99 F |

Issu d'une parcelle appartenant au château Larose-Trintaudon (175 ha en haut-médoc), ce vin a pu bénéficier d'un terroir favorable (des graves sur argile). Même s'il reste encore dominé par l'élevage en barrique, il a su tirer parti de ces conditions bénéfiques qui lui permettent de s'appuyer sur une solide structure tannique, gage d'une bonne garde.
☛SA Ch. Larose-Trintaudon, rte de Pauillac, 33112 Saint-Laurent-Médoc, tél. 05.56.59.41.72, fax 05.56.59.93.22, e-mail larosetrintaudon@wanadoo.fr ☑ ☖ r.-v.
☛ AGF

CH. LYNCH-BAGES 1997★

| ■ | 5ème cru clas. | 90 ha | 420 000 | ⦀ 300 à 499 F |

70 71 |75| **76 78** |79| **80** |81| |82| |83| 84 |85| |86| |87| |88| |89| **90** |91| 92 |93| **94 95 96** 97

Taille, bâtiments, propriétaires d'hier et d'aujourd'hui, notoriété, cette propriété est particulièrement représentative du grand cru médocain, constituée par 73 % de cabernet-sauvignon, 10 % de cabernet franc, 15 % de merlot et 2 % de petit verdot implantés sur un terroir splendide de graves garonnaises. Fidèle à son habitude, Jean-Michel Cazes propose un 97 équilibré et élégant, parfaitement bien élevé, qui sait montrer sa structure tannique sans faire preuve d'agressivité. Jouant sur les notes de réglisse, son expression aromatique complexe rend ce vin particulièrement plaisant.
☛Jean-Michel Cazes, Ch. Lynch-Bages, 33250 Pauillac, tél. 05.56.73.24.00, fax 05.56.59.26.42, e-mail infochato@lynchbages.com ☑ ☖ r.-v.
☛ Famille Cazes

CH. LYNCH MOUSSAS 1997★

| ■ | 5ème cru clas. | n.c. | n.c. | ⦀ 150 à 199 F |

81 82 **83** 85 86 88 |89| **90** 91 92 |93| 95 96 97

Ce cru appartint à la famille irlandaise des Lynch qui donnèrent des notables au Médoc ainsi qu'un maire à Bordeaux sous Napoléon Ier. Proche de Batailley, il est lui aussi propriété des Castéja. Ce vin garde un air de famille tout en affirmant sa propre personnalité. Côté famille, on trouve une solide structure tannique et un sérieux potentiel de garde, qui l'ancrent dans la tradition des deux crus ; côté individu, une expression aromatique également complexe mais

différente, avec des notes empyreumatiques et chocolatées, et une chair délicate, qui donne un ensemble goûteux et élégant.
☛ Emile Castéja, 33250 Pauillac, tél. 05.56.00.00.70, fax 05.57.87.48.61 ☑ ☖ r.-v.

CH. MOUTON ROTHSCHILD 1997★★

| ■ | 1er cru clas. | 75 ha | n.c. | ⦀ +de 500 F |

71 72 73 74 |75| **76** 77 |78| **79** 80 81 **82 83** |84| **85** ⑧⑥ |87| **88 89 90 91 92 93 94** ㉟ **96 97**

A Mouton il est difficile d'ignorer le musée d'objets liés au vin, les œuvres d'art que représente chaque millésime illustré par les plus grands, de Picasso à Francis Bacon ou, en 1997, Niki de Saint Phalle. On ne peut non plus oublier le grand chai aux alignements de barriques neuves. Le fût est aussi très présent dans ce vin, auquel il apporte une odeur de grillé qui sert de fil rouge à la dégustation. Heureusement, grâce à un terroir et à un encépagement d'une typicité incontestable, la marque de l'élevage (tabac brun, fumée, bois précieux très grillé) n'étouffe pas la matière et l'expression aromatique, toutes deux concentrées et de qualité. A la framboise et au cassis du bouquet encore naissant répondent les fruits mûrs de la longue finale. Fins et soyeux, les tanins ont été bien extraits et laissent augurer d'une garde décennale.
☛ Baron Philippe de Rothschild SA, rue de Grassi, B.P. 117, 33250 Pauillac, tél. 05.56.73.34.01, fax 05.56.59.07.82 ☑ ☖ r.-v.

CH. PIBRAN 1997★

| ■ | Cru bourg. | 10 ha | 54 000 | ⦀ 150 à 199 F |

87 |88| |89| |90| 91 93 94 95 96 97

Issu d'un vignoble proche de Pichon-Longueville Baron et vinifié par la même équipe, ce vin présente un bouquet et une personnalité qui concilient une certaine rondeur et une bonne matière tannique. Le résultat est une jolie bouteille, à la fois aimable et de garde.
☛Jean-Michel Cazes, Ch. Pichon-Longueville, 33250 Pauillac, tél. 05.56.73.17.17, fax 05.56.73.17.28, e-mail infochato@chateauassocies.com ☑ ☖ r.-v.
☛ Axa Millésime

CH. PICHON-LONGUEVILLE BARON 1997★★

■ 2ème cru clas.   68 ha   300 000   ❙❙❙ [300 à 499 F]
78 81 |82| |83| 84 |85| |86| 87 **88 89** ⑨⓪ **91 92 93 94 95** ㊅ **97**

Haut lieu du Médoc touristique, mariant les styles Napoléon III et contemporain, Pichon Baron est aussi un cru privilégié par son terroir : de belles graves bénéficiant du voisinage de l'estuaire. A la fois souple et riche, son 97 a incontestablement tiré le meilleur profit possible de cet environnement. Imposant dans son développement aromatique, aux notes de fruits, de cuir, de cire et de confiture de fraises caramélisées, sans oublier des notes de chocolat et de torréfaction, son 97 est déjà savoureux et tentant mais mieux vaut l'attendre cinq ou huit ans. Cité par le jury, le second vin **Les Tourelles de Longueville 97** (150 à 199 F) séduit par son bouquet fin et élégant et ses tanins « bien en place ». Aimable dès aujourd'hui, il permettra d'attendre le grand vin.
➥ Jean-Michel Cazes, Ch. Pichon-Longueville, 33250 Pauillac, tél. 05.56.73.17.17, fax 05.56.73.17.28, e-mail infochato@chateauassocies.com
☑ ⵉ r.-v.
➥ Axa Millésime

CH. PICHON-LONGUEVILLE COMTESSE DE LALANDE 1997★★

■ 2ème cru clas.   75 ha   n.c.   ❙❙❙ [300 à 499 F]
66 70 71 75 76 78 79 80 **81 82 83** 84 |85| |86| 87 |88| **89** |90| |91| |92| |93| |94| **95 96 97**

Appartenant au XVIIᵉˢ. aux Pichon-Longueville, parlementaires de Bordeaux, ce vignoble fut divisé en 1850 ; une longue succession de grandes dames du vin a fait de ce cru l'un des phares de l'AOC. Fidèle à sa tradition, cette belle unité dont le vignoble est situé à proximité de Saint-Julien propose ici un vin de caractère. L'attaque prolonge par sa douceur celle du bouquet aux notes complexes : vieux miel, cuir, pruneau caramélisé, viande et torréfaction. Au palais, la matière procure une sensation de rondeur et d'harmonie tout en montrant son ampleur et son aptitude à la garde, que confirme la finale, goûteuse et de grande classe.
➥ SCI Ch. Pichon-Longueville Comtesse de Lalande, 33250 Pauillac, tél. 05.56.59.19.40, fax 05.56.59.26.56, e-mail pichon@pichon-lalande.com ⵉ r.-v.
➥ May-Eliane de Lencquesaing

CH. PONTET-CANET 1997★★

■ 5ème cru clas.   80 ha   200 000   ❙❙❙ [300 à 499 F]
⑥① 70 75 76 77 78 79 81 82 |83| 84 |85| 86 87 |88| |89| |90| 91 92 93 |94| **95 96 97**

Etape incontournable du marathon du Médoc et de toute visite de Pauillac, ce beau château du XVIIIᵉˢ. est aussi un bon ambassadeur de l'appellation par la qualité de sa production. Faisant mentir la réputation du millésime, il offre un grand pauillac classique, porté par une matière alliant élégance et richesse. Ses tanins de belle facture garantissent son aptitude à la garde ; sa complexité aromatique lui donne un charme

et une classe qu'accroît encore sa longue finale aux notes de menthol et d'eucalyptus.
➥ Famille Tesseron, Ch. Pontet-Canet, 33250 Pauillac, tél. 05.56.59.04.04, fax 05.56.59.26.63, e-mail pontet@pontet-canet.com ☑ ⵉ r.-v.

Saint-estèphe

A quelques encablures de Pauillac et de son port, Saint-Estèphe affirme un caractère terrien avec ses rustiques hameaux pleins de charme. Correspondant (à l'exception de quelques hectares compris dans l'appellation pauillac) à la commune elle-même, l'appellation (1 245 ha et 68 842 hl) est la plus septentrionale des six appellations communales médocaines. Ceci lui donne une typicité assez accusée, avec une altitude moyenne d'une quarantaine de mètres et des sols formés de graves légèrement plus argileuses que dans les appellations plus méridionales. L'appellation compte cinq crus classés, et les vins qui y sont produits portent la marque du terroir. Celui-ci renforce nettement leur caractère, avec, en général, une acidité des raisins plus élevée, une couleur plus intense et une richesse en tanins plus grande que pour les autres médocs. Très puissants, ce sont d'excellents vins de garde.

CH. ANDRON BLANQUET 1997

■ Cru bourg.   16 ha   80 000   ❙❙❙ [50 à 69 F]
75 76 79 **81** 82 83 **85 86** 87 |88| |89| |90| 91 92 |93| |94| **95 96 97**

Andron Blanquet assemble 65 % de cabernet-sauvignon, 5 % de cabernet franc et 30 % de merlot. Sans posséder la richesse et la complexité du superbe Cos Labory, du même producteur, ce vin au nez fruité, légèrement boisé, mérite une mention. Il présente une bouche un peu monolithique et une finale encore ferme. Attendre un an ou deux que les tanins s'arrondissent.
➥ SCE Dom. Audoy, Ch. Andron Blanquet, 33180 Saint-Estèphe, tél. 05.56.59.30.22, fax 05.56.59.73.52 ☑

CH. BEAU-SITE 1997

■ Cru bourg.   n.c.   n.c.   ❙❙❙ [70 à 99 F]

Propriété de la famille Castéja, ce cru est distribué par sa firme de négoce, Borie-Manoux. Si son 97 se montre très « tendance » par son boisé, le merrain n'écrase pas les jolis arômes de fraise, de coing et de gibier qui font le charme de ce vin d'une élégante rondeur. **Les Contreforts de Beau-Site 97** (50 à 69 F) ont obtenu une citation. Ce second vin n'a passé que six mois en barrique, alors que son grand frère a été élevé dix-huit mois en fût. Ses saveurs ne sont pas masquées par le bois. Deux bouteilles de petite garde.

☛ Héritiers Castéja, 33250 Pauillac, tél. 05.56.00.00.70, fax 05.57.87.48.61 ☑ ⳇ r.-v.

CH. BEL-AIR 1997★

■   4,92 ha   25 000 ▤ ⬤ ⬥ ⎸70 à 99 F⎹

Le cabernet-sauvignon (82 %) est associé à 15 % de merlot et à 3 % de cabernet franc. Seize mois d'élevage en barrique d'un an ont donné un vin bien typé par sa structure tannique, mais qui ne sacrifie pas pour autant à la mode. Mûr, souple et gras, son corps invite à une bonne garde (six à sept ans) sans nuire au charme d'une expression aromatique complexe à souhait (cèdre, réglisse, fruits rouges, épices).

☛ SCEA du Ch. Bel Air, B.P. 2, 33480 Avensan-Médoc, tél. 05.56.58.21.03, fax 05.56.58.17.20, e-mail jfbraq@aol.com ☑ ⳇ r.-v.

☛ Braquessac

CH. BEL-AIR ORTET 1997

■   n.c.   3 600 ⬤ ⎸50 à 69 F⎹

Bien équilibré, ce vin demandera une petite garde pour que le bois puisse se fondre dans l'ensemble, et que ses subtils parfums de fruits, d'amande et de réglisse trouvent leur expression définitive.

☛ Cheval Quancard, La Mouline, 33560 Carbon-Blanc, tél. 05.57.77.88.88, fax 05.57.77.88.99 ⳇ r.-v.

CH. CHAMBERT-MARBUZET 1997★

■ Cru bourg.   8 ha   50 000 ⬤ ⎸100 à 149 F⎹

66 76 79 81 82 ⎸83⎹ 85 ⎸86⎹ ⎸88⎹ ⎸89⎹ ⎸90⎹ 91 ⎸92⎹ 93 94 95 96 97

Signé par Henri Duboscq, l'une des personnalités les plus attachantes de la viticulture médocaine, ce vin s'inscrit parfaitement dans l'esprit bordelais par son équilibre et sa bonne constitution. S'annonçant par une robe brillante qu'animent de beaux reflets violets, il passe des parfums de cannelle à ceux de fruits, avant de développer une structure souple, onctueuse et solide que soutiennent des tanins soyeux. Un ensemble harmonieux à attendre quatre ou cinq ans.

☛ Henri Duboscq et Fils, Ch. Haut-Marbuzet, 33180 Saint-Estèphe, tél. 05.56.59.30.54, fax 05.56.59.70.87 ☑ ⳇ t.l.j. sf dim. 10h-12h 14h-18h

CH. CLAUZET 1997★

■ Cru bourg.   12 ha   80 000 ⬤ ⎸70 à 99 F⎹

Millésime du changement de propriétaire, 97 a donné sur ce cru de 20 ha un vin qui tient toutes les promesses de sa belle robe grenat. Puissant, délicat et complexe, le bouquet préfigure la structure ample, souple et riche. Longue et aromatique, la finale conclut heureusement la dégustation.

☛ SA Maurice Velge, Leyssac, 33180 Saint-Estèphe, tél. 05.56.59.34.16, fax 05.56.59.37.11, e-mail chateauclauzet@wanadoo.fr ☑ ⳇ t.l.j. sf sam. dim. 8h30-12h 14h-18h

COS D'ESTOURNEL 1997★★

■ 2ème cru clas.   64 ha   280 000 ⬤ ⎸300 à 499 F⎹

75 76 78 79 80 81 ⎸82⎹ 83 ⎸85⎹ ⎸86⎹ 87 88 ⎸89⎹ ⎸90⎹ ⎸91⎹ ⎸92⎹ ⎸93⎹ 94 95 96 97

Rencontre de toutes les architectures, la décoration orientale venant égayer la rigueur du classicisme occidental, ce chai-château est sans doute l'un des monuments les plus curieux du Bordelais. Ce qui n'empêche son vin de rester fidèle aux canons de la typicité girondine. D'une belle teinte foncée, son 97 déploie un joli bouquet de fruits rouges, avant de révéler dès l'attaque la plénitude de sa structure et sa complexité aromatique. Cette bouteille sera de moins longue garde (cinq à huit ans) que les millésimes antérieurs mais reste fort convenable pour l'année.

☛ SA Domaines Prats, Cos d'Estournel, 33180 Saint-Estèphe, tél. 05.56.73.15.50, fax 05.56.59.72.59, e-mail estournel@estournel.com ⳇ r.-v.

LES PAGODES DE COS 1997

■   n.c.   118 000 ⬤ ⎸250 à 299 F⎹

Seconde étiquette de Cos d'Estournel, ce vin est joliment bouqueté (fruits mûrs, croûte de pain et torréfaction). Franc à l'attaque et bien charpenté par une solide structure soutenue par des tanins assez soyeux, il devrait être prêt entre 2001 et 2004.

☛ SA Domaines Prats, Cos d'Estournel, 33180 Saint-Estèphe, tél. 05.56.73.15.50, fax 05.56.59.72.59, e-mail estournel@estournel.com ⳇ r.-v.

CH. COS LABORY 1997★★

■ 5ème cru clas.   18 ha   69 000 ⬤ ⎸150 à 199 F⎹

64 70 75 78 79 80 81 82 83 84 85 ⎸86⎹ 87 88 ⎸89⎹ ⎸90⎹ 91 92 ⎸93⎹ 94 95 96 97

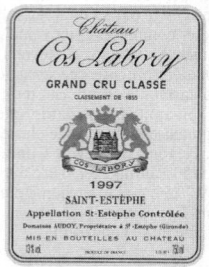

A l'image de la propriété, solide et sans ostentation, l'équipe de Bernard Audoy cherche à obtenir une bonne extraction mais en douceur. L'objectif est parfaitement atteint avec ce 97 associant à parts égales merlot et cabernet-sauvignon. Affirmant sa puissance par la profondeur de sa robe presque noire, il affiche un bouquet aussi expressif que frais avec de belles notes florales et mentholées. Gras, ample et velouté, le corps s'appuie sur des tanins bien intégrés. L'élégance et la persistance de la finale ont enthousiasmé le jury. On attendra cette bouteille de six à huit ans.

☚ SCE Domaines Audoy, Ch. Cos Labory,
33180 Saint-Estèphe, tél. 05.56.59.30.22,
fax 05.56.59.73.52 ☑ ☖ r.-v.

CH. DOMEYNE 1997

■ Cru bourg.	7,21 ha	40 000	🍾 ◫ ♨	70 à 99 F

82 83 85 |86| |88| |89| 90 91 92 |93| 95 **96** 97

Si la sévérité de sa trame tannique l'empêche
de rivaliser avec certains millésimes antérieurs,
ce 97 est bien construit et d'une bonne
complexité aromatique.
☚ SARL d'Exploitation du Ch. Domeyne,
7, rue du Maquis-de-Vignes, Oudides,
33180 Saint-Estèphe, tél. 05.56.59.72.29,
fax 05.56.59.72.21 ☑ ☖ t.l.j. 8h-12h 13h-17h;
ven. 16h; groupes sur r.-v.

CH. FAGET 1997★

■ Cru bourg.	n.c.	19 130	◫	50 à 69 F

Exploité - mais en fermage - par Marcel et
Christian Quancard comme le château Bel-Air
Ortet, ce cru propose avec ce 97 un vin souple
rond et gras, que son harmonie, son volume et
sa longueur invitent à attendre trois à cinq ans.
☚ Cheval-Quancard, La Mouline,
33560 Carbon-Blanc, tél. 05.57.77.88.88,
fax 05.57.77.88.99 ☖ r.-v.

CH. HAUT-MARBUZET 1997★

■ Cru bourg.	55 ha	350 000	◫	150 à 199 F

|61| 62 64 66 **67** 70 71 73 |75| |76| 77 **78** 79 80
81 (82) 83 85 86 **88 89 90** |92| |93| **94 95 96** 97

Né en 1848, ce cru qui atteint aujourd'hui
58 ha, est complanté de cabernet-sauvignon
(50 %), de merlot (40 %) et de cabernet franc
(10 %). La qualité du terroir de Haut-Marbuzet,
situé sur une superbe croupe de graves, n'est plus
à prouver. S'il est encore marqué par un élevage
de dix-huit mois en barrique, ce vin montre qu'il
est de bonne origine, tant par sa robe brillante
et son bouquet, d'une élégante complexité, que
par sa structure équilibrée et déjà ronde. A ouvrir
dans deux à trois ans.
☚ Henri Duboscq et Fils, Ch. Haut-Marbuzet,
33180 Saint-Estèphe, tél. 05.56.59.30.54,
fax 05.56.59.70.87 ☑ ☖ t.l.j. sf dim. 10h-12h
14h-18h

CH. LAFON-ROCHET 1997★★

■ 4ème cru clas.	40 ha	n.c.	◫	200 à 249 F

(64) **75** 76 77 78 79 81 |82| |**83**| 85 86 |88| |89| |90|
91 92 93 94 (95) **96** 97

Avec une superbe folie XVIIIᵉˢ., datant des
années... 1960 et une petite chapelle baroque à
moins de 300 m des chais, ce cru a tout pour
séduire l'amateur d'architecture. Pour peu qu'il
soit œnophile, il sera comblé en découvrant des
vins comme celui-ci. Paré d'une séduisante livrée
rouge, ce 97 sait se présenter. La subtile
complexité du bouquet, où se marient des notes
de fumée, de bois, d'épices et de gibier, engage
à poursuivre la dégustation. Ample, gras,
concentré et bien équilibré, le palais est de la
même veine, comme le beau retour aromatique
(cuir et bois). Un vrai saint-estèphe, à attendre
six ou sept ans. Moins complexe mais bien
constitué, le N° **2 du Château Lafon-Rochet 97**
(70 à 99 F) a obtenu une citation: malgré ses

tanins encore fermes, il pourra être servi pendant
les quatre prochaines années.
☚ SCF Ch. Lafon-Rochet, 33180 Saint-Estèphe,
tél. 05.56.59.32.06, fax 05.56.59.72.43,
e-mail lafon@lafon-rochet.com ☑ ☖ r.-v.

CH. LA HAYE 1997★

■ Cru bourg.	11 ha	51 165	◫	70 à 99 F

89 |90| **91** 92 93 |94| |95| 97

On raconte que ce château abrita les amours
d'Henri IV et de Diane de Poitiers. Même si cela
semble assez peu vraisemblable, il n'en reste pas
moins vrai que ce domaine existe depuis 1557...
Ce cru offre un vin dont l'extraction et l'élevage
ont été bien maîtrisés. Le résultat est un ensemble
des plus harmonieux. L'équilibre qui s'établit au
bouquet entre le boisé (tabac, épices) et le fruit
se retrouve au palais, dont la structure franche
et grasse n'est pas sans rappeler celle du 96.
☚ Georges Lecallier, Leyssac, 33180 Saint-
Estèphe, tél. 05.56.59.32.18 ☑ ☖ r.-v.

CH. LAMY
Vieilles vignes Elevé en fût de chêne 1997

■	0,9 ha	n.c.	🍾 ◫	70 à 99 F

Issu d'un petit cru, ce vin est simple dans sa
constitution mais rond, bien équilibré et agréablement bouqueté, avec de fines notes épicées.
Le **Château Moulin de Blanquet 97**, du même
producteur, a également reçu une citation.
☚ EARL vignoble Lamy et Fils, G. de Mour,
3, rue des Anciens-Combattants,
33460 Soussans, tél. 05.57.88.94.17,
fax 05.57.88.39.17

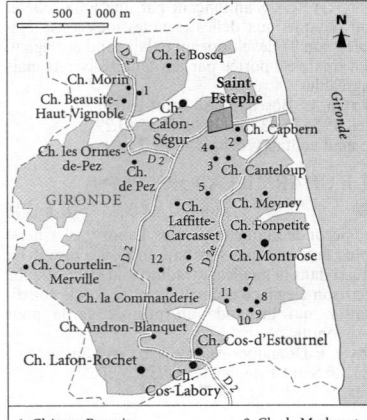

Saint-Estèphe

0   500   1 000 m   N

1 Château Beausite
2 Château Phélan-Ségur
3 Château Picard
4 Château Beauséjour
5 Ch. Tronquoy-Lalande
6 Château Houissant
7 Château Haut-Marbuzet
8 Ch. la Tour-de-Marbuzet
9 Ch. de Marbuzet
10 Ch. Mac Carthy
11 Château le Crock
12 Château Pomys

A.O.C. Saint-Estèphe
● Cru classé
● Cru bourgeois
--- Limites de communes

CH. LA PEYRE 1997

■ Cru artisan   6,5 ha   50 000   ❚❚❙ 70 à 99 F

Sans rivaliser avec le 96, superbe coup de cœur l'an dernier, ce 97 révèle au palais une structure très puissante, tandis que le bouquet se montre fort odorant. Il faut attendre que les tanins se fondent.

☛ EARL Vignobles Rabiller, Leyssac, 33180 Saint-Estèphe, tél. 05.56.59.32.51, fax 05.56.59.70.09 ☑ ✗ t.l.j. 10h-12h30 15h-19h

CH. L'ARGILUS DU ROI 1997

■ Cru artisan   2 ha   15 000   ❚❚❙ 70 à 99 F

Confirmant l'impression produite l'an dernier par le premier millésime de ce cru, dont le nom évoque l'une des curiosités du terroir, une boule d'argile située au centre du vignoble, ce 97 privilégie la puissance, avec une forte présence du bois, tant au bouquet qu'au palais. Attendre deux à trois ans.

☛ José Bueno, 6, rue du Luc, 33250 Cissac, tél. 05.56.59.53.74, fax 05.56.59.53.74 ☑ ✗ r.-v.

CH. LAVILLOTTE 1997

■ Cru bourg.   n.c.   50 000   ▤ ❚❚❙ ⚖ 70 à 99 F

Né sur une belle unité, ce vin surprend un peu. Sa forte personnalité s'exprime par un bouquet évoquant la garrigue avec des notes animales et par des tanins souples à l'attaque et austères en finale. Il ne faudra cependant pas l'attendre trop longtemps (deux à trois ans).

☛ SCEA des Dom. Pedro, 33180 Saint-Estèphe, tél. 05.56.41.98.17, fax 05.56.41.98.89 ☑ ✗ t.l.j. sf sam. dim. 9h-12h 14h-18h; groupes sur r.-v.; f. du 7-16 août

CH. LE BOSCQ 1997★

■ Cru bourg.   16,62 ha   62 000   ❚❚❙ 100 à 149 F
82 83 |85| 86| |88| 89 90 95 96 |97|

Propriété de l'Union française de gestion, ce cru est exploité en fermage par la maison Dourthe (CVBG). S'annonçant par une jolie robe et un bouquet aux délicates notes toastées et épicées, son 97 développe un palais rond et élégant. La finale est portée par des tanins discrets mais agréables.

☛ Ch. Le Boscq, 33180 Saint-Estèphe, tél. 05.56.35.53.00, fax 05.56.35.53.29, e-mail contact@cvbg.com ☑ ✗ r.-v.

LE CHARME LABORY 1997★

■   18 ha   64 000   ❚❚❙ 50 à 69 F

Seconde étiquette de Cos Labory, ce vin est plus modeste que son aîné mais il s'inscrit lui aussi dans la meilleure tradition du saint-estèphe par son élégance aromatique et sa solide constitution qui demande un peu de garde pour s'arrondir.

☛ SCE Domaines Audoy, Ch. Cos Labory, 33180 Saint-Estèphe, tél. 05.56.59.30.22, fax 05.56.59.73.52 ☑ ✗ r.-v.

CH. LE CROCK 1997★

■ Cru bourg.   n.c.   n.c.   ❚❚❙ 70 à 99 F
90 |95| 96 97

Appartenant au propriétaire du Château Léoville Poyferré (saint-julien), ce cru propose un vin solidement bâti. A l'élégance du bouquet, où le fruit épouse la vanille, et à la souplesse de l'attaque succède un palais qui révèle une très bonne structure, de la matière et de la mâche. Les tanins s'expriment tout en respectant l'équilibre général.

☛ Domaines Cuvelier, Ch. Le Crock, 33180 Saint-Estèphe, tél. 05.56.59.30.33 ✗ r.-v.

CH. LES ORMES DE PEZ 1997★

■ Cru bourg.   33 ha   204 000   ❚❚❙ 150 à 199 F
81 |82| |83| 84 |85| |86| 87 |88| 89 90 91 |92| 93 94 95 96 97

Comme il en a l'habitude, ce cru s'inscrit dans la tradition du saint-estèphe en proposant un vin aux tanins de qualité. Pour s'épanouir, ils peuvent s'appuyer sur la sève et la densité de la structure comme sur la richesse du bouquet qui associe les parfums du fruit et ceux du bois. Une très jolie bouteille à garder en cave pendant une dizaine d'années (vente au château Lynch-Bages).

☛ Jean-Michel Cazes, Ch. Les Ormes de Pez, 33180 Saint-Estèphe, tél. 05.56.73.24.00, fax 05.56.59.26.42, e-mail infochato@ormesdepez.com ☑
☛ Famille Cazes

CH. LILIAN LADOUYS 1997★

■ Cru bourg.   30 ha   172 000   ❚❚❙ 100 à 149 F
|89| |90| 91 92 |93| |94| 95 96 97

Beau coup de cœur pour le millésime 96, ce cru offre ici un vin sympathique par sa robe d'un rouge brillant comme par son bouquet qui s'ouvre sur des notes élégantes à l'agitation. Ample et bien construit, le palais possède un réel potentiel qui invitera à attendre ce 97 trois ou quatre ans.

☛ Ch. Lilian Ladouys, Blanquet, 33180 Saint-Estèphe, tél. 05.56.59.71.96, fax 05.56.59.35.97 ✗ r.-v.
☛ Natexis

MARQUIS DE SAINT-ESTEPHE 1997

■   34 ha   270 000   ▤ 50 à 69 F

Principale marque de la cave coopérative stéphanoise, ce vin, bien élaboré, associe harmonieusement un bouquet fin et élégant à des tanins ronds et fondus.

☛ Marquis de Saint-Estèphe, 2, rte du Médoc, 33180 Saint-Estèphe, tél. 05.56.73.35.30, fax 05.56.59.70.89, e-mail marquis.st.estephe@wanadoo.fr ☑ ✗ t.l.j. sf sam. dim. 8h30-12h15 14h-18h; f. du 15 sep.-15 oct.

CH. MEYNEY 1997

■ Cru bourg.   50 ha   250 000   ❚❚❙ 100 à 149 F
80 81 |82| |83| 84 |85| 86 87 |88| |89| |90| |91| |92| |93| |94| 95 96 |97|

Un terroir silico-graveleux sur une assise calcaire, un encépagement très médocain (cabernet-sauvignon 70 %, cabernet franc 4 %, merlot 24 % et petit verdot 2 %), Meyney fait partie des crus intéressants du saint-estèphe. Même si l'on ne retrouve pas dans ce millésime la richesse et la puissance habituelles, il faudrait être bien difficile pour ne pas apprécier la qualité de son

expression aromatique qui s'épanouit tout au long de la dégustation, du bouquet à la finale.
➥ Domaines Cordier, 160, cours du Médoc, 33300 Bordeaux, tél. 05.57.19.57.77, fax 05.57.19.57.87 ⍽ r.-v.

CH. MONTROSE 1997★★

■ 2e cru clas.   68,39 ha   159 830   ⦀ 300 à 499 F
64 66 67 |70| |75| 76 78 |79| 81 |⑧2| **83** |85| **86** 87 **88 89 90 91 92 93 94 95 96 97**

Belle unité dominant l'estuaire, ce cru bénéficie d'un terroir de grosses graves. Une fois encore cet atout a été exploité avec talent. Bien présenté dans une robe rouge vif, le 97 séduit par son bouquet où les parfums de torréfaction viennent rencontrer ceux des fruits rouges. Au palais, on retrouve la même élégance des tanins soyeux, une fine matière et une ample finale.
➥ Jean-Louis Charmolüe, SCEA du Ch. Montrose, 33180 Saint-Estèphe, tél. 05.56.59.30.12, fax 05.56.59.38.48 ☑ ⍽ r.-v.

GRAND VIN D'OSSIAN 1997★

■   1,6 ha   10 000   ⦀ 100 à 149 F
Barde écossais légendaire inventé au XVIIIᵉs. par James Macpherson, Ossian a donné son nom à ce vin. Millésime inaugural pour cette marque créée par Jean et Christophe Anney, ce 97 se montre à la hauteur de leurs espoirs, tant par son bouquet aux notes pénétrantes de café que par sa structure, souple, équilibrée, élégante et d'une bonne puissance.
➥ Vignoble Jean Anney, Ch. Tour des Termes, 33180 Saint-Estèphe, tél. 05.56.59.32.89, fax 05.56.59.73.74 ☑ ⍽ r.-v.

CH. PETIT BOCQ 1997★★

■   8 ha   55 000   ⦀ 70 à 99 F
94 95 96 97

Créé en 1971, ce petit cru est dirigé aujourd'hui par Gaston Lagneaux, docteur en médecine. Ce millésime 97, bien que souvent décrié, peut réserver de belles réussites. Ici, la puissance de la robe et du bouquet, aux notes de fruits noirs sauvages et de torréfaction, se retrouve au palais. Ce dernier se conforme au caractère de l'appellation en révélant de solides tanins qui invitent à attendre cette jolie bouteille trois ou quatre ans.
➥ SCEA Lagneaux-Blaton, Ch. petit Bocq, B.P. 33, 33180 Saint-Estèphe, tél. 05.56.59.35.69, fax 05.56.59.32.11 ☑ ⍽ r.-v.

CH. PHELAN SEGUR 1997★

■ Cru bourg.   64 ha   180 000   ⦀ 200 à 249 F
81 **82** |86| 87 |88| 89 **90** |91| |92| **93 94 95 96 97**

S'appuyant sur un terroir de grande qualité (une croupe argilo-graveleuse dominant l'estuaire) et sur une conduite de la vigne et du travail du chai à la hauteur des ressources naturelles, ce vin est aussi épanoui au bouquet qu'au palais. Par son élégance, le premier témoigne d'un élevage parfaitement maîtrisé, tandis que le second révèle, par sa sève et sa structure aux tanins soyeux, une extraction menée avec intelligence. De belle facture, l'ensemble appellera une garde de cinq à six ans.

➥ Ch. Phélan Ségur, 33180 Saint-Estèphe, tél. 05.56.59.74.00, fax 05.56.59.74.10, e-mail phelan.segur@wanadoo.fr ⍽ r.-v.
➥ X. Gardinier

FRANCK PHELAN 1997

■   64 ha   120 000   ⦀ 100 à 149 F
Seconde étiquette de Phélan Ségur, ce vin d'un classicisme du meilleur aloi est lui aussi fort bien constitué avec une bonne présence tannique. Il gagnera à être attendu trois à quatre ans.
➥ Ch. Phélan Ségur, 33180 Saint-Estèphe, tél. 05.56.59.74.00, fax 05.56.59.74.10, e-mail phelan.segur@wanadoo.fr ⍽ r.-v.

CH. SEGUR DE CABANAC 1997★★

■ Cru bourg.   4,95 ha   30 000   ⦀ 100 à 149 F
|86| 88 **89** 90 91 92 |93| |94| 95 96 **97**

Hommage au « Prince des vignes », Joseph-Marie Ségur de Cabanac (XVIIIᵉs.), dont certaines bornes de parcelles portent encore le nom, cet étonnant 97 fait honneur au grand viticulteur qu'il était : une belle couleur sombre, un joli bouquet aux notes de vanille, de cèdre, de menthe et de réglisse, une attaque ronde, des tanins veloutés, tout témoigne du savoir-faire des Delon.
➥ SCEA Guy Delon et Fils, Ch. Ségur de Cabanac, 33180 Saint-Estèphe, tél. 05.56.59.70.10, fax 05.56.59.73.94 ☑ ⍽ r.-v.

CH. TOUR COUTELIN 1997

■   7 ha   50 000   🍶 ⦀ ⬇ 70 à 99 F
Distribué par le négoce, ce vin est simple mais bien fait. Les délicates notes animales et fruitées de son bouquet sont aussi plaisantes que la rondeur et la fraîcheur du palais. A servir pendant quatre à cinq ans.
➥ SA Yvon Mau, B.P. 1, 33193 Gironde-sur-Dropt Cedex, tél. 05.56.61.54.54, fax 05.56.61.54.61 ⍽ r.-v.
➥ Arnaud

CH. TOUR DE PEZ 1997★

■ Cru bourg.   14 ha   80 000   ⦀ 100 à 149 F
|91| |93| ⑨5 **96** 97

Particulièrement régulier en qualité, ce cru reste fidèle à lui-même avec ce 97. Certes, ce vin pourra surprendre certains amateurs par son fort boisé, mais l'ensemble n'en demeure pas moins très réussi. Irréprochable dans sa présentation avec une robe profonde et un bouquet aux appétissantes notes toastées, fruitées et épicées, il se développe harmonieusement au palais, donnant une bouteille grasse et racée. Le **Château Les Hauts de Pez 97** (30 à 49 F), diffusé par le négoce, a obtenu une citation.
➥ SA Ch. Tour de Pez, L'Hereteyre, 33180 Saint-Estèphe, tél. 05.56.59.31.60, fax 05.56.59.71.12 ☑ ⍽ t.l.j. sf sam. dim. 9h30-12h 14h-17h; groupes sur r.-v.

CH. TOUR DES TERMES 1997

■ Cru bourg.   15 ha   n.c.   ⦀ 70 à 99 F
81 82 83 84 85 **86** 88 89 92 |93| |94| 95 96 97

Une tour médiévale au milieu des vignes a donné son nom à ce cru. Son 97 s'annonce par une robe d'un rouge grenat engageant. Après un nez où s'expriment des notes animales et boisées, l'attaque est assez vive, et le développement se fait sur une belle présence tannique qui demande à se fondre.

🛐 Vignoble Jean Anney, Ch. Tour des Termes, 33180 Saint-Estèphe, tél. 05.56.59.32.89, fax 05.56.59.73.74 ☑ 🍷 r.-v.

CH. TOUR SAINT FORT 1997

■ Cru bourg.	4,7 ha	36 791	◫	70 à 99 F

Un petit cru mais où l'on ne ménage pas ses efforts. Ceux-ci trouvent leur récompense dans ce vin au bouquet puissant et élégant que prolonge un palais plein, souple, aromatique et bien équilibré.

🛐 SCA ch. Tour Saint Fort, 1, rte de La Villotte, 33180 Saint-Estèphe, tél. 05.56.34.16.16, fax 05.56.13.05.54 ☑ 🍷 t.l.j. 10h-12h 14h-18h; sam. dim. sur r.-v.
🛐 Jean-Louis Laffort

Saint-julien

Pour l'une « saint-julien », pour l'autre « saint-julien-beychevelle », saint-julien est la seule appellation communale du Haut-Médoc à ne pas respecter scrupuleusement l'homonymie entre les dénominations viticole et municipale. La seconde, il est vrai, a le défaut d'être un peu longue, mais elle correspond parfaitement à l'identité humaine et au terroir de la commune et de l'appellation, à cheval sur deux plateaux aux sols caillouteux et graveleux.

Situé exactement au centre du Haut-Médoc, le vignoble de Saint-Julien constitue, sur une superficie assez réduite (900 ha et 49 434 hl en 1999), une harmonieuse synthèse entre margaux et pauillac. Il n'est donc pas étonnant d'y trouver onze crus classés (dont cinq seconds). A l'image de leur terroir, les vins offrent un bon équilibre entre les qualités des margaux (notamment la finesse) et celles des pauillac (le corps). D'une manière générale, ils possèdent une belle couleur, un bouquet fin et typé, du corps, une grande richesse et une très belle sève. Mais, bien entendu, les quelque 6,6 millions de bouteilles produites en moyenne chaque année à Saint-Julien sont loin de se ressembler toutes, et les dégustateurs les plus avertis noteront les différences qui existent entre les crus situés au sud (plus proches des margaux) et ceux du nord (plus près des pauillac) ainsi qu'entre ceux qui sont à proximité de l'estuaire et ceux qui se trouvent plus à l'intérieur des terres (vers Saint-Laurent).

CH. BEYCHEVELLE 1997★★

■ 4ème cru clas.	56 ha	260 000	◫	200 à 249 F

🍷70| 76 78 **79** 81 |82| **83** 84 |85| |86| 87 **88** ⑧⑨ 90 91 92 93 **94 95** 96 **97**

Beychevelle est sans l'ombre d'un doute le plus beau château du Médoc, celui dont l'architecture reflète le mieux l'esprit du XVIIIᵉs., l'âge d'or de Bordeaux. Peut-être inspiré par la grâce des lieux, son 97 joue résolument la carte de l'élégance. Aux antipodes de certains vins à la mode, ce vin ne cherche pas tant la puissance ou l'extraction que l'harmonie. Très bien constituée, sa structure lui permettra d'être attendu tout en mettant en valeur l'équilibre entre ses tanins bien fondus et un fruit croquant. D'une grande distinction, le bouquet trouve un accord parfait entre les épices et le fruit. Une remarquable réussite. Une dégustatrice propose un mariage avec une gibelotte de pigeon aux champignons des bois.

🛐 SC Ch. Beychevelle, 33250 Saint-Julien-Beychevelle, tél. 05.56.73.20.70, fax 05.56.73.20.71, e-mail beychevelle@beychevelle.com ☑ 🍷 t.l.j. sf sam. dim. 9h30-12h 14h-17h; groupes sur r.-v.
🛐 Grands Millésimes de France

Saint-Julien

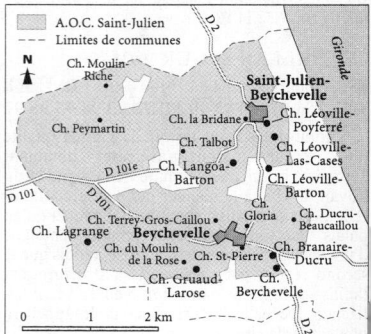

AMIRAL DE BEYCHEVELLE 1997

■ 19 ha 245 000 **◀‖▶** `100 à 149 F`

Seconde étiquette du château Beychevelle, ce vin est plus simple que son grand frère, mais il est également bien constitué et très agréable par son expression aromatique où de puissants parfums de fruits viennent se marier à de fraîches notes mentholées.

☛ SC Ch. Beychevelle, 33250 Saint-Julien-Beychevelle, tél. 05.56.73.20.70, fax 05.56.73.20.71, e-mail beychevelle@beychevelle.com ☑ ☂ t.l.j. sf sam. dim. 9h30-12h 14h-17h; groupes sur r.-v.

CH. BRANAIRE Duluc-Ducru 1997★

■ 4ème cru clas. 48 ha n.c. **◀‖▶** `150 à 199 F`
81 82 **83** 84 **85 86** 87 |**88**| **89** |90| 91 92 93 **94 95** 96 97

De l'autre côté de la D 2, face à Beychevelle, cette propriété Directoire utilise les méthodes les plus modernes comme un cuvier utilisant la gravitation. Bien dans la tradition du cru par sa belle teinte grenat et sa solide structure tannique, le 97 est impressionnant par sa longueur et original par son bouquet où apparaissent des notes de vanille, de torréfaction et de mine de crayon. Second vin de Branaire, le **Château Duluc 97** (70 à 99 F) a obtenu une citation. Ses tanins, un peu sévères à l'attaque puis plus ronds, et son bouquet, simple mais fin avec des notes acidulées, le rendent plaisant et intéressant.

☛ SAE du Ch. Branaire-Ducru, 33250 Saint-Julien, tél. 05.56.59.25.86, fax 05.56.59.16.26 ☑ ☂ r.-v.

CH. DUCRU-BEAUCAILLOU 1997★★★

■ 2ème cru clas. 50 ha 200 000 **◀‖▶** `300 à 499 F`
|61| 64 66 |70| 71 |75| 76 77 |78| 79 **81** |82| 83 84 |85| |86| 87 **88 89 90** 91 92 93 **94** 95 96 97

Comme l'indique son nom, Ducru-Beaucaillou jouit d'un terroir de qualité : une croupe de graves dominant le « fleuve impassible », l'estuaire. Fidèle à son habitude, il propose un très grand vin. Puissant sans être agressif, ce 97 s'appuie sur des tanins soyeux et une superbe matière, pour développer un palais ample et bien construit. A son image, le bouquet est puissant et complexe sans jamais tomber dans l'excès, évoluant des notes finement torréfiées et des fruits confits à la cerise et à la groseille en passant par le pruneau. Une réussite exceptionnelle pour le millésime, qui méritera les honneurs de la cave pendant une dizaine d'années.

☛ SA Jean-Eugène Borie, Ch. Ducru-Beaucaillou, 33250 Saint-Julien-Beychevelle, tél. 05.56.73.16.73, fax 05.56.59.27.37 ☂ r.-v.

CH. DU GLANA 1997

■ Cru bourg. n.c. 159 000 **◀‖▶** `100 à 149 F`
|94| |95| |96| |97|

Exclusivité de la maison Dourthe (CVBG), mais également vendu par le propriétaire, ce vin au bouquet élégant (fruits cuits et grillé) acceptera d'être bu jeune, tout en pouvant évoluer favorablement pendant trois ou quatre ans ; son volume, ses tanins fondus et sa longue finale sont de bon augure.

☛ Ch. du Glana, 33250 Saint-Julien-Beychevelle, tél. 05.56.35.53.00, fax 05.56.35.53.29, e-mail contact@cvbg.com ☑ ☂ r.-v.
☛ Vignobles Meffre

CH. GLORIA 1997★

■ 48 ha 220 000 **◀‖▶** `150 à 199 F`
64 66 70 71 **75 76** 78 |79| **81** 82 **83** 84 |85| |86| 87 |**88**| |**89**| |90| 91 92 |93| |94| **95** 96 97

Cette propriété est constituée de plusieurs parcelles situées dans les meilleurs terroirs de l'appellation qu'Henri Martin, l'une des grandes figures du Médoc, avait mises sous une même bannière. Elle est aujourd'hui dirigée par sa fille. Ce vin paré d'une livrée riche et sombre, s'annonce avec classe par un bouquet dense et complexe (viande, épice, truffe et gibier). Soutenu par des tanins puissants et bien enrobés, le palais reste dans l'esprit juliénois par l'élégance de son expression aromatique.

☛ Domaines Martin, Ch. Gloria, 33250 Saint-Julien-Beychevelle, tél. 05.56.59.08.18, fax 05.56.59.16.18 ☑ ☂ r.-v.
☛ Françoise Triaud

CH. GRUAUD-LAROSE 1997★

■ 2ème cru clas. 82 ha 197 000 **◀‖▶** `250 à 299 F`
70 71 75 76 77 78 79 80 **81 82 83** 84 |85| |86| 87 |**88**| |**89**| **90** |91| 92 **93 94** 95 96 97

Propriété du groupe Bernard Taillan, ce cru, né en 1757, se distingue par la diversité de son encépagement qui comprend du petit verdot et du malbec. Cette richesse a sans doute contribué à la complexité du bouquet, qui va des fruits mûrs à la torréfaction en passant par la compote de fruits et la cannelle. Rond, gras, charnu et soutenu par des tanins mûrs et fondus, le palais est lui aussi riche et racé.

☛ Ch. Gruaud-Larose, B.P. 6, 33250 Saint-Julien-Beychevelle, tél. 05.56.73.15.20, fax 05.56.59.64.72, e-mail contact@chateau-gruaud-larose.com ☂ r.-v.
☛ Bernard Taillan Vins

CH. LA BRIDANE 1997

■ Cru bourg. 15 ha 50 000 **◀‖▶** `70 à 99 F`
81 82 83 85 86 88 |89| **90** 91 92 93 94 |95| 96 97

Sa taille relativement petite, au moins pour l'appellation, n'empêche pas ce cru de jouir d'une bonne réputation. Solide et bien constitué, son 97 porte encore la marque de l'élevage ; ce caractère lui donne un côté « mode » que renforce l'extraction poussée des tanins. Ce vin demandera donc à être attendu pour lui permettre de se fondre complètement.

☛ Bruno Saintout, SCEA de Cartujac, 20, Cartujac, 33112 Saint-Laurent-Médoc, tél. 05.56.59.91.70, fax 05.56.59.46.13 ☑ ⚲ r.-v.

LA CROIX DE BEAUCAILLOU 1997★

■		50 ha	60 000	⦀	150 à 199 F

Fait assez rare dans le millésime 97, à Ducru-Beaucaillou le grand vin n'a pas pris toute la substance de la production, et la seconde étiquette peut faire beaucoup plus que de la figuration. La finesse et l'élégance de sa robe rouge rubis se retrouvent dans le bouquet (encens, pruneau, caramel, girofle et cannelle) comme au palais, moelleux à l'attaque et très aromatique dans son développement. A ouvrir d'ici quatre ou cinq ans en attendant le grand vin.

☛ SA Jean-Eugène Borie, 33250 Saint-Julien-Beychevelle, tél. 05.56.73.16.73, fax 05.56.59.27.37

CH. LAGRANGE 1997★★

■ 3ème cru clas.	109 ha	n.c.	⦀	200 à 249 F

79 81 82 **83** |85| |86| 87 **88 89** ⑨⓪ |91| **92 93 94 95 96 97**

Très belle unité (avec près de 160 ha au total), ce cru s'est taillé une place de choix dans le gotha viticole. Le fait est d'autant plus remarquable qu'il a su conquérir son rang sans rien sacrifier à la mode, comme le montre ce 97. Parfaitement adapté au caractère du millésime, il privilégie la recherche de l'élégance et non l'extraction. Le résultat est une très belle bouteille, fraîche, équilibrée et distinguée, déjà agréable, notamment par sa complexité aromatique, mais qui gagnera encore en qualité d'ici deux à trois ans.

☛ Ch. Lagrange, 33250 Saint-Julien-Beychevelle, tél. 05.56.73.38.38, fax 05.56.59.26.09, e-mail chateau-lagrange@chateau-lagrange.com ⚲ r.-v.

☛ Suntory Ltd

LES FIEFS DE LAGRANGE 1997★

■		109 ha	n.c.	⦀	100 à 149 F

A Lagrange le caractère raisonnable et raisonné des méthodes de travail aura été un vrai succès. Aux qualités du grand vin s'ajoutent celles du second : bouquet expressif, tanins d'une bonne puissance, structure équilibrée, finale élégante : cette bouteille est, elle aussi, d'une belle tenue. A boire dans deux ou trois ans.

☛ Ch. Lagrange, 33250 Saint-Julien-Beychevelle, tél. 05.56.73.38.38, fax 05.56.59.26.09, e-mail chateau-lagrange@chateau-lagrange.com ⚲ r.-v.

CH. LANGOA BARTON 1997★

■ 3ème cru clas.	18 ha	90 000	▮ ⦀ ⚗	200 à 249 F

70 75 76 |78| **80 81** |82| **83** |85| **86** 87 88 ⑧⑨ **90** |92| **93 94 95 96 97**

Depuis 1821, six générations de Barton se sont succédé dans ce château, gardant à la décoration intérieure son atmosphère familiale. A la délicatesse de l'architecture et du mobilier XVIIIᵉs. répondent la beauté d'une robe grenat classique,

la finesse et l'élégance du bouquet aux délicates notes poivrées, réglissées et mentholées. Doté d'une belle structure, solide et encore un peu ferme, ce vin est à la hauteur de son classement. Il faudra attendre deux ou trois ans avant de l'ouvrir sur du gibier.

☛ Anthony Barton, Ch. Langoa Barton, 33250 Saint-Julien-Beychevelle, tél. 05.56.59.06.05, fax 05.56.59.14.29 ⚲ r.-v.

CH. LEOVILLE-BARTON 1997★★

■ 2ème cru clas.	46 ha	250 000	▮ ⦀ ⚗	250 à 299 F

64 67 70 71 75 76 |78| **79 80 81** |82| |83| |85| **86 87 88 89** ⑨⓪ |91| |92| **93 94 95 96 97**

Issu du démembrement de l'ancien domaine de Léoville, ce cru est aux mains de la famille Barton depuis 1826. Une nouvelle fois il se montre à la hauteur de cette exceptionnelle continuité familiale par la qualité de ce millésime. D'un beau rouge profond, ce 97 charme par son bouquet, où la vanille côtoie les fruits mûrs, les épices et le sous-bois. Avec une telle entrée en matière, le palais ne déçoit pas, montrant sans ambiguïté son aptitude à la garde par sa richesse et sa puissance, qu'appuient des tanins bien mûrs. La finale se montre longue et ample.

☛ Anthony Barton, Ch. Léoville Barton, 33250 Saint-Julien-Beychevelle, tél. 05.56.59.06.05, fax 05.56.59.14.29 ⚲ r.-v.

CH. LEOVILLE POYFERRE 1997★★★

■ 2ème cru clas.	n.c.	n.c.	⦀	200 à 249 F

76 78 79 80 81 |82| |83| 84 **85 86** 87 **88 89 90** |91| |92| |93| **94 95 96 97**

Situé au cœur de l'ancien domaine de Léoville, ce cru, propriété de D. Cuvelier, dispose d'un terroir de qualité qui lui a permis d'obtenir ce 97 exceptionnel pour le millésime. D'un rouge profond à reflets rubis, la robe met en confiance, tandis que le bouquet se montre plus que prometteur par son mariage réussi des fruits rouges, de la vanille et du grillé. Riche et puissante, la structure possède la matière nécessaire pour affronter une très belle garde. Cette attente permettra au vin de développer sa personnalité que son gras et sa mâche rendent intéressante. Un vrai grand vin à savourer sur un filet d'agneau en papillote.

☛ SC Ch. Léoville Poyferré, 33250 Saint-Julien, tél. 05.56.59.08.30, fax 05.56.59.60.09 ⚲ r.-v.

Les vins blancs liquoreux

CH. MOULIN DE LA ROSE 1997★

■ Cru bourg. 4,65 ha 28 000 **❚❙❚** 100 à 149 F
|93| |94| 95 **96** 97

Appellation des grands châteaux aristocratiques, Saint-Julien possède aussi des crus bourgeois. Sa taille modeste n'empêche pas celui-ci d'offrir un vin de qualité. Implanté sur des graves garonnaises superbes, il associe 5 % de petit verdot à un encépagement bien médocain. Vingt mois de barriques dont un tiers neuves ont complété les atouts de ce millésime qui a séduit tant par son élégance aromatique que par la rondeur et le gras de sa structure dont les tanins s'arrondiront d'ici environ trois ans.

☙SCEA Guy Delon et Fils, Ch. Moulin de la Rose, 33250 Saint-Julien-Beychevelle, tél. 05.56.59.08.45, fax 05.56.59.73.94 ☑ ☒ r.-v.

CH. MOULIN RICHE 1997★

■ n.c. n.c. **❚❙❚** 70 à 99 F
|93| |94| 95 96 97

Signé par l'équipe de Léoville-Poyferré, ce second vin rappelle qu'il est de bonne origine par sa robe, d'un rubis intense, et son bouquet, d'une grande finesse. Enfin, le palais, que soutiennent des tanins puissants mais veloutés, laisse deviner que cette bouteille mérite d'être attendue.

☙SC Ch. Léoville Poyferré, 33250 Saint-Julien, tél. 05.56.59.08.30, fax 05.56.59.60.09 ☒ r.-v.

CH. SAINT-PIERRE 1997★

■ 4ème cru clas. 17 ha 60 000 **❚❙❚** 250 à 299 F
82 **83** 84 |85| |86| 87 |88| |89| 90 91 92 |93| |94| 95 **96** 97

Doté d'un beau terroir (des graves et sables graveleux), ce cru recherche la macération la mieux adaptée au millésime. Le résultat est un vin qui s'inscrit dans l'esprit médocain par sa belle structure. Grasse et puissante, celle-ci s'appuie sur des tanins mûrs et fondus et un joli bouquet, aux notes toastées et florales, pour donner un vin élégant. Ce 97 demande deux à quatre ans de garde pour permettre au bois de s'intégrer complètement. Rappelons que le millésime 96 reçut un coup de cœur.

☙Domaines Martin, Ch. Saint-Pierre, 33250 Saint-Julien-Beychevelle, tél. 05.56.59.08.18, fax 05.56.59.16.18 ☑ ☒ r.-v.

☙Françoise Triaud

CH. TALBOT 1997★

■ 4ème cru clas. 102 ha 330 000 **❚❙❚** 200 à 249 F
78 79 80 **81** |82| **83** 84 |85| |86| 87 |88| 89 90 91 92 **93** 94 **95** 96 97

Né sur une vaste unité, au cœur de l'appellation et à proximité de l'estuaire, ce vin est issu d'un excellent terroir. On n'en doute pas en découvrant le caractère expressif et complexe de son bouquet où des notes mentholées côtoient - entre autres - le clou de girofle et le poivre. Le palais est soutenu par des tanins expansifs venus d'un bois de qualité (ce 97 a passé quinze mois en barriques dont 40 % sont neuves) ; encore un peu sévères, ils demandent une garde de quatre ou cinq ans.

☙Ch. Talbot, 33250 Saint-Julien-Beychevelle, tél. 05.56.73.21.50, fax 05.56.73.21.51, e-mail chateau-talbot@chateau-talbot.com ☒ r.-v.

☙Mmes Rustmann et Bignon

CONNETABLE DE TALBOT 1997

■ 102 ha 260 000 **❚❙❚** 100 à 149 F

Seconde étiquette du château Talbot, ce vin sera prêt à boire avant (d'ici un à deux ans) son aîné, ses tanins étant moins puissants et déjà aimables. D'une bonne ampleur, la finale rappelle le bouquet par ses notes poivrées.

☙Ch. Talbot, 33250 Saint-Julien-Beychevelle, tél. 05.56.73.21.50, fax 05.56.73.21.51, e-mail chateau-talbot@chateau-talbot.com ☒ r.-v.

CH. TERREY GROS CAILLOUX 1997★

■ Cru bourg. n.c. 100 000 ▮❚❙❚♣ 100 à 149 F

Si sa vocation première n'est sans doute pas une longue garde, ce vin déjà fort plaisant révèle un bon potentiel d'évolution dans les deux ou trois années à venir. Son agrément présent tient à son bouquet, où les fruits mûrs sont rehaussés d'une note de noyau, tandis que sa présence tannique incite à un peu de patience.

☙Annie Fort et Henri Pradère, Ch. Terrey-Gros-Cailloux, 33250 Saint-Julien-Beychevelle, tél. 05.56.59.06.27, fax 05.56.59.29.32 ☑ ☒ t.l.j. sf sam. dim. 9h-12h 14h-17h; f. août

☙Henri Pradère

CH. TEYNAC 1997★

■ 11,5 ha 50 000 **❚❙❚** 100 à 149 F
92 |93| |94| 95 96 97

Né sur un vignoble s'inscrivant dans l'esprit médocain par son encépagement diversifié - cabernets (68 %), merlot (30 %) et petit verdot - ce vin reste fidèle à ses origines par son élégance. Sa finesse s'exprime à travers son bouquet gourmand (fruits rouges mûrs et vanille) et sa structure, souple, équilibrée et gracieuse.

☙Ch. Teynac, Grand-rue, Beychevelle, 33250 Saint-Julien-Beychevelle, tél. 05.56.59.12.91, fax 05.56.59.46.12 ☑ ☒ r.-v.

☙F. et Ph. Pairault

Les vins blancs liquoreux

Quand on regarde une carte vinicole de la Gironde, on remarque aussitôt que toutes les appellations de liquoreux se retrouvent dans une petite région située de part et d'autre de la Garonne, autour de son confluent avec le Ciron. Simple hasard ? Assurément non, car c'est l'apport des eaux froides de la petite rivière landaise, au cours entièrement couvert d'une voûte de feuillages, qui donne naissance à un climat très particulier. Celui-ci favorise l'action du *Botrytis cinerea*, champignon de la pourriture noble. En effet, le type de temps que connaît la région en automne (humidité le matin, soleil chaud l'après-midi) permet au champignon de se développer sur un raisin parfaitement mûr sans le faire éclater : le grain se comporte comme une véritable éponge et le jus se concentre par évaporation d'eau. On obtient ainsi des moûts très riches en sucre.

Mais, pour obtenir ce résultat, il faut accepter de nombreuses contraintes. Le développement de la pourriture noble étant irrégulier sur les différentes baies, il faut vendanger en plusieurs fois, par tries successives, en ne ramassant à chaque fois que les raisins dans l'état optimal. En outre, les rendements à l'hectare sont faibles (avec un maximum autorisé de 25 hl à Sauternes et à Barsac). Enfin, l'évolution de la surmaturation, très aléatoire, dépend des conditions climatiques et fait courir des risques aux viticulteurs.

Cadillac

Cette bastide qu'ennoblit son splendide château du XVIIᵉ s., surnommé « le Fontainebleau girondin », est souvent considérée comme la capitale des premières côtes. Mais c'est aussi, depuis 1980, une appellation de liquoreux qui a produit 6 501 hl en 1999.

CH. CARSIN 1998★★

□	4 ha	15 000	◀▮▶	70 à 99 F

Finlandais, Juha Berglund, fils d'un chef d'orchestre réputé, a acheté ce cru en 1990. Il est également producteur en premières côtes. Ce cadillac souple, ample et très bien équilibré, sait parfaitement mettre en valeur sa belle expression aromatique qui marie harmonieusement les parfums de miel et d'acacia. (Bouteilles de 37 cl.)
➽ Berglund, GFA Ch. Carsin, 33410 Rions, tél. 05.56.76.93.06, fax 05.56.62.64.80 ☑ ⚊ r.-v.

CLOS BOURBON 1997★

□	2 ha	9 000	▮	30 à 49 F

Présente pour 15 % dans l'encépagement, la muscadelle est bien mise en valeur dans ce vin où une touche musquée vient compléter le bouquet floral. Souple, rond et velouté, l'ensemble est plaisant et bien réussi.
➽ SCEA Clos Bourbon, 33550 Paillet, tél. 05.56.72.11.58, fax 05.56.62.12.59 ☑ ⚊ r.-v.
➽ d'Halluin

CH. COUSTEAU 1997★★

□	6 ha	25 000	◀▮▶	30 à 49 F

Guillaume Réglat, qui exploite aussi un cru en Sauternais, possède un savoir-faire incontestable en matière de vins liquoreux. Ce 97 en a profité, comme le montrent sa richesse et son élégance. Celles-ci sont perceptibles dans le bouquet complexe à souhait (confit, vanille, acacia...) comme dans la structure ronde, longue et parfaitement équilibrée. Peut être servi sur des viandes blanches rôties ou en apéritif.
➽ Guillaume Réglat, Ch. Cousteau, 33410 Monprimblanc, tél. 05.56.62.98.63, fax 05.56.62.17.98 ☑ ⚊ t.l.j. sf sam. dim. 8h-12h 14h-17h30. f. août

CH. FAYAU 1997

□	10 ha	30 000	▮ ◀▮▶	30 à 49 F

Château Fayau est le cru cadillacais de la famille Médeville, important négociant girondin. Dégusté le 5 avril 2000, ce 97 n'était pas au mieux de sa forme et ne rivalisait pas avec certains millésimes antérieurs, mais il se montrait plaisant par sa fraîcheur et sa richesse.
➽ SCEA Jean Médeville et Fils, Ch. Fayau, 33410 Cadillac, tél. 05.57.98.08.08, fax 05.56.62.18.22 ☑ ⚊ t.l.j. sf sam. dim. 8h30-12h 14h-17h30

CH. FRAPPE-PEYROT 1998★★

□	8 ha	15 000	◀▮▶	30 à 49 F

Planté sur des boulbènes et des argilo-calcaires, ce vignoble associe la muscadelle et le sauvignon au sémillon dominant. Bien qu'encore marqué par la barrique, son 98 annonce déjà la puissance de son bouquet aux notes de fruits confits. Porté par une belle matière, il promet une très élégante bouteille d'ici quatre à cinq ans.
➽ Jean-Yves Arnaud, La Croix, 33410 Gabarnac, tél. 05.56.20.23.52, fax 05.56.20.23.52 ☑ ⚊ r.-v.

CH. JEAN DU ROY 1998★

□	9 ha	n.c.	▮ ◀▮▶ ⚇	50 à 69 F

Confirmant une fois encore sa régularité, ce cru propose avec son 98 un vin agréable tant par son bouquet aux fraîches notes fleuries (acacia, chèvrefeuille) que par sa structure souple et bien équilibrée.
➽ SCEA Yvan Réglat, Ch. Balot, 33410 Monprimblanc, tél. 05.56.62.98.96, fax 05.56.62.19.48 ⚊ r.-v.

CH. DU JUGE 1998★

□	2,5 ha	8 000	▮	50 à 69 F

Né sur un petit vignoble appartenant à une belle unité située à Cadillac, ce vin s'inscrit dans la tradition du cru par son bouquet aux élégantes notes miellées et confites. Au palais, on retrouve ces arômes dans un ensemble riche et gras, avec un petit côté nostalgique par ses notes de pâte de fruits.
➽ Pierre Dupleich, Ch. du Juge, rte de Branne, 33410 Cadillac, tél. 05.56.62.17.77, fax 05.56.62.17.59, e-mail pierre.dupleich@wanadoo.fr ☑ ⚊ r.-v.

CH. LA BERTRANDE 1998★★

☐ 6,5 ha 25 000 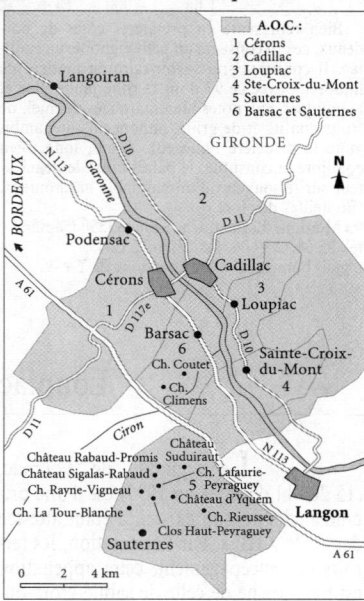 50 à 69 F

Propriété des vignobles Gillet, ce cru obtient une jolie réussite avec ce millésime. Délicatement bouqueté (fruits blancs, mandarine avec quelques notes confites), il développe un palais ample et harmonieux. La liqueur, la persistance aromatique et les perspectives de garde (de trois à cinq ans) rendent ce vin intéressant.

➥ Vignobles Anne-Marie Gillet,
Ch. La Bertrande, 33410 Omet,
tél. 05.56.62.19.64, fax 05.56.76.90.55 ☑ ⵏ r.-v.

CH. LA CLYDE Elevé en fût de chêne 1998

☐ 0,5 ha 2 000 ‖‖ 50 à 69 F

Sur un domaine de 17 ha, une toute petite cuvée élaborée à partir de raisins botrytisés et nommée « grains nobles » à la manière alsacienne. Elevée pendant douze mois en barrique, ce vin est un peu marqué par le bois, mais il reste souple, équilibré et agréablement bouqueté.

➥ EARL Philippe Cathala, Ch. La Clyde,
33550 Tabanac, tél. 05.56.67.56.84,
fax 05.56.67.12.06 ☑ ⵏ r.-v.

CH. LAGAROSSE
Vieilli en fût de chêne 1997

☐ 1,2 ha 6 000 ‖‖ 50 à 69 F

Egalement présent en premières côtes, ce cru offre ici un vin au nez de rôti, d'agrumes et d'amande grillée. Souple et rond, ce 97 sait être agréable.

➥ SCA des Vignobles du Ch. Lagarosse,
B.P. 18, 33550 Tabanac, tél. 05.56.67.00.05,
fax 05.56.67.12.64 ☑ ⵏ r.-v.

CH. DE L'ORANGERIE 1998★

☐ 4,3 ha 20 000 ‖ 30 à 49 F

Issu d'un petit vignoble appartenant à une belle unité, ce vin, 100 % sémillon, est encore un peu austère, mais il possède une structure suffisante pour pouvoir évoluer favorablement. Ses arômes de miel, de rôti, de fruits secs ne demandent qu'à s'exprimer dans deux à trois ans.

➥ Jean-Christophe Icard, Ch. de l'Orangerie,
33540 Saint-Félix-de-Foncaude,
tél. 05.56.71.53.67, fax 05.56.71.59.11,
e-mail orangerie@quaternet.fr ☑ ⵏ r.-v.

CH. MEMOIRES Grains d'Or 1998★★

☐ 5 ha 20 000 50 à 69 F

Durement frappé par la tempête du 27 décembre 1999, ce cru a perdu une grande partie de ses chais et de ses vins. Au drame vécu par Jean-François Ménard et les siens s'ajouteront les regrets de nombreux amateurs, privés de jolis produits comme le montre ce vin rescapé de la catastrophe. Vanille, grillé, fruits confits, sa richesse aromatique est à la hauteur de la puissance et de l'équilibre de la structure pour former un ensemble au bon potentiel d'évolution.

➥ SCEA Vignobles Ménard, Ch. Mémoires,
33490 Saint-Maixant, tél. 05.56.62.06.43,
fax 05.56.62.04.32, e-mail memoires@aol.com
☑ ⵏ r.-v.

CH. PEYBRUN 1997★★

☐ 5 ha 12 000 ‖ 50 à 69 F

Egalement bien représenté en premières côtes de bordeaux rouge, ce cru se distingue par la qualité de son cadillac 97. Si elle demande à être ouverte assez tôt avant la dégustation, cette bouteille offre de belles surprises, comme un bouquet d'une grande complexité (écorce d'orange, infusion mentholée, notes grillées, miel, entre autres).

➥ Catherine de Loze, Ch. Peybrun,
33410 Gabarnac, tél. 05.56.96.10.84,
fax 05.56.96.10.84 ☑

CH. RENON 1998

☐ 3 ha 6 400 ‖ 50 à 69 F

Né sur un cru bénéficiant de chais datant de l'Ancien Régime, bâtis sur de belles caves voûtées, ce vin possède une bonne matière et un bouquet agréable, avec de jolies notes de citrons confits. Il faudra attendre trois ans que la bouche se fasse.

➥ Claudine Boucherie, Ch. Renon,
33550 Tabanac, tél. 05.56.67.13.59,
fax 05.56.67.14.90 ☑ ⵏ t.l.j. sf dim. 8h15-12h
14h15-19h

CH. REYNON 1998★★

☐ 5,42 ha 16 800 ‖‖ 100 à 149 F

Pour être moins connu que le premières côtes rouge ou le Clos Floridène (graves), ce liquoreux témoigne lui aussi du savoir-faire de Denis Dubourdieu. D'une belle couleur, limpide et brillante, il privilégie les arômes de miel associés à un boisé fin au nez, avant de les marier à des notes de fruits bien mûrs au palais. Puissant, il

Les vins blancs liquoreux

forme un ensemble équilibré et harmonieux au long développement.
☛ Denis et Florence Dubourdieu, Ch. Reynon, 33410 Béguey, tél. 05.56.62.96.51, fax 05.56.62.14.89, e-mail reynon@gofornet.com ☑ ⟲ r.-v.

DOM. DU ROC Cuvée Quentin 1997★

	2,48 ha	9 000	⬛⬛ 50 à 69 F

Essentiellement producteurs d'AOC régionales, ce cru propose aussi une jolie cuvée en cadillac. D'une belle couleur (jaune soutenu), elle développe un bouquet intense et complexe dans lequel les notes florales se taillent la part du lion. Plus fruité, le palais se montre agréable par sa rondeur et sa souplesse qui invitent à marier cette bouteille avec une viande blanche rôtie ou une fourme d'Ambert.
☛ Gérard Opérie, EARL Dom. du Roc, 33410 Rions, tél. 05.56.62.61.69, fax 05.56.62.17.78 ☑ ⟲ r.-v.

LES LARMES DE SAINTE-CATHERINE
Vinifié et élevé en fût de chêne 1998

	5 ha	20 000	⦿⦿ 50 à 69 F

La vendange a débuté le 7 octobre. Ce vin issu du seul sémillon vinifié et élevé en fût s'inscrit bien dans la tradition du cru : sans être très intense dans son expression aromatique, il se montre plaisant par sa souplesse et par son équilibre qui mettent en valeur ses parfums de miel.
☛ SCEA du Ch. Sainte-Catherine, chem. de la Chapelle, 33550 Paillet, tél. 05.56.72.11.64, fax 05.56.72.13.62, e-mail mickel03@wanadoo.fr ☑ ⟲ r.-v.
☛ Decoster

CH. SUAU 1998★★

	1 ha	4 000	⦿⦿ -50 à 69 F

Bien représenté en premières côtes de bordeaux, ce cru consacre un petit vignoble au cadillac. Il confirme son savoir-faire en matière de liquoreux avec ce 97 dont la robe jaune d'or et le bouquet, aux notes bien marquées de miel, de fruits confits et de grillé, annoncent sans ambiguïté le caractère liquoreux. Rond, long, bien équilibré et constitué, le palais laisse le dégustateur sur le souvenir d'un ensemble harmonieux. (Bouteilles de 50 cl.)
☛ Monique Bonnet, Ch. Suau, 33550 Capian, tél. 05.56.72.19.06, fax 05.56.72.12.43, e-mail bonnet-suau@wanadoo.fr ☑ ⟲ r.-v.

Loupiac

Le vignoble de Loupiac, (15 204 hl déclarés en 1999) est d'une origine ancienne, son existence étant attestée depuis le XIII⁰ s. Par l'orientation, les terroirs et l'encépagement, cette appellation est très proche de celle de sainte-croix-du-

mont. Toutefois, comme sur la rive gauche, on sent, en allant vers le nord, une subtile évolution des liquoreux proprement dits vers des vins plus moelleux.

DOM. DU CHAY 1998

	10 ha	n.c.	50 à 69 F

Ce cru avait obtenu un coup de cœur pour le millésime 90. Il propose des vins sympathiques, tel ce 98 frais et élégant avec des arômes fruités qui savent s'exprimer.
☛ SCEA Tourré-Delmas, Le Chay, 33410 Loupiac, tél. 05.56.62.99.45, fax 05.56.62.19.44

CH. DU CROS 1997★

	37 ha	35 000	⦿⦿ 70 à 99 F

Valeur sûre et reconnue de l'appellation, ce cru ne doit pas uniquement sa renommée aux vieilles pierres de son château du XIII⁰s. Sa production a sa part dans l'affaire, comme en témoigne ce vin frais dans son expression aromatique (vanille, citron et orange confite) et ample dans son développement au palais, agréablement épicé avec un bon équilibre entre la vivacité et la liqueur.
☛ SA Vignobles M. Boyer, Ch. du Cros, 33410 Loupiac, tél. 05.56.62.99.31, fax 05.56.62.12.59, e-mail contact@chateauducros.com ☑ ⟲ t.l.j. sf sam. dim. 8h-12h 14h-18h

CH. GRAND PEYRUCHET 1998★★

	9 ha	30 000	⬛ 50 à 69 F

Egalement présente en premières côtes de bordeaux rouge (Domaine du Moulin), cette exploitation de 35 ha a réussi un beau millésime avec ce 98. Aussi intense que complexe, son bouquet joue sur les notes de pêche, d'abricot et de figue, tandis que le palais réserve la découverte d'un volume imposant, d'une belle concentration et d'une finale typique de l'appellation avec beaucoup de gras et de persistance. Une bouteille promise à une solide garde.
☛ M. Gillet et B. Queyrens, Ch. Peyruchet, 33410 Loupiac, tél. 05.56.62.62.71, fax 05.56.76.92.09 ☑ ⟲ r.-v.

CH. DU GRAND PLANTIER
Elevé en fût de chêne 1997★

	n.c.	4 000	⦿⦿ 50 à 69 F

Deux jeunes viticulteurs conduisent depuis 1991 le vignoble familial. Elevé pendant dix-huit mois en fût et présenté en bouteille numérotée, leur vin offre un bouquet complexe (coing, miel, orange, abricot et citron confit). La structure ample et souple se révèle élégante.
☛ GAEC des Vignobles Albucher, Ch. du Grand Plantier, 33410 Monprimblanc, tél. 05.56.62.99.03, fax 05.56.76.91.35 ☑ ⟲ r.-v.

CH. LES ROQUES
Cuvée Frantz Elevé en fût de chêne 1998★

	3,5 ha	2 000	⦿⦿ 100 à 149 F

Du même producteur que le Château du Pavillon (sainte-croix-du-mont), cette cuvée est elle aussi bien réussie. A l'élégance de sa robe, d'un jaune doré prometteur, elle ajoute l'attrait d'un bouquet de qualité avec de jolies notes confites. Au palais, la matière est au rendez-vous, donnant un ensemble riche et ample.

☛ SCEA Ch. du Pavillon, 33410 Sainte-Croix-du-Mont, tél. 05.56.62.01.04, fax 05.56.62.00.92, e-mail a.v.fertal@wanadoo.fr ▣ ⊺ r.-v.

CH. LOUPIAC-GAUDIET 1998

| | 24 ha | 85 000 | ▯ ⚲ | 50 à 69 F |

A 100 m de ce château, une église romane du XII^{e}s. Sans être très botrytisé, ce vin est bien constitué. Il peut s'appuyer sur de fines touches aromatiques fruitées et florales (citron, abricot, genêt) pour se marier avec de nombreuses viandes blanches et volailles. Elevé en fût, le **Château de Loupiac 98** (100 à 149 F) a également obtenu une citation.

☛ Daniel Sanfourche, Ch. Loupiac-Gaudiet, 33410 Loupiac, tél. 05.56.62.99.88, fax 05.56.62.60.13, e-mail loupiac-gaudiet@atlantic-line.fr ▣ ⊺ r.-v.

☛ Marc Ducau

CH. MAZARIN 1998*

| | 10 ha | 15 000 | ❰❱❱ | 30 à 49 F |

Bien réussi, ce vin reste fidèle à la tradition qualitative du cru. Très souple, il joue résolument la carte de l'élégance pour séduire le dégustateur, avec une belle et longue expression aromatique aux notes de noix de coco et de vanille.

☛ Jean-Yves Arnaud, La Croix, 33410 Gabarnac, tél. 05.56.20.23.52, fax 05.56.20.23.52 ▣ ⊺ r.-v.

CH. PEYROT-MARGES 1998*

| | 2 ha | 6 000 | ❰❱❱ | 30 à 49 F |

Propriétaire d'un vaste vignoble de 35 ha, les Chassagnol ont proposé sous l'étiquette **Peyrot-Margès un sainte-croix-du-mont 98** qui a obtenu la même note que ce loupiac de belle personnalité. Celle-ci s'extériorise par un bouquet frais, délicat et assez complexe que complète un palais plein, rond, bien équilibré.

☛ GAEC Vignobles Chassagnol, Bern, 33410 Gabarnac, tél. 05.56.62.98.00, fax 05.56.62.93.23 ▣ ⊺ r.-v.

CH. DE RICAUD 1998

| | 22 ha | 50 000 | ❰❱❱ | 70 à 99 F |

L'un des châteaux les plus étonnants par son architecture néogothique, Ricaud propose un vin d'une conception assez moderne, doté d'une matière souple, suave et bien équilibrée. Celle-ci s'accorde avec le bouquet frais et fruité pour former un ensemble plaisant.

☛ Ch. de Ricaud, 33410 Loupiac, tél. 05.56.62.66.16, fax 05.56.76.93.30 ▣ ⊺ r.-v.

☛ Alain Thiénot

CH. RONDILLON 1998*

| | 9 ha | 20 000 | ▯ ⚲ | 70 à 99 F |

Bénéficiant d'un joli terroir argilo-calcaire, ce cru l'a bien mis à profit avec ce millésime récolté en quatre tries successives. S'annonçant par une robe d'un jaune d'or du meilleur effet, ce vin est simple mais agréable par son bouquet, aux sympathiques notes fruitées, tandis qu'au palais se développe une structure d'une bonne concentration. Complétant heureusement le tout, la finale

apporte une note d'originalité par une touche de réglisse. Le **Clos Jean 98** (50 à 69 F), qui passe dix-huit mois en barrique, a également été retenu par le jury avec une citation.

☛ Vignobles Bord, Ch. Rondillon, 33410 Loupiac, tél. 05.56.62.99.84, fax 05.56.62.93.55, e-mail lbord@club-internet.fr ▣ ⊺ r.-v.

Sainte-croix-du-mont

Un site de coteaux abrupts dominant la Garonne, trop peu connu en dépit de son charme, et un vin ayant trop longtemps souffert (à l'égal des autres appellations de liquoreux de la rive droite) d'une réputation de vin de noces ou de banquets.

Pourtant, cette appellation (16 726 hl en 1999), située en face de Sauternes, mérite mieux : à de bons terroirs, en général calcaires, avec des zones graveleuses, elle ajoute un microclimat favorable au développement du botrytis. Quant aux cépages et aux méthodes de vinification, ils sont très proches de ceux du Sauternais. Et les vins, autant moelleux que véritablement liquoreux, offrent une plaisante impression de fruité. On les servira comme leurs homologues de la rive gauche, mais leur prix, plus abordable, pourra inciter à les utiliser pour composer de somptueux cocktails.

CH. DES ARROUCATS 1998

| | 22 ha | 30 000 | ▯ ⚲ | 30 à 49 F |

Quelques scènes de *La Bicyclette bleue*, téléfilm adapté du roman de Régine Deforges, ont été tournées dans ces vignes. Celles-ci ont donné un vin simple mais bien fait qui se développe agréablement, tant par son bouquet qu'enrichissent des notes épicées et botrytisées que par son palais où se révèle une bonne matière.

☛ EARL des Vignobles Labat-Lapouge, Ch. des Arroucats, 33410 Sainte-Croix-du-Mont, tél. 05.56.62.07.37, fax 05.57.98.06.29 ▣ ⊺ t.l.j. sf dim. 9h-12h 14h-18h

☛ Annie Lapouge

CH. BEL AIR Cuvée Prestige 1997*

| | 16 ha | 12 000 | ❰❱❱ | 70 à 99 F |

Née sur un vignoble de coteaux, cette cuvée n'est produite que dans les grands millésimes. C'est le cas de l'année 1997 en liquoreux, lorsque les vendangeurs ont attendu la pourriture noble. Ce vin bouqueté, avec une présence bien sentie du botrytis, développe un palais ample et franc qui doit lui permettre d'affronter la garde. La

cuvée Vieilles vignes 98 (50 à 69 F) a reçu une citation du jury.
🕊 Jean-Guy Méric, Ch. Bel Air, 33410 Sainte-Croix-du-Mont, tél. 05.56.62.01.19, fax 05.56.62.09.33 ☑ ⊥ r.-v.

CH. DE CRABITAN 1998

☐   6,36 ha   32 000 ▮⦿⬇ 50 à 69 F

La muscadelle entre à hauteur de 2 % dans ce vin où règne le sémillon. Bien réussi, ce millésime s'appuie sur une structure simple mais équilibrée et concentrée pour déployer une jolie palette aromatique (pain d'épice, amande grillée, miel et muscat).
🕊 Vincent Labouille, Ch. de Crabitan, 33410 Sainte-Croix-du-Mont, tél. 05.56.62.01.47, fax 05.56.76.71.17 ☑ ⊥ t.l.j. sf sam. dim. 8h-12h 14h-18h; f. août

CRU DE GRAVERE
Vieilles vignes 1998★★

☐   0,67 ha   3 000 ▮⦿ 50 à 69 F

Né sur un vignoble de la taille d'un jardin de curé, ce vin fait figure de petit bijou travaillé avec soin. Subtil et fin en même temps que riche et concentré, son bouquet joue sur des notes de vanille, de fruits secs, de confiture d'oranges et bien sûr de rôti, pour mettre le dégustateur dans l'ambiance « liquoreux ». Riche, grasse, onctueuse et élégante, la structure fait preuve d'une belle présence, dont le charme n'a d'égal que le potentiel de garde.
🕊 EARL Vignobles Laurent Réglat, Ch. de Teste, 33410 Monprimblanc, tél. 05.56.62.10.65, fax 05.56.62.98.80 ☑ ⊥ r.-v.

CH. LAMARQUE Cuvée Prestige 1997★

☐   2 ha   5 000 ⦿ 70 à 99 F

Elevé en fût, ce vin (80 % sémillon, 20 % sauvignon) est un peu confidentiel par son volume de production ; mais cela ne l'empêche pas de se distinguer : un bouquet élégant, un boisé bien dosé, une bonne matière et une longue finale.
🕊 Bernard Darroman, Ch. Lamarque, 33410 Sainte-Croix-du-Mont, tél. 05.56.62.01.21, fax 05.56.76.72.10 ☑ ⊥ r.-v.

CH. LA RAME Réserve du Château 1998★★

☐   20 ha   n.c. ⦿ 100 à 149 F

Ce cru, qui est l'une des locomotives de l'appellation, a entrepris d'importants travaux en 1999. Sa cuvée spéciale 98 n'en a pas bénéficié. Néanmoins, comme dans les millésimes précédents, toujours bien notés et souvent coup de cœur, ce vin se montre à la hauteur de la réputation de l'exploitation. Riche et complexe, son bouquet prépare à la découverte d'un palais gras et onctueux dont l'équilibre se retrouve dans la longue finale. Une belle bouteille à laisser quelque temps en cave pour qu'elle trouve son harmonie.
🕊 Yves Armand, Ch. La Rame, 33410 Sainte-Croix-du-Mont, tél. 05.56.62.01.50, fax 05.56.62.01.94, e-mail chateau.larame@wanadoo.fr ☑ ⊥ t.l.j. 8h30-12h 13h30-19h; sam. dim. sur r.-v.

CH. LESCURE 1997★

☐   n.c.   10 900 ▮⦿⬇ 30 à 49 F

Né dans de beaux chais des années 1930, ce vin se montre agréable et intéressant par la finesse et la délicatesse de son bouquet. Bien équilibré et constitué, le palais indique un bon potentiel.
🕊 C.A.T. Ch. Lescure, 33490 Verdelais, tél. 05.57.98.04.68, fax 05.57.98.04.64 ☑ ⊥ r.-v.

CH. LES MARCOTTES 1998★

☐   35 ha   186 000 ▮⦿⬇ 30 à 49 F

Ici pas de microcru ou de cuvée de garage mais un vignoble d'une taille respectable. Cela ne donne que plus d'intérêt à sa présentation d'un jaune doré brillant et au bouquet où le rôti côtoie les notes grillées. Doté d'une belle expression aromatique, le palais s'appuie sur une structure charnue, onctueuse, longue et équilibrée.
🕊 Gérard et Sylvie Cigana, Ch. Les Marcottes, 33410 Sainte-Croix-du-Mont, tél. 05.56.62.05.44, fax 05.56.62.06.70 ☑ ⊥ lun. mar. jeu. ven. 8h-12h 13h30-17h30

CH. DES MAILLES 1998★

☐   17 ha   80 000 ▮⦿⬇ 50 à 69 F

Ce vin reste sur la réserve au nez, lequel laisse percer quelques notes de rôti, de miel et d'amandes grillées. Toutefois, il affirme sa personnalité au palais, où il se montre souple, équilibré et bien concentré.
🕊 Daniel Larrieu, Ch. des Mailles, 33410 Sainte-Croix-du-Mont, tél. 05.56.62.01.20, fax 05.56.76.71.99 ☑ ⊥ r.-v.

CH. DU MONT
Réserve du Château 1998★★

☐   14 ha   10 000 ⦿ 70 à 99 F

Une nouvelle fois, la cuvée Prestige de ce cru est à la hauteur de la renommée des vignobles Chouvac. D'emblée sa superbe robe, limpide et brillante, annonce la couleur : on est devant une réelle réussite. Cette première impression est confirmée par le bouquet aux notes confites que soutient la vanille. Gras, ample, riche et onctueux, le palais révèle une belle liqueur et un bon potentiel de garde.
🕊 Hervé Chouvac, Ch. du Mont, 33410 Sainte-Croix-du-Mont, tél. 05.56.62.03.10, fax 05.56.62.07.58 ☑ ⊥ t.l.j. sf dim. 9h-12h 14h-19h

CH. DU PAVILLON 1997★

☐   4,5 ha   15 000 ▮ 70 à 99 F

Belle demeure dans l'esprit bordelais du XVIIIᵉs., ce cru jouit d'un terroir de coteau

exposé au sud-ouest. Riche, gras et bien équilibré, son vin témoigne de son potentiel. Très agréable, avec ses fraîches notes fruitées, un peu confites, le bouquet invite à profiter de cette jolie bouteille dans sa jeunesse.
➥ SCEA Ch. du Pavillon, 33410 Sainte-Croix-du-Mont, tél. 05.56.62.01.04, fax 05.56.62.00.92, e-mail a.v.fertal@wanadoo.fr ☑ Ⳏ r.-v.

DOM. ROUSTIT 1997

| ☐ | 3,49 ha | 16 000 | ▮↓ | 30 à 49 F |

Comme beaucoup de crus de sainte-croix, ce domaine est également producteur dans d'autres appellations. Sans être aussi expressif que le bouquet, délicatement botrytisé, le palais révèle un bon équilibre.
➥ SCEA Dulac et Séraphon, 2, Pantoc, 33490 Verdelais, tél. 05.56.62.02.08, fax 05.56.76.71.49 ☑ Ⳏ r.-v.

Cérons

Enclavés dans les graves (appellation à laquelle ils peuvent aussi prétendre, à la différence des sauternes et barsac), les cérons (2 084 hl en 1999) assurent une liaison entre les barsac et les graves supérieures moelleux. Mais là ne s'arrête pas leur originalité, qui réside aussi dans une sève particulière et une grande finesse.

CH. DU CAILLOU 1997★

| ☐ | 1 ha | 3 000 | ▮▮▮ | 50 à 69 F |

Sa taille réduite n'empêche pas ce vignoble d'offrir un vin d'une belle tenue. Délicatement bouqueté, avec des notes de miel et de citron sur fond d'agrumes confits, il garde sa finesse au palais où il évolue sans lourdeur en révélant un bon équilibre général.
➥ SA Ch. du Caillou, rte de Saint-Cricq, 33720 Cérons, tél. 05.56.27.17.60, fax 05.56.27.00.31 ☑ Ⳏ r.-v.
➥ Latorse

CH. HURADIN 1997★★

| ☐ | 3,1 ha | 6 500 | ▮ | 50 à 69 F |

Valeur sûre, ce cru a su tirer profit des conditions favorables du millésime pour élaborer un liquoreux dont la longueur, le gras et la puissance s'associent avec l'intensité et la complexité aromatique (miel, fruits cuits et confits, grillé). Un ensemble de belle tenue.
➥ SCEA Vignobles Y. Ricaud-Lafosse, Ch. Huradin, 33720 Cérons, tél. 05.56.27.09.97, fax 05.56.27.09.97 ☑ Ⳏ r.-v.
➥ Catherine Lafosse

CH. DE L'EMIGRE 1998

| ☐ | 2 ha | 6 600 | ▮▮ | 50 à 69 F |

D'une plaisante simplicité, ce liquoreux pourra se marier avec de nombreux mets grâce au caractère fruité (fruits mûrs) de son bouquet.
➥ Pierrette Despujols, Ch. de l'Emigré, 33720 Cérons, tél. 05.56.27.01.64, fax 05.56.27.13.70 ☑ Ⳏ r.-v.

LE MOULIN DE VALERIEN 1998

| ☐ | 3,02 ha | n.c. | ▮ ▮▮ | 70 à 99 F |

Aujourd'hui découronné et sans ailes, le moulin témoigne de l'ancienne activité céréalière et meunière de la région de Cérons et Podensac. Souple, charnu et soutenu, ce vin se montre agréable par son équilibre qui lui épargne toute lourdeur.
➥ SCEA Vignobles Ducau, Clos Graouères, 33720 Podensac, tél. 05.56.27.16.80, fax 05.56.27.18.92 ☑ Ⳏ r.-v.

CH. DE ROCHEFORT 1998★

| ☐ | n.c. | n.c. | | 50 à 69 F |

Ce producteur bénéficie de son implantation sauternaise (à Preignac) pour élaborer ce cérons au caractère d'authentique liquoreux. Le bouquet offre des notes de rôti et d'agrumes alors que la bouche développe une structure puissante et élégante, riche, concentrée et équilibrée.
➥ Jean-Christophe Barbe, Ch. Laville, 33210 Preignac, tél. 05.56.63.28.14, fax 05.56.63.16.28 Ⳏ r.-v.

Barsac

Tous les vins de l'appellation barsac peuvent bénéficier de l'appellation sauternes. Barsac (620 ha, 12 830 hl en 1999) s'individualise cependant par rapport aux communes du Sauternais proprement dit par un moindre vallonnement et par les murs de pierre entourant souvent les exploitations. Ses vins se distinguent des sauternes par un caractère plus légèrement liquoreux. Mais, comme les sauternes, ils peuvent être servis de façon classique sur un dessert ou, comme cela se fait de plus en plus, en entrée, sur un foie gras, ou bien sur des fromages forts du type roquefort.

CH. COUTET 1997

| ☐ 1er cru clas. | 38,5 ha | 48 000 | ▮ ▮▮ | 200 à 249 F |

73 75 76 78 |81| 83 85 |86| |89| |90| 91 93 94 95 96 97

Vaste unité (50 ha pour l'ensemble de la propriété), ce cru a appartenu aux Lur-Saluces jusqu'au début du XX^{e}s. Une tour du XIV^{e}s, une chapelle donnent du caractère au château plus récent. Voici un vin qui sait plaire à l'œil par sa robe jaune d'or à reflets verts sans décevoir par la suite. Si son bouquet reste discret, il concilie une structure délicate et souple avec des notes de botrytis bien marquées et une longue finale qui demande encore à s'arrondir.

⌐ SC Ch. Coutet, 33720 Barsac, tél. 05.56.27.15.46, fax 05.56.27.02.20 ☑ ☐ r.-v.

CH. FARLURET 1998*

| ☐ | 9,3 ha | 28 000 | ◖▮▮ | 100 à 149 F |

75 81 82 83 85 |88| |(89)| |90| |91| 94 |95| |96| 97 98

Egalement présents en sauternes avec le Haut-Bergeron, les Lamothe offrent ici un vin fort intéressant par sa rondeur et son gras, comme par ses arômes de miel, d'acacia et d'agrumes qu'accompagne un léger côté muscaté.

⌐ R. Lamothe et ses Fils, Haut-Bergeron, 33210 Preignac, tél. 05.56.63.24.76, fax 05.56.63.23.31 ☑ ☐ r.-v.

CH. GRAVAS 1997*

| ☐ | 10 ha | 30 000 | ◖▮▮ | 70 à 99 F |

75 76 81 83 85 86 |88| |89| |90| 91 93 94 95 |96| 97

Réputé pour la qualité de son accueil, ce cru vient d'engager d'importants investissements. Le 97 n'en a pas bénéficié, ce qui ne l'empêche pas de faire belle figure dans sa robe d'or ambré à reflets clairs. D'abord d'une délicate discrétion, son bouquet se développe à l'agitation pour libérer des notes confites d'agrumes. Il attaque le palais par des saveurs de citronnelle, avant de revenir à des sensations rondes et grasses qui débouchent sur des notes de quinquina et d'orange cuite en finale. Une bouteille à attendre quatre à cinq ans.

⌐ SCEA Domaines Bernard, Ch. Gravas, 33720 Barsac, tél. 05.56.27.06.91, fax 05.56.27.29.83 ☑ ☐ r.-v.

CH. GRILLON 1998

| ☐ | 11 ha | 26 000 | ◖▮▮ | 70 à 99 F |

Comme beaucoup de propriétés barsacaises, ce cru est d'une taille moyenne. Frais et équilibré, son 98 développe un bouquet expressif (fruits blancs, grillé et raisin surmûri) qui se développe avec ampleur. Un vin bien épanoui.

⌐ Odile Roumazeilles-Cameleyre, Ch. Grillon, 33720 Barsac, tél. 05.56.27.16.45, fax 05.56.27.12.18 ☑ ☐ t.l.j. 9h-12h30 14h-19h

CH. NAIRAC 1996**

| ☐ 2ème cru clas. | 15 ha | 15 000 | | 200 à 249 F |

73 74 75 76 79 80 81 82 |(83)| 85 |86| 88 89 90 |91| |92| 93 94 |(95)| 96

Le millésime 97 n'était pas en bouteilles lors de notre commission de dégustation du 4 mai 2000. C'est donc le 96 qui a été à nouveau présenté. On félicitera à la fois le vinificateur et les dégustateurs du Guide qui, à une année d'intervalle - et toujours à l'aveugle - ont pour la seconde fois attribué un coup de cœur à ce vin. (Notez que ses aînés ont très souvent obtenu la même distinction.) Son aptitude à une longue garde (dix ans, voire plus) s'affirme sans que son charme présent ne diminue pour autant. D'une grande intensité, le bouquet s'oriente vers un

mariage réussi des parfums fruités et floraux avec des notes exotiques et confites que vient renforcer une touche de miel. Au palais, l'équilibre qui s'établit entre le corps et la douceur débouche sur une savoureuse finale, fraîche, fruitée et prometteuse.

⌐ Ch. Nairac, 33720 Barsac, tél. 05.56.27.16.16, fax 05.56.27.26.50 ☐ r.-v.
⌐ Nicole Tari

CH. PIADA 1998*

| ☐ | 9,67 ha | n.c. | ▮ ◖▮▮ ♦ | 100 à 149 F |

67 70 71 |75| |77| |79| |81| 82 |83| 85 |86| |88| |89| |90| |91| 95 96 97 |98|

Riche en anecdotes, ce cru est connu pour adapter le style de son vin au caractère du millésime. D'un joli jaune à reflet cuivré, le 98 joue résolument la carte de la finesse tant par son bouquet très floral, avec des notes de genêt et de fleur d'acacia, que par son palais où apparaissent un côté fruité et un bon équilibre. Une agréable bouteille à boire dans les cinq ans à venir.

⌐ EARL Lalande et Fils, Ch. Piada, 33720 Barsac, tél. 05.56.27.16.13, fax 05.56.27.26.30 ☑ ☐ t.l.j. 8h-12h 13h30-19h; sam. dim. sur r.-v.

CH. ROUMIEU-LACOSTE 1998**

| ☐ | n.c. | 14 350 | ◖▮▮ | 100 à 149 F |

|90| |95| |(96)| |97| 98

Situé dans le haut Barsac, ce cru bénéficie d'un terroir de qualité. Hervé Dubourdieu a su tirer un excellent parti de ce millésime : jaune soutenu, ce vin se montre très séduisant par son bouquet fin, racé et complexe (abricot sec, fumée, rhubarbe et acacia). Ample, gras, riche et bien structuré, le palais appelle une bonne garde.

⌐ Hervé Dubourdieu, Ch. Roûmieu-Lacoste, 33720 Barsac, tél. 05.56.27.16.29, fax 05.56.27.02.65 ☑ ☐ r.-v.

CH. SUAU 1998

| ☐ 2ème cru clas. | 8 ha | 19 000 | ▮ ◖▮▮ | 70 à 99 F |

Né sur un cru représentatif de Barsac par son terroir (fine couche d'argile et de terre caillouteuse sur un banc de calcaire à astéries), ce vin s'inscrit aussi dans l'appellation par son caractère d'ensemble qui le rend agréable avec une certaine complexité aromatique.

⌐ Nicole Biarnès, Ch. de Navarro, 33720 Illats, tél. 05.56.27.20.27, fax 05.56.27.26.53 ☑ ☐ t.l.j. 8h30-12h30 13h30-18h30

Sauternes

Si vous visitez un château à Sauternes, vous saurez tout sur ce propriétaire qui eut un jour l'idée géniale d'arriver en retard pour les vendanges et de décider, sans doute par entêtement, de faire ramasser les raisins malgré leur état surmûri. Mais si vous en visitez cinq, vous n'y comprendrez plus rien, chacun ayant sa propre version, qui se passe évidemment chez lui. En fait, nul ne sait qui « inventa » le sauternes, ni quand, ni où.

Si en Sauternais, l'histoire se cache toujours derrière la légende, la géographie, elle, n'a plus de secret. L'AOC couvrait une superficie de 1 637 ha en 1996. En 1999, la production était de 33 224 hl. Chaque caillou des cinq communes constituant l'appellation (dont barsac, qui possède sa propre appellation) est recensé et connu dans toutes ses composantes. Il est vrai que c'est la diversité des sols (graveleux, argilo-calcaires ou calcaires) et des sous-sols qui donne un caractère à chaque cru, les plus renommés étant implantés sur des croupes graveleuses. Obtenus avec trois cépages - le sémillon (70 % à 80 %), le sauvignon (20 % à 30 %) et la muscadelle -, les vins de sauternes sont dorés, onctueux, mais aussi fins et délicats. Leur bouquet « rôti » se développe très bien au vieillissement, devenant riche et complexe, avec des notes de miel, de noisette et d'orange confite. Il est à noter que les sauternes sont les seuls vins blancs à avoir été classés en 1855.

CH. ANDOYSE DU HAYOT 1997*

	20 ha	48 000			70 à 99 F

|90| 91 |93| |94| 95 **96** |97|

Du même producteur que le Château Romer du Hayot, ce vin se signale par la complexité de son bouquet, qui fait passer des notes de pamplemousse à celles de cire. Rond et gras, le palais laisse apparaître des notes confites et de confiture d'abricots.
➥ SCE Vignobles du Hayot, Ch. Andoyse, 33720 Barsac, tél. 05.56.27.15.37, fax 05.56.27.04.24, e-mail duhayot@usa.net
☑ ♈ r.-v.

CH. D'ARMAJAN DES ORMES 1997

	8 ha	n.c.			100 à 149 F

|95| |96| 97

À l'image du château, belle demeure girondine, ce vin joue la carte de la finesse avec de sympathiques arômes floraux qui viennent assez rapidement relayer les premières notes, plus minérales, du bouquet.
➥ EARL Jacques et Guillaume Perromat, Ch. d'Armajan, 33210 Preignac, tél. 05.56.63.22.17, fax 05.56.63.21.55 ☑ ♈ r.-v.
➥ Michel Perromat

CH. BARBIER Cuvée M 1998*

	2 ha	3 000			100 à 149 F

Du même producteur que le Château Fayau (cadillac), cette cuvée réussit à offrir un vin qui sait être très liquoreux et charnu en même temps que fin et élégant. Bénéficiant d'un bon équilibre entre le bois et le fruit, il débouche sur une longue finale que prolonge un retour onctueux. Cette bouteille méritera les honneurs de la cave.
➥ SCEA Jean Médeville et Fils, Ch. Fayau, 33410 Cadillac, tél. 05.57.98.08.08, fax 05.56.62.18.22 ☑ ♈ t.l.j. sf sam. dim. 8h30-12h 14h-17h30

CRU BARREJATS Insoumis 1996*

	2,62 ha	1000			200 à 249 F

Petite cuvée, ce vin riche et puissant aura pour certains un doux parfum de nostalgie. D'une belle couleur ambrée, il développe en effet un bouquet expressif, presque violent par ses notes d'encaustique et de cire d'abeille - douce odeur des maisons de nos grands-mères. Chaleureux, son palais s'ouvre sur une finale de fruits confits qui s'accorde avec le reste de la dégustation. Garde de cinq ans, voire plus. (Bouteille de 50 cl.)
➥ SCEA Barréjats, Clos de Gensac, Mareuil, 33210 Pujols-sur-Ciron, tél. 05.56.76.69.06, fax 05.56.76.69.06, e-mail barrejats@aol.com
☑ ♈ r.-v.
➥ Mireille Daret et Ph. Andurand

CH. BASTOR-LAMONTAGNE 1997**

	56 ha	70 000			150 à 199 F

82 83 84 **85 86** 87 |88| |89| |90| 94 95 **96 97**

Comme beaucoup de liquoreux en 97, ce vin, issu d'une vendange et d'une vinification soigneuses, a tiré le meilleur profit possible des trente jours de chaleur estivale du mois de septembre. Au prix d'un volume de production limité, l'équipe de Foncier-Vignobles a pu donner naissance à un ensemble fin et distingué, dont l'agrément est renforcé par la complexité de l'expression aromatique (vanille, agrumes, beurre, épices et fruits secs). Bien que déjà agréable, cette bouteille gagnera à être attendue. On pourra la servir sur une viande blanche à la crème et aux morilles. Plus immédiat, le second vin **Les Remparts de Bastor** (70 à 99 F) a été cité par le jury pour son délicat bouquet d'agrumes (mandarine confite).
➥ SCEA Vignobles Bastor et Saint-Robert, Dom. de Lamontagne, 33210 Preignac, tél. 05.56.63.27.66, fax 05.56.76.87.03, e-mail bastor.lamontagne@dial.oleane.com
☑ ♈ r.-v.
➥ Foncier-Vignobles

CH. BECHEREAU 1997*

	10,63 ha	16 000			100 à 149 F

Original par ses caves souterraines, cas rare en Sauternais, ce cru offre avec ce 97 un vin

d'une belle teinte jaune cuivré qui annonce résolument son classicisme par son bouquet aux notes de cire, de genêt et de fleur d'acacia. Sa complexité se retrouve au palais qui s'enrichit d'arômes de figue sèche et d'un léger côté botrytisé. Ample et onctueux, il semble bien armé pour une bonne garde (cinq à dix ans).
➤ Les Vignobles Dumon, Ch. Bechereau de Ruat, 33210 Bommes, tél. 05.56.76.61.73, fax 05.56.76.67.84 ☑ Ⴑ t.l.j. sf sam. dim. 9h-12h 14h-17h30; groupes sur r.-v.

CH. CANTEGRIL 1996★

☐	17 ha	n.c.	⦀ 100 à 149 F

Du même producteur que le Château Doisy-Daëne, ce vin n'entend pas rivaliser avec lui. Toutefois, sa robe dorée, son bouquet de raisins mûrs bien soutenus par un fin boisé, son équilibre et ses longues saveurs confites témoignent du savoir-faire des Dubourdieu.
➤ EARL Vignobles Pierre et Denis Dubourdieu, Ch. Doisy-Daëne, quartier Gravas, 33720 Barsac, tél. 05.56.27.15.84, fax 05.56.27.18.99 ☑ Ⴑ r.-v.

CH. DE CARLES 1998★

☐	14 ha	40 000	▌⦀⬇ 70 à 99 F

Venu du plateau supérieur de Barsac, ce vin de corpulence moyenne est bien servi par son expression aromatique, dont les parfums de fleurs blanches, de fruits blancs et confits sont mis en relief par un beau boisé. Vif et équilibré, l'ensemble est d'une réelle élégance.
➤ Michel Pascaud, Ch. de Carles, 33720 Barsac, tél. 05.56.27.07.19, fax 05.56.27.13.18 ☑ Ⴑ r.-v.

CLOS DU ROY 1998★

☐	n.c.	n.c.	▌⬇ 70 à 99 F

Signé par l'équipe de Piada (barsac), ce vin est une réussite. D'une belle couleur or pâle, il développe un bouquet ample et complexe, avec des notes de fruits exotiques et confits, d'orange amère et d'acacia. Souple, élégante et raffinée, la structure assure un bon potentiel de garde à cette bouteille.
➤ EARL Lalande et Fils, Ch. Piada, 33720 Barsac, tél. 05.56.27.16.13, fax 05.56.27.26.30 ☑ Ⴑ t.l.j. 8h-12h 13h30-19h; sam. dim. sur r.-v.

CH. CLOS HAUT-PEYRAGUEY 1997★★

☐ 1er cru clas.	12 ha	24 380	⦀ 200 à 249 F

75 76 79 81 82 83 85 |86| |88| **89** |90| 91 93 94 **95 96 97**

Né sur une belle propriété aux bâtiments caractéristiques du domaine girondin et sur un très beau terroir, ce vin confirme les qualités déjà constatées lors de la dégustation de l'an dernier alors que son élevage n'était pas achevé (il a passé vingt-deux mois en barrique). Il a évolué favorablement, comme le montrent son bouquet délicat et complexe où les notes confites s'expriment dans l'environnement grillé d'un joli boisé, et son palais souple, gras, vif, élégant et puissant. On pourra l'apprécier sur un petit gibier à plume.

➤ SC J. et J. Pauly, Ch. Haut-Bommes, 33210 Bommes, tél. 05.56.76.61.53, fax 05.56.76.69.65, e-mail haut-peyraguey@caves-particulieres.com ☑ Ⴑ t.l.j. 9h-12h 14h-18h; groupes sur r.-v.
➤ GFA Clos Haut-Peyraguey

CH. DU COY 1998

☐	7 ha	18 000	▌⦀⬇ 70 à 99 F

Egalement producteur de Barsac (Château Suau), Nicole Biarnès propose un sauternes agréablement bouqueté (notes boisées et confites - agrumes, pêche et abricot). Porté par une structure douce et nette, ce vin est à servir jusqu'en 2005.
➤ Nicole Biarnès, Ch. de Navarro, 33720 Illats, tél. 05.56.27.20.27, fax 05.56.27.26.53 ☑ Ⴑ t.l.j. 8h30-12h30 13h30-18h30

CH. DOISY DAENE 1997★★

☐ 2ème cru clas.	15 ha	n.c.	⦀ 250 à 299 F

50 71 |75| |76| |78| |79| |80| |81| |82| |83| 84 |85| |86| |88| |89| |90| |91| |94| **95 96 97**

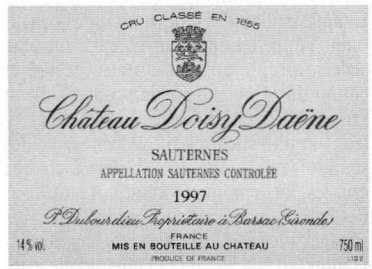

Un terroir de choix, le secteur des Doisy à Barsac, et de fortes personnalités, les Dubourdieu. Ce vin est assurément de belle origine. Comme s'il voulait le montrer, il s'annonce par une très belle robe d'un jaune d'or brillant. Passant des notes confites au miel et aux fruits secs (amande grillée, raisins secs), son bouquet possède toute la complexité requise pour faire une grande bouteille. Quant au palais, il indique clairement dès l'attaque quel va être son caractère : ample, gras, aromatique et élégant. Sa finale particulièrement complexe est remarquable.
➤ EARL Vignobles Pierre et Denis Dubourdieu, Ch. Doisy-Daëne, quartier Gravas, 33720 Barsac, tél. 05.56.27.15.84, fax 05.56.27.18.99 ☑ Ⴑ r.-v.

CH. DOISY-VEDRINES 1998★

☐ 2ème cru clas.	27 ha	30 000	⦀ 200 à 249 F

|70| **71 75 76** 81 82 |83| |85| |86| |88| |90| 92 |94| **95** 97 98

Des chevaliers de Védrines, dont les descendants sont établis aujourd'hui en Louisiane, aux propriétaires actuels, dont les aïeux acquièrent le domaine en 1844, cette belle unité n'a connu que deux familles. Le jury a dégusté de nouveau le 97 qui confirme son équilibre, son élégance mais aussi sa puissance et sa richesse aromatique. Une robe claire habille ce 98 aux parfums complexes de citron confit et d'abricot sec. Rond et gras, constitué d'une belle matière, le palais offre un joli volume sur des notes de fruits, de miel et d'un bon botrytis. La persistance est particulièrement intéressante. L'attendre au moins deux ou trois ans avant de l'ouvrir pour une palombe rôtie... ou une soupe de fruits rouges.

☛ SC Doisy-Védrines, 33720 Barsac, tél. 05.56.27.15.13, fax 05.56.78.37.08 � r.-v.

☛ P. Castéja

CH. DE FARGUES 1994★★

☐		13 ha	10 000	⦀	300 à 499 F

|47| |49| |53| |59| 62 |67| 71 |75| |76| |83| 84 **85** |86| 87 **88 89 90** |91| |94|

Sans être classé, ce cru, que commande un authentique château fort, figure parmi le gotha de l'appellation. Il est, depuis 1472, propriété des Lur-Saluces, illustre famille qui fit le renom des sauternes. Vendangé au bon moment, le 94 est à la hauteur de son rang. D'une belle teinte jaune cuivré, il se montre fin et expressif par son bouquet évoquant l'acacia, le genêt, la forêt de pins au printemps et le raisin botrytisé (notes de mandarine confite et de grillé). Equilibré, le palais possède la puissance et l'élégance qui garantissent une garde de vingt ans ou plus.

☛ Comte Alexandre de Lur-Saluces, Ch. de Fargues, 33210 Fargues-de-Langon, tél. 05.57.98.04.20, fax 05.57.98.04.21, e-mail fargues@chateau-de-fargues.com � r.-v.

CH. FILHOT 1997

☐ 2ème cru clas.	60 ha	90 000	▮⦀♨	150 à 199 F

81 82 83 85 **86 88** 89 91 92 95 97

Imposante et belle demeure reconstruite en 1845 en même temps qu'était aménagé le parc à l'anglaise, ce château, haut lieu de l'aristocratie bordelaise, propose ici un vin plutôt fleuri mais encore fermé lors de la dégustation. Il faudra l'aérer quelque temps avant de le servir.

☛ SCEA du Ch. Filhot, 33210 Sauternes, tél. 05.56.76.61.09, fax 05.56.76.67.91, e-mail filhot@filhot.com ✓ � t.l.j. sf dim. 9h-12h 14h-18h

☛ Famille de Vaucelles

CH. DU GRAND CARRETEY 1998★

☐	9 ha	20 000	▮⦀	70 à 99 F

Egalement producteur sur la rive droite, Vincent Labouille possède des vignes de famille à Barsac, où ce vin se montre agréable, avec des notes florales (buis et genêt) et épicées. Bien équilibrée, cette bouteille pourra être bue jeune ou après trois ou quatre ans de garde.

☛ Vincent Labouille, Ch. de Crabitan, 33410 Sainte-Croix-du-Mont, tél. 05.56.62.01.47, fax 05.56.76.71.17 ✓ � t.l.j. sf sam. dim. 8h-12h 14h-18h; f. août

CH. GUIRAUD 1998★★

☐ 1er cru clas.	85 ha	n.c.	⦀	250 à 299 F

83 85 **86** |88| |89| ⑨ 92 |95| **96** ⑨ **98**

Très belle unité tant par ses dimensions que par son terroir, ce cru est une nouvelle fois au rendez-vous de la qualité. S'annonçant par une robe jaune d'or et un bouquet fin et puissant (miel d'acacia et agrumes), le 98 est d'une présentation irréprochable. Gras, ample, moelleux,

il possède indéniablement une aptitude à la garde. On le conservera en cave quatre ou cinq ans avant de le servir sur un turbot à la crème.

☛ SCA du Ch. Guiraud, 33210 Sauternes, tél. 05.56.76.61.01, fax 05.56.76.67.52, e-mail xplanty@club-internet.fr ✓ � r.-v.

CH. HAUT-BERGERON 1998★

☐	15,78 ha	38 000	⦀	100 à 149 F

|75| 76 78 81 82 83 |85| 86 |88| |89| |90| 91 94 |95| **96** 97 98

Unité représentative des propriétés de Preignac, ce cru a connu une réussite avec son 98. Celui-ci se montre particulièrement expressif par son bouquet où la vanille côtoie les fruits exotiques et confits. Gras, long et puissant, le palais se développe jusqu'à une riche finale que l'un des dégustateurs a qualifiée d'envoûtante ! On peut envisager une garde de dix ans. Egalement sélectionnée avec une étoile par le jury, la **Cuvée 100 du millésime 96** célèbre le centenaire d'une parcelle de sémillon. « C'est un sauternes à l'ancienne ! » note un dégustateur. 200 g/l de sucre résiduel, trente-six mois de fût neuf, 6 000 bouteilles à plus de 500 F.

☛ R. Lamothe et ses Fils, Haut-Bergeron, 33210 Preignac, tél. 05.56.63.24.76, fax 05.56.63.23.31 ✓ � r.-v.

CH. HAUT BOMMES 1997★

☐	5 ha	10 000	▮⦀♨	70 à 99 F

Ce vin d'une belle tenue a bien évolué depuis sa dégustation de l'an dernier. D'un jaune d'or soutenu, il déploie maintenant un séduisant bouquet de fleurs blanches qui évolue vers des arômes de fruits secs puis de caramel et de fruits confits en rétro-olfaction. Un sommelière propose de le goûter sur des rillettes d'anguilles fumées aux poires.

☛ SC J. et J. Pauly, Ch. Haut-Bommes, 33210 Bommes, tél. 05.56.76.61.53, fax 05.56.76.69.65, e-mail haut-peyraguey@caves-particulieres.com ✓ � r.-v.

☛ GFA Clos Haut-Peyraguey

CH. HAUT-MAYNE 1997★

☐	5,01 ha	8 500	⦀	70 à 99 F

Des vignes de cinquante ans ont donné naissance à un vin très expressif par son bouquet qui marie le genêt et l'acacia à la cire d'abeille. Ce 97 montre aussi sa puissance au palais qui s'appuie sur un joli confit pour retrouver les arômes d'acacia, très présents jusque dans la longue finale.

☛ EARL Roumazeilles, Ch. Haut-Mayne, 33210 Preignac, tél. 05.56.76.88.41, fax 05.56.27.12.18 � r.-v.

CH. LAFAURIE-PEYRAGUEY 1998★★

☐ 1er cru clas.	40 ha	75 000	⦀	200 à 249 F

75 |76| 77 78 **79** 80 |81| **82 83** 84 |85| 86 |87| ⑧ |89| |90| |91| |92| |93| **94** |95| **96** 97 98

Célèbre pour son architecture à l'atmosphère hispano-mauresque, Lafaurie-Peyraguey est aussi l'une des valeurs sûres et reconnues de Sauternes. Souple, rond et gras, un rien nostalgique par sa liqueur, le 98 est à la hauteur de la réputation du cru. Très expressif par ses arômes de rôti et de confit, l'ensemble est typé et destiné à la garde. Il promet, en effet, de mettre à profit le temps pour se développer.

🍷 Domaines Cordier, 160, cours du Médoc, 33300 Bordeaux, tél. 05.57.19.57.77, fax 05.57.19.57.87 ⵿ r.-v.

DOM. DE LA FORET 1998

☐	11 ha	28 000	⵿ 100 à 149 F
89 |90| 93 94 |95| 96 97 98			

Rappelant par son nom que la forêt n'est jamais loin en Sauternais, ce vin or pâle à la structure légère laisse le dégustateur sur le souvenir d'une belle complexité aromatique avec de jolies notes d'agrumes, de genêt, d'acacia, puis de fruits confits ou secs.

🍷 Pierre Vaurabourg, Dom. de La Forêt, 33210 Preignac, tél. 05.56.76.88.46 ⵿ r.-v.

CH. LAMOTHE GUIGNARD 1997*

☐ 2ème cru clas.	18 ha	34 000	⵿ 100 à 149 F
|81| 82 |(83)| 84 |85| |86| 87 |88| 89 **90** 92 93 |94|			
|95| **96** 97			

Né au-dessus du Ciron, sur l'un des points les plus élevés de la commune de Sauternes, ce vin ample, chaleureux et vineux présente une pointe d'amertume au palais ; mais celle-ci est loin d'être déplaisante et elle n'enlève rien au caractère botrytisé du bouquet ou au côté flatteur du retour, liquoreux à souhait.

🍷 GAEC Philippe et Jacques Guignard, Ch. Lamothe Guignard, 33210 Sauternes, tél. 05.56.76.60.28, fax 05.56.76.69.05 ⵿ t.l.j. 8h-12h 14h-18h; sam. dim. sur r.-v.

CH. LAMOURETTE 1997*

☐	8,5 ha	7 000	⵿ 100 à 149 F
	90		91	92 95 96 97			

Un joli nom pour un vin sympathique. Faut-il voir une influence du fait que la propriété se soit transmise de mère en fille et qu'il soit signé par une femme ? En tout cas, c'est le registre de la finesse qu'a choisi ce vin pour s'exprimer : à la délicatesse de sa structure répond l'élégance de son bouquet aux belles notes d'agrumes.

🍷 Anne-Marie Léglise, Ch. Lamourette, 33210 Bommes, tél. 05.56.76.63.58, fax 05.56.76.60.85 ⵿ r.-v.

CH. LANGE-REGLAT
Cuvée spéciale 1998*

☐	12 ha	n.c.	⵿ 100 à 149 F

Issu de la cuvée Prestige, ce vin se montre intéressant par son expression aromatique qui annonce discrètement sa personnalité dans le bouquet (fleurs et agrumes) avant de prendre de l'ampleur au palais.

🍷 Bernard Réglat, Ch. de La Mazerolle, 33410 Monprimblanc, tél. 05.56.62.98.63, fax 05.56.62.17.98, e-mail reglat.bernard@wanadoo.fr ⵿ r.-v.

CH. LA RIVIERE 1998*

☐	3,8 ha	n.c.	⵿ 100 à 149 F

Egalement producteur sur la rive droite, à Monprimblanc, Guillaume Réglat a connu une belle réussite en 98 sur son vignoble de Bommes. Bien typé et marqué par le botrytis, son vin est

fort séduisant dans sa robe primesautière que suit un bouquet mariant le fût (le grillé) aux arômes de sous-bois, de fruits secs, d'acacia, de pêche et de miel. Rond, ample et équilibré, le palais est bien armé pour un séjour en cave d'environ quatre ans.

🍷 Guillaume Réglat, Ch. Cousteau, 33410 Monprimblanc, tél. 05.56.62.98.63, fax 05.56.62.17.98 ⵿ t.l.j. sf sam. dim. 8h-12h 14h-17h30. f. août

CH. LA TOUR BLANCHE 1997**

☐ 1er cru clas.	34 ha	25 000	⵿ 200 à 249 F
(61) **62** 75 **79** 80 |81| 82 |83| 84 |85| |86| |88| 89 **90**			
|91| |94| **95 97**			

Légué à l'Etat en 1907 par un philanthrope bordelais du XIX°s. pour abriter une école d'agriculture, ce cru est une belle unité. Une fois encore, il est à la hauteur de son rang. D'un beau jaune d'or, ce vin sait séduire par la qualité de son bouquet où le bois rehausse de délicates notes de miel, de fruits secs (figue) et de fleurs. Riche, puissant et long, d'ici quatre ou cinq ans il pourra être servi sur des mets très fins (asperges sauce mousseline ou poissons en sauce) ; mais il sera parfait pour un apéritif raffiné où il sera dégusté pour le plaisir, sans rien d'autre.

🍷 Ch. La Tour Blanche, 33210 Bommes, tél. 05.57.98.02.73, fax 05.57.98.02.78 ⵿ t.l.j. sf sam. dim. 9h-11h30 14h-17h

🍷 Ministère de l'Agriculture

CH. LATREZOTTE 1997

☐	7 ha	13 200	⵿ 70 à 99 F

Situé sur le plateau argilo-calcaire des hauts de Barsac, le château Latrezotte propose un 97 élevé dix-huit mois en barrique dont 50 % sont neuves. D'une robe claire, ce vin affirme son expression aromatique en gagnant des notes d'agrumes, de fleurs et de miel. Il conserve une plaisante fraîcheur.

🍷 Jan de Kok, Ch. Latrezotte, 33720 Barsac, tél. 05.56.27.16.50, fax 05.56.27.08.89 ⵿

CH. LAVILLE 1998**

☐	13 ha	15 000	⵿ 70 à 99 F
|92| |94| |95| **96** 97 **98**			

Le millésime 98 a été particulièrement faste pour ce cru situé à Preignac. Evoquant le vieil or par sa robe et le chêne, voire la noix de coco, par son bouquet, il présente une évolution certes précoce mais fort plaisante. Rôti, fruits secs, fruits confits, agrumes, l'expression aromatique est à l'image de la structure : puissante, riche et bien typée. Cette bouteille ne demande qu'à vieillir. Le **Château Delmond 98** (50 à 69 F), élevé en cuve, s'est vu attribuer une citation.

🍷 EARL du Ch. Laville, 33210 Preignac, tél. 05.56.63.28.14, fax 05.56.63.16.28 ⵿ t.l.j. sf sam. dim. 8h30-12h30 13h30-18h30

🍷 Y. et C. Barbe

CH. L'ERMITAGE 1997

☐	11,71 ha	15 000	⵿ 70 à 99 F

Une cuvée 100 % sémillon élevée vingt-sept mois en barrique. L'or de sa robe est pâle ; le nez fortement marqué par le boisé découvre de notes fleuries, un léger rôti, quelques nuance confites. Rond et souple, le palais semble léger mais pimpant.

☛ SCEA Ch. L'Ermitage, 9, V.C., M. Lacoste, 33210 Preignac, tél. 05.56.76.24.13, fax 05.56.76.12.75, e-mail chateaulermitage@free.fr ☑ ☒ t.l.j. 8h-19h

CH. LES JUSTICES 1998★

☐	8,5 ha	25 000	❙❙❙ 100 à 149 F

⑧③ 85 86 88 89 90 |91| |93| |94| 95 96 ⑨⑦ 98

Propriétaire du Château Gilette dont il élève les vins pendant vingt ans - ce qui lui a valu le surnom d'antiquaire du sauternes -, Christian Médeville apporte tous ses soins à ce Château Les Justices élevé un an en barrique. Ce 98 n'entend pas rivaliser en puissance avec le 97, très beau coup de cœur et grappe d'or du Guide Hachette. C'est en effet par la finesse qu'il a choisi de s'exprimer. Véritable corbeille d'oranges par son bouquet, il se nuance ensuite de notes d'écorce et d'épices. Le tout sur une jolie petite liqueur et des touches confites qui donnent un ensemble des plus plaisants. A laisser évoluer pendant trois ou quatre ans.

☛ Christian Médeville, Ch. Gilette, 33210 Preignac, tél. 05.56.76.28.44, fax 05.56.76.28.43, e-mail christian.medeville@wanadoo.fr ☑ ☒ r.-v.

CH. LIOT 1998

☐	20 ha	n.c.	❙❙❙ 100 à 149 F

89 90 91 93 95 96 97 98

Belle unité située sur le plateau du haut Barsac, ce cru reste fidèle à son style avec ce vin où les habitués retrouveront un ensemble souple et plaisant avec de jolies saveurs confites et des parfums de fleur d'acacia.

☛ SCEA J. David, Ch. Liot, 33720 Barsac, tél. 05.56.27.15.31, fax 05.56.27.14.42 ☑ ☒ r.-v.

CH. DE MALLE 1998★★

☐ 2ème cru clas.	27 ha	49 000	❙❙❙ 200 à 249 F

71 ⑦⑤ 76 81 83 |85| 86 87 |88| |89| |90| 91 |94| 95 96 97 98

Château d'exception par l'élégance de son architecture du XVIIᵉs. et la grâce de ses jardins, Malle est aussi un haut lieu du Sauternais par la régularité et la qualité de son vin. Authentique liquoreux par sa richesse et son équilibre, son 98 ne déparera pas la collection du cru. Son rôti et son botrytis témoignent d'un beau travail de tries. Très large, sa palette aromatique débute par des notes d'infusion de tilleul pour passer aux fruits secs (abricot et figue) avant de terminer par de savoureux effluves d'amande. Une belle réussite, déjà très plaisante, tout en possédant un bon potentiel.

☛ Comtesse de Bournazel, Ch. de Malle, 33210 Preignac, tél. 05.56.62.36.86, fax 05.56.76.82.40, e-mail chateaudemalle@wanadoo.fr ☑ ☒ r.-v.

DOM. DE MONTEILS
Cuvée Sélection 1997★

☐	8 ha	4 000	❙❙❙❙↓ 100 à 149 F

Exploitation familiale depuis 1867, ce domaine compte 10,75 ha. Appartenant à la cuvée Sélection, ce vin d'une belle présentation réussit à surprendre par le côté mentholé de son bouquet. Mais les notes confites ne sont pas absentes. Le tout aboutit à un ensemble aimable et bien équilibré, avec une jolie finale rôtie.

☛ SCEA dom. de Monteils, 3, rte de Fargues, 33210 Preignac, tél. 05.56.62.24.05, fax 05.56.62.22.30, e-mail vins.sauternes@wanadoo.fr ☑ ☒ r.-v.
☛ Fourcaud

CH. PEBAYLE DU HAYOT 1997★

☐	10 ha	23 600	❙❙❙ 70 à 99 F

Venue de Romer du Hayot et diffusée par la maison Dulong, cette cuvée est très réussie. Un élevage intelligent de six mois en barrique n'a pas gommé les fruits exotiques et confits qui lui donnent un charme certain. Ce 97 est prêt à être servi.

☛ Dulong Frères et Fils, 29, rue Jules-Guesde, 33270 Floirac, tél. 05.56.86.51.15, fax 05.56.40.66.41, e-mail dulong@mmkm.com ☒ r.-v.

CH. CRU PEYRAGUEY 1997★★

☐	6,5 ha	18 000	❙❙❙ 100 à 149 F

75 76 79 82 83 |85| |86| |88| |89| |90| 91 |94| |95| |96| 97

Si les bâtiments de ce cru sont situés à Preignac, c'est à Bommes, dans le haut Sauternes, qu'il faut se rendre pour trouver son vignoble. C'est dire que ce vin est de bonne origine. Impossible d'en douter en humant son bouquet aussi élégant que complexe, avec des parfums de mandarine confite, de pain d'épice, d'acacia. Mariant les épices à une superbe impression de confit, le palais est dans le droit fil du bouquet avec beaucoup de puissance et de finesse.

☛ Vignobles Mussotte, 10, Miselle, 33210 Preignac, tél. 05.56.44.43.48, fax 05.56.01.71.29 ☑ ☒ r.-v.

CH. RAYMOND-LAFON 1996★

☐	17,9 ha	22 000	❙❙❙ 250 à 299 F

A un terroir de qualité ajoutez le savoir-faire d'un ancien régisseur d'Yquem. Vous obtenez des vins comme ce 96 fermenté et élevé trois ans en barriques neuves. Bien équilibré avec une finale riche, celui-ci se montre intense par son expression aromatique où les fruits secs s'associent au miel et aux fleurs. Un filet mignon de porc aux mangues et au gingembre : une suggestion d'accord gourmand.

☛ Famille Meslier, Ch. Raymond-Lafon, 4, Au Puits, 33210 Sauternes, tél. 05.56.63.21.02, fax 05.56.63.19.58, e-mail famille.meslier@chateau-raymond-lafon.fr ☑ ☒ r.-v.

Les vins blancs liquoreux

Sauternes

CH. DE RAYNE VIGNEAU 1997★

☐ 1er cru clas. 78,28 ha 94 600 **◖▮▶** 250 à 299 F

85 86 |88| |89| |90| |91| 92 |94| |95| |96| 97

Belle unité, ce cru est célèbre pour les agates, améthystes et onyx qu'a livrés son sol ; mais sa première richesse reste ses graves qui ont donné naissance à ce vin. Agréable à l'œil, celui-ci sait retenir l'attention par la complexité de son bouquet. Cette diversité aromatique se renforce encore au palais, où les notes d'abricot sec et de botrytis viennent s'ajouter à celles de fleurs. Puissant et massif, l'ensemble demandera une attente de quatre ou cinq ans.
➦ SC du Ch. de Rayne Vigneau, La Croix Bacalan, 109, rue Achard, B.P. 154, 33042 Bordeaux Cedex, tél. 05.56.11.29.00, fax 05.56.11.29.01 ☎ r.-v.

CH. REINE CARBONNIEU 1998★

☐ 1,06 ha 2 700 **◖▮▶** 70 à 99 F

Issu d'un microvignoble dépendant du château Lezongars (premières côtes de bordeaux), ce vin est d'une belle tenue, tant par sa robe dorée à reflets verts que par son bouquet qui mélange avec élégance les parfums de fleurs blanches aux notes de miel et de tilleul. Harmonieux et racé, le palais s'accorde avec le côté confit de la finale pour annoncer un bon potentiel de garde.
➦ SC du Ch. Lezongars, 324, Roques-Nord, 33550 Villenave-de-Rions, tél. 05.56.72.18.06, fax 05.56.72.31.44, e-mail lezongars@free.fr ✉ ☎ r.-v.

CH. RIEUSSEC 1997★★★

☐ 1er cru clas. 75 ha 94 000 **◖▮▶** 300 à 499 F

62 67 70 71 |75| |76| |78| |79| |80| |81| 82 83 84 85 |86| 87 88 89 ⑨⓪ 92 |94| 95 ⑨⑥ ⑨⑦

Appartenant aux vignobles des barons de Rothschild (Lafite), Rieussec est originaire d'une croupe de graves sableuses, à l'ouest de Fargues. Ce vin se montre à la hauteur de sa noble origine. A la classe de sa robe d'or sombre succèdent, fraîches, élégantes et racées, des notes de pêche, d'agrumes et de fruits blancs mêlés. Au palais, la complexité aromatique s'enrichit de multiples évocations de fleurs et de fruits qui forment un ensemble à la fois puissant et aérien, à l'image de la structure. S'achevant par une superbe finale où épices et raisin frais s'accordent, cette bouteille d'exception méritera un long et paisible séjour en cave. Sachez cependant que l'un des dégustateurs a noté que ce vin était à savourer pendant cent cinquante ans, et dès 2001.
➦ Ch. Rieussec, 33210 Fargues-de-Langon, tél. 01.53.89.78.00, fax 01.53.89.78.01 ✉ ☎ r.-v.

CH. DE ROCHEFORT 1998★

☐ 1,3 ha 2 000 **◖▮▶** 70 à 99 F

Un pur sémillon provenant de diverses parcelles. A un bouquet puissant (citron confit et épices avec un bon support boisé) s'ajoute un palais ample et gras, présentant une belle acidité due au botrytis qui apporte de la complexité aux arômes.
➦ Jean-Christophe Barbe, Ch. Laville, 33210 Preignac, tél. 05.56.63.28.14, fax 05.56.63.16.28 ✉ ☎ r.-v.

CH. ROMER DU HAYOT 1997★

☐ 2ème cru clas. 16 ha 31 000 ▣ **◖▮▶** 100 à 149 F

75 76 79 |81| 82 |83| |85| |86| 88 89 |90| 91 93 |95| 96 |97|

Ecartelé pour cause de partages, privé de château et de chais pour cause d'autoroute des Deux-Mers, ce cru a payé un cher tribut à l'histoire. Mais il est resté un « vrai château du vin », comme en témoigne l'élégance et la finesse de ce vin. Déjà plaisante, cette bouteille trouvera tout son charme aujourd'hui si l'on veille à la déboucher assez tôt avant la dégustation. Sinon l'attendre deux ou trois ans.
➦ SCE Vignobles du Hayot, Ch. Andoyse, 33720 Barsac, tél. 05.56.27.15.37, fax 05.56.27.04.24, e-mail duhayot@usa.net ✉ ☎ r.-v.

CH. ROUMIEU 1997★

☐ 17 ha 45 000 **◖▮▶** 100 à 149 F

S'il semble indiquer par son nom qu'un chemin de Saint-Jacques passait par le haut Barsac, ce cru témoigne aussi par la qualité de son vin de l'intérêt viticole du plateau argilo-calcaire qui occupe le secteur. Très aromatique, avec des notes de tilleul et d'autres rôties et fleuries qui sont présentes au bouquet à la finale, son 97 est bien constitué et équilibré. Il pourra être attendu trois ou quatre ans.
➦ Catherine Craveia-Goyaud, Ch. Roumieu, 33720 Barsac, tél. 05.56.27.21.01, fax 05.56.27.01.55 ✉ ☎ r.-v.

CH. SAINT-AMAND 1996★

☐ 20 ha 50 000 **◖▮▶** 100 à 149 F

83 85 86 |88| |89| |90| 91 |94| |95| 96

Belle unité située à Preignac, ce cru attira de nombreux pèlerins pour son... eau, une source miraculeuse s'écoulant à côté du château. Ce 96 n'a peut-être pas plus de vertus médicinales qu'un autre, mais son bouquet bien botrytisé et sa structure riche, grasse et équilibrée, sauront satisfaire l'amateur le plus exigeant.
➦ SCEA du Ch. Saint-Amand, 33210 Preignac, tél. 05.56.76.84.89, fax 05.56.76.24.87 ✉ ☎ r.-v.
➦ Facchetti-Ricard

CH. SIGALAS RABAUD 1998★★

☐ 1er cru clas. 13,37 ha n.c. **◖▮▶** 150 à 199 F

66 75 76 |81| 82 83 85 |86| 87 |88| |89| |90| |91| |92| 94 ⑨⑤ 96 97 98

Si le cru appartient toujours aux descendants d'Henri Drouilhet de Sigalas qui l'acheta en 1863 et lui donna une partie de son nom, son exploitation est menée par Cordier et l'équipe de

Lafaurie-Peyraguey. Une fois encore cette coopération a été fructueuse. D'une couleur bouton d'or, ce vin sait trouver une belle expression aromatique tout au long de la dégustation, avec des notes d'agrumes que complètent des nuances de miel et de vanille. Ample, gras, riche, équilibré et long, le palais a de la tenue, ce qui lui assurera un bon potentiel de garde.

☛ Ch. Sigalas-Rabaud, Bommes-Sauternes, 33210 Langon, tél. 05.56.95.53.00, fax 05.56.95.53.01

LE CADET DE SIGALAS RABAUD
1998★

☐	13,37 ha	n.c.	⦀	100 à 149 F

Second vin de Sigalas Rabaud, cette bouteille est elle aussi d'une belle tenue, tant par son bouquet aux jolies notes confites que par sa matière souple, équilibrée et concentrée.

☛ Ch. Sigalas-Rabaud, Bommes-Sauternes, 33210 Langon, tél. 05.56.95.53.00, fax 05.56.95.53.01

CH. SUDUIRAUT 1997★★

☐ 1er cru clas.	90 ha	n.c.	⦀	200 à 249 F
⑥⑦ 75 76 78 **82** |83| 85 86 88 |89| |**90**| 96 **97**				

Beau château classique entouré d'un parc dessiné par Le Nôtre, ce cru est aussi l'une des valeurs de référence du Sauternais. Il tient son rang avec ce 97 qui s'inscrit dans la plus parfaite tradition du cru par sa puissance et son élégance. Sa force apparaît dès le premier contact avec le bouquet. Aux côtés riche et confits viennent s'ajouter des parfums floraux et une douce odeur de miel qui sera le fil rouge de la dégustation. Tout aussi expressif sur le plan aromatique, le palais réussit à être imposant sans jamais tomber dans la lourdeur. Une longue finale et un beau retour aux notes de pain d'épice s'ajoutant un accord parfait entre la sucrosité et l'acidité, le résultat est un ensemble au solide potentiel de

garde qui méritera d'être apprécié pendant un repas fin sur un foie gras ou du roquefort.

☛ Jean-Michel Cazes, Ch. Suduiraut, 33210 Preignac, tél. 05.56.63.61.92, fax 05.56.63.61.93, e-mail infochato@suduiraut.com ☑ ☗ r.-v.

☛ Axa Millésime

CH. D'YQUEM 1995★★★

☐ 1er cru sup.	104 ha	n.c.	⦀	+ de 500 F
21 29 37 42 |45| **53** 55 59 ⑥⑦ **70 71** |75| |76| 79				
80 |81| |82| **83** |84| |85| |86| |87| **88 89 90 91 93 94**				
⑨⑤				

C'est dans l'aube bleuâtre du Sauternais, quand les créneaux du manoir semblent prolonger la colline, qu'il faut voir Yquem. Alors apparaît toute la force du terroir d'exception qui donne des vins comme ce 95 d'un or soutenu somptueux. Passant de notes confites à celles de raisin mûr et d'agrumes sans oublier d'évoquer le miel, la cire ou les raisins de Corinthe, le bouquet a la complexité qui sied à un grand liquoreux. L'expression aromatique du palais est tout aussi riche, de même que la structure d'un volume impressionnant. Longue, ample et grasse en même temps que d'une grande élégance, celle-ci annonce un cycle d'évolution sur plusieurs décennies : une très grande bouteille à attendre dix ou quinze ans, voire beaucoup plus. De moindre garde (de cinq à quinze ans) mais également fort bien constitué, avec un bouquet de notes rôties et de citron confit d'une grande fraîcheur et une belle présence en finale, **Yquem 94** a obtenu deux étoiles.

☛ Comte de Lur-Saluces, Ch. d'Yquem, 33210 Sauternes, tél. 05.57.98.07.07, fax 05.57.98.05.08, e-mail info@chateau.yquem.fr ☗ r.-v.

☛ LVMH

LA BOURGOGNE

_____ « Aimable et vineuse Bourgogne », écrivait Michelet. Quel amateur de vin ne reprendrait à son compte une telle assertion ? Avec le Bordelais et la Champagne, la Bourgogne porte en effet à travers le monde entier la prestigieuse renommée des vins de France les plus illustres, les associant sur ses terroirs avec une gastronomie des plus riches, et trouvant dans leur diversité de quoi satisfaire tous les goûts et réussir tous les accords gourmands.

_____ **P**lus encore que dans toute autre région viticole, on ne peut dissocier en Bourgogne l'univers du vin de la vie quotidienne, dans une civilisation forgée au rythme des travaux de la vigne : depuis les confins auxerrois jusqu'aux monts du Beaujolais, tout au long d'une province qui relie les deux métropoles que sont Paris et Lyon, la vigne et le vin ont, dès la plus haute Antiquité, fait vivre les hommes, et les ont fait vivre bien. Si l'on en croit Gaston Roupnel, écrivain bourguignon mais aussi vigneron à Gevrey-Chambertin, auteur d'une _Histoire de la campagne française_, la vigne aurait été introduite en Gaule au VIe s. av. J.-C. « par la Suisse et les défilés du Jura », pour être bientôt cultivée sur les pentes des vallées de la Saône et du Rhône. Même si, pour d'autres, ce sont les Grecs qui sont à l'origine de la culture de la vigne, venue du Midi, nul ne conteste l'importance qu'elle a prise très tôt sur le sol bourguignon. Certains reliefs du Musée archéologique de Dijon en témoignent. Et lorsque le rhéteur Eumène s'adresse à l'empereur Constantin, à Autun, c'est pour évoquer les vignes cultivées dans la région de Beaune et qualifiées déjà d'« admirables et anciennes ».

_____ **M**odelée par les avatars glorieux ou tragiques de son histoire, soumise aux aléas des données climatiques autant qu'aux transformations des pratiques agricoles - où les moines, dans les mouvances de Cluny ou de Cîteaux, jouèrent un rôle capital -, la Bourgogne a dessiné peu à peu la palette de ses _climats_ et de ses crus, évoluant constamment vers la qualité et la typicité de vins incomparables. C'est sous le règne des quatre ducs de Bourgogne (1342-1477) que furent édictées les règles destinées à garantir un niveau qualitatif élevé.

_____ **I**l faut cependant préciser que la Bourgogne des vins ne recouvre pas exactement la Bourgogne administrative : la Nièvre (qui se rattache administrativement à la Bourgogne, avec la Côte-d'Or, l'Yonne et la Saône-et-Loire) fait partie du vignoble du Centre et du vaste ensemble de la vallée de la Loire (vignoble de Pouilly-sur-Loire). Tandis que le Rhône (appartenant pour les autorités judiciaires et administratives à la Bourgogne lui aussi), pays du beaujolais, a acquis par l'habitude une autonomie que justifie - outre la pratique commerciale - l'usage d'un cépage spécifique. C'est ce choix qui est retenu dans le présent guide (voir le chapitre « Le Beaujolais »), où l'on comprend donc en Bourgogne les vignobles de l'Yonne (basse Bourgogne), de la Côte-d'Or et de la Saône-et-Loire, bien que certains vins produits en Beaujolais puissent être vendus en appellation régionale bourgogne.

_____ **L**'unité ampélographique de la Bourgogne - à l'exclusion, donc, du Beaujolais, planté de gamay noir à jus blanc - ne fait pas de doute : le chardonnay pour les vins blancs et le pinot noir pour les vins rouges y règnent en maîtres. On rencontre cependant quelques variétés annexes, vestiges de pratiques culturales anciennes ou adaptations spécifiques à des terroirs particuliers : l'aligoté, cépage blanc produisant le célèbre bourgogne aligoté, fréquemment employé dans la confection du « kir » (blanc-cassis) ; il atteint son sommet qualitatif dans le petit pays de Bouzeron, tout près de Chagny (Saône-et-Loire). Le césar, lui, plant « rouge », était surtout cultivé dans la région d'Auxerre ; mais il tend à disparaître. Le sacy donne du bourgogne grand ordinaire dans l'Yonne, mais il est de plus en plus remplacé par le chardonnay ; le gamay, lui, fournit du bourgogne grand ordinaire et, associé au pinot, du bourgogne passetout-grain. Enfin, le sauvignon, fameux cépage aromatique des vignobles de Sancerre et de Pouilly-sur-Loire, est cultivé dans la région de Saint-Bris-le-Vineux, dans l'Yonne, où il conduit à l'AOVDQS sauvignon de saint-bris qui devrait bientôt accéder au statut de l'AOC.

_____ Sous une relative unité climatique, globalement semi-continentale avec l'influence océanique atteignant ici les limites du Bassin parisien, ce sont donc les sols qui vont spécifier les caractères propres des très nombreux vins produits en Bourgogne. Car si l'extrême morcellement des parcelles est la règle partout, il se fonde en grande partie sur une juxtaposition d'affleurements géologiques variés, origine de la riche palette de parfums et de saveurs des crus de Bourgogne. Et plus que des données strictement météorologiques, c'est des variations pédologiques que rend compte ici la notion de *climat* (ou terroir) précisant les caractères des vins au sein d'une même appellation, et compliquant comme à plaisir le classement et la présentation des grands vins de Bourgogne... Ces *climats*, aux noms particulièrement évocateurs (la Renarde, les Cailles, Genevrières, Clos de la Maréchale, Clos des Ormes, Montrecul...), sont les termes consacrés depuis au moins le XVIIIe s. pour désigner des surfaces de quelques hectares, parfois même quelques « ouvrées » (une ouvrée est égale à 4 ares, 28 centiares), correspondant à « une entité naturelle s'extériorisant par l'unité du caractère du vin qu'elle produit... » (A. Vedel). Et l'on peut constater en effet qu'il y a parfois moins de différences entre deux vignes séparées de plusieurs centaines de mètres mais à l'intérieur du même *climat* qu'entre deux autres voisines mais dans deux *climats* différents.

_____ On dénombre en outre quatre niveaux d'appellations dans la hiérarchie des vins : appellation régionale (56 % de la production), *villages* (ou appellation communale) de Bourgogne, premier cru (12 % de la production) et grand cru (2 % de la production qui recouvre 33 grands crus répertoriés en Côte-d'Or et à Chablis). Et le nombre de terroirs légalement délimités ou de *climats* est très grand : on compte, par exemple, 27 dénominations différentes pour les premiers crus récoltés sur la commune de Nuits-Saint-Georges, et cela pour une centaine d'hectares seulement !

_____ Des études récentes ont confirmé les relations (souvent constatées empiriquement) entre les sols et les lieux-dits donnant naissance aux appellations, aux crus ou aux *climats*. Ainsi, a-t-on pu déterminer dans la Côte de Nuits 59 types de sols différenciés selon leurs caractères morphologiques ou physico-chimiques (pente, pierrosité, taux d'argile, etc.) et correspondant de fait à la distinction des appellations grand cru, premier cru, villages et régionale.

_____ Plus simplement, dans une approche géographique beaucoup plus générale, il est d'usage de distinguer, du nord au sud, quatre grandes zones au sein de la Bourgogne viticole : les vignobles de l'Yonne (ou de basse Bourgogne), de la Côte-d'Or (Côte de Nuits et Côte de Beaune), la Côte chalonnaise, le Mâconnais.

_____ Le Chablisien est le plus connu des vignobles de l'Yonne. Son prestige fut très grand à la cour parisienne pendant tout le Moyen Age, le transport fluvial rendant facile le commerce des vins avec la capitale ; longtemps même, les vins de l'Yonne s'identifièrent tout simplement avec « les » bourgognes. Blotti dans la charmante vallée du Serein dont Noyers est le petit joyau médiéval, le vignoble de Chablis est comme un satellite isolé lancé à plus de cent kilomètres au nord-ouest du cœur de la Bourgogne viticole. Dispersé, il couvre plus de 4 000 ha de collines aux pentes d'exposition variée, sur lesquelles « une constellation de hameaux et une nuée de propriétaires se partagent les récoltes de ce vin sec, finement parfumé, léger, vif, qui surprend l'œil par son étonnante limpidité à peine teintée d'or vert » (P. Poupon). L'Auxerrois, au sud d'Auxerre, s'étend sur une dizaine de communes ; le vignoble d'Irancy abrite encore quelques hectares de césar, cépage donnant des vins très tanniques ; c'est un vignoble qui, avec celui de Coulanges-la-Vineuse, est en pleine expansion. Saint-Bris-le-Vineux est le pays du sauvignon et partage avec Chitry la production de vins blancs.

Dans l'Yonne, il faut encore signaler trois autres vignobles presque entièrement détruits par le phylloxéra, mais que l'on tente aujourd'hui de raviver. Le vignoble de Joigny, à l'extrémité nord-ouest de la Bourgogne, dont la superficie atteint à peine dix hectares, est bien exposé sur les coteaux entourant la ville, au-dessus de l'Yonne ; on y produit surtout un vin gris de consommation locale, d'appellation bourgogne, mais aussi des vins rouges et blancs. Autrefois aussi célèbre que celui d'Auxerre, le vignoble de Tonnerre renaît aujourd'hui aux abords d'Epineuil ; l'usage y admet une appellation bourgogne-épineuil. Enfin, les pentes de l'illustre colline de Vézelay, aux portes du Morvan, et où les grands-ducs de Bourgogne possédaient eux-mêmes un clos, voient renaître un petit vignoble en production depuis 1979 ; sous l'appellation bourgogne, les vins devraient y bénéficier du renom de l'endroit, haut lieu touristique où les visiteurs de la basilique romane se joignent aux pèlerins.

Le plateau de Langres, karstique et aride, chemin traditionnel de toutes les invasions venues du nord-est, historiques ou, aujourd'hui, touristiques, sépare le Chablisien, l'Auxerrois et le Tonnerrois de la Côte d'Or, dite « Côte de pourpre et d'or » ou, plus simplement, « la Côte ». Au cours de l'ère tertiaire, et consécutivement à l'érection des Alpes, la mer de Bresse qui couvrait cette région, battant le vieux massif hercynien du Morvan, s'effondra, déposant au fil des millénaires des sédiments calcaires de composition variée : failles parallèles nord-sud nombreuses, datant de la formation des Alpes ; « coulement » des sols du haut vers le bas au moment des grandes glaciations tertiaires ; creusement de combes par des cours d'eau alors puissants. Il en résulte une diversité extraordinaire de terrains se jouxtant sans être identiques, tout en étant apparemment semblables en surface à cause d'une mince couche arable. Ainsi s'expliquent l'abondance des appellations d'origine liées à celles des sols et l'importance des *climats* qui affinent encore cette mosaïque.

Du point de vue géographique, la côte s'allonge sur environ cinquante kilomètres, de Dijon jusqu'à Dezize-lès-Maranges, au nord de la Saône-et-Loire. Le coteau, le plus souvent exposé au soleil levant, comme il se doit pour de grands crus sous climat semi-continental, descend du plateau supérieur, ponctué par les vignes des Hautes-Côtes, la plaine de la Saône, vouée aux cultures.

De structure linéaire, ce qui favorise une excellente exposition est-sud-est, la côte se divise traditionnellement en plusieurs secteurs, le premier, au nord, étant en grande partie submergé par l'urbanisation de l'agglomération dijonnaise (commune de Chenôve). Par fidélité à la tradition, la municipalité de Dijon a cependant replanté une parcelle au sein même de la ville. A Marsannay commence la Côte de Nuits, qui s'allonge jusqu'au Clos des Langres, sur la commune de Corgoloin. C'est une côte étroite (quelques centaines de mètres seulement), coupée de combes de style alpestre avec des bois et des rochers, soumise aux vents froids et secs. Cette côte compte vingt-neuf appellations réparties selon l'échelle des crus, avec des villages aux noms prestigieux : Gevrey-Chambertin, Chambolle-Musigny, Vosne-Romanée, Nuits-Saint-Georges... Les premiers crus et les grands crus (chambertin, clos de la roche, musigny, clos de vougeot) se situent à une altitude comprise entre 240 et 320 m. C'est dans ce secteur que l'on trouve les plus nombreux affleurements de marnes calcaires, au milieu d'éboulis variés ; les vins rouges les plus structurés de toute la Bourgogne, aptes aux plus longues gardes, en sont issus.

La Bourgogne

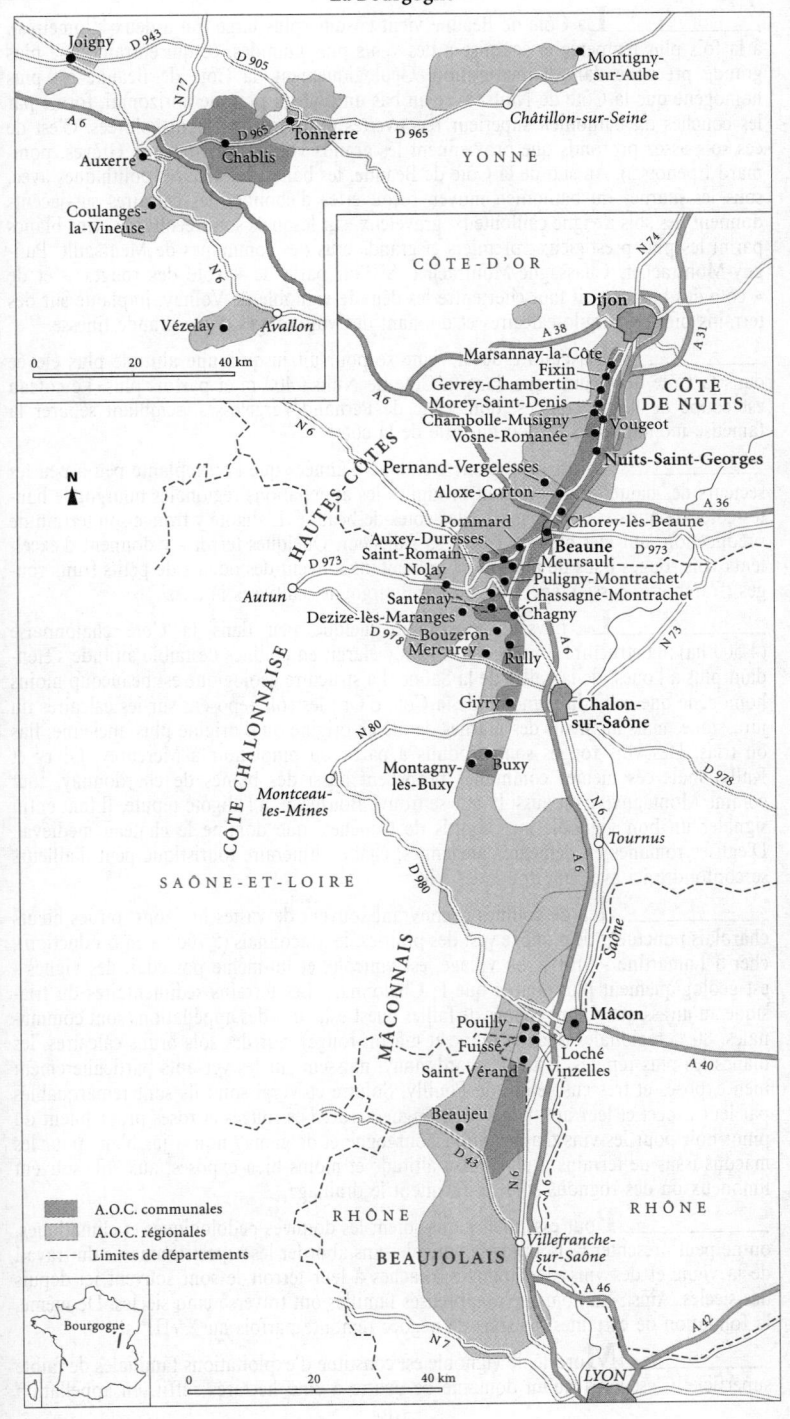

Légende :
- A.O.C. communales
- A.O.C. régionales
- Limites de départements

Bourgogne

Lieux et localités :

Joigny — D 943 — D 905 — N 77 — Tonnerre — D 965 — Montigny-sur-Aube — *Châtillon-sur-Seine* — YONNE — A 6 — Auxerre — Chablis — Coulanges-la-Vineuse — N 6 — Vézelay — *Avallon*

0 — 20 — 40 km

CÔTE-D'OR — N 74 — Dijon — A 38 — Marsannay-la-Côte — Fixin — Gevrey-Chambertin — Morey-Saint-Denis — Chambolle-Musigny — Vosne-Romanée — Vougeot — CÔTE DE NUITS — Nuits-Saint-Georges — A 31 — A 6 — HAUTES-CÔTES — N 6 — Pernand-Vergelesses — Aloxe-Corton — A 36 — Chorey-lès-Beaune — Pommard — Beaune — D 973 — Auxey-Duresses — Saint-Romain — Meursault — Nolay — Puligny-Montrachet — Chassagne-Montrachet — *Autun* — Santenay — Chagny — Dezize-lès-Maranges — D 978 — Bouzeron — N 73 — Mercurey — Rully — D 973 — Givry — Chalon-sur-Saône — N 80 — Montagny-lès-Buxy — Buxy — D 978 — *Montceau-les-Mines* — CÔTE CHALONNAISE — SAÔNE-ET-LOIRE — D 980 — *Tournus* — Saône — A 6 — N 6 — MÂCONNAIS — Mâcon — A 40 — Pouilly — Fuissé — Loché — Saint-Vérand — Vinzelles — Beaujeu — D 43 — N 6 — A 6 — RHÔNE — RHÔNE — BEAUJOLAIS — *Villefranche-sur-Saône* — A 46 — N 7 — A 42 — LYON

N

0 — 20 — 40 km

La Côte de Beaune vient ensuite, plus large (un à deux kilomètres), à la fois plus tempérée et soumise à des vents plus humides, ce qui entraîne un plus grande précocité dans la maturation. Géologiquement, la Côte de Beaune est plus homogène que la Côte de Nuits, avec au bas un plateau presque horizontal, formé par les couches du bathonien supérieur recouvertes de terres fortement colorées. C'est de ces sols assez profonds que proviennent les grands vins rouges (beaune Grèves, pommard Epenots...). Au sud de la Côte de Beaune, les bancs de calcaires oolithiques avec, sous les marnes du bathonien moyen recouvertes d'éboulis, des calcaires sus-jacents donnent des sols à vigne caillouteux, graveleux, sur lesquels sont récoltés les vins blancs parmi les plus prestigieux : premiers et grands crus des communes de Meursault, Puligny-Montrachet, Chassagne-Montrachet. Si l'on parle de « côte des rouges » et de « côte des blancs », il faut citer entre les deux le vignoble de Volnay, implanté sur des terrains pierreux argilo-calcaires et donnant des vins rouges d'une grande finesse.

La culture de la vigne se poursuit jusqu'à une altitude plus élevée dans la Côte de Beaune que dans la Côte de Nuits : 400 m et parfois plus. Le coteau est coupé de larges combes, dont celle de Pernand-Vergelesses, semblant séparer la fameuse montagne de Corton du reste de la côte.

C'est depuis une trentaine d'années que l'on replante peu à peu les secteurs des hautes-côtes, où sont produites les appellations régionales bourgogne hautes-côtes-de-nuits et bourgogne hautes-côtes-de-beaune. L'aligoté y trouve son terrain de prédilection, qui met bien en valeur sa fraîcheur. Quelques terroirs y donnent d'excellents vins rouges issus de pinot noir, présentant souvent des odeurs de petits fruits rouges (framboise, cassis), spécialités de la Bourgogne, cultivées là aussi.

Le paysage s'épanouit quelque peu dans la Côte chalonnaise (4 500 ha) ; la structure linéaire du relief s'y élargit en collines de faible altitude s'étendant plus à l'ouest de la vallée de la Saône. La structure géologique est beaucoup moins homogène que celle du vignoble de la Côte d'Or ; les sols reposent sur les calcaires du jurassique, mais aussi sur des marnes de même origine ou d'origine plus ancienne, lias ou trias. Des vins rouges sont produits à partir du pinot noir à Mercurey, Givry et Rully, mais ces mêmes communes proposent aussi des blancs de chardonnay, tout comme Montagny ; c'est aussi là que se trouve Bouzeron, à l'aligoté réputé. Il faut enfin signaler un bon vignoble aux abords de Couches, que domine le château médiéval. D'églises romanes en demeures anciennes, chaque itinéraire touristique peut d'ailleurs se confondre ici avec une route des Vins.

Jeu de collines découvrant souvent de vastes horizons, où les bœufs charolais ponctuent de blanc le vert des prairies, le Mâconnais (5 700 ha en production), cher à Lamartine - Milly, son village, est vinicole, et lui-même possédait des vignes - est géologiquement plus simple que le Chalonnais. Les terrains sédimentaires du triasique au jurassique y sont coupés de failles ouest-est. 20 % des appellations sont communales, 80 % régionales (mâcon blanc et mâcon rouge). Sur des sols bruns calcaires, les blancs les plus réputés, issus de chardonnay, naissent sur les versants particulièrement bien exposés et très ensoleillés de Pouilly, Solutré et Vergisson ; ils sont remarquables par leur aspect et leur aptitude à une longue garde. Les rouges et rosés proviennent du pinot noir pour les vins d'appellation bourgogne et de gamay noir à jus blanc pour les mâcons issus de terrains à plus basse altitude et moins bien exposés, aux sols souvent limoneux où des rognons siliceux facilitent le drainage.

Pour essentielles que soient les données pédologiques et climatiques, on ne peut présenter la Bourgogne vinicole sans aborder les aspects humains du travail de la vigne et des vins : les hommes attachés à leur terroir le sont souvent ici depuis des siècles. Ainsi, les noms de nombreuses familles ont traversé cinq siècles. De même, la fondation de certaines maisons de négoce remonte parfois au XVIIIe s.

Morcelé, le vignoble est constitué d'exploitations familiales de faible superficie. C'est ainsi qu'un domaine de quatre à cinq hectares suffit, en appellation communale (nuits-saint-georges, par exemple), à faire vivre un ménage occupant un ouvrier. Rares sont les producteurs qui possèdent et cultivent plus de dix hectares : l'illustre Clos-Vougeot, par exemple, qui couvre cinquante hectares, est partagé entre plus de soixante-dix propriétaires ! Ce morcellement des *climats* du point de vue de la propriété augmente encore la diversité des vins produits et crée une saine émulation chez les vignerons ; une dégustation consistera souvent, en Bourgogne, à comparer deux vins de même cépage et de même appellation, mais provenant chacun d'un *climat* différent ; ou encore, à juger deux vins de même cépage et de même *climat*, mais d'années différentes. Ainsi, en Bourgogne, deux notions reviennent en permanence en matière de dégustation : le cru, ou *climat*, et le millésime, auxquels s'ajoute bien sûr la « touche » personnelle du propriétaire qui les présente. Du point de vue technique, le vigneron bourguignon est très attaché au maintien des usages et traditions, ce qui ne signifie pas un refus absolu de la modernisation. C'est ainsi que la mécanisation de la viticulture se développe et que de nombreux vinificateurs ont su tirer profit de nouveaux matériels ou de nouvelles techniques. Il est toutefois des traditions qui ne sauraient être remises en cause aussi bien par les viticulteurs que par les négociants : l'un des meilleurs exemples en est l'élevage des vins en fût de chêne.

_____ **O**n recense, en 1997, 3 500 domaines vivant uniquement de la vigne. Ils exploitent les deux tiers des 24 000 ha de vignes plantées en appellation d'origine. Dix-neuf coopératives sont répertoriées ; le mouvement est très actif en Chablisien, en Côte chalonnaise et surtout dans le Mâconnais (13 caves). Elles produisent environ 25 % des volumes de vin. Les négociants-éleveurs jouent un grand rôle depuis le XVIIIᵉs. Ils commercialisent plus de 60 % de la production et détiennent plus de 35 % de la surface totale des grands crus de la Côte de Beaune. Avec ses domaines, le négoce produit 8 % de la récolte totale bourguignonne. Celle-ci représente en moyenne 180 millions de bouteilles (105 en blanc, 75 en rouge) qui génèrent 5 milliards de chiffre d'affaires, dont 2,6 à l'exportation. Le volume global des appellations a représenté 3 000 000 hl en 1999.

_____ **L'**importance de l'élevage (conduite d'un vin depuis sa prime jeunesse jusqu'à son optimal qualitatif avant la mise en bouteilles) met en évidence le rôle du négociant-éleveur : outre sa responsabilité commerciale, il assume une responsabilité technique. On comprend donc qu'une relation professionnelle harmonieuse se soit créée entre la viticulture et le négoce.

_____ **L**e Bureau interprofessionnel des vins de Bourgogne (BIVB) possède trois « antennes » : Mâcon, Beaune et Chablis. Le BIVB met en œuvre des actions dans les domaines technique, économique et promotionnel. L'université de Bourgogne a été le premier établissement en France, du moins au niveau universitaire, à dispenser des enseignements d'œnologie et à créer un diplôme de technicien, en 1934, en même temps qu'était fondée la prestigieuse confrérie des Chevaliers du Tastevin, qui fait tant pour le rayonnement et le prestige universel des vins de Bourgogne. Siégeant au château du Clos-Vougeot, elle contribue avec d'autres confréries locales à maintenir vivaces les traditions. L'une des plus brillantes est sans conteste la vente des hospices de Beaune, créée en 1851, rendez-vous de l'élite internationale du vin et « Bourse » des cours de référence des grands crus ; avec le chapitre de la confrérie et la « Paulée » de Meursault, la vente est l'une des « Trois Glorieuses ». Mais c'est à travers toute la Bourgogne que l'on sait fêter joyeusement le vin, devant quelque « pièce » (228 litres) ou bouteille. Il n'en faut d'ailleurs pas tant pour aimer la Bourgogne et ses vins : n'est-elle pas tout simplement « un pays que l'on peut emporter dans son verre » ?

Sachez ranger votre cave : les blancs près du sol, les rouges au-dessus ; les vins de garde dans les rangées du fond, les bouteilles à boire en situation frontale. Et n'oubliez pas le livre de cave....

Pour bien utiliser ce guide, consultez les premières pages et le sommaire, ainsi que les index des appellations, des vins, des producteurs et des communes, en fin d'ouvrage.

Les appellations régionales bourgogne

Les appellations régionales bourgogne, bourgogne grand ordinaire et leurs satellites ou homologues couvrent l'aire de production la plus vaste de la Bourgogne viticole. Elles peuvent être produites dans les communes traditionnellement viticoles des départements de l'Yonne, de la Côte-d'Or, de la Saône-et-Loire, et dans le canton de Villefranche-sur-Saône, dans le Rhône. En 1999, elles représentent un volume de 591 677 hl.

La codification des usages, et plus particulièrement la définition des terroirs par la délimitation parcellaire, a conduit à une hiérarchie au sein des appellations régionales. L'appellation bourgogne grand ordinaire est l'appellation la plus générale, la plus extensive par l'aire délimitée. Avec un encépagement plus spécifique, on récolte dans les mêmes lieux le bourgogne aligoté, le bourgogne passetoutgrain et le crémant de bourgogne.

Bourgogne

L'aire de production de cette appellation est assez vaste, si l'on considère les adjonctions possibles de différents noms de sous-régions (Hautes-Côtes, Côte chalonnaise) ou de villages (Irancy, Chitry, Epineuil) qui constituent chacun une entité à part, et sont présentés ici comme tels. Il n'est pas étonnant qu'en raison de l'étendue de cette appellation les producteurs aient cherché à personnaliser leurs vins et à convaincre le législateur d'en préciser l'origine. Dans le Châtillonnais, en Côte-d'Or, le nom de Massingy a été utilisé, mais ce vignoble a quasiment disparu. Plus récemment, et de manière continue, les viticulteurs utilisent le nom de village et l'ont ajouté à l'appellation bourgogne, sur les coteaux de l'Yonne. C'est le cas de Saint-Bris, de Côtes d'Auxerre, sur la rive droite, et de Coulanges-la-Vineuse, sur la rive gauche.

Les volumes de l'appellation bourgogne sont en année moyenne d'environ 155 000 hl. En blanc, 78 726 hl ont été produits en 1999 à partir du cépage chardonnay, encore appelé beaunois dans l'Yonne. Le pinot blanc, bien que cité dans le texte de définition et autrefois un peu plus cultivé dans les hautes côtes de la Bourgogne, a pratiquement disparu. Il est d'ailleurs très souvent confondu, du moins par le nom, avec le chardonnay.

En rouge et rosé, la production à partir de pinot noir est de l'ordre de 125 à 130 000 hl en année moyenne. Le pinot beurot a malheureusement presque disparu en raison de sa carence en matières colorantes ; il apportait aux vins rouges une finesse remarquable. Certaines années, les volumes déclarés peuvent être augmentés de volumes issus du « repli » des appellations communales du Beaujolais : brouilly, côte-de-brouilly, chénas, chiroubles, fleurie, juliénas, morgon, moulin à vent et saint-amour. Ces vins sont alors issus du cépage gamay noir seul, et ont ainsi un caractère différent. Les vins rosés, dont les volumes augmentent un peu les années de maturité difficile ou de fort développement de la pourriture grise, peuvent être déclarés sous l'appellation bourgogne rosé ou bourgogne clairet.

Pour ajouter à la difficulté, on trouvera des étiquettes portant, en plus de l'appellation bourgogne, le nom du lieu-dit sur lequel a été produit le vin. Quelques vignobles anciens et réputés justifient aujourd'hui cette pratique ; c'est le cas du Chapitre à Chenôve, des Montreculs, vestiges du vignoble dijonnais envahi par l'urbanisation, ainsi que de la Chapelle-Notre-Dame à Serrigny. Pour les autres, ils créent souvent une confusion avec les premiers crus et ne se justifient pas toujours.

BERTRAND AMBROISE 1998★

| ☐ | 0,77 ha | 8 000 | ◖▮ 50 à 69 F |

Le **rouge 98** est encore muré derrière ses tanins, mais sa richesse invite à la confiance (30 à 49 F). Quant au blanc, couleur citron doré, aubépine et vanille au nez, il est vif, sinon nerveux, tout en manifestant de l'ampleur et de la longueur. Un torrent de montagne qui pourrait devenir un long fleuve tranquille.

☛ Maison Bertrand Ambroise, rue de l'Eglise, 21700 Premeaux-Prissey, tél. 03.80.62.30.19, fax 03.80.62.38.69, e-mail bertrand.ambroise@wanadoo.fr
☑ ⊤ r.-v.

PIERRE ANDRE
Réserve Vieilles vignes 1998★

■	1 ha	7 000	⦀	70 à 99 F

C'est en 1927 que Pierre André acquit le beau château de Corton-André dont le toit de tuiles vernissées orne les étiquettes de cette grande maison de négoce-éleveur. « Si ce n'est pas trop cher, j'achète », écrit un dégustateur. Ce n'est pas le cas, mais il est fort bon tout de même : la robe est peut-être légère mais le nez ouvert séduit d'emblée par ses notes de fruits très mûrs accompagnés de liqueur. Concentré, assez tannique, boisé, ce vin a suffisamment de chair pour bien évoluer.
☛ Pierre André, Ch. de Corton-André, 21420 Aloxe-Corton, tél. 03.80.26.44.25, fax 03.80.26.43.57, e-mail pandre@axnet.fr
⊤ t.l.j. 10h-18h

CHRISTOPHE AUGUSTE
Coulanges-la-Vineuse 1999★

☐	1,8 ha	12 000	▮⬥	30 à 49 F

Le **rouge 98** est à attendre un peu car il n'a pas atteint encore son optimum. Quant à celui-ci, léger comme l'air, il n'est pas fait pour durer en cave. A boire dès à présent pour bénéficier de ses deux atouts : fraîcheur et minéralité.
☛ Christophe Auguste, 55, rue André-Vildieu, 89580 Coulanges-la-Vineuse, tél. 03.86.42.35.04, fax 03.86.42.51.81 ☑ ⊤ r.-v.

L'OR D'AZENAY
Cuvée Prestige Fût de chêne 1996★

☐	2 ha	10 000	▮⦀⬥	30 à 49 F

Nombreux sont désormais les chefs étoilés à troquer dès qu'ils le peuvent la toque du cuisinier pour la casquette du vigneron. Georges Blanc a entraîné en 1986 son coq de Bresse sur les coteaux d'Azé, en Mâconnais, et il en tire ce 96 (notez le millésime) citron pâle et brillant, aux arômes frais et qui se tient très bien au palais. *Well balanced* comme disent nos amis britanniques. Il accompagnera bien la quenelle sauce Nantua, les ris de veau... ou la volaille de Bresse.
☛ Georges Blanc, Dom. d'Azenay, Rizerolles, 71260 Azé, tél. 03.85.33.37.93, fax 03.74.50.21.00, e-mail blanc@relaischateaux.fr ☑ ⊤ r.-v.

DOM. GUY BOCARD 1997★★

■	0,35 ha	2 500	▮⦀⬥	30 à 49 F

Les très riches heures du bourgogne... On trouve dans ce 97 tout ce qu'on attend de cette appellation : élégance et finesse, puissance et harmonie, tanins bien fondus qui vous font patte de velours. Un vin à boire dans les deux à trois ans. La Saint-Vincent à Meursault, c'est en 2001 !
☛ Guy Bocard, 4, rue de Mazeray, 21190 Meursault, tél. 03.80.21.26.06, fax 03.80.21.64.92 ☑ ⊤ r.-v.

DOM. DU BOIS GUILLAUME 1998★

■	1 ha	3 000	⦀	30 à 49 F

De la finesse et de la distinction dans l'évolution de ce vin né du pinot noir, intéressant, mêlant le sous-bois, la framboise et la cerise à la vanille du fût. C'est déjà rond ; on peut le boire pendant un à deux ans.
☛ Jean-Yves Devevey, Dom. du Bois Guillaume, rue de Breuil, 71150 Demigny, tél. 03.85.49.91.11, fax 03.85.49.91.59 ☑ ⊤ t.l.j. sf dim. 8h-19h

JEAN-CLAUDE BOISSET 1997★

■	n.c.	90 000	⦀	50 à 69 F

Jean-Claude Boisset joue aujourd'hui un rôle considérable en Bourgogne, à la tête d'un groupe qu'il a créé et qui n'a cessé de grandir. Voici, sous son nom, deux vins porte-drapeaux. Ce pinot noir tout d'abord, élevé dix-sept mois en fût, qu'il faudra encore attendre deux ans avant de lui offrir des œufs en meurette. Torréfié, vanillé, le nez n'oublie pas les fruits rouges. Poivrée, tannique mais pleine et franche, la bouche est équilibrée. On a su tirer un bon parti du millésime. Sous son nom également, une cuvée **Charles de France en bourgogne blanc 98**, élevée douze mois en fût, exprime à la fois la richesse de sa matière et la finesse du chardonnay sur un fond grillé. Une étoile.
☛ J.-C. Boisset, 5, quai Dumorey, B.P. 102, 21700 Nuits-Saint-Georges, tél. 03.80.62.62.61, fax 03.80.62.37.38

DOM. BORGNAT
Coulanges-la-Vineuse Tête de cuvée 1997★★

■	3 ha	15 000	▮⦀⬥	30 à 49 F

Le **bourgogne blanc 98** du domaine nous a semblé d'excellente qualité (une étoile). Quant au rouge 97, il figure parmi les pinots noirs les mieux réussis de la Bourgogne septentrionale. Pourpre profond à reflets grenat, il possède un important soutien tannique mais il n'en abuse pas. Souple, évoquant la griotte, c'est un vin à servir avec un rosbif en croûte. Bonne garde.
☛ Dom. Borgnat, 1, rue de l'Eglise, 89290 Escolives-Sainte-Camille, tél. 03.86.53.35.28, fax 03.86.53.65.00 ☑ ⊤ t.l.j. 8h-19h; groupes sur r.-v.

JEAN BOUCHARD 1998★

■	n.c.	340 000	▮⦀⬥	50 à 69 F

Un nez flatteur, mais il faut attendre dix-huit mois pour savoir si les tanins assez fins sont fondus... La robe est d'une grande jeunesse, tournée vers la violette et la griotte. Puissant et ample, un pinot noir qui vivra bien de deux à trois ans.
☛ Jean Bouchard, B.P. 47, 21202 Beaune Cedex, tél. 03.80.24.37.27, fax 03.80.24.37.38

DOM. REGIS BOUVIER 1998★

☐	0,32 ha	2 500	▮⬥	30 à 49 F

Peu d'intensité de prime abord (sa robe) mais son nez donne le coup d'envoi décisif. Agrumes, pain grillé, aubépine, le cocktail est aimable. Ample et vif, assez gras, il éclate en bouche sur un fond aromatique bien présent.

� Dom. Régis Bouvier, 52, rue de Mazy, 21160 Marsannay-la-Côte, tél. 03.80.51.33.93, fax 03.80.58.75.07 ☑ ⌁ r.-v.

RENE BOUVIER Montre-Cul 1998★★

■	0,36 ha	3 000	⦀	50 à 69 F

Un Montre-Cul ne se refuse pas. Entre Dijon et Chenôve, c'est le vieux *climat* de la Côte dijonnaise qui résiste à l'urbanisation sur un des derniers coteaux plantés en vigne. Ce 98 est fantastique. La robe ? Dense et intense. Le bouquet ? Noyau de cerise et boisé. Ce qu'on attend d'un bourgogne ? Tout cela même, en bouche.
➮René Bouvier, 2, rue Neuve, 21160 Marsannay-la-Côte, tél. 03.80.52.21.37, fax 03.80.95.95.96 ☑ ⌁ r.-v.

DOM. JEAN-MARC BROCARD
Jurassique 1999

☐	n.c.	n.c.	■↓	30 à 49 F

Imaginatif, Jean-Marc Brocard a eu l'idée de baptiser ses bourgognes Portlandien, Kimméridgien, etc. Ici, le Jurassique. Ce Jurassique bourguignon illustre dès le nez la théorie de l'évolution. Très jeune et boisé, il est long comme un dinosaure. Une curiosité anatomique. Le **Portlandien 99** ? Moins fascinant.
➮Jean-Marc Brocard, 3, rte de Chablis, 89800 Préhy, tél. 03.86.41.49.00, fax 03.86.41.49.09, e-mail brocard@brocard.fr ☑ ⌁ t.l.j. sf dim. lun. 9h30-12h30 15h-19h; groupes sur r.-v.

LES PRODUCTEURS DE BUXY
Grande Réserve Fût de chêne 1998

■	30 ha	200 000	⦀	30 à 49 F

Quand on est à la tête de 850 ha de vignes, comme cette cave coopérative, on se doit de réussir les 30 ha de bourgogne rouge. De fait, c'est le cas avec du rubis, du fruit très mûr, de la chair, de la mâche. Les tanins arrivent en soutien pour une bonne garde.
➮Cave des vignerons de Buxy, Les Vignes de la Croix, 71390 Buxy, tél. 03.85.92.03.03, fax 03.85.92.08.06 ☑ ⌁ t.l.j. sf dim. 9h-12h 14h-18h

DOM. CACHAT-OCQUIDANT ET
FILS Les Commeys 1998★

☐	0,25 ha	1 800	⦀	30 à 49 F

Ce domaine est situé au pied du coteau de Corton. Il a proposé une cuvée bien née qu'un poisson à la crème aimera. Franc, avec suffisamment de matière pour bien vieillir, des arômes bien typés du chardonnay (miel, fruits mûrs, fruits blancs) accompagnés de légères notes boisées, ce 98 est plaisant.
➮Dom. Cachat-Ocquidant et Fils, pl. du Souvenir, 21550 Ladoix-Serrigny, tél. 03.80.26.45.30, fax 03.80.26.48.16 ☑ ⌁ r.-v.

MARIE-THERESE CANARD ET
JEAN-MICHEL AUBINEL 1998★★

☐	0,16 ha	1 500		30 à 49 F

Or pâle, d'un nez léger et frais d'agrumes, ce chardonnay offre au palais une charmante sensation de raisin, aiguillonnée par une acidité bien maîtrisée mais qui assure sa présence dans le verre. Les parfums persistent et signent dans un développement très appréciable. Toute la Bourgogne du Sud !
➮Marie-Thérèse Canard et Jean-Michel Aubinel, Mouhy, 71960 Prissé, tél. 03.85.20.21.43, fax 03.85.20.21.43 ☑ ⌁ r.-v.

DOM. CAPUANO-FERRERI ET FILS
Les Perrières 1998★★

■	n.c.	n.c.	⦀	30 à 49 F

Le rapport qualité-prix est à mettre tout de suite en avant pour ce bourgogne venu de Côte d'Or, élevé en fût et qu'il faudra ouvrir dans deux ou trois ans. Aujourd'hui, l'aération lui fait du bien puisque après un abord violine on passe à des notes herbacées rapidement changées en groseille, en violette, que l'on retrouve dans un palais assez épicé, gage de longévité.
➮Capuano-Ferreri et Fils, 1, rue de la Croix-Sorine, 21590 Santenay, tél. 03.80.20.64.12, fax 03.80.20.65.75 ☑ ⌁ r.-v.

FRANCK CHALMEAU 1999

◢	n.c.	5 000	■↓	20 à 29 F

Autrefois en polyculture comme bien des exploitations de l'Yonne, ce domaine de 6 ha est aujourd'hui entièrement consacré à la vigne. Rose bonbon à reflets légèrement orangés, ce 99 sorti tout juste du nid se montre vif sur le fruit, tout en gentillesse. Il rappelle la fraise des bois et les fruits exotiques.
➮Franck Chalmeau, 20, rue du Ruisseau, 89530 Chitry-le-Fort, tél. 03.86.41.42.09, fax 03.86.41.46.84 ☑ ⌁ r.-v.

PATRICK ET CHRISTINE
CHALMEAU Chitry 1998★

☐	1,6 ha	9 000	■	30 à 49 F

Il ferait sortir un escargot de sa coquille, ce chardonnay or pâle dont le bouquet un peu évolué donne des signes de complexité. Le gras est bien présent, dans une bouche fleurie. Plaisant.
➮Patrick et Christine Chalmeau, 76, rue du Ruisseau, 89530 Chitry-le-Fort, tél. 03.86.41.43.71, fax 03.86.41.47.51 ☑ ⌁ r.-v.

JEAN-PIERRE CHARTON 1998★★

■	3,3 ha	9 000	⦀	30 à 49 F

« Un gladiateur se décide dans l'arène », nous rappelle Sénèque. Et un vin se décide dans le verre. Celui-ci montre des talents qui lui permettent de franchir sans peine cette épreuve décisive. Cerise foncé, framboise et cannelle, il dissimule sous sa rondeur et son gras une combativité assez rare dans l'appellation. Labours à l'ancienne, nous dit-on.
➮Jean-Pierre Charton, 29, Grande-Rue, 71640 Mercurey, tél. 03.85.45.22.39, fax 03.85.45.22.39 ☑ ⌁ r.-v.

DOM. DU CHATEAU DE
MEURSAULT Clos du Château 1998★

☐	8 ha	40 000	■⦀↓	70 à 99 F

Ce Clos du Château est enclavé en partie dans l'aire du meursault. Le chardonnay donne ici un bourgogne blanc très limpide à reflets verts ; le nez révèle un élevage en fût modéré : les notes miellées et florales appuyées par une pointe vanillée sont élégantes. La bouche est plus citronnée mais non dénuée de fleurs. Bonne typicité.

☛ Ch. de Meursault, 21190 Meursault, tél. 03.80.26.22.75, fax 03.80.26.22.76 ☑ ⊤ r.-v.

DOM. DU CHATEAU DE PULIGNY-MONTRACHET
Clos du Château 1998★

☐	4,5 ha	35 000	ⅢⅡ	70 à 99 F

Le Crédit Foncier dans ses œuvres. Les résultats de ses vignobles, tant en Bourgogne qu'en Bordelais sont remarquables. Ce « simple bourgogne » serait-on tenté de dire. Non, il n'est pas « simple ». Le terroir parle aussi fort que le chardonnay et le fruit est fort discret. Les arômes de fruits confits et d'agrumes accompagnent toute la dégustation. Gras, vivacité, équilibre.
☛ SCEA Dom. du Château de Puligny-Montrachet, 21190 Puligny-Montrachet, tél. 03.80.21.39.14, fax 03.80.21.39.07, e-mail chateaupul@aol.com ☑ ⊤ r.-v.

DOM. HENRI CLERC ET FILS
Les Bergeries 1997★

■	1,07 ha	5 333	■	30 à 49 F

Un domaine dont le vignoble fut créé au XVIᵉˢ. Aujourd'hui, il se compose de 22 ha dont beaucoup sont consacrés aux blancs. Ici, c'est un pinot à la robe superbe, plutôt fruits noirs en bouche ; celle-ci révèle une extraction poussée, des tanins présents mais en train de se fondre. A ouvrir dans un an, pour voir.
☛ EARL Dom. Henri Clerc et Fils, pl. des Marronniers, 21190 Puligny-Montrachet, tél. 03.80.21.32.74, fax 03.80.21.39.60 ☑ ⊤ t.l.j. 8h30-11h45 14h-17h45
☛ Bernard Clerc

DOM. DU CLOS DU ROI
Coulanges-la-Vineuse 1998★

■	10 ha	60 000	■ⅢⅡↀ	30 à 49 F

Du vin de table à l'AOC, c'est l'évolution du domaine en l'espace de quelques décennies. Pourpre et brillant, ce 98 tiré à quatre épingles récite son compliment sur un ton de fruits rouges. La cerise embellit la bouche qui se révèle concentrée et tannique. On recommande de ne pas solliciter cette bouteille avant deux ans au moins.
☛ SCEA du Clos du Roi, 17, rue André-Vildieu, 89580 Coulanges-la-Vineuse, tél. 03.86.42.25.72, fax 03.86.42.38.20 ☑ ⊤ r.-v.
☛ Michel Bernard

DOM. FRANCOIS COLLIN
Epineuil 1998★

■	1,2 ha	7 200	■ⅢⅡↀ	30 à 49 F

Elégants, puissants, très boisés, **Les Bas Fauconniers en Epineuil rouge 97** méritent d'être cités (50 à 69 F). Ce 98 paraît cependant un degré au-dessus : son fruit est bien mûr, l'attaque souple, le milieu riche et la finale chaude. Vous saurez tout quand nous vous dirons que sa puissance tannique demande à se fondre, que son arrière-goût de griotte est agréable, que sa maturité étonne pour un vin aussi jeune. Le premier sera à marier à des rognons de veau cuits dans la graisse, le second à un croustillant de ris de veau. Nos dégustateurs sont de fins gourmets.

☛ François Collin, Les Mulots, 89700 Tonnerre, tél. 03.86.75.93.84, fax 03.86.75.94.00, e-mail françois.collin@wanadoo.fr ☑ ⊤ r.-v.

EMMANUEL DAMPT
Cuvée Prestige 1998★

☐	2 ha	10 000	■ↀ	30 à 49 F

Très frais, très floral, un vin de printemps au grain caractéristique. « Il a une bonne démarche en bouche », note un dégustateur. Prévoyez deux bouteilles, car la première sera vite consommée !
☛ Emmanuel Dampt, 3, route de Tonnerre, 89530 Collan, tél. 03.86.54.49.52, fax 03.86.54.49.89 ☑ ⊤ r.-v.

JOCELYNE ET PHILIPPE DEFRANCE 1998★

◢	n.c.	2 800	■ↀ	30 à 49 F

En plein cœur du joli village de Saint-Bris-le-Vineux, sous la maison autrefois habitée par Soufflot, le grand homme du pays qui construisit le Panthéon, se trouve la cave de ce vieux domaine familial. Ce rosé de saignée est d'excellente tenue. On sera notamment sensible à sa couleur intense, à son bouquet soigné, à son ampleur et à sa longueur (assez rares dans cette appellation), à son arrière-parfum de groseille.
☛ Philippe Defrance, 5, rue du Four, 89530 Saint-Bris-le-Vineux, tél. 03.86.53.39.04, fax 03.86.53.66.46 ☑ ⊤ r.-v.

DOM. DOUDET Le Clos en Village 1998★

☐	0,2 ha	1 500	ⅢⅡ	50 à 69 F

Côte de Beaune côté savigny, ce Clos en Village est du plus bel or. Le nez vanillé, grillé, mais aussi floral (acacia) est très expressif. La bouche possède beaucoup de caractère et une bonne longueur. Rond, gras mais encore vif, ce bon bourgogne devra être attendu un an.
☛ Dom. Doudet, 50, rue de Bourgogne, 21420 Savigny-lès-Beaune, tél. 03.80.21.51.74, fax 03.80.21.50.69 ☑ ⊤ r.-v.

CH. DE DRACY 1997★

■	12 ha	83 600	■ⅢⅡↀ	70 à 99 F

La Bruyère le disait avec raison : « Ayez, si vous pouvez, un langage simple ». Ce 97 applique le conseil à la lettre. D'un grenat affirmé, il offre un bouquet poétique, confiture de fraises puis floral quand on y revient. L'attaque est fraîche, le fruit éclate. Il s'agit ici d'une association du domaine familial des barons de Charette en Côte chalonnaise et de la maison Bichot qui compte dans son équipe de direction Benoît de Charette.
☛ SCA Ch. de Dracy, 71490 Dracy-lès-Couches, tél. 03.85.49.62.13 ⊤ r.-v.
☛ Benoît de Charette

SYLVAIN DUSSORT
Cuvée des Ormes 1997★

☐	1,5 ha	3 000		50 à 69 F

Sylvain Dussort a déjà reçu à trois reprises le coup de cœur. Son bourgogne blanc est un chardonnay issu de vignes d'une trentaine d'années, plantées sur le territoire de Meursault. Il ne passe pas inaperçu. Intense et soutenu, assez vif, il exprime bien le millésime et l'appellation, et accompagnera avantageusement un poisson en crème légère.

☛Sylvain Dussort, 12, rue Charles-Giraud, 21190 Meursault, tél. 03.80.21.27.50, fax 03.80.21.65.91, e-mail dussvins@aol.fr ☑ ☏ r.-v.

DOM. FELIX Côtes d'Auxerre 1998★

| ◢ | 0,35 ha | 2 600 | 🍶🥂 | 30 à 49 F |

Ancien fonctionnaire de l'Equipement, Hervé Félix a repris le domaine familial en 1987. Il y maintient les traditions. Ainsi ce vin d'une teinte saumonée, bien aromatique et flatteur au palais, est-il le meilleur des rosés de l'Yonne que nous avons dégustés. Tendre et fruité, il a un petit côté exotique (mangue) qui met du piquant à la scène.
☛Dom. Félix, 17, rue de Paris, 89530 Saint-Bris-le-Vineux, tél. 03.86.53.33.87, fax 03.86.53.61.64, e-mail felix@caves-particulieres.com ☑ ☏ t.l.j. sf dim. 9h-11h30 14h-18h30

DOM. FRANCIS FICHET ET FILS
Le Vignot 1998★★

| ■ | 2 ha | 12 000 | 🍶🍷🥂 | 30 à 49 F |

Cette cuvée est produite par un domaine familial où les enfants se partagent le travail. Le pinot noir est admirablement travaillé sur des nuances familières (coulis de fruits rouges, champignon, humus) et aimables. Un vin très « terrien » et qui, de garde assurément, peut figurer parmi les meilleurs. Le **rouge 99**, étiquette parcheminée, et qui ne fait que quatre mois de fût, reçoit une étoile. Quant à **La Crépillonne en blanc 98** (20 à 29 F), elle obtient deux étoiles pour ses parfums de fruits exotiques, d'agrumes, pour la pureté de son corps et sa longueur.
☛Dom. Francis Fichet et Fils, Le Martoret, 71960 Igé, tél. 03.85.33.30.46, fax 03.85.33.44.45, e-mail olivierfichet@wanadoo.fr ☑ ☏ r.-v.

GUY FONTAINE ET JACKY VION
1997★★

| ☐ | 1,5 ha | 3 500 | 🍶🍷🥂 | 30 à 49 F |

La présente génération est digne des deux précédentes. Car il est rare de rencontrer un bourgogne, d'appellation régionale, aussi doré, aussi intense, aussi équilibré. D'autant qu'il est loin de s'être entièrement découvert et garde des réserves. Ses nuances souples et fraîches, son léger grillé, un retour de fruits secs inspirent à la table les plus vifs compliments.
☛GAEC des Vignerons, Le Bourg, 71150 Remigny, tél. 03.85.87.03.35, fax 03.85.87.03.35 ☑ ☏ r.-v.
☛Fontaine/Vion

CAVEAU DES FONTENILLES 1998★★

| ■ | 10 ha | 35 000 | 🍶🥂 | 30 à 49 F |

Au départ, la cave coopérative de tous les vignerons de Tonnerre. Aujourd'hui, le regroupement de six viticulteurs travaillant ensemble leurs 25 ha. Nous avons cité le **bourgogne blanc 98**, attribué une étoile au **bourgogne rouge 98 Marguerite des Fontenilles** et voté les félicitations à cette cuvée expressive, subtile, fruitée. Un vin qui joue sur le fruit, à ne pas oublier si vous servez des pigeons rôtis sur galette de pomme de terre.

☛Caveau des Fontenilles, pl. Marguerite-de-Bourgogne, 89700 Tonnerre, tél. 03.86.55.06.33, fax 03.86.55.10.43, e-mail cavefont@aoc.com ☑ ☏ t.l.j. 9h-12h 14h-19h; dim. lun. sur r.-v.

DOM. FOUGERAY DE BEAUCLAIR
L'Ormichal 1998★

| ■ | n.c. | n.c. | | 50 à 69 F |

Un rôti de veau bonne femme ce soir ? Voici une bouteille aux tanins souples mais qui ne manque pas de vivacité pour réveiller la conversation. Franc de goût.
☛Dom. Fougeray de Beauclair, 44, rue de Mazy, B.P. 36, 21160 Marsannay-la-Côte, tél. 03.80.52.21.12, fax 03.80.58.73.83, e-mail fougeraydebeauclair@wanadoo.fr ☑ ☏ r.-v.

CAVES DES VIGNERONS DE GENOUILLY Les Champs de Perdrix 1998★

| ☐ | 1 ha | 10 000 | 🍶🥂 | 20 à 29 F |

Cépage et terroir font cause commune pour défendre avec succès les intérêts de ce 98 aux parfums printaniers de chèvrefeuille, assortis de quelques noisettes. Très flatteur, complexe, de bon caractère, il est fruité et robuste. La coopérative de Genouilly en Saône-et-Loire n'en produit pas beaucoup (1 ha seulement sur 60 ha). Quant au **rouge 98**, il apparaît corsé, corpulent, très prometteur. Même note.
☛Cave des vignerons de Genouilly, 71460 Genouilly, tél. 03.85.49.23.72, fax 03.85.49.23.58 ☑ ☏ t.l.j. sf dim. 8h-12h 14h-18h

DOM. ANNE ET ARNAUD GOISOT
Côtes d'Auxerre 1998

| ■ | 6 ha | 30 000 | 🍶🥂 | 30 à 49 F |

Ce n'est pas l'infini du paysage, mais cela s'accorde aux douces collines de l'AOC. Animal discret, pourpre léger, on voit bien sa façon de vous prendre par la main. La fraise des bois assiste la langueur. Le **blanc 98** reçoit la même note. Tous deux sont déjà très agréables.
☛Dom. Anne et Arnaud Goisot, 4 bis, rte de Champs, 89530 Saint-Bris-le-Vineux, tél. 03.86.53.32.15, fax 03.86.53.64.22 ☑ ☏ t.l.j. sf dim. 8h-12h 13h30-19h30

GHISLAINE ET JEAN-HUGUES GOISOT Côtes d'Auxerre 1998★

| ☐ | 4 ha | 29 000 | 🍶🍷 | 30 à 49 F |

Les vinifications sont menées dans des caves souterraines datant des XIe et XII[e]s. Or brillant, ce vin est tout en fleurs blanches et fruits mûrs. Il est riche, gras, long à souhait. Très bien fait, il devra attendre trois ans mais il est déjà fort plaisant. La célèbre **cuvée du Corps de Garde en blanc 98**, toujours en AOC bourgogne côtes d'Auxerre, a semblé davantage boisée mais elle est aussi réussie. En **rouge 98** la cuvée principale (18 000 bouteilles) est citée. Elle est élégante et pinote légèrement.

☛ Ghislaine et Jean-Hugues Goisot, 30, rue Bienvenu-Martin, 89530 Saint-Bris-le-Vineux, tél. 03.86.53.35.15, fax 03.86.53.62.03 ☑ ☒ r.-v.

DOM. GRAND ROCHE Irancy 1998★

■	0,5 ha	3 000	◫ 50 à 69 F

C'est encore une AOC bourgogne irancy et non une AOC irancy à la date de la dégustation. Seul le sanglier paraît capable de relever le défi de ce vin à la robe fauve, olfactif en diable. Le fût est mené de main de maître. Les tanins sont comme des tigres au cirque sous le regard de leur dompteur. Acidité, persistance, un vrai bourgogne.

☛ Eric et Laurence Lavallée, Dom. Grand Roche, 6, rte de Chitry, 89530 Saint-Bris-le-Vineux, tél. 03.86.53.84.07, fax 03.86.53.88.36 ☑ ☒ r.-v.

DOM. GREUZARD
Les Fines Pierres 1998★

□	n.c.	24 000	▤ ♨ 30 à 49 F

Vin de plaisir, nous dit-on. Or dans la robe, tilleul et pivoine au nez, petite touche de citron en bouche où la matière séduit. Beaucoup de caractère.

☛ Cie des Vins d'Autrefois, abbaye Saint-Martin, 53, av. de l'Aigue, 21200 Beaune, tél. 03.80.26.33.00, fax 03.80.24.14.84, e-mail mallet.b@cva-beaune.fr ☒ r.-v.

GRIFFE Chitry 1999★★

□	0,81 ha	4 000	▤ 30 à 49 F

Toute la panoplie séduction : la limpidité de l'or pur, les agrumes assortis de fleurs blanches, une bouche bien ronde avec une finale vive sur une note d'acacia... David Griffe a pris il y a quelques années la suite de son père sur ce domaine de 13 ha où les vendanges sont manuelles.

☛ Joël et David Griffe, 15, rue du Beugnon, 89530 Chitry-le-Fort, tél. 03.86.41.41.06, fax 03.86.41.47.36 ☑ ☒ r.-v.

DOM. ROBERT GROFFIER PERE ET FILS 1998★★

■	1,4 ha	10 000	◫ 50 à 69 F

Gourmand, ce 98. D'une classe supérieure à son appellation. Grand ? Mais non, très grand. D'où ces commentaires étonnés autour de la table. La jeunesse du fruit (myrtille, mûre) s'accompagne d'une ampleur fantastique, d'une charpente dense, concentrée, moelleuse à souhait. On a hésité pour le coup de cœur. Quoi qu'il en soit, si vous aimez les vins jeunes, goûtez-le aujourd'hui, mais il grandira encore pendant les trois ans à venir.

☛ SARL Robert Groffier et Fils, 3-5, rte des Grands-Crus, 21220 Morey-Saint-Denis, tél. 03.80.34.31.53 ☑ ☒ r.-v.

CHRISTIAN GROS 1998★

■	n.c.	n.c.	◫ 30 à 49 F

La robe est de velours rubis, le nez montre de la profondeur (fruits noirs, épices, boisé très fin). La matière est assez riche. Après une attaque fraîche, une certaine austérité s'installe, qui cependant n'efface pas l'impression d'équilibre et de générosité. A attendre deux à trois ans.

☛ Christian Gros, rue de la Chaume, 21700 Premeaux-Prissey, tél. 03.80.61.29.74, fax 03.80.61.39.77 ☑ ☒ r.-v.

DOM. GUEUGNON-REMOND 1998★★

■	73,1 ha	2 900	◫ 30 à 49 F

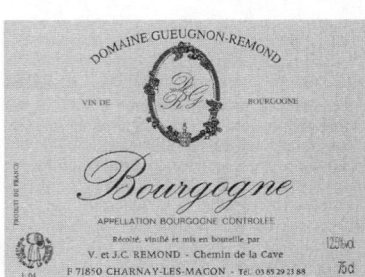

La fille et le gendre des fondateurs (1980) ont repris le domaine en main (1997). Et du Mâconnais nous vient ce merveilleux pinot noir né au pays du gamay. Un peu rustique, mais on aime sa robe vive, son parfum grillé et fruité ; son corps riche à la réglisse (le fût) fait bon ménage avec des tanins encore fermes. Beau potentiel de garde.

☛ Dom. Gueugnon-Remond, chem. de la Cave, 71850 Charnay-lès-Mâcon, tél. 03.85.29.23.88, fax 03.85.20.20.72 ☑ ☒ r.-v.
☛ Remond

CAVES DES HAUTES-COTES
Cuvée de prestige Elevée en fût 1998★

■	3,2 ha	17 300	▤ ♨ 30 à 49 F

Présentée par la cave coopérative des Hautes-Côtes, cette cuvée dite de prestige ne ment pas. On y trouve en effet tout ce qui fait un bon bourgogne rouge : assez de complexité, de la saveur, de la persistance. Un rien peut-être de fragilité ? C'est pour l'émotion... Souple, fruité, un vin à boire dans les deux ans et qui remplit son contrat.

☛ Les Caves des Hautes-Côtes,
rte de Pommard, 21200 Beaune,
tél. 03.80.25.01.00, fax 03.80.22.87.05 ☑ ⊺ r.-v.

CUVÉE HENRY DE VEZELAY 1998★

| ☐ | 21,93 ha | 180 000 | ▬ ❶ 🍷 | 30 à 49 F |

La cuvée vedette de la coopérative (22 ha sur 46,3 ha). Sa qualité a contribué à la reconnaissance récente (1997) de l'appellation bourgogne Vézelay. D'un vert-jaune classique, ce chardonnay révèle une fraîcheur vive et un léger boisé qu'accompagne un brin de minéralité. Pourquoi pas avec une tourte aux poireaux ? Le bourgogne **rouge 98** peut être cité. Il est encore fermé et il faudra l'attendre au moins un an avant de lui offrir une viande rouge cuisinée...
☛ Cave Henry de Vézelay, 89450 Saint-Père, tél. 03.86.33.29.62, fax 03.86.33.35.03 ☑ ⊺ t.l.j. 10h-12h 14h30-18h

HENRY FRERES 1998

| ▬ | 1,64 ha | 10 000 | ▬ | 30 à 49 F |

Pascal et Didier n'ont pas trente-six idées en tête. Sur leurs 11 ha, ils visent le bonheur à l'état pur... et cette bouteille ! Leur pinot noir de l'Yonne est d'un rubis lumineux, d'un petit fruit rouge convaincant. Pas trop de fond, mais sa légèreté sera plaisante cette année.
☛ GAEC Henry Frères, 89800 Saint-Cyr-les-Colons, tél. 03.86.41.44.87, fax 03.86.41.41.48 ☑ ⊺ r.-v.

LES VIGNERONS D'IGE
Elevé en fût de chêne 1998

| ☐ | 1 ha | 10 000 | ❶ | 30 à 49 F |

De couleur séduisante même s'il n'est pas encore bien ouvert, il montre finesse et élégance. L'équilibre se fait sur la fraîcheur.
☛ Cave coop. des vignerons d'Igé, 71960 Igé, tél. 03.85.33.33.56, fax 03.85.33.41.85, e-mail lesvigneronsdige@lesvigneronsdige.com ☑ ⊺ t.l.j. sf dim. 8h-12h 14h-18h

DOM. GUY-PIERRE JEAN ET FILS
Les Champs Pourras 1998★

| ▬ | 1,5 ha | 3 000 | ❶ | 30 à 49 F |

Les deux frères ont repris en 1991 les vignes familiales et proposent, sous un blason de grand veneur à la cour de Bourgogne (cor de chasse et hure de sanglier), un bourgogne rubis foncé dont l'arôme de bourgeon de cassis se développe très bien du début à la fin. Tirant sur le fruit confit, la bouche est encore marquée par les tanins mais sans dureté. A attendre un an afin que la rondeur et la finesse s'installent.
☛ Dom. Guy-Pierre Jean et Fils, rue des Cras, 21420 Aloxe-Corton, tél. 03.80.26.44.72, fax 03.80.26.45.36 ☑ ⊺ r.-v.

DOM. REMI JOBARD 1998★

| ☐ | 1 ha | 4 500 | ❶ | 50 à 69 F |

Comme les vins de Savigny, il est morbifuge et nourrissant. Jaune citron, limpide et brillant, il vient de Meursault... C'est dire si l'acacia se mêle à la pomme pour mener la danse. Rond, charnu, il reste dans sa catégorie qu'il exprime parfaitement.

☛ Dom. Rémi Jobard, 12, rue Sudot, 21190 Meursault, tél. 03.80.21.20.23, fax 03.80.21.67.69, e-mail rémi.jobard@libertysurf.fr ☑ ⊺ r.-v.

PHILIPPE ET FRANCOISE JOUBY
Côte d'Auxerre 1997★

| ☐ | n.c. | n.c. | ▬ | |

Un vieux domaine (les origines remonteraient au XVIIᵉs.), une étiquette parcheminée, pour un vin de caractère. Il « mousseronne » comme à Chablis ; il est évolué mais garde cette note minérale propre au terroir. Intéressant.
☛ Philippe Jouby, 8, rue Dorée, 89530 Saint-Bris-Le-Vineux, tél. 03.86.53.30.58 ☑ ⊺ r.-v.

XAVIER JULIEN Côtes d'Auxerre 1999

| ☐ | 0,3 ha | n.c. | ▬ ❶ 🍷 | 30 à 49 F |

Un passionné qui réussit à planter ses premiers pieds de vigne en 1996. Et sur Auxerre. On l'encourage volontiers à persévérer. Poivré, beurré, pas très long mais minéral, ce 99 reflète l'appellation.
☛ Xavier Julien, 6, rue Lebeuf, 89000 Auxerre, tél. 03.86.51.69.71, fax 03.86.51.69.71 ☑ ⊺ r.-v.

DOM. DE L'ABBAYE DU PETIT QUINCY Epineuil 1999★

| ☐ | 3 ha | 25 000 | ▬ 🍷 | 30 à 49 F |

Quatre mains à l'ouvrage et mille idées en tête, Dominique Gruhier est artisan, industriel, vigneron. Il présente ici un bourgogne limpide et brillant, au nez prononcé (tilleul), frais et avec un certain moelleux. Encore fermé actuellement, ce vin sera sans doute ouvert au moment où vous lirez ces lignes.
☛ Dominique Gruhier, Dom. de l'Abbaye, Clos de Quincy, 89700 Epineuil, tél. 03.86.55.32.51, fax 03.86.55.32.50 ☑ ⊺ t.l.j. 9h-18h; dim. sur r.-v.

CH. DE LA BRUYERE
Elevé en fût de chêne 1997

| ☐ | 0,3 ha | 2 200 | ❶ | 30 à 49 F |

Chardonnay mâconnais d'une teinte chaude et brillante, assez boisé mais sans excès, doux et sans acidité prononcée, aux parfums citronnés en retour olfactif. En définitive, plutôt tendre et à savourer dès cette année.
☛ Paul-Henry Borie, Ch. de La Bruyère, 71960 Igé, tél. 03.85.33.30.72, fax 03.85.33.40.65, e-mail mph.borie@wanadoo.fr ☑ ⊺ t.l.j. 8h30-12h 14h-19h

LA CHABLISIENNE 1998★

| ☐ | 14 ha | 100 000 | ▬ 🍷 | 30 à 49 F |

La Chablisienne a été créée en 1923. Aujourd'hui, elle exporte 70 % de son importante production. Jaune pâle à reflets légèrement plus foncés, un chardonnay chablisien, minéral, citronné, plus vif que gras, d'une orthodoxie à peu près parfaite. A attendre, afin que sa finesse puisse s'exprimer.
☛ La Chablisienne, 8, bd Pasteur, B.P. 14, 89800 Chablis, tél. 03.86.42.89.89, fax 03.86.42.89.90, e-mail chab@chablisienne.com ☑ ⊺ r.-v.

DOM. DE LA CRAS 1997

■   4 ha   15 000   **Ⅲ** 30 à 49 F

Jean Dubois nous a quittés pour rejoindre les vignes célestes, mais son neveu a pris le relais sur Plombières, Dijon et Talant. La Cras devait devenir un quartier de quatre mille logements. Ce plateau heureusement préservé, au-dessus du lac Kir à Dijon, se consacre à des œuvres meilleures. Ce bourgogne dijonnais est une curiosité. Mais, davantage, un vin grenat brillant, franc de nez ; sous-bois et cerise confite, rond mais charpenté, encore tannique, à attendre un an. Le **blanc 97**, frais et fondu, est à servir dès cet hiver.
☛ EARL Jean Dubois, Dom. de La Cras, 21370 Plombières-lès-Dijon, tél. 03.80.41.70.95, fax 03.80.59.13.96 ☑ ⊤ r.-v.

DOM. DE LA GARENNE 1999

☐   3 ha   10 000   ■⬇ 30 à 49 F

Comme on passe en deux générations des céréales aux grappes de raisin ! Il est vrai que la vigne a des racines anciennes en Tonnerrois. Gras comme un chanoine des temps passés (malgré son jeune âge), ce chardonnay jaune or assez prononcé nous réserve un bouquet fait de lavande et de violette. Il est déjà bien plein. Goûtez-le maintenant sur du jambon sec. Le **bourgogne rosé 99** n'est pas désagréable du tout. A servir avec une salade de saison.
☛ Philippe Clément, Dom. de la Garenne, 89700 Tonnerre, tél. 03.86.55.16.30, fax 03.86.55.02.66 ☑ ⊤ t.l.j. sf dim. 9h-12h30 14h-19h

DOM. DE LA GARENNE 1998*

☐   2 ha   18 000   ■Ⅲ⬇ 30 à 49 F

Marcel Périnet a été Meilleur sommelier de France en 1978. Avec M. Renoud-Grappin (tous deux sont cadres du restaurant de Georges Blanc), il a créé ce domaine en 1987 en défrichant le bout d'une colline (depuis treize ans, 4,30 ha). Le duo semble avoir déjà un sérieux tour de main en vinification aussi ! Huit mois de fût pour ce vin très réussi, dont la couleur traduit le cépage chardonnay, dont les parfums révèlent l'origine sudiste du vin (le Mâconnais) ; la bouche fraîche et vive semble destinée aux coquillages.
☛ Périnet et Renoud-Grappin, rte de Péronne, 71260 Azé, tél. 04.74.55.06.08, fax 04.74.55.10.08 ☑ ⊤ r.-v.

LA GRANGE AUBERT 1999

■   1,4 ha   6 000   ■⬇ 30 à 49 F

Petite exploitation de 4 ha produisant un pinot noir kimméridgien. On s'aperçoit que cet étage géologique n'est pas seulement destiné au chardonnay. En effet, ce 99 est honnête et il mérite mieux qu'une lecture en diagonale : pourpre intense, parfumé avec discrétion, il attaque rondement sur des tanins bien marqués. Un rien d'astringence ne surprend pas.
☛ Jean-Michel Moreau, EARL Grange Aubert, 89700 Tonnerre, tél. 03.86.55.23.37, fax 03.86.55.23.37 ☑ ⊤ t.l.j. 18h-21h

DOM. LAMY-PILLOT 1998**

■   2 ha   10 000   ■Ⅲ 30 à 49 F

Un pinot noir d'une grande élégance : pourpre à reflets grenat, l'étoffe est serrée. Généreusement fruité (cassis, cerise), ce vin se déploie superbement en bouche. Dense et caressant, il persiste longuement ; sa finale annonce des saveurs complexes à goûter dans trois à cinq ans.
☛ Dom. Lamy-Pillot, 31, rte de Santenay, 21190 Chassagne-Montrachet, tél. 03.80.21.30.52, fax 03.80.21.30.02, e-mail lamy.pillot@wanadoo.fr ☑ ⊤ r.-v.
☛ René Lamy

DOM. LAROCHE Tête de Cuvée 1999**

☐   365 ha   150 000   ■⬇ 30 à 49 F

Le domaine Laroche est très actif. On le trouve en Languedoc-Roussillon. Mais il reste l'un des fleurons de la Bourgogne. Cette cuvée dite Tête de Cuvée mérite son nom. Elle porte haut les couleurs des blancs de Bourgogne et son nez de silex, non dénué de charme, est tout aussi remarquable. L'élégance des notes d'agrumes au palais accompagne un équilibre parfait. Avenir assuré. Puisque l'on veut introduire les vins en bourse, pourquoi ne pas y mettre celui-ci ?
☛ Dom. Laroche, 22, rue Louis-Bro, 89800 Chablis, tél. 03.86.42.89.29, fax 03.86.42.89.00, e-mail info@domainelaroche.fr ☑ ⊤ r.-v.

DOM. DE LA TOUR 1997

☐   0,93 ha   4 000   ■⬇ 30 à 49 F

Petit domaine familial. Son bourgogne blanc s'annonce avec une robe suffisante et un nez beurré. L'acidité est moyenne, donnant un vin costaud au caractère entier.
☛ SCEA Dom. de La Tour, 8 bis, rue Jules-Philippe, 89800 Chablis, tél. 03.86.47.55.68, fax 03.86.47.55.86, e-mail dtour@clubinternet.fr ☑ ⊤ r.-v.

DOM. DE LA TOUR BAJOLE
Vieilles vignes 1997**

■   6 ha   15 000   **Ⅲ** 30 à 49 F

On salue avec plaisir ces viticulteurs du Couchois, vignoble courageux et malheureusement sous-estimé. Les Dessendre ? On les appelait jadis « les pinocchio » car ils plantaient du pinot et non pas des hybrides. Leur 97 a toutes les qualités requises. Couleur, senteur, rondeur. Confiture de fruits rouges et beaucoup de corps, pour un vin de garde.
☛ EARL M.-A. et J.-C. Dessendre, Dom. de La Tour-Bajole, Les Ombrots, 71490 Saint-Maurice-lès-Couches, tél. 03.85.45.52.90, fax 03.85.45.52.90 ☑ ⊤ r.-v.

OLIVIER LEFLAIVE Les Setilles 1998*

☐   n.c.   60 000   ■Ⅲ 30 à 49 F

Pomme, citron, coing, jasmin, le tout sur un fond joliment grillé, beurré, un chardonnay de bourgogne rond et charnu, équilibré entre le gras et l'acidité, qui saura attendre les bonnes occasions pendant deux à trois ans. Des escargots de Bourgogne lui feront une belle escorte, ou une terrine de poisson à la ciboulette, ou encore un veau marengo...

Bourgogne

Olivier Leflaive, pl. du Monument, 21190 Puligny-Montrachet, tél. 03.80.21.37.65, fax 03.80.21.33.94, e-mail leflaive-olivier@dial.oleane.com ☑ ⏦ r.-v.

DOM. DES LEGERES 1999*

	n.c.	n.c.	■↓ 30 à 49 F

Il paraît destiné à un bel avenir. A l'œil, au nez, il se montre très frais. Acacia, tilleul, fruits exotiques, il n'a pas sa langue dans sa poche. Il séduit le palais par un certain moelleux. Un vrai bourgogne. Ce domaine fut coup de cœur dans notre édition 1998 (millésime 95 blanc).
Véronique et Pierre Janny, La Condemine, 71260 Péronne, tél. 03.85.36.97.03, fax 03.85.36.96.58 ☑ ⏦ r.-v.

DOM. LEJEUNE 1998***

	0,9 ha	10 000	

Bravo, Monsieur le Professeur ! François de Pommerol a longtemps formé les élèves de la *Viti* de Beaune. Le prix d'excellence le récompense aujourd'hui. Intense, noyau de cerise, un vin presque crémeux tant il coule en bouche. Sa structure est sculpturale. Assez boisé, mais dans le respect du pinot noir qui s'incarne superbement dans le verre.
Dom. Lejeune, La Confrérie, pl. de l'Eglise, 21630 Pommard, tél. 03.80.22.90.88, fax 03.80.22.90.88 ☑ ⏦ r.-v.
Famille Jullien de Pommerol

JACQUES LEMAIGRE 1998*

■	0,3 ha	1 379	⏦ 30 à 49 F

Rouge sombre, il est encore fermé. Mais il a de beaux jours devant lui. Tannique aujourd'hui, il connaît son pinot noir par cœur. D'excellente structure, il est digne d'un lièvre.
Jacques Lemaigre, 89700 Dannemoine, tél. 03.86.55.54.84 ☑ ⏦ r.-v.

DOM. CHANTAL LESCURE
Les Sorbins 1998*

■	0,4 ha	1 700	■ 30 à 49 F

De plus en plus, les producteurs ont tendance à inscrire le nom de *climat* sur l'étiquette de leur bourgogne. Mais il reste à savoir où il se niche ! Ainsi ces Sorbins ? Ils nous font en tout cas bonne impression. Belle couleur limpide, cerise et épices, configuration classique et suffisante. Le **blanc 98**, une étoile, devrait également vous plaire. Un gras bien enrobé et un style exotique.

Dom. Chantal Lescure, 34 A, rue Thurot, 21700 Nuits-Saint-Georges, tél. 03.80.61.16.79, fax 03.80.61.36.64, e-mail domaine-lescure.com ☑ ⏦ r.-v.

MICHEL LORAIN
Côte Saint-Jacques 1998*

◢	0,5 ha	3 000	■↓ 30 à 49 F

Quand on dirige les fourneaux de la célèbre *Côte Saint-Jacques*, on se doit de faire revivre le vignoble du même nom à Joigny. Ancien président des Etats-Généraux de la Gastronomie française, Michel Lorain signe ici un pinot gris à la robe impeccable, au gentil petit bout de nez, à la bouche souple et légère. Le cépage s'exprime de façon simple et sincère. Avec quoi ce grand chef nous le conseille-t-il ? Salade tiède de rouget aux aromates.
SCEV Michel Lorain, 43, fg de Paris, 89300 Joigny, tél. 03.86.62.06.70, fax 03.86.94.49.70 ☑ ⏦ r.-v.

CAVE DE LUGNY 1999*

	n.c.	100 000	■↓ 30 à 49 F

Coopérative créée en 1926 qui atteint aujourd'hui 1 470 ha en vinification. Son bourgogne blanc, or pâle, exhale tous les parfums du chardonnay. « *Well balanced* », comme l'écrit l'un de nos dégustateurs. La bouche suit sur le même registre, agrumes, fleurs blanches et miel persistant longuement. Une belle harmonie dont on pourra profiter trois ou quatre ans.
SCV Cave de Lugny, rue des Charmes, 71260 Lugny, tél. 03.85.33.22.85, fax 03.85.33.26.46, e-mail commercial@cave-lugny.com ⏦ r.-v.

DOM. DE MAISON ROUGE 1998

■	2,45 ha	4 700	■↓ 30 à 49 F

Le chevalier de Maison Rouge est un personnage célèbre de la littérature de cape et d'épée. Choisit-il de se retirer ici sur ses vieux jours ? On sait à tout le moins que ce vin honorait la table du duc d'Orléans jadis. Un gigot bourgeois accompagnera ce pinot noir pourpre clair, au nez d'une remarquable finesse, marqué par des notes de cassis et gardant sa fraîcheur.
Liebert et Fils, dom. de Maison Rouge, rte de Saint-Martin, 89700 Tonnerre, tél. 03.86.54.46.39, fax 03.86.54.46.39 ☑ ⏦ t.l.j. 10h-19h

MALTOFF
Coulanges-la-Vineuse Cuvée Prestige 1998*

■	0,7 ha	7 600	⏦ 50 à 69 F

Un vin qui ne fait pas la grasse matinée. Dès le premier coup d'œil, on voit qu'il est réveillé ! Il sait mettre à profit un fruit rouge léger mais insistant. Quelques notes de cassis, des tanins bien maîtrisés, tout se tient. Il pourra se garder de deux à trois ans sans difficulté.
Dom. Maltoff, 20, rue d'Aguesseau, 89580 Coulanges-la-Vineuse, tél. 03.86.42.32.48, fax 03.86.42.24.92 ☑ ⏦ r.-v.

CAVE DES VIGNERONS DE MANCEY 1998*

| ■ | n.c. | 12 000 | 🍶 30 à 49 F |

De la structure, de la matière, derrière cette très belle robe sombre à reflets rubis. Le nez commence à s'ouvrir sur les fruits rouges. Un vin prêt à boire mais pouvant attendre de trois à quatre ans. Une affaire. Venu de Saône-et-Loire, c'est un pinot noir.
➳ Cave des vignerons de Mancey, R.N. 6, En Velnoux, 71700 Tournus, tél. 03.85.51.00.83, fax 03.85.51.71.20 ☑ ☖ r.-v.

DOM. MARCHAND FRERES
Les Poisots 1998**

| ■ | 0,22 ha | 1 400 | 🍷 20 à 29 F |

Une étiquette verticale en Bourgogne, voilà qui est original ! Pourpre violacé, complexe dès le premier appel du nez, ce 98 demeure un peu sur la réserve mais possède les qualités d'un vin qui va s'épanouir en cave. Les tanins sont bons, les espoirs assurés. Le domaine à Gevrey offre des chambres d'hôtes.
➳ Dom. Marchand Frères, 1, pl. du Monument, B.P. 38, 21220 Gevrey-Chambertin, tél. 03.80.62.10.97, fax 03.80.62.11.01, e-mail dmarc2000@aol.com ☑ ☖ r.-v.

CATHERINE ET CLAUDE MARECHAL Cuvée Gravel 1998*

| ■ | 3 ha | 9 000 | 🍷 30 à 49 F |

« J'aime », écrit une dégustatrice qui développe son propos : robe pourpre à reflets violets, nez fruité (bourgeon de cassis), boisé, avec une pointe minérale que l'on retrouve en bouche, entourée de notes de fruits noirs. De la matière. De l'équilibre. A attendre au moins deux ans.
➳ EARL Catherine et Claude Maréchal, 6, rte de Chalon, 21200 Bligny-lès-Beaune, tél. 03.80.21.44.37, fax 03.80.26.85.01 ☑ ☖ r.-v.

DOM. DES MARRONNIERS 1999

| □ | 1,1 ha | 10 000 | 🍶 30 à 49 F |

Légèrement perlant, fin et d'une tonalité de pierre à fusil, il est d'une agréable simplicité. Une élégante pointe minérale au nez, une bouche de bonne typicité qui accompagnera bien une andouillette de Chablis.
➳ Bernard Légland, 1 et 3, Grande-Rue de Chablis, 89800 Préhy, tél. 03.86.41.42.70, fax 03.86.41.45.82 ☑ ☖ t.l.j. 8h-12h 14h-20h; f. 15 août-5 sept.

DOM. MATHIAS Epineuil 1998**

| □ | 0,56 ha | 4 500 | 🍶 30 à 49 F |

Domaine né au début des années 1980 lorsque le vignoble d'Epineuil a connu la renaissance. Ce 98 émoustillé par une pointe de jeunesse est un modèle du genre. Les reflets verts ? Il les a. La fleur blanche ? Il la possède. Le passage en bouche présente toutes les qualités requises. Un peu de minéralité. La truite au bleu paraît de bon conseil.

➳ Alain Mathias, rte de Troyes, 89700 Epineuil, tél. 03.86.54.43.90, fax 03.86.54.47.75 ☑ ☖ r.-v.

PROSPER MAUFOUX 1997**

| □ | n.c. | n.c. | 🍷 50 à 69 F |

Quel beau vin ! Etoffé et moelleux, un chardonnay qui nous fait les yeux doux. Sa robe « goutte d'or », son bouquet assez empyreumatique, son très bel équilibre mériteraient presque une appellation *village*. A déguster pendant deux ou trois ans.
➳ Prosper Maufoux, pl. du Jet-d'Eau, 21590 Santenay, tél. 03.80.20.60.40, fax 03.80.20.63.26 ☑ ☖ r.-v.

DOM. MARC MENEAU
Vézelay Les Chaumonts 1998**

| □ | 2 ha | 12 000 | 🍶 30 à 49 F |

Si Georges Blanc exprime sa passion vigneronne à Azé-en-Mâconnais, Marc Meneau est naturellement un apôtre du vin de Vézelay. Il a planté 16 ha au pied de la basilique. Cette reconquête a commencé en 1986 et quinze ans plus tard, on en apprécie les fruits. Un bourgogne Vézelay né d'un superbe chardonnay, paré d'une robe intense. Une légère note boisée accompagne un nez très complexe. Ample et riche, la bouche joue sur le même registre, le fût se mariant bien à un côté minéral qui contribue à son charme.
➳ Marc Meneau, rue du Moulin-à-Vent, 89450 Vézelay, tél. 03.86.33.39.11, fax 03.86.33.26.15, e-mail marcmeneau@wanadoo.fr ☑ ☖ r.-v.

DOM. DU MERLE 1997*

| □ | 2 ha | 3 000 | 🍷 30 à 49 F |

Or limpide à reflets verts, ce 97 est très parfumé (citron, fleur d'acacia, vanille, sous-bois). Equilibrée et longue, la bouche offrira pendant les deux prochaines années une belle harmonie.

✎ Michel Morin, Sens, 71240 Sennecey-le-Grand, tél. 03.85.44.75.38, fax 03.85.44.73.63
☑ ⌇ t.l.j. 9h30-19h30

DOM. MICHELOT 1998★

| ☐ | 4 ha | 30 000 | ⫤ | 50 à 69 F |

Quatre générations de vignerons : on sait de quoi on parle à Meursault. Aussi ne s'étonnera-t-on pas de la superbe robe de bourgogne blanc, de l'équilibre des saveurs (entre notes boisées légèrement toastées et fruit en devenir). Une grande bouteille d'ici un an, à goûter pendant plus de trois ans.
✎ Dom. Michelot, 31, rue de la Velle, 21190 Meursault, tél. 03.80.21.23.17, fax 03.80.21.63.62 ☑ r.-v.

DOM. DE MONTPIERREUX 1999

| ☐ | 3 ha | 20 000 | ▮▯ | 30 à 49 F |

Or paille marqué par un soupçon d'oxydation, un chardonnay rustique et qui semble issu d'un terroir profond ainsi qu'austère. Parcelle reclassée en AOC bourgogne en 1988. Les lieux ? A proximité de l'aire de restauration de l'autoroute à Auxerre. Excellente incitation à prendre la clé des champs, d'autant que le domaine possède également une truffière. Bon petit vin aimable.
✎ François Choné, dom. de Montpierreux, 89290 Venoy, tél. 03.86.40.20.91, fax 03.86.40.28.00 ☑ ⌇ t.l.j. 9h-19h

DOM. MICHEL MOREY-COFFINET 1998★★

| ■ | 1,2 ha | 4 500 | ⫤ | 30 à 49 F |

Rouge pivoine, le nez encore introverti mais riche de fruits noirs (cassis, mûre) bien enveloppés par le fût, il offre un palais délicieux. Solide, élégant, racé, il a le sens du détail, de la nuance et il s'épanouira encore durant les années à venir. Si vous le pouvez, gardez-le un peu.
✎ Dom. Michel Morey-Coffinet, 6, pl. du Grand-Four, 21190 Chassagne-Montrachet, tél. 03.80.21.31.71, fax 03.80.21.90.81 ☑ ⌇ r.-v.

CHRISTIAN MORIN Chitry 1998★

| ☐ | 4 ha | n.c. | ▮ | 30 à 49 F |

Une exploitation familiale de 9 ha qui se développe à l'export. Resté jeune, ce 98 d'un or moyennement intense à reflets verts apparaît tout d'abord un peu fermé. Mais il ouvre ses volets petit à petit, exprimant des nuances citronnées. Davantage de vivacité que de gras, mais c'est dans le style du pays. La longueur se fait sur le fruit.
✎ Christian Morin, 17, rue du Ruisseau, 89530 Chitry-le-Fort, tél. 03.86.41.44.10, fax 03.86.41.48.21 ☑ ⌇ r.-v.

OLIVIER MORIN Chitry 1998★★

| ☐ | 3 ha | 20 000 | ▮⫤⌇ | 30 à 49 F |

Bel exercice de vinification avec un élevage de six mois en fût bien maîtrisé. La couleur est extraite avec goût et doigté, sans excès. Légère évolution perceptible au nez, se traduisant par des arômes assez mûrs. L'attaque se déroule convenablement, conduisant à des sensations fruitées et minérales. La finale a un joli petit côté vanillé. Le **rouge 98** est également conseillé en

raison de sa typicité Chitry : arômes de groseille et structure tannique. Il reçoit une étoile.
✎ Olivier Morin, 2, chem. de Vaudu, 89530 Chitry-le-Fort, tél. 03.86.41.47.20, fax 03.86.41.47.20 ☑ r.-v.

DOM. THIERRY MORTET 1998★★

| ■ | 1 ha | 6 000 | ⫤ | 50 à 69 F |

Un jury se partage quelquefois. Tel est le cas. Les appréciations vont jusqu'à la note la plus élevée tant le pinot noir reçoit sa consécration. Nous avons affaire ici à un vin venant de Gevrey-Chambertin. L'extraction est superbe, le corps encore fermé, l'onctuosité parfaite, l'équilibre remarqué. Il n'y a pas en lui aujourd'hui une folle élégance, mais tous les indices d'une AOC régionale fort bien conduite et qui s'éveillera dans deux ou trois ans.
✎ Dom. Thierry Mortet, 16, pl. des Marronniers, 21220 Gevrey-Chambertin, tél. 03.80.51.85.07, fax 03.80.34.16.80 ☑ ⌇ r.-v.

DOM. JEAN ET GENO MUSSO 1998★

| ■ | 4 ha | 20 000 | ⫤ | 30 à 49 F |

Depuis longtemps conduit en agriculture biologique, le vignoble de Jean et Geno Musso s'est beaucoup agrandi pour atteindre aujourd'hui 56 ha. Leur bourgogne est bien typé en même temps que très jeune. Le nez discret se montre agréable avec ses notes de fruits à noyau (cerise, prune). La bouche est ronde, grasse, moelleuse et construite sur des tanins fins. Une authenticité élégante dont il faut déjà profiter.
✎ Jean et Geno Musso, 71400 Dracy-lès-Couches, tél. 03.85.96.18.61, fax 03.85.96.18.62 ☑ r.-v.

ANDRE ET JEAN-RENE NUDANT
La Chapelle-Notre-Dame 1997★

| ■ | 0,4 ha | 2 500 | ⫤ | 30 à 49 F |

Un de vos amis croit-il tout connaître sur le vin de Bourgogne ? Servez-lui ce vin en lui demandant ce qu'il a de « particulier ». Et prenez un bon pari. Sauf s'il lit ces lignes, saura-t-il que cette Chapelle Notre-Dame du Chemin à Ladoix-Serrigny est l'un des très rares *climats* de l'appellation régionale à avoir reçu officiellement le droit de figurer sur l'étiquette ? Bien présenté, ce 97 réserve une belle envolée d'arômes épicés. Fraîcheur, force de caractère. Il est à garder un an avant de l'allier à un sauté de veau.
✎ Dom. Nudant, 11, R.N. 74, 21550 Ladoix-Serrigny, tél. 03.80.26.40.48, fax 03.80.26.47.13, e-mail domaine.nudant@wanadoo.fr ☑ ⌇ r.-v.

DOM. NOEL PERRIN
Clos de Chenôves 1998

| ■ | 3 ha | 5 000 | ▮⫤ | 30 à 49 F |

Ne pas confondre Chenôve près de Dijon (AOC marsannay) et Chenôves (en Côte chalonnaise). Ne pas oublier non plus que jadis le curé de Chenôves se rendit universellement célèbre par une variété de fraisier de son invention. Ce vin se rapproche davantage de la fève de cacao, du gibier. Très charpenté, tannique, il est solide comme un *paissiau*, ces bâtons qui soutenaient la vigne pré-phylloxérique. L'attendre un an ou deux.

•➥Dom. Noël Perrin, 71460 Culles-les-Roches, tél. 03.85.44.04.25, fax 03.85.44.04.25 ☑ ☎ t.l.j. 8h-12h 13h30-19h
•➥ de Faure

DENIS PHILIBERT 1998★★

	n.c.	20 000	❚❙❚ 30 à 49 F

Il plaît à l'œil. Il intéresse le nez. Il séduit la bouche. Structuré, tannique, il sait habilement doser le boisé sur un air de cerise. Finale en queue de paon. Du muscle, de la richesse, il se situe à la hauteur d'une AOC communale.
•➥ Maison Denis Philibert, 1, rue Ziem, 21200 Beaune, tél. 03.80.24.05.88, fax 03.80.22.37.08 ☎ t.l.j. 9h-19h

JEAN-MICHEL ET LAURENT PILLOT 1998★

	4,03 ha	6 000	❚ 50 à 69 F

Précoce et à boire jeune, frais et friand, un vin de soif. Il colle à merveille à son appellation dans l'esprit de la Côte chalonnaise et sans effets d'annonce. Sous une robe légèrement tuilée (seule marque d'évolution), un caractère « primeur ».
•➥ Dom. Jean-Michel et Laurent Pillot, rue des Vendangeurs, 71640 Mellecey, tél. 03.85.45.21.39, fax 03.85.45.20.48 ☑ ☎ r.-v.

DOM. DU PUITS FLEURI 1998

	4 ha	6 000	❚❙❚ 20 à 29 F

Joli vin sans prétention, assez typé Côte chalonnaise. Sous une robe pelure d'oignon qui donne des signes d'évolution, il évoque le kirsch, le fruit à l'eau-de-vie, l'animal, dans un cadre tannique. A boire maintenant sur un plat canaille, une andouille aux haricots par exemple.
•➥GAEC du Puits Fleuri, Picard Père et Fils, 71490 Saint-Maurice-les-Couches, tél. 03,85.49.68.44, fax 03.85.45.55.61 ☑ ☎ r.-v.

MICHEL REBOURGEON 1998★

	1,16 ha	7 450	❚❙❚ 30 à 49 F

Créé en 1920, ce domaine compte plus de 3 ha sur des *villages* et des 1ᵉʳˢ crus. L'AOC bourgogne n'est pas négligée. Six mois de fût n'ont pas gâché la jolie expression du pinot de la Côte : même si les tanins sont encore présents, l'équilibre est fondu à souhait. A boire tout au long de son évolution pendant quatre à cinq ans.
•➥ Michel Rebourgeon, pl. de l'Europe, 21630 Pommard, tél. 03.80.22.22.83, fax 03.80.22.90.64 ☑ ☎ r.-v.

DOM. DES REMPARTS
Côtes d'Auxerre 1998★

☐	4 ha	15 000	❚ 30 à 49 F

Techniquement parfait, un bourgogne citron très clair, d'un miel discret, sur la fleur blanche puis campant sur le minéral. Il fait ses gammes de façon plaisante, jouant sans doute la facilité mais force est de reconnaître qu'il nous mène de bout en bout par... le bout du nez.
•➥Dom. des Remparts, 6, rte de Champs, 89530 Saint-Bris-le-Vineux, tél. 03.86.53.33.59, fax 03.86.53.62.12 ☑ ☎ r.-v.
•➥ Sorin

DOM. RIGOUTAT
Coulanges-la-Vineuse 1998

	3 ha	1 830	❚❙❚♨ 30 à 49 F

Vin intéressant, qui prend le sujet à cœur. Sous sa jolie couleur s'abrite un nez encore fermé. Il y a de la matière. L'acidité et les tanins, le boisé surtout empêchent d'y voir encore tout à fait clair, et si l'on opte pour cette bouteille, il faudra la faire vieillir un à deux ans.
•➥Dom. Pascale et Alain Rigoutat, 2, rue du Midi, 89290 Jussy, tél. 03.86.53.33.79, fax 03.86.53.66.89 ☑ ☎ r.-v.

DOM. MICHELE ET PATRICE RION
Les Bons Bâtons 1998★★★

	0,62 ha	n.c.	❚❙❚ 30 à 49 F

BOURGOGNE
LES BONS BATONS
APPELLATION BOURGOGNE CONTRÔLÉE
DOMAINE MICHÈLE & PATRICE RION
PREMEAUX 21700 NUITS-SAINT-GEORGES - FRANCE
Mis en bouteille au Domaine 1998 Product of France
12,5% Alc./Vol. 750 ml

Où sont ces Bons Bâtons ? On donne sa langue au chat. Cela dit, superbe. Le coup de cœur honore en effet, pour la deuxième année consécutive, ce bourgogne pourpre violacé à reflets bleutés, animal et sous-bois, d'une fraîcheur délicieuse. Il s'achève si l'on peut dire sur une jolie note de cassis. On ne fait guère mieux. Le domaine est établi dans l'ancien hospice Saint-Bernard de Premeaux.
•➥SCE Michèle et Patrice Rion, 1, rue de la Maladière, 21700 Premeaux, tél. 03.80.62.32.63, fax 03.80.62.49.63, e-mail patrice.rion@wanadoo.fr ☑ ☎ r.-v.

CAVE PRIVEE ANTONIN RODET
Les Vignes rouges 1997★

	n.c.	10 000	❚❙❚ 70 à 99 F

La grande maison de Mercurey a proposé un vin dont une dégustatrice affirme que « ce n'est pas un bourgogne facile mais qu'il devrait devenir assez grand pour être servi avec un gigot d'agneau au thym ». Une belle acidité, un bon support tannique, une robe très profonde à l'image de son bouquet encore en devenir. Lorsqu'il aura atteint sa majorité, il faudra penser à le carafer.
•➥ Antonin Rodet, 71640 Mercurey, tél. 03.85.98.12.12, fax 03.85.45.25.49, e-mail rodet@rodet.com ☑ ☎ t.l.j. sf sam. dim. 9h-12h 13h30-18h

DOM. REGIS ROSSIGNOL-CHANGARNIER 1998★

	1,3 ha	5 400	❚❙❚ 30 à 49 F

La vendange est égrappée ici à 80 %. Sans doute cette pratique explique-t-elle la délicatesse de ce pinot noir qui s'exprime tout en nuances. Carmin brillant, il présente un nez très à son

BOURGOGNE

avantage. Léger pain grillé sur la langue. On reste sur un sentiment de subtilité persistante.
➤ Régis Rossignol, rue d'Amour, 21190 Volnay, tél. 03.80.21.61.59, fax 03.80.21.61.59 ☑ ⲯ r.-v.

DOM. DE RUERE 1998★

■		0,17 ha	1 500	ⅠⅠ	20 à 29 F

Il entre parfois dans un bourgogne toute la complexité du palais du roi Minos. C'est le cas ici. Vous devrez vous montrer patient, en suivant le fil d'Ariane. Au pays du gamay, voici un pinot de bonne souche, d'un rubis dense à disque violet, au bouquet bourgeon de cassis particulièrement flatteur. Encore tannique, mais son acidité est un gage de durée en cave.
➤ Mme Thérèse Eloy, Ruère, 71960 Pierreclos, tél. 03.85.35.70.19, fax 03.85.35.70.19 ☑ ⲯ r.-v.

DOM. SAINT-PRIX
Côtes d'Auxerre Cuvée Louis Bersan 1998★★

☐		n.c.	n.c.		30 à 49 F

Coup de cœur l'an dernier, ce domaine renouvelle l'exploit avec ce vin qui a tous les charmes du chardonnay en pays bourguignon, la structure et l'équilibre donnés par un beau terroir et un réel savoir-faire. Fleurs blanches et minéralité emportent l'adhésion du jury. Une même voix pour le **bourgogne rouge 98** tout en fruits rouges ou noirs et épices, d'une superbe longueur.
➤ Dom. Bersan et Fils, 20, rue du Dr Tardieux, 89530 Saint-Bris-le-Vineux, tél. 03.86.53.33.73, fax 03.86.53.38.45 ☑ ⲯ t.l.j. 8h-12h30 13h30-18h; dim. 8h-12h30; groupes sur r.-v.

CLAUDE ET THOMAS SEGUIN
Côtes d'Auxerre 1998★★

☐		2,8 ha	3 500	■ ᵭ	20 à 29 F

Difficile d'imaginer vin au caractère de terroir plus prononcé. Son nez champignonne. Gras et richesse confortent ses aspirations premières. L'élevage en cuve a préservé ses origines ; c'est ce qu'on appelle un très beau bourgogne typé.
➤ EARL Claude et Thomas Seguin, 3 bis, rue Haute, 89530 Saint-Bris-le-Vineux, tél. 03.86.53.37.39, fax 03.86.53.61.12 ☑ ⲯ t.l.j. 8h-20h

SIMONNET-FEBVRE
Coulanges-la-Vineuse 1998★

■		0,6 ha	4 000	■ ᵭ	30 à 49 F

Une brillance agréable pour cette robe pourpre. Le nez est plus discret, rappelant bien le

cépage. Le pinot noir s'exprime toujours en bouche ; celle-ci, souple et légère, est harmonieuse.
➤ Simonnet-Febvre, 9, av. d'Oberwesel, 89800 Chablis, tél. 03.86.98.99.00, fax 03.86.98.99.01 ☑ ⲯ r.-v.

MARYLENE ET PHILIPPE SORIN
Julius Caesar Cuvée du Maître de Poste 1997★

■		0,5 ha	3 000	ⅠⅠ	50 à 69 F

Cuvée Julius Caesar. Comme disait Vincenot : « Le Jules on ne l'aime pas trop par ici, vu les malheurs qu'il a faits à Vercingétorix. » Mais pour racheter ce discrédit, il nous a laissé un cépage qui serait ici à 100 %. Rien que pour déguster le césar, cet oiseau devenu rare, on vous recommande ce 97 à la robe impériale et sombre, respirant la mûre et stable en bouche. Pour connaisseurs. Avec des cailles.
➤ Marylène et Philippe Sorin, 12, rue de Paris, 89530 Saint-Bris-le-Vineux, tél. 03.86.53.60.76, fax 03.86.53.62.60, e-mail philippe.sorin@libertysurf.fr ☑ ⲯ r.-v.

DOM. SORIN DEFRANCE
Côtes d'Auxerre 1999

☐		2,8 ha	25 000	■ ᵭ	30 à 49 F

Des vignes de dix-huit ans ont donné ce vin tout or, minéral, ouvert, plein d'allant.
➤ Dom. Sorin-Defrance, 11*bis*, rue de Paris, 89530 Saint-Bris-le-Vineux, tél. 03.86.53.32.99, fax 03.86.53.34.44 ☑ ⲯ t.l.j. sf dim. 8h-12h 13h30-18h30

HUBERT ET JEAN-PAUL TABIT
Côtes d'Auxerre 1997

☐		4 ha	10 000	■ ᵭ	30 à 49 F

Des caves du XIII°s., un musée rassemblant quatre cents outils des métiers de la vigne et du vin, voilà deux bonnes raisons pour rendre visite à la famille Tabit. Une autre est la découverte d'un bourgogne pas très typé du millésime, pourtant né sur les nuances kimméridgiennes. C'est une fleur emplie de miel, mais évoluée. C'est équilibré, assez long, en un mot plaisant.
➤ Hubert et Jean-Paul Tabit, 2, rue Dorée, 89530 Saint-Bris-le-Vineux, tél. 03.86.53.33.83, fax 03.86.53.67.97 ☑ ⲯ t.l.j. 8h-12h 14h-20h; dim. sur r.-v.

OLIVIER TRICON 1998★

☐		n.c.	30 000	■ ᵭ	30 à 49 F

Une couleur classique et un nez plein de promesses... classiques ! Floral déjà, et c'est bon signe ! La bouche est fraîche. Sa vivacité est gage de bonne constitution et de longue vie.
➤ Olivier Tricon, rte d'Avallon, ferme de Vauroux, 89800 Chablis, tél. 03.86.42.10.37, fax 03.86.42.49.13, e-mail maison.tricon@wanadoo.fr ☑ ⲯ r.-v.

DOM. DES TROIS MONTS 1998★★

■		0,8 ha	6 400	■	30 à 49 F

Si vous passez par Saint-Sernin-du-Plain, en Côte chalonnaise, rendez visite au boucher : ses andouillettes constituent une réelle attraction touristique et gourmande. Puis entrez dans la cave de ce domaine. Deux remarquables bourgognes 98. Celui-ci d'abord : encre noire, un vin qui respire le cassis. Il attaque rondement, puis affiche une matière soyeuse... Il joue l'émotion, la tendresse. Il sait s'y prendre. **Elevée en fût de chêne** pendant douze mois, une autre cuvée reçoit la même note pour son excellente facture. Les Pichard sont dans la vigne depuis deux cents ans. Qu'ils y restent !

🕊 Dom. des Trois Monts, En Crainchet, 71510 Saint-Sernin-du-Plain, tél. 03.85.45.58.10, fax 03.85.49.50.17, e-mail troismonts@caves-particulieres.com ☑ Ⓨ r.-v.

🕊 Daniel et Claude Pichard

CLOS DE VAULICHERES 1998*

☐	0,5 ha	1000	▮ ⅠⅠ ♦	70 à 99 F

Ancien domaine de la famille de Clermont-Tonnerre (originaire d'ici et longtemps propriétaire du château d'Ancy-le-Franc), Vaulichères donne un vin d'un jaune soutenu, aux arômes de fruits secs et de noisette. Il lui manque un peu de fraîcheur pour s'envoler tout à fait, mais sa richesse peut s'accorder au soumaintrain, le fromage de la région.

🕊 Olivier Refait, Ch. Clos de Vaulichères, Vaulichères, 89700 Tonnerre, tél. 03.86.55.02.74, fax 03.86.55.37.57, e-mail info@vaulichères.com Ⓨ t.l.j. 8h-12h30 13h30-19h; dim. sur r.-v.

ALAIN VIGNOT
Côte Saint-Jacques 1998**

▮	4,16 ha	n.c.	▮ ⅠⅠ ♦	30 à 49 F

Ce viticulteur est l'un des acteurs les plus dynamiques de la renaissance du vignoble. Il a proposé un **rosé 94** tout à fait « gris » (pinot gris à 90 %, pinot noir pour la suite), aux légers arômes végétaux, et un tantinet exotique, cité par le jury. Il est destiné à ceux qui aiment sortir de la routine et vivre des aventures nouvelles. Quant à ce rouge 98 (pinot noir), il est intéressant, original, très estimable. Pourpre soutenu, cassis au nez, il offre un remarquable équilibre, une bouche toute de velours qui permet de le servir déjà. Cependant sa constitution autorise quelques années de garde.

🕊 Alain Vignot, 16, rue des Prés, 89300 Paroy-sur-Tholon, tél. 03.86.91.03.06, fax 03.86.91.09.37 ☑ Ⓨ r.-v.

DOM. FABRICE VIGOT
Les Lutenières 1998**

▮	0,85 ha	3 000	ⅠⅠ	50 à 69 F

Petit-fils d'un émigré italien installé à Morey-Saint-Denis, Fabrice est né à Vosne en 1966. Il reprend avec courage le domaine familial en 1990. Le coup de cœur salue ce bourgogne mi-

kirsch mi-sous-bois, grenat profond et qui joue sans complexe dans la cour des grands. Ample, chaleureux, puissant, un vin qu'on redécouvrira avec plaisir dans deux ou trois ans.

🕊 Dom. Fabrice Vigot, 16, rue de la Fontaine, 21700 Vosne-Romanée, tél. 03.80.61.13.01, fax 03.80.61.13.01 ☑ Ⓨ r.-v.

DOM. ELISE VILLIERS
La Chevalière 1998

☐	2,5 ha	7 000	▮ 30 à 49 F

D'une teinte claire, le nez sec et de silex, il est assez vif en bouche. Cette acidité lui sera utile si l'on souhaite le conserver de un à deux ans.

🕊 Elise Villiers, Précy-le-Moult, Pierre-Perthuis, 89450 Vézelay, tél. 03.86.33.27.62, fax 03.86.33.27.62 ☑ Ⓨ r.-v.

Bourgogne grand ordinaire

En réalité, les appellations bourgogne ordinaire et bourgogne grand ordinaire sont très peu usitées. Lorsqu'on les utilise, on néglige le plus souvent celle de bourgogne grand ordinaire. Ce nom n'évoque-t-il pas une certaine banalité ? Certains terroirs un peu en marge du grand vignoble peuvent toutefois y produire d'excellents vins à des prix très abordables. Pratiquement tous les cépages de la Bourgogne peuvent contribuer à la production de ce vin, qui peut se trouver en blanc, en rouge et en rosé ou clairet.

En blanc, les cépages seront le chardonnay ou le melon, dont il n'existe plus que quelques vestiges de vignes : ce dernier a conquis ses lettres de noblesse beaucoup plus à l'ouest de la France, pour produire le muscadet réputé dans la région nantaise ; quant à l'aligoté, il est presque toujours déclaré sous l'appellation bourgogne aligoté ; le sacy (uniquement dans le département de l'Yonne) était essentiellement cultivé dans tout le Chablisien et dans la vallée de l'Yonne, pour produire des vins destinés à la prise de mousse et exportés ; depuis l'avènement du crémant de Bourgogne, il est utilisé pour cette appellation.

En rouge et rosé, les cépages bourguignons traditionnels, gamay noir et pinot noir, sont les principaux. Dans l'Yonne encore, on peut utiliser le césar, qui est réservé au bourgogne, surtout à Irancy, et le tressot, qui ne figure que dans les textes mais plus jamais sur le terrain... C'est dans l'Yonne, et plus particulièrement à Coulanges-la-Vineuse, que l'on rencontre les meilleurs vins de gamay, sous cette appellation. La production de cette AOC a atteint 12 000 hl en 1999.

DOM. BOUZERAND-DUJARDIN 1998

■ 0,28 ha 1 400 ▓ 30 à 49 F

Endimanché dans son costume rouge foncé, voici un bien honnête citoyen. Deux tiers de gamay, un tiers de pinot de Monthélie. Il y a pire dans la vie ! Le bouquet est plaisant sur des notes de cuir et de violette. Un vin typé, bien fait.
☛ Dom. Bouzerand-Dujardin, pl. de l'Eglise, 21190 Monthélie, tél. 03.80.21.20.08, fax 03.80.21.28.16 ☑ ⵂ r.-v.

FRANCK CHALMEAU Sacy 1998★

☐ 1,03 ha 9 000 ▓↓ 20 à 29 F

Un vin pour amateurs éclairés, pour amateurs de curiosités. Il fait revivre le sacy, cépage jadis florissant et de nos jours presque disparu. Un effort à soutenir ! Et cela vaut le coup : vous découvrirez ce vin quasiment unique, au parfum d'églantine et de litchi, à la fraîcheur bondissante et fruitée, persistante. Cela ne coûte presque rien, et vraiment on sort ici des sentiers battus. Bravo à ce courageux viticulteur qui préserve ce cépage.
☛ Franck Chalmeau, 20, rue du Ruisseau, 89530 Chitry-le-Fort, tél. 03.86.41.42.09, fax 03.86.41.46.84 ☑ ⵂ r.-v.

DOM. DE CHAUDE ECUELLE
Chardonnay 1998

☐ 1,1 ha 10 000 ▓↓ 30 à 49 F

Friand, c'est ce qu'on dit en reposant le verre. Or pâle, un vin vif et généreux qui a du fruit mûr au nez comme en bouche.
☛ Dom. de Chaude Ecuelle, 35, Grande-Rue, 89800 Chemilly-sur-Serein, tél. 03.86.42.40.44, fax 03.86.42.85.13 ☑ ⵂ r.-v.
☛ Gabriel et Gérald Vilain

CAVE DES VIGNERONS DE GENOUILLY 1998★

■ 5 ha 10 000 ▓↓ 20 à 29 F

On n'emploie plus guère l'expression « vin de grand ordinaire » pour dire « la bouteille du dimanche ». Cela étant, ce vin est capable de bonnes choses. Ici par exemple. Il y a de la couleur, du parfum (végétal, fraise) et une certaine structure. Rustique ? Evidemment, et c'est un compliment car un bourgogne grand ordinaire doit rester dans sa catégorie. Assez long sur le fruit.
☛ Cave des vignerons de Genouilly, 71460 Genouilly, tél. 03.85.49.23.72, fax 03.85.49.23.58 ☑ ⵂ t.l.j. sf dim. 8h-12h 14h-18h

DOM. GUYON
Les Glapignys Réserve du domaine 1998★

☐ 0,15 ha 1 400 ▓↓ 50 à 69 F

S'il manque aujourd'hui (avril 2000) d'un peu de souffle en fin de bouche, il s'ouvrira très bientôt. Fleurs et agrumes composent son bouquet, sous une robe claire. Il provient de la Côte de Nuits, alliant chardonnay (75 %) et pinot blanc pour le restant. Mariage auquel on aimerait être invité. N'est-ce pas intéressant ?
☛ EARL Dom. Guyon, 11-16, R.N. 74, 21700 Vosne-Romanée, tél. 03.80.61.02.46, fax 03.80.62.36.56 ☑ ⵂ r.-v.

DOM. FABRICE VIGOT 1998

■ 0,43 ha 1000 ▓ 20 à 29 F

Ici, les échezeaux voisinent en cave avec le bourgogne grand ordinaire. On n'est donc pas surpris de trouver un vin intense à l'œil et correct au nez, aux tanins prononcés, offrant un excellent potentiel. Il ne demande qu'à se patiner. Et à ce prix, il serait dommage de s'en priver.
☛ Dom. Fabrice Vigot, 16, rue de la Fontaine, 21700 Vosne-Romanée, tél. 03.80.61.13.01, fax 03.80.61.13.01 ☑ ⵂ r.-v.

Bourgogne aligoté

C'est le « muscadet de la Bourgogne », dit-on. Excellent vin de carafe que l'on boit jeune, il exprime bien les arômes du cépage ; il est un peu vif et, surtout, régionalement, il permet d'attendre les vins de chardonnay. Remplacé par ce dernier dans la Côte, il est un peu « descendu » dans l'aire de production lui étant réservée, alors qu'autrefois il était cultivé en coteaux. Mais le terroir influe sur lui autant que sur les autres cépages et il y a autant de types d'aligotés que de régions où on les élabore. Les aligotés de Pernand étaient connus pour leur souplesse et leur nez fruité (avant de céder la place au chardonnay) ; les aligotés des Hautes-Côtes sont recherchés pour leur fraîcheur et leur vivacité ; ceux de Saint-Bris dans l'Yonne semblent emprunter au sauvignon quelques traces de fleur de sureau, sur des saveurs légères et coulantes ; ceux de Bouzeron, enfin, qui ont acquis récemment une certaine notoriété grâce à leur appellation distincte, « chardonnent » discrètement et signent ainsi leur appartenance à la Côte chalonnaise. En 1999, 102 390 hl ont été produits en bourgogne aligoté et 3 841 hl en bouzeron.

STEPHANE ALADAME 1998

| □ | 0,3 ha | 2 335 | ▮ | 30 à 49 F |

Stéphane Aladame avait dix-huit ans seulement lorsqu'il a créé en 1992 son domaine à Montagny-lès-Buxy (où se tiendra la Saint-Vincent tournante en 2002). Son aligoté de la Côte chalonnaise est à peine doré mais rien que de très normal. Pointe minérale assortie de pomme reinette. L'attaque est nette sur cette lancée. Caractère et équilibre.
🍷 Stéphane Aladame, rue du Lavoir, 71390 Montagny-lès-Buxy, tél. 03.85.92.06.01, fax 03.85.92.04.97, e-mail stephane.aladame@wanadoo.fr ☑ ⌬ r.-v.

JEAN-NOEL BAZIN 1998*

| □ | 2 ha | n.c. | ▮ | 30 à 49 F |

Les Bazin sont légion. Avant de s'occuper du vin, ils vendaient du drap, de la toile, du « basin ». Sans relation de famille avec l'auteur des livres sur le vin de Bourgogne, ce viticulteur de La Rochepot sait qu'on fait le meilleur dans les vieux pots. Aussi a-t-on affaire à un aligoté dans la tradition du pays, acide, assez minéral, flatteur, au nez fruité.
🍷 Jean-Noël Bazin, Les Petits Vergers, 21340 La Rochepot, tél. 03.80.21.75.49, fax 03.80.21.83.71 ☑ ⌬ r.-v.

JEAN BOUCHARD 1998*

| □ | n.c. | 250 000 | ▮ | 50 à 69 F |

Jean Bouchard : notez le prénom, car à Beaune, les Bouchard sont presque innombrables. Une douzaine d'escargots quitteraient volontiers leurs coquilles pour accompagner à la dernière heure ce 98 d'un or légèrement bronzé, pierre à fusil et chèvrefeuille, assez vif, et l'on ne s'en plaindra pas.
🍷 Jean Bouchard, B.P. 47, 21202 Beaune Cedex, tél. 03.80.24.37.27, fax 03.80.24.37.38

RENE BOUVIER 1998

| □ | 1,42 ha | 10 000 | ▮ | 30 à 49 F |

Jaune assez présent, il a le bouquet généreux et convivial. Très typé de cette ancienne Côte dijonnaise devenue Côte de Nuits septentrionale, ce 98 présente rondeur et vivacité, agrément, et un terroir qui colle au pied. Assez long et coulant, il exprime l'une des infinies nuances de ce cépage pratiqué du nord au sud avec les inflexions changeantes de l'archet sur le violon.
🍷 René Bouvier, 2, rue Neuve, 21160 Marsannay-la-Côte, tél. 03.80.52.21.37, fax 03.80.59.95.96 ☑ ⌬ r.-v.

DOM. JEAN-MARIE BOUZEREAU 1998*

| □ | 1 ha | 7 000 | ▮ | 30 à 49 F |

Sous des arômes que l'on devine complexes, mi-fleur mi-fruit, limpide et doré, il semble aller à la procession. Mais c'est celle de ce bon curé des Hautes-Côtes qui jadis disait le matin à son premier verre d'aligoté : « Cale-toi bien, petit, tu vas voir passer la procession ! » Un 98 de bon caractère, très frais, et dont la timidité ne doit pas faire illusion.

🍷 Jean-Marie Bouzereau, 7, rue Labbé, 21190 Meursault, tél. 03.80.21.62.41, fax 03.80.21.65.97 ☑ ⌬ r.-v.

MICHEL BOUZEREAU ET FILS 1998*

| □ | 1,25 ha | n.c. | ▮⑩↓ | 30 à 49 F |

Un aligoté de Meursault... Doit-on s'étonner si, par mimétisme naturel, il chardonne un peu ? Une bouteille charmante, mais à expliquer à ses convives en la servant. De l'intérêt d'un guide ! Ce n'est pas l'aligoté typé, au garde-à-vous. On y prend pourtant du plaisir, avec ses notes beurrées assorties d'abricot sec, sa suavité de sultan. Il a été élevé en fût de chêne, sur lies, avec bâtonnage. Ceci explique cela.
🍷 Michel Bouzereau et Fils, 3, rue de la Planche-Meunière, 21190 Meursault, tél. 03.80.21.20.74, fax 03.80.21.66.41 ☑ ⌬ r.-v.

CHRISTOPHE BUISSON 1998*

| □ | 0,3 ha | 2 800 | ▮↓ | 30 à 49 F |

Cela se produit quelquefois. On est déçu de la première gorgée, comblé par la suivante. C'est cela qui compte. Christophe Buisson est un courtier en vin qui s'est reconverti en 1996. Il a acquis une cave-cuverie à Beaune. Son vin est agréable. Evoque-t-il la rose à l'aube comme l'indique poétiquement l'un de nos jurés ? A vous de le vérifier.
🍷 Christophe Buisson, 21190 Saint-Romain, tél. 03.80.21.63.92, fax 03.80.21.67.03 ☑ ⌬ r.-v.

DOM. CAPUANO-FERRERI ET FILS 1998*

| □ | n.c. | n.c. | ⑩ | 30 à 49 F |

Atypique, il gagne la partie aux tirs au but. Atypique pourquoi ? Il provient du fût, ce qui est rare dans l'appellation. Mais après tout ce n'est pas interdit... D'un riche or jaune, vanillé, il est superbe en bouche. Oui, vraiment, c'est un cri unanime de la table. Bravo pour l'artiste !
🍷 Capuano-Ferreri et Fils, 1, rue de la Croix-Sorine, 21590 Santenay, tél. 03.80.20.64.12, fax 03.80.20.65.75 ☑ ⌬ r.-v.

PATRICK ET CHRISTINE CHALMEAU 1998

| □ | 4,5 ha | 10 000 | ▮ | 30 à 49 F |

On ne demande pas à un aligoté de savoir décrypter la philosophie freudienne. Celui-ci se réfère plutôt à Gaston Bachelard qui savait à merveille situer dans les équilibres sensoriels de la nature la vérité de l'âme. Bref, ce vin limpide et clair comme vin de source est un peu toasté, riche et onctueux, mais sur ses gardes et attentif à ne pas « chardonner ». Pour connaisseurs qui aiment à en discuter.
🍷 Patrick et Christine Chalmeau, 76, rue du Ruisseau, 89530 Chitry-le-Fort, tél. 03.86.41.43.71, fax 03.86.41.47.51 ☑ ⌬ r.-v.

MICHEL CHAMPION 1998

| □ | 0,86 ha | 6 000 | ▮ | 30 à 49 F |

Gouleyant, et il n'y a pas d'autre mot. Un peu évolué et à déguster sans trop tarder. Paille dorée, floral et citronné, ce 98 respecte les canons de l'appellation. Il est souple et équilibré.

� Michel Champion, Cercot, 71390 Moroges, tél. 03.85.47.90.94, fax 03.85.47.99.53 ☑ ⌧ t.l.j. 8h-12h 14h-19h

DOM. JEAN CHARTRON
Clos de la Combe 1998★

☐	0,5 ha	4 800	⬛⬗	30 à 49 F

Le Président du BIVB dans ses œuvres. Un aligoté bien représentatif et qui devrait avoir la majorité à la prochaine assemblée générale. Il est en effet limpide, de bonne intensité florale et fruitée offrant un caractère typé et frais en raison de sa flèche acide. Jolies nuances de pomme Granny Smith.
➪ Dom. Jean Chartron, 13, Grande-Rue, 21190 Puligny-Montrachet, tél. 03.80.21.32.85, fax 03.80.21.36.35 ☑ ⌧ t.l.j. 10h-12h30 14h-18h

DOM. CHEVROT
Cuvée des Quatre Terroirs 1998★

☐	1 ha	5 000	⬛⬗	30 à 49 F

La parole est aux Maranges. Et pas moins de quatre terroirs, s'il vous plaît ! Jaune très pâle, ce 98 « fenouille » un peu dans un environnement d'acacia et de verveine. Pomme verte sur la langue, fin et nerveux, il est très agréable. Voilà une vendange à pleine maturité sans doute et un élevage bien conduit.
➪ Catherine et Fernand Chevrot, Dom. Chevrot, 19, rte de Couches, 71150 Cheilly-lès-Maranges, tél. 03.85.91.10.55, fax 03.85.91.13.24, e-mail domaine.chevrot@wanadoo.fr ☑ ⌧ t.l.j. 9h-12h 14h-18h; dim. 9h-12h

BERNARD COLIN ET FILS 1997★★

☐	0,91 ha	n.c.	⬛◗⬗	30 à 49 F

Heil Gott ! Seigneur Dieu ! L'étymologie d'aligoté vient-elle de là ? Cette bouteille coup de cœur transcende, il est vrai, la question. On l'adore en effet. Or pâle, minéral puis floral, gardant sa fraîcheur de bout en bout, un vin offrant de la vivacité et du fruit. Ce viticulteur de Chassagne-Montrachet va créer des zizanies dans sa cave, tant le chardonnay sera jaloux de son voisin...
➪ Bernard Colin et Fils, 22, rue Charles-Paquelin, 21190 Chassagne-Montrachet, tél. 03.80.21.32.78, fax 03.80.21.93.23 ☑ ⌧ t.l.j. 8h-19h; dim. sur r.-v.

DOM. DE CORBETON 1998★

☐	8 ha	66 600	⬛⬗	50 à 69 F

Variante de la maison Bichot, et il faut le savoir. Pour un vin net et droit, sans complexe ni complexité, bien fait et très équilibré. Celui avec lequel certains vieux Bourguignons se frottent les dents le matin en guise de dentifrice. Fameux ! un vin qui vous réveille et vous met de bon pied pour aborder la journée. Corbeton est néanmoins un domaine médiéval aux lettres de noblesse, situé sur les hauteurs beaunoises.
➪ Vieilles Caves de Bourgogne et de Bordeaux, 6 bis, bd Jacques-Copeau, 21200 Beaune, tél. 03.80.24.37.47, fax 03.80.24.37.38

JOCELYNE ET PHILIPPE DEFRANCE 1998★

☐	5,38 ha	8 000	⬛⬗	30 à 49 F

Quel rapport entre cette bouteille et le Panthéon à Paris ? Il s'agit de la maison où vécut enfant Germain Soufflot, né au village, architecte de Sainte-Geneviève devenue temple des gloires nationales. Buvons cet aligoté très typé à sa santé ! Souple et nerveux juste comme il faut, il est d'une délicieuse fraîcheur florale. A déguster maintenant sans l'enterrer dans le panthéon de votre cave.
➪ Philippe Defrance, 5, rue du Four, 89530 Saint-Bris-le-Vineux, tél. 03.86.53.39.04, fax 03.86.53.66.46 ☑ ⌧ r.-v.

DOM. DENIS PERE ET FILS 1998

☐	0,8 ha	3 000	⬛⬗	30 à 49 F

Une légèreté de gazelle. C'est frais et bien enlevé, et ça bondit. Sous couvert d'un or vert de circonstance. Temps de parcours assez bref, mais n'allons pas demander à un aligoté de courir le 10 000 m. Rustique, et c'est un compliment.
➪ Dom. Denis Père et Fils, chem. des Vignes-Blanches, 21420 Pernand-Vergelesses, tél. 03.80.21.50.91, fax 03.80.26.10.32 ☑ ⌧ r.-v.

DOM. GUY DIDIER Vieilles vignes 1998★

☐	2,5 ha	20 000	⬛⬗	30 à 49 F

L'aligoté du chanoine Kir. Celui qu'on lui souhaite au paradis. Il a un bel éclat, le nez très fin, minéral et floral, une bouche agréable et végétale en finale (très longue). Par la pensée, on accroche l'ancien député-maire de Dijon par sa soutane, et on lui confie à l'oreille que ce serait un crime de marier ce 98 à la crème de cassis.
➪ Dom. Guy Didier, chem. rural n° 29, 21700 Nuits-Saint-Georges, tél. 03.80.62.42.00, fax 03.80.61.28.13, e-mail nuicave@wanadoo.fr ⌧ r.-v.

DOM. YVAN DUFOULEUR 1998★★

☐	1,05 ha	7 000	⬛⬗	30 à 49 F

C'est bien simple, il nous fait le coup du regard prometteur. Dieu que ça brille ! L'approche est aisée, tant le fruit est ouvert. On se dit que cette conquête sera facile. La bouche fraîche, vive, pleine de charme lui permet de se ranger parmi les meilleures bouteilles dégustées.
➪ Dom. des Belles Chaumes, 18, rue Thurot, 21700 Nuits-Saint-Georges, tél. 03.80.62.31.00, fax 03.80.62.31.00 ☑ ⌧ r.-v.

DOM. C. ET J.-M. DURAND 1998★

☐	0,4 ha	3 500	⬛⬗	30 à 49 F

Si vous connaissez les vieilles chansons bourguignonnes, vous savez que la *Bique de Bouze* cornait volontiers les passants. Une chèvre historique ! Eh bien ! avec cet aligoté de Bouze-lès-Beaune, c'est tout comme. Le cépage s'y montre vif et « cornu ». Un vin complet et dans ce style traditionnel, spontané.

➥ Dom. Christine et Jean-Marc Durand, 1, rue de l'Eglise, 21200 Bouze-lès-Beaune, tél. 03.80.22.75.31, fax 03.80.26.02.57 ☑ ⲁ r.-v.

SYLVAIN DUSSORT 1998

		0,8 ha	5 000	▪	30 à 49 F

D'une nature assez piquante, cet aligoté élevé en cuve et sur lies provient d'une parcelle située sur Meursault même, dont les pieds de vigne ont quelque soixante ans d'âge. Après des arômes minéraux, on perçoit tout le gras du village. Echappe-t-on à son pays ?

➥ Sylvain Dussort, 12, rue Charles-Giraud, 21190 Meursault, tél. 03.80.21.27.50, fax 03.80.21.65.91, e-mail dussvins@aol.fr ☑ ⲁ r.-v.

DOM. FICHET 1999★

		1 ha	4 000	▪ ⳬ	20 à 29 F

L'aligoté mâconnais dans ses bons jours. Or blanc, un peu toasté, il joue habilement entre le citron, le pamplemousse et le miel lors de nos coups de nez. Le gras, la richesse sont en effet présents dans ce cépage d'une typicité méridionale (Bourgogne du Sud) qui ne surprend pas. Le coureur cycliste Jean-François Bernard est venu dans cette cave préparer ses sprints.

➥ Dom. Francis Fichet et Fils, Le Martoret, 71960 Igé, tél. 03.85.33.30.46, fax 03.85.33.44.45, e-mail olivierfichet@wanadoo.fr ☑ ⲁ r.-v.

DIDIER FORNEROL 1998★★

		0,2 ha	1 800	▪ ⳬ	20 à 29 F

Il est dans le top 10 cet aligoté qui se coule, se love en bouche et refuse d'en sortir si la douzaine d'escargots n'est pas au rendez-vous. Et il prend la langue pour complice. Très honnête, issu de cuve, vêtu d'une robe très vive, il possède une structure solide.

➥ Didier Fornerol, 15, pl. de la Mairie, 21700 Corgoloin, tél. 03.80.62.93.09, fax 03.80.62.93.09 ☑ ⲁ r.-v.

DOM. MARCEL ET BERNARD FRIBOURG 1998

		3 ha	6 160	▪	20 à 29 F

Une bouteille à qui l'on a envie de faire un brin de cour. Robe or blanc et parfums discrètement complexes tournant autour du végétal et du fruit. Un soupçon de verdeur, mais qui n'est pas pour déplaire. Ce n'est pas d'une longueur astronomique. La typicité est respectée, et dans les Hautes-Côtes de Nuits, on sait faire.

➥ SCE Dom. Marcel et Bernard Fribourg, 8, rue de l'Ancienne-Cure, 21700 Villers-la-Faye, tél. 03.80.62.91.74, fax 03.80.62.71.17 ☑ ⲁ r.-v.

CAVE DE GENOUILLY 1998★

		12 ha	20 000	▪ ⳬ	20 à 29 F

Le corps n'est pas considérable mais il marque sa présence, délimite son territoire. Car il ne manque pas d'originalité. Ses arômes végétaux, presque muscatés, sont intéressants et expressifs. Aucune agressivité, au bénéfice d'une bouche

franche et fraîche, plutôt fruitée. Issu d'une cave coopérative de la Côte chalonnaise qui présente également un **clos de la Massière 98** de qualité équivalente, c'est-à-dire estimable.

➥ Cave des vignerons de Genouilly, 71460 Genouilly, tél. 03.85.49.23.72, fax 03.85.49.23.58 ☑ ⲁ t.l.j. sf dim. 8h-12h 14h-18h

DOM. GOUFFIER
Clos de Butte Soleil 1998★

		3 ha	7 000	▪ ⳬ	30 à 49 F

S'appeler Clos de Butte Soleil fait rêver. Un vin au léger perlant, montrant fraîcheur et gras, un peu austère peut-être mais tout à fait niché dans son terroir de la Côte chalonnaise. L'impression générale est coulante. Pour les coquillages ? Sans doute. « Ces bestiaux-là ont besoin de réveil », dit-on par ici.

➥ Dom. Gouffier, 11, Grande-Rue, 71150 Fontaines, tél. 03.85.91.49.66, fax 03.85.91.46.98 ☑ ⲁ r.-v.

DOM. OLIVIER GUYOT 1998★★

		2,4 ha	6 000	ⳬ	30 à 49 F

Olivier Guyot ne passe pas inaperçu à Marsannay, du moins quand les travaux permettent d'y circuler... Il fait ses labours à l'ancienne, avec un cheval de trait ! Admettons-le, le résultat n'est peut-être pas dû à cette noble conquête de l'homme mais il impressionne par sa qualité. Un peu exotique et surmûri, un peu atypique, mais diantrement bon !

➥ EARL Olivier Guyot, 39, rue de Mazy, 21160 Marsannay-la-Côte, tél. 03.80.52.39.71, fax 03.80.51.17.58 ☑ ⲁ r.-v.

HONORE LAVIGNE Cuvée spéciale★

		n.c.	240 000	▪ ⳬ	30 à 49 F

Rappelez-vous Jacques Brel jouant Mon oncle Benjamin pour la caméra d'Edouard Molinaro. Et le bon Dr Minxit ! Ces arômes et ce goût de silex allumant la flamme, ce charme floral, cette note abricotée, cette chaleur du regard, cette vitalité dévorante, cet amour de la vie, on retrouve tout cela dans cette bouteille qui traverse au grand galop la dégustation. Flacon du XVIIIes. Honoré Lavigne est une marque de la maison Jean-Claude Boisset.

➥ Honoré Lavigne, 5, quai Dumorey, 21700 Nuits-Saint-Georges, tél. 03.80.62.61.61, fax 03.80.62.61.57

➥ Boisset

DOM. HUGUENOT PERE ET FILS 1998★

		1,1 ha	9 000	▪ ⳬ	30 à 49 F

Il a une façon de vous passer une main chaleureuse sur le dessus de l'épaule qui vous rend muet. Il chardonne légèrement, pour tout dire. Allez donc résister ! Coing et miel confirment l'impression première. Etonnant de fraîcheur et de rondeur dans ce style particulier de la Côte de Nuits septentrionale.

➥ Huguenot Père et Fils, 7, ruelle du Carron, 21160 Marsannay-la-Côte, tél. 03.80.52.11.56, fax 03.80.52.60.47, e-mail domaine.huguenot@wanadoo.fr ☑ ⲁ r.-v.

DOM. LUCIEN JACOB 1998★

| | 1 ha | 4 300 | 🍾 | 20 à 29 F |

On peut faire un kir avec les produits de la maison. En effet, ce domaine élabore également une excellente crème de cassis. Mais l'aligoté dégusté pur présente des attraits à l'apéritif, sur quelques gougères. Celui-ci chante les agrumes, tout en excitant les papilles par ce côté un peu vif qui est indispensable à l'appellation.
➥ Dom. Lucien Jacob, 21420 Echevronne, tél. 03.80.21.52.15, fax 03.80.21.55.65 ☑ ⏻ r.-v.

DOM. ANDRE ET BERNARD LABRY 1998★★

| | 1,5 ha | 2 500 | 🍾 | 30 à 49 F |

Un verre d'aligoté n'est pas *l'Année dernière à Marienbad*, dit-on. Pourtant celui-ci, d'une jolie couleur, propose un nez plein de prévenances, fruité et floral (rose). La bouche harmonieuse, la longueur intéressante, le fruité en retour dans une sensation souple, permettent de le choisir sans hésitation, si l'on veut trouver le bon produit fidèle et à un prix raisonnable.
➥ Dom. André et Bernard Labry, Melin, 21190 Auxey-Duresses, tél. 03.80.21.21.60, fax 03.80.21.64.15 ☑ ⏻ t.l.j. 9h-12h 14h-18h; sam. dim. sur r.-v.

LA BUXYNOISE 1999

| | 153,5 ha | 62 000 | 🍾 | 30 à 49 F |

Tous les ministres de l'Agriculture de l'Union européenne ont naguère trinqué dans cette cave. Espérons qu'ils ont alors tout compris ! Si on leur avait servi cet aligoté... 99, ils l'auraient trouvé, comme nous, d'un jaune clair sympathique, d'un citron vert sauvignonnant un peu, d'un volume moyen mais d'une belle fraîcheur soutenue par l'acidité.
➥ Cave des vignerons de Buxy, Les Vignes de la Croix, 71390 Buxy, tél. 03.85.92.03.03, fax 03.85.92.08.06 ☑ ⏻ t.l.j. sf dim. 9h-12h 14h-18h

DOM. DE LA GALOPIERE 1998

| | 1,5 ha | 5 000 | 🍾 | 30 à 49 F |

D'un or modéré, il repose sur une base ferme et fruitée. Un peu sévère peut-être, mais riche et bien constitué. Une andouillette vigneronne devrait le dérider et le rendre tout guilleret. Issu d'un domaine familial de la Côte de Beaune qui - et c'est méritoire - a fait un effort pour composer son étiquette inspirée par les lieux.
➥ Claire et Gabriel Fournier, Dom. de la Galopière, 6, rue de l'Eglise, 21200 Bligny-lès-Beaune, tél. 03.80.21.46.50, fax 03.80.21.49.93, e-mail c.g.fournier@wanadoo.fr ☑ ⏻ r.-v.

DANIEL LARGEOT 1999★★

| | 0,4 ha | 3 000 | 🍾 | 30 à 49 F |

Du côté de Chorey, on sait ce qu'aligoté veut dire. Et Marie-France Largeot est là pour succéder à ses parents sur l'exploitation. Vous verrez qu'en Bourgogne les filles finiront par remplacer les garçons ! A juger par cet aligoté, le XXI°s. s'annonce bien : brillant, intense et frais, voici la typicité même.
➥ Daniel Largeot, 5, rue des Brenôts, 21200 Chorey-lès-Beaune, tél. 03.80.22.15.10, fax 03.80.22.60.62 ☑ ⏻ r.-v.

DOM. DE LA TOUR 1997

| | 1,33 ha | 6 000 | 🍾 | 30 à 49 F |

Un domaine récemment développé et un aligoté assez spécial mais qui offre un fond de vin intéressant. Jaune doré, abricot bien mûr, ce 97 évolue ensuite sur des notes généreuses et puissantes que l'un des dégustateurs qualifie de « vendanges tardives ». Pour ceux qui aiment se poser des questions et pour relancer la conversation à table.
➥ SCEA Dom. de La Tour, 8 bis, rue Jules-Philippe, 89800 Chablis, tél. 03.86.47.55.68, fax 03.86.47.55.86, e-mail dtour@clubinternet.fr ☑ ⏻ r.-v.

LA TOUR DU PRIEURE 1999★

| | 1 ha | 6 000 | 🍾 | 30 à 49 F |

Cette tour a été édifiée en 1560 et déjà à cette époque, au prieuré, les moines de Cluny pratiquaient ici l'évangile de la vigne. Quant à Bussières, relisez Lamartine... Bref, ce vin a de bons parrains. D'une couleur simple et nette, il évoque la maturité du fruit sur une pointe citronnée qui fait bien dans le décor. Un rien de muscaté.
➥ Bernard Dorry, La Tour du Prieuré, 71960 Bussières, tél. 03.85.37.75.43, fax 03.85.37.75.43 ☑ ⏻ r.-v.

DOM. LEJEUNE 1997★

| | 0,4 ha | 3 000 | 🍾 | 30 à 49 F |

Quand on a enseigné au lycée viticole de Beaune, comme François Jullien de Pommerol, on se doit de montrer l'exemple. Et il n'est pas si facile d'être soumis à cette épreuve, que guettent les élèves avec curiosité... D'autant que réussir un aligoté n'est pas à la portée de tout le monde. Celui-ci se signale par ses accents de silex et de verveine, puis par une nervosité de bon aloi.
➥ Dom. Lejeune, La Confrérie, pl. de l'Eglise, 21630 Pommard, tél. 03.80.22.90.88, fax 03.80.22.90.88 ☑ ⏻ r.-v.
➥ Famille Jullien de Pommerol

CAVE DES VIGNERONS DE MANCEY 1999

| | n.c. | 10 000 | 🍾 | 30 à 49 F |

Les vignerons de Mancey ont été au XIX°s. les premiers à affronter le phylloxéra en Bourgogne. Autant dire qu'ils ont du cœur à revendre. Leur aligoté est vivifiant sous son or gris. Ses arômes de violette et d'acacia, son parcours en bouche très correct, marqué par des notes citron-noisette pour l'essentiel, lui donnent tout son charme.
➥ Cave des vignerons de Mancey, R.N. 6, En Velnoux, 71700 Tournus, tél. 03.85.51.00.83, fax 03.85.51.71.20 ☑ ⏻ r.-v.

RAYMOND MASSE 1998

| | 0,7 ha | 6 000 | 🍾 | 30 à 49 F |

Les collectionneurs d'étiquettes se précipiteront sur ce modèle des années 1930 avec photographie ovale réveillée de nos jours par la couleur. Rétro ce 98 ? D'une robe très dense, minéral et végétal, il apparaît très mûr, sinon évolué, dans une honnête moyenne.

☛ Raymond Masse, Barizey, 71640 Givry, tél. 03.85.44.36.73 ☑ ☂ t.l.j. 8h-18h

PASCAL MELLENOTTE 1998★★

☐   1 ha   2 000   ☷ 20 à 29 F

Vif, frais, fruité, bon enfant, un rien impertinent, il est bien jaune, et son parfum est agréable à respirer. L'acidité est enrobée par le volume, et il reste frais dans ses arômes. Un style flatteur. Il nous vient de la Côte chalonnaise.

☛ Pascal Mellenotte, Le Martray, 71640 Mellecey, tél. 03.85.45.15.64, fax 03.85.45.15.64 ☑ ☂ t.l.j. sf dim. 10h-19h

ARMELLE ET JEAN-MICHEL MOLIN 1998★

☐   0,3 ha   2 600   ☷ 20 à 29 F

On aimerait être la carpe ou le brochet qui, au milieu d'une bonne pauchouse des familles, accompagnera ce 98 très doré et particulièrement aromatique (corbeille de fruits mûrs). Rond et riche à l'attaque, souligné par une acidité qui l'éclaire, il inspirera un quatrain au poète-vigneron de la famille, bien connu dans la Côte.

☛ EARL Armelle et Jean-Michel Molin, 54, rte des Grands-Crus, 21220 Fixin, tél. 03.80.52.21.28, fax 03.80.59.96.99 ☑ ☂ r.-v.

CHRISTIAN MORIN 1999

☐   2,1 ha   12 000   ☷ 20 à 29 F

Né à Chitry, village viticole aux petites ruelles pittoresques, cet aligoté, discrètement coloré, a besoin d'aide : il faut tourner le vin dans le verre pour le mettre en présence de l'air ambiant. Là, il se découvre et se révèle. Ferme et sec, ferme et net, il ne tourne pas autour du pot.

☛ Christian Morin, 17, rue du Ruisseau, 89530 Chitry-le-Fort, tél. 03.86.41.44.10, fax 03.86.41.48.21 ☑ ☂ r.-v.

OLIVIER MORIN 1999

☐   1,94 ha   15 000   ☷☘ 30 à 49 F

A 200 m de l'église fortifiée Saint-Valérion, vous trouverez ce domaine et cet aligoté. Le terroir lui a apporté en cadeau une bonne minéralité, en même temps qu'une impression onctueuse... mais ferme. Le jury a confiance dans ce vin vif qui sait déjà offrir un retour olfactif sur un volume harmonieux.

☛ Olivier Morin, 2, chem. de Vaudu, 89530 Chitry-le-Fort, tél. 03.86.41.47.20, fax 03.86.41.47.20 ☑ ☂ r.-v.

DENIS MUGNERET ET FILS 1998

☐   0,3 ha   1 500   ☷☘ 30 à 49 F

Cet aligoté ne se donne pas des airs de chardonnay mais revendique haut et clair son pavillon. C'est sûr, il a la fraîcheur de la brise matinale et vous redresse les oreilles. De très bonne tenue, il est d'une typicité proche du portrait-robot.

☛ Denis et Dominique Mugneret, ▯, rue de la Fontaine, 21700 Vosne-Romanée, tél. 03.80.61.00.97, fax 03.80.61.24.54 ☑ ☂ r.-v.

DOM. HENRI NAUDIN-FERRAND 1998★

☐   2,51 ha   21 477   ☷☘ 20 à 29 F

« Tenez, mon cœur s'émeut à toutes ces tendresses », dit un personnage de Molière qu'on imagine reposant son verre d'aligoté sur la table. Jaune très clair, un 98 citron et pomme verte, à la conversation assez piquante et à l'humeur rafraîchissante. Pour une andouillette vigneronne, conseille le jury. Signé par Anne et Claire Naudin qui ont pris en 1997 la relève des parents retraités et qui pratiquent l'aligoté comme leur langue maternelle.

☛ Dom. Henri Naudin-Ferrand, rue du Meix-Grenot, 21700 Magny-lès-Villers, tél. 03.80.62.91.50, fax 03.80.62.91.77, e-mail dom.hnf.@wanadoo.fr ☑ ☂ r.-v.

DOM. CLAUDE NOUVEAU 1998★★

☐   0,8 ha   6 000   ☷☘ 30 à 49 F

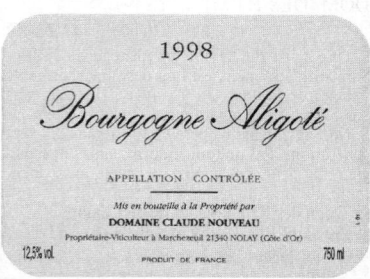

L'aligoté réussit bien dans les Hautes-Côtes. On le vérifie de nouveau. Coup de cœur pour ce 98 regorgeant de personnalité. D'une teinte paille très ténue, il exprime l'acacia, l'aubépine de façon discrète mais réelle. Tendre, coulant, élégant et léger, c'est un modèle de typicité qui donne envie de passer à table.

☛ EARL Dom. Claude Nouveau, Marchezeuil, 21340 Change, tél. 03.85.91.13.34, fax 03.85.91.10.39 ☑ ☂ r.-v.

OLIVIER-GARD 1998

☐   0,5 ha   3 600   ☷☘ 30 à 49 F

Discrètement brillant, paille pâle, il a le nez fin et assez long. Sa vivacité n'exclut pas une certaine rondeur ferme. Une touche de bonbon anglais. Représentatif et né du côté de Nuits-Saint-Georges, ce 98 appelle le jambon persillé de la période pascale. Ce domaine se consacre aux petits fruits rouges ainsi qu'à la vigne depuis les années 1990.

☛ Dom. Olivier-Gard, Concœur-et-Corboin, 21700 Nuits-Saint-Georges, tél. 03.80.61.00.43, fax 03.80.61.38.45 ☑ ☂ r.-v.

☛ Manuel Olivier

DOM. POULLEAU PERE ET FILS 1998★★

☐   0,29 ha   2 700   ◖▮ 30 à 49 F

Il fait l'unanimité de la table, et il côtoie les coups de cœur. Très beau vin, expressif, beaucoup de classe, telles sont les appréciations recueillies sur les fiches de dégustation. Paille assez intense, il possède un nez très personnel (genêt, pêche...) ainsi qu'une bouche exemplaire. Il nous fait penser à ces délicieux « tout petits baisers astringents » dont parle Verlaine...

➤ Dom. Poulleau Père et Fils, rue du Pied-de-la-Vallée, 21190 Volnay, tél. 03.80.21.62.61, fax 03.80.26.45.90 ✓ ⟂ r.-v.

DOM. VINCENT PRUNIER 1998

| | 3,5 ha | 4 000 | 🍷 | 20 à 29 F |

A Auxey, bien sûr, l'aligoté se sent des affinités avec le chardonnay. C'est le cas ici. Un beau vin d'un or flatteur, très agréable à savourer et qui termine sur le noyau de pêche sans y trouver d'inconvénient. Assurément prêt à servir et pouvant réjouir. Typicité de la Côte, avec son caractère particulier.

➤ Vincent Prunier, rte de Beaune, 21190 Auxey-Duresses, tél. 03.80.21.27.77, fax 03.80.21.68.87 ✓ ⟂ r.-v.

DOM. DES REMPARTS 1999★★

| | 12,6 ha | 30 000 | 🍷🍂 | 30 à 49 F |

Une église du XIIIᵉ s., un château du XVIᵉ s., Saint-Bris-le-Vineux est l'un des plus charmants villages de France. On y trouve l'Histoire mais aussi de très sympathiques vignerons tels les Sorin, viticulteurs de père en fils depuis dix-sept générations. Pas du tout endormi mais vif, espiègle, charmeur, cet aligoté se révèle aussi mentholé, floral, complexe. Très bien.

➤ Dom. des Remparts, 6, rte de Champs, 89530 Saint-Bris-le-Vineux, tél. 03.86.53.33.59, fax 03.86.53.62.12 ✓ ⟂ r.-v.

➤ Sorin

CH. DE ROUGEON 1998★

| | n.c. | n.c. | 🍷 | 30 à 49 F |

Un léger parfum de fruit blanc flotte dans le verre, tandis que le vent dominant le pousse vers la cire et le miel. Cela dit, il ne chardonne pas davantage et se reprend en bouche pour dessiner une aimable pirouette acidulée.

➤ Bouchard Père et Fils, Ch. de Beaune, 21200 Beaune, tél. 03.80.24.80.24, fax 03.80.22.55.88, e-mail france@bouchard.pereetfils.com ⟂ r.-v.

DOM. ROUX PERE ET FILS 1998

| | 5 ha | 24 000 | 🍷🍂 | 30 à 49 F |

Les fils Roux ont été à bonne école. Ils nous mitonnent un aligoté aux arômes changeant de place en place, du minéral au floral. Acidité en retrait, tout va et vient en bouche où le fruité domine. Un 98 assez engageant.

➤ Dom. Roux Père et Fils, 21190 Saint-Aubin, tél. 03.80.21.32.92, fax 03.80.21.35.00 ✓ ⟂ r.-v.

CAVE DE SAINTE-MARIE-LA-BLANCHE 1998

| | 4 ha | 10 000 | 🍷🍂 | 20 à 29 F |

Cette coopérative est en plein renouveau. Elle investit. Il lui fallait absolument passer ce cap. Son aligoté à la teinte cristalline répond bien à la définition. Un nez plaisant, une bouche qui donne l'impression de croquer une pomme verte, c'est tout à fait ça. Très plaisant et à boire dans l'année qui arrive.

➤ Cave de Sainte-Marie-la-Blanche, rte de Verdun, 21200 Bligny-lès-Beaune, tél. 03.80.26.60.60, fax 03.80.26.54.47 ✓ ⟂ t.l.j. sf dim. 8h-12h 14h-19h

DOM. SAINT-PRIX 1998★★

| | 2,5 ha | 12 000 | 🍷 | 30 à 49 F |

Il a de l'ampleur et du caractère, ce 98 ! Or pâle à reflets dorés, il est fruité, généreux, de très bonne tenue. Un aligoté de découverte produit par un domaine d'excellente réputation.

➤ Dom. Bersan et Fils, 20, rue du Dr-Tardieux, 89530 Saint-Bris-le-Vineux, tél. 03.86.53.33.73, fax 03.86.53.38.45 ✓ ⟂ t.l.j. 8h-12h30 13h30-18h; dim. 8h-12h30; groupes sur r.-v.

MICHEL SARRAZIN ET FILS 1998

| | 1,5 ha | 12 000 | 🍷🍂 | 30 à 49 F |

Paille claire, il est profond au nez, fruité (pomme). Joli volume par la suite et une nature riche et tendre, pas trop appuyée ni acerbe. Sa plénitude est chaleureuse. Ce 98 se goûte bien et est dans l'esprit de la Côte chalonnaise.

➤ Michel Sarrazin et Fils, Charnailles, 71640 Jambles, tél. 03.85.44.30.57, fax 03.85.44.31.22 ✓ ⟂ t.l.j. sf dim. 9h-12h 14h-19h

CLAUDE ET THOMAS SEGUIN 1998★★

| | 5 ha | 3 000 | 🍷🍂 | 20 à 29 F |

Les bons aligotés icaunais (de l'Yonne) sont rares cette année. De l'intérêt de suivre un fil d'Ariane jusqu'aux meilleures caves pour ce cépage. Celle-ci est du nombre. Le sujet est parfaitement traité, de la robe au soupçon d'amertume finale. F.F.F, ce qui ne signifie pas (malgré l'AJ Auxerre) fédération française de football, mais franc, frais et fruité.

➤ EARL Claude et Thomas Seguin, 3 bis, rue Haute, 89530 Saint-Bris-le-Vineux, tél. 03.86.53.37.39, fax 03.86.53.61.12 ✓ ⟂ t.l.j. 8h-20h

HUBERT ET JEAN-PAUL TABIT 1998★

| | 7 ha | 20 000 | 🍷🍂 | 30 à 49 F |

Parchemin aux bords roulés sur fond de tonneaux et de voûtes antiques, l'étiquette couvre un vrai vin de plaisir. De teinte discrète, un 98 raffiné, un peu sauvage, flatteur, et dont la maturité demeure fraîche. A découvrir sur place en n'omettant pas de visiter le joli musée d'outils vignerons du domaine.

➤ Hubert et Jean-Paul Tabit, 2, rue Dorée, 89530 Saint-Bris-le-Vineux, tél. 03.86.53.33.83, fax 03.86.53.67.97 ✓ ⟂ t.l.j. 8h-12h 14h-20h; dim. sur r.-v.

TERROIRS ET SECRETS DE BOURGOGNE 1999

| | n.c. | 50 000 | 🍷 | 20 à 29 F |

Terroirs et secrets de Bourgogne, vaste programme signé tout bonnement par Patriarche à Beaune, pour un 99 (tiré du berceau) qui pétille un peu mais se révèle déjà comme un enfant de la balle. Le fruit est frais et le restera sans doute. Gentil et peu acide pour le cépage.

🍷 Patriarche Père et Fils, 5, rue du Collège,
21200 Beaune, tél. 03.80.24.53.01,
fax 03.80.24.53.03 ☑ 🍸 t.l.j. 9h-12h 14h-18h

DOM. VERRET 1999★

| ☐ | 12,75 ha | n.c. | ■ 👃 30à49F |

L'un des plus typés de tous les aligotés de
l'Yonne. Jaune pâle à reflets dorés, il sait se partager entre le minéral et le fruité. Sa vivacité est
dans la logique de son tempérament. Un bon
feuilleté d'escargots pourra l'accompagner.
🍷 Dom. Verret, 7, rte de Champs, B.P. 4,
89530 Saint-Bris-le-Vineux, tél. 03.86.53.31.81,
fax 03.86.53.89.61,
e-mail bruno.verret@wanadoo.fr ☑ 🍸 r.-v.

VEUVE HENRI MORONI 1998

| ☐ | 2 ha | 16 000 | ■ 👃 30à49F |

Jaune clair ou or pâle ? C'est le genre de question qui passionne notre jury. Il tombe cependant
d'accord pour juger son attaque franche, fraîche
et vivace, relever une pointe végétale aux entour-
nures et une certaine amertume en finale. Un
aligoté classique et à boire dès à présent.
🍷 Veuve Henri Moroni, 1, rue de l'Abreuvoir,
21190 Puligny-Montrachet, tél. 03.80.21.30.48,
fax 03.80.21.33.08,
e-mail veuve.moroni@wanadoo.fr ☑ 🍸 r.-v.

DOM. DES VIGNES DES DEMOISELLES 1998★

| ☐ | 0,5 ha | 3 600 | ■ 👃 30à49F |

Mentholé, citronné, un vin qui n'a nul besoin
du maire ou du curé pour filer le parfait amour
avec son consommateur. L'acidité se déclare en
fin de bouche. L'ensemble est assez friand et
caractéristique des Hautes-Côtes de Beaune penchant sur les Maranges.
🍷 SCEA du dom. Gabriel Demangeot et
Fils, rue de Berfey, 21340 Change,
tél. 03.85.91.11.10, fax 03.85.91.16.83 ☑ 🍸 r.-v.

Bourgogne passetoutgrain

Appellation réservée aux
vins rouges et rosés à l'intérieur de l'aire de
production du bourgogne grand ordinaire,
ou d'une appellation plus restrictive à
condition que les vins proviennent de
l'assemblage de raisins issus de pinot noir
et de gamay noir ; le pinot noir doit représenter au minimum le tiers de l'ensemble. Il
est courant de constater que les meilleurs
vins contiennent des quantités identiques
de raisin de chacun des deux cépages, voire
davantage de pinot noir.

Les vins rosés sont obligatoirement obtenus par saignée : ce sont donc
des rosés œnologiques, par opposition aux

« gris » obtenus par pressurage direct de
raisins noirs et vinifiés comme des vins
blancs. Dans la saignée, le tirage des jus est
effectué lorsque le vigneron a obtenu, lors
de la macération, la couleur désirée, ce qui
peut très bien arriver en plein milieu de la
nuit ! La production de passetoutgrain rosé
est très faible ; c'est surtout en rouge que
cette appellation est connue. Elle est produite essentiellement en Saône-et-Loire
(environ les deux tiers), le reste en Côte-
d'Or et dans la vallée de l'Yonne. Elle
représente entre 65 000 et 75 000 hl,
(71 708 hl en 1999). Les vins sont légers et
friands, et doivent être consommés jeunes.

JEAN BROCARD-GRIVOT 1998★

| ■ | 25,86 ha | n.c. | ■ 20à29F |

Repris aux Bouffes-Parisiens en 2000, le *Sire
de Vergy* fut l'une des rares œuvrettes des années
1900 à connaître un destin. Jean Richard, Roger
Pierre et Jean-Marc Thibault l'ont jouée à Paris.
Bref, ce passetoutgrain enfant de Vergy a droit
à un coup de chapeau. Costume bien pourpre,
nez qui pinote et ce côté rustique qui ne lui fait
pas de mal.
🍷 Jean Brocard-Grivot, rue Basse,
21220 Reulle-Vergy, tél. 03.80.61.42.14,
fax 03.80.61.42.14 ☑ 🍸 r.-v.

MICHEL CHAMPION 1998

| ■ | 0,6 ha | 4 000 | ■ 20à29F |

25 % de pinot noir, 75 % de gamay pour un
vin qui réussit ce mariage difficile de deux cépages qui parfois s'écartent du pied. Rubis rosé, il
a bon nez, et il est vivifiant sous la langue. Pas
mal du tout. Elégant même dans l'esprit de la
Côte chalonnaise.
🍷 Michel Champion, Cercot, 71390 Moroges,
tél. 03.85.47.90.94, fax 03.85.47.99.53 ☑ 🍸 t.l.j.
8h-12h 14h-19h

MAURICE CHENU 1999★

| ■ | n.c. | 30 000 | ■ 👃 30à49F |

Pourpre intense, assez épicé, il mobilise le fruit
en bouche et parvient à modérer ses tanins pour
aboutir à un vin souple et flatteur. L'appellation
dans ses grandes lignes. On sait que la maison
Chenu est devenue alsacienne (Tresch) mais on
voit que le nouveau propriétaire a la fibre bourguignonne.
🍷 Bourgognes Chenu-Tresch SA,
chem. de la Pierre-qui-Vire, 21200 Montagny-
lès-Beaune, tél. 03.80.26.37.37,
fax 03.80.24.14.81

DOM. CORNU 1998★

| ■ | 2,26 ha | n.c. | ■ 30à49F |

Quand on se fournit en passetoutgrain à
Magny-lès-Villers, on sait à qui on a affaire. Et
c'est bien typé. Rubis brillant, parfumé de fruits
rouges, un 98 pour la potée dominicale quand
les enfants viennent à la maison. Il a le ventre
rond et un je-ne-sais-quoi de vivacité. On lui
trouve même un arrière-arôme d'amande !

☛ Dom. Cornu, rue du Meix-Grenot,
21700 Magny-lès-Villers, tél. 03.80.62.92.05,
fax 03.80.62.72.22 ☑ ⓘ r.-v.

CAVE DES VIGNERONS DE GENOUILLY 1998

■	8 ha	8 000	ⓘ♨	20 à 29 F

Cette coopérative de Saône-et-Loire vinifie
60 ha. Son passetoutgrain ne nous raconte pas
un conte de fées. Il ne s'écarte pas du sujet. C'est
du vin, de la présence, du fruit rouge. Son bon
potentiel lui donne des ailes.
☛ Cave des vignerons de Genouilly,
71460 Genouilly, tél. 03.85.49.23.72,
fax 03.85.49.23.58 ☑ ⓘ t.l.j. sf dim. 8h-12h
14h-18h

DOM. GUEUGNON-REMOND 1999★

■	26,54 ha	1 800	ⓘⓘ♨	30 à 49 F

Pour l'orthographe sur l'étiquette, non. Passe-
tout-grains, non. Tout-grain, oui. Mais voilà bien
une querelle bourguignonne... La bouteille est
équilibrée, harmonieuse, sur le gras et le fruit.
Un peu chaude en finale. Absolution ! Un bon
vin (35 % de gamay, 65 % de pinot), rare en
Mâconnais et bien réussi.
☛ Dom. Gueugnon-Remond, chem. de la Cave,
71850 Charnay-lès-Mâcon, tél. 03.85.29.23.88,
fax 03.85.20.20.72 ☑ ⓘ r.-v.
☛ Remond

DOM. DE LA TOUR BAJOLE
Les Lyres 1998★

■	2,3 ha	2 000	ⓘⓘ	20 à 29 F

Les Lyres, ou la vigne en lyre. Une conduite
particulière dont ce domaine a été le précurseur
et un bon expérimentateur. Pinot noir et gamay
moitié-moitié pour un 98 très coloré, végétal et
griotte, assez tannique et d'une vivacité efficace.
Le gamay l'emporte, mais s'il est ici ce n'est pas
pour faire de la figuration.
☛ EARL M.-A. et J.-C. Dessendre, Dom. de La
Tour-Bajole, Les Ombrots, 71490 Saint-
Maurice-lès-Couches, tél. 03.85.45.52.90,
fax 03.85.45.52.90 ☑ ⓘ r.-v.

LA TOUR DU PRIEURE 1999★★

■	1 ha	3 000	■	30 à 49 F

Du fin fond de la Bourgogne du Sud nous
parvient ce passetoutgrain superbe en grain. On
est ici au pays vineux des moines de Cluny.
Bonne référence ! Avec 30 % de pinot, 70 % de gamay,
et Dieu sait si ce cépage se sent ici comme chez
lui. Légèrement violacé, il exprime un fruit glorieux qui explose en bouche. Les tanins lui servent de parasol. Très bon, et pour œufs en meurette.
☛ Bernard Dorry, La Tour du Prieuré,
71960 Bussières, tél. 03.85.37.75.43,
fax 03.85.37.75.43 ☑ ⓘ r.-v.

DOM. LEJEUNE 1998★

■	0,35 ha	3 000	■	30 à 49 F

Cerise noire, un vin à garder (pas forcément
pour l'été prochain) à l'intention d'un barbecue.
Il est en effet peu évolué pour un 98, et il
conserve une bonne marge. Consistance et moel-

leux sur la verdeur habituelle. Bien travaillé et
offrant beaucoup de matière.
☛ Dom. Lejeune, La Confrérie, pl. de l'Eglise,
21630 Pommard, tél. 03.80.22.90.88,
fax 03.80.22.90.88 ☑ ⓘ r.-v.
☛ Famille Jullien de Pommerol

LES CHAMPS DE L'ABBAYE 1998★★

■	0,6 ha	2 500	ⓘⓘ	30 à 49 F

Premières vignes en 1996, installation l'année
suivante. Isabelle et Alain Hasard s'intéressent à
la biodynamie. Leur passetoutgrain 50/50 est un
modèle du genre. Feuille de cassissier, rondeur
et vigueur. Il sort peu à peu de sa coquille comme
un escargot qui se sent en confiance.
☛ Alain Hasard, Les Champs de l'Abbaye, Le
Bourg, 71510 Saint-Sernin-du-Plain,
tél. 03.85.45.59.32, fax 03.85.45.59.32 ☑ ⓘ r.-v.

DOM. CHANTAL LESCURE 1998

■	0,6 ha	1 500	■	30 à 49 F

30 % de gamay, 70 % de pinot noir, nous dit-
on. Original, mais accepté. En général, c'est le
contraire. On est ici à Nuits. Une teinte moyenne
mais présente, un composé de framboise et de
groseille, un palais où les saveurs prennent le pas
sur la matière première. Mais cela se boit bien,
sans arrière-pensée, avec un bœuf bourguignon.
☛ Dom. Chantal Lescure, 34 A, rue Thurot,
21700 Nuits-Saint-Georges, tél. 03.80.61.16.79,
fax 03.80.61.36.64, e-mail domaine-lescure.com
☑ ⓘ r.-v.

ARMELLE ET JEAN-MICHEL MOLIN 1998★

■	1,2 ha	730	■	20 à 29 F

Il ne lésine pas sur la couleur. Il n'est pas avare
de son nez. Il se montre tenace en bouche. Voilà
du vin ! Un bon standard de l'appellation telle
qu'on la conçoit en Côtes-de-Nuits. La note austère de la finale n'est pas suffisante pour changer
notre impression générale.
☛ EARL Armelle et Jean-Michel Molin,
54, rte des Grands-Crus, 21220 Fixin,
tél. 03.80.52.21.28, fax 03.80.59.96.99 ☑ ⓘ r.-v.

MORIN PERE ET FILS 1998★

■	n.c.	120 000	ⓘ♨	30 à 49 F

Elégant, tout en finesse, un passetoutgrain
sortant des sentiers battus et jouant au jeune marquis. Végétal, sous-bois, il est discret de bout en
bout, mais avec une délicatesse extrême. Une
harpe ! Un style. Le général de Gaulle qui faisait
servir à l'Elysée les vins Morin (dans le giron de
J.-Cl. Boisset de nos jours) aurait réservé celui-ci
pour un pot-au-feu à La Boisserie.
☛ Morin Père et Fils, 9, quai Fleury,
21700 Nuits-Saint-Georges, tél. 03.80.62.61.42,
fax 03.80.62.37.38 ☑ ⓘ t.l.j. 9h-12h 14h-18h;
l'été 8h-19h

DOM. THIERRY MORTET 1998★★

■	0,15 ha	1 800	ⓘⓘ	30 à 49 F

Superbe pour l'appellation. 66 % de gamay, le
reste de pinot... et entrez dans la danse ! La robe
est un peu en mouvance mais quelle distinction !
Dès le premier coup de nez, une framboise poivrée. Le palais est seigneurial, en équilibre sur
ses deux jambes et sachant attirer le compliment.

Une sommelière propose ce vin pour un goulasch, mais il s'accordera avec bien d'autres plats, pot-au-feu ou œuf en meurette...
☞ Dom. Thierry Mortet,
16, pl. des Marronniers, 21220 Gevrey-Chambertin, tél. 03.80.51.85.07,
fax 03.80.34.16.80 ☑ ⚊ r.-v.

DOM. JEAN ET GENO MUSSO 1998★

| ■ | 2,09 ha | 17 000 | ⦀ | 20 à 29 F |

Tourte forestière ? Un de nos dégustateurs suggère cet accord, et il paraît en effet tout indiqué. Robe légère, nez discret, de bonnes rondeurs. Contrairement à nombre de bouteilles de cette appellation, l'alcool demeure à sa place, sur la pointe des pieds. C'est bien. Le couple Jean et Geno a réveillé ce domaine « Belle au Bois dormant » depuis 1981 et travaille en agriculture biologique.
☞ Jean et Geno Musso, 71490 Dracy-lès-Couches, tél. 03.85.96.18.61,
fax 03.85.96.18.62 ☑ ⚊ r.-v.

MICHEL PICARD 1998★

| ■ | n.c. | 45 000 | ▤ | 30 à 49 F |

Bouche à texture légère, mais ne manquant pas de chair. La charpente repose sur les fruits mûrs, et le nez donne envie d'y revenir - ne serait-ce que pour vérifier la cerise naissante. Le tout rubis sombre, tout d'une pièce. A attendre un peu mais dans le droit chemin.
☞ Michel Picard, rte de Saint-Loup-de-la-Salle, 71150 Chagny, tél. 03.85.87.51.00,
fax 03.85.87.51.11

DOM. JEAN-PIERRE TRUCHETET 1998★

| ■ | 0,63 ha | 5 400 | ▤⦀ | 20 à 29 F |

Le passetoutgrain n'est pas un vin snob. Il doit garder son caractère spontané. Tel est le cas ici. Robe dans le ton, presque veloutée. Nez de fraîcheur s'ouvrant progressivement sur un fruit déterminé. Les tanins sont amicaux, l'acidité assez vive et tout cela fera - lorsqu'il sera fondu - un bon 98. Style Côtes-de-Nuits.
☞ Jean-Pierre Truchetet, R.N. 74,
21700 Premeaux-Prissey, tél. 03.80.61.07.22,
fax 03.80.61.34.35 ☑ ⚊ t.l.j. sf sam. dim. 9h-12h 14h-19h; f. 15-31 août

HENRI DE VILLAMONT
Les Hobereaux 1998

| ■ | n.c. | 20 000 | ▤ | 30 à 49 F |

Une belle robe violacée pour ce vin plaisant et fin. Il a du fruit, même si sa structure est légère. On aime ses bons arômes.
☞ Henri de Villamont, rue du Dr-Guyot,
21420 Savigny-lès-Beaune, tél. 03.80.24.70.07,
fax 03.80.22.54.31, e-mail hdv@planetb.fr
☑ ⚊ t.l.j. sf mar. 9h30-18h30; jeu. 9h30-12h; f. 15 nov.-15 mars

Pour tout savoir d'un vin, lisez les textes d'introduction des appellations et des régions ; ils complètent les fiches des vins.

Bourgogne hautes-côtes de nuits

Dans le langage courant et sur les étiquettes, on utilise le plus fréquemment « bourgogne hautes-côtes de nuits » pour les vins rouges, rosés et blancs produits sur seize communes de l'arrière-pays, ainsi que sur les parties de communes situées au-dessus des appellations communales et des crus de la Côte de Nuits. Ces vignobles ont produit 32 738 hl en 1999, dont 6 451 hl en blanc. Cette production a augmenté de manière importante depuis 1970, date avant laquelle le vignoble se limitait à la production de vins plus régionaux, bourgogne aligoté essentiellement. Le vignoble s'est reconverti à ce moment-là et des terrains, plantés avant le phylloxéra, ont été reconquis.

Les coteaux les mieux exposés donnent certaines années des vins qui peuvent rivaliser avec des parcelles de la Côte ; les résultats sont d'ailleurs souvent meilleurs en blanc, et il est bien dommage que les plantations ne se soient pas faites davantage avec le chardonnay qui, sans nul doute, réussirait mieux, le plus souvent. A l'effort de reconstitution du vignoble a été associé un effort touristique qu'il faut souligner, avec en particulier la construction d'une maison des Hautes-Côtes où sont exposées les productions locales que l'on peut déguster avec la cuisine régionale.

JEAN-LUC AEGERTER 1997

| ☐ | n.c. | 4 000 | ⦀ | 50 à 69 F |

Il y a des jours où tout vous réussit. Ainsi ce 97, le jour de notre dégustation. On aime sa pâleur dorée qui signale la sincérité de la robe. On apprécie ses arômes de pêche, de noisette qu'égaye un rien d'exotisme. On goûte son exposé en bouche, souple et gras, puis son charme « vieille dentelle ».
☞ Jean-Luc Aegerter, 49, rue Henri-Challand, 21700 Nuits-Saint-Georges, tél. 03.80.61.02.88,
fax 03.80.62.37.99 ☑ ⚊ r.-v.

BERTRAND AMBROISE 1998★

| ☐ | 1,42 ha | 6 000 | ⦀ | 70 à 99 F |

En voie d'accomplissement, ce 98 est d'un bel œil clair assez vif. Ses arômes sont résolument optimistes et champêtres, allant du raisin frais à la fleur de printemps. Son acidité présente souligne le fruit sans le malmener. Du volume et du gras pour prendre le temps en patience. Coup de cœur l'an dernier pour son 97 blanc.

➤ Maison Bertrand Ambroise, rue de l'Eglise, 21700 Premeaux-Prissey, tél. 03.80.62.30.19, fax 03.80.62.38.69, e-mail bertrand.ambroise@wanadoo.fr ☑ ⏉ r.-v.

JEAN-BAPTISTE BEJOT 1998

| ■ | n.c. | 10 000 | 30 à 49 F |

Violet intense, il évolue vers le musc, le sous-bois après une séquence de fruits rouges. Peu d'ampleur, mais une souplesse, une richesse presque, qui font pencher la balance du bon côté. Ne pas le boire immédiatement.
➤ SA Jean-Baptiste Béjot, 21190 Meursault, tél. 03.80.21.22.45, fax 03.80.21.28.05

DOM. DU BOIS GUILLAUME 1998

| ☐ | 0,58 ha | 4 000 | ⏢ 30 à 49 F |

Distingué, délicat sous sa parure d'un or ambré, ce vin est un peu marqué par le fût. Son corps demeure frais et fruité tout en garantissant un bon potentiel de garde. Encore tannique, il doit se bonifier en cave.
➤ Jean-Yves Devevey, Dom. du Bois Guillaume, rue de Breuil, 71150 Demigny, tél. 03.85.49.91.11, fax 03.85.49.91.59 ☑ ⏉ t.l.j. sf dim. 8h-19h

PIERRE CORNU-CAMUS 1998★

| ■ | 0,51 ha | 3 900 | ⏢⏢⏢ 30 à 49 F |

Dans sa tirelire, il met jour après jour un rouge pourpre bien soutenu, un nez de framboise avec une pointe d'aubépine, de la fraîcheur, des tanins encore présents. Bref, il épargne et attend de connaître deux ans, sur des œufs en meurette, le bénéfice assuré de son investissement prudent.
➤ Pierre Cornu-Camus, 2, rue Varlot, 21420 Echevronne, tél. 03.80.21.57.23, fax 03.80.26.11.94 ☑ ⏉ r.-v.

YVAN DUFOULEUR
Les Dames Huguette 1997★★

| ☐ | 0,3 ha | 2 000 | ⏢ 50 à 69 F |

Yvan Dufouleur propose de superbes Dames Huguette (*climat* sur les hauteurs de Nuits) donnant un chardonnay princier et pas très loin du coup de cœur. Bien jaune, bien ouvert, un peu grillé mais bientôt riche en fruit, amande et pomme verte avec un dépaysement sur l'agrume. Il nous fait le grand jeu, et cette légère verdeur finale est un joli point d'orgue. En **rouge 98**, un bon vin qui reçoit une étoile et qui va s'épanouir. **Les Dames Huguette en rouge 97**, également passionnant, reçoit deux étoiles. A boire pour le plaisir et à attendre si l'on veut.
➤ Yvan Dufouleur, Dom. des Belles Chaumes, 18, rue Thurot, 21700 Nuits-Saint-Georges, tél. 03.80.62.31.00, fax 03.80.62.31.00 ☑ ⏉ t.l.j. 9h-19h

DOM. FRANCOIS GERBET 1997

| ■ | 6 ha | 30 000 | ⏢⏢ 50 à 69 F |

Cette partie du domaine a été créée par François Gerbet, père des deux filles qui sont les propriétaires actuelles, à Concœur sur les hauteurs de Nuits, là où s'étendait la friche. Cela donne un 97 pénétré de fruit mûr et de terroir, intense et franc à l'œil comme au palais.

➤ Marie-Andrée et Chantal Gerbet, maison des Vins, 2, pl. de l'Eglise, 21700 Vosne-Romanée, tél. 03.80.62.32.99, fax 03.80.62.32.99 ☑ ⏉ t.l.j. 10h-12h 14h-18h; f. 1er-20 jan.

EMMANUEL GIBOULOT 1998★

| ■ | 0,5 ha | 2 600 | ⏢⏢ 50 à 69 F |

S'il manque un peu de fruit au nez, en raison de son caractère animal - et l'on chasse beaucoup dans les Hautes-Côtes (relisez *La Billebaude* de Vincenot) -, ce pinot est de bonne extraction. Puissant sans lourdeur, mâchant légèrement en finale, grenat sombre, il ne manque pas de jeunesse et d'allant. Un vin dont les Bourguignons disent : « Il est léger et massif. »
➤ Emmanuel Giboulot, Combertault, 21200 Beaune, tél. 03.80.26.52.85, fax 03.80.26.53.67 ☑ ⏉ r.-v.

DOM. GLANTENET
Elevé en fûts de chêne 1998★

| ■ | 9,44 ha | 5 000 | ⏢⏢ 30 à 49 F |

Les Glantenet sont installés en Bourgogne depuis le XVᵉs. et vignerons depuis le XVIIIᵉs. Aujourd'hui, ils possèdent 25 ha de vignes. Ce joli vin ne cache pas qu'il a été élevé en fût mais celui-ci est bien fondu ; tannique mais sans trop, il est original par ses arômes où l'amande grillée fait un agréable duo avec la cerise. Sa robe est très profonde et vive. Une bouteille encore jeune et à attendre un à deux ans. Ce domaine commercialise sa production en vente directe depuis 1999 seulement.
➤ Dom. Glantenet Père et Fils, rue de l'Aye, 21700 Magny-lès-Villers, tél. 03.80.62.91.61, fax 03.80.62.74.79, e-mail domaine.glantenet@wanadoo.fr ☑ ⏉ t.l.j. sf dim. 8h-12h 13h30-19h

BLANCHE ET HENRI GROS
Vieilles vignes 1998★★

| ■ | 2,5 ha | 3 500 | ⏢⏢ 50 à 69 F |

Comme on comprend tous ces beaux chevaliers qui étaient jadis tous amoureux de la Dame de Vergy ! Car la cave était sûrement très bonne, à en juger par ce coup de cœur saluant un vin presque surdimensionné au regard de son AOC. Rouge foncé, il suggère le cassis, et Dieu sait si l'on connaît le sujet dans les Hautes-Côtes de Nuits ! Bouche ample, complète et irréprochable au boisé très élégant laissant la vedette au vin ! Le **blanc 98** (30 à 49 F) reçoit une étoile. Très bien fait lui aussi, il est harmonieux.

☛ Henri Gros, 21220 Chambœuf,
tél. 03.80.51.81.20, fax 03.80.49.71.75 ☑ ⍗ r.-v.

DOM. GROS FRERE ET SŒUR 1998

☐	2,5 ha	8 845	ⅢⅠ 70 à 99 F

Allegro vivace : la robe jaune pâle à reflets émeraude. *Andante* : un petit nez qui prend peu à peu de l'importance, sur des notes de pain grillé. *Allegro assai* : un troisième mouvement, rond et friand, soutenu par une excellente fraîcheur. Vignes situées sur Nuits-Saint-Georges, côté Concœur.
☛ SCE Gros Frère et Sœur, 6, rue des Grands-Crus, 21700 Vosne-Romanée, tél. 03.80.61.12.43, fax 03.80.61.34.05 ☑ ⍗ r.-v.
☛ Bernard Gros

DOM. DOMINIQUE GUYON
Cuvée des Dames de Vergy 1997

■	21,8 ha	60 000	ⅢⅠ 50 à 69 F

Dominique Guyon a « recousu ensemble » des centaines de parcelles remembrées par lui sur le grand coteau de Meuilley face à Vergy... et au soleil levant. C'était il y a un quart de siècle, et le résultat pour ce vin élevé douze mois en foudre reste intéressant. Montrant un disque violacé sous un rouge brillant, parfumé à la fraise (celle de Meuilley était naguère célèbre) comme il se doit, il présente un bon équilibre entre fruits, tanins et acidité, et une typicité remarquée.
☛ Dom. Dominique Guyon, 21420 Savigny-lès-Beaune, tél. 03.80.67.13.24, fax 03.80.66.85.87, e-mail vins@guyon-bourgogne.com ☑ ⍗ r.-v.

MONGEARD-MUGNERET 1998★

☐	0,3 ha	2 500	ⅢⅠ 50 à 69 F

Chez les Mongeard-Mugneret, on ne craint pas l'ennui comme l'a démontré en 1991 la création du domaine du Mas Crémat, près de Rivesaltes. Une large palette de grands crus conforte leur portefeuille, ainsi que cette vigne située, pensons-nous, sur Arcenant. Elle fournit un bourgogne d'une teinte nuancée, très tilleul, souple et étoffé, à laisser reposer quelque temps.
☛ Dom. Mongeard-Mugneret,
14, rue de la Fontaine, 21700 Vosne-Romanée, tél. 03.80.61.11.95, fax 03.80.62.35.75, e-mail mongeard@axnet.fr ⍗ r.-v.

DOM. DE MONTMAIN Le Rouard 1997★

☐	7 ha	35 000	ⅢⅠ 100 à 149 F

Ce vin a déjà décroché plusieurs fois le coup de cœur (notamment le millésime 91 dans l'édition 1995), et il est devenu un grand classique de l'appellation, porté en avant par son « inventeur », Bernard Hudelot. Robe très aimable et arômes de silex, d'aubépine, introduisent un chardonnay émoustillé par une rétro-olfaction de poire. Séveux, idéal en fin de bouche, il est déjà flatteur et de garde. Le domaine offre par ailleurs, en constructions modernes, le charme de certaines *wineries* californiennes. À visiter !
☛ Dom. de Montmain, 21700 Villars-Fontaine, tél. 03.80.62.31.94, fax 03.80.61.02.31 ☑ ⍗ t.l.j. sf dim. 8h30-12h 13h30-18h; sam. sur r.-v.
☛ Bernard Hudelot

DOM. HENRI NAUDIN-FERRAND
1998★

☐	1,17 ha	7 323	⊟ⅢⅠ⌀ 30 à 99 F

On s'étonnerait de ne pas les voir ici, Anne et Claire Naudin. Dans leur robe jaune clair, elles vont au bal de la Saint-Vincent. Pas mal de fût dans leur parfum grillé. Belle attaque de valse vive, fluide, élégante. La nuit est encore longue.
☛ Henri Naudin-Ferrand, rue du Meix-Grenot, 21700 Magny-lès-Villers,
tél. 03.80.62.91.50, fax 03.80.62.91.77,
e-mail dom.hnf.@wanadoo.fr ☑ ⍗ r.-v.

OLIVIER-GARD 1998

■	1 ha	4 750	ⅢⅠ 30 à 49 F

Concœur-et-Corboin est un hameau marié à Nuits-Saint-Georges, en bordure des Hautes-Côtes. Cette exploitation familiale travaille les petits fruits rouges qui deviennent liqueurs, sirops et confitures. Tout à fait l'âme du pays. La vigne est arrivée en 1993, et elle s'y comporte bien, donnant ce pinot noir et cerise noire, un tantinet animal, tannique et costaud. Le corps est suffisant pour répondre dans le temps de ses qualités.
☛ Dom. Olivier-Gard, Concœur-et-Corboin, 21700 Nuits-Saint-Georges, tél. 03.80.61.00.43, fax 03.80.61.38.45 ☑ ⍗ r.-v.
☛ Manuel Olivier

DOM. DENIS PHILIBERT
Elevé en fût de chêne 1998★

■	n.c.	20 000	ⅢⅠ 50 à 69 F

Lauréat du coup de cœur dans notre édition 1997 (un 94 rouge), ce producteur propose un 98 assez élégant dans sa robe cerise noire d'intensité moyenne, au nez tirant sur la framboise, équilibrant l'acide et le moelleux en bouche jusqu'à une finale fine et agréable. Net et franc, robuste. La Bourgogne n'a-t-elle pas été évangélisée par saint Philibert ?
☛ Dom. Denis Philibert, 1, rue Ziem, 21200 Beaune, tél. 03.80.24.05.88, fax 03.80.22.37.08 ⍗ t.l.j. 9h-19h

CH. DE PREMEAUX 1998★

■	2,1 ha	7 000	ⅢⅠ 50 à 69 F

Hautes-côtes-de-nuits venant des hauteurs de Premeaux. Deux bouteilles excellentes et au coude à coude à ce niveau qualitatif. Le **blanc 98**, bien typé, qui devra un peu attendre que le fût se fonde, et son frère en rouge. Une petite préférence pour celui-ci, bénéficiant de la cote d'amour. Pourpre mauve, il déborde de bons arômes, et le cassis vient faire un tour d'honneur en bouche. Le tout baignant dans l'harmonie.
☛ Dom. du Ch. de Premeaux, 21700 Premeaux-Prissey, tél. 03.80.62.30.64, fax 03.80.62.39.28 ☑ ⍗ r.-v.
☛ Pelletier

ROPITEAU 1998★

☐	n.c.	50 000	ⅢⅠ 50 à 69 F

La nuit du 4 Août n'est pas, dans les Hautes-Côtes, celle de l'Histoire de France. En fait de privilège, les vignerons du « pays haut » reçoivent ce jour-là, en 1961, leur AOC. Méritée amplement. On le constate en savourant ce char-

donnay bien typé, fleurs et agrumes, mettant le maximum de feu dans sa robe. Un peu corsé, vif évidemment, frais et durable, de belle longueur.
☛ Ropiteau Frères, 13, rue du 11-Novembre, 21190 Meursault, tél. 03.80.21.69.20, fax 03.80.21.69.29 ⅏ t.l.j. 9h-19h; f. mi-nov. à Pâques

GUY SIMON ET FILS
Les Dames Huguette Vieilli en fût de chêne 1998★

■		0,5 ha	3 000	ⅲ	50 à 69 F

Guy Simon et son épouse ont joué un rôle très actif dans la renaissance des Hautes-Côtes. Plusieurs cuvées sont présentées. Retenons celle de l'AOC **98 rouge sans dénomination élevée en fût** (une étoile), qui est un parfait « vin de rôti », ainsi que la **cuvée des Dames Huguette rouge 98 élevée en cuve**, citée. C'est surtout la cuvée élevé en fût des Dames Huguette qui séduit. « On se fait plaisir », note un dégustateur. Rubis intense, doté d'un nez frais, presque floral, réglissé, ce 98 est d'un excellent équilibre. Solide, riche, c'est un joli vin.
☛ Guy Simon et Fils, 21700 Marey-lès-Fussey, tél. 03.80.62.91.85, fax 03.80.62.71.82 ☑ ⅏ r.-v.

DOM. THEVENOT-LE BRUN ET FILS
Clos du Vignon 1997★

■		5,1 ha	11 000	▤ⅲ⚬	50 à 69 F

Le père est viticulteur hors norme. Comme Jean-Marc Roulot à Meursault, il fait du théâtre, et il a même joué une pièce de Shakespeare au festival d'Avignon ! Son Clos du Vignon est très représentatif des hautes-côtes vers Marey-lès-Fussey. Un rien de tuilé dans la robe de ce 97, une puissance honorable et un bon support acide, un fruit rouge très concentré. Le vinificateur mis en scène et il y réussit. Le **blanc 98** ne passe pas inaperçu. Il est cité.
☛ Dom. Thévenot-Le Brun et Fils, 21700 Marey-lès-Fussey, tél. 03.80.62.91.64, fax 03.80.62.99.81, e-mail thevenot-le-brun @wanadoo.fr ☑ ⅏ r.-v.

JEAN-PIERRE TRUCHETET 1997

□		0,66 ha	5 700	▤ⅲ	30 à 49 F

Peu de reflets apparents mais un or clair appétissant. Son nez a quelque chose de la surmaturité, avec des accents minéraux. Il a quelque chose à dire. Citronné en bouche, il a plutôt bon caractère et se trouve prêt à la consommation.
☛ Jean-Pierre Truchetet, R.N. 74, 21700 Premeaux-Prissey, tél. 03.80.61.07.22, fax 03.80.61.34.35 ⅏ t.l.j. sf sam. dim. 9h-12h 14h-19h; f. 15-31 août

DOM. ALAIN VERDET
Vieilles vignes 1997★

□		2 ha	5 000	ⅲ	70 à 99 F

Ce viticulteur d'Arcenant (village connu pour ses petits fruits) produit également d'excellentes liqueurs, de même que du marc et de la fine de Bourgogne. Assez traditionaliste, il maintient du beurot auprès de son chardonnay. Un cépage en forme de chef-d'œuvre en péril qui entre, nous dit-on, pour 20 % dans cette bouteille d'un or léger, au nez brioché, très terroir. Son évolution s'esquisse. Une curiosité pour connaisseurs.

Coup de cœur pour son 85 rouge, et l'an passé encore pour son 96 rouge.
☛ Alain Verdet, rue des Berthières, 21700 Arcenant, tél. 03.80.61.08.10, fax 03.80.61.08.10 ☑ ⅏ r.-v.

HENRI DE VILLAMONT
Aux Dames Huguette 1998★

■		n.c.	10 000	▤	50 à 69 F

Deux jolis vins chez ce négociant. Un **blanc 98** honorable, cité pour son fruité, et ce rouge puissant en même temps qu'élégant, que son bouquet fruité avec une note florale rend très agréable. Une belle matière demandant une petite garde.
☛ Henri de Villamont, rue du Dr-Guyot, 21420 Savigny-lès-Beaune, tél. 03.80.24.70.07, fax 03.80.22.54.31, e-mail hdv @planetb.fr ☑ ⅏ t.l.j. sf mar. 9h30-18h30; jeu. 9h30-12h; f. 15 nov.-15 mars

CH. DE VILLERS-LA-FAYE 1998

□		2 ha	8 000	ⅲ	30 à 49 F

Signé par Serge Valot, un vigneron des Hospices de Beaune qui a installé depuis lors son fils Samuel sur l'exploitation, ce vin d'un or pâle mais luisant a un nez : bien développé, il est net et franc. Il attaque sur les agrumes, puis le caractère se révèle souple et nerveux ; son corps n'est pas très persistant mais on a eu tout le loisir de voir quelque chose. Jacques Rivette a tourné ici des scènes de son film sur Jeanne d'Arc.
☛ SCEA Ch. de Villers-la-Faye, rue du Château, 21700 Villers-la-Faye, tél. 03.80.62.91.57, fax 03.80.62.71.32 ☑ ⅏ r.-v.
☛ Valot Père et Fils

Bourgogne hautes-côtes de beaune

Située sur une aire géographique plus étendue (une vingtaine de communes, et débordant sur le nord de la Saône-et-Loire), la production des vins d'appellation bourgogne hautes-côtes-de beaune représente un volume supérieur à celui des hautes-côtes de nuits, 43 476 hl dont 8 223 en blanc en 1999. Les situations sont plus hétérogènes et des surfaces importantes sont encore occupées par les cépages aligoté et gamay.

La coopérative des Hautes-Côtes, qui a fait ses débuts à Orches, hameau de Baubigny, est maintenant installée au « Guidon » de Pommard, à l'intersection des D 973 et RN 74, au sud de Beaune. Elle vinifie un volume important de bourgogne hautes-côtes de beaune.

De même que plus au nord, le vignoble s'est essentiellement développé depuis les années 1970-1975.

Le paysage est plus pittoresque que dans les Hautes-Côtes de Nuits, et de nombreux sites doivent faire l'objet d'une visite, comme Orches, La Rochepot et son château, et Nolay, petit village bourguignon. Il faut enfin ajouter que les Hautes-Côtes, qui autrefois étaient le siège d'exploitations de polyculture, sont restées des régions productrices de petits fruits destinés à alimenter les liquoristes de Nuits-Saint-Georges et de Dijon, et qu'on y rencontre encore, sous différents états, des cassis, framboises ou liqueurs et eaux-de-vie de ces fruits, d'excellente qualité. L'eau-de-vie de poire des Monts-de-Côte-d'Or, bénéficiant d'une appellation simple, trouve également ici son origine.

ARNOUX PERE ET FILS 1998★

	1,3 ha	6 000	� 30 à 49 F

Carmin, il commence par le fruit avec un nez de cassis agréable et une bouche ronde aux tanins fins et dont la bonne acidité ne surprend pas : elle anime le tableau fait de nuances assez tendres, rondes et légères. Un vin qu'il n'est point besoin de garder « pour la prochaine fois ». Il est prêt.
☛ Arnoux Père et Fils, rue des Brenots, 21200 Chorey-lès-Beaune, tél. 03.80.22.57.98, fax 03.80.22.16.85 ☑ ♈ r.-v.

JEAN-NOEL BAZIN 1998★

	2,5 ha	3 000	■ 30 à 49 F

Il sait y faire, celui-ci. Jeune et déjà moelleux, très floral, discret et consistant, il vous enveloppe l'affaire comme un expert en la matière. D'une couleur brillante, il se montre pertinent au nez et convaincant en bouche, d'une persistance digne des plus heureuses caudalies. Il peut se garder. Le **98 blanc**, cité sans étoile, est bien réussi et peut utilement compléter votre choix.
☛ Jean-Noël Bazin, Les Petits Vergers, 21340 La Rochepot, tél. 03.80.21.75.49, fax 03.80.21.83.71 ☑ ♈ r.-v.

DOM. DU BOIS GUILLAUME
Les Champs Perdrix 1998★

☐	2,1 ha	13 000	� 30 à 49 F

Le chêne séculaire qui trône sur l'étiquette annonce-t-il un vin très boisé ? Eh bien ! non, Dieu merci. Or vert, ce 98 semble se destiner à des rêveries emplies d'acacia et d'aubépine. Mais le fruit à pépins rend sa bouche plus intense, sur une invitation au voyage : une pointe d'exotisme. Il faut lui laisser le temps de s'ouvrir tout à fait.
☛ Jean-Yves Devevey, Dom. du Bois Guillaume, rue de Breuil, 71150 Demigny, tél. 03.85.49.91.11, fax 03.85.49.91.59 ☑ ♈ t.l.j. sf dim. 8h-19h

DOM. JEAN-MARC BOULEY 1997★

■	1,2 ha	8 000	� 30 à 49 F

Grappe d'Or du Guide Hachette 1994, Jean-Marc Bouley a proposé cette année un très joli 97. Gouleyant, sur le fruit rouge, celui-ci exprime une fidélité parfaite au millésime et une personnalité étonnante. « On se laisse embobiner », note un dégustateur. Et sans regret, car l'approche est douce, chaude, toujours sur le fruit tandis que l'évolution joue sur l'élégance. Vin de séduction et non de puissance qui s'achève sur une calme amertume : deux à trois ans de garde sont conseillés, mais certains aimeront déjà !
☛ Jean-Marc Bouley, chem. de la Cave, 21190 Volnay, tél. 03.80.21.62.33, fax 03.80.21.64.78 ☑ ♈ r.-v.

DOM. J.-FRANCOIS BOUTHENET
Au Paradis Elevé en fût de chêne 1998★

■	2,7 ha	1000	� 30 à 49 F

Un vin bien fait et qui demande à vieillir. Rouge cerise, il hésite entre les notes réglissées, boisées et le fruité sous-jacent puis il semble se donner à fond dans la fraîcheur. Très structuré par des tanins présents, de bonne longueur, il a une belle espérance de vie.
☛ Jean-François Bouthenet, Mercey, 71150 Cheilly-lès-Maranges, tél. 03.85.91.14.29, fax 03.85.91.18.24 ☑ ♈ r.-v.

CHRISTOPHE BUISSON
Les Pierres Percées 1998

	0,26 ha	n.c.	� 30 à 49 F

Les Bourguignons adorent les « pierres percées » qui décorent leurs parcs et jardins. Mais font-elles un bon vin ? Mon Dieu, oui. Cet ancien courtier en vin nous rend témoins d'un pinot noir qui tuile légèrement, d'un doux et aimable fruité, souple et rond.
☛ Christophe Buisson, 21190 Saint-Romain, tél. 03.80.21.63.92, fax 03.80.21.67.03 ☑ ♈ r.-v.

DENIS CARRE 1998★

☐	n.c.	n.c.	■ � ♧ 30 à 49 F

Un beau nez toasté agrémenté de fleurs blanches et de notes d'agrumes sur un fond boisé. Ample, moelleux, équilibré, long, le palais est soutenu par une bonne acidité. Le fût, encore marqué, demande une petite garde.
☛ Denis Carré, rue du Puits-Bouret, 21190 Meloisey, tél. 03.80.26.02.21, fax 03.80.26.04.64 ☑ ♈ t.l.j. 8h-18h

RENE CHARACHE-BERGERET 1999★

☐	1 ha	2 300	� 30 à 49 F

En parcourant les Hautes-Côtes, on s'attend toujours à rencontrer La Gazette, le *Pape des Escargots*, ce personnage d'Henri Vincenot. Le voilà comme voilà. Ouvert bien sûr car il en raconte ! Elégant et moelleux, un chardonnay qui s'endort un peu sur l'oreiller mais qui bannit tout boisé incongru. Bravo ! Facile à boire et d'humeur confortable.
☛ René Charache-Bergeret, 21200 Bouzelès-Beaune, tél. 03.80.26.00.86, fax 03.80.26.00.86 ☑ ♈ r.-v.

DOM. FRANCOIS CHARLES ET FILS 1998★

☐ 2 ha 12 000 ◫ 30 à 49 F

Un chardonnay de Bourgogne excellent pour qui s'y connaît ! Pamplemousse, citron, écorce d'orange, presque minéral, il est à la fois dans le camp des classiques et dans celui des modernes. L'occasion de rappeler que le domaine a reçu un coup de cœur pour un 94 rouge.
☛ Dom. François Charles et Fils, 21190 Nantoux, tél. 03.80.26.01.20, fax 03.80.26.04.84 ☑ ⍦ r.-v.

DOM. CHEVROT 1998★

☐ 0,7 ha 3 500 ◫ 30 à 49 F

Domaine familial de 11,60 ha situé dans les Maranges. Piquant sur l'agrume, ample et généreux, un vin bien équilibré et à attendre un peu pour qu'il se fonde. Sa persistance est intéressante. La robe ? D'un or pâle lumineux et floral. Le **rouge 98** sent la rose et, sur sa réserve, semble déjà plein de bonté. Il est cité par le jury.
☛ Catherine et Fernand Chevrot, Dom. Chevrot, 19, rte de Couches, 71150 Cheilly-lès-Maranges, tél. 03.85.91.10.55, fax 03.85.91.13.24, e-mail domaine.chevrot@wanadoo.fr ☑ ⍦ t.l.j. 9h-12h 14h-18h; dim. 9h-12h

HENRI DELAGRANGE ET FILS 1998★

☐ 3 ha 25 000 ▬ ♦ 30 à 49 F

Ce vin vit dans le verre comme un poisson dans l'eau ! Il s'y plaît. Or clair, pain grillé et aubépine, souple puis vif, très goûteux, il espère la truite qui s'accordera à sa présence charmante. On pourra le déguster dans deux à trois ans avec le même bonheur.
☛ Dom. Henri Delagrange et Fils, rue de la Cure, 21190 Volnay, tél. 03.80.21.61.88, fax 03.80.21.67.09 ☑ ⍦ r.-v.

RODOLPHE DEMOUGEOT

Vieilles vignes 1998★

■ n.c. 7 000 ◫ 30 à 49 F

Ces raisins sont trop verts... On connaît la fable. Verdeur, c'est vrai mais ce vin n'est pas fait pour des goujats, loin de là. Rubis soutenu avec de jolis reflets, il mêle des nuances animales à un fruit résolu. Tannique, ample et puissant, il a du punch et on l'attendra avec plaisir de deux à trois ans.
☛ Dom. Rodolphe Demougeot, 2, rue du Clos-de-Mazeray, 21190 Meursault, tél. 03.80.21.28.99, fax 03.80.21.29.18 ☑ ⍦ r.-v.

DOM. CHRISTINE ET JEAN-MARC DURAND 1998

☐ 0,5 ha 3 500 ◫ 30 à 49 F

Plaisant et expressif, un vin pour lotte à l'armoricaine. L'or est assez soutenu, tout comme les parfums de fleurs blanches, de beurre frais et de pain grillé que l'on retrouve longuement en bouche. La petite pointe d'acidité est gage de bonne vie pendant deux à trois ans.
☛ Dom. Christine et Jean-Marc Durand, 1, rue de l'Eglise, 21200 Bouze-lès-Beaune, tél. 03.80.22.75.31, fax 03.80.26.02.57 ☑ ⍦ r.-v.

DENIS FOUQUERAND ET FILS 1998★

■ 4 ha 5 000 ◫ 30 à 49 F

Ce seigneur de La Rochepot s'apprête pour un tournoi au château. Il porte un écu de gueules, c'est-à-dire bien rouge en héraldique. Le mouchoir que lui a confié sa belle est joliment parfumé dans le goût du pays (cerise aigre, framboise). Déjà son attaque est vive, bien enlevée, pleine d'élan. L'armure ? Rien ne dépasse.
☛ Denis Fouquerand et Fils, rue de l'Orme, 21340 La Rochepot, tél. 03.80.21.71.59, fax 03.80.21.85.58 ☑ ⍦ t.l.j. 9h-12h 14h-19h

DOM. GLANTENET 1997★

☐ 3,17 ha 3 000 ◫ 30 à 49 F

Doré d'intensité moyenne, un 97 bien ouvert sur la noisette et le fruit blanc. Son fruit demeure au palais, associé à un gras vivifiant. Ce soupçon d'amertume ? Le temps l'assimilera vite : bonne bouteille qu'il n'est pas indispensable de déguster dans l'année qui vient.
☛ Dom. Glantenet Père et Fils, rue de l'Aye, 21700 Magny-lès-Villers, tél. 03.80.62.91.61, fax 03.80.62.74.79, e-mail domaine.glantenet@wanadoo.fr ☑ ⍦ t.l.j. sf dim. 8h-12h 13h30-19h

LES CAVES DES HAUTES-COTES

La Perrière 1998★

■ 4,2 ha 18 000 ◫ 50 à 69 F

Très mûr déjà pour un 98, ce vin témoigne de la constance de cette cave coopérative qui joua un rôle particulièrement actif dans le maintien de la vigne au sein des Hautes-Côtes. Robe moyenne, arômes de champignon et de gibier, tanins fondus et ce qu'il faut d'acidité. Coup de cœur en 1992 pour cette même Perrière rouge version 88. Le **Mont Battois 98 rouge** mérite l'estime et son étoile (30 à 49 F).
☛ Les Caves des Hautes-Côtes, rte de Pommard, 21200 Beaune, tél. 03.80.25.01.00, fax 03.80.22.87.05 ☑ ⍦ r.-v.

HOSPICES DE DIJON

Chenovre Ermitage 1998

☐ 10 ha 51 000 ▬ 70 à 99 F

L'étiquette à elle seule mérite le détour. Hospices de Dijon ! Sans prétendre rivaliser avec Nuits, Beaune ou Beaujeu, le Centre hospitalier régional et universitaire de Dijon a intelligemment converti en vignes ses prés et ses champs. Le château de Meursault (Boisseaux) s'en charge ici, avec un Centre d'assistance par le travail. Chenovre-Ermitage se situe sur les hauteurs de Savigny-Pernand. Pour un hautes-côtes de beaune clair et frais, minéral et minéral.
☛ Hospices de Dijon, 5, rue du Collège, 21200 Beaune, tél. 03.80.24.53.01, fax 03.80.24.53.03 ⍦ r.-v.

DOM. LUCIEN JACOB

Les Larrets blancs 1998★

☐ 1,2 ha 3 000 ◫ 30 à 49 F

Quand Lucien Jacob, alors député du Beaunois, pénétra pour la première fois au Palais Bourbon, il laissa des marques sur le tapis. Jacques Chirac s'écria : « On a besoin de députés ayant de la terre à leurs souliers ! » Ce bourgogne lui aussi a de la terre à ses souliers. Jaune pâle, agrémenté de citron vert et de fruits secs, il est vif et aime les caresses. Bon travail ! Ce 98 sera superbe en début de repas.

☛ Dom. Lucien Jacob, 21420 Echevronne, tél. 03.80.21.52.15, fax 03.80.21.55.65 ☑ ⵜ r.-v.

DOM. DE LA CONFRERIE 1998

| ☐ | 0,55 ha | 2 200 | ⵜⵛ | 30 à 49 F |

Si vous passez par Cirey-lès-Nolay, visitez cette nouvelle cuverie bâtie en 1997. Ce 98 aura des atomes crochus avec le brochet mayonnaise. Jaune or intense, il décline des notes de pomme. Assez acidulé, il excite les gencives. Mais on lui promet un long avenir. Ce qui n'est pas fréquent en blanc dans cette appellation.

☛ Dom. de la Confrérie, 21340 Cirey-lès-Nolay, tél. 03.80.21.89.23, fax 03.80.21.70.27 ☑ ⵜ t.l.j. 8h-12h 13h30-19h; dim. sur r.-v.
☛ Christophe Pauchard

HENRI LATOUR ET FILS 1998★

| ■ | 4,48 ha | 15 000 | ⵜⵛ | 30 à 49 F |

Un vin qui n'a pas recours aux tirs au but pour imposer ses qualités. Sous un maillot cerise, il bénéficie d'un excellent milieu de terrain, d'un jeu subtil où l'épice douce relaie le fruit frais. Bon système d'attaque et finale réglissée. Pour un verre... ballon.

☛ Henri Latour et Fils, rte de Beaune, 21190 Auxey-Duresses, tél. 03.80.21.22.24, fax 03.80.21.63.08 ☑ ⵜ r.-v.

MANOIR DE MERCEY
Au Paradis 1998★

| ■ | 3 ha | 3 000 | ⵛ | 30 à 49 F |

Issu sans doute de jeunes vignes, le **98 blanc Au Clou**, floral (acacia) peut donner quelque chose de bien, à l'ancienneté ! Quant à ce vin rouge, il se situe entre pourpre et violacé. Vanille et cassis s'expriment tant au nez qu'en bouche où la structure se révèle équilibrée par de fins tanins ; deux ou trois ans de garde seront bénéfiques. A noter : vignes hautes et larges. La cuvée dite **vignes en lyres 97** reçoit la même note (50 à 69 F).

☛ Dom. Gérard Berger-Rive et Fils, Manoir de Mercey, 71150 Cheilly-lès-Maranges, tél. 03.85.91.13.81, fax 03.85.91.17.06 ☑ ⵜ r.-v.

MOILLARD Les Alouettes 1998★

| ■ | n.c. | 20 000 | ⵛ | 70 à 99 F |

La famille Thomas (Moillard) s'intéresse aux Hautes-Côtes. Ce *climat* est situé sur les hauteurs de Savigny-lès-Beaune. Grenat cerise, ce 98 laisse le dégustateur choisir entre l'épice, l'animal et le fruit à noyau. Au palais, une structure solide et un bon gras. Déjà bien, il garde une marge d'avenir, de deux à quatre ans.

☛ Moillard-Grivot, 2, rue François-Mignotte, 21700 Nuits-Saint-Georges, tél. 03.80.62.42.22, fax 03.80.61.28.13, e-mail nuicave@wanadoo.fr ☑ ⵜ r.-v.

MOROT-GAUDRY 1997★

| ■ | 3,5 ha | 1 500 | ⵜⵛ | 30 à 49 F |

Une étiquette parcheminée, à l'ancienne... pour ce vin pourpre limpide, d'un léger pruneau au nez et d'une attaque franche avec tambour et

trompette. Longueur et fruit sont au rendez-vous amical. Un dégustateur, notons-le, le porte aux nues et y lit le comble de la sensualité.

☛ Chantal Morot-Gaudry, Moulin Pignot, 71150 Paris-l'Hôpital, tél. 03.85.91.11.09, fax 03.85.91.11.09 ☑ ⵜ r.-v.

DOM. HENRI NAUDIN-FERRAND 1998★

| ☐ | 1,9 ha | 7 900 | ⵜⵛ | 30 à 49 F |

Magny-lès-Villers présente la caractéristique d'avoir un pied dans les Hautes-Côtes de Nuits et l'autre dans celles de Beaune. C'est dire si l'on n'y met pas ses bouteilles dans le même panier ! Ce domaine présente un vin couleur paille brillante, aux arômes de beurre et de noisette, typé sur son assise assez vive, friande et d'une persistance de bon aloi.

☛ Dom. Henri Naudin-Ferrand, rue du Meix-Grenot, 21700 Magny-lès-Villers, tél. 03.80.62.91.50, fax 03.80.62.91.77, e-mail dom.hnf.@wanadoo.fr ☑ ⵜ r.-v.

DOM. CLAUDE NOUVEAU 1998★

| ☐ | 0,5 ha | 3 000 | ⵜⵛ | 30 à 49 F |

Pour quel millésime donc ce vin a-t-il reçu le coup de cœur ? Voilà une question pour jeu télévisé ! Pour son 83. Et voici une bouteille qui s'inscrit honnêtement dans une tradition de qualité. Reflets verts sous or pâle, arômes de fleur, ce 98 est vif et à arrondir, mais sa fraîcheur, son élégance, sont indéniables. Le **rouge 98**, de très bonne structure, est proche d'un *village* : il reçoit une étoile.

☛ EARL Dom. Claude Nouveau, Marchezeuil, 21340 Change, tél. 03.85.91.13.34, fax 03.85.91.10.39 ☑ ⵜ r.-v.

DOM. PARIGOT PERE ET FILS
Vieilles vignes 1998★★

| ■ | 2 ha | 10 600 | ⵛ | 50 à 69 F |

A deux reprises coup de cœur en blanc (éditions 1992 et 1996, pour les millésimes 89 et 93), ce domaine offre cette fois-ci l'un des meilleurs vins rouges de la série. Remarquable, en effet, tant par sa robe que par son nez d'un charmant petit fruit rouge, ou par sa bouche réglissée et parfaitement équilibrée. Beaucoup de matière et très belle longueur.

☛ Dom. Parigot Père et Fils, rte de Pommard, 21190 Meloisey, tél. 03.80.26.01.70, fax 03.80.26.04.32 ☑ ⵜ r.-v.

CH. PHILIPPE-LE-HARDI
Clos de La Chaise Dieu 1998★

| ☐ | 10,77 ha | 75 800 | ⵜⵛ | 30 à 49 F |

Ce Clos de la Chaise Dieu est excellent. Or intense, pomme et coing, assez fumé, il joue à l'arbitre des élégances au sein d'une bouche où la verdeur équilibre l'opulence. Pas mal joué ! Sera meilleur encore l'année prochaine.

☛ Ch. de Santenay, B.P. 18, 21590 Santenay, tél. 03.80.20.61.87, fax 03.80.20.63.66 ☑ ⵜ r.-v.

LUCIEN RATEAU 1998★

| ■ | 0,5 ha | 2 000 | ⵛ | 30 à 49 F |

Longtemps pilier des organisations professionnelles, Lucien Rateau plaide aujourd'hui sa propre cause. Du pourpre comme s'il en pleuvait sur ce pinot noir à la fraise, tout d'abord chaleureux puis rigoureux en bouche, construisant sa maison selon un bon plan et avec d'honnêtes matériaux.

☛ Lucien Rateau, 21340 La Rochepot, tél. 03.80.21.80.64 ✓ ⊥ r.-v.

CAVE DE SAINTE-MARIE-LA-BLANCHE 1998

| ■ | | 0,7 ha | 3 000 | 🗃 ⑪ 🍷 | 30 à 49 F |

Sainte-Marie-la-Blanche est ici la Vierge rouge. Il est vrai que son habit de chœur est la discrétion même. Dévotion marquée pour le cassis. Du gras et de la profondeur, du charme et du volume, ce n'est pas une messe basse mais un office rituel, chanté et attirant les fidèles.

☛ Cave de Sainte-Marie-la-Blanche, rte de Verdun, 21200 Bligny-lès-Beaune, tél. 03.80.26.60.60, fax 03.80.26.54.47 ✓ ⊥ t.l.j. sf dim. 8h-12h 14h-19h

MICHEL SERVEAU 1998*

| ■ | | 3,2 ha | 7 000 | 🗃 | 30 à 49 F |

Carré d'agneau pour ce 98 rubis à reflets vermillon profond, dont le nez exprime toute la fraîcheur du printemps. La bouche est à la fois tendre et sur la réserve. Passe-t-on à côté de quelque chose de très bien, ou faut-il l'attendre un peu ? Son réel potentiel s'affiche dans la jolie finale fruitée.

☛ Michel Serveau, 21340 La Rochepot, tél. 03.80.21.70.24, fax 03.80.21.71.87 ✓ ⊥ t.l.j. 8h-19h

Crémant de bourgogne

Comme toutes les régions viticoles françaises ou presque, la Bourgogne avait son appellation pour les vins mousseux produits et élaborés sur l'ensemble de son aire géographique. Sans vouloir critiquer cette production, il faut bien reconnaître que la qualité n'était pas très homogène et ne correspondait pas, la plupart du temps, à la réputation de la région, sans doute parce que les mousseux se faisaient à partir de vins trop lourds. Un groupe de travail constitué en 1974 jeta les bases du crémant en lui imposant des conditions de production aussi strictes que celles de la région champenoise et calquées sur celles-ci. Un décret de 1975 consacra officiellement ce projet, auquel se sont ralliés finalement tous les élaborateurs (bon gré mal gré), puisque l'appellation bourgogne mousseux a été supprimée en 1984. Après un départ difficile, cette appellation connaît un bon développement et a produit 74 224 hl en 1999.

EXCELLENCE PAR MARIE AMBAL★★

| ○ | | 115 ha | 55 000 | | 30 à 49 F |

Parmi les nombreux enfants de la Veuve Ambal, celui-ci nous paraît le plus aimable. Chardonnay 60 %, pinot noir 40 %, il joue habilement sur les deux tableaux. Le nez est assez pinot, la bouche plutôt chardonnay. Le fruit donne de la sensibilité, de la personnalité à cette bouteille qu'une légère amertume rend sympathique. Notez aussi la cuvée **Saint-Charles**, nettement chardonnay (90 %), originale.

☛ Veuve Ambal, B.P. 1, 71150 Rully, tél. 03.85.87.15.05, fax 03.85.87.30.15, e-mail vveambal@aol.com ✓ ⊥ r.-v.

CAVE D'AZE Blanc de blancs*

| ○ | | 1 ha | 7 000 | 🗃 🍷 | 30 à 49 F |

Issu de chardonnay, ce crémant du Mâconnais est une petite production de cette cave coopérative. Très pétillant, d'une teinte coquille d'œuf, il se présente sous un parfum miellé associé à des notes de fruits confits. Au palais, il se montre agréable, d'une plénitude persistante. Son style le destine plutôt au dessert, dans les deux ans à venir. Un excellent **blanc de noirs** (pinot) complétera votre choix : il présente une vinosité très suggestive. Même note.

☛ Cave coop. d'Azé, 71260 Azé, tél. 03.85.33.30.92, fax 03.85.33.37.21 ✓ ⊥ t.l.j. 9h-12h 14h-18h30

BRUT D'AZENAY Blanc de blancs★★

| ○ | | 6 ha | 40 000 | | 30 à 49 F |

Georges Blanc a « découvert » le site d'Azé en 1986 et, conquis, a choisi d'implanter un vignoble et de devenir « vigneron ». Colette Morel est son maître de chai. Ce crémant ? Sans doute sa mousse est-elle très légère, ses bulles discrètes, mais le nez déborde d'ardeur. Chèvrefeuille, mousse, sous-bois, le tout s'accordant à une bouche ronde et souple. Il y a bal au palais, et ce chardonnay joue l'arbitre des élégances. Il a disputé la finale des coups de cœur.

☛ Georges Blanc, Dom. d'Azenay, Rizerolles, 71260 Azé, tél. 03.85.33.37.93, fax 03.74.50.21.00, e-mail blanc@relaischateaux.fr ✓ ⊥ r.-v.

DOM. DU BICHERON
Blanc de blancs 1996

| ○ | | 1 ha | 10 000 | 🗃 | 30 à 49 F |

Voilà du chardonnay sous une superbe teinte jaune pâle brillante. La bulle est d'un calibre fin. C'est un 96, sur un fond minéral, marqué par une personnalité singulière qui peut surprendre mais qui retient l'attention. A considérer en fonction de son acte de naissance.

☛ Daniel Rousset, Dom. du Bicheron, Saint-Pierre-de-Lanques, 71260 Péronne, tél. 03.85.36.94.53, fax 03.85.36.99.80 ✓ ⊥ r.-v.

Crémant de bourgogne

DOM. ALBERT BOILLOT
Blanc de noirs 1997★

| ○ | n.c. | 1 050 | 30 à 49 F |

Tout à fait classique lorsqu'on travaille ainsi le pinot noir. La mousse prend racine sur fond doré. Pointe rapide d'évolution, cire d'abeille, fruits mûrs. Volnay pourrait-il présenter autre chose ? La conclusion est fraîche, comme toujours en pareil cas. Est-il plus âgé que son âge ? Il est à point, dans ce style très particulier.
☛SCE du Dom. Albert Boillot, ruelle Saint-Etienne, 21190 Volnay, tél. 03.80.21.61.21, fax 03.80.21.61.21, e-mail dom.albert.boillot@wanadoo.fr ☑ ⵂ r.-v.

DOM. BOUCHEZ-CRETAL 1996★

| ○ | 0,2 ha | 2 000 | 50 à 69 F |

Très beau cordon de bulles, léger or vert : celui-ci s'offre à nous en habit de soirée. Frais encore, fruité, avec un tempérament discrètement évolué, voici un vin élégant. Notez bien qu'il s'agit d'un 96, il est vrai.
☛SCEA Dom. Bouchez-Crétal, 21190 Monthélie, tél. 03.85.87.17.40, fax 03.48.05.19.32 ☑ ⵂ r.-v.

LOUIS BOUILLOT
Grande Réserve Perle de Vigne★★

| ○ | n.c. | 250 000 | 30 à 49 F |

Cette vénérable maison nuitonne se consacre à l'effervescence depuis plus d'un siècle. De la bulle, elle connaît tous les secrets. Reprise par J.-Cl. Boisset, elle demeure gérée dans un esprit de tradition et remporte le coup de cœur. Un crémant remarquable de délicatesse et d'une ligne superbe. Pourquoi une jolie ligne ne s'offrirait-elle pas quelques rondeurs ? Nez de fruits verts, vinosité parfaite, c'est un bonheur. Cette marque effectue par ailleurs d'intéressantes recherches sur l'effervescence comparative des différents cépages.
☛Louis Bouillot, 5, quai Dumorey, 21700 Nuits-Saint-Georges, tél. 03.80.62.61.61, fax 03.80.62.37.38 ☑

CARPI-GOBET 1997

| ○ | 1 ha | 6 000 | 30 à 49 F |

Bon petit crémant : or brillant, le nez frais et floral, il est assez nerveux, agréable et plaisant. Dans la bonne moyenne : pour passer la barre, il fallait faire un sans-faute sur la plupart des critères. N'ayez aucune inquiétude.
☛Carpi-Gobet, Dom. des Roches, Le Martoret, 71960 Igé, tél. 03.85.33.32.47, fax 03.85.33.43.60 ☑ ⵂ r.-v.

ANDRE DELORME★★

| ◑ | n.c. | n.c. | 30 à 49 F |

Nous aimons le blanc de blancs, fin et brioché, très élégant, qui reçoit une étoile. Le rosé brut est toutefois notre préféré parmi les vins dégustés. Pas trop de mousse, un rosé framboise assez gourmand, des qualités de jeunesse et de saveur, c'est un charmant « vin de saison », un vin d'apéritif parmi les meilleurs. Il faut beaucoup de doigté pour signer un crémant de bourgogne rosé capable de vraiment passer la rampe.
☛Maison André Delorme, 2, rue de la République, 71150 Rully, tél. 03.85.87.10.12, fax 03.85.87.04.60 ☑ ⵂ r.-v.

DOM. DENIZOT★

| ○ | 2,1 ha | 12 000 | 🖪♨ 30 à 49 F |

Un chapelet de bulles. Une robe claire, lumineuse, un bouquet tout en finesse, un fond de bouche où il y a non seulement de l'excitation, mais aussi du vin. Ici le pinot noir domine le mariage des cépages, les millésimes 97 et 98 étant en assemblage. Oui, c'est d'abord du vin. Coup de cœur l'an dernier.
☛Dom. Christian et Bruno Denizot, 71390 Bissey-sous-Cruchaud, tél. 03.85.92.13.34, fax 03.85.92.12.87, e-mail denizot@caves-particulières.com ☑ ⵂ t.l.j. 8h-19h; dim. 8h-12h

BERNARD DURY Blanc de noirs★

| ○ | 0,6 ha | 3 000 | 30 à 49 F |

Il faut aimer ce style de vin, mais il tient toute sa place ici. Blanc de noirs, il a forcément ce côté tenace et très mûr, relevé par une flamme vive en finale. Beaucoup de corps et une stature étonnante. Intéressant, d'autant que ce producteur a obtenu trois fois le coup de cœur (éditions 1990, 1996 et l'an dernier).
☛Bernard Dury, rue du Château, Cissey-Merceuil, 21190 Meursault, tél. 03.80.21.48.44, fax 03.80.21.48.44 ☑ ⵂ r.-v.

DOM. FICHET 1997

| ○ | 2 ha | 1 800 | 50 à 69 F |

Pierre-Yves et Olivier Fichet se sont installés en 1988 et 1990 à la suite de leur père Francis. Coup de cœur pour un 91, ce domaine familial signe un millésime 97 qui est 100 % chardonnay, jaune paille, moyennement généreux en mousse, et au nez très frais. Assez vif, pétillant en bouche, il traduit un terroir bien marqué. Ce qui lui vaut d'être présent ici.
☛Dom. Francis Fichet et Fils, Le Martoret, 71960 Igé, tél. 03.85.33.30.46, fax 03.85.33.44.45, e-mail olivierfichet@wanadoo.fr ☑ ⵂ r.-v.

DOM. GIROUX Blanc de blancs 1997★★

| ○ | 0,5 ha | 3 500 | 30 à 49 F |

Issu de chardonnay sans autre point d'appui, il se promène parmi les meilleurs. Robe admirable et très rare, d'un jaune vert surprenant. Les notes minérales ne sont pas faites pour nous déplaire. Très dosé, très marqué, il est à servir maintenant. Il témoigne d'une certaine manière de faire.
☛Yves Giroux, Les Molards, 71960 Fuissé, tél. 03.85.35.63.64, fax 03.85.32.90.08 ☑ ⵂ r.-v.

LES CAVES DES HAUTES-COTES★★★

○ 16 ha 100 000 🍾🍷 30 à 49 F

La Cave pourra annoncer ce coup de cœur lors de sa prochaine assemblée générale. Car à cette bouteille, on donne bien plus que le quitus. Elle obtient les félicitations du jury en raison de sa robe or pâle qui décore un joli cordon, de son parfum de pêche un tantinet muscaté, de sa bouche qui chardonne dans un environnement de fraîcheur et de fruit. Typicité excellente, gouleyante, mais il faut aimer les crémants assez dosés. Maillot jaune de nos coups de cœur.
☛Les Caves des Hautes-Côtes, rte de Pommard, 21200 Beaune, tél. 03.80.25.01.00, fax 03.80.22.87.05 ☑ 🍷 r.-v.

LES VIGNERONS D'IGE★

○ 15 ha 150 000 🍾🍷 30 à 49 F

Chardonnay et pinot au coude à coude pour un crémant mâconnais en diable. Il a l'accent du midi... bourguignon. Le nez penche du côté chardonnay, la bouche aussi, tant elle semble fleurie. A la tête de 280 ha de vigne, cette cave coopérative en consacre une quinzaine à l'effervescence.
☛Cave coop. des vignerons d'Igé, 71960 Igé, tél. 03.85.33.33.56, fax 03.85.33.41.85, e-mail lesvigneronsdige@lesvigneronsdige.com ☑ 🍷 t.l.j. sf dim. 8h-12h 14h-18h

DOM. DE LA BOFFELINE 1998

○ 1 ha 6 500 🍾 30 à 49 F

Elaboré par Loron, ce crémant est de nuance vive à la mousse très fine. Nez de brioche, de tilleul, on chardonne ici à 100 %. Peut-être un peu dosé, mais on apprécie son harmonie et son point d'orgue fruité. Un bon standard.
☛Frédéric Lenormand, En Fourgeau, 71260 Azé, tél. 03.85.33.33.82, fax 03.85.33.33.82 ☑ 🍷 t.l.j. 9h-12h30 14h-19h30

ANDRE ET BERNARD LABRY 1993★

○ 2 ha 4 000 30 à 49 F

Un cas très particulier, un millésime 93 : la robe demeure assez limpide. Le nez ? De prune, de ratafia. La bouche assurément bien conservée, et du gras, de la puissance. Le point d'impact n'est pas mal visé.
☛Dom. André et Bernard Labry, Melin, 21190 Auxey-Duresses, tél. 03.80.21.21.60, fax 03.80.21.64.15 ☑ 🍷 t.l.j. 9h-12h 14h-18h; sam. dim. sur r.-v.

LA CHABLISIENNE 1994★

○ 2 ha 20 000 🍾🍷 50 à 69 F

Léger cordon sous une nuance jaune or. Le nez évoque discrètement la liqueur, ainsi que des aspects beurrés. Ce tempérament se retrouve sur la langue, agréable et vineuse, d'une belle longueur.
☛La Chablisienne, 8, bd Pasteur, B.P. 14, 89800 Chablis, tél. 03.86.42.89.89, fax 03.86.42.89.90, e-mail chab@chablisienne.com ☑ 🍷 r.-v.

MADAME MASSON
Blanc de noirs 1998★★

○ n.c. 5 000 30 à 49 F

Mme Masson n'est pas un personnage de fantaisie comme les étiquettes de vins effervescents en inventent souvent. Au décès de son mari ingénieur agronome, Nadine Masson a conduit le domaine de 1980 à 1998, et voici maintenant l'ère de Jérôme. Pinot noir (80 %), chardonnay et aligoté composent ici un ensemble très réussi. Jaune clair, tirant sur la noisette et le fleur, il possède une bouche charnue et moussante. Finale sur le citron. Crémant d'apéritif élaboré par J.-F. Delorme.
☛Jérôme Masson, rue Haute, 21340 La Rochepot, tél. 03.80.21.72.42, fax 03.80.21.72.42 ☑ 🍷 r.-v.

MEURGIS Blanc de blancs 1998

○ n.c. 150 000 🍾🍷 30 à 49 F

Les caves de Bailly, coup de cœur dans l'édition 1996, sont l'un des spécialistes incontestés du crémant qu'elles produisent par millions de cols dans un cadre spectaculaire : 4 ha de carrières souterraines. Cela mérite le détour. Parmi les vins présentés, nous avons un faible pour ce Meurgis blanc de blancs qui vous permettra de découvrir le sacy (cépage rare de l'Yonne) présent à 10 % aux côtés de l'aligoté et du chardonnay. Une nature très puissante, démonstrative.
☛SICA du Vignoble Auxerrois, Caves de Bailly, 89530 Saint-Bris-le-Vineux, tél. 03.86.53.77.77, fax 03.86.53.80.94 ☑ 🍷 t.l.j. 10h-12h 14h-18h

DOM. HENRI NAUDIN-FERRAND★

○ 0,7 ha 7 269 🍾🍷 30 à 49 F

Ici, on est précis : 20 % de chardonnay, 42 % d'aligoté et 38 % de pinot noir. Heureuse alchimie puisqu'elle procure un excellent assemblage de cépages et de millésimes (de 94 à 98). Typé Hautes-Côtes de Nuits en raison de l'influence de l'aligoté. Intense, d'une rondeur fruitée, ce crémant suggère tour à tour l'aubépine et la pivoine. Il n'est pas d'une longueur considérable. Pour un jambon au crémant.
☛Dom. Henri Naudin-Ferrand, rue du Meix-Grenot, 21700 Magny-lès-Villers, tél. 03.80.62.91.50, fax 03.80.62.91.77, e-mail dom.hnf.@wanadoo.fr ☑ 🍷 r.-v.

CAVE DE PRISSE-SOLOGNY-VERZE★

○ 35,54 ha 120 000 🍾🍷 30 à 49 F

Ce chardonnay mâconnais généreux en bulles, en mousse, en vanille et pain grillé se montre

432

souple et même subtil. Tout à fait dans l'air du temps, sans excès de longueur. Destiné au vacherin au cassis.

➤ Cave de Prissé-Sologny-Verzé, 71960 Prissé, tél. 03.85.37.88.06, fax 03.85.37.61.76 ☑ ⵂ r.-v.

CAVE DE SAINTE-MARIE-LA-BLANCHE★

| ○ | 0,75 ha | 6 000 | 30 à 49 F |

Cet assemblage (chardonnay pour 60 %, aligoté pour 10 % et pinot noir pour le reste) n'engendre pas la mélancolie. Plein de fraîcheur et de gaieté, il est pétillant à souhait. Le dosage est bien réussi. La pièce est en un acte et ne dure guère, mais c'est la loi du genre.

➤ Cave de Sainte-Marie-la-Blanche, rte de Verdun, 21200 Bligny-lès-Beaune, tél. 03.80.26.60.60, fax 03.80.26.54.47 ☑ ⵂ t.l.j. sf dim. 8h-12h 14h-19h

SIMONNET-FEBVRE 1996★

| ○ | 2,1 ha | 16 000 | 🍾 ⌕ | 30 à 49 F |

Célèbre jadis pour ses chablis mousseux et fournisseur du tsar à Saint-Pétersbourg, ce producteur est ici l'un des plus expérimentés. Richard Nixon est descendu dans cette cave. Un crémant à dominante de pinot noir (chardonnay pour le reste) qui mousse avec entrain. Peu de gras mais une belle vivacité. Il va droit au but sans faire de détours.

➤ Simonnet-Febvre, 9, av. d'Oberwesel, 89800 Chablis, tél. 03.86.98.99.00, fax 03.86.98.99.01 ☑ ⵂ r.-v.

ALBERT SOUNIT Blanc de blancs★★

| ○ | n.c. | 13 000 | 30 à 49 F |

Maison dont l'histoire est déjà ancienne puisque fondée en 1852 par Flavien Jeunet, elle fut reprise par Albert Sounit et acquise en 1993 par Knud Kjellerup, son importateur danois. Celui-ci peut se féliciter de l'équipe qu'il a installée ici. Son chardonnay offre en effet une bulle fine. Le parfum est de qualité, sur la fleur blanche. Quant à la bouche, elle est soyeuse, caressante, marquée par le cépage (un petit goût de noisette).

➤ Albert Sounit, 5, pl. du Champ-de-Foire, 71150 Rully, tél. 03.85.87.20.71, fax 03.85.87.09.71 ☑ ⵂ r.-v.

TRIPOZ 1997

| ○ | 1 ha | 7 600 | 🍾 | 30 à 49 F |

Céline et Laurent Tripoz sont de jeunes producteurs très motivés qui font de leur mieux. Et ce mieux est de mieux en mieux. Leur crémant est fruit du chardonnay, et cela se sent. Millésimé 97, il est bien typé par une bonne vendange, avec une certaine élégance. Crémant mâconnais, Bourgogne du Sud, ayant remporté le coup de cœur dans l'édition 1995.

➤ Céline et Laurent Tripoz, pl. de la Mairie, 71000 Mâcon, tél. 03.85.35.66.09, fax 03.85.35.66.09 ☑ ⵂ r.-v.

DOM. VERRET★★

| ○ | 2 ha | 12 000 | 🍾 ⌕ | 30 à 49 F |

Le meilleur crémant de l'Yonne. Il est vrai qu'il y serait entré à parts égales chardonnay, aligoté, sacy, gamay et pinot. Si la bulle est fugace, l'or de la robe brille de tous ses feux. Finesse des arômes, élégance de la présence en bouche, tout annonce un vin qui retient l'attention par sa maturité, sa force de caractère. Racé pour tout dire. Signalons que cette bouteille porte une étiquette noire. L'**étiquette blanche** élaborée avec le seul chardonnay est juste citée.

➤ Dom. Verret, 7, rte de Champs, B.P. 4, 89530 Saint-Bris-le-Vineux, tél. 03.86.53.31.81, fax 03.86.53.89.61, e-mail bruno.verret@wanadoo.fr ☑ ⵂ r.-v.

CAVE DE VIRÉ★★

| ○ | 50 ha | 50 000 | 🍾 ⌕ | 30 à 49 F |

100 % chardonnay, c'est la face effervescente de la nouvelle AOC Viré-Clessé. Eh bien ! elle n'est pas mal du tout. Et même davantage ! Jaune d'or, la bouteille délivrée de son bouchon offre un beau panorama sur le paysage : beurré, riche en agrumes, ce vin a une tête bien faite sur une bouche bien pleine. Comme il chardonne !

➤ Cave de Viré, En Vercheron, 71260 Viré, tél. 03.85.32.25.50, fax 03.85.32.25.55, e-mail cavedevin@wanadoo.fr ☑ ⵂ t.l.j. 8h-12h 14h-18h

L. VITTEAUT-ALBERTI
Blanc de blancs 1998★

| ○ | 4 ha | 30 000 | 🍾 ⌕ | 30 à 49 F |

Vous pouvez choisir le **blanc brut 98**, étiquette jaune (foncé), qui associe 40 % de pinot aux chardonnay et aligoté, cité, ou celui-ci (chardonnay et aligoté à 80 % et 20 %). Jolie mousse et bulles persistantes, chapelets et couronne, un vin de fête. Il met en joie les papilles avec ses notes miellées, et il pourrait être conservé un an ou deux. Coup de cœur dans l'édition 1995, cette maison fondée en 1951 maintient le flambeau de l'effervescence dans sa patrie de Rully.

➤ Gérard Vitteaut-Alberti, 20, rue du Pont-d'Arrot, 71150 Rully, tél. 03.85.87.23.97, fax 03.85.87.16.24 ☑ ⵂ r.-v.

➤ Gérard Vitteau

Le Chablisien

Malgré une célébrité séculaire qui lui a valu d'être imité de la façon la plus fantaisiste dans le monde entier, le vignoble de Chablis a bien failli disparaître. Deux gelées tardives, catastrophiques, en 1957 et en 1961, ajoutées aux difficultés du travail de la vigne sur des sols rocailleux et terriblement pentus, avaient conduit à l'abandon progressif de la culture de la vigne ; le prix des terrains en grands crus atteignait un niveau dérisoire, et bien avisés furent les acheteurs du moment. L'apparition de nouveaux systèmes de protection contre le gel et le développement de la mécanisation ont rendu ce vignoble à la vie.

L'aire d'appellation couvre 6 834 ha sur les territoires de la commune de Chablis et de dix-neuf communes voisines, dont plus de 4 000 sont actuellement plantés. La récolte a atteint 269 938 hl en 1999. Les vignes dévalent les fortes pentes des coteaux qui longent les deux rives du Serein, modeste affluent de l'Yonne. Une exposition sud-sud-est favorise à cette latitude une bonne maturation du raisin, mais on trouvera plantés en vigne des « envers » aussi bien que des « adroits » dans certains secteurs privilégiés. Le sol est constitué de marnes jurassiques (kimméridgien, portlandien). Il convient admirablement à la culture de la vigne blanche, comme s'en étaient déjà rendu compte au XIIᵉ s. les moines cisterciens de la toute proche abbaye de Pontigny, qui y implantèrent sans doute le chardonnay, appelé localement beaunois. Celui-ci exprime ici plus qu'ailleurs ses qualités de finesse et d'élégance, qui font merveille sur les fruits de mer, les escargots, la charcuterie. Premiers et grands crus méritent d'être associés aux mets de choix : poissons, charcuterie fine, volailles ou viandes blanches, qui pourront d'ailleurs être accommodés avec le vin lui-même.

Petit chablis

Cette appellation constitue la base de la hiérarchie bourguignonne dans le chablisien. Elle a produit 34 582 hl en 1999. Moins complexe que le chablis du point de vue aromatique, le petit chablis possède une acidité un peu plus élevée qui lui confère une certaine verdeur. Autrefois consommé en carafe, dans l'année, il est maintenant mis en bouteilles. Victime de son nom, il a eu de la peine à se développer, mais il semble qu'aujourd'hui le consommateur ne lui tienne plus rigueur de son adjectif dévalorisant.

DOM. BACHELIER 1998★

| | n.c. | 3 200 | 🍴♦ | 30 à 49 F |

Bien posé, il peut rester à table jusqu'à quatre ou cinq ans ! Vif et nerveux, à nuances d'agrumes et de pierre à fusil, il apparaît assez riche pour cette appellation et possède des réserves. Finesse satisfaisante.

☛ EARL Dom. Bachelier, 13, rue Saint-Etienne, 89800 Villy, tél. 03.86.47.49.56, fax 03.86.47.57.96 ☑ ⏱ r.-v.

DOM. DU CHARDONNAY 1998

| | 9,1 ha | 50 000 | 🍴♦ | 30 à 49 F |

Trois associés, Etienne Boileau, Christian Simon et William Nahan (32 ha à leur actif), cosignent un 98 pourvu d'une robe pâle, d'un nez un tantinet cire d'abeille et fleur, frais et très sec en bouche. A boire dès à présent.

☛ Dom. du Chardonnay, Moulin du Pâtis, 89800 Chablis, tél. 03.86.42.48.03, fax 03.86.42.16.49, e-mail domaine.chardonnay@free.fr ☑ ⏱ r.-v.

DOM. J. CHATELAIN 1999★

| | 6,95 ha | 35 000 | 🍴♦ | 30 à 49 F |

Bouton d'or, un 99 déjà assez mûr et épicé, vif, aromatique et long. Correctement structuré, il supportera un jambon chablisien.

☛ GAEC de Oliveira Lecestre, 11, Grand-Rue, 89800 Fontenay-près-Chablis, tél. 03.86.42.40.78, fax 03.86.42.83.72 ☑ ⏱ t.l.j. sf dim. 10h-12h30 14h-19h

DOM. DU COLOMBIER 1998

| | 1,2 ha | 8 000 | 🍴♦ | 30 à 49 F |

Or argent, le nez retroussé sur le citron nuancé d'acacia, il unit ses arguments pour convaincre sur la langue. Très classique, il répond tout à fait au portrait-robot de l'appellation.

☛ Dom. du Colombier, 42, Grand-Rue, 89800 Fontenay-près-Chablis, tél. 03.86.42.15.04, fax 03.86.42.49.67 ☑ ⏱ r.-v.
☛ Mothe frères

DOM. HERVE DAMPT
Vieilles vignes 1998★

| | 0,6 ha | 4 500 | 🍴♦ | 30 à 49 F |

Ces vieilles vignes, dont on voudrait connaître l'âge, donnent un vin très mûr mais sans oxydation, qui s'ouvre au contact de l'air sur des accents minéraux, sous un jaune pâle moyen. Un peu d'accroche au milieu d'une bouche qui finit bien. Bouteille à ouvrir maintenant.

☛ EARL Hervé Dampt, rue de Fleys, 89700 Collan, tél. 03.86.55.29.55, fax 03.86.54.49.89 ☑ ⏱ r.-v.

RENE ET VINCENT DAUVISSAT 1998★

| | n.c. | 3 000 | ❚❙❚ | 30 à 49 F |

Les Dauvissat sont célèbres à Chablis... mais aussi sur quatre continents ! Leur petit chablis, petit ? Pas si petit que ça : jaune clair, doré tendre, il ressemble comme un frère jumeau à un chablis aux arômes de raisin mûr. La fleur blanche et le fruit sec convolent en justes noces, et ce n'est pas un mariage de raison. Trop riche pour les huîtres, il est destiné au poisson.

☛ GAEC René et Vincent Dauvissat, 8, rue Emile-Zola, 89800 Chablis, tél. 03.86.42.11.58, fax 03.86.42.85.32

JEAN-PAUL DROIN 1998★

| ☐ | 1,3 ha | 10 000 | 📖 🍷 50 à 69 F |

Le bon saint Vincent protège du haut du ciel ce 98. On était alors en pleine préparation de la Saint-Vincent tournante, et Jean-Paul Droin conduisait avec brio les opérations. Son petit chablis paille clair et aubépine est discret comme il n'est pas permis jusqu'au passage en bouche. Là, il s'éclate, vivant et dynamique, sachant placer sa carte minérale au bon moment. Fruits de mer sans hésiter. Coup de cœur l'an dernier pour son 97.
☞ Jean-Paul Droin, 14 bis, rue Jean-Jaurès, 89800 Chablis, tél. 03.86.42.16.78, fax 03.86.42.42.09 ☑ ⚱ r.-v.

DOM. D'ELISE 1998★

| ☐ | 7,02 ha | 18 000 | 📖 🍷 30 à 49 F |

Domaine créé de toutes pièces en 1972 par un *golden boy* parisien, repris en 1983 par Frédéric Prain, viticulteur à Chablis et qui habite Paris. Son vin a le charme de la fameuse *Lettre à Elise* sur un piano aux touches très claires, aux notes minérales et exotiques. L'attaque est joliment enlevée, et ce morceau archi-connu renaît avec fraîcheur sous les doigts d'un artiste qui en renouvelle l'expression en y ajoutant un rien de gras et de cire d'abeille.
☞ Frédéric Prain, Côte de Léchet, 89800 Milly, tél. 03.86.42.40.82, fax 03.86.42.44.76 ☑ ⚱ r.-v.

DOM. FILLON 1999

| ☐ | 3 ha | 3 000 | 📖 🍷 30 à 49 F |

Ce petit chablis est encore un peu vert compte tenu de son millésime. Frais, floral, léger, il joue de la flûte plutôt que du saxo. Il pourra se boire sans état d'âme dès qu'un instant propice se présentera.
☞ Dom. Fillon, 53, rue Bienvenu-Martin, 89530 Saint-Bris-le-Vineux, tél. 03.86.53.30.26, fax 03.86.53.63.88 ☑ ⚱ t.l.j. 9h-12h30 14h-19h

DOM. FOURREY ET FILS 1999★

| ☐ | 0,5 ha | 3 800 | 📖 30 à 49 F |

L'étiquette nous mène d'emblée dans les mystères de la cave. Paille pâle, ce vin tout droit sorti du berceau est forcément un peu acidulé, mais avec de la pierre à fusil comme un vieux routier. La structure est très réussie. La rétro-olfaction fonctionne bien. L'harmonie est parfaite.
☞ Dom. Fourrey et Fils, 9, rue du Château, Milly, 89800 Chablis, tél. 03.86.42.44.04, fax 03.86.42.84.78 ☑ ⚱ r.-v.

DOM. DES ILES 1998★

| ☐ | 5,5 ha | 45 000 | 📖 🍷 30 à 49 F |

« Hâtez-vous lentement », conseille Boileau. Celui-ci est à boire ou à attendre, car il offre des côtés agréables mais aussi quelques signes d'une maturité à parfaire. De nez en bouche, vif, équilibré sur fond de minéralité, il ne tourne pas autour du sujet. Assez caractéristique.
☞ Gérard Tremblay, 12, rue de Poinchy, 89800 Chablis, tél. 03.86.42.40.98, fax 03.86.42.40.41 ☑ ⚱ t.l.j. sf sam. dim. 8h-12h 13h30-18h; f. août

LA CHABLISIENNE 1999★

| ☐ | 166 ha | 500 000 | 📖 🍷 50 à 69 F |

La coopérative dans ses œuvres. Elle réussit à merveille à traiter un important volume à un niveau de qualité tout à fait compétitif. Le nez n'est pas sur écran panoramique mais la bouche offre le bonheur attendu. Structure, ampleur, élégance, il y a de quoi battre le ban bourguignon. Coup de cœur en 1993 pour son 90. Sous la signature commune d'un groupement de caves coopératives, dont la Chablisienne, le petit chablis de la collective **Blason de Bourgogne** (30 à 49 F) reçoit la même note.
☞ La Chablisienne, 8, bd Pasteur, B.P. 14, 89800 Chablis, tél. 03.86.42.89.89, fax 03.86.42.89.90, e-mail chab@chablisienne.com ☑ ⚱ r.-v.

LAMBLIN ET FILS 1998★★

| ☐ | 2,5 ha | 15 000 | 📖 🍷 30 à 49 F |

Une douzaine d'huîtres bien grasses pour cette bouteille. Pas moins. Car elle est la meilleure de la dégustation. Fraîche et fruitée, elle s'ouvre très vite. Sa charpente, son équilibre sont « l'œuvre d'un vigneron méritant », écrit un juré. Quand on sait que les Lamblin sont présents à Chablis depuis 1690...
☞ Lamblin et Fils, Maligny, 89800 Chablis, tél. 03.86.98.22.00, fax 03.86.47.50.12, e-mail infovin@lamblin.com ☑ ⚱ lun. à ven. 8h-12h-30 14h-17h; sam. 8h-12h30

DOM. DE LA MOTTE 1999★

| ☐ | 2 ha | 16 000 | 📖 🍷 30 à 49 F |

Propriété familiale des trois frères Michaut et de Claude Robin. D'anciens coopérateurs de *La Chablisienne* volant désormais de leurs propres ailes. Pour un 99 très convivial sur des notes grillées et végétales, avec un retour minéral assez persuasif. Marie Noël, la poétesse chrétienne du cru, aurait commis un petit péché de gourmandise en savourant ce vin entre deux strophes.
☞ SCEA Dom. de La Motte, 35, Grande-Rue, 89800 Beines, tél. 03.86.42.43.71, fax 03.86.42.49.63 ⚱ r.-v.
☞ Michaut et Robin

DOM. LAROCHE 1999★

| ☐ | 434 ha | 190 000 | 📖 🍷 50 à 69 F |

Le domaine Laroche est le seul en Bourgogne à nous faire parvenir une fiche d'analyse avec acidité totale, volatile, pH et tout. C'est bien. A la dégustation, ce petit chablis, d'une teinte assez discrète, s'ouvre sur des senteurs florales, des accents de silex. Droit et franc, de belle longueur, il est bien typé.

🕿 Dom. Laroche, 22, rue Louis-Bro, 89800 Chablis, tél. 03.86.42.89.29, fax 03.86.42.89.00, e-mail info@domainelaroche.fr ☑ ♈ r.-v.

DOM. DE LA TOUR 1998★

	0,26 ha	1 975	🟦 ♦	30 à 49 F

Or argenté, minéral et floral, il se plaît surtout en milieu de bouche où il atteint son optimum d'équilibre. Ce 98, bien représentatif de son AOC, offre une « harmonie vive et dynamique ».

🕿 SCEA Dom. de La Tour, 8 bis, rue Jules-Philippe, 89800 Chablis, tél. 03.86.47.55.68, fax 03.86.47.55.86, e-mail dtour@clubinternet.fr ☑ ♈ r.-v.

🕿 Fabrici-Renato

ROLAND LAVANTUREUX 1998

	4,5 ha	20 000	🟦 ♦	30 à 49 F

Sous son gilet jaune pâle, il part en campagne de façon assez impulsive. Mais il tient la distance, à son rythme. La note minérale qui domine est bien caractéristique de l'AOC.

🕿 Roland Lavantureux, 4, rue Saint-Martin, 89800 Lignorelles, tél. 03.86.47.53.75, fax 03.86.47.56.43 ☑ ♈ t.l.j. 8h30-20h; dim. sur r.-v.

DOM. DES MARRONNIERS 1999

	1,4 ha	12 000	🟦 ♦	30 à 49 F

Domaine créé en 1976, l'année de la grande sécheresse. Coup de cœur en 1999 (millésime 96). Depuis 1997, les installations sont bien rénovées. Un 99 pas compliqué du tout, limpide et clair, le nez expressif, coulant sur la langue comme une truite dans le Serein, la rivière du pays. On ne s'éloigne jamais du sujet, et l'andouillette de Chablis l'accompagnera à merveille.

🕿 Bernard Légland, 1 et 3, Grande-Rue de Chablis, 89800 Préhy, tél. 03.86.41.42.70, fax 03.86.41.45.82 ☑ ♈ t.l.j. 8h-12h 14h-20h; f. 15 août-5 sept.

J. MOREAU ET FILS 1998

	7,58 ha	60 660	🟦 ♦	30 à 49 F

Cette maison fortement implantée en Chablisien et intéressée également par les vins de Loire a été reprise par Jean-Claude Boisset. Elle présente un petit chablis évoquant l'agrume et le silex, un peu dur pour l'instant mais bien typé.

🕿 J. Moreau et Fils, rte d'Auxerre, La Croix Saint-Joseph, 89800 Chablis, tél. 03.86.42.88.00, fax 03.86.42.88.08

DOM. DES ORMES 1998★

	7,7 ha	2 800	🟦	30 à 49 F

Jeune vignoble, mené par Daniel, Philippe et Jean-Pierre Patrice. Laissant percevoir des traces minérales, mais plus porté sur le coing et le beurré, un petit chablis équilibré et rond, en même temps que d'une grande fraîcheur proche des chablis.

🕿 Dom. des Ormes, 4, rte de Lignorelles, 89800 Beines, tél. 03.86.42.40.91, fax 03.86.42.48.58 ☑ ♈ t.l.j. 8h-21h

DOM. DE PISSE-LOUP 1998

	1,93 ha	8 000	🟦 ♦	30 à 49 F

Une robe classique, paille claire. Le nez est timide mais net, fin, minéral. Un vin qui présente une pointe iodée, très marqué par le terroir, appelant les fruits de mer.

🕿 SCEA Jacques Hugot et Jean Michaut, 1, rue de la Poterne, 89800 Beines, tél. 03.80.97.04.67, fax 03.80.97.04.67 ☑ ♈ r.-v.

DOM. YVON VOCORET 1998★

	n.c.	n.c.	🟦	30 à 49 F

Une exploitation familiale depuis quatre générations que les sommités mondiales aiment visiter. Ce petit chablis pourrait être proposé à l'accueil. Il a toute la fraîcheur et la vivacité de son appellation.

🕿 Yvon Vocoret, 9, chem. de Beaune, 89800 Maligny, tél. 03.86.47.51.60, fax 03.86.47.57.47 ☑ ♈ t.l.j. 8h-19h; dim. sur r.-v.

Chablis

Le chablis, qui a produit 181 520 hl en 1999 doit à son sol ses qualités inimitables de fraîcheur et de légèreté. Les années froides ou pluvieuses lui conviennent mal, son acidité devenant alors excessive. En revanche, il conserve lors des années chaudes une vertu désaltérante que n'ont pas les vins de la Côte-d'Or également issus du chardonnay. On le boit jeune (un à trois ans), mais il peut vieillir jusqu'à dix ans et plus, gagnant ainsi en complexité et en richesse de bouquet.

DOM. DES AIRELLES 1999

	10 ha	7 710	🟦 ♦	50 à 69 F

Les deux fils ont repris l'exploitation. Un vin pour écureuil tant il sent la noisette. Puis un ton vif et minéral. La note de sécheresse en finale est plutôt bon signe pour l'avenir. On peut le garder un peu puis l'offrir à un plateau de fruits de mer.

🕿 Thierry et Didier Robin, 40, Grande-Rue, 89800 Chichée, tél. 03.86.42.80.49, fax 03.86.42.85.40 ☑ ♈ r.-v.

🕿 Jean Robin

DOM. BILLAUD-SIMON Tête d'Or 1998★

	3 ha	23 000	🟦 ◧ ♦	50 à 69 F

Le **chablis 98** qui n'est pas élevé en fût est cité, mais la palme revient à cette cuvée Tête d'Or qui rappelle qu'au cimetière de Vézelay repose l'Ysée du *Partage de Midi*. Paul Claudel adorait aussi le vin de Bourgogne. Si ce chablis demande à s'ouvrir un peu, il est de grande classe et fera une excellente bouteille d'ici deux à trois ans.

🕿 Dom. Billaud-Simon, 1, quai de Reugny, B.P. 46, 89800 Chablis, tél. 03.86.42.10.33, fax 03.86.42.48.77 ☑ ♈ t.l.j. sf sam. dim. 9h-18h; f. 15 août-1er sept.

CALVET 1999

n.c.   290 000   ▮ ♨ 30 à 49 F

La maison Calvet, de Bordeaux, fut longtemps active à Beaune, avec à sa tête l'écrivain Pierre Poupon particulièrement compétent. On a affaire ici à un produit de cuve (près de 300 000 bouteilles) au nez peu expansif et à la bouche fraîche. Dégusté très jeune, il apparaît joliment fait et bien parti dans la vie.

☛ Calvet, 75, cours du Médoc, B.P. 11, 33028 Bordeaux Cedex, tél. 05.56.43.59.00, fax 05.56.43.17.78

DOM. DU CEDRE DORE 1998★

5 ha   21 400   ▮ ♨ 50 à 69 F

Domaine créé au début des années 1990 à Viviers par Louis Moreau pour perpétuer l'œuvre de ses parents. Sur 5 ha seulement travaillés avec amour à l'ombre apaisante de ce cèdre doré, il produit un vin d'un très beau jaune vif, d'une franchise remarquable et pourtant d'une complexité rare. A attendre un peu (deux ans), car il est promis à un grand avenir.

☛ Louis Moreau, 10, Grande-Rue, 89800 Beines, tél. 03.86.42.87.20, fax 03.86.42.45.59, e-mail domaine.louismoreau@wanadoo.fr

☑ ⵏ t.l.j. 8h-12h 13h30-18h; sam. dim. sur r.-v.

PATRICK ET CHRISTINE CHALMEAU 1999★

2,2 ha   5 000   ▮ 30 à 49 F

Ce 99 paraît avoir reçu la visite de quelques bonnes fées lors de sa récente venue au monde. Ses arômes de fruits secs sont pleins de charme. Sa bouche est assez fermée, plus légère que le nez. On devine cependant que cet enfant, sans être turbulent, ne va pas manquer de vie et d'allant.

☛ Patrick et Christine Chalmeau, 76, rue du Ruisseau, 89530 Chitry-le-Fort, tél. 03.86.41.43.71, fax 03.86.41.47.51 ☑ ⵏ r.-v.

DOM. DES COTEAUX DE RAMEAU 1998★

6 ha   10 000   ▮ ♨ 30 à 49 F

Les Coteaux de Rameau... Sur la scène de cet opéra, une parure or pâle et un bouquet ouvert sur des notes végétales. Encore un peu d'amertume, aussi lui faut-il un an ou deux pour s'amadouer tout à fait. Sur la réserve, il a de quoi prendre son temps en patience.

☛ Pascal Boban, dom. des coteaux de Rameau, 89700 Collan, tél. 03.86.55.16.54, fax 03.86.54.48.08 ☑ ⵏ r.-v.

Le Chablisien

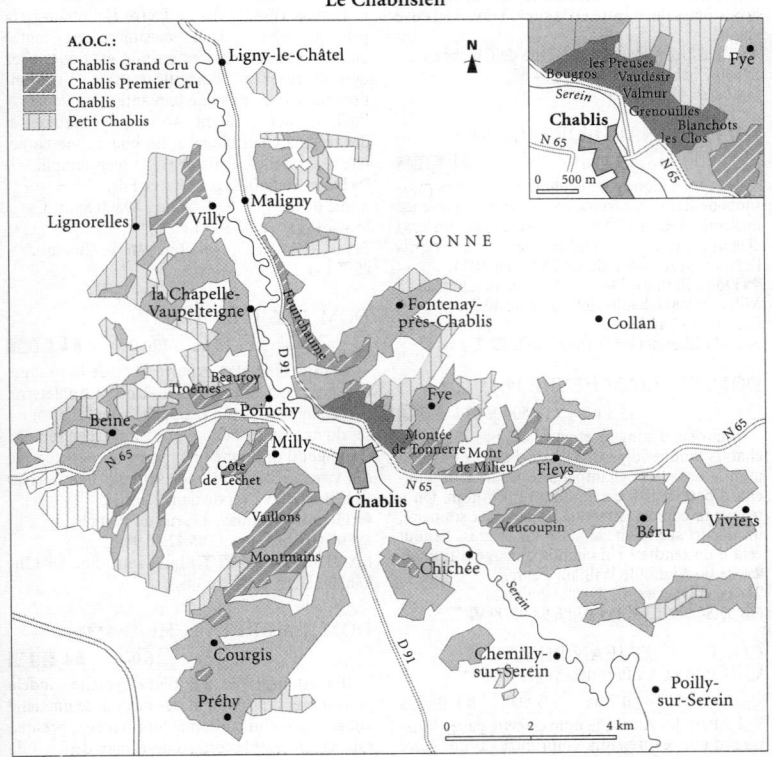

DANIEL DAMPT 1998★

| | 12 ha | 60 000 | 🍷🔴 50 à 69 F |

Domaine créé parallèlement à celui de Jean Defaix, beau-père de ce viticulteur qui a pris le relais. *Cueillez, cueillez votre jeunesse*, conseillait Ronsard. Ce vin ne se le fait pas dire deux fois. Robe claire et bien limpide, bouquet sorti des entrailles de la terre, minéral à souhait. Bon équilibre entre le fruit et l'acidité. L'ensemble est très pur.

➤ Dom. Daniel Dampt, 1, rue des Violettes, 89800 Milly-Chablis, tél. 03.86.42.47.23, fax 03.86.42.46.41, e-mail domaine.dampt.defaix@wanadoo.fr ☑ ⟁ r.-v.

DOM. ERIC DAMPT Vieilles vignes 1998

| | 4 ha | 28 000 | 🍷🔴 30 à 49 F |

Or clair, minéral, ce vin allie fraîcheur et souplesse. La bouche suit le nez comme un maître à penser.

➤ Eric Dampt, 16, rue de l'Ancien-Presbytère, 89700 Collan, tél. 03.86.55.36.28, fax 03.86.54.49.89, e-mail eric.dampt@libertysurf.fr ☑ ⟁ r.-v.

JEAN DAUVISSAT Saint-Pierre 1998

| | 1,8 ha | 13 000 | 🍷🔴 50 à 69 F |

Cette cuvée dédiée à saint Pierre nous ouvre les portes du paradis sans avoir besoin de sonner trois fois. D'un bon éclat jaune, un vin équilibré aux arômes de fougère et de silex. Travail en cuve soigné.

➤ Caves Jean Dauvissat, 3, rue de Chichée, 89800 Chablis, tél. 03.86.42.14.62, fax 03.86.42.45.54 ☑ ⟁ r.-v.

DOM. BERNARD DEFAIX 1998★★

| | 12 ha | 50 000 | 🍷🔴 50 à 69 F |

Une robe jaune pâle brillant, des arômes puissants de fleurs, de fruits, avec une jolie présence minérale, peu d'acidité et, en revanche, un gras élégant. Sylvain et Didier Defaix ont repris l'exploitation familiale de 25 ha en 1994.

➤ Dom. Bernard Defaix , 17, rue du Château, Milly, 89800 Chablis, tél. 03.86.42.40.75, fax 03.86.42.40.28, e-mail didier.defaix@wanadoo.fr ☑ ⟁ r.-v.

DOM. WILLIAM FÈVRE 1998★

| | 15,8 ha | 118 500 | 🍷⟁⟁ 50 à 69 F |

Enarque distingué et militant passionné du chablis kimméridgien, William Fèvre a passé la main à la famille champenoise Henriot de Bouchard père et fils. Ce 98 honore son nom. On y trouve la couleur attendue, le bouquet souhaité, un départ sur le vif, la suite sur le gras. Et tout cela d'un tendre ! Un chablis d'image d'Epinal.

➤ Sté du Vignoble William Fèvre, 21, av. d'Oberwesel, 89800 Chablis, tél. 03.86.98.98.98, fax 03.86.98.98.99 ☑ ⟁ r.-v.

CORINNE ET JEAN-PIERRE GROSSOT La Part des Anges 1998★★

| | 0,7 ha | 3 800 | 🍷🔴 50 à 69 F |

La Part des Anges, le nom de cette cuvée s'inspire d'une expression empruntée à un autre vignoble. Mais joliment dit ! Disons même des archanges, tant ce chablis jaune vif, floral (fleurs blanches fraîches) et épicé, franc en bouche, finissant sur un long fruité est constitué d'une superbe matière. Signalons aussi le **chablis 98**, nettement boisé, élégant, qui reçoit une étoile.

➤ Corinne et Jean-Pierre Grossot, 4, rte de Mont-de-Milieu, 89800 Fleys, tél. 03.86.42.44.64, fax 03.86.42.13.31 ☑ ⟁ r.-v.

THIERRY HAMELIN
Vieilles vignes 1998★

| | 0,5 ha | 2 500 | 🍷🔴 50 à 69 F |

Thierry Hamelin exporte 60 % de ses vins vers les Etats-Unis et la Grande-Bretagne. Il est prêt à conquérir le monde avec de tels vins. Issu d'un demi-hectare de vieilles vignes (cinquante-cinq ans, âge fort respectable), ce 98 répond à la définition du vin de plaisir. S'il est naturellement un vert et floral (acacia), il montre des vertus de finesse et de plénitude. Très réussi pour le millésime, il offre une bouche complète.

➤ Thierry Hamelin, 1, imp. de la Grappe, 89800 Lignorelles, tél. 03.86.47.52.79, fax 03.86.47.53.41 ☑ ⟁ t.l.j. sf dim. 9h-12h 14h-18h; f. 15 jrs en août

HEIMBOURGER PÈRE ET FILS 1998★

| | 3 ha | 10 000 | 🍷🔴 30 à 49 F |

Depuis 1994, le fils de Pierre Heimbourger a pris le relais. Si la cuisinière est tentée aujourd'hui de préparer un plat exotique, allez donc chercher cette bouteille que l'on voit volontiers en cette compagnie piquante et pimentée. A l'œil, un jaune brillant. Au nez, des agrumes et des fruits à chair blanche. En bouche, un caractère assez délicat mais dense et bien rempli.

➤ Dom. Heimbourger Père et Fils, 5, rue de la Porte-de-Cravant, 89800 Saint-Cyr-les-Colons, tél. 03.86.41.40.88, fax 03.86.41.48.33, e-mail palotte@wanadoo.fr ☑ ⟁ r.-v.

DOM. DES ILES 1998

| | 16 ha | 120 000 | 🍷🔴 30 à 49 F |

Gérard Tremblay exporte 75 % de la production vers le Chili, les Etats-Unis, l'Angleterre, l'Allemagne... Quand la bouche tient les promesses du nez, on se dit qu'on travaille ici en famille. Ce lingot d'or donne une impression de richesse qui vise la rondeur, l'opulence plus que la vivacité. Bouteille à servir dans l'année.

➤ Gérard Tremblay, 12, rue de Poinchy, 89800 Chablis, tél. 03.86.42.40.98, fax 03.86.42.40.41 ☑ ⟁ t.l.j. sf sam. dim. 8h-12h 13h30-18h; f. août

DOM. LA BRETAUCHE 1998★★

| | 5,34 ha | 6 000 | 🍷🔴 50 à 69 F |

Il n'est peut-être pas d'une typicité modèle mais il prend possession des lieux avec une telle audace qu'on lui pardonne tout. Vineux, presque sauvage, il semble sortir d'un roman de Rétif de

La Bretonne, l'écrivain du pays. Riche et de garde.

☛ Louis Bellot, dom. La Bretauche, rue de la Bretauche, 89800 Chablis, tél. 03.86.42.40.90, fax 03.86.42.49.81 ☑ ⵊ r.-v.

LA CAVE DU CONNAISSEUR
Prestige Vieilles vignes 1998★

| ☐ | 0,8 ha | 3 000 | ⵊ ⵊ | 50 à 69 F |

Celui-ci est plus miellé que mousseronné, mais il donne envie de tâter le verre. Encore vif, passant du doux à l'acidulé comme de la prose aux vers, il est bien dans son appellation et dans son millésime.

☛ La Cave du Connaisseur, rue des Moulins, B.P. 78, 89800 Chablis, tél. 03.86.42.87.15, fax 03.86.42.49.84, e-mail connaisseur@chablis.net ☑ ⵊ t.l.j. 10h-18h30

LA CHABLISIENNE Cuvée L. C. 1998★

| ☐ | 100 ha | 500 000 | ⵊ ⵊ | 50 à 69 F |

Fondateur de la cave, l'abbé Balitran peut estimer avoir fait son apostolat sur terre. Quels curés en ce temps-là, si l'on pense à l'abbé Deschamps, fondateur de l'A.J. Auxerre ! Ce 98 d'une couleur pâle à reflets verts agrémente de miel la pierre à fusil classique. La bouche cède à la fleur, mais mûre et pleine, elle part pour un beau voyage. Coup de cœur pour son 93.

☛ La Chablisienne, 8, bd Pasteur, B.P. 14, 89800 Chablis, tél. 03.86.42.89.89, fax 03.86.42.89.90, e-mail chab@chablisienne.com ☑ ⵊ r.-v.

DOM. DE LA CONCIERGERIE
Vieilles vignes 1998★★

| ☐ | 1,25 ha | 7 000 | ⵊ ⵊ | 50 à 69 F |

Christian Adine vit dans l'ancienne conciergerie du château de Courgis, d'où le nom du domaine. Le concierge est ici seigneur et maître, présentant un vin qui réconcilie pleinement (si besoin était) avec le millésime 98. Il enthousiasme le jury dont un membre écrit sur sa fiche : « Tellement bon, un vin qu'on ne recrache pas ! » Dont acte.

☛ EARL Christian Adine, 2, allée du Château, 89800 Courgis, tél. 03.86.41.40.28, fax 03.86.41.45.75 ☑ ⵊ r.-v.

DOM. LAROCHE Saint-Martin 1999

| ☐ | 61,57 ha | 400 000 | ⵊ ⵊ | 70 à 89 F |

Sous le patronage de saint Martin, dont Chablis accueillit les reliques jadis dans cette cave devenue vénérable, le vin est issu de 61,5 ha du Domaine Laroche qui comporte une centaine d'hectares. Il est peu volubile au nez car il est très jeune, mais il attaque sec et net. En finale, le jury trouve une légère nuance sucrée. Vérification faite, il y a bien 5 g/l de sucres résiduels. Aussi n'y a-t-il aucune agressivité dans sa vivacité.

☛ Dom. Laroche, 22, rue Louis-Bro, 89800 Chablis, tél. 03.86.42.89.00, fax 03.86.42.89.29, e-mail info@domainelaroche.fr ☑ ⵊ r.-v.

ROLAND LAVANTUREUX 1998

| ☐ | 14 ha | 40 000 | ⵊ ⵊ | 30 à 49 F |

Paille claire, un vin au nez floral qui, à l'agitation, égrène des notes de foin coupé. Franc et minéral en bouche, équilibré mais léger, il est bien typé et à boire dans l'instant, même s'il n'est pas démuni dans la vie.

☛ Roland Lavantureux, 4, rue Saint-Martin, 89800 Lignorelles, tél. 03.86.47.53.75, fax 03.86.47.56.43 ☑ ⵊ t.l.j. 8h30-20h; dim. sur r.-v.

LE PETIT QUINCY 1999★★

| ☐ | 0,5 ha | 3 300 | ⵊ ⵊ | 50 à 69 F |

Fille de Jean Delaunay (fameuse maison des Hautes-Côtes à L'Etang-Vergy), la maîtresse de maison peut se dire qu'elle a eu raison en épousant le Tonnerrois et le Chablisien. Coup de cœur pour le millésime 96, ce vin est à nouveau remarquable. Beurre et noisette, il est dense et long, d'une rondeur peu typée mais intéressante.

☛ Dominique Gruhier, Dom. de l'Abbaye, Clos de Quincy, 89700 Epineuil, tél. 03.86.55.32.51, fax 03.86.55.32.50 ☑ ⵊ t.l.j. 9h-18h; dim. sur r.-v.

DOM. LE VERGER
Cuvée Vieilles vignes 1998

| ☐ | 2,5 ha | 15 000 | ⵊ ⵊⵊ ⵊ | 50 à 69 F |

Par rapport au **chablis 98** également apprécié, on accordera une préférence à cette cuvée de vieilles vignes présentée par Alain Geoffroy sous sa dénomination nouvelle (Domaine Le Verger). Cela tourne autour du fruit sec minéral accompagné d'une note boisée, plus riche que persistante. Un vin agréable et à boire maintenant car on perçoit une tendance à l'oxydation.

☛ Dom. Alain Geoffroy, 4, rue de l'Equerre, 89800 Beines, tél. 03.86.42.43.76, fax 03.86.42.13.30 ☑ ⵊ r.-v.

DOM. LONG-DEPAQUIT 1998

| ☐ | 22 ha | 150 000 | ⵊ ⵊ | 50 à 69 F |

La famille Bichot de Beaune a acquis le domaine Long-Depaquit à la fin des années 1960. Il descend en droite ligne des vignes de l'abbaye cistercienne de Pontigny. Ce chardonnay or blanc, au nez d'amande grillée, développe sur la langue un goût de pomme verte, de citron, des arômes primaires situés dans cet esprit. Un vin jeune et vif.

☛ Dom. Long-Depaquit, 45, rue Auxerroise, 89800 Chablis, tél. 03.86.42.11.13, fax 03.86.42.81.89 ☑ ⵊ t.l.j. sf dim. 9h-12h30 13h30-18h
☛ Albert Bichot

DOM. DES MALANDES 1998★★★

| ☐ 1er cru | 14,5 ha | 116 000 | ⵊ ⵊ | 30 à 49 F |

D'un grand chablis, nous rappelle Raymond Dumay, « on dit qu'il a de l'amour ». On se trouve en présence d'un tel vin d'une qualité exceptionnelle. Il offre une harmonie superbe, relevée par des senteurs de cannelle épicées et assez sauvages. Floral au palais, il établit un trait d'union subtil entre l'acidité et le gras, qui est le

BOURGOGNE

secret de ce terroir. Coup de cœur en 1992 pour le millésime 89.

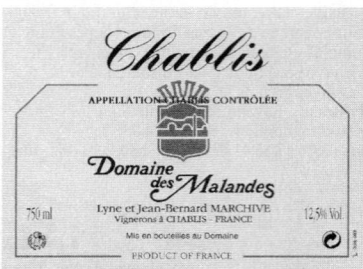

Chablis
APPELLATION CHABLIS CONTRÔLÉE
Domaine des Malandes
750 ml   Lyne et Jean-Bernard MARCHIVE   12.5% Vol.
Vignerons à CHABLIS - FRANCE
Mis en bouteilles au Domaine
PRODUCT OF FRANCE

☛ Dom. des Malandes, 63, rue Auxerroise, 89800 Chablis, tél. 03.86.42.41.37, fax 03.86.42.41.97, e-mail domaine.malandes.chablis@wanadoo.fr ☑ ☒ r.-v.
☛ Marchive

DOM. DES MARRONNIERS 1999★

| | 11 ha | 70 000 | ■ ♦ | 30 à 49 F |

Créé en 1976, le domaine atteint aujourd'hui 18 ha. Bernard Légland propose aux amateurs une visite du vignoble. Le **chablis 98**, cité, est un vin à attendre, alors que ce chablis 99 est à boire à présent. Ces choses-là ne sont pas rares. Ouvert sur la noisette et d'un jaune pâle, il met un peu de vivacité dans sa rondeur tout en offrant une certaine complexité. Bien dans son AOC, une bouteille à servir sur une andouillette de Chablis.
☛ Bernard Légland, 1 et 3, Grande-Rue de Chablis, 89800 Préhy, tél. 03.86.41.42.70, fax 03.86.41.45.82 ☑ ☒ t.l.j. 8h-12h 14h-20h; f. 15 août-5 sept.

LOUIS MICHEL ET FILS 1998★

| | 6 ha | 40 000 | ■ ♦ | 50 à 69 F |

Installée ici depuis 1850, cette famille possède 20 ha. Jaune poussin, ce 98 a déjà un nez significatif, avec un bon équilibre entre le citron et le minéral. Son acidité en bouche laisse présager une bonne évolution, partiellement engagée à ce jour. Typé chablis et pour la fête de l'escargot qui a lieu chaque année non loin de là, à Bassou.
☛ Louis Michel et Fils, 9, bd de Ferrières, 89800 Chablis, tél. 03.86.42.88.55, fax 03.86.42.88.56 ☑ ☒ r.-v.

SYLVAIN MOSNIER
Cuvée Vieilles vignes 1998★

| | 12 ha | n.c. | ■ ♦ | 50 à 69 F |

Comme Cadet Rousselle, illustre personnage d'Auxerre, ce vin a trois mérites : une robe limpide à reflets argentés, un bouquet bien construit intensément minéral et floral, une bouche plus réservée.
☛ Sylvain Mosnier, 4, rue Derrière-les-Murs, 89800 Beines, tél. 03.86.42.43.96, fax 03.86.42.42.88 ☑ ☒ r.-v.

DOM. JEAN-MARIE NAULIN 1998

| | 9 ha | 6 000 | ■ | 30 à 49 F |

Intense et exotique, il semble porté sur le grand large. Bouche agréable avec un peu de fruit et une sensation minérale qui lui donne du caractère.
☛ Dom. Jean-Marie Naulin, 30, rue de la Voie-Neuve, 89800 Beines, tél. 03.86.42.46.71, fax 03.86.42.12.74 ☑ ☒ r.-v.

DE OLIVEIRA LECESTRE 1998★

| | 25,75 ha | 42 000 | ■ ♦ | 30 à 49 F |

Ce millésime se présente sous une robe foncée. Quelques accents poivrés et de pierre à fusil, puis une impression légère à l'attaque qui s'amplifie en bouche. Vin intéressant et qui reste sur la réserve.
☛ GAEC de Oliveira Lecestre, 11, Grand-Rue, 89800 Fontenay-près-Chablis, tél. 03.86.42.40.78, fax 03.86.42.83.72 ☑ ☒ t.l.j. sf dim. 10h-12h30 14h-19h
☛ Jacky Chatelain

DOM. DE PERDRYCOURT
Cuvée Prestige 1998

| | 1 ha | 8 000 | ■ ♦ | 50 à 69 F |

Créé en 1986 par Arlette Courty, ce domaine a fait sa première récolte trois ans plus tard. Virginie, sa fille, a rejoint l'exploitation familiale. Deux femmes à la barre et sous le signe de la perdrix. Pour un 98 qu'il ne faut pas bousculer dans l'empressement. Il garde en effet de la réserve. Souple et tendre cependant, sans trop de complexité.
☛ EARL Arlette et Virginie Courty, Dom. de Perdrycourt, 9, voie Romaine, 89230 Montigny-la-Resle, tél. 03.86.41.82.07, fax 03.86.41.87.89 ☑ ☒ t.l.j. 8h-20h

DOM. DE PISSE-LOUP 1998★★

| | 3,94 ha | 10 000 | ■ ♦ | 30 à 49 F |

1998
Domaine de Pisse-Loup
CHABLIS
APPELLATION CHABLIS CONTRÔLÉE
750 ml   Alc. 12.5% by vol.
S.C.E.A. Jacques Hugot-Jean Michaut
PROPRIÉTAIRE À BEINES PRÈS CHABLIS - YONNE - FRANCE
MIS EN BOUTEILLE À LA PROPRIÉTÉ

Une très belle bouteille, dont le jury se plaît à vanter l'harmonie. « Or doré », minéral et floral à souhait, rond, gras en même temps que d'une grande fraîcheur, ce vin est un vrai chablis qui saura vieillir et qui s'accordera parfaitement avec un poisson fin.
☛ SCEA Jacques Hugot et Jean Michaut, 1, rue de la Poterne, 89800 Beines, tél. 03.80.97.04.67, fax 03.80.97.04.67 ☑ ☒ r.-v.

DOM. DE PISSE-LOUP 1998★★

| | 2,1 ha | 2 300 | ■ ♦ | 30 à 49 F |

Fils de Jacques Hugot, Romuald élabore avec cette cuvée un remarquable chablis, puissant, équilibré et long ; à boire sans souci avec les poissons en sauce.

☞ Romuald Hugot, 30, rte Nationale, 89800 Beines, tél. 03.86.42.85.11, fax 03.86.42.85.11 ☑ ⊺ r.-v.

DENIS POMMIER 1998

| ☐ | 2,86 ha | 16 848 | ⬛⬗ 50 à 69 F |

Il a toutes les qualités pour vieillir un peu. Linéaire, sur le fil, il se tient en équilibre stable entre les éclats de silex et les notes de fruits. Jaune soutenu, intense, plaisant, il est un peu marqué par des défauts de jeunesse mais il ira loin. Confiance absolue du jury.
☞ Denis Pommier, 31, rue de Poinchy, 89800 Chablis, tél. 03.86.42.83.04, fax 03.86.42.17.80 ☑ ⊺ t.l.j. 9h-12h 14h-20h; dim. sur r.-v.

REGNARD 1997★★

| ☐ | 30 ha | 120 000 | ⬛⬗ 70 à 99 F |

Patrick de Ladoucette, qui a racheté cette vieille maison chablisienne en 1984 a réservé cette année une belle cuvée 97. En bouche, ce n'est pas la charge de la brigade légère. Au contraire, un vin d'un gras parfait, qui emplit tout le volume disponible d'une sensation aromatique et profonde. La robe est toujours fraîche et le bouquet, de tilleul.
☞ Régnard, 28, bd Tacussel, 89800 Chablis, tél. 03.86.42.10.45, fax 03.86.42.48.67 ☑ ⊺ r.-v.

DOM. JACKY RENARD 1999★★

| ☐ | 2,05 ha | 17 000 | ⬛⬗ 30 à 49 F |

Cette bouteille évoque les agrumes dans un environnement minéral et vif tout à la fois. Très rafraîchissant, il conviendra notamment à l'apéritif.
☞ Dom. Jacky Renard, La Côte-de-Chaussan, 89530 Saint-Bris-le-Vineux, tél. 03.86.53.38.58, fax 03.86.53.33.50 ☑ ⊺ r.-v.

DOM. DE VAUROUX 1998★★

| ☐ | 24 ha | 26 000 | ⬛⬗ 30 à 49 F |

Créé en 1960 par la famille Tricon, ce domaine propose sa **cuvée Vieilles vignes 98** qui retient l'attention, ainsi que ce *village* qui émerveille littéralement. C'est bien simple, en reposant le verre on se croirait en week-end en plein Chablisien ! Rond, long, plein, et par ailleurs puissant, riche et... friand. Il figure parmi les meilleurs, et il fera des heureux.
☞ SCEA Dom. de Vauroux, rte d'Avallon, B.P. 56, 89800 Chablis, tél. 03.86.42.10.37, fax 03.86.42.49.13 ☑

Chablis premier cru

Il provient d'une trentaine de lieux-dits sélectionnés pour leur situation et la qualité de leurs produits (48 332 hl en 1999). Il diffère du précédent moins par une maturité supérieure du raisin que par un bouquet plus complexe et plus persis-tant, où se mêlent des arômes de miel d'acacia, un soupçon d'iode et des nuances végétales. Le rendement est limité à 50 hl à l'hectare. Tous les vignerons s'accordent à situer son apogée vers la cinquième année, lorsqu'il « noisette ». Les *climats* les plus complets sont la Montée de Tonnerre, Fourchaume, Mont de Milieu, Forêt ou Butteaux, et Léchet.

DOM. DES AIRELLES Vosgros 1998★★

| ☐ | 3 ha | 1 370 | ⬛⬗ 50 à 69 F |

Situé sur Chichée, c'est un cru de connaisseur. Peu médiatisé, mais souvent remarquable. Il donne ici le meilleur de lui-même. La fleur blanche côtoie de beaux raisins. De bout en bout, une continuité étonnante, et cette subtilité qui n'appartient qu'aux vinificateurs très compétents en cuverie. Un peu d'exotisme, un vrai régal. Citons en outre **Vaugiraut 98**, correct et représentatif. Poisson pour le premier, viande blanche pour le second.
☞ Thierry et Didier Robin, 40, Grande-Rue, 89800 Chichée, tél. 03.86.42.80.49, fax 03.86.42.85.40 ☑ ⊺ r.-v.
☞ Jean Robin

DOM. BARAT Les Fourneaux 1998★

| ☐ | 2 ha | 5 000 | ⬛⬗ 50 à 69 F |

Cinq générations passionnées par la vigne et le vin. Ce domaine dispose de 17 ha pour satisfaire une réelle vocation. Ces Fourneaux 98 sont vraiment un 1er cru, explique le jury. Tout y est : ce reflet vert qu'on aime dans le verre, les fleurs blanches dominant l'expression olfactive, la fraîcheur de la bouche et la longueur. A servir pendant trois ans. Les **Vaillons 98** sont également bien faits avec une note d'agrumes en plus ! Le jury les conseille sur des quenelles de brochet.
☞ EARL Dom. Barat, 6, rue de Léchet, Milly, 89800 Chablis, tél. 03.86.42.40.07, fax 03.86.42.47.88 ☑ ⊺ r.-v.

JEAN-CLAUDE BESSIN
Montmains 1998★★

| ☐ | 2,8 ha | n.c. | ⬛⬗ 50 à 69 F |

Rive gauche, ce 1er cru est réputé. On dit que Jean Cocteau a écrit d'un trait, en une nuit, *La Voix humaine* dans un hôtel de Chablis. On aurait pu laisser cette bouteille sur sa table de chevet. Elle est tout simplement d'une grande sincérité, nette quel que soit l'angle d'approche. Une typicité exemplaire. « On aime... » « Je le conseillerais à mes meilleurs amis... » Les dégustateurs sont conquis.
☞ Jean-Claude Bessin, 3, rue de la Planchotte, 89800 Chablis, tél. 03.86.42.46.77, fax 03.86.42.85.30 ☑ ⊺ r.-v.

DOM. BILLAUD-SIMON
Les Vaillons 1998

| ☐ | 3,6 ha | 27 000 | ⬛⬗ 70 à 99 F |

Créé au XIXᵉs., ce domaine de 20 ha appartient à la même famille depuis 1815. Ces Vaillons 98 s'offrent très vite ; leur spontanéité repose sur une belle vivacité, un nez d'agrumes et une note minérale ; du charme pour cette année.

BOURGOGNE

➥ Dom. Billaud-Simon, 1, quai de Reugny, B.P. 46, 89800 Chablis, tél. 03.86.42.10.33, fax 03.86.42.48.77 ☑ ⍿ t.l.j. sf sam. dim. 9h-18h; f. 15 août-1er sept.

PASCAL BOUCHARD
Fourchaume Vieilles vignes Grande réserve du Domaine 1998★★

	1,3 ha	10 000	⚟ ⑾ ⌕	70 à 99 F

Dans le prolongement de la côte du grand cru, Fourchaume cousine avec les princes ses voisins : c'est un seigneur. En vieilles vignes, très habilement élevé en cuve et en fût, ce 98 en dessine un portrait remarquable et en pied, par sa couleur, son fruit légèrement beurré, une attaque aimable, une vivacité progressive et un boisé bien maîtrisé.
➥ Pascal Bouchard, 5 bis, rue Porte-Noël, 89800 Chablis, tél. 03.86.42.18.64, fax 03.86.42.48.11, e-mail pascal.bouchard@wanadoo.fr ☑ ⍿ t.l.j. 10h-12h30 14h-19h; f. janv.

DOM. DE CHANTEMERLE
Fourchaume 1998★★★

	4,8 ha	35 000	⚟ ⌕	50 à 69 F

Le 1er cru l'Homme Mort a fait la notoriété du père de Francis Boudin, Adheman. Leur 98 reçoit deux étoiles justifiées par l'élégance dont il témoigne tout au long de la dégustation (70 à 99 F). Quant à ce Fourchaume, il a ébloui le jury. Un vin haute couture, robe « chablis », nez « chablis », bouche « chablis ». Il est le prototype du... chablis 1er cru et sa finale minérale est celle des très grands. Un turbot ou un chapon seront à sa hauteur ; il conviendra également à toutes les occasions, hormis les cuisines épicées.
➥ Dom. de Chantemerle, 27, rue du Serein-la-Chapelle, 89800 Chablis, tél. 03.86.42.18.95, fax 03.86.42.81.60 ☑ ⍿ r.-v.
➥ Francis Boudin

DOM. DU CHARDONNAY
Mont de Milieu 1998★

	0,41 ha	1 800	⚟ ⑾ ⌕	70 à 99 F

Trois passionnés de vin se sont associés en 1987. Ils réunissent aujourd'hui 32 ha. Si la Montée de Tonnerre 98 a semblé austère (elle est citée), les Montmains 98 ont reçu une étoile pour leurs caractères bien typés. Quant à ce Mont de Milieu, il est également très réussi. Derrière un or léger, les arômes tournent autour des fleurs d'acacia et de l'amande grillée. Epices, notes minérales et fruits confits signent à la fois le terroir d'origine et l'élevage bien mené en fût.

➥ Dom. du Chardonnay, Moulin du Pâtis, 89800 Chablis, tél. 03.86.42.48.03, fax 03.86.42.16.49, e-mail domaine.chardonnay@free.fr ☑ ⍿ r.-v.
➥ Boileau-Nahan-Simon

DOM. CHEVALLIER Montmains 1998★

	0,31 ha	2 000	⑾ ⌕	50 à 69 F

Elevé sur lies fines pendant six mois et en fût, ce 98 exprime toute la minéralité du cru : l'élevage a déjà été très bien mené ; un vin équilibré, jaune pâle à reflets verts, frais. Le tableau serait incomplet si on ne notait pas la présence odorante des agrumes.
➥ Dom. Chevallier, 6, rue de l'Ecole, 89290 Montallery, tél. 03.86.40.27.04, fax 03.86.40.27.05 ☑ ⍿ r.-v.

DOM. DU COLOMBIER
Fourchaume 1998★★

	2,5 ha	15 000	⚟ ⌕	50 à 69 F

Si le Vaucoupin 98, très typé, devrait bien évoluer et mérite des compliments, celui-ci a droit à des éloges. Il est d'un or assez soutenu et il « mousseronne » au nez. Comme on aime retrouver cette sensation de fin champignon ! Gras et fruité, reposant sur un socle solide, c'est un vin intéressant et de garde.
➥ Dom. du Colombier, 42, Grand-Rue, 89800 Fontenay-près-Chablis, tél. 03.86.42.15.04, fax 03.86.42.49.67 ☑ ⍿ r.-v.
➥ Guy Mothe et Fils

DANIEL DAMPT Vaillons 1998★★

	5 ha	20 000	⚟ ⌕	70 à 99 F

Ce viticulteur propose un quatuor de superbes 98 : Fourchaume, Beauroy et Côte de Léchet, qui reçoivent chacun une étoile alors que ce Vaillons si flatteur, si intense, si complexe en emporte deux. Tant de belles choses dans une bouteille ! Une vraie personnalité. A savourer d'ici quelques mois car il est prêt.
➥ Dom. Daniel Dampt, 1, rue des Violettes, 89800 Milly-Chablis, tél. 03.86.42.47.23, fax 03.86.42.46.41, e-mail domaine.dampt.defaix@wanadoo.fr ☑ ⍿ r.-v.

RENE ET VINCENT DAUVISSAT
La Forest 1998★

	n.c.	35 000	⑾	70 à 99 F

La Forêt 98 de Dauvissat, écrite Forest. Célèbre, elle n'a pas beaucoup de couleur ici et un caractère encore assez austère. Doit-on s'étonner de la trouver... boisée ? C'est le cas et l'élevage paraît bien fait. Il faut attendre le fondu du chêne. Car tout le reste est bien typé, tout comme les Vaillons 98, cités, qu'il faudra laisser quelque temps en cave pour la même raison.
➥ GAEC René et Vincent Dauvissat, 8, rue Emile-Zola, 89800 Chablis, tél. 03.86.42.11.58, fax 03.86.42.85.32

DOM. BERNARD DEFAIX
Les Vaillons 1998

	2 ha	12 000	⚟ ⌕	70 à 99 F

Aux amours d'Hélène et de Didier Defaix mariés en mai dernier ! Ce Vaillons au nez de silex et de mousseron ne manque pas de corps.

Sa finale un peu vive incite à l'attente. On le débouchera d'ici deux à trois ans, au maximum. Noix de Saint-Jacques de rigueur.
🐓 Dom. Bernard Defaix , 17, rue du Château, Milly, 89800 Chablis, tél. 03.86.42.40.75, fax 03.86.42.40.28,
e-mail didier.defaix@wanadoo.fr ☑ ⵏ r.-v.

DOM. DANIEL-ETIENNE DEFAIX
Les Lys 1996★

☐	3,6 ha	27 000	∎♦ 100 à 149 F

Un 1ᵉʳ cru historique, placé jadis parmi les vignes de la Couronne royale, au sud de Milly et tout près de Chablis. Il se présente sous des traits jaune léger, quelque peu brioché, floral, minéral, souple et rond. Agréable et prêt à être bu, il saura vieillir encore. Autre vin de plaisir, le **Côte de Léchet 96**, puissant et équilibré. Floral et minéral à souhait, il n'oublie pas d'égrener des odeurs de fruits mûrs. Attention, ces deux vins ne seront commercialisés qu'après le 10 décembre 2000.
🐓 Daniel-Etienne Defaix,
Ch. Defaix,14, rue Auxerroise, B.P. 50, 89800 Chablis, tél. 03.86.42.42.05, fax 03.86.42.48.56,
e-mail chablis.defaix@wanadoo.fr ☑ ⵏ t.l.j. 9h-12h 14h-18h; f. 31 déc.-5 fév.

JEAN-PAUL DROIN Vaucoupin 1998★

☐	0,14 ha	1 100	∎⑪ 70 à 99 F

Jean-Paul Droin, dont la famille s'est installée ici au XVIIᵉs., possède 20 ha, plusieurs grands crus et 1ᵉʳˢ crus. Le lecteur se souvient du coup de cœur du millésime 89. Il a présenté trois 1ᵉʳˢ crus qui tous reçoivent une étoile. **Vosgros, Fourchaume**, tous **98** sont bien élevés et d'une très belle envolée. Ils sauront affronter l'avenir. A l'inverse, on pourra déjà goûter ce Vaucoupin à la couleur élégante et typée. Fruit mûr agrémenté d'un boisé discret, il est tendre et souple en même temps que riche et complexe, très long. On peut le déguster jusqu'en 2003 au moins.
🐓 Jean-Paul Droin, 14 bis, rue Jean-Jaurès, 89800 Chablis, tél. 03.86.42.16.78, fax 03.86.42.42.09 ☑ ⵏ r.-v.

DOM. WILLIAM FEVRE Vaillons 1998★★

☐	2,86 ha	13 586	∎⑪♦ 100 à 148 F

Achetée par Joseph Henriot, la maison William Fèvre est l'un des fleurons du Chablisien. Le mariage du vin et du fût est un exercice délicat. Lorsqu'il réussit, il répond à *l'Oracle de Delphes* : ni trop ni trop peu... L'harmonie chablisienne est ici parfaitement respectée : la note boisée rehausse la qualité de la structure et des arômes, laissant une agréable sensation de citron vert.
🐓 Sté du Vignoble William Fèvre, 21, av. d'Oberwesel, 89800 Chablis, tél. 03.86.98.98.98, fax 03.86.98.98.99 ☑ ⵏ r.-v.

DOM. FOURREY ET FILS
Côte de Léchet 1999★

☐	3 ha	4 000	∎ 50 à 69 F

Côte d'une unité géographique remarquable et qui justifie sa reconnaissance comme *climat* à part entière. Elle met ici l'accent sur le gras, la

souplesse, dans un environnement de pain grillé et avec un bon potentiel d'ouverture.
🐓 Dom. Fourrey et Fils, 9, rue du Château, Milly, 89800 Chablis, tél. 03.86.42.44.04, fax 03.86.42.84.78 ☑ ⵏ r.-v.

ALAIN GAUTHERON Vaucoupin 1998★

☐	1,41 ha	11 000	∎ 50 à 69 F

Ce *climat* campe sur la rive droite du Serein. Fort bien situé, il a un peu de mal à assurer sa réputation. Cette bouteille devrait l'y aider. Fraîche, minérale, assez légère, elle est d'une franchise rare et à laisser vieillir pour quelque chapon. **Mont de Milieu 98**, aussi assez léger et très joli, reçoit la même note.
🐓 Alain Gautheron, 18, rue des Prégirots, 89800 Fleys, tél. 03.86.42.44.34, fax 03.86.42.44.50 ☑ ⵏ r.-v.

DOM. ALAIN GEOFFROY
Vau-Ligneau 1998★

☐	2,75 ha	22 000	∎♦ 70 à 99 F

A égalité, le **Fourchaume 98** et ce Vau-Ligneau, l'un des derniers-nés parmi les 1ᵉʳˢ crus, et qui manifeste ainsi ses ambitions légitimes. Sa minéralité est pleinement chablisienne. Texture modeste il est vrai, mais il apporte au paysage une note de simplicité heureuse.
🐓 Dom. Alain Geoffroy, 4, rue de l'Equerre, 89800 Beines, tél. 03.86.42.43.76, fax 03.86.42.13.30 ☑ ⵏ r.-v.

DOM. JEAN GOULLEY ET FILS
Mont de Milieu 1998★

☐	1 ha	8 000	∎♦ 50 à 69 F

Ce domaine était géré jusqu'en 1985 par la nièce de Jean Goulley. Celui-ci prit alors l'exploitation en main, rejoint par son fils Philippe en 1987. Ce dernier en tient désormais les rênes. L'or brille dans le verre de ce Mont de Milieu déjà très ouvert. Le caractère minéral propre au sol du kimméridgien est à égalité avec les arômes de fleurs blanches. D'une jolie vivacité, assez subtile, c'est une bouteille intéressante.
🐓 Dom. Jean Goulley et Fils, 11 bis, vallée des Rosiers, 89800 La Chapelle-Vaulpelteigne, tél. 03.86.42.40.85, fax 03.86.42.81.06 ☑ ⵏ r.-v.

DOM. HAMELIN Beauroy 1998★★

☐	3,8 ha	29 000	∎⑪♦ 50 à 69 F

Sur Poinchy rattaché désormais à Chablis, un *climat* jadis très apprécié et qui a peut-être perdu un peu de sa notoriété au regard des Fourchaumes et autres Vaillons. Cette bouteille le restaure dans ses droits et justes prétentions ! Une robe lumineuse éclaire un nez floral où l'amande a son mot à dire. Palais parfait, et l'on croit y trouver des coquillages tant il est iodé et minéral. Très bien !
🐓 EARL Dom. Hamelin, 1, rue des Carillons, 89800 Lignorelles, tél. 03.86.47.54.60, fax 03.86.47.53.34 ☑ ⵏ t.l.j. sf dim. 9h-12h 14h-18h

DOM. DES ILES Beauroy 1998

☐	0,5 ha	3 500	∎⑪♦ 50 à 69 F

Son nom incite au voyage, ses caractères évoquent l'exotisme : jaune soutenu, il attaque sur le minéral puis évolue vers les fleurs blanches, le citron, le fumé et l'amande grillée. Douce, suave, la bouche est généreuse. Le **Côte de Léchet 98** fait également partie de la sélection très rigoureuse de notre jury.

🕭 Gérard Tremblay, 12, rue de Poinchy, 89800 Chablis, tél. 03.86.42.40.98, fax 03.86.42.40.41 ☑ 🍷 t.l.j. sf sam. dim. 8h-12h 13h30-18h; f. août

LES DOMAINES LA CHABLISIENNE
Les Lys 1998★★

☐ 1,9 ha 12 000 ⏅ 100 à 149 F

Des Lys délicieux. C'est en produisant de tels fleurons que *La Chablisienne* s'est hissée au rang des meilleures caves coopératives de France. Le reflet est joliment ciselé dans le verre. La bouche reprend en chœur le refrain chanté par le nez autour des fruits et du bois. Il faudra attendre deux ou trois ans le fondu des éléments de cette intéressante bouteille. Par ailleurs, la jolie étiquette de cette collection des Domaines de la Chablisienne habille également un **Fourchaumes-les Vaulorents 98** qui obtient une étoile.

🕭 La Chablisienne, 8, bd Pasteur, B.P. 14, 89800 Chablis, tél. 03.86.42.89.89, fax 03.86.42.89.90, e-mail chab@chablisienne.com ☑ 🍷 r.-v.

DOM. DE LA CONCIERGERIE
Montmain 1999★

☐ 3,3 ha 20 000 🍴🍷 50 à 69 F

La maison des Adine était autrefois la conciergerie du château de Courgis. Vous comprendrez ainsi le nom du domaine. Il obtint un coup de cœur dans le Guide 1998, pour un montmain 95. Il revient avec un 99 au bouquet de jacinthe et de violette, ses arômes de jeunesse. On le sent encore impulsif, mais sous cet air de pomme verte le palais devine un gras bien beurré. Attendre un an encore.

🕭 EARL Christian Adine, 2, allée du Château, 89800 Courgis, tél. 03.86.41.40.28, fax 03.86.41.45.75 ☑ 🍷 r.-v.

LAMBLIN ET FILS Fourchaume 1998★

☐ 3,5 ha 24 000 🍴🍷 70 à 99 F

L'un des tout premiers coups de cœur en 1er cru, si ce n'est *le* premier : pour un Mont de Milieu 83, et c'était en 1987 ! Cette fois, on a aimé le **Vaillon 98** (50 à 69 F) qui obtient une citation, et ce Fourchaume des mêmes vendanges. Aucune extravagance, le cépage et le terroir exprimés par la franchise et la finesse. Bravo. Ne pas le boire trop tôt.

🕭 Lamblin et Fils, Maligny, 89800 Chablis, tél. 03.86.98.22.00, fax 03.86.47.50.12, e-mail infovin@lamblin.com ☑ 🍷 lun. à ven. 8h-12h-30 14h-17h; sam. 8h-12h30

DOM. DE LA MEULIERE
Monts de Milieu 1998★

☐ 2,64 ha 15 000 🍴🍷 50 à 69 F

Coup de cœur dans l'édition 1996 pour ce même vin dans le millésime 93, la Meulière sort de cave un 1er cru d'un jaune légèrement doré, de tempérament chaleureux et même passionné. Ample, complexe, d'un champignon discret et de bonne venue, il nous emporte dans des aventures

dont nul ne peut dire aujourd'hui le dénouement. Bon scénario en tout cas.

🕭 Claude Laroche, 18, rte de Mont-de-Milieu, B.P. 25, 89800 Fleys, tél. 03.86.42.13.56, fax 03.86.42.19.32 ☑ 🍷 r.-v.

DOM. LAROCHE
Vaillons Vieilles vignes 1998★★

☐ 6,95 ha 50 000 ▮⏅🍷 100 à 149 F

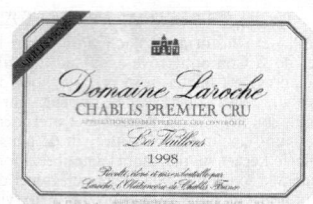

Si **Fourchaumes 98** (150 à 199 F, une étoile), coup de cœur pour le millésime 87, est tout à fait à la hauteur du sujet, ce Vaillons (coup de cœur pour le millésime 92) est d'une classe exceptionnelle. Miel, fruits secs et boisé fondu se partagent le nez et la bouche. *Lovely !* écrit sur sa fiche un dégustateur britannique invité à juger le chablis. Très belle vinification, respectant l'équilibre de ce vin de garde. Notez aussi le **Vaudevey 98**, une étoile, dont le jury dit qu'il grandira encore.

🕭 Dom. Laroche, 22, rue Louis-Bro, 89800 Chablis, tél. 03.86.42.89.00, fax 03.86.42.89.29, e-mail info@domainelaroche.fr ☑ 🍷 r.-v.

DOM. LONG-DEPAQUIT Les Lys 1998★★

☐ 1,69 ha 12 000 ▮ 70 à 99 F

Appartenant à la maison Albert Bichot, le château Long-Depaquit exporte 75 % de sa production sur les cinq continents. **Les Beugnons 98** accompagneront volontiers un saucisson brioché. Les 25 000 bouteilles des **Vaucoupins 98** très vineux, d'une riche plénitude, choisiront une poêlée de Saint-Jacques. Ces deux crus reçoivent une étoile. Et puis, ces Lys d'une acidité parfaite, d'une fraîcheur admirable en même temps que d'une richesse absolue. Adorable, pour un époisses authentique. Tous ces vins méritent d'entrer dans votre cave et sont prêts tout en pouvant attendre.

🕭 Dom. Long-Depaquit, 45, rue Auxerroise, 89800 Chablis, tél. 03.86.42.11.13, fax 03.86.42.81.89 ☑ 🍷 t.l.j. sf dim. 9h-12h30 13h30-18h

🕭 Bichot

DOM. DE L'ORME Beauroy 1998

☐ n.c. 5 000 ▮⏅🍷 50 à 69 F

La lutte raisonnée, en agriculture, permet de préserver l'équilibre de l'écosystème. Pascal Mercier conduit ainsi son vignoble depuis 1994. Son 98 est tout en finesse et en discrétion, mais le jury lui fait confiance : « Il saura se maintenir car la finale permet d'entrevoir une certaine profondeur. »

🕭 Dom. de L'Orme, 16-18, rue de Chablis, 89800 Lignorelles, tél. 03.86.47.41.60, fax 03.86.47.56.66 ☑ 🍷 r.-v.

DOM. DES MALANDES
Fourchaume Vieilles vignes 1998★★

☐   1,25 ha   10 000   🍶⚗ 70 à 99 F

Ce domaine a reçu un coup de cœur en 1990 pour sa Côte de Léchet 87. Fourchaume retient cette année l'attention. Dans sa robe jaune intense, il est puissant, long, gras, riche. Gardez-le bien pour votre cave, longtemps. Sa durée est certaine. **Beauroy 98,** tout en douceur, est à attendre moins de temps.
🍇 Dom. des Malandes, 63, rue Auxerroise, 89800 Chablis, tél. 03.86.42.41.37, fax 03.86.42.41.97, e-mail domaine.malandes.chablis@wanadoo.fr ☑ 𝚼 r.-v.
🍇 Marchive

CH. DE MALIGNY L'Homme Mort 1998

☐   5 ha   32 000   🍶⚗ 70 à 99 F

Jean Durup, l'une des fortes personnalités du Chablisien, a choisi cette marque pour ses terroirs prestigieux du jurassique supérieur. Sur Maligny, ce *climat* chante le printemps fleuri. La nuance d'amertume en bouche appelle les fruits de mer dans un an ou deux.
🍇 SA Jean Durup Père et Fils, 4, Grande-Rue, 89800 Maligny, tél. 03.86.47.44.49, fax 03.86.47.55.49, e-mail durup@clubinternet.fr ☑ 𝚼 r.-v.

DOM. DES MARRONNIERS
Côte de Jouan 1999

☐   0,26 ha   2 000   🍶⚗ 70 à 99 F

Se faisant peu à peu un nom, ce *climat* offre un bon standard de qualité. Un or pâle mais brillant, un bouquet qui va droit au but : l'aubépine et le silex. C'est vraiment la langue du pays. Rafraîchissant en bouche, vif sur du bon fruit. Il fut coup de cœur (millésime 93).
🍇 Bernard Légland, 1 et 3, Grande-Rue de Chablis, 89800 Préhy, tél. 03.86.41.42.70, fax 03.86.41.45.82 ☑ 𝚼 t.l.j. 8h-12h 14h-20h; f. 15 août-5 sept.

LOUIS MICHEL ET FILS
Montmain 1998★

☐   6 ha   30 000   🍶⚗ 70 à 99 F

Ce Montmain d'une teinte caractéristique montre un nez discret mais de bon goût. Pierre à fusil comme il se doit, il présente une charpente suffisante. Assez rond, jamais pesant, il est de ces bouteilles qu'on aime caresser avant de les servir.

🍇 Louis Michel et Fils, 9, bd de Ferrières, 89800 Chablis, tél. 03.86.42.88.55, fax 03.86.42.88.56 ☑ 𝚼 r.-v.

J. MOREAU ET FILS Vaillon 1998★

☐   7,06 ha   53 300   🍶⚗ 50 à 69 F

Le saumon au beurre blanc paraît tout indiqué pour accompagner ce Vaillon dans la grande tradition. Une couleur or vert, un bouquet ressemblant à une corbeille de fruits : poire, pêche... Au palais, le caractère s'affirme sur une touche minérale qui est la bienvenue. Maison reprise il y a quelques années par Jean-Claude Boisset.
🍇 J. Moreau et Fils, rte d'Auxerre, La Croix Saint-Joseph, 89800 Chablis, tél. 03.86.42.88.00, fax 03.86.42.88.08

MOREAU-NAUDET ET FILS
La Forêt 1998★

☐   n.c.   n.c.   🍶⚗ 70 à 99 F

Chablis d'esprit moderne, aux arômes assez exotiques, et qui plaira. La robe est jolie, le nez bien dans l'année et le corps a de la consistance. L'ensemble correspond à un 1ᵉʳ cru.
🍇 GAEC Moreau-Naudet et Fils, 5, rue des Fossés, 89800 Chablis, tél. 03.86.42.14.83, fax 03.86.42.85.04 ☑ 𝚼 t.l.j. 10h-12h 14h-20h

SYLVAIN MOSNIER Beauroy 1998★

☐   0,96 ha   3 500   🍶⚗ 70 à 99 F

Le nez et la bouche expriment une douceur fruitée et fleurie avec une pointe d'amertume caractéristique. L'équilibre est parfait. Limpide et jaune pâle, il impressionne en bouche par la présence du silex, son air iodé. Bien typé et disposé à passer à table. Les fruits de mer s'imposent.
🍇 Sylvain Mosnier, 4, rue Derrière-les-Murs, 89800 Beines, tél. 03.86.42.43.96, fax 03.86.42.42.88 ☑ 𝚼 r.-v.

DOM. PINSON Mont de Milieu 1998★★★

☐   4,75 ha   20 000   🍶🍷⚗ 70 à 99 F

Vieille famille chablisienne : créateur du domaine actuel, Louis Pinson (une figure) a pour successeurs ses petits-fils Laurent et Christophe. Ils méritent un coup de chapeau car ce 1ᵉʳ cru est un très grand 98. Un travail d'orfèvre de la robe au palais. La bouteille que l'on destine à un grand événement et que l'on garde (environ cinq ans). Un vrai Mont de Milieu. Car le terroir parle.

BOURGOGNE

◆┐ SCEA Dom. Pinson, 5, quai Voltaire, 89800 Chablis, tél. 03.86.42.10.26, fax 03.86.42.49.94 ☑ ☖ t.l.j. sf dim. 8h-12h 13h30-18h

DENIS POMMIER Côte de Léchet 1998★★

☐	0,78 ha	3 750	◖▮ 70 à 99 F

Comme à Paris, il y a en Chablisien la rive droite et la rive gauche. Ici, sur Milly, l'un des meilleurs 1ers crus de la rive gauche, traité de façon jaune paille clair, le nez de fruit surmûri, assez gras. Un rien de vanillé et on retrouve au palais ce qu'on aime dans un grand chablis, de même que **Fourchaume** et **Beauroy 98**, ce dernier royal, sinon impérial, à acheter les yeux fermés.

◆┐ Denis Pommier, 31, rue de Poinchy, 89800 Chablis, tél. 03.86.42.83.04, fax 03.86.42.17.80 ☑ ☖ t.l.j. 9h-12h 14h-20h; dim. sur r.-v.

DENIS RACE Mont de Milieu 1998★★

☐	0,53 ha	2 700	▮☖ 50 à 69 F

Après un coup de cœur dans l'édition 2000, ce domaine reçoit de nouveau bon accueil. Pour un Mont de Milieu délicieusement iodé et qui nous dispense d'une cure de thalasso. L'air marin et le caillou sec, un bonheur ! Rien de trop dans l'acidité et le caractère des 98. On peut également choisir le **Vaillon 98**, très fruité et, dans son style assez différent, riche d'avenir (une étoile).

◆┐ Denis Race, 5 A, rue de Chichée, 89800 Chablis, tél. 03.86.42.45.87, fax 03.86.42.81.23, e-mail laurence.denis.race@wanadoo.fr ☑ ☖ r.-v.

REGNARD Mont de Milieu 1998★★

☐	2 ha	20 000	▮☖ 100 à 149 F

Cette maison a été reprise par Patrick de Ladoucette en 1984. La morphologie de Mont de Milieu fait de ce *climat* le frère quasiment jumeau du grand cru. Il est donc, incontestablement, l'un des meilleurs 1ers crus. Cela se confirme ici sous un jaune doré à reflets. Bouche fine et discrète et enfin, on perçoit le mousseron jadis indissociable de l'image du chablis. **Montmains 98**, une étoile, est typé, fin et agréable.

◆┐ Régnard, 28, bd Tacussel, 89800 Chablis, tél. 03.86.42.10.45, fax 03.86.42.48.67 ☑ ☖ r.-v.

DOM. SAINTE CLAIRE
Côte de Jouan 1998★

☐	n.c.	n.c.	▮☖ 50 à 69 F

Coup de cœur en 1998 pour un 95, Jean-Marc Brocard s'est installé ici en 1974. Dans ce même millésime 98, il obtient trois mentions pour **Beauregard, Vaucoupins**, et ce *climat* (secteur Les Landes et Verjuts, près de Courgis) faisant partie des 1ers crus les plus récents. Un vin d'une grande finesse aromatique et d'un bon équilibre général. Si les Vaucoupins doivent attendre un à trois ans, les deux autres crus sont à goûter dès maintenant.

◆┐ Jean-Marc Brocard, 3, rte de Chablis, 89800 Préhy, tél. 03.86.41.49.00, fax 03.86.41.49.09, e-mail brocard@brocard.fr ☑ ☖ t.l.j. sf dim. lun. 9h30-12h30 15h-19h; groupes sur r.-v.

DOM. VINCENT SAUVESTRE
Beauroy 1998★

☐	4 ha	25 000	▮☖ 70 à 99 F

Un Murisaltien à Chablis ! On a de la civilité. Et puis, la Saint-Vincent tournante 2001 se déroulera à Meursault. Quant à ce Beauroy, il s'enveloppe de beaucoup de matière. Très expressif à tous égards, il répond à la définition de l'appellation et se situe sur la bonne voie d'évolution. Jolie finale en amande.

◆┐ Dom. Vincent Sauvestre, rte de Monthélie, B.P. 3, 21190 Meursault, tél. 03.80.21.22.45, fax 03.80.21.28.05 ☖ r.-v.

DANIEL SEGUINOT Fourchaume 1998★★

☐	3,8 ha	4 000	▮☖ 50 à 69 F

Il peut rivaliser à armes égales avec le grand cru. Jeunesse et fraîcheur vont à l'abordage d'une bouche qu'éveille une petite pointe de vivacité et qui se poursuit comme un voyage au long cours sous de charmants arômes. Equilibré, d'une élégance parfaite, c'est un vin de garde capable de monter plus haut encore.

◆┐ SCEA Daniel Seguinot, rte de Tonnerre, 89800 Maligny, tél. 03.86.47.51.40, fax 03.86.47.43.37 ☖ r.-v.

DOM. SERVIN Les Forêts 1998

☐	0,37 ha	2 400	▮☖ 50 à 69 F

Combien y a-t-il de 1ers crus à Chablis ? Une question qu'on pourrait poser à... *Questions pour un champion* ! Soixante-dix-neuf. Regroupés il est vrai derrière onze porte-drapeaux. Celui-ci s'inscrit dans le Vau-Ligneau, mais grâce à René Dauvissat surtout, il a conquis sa propre personnalité. A reflets d'or, un vin aux senteurs d'épine dans la bouche, sans décalage entre le gras et l'acidité, tout en longueur.

◆┐ SCE Dom. Servin, 20, av. d'Oberwesel, 89800 Chablis, tél. 03.86.18.90.00, fax 03.86.18.90.01, e-mail servin@domaine-servin.fr ☑ ☖ r.-v.

SIMONNET-FEBVRE Vaillons 1998★

☐	1,75 ha	13 000	▮☖ 70 à 99 F

« J'aime ce vin très chablis », écrit un dégustateur. On pourrait s'arrêter là, car il a tout dit : la nuance verte dans l'or de la robe, les fleurs blanches, les agrumes et la minéralité des arômes, la vivacité et la longueur de la bouche. L'avenir ? Au moins deux ans.

◆┐ Simonnet-Febvre, 9, av. d'Oberwesel, 89800 Chablis, tél. 03.86.98.99.00, fax 03.86.98.99.01 ☑ ☖ r.-v.

DOM. DE VAUROUX Forêt 1998★★

☐	n.c.	n.c.	▮☖ 70 à 99 F

Beau vin de vigneron, or discrètement teinté d'émeraude, le nez très 98 avec un petit décor exotique. Tous nos jurés le jugent « vin de plaisir » tant il enchante la bouche. Un 1er cru excellemment vinifié.

◆┐ SCEA Dom. de Vauroux, rte d'Avallon, B.P. 56, 89800 Chablis, tél. 03.86.42.10.37, fax 03.86.42.49.13 ☑

◆┐ Olivier Tricon

Chablis grand cru

DOM. VERRET Beauroy 1998★

| | 6,24 ha | 20 000 | ∎⌁ | 50 à 69 F |

Beauroy portant bien son nom, d'un or héraldique, au nez de pain grillé, de fleur d'acacia et de miel, expressif dès qu'il franchit les portes du palais. Il offre une bouche bien ronde, sans excès, tendre et veloutée, gourmande en un mot.
➤ Dom. Verret, 7, rte de Champs, B.P. 4, 89530 Saint-Bris-le-Vineux, tél. 03.86.53.31.81, fax 03.86.53.89.61,
e-mail bruno.verret@wanadoo.fr ☑ ⴲ r.-v.

DOM. VOCORET ET FILS
La Forêt 1998★

| | n.c. | n.c. | ∎⏻⌁ | 50 à 69 F |

Créé au tout début du XXᵉs., ce domaine a présenté un joli 98, très bien fait, charmant par ses notes d'aubépine et de boisé ; la bouche est encore sur la réserve, mais l'acidité présente se révèle de bon augure. Le jury promet beaucoup de subtilité dans trois à quatre ans.
➤ Dom. Vocoret et Fils, 40, rte d'Auxerre, 89800 Chablis, tél. 03.86.42.12.53, fax 03.86.42.10.39 ☑ ⴲ r.-v.

Chablis grand cru

Issu des coteaux les mieux exposés de la rive droite, divisés en sept lieux-dits (Blanchot, Bougros, les Clos, Grenouille, Preuses, Valmur, Vaudésir), le chablis grand cru possède à un degré plus élevé toutes les qualités des précédents, la vigne se nourrissant d'un sol enrichi par des colluvions argilo-pierreuses. Quand la vinification est réussie, un chablis grand cru est un vin complet, à grande persistance aromatique, auquel le terroir confère un tranchant qui le distingue de ses rivaux du sud. Sa capacité de vieillissement stupéfie, car il exige huit à quinze ans pour s'apaiser, s'harmoniser et acquérir un inoubliable bouquet de pierre à fusil, voire, pour les clos, de poudre à canon !

JEAN-CLAUDE BESSIN Valmur 1998

| | 1,8 ha | n.c. | ∎⌁ | 100 à 149 F |

Un grand cru doré comme du bon pain, beurré et crémeux, riche et très consistant au palais. Cependant, il faudra l'oublier deux à trois ans en cave.
➤ Jean-Claude Bessin, 3, rue de la Planchotte, 89800 Chablis, tél. 03.86.42.46.77, fax 03.86.42.85.30 ☑ ⴲ r.-v.

DOM. BILLAUD-SIMON
Vaudésir 1998★★

| | 0,7 ha | 4 000 | ∎⌁ | 150 à 199 F |

Nous avons goûté la cave. **Blanchots vieilles vignes**, cité, et **Preuses 98**, une étoile, ont leur place ici. Vaudésir, un cran au-dessus, répond au vôtre. Si minéral qu'il en serait presque crayeux, il donne l'illusion de croquer dans le fruit un instant après. Très mûr, évoluant entre la pêche et l'abricot, c'est un très grand-tout bon. A laisser évidemment vieillir.
➤ Dom. Billaud-Simon, 1, quai de Reugny, B.P. 46, 89800 Chablis, tél. 03.86.42.10.33, fax 03.86.42.48.77 ☑ ⴲ t.l.j. sf sam. dim. 9h-18h; f. 15 août-1ᵉʳ sept.

BLASONS DE BOURGOGNE
Les Preuses 1998★★

| | 3,4 ha | 22 000 | ∎⏻⌁ | 150 à 199 F |

Accueilli dans le club des grands en 1938, ce *climat* prolonge Bougros vers le haut de la côte. On le dit d'approche facile : le plus spontané de la famille. Celui-ci est vert pâle et d'une couleur peu évoluée ; son parfum de rose signale cependant la recherche de la distinction. Et comme le bois est peu présent car il n'est élevé que partiellement en fût, voici vraiment un vin de cru. Etiquette appartenant au groupe coopératif de La Chablisienne.
➤ Blasons de Bourgogne, rue du Serein, 89800 Chablis, tél. 03.86.42.88.34, fax 03.86.42.83.75

JEAN-MARC BROCARD Bougros 1998

| | n.c. | n.c. | ∎⌁ | 100 à 149 F |

Il est le Guy Roux du vignoble chablisien. Arrivé de Côte-d'Or avec son seul courage en poche et devenu bâtisseur, créateur. Son Bougros a la robe sereine et le nez d'un calme olympien. Très vif pour un grand cru, mais c'est un 98, et il faut faire avec le millésime.
➤ Jean-Marc Brocard, 3, rte de Chablis, 89800 Préhy, tél. 03.86.41.49.00, fax 03.86.41.49.09, e-mail brocard@brocard.fr
☑ ⴲ t.l.j. sf dim. lun. 9h30-12h30 15h-19h; groupes sur r.-v.

DOM. CHRISTOPHE CAMU
Les Clos 1998

| | 0,04 ha | 300 | ⏻⌁ | 100 à 149 F |

Première récolte de cette petite parcelle acquise par Christophe Camu. Elle donne un 98 au teint cuivré. Son bouquet de pomme verte est assez expressif. De la matière bien travaillée,

dans le respect du terroir, riche en alcool, suave et presque moelleuse, donnant l'impression d'une certaine évolution. Il y manque toutefois la vigueur chablisienne.
☞ Christophe Camu, av. de la Liberté, 89800 Maligny, tél. 03.86.42.12.50, fax 03.86.42.14.40 ☑ ⊥ t.l.j. 9h30-19h

DOM. JEAN COLLET ET FILS
Valmur 1998★★

| ☐ | 0,51 ha | 3 400 | ◖◗ | 100 à 149 F |

Grand architrave des Piliers chablisiens, Jean Collet reste une personnalité marquante de ce vignoble. Une force de la nature. Trois parcelles en Valmur sur un demi-hectare donnent ce 98 soleil d'or, joliment boisé, un rien exotique, mais dans l'intensité d'une noblesse profonde. « Excellent travail de pro », constate un juré pour un produit déjà flatteur et qui durera en cave.
☞ SCEA du Dom. Jean Collet et Fils, 15, av. de la Liberté, 89800 Chablis, tél. 03.86.42.11.93, fax 03.86.42.47.43, e-mail collet.chablis@wanadoo.fr ☑ ⊥ t.l.j. sf dim. 9h-12h 13h30-18h

JEAN DAUVISSAT Les Preuses 1997

| ☐ | 0,28 ha | n.c. | ▮◖◗⚲ | 150 à 199 F |

Un 97 ne joue pas à armes égales avec les 98, du moins à la même époque d'appréciation. Mais celui-ci n'est pas mal. Ses arômes de fruits cuits sont très prononcés. Pas trop de rondeur. Un côté agréable cependant et des Preuses en sympathie avec leur millésime. Rappelez-vous, ce fut notre coup de cœur 1995 pour son 92.
☞ Caves Jean Dauvissat, 3, rue de Chichée, 89800 Chablis, tél. 03.86.42.14.62, fax 03.86.42.45.54 ☑ ⊥ r.-v.

RENE ET VINCENT DAUVISSAT
Les Preuses 1998★★

| ☐ | n.c. | 5 000 | ◖◗ | 100 à 149 F |

« Les Preuses, climat qui prolonge Bougros vers le haut de la côte par un long coteau en pente douce », donnent ici un vin dont l'élevage en fût a été parfaitement maîtrisé. Il a de l'or plein les yeux, un bon caractère, un bel équilibre, de discrètes notes boisées et une petite acidité en finale qui apporte de la fraîcheur et de la longueur. « On l'attendait, il est là », conclut un dégustateur ravi.
☞ GAEC René et Vincent Dauvissat, 8, rue Emile-Zola, 89800 Chablis, tél. 03.86.42.11.58, fax 03.86.42.85.32

JEAN-PAUL DROIN Vaudésir 1998★★

| ☐ | 1,03 ha | 7 000 | ▮◖◗ | 100 à 149 F |

On monte au septième ciel. Un **Grenouille 98** très réussi (une étoile), tout comme **Les Clos 98**. Deux étoiles pour **Valmur 98** dont le rapport entre le gras et l'acidité est remarquable. Jean-Paul Droin qui n'en est plus à son premier coup de cœur, réitère l'exploit avec ce Vaudésir vanillé et gourmand, au nez de silex et de fruits frais (pamplemousse et citron). Riche et puissant en même temps que subtil, le palais allie les parfums boisés à des notes de fruits secs dans un bouquet très élégant. Longue vie promise.

☞ Jean-Paul Droin, 14 bis, rue Jean-Jaurès, 89800 Chablis, tél. 03.86.42.16.78, fax 03.86.42.42.09 ☑ ⊥ r.-v.

JOSEPH DROUHIN Les Clos 1998★★

| ☐ | n.c. | n.c. | ◖◗ | 200 à 249 F |

Le vignoble de la maison Drouhin regroupe quelque 65 ha dans la seule Bourgogne. Mais possède également un vignoble américain. Robert Drouhin, petit-fils du fondateur - en 1880 -, est un homme très respecté. Voici Les Clos, un vin à l'œil jaune soutenu, au nez élevé (iris, écorce d'orange sous boisé discret mais bien présent). Riche, sans artifice, il est ample, équilibré et long. Il peut encore déployer ses ailes dans les trois à quatre prochaines années et restera un vin de bon goût.
☞ Joseph Drouhin, 7, rue d'Enfer, 21200 Beaune, tél. 03.80.24.68.88, fax 03.80.22.43.14, e-mail drouhin@calva.net ⊥ r.-v.

DOM. WILLIAM FEVRE
Les Preuses 1998★★★

| ☐ | 2,09 ha | 9 240 | ◖◗ | 200 à 249 F |

Repris comme Bouchard Père et Fils par le Champenois Henriot, le domaine William Fèvre reste parmi les grands, témoins des **Clos 98**, une étoile (250 à 299 F), intéressants mais qui devront se fondre pour atténuer le boisé, et deux vins superbes sous les coups de cœur : un **Valmur 98**, à égalité de qualité avec ces Preuses or verdâtre, au boisé bien assemblé au vin, d'un tendre adorable, et qui seront somptueuses d'ici quelques années. On se souvient des coups de cœur obtenus par le domaine (pour des 86 et 89).
☞ Sté du Vignoble William Fèvre, 21, av. d'Oberwesel, 89800 Chablis, tél. 03.86.98.98.98, fax 03.86.98.98.99 ☑ ⊥ r.-v.

ALAIN GEOFFROY Les Clos 1998★

| | n.c. | n.c. | 150 à 199 F |

Avoir été élu maire de Beines signale son amour de son pays. Il passe pour un moderne parmi *les Anciens et les Modernes*, nous donnant des vins spontanés, aisés à boire. Ce 98 jaune clair, au nez très vert (fougère), met du temps à s'exprimer mais la nature envahit le palais. Boisé très discret, forte acidité. Bouteille à conserver deux à trois ans.

☛ Dom. Alain Geoffroy, 4, rue de l'Equerre, 89800 Beines, tél. 03.86.42.43.76, fax 03.86.42.13.30 ☑ ⵗ r.-v.

CH. GRENOUILLE Grenouille 1998★

| | 2 ha | 12 000 | ⦀ 150 à 199 F |

Château Grenouille : c'est beaucoup dire car la maison est discrète, ancienne propriété de la famille Testut (les balances). Ses 2 ha, souvent fascinants, sont de nos jours entre les mains d'un groupement, dont le chef de file est *La Chablisienne*. Ce 98 aux pâles couleurs, au bouquet tirant sur le grillé, promet davantage. Le fût demeure présent au palais mais il aura dans deux ou trois ans la courtoisie de s'effacer, car le vin n'est pas absent, et l'équilibre est efficace.

☛ La Chablisienne, 8, bd Pasteur, B.P. 14, 89800 Chablis, tél. 03.86.42.89.89, fax 03.86.42.89.90, e-mail chab@chablisienne.com ☑ ⵗ r.-v.

DOM. MICHEL GUITTON Les Clos 1997

| | 0,16 ha | 1 200 | ⫿⦀ 100 à 149 F |

La superficie la plus importante parmi tous les *climats* du grand cru : Les Clos est aussi le plus fédérateur d'entre eux. Un jaune or très limpide, un nez de sous-bois ; l'acidité vient bien à propos étayer la concentration du fruit. Le boisé discret accompagne un vin fin, bien élevé.

☛ Dom. Guitton-Michel, 2, rue de Poinchy, 89800 Chablis, tél. 03.86.42.43.14, fax 03.86.42.17.64 ☑ ⵗ r.-v.

LA CAVE DU CONNAISSEUR
Les Clos 1998★

| | 0,18 ha | 1000 | ⫿⦀⳾ 100 à 149 F |

Petite affaire récente (1989) pour vente aux particuliers. Elle présente un 98 d'un jaune puissant à reflets cuivrés, balançant entre l'aubépine et la mandarine, situé très nettement sur l'agrume exotique en première bouche. Le léger boisé et la petite pointe de nervosité sont en harmonie. Porté sur le fruit, ce vin a du potentiel.

☛ La Cave du Connaisseur, rue des Moulins, B.P. 78, 89800 Chablis, tél. 03.86.42.87.15, fax 03.86.42.49.84, e-mail connaisseur@chablis.net ☑ ⵗ t.l.j. 10h-18h30

DOM. LAROCHE Les Blanchots 1998★★

| | 4,5 ha | 30 000 | ⦀ 200 à 249 F |

Ces Blanchots ont fait avec raison la réputation de l'Obédiencerie. Ils sont au demeurant d'une rectitude parfaite, d'une qualité exemplaire. L'or brille dans le verre. On y sent la pierre, le silex : d'une minéralité accomplie. La bouche est gourmande, jouant avec les fruits frais et les fruits confits dans une fraîcheur remarquable. Le cru est respecté à la perfection. Le laisser

en paix quatre à cinq ans, sinon ce serait manque de goût. L'un de nos premiers coups de cœur pour un 83 mémorable.

☛ Dom. Laroche, 22, rue Louis-Bro, 89800 Chablis, tél. 03.86.42.89.00, fax 03.86.42.89.29, e-mail info@domainelaroche.fr ☑ ⵗ r.-v.

DOM. LONG-DEPAQUIT
Moutonne Monopole 1997★

| | 2,35 ha | 15 000 | ⫿⳾ 150 à 199 F |

Albert Bichot a su faire son pré carré à Chablis en reprenant le domaine Long-Depaquit. Ce grand cru monopole, La Moutonne, est minéral et floral, comme il se doit. Cependant, l'expression est encore discrète au nez, alors qu'en bouche elle monte en puissance, accompagnée d'une belle fraîcheur. Très joli vin.

☛ Dom. de La Moutonne, 45, rue Auxerroise, 89800 Chablis, tél. 03.86.42.11.13, fax 03.86.42.81.89 ☑ ⵗ t.l.j. sf dim. 9h-12h30 13h30-18h
☛ Albert Bichot

DOM. DES MALANDES Les Clos 1996

| | 0,53 ha | 3 700 | ⫿⳾ 100 à 149 F |

Entre les deux, le cœur balance. **Vaudésir 97** ? Un vin à son apogée et qui doit être bu maintenant. Ou celui-ci ? Un 96, merci de garder quelques souvenirs de cette bouteille citron vert d'une longueur impressionnante. Elle conserve sa fraîcheur et pourrait étonner sur le tard car elle n'a pas dit son dernier mot. Un coup de cœur en 1996 pour le millésime 92.

☛ Dom. des Malandes, 63, rue Auxerroise, 89800 Chablis, tél. 03.86.42.41.37, fax 03.86.42.41.97, e-mail domaine.malandes.chablis@wanadoo.fr ☑ ⵗ r.-v.

LOUIS MICHEL ET FILS
Grenouilles 1998

| | 0,5 ha | 1000 | ⫿⳾ 100 à 149 F |

Après le « Château », les Michel sont les producteurs les plus significatifs en Grenouilles avec un demi-hectare. Petite pointe d'amertume dans ce 98, mais un nez très présent (fruit mûr, voire confit), un jaune doré caressant et du caractère. Signalons, en outre, **Les Clos 98** si expressifs ! Le vin accapare le regard, emplit le nez et occupe toute la bouche. Rare et étonnant pour son millésime tant il est entreprenant.

☛ Louis Michel et Fils, 9, bd de Ferrières, 89800 Chablis, tél. 03.86.42.88.55, fax 03.86.42.88.56 ☑ ⵗ r.-v.

BOURGOGNE

J. MOREAU ET FILS Valmur 1998★

| ☐ | 1,98 ha | 12 094 | 🖥 ♨ 100 à 149 F |

Un Valmur à la robe d'une délicatesse insigne. Son bouquet beurré, franc mais un tout petit peu lourd, annonce une bouche arrivée à maturité mais possédant beaucoup de caractère et une réelle typicité.

☛ J. Moreau et Fils, rte d'Auxerre, La Croix Saint-Joseph, 89800 Chablis, tél. 03.86.42.88.00, fax 03.86.42.88.08

DENIS RACE Blanchot 1998★

| ☐ | 0,3 ha | 1 900 | 🖥 ♨ 100 à 149 F |

Le fruit frais et le silex dominent l'impression première, suivie d'une petite attaque puis d'une intensité solide, puissante. Blanchot sans peur ni reproche, qui reçut un coup de cœur en 1996 (millésime 93).

☛ Denis Race, 5 A, rue de Chichée, 89800 Chablis, tél. 03.86.42.45.87, fax 03.86.42.81.23, e-mail laurence.denis.race@wanadoo.fr ☑ ⵏ r.-v.

REGNARD Grenouilles 1998★

| ☐ | 0,35 ha | 3 000 | 🖥 ♨ 200 à 249 F |

Un Grenouilles qui a besoin de l'appui de l'oreiller pour sommeiller encore deux à trois ans en cave ! Bien doré, bien gras en même temps que d'une belle fraîcheur mais très fermé, il promet beaucoup. Il est à son niveau d'appellation. **Valmur 98** reçoit aussi une étoile mais il est à déguster plus précocement. Quant au **Clos 98**, bien vinifié, il attend qu'on lui ouvre la porte dans deux ou trois ans. Il obtient une citation. Cette vieille maison chablisienne a été acquise par Patrick de Ladoucette, bien connu en Val de Loire.

☛ Régnard, 28, bd Tacussel, 89800 Chablis, tél. 03.86.42.10.45, fax 03.86.42.48.67 ☑ ⵏ r.-v.

DOM. SERVIN Les Preuses 1998

| ☐ | 0,69 ha | 4 500 | 🎚 100 à 149 F |

Trois aspects du grand cru dégustés et tous sélectionnés. **Les Clos 98** et **Blanchot 98**, à laisser vieillir un peu bien sûr. Quant à ces Preuses, vineuses et citronnées, elles ont un peu de tout. La rondeur arrive tout juste au rendez-vous mais cela passe la barre.

☛ SCE Dom. Servin, 20, av. d'Oberwesel, 89800 Chablis, tél. 03.86.18.90.00, fax 03.86.18.90.01, e-mail servin@domaine-servin.fr ☑ ⵏ r.-v.

Irancy

Ce petit vignoble situé à une quinzaine de kilomètres au sud d'Auxerre a vu sa notoriété confirmée, devenant AOC communale.

Les vins d'Irancy ont acquis une réputation en rouge, grâce au césar ou romain, cépage local datant peut-être du temps des Gaules. Ce dernier, assez capricieux, est capable du pire et du meilleur ; lorsqu'il a une production faible à normale, il imprime un caractère particulier au vin et, surtout, lui apporte un tanin permettant une très longue conservation. Au contraire, lorsqu'il produit trop, le césar donne difficilement des vins de qualité ; c'est la raison pour laquelle il n'a pas fait l'objet d'une obligation dans les cuvées.

Le cépage pinot noir, qui est le principal cépage de l'appellation, donne sur les coteaux d'Irancy un vin de qualité, très fruité, coloré. Les caractéristiques du terroir sont surtout liées à la situation topographique du vignoble, qui occupe essentiellement les pentes formant une cuvette au creux de laquelle se trouve le village. Le terroir débordait d'ailleurs sur les deux communes voisines de Vincelotte et de Cravant, où les vins de la Côte de Palotte étaient particulièrement réputés. La production a été de 6 419 hl en 1999.

BENOIT CANTIN Cuvée Emeline 1998★

| ■ | 2,2 ha | 8 000 | ⫿⫿⫿ 50 à 69 F |

Un 98 qui entre dans la peau du personnage, du cépage marié à ce terroir argilo-calcaire. Pourpre sombre, violacé, il suggère le sous-bois, la fraise des bois, et l'animal n'est pas loin. Au palais, il allie la souplesse et la longueur, se montrant aimable tout en affirmant son caractère (pinot noir).

☛ Benoit Cantin, 35, chem. des Fossés, 89290 Irancy, tél. 03.86.42.21.96, fax 03.86.42.24.96 ☑ ⵏ r.-v.

ANITA ET JEAN-PIERRE COLINOT 1998★

| ■ | 7 ha | n.c. | 🖥 50 à 69 F |

Ce dynamique domaine est bien connu des lecteurs du Guide. Fiers de leur nouvelle AOC les Colinot ont proposé un irancy **Les Mazelots 98**, une étoile, 100 % pinot noir, au nez volcanique (pierre à fusil) et qui donnera libre cours à toutes ses qualités dans douze à quatorze mois et ce vin dans lequel entrent 5 % de césar, cépage rare et superbe de cette région où le pinot sait aussi donner le meilleur de lui-même. C'est un irancy vêtu de pourpre. Son nez fauve et fruité est intense. La bouche a de la tenue, de la personnalité, et une bonne longueur. Ce vin conviendra à un lièvre ou à un lapin, selon les disponibilités du marché.

☛ Anita et Jean-Pierre Colinot, 1, rue des Chariats, 89290 Irancy, tél. 03.86.42.33.25, fax 03.86.42.33.25 ☑ ⵏ r.-v.

ROGER DELALOGE 1998

■   4 ha   25 000   ▮ ◖▯   30 à 49 F

Le voici, ce nouveau millésime et cet irancy tout court ! Une larme de césar (0,5 %). En réalité, un pinot à la nuance rouge très marquée, au bouquet fruité, rond et tendre, sans excès d'acidité. Coup de cœur pour les millésimes 96, 93 et 85.
☛ Roger Delaloge, 1, ruelle du Milieu, 89290 Irancy, tél. 03.86.42.20.94, fax 03.86.42.33.40 ☑ Ⴤ r.-v.

FRANCK GIVAUDIN 1998★

■   2 ha   15 000   ▮ ◖▯   50 à 69 F

Comme on est fier (et cela se comprend) de porter enfin « irancy » sur l'étiquette et non plus « bourgogne irancy »... Ce vin, d'honnête facture, assemble 5 % de césar au pinot. Sombre à l'œil, assez épicé, à dominante cassis dès la prise de bouche, il a suffisamment de structure pour bien vieillir.
☛ Franck Givaudin, sentier de la Bergère, 89290 Irancy, tél. 03.86.42.20.67, fax 03.86.42.54.33 ☑ Ⴤ r.-v.

THIERRY RICHOUX 1998

■   11 ha   45 000   ▮◖▯   30 à 49 F

Cette très ancienne exploitation familiale est fière de présenter son premier irancy, AOC communale. Des vendanges manuelles, triées, égrappées, un an de fût ont donné ce joli vin à la robe profonde. Les fruits rouges habitent le bouquet et la bouche ronde et agréable.
☛ Thierry Richoux, 73, rue Soufflot, 89290 Irancy, tél. 03.86.42.21.60, fax 03.86.42.34.35 ☑ Ⴤ t.l.j. 8h-19h

DOM. SAINT-GERMAIN 1998

■   7 ha   31 000   ◖▯   30 à 49 F

Christophe Ferrari est devenu vigneron en 1987. Son irancy se présente sous deux formes : celle-ci et le lieu-dit **Paradis 98**, de qualité analogue, d'une bonne mâche fruitée, habillée de rouge cerise griotte. Bien typée de l'AOC.
☛ Christophe Ferrari, 7, chem. des Fossés, 89290 Irancy, tél. 03.86.42.33.43, fax 03.86.42.39.30 ☑ Ⴤ r.-v.

HUBERT ET JEAN-PAUL TABIT
Haut Champreux 1998★★

■   2 ha   5 000   ▮◖▯♦   30 à 49 F

Moteur ! C'est en effet Pierre Tchernia, *Monsieur Cinéma*, qui a baptisé en mai dernier la nouvelle AOC, en qualité d'ancien élève du lycée d'Auxerre. Ce 98 aurait pu être palme d'or à Cannes ! Meilleur costume. Meilleur bouquet. Et

quelle mise en scène intense, moelleuse, dramatique... Rien à redire, toutes les qualités sont là.
☛ Hubert et Jean-Paul Tabit, 2, rue Dorée, 89530 Saint-Bris-le-Vineux, tél. 03.86.53.33.83, fax 03.86.53.67.97 ☑ Ⴤ t.l.j. 8h-12h 14h-20h; dim. sur r.-v.

DOM. VERRET Elevé en fût de chêne 1998

■   12 ha   15 000   ◖▯   50 à 69 F

Ce domaine de Saint-Bris n'a pas craint de s'étendre, notamment en Chablisien. Son irancy rouge clair est un peu à la recherche de son nez. En revanche, il plaît en bouche où il se montre fruité, équilibré, malgré une pointe d'alcool - mais le vin sans alcool est un leurre.
☛ Dom. Verret, 7, rte de Champs, B.P. 4, 89530 Saint-Bris-le-Vineux, tél. 03.86.53.31.81, fax 03.86.53.89.61, e-mail bruno.verret@wanadoo.fr ☑ Ⴤ r.-v.

Sauvignon de saint-bris AOVDQS

Autrefois déclaré en appellation simple, ce vin de qualité supérieure, issu, comme l'appellation l'indique, du cépage sauvignon, est produit sur les communes de Saint-Bris-le-Vineux, Chitry, Irancy et une partie des communes de Quenne, Saint-Cyr-les-Colons et Cravant. Sa production est la plupart du temps limitée aux zones de plateaux calcaires où il atteint toute sa puissance aromatique. Contrairement aux vins du même cépage de la vallée de la Loire ou du Sancerrois, le sauvignon de saint-bris fait généralement sa fermentation malolactique, ce qui ne l'empêche pas d'être très parfumé et lui confère une certaine souplesse. Celle-ci s'extériorise le mieux lorsque la richesse alcoolique avoisine 12 °. Saint-Bris devrait très prochainement accéder à l'AOC.

GHISLAINE ET JEAN-HUGUES GOISOT Corps de garde gourmand 1998★

□   1,5 ha   10 000   ▮♦   50 à 69 F

Corps de garde gourmand... Pourquoi pas ? Or intense, le bouquet fixé avec modestie sur la fleur, un vin qui tourne autour du fameux bonbon anglais, tendre et persistant. Il tient bon le palais, et c'est ce qu'on en attend.
☛ Ghislaine et Jean-Hugues Goisot, 30, rue Bienvenu-Martin, 89530 Saint-Bris-le-Vineux, tél. 03.86.53.35.15, fax 03.86.53.62.03 ☑ Ⴤ r.-v.

DOM. GERARD PERSENOT 1999

| ☐ | 2,5 ha | 15 000 | ∎▬ 20 à 29 F |

Il brille du plus bel or. Fruité à connivence de sous-bois, typé, il attaque avec vivacité et chaleur, puis la bouche remonte pas à pas au niveau du nez. Une année de bouteille lui fera le plus grand bien.

☛ Gérard Persenot, 20, rue de Gouaix, 89530 Saint-Bris-le-Vineux, tél. 03.86.53.61.46, fax 03.86.53.61.52 ☑ ⵏ r.-v.

DOM. DES REMPARTS 1999★★

| ☐ | 4 ha | 10 000 | ∎⚲ 30 à 49 F |

Paille peu intense à reflets grisés, il sauvignonne comme à plaisir. Le fruit à chair blanche, l'exotisme habitent les confins du nez. La bouche est typée. Une bouteille prête mais qui, vraisemblablement, pourra attendre un peu.

☛ Dom. des Remparts, 6, rte de Champs, 89530 Saint-Bris-le-Vineux, tél. 03.86.53.33.59, fax 03.86.53.62.12 ☑ ⵏ r.-v.
☛ Sorin

PHILIPPE SORIN 1998

| ☐ | 4,5 ha | 40 000 | ∎⚲ 30 à 49 F |

Vieil or à reflets argentés, ce sauvignon est fermé au nez. L'attaque est souple et subtile et, en même temps, d'une acidité prononcée, ce qui plaira aux coquillages.

☛ Marylène et Philippe Sorin, 12, rue de Paris, 89530 Saint-Bris-le-Vineux, tél. 03.86.53.60.76, fax 03.86.53.62.60, e-mail philippe.sorin@libertysurf.fr ☑ ⵏ r.-v.

DOM. VERRET 1999★

| ☐ | 5,33 ha | 40 000 | ∎⚲ 30 à 49 F |

Le sauvignon de saint-bris est une appellation en mouvance. Elle est ici jaune pâle à reflets argent, le nez tout en verdure et puissant, l'attaque vive. L'équilibre n'est cependant pas perturbé, et cela devrait bien s'accorder avec des huîtres chaudes au beurre blanc.

☛ Dom. Verret, 7, rte de Champs, B.P. 4, 89530 Saint-Bris-le-Vineux, tél. 03.86.53.31.81, fax 03.86.53.89.61, e-mail bruno.verret@wanadoo.fr ☑ ⵏ r.-v.

La Côte de Nuits

Marsannay

Les géographes discutent encore sur les limites nord de la Côte de Nuits car, au siècle dernier, un vignoble florissant faisait, des communes situées de part et d'autre de Dijon, la Côte dijonnaise. Aujourd'hui, à l'exception de quelques vignes vestiges comme les Marcs d'Or et les Montreculs, l'urbanisation a cantonné le vignoble au sud de Dijon, et même Chenôve a du mal à conserver en vigne son joli coteau.

Marsannay, puis Couchey ont, encore il y a une cinquantaine d'années, approvisionné la ville de grands ordinaires et manqué en 1935 le coche des AOC communales. Petit à petit, les viticulteurs ont replanté ces terroirs en pinot et la tradition du rosé s'est développée sous l'appellation locale « bourgogne rosé de Marsannay ». Puis, on a retrouvé les vins rouges et les vins blancs d'avant le phylloxéra et, après plus de vingt-cinq ans d'efforts et d'enquêtes, l'AOC marsannay a été reconnue en 1987 pour les trois couleurs. Une particularité cependant, encore une en Bourgogne : le « marsannay rosé », dont les deux mots sont indissociables, peut être produit sur une aire plus extensive, dans le piémont sur les graves, que le marsannay (vins rouges et vins blancs) délimité uniquement dans le coteau des trois communes de Chenôve, Marsannay-la-Côte et Couchey.

Les vins rouges sont charnus, un peu sévères dans leur jeunesse et il faut les attendre quelques années. Pas courants dans la Côte de Nuits, les vins blancs sont ici particulièrement recherchés pour leur finesse et leur solidité. Il est vrai que le chardonnay, mais aussi le pinot blanc, trouvent dans des niveaux marneux propices leur terroir d'élection.

Le vignoble a produit 7 908 hl en rouge et rosé et 1 667 hl en blanc en 1999. Les coteaux sont en cours de reconquête.

DOM. BART 1998★

| ◹ | 2 ha | 12 000 | ∎⚲ 30 à 49 F |

Marsannay, on le sait, est le vin tricolore. Il possède en effet le rosé parmi ses couleurs communales, et c'est un privilège unique dans cette région. Figure de Marsannay au XXᵉs., cadet de Bourgogne et remarquable conteur d'histoires, Jean Bart aurait aimé ce rosé saumon aux accents d'aubépine et de fruits cueillis sur l'arbuste. Coulant, aérien... Notez en outre **Les Champs-Salomon 97 en rouge** (une étoile, 50 à 69 F) : un marsannay frais et fruité, comme on les aime.

☛ GAEC Bart, 23, rue Moreau, 21160 Marsannay-la-Côte, tél. 03.80.51.49.76, fax 03.80.51.23.43 ☑ ⵏ r.-v.

DOM. REGIS BOUVIER
Les Longeroies Vieilles vignes 1998★

■	1,65 ha	10 000	ⅢⅠ	50 à 69 F

Cité par le jury, signalons un **rosé 98** (30 à 49 F) aux ardeurs aimables (du caractère sur une tonalité légère) et marquons un temps d'arrêt face à ces Longeroies rubis sombre, aux parfums de cuir, de fruits cuits et dont la structure s'accompagne de tanins caressants, de fruits rouges confits. D'une bonne typicité.
☛ Dom. Régis Bouvier, 52, rue de Mazy, 21160 Marsannay-la-Côte, tél. 03.80.51.33.93, fax 03.80.58.75.07 ☑ Ⅰ r.-v.

RENE BOUVIER Clos du Roy 1998★

■	1,84 ha	5 000	ⅢⅠ	70 à 99 F

Comme les trois mousquetaires, ils sont quatre. Les quatre vins présentés par René, père de Régis Bouvier. Aucun d'entre eux ne reste sur le pré. Mentionnons les **98 Le Clos (monopole) blanc, Champ-Salomon et Longeroies rouges**, tous cités par le jury. Et puis ce Clos du Roy ambitieux et musclé. Intense en couleur et en arômes (fruité vanillé), il révèle des tanins très extraits qui reposent sur une belle matière : cette bouteille possède un bon fond.
☛ René Bouvier, 2, rue Neuve, 21160 Marsannay-la-Côte, tél. 03.80.52.21.37, fax 03.80.59.95.96 ☑ Ⅰ r.-v.

MARC BROCOT Les Echézeaux 1998

■	0,75 ha	4 026	ⅢⅠ	50 à 69 F

Echézeaux est un nom que l'on rencontre souvent dans la Côte. Il en existe notamment en marsannay, offrant ici un 98 rubis frais, le nez orienté vers la fraise, tendre et souple au palais, demeurant sur le même fruit. Encore un peu sur son quant-à-soi et à regoûter dans quelques mois. N'en faites cependant pas un vin de garde. Le **village 97 rouge** est également cité par le jury.
☛ Marc Brocot, 34, rue du Carré, 21160 Marsannay-la-Côte, tél. 03.80.52.19.99, fax 03.80.59.84.39 ☑ Ⅰ t.l.j. 8h-20h

DOM. BRUNO CLAIR
Les Grasses Têtes 1997★

■	1 ha	4 000	ⅢⅠ	70 à 99 F

Bruno Clair pensait élever des moutons. Mais quand on est le fils de Bernard, on a la fibre viti-vinicole... Rubis à reflets violacés, son vin offre un œil profond. Bigarreau, cassis ensuite sur une gousse de vanille. Tendre et fruité, il joue de la flûte plutôt que de la trompette, respectant la partition.
☛ Bruno Clair, 5, rue du Vieux-Collège, 21160 Marsannay-la-Côte, tél. 03.80.52.28.95, fax 03.80.52.18.14 ☑ Ⅰ r.-v.

CLOS SAINT-LOUIS 1998

■	0,5 ha	2 000	ⅢⅠ	50 à 69 F

Limpide mais moyennement intense, il a le nez un peu pointu. Mais comme on sent percer à son extrémité la framboise, la groseille, on le lui pardonne. L'ensemble est léger et plaisant, bien travaillé.

☛ Dom. du Clos Saint-Louis, 4, rue des Rosiers, 21220 Fixin, tél. 03.80.52.45.51, fax 03.80.58.88.76 ☑ Ⅰ t.l.j. sf dim. 9h-12h 13h30-18h; f. 20 déc.-3 janv., 15-30 août

BERNARD COILLOT PERE ET FILS
Les Boivins 1998

■	0,77 ha	4 000	ⅢⅠ	50 à 69 F

L'un des terroirs situés juste au-dessus du village et qui porte bien son nom. Allez donc trouver mieux ! La robe est encore jeune, sur un ton bien sombre. Le nez entreprend de dialoguer avec le fruit, sans qu'on sache encore s'il sera noir ou rouge. En revanche, le palais décline des notes de fruits secs (figue). Ses tanins restent sévères, et il convient de laisser ce 98 poursuivre son élevage en cave.
☛ Bernard Coillot Père et Fils, 31, rue du Château, 21160 Marsannay-la-Côte, tél. 03.80.52.17.59, fax 03.80.52.12.75, e-mail domcoil@aol.com ☑ Ⅰ r.-v.

DOM. COLLOTTE Les Clos de Jeu 1998★

■	0,59 ha	30 000	ⅢⅠ	50 à 69 F

Coup de cœur dans le Guide 1991 (pour un 88 rouge). Une excellente invitation à découvrir ce *climat* peu connu, niché sur les hauteurs de Marsannay-la-Côte en allant vers Couchey. Ce vin est simple et ce n'est pas un défaut. Sincère, spontané, il ne roule pas les épaules mais se contente de donner une bonne image du terroir, de sa typicité. Les **Champsalomon 98** (cité également en **rouge**), écrits ainsi sur l'étiquette, retiennent eux aussi l'attention pour une consommation dans l'année.
☛ Dom. Collotte, 44, rue de Mazy, 21160 Marsannay-la-Côte, tél. 03.80.52.24.34, fax 03.80.58.74.40 ☑ Ⅰ r.-v.
☛ Philippe Collotte

DEREY FRERES 1998★★

☐	1,7 ha	6 000	❚Ⅲ❧	50 à 69 F

Métayer de la Ville de Dijon au Clos des Marcs d'Or, le domaine Derey présente ici un chardonnay tout en subtilité, à nuances minérales. Assez chat pour tout dire. De la finesse mais aussi du grain : il provient à coup sûr d'un bon terroir à vigne blanche. Comme il n'a pas beaucoup de gras, on le réservera pour l'apéritif, agrémenté de gougères.
☛ EARL Derey Frères, 1, rue Jules-Ferry, 21160 Couchey, tél. 03.80.51.19.41, fax 03.80.58.76.70 ☑ Ⅰ r.-v.

DOM. FOUGERAY DE BEAUCLAIR
Le Dessus des Longeroies 1997★

■	n.c.	n.c.	❚Ⅲ❧	70 à 99 F

Jean-Louis Fougeray a proposé deux rouges qui se valent : **Les Saint-Jacques 98** (à ne pas garder trop longtemps) et ce Dessus des Longeroies 97, d'un rouge profond, complexe dès l'approche du nez qui s'ouvre sur le clou de girofle ; on retrouve en bouche l'épice mariée au cassis. Tout est déjà fondu ; à boire ou à conserver quelques années.

📞 Dom. Fougeray de Beauclair,
44, rue de Mazy, B.P. 36, 21160 Marsannay-la-Côte, tél. 03.80.52.21.12, fax 03.80.58.73.83,
e-mail fougeraydebeauclair@wanadoo.fr
☑ ⊤ r.-v.
📞 Jean-Louis Fougeray

JEAN FOURNIER Clos du Roy 1998★

■	1,6 ha	10 000	⬛ 70 à 99 F

Clos du Roy, le *climat*-phare de l'AOC, à tout le moins sur le plan historique. Très tannique et demandant à s'assouplir, un 98 présenté par l'ancien président du Syndicat viticole qui a grandement contribué au réveil du marsannay. Beaucoup d'intensité, de couleur sur un bouquet assez complexe où entrent le grillé, le végétal, l'animal, le fruit cuit. Ample, long, vineux, il est prêt.
📞 Jean Fournier, 29-34, rue du Château, 21160 Marsannay-la-Côte, tél. 03.80.52.24.38, fax 03.80.52.77.40 ☑ ⊤ r.-v.

GOILLOT-BERNOLLIN
Clos du Roy 1998★

■	0,3 ha	2 500	⬛ 70 à 99 F

Ce *climat* situé sur les hauteurs de Chenôve a été heureusement épargné par le béton grimpant. Il fait partie des clos les plus anciens de la Bourgogne. D'un rouge grenat très sombre, le roi porte l'habit de cour. Cassis, pruneau, gibier, il porte encore sur lui les odeurs de la chasse. Austère, un peu fermé, il s'exprime de façon rigoureuse. La monarchie est ici absolue (extraction impressionnante, potentiel assez riche).
📞 SCE Goillot-Bernollin, 29, rte de Dijon, 21220 Gevrey-Chambertin, tél. 03.80.34.36.12, fax 03.80.34.16.00 ☑ ⊤ r.-v.

ALAIN GUYARD Les Etales 1997★

□	1 ha	5 000	⬛ 30 à 49 F

Pour entrer pleinement dans ce vin, très flatteur, il faut aimer le bel or clair, apprécier les notes mentholées associées à la douceur vanillée du fût, ne pas accorder trop d'importance à une acidité encore présente mais qui le soutiendra dans ses vieux jours. Vif et frais, de style empyreumatique, il produit de jolies caudalies.
📞 Alain Guyard, 10, rue du Puits-de-Tét, 21160 Marsannay-la-Côte, tél. 03.80.52.14.46, fax 03.80.52.67.36 ☑ ⊤ r.-v.

DOM. OLIVIER GUYOT
La Montagne Vieilles vignes 1998★★

■	0,7 ha	3 000	⬛ 70 à 99 F

Comme son nom l'indique, cette Montagne se situe en haut du coteau, au-dessus des Longeroies. On l'escalade sans peine et avec plaisir, tant son rubis violacé est lumineux. Le fruit rouge à bonne maturité emplit son nez d'arômes élégants. Structuré, équilibré, encore jeune en finale où ses tanins garantissent un réel potentiel de garde, ce 98 est riche et remarquablement réussi.
📞 EARL Olivier Guyot, 39, rue de Mazy, 21160 Marsannay-la-Côte, tél. 03.80.52.39.71, fax 03.80.51.17.58 ☑ ⊤ r.-v.

DOM. HUGUENOT PERE ET FILS
1998★

□	2,5 ha	14 000	⬛ 50 à 69 F

Ce viticulteur nous fait partager les joies de sa cave avec **en rouge la Montagne 97** (très beau vin de garde qui reçoit une étoile) et en blanc celui-ci. Il est à boire. D'un jaune affirmé, ce 98 conserve un nez ensoleillé et flatteur (pain d'épice), un palais souple et soyeux, plaisant en un mot. Le coup de cœur est déjà venu saluer ce vin pour les millésimes 91 et 97.
📞 Huguenot Père et Fils, 7, ruelle du Carron, 21160 Marsannay-la-Côte, tél. 03.80.52.11.56, fax 03.80.52.60.47,
e-mail domaine.huguenot@wanadoo.fr
☑ ⊤ r.-v.

CH. DE MARSANNAY 1998★★

◢	7 ha	30 000	■ ♦ 30 à 49 F

CHATEAU DE MARSANNAY
Mise du Château

MARSANNAY
APPELLATION MARSANNAY CONTRÔLÉE

S.C. DOMAINE DU CHATEAU DE MARSANNAY
PROPRIÉTAIRE A MARSANNAY CÔTE D'OR - FRANCE
FRANCE

Comment ne pas penser à Pierre Perret ? « Le petit Jésus qui vous descend dans le garguillot », note un dégustateur. Déjà coup de cœur pour le millésime 95, ce rosé renouvelle l'exploit. Sa teinte est légère avec des reflets de jeunesse. Ses arômes ont tout du pinot. Cette vinosité se double en bouche d'un excellent rapport gras/acidité. Un vin de caractère, à cent lieues des rosés passe-partout. La rénovation du château de Marsannay est l'une des dernières initiatives d'André Boisseaux. En **rouge**, fiez-vous aux **échézeaux 97**, une étoile (70 à 99 F).
📞 Ch. de Marsannay, rte des Grands-Crus, B.P. 78, 21160 Marsannay-la-Côte, tél. 03.80.51.71.11, fax 03.80.51.71.12 ☑ ⊤ t.l.j. 10h-12h 14h-18h30; f. 23 déc.-3 janv.

FRANCOIS MARTENOT 1998

■	n.c.	6 500	■ ⬛ 50 à 69 F

S'il donne quelques signes d'évolution (léger tuilé notamment), ce vin peut néanmoins figurer dans le Guide. Un peu court, mais souple et somme toute agréable. Comme Henri de Villamont, François Martenot est l'une des marques bourguignonnes du groupe helvétique Schenk, implanté ici depuis plusieurs décennies.
📞 H.D.V. Distribution, rue du Dr-Barolet, ZI Beaune-Vignolles, 21200 Beaune, tél. 03.80.24.70.07, fax 03.80.22.54.31 ⊤ r.-v.

DOM. TRAPET PERE ET FILS 1998★

□	n.c.	n.c.	⬛ 50 à 69 F

Jean Trapet n'a pas fait d'infidélités à Gevrey en replantant il y a quelques années des vignes en marsannay. On reste en Côte de Nuits, et le chardonnay y réussit bien. D'un boisé élégant sous une robe d'un or bien mûr, une bouteille à laisser patienter un peu. Ampleur et gras contribuent à son équilibre. Sa persistance laisse augurer un bel avenir.

🍷 Dom. Trapet Père et Fils, 53, rte de Beaune, 21220 Gevrey-Chambertin, tél. 03.80.34.30.40, fax 03.80.51.86.34, e-mail message@domaine-trapet.com ☑ ⊺ r.-v.

DOM. DU VIEUX COLLEGE 1998★

◿ 3 ha 15 000 ⬛⬤ 30 à 49 F

Alors que le rosé, souvent, descend tout debout et ne laisse rien dans la bouche, celui-ci ne passe pas inaperçu. Rose vif tirant sur le saumon, le nez frais et discret (griotte, amande amère), il montre un rien de verdeur qui n'est

pas pour déplaire, une chair assez persistante. De bonne tenue.

🍷 Jean-Pierre et Eric Guyard-Dom. du Vieux Collège, 4, rue du Vieux-Collège, 21160 Marsannay-la-Côte, tél. 03.80.52.12.43, fax 03.80.52.95.85 ☑ ⊺ r.-v.

Fixin

Après avoir visité les pressoirs des ducs de Bourgogne à Chenôve, dégusté le marsannay, vous rencontrez Fixin, première d'une série de communes donnant leur nom à une appellation d'ori-

La côte de Nuits (Nord-1)

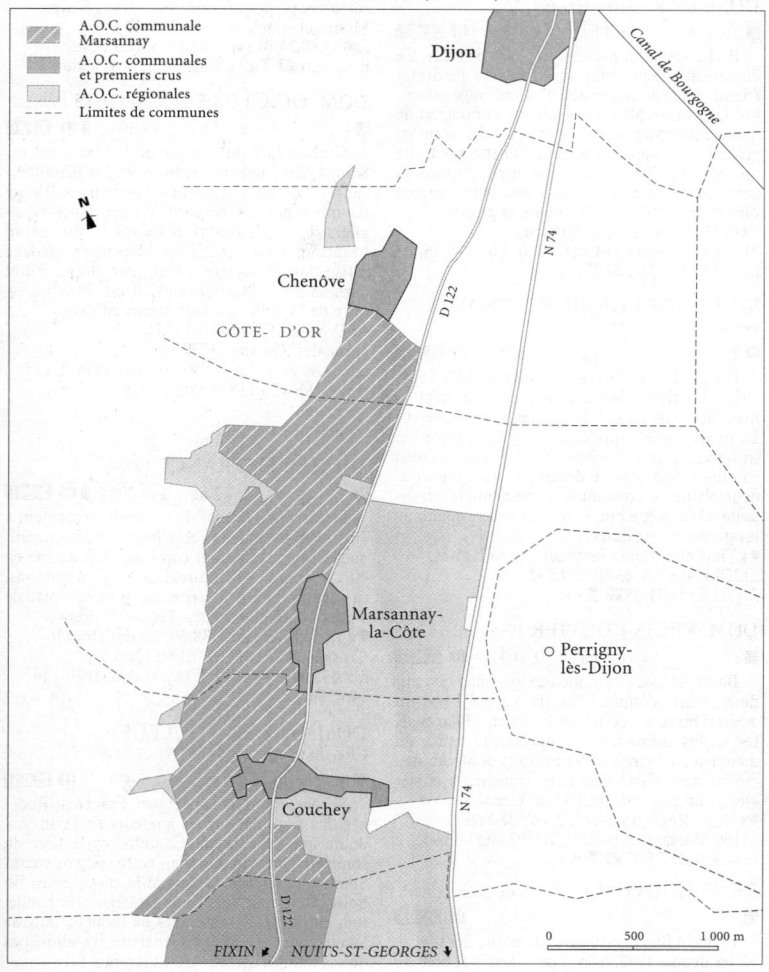

gine contrôlée, où l'on produit surtout des vins rouges (5 320 hl de rouge et 171 hl en blanc). Ils sont solides, charpentés, souvent tanniques et de bonne garde. Ils peuvent également revendiquer, au choix, à la récolte, l'appellation côte-de-nuits-villages.

Les *climats* Hervelets, Arvelets, Clos du Chapitre et Clos Napoléon, tous classés en premiers crus, sont parmi les plus réputés, mais c'est le Clos de la Perrière qui en est le chef de file puisqu'il a même été qualifié de « cuvée hors classe » par d'éminents écrivains bourguignons et comparé au chambertin ; ce clos déborde un tout petit peu sur la commune de Brochon. Autre lieu-dit : le Meix-Bas.

DOM. BART Hervelets 1997★★

■ 1er cru	1,4 ha	4 000	❙❙❙	70 à 99 F

Il vise juste... et pas loin du coup de cœur. Ce *climat* est réputé pour son caractère tendre et friand. Ainsi de ce superbe 97 d'un rouge assombri. Un vin souple et croustillant, au bouquet de noble extraction (cassis, mûre). Le fût trône en majesté, sans apporter de gêne. On atteint ensuite un second palier. Gourmande et enveloppée, la première bouche en annonce une autre, encore plus charmante tant elle chante la griotte.
➦ GAEC Bart, 23, rue Moreau, 21160 Marsannay-la-Côte, tél. 03.80.51.49.76, fax 03.80.51.23.43 ☑ Ⲧ r.-v.

VINCENT ET DENIS BERTHAUT
Les Arvelets 1998★★

■ 1er cru	1 ha	3 000	❙❙❙	100 à 149 F

Coups de cœur dans les Guides 1987, 1988, 1991 : les frères Berthaut ont généralement la main heureuse quand ils vinifient leurs Arvelets. La preuve en est apportée à nouveau par ce vin très harmonieux. Il éclate à l'œil. Il a le nez bien équilibré. Son fruit se développe avec une rondeur pleine de bonhomie, d'une manière persistante. Déjà prêt à boire, mais sa nature épanouie lui permettra de durer.
➦ Vincent et Denis Berthaut, 9, rue Noisot, 21220 Fixin, tél. 03.80.52.45.48, fax 03.80.51.31.05 ☑ Ⲧ r.-v.

DOM. REGIS BOUVIER 1998

■	0,3 ha	1 800	❙❙❙	70 à 99 F

Bouteille assez rustique aux parfums de cuir, de fourrure, d'animal. Le fixin n'est-il pas un « vin d'hiver », réclamant le gibier ? Bien typé, les tanins accrocheurs rappellent la mûre au détour d'un fourré, ce 98 est sans doute un peu massif mais d'une démarche franche. A laisser vieillir un peu, afin de l'amadouer.
➦ Dom. Régis Bouvier, 52, rue de Mazy, 21160 Marsannay-la-Côte, tél. 03.80.51.33.93, fax 03.80.58.75.07 ☑ Ⲧ r.-v.

RENE BOUVIER Les Crais de chêne 1998★

■	1,09 ha	4 000	❙❙❙	70 à 99 F

Bernard Bouvier dirige ce domaine familial de 17 ha depuis 1992. Son fixin ? Rubis foncé, un

vin aux arômes riches et complexes de cassis, d'épices et de vanille. En bouche, on sent le gras, l'existence d'un bon fond. Le fût donne aux tanins une certaine sévérité, mais l'extraction est profonde et le pinot noir respecté. Vin de race au goût réglissé et qui mérite d'être attendu. On peut faire ce pari.
➦ René Bouvier, 2, rue Neuve, 21160 Marsannay-la-Côte, tél. 03.80.52.21.37, fax 03.80.59.95.96 ☑ Ⲧ r.-v.

LOUIS CHAVY 1997

■	n.c.	12 000	❙❙❙ ⚲	70 à 99 F

Pourpre intense, tirant sur le grenat avec des reflets carminés... Nos fiches de dégustation vont, on le voit, dans le détail. Bref, du velours à l'œil. Au nez, généreux et retenue. Jolie extraction et beau fût. L'attaque ? En demi-teinte, en phase muette dans la ténacité de ses tanins. S'ouvrira-t-il ? La question est posée.
➦ Louis Chavy, Caveau de la Vierge romaine, pl. des Marronniers, 21190 Puligny-Montrachet, tél. 03.80.26.33.00, fax 03.80.24.14.84, e-mail mallet.b@cva-beaune.fr ☑ Ⲧ t.l.j. 10h-18h ; f. nov. à mars

DOM. DU CLOS SAINT-LOUIS 1998

■	4 ha	18 000	❙❙❙	70 à 99 F

Situé en face du four banal de Fixey, le Clos Saint-Louis s'appelait jadis le « Clos Bizoutte » car les amoureux venaient s'y embrasser. Il a été rebaptisé par les Bernard, d'importants vinaigriers dijonnais reconvertis dans le vin, parmi beaucoup d'autres activités. Mais ce 98 ? Rouge cerise clair, il suggère le fruit noir. Boisé, il doit harmoniser ses composants. Il est donc nécessaire de l'oublier quelque temps en cave.
➦ Dom. du Clos Saint-Louis, 4, rue des Rosiers, 21220 Fixin, tél. 03.80.52.45.51, fax 03.80.58.88.76 ☑ Ⲧ t.l.j. sf dim. 9h-12h 13h30-18h ; f. 20 déc.-3 janv., 15-30 août
➦ Philippe Bernard

MICHEL DEFRANCE 1998

■	2 ha	4 200	❙❙❙	30 à 49 F

Les archives locales de la famille remontent à 1610. Rubis soutenu, ce *village* apparaît tannique, fermé et pourtant captivant. On devine en effet sa complexité future. Dans deux à trois ans, ce sera une bouteille parfaite pour un plat de chasse comme les aimait l'Henri Vincenot.
➦ Michel Defrance, 38-50, rte des Grands-Crus, 21220 Fixin, tél. 03.80.52.84.67, fax 03.80.52.84.67 ☑ Ⲧ t.l.j. sf dim. 8h30-12h 14h-18h

DOM. GUY DUFOULEUR
Clos du Chapitre 1997★★★

■ 1er cru	4,78 ha	5 000	❙❙❙	150 à 199 F

Si Napoléon (sculpté par François Rude) hésite à s'éveiller sur les hauteurs de Fixin, nul doute que ce Clos du Chapitre va le tirer du sommeil. Quel vin impérial, notre coup de cœur ! Sombre et violacé, il associe le cassis et un fin boisé. Il attaque selon une stratégie très habile, tout en douceur, sans excès de fermeté, puis de façon fruitée et décisive. Généreux, il n'abuse pas de ses tanins. Un très grand bourgogne.

Distribué exclusivement et mis en bouteille par
DUFOULEUR PÈRE & FILS. Négociants-Eleveurs à Nuits-St-Georges (Côte-d'Or)

Fixin

Premier Cru - Clos du Chapitre
APPELLATION FIXIN 1er CRU CONTROLEE
MONOPOLE
Société Civile du
Domaine Guy DUFOULEUR
Propriétaire-Récoltant à Nuits-St-Georges (Côte-d'Or) France
VIGNERONS DEPUIS 1610

75 cl   PRODUCE OF FRANCE   13,5% alc./vol.
Filtber a froid

🍇 Dom. Guy Dufouleur, 18, rue Thurot,
21700 Nuits-Saint-Georges, tél. 03.80.62.31.00,
fax 03.80.62.31.00 ☑ ☂ r.-v.
🍇 Xavier et Guy Dufouleur

DOM. FOUGERAY DE BEAUCLAIR
Clos Marion 1997★★

| ■ | | n.c. | n.c. | 📖⏸💧 | 150 à 199 F |

Pas un volume énorme mais un corps correctement charpenté, assez équilibré, des tanins très présents, une saveur de fruits rouges macérés dans l'alcool. Ses perspectives apparaissent particulièrement positives, soit que l'on en profite tout de suite, soit qu'on le réserve pour une bonne occasion. Un vin plaisir. Le Clos Marion rappelle le nom de cette grande famille de médecins et viticulteurs présents au Clos de Bèze et à l'Académie de médecine.
🍇 Dom. Fougeray de Beauclair,
44, rue de Mazy, B.P. 36, 21160 Marsannay-la-Côte, tél. 03.80.52.21.12, fax 03.80.58.73.83,
e-mail fougeraydebeauclair@wanadoo.fr
☑ ☂ r.-v.

DOM. PIERRE GELIN
Clos Napoléon 1997

| ■ 1er cru | 1,8 ha | 9 500 | 📖⏸ | 100 à 149 F |

La famille Gelin a acquis durant les années 1950 l'ancienne vigne de Claude Noisot, le vieux grognard qui convertit Fixin à la foi impériale. Ce Clos Napoléon en uniforme rubis présente une touche végétale, une note grillée. Le fruit est traité avec délicatesse. Densité moyenne mais bien exploitée. Ne sera cependant pas destiné à la Vieille Garde, millésime oblige.
🍇 Dom. Pierre Gelin, 2, rue du Chapitre,
21210 Fixin, tél. 03.80.52.45.24,
fax 03.80.51.47.80 ☑ ☂ r.-v.
🍇 Stéphen Gelin

ALAIN GUYARD Les Chenevières 1997

| ■ | | 1,5 ha | 4 000 | ⏸ | 50 à 69 F |

Rubis clair, un 97 partagé entre le fruit et le fût, marqué par ses tanins. Il peut plaire avec le temps, mais sachons qu'il n'aura pas une grande durée de vie.
🍇 Alain Guyard, 10, rue du Puits-de-Têt,
21160 Marsannay-la-Côte, tél. 03.80.52.14.46,
fax 03.80.52.67.36 ☑ ☂ r.-v.

DOM. HUGUENOT PÈRE ET FILS
1997★

| ■ | | 6 ha | 30 000 | ⏸ | 50 à 69 F |

Typé 97, typé fixin, il est d'un beau rouge satiné. Son bouquet est intense mais sans osten-

tation, sur une nuance de griotte habituelle dans cette appellation. Dès l'attaque, on ne perd pas de vue l'essentiel. Une pointe de chaleur peut-être, mais le fondu est déjà savoureux. Coup de cœur en 1992 pour le millésime 88.
🍇 Huguenot Père et Fils, 7, ruelle du Carron,
21160 Marsannay-la-Côte, tél. 03.80.52.11.56,
fax 03.80.52.60.47,
e-mail domaine.huguenot@wanadoo.fr
☑ ☂ r.-v.

JOLIET PÈRE ET FILS
Clos de La Perrière 1998★

| ☐ 1er cru | 0,5 ha | 3 000 | ■💧 | 100 à 149 F |

Monopole de la famille Joliet, le Clos de La Perrière, dédié pour l'essentiel au pinot noir, comporte 0,5 ha de chardonnay. Ce 98 porte une robe légère. Une petite note de bourgeon de cassis puis une nuance de violette composent un vin au goût franc qui est jugé fin et agréable. Quant au **rouge 97** de ce clos, il est en devenir, encore verrouillé par des tanins sans rudesse mais ne laissant pas la matière s'exprimer. A attendre sept ans, pour qu'il atteigne son âge de raison (70 à 99 F).
🍇 EARL Joliet, La Perrière, 21220 Fixin,
tél. 03.80.52.47.85, fax 03.80.51.99.90,
e-mail joliet@webiwine.com ☑ ☂ t.l.j. 8h-18h

MOILLARD 1997★

| ■ | | n.c. | 10 000 | ⏸ | 70 à 99 F |

Une poularde de Bresse à la crème et aux morilles paraît tout indiquée pour passer à l'étape ultérieure. Dans l'immédiat, on apprécie le drapé élégant d'une robe rubis brillant, un fruit qui se cherche encore - mais dont l'existence ne fait pas de doute - et la finesse des tanins. Laissons-lui de un à deux ans pour qu'il puisse s'exprimer tout à fait.
🍇 Moillard, 2, rue François-Mignotte,
21700 Nuits-Saint-Georges, tél. 03.80.62.42.22,
fax 03.80.61.28.13 ☑ ☂ t.l.j. 10h-18h; f. janv.

ARMELLE ET JEAN-MICHEL MOLIN Les Hervelets 1998★

| ■ 1er cru | 0,57 ha | 1 400 | ⏸ | 70 à 99 F |

Un **fixin blanc 98**, issu d'une petite parcelle, est cité par le jury (50 à 69 F) : très riche en couleur, il a le nez exotique et légèrement muscaté, ce qui est assez fréquent en Côtes de Nuits quand on y plante le chardonnay. Sa bouche est déjà bien ouverte, de sorte que cette bouteille est à déboucher dans les temps qui viennent. Ce sont les Hervelets (coup de cœur pour leur 97) qui ont davantage retenu notre attention. Couleur burlat, ce 98 exhibe un beau nez de fruits (cassis, mûre) associés aux épices et au boisé. Sa belle matière, ses tanins gras et équilibrés, sa puissance en font un vin de garde (deux ou trois ans) très élégant.
🍇 EARL Armelle et Jean-Michel Molin,
54, rte des Grands-Crus, 21220 Fixin,
tél. 03.80.52.21.28, fax 03.80.59.96.99 ☑ ☂ r.-v.

CHARLES VIENOT
Cuvée de l'Empereur 1997

| ■ | | n.c. | 10 000 | ⏸ | 70 à 99 F |

Claude Noisot avait épousé une demoiselle Viénot. Cette cuvée de l'Empereur signée Charles Viénot a donc une consistance historique. Son

BOURGOGNE

rouge vif a beaucoup de présence. Son bouquet est en revanche peu disert. D'une matière assez solide, ce vin est appuyé sur des tanins modérés, simples mais dépourvus d'agressivité. Le potentiel semble intéressant.
🔑 Charles Viénot, 5, quai Dumorey, 21700 Nuits-Saint-Georges, tél. 03.80.62.61.41, fax 03.80.62.37.38

Gevrey-chambertin

Au nord de Gevrey, trois appellations communales sont produites sur la commune de Brochon : fixin sur une petite partie du Clos de la Perrière, côtes de nuits-villages sur la partie nord (lieux-dits Préau et Queue-de-Hareng) et gevrey-chambertin sur la partie sud.

En même temps qu'elle constitue l'appellation communale la plus importante en volume (17 173 hl en 1999), la commune de Gevrey-Chambertin abrite des premiers crus tous plus grands les uns que les autres ayant donné moins de 4 260 hl en 1999. La combe de Lavaux sépare la commune en deux parties. Au nord, nous trouvons, entre autres *climats*, les Evocelles (sur Brochon), les Champeaux, la combe aux Moines (où allaient en promenade les moines de l'abbaye de Cluny qui furent au XIIIe s. les plus importants propriétaires de Gevrey), les Cazetiers, le clos Saint-Jacques, les Varoilles, etc. Au sud, les crus sont moins nombreux, presque tout le coteau étant en grand cru ; on peut citer les *climats* de Fonteny, Petite-Chapelle, Clos-Prieur, etc.

Les vins de cette appellation sont solides et puissants dans le coteau, élégants et subtils dans le piémont. A ce propos, il convient de répondre à une rumeur erronée selon laquelle l'appellation gevrey-chambertin s'étend jusqu'à la ligne de chemin de fer Dijon-Beaune, dans des terrains qui ne le mériteraient pas. Cette information, qui fait fi de la sagesse des vignerons de Gevrey, nous donnera l'occasion d'apporter une petite explication : la Côte a été le siège de nombreux phénomènes géologiques, et certains de ses sols sont constitués d'apports de couverture, dont une partie a pour origine les phénomènes glaciaires du quaternaire. La combe de Lavaux a servi de « canal », et à son pied s'est constitué un immense cône de déjection dont les matériaux sont identiques ou semblables à ceux du coteau. Dans certaines situations, ils sont simplement plus épais, donc plus éloignés du substratum. Essentiellement constitués de graviers calcaires plus ou moins décarbonatés, ils donnent ces vins élégants et subtils dont nous parlions précédemment.

PIERRE ANDRE
Les Vignes d'Isabelle 1998★★

■ 0,8 ha 3 500 🍷 250 à 299 F

La maison porte le nom de Pierre André qui acquit en 1927 le « château jaune » et le rebaptisa « château de Corton-André ». Quant à ces Vignes d'Isabelle, elles portent à Gevrey le prénom d'une petite-fille du fondateur. Pourpre vif, mûre et cassis, un 98 bien pris en main lors de son élevage. Le fût est présent mais bien marié au fruit. Structuré et long, déjà agréable, un vin représentatif.
🔑 Pierre André, Ch. de Corton-André, 21420 Aloxe-Corton, tél. 03.80.26.44.25, fax 03.80.26.43.57, e-mail pandre@axnet.fr
Y t.l.j. 10h-18h

PIERRE BOUREE FILS
Les Champeaux 1997

■ 1er cru 0,4 ha 1 500 🍷 150 à 199 F

Fondée au XIXe s., cette maison est aujourd'hui la doyenne de toutes les affaires de négoce éleveur à Gevrey. Quant à ce *climat*, il se situe à mi-chemin entre le château de Gevrey et celui de Brochon. Entre rubis et grenat, ce 97 a le nez fin et néanmoins à point. Parvenu à maturité, caractéristique de son millésime, il est destiné aux impatients qui profiteront de ses tanins déjà arrondis.
🔑 Pierre Bourée Fils, 13, rte de Beaune, 21220 Gevrey-Chambertin, tél. 03.80.34.30.25, fax 03.80.51.85.64 ☑ Y r.-v.
🔑 Louis Vallet

DOM. REGIS BOUVIER 1998★

■ 15,5 ha 1000 🍷 70 à 99 F

Régis Bouvier fête cette année ses vingt ans d'installation. Si Marsannay est le berceau du domaine, celui-ci s'étend également sur Fixin, Gevrey et Morey. On a ici affaire à un pinot noir qui campe sur ses positions. Son acidité est largement suffisante, ses tanins sont présents au rendez-vous mais sans excès. Bien équilibré, il mettra en avant des parfums fruités auxquels se mêle une note de tabac. A boire dans deux ou trois ans.
🔑 Dom. Régis Bouvier, 52, rue de Mazy, 21160 Marsannay-la-Côte, tél. 03.80.51.33.93, fax 03.80.58.75.07 ☑ Y r.-v.

F. CHAUVENET 1997

■ n.c. 12 000 🍷 150 à 199 F

« Madame goûte mieux qu'un homme », disait-on de Françoise Chauvenet qui fut au XIXe s. l'âme de cette maison, reprise de nos jours par Jean-Claude Boisset. Qu'aurait-elle pensé de ce 97 ? Qu'il a de bonnes joues, un nez qui chante la Côte de Nuits, de l'astringence encore, la structure des 97. Bref, il peut entrer dans la famille.

☛ F. Chauvenet, 9, quai Fleury, 21700 Nuits-Saint-Georges, tél. 03.80.62.61.43, fax 03.80.62.37.38

DOM. BRUNO CLAIR
Clos du Fonteny Monopole 1997★

■ 1er cru	0,68 ha	2 500	❚❙❚ 200 à 249 F

Cru situé en face des Ruchottes et de l'autre côté de la montée de Curley - vous savez, cette vieille et pittoresque maison abandonnée depuis des décennies et qui intéresse tant les photographes. C'est là. Monopole de Bruno Clair, il a produit un 97 rubis foncé au nez élégant (cerise), jouant la tendresse, l'aménité, l'harmonie, avec une suavité sans fadeur. Disert avec retenue. Un plaisir à ne pas repousser à l'an quarante.

☛ Bruno Clair, 5, rue du Vieux-Collège, 21160 Marsannay-la-Côte, tél. 03.80.52.28.95, fax 03.80.52.18.14 ☑ ⵌ r.-v.

DOM. DUJAC Aux Combottes 1997

■ 1er cru	1,15 ha	n.c.	❚❙❚ 250 à 299 F

Ce 1er cru est situé entre les latricières-chambertin et le clos de la roche. Il aurait fort bien pu devenir un grand cru, mais la petite combe débouchant à cet endroit modifie légèrement le microclimat. Ce 97 paré d'une robe brillante et au bouquet associant notes florales, groseille et baies sauvages, exprime le cépage et son terroir dans l'esprit du millésime. C'est un grand classique.

☛ SA Dom. Dujac, 7, rue de la Bussière, 21220 Morey-Saint-Denis, tél. 03.80.34.01.00, fax 03.80.34.01.09 ☑ ⵌ r.-v.
☛ Seysses

FAIVELEY La Combe aux Moines 1997★

■ 1er cru	n.c.	7 600	❚❙❚ 200 à 249 F

Faiveley témoigne à Gevrey d'une présence déjà ancienne. Son Combe aux Moines 97 est de belle origine, donnant un vin jeune encore et au nez élancé (cerise). Derrière l'attaque nette et franche, on distingue un corps qui s'étoffe peu à peu et qui prend du relief. Il faudra le mettre en cave trois ou quatre ans afin que le boisé se fonde.

☛ Bourgognes Faiveley, 8, rue du Tribourg, B.P. 9, 21701 Nuits-Saint-Georges Cedex, tél. 03.80.61.04.55, fax 03.80.62.33.37, e-mail bourgognesfaiveley@wanadoo.fr ☑ ⵌ r.-v.

CAVEAU DES FLEURIERES
Vieilles vignes 1997

■	n.c.	n.c.	❚❙❚ 100 à 149 F

Portant une petite robe d'été, légère et limpide, sans plus, il possède un bon fruit. Quelques notes d'alcool. Aucun défaut, mais il manque un peu d'arrière-plan. Vif et presque nerveux, il n'est pas dépourvu de délicatesse et il ne fait pas mystère de son année de naissance.

☛ Caveau des Fleurières, 50, rue du Gal-de-Gaulle, 21700 Nuits-Saint-Georges, B.P. 63, tél. 03.80.61.10.30, fax 03.80.61.35.76 ⵌ r.-v.

JEAN FOURNIER 1998★

■	0,55 ha	3 500	❚❙❚ 100 à 149 F

Il a pris son temps (quatorze mois de fût), pour exprimer - sur fond noir et grenat - la cerise à l'alcool, le noyau, le cuir, l'encre même, dans un contexte vanillé. Puis il le montre un bel esprit de suite : vin serré sans doute, mais au potentiel significatif. Il inspire beaucoup d'espoir.

☛ Jean Fournier, 29-34, rue du Château, 21160 Marsannay-la-Côte, tél. 03.80.52.24.38, fax 03.80.52.77.40 ☑ ⵌ r.-v.

DOM. DOMINIQUE GALLOIS 1998★★

■ 1er cru	0,38 ha	1 100	❚❙❚ 100 à 149 F

On rend ici visite à la famille de l'écrivain bourguignon Gaston Roupnel. Celui-ci aurait à coup sûr apprécié ce vin faisant honneur à son appellation. A l'œil, des nuances sombres et légèrement violettes. Au nez, un fruit à noyau très concentré. En bouche, une chair soyeuse. Bref, l'un des meilleurs échantillons dégustés. Jolie bouteille, actuellement serrée mais riche en potentiel.

☛ Dominique Gallois, 9, rue Mal-de-Lattre-de-Tassigny, 21220 Gevrey-Chambertin, tél. 03.80.34.11.99, fax 03.80.34.38.62 ☑ ⵌ r.-v.

DOM. GANDREY Les Roncevies 1997★

■	0,27 ha	1 200	❚❙❚ 150 à 199 F

Né aux abords de Morey et au sud-est du village, ce 97, signé par un viticulteur nuiton, offre une robe très voyante et au arômes de cerise. Il n'est sans doute pas très typique du millésime, mais présente des attraits par la puissance et la richesse de sa structure. Demande à vieillir et en a les moyens.

☛ Jean-François Gandrey, 18, rue Jean-Jaurès, 21700 Nuits-Saint-Georges, tél. 03.80.61.27.63, fax 03.80.61.27.63 ☑ ⵌ r.-v.

ANDRE GOICHOT 1997

■	n.c.	4 100	❚❙❚ 100 à 149 F

Empruntant sa robe à la groseille, sur un ton brillant, il est assez intéressant en ouverture. La richesse du fruit équilibre ensuite l'accent tannique. A consommer dans les deux ans.

☛ SA A. Goichot et Fils, av. Charles-de-Gaulle, 21200 Beaune, tél. 03.80.26.88.70, fax 03.80.26.80.69, e-mail goichot@goichotsa.com ☑ ⵌ r.-v.

GOILLOT-BERNOLLIN
Les Billards 1998★

■	0,8 ha	3 000	❚❙❚ 100 à 149 F

Cette cave a produit l'un de nos premiers coups de cœur pour l'appellation. Quant au climat, il est voisin de cette cave, entre Brochon et Gevrey à l'ouest de la RN 74. D'où un bon vin de garde sachant répartir ses atouts. Violet intense, il suit une ligne mûre et framboise qui apparaît bien fondue, fortement constituée. Plaira au gibier vers 2003.

☛ SCE Goillot-Bernollin, 29, rte de Dijon, 21220 Gevrey-Chambertin, tél. 03.80.34.36.12, fax 03.80.34.16.00 ☑ ⵌ r.-v.

BOURGOGNE

DOM. ROBERT GROFFIER PERE ET FILS 1998★

■   0,85 ha   3 600   ❚❙❘ 100 à 149 F

Quand le grand-père (le Jules) a fait le tour de France et toutes les grandes courses cyclistes, on entend faire bonne figure dans le peloton. Soyez-en sûrs, ce 98 ne sera pas distancé. D'une couleur violet sombre, il s'ouvre doucement sur le fruit noir, les épices, grâce à des notes confiturées. Chair et structure expriment des arguments fort convaincants. Trois à cinq ans de garde confirmeront sa très belle harmonie.
➥ SARL Robert Groffier et Fils, 3-5, rte des Grands-Crus, 21220 Morey-Saint-Denis, tél. 03.80.34.31.53 ☑ ☨ r.-v.

S.C. GUILLARD Les Corbeaux 1997★★

■ 1er cru   0,48 ha   2 250   ❚❙❘ 100 à 149 F

Petit domaine vigneron de 4,7 ha, où Michel Guillard réussit un tir groupé avec ses trois cuvées. **Lavaux Saint-Jacques, Corvées**, et ce Corbeaux né de très vieilles vignes (soixante-dix ans) qui nous plaît particulièrement. Soyeux à souhait, d'un fruit prometteur et sauvage, il s'attire en bouche tous les compliments. Boisé certes, mais sa plénitude, son ampleur suscitent l'enthousiasme. Un dégustateur n'hésite pas à écrire : « Finale merveilleuse ».
➥ SC Guillard, 3, rue des Halles, 21220 Gevrey-Chambertin, tél. 03.80.34.32.44 ☑ ☨ r.-v.

JEAN-MICHEL GUILLON
Les Champonnets 1998

■ 1er cru   0,83 ha   4 760   ❚❙❘ 70 à 99 F

Ce 1er cru se situe à l'angle du coteau des grands crus et de la combe de Lavaux. Quant à Jean-Michel Guillon, débarqué naguère de Paris, il applique les vieux principes du Père Lesprit, célèbre à Gevrey, pour un 98 plus étincelant que riche en couleur, fruits rouges en confiture et un peu boisé, au corps chaleureux allongé sur le fruit. L'évolution présente situe son optimum à quelques années, trois ou quatre.
➥ Dom. Jean-Michel Guillon, 33, rte de Beaune, 21220 Gevrey-Chambertin, tél. 03.80.51.83.98, fax 03.80.51.85.59, e-mail eurlguillon@aol.com ☑ ☨ r.-v.

ALAIN GUYARD 1997★

■   0,7 ha   3 000   ❚❙❘ 70 à 99 F

A la génération précédente, ce domaine a obtenu trois fois de suite le coup de cœur pour cette appellation. Si la fin de bouche est ici peu accentuée, le vin apparaît très plaisant, rond et délicat, pain grillé et fruits rouges. Sa jeunesse est prometteuse. Fraîche et vive en même temps qu'équilibrée, elle fait dire à un juré : « on se fait plaisir ». Un conseil : laissez-le dormir à bonne température jusqu'à l'automne 2002.
➥ Alain Guyard, 10, rue du Puits-de-Têt, 21160 Marsannay-la-Côte, tél. 03.80.52.14.46, fax 03.80.52.67.36 ☑ ☨ r.-v.

DOM. GUYON 1998★

■   0,4 ha   2 500   ❚❙❘ 100 à 149 F

Jusqu'en 1993, cette famille de Vosne produisait tout à la fois son vin et de l'orge de brasserie. Délaissant la ferme de Quincey, elle s'est « recentrée » sur son principal sujet et y réussit bien.

D'un grenat très intense, ce 98 offre une belle expression aromatique (cacao d'emblée, puis la cerise) ainsi qu'une bouche très charmeuse. A ne pas bousculer, car il mérite de prendre de la bouteille.
➥ EARL Dom. Guyon, 11-16, R.N. 74, 21700 Vosne-Romanée, tél. 03.80.61.02.46, fax 03.80.62.36.56 ☑ ☨ r.-v.

DOM. ANTONIN GUYON 1997★★

■   2,4 ha   15 000   ❚❙❘ 100 à 149 F

On rencontre ce domaine tout au long de la côte, comme s'il s'agissait des vignes du marquis de Carabas. Et Dieu que c'est bon ! Deux de nos jurés ont jugé ce vin digne du coup de cœur. Sous une robe irréprochable, la complexité aromatique est impressionnante. Très harmonieux, d'un équilibre époustouflant, il jouera dans la cour des grands dans trois ou quatre ans.
➥ Dom. Antonin Guyon, 21420 Savigny-lès-Beaune, tél. 03.80.67.13.24, fax 03.80.66.85.87, e-mail vins@guyon-bourgogne.com ☑ ☨ r.-v.

DOM. OLIVIER GUYOT
Les Champs 1998★

■   0,6 ha   3 000   ❚❙❘ 70 à 99 F

Créé au XVIᵉs., ce domaine compte aujourd'hui 13 ha. Un cheval de retour fait ici les labours : celui de Jean Lamadon, le dernier de Gevrey, avait cessé son ouvrage dans les années 1960. Si le **Champeaux 98** d'Olivier Guyot remporte un beau succès auprès du jury, celui-ci a préféré cette cuvée *village* à l'expression remarquée. Pourpre foncé, parfumé (cassis), ce vin est flatteur. Il attaque avec franchise puis affiche une bonne structure. L'attendre trois à quatre ans.
➥ EARL Olivier Guyot, 39, rue de Mazy, 21160 Marsannay-la-Côte, tél. 03.80.52.39.71, fax 03.80.51.17.58 ☑ ☨ r.-v.

DOM. HARMAND-GEOFFROY
Clos Prieur 1998

■   0,42 ha   2 400   ❚❙❘ 100 à 149 F

Coup de cœur à la génération précédente, il y a dix ans, un Clos Prieur d'une nuance pourpre et brillante. Ses arômes évoquent le floral, tout en évoluant vers le fruit. Sa structure fine et souple laisse place à une très honorable persistance. A attendre, bien entendu.
➥ Dom. Harmand-Geoffroy, 1, pl. des Lois, 21220 Gevrey-Chambertin, tél. 03.80.34.10.65, fax 03.80.34.13.72, e-mail harmand-geoffroy@wanadoo.fr ☑ ☨ r.-v.
➥ Gérard Harmand

DOM. HERESZTYN Les Corbeaux 1998★

■ 1er cru   0,2 ha   1 100   ❚❙❘ 100 à 149 F

Coup de cœur en 1999 pour le millésime 97, ce domaine, créé par un vigneron de Louis Trapet originaire de Pologne, a su se faire sa place à Gevrey. Son Corbeaux 98 émerveille par son plumage, par son ramage. Il fera ses délices d'un fromage au goût d'époisses. Bouquet très mûr, griotte, noyau, évoluant vers le cuir. Pas mal de tonus, de vinosité et de concentration. Le charme sera pour plus tard, promis par une longue finale sur des notes de fruits à noyau.

⊶ Dom. Heresztyn, 27, rue Richebourg, 21220 Gevrey-Chambertin, tél. 03.80.34.30.86, fax 03.80.34.13.99, e-mail domaine.heresztyn@wanadoo.fr
☑ Ῑ t.l.j. 9h-12h 14h-18h; dim. sur r.-v.

DOM. HUGUENOT PERE ET FILS
1997*

■ 1er cru 0,45 ha 2 500 ❙❙ 150 à 199 F

Visuellement velouté, rouge passant sur le grenat. Au nez ? Le mariage du fruit et du bois est assez réussi, car on perçoit le cassis. De la souplesse ensuite sur une matière bien développée, équilibrée avec doigté. De la grâce et une complexité potentielle capable de s'exprimer d'ici quelques années. Faisons-lui confiance !

⊶ Huguenot Père et Fils, 7, ruelle du Carron, 21160 Marsannay-la-Côte, tél. 03.80.52.11.56, fax 03.80.52.60.47, e-mail domaine.huguenot@wanadoo.fr
☑ Ῑ r.-v.

DOM. HUMBERT FRERES
Craipillot 1998*

■ 1er cru n.c. 1 050 ❙❙ 100 à 149 F

Jeune, il a une démarche animale mais ne manque pas de fruit. Sa puissance n'est pas dénuée de rondeur. Le bois est présent. Les tanins offrent une belle longueur. A attendre quatre à cinq ans. Ce *climat* se situe face au Clos Saint-Jacques, sur l'autre versant. Notez aussi, du même millésime, des **Estournelles Saint-Jacques** qui reçoivent la même note.

⊶ Dom. Humbert Frères, rue de Planteligone, 21220 Gevrey-Chambertin, tél. 03.80.51.80.14, fax 03.80.51.80.14 ☑ Ῑ r.-v.

JACQUES DE VERTEUIL 1997

■ n.c. 4 000 ❙❙ 150 à 199 F

Variante de Patriarche, ce label de négociant-éleveur personnalise un vin plus fin que tanni-

La côte de Nuits (Nord-2)

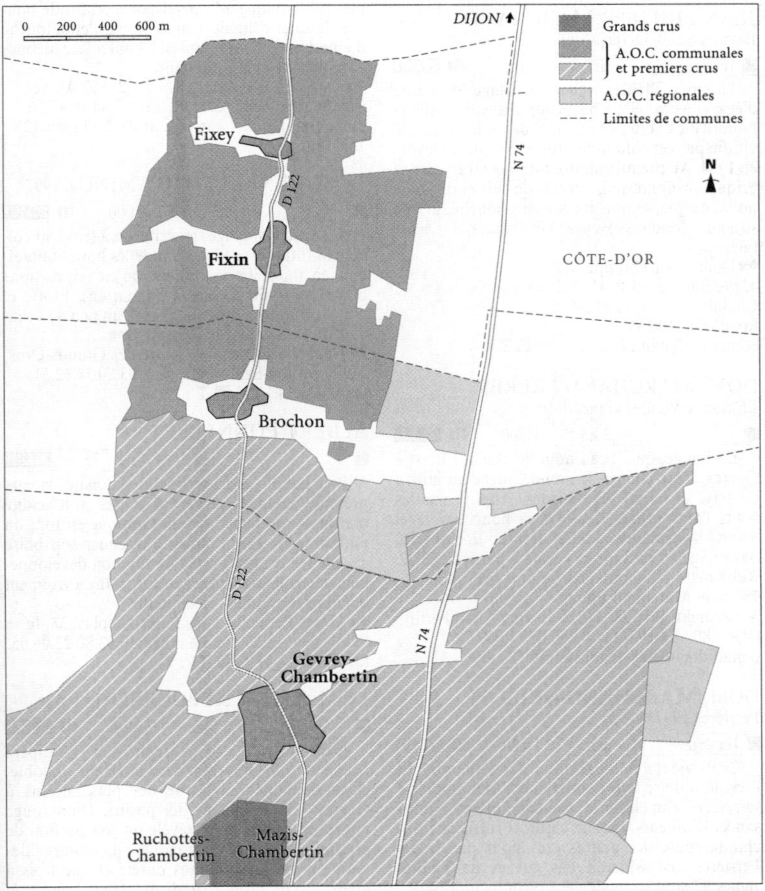

BOURGOGNE

que, d'une couleur honnête et d'un bouquet dominé par le pruneau. Un corps bien constitué, une bouche tout en douceur, des caudalies carillonnant longtemps, l'ensemble mérite qu'on s'y attarde. Nous avons goûté une bouteille numérotée, référence 277, lot M.V. 0023, mise en bouteilles par Jacques de Verteuil.

☛ Marché aux vins, rue Nicolas-Rolin, 21200 Beaune, tél. 03.80.25.08.20, fax 03.80.25.08.21 ☑ ☿ t.l.j. 9h30-12h 14h-18h

LIGNIER-MICHELOT 1997

■	0,5 ha	2 500	⏸	70 à 99 F

Virgile dirige ce domaine familial depuis 1996. Gevrey-Morey-Chambolle, sa sainte Trinité de vignes. On est ici en présence d'un 97 rubis de bonne intensité qui demeure discret lors des traditionnels coups de nez. Retour des fruits à noyau au sein d'une bouche dont l'équilibre est respecté. Ses tanins présents conduisent à l'attendre un peu, mais pas trop.

☛ Dom. Lignier-Michelot, 11, rue Haute, 21220 Morey-Saint-Denis, tél. 03.80.34.31.13, fax 03.80.58.52.16 ☑ ☿ r.-v.

JEAN-PHILIPPE MARCHAND
Lavaux Saint-Jacques 1998

■ 1er cru	n.c.	n.c.	⏸	100 à 149 F

La cuvée Vieilles vignes en village 98 mérite d'être citée car elle a beaucoup d'avenir. Celle-ci honore un 1er cru de la famille des Saint-Jacques, vinifié par cet enfant de Morey installé à Gevrey en 1984. Au premier abord, un rouge franc, assez brique, son nez de cuir et de fruits noirs. Ample, souple, il évolue en bouche sur une structure fondue, soyeuse. Vin flatteur et d'accès facile.

☛ Dom. Jean-Philippe Marchand, 4, rue Souvert, B.P. 41, 21220 Gevrey-Chambertin, tél. 03.80.34.33.60, fax 03.80.34.12.77, e-mail marchand@axnet.com ☑ ☿ r.-v.

DOM. MARCHAND FRERES
En Songe Vieilles vignes 1998

■	0,2 ha	1 200	⏸	70 à 99 F

En Songe, quel beau nom de climat ! Il est à Gevrey vieux comme le monde, niché au milieu du pays et parmi ses maisons. Appuyé sur les petits fruits rouges, ce 98 a la bouche vive et jeune. Il demande à être aéré et il s'ouvrira davantage en passant en carafe à partir de 2002. Robe nette et limpide, cerise noir profond.

☛ Dom. Marchand Frères, 1, pl. du Monument, B.P. 38, 21220 Gevrey-Chambertin, tél. 03.80.62.10.97, fax 03.80.62.11.01, e-mail dmarc2000@aol.com ☑ ☿ r.-v.

DOM. MARCHAND-GRILLOT
Perrières 1997★★

■ 1er cru	n.c.	1 200	⏸	100 à 149 F

Ce 97 vient à point pour qui sait l'attendre. Et il est loin de se livrer entièrement ! On apprécie sa réserve, son élégance, son équilibre et sa puissance. D'ailleurs, lisez la carte : il suffit de franchir la route des grands crus pour passer des Perrières aux Mazis... Les cuvées de Vieilles vignes 97 sont ici également recommandées.

☛ Marchand-Grillot, 13, rue du Gaizot, 21220 Gevrey-Chambertin, tél. 03.80.34.10.18, fax 03.80.58.50.87 ☑ ☿ r.-v.

DOM. THIERRY MORTET
Clos Prieur 1998★

■	0,3 ha	1 500	⏸	100 à 149 F

Encore fermé, ce clos Prieur commence à se découvrir en bouche. D'une couleur très profonde, il concentre fortement un bouquet de griotte et d'épices, puis il se montre généreux et franc, persistant sur un halo de fraîcheur. Cinq à dix ans, et vous nous en direz des nouvelles...

☛ Dom. Thierry Mortet, 16, pl. des Marronniers, 21220 Gevrey-Chambertin, tél. 03.80.51.85.07, fax 03.80.34.16.80 ☑ ☿ r.-v.

CAVES DES PAULANDS 1998

■	n.c.	n.c.	⏸	100 à 149 F

Le millésime du centenaire de cette maison d'Aloxe-Corton. Il y a beaucoup de bonnes choses dans ce gevrey non filtré à l'éclat grenat. Son bouquet de fruits frais (cassis, mûre) par exemple. De l'attaque à la persistance en fin de bouche, le sujet connaît bien sa leçon. Petite touche d'amertume. Notre conseil : bouteille à déboucher dans les temps à venir.

☛ Caves des Paulands, RN 74, 21550 Aloxe-Corton, tél. 03.80.26.41.05, fax 03.80.26.47.56, e-mail paulands@wanadoo.fr ☑ ☿ t.l.j. 8h-12h 14h-18h

DOM. HENRI PERROT-MINOT 1997★

■	1,5 ha	6 000	⏸	100 à 149 F

Tri de la vendange, macération à froid, ni collage ni filtrage, ce 97 accumule les bonnes notes, tant en intensité de couleur qu'en impressions olfactives (pain d'épice à l'agitation). Etoffé et d'une certaine charpente, il cède un peu à la chaleur tout en gardant sa distinction.

☛ Henri Perrot-Minot, 54, rte des Grands-Crus, 21220 Morey-Saint-Denis, tél. 03.80.34.32.51, fax 03.80.34.13.57 ☑ ☿ r.-v.

ALBERT PONNELLE 1998★

■	n.c.	n.c.		200 à 249 F

Bien habillé, ce jeune homme ! Son nez vineux présente quelques caractères fruités. Son acidité marquée, son tempérament tannique en font un millésime de garde qui doit atténuer son boisé avec le temps. Mais on aime son bon développement charnu, sa mâche, son corps. Il y a vraiment quelque chose dans la bouteille !

☛ Albert Ponnelle, Clos Saint-Nicolas, 38, fg Saint-Nicolas, 21200 Beaune, tél. 03.80.22.00.05, fax 03.80.24.19.73 ☑ ☿ r.-v.

DOM. HENRI REBOURSEAU 1998★

■	7,02 ha	15 000	⏸	100 à 149 F

Jean de Surrel a de qui tenir : son grand-père a joué un rôle important dans la vie du vignoble, et ce domaine fait partie des plus anciens à Gevrey. Le résultat est ici positif. D'un rouge pourpre intense, ce 98 révèle un joli parfum de griotte. Franc dès l'attaque, il montre des tanins présents mais sans dureté et que trois à quatre ans de garde arrondiront. Un volume intéressant, des arômes fruités persistants sont autant de gages de qualité.

☙ NSE Dom. Henri Rebourseau, 10, pl. du Monument, 21220 Gevrey-Chambertin, tél. 03.80.51.88.94, fax 03.80.34.12.82, e-mail Rebourseau@aol.com ☑ ♈ r.-v.

DOM. ROSSIGNOL-TRAPET
Clos Prieur 1997*

■ 1er cru	n.c.	n.c.	⦀ + de 500 F

Le jus de cerise noire emplit sa robe, d'un éclat sombre et attachant. On peut tirer sans fin sur le nez tant son parfum de sous-bois, de fruits rouges éveille de bonheurs. Le volume est aussitôt envahi par le fruit. Un millésime sincère, chaleureux, ayant de la classe, qui doit affaiblir son boisé et qui a quatre à cinq ans de vie assurés. Domaine issu du partage familial Trapet et vigne située sur la route des grands crus côté Morey.
☙ Dom. Rossignol-Trapet, 3, rue de la Petite-Issue, 21220 Gevrey-Chambertin, tél. 03.80.51.87.26, fax 03.80.34.31.63, e-mail info@rossignol-trapet.com ☑ ♈ r.-v.

RÉMI SEGUIN Les Seuvrées 1997*

■	1,1 ha	n.c.	⦀ 70 à 99 F

Né au Clos de Tart où ses parents et grands-parents étaient régisseurs, Rémi Seguin est tombé tout enfant dans la potion magique. Il dirige son domaine de 6,31 ha depuis 1989. L'égrappe à 100 %, ce qui explique le style fin et délicat de cette bouteille. Plus long que large, un 97 rubis foncé, tirant sur le kirsch et qui se plaît en bouche. Ce climat est voisin des Mazoyères et de Charmes-Chambertin, à proximité de Morey.
☙ Rémi Seguin, rue de Cîteaux, 21640 Gilly-lès-Cîteaux, tél. 03.80.62.89.61, fax 03.80.62.80.92 ☑ ♈ r.-v.

DOM. TAUPENOT-MERME
Bel Air 1997*

■ 1er cru	n.c.	2 700	⦀ 150 à 199 F

Lauréat du coup de cœur dans le Guide 1992 (millésime 88), ce domaine nous offre ici un fameux coup d'œil sur la région. Bel Air est en effet le climat situé le plus haut sur le coteau, au-dessus du Clos de Bèze. Rubis, s'ouvrant un peu sur la groseille, un 1er cru tangible, costaud, rehaussé au palais par une aimable petite pointe poivrée. Sans doute issu d'une vigne assez âgée. A attendre deux ou trois ans.
☙ Jean Taupenot-Merme, 33, rte des Grands-Crus, 21220 Morey-Saint-Denis, tél. 03.80.34.35.24, fax 03.80.51.83.41 ☑ ♈ r.-v.

DOM. TORTOCHOT
Lavaux Saint-Jacques 1997*

■ 1er cru	0,61 ha	3 000	⦀ 150 à 199 F

Chantal Tortochot a succédé à son père (Gaby) en 1997. Et justement elle nous fait redéguster le millésime 97 ! Bon sang ne saurait mentir : voici un pinot pur. Sa robe présente des larmes régulières et vives. Des notes de kirsch, de pruneau n'ont rien pour surprendre. Attaque relativement souple, bonne acidité, ce vin ne possède pas une immense charpente, millésime oblige, mais se révèle d'une grande élégance.

☙ Dom. Tortochot, 12, rue de l'Eglise, 21220 Gevrey-Chambertin, tél. 03.80.34.30.68, fax 03.80.34.18.80 ☑ ♈ r.-v.
☙ Chantal et Michel Tortochot

DOM. TRAPET 1998*

■	n.c.	n.c.	⦀ 100 à 149 F

Pierre-Arthur Trapet planta sa première vigne à Gevrey en 1919. Aujourd'hui le domaine compte 13 ha. Ses vins lui ont valu une notoriété internationale. Généreux en tout, celui-ci n'est pas Trapet pour rien. On y trouve en effet une couleur très marquée, un premier nez animal, un bouquet plus subtil où la fleur blanche (chèvrefeuille) côtoie le grillé, puis un corps gardant pour l'heure une part de ses secrets. On y verra clair, mais pas avant deux ans.
☙ Dom. Trapet Père et Fils, 53, rte de Beaune, 21220 Gevrey-Chambertin, tél. 03.80.34.30.40, fax 03.80.51.86.34, e-mail message@domaine-trapet.com ☑ ♈ r.-v.

DOM. DES VAROILLES
La Romanée 1997*

■ 1er cru	n.c.	n.c.	⦀ 150 à 199 F

Mais oui, il existe aussi une Romanée à Gevrey-Chambertin. « La sœur de l'autre », comme on dirait ici... Elle se présente ici sous des traits rubis avec un nez élégant où fruits rouges et boisé se fondent. La bouche, cependant, est en train de mettre en place sa cohérence interne. Le jury débat du temps de garde ; les avis divergent mais ne vont guère au-delà de trois ans. Devenue suisse tout en demeurant au village, la maison Naigeon-Chauveau est notamment propriétaire du domaine des Varoilles.
☙ Dom. des Varoilles, rue de l'Ancien-Hôpital, 21220 Gevrey-Chambertin, tél. 03.80.34.30.30, fax 03.80.51.88.99 ☑ ♈ r.-v.
☙ Naigeon-Chauveau

HENRI DE VILLAMONT 1997

■	n.c.	8 000	⦀ 100 à 149 F

Filiale française du groupe suisse Schenk ; Henri de Villamont fait ici la démonstration des grâces d'un jeune marquis lors d'un bal à Versailles juste avant 1789... Son vin est léger, fruité, assez boisé en bouche, conforme aux qualités et aux limites du millésime. Pour celles et ceux qui voudraient se faire plaisir sans trop attendre.
☙ Henri de Villamont, rue du Dr-Guyot, 21420 Savigny-lès-Beaune, tél. 03.80.24.70.07, fax 03.80.22.54.31, e-mail hdv@planetb.fr ☑ ♈ t.l.j. sf mar. 9h30-18h30; jeu. 9h30-12h; f. 15 nov.-15 mars

ALAIN VOEGELI 1998*

■	2,3 ha	4 200	⦀ 70 à 99 F

Long à se mettre en route, un vin qui cependant développe ensuite de la rondeur et du gras. Il ne faut donc pas le juger trop vite. Nez frais de fruits rouges, robe claire et brillante, il sait plaider sa cause. Tout petit domaine (2,3 ha) de bonne notoriété. L'arrière-arrière-petit-fils de la veuve d'Etienne Grey, la fondatrice au début du XXe., est aujourd'hui à la barre. Coup de cœur dans le Guide 1997 pour le millésime 93.

BOURGOGNE

🔑 Alain Voegeli, 5, rte de Dijon, 21220 Gevrey-Chambertin, tél. 03.80.34.37.13, fax 03.80.34.37.13 ☑ ⌶ r.-v.

Chambertin

Bertin, vigneron à Gevrey, possédant une parcelle voisine du Clos de Bèze et fort de l'expérience qualitative des moines, planta les mêmes plants, et obtint un vin similaire : c'était le « champ de Bertin », d'où Chambertin. En 1999, l'AOC a produit 506 hl.

DOM. HUBERT CAMUS 1997

■ Gd cru 1,69 ha 4 000 ▮ ⏺ 🌡 200 à 249 F

Hubert Camus est une des figures du vignoble bourguignon, dont il a présidé ou préside toutes les instances responsables. Son 1,69 ha en chambertin (à peu près 10 % du grand cru) donne un 97 d'une nuance légèrement tuilée, au nez expressif de fruits rouges, de sous-bois, de champignon, accompagné d'un léger boisé. Frais en bouche, structuré sans excès, assez long, un vin à déguster dans deux ans sans oublier de le décanter.

🔑 Dom. Camus Père et Fils, 21, rue du Mal-de-Lattre-de-Tassigny, 21220 Gevrey-Chambertin, tél. 03.80.34.30.64, fax 03.80.51.87.93 ☑ ⌶ r.-v.

🔑 Hubert Camus

COUVENT DES CORDELIERS 1997

■ Gd cru n.c. 900 ⏺ 300 à 499 F

Il s'agit de Patriarche. Ce chambertin d'un beau rouge grenat, porté sur une note aromatique végétale, fraise écrasée en bouche, d'une présence discrète mais agréable, sera à déguster dans les deux ans, tout au plus.

🔑 Caves du Couvent des Cordeliers, rue de l'Hôtel-Dieu, 21200 Beaune, tél. 03.80.25.08.85, fax 03.80.25.08.21 ☑ ⌶ t.l.j. 9h30-12h 14h-18h

DOM. PIERRE DAMOY 1998★★

■ 0,48 ha 2 100 ⏺ 300 à 499 F

Chapeau ! Ce chambertin est bien celui de l'empereur. Napoléon Ier eût volontiers pincé l'oreille de cette bouteille en lui accrochant sur le col la croix de la Légion d'honneur. Pourpre presque noir, un 98 de fruits rouges macérés et de boisé joliment grillé, généreux et puissant, constitué d'une remarquable matière, long. Un vin gourmand. Le domaine Damoy compte 47 a 59 ca dans ce grand cru, et il en fait une merveille. Voilà à Gevrey une bonne nouvelle !

🔑 Dom. Pierre Damoy, 11, rue du Mal-de-Lattre-de-Tassigny, 21220 Gevrey-Chambertin, tél. 03.80.34.30.47, fax 03.80.58.54.79

DOM. LOUIS REMY 1998★

■ Gd cru 0,35 ha 900 ▮ ⏺ 300 à 499 F

|93| 96 97 98

Marie-Louise puis Chantal, cette grande famille est représentée avec brio par les femmes qui maintiennent le domaine. La maison de Morey a appartenu aux Rodier. Camille, fondateur du Tastevin, ne disait-il pas que le chambertin (deux parcelles, 32 a 6 ca) est « tout le grand bourgogne possible » ? Ce 98 porte haut le flambeau dans sa superbe robe sombre à reflets violets. Le nez évoque les fruits rouges concentrés, avec un fin boisé. Les tanins gardent actuellement ce vin sous leur emprise mais cela va évoluer. Ample, dense, vineux, un vin de belle stature et de garde.

🔑 Dom. Louis Remy, 1, pl. du Monument, 21220 Morey-Saint-Denis, tél. 03.80.34.32.59, fax 03.80.34.32.59 ☑ ⌶ r.-v.

DOM. ROSSIGNOL-TRAPET 1997

■ Gd cru 1,6 ha 6 500 ⏺ 250 à 299 F

Si le coq au riesling est une invention de Robert-J. Courtine pour Georges Simenon, qu'en est-il du coq au chambertin ? Recette sans paternité avouée, née dans les années 1930-1950. Ce 97 conviendra à merveille à cette préparation délicate qui exige un coq vierge (Brillat-Savarin), ou une vieille poule. La robe est foncée comme il se doit. Le nez dissimule son fruit rouge sous le grillé initial. La bouche est très classique, typée par le millésime (c'est un 97).

🔑 Dom. Rossignol-Trapet, 3, rue de la Petite-Issue, 21220 Gevrey-Chambertin, tél. 03.80.51.87.26, fax 03.80.34.31.63, e-mail info@rossignol-trapet.com ☑ ⌶ r.-v.

DOM. ARMAND ROUSSEAU PERE ET FILS 1997★

■ Gd cru 2,15 ha 7 300 ⏺ 300 à 499 F

L'un des célèbres domaines de Bourgogne dont les crus se retrouvent sur tous les continents, du Brésil au Japon, de l'Australie aux Etats-Unis... Des vignes de quarante ans ont donné naissance à ce chambertin. On sait qu'il faut juger un vin dans son millésime. Celui-ci entre dans sa personnalité. L'attaque est bien enlevée. Le raisin est respecté, s'exprimant tout en finesse et en fruit. Très intéressant exercice de style jouant sur l'élégance plus que sur la puissance.

🔑 Dom. Armand Rousseau, 1, rue de l'Aumônerie, 21220 Gevrey-Chambertin, tél. 03.80.34.30.55, fax 03.80.58.50.25

DOM. TORTOCHOT 1997★

■ Gd cru 0,39 ha 900 ⏺ 250 à 299 F

76 87 |(88)| |89| **91** 93 **96** 97

Grand vin pour le millésime. Vinification irréprochable, élevage sur lies et jolie mise en bouteille. A l'œil, très bien. Le nez est sur la réserve, mais paraissent déjà des notes de tabac, de cuir peut-être, de fruit mûr. Soyeux et d'une chair appétissante, distingué, ce 97 est bien sûr à attendre. Gabriel a passé le relais à Chantal qui, semble-t-il, s'en tire très bien (vignoble de 39 a 83 ca).

➤ Dom. Tortochot, 12, rue de l'Eglise,
21220 Gevrey-Chambertin, tél. 03.80.34.30.68,
fax 03.80.34.18.80 ☑ ⌶ r.-v.
➤ Chantal et Michel Tortochot

DOM. TRAPET 1998★★

■ Gd cru	n.c.	n.c.	ⅲ	300 à 499 F
96 **98**				

« The red wine of the red wines » (Matt Kramer). Difficile d'échapper à cette aura. C'est sûr, le chambertin est la clé de voûte du vignoble bourguignon. On est ici sur les franges de la perfection. Remarquable à l'œil, passionnant au nez (animal, épices, petits fruits rouges et boisé bien tempéré), il est intransigeant au palais. Structuré par une superbe matière et prometteur. Un chambertin très complexe et de longue garde.
➤ Dom. Trapet Père et Fils, 53, rte de Beaune, 21220 Gevrey-Chambertin, tél. 03.80.34.30.40, fax 03.80.51.86.34, e-mail message@domaine-trapet.com ☑ ⌶ r.-v.

Chambertin-clos de bèze

Les religieux de l'abbaye de Bèze plantèrent en 630 une vigne dans une parcelle de terre qui donna un vin particulièrement réputé : ce fut l'origine de l'appellation, qui couvre une quinzaine d'hectares ; les vins peuvent également s'appeler chambertin. La production a atteint 522 hl en 1999.

DOM. PIERRE DAMOY 1998★★

■ Gd cru	5,36 ha	7 500	ⅲ	300 à 499 F

Un petit épicier d'Yvetot. Il se levait le matin et le soir dormait tôt... C'est le début d'une saga. Grands épiciers à Paris, les Damoy s'implantent dans la vigne à Romanèche-Thorins et à Gevrey-Chambertin. Sans racines, mais la greffe prend ! Ayant traversé beaucoup d'épreuves, ce domaine courageux revient au premier rang. Témoin ce clos de bèze (5,35 ha et 95 ca, le tiers du grand cru !) d'un rubis limpide et triomphant, au bouquet flatteur (pain grillé suivi de rose), puissant et fin à la fois, long et durable. Superbe potentiel qui explosera d'ici cinq à six ans.
➤ Dom. Pierre Damoy, 11, rue du Mal-de-Lattre-de-Tassigny, 21220 Gevrey-Chambertin, tél. 03.80.34.30.47, fax 03.80.58.54.79

FAIVELEY 1997★

■ Gd cru	1,29 ha	3 670	ⅲ	+ de 500 F
89 ⑨0 92 |93| 94 **95** 96 97			

« Paisible et triomphant », écrivait Evelyn Waugh de cet illustre seigneur de la terre. Cette touche de subtilité se traduit ici par une couleur assurée ainsi que par une attaque douce et en profondeur. Vanille, zan et violette s'associent au fruit. Le fût contribue à cette sensation d'harmonie que ponctue une note encore tannique.

Concentré, ce 97 a de la réserve. Faiveley possède 1,29 ha et 42 ca du grand cru, soit 10% environ.
➤ Bourgognes Faiveley, 8, rue du Tribourg, B.P. 9, 21701 Nuits-Saint-Georges Cedex, tél. 03.80.61.04.55, fax 03.80.62.33.37, e-mail bourgognesfaiveley@wanadoo.fr ☑ ⌶ r.-v.

DOM. PIERRE GELIN 1997

■ Gd cru	0,6 ha	2 500	ⅲ	300 à 499 F

Sous des abords assez timides, une bouche confite de fruit rouge. Une bonne vinification a tiré de ce 97 tout ce qu'il en paraissait possible. C'est vif, tannique... et bien sûr à conjuguer au futur. Cette vigne de 60 à 25 ca, replantée en 1965, provient de l'ancien domaine Marion.
➤ Dom. Pierre Gelin, 2, rue du Chapitre, 21220 Fixin, tél. 03.80.52.45.24, fax 03.80.51.47.80 ☑ ⌶ r.-v.

DOM. GROFFIER PÈRE ET FILS 1998★★★

■ Gd cru	0,41 ha	1 500	ⅲ	300 à 499 F
93 95 96 97 ⑨8				

Le clos en activité le plus ancien de l'histoire ! C'est en 640 en effet que l'on parle pour la première fois de cette illustre vigne. Si l'exactitude est la politesse des rois, le roi des vins sait se faire attendre. Déjà ouvert sur la griotte et la framboise, avec son corps de dieu grec, celui-ci ouvre des perspectives infinies. Pour l'instant, la force. Plus tard, l'élégance. C'est au bout de quinze ans qu'un clos de bèze resplendit. Déjà bien intégré, le boisé est de qualité. Un 98 exceptionnel.
➤ SARL Robert Groffier et Fils, 3-5, rte des Grands-Crus, 21220 Morey-Saint-Denis, tél. 03.80.34.31.53 ☑ ⌶ r.-v.

DOM. ARMAND ROUSSEAU 1998★★

■ Gd cru	1,42 ha	3 800	ⅲ	300 à 499 F

Décédé en 1959, Armand Rousseau fut la grande figure de Gevrey durant la première moitié du XX°s. Son fils Charles se destinait aux sciences politiques quand la vigne le retint par le bras... « Le plus généreux de tous les Bourguignons », écrit Serena Sutcliffe. Ce clos de bèze provient notamment d'anciennes vignes Marion. Un 98 à tous égards très brillant, dont la chair voluptueuse étreint un tanin relativement serré. Tendre et réglissé, fruité (cassis, mûre), il plaira aux amateurs de vins jeunes mais saura aussi longuement vieillir.

☛ Dom. Armand Rousseau,
1, rue de l'Aumônerie, 21220 Gevrey-
Chambertin, tél. 03.80.34.30.55,
fax 03.80.58.50.25

Autres grands crus de Gevrey-Chambertin

Autour des deux précédents, il y a une foule de crus qui, sans les égaler, restent de la même famille. Les conditions de production sont un peu moins exigeantes, mais les vins y ont les mêmes caractères de solidité, de puissance, de plénitude, où domine la réglisse, qui permet généralement de différencier les vins de Gevrey de ceux des appellations voisines : les Latricières (environ 7 ha) ; les Charmes (31 ha, 61 a, 30 ca) ; les Mazoyères, qui peuvent également s'appeler Charmes (l'inverse n'est pas possible) ; les Mazis, comprenant les Mazis-Haut (environ 8 ha) et les Mazis-Bas (4 ha, 59 a, 25 ca) ; les Ruchottes (venant de roichot, lieu où il y a des roches), toutes petites par la surface, comprenant les Ruchottes-du-Dessus (1 ha, 91 a, 95 ca) et les Ruchottes-du-Bas (1 ha, 27 a, 15 ca) ; les Griottes, où auraient poussé des cerisiers sauvages (5 ha, 48 a, 5 ca) ; et enfin, les Chapelles (5 ha, 38 a, 70 ca), nom donné par une chapelle bâtie en 1155 par les religieux de l'abbaye de Bèze, rasée lors de la Révolution.

Latricières-chambertin

DOM. DROUHIN-LAROZE 1998

■ Gd cru	0,7 ha	2 500	⦀ 200 à 249 F

Fondé il y a tout juste cent cinquante ans, ce domaine possède 67 a 45 ca dans les latricières. Une ancienne vigne Gillot. Ce vin manifeste une petite pointe d'évolution. Chaleureux, rond et fondu, il balance entre la fraise et le pruneau. Son acidité est convenable, son équilibre satisfaisant.

☛ Drouhin-Laroze, 20, rue du Gaizot, 21220 Gevrey-Chambertin, tél. 03.80.34.31.49, fax 03.80.51.83.70 ☑ ⵘ r.-v.

FAIVELEY 1997 ★★

■ Gd cru	1,2 ha	3 810	⦀ 300 à 499 F

Le lion plantant sa bêche en terre, blason de la maison, révèle bien la nature de ce vin de caractère (1,2 ha et 67 ca dans le grand cru). Résolu, décidé, appelé à une longue garde et d'une franchise de goût assez impressionnante. Le raisin a été sollicité avec une rare prudence, une rare intelligence. Un dégustateur hors pair écrit sur sa fiche : « Très grand vin, gras, ample et riche. Bravo au vigneron ! »

☛ Bourgognes Faiveley, 8, rue du Tribourg, B.P. 9, 21701 Nuits-Saint-Georges Cedex, tél. 03.80.61.04.55, fax 03.80.62.33.37, e-mail bourgognesfaiveley@wanadoo.fr ☑ ⵘ r.-v.

DOM. LOUIS REMY 1998 ★

■ Gd cru	0,6 ha	2 000	▮ ⦀ 250 à 299 F

Le joli portail des Latricières si souvent photographié et reproduit, c'est celui de cette vigne. En un temps où l'on n'entrait pas dans sa vigne comme dans un champ. Sous une robe portant les couleurs naturelles du pinot et avec un nez où s'expriment le végétal noble et un boisé fin, un 98 d'un style analogue au chambertin également dégusté, tannique, un peu fermé mais de qualité incontestable et promis à un bel avenir.

☛ Dom. Louis Remy, 1, pl. du Monument, 21220 Morey-Saint-Denis, tél. 03.80.34.32.59, fax 03.80.34.32.59 ☑ ⵘ r.-v.

DOM. ROSSIGNOL-TRAPET 1997

■ Gd cru	0,75 ha	2 500	⦀ 200 à 249 F

Latricières, peu de terre et un sous-sol siliceux. D'où l'origine du nom : terre de peu de valeur... Les temps ont bien changé ! Sous une robe assez intense, ce 97 est très délicat. Chasseur, il évoque le sous-bois, la mousse, le champignon. Au palais, il reste dans les limites du millésime avec davantage de fraîcheur que de volume. Ce domaine possède quelque 10 % de ce grand cru.

☛ Dom. Rossignol-Trapet, 3, rue de la Petite-Issue, 21220 Gevrey-Chambertin, tél. 03.80.51.87.26, fax 03.80.34.31.63, e-mail info@rossignol-trapet.com ☑ ⵘ r.-v.

DOM. TRAPET 1998 ★

■ Gd cru	n.c.	n.c.	⦀ 250 à 299 F

Massif, puissant, un vin dans la tradition Trapet. Ah ! non, il ne s'abrite pas derrière son petit doigt... La propriété, qui couvre 10 % environ du grand cru, permet une cuvée ayant assez de volume pour être bien représentative. D'un grenat tombé de la palette d'un peintre du fauvisme, ce 98 fait corps avec son verre. Corsé, il offre une concentration hors du commun. De grande garde.

☛ Dom. Trapet Père et Fils, 53, rte de Beaune, 21220 Gevrey-Chambertin, tél. 03.80.34.30.40, fax 03.80.51.86.34, e-mail message@domaine-trapet.com ☑ ⵘ r.-v.

Chapelle-chambertin

Charmes-chambertin

DOM. PIERRE DAMOY 1998*

■ Gd cru   2,22 ha   3 900   ❚❙❚ 300 à 499 F

Adorable. La robe est limpide, d'un rubis grenat sans reflet. Les arômes sont empyreumatiques, partagés entre le fruit rouge et le végétal quand on s'y penche davantage. L'attaque apparaît très franche ; la structure, assez nette, aux tanins puissants, un peu pointus. Tout ce qu'on peut en dire objectivement, car il faut le laisser reposer huit à dix ans. Mais oui, que croyez-vous ?

☛ Dom. Pierre Damoy, 11, rue du Mal-de-Lattre-de-Tassigny, 21220 Gevrey-Chambertin, tél. 03.80.34.30.47, fax 03.80.58.54.79

DOM. DROUHIN-LAROZE 1998

■ Gd cru   0,52 ha   2 500   ❚❙❚ 200 à 249 F

La chapelle Notre-Dame-de-Bèze a disparu vers 1830. Bâtie en 1155, reconstruite en 1547, consacrée alors par l'évêque de Bethléem replié dans le Morvan, elle se situait à l'emplacement de la route des Grands Crus. Ce *climat* chapelle-chambertin en garde le souvenir. Un vin à la teinte assez pâle, au bouquet garni de framboise et de cannelle, au corps vinifié « à l'ancienne ». Impression soyeuse. Ce domaine possède près de 10 % de la superficie de la chapelle.

☛ Drouhin-Laroze, 20, rue du Gaizot, 21220 Gevrey-Chambertin, tél. 03.80.34.31.49, fax 03.80.51.83.70 ☑ ⵆ r.-v.

DOM. MICHEL NOELLAT ET FILS 1998*

■ Gd cru   0,36 ha   900   ❚❙❚ 200 à 249 F

Une chapelle vive et longiligne, très pure au demeurant et intéressante. A voir ou à revoir dans les deux à trois ans. D'un grenat assez appuyé à reflets violines, elle distille des notes épicées, grillées puis de framboise une fois qu'on a tourné le verre dans le bon sens. De bons tanins, une bouche puissante et persistante qui déclarera sa flamme... plus tard, évidemment.

☛ SCEA Dom. Michel Noëllat et Fils, 5, rue de la Fontaine, 21700 Vosne-Romanée, tél. 03.80.61.36.87, fax 03.80.61.18.10 ☑ ⵆ r.-v.

DOM. TRAPET PERE ET FILS 1998**

■ Gd cru   n.c.   n.c.   ❚❙❚ 250 à 299 F

91 |94| 95 96 **98**

Nul besoin de prie-Dieu pour être en harmonie avec cette chapelle qui apparaît délicate, fraîche, recueillie, boisée certes, mais sans excès immédiat, d'un excellent équilibre et d'une persistance qui ne demande qu'à grandir. On lui accorde plusieurs années de vie (quinze à vingt ans). Un peu plus d'un demi-hectare dans ce grand cru et l'esprit Trapet, une référence à Gevrey.

☛ Dom. Trapet Père et Fils, 53, rte de Beaune, 21220 Gevrey-Chambertin, tél. 03.80.34.30.40, fax 03.80.51.86.34, e-mail message@domaine-trapet.com ☑ ⵆ r.-v.

DOM. DES BEAUMONT 1997*

■ Gd cru   0,56 ha   1 800   ❚❙❚ 250 à 299 F

On regrette toujours de ne pas pouvoir apprécier ces grands crus dans leur pleine maturité. La voix de l'enfant au berceau annonce-t-elle celle du patriarche ? Cette année d'élevage lui a fait gagner une étoile : sa robe est rouge pinot, son nez, fin et discret, pour l'instant avec une note d'alcool subtilement mêlée à la rose fanée. Franc de bouche, avec une nuance groseille, ample et gras, assez concentré, conforme au millésime, ce 97 montre un élevage en fût neuf qui se mariera au vin dans quatre ou cinq ans. « Bon vin que j'aimerais revoir », note un œnologue.

☛ Dom. des Beaumont, 9, rue Ribordot, 21220 Morey-Saint-Denis, tél. 03.80.51.87.89, fax 03.80.51.87.89 ☑ ⵆ r.-v.

ALBERT BICHOT 1997**

■ Gd cru   0,9 ha   4 200   ❚❙❚ 300 à 499 F

Il va crescendo. On est charmé par sa brillance, son éclat. Au nez cependant, on le trouve discret, encore sur la réserve. Peu expansif, il s'oriente vers le pruneau cuit. Mais sa complexité se développe en bouche de façon convaincante. Il possède le gras, la concentration, l'élan d'un grand cru. Bref, il commence sa maturité en bouteille. Le boire d'ici cinq ans par exemple, en allant jusqu'au chevreuil... ou à la biche que nous recommandent l'étiquette et son blason.

☛ Maison Albert Bichot, 6 bis, bd Jacques-Copeau, 21200 Beaune, tél. 03.80.24.37.37, fax 03.80.24.37.38

DOM. CAMUS PERE ET FILS 1996

■ Gd cru   6,9 ha   18 000   ▤❚❙❚⚲ 250 à 299 F

Depuis deux siècles installés à Gevrey-Chambertin, les Camus possèdent 18 ha dont les deux tiers en grands crus. Une jolie robe de printemps, jeune et vive, anime un vin aux arômes d'un grand classicisme en pareil lieu : fourrure, mousse, sous-bois, gibier et fruits rouges mûrs. L'acidité n'est pas étonnante si l'on note qu'il s'agit d'un 96. Sauvage au nez et finement élégant en bouche. La structure n'est pas considérable, tandis que les tanins se présentent assez fondus. Trois ans de garde sont conseillés.

☛ Dom. Camus Père et Fils, 21, rue du Mal-de-Lattre-de-Tassigny, 21220 Gevrey-Chambertin, tél. 03.80.34.30.64, fax 03.80.51.87.93 ☑ ⵆ r.-v.

COUVENT DES CORDELIERS 1998

■ Gd cru   n.c.   750   ❚❙❚ 300 à 499 F

A carafer pour lui donner de l'air. Usage peu bourguignon il est vrai, mais parfois utile. Rose, épice, pruneau, cerise, c'est tout juste si nos dégustateurs s'y retrouvent. Mais on est d'accord là-dessus : l'air lui fait du bien et le révèle. Peu de corps mais un fruit sous-jacent qui rêve de s'exprimer. Plus typique de l'appellation que du millésime et signé Patriarche sous un nom d'aimable emprunt.

➤ Caves du Couvent des
Cordeliers, rue de l'Hôtel-Dieu, 21200 Beaune,
tél. 03.80.25.08.85, fax 03.80.25.08.21 ☑ ⏱ t.l.j.
9h30-12h 14h-18h

DOM. DUPONT-TISSERANDOT 1998★

| ■ Gd cru | 0,8 ha | 4 000 | ⫴ 150 à 199 F |

Le prince héritier du chambertin, a-t-on dit du
charmes-chambertin. Il existe entre eux deux une
forte parenté. Elle s'exprime ici sous des traits
rubis au pourtour violacé. Très léger grillé mettant en valeur le fruit à noyau, puis un vin peu
tannique, chaleureux et qui sera dégusté avec
plaisir tant il se montre souple et fruité, presque
moelleux. Sur 24,2 ha, ce domaine fondé en 1960
est le plus étendu de Gevrey. Il s'agit ici de 67 a
répartis pour moitié en charmes et en mazoyères.
➤ GAEC Dupont-Tisserandot,
2, pl. des Marronniers, 21220 Gevrey-
Chambertin, tél. 03.80.34.10.50,
fax 03.80.58.50.71 ☑ ⏱ r.-v.

DOM. DOMINIQUE GALLOIS 1998★

| ■ Gd cru | 0,3 ha | 1 500 | ⫴ 200 à 249 F |

Lié au souvenir de Gaston Roupnel (il était de
la famille et ses archives sont conservées ici), ce
domaine nous fait partager le bonheur d'un 98
un peu griotte, un peu réglisse, sous une robe à
reflets violacés. Cette jeunesse est légèrement
agressive mais son gras bien placé en milieu de
bouche, sa finale discrètement tannique accompagnent une dégustation agréable. Trois à cinq
ans de garde avant de goûter cette bouteille sur
une volaille aux truffes, conseille une dégustatrice.
➤ Dominique Gallois, 9, rue Mal-de-Lattre-de-
Tassigny, 21220 Gevrey-Chambertin,
tél. 03.80.34.11.99, fax 03.80.34.38.62 ☑ ⏱ r.-v.

HUMBERT FRERES 1998

| ■ Gd cru | 0,2 ha | 1 050 | ⫴ 200 à 249 F |

Ces charmes (19 a 79 ca) proviennent de suc-
cessions familiales et ont été replantés en 1960.
Un certain friand sur une base vive, sous couvert
violacé et avec un nez mêlant fruité et fût neuf
qu'amplifie l'aération. Poivré, assez masculin,
réglissé. La structure se cache. Bien difficile à
juger dans le moment présent.
➤ Dom. Humbert Frères, rue de Planteligone,
21220 Gevrey-Chambertin, tél. 03.80.51.80.14,
fax 03.80.51.80.14 ☑ ⏱ r.-v.

JEAN-PAUL MAGNIEN 1998★

| ■ Gd cru | 0,2 ha | 950 | ⫴ 150 à 199 F |

Exploitant comme fermier 19 a 92 ca dans la
partie Mazoyères des charmes, Jean-Paul
Magnien fait partie de la génération des « jeunes
sérieux ». Plus tellement jeune, mais toujours
sérieux. Son vin promet beaucoup. Compte en
banque solidement provisionné côté couleur et
bouquet. Au palais, il est entreprenant, tannique,
bien carré mais son astringence très fraîche
donne de bons espoirs de longévité heureuse.
➤ Jean-Paul Magnien, 5, ruelle de l'Eglise,
21220 Morey-Saint-Denis, tél. 03.80.51.83.10,
fax 03.80.58.53.27 ☑ ⏱ r.-v.

DOM. MARCHAND FRERES 1998

| ■ Gd cru | 0,14 ha | 700 | ⫴ 200 à 249 F |

Typé des *Seventies*, un charmes rubis clair qui
étincelle. Aromatiquement fruité, à la limite du
confit. Aérien, léger, c'est un ULM en bouche. Il
survole le sujet, mais sans grâce d'ailleurs. Si vous
voulez en savoir plus, prenez une chambre
d'hôtes au domaine et parlez-en avec ce viticulteur plein d'idées.
➤ Dom. Marchand Frères,
1, pl. du Monument, B.P. 38, 21220 Gevrey-
Chambertin, tél. 03.80.62.10.97,
fax 03.80.62.11.01, e-mail dmarc2000@aol.com
☑ ⏱ r.-v.

MARCHE AUX VINS 1997

| ■ Gd cru | n.c. | 750 | ⫴ 300 à 499 F |

Signé par une variante de Patriarche, un vin
qui comporte des arômes très réglissés, pain
d'épice avec une petite note de menthol, d'une
complexité intéressante. La robe est légèrement
tuilée, faisant son âge. Le corps n'est pas imposant, mais il sait vous faire ses avances sans
dureté ni amertume. A ne pas attendre plus de
trois ans.
➤ Marché aux vins, rue Nicolas-Rolin,
21200 Beaune, tél. 03.80.25.08.20,
fax 03.80.25.08.21 ☑ ⏱ t.l.j. 9h30-12h 14h-18h

MOILLARD-GRIVOT 1997

| ■ Gd cru | n.c. | 4 000 | ⫴ 250 à 299 F |

Dans les charmes, dit-on, il y a à boire et à
manger. Sans peur et sans reproche, cette bouteille a le nez « compoté », c'est-à-dire assez
confituré et cuit. Le gras est satisfaisant, les
tanins bien fondus, toujours dans cette tonalité
un peu chaude, évoluant vers le cuir. Sauvage,
mâle, puissant, appelant le sanglier et le retour
de la chasse : un gruotte façon Vincenot.
➤ Moillard-Grivot, 2, rue François-Mignotte,
21700 Nuits-Saint-Georges, tél. 03.80.62.42.00,
fax 03.80.61.28.13, e-mail nuicave@wanadoo.fr
☑ ⏱ r.-v.

DOM. PIERRE PONNELLE
Les Mazoyères 1996

| ■ | 1 ha | n.c. | ⫴ 200 à 249 F |

Revendiquant les Mazoyères souvent oubliées
au sein des Charmes, la maison Pierre Ponnelle,
reprise par Jean-Claude Boisset, signe un 96
(notez-le) entre la cerise et la framboise, témoignant de bonnes vertus (acidité, équilibre, fruité).
C'est un vin très dense, déjà plaisant et de garde
sûre, qui devrait exprimer toute la subtilité du
cru lorsqu'il sera à maturité.
➤ Dom. Pierre Ponnelle, 2, rue Paradis,
21200 Beaune, tél. 03.80.22.19.12,
fax 03.80.24.91.87

POULET PERE ET FILS 1997★

| ■ Gd cru | n.c. | 3 500 | ⫴ + de 500 F |

Laurent Max dans ses œuvres. Et Dieu sait si
la très vieille maison Poulet Père et Fils a connu
des hauts et des bas. Beaunoise puis nuitonne,
elle signe un fort beau vin difficile à cerner mais
qui va bien vieillir. Balsamique et fruité, son bouquet annonce une attaque franche et brillante,

suivie d'un moment de concentration très mûre. Tanins en point d'orgue.

📞 Poulet Père et Fils, 6, rue de Chaux, 21700 Nuits-Saint-Georges, tél. 03.80.62.43.02, fax 03.80.61.28.08

DOM. HENRI REBOURSEAU 1997★★

■ Gd cru   1,31 ha   2 130   ⅠⅠⅠ 250 à 299 F

Jean de Surrel est le digne petit-fils de Pierre Rebourseau, haute figure du chambertin, du clos de vougeot. Il n'était pas si simple de reprendre un pareil héritage ! Grenat limpide, d'un charme aromatique pénétrant, ce 97 est un modèle d'équilibre et de vertu. Parfait mariage entre le gras et les tanins mûrs, il est soyeux comme il n'est pas permis. Excellemment vinifié, il approche le coup de cœur. De grand avenir en cave.

📞 NSE Dom. Henri Rebourseau, 10, pl. du Monument, 21220 Gevrey-Chambertin, tél. 03.80.51.88.94, fax 03.80.34.12.82, e-mail Rebourseal@aol.com ☑ ⵕ r.-v.

DOM. HENRI RICHARD 1998★★

■ Gd cru   1,11 ha   4 000   ⅠⅠⅠ 200 à 249 F

Une vigne de 1,11 ha 4 ca historique en Mazoyères. Celle de l'écrivain Gaston Roupnel, vendue en 1938 à Jean Richard, père d'Henri et ancien tonnelier. Le vin est à la hauteur de la situation, d'un rouge étincelant et d'un bouquet très flatteur (cassis, vanille). Ample et corpulent sur des tanins encore un peu jeunes, ce 98 a beaucoup de classe. Laissez-le reposer en cave quatre à cinq ans.

📞 Dom. Henri Richard, 75, rte de Beaune, 21220 Gevrey-Chambertin, tél. 03.80.34.35.81, fax 03.80.34.35.81 ☑ ⵕ t.l.j. 9h-12h 14h-18h

DOM. TAUPENOT-MERME 1997

■ Gd cru   n.c.   8 400   ⅠⅠⅠ 200 à 249 F

Dans les Mazoyères ou Charmes-du-Dessous, belle parcelle de 1,44 ha 07 ca issue de l'ancien domaine Merme à Morey. D'une nuance assez soutenue, un 97 sans trop d'arômes, un peu vif, fidèle aux possibilités du millésime et qui, honnêtement et sans chiqué, fait de son mieux pour l'exprimer.

📞 Jean Taupenot-Merme, 33, rte des Grands-Crus, 21220 Morey-Saint-Denis, tél. 03.80.34.35.24, fax 03.80.51.83.41 ☑ ⵕ r.-v.

Griottes-chambertin

DOM. MARCHAND FRERES 1998

■ Gd cru   0,12 ha   700   ⅠⅠⅠ 200 à 249 F

Langoureux, il n'y a pas d'autre mot pour le dire. Ce 98 s'étale en bouche, aérien, léger, évanescent. Ce n'est pas la griotte des Evangiles. Cela dit, il est représentatif de l'année avec une sincérité honnête. Il manque de tanins, de puissance mais il est diablement bon à boire. Affaire de millésime, et il faut s'y faire.

📞 Dom. Marchand Frères, 1, pl. du Monument, B.P. 38, 21220 Gevrey-Chambertin, tél. 03.80.62.10.97, fax 03.80.62.11.01, e-mail dmarc2000@aol.com ☑ ⵕ r.-v.

DOM. PONSOT 1997★

■ Gd cru   1 ha   2 666   ⅠⅠⅠ 300 à 499 F

La griotte de Ponsot, c'est un peu le *n ° 5* de Chanel. Un vin-culte. Si elle sent la cerise ? Oui, mais la montmorency, la cerise à la confiture. Ici d'une teinte resplendissante, sur des accents réglissés et d'un corps tannique et long. La virilité même. A attendre cinq ans sinon davantage. Une curiosité : l'étiquette fait le tour complet de la bouteille. Ni filtration, ni collage. Produit sur 1 ha.

📞 Dom. Ponsot, 21, rue de La Montagne, 21220 Morey-Saint-Denis, tél. 03.80.34.32.46, fax 03.80.58.51.70, e-mail info@domaine-ponsot.com

Mazis-chambertin

DOM. DUPONT-TISSERANDOT 1998★

■ Gd cru   0,35 ha   1 800   ⅠⅠⅠ 150 à 199 F

Ces quelques ouvrées de chambertin version mazis inspirent des sentiments confiants. Le pourtour est vif et le nez prometteur. Au bouquet ? Entre le végétal et la framboise. Excellente mise en bouche, avec ce qu'il faut de souplesse et de fruit, une rétro-olfaction gourmande, une charpente dont les tanins fins devront se fondre.

📞 GAEC Dupont-Tisserandot, 2, pl. des Marronniers, 21220 Gevrey-Chambertin, tél. 03.80.34.10.50, fax 03.80.58.50.71 ☑ ⵕ r.-v.

JEAN-MICHEL GUILLON 1998★★

■ Gd cru   n.c.   912   ⅠⅠⅠ 200 à 249 F

Comme le disait Jean Cocteau, « il court plus vite que la beauté ». Vif, mais maîtrisé. D'une teinte très sombre et solide, il séduit par ses arômes de cassis, de myrtille, d'épices, tout en présentant au palais un caractère bien défini. Un pinot noir ample et profond, suave et rond. Ce vigneron né à Paris, tombé ici du ciel en 1979, a des admirateurs inconditionnels. Il vinifie à son idée et selon de vieilles recettes qui font leurs preuves.

📞 Dom. Jean-Michel Guillon, 33, rte de Beaune, 21220 Gevrey-Chambertin, tél. 03.80.51.83.98, fax 03.80.51.85.59, e-mail eurlguillon@aol.com ☑ ⵕ r.-v.

DOM. HARMAND-GEOFFROY 1997

■ Gd cru   0,7 ha   3 400   ⅠⅠⅠ 200 à 249 F

Les Mazis se situent entre le clos de Bèze, les Ruchottes et la route des grands crus. Mazis, « masures », sans doute un hameau au Moyen Age. Peu de terre, une dizaine de centimètres seulement dans les hauts. Une physionomie tourmentée. Pour un vin qui n'a pas vieilli depuis l'an dernier à la robe très dense, respirant le cuir, long et expressif tout en maintenant cet arôme singulier - Gérard Harmand a pris le relais de Lucien Geoffroy, son beau-père, place des Lois, à Gevrey.

🔴 Dom. Harmand-Geoffroy, 1, pl. des Lois, 21220 Gevrey-Chambertin, tél. 03.80.34.10.65, fax 03.80.34.13.72, e-mail harmand-geoffroy@wanadoo.fr ☑ ⏺ r.-v.

🔴 Harmand

ARMELLE ET JEAN-MICHEL MOLIN 1998

| | Gd cru | 0,37 ha | 900 | ⏺⏺ | 200 à 249 F |

Premier vin de la Côte de Nuits à avoir figuré lors de la vente des Hospices de Beaune (donation Thomas-Collignon en 1976), le mazis a de quoi regarder le clos de bèze droit dans les yeux. Il a ici de bonnes couleurs aux joues. Le cassis réglissé ne surprend pas. Assez tannique, il n'est guère bavard en bouche. Elégant cependant et à coup sûr destiné à trois bonnes années de garde au moins.

🔴 EARL Armelle et Jean-Michel Molin, 54, rte des Grands-Crus, 21220 Fixin, tél. 03.80.52.21.28, fax 03.80.59.96.99 ☑ ⏺ r.-v.

DOM. HENRI REBOURSEAU 1997★

| | Gd cru | 0,96 ha | 2 410 | ⏺⏺ | 250 à 299 F |

On lui donnerait presque une étoile de plus : une robe assez légère l'habille et introduit un bouquet de fruits cuits ou confiturés. Quelques notes végétales le parsèment. L'attaque se situe sur le fruit, puis on devine une bouche plus chaude certes, mais ample et riche, jusqu'à la finale en panache. Pour un civet de lièvre dans quelques années, mais ne pas attendre trop longtemps... Le petit château 1800, acquis par les Rebourseau en 1923, est l'une des plus belles demeures de Gevrey. L'étiquette le met justement à l'honneur.

🔴 NSE Dom. Henri Rebourseau, 10, pl. du Monument, 21220 Gevrey-Chambertin, tél. 03.80.51.88.94, fax 03.80.34.12.82, e-mail Rebourseau1@aol.com ☑ ⏺ r.-v.

DOM. TORTOCHOT 1997★★

| | Gd cru | 0,42 ha | 2 000 | ⏺⏺ | 200 à 249 F |

Si ce grand cru ne figurera jamais dans la *dictée de Pivot* (il s'écrit de quatre façons différentes), il est souvent à l'honneur sur les plus prestigieux menus. Celui-ci pourrait y trouver place. Puissant, moelleux, opulent, il correspond bien à l'idée qu'on en a. Sa robe est très légèrement évoluée. Son nez chante la cerise confite, caractéristique souvent de ce millésime. Typicité que confirme le palais enchanté (chair et fruit). Le domaine possède près d'un demi-hectare du grand cru.

🔴 Dom. Tortochot, 12, rue de l'Eglise, 21220 Gevrey-Chambertin, tél. 03.80.34.30.68, fax 03.80.34.18.80 ☑ ⏺ r.-v.

Dans ce guide, la reproduction d'une étiquette signale un vin particulièrement recommandé, un « coup de cœur » de la commission.

Ruchottes-chambertin

CH. DE MARSANNAY 1997

| | Gd cru | 0,1 ha | 450 | ⏺⏺ | 300 à 499 F |

Vigueur, mordant, ce sont les ruchottes, dans la partie des chambertin restée un peu sauvage avec ses vieux murs, ses tas de pierre, ses buissons. Ce nom ne doit rien aux abeilles, mais provient des *roichots*, petits rochers à fleur de terre. Rubis vif à reflets, ce 97 présente un nez encore discret et qui esquisse un paysage assez mûr. Les tanins et l'acidité se montrent aimables tout en marquant leur domaine.

🔴 Ch. de Marsannay, rte des Grands-Crus, B.P. 78, 21160 Marsannay-la-Côte, tél. 03.80.51.71.11, fax 03.80.51.71.12 ☑ ⏺ t.l.j. 10h-12h 14h-18h30; f. 23 déc.-3 janv.

Morey-saint-denis

Morey-Saint-Denis constitue, avec un peu plus de 100 ha, une des plus petites appellations communales de la Côte de Nuits. On y trouve d'excellents premiers crus et cinq grands crus ayant une appellation d'origine contrôlée particulière : clos de Tart, clos Saint-Denis, Bonnes-Mares (en partie), clos de la Roche et clos des Lambrays.

L'appellation est coincée entre Gevrey et Chambolle, et l'on pourrait dire que ses vins (4 685 hl en 1999, dont 195 en blanc) sont, avec leurs caractères propres, intermédiaires entre la puissance des premiers et la finesse des seconds. Les vignerons présentent au public les morey-saint-denis, et uniquement ceux-ci, le vendredi précédant la vente des Hospices de Nuits (3ᵉ semaine de mars) en un « Carrefour de Dionysos », à la salle des fêtes communale.

DOM. DES BEAUMONT 1997★

| | 1er cru | 0,35 ha | 1 500 | ⏺⏺ | 100 à 149 F |

Comme le disait Gaston Roupnel, « Morey n'est pas un croquant de pays ». A l'image des gens du village, ce vin est causant, vivant, liant. Pourpre très sombre, le bouquet porté sur la mûre, il présente une constitution bien construite, une jeunesse spontanée et une certaine rusticité. Plaisant, mais on le verrait mieux concourir en *village*.

🔴 Dom. des Beaumont, 9, rue Ribordot, 21220 Morey-Saint-Denis, tél. 03.80.51.87.89, fax 03.80.51.87.89 ☑ ⏺ r.-v.

DOM. REGIS BOUVIER
En la Rue de Vergy 1998★

■   0,5 ha   3 000   ◧ 70 à 99 F

Une bouteille qui paraît sortir tout droit d'une boîte de couleurs. Quelle extraction, mes amis ! La nez n'en dit pas trop. Juste un sentiment épicé. La bouche ne se livre pas tout de suite, mais la finale récompense la patience. Car sa fraîcheur, sa franchise ont un bel allant. A découvrir, sans aucun doute, après l'avoir laissée vieillir un peu (deux à trois ans) en cave.
🍷 Dom. Régis Bouvier, 52, rue de Mazy, 21160 Marsannay-la-Côte, tél. 03.80.51.33.93, fax 03.80.58.75.07 ☑ ⵂ r.-v.

JEAN-MICHEL GUILLON
La Riotte 1998★

■ 1er cru   0,25 ha   1 750   ◧ 70 à 99 F

2,5 ha en location en 1980 et aujourd'hui un beau domaine de 9 ha. Ce n'est pas un conte de fées mais l'histoire de ce Parisien qui a vraiment créé son univers de vigne. Imaginatif et passionné, il signe un morey produit au milieu du pays, très limpide, vanille et fruits rouges, assez rond et riche, flatteur pour tout dire. Légère touche de marc en retour d'arômes. A attendre deux ou trois ans.
🍷 Dom. Jean-Michel Guillon, 33, rte de Beaune, 21220 Gevrey-Chambertin, tél. 03.80.51.83.98, fax 03.80.51.85.59, e-mail eurlguillon@aol.com ☑ ⵂ r.-v.

DOM. LEYMARIE-CECI 1997★

■   0,4 ha   n.c.   ◧ 70 à 99 F

« Il ne leur manque rien », dit le Dr Jules Lavalle au chapitre des vins de Morey. Après une teinte vive. Son bouquet sauvage descend des Hautes-Côtes : l'animal, le sous-bois... Des tanins déjà arrondis, une légère acidité pour assurer la durée : il est à attendre ; on conseille de l'aérer à l'ouverture.
🍷 Dom. Leymarie-CECI, Clos du Village, 24, rue du Vieux-Château, 21640 Vougeot, tél. 03.80.62.86.06, fax 03.80.62.88.53 ☑ ⵂ r.-v.

LIGNIER-MICHELOT
En la Rue de Vergy 1998★

◀   1,9 ha   4 000   ◧ 70 à 99 F

Rubis profond, il offre une certaine originalité aromatique (réglisse, torréfaction). Après une attaque ferme et franche, la puissance s'affirme sur de bons tanins, et le caractère du terroir est respecté avec un joli travail du fût. L'ensemble ne manque ni de rondeur ni d'équilibre. Virgile Lignier a repris le domaine familial en 1996 : il est poète à sa façon !
🍷 Dom. Lignier-Michelot, 11, rue Haute, 21220 Morey-Saint-Denis, tél. 03.80.34.31.13, fax 03.80.58.52.16 ☑ ⵂ r.-v.

JEAN-PAUL MAGNIEN
Les Faconnières 1998

■ 1er cru   0,57 ha   2 200   ◧ 100 à 149 F

La violette lui fait tourner la tête. Un parfum intense et qui dure, qui dure... Sans doute ce 98 n'a-t-il pas les épaules très larges, mais il incite la dégustation. Une petite touche végétale apparaît, sans amertume cependant. Bref, un joli produit qui a encore besoin de se faire. Toute la vendange est ici égrappée.
🍷 Jean-Paul Magnien, 5, ruelle de l'Eglise, 21220 Morey-Saint-Denis, tél. 03.80.51.83.10, fax 03.80.58.53.27 ☑ ⵂ r.-v.

DOM. MARCHAND FRERES
Les Herbuottes 1998★

■   0,48 ha   1 800   ◧ 70 à 99 F

Un beau domaine familial de 7 ha. Dans son manteau pourpre, ce morey-saint-denis a quelque chose d'un cardinal. Voyez d'ailleurs comme il a le nez long ! Sa complexité d'épices et de fruits très mûrs s'accompagne d'un boisé bien tempéré. En bouche, il offre une ampleur tannique, une robustesse réelle, mais ce 98 ne montre aucune dureté. Le garder au moins quatre ans en cave.
🍷 Dom. Marchand Frères, 1, pl. du Monument, B.P. 38, 21220 Gevrey-Chambertin, tél. 03.80.62.10.97, fax 03.80.62.11.01, e-mail dmarc2000@aol.com ☑ ⵂ r.-v.

MOILLARD-GRIVOT
Monts Luisants 1998

■ 1er cru   0,8 ha   3 000   ◧ 100 à 149 F

Les Monts Luisants sont ce coteau dont les feuilles brillent, dit-on, même la nuit. Sur la droite quand on quitte Gevrey, avec cette jolie petite « maison de quatre-heures » (où l'on faisait les goûters). « Vin vert, riche Bourgogne », affirme le proverbe. En voici un bon exemple. Un 98 à la robe intense et qui cherche sa voie. Bien extrait, boisé encore, il devrait favorablement évoluer après une garde de trois à cinq ans.
🍷 Moillard-Grivot, 2, rue François-Mignotte, 21700 Nuits-Saint-Georges, tél. 03.80.62.42.00, fax 03.80.61.28.13, e-mail nuicave@wanadoo.fr ☑ ⵂ r.-v.

DOM. HENRI PERROT-MINOT
En la Rue de Vergy 1997★★

■   1 ha   3 600   ◧ 100 à 149 F

Deux fois coup de cœur (millésimes 91 et 96 sur nos éditions 1995 et 2000), ce domaine pratique un tri sévère, ne colle ni ne filtre. Le résultat ? Un rouge grenat relativement intense. Léger boisé sur le fruit, puis un corps tenace et long. La bouche est superbe, d'un beau volume et bien dessinée, c'est du velours teinté de mûre : un vin de soie. Notez aussi **La Riotte 97 en 1er cru**, citée (150 à 199 F).
🍷 Henri Perrot-Minot, 54, rte des Grands-Crus, 21220 Morey-Saint-Denis, tél. 03.80.34.32.51, fax 03.80.34.13.57 ☑ ⵂ r.-v.

DOM. LOUIS REMY Aux Chéseaux 1997★

■   0,25 ha   1 200   ▐ ◧ 100 à 149 F

Climat à la limite du gevrey-chambertin, juste sous le clos de la roche. Il produit ce vin rouge cerise soutenu. Le bouquet n'annonce pas encore ses intentions, balançant entre le fruit noir et le fût. Au palais, la texture apparaît fine et serrée. Bouteille encore réservée (acidité, tanins à mettre en harmonie), mais l'attente sera récompensée.

BOURGOGNE

➥Dom. Louis Remy, 1, pl. du Monument,
21220 Morey-Saint-Denis, tél. 03.80.34.32.59,
fax 03.80.34.32.59 ☑ ⊤ r.-v.

REMI SEGUIN 1997★★

| ■ | 0,51 ha | n.c. | ⦀ | 50 à 69 F |

Quand on est né au Clos de Tart, fils de l'un
de ses anciens régisseurs, on a le morey dans le
sang. Rémi Seguin réussit un excellent 97. Sa
brillance est expressive. Son nez un peu sauvage,
framboisé, déjà accompli. Si le fût manifeste sa
présence, le fruit rayonne dans toute sa fraîcheur.
Volume et persistance sont au rendez-vous. On
le quitte sur une impression d'élégance et de
pureté. Le 1ᵉʳ cru 97 est également remarquable,
tout en finesse et fruits rouges avec des tanins
bien enrobés (70 à 99 F). Excellent rapport qualité-prix.
➥Rémi Seguin, rue de Cîteaux, 21640 Gilly-
lès-Cîteaux, tél. 03.80.62.89.61,
fax 03.80.62.80.92 ☑ ⊤ r.-v.

Clos de la roche, de tart, de saint-denis, des lambrays

Le clos de la Roche - qui
n'est pas un clos - est le plus important en
surface (16 ha environ), et comprend plusieurs lieux-dits ; il a produit 486 hl en 1998
et 700 hl en 1999 ; le clos Saint-Denis,
d'environ 6,5 ha, n'est pas non plus un
clos, et regroupe aussi plusieurs lieux-dits
(270 hl). Ces deux crus, assez morcelés,
sont exploités de nombreux propriétaires. Le clos de Tart est, lui, entièrement
ceint de murs et exploité en monopole. Il
fait un peu plus de 7 ha et les vins sont
vinifiés et élevés sur place (307 hl) ; la cave
de deux niveaux mérite une visite. Le clos
des Lambrays est également d'un seul
tenant ; mais il regroupe plusieurs parcelles
et lieux-dits : les Bouchots, les Larrêts ou
clos des Lambrays, le Meix-Rentier. Il
représente un peu moins de 9 ha, dont 8,5
sont exploités par le même propriétaire. Il
a produit 383 hl en 1999.

Clos de la roche

DOM. ARLAUD PERE ET FILS 1997★

| ■ Gd cru | n.c. | n.c. | ⦀ | 150 à 199 F |

Ce clos de la roche (43,9 a) se situe dans les
Mochamps pour qui connaît son Morey à la
loupe. En bordure immédiate du *climat* historique, sensiblement plus petit que celui
d'aujourd'hui. Un vin qui pourra être dégusté
assez tôt (d'ici trois ou quatre ans) sur l'élégance
de son fruit. Sa robe est plaisante, son nez assez
fauve et toasté, accompagné de fruits rouges
mûrs. Elégant et raffiné, il offre un bel équilibre.
➥SCEA Dom. Arlaud Père et Fils,
43, rte des Grands-Crus, 21220 Morey-
Saint-Denis, tél. 03.80.34.32.65,
fax 03.80.58.52.09 ☑ ⊤ r.-v.

CAVES DU COUVENT DES CORDELIERS 1998

| ■ Gd cru | n.c. | 300 | ⦀ | 300 à 499 F |

Tout en douceur... Vêtu de rubis clair, le nez
suave axe sur le chocolat et le fruit mûr, il est
d'un volume appréciable, d'une longueur significative, d'un équilibre honorable. Plus souple
que concentré, pourvu de ce qu'on appelle ici
« le bon gras ». Filiale de Patriarche-Boisseaux.
➥Caves du Couvent des
Cordeliers, rue de l'Hôtel-Dieu, 21200 Beaune,
tél. 03.80.25.08.85, fax 03.80.25.08.21 ☑ ⊤ t.l.j.
9h30-12h 14h-18h

DOM. MARCHAND FRERES 1998★★

| ■ Gd cru | 0,06 ha | 300 | ⦀ | 200 à 249 F |

Le clos de la roche est à Morey « l'homme de
base » : le mieux charpenté. D'un beau rouge
pinot noir, ce 98 issu d'un tout petit bout de vigne
(guère plus d'une ouvrée) réalise un prodige. Ses
arômes de cerise, de kirsch lui donnent un allant
remarquable. Pur et authentique, bien construit,
il est à mettre dans un coin de sa cave car on doit
le laisser prendre de la hauteur.
➥Dom. Marchand Frères,
1, pl. du Monument, B.P. 38, 21220 Gevrey-
Chambertin, tél. 03.80.62.10.97,
fax 03.80.62.11.01, e-mail dmarc2000@aol.com
☑ ⊤ r.-v.

DOM. PONSOT Cuvée Vieilles vignes 1997★

| ■ Gd cru | 3,4 ha | 8 880 | ⦀ | + de 500 F |

Créé en 1872, ce très beau domaine familial
de 9 ha est très attentif à la qualité de ses raisins,
et pratique de petits rendements. Son 97, un
orchestre de chambre ? Non, c'est une formation
symphonique pour le nouvel Auditorium de
Dijon ! Sous la baguette de la famille Ponsot, qui
connaît le répertoire par cœur. 8 880 bouteilles
en cuvée Vieilles vignes, d'une prestance éclatante sous le feu assombri de la robe. La framboise épicée répond à l'appel du bouquet. Les
tanins n'éclipsent pas le fruit. L'équilibre est
impressionnant et la matière couvre amplement
le sujet.
➥Dom. Ponsot, 21, rue de La Montagne,
21220 Morey-Saint-Denis, tél. 03.80.34.32.46,
fax 03.80.58.51.70,
e-mail info@domaine-ponsot.com

La côte de Nuits (Centre)

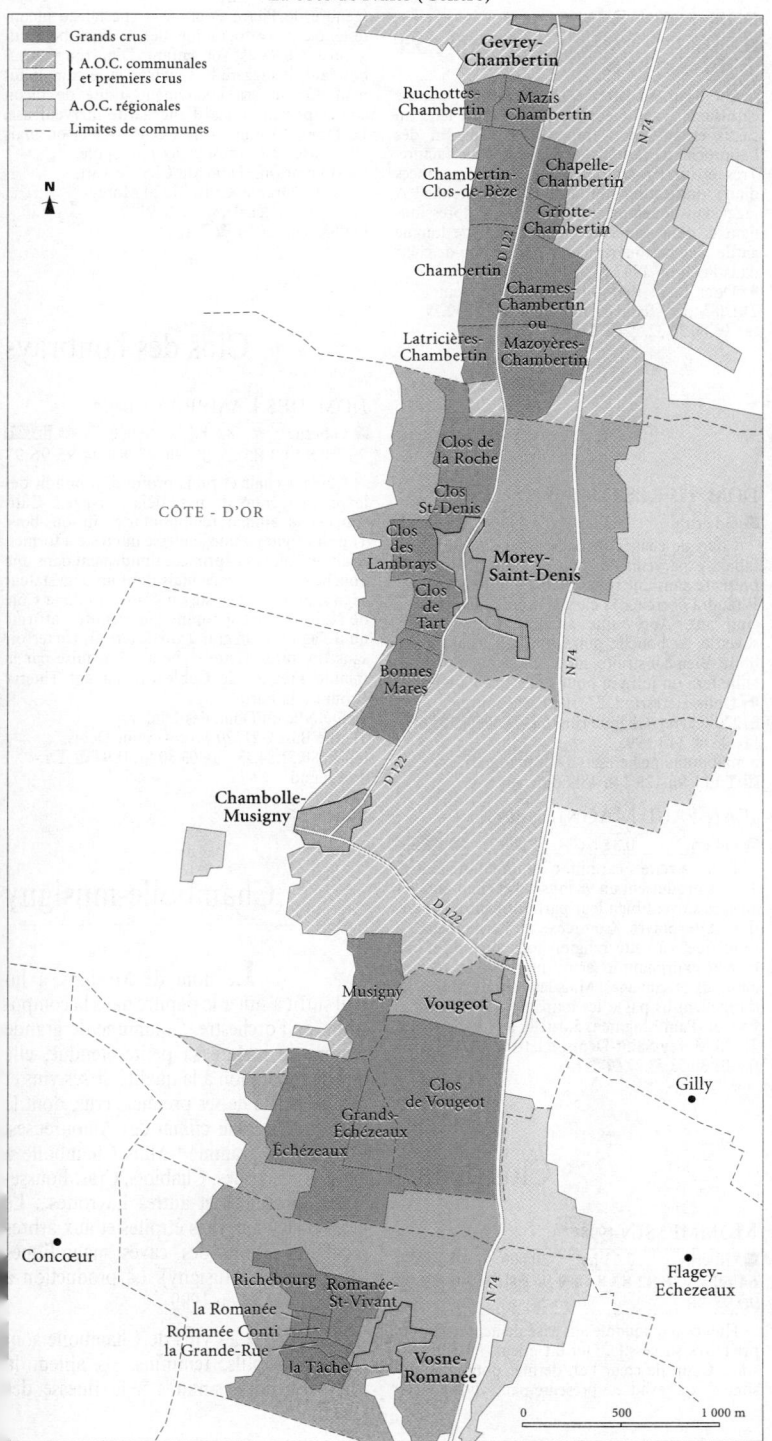

Grands crus

A.O.C. communales et premiers crus

A.O.C. régionales

--- Limites de communes

N

Gevrey-Chambertin

Ruchottes-Chambertin

Mazis Chambertin

Chambertin-Clos-de-Bèze

Chapelle-Chambertin

Griotte-Chambertin

Chambertin

Charmes-Chambertin ou Mazoyères-Chambertin

Latricières-Chambertin

N 74

D 122

Clos de la Roche

Clos St-Denis

CÔTE - D'OR

Clos des Lambrays

Morey-Saint-Denis

Clos de Tart

Bonnes Mares

N 74

Chambolle-Musigny

D 122

D 122

Musigny

Vougeot

Clos de Vougeot

• Gilly

Grands-Échézeaux

Échézeaux

Concœur •

• Flagey-Echezeaux

N 74

Richebourg

Romanée-St-Vivant

la Romanée

Romanée Conti

la Grande-Rue

la Tâche

Vosne-Romanée

0   500   1 000 m

DOM. LOUIS REMY 1998★★

■ Gd cru   0,65 ha   2 600   ■ ◧ 250 à 299 F

92 |93| 95 96 97 **98**

Un beau monstre. Mais oui, sous sa robe caressante, vanillé comme il se doit, il tend au cassis et à l'épice. Immense et sans fin dès l'approche de la bouche, il est de belle facture. Très terroir. Pas du tout adapté aux convenances d'une vinification souriante et commerciale ! A juger dans le temps, mais d'un élan impressionnant et d'une sincérité absolue. Vin de longue garde à ne pas ouvrir avant 2005. Coup de cœur dans l'édition 1997 pour le millésime 93.
➥ Dom. Louis Remy, 1, pl. du Monument, 21220 Morey-Saint-Denis, tél. 03.80.34.32.59, fax 03.80.34.32.59 ☑ ☿ r.-v.

Clos saint-denis

DOM. HERESZTYN 1998★

■ Gd cru   0,23 ha   1 500   ◧ 250 à 299 F

Coup de cœur l'an passé pour son 97 - et il fallait y parvenir - , ce clos saint-denis 98 se présente dans une robe sombre à reflets violacés. Il faudra chercher la clé des arômes dans trois à cinq ans. Après une attaque ronde et déjà soyeuse, la bouche puissante laisse paraître le boisé. Bien construite, racée et longue, cette bouteille fera un joli vin pour qui saura l'attendre.
➥ Dom. Heresztyn, 27, rue Richebourg, 21220 Gevrey-Chambertin, tél. 03.80.34.30.86, fax 03.80.34.13.99,
e-mail domaine.heresztyn@wanadoo.fr
☑ ☿ t.l.j. 9h-12h 14h-18h; dim. sur r.-v.

JEAN-PAUL MAGNIEN 1998

■ Gd cru   0,31 ha   1 500   ◧ 150 à 199 F

Rubis à reflets carmin, c'est un coloriste. Ces 31 ares produisent un 98 musical et chantant. Ses arômes suivent bien leur partition, entre la myrtille et le poivre. Complexe et harmonieux, il reste fidèle à cette religion tout au long d'une bouche exprimant le terroir jusqu'en des recoins animaux et sauvages. Mais les gens de Morey ne s'appellent-ils pas « les loups » ?
➥ Jean-Paul Magnien, 5, ruelle de l'Eglise, 21220 Morey-Saint-Denis, tél. 03.80.51.83.10, fax 03.80.58.53.27 ☑ ☿ r.-v.

Clos de tart

MOMMESSIN 1998★★

■ Gd cru   7,53 ha   20 000   ◧ 300 à 499 F

64 69 76 **78 82 83** 84 |85| **86** |88| |89| |90| |93| 〈95〉 96 97 **98**

Huit cent cinquante ans et seulement trois propriétaires successifs. Qui dit mieux ? L'illustrissime. Coup de cœur l'an dernier pour le millésime 85 qui avait été présenté par Sylvain Pitiot

(gendre de Pierre Poupon et spécialiste incontesté de la cartographie des terroirs bourguignons). Ce 98 est son enfant. D'un rouge surabondant, il suggère la venaison et le cuir, le fût neuf. Grand cru assurément, traité de façon contemporaine mais d'une garde merveilleuse. La famille Mommessin a cédé sa maison mais elle conserve ce prestigieux monopole.
➥ Mommessin, Dom. du Clos de Tart, 7, rte des Grands-Crus, 21220 Morey-Saint-Denis, tél. 03.80.34.30.91, fax 03.80.24.60.01 ☑ ☿ r.-v.

Clos des lambrays

DOM. DES LAMBRAYS 1997★

■ Gd cru   8,6 ha   30 000   ◧ 250 à 299 F

79 81 **82** 83 **85** 88 **89** |90| 92 |93| 94 **95** 96 97

Couleur chair et rubis profond, il bondit dès le premier coup de nez, déjà sauvage... Cuir, fruits cuits, animal, feuilles mortes du sous-bois. Tous les signes d'une jeunesse qui reste à former. Fruits et épices s'expriment timidement dans une bouche encore fermée mais dont un dégustateur - ignorant qu'il déguste un grand cru de la Côte de Nuits et donc ignorant son identité - affirme qu'il s'agit là d'un grand vin de terroir. Un terroir sans fioritures. Cette vigne a été acquise par la famille Freund, de Coblence, laissant Thierry Brouin à la barre.
➥ Sté Nlle du Dom. des Lambrays, 31, rue Basse, 21220 Morey-Saint-Denis, tél. 03.80.51.84.33, fax 03.80.51.81.97 ☑ ☿ r.-v.
➥ Freund

Chambolle-musigny

Le nom de Musigny à lui seul suffit à situer le pupitre dans la composition de l'orchestre. Commune de grande renommée malgré sa petite étendue, elle doit sa réputation à la qualité de ses vins et à la notoriété de ses premiers crus, dont le plus connu est le *climat* des Amoureuses. Tout un programme ! Mais Chambolle a aussi ses Charmes, Chabiots, Cras, Fousselottes, Groseilles et autres Lavrottes... Le petit village aux rues étroites et aux arbres séculaires abrite des caves magnifiques (domaine des Musigny). La production a atteint 7 906 hl en 1999.

Les vins de Chambolle son[t] élégants, subtils, féminins. Ils allient la force des bonnes-mares à la finesse des musigny ; c'est un pays de transition dans la Côte de Nuits.

ALBERT BICHOT 1997

■   n.c.   11 200   ⦀ 150 à 199 F

Il n'est pas comme le Bon Dieu de Chambolle, un Christ de Pitié situé derrière l'église et qui exprime toute la douleur du monde. Ce 97 ne manque en effet ni de chair ni de rondeur. Suggérant le fruit très mûr, un peu boisé et discrètement végétal, d'un rubis clair, il doit encore établir l'équilibre entre tanins et alcool. Bien fait, il saura attendre deux ans.
☛ Maison Albert Bichot, 6 bis, bd Jacques-Copeau, 21200 Beaune, tél. 03.80.24.37.37, fax 03.80.24.37.38

SYLVAIN CATHIARD
Les Clos de l'Orme 1997★★

■   0,43 ha   2 400   ⦀ 100 à 149 F

Coup de cœur l'an dernier pour ce vin millésime 97, Sylvain Cathiard travaille aussi bien que son père André qui a créé le domaine à force de pugnacité tout au long d'une vie de vigneron, salarié, puis métayer. Le résultat est là : un 98 à citer en exemple à toutes les étapes de la dégustation. La délicatesse d'un chambolle de tradition, souple, rond et fruité. Très beau vin complet et qui chante son terroir. De garde.
☛ Sylvain Cathiard, 20, rue de la Goillotte, 21700 Vosne-Romanée, tél. 03.80.62.36.01, fax 03.80.61.18.21 ☑ ☖ r.-v.

CHANSON PERE ET FILS 1997★

■   n.c.   4 000   ⦀ 150 à 199 F

Il s'agit bien de ce « vin de soie et de dentelle » qui émerveillait Gaston Roupnel. Si sa couleur est intense, décidée, le nez apparaît plus discret mais subtil (légères notes de menthol et de fruits rouges). A la manière des 97, un chambolle à la structure légère et à la complexité naissante, un peu abrupt en finale, apte à se conserver quelques années.
☛ Chanson Père et Fils, 10, rue Paul-Chanson, 21200 Beaune, tél. 03.80.22.33.00, fax 03.80.24.17.42, e-mail tmarion@vins-chanson.com ☖ r.-v.

F. CHAUVENET Les Baudes 1997

■ 1er cru   n.c.   3 600   ⦀ 150 à 199 F

Entre les Baudes et les Bonnes Mares, il n'y a que la route des Grands Crus. Autant dire le voisinage du paradis ! Cette bouteille fait de son mieux pour relever le défi, dans un style assez strict. Rubis brillant, elle évoque le fruit mûr. Pour le plaisir de l'instant et à boire dans l'année. Chauvenet fait partie de la famille Boisset.
☛ F. Chauvenet, 9, quai Fleury, 21700 Nuits-Saint-Georges, tél. 03.80.62.61.43, fax 03.80.62.37.38

ROBERT GROFFIER PERE ET FILS
Les Hauts-Doix 1998★★

■ 1er cru   1 ha   4 000   ⦀ 200 à 249 F

« Un vin attachant et très personnel », note un dégustateur. Le boisé certes l'emporte aujourd'hui mais la texture du vin est prometteuse : celui-ci a du corps, de la mâche, et un bon

développement que le nez annonçait par la richesse et la complexité de son fruité. Attendons que les notes toastées se fondent pour avoir une grande bouteille. Ce domaine avait reçu le coup de cœur l'an dernier pour des **Sentiers** dont la version **98** est à attendre. Vous souvenez-vous du grand-père Jules, vigneron et coureur cycliste qui avait disputé toutes les grandes classiques nationales ?
☛ SARL Robert Groffier et Fils, 3-5, rte des Grands-Crus, 21220 Morey-Saint-Denis, tél. 03.80.34.31.53 ☑ ☖ r.-v.

DOM. A.-F. GROS 1998★★

■   0,41 ha   2 200   ⦀ 150 à 199 F

Anne-Françoise Parent, née Gros (de Vosne), signe une bouteille remarquable et remarquée. Elle possède, comme l'écrivait Alexis Lichine, « un charme à la fois fragile et résolu, précisément ce qu'on appelle le charme féminin ». D'une teinte rubis grenat, respirant la fraise des bois, elle offre vinosité et persistance, densité et finesse. Beaucoup de saveur dans le goût. Bref, typée chambolle 98.
☛ Dom. A.-F. Gros, La Garelle, rte d'Ivry, 21630 Pommard, tél. 03.80.22.61.85, fax 03.80.24.03.16 ☑ ☖ r.-v.

MICHEL GROS 1998★

■   0,69 ha   3 500   ⦀ 100 à 149 F

Vinification donnant beaucoup d'extraction : couleur considérable, bouquet concentré de fruits noirs. Plus abordable en bouche, il n'est pas dépourvu d'élégance. Mais il présente assurément un caractère particulier, une personnalité atypique rappelant quelque peu le style « accadien » qui eut naguère tant de succès dans la Côte et auprès de la critique.
☛ Dom. Michel Gros, 7, rue des Communes, 21700 Vosne-Romanée, tél. 03.80.61.04.69, fax 03.80.61.22.29 ☑ ☖ r.-v.

DOM. ANTONIN GUYON 1997

■   3,32 ha   14 000   ⦀ 150 à 199 F

Cerise à l'alcool, ce 97 n'est pas très étoffé, mais son attaque franche, la finesse de son corps, la présence de son fruit incitent à le retenir. Le millésime, il est vrai, est ce qu'il est. Mieux vaut se montrer sincère. Avec près de 50 ha, l'un des domaines familiaux les plus étendus de la Côte.
☛ Dom. Antonin Guyon, 21420 Savigny-lès-Beaune, tél. 03.80.67.13.24, fax 03.80.66.85.87, e-mail vins@guyon-bourgogne.com ☑ ☖ r.-v.

DOM. HERESZTYN 1998

■   0,37 ha   1 800   ⦀ 70 à 99 F

Robe de pinot pourpre brillant, bouquet prometteur sous une influence encore boisée, un vin puissant. On le trouve agréable, d'une certaine distinction même, tout en conseillant d'attendre quatre à cinq ans son apogée et le fondu du fût.
☛ Dom. Heresztyn, 27, rue Richebourg, 21220 Gevrey-Chambertin, tél. 03.80.34.30.86, fax 03.80.34.13.99, e-mail domaine.heresztyn@wanadoo.fr ☑ ☖ t.l.j. 9h-12h 14h-18h; dim. sur r.-v.

LIGNIER-MICHELOT 1998*

| ■ | 0,7 ha | 2 000 | **⊪** 70 à 99 F |

« Le volnay de la côte de nuits », estimait André Jullien dès le début du XIX^{e}s. Chambolle n'est pas Musigny pour rien. On prend un vrai plaisir à découvrir la confirmation des qualités de l'appellation en cette bouteille cerise noire, bouquetée et radieuse (fruits frais), qui séduit par son gras soyeux, sa souplesse très franche, sa féminité accomplie. A attendre mais pas trop, un à deux ans seulement.
☛ Dom. Lignier-Michelot, 11, rue Haute, 21220 Morey-Saint-Denis, tél. 03.80.34.31.13, fax 03.80.58.52.16 ☑ ⍑ r.-v.

DOM. THIERRY MORTET
Les Beaux Bruns 1998*

| ■ 1er cru | 0,22 ha | 1 200 | **⊪** 150 à 199 F |

Sous sa robe impénétrable tant elle est sombre à reflets violacés, il ne confie pas trop de secrets à son nez. On y discerne cependant la confiture de fraises, le pruneau cuit, signes d'une maturité précoce. Le palais est en revanche frais et jeune, d'une mâche montante en milieu de bouche, d'une typicité satisfaisante.
☛ Dom. Thierry Mortet, 16, pl. des Marronniers, 21220 Gevrey-Chambertin, tél. 03.80.51.85.07, fax 03.80.34.16.80 ☑ ⍑ r.-v.

JACQUES-FREDERIC MUGNIER
Les Amoureuses 1997

| ■ 1er cru | 0,55 ha | 3 450 | **⊪** 250 à 299 F |

Les Amoureuses tiennent une place à part au sein de la Côte de Nuits. Le millésime 97 n'est sans doute pas la meilleure référence. Aussi trouve-t-on cette bouteille assez légère en tout. Une petite pointe d'acidité signale cependant une certaine vie intérieure. Coup de cœur dans l'édition 1994 (millésime 90).
☛ Jacques-Frédéric Mugnier, Ch. de Chambolle-Musigny, 21220 Chambolle-Musigny, tél. 03.80.62.85.39, fax 03.80.62.87.36 ☑ ⍑ r.-v.

DOM. MICHEL NOELLAT ET FILS
Les Feusselottes 1998*

| ■ 1er cru | 0,45 ha | 1 200 | **⊪** 100 à 149 F |

Vendangé à maturité, voici un excellent 98, d'un rouge soutenu, net et franc, aux arômes de fruits noirs et de champignon. La bouche s'accorde avec le nez, évoluant vers le pruneau. Belle matière et pas loin du coup de cœur. Satisfaction également avec le **village 98** qui reçoit une étoile.
☛ SCEA Dom. Michel Noëllat et Fils, 5, rue de la Fontaine, 21700 Vosne-Romanée, tél. 03.80.61.36.87, fax 03.80.61.18.10 ☑ ⍑ r.-v.

DOM. HENRI PERROT-MINOT
La Combe d'Orveau 1997*

| ■ 1er cru | 0,47 ha | 1 500 | **⊪** 150 à 199 F |

Juste au-dessus du clos de vougeot, entre échézeaux et musigny, ce 1er cru est merveilleusement niché. Grenat foncé, offrant à profusion la fraise et la framboise, il séduit le palais. S'il est encore un peu dur, il peut améliorer son harmonie. Il en a les moyens.

☛ Henri Perrot-Minot, 54, rte des Grands-Crus, 21220 Morey-Saint-Denis, tél. 03.80.34.32.51, fax 03.80.34.13.57 ☑ ⍑ r.-v.

DOM. ROBERT SIRUGUE
Les Mombies 1998*

| ■ | 0,27 ha | 1 600 | **⊪** 70 à 99 F |

Un râble de lièvre devrait se plaire en compagnie de ce *village* au nom de *climat* peu sollicité (situé au sud-est de Chambolle). Rubis à reflets légèrement rosés, il offre un nez de vin mûr orné d'une petite note boisée qui sait rester discrète. Un peu de sévérité, mais le cassis rehausse ses tanins (bien présents) pour en faire un 98 solide et réussi, à attendre deux ans.
☛ Dom. Robert Sirugue, 3, av. du Monument, 21700 Vosne-Romanée, tél. 03.80.61.00.64, fax 03.80.61.27.57 ☑ ⍑ r.-v.

DOM. TAUPENOT-MERME 1997*

| ■ | n.c. | 5 000 | **⊪** 100 à 149 F |

Venu de Saint-Romain, marié à Morey, Jean Taupenot a donc repris une partie de l'ancien domaine Merme. Un peu moins de 10 ha bien situés, avec des parcelles en charmes-chambertin et même quelques pieds de vigne au clos des lambrays. Virginie et Romain incarnent maintenant la jeune génération. Présenté sous une robe attrayante, bouqueté de façon sauvage (sousbois, gibier et présence du fût), ce vin remplit bien la bouche. Nuances de fruits écrasés. Prêt à boire. Le 86 avait obtenu un coup de cœur.
☛ Jean Taupenot-Merme, 33, rte des Grands-Crus, 21220 Morey-Saint-Denis, tél. 03.80.34.35.24, fax 03.80.51.83.41 ☑ ⍑ r.-v.

Bonnes-mares

Cette appellation, qui a produit 613 hl en 1999, déborde sur la commune de Morey le long du mur du clos de Tart, mais la plus grande partie est située sur Chambolle. C'est le grand cru par excellence. Les vins de bonnes-mares, pleins, vineux, riches, ont une bonne aptitude à la garde et accompagnent allègrement le civet ou la bécasse au bout de quelques années de vieillissement.

DOM. ARLAUD PERE ET FILS 1997**

| ■ Gd cru | 0,2 ha | n.c. | **⊪** 200 à 249 F |
| |91| |92| |**93**| 95 96 97| | | |

De passage à Morey durant la guerre, le soldat Joseph Arlaud tomba amoureux de Renée Amiot... et c'est ainsi que naquirent ce domaine et Hervé, leur fils. Ces 20 a 81 ca se situent très exactement au milieu du grand cru et en forment comme la charnière, ouvrant ici sur un vin remarquable. Grenat profond, il s'éveille sur le cassis. Ses tanins bien fondus composent un corps assez velouté et d'une finesse caractéristique. Coup de cœur dans l'édition 1997 pour le millésime 93.

☛SCEA Dom. Arlaud Père et Fils, 43, rte des Grands-Crus, 21220 Morey-Saint-Denis, tél. 03.80.34.32.65, fax 03.80.58.52.09 ☑ ⟙ r.-v.

DOM. DROUHIN-LAROZE 1998★

■ Gd cru	1,5 ha	4 000	⑪	200 à 249 F

95 96 98

Ce domaine possède 11,5 % des bonnes-mares soit 1,73 ha. Il est donc en mesure d'en tirer de grandes choses, d'autant qu'il existe encore ici des pieds de vigne datant de 1928. Rubis intense, ce 98 présente déjà une maturité importante sur des notes de cassis, de pruneau, de sous-bois. Ses tanins, prononcés mais fins, et sa persistance aromatique sont assez convaincants. A garder au moins cinq ans.

☛Drouhin-Laroze, 20, rue du Gaizot, 21220 Gevrey-Chambertin, tél. 03.80.34.31.49, fax 03.80.51.83.70 ☑ ⟙ r.-v.

XAVIER DUCLERT 1997

■ Gd cru	n.c.	n.c.	⑪	250 à 299 F

Pour un négociant-éleveur, il n'est pas toujours aisé de se procurer une pièce de bonnes-mares. Celui-ci y a réussi, proposant un vin dont les arômes évoquent la violette et le coing. Le gras est très présent en attaque, l'acidité prononcée et bien épaulée par le fruit (cerise confite). Ce vin doit s'arrondir avec le temps. Sa jeunesse le rend actuellement assez rugueux.

☛Xavier Duclert, 2 bis, pl. Carnot, 21200 Beaune, tél. 03.80.22.74.77, fax 03.80.22.74.77, e-mail xavier.duclert@fnac.net ☑ ⟙ t.l.j. sf lun. 10h-19h

DOM. FOUGERAY DE BEAUCLAIR 1998★

■ Gd cru	1,6 ha	n.c.	▮⑪♨	300 à 499 F

|88| |89| |90| |92| |93| 94 95 |96| 97 98

Les bonnes-mares côté Morey-Saint-Denis, pour l'information des amateurs qui s'intéressent aux nuances. Ce 98 ? C'est Liz Taylor dans un film-culte. D'un rouge sombre, profond, brillant, le vin offre un nez vanillé sur des notes de cassis et sous-bois. L'attaque est douce, avec des tanins bien fondus. En bouche, une timide groseille s'exprime, mais le boisé domine dans un sentiment de plénitude. Sa structure promet une bonne garde.

☛Dom. Fougeray de Beauclair, 44, rue de Mazy, B.P. 36, 21160 Marsannay-la-Côte, tél. 03.80.52.21.12, fax 03.80.58.73.83, e-mail fougeraydebeauclair@wanadoo.fr ☑ ⟙ r.-v.

ROBERT GROFFIER PERE ET FILS 1998★★

■ Gd cru	0,98 ha	3 900	⑪	300 à 499 F

|93| |94| 96 97 98

Puissance et finesse, typicité. Un vin plus corsé que fleuri, sur ses gardes - il a du mal à se livrer mais apparaît une concentration magnifique. Robe pourpre grenat, nez subtil révélant une cerise discrète accompagnée de notes grillées, il

possède une structure soyeuse, fine, d'un velours éblouissant. Le tapis rouge se déroule sur la langue. Cette parcelle de 98 a 48 ca a été acquise en 1933 sur la maison Peloux et replantée par petits bouts de 1960 à 1982. Coup de cœur dans le Guide 1996 pour son 93.

☛SARL Robert Groffier et Fils, 3-5, rte des Grands-Crus, 21220 Morey-Saint-Denis, tél. 03.80.34.31.53 ☑ ⟙ r.-v.

LOUIS JADOT 1997★

■ Gd cru	1 ha	4 500	⑪	300 à 499 F

Jadot possède une vigne de 33 a 45 ca replantée en 1987 et ayant appartenu à la veuve du fameux colonel Trinquier qui entra naguère dans l'histoire. Il l'a sans doute associée à d'autres parcelles puisqu'on nous parle d'un hectare. Sous une teinte violet foncé, ce 97 exprime un nez flatté par le fût et qui s'adonne volontiers au cassis. La bouche est faite de soie et de dentelle dans une heureuse persistance fruitée, où la chaleur domine sur des tanins très serrés.

☛Maison Louis Jadot, 21, rue Eugène-Spuller, 21200 Beaune, tél. 03.80.22.10.57, fax 03.80.22.56.03, e-mail contact@louisjadot.com ☑ ⟙ r.-v.

DOM. PIERRE PONNELLE 1995

■ Gd cru	1 ha	500	⑪	150 à 199 F

Sous sa couleur de violettes impériales, un nez tout en framboise et à évolution végétale. L'acidité est en retrait, la finale sur des tanins assez goûteux. De garde moyenne. Le domaine Pierre Ponnelle a été repris par Jean-Claude Boisset, l'un des principaux propriétaires du grand cru.

☛Dom. Pierre Ponnelle, 2, rue Paradis, 21200 Beaune, tél. 03.80.22.19.12, fax 03.80.24.91.87

HERVE ROUMIER 1997

■ Gd cru	0,26 ha	600	⑪	200 à 249 F

Hervé Roumier a travaillé au domaine de Vogüé. Bonne formation ! Il signe un 97 qui reprend à son compte la maxime d'André Maurois : « La sincérité est de verre, la discrétion de diamant ». On sent battre un cœur encore jeune, pour des bonheurs durables. Sa brillance est satisfaisante, son bouquet fait de fruits à l'eau-de-vie et de violette. De stature très honorable mais évidemment à conjuguer au futur.

☛Hervé Roumier, rue de Vergy, 21220 Chambolle-Musigny, tél. 03.80.62.80.38, fax 03.80.62.86.71 ☑ ⟙ r.-v.

Musigny

DOM. JACQUES PRIEUR 1997★★★

■ Gd cru	0,76 ha	2 600	⑪	+ de 500 F

Le musigny occupe l'une des loges les plus convoitées de ce théâtre. Cette terrasse rocheuse et calcaire donne ce que les Britanniques appellent le winiest wine, l'absolue vinosité. C'est le cas ici. Un fabuleux 97 (le 82 et le 89 ont déjà reçu notre ruban rouge) en robe profonde et au bouquet à la fois subtil et somptueux (cuir, clou de girofle, griotte). Son moelleux et ses tanins superbes et longs suscitent des rêves de sultan. Mais aussi, quelle puissance maîtrisée ! Quelle complexité ! Un vin de grande classe.

MUSIGNY
GRAND CRU
APPELLATION MUSIGNY CONTRÔLÉE
Mis en bouteille au domaine
DOMAINE JACQUES PRIEUR
Propriétaire à Meursault (Côte-d'Or) France
13% vol   750 ml
PRODUCE OF FRANCE

🍷 Dom. Jacques Prieur, 6, rue des Santenots, 21190 Meursault, tél. 03.80.21.23.85, fax 03.80.21.29.19 ☑ ⵏ r.-v.

Vougeot

C'est la plus petite commune de la côte viticole. Si l'on ôte de ses 80 ha les 50 ha du clos, les maisons et les routes, il ne reste que quelques hectares de vignes en vougeot, dont plusieurs premiers crus, les plus connus étant le Clos blanc (vins blancs) et le Clos de la Perrière. Le volume de production s'est élevé à 792,11 hl en 1999, dont 183 en blanc.

CHRISTIAN CLERGET
Les Petits Vougeot 1997★★

■ 1er cru	0,46 ha	2 570	ⓘ 100 à 149 F

Christian Clerget exporte 75 % de ses vins, dont une bonne part aux Etats-Unis et en Grande-Bretagne. Ses Petits Vougeot ? Ils sont grands ! D'un rouge profond et concentré, ils chantent à plein nez le cassis, le cuir. Une suavité... explosive ! L'attaque est souple, persistante sur des tanins très nobles. Remarquable et complet, un authentique 1er cru qui, auprès du grand cru voisin, n'a aucun complexe à se faire. Son excellent rapport qualité-prix ne doit faire hésiter personne... mais il y en a si peu !
🍷 Christian Clerget, ancienne RN 74, 21640 Vougeot, tél. 03.80.62.87.37, fax 03.80.62.84.37 ☑ ⵏ r.-v.

DOM. L'HERITIER-GUYOT
Les Cras 1997

■ 1er cru	1,5 ha	n.c.	ⓘ 200 à 249 F

Boisé, et il ne le cache pas, dans sa jolie robe rubis assez soutenu. Le nez grillé laisse les fruits noirs s'exprimer. La bouche équilibre également les deux « composants » de ces Cras, élevage et matière. Un vin typé.

🍷 Dom. L'Héritier-Guyot, rue de l'Eglise, 21700 Premeaux-Prissey, tél. 03.80.61.25.44, fax 03.80.61.25.44

DOM. PIERRE PONNELLE
Clos du Prieuré 1998★

☐	1 ha	5 000	ⓘ 100 à 149 F

Un vin à tiroirs, offrant des impressions successives et globalement positives. La jeunesse de sa robe à reflet vert a tout pour plaire. Miel, chèvrefeuille, ses arômes ont un charme très frais. Au palais, ce 98 évolue entre le gras et la vivacité. Un blanc provenant de vougeot étonne toujours sur table. C'était le vin de messe des moines de Cîteaux et ils avaient bon goût. Coup de cœur en rouge pour le millésime 87.
🍷 Dom. Pierre Ponnelle, 2, rue Paradis, 21200 Beaune, tél. 03.80.22.19.12, fax 03.80.24.91.87

DOM. ROUX PERE ET FILS
Les Petits Vougeot 1997★★

■ 1er cru	1,2 ha	5 000	ⓘ 150 à 199 F

Marcel Roux possédait 5 ha en 1960. Le domaine en compte plus de 40 de nos jours, dont 1,2 ha dans cette appellation. Un vin haut en couleur, aux arômes de mûre et de vanille, gardant cette ligne en bouche avec une pointe de myrtille en plus. Ses tanins sont encore assez jeunes, et une légère amertume en finale devrait fondre. Bouteille à attendre, mais deux ou trois ans au maximum, millésime oblige.
🍷 Dom. Roux Père et Fils, 21190 Saint-Aubin, tél. 03.80.21.32.92, fax 03.80.21.35.00 ☑ ⵏ r.-v.

Clos de vougeot

Tout a été dit sur le Clos ! Comment ignorer que plus de soixante-dix propriétaires se partagent ses 50 ha et les 2 100 hl déclarés en 1999 ? Un tel attrait n'est pas dû au hasard ; c'est bien parce qu'il est bon que tout le monde en veut ! Il faut bien sûr faire la différence entre les vins « du dessus », ceux « du milieu » et ceux « du bas », mais les moines de l'abbaye de Cîteaux, lorsqu'ils ont élevé le mur d'enceinte, avaient tout de même bien choisi leur lieu...

Fondé au début du XIIᵉ s., le Clos atteignit très rapidement sa dimension actuelle ; l'enceinte d'aujourd'hui est antérieure au XVᵉ s. Plus que le Clos lui-même, dont l'attrait essentiel se mesure dans les bouteilles quelques années après leur production, le château, construit aux XIIᵉ et XVIᵉ s., mérite qu'on s'y attarde un peu. La partie la plus ancienne est constituée du cellier, de nos jours utilisé pour les chapitres de la confrérie des Chevaliers du Tastevin, actuel propriétaire des lieux, et de la cuverie, qui abrite à chaque angle quatre magnifiques pressoirs d'époque.

BERTRAND AMBROISE 1997★★

■ Gd cru 0,17 ha n.c. ❚❙❘ 200 à 249 F

Promo 97. Sur une photo de groupe, il y a toujours une physionomie qui attire les regards. Pas forcément très brillante, mais respirant la santé et se faisant des amis. Cette bouteille, par exemple. Son bouquet est « explosif », riche et complexe : léger moka, fruits mûrs, etc. Au palais, il s'agit non seulement d'un vin complet, mais encore d'un modèle d'originalité et de classe. Bel avenir en perspective. Mais il y en a si peu...
☛ Maison Bertrand Ambroise, rue de l'Eglise, 21700 Premeaux-Prissey, tél. 03.80.62.30.19, fax 03.80.62.38.69,
e-mail bertrand.ambroise@wanadoo.fr
☑ ⌶ r.-v.

PIERRE ANDRÉ 1997★

■ Gd cru 1,09 ha 3 000 ❚❙❘ + de 500 F

Parcelle acquise en 1933 par Pierre André, le fondateur de la Reine Pédauque. Elle est située dans la partie haute du clos. Pourpre léger, un 97 au bouquet très classique (réglisse, épices) et à la structure particulièrement massive. Le Colisée ! Dans ce style et ce registre, il est bien réussi. On aura sans doute l'occasion d'en reparler car il s'agit d'un vin de garde.
☛ Pierre André, Ch. de Corton-André, 21420 Aloxe-Corton, tél. 03.80.26.44.25, fax 03.80.26.43.57, e-mail pandre@axnet.fr
⌶ t.l.j. 10h-18h

ALBERT BICHOT 1997

■ Gd cru 0,4 ha 1 800 ❚❙❘ 300 à 499 F

Quelque 40 a dans la partie méridionale du clos, acquis en 1964, et ancienne propriété Grivelet. Sur un ton œil-de-perdrix, ce vin s'ouvre sur des notes de cerise, sans trop insister. Un côté sauvage, giboyeux qui facilitera le travail de la cuisinière. L'accord est ici tout indiqué et sur une veine classique : sanglier, ou jambon du Morvan en croûte.
☛ Maison Albert Bichot, 6 bis, bd Jacques-Copeau, 21200 Beaune, tél. 03.80.24.37.37, fax 03.80.24.37.38

JOSEPH DROUHIN 1998★

■ Gd cru 1 ha n.c. ❚❙❘ 300 à 499 F

Deux parcelles (62,10 a et 29,02 a), la première médiane et la seconde au midi ; elles produisent un vin qui n'a rien d'introverti. Il vous accueille les bras ouverts. Jolie intensité, bouquet expressif (cerise, chocolat, réglisse) et une constitution assez ample et équilibrée. La finale est encore austère : rien d'étonnant à cet âge.
☛ Joseph Drouhin, 7, rue d'Enfer, 21200 Beaune, tél. 03.80.24.68.88, fax 03.80.22.43.14, e-mail drouhin@calva.net
⌶ r.-v.

DOM. DROUHIN-LAROZE 1998★

■ Gd cru 1 ha 3 000 ❚❙❘ 200 à 249 F
⑧⑨ 86 |88| 89 91 93 94 **95 96 97** 98

Coup de cœur l'an dernier (millésime 97) et déjà dans l'édition 1987 (83), ce domaine possède un peu plus de 1 ha du clos, dans sa partie haute, proche du château. Il en tire pour les neuf cents ans de l'abbaye de Cîteaux (en 1998), un vin d'une sévérité, d'une austérité tout à fait cisterciennes. Seule sa robe évoque un cardinal. Ses arômes ont besoin de l'air ambiant pour aller à confesse, mais le cassis, le café sont-ils des péchés ? Ce vin tout juste sorti du fût doit faire retraite pour accéder à la grâce. Il en a les capacités.
☛ Drouhin-Laroze, 20, rue du Gaizot, 21220 Gevrey-Chambertin, tél. 03.80.34.31.49, fax 03.80.51.83.70 ☑ ⌶ r.-v.

R. DUBOIS ET FILS 1997★

■ Gd cru 0,33 ha 1 700 ❚❙❘ 200 à 249 F

Ce domaine authentiquement vigneron a réussi à prendre pied (33 a) au sein du grand cru : c'est un peu comme si vous deveniez propriétaire d'un appartement au château de Versailles... Fleurs et cerise sur fond boisé, tendre, tout en dentelle, ce vin est assurément bien construit. On conseille de le savourer d'ici deux à trois ans.
☛ R. Dubois et Fils, rte de Nuits-Saint-Georges, 21700 Premeaux-Prissey, tél. 03.80.62.30.61, fax 03.80.61.24.07, e-mail rdubois@wanadoo.fr ☑ ⌶ t.l.j. 8h-11h30 14h-18h; sam. dim. sur r.-v.

FAIVELEY 1997★

■ Gd cru 1,28 ha 3 960 ❚❙❘ 300 à 499 F

Trois parcelles situées aux quatre coins du clos, sur 1,28 ha. Elles permettent de réaliser la synthèse des différents *climats*. Si la robe est ici légère et le nez très réservé, le corps strict et sévère ne manque pas de caractère. Sans atteindre les sommets, c'est un vin qui se montre à l'attaque sous son meilleur jour. La bouche répond au millésime, non sans ampleur et équilibre. On sait que la confrérie des Chevaliers du Tastevin est née des œuvres du grand-père du responsable actuel de la maison et du domaine.
☛ Bourgognes Faiveley, 8, rue du Tribourg, 21700 Nuits-Saint-Georges, tél. 03.80.61.04.55, fax 03.80.62.33.37,
e-mail bourgognes.faiveley@wanadoo.fr
☑ ⌶ t.l.j. 9h-12h 14h-18h; f. 21 juil.-21 août

CH. GENOT-BOULANGER 1997★★

■ Gd cru 0,42 ha 1 680 ❚❙❘ 250 à 299 F

« Voilà de la présence ! » pourrait-on s'exclamer avec Hugh Johnson au chapitre du clos de Vougeot. Pour les travaux pratiques, voyez ce vin qui est l'un des meilleurs de la dégustation. Grenat sombre, il présente un nez très complexe et en même temps conforme au caractère du cru : cassis et violette complétés par des notes du fût. Bouche ample et texture soyeuse, bonne structure tannique, finale réglissée, la leçon n'est pas seulement bien apprise : elle a été comprise.

☛ Ch. Génot-Boulanger, 25, rue de Cîteaux, 21190 Meursault, tél. 03.80.21.49.20, fax 03.80.21.49.21, e-mail genot-boulanger@wanadoo.fr ☑ ⟟ r.-v.
☛ Mme Delaby

DOM. GROS FRERE ET SŒUR
Musigni 1997*

| ■ Gd cru | 0,75 ha | 3 826 | ⑪ | 200 à 249 F |

Vieille question : peut-on indiquer sur l'étiquette le nom du *climat* d'origine au sein du clos ? Comme ici Musigni, situé dans la partie haute vers le château. Ça se discute, mais ces *climats* existent et, historiquement, rien n'empêche d'y faire allusion. Cette parcelle replantée notamment en 1987 dessine un vin rouge nocturne, aux accents animaux et musqués, mêlés aux fruits noirs. Sa constitution est à la fois stricte et harmonieuse, chaleureuse en finale et, en définitive, sur la réserve. De bon niveau, à laisser vieillir et à décanter si possible.
☛ SCE Gros Frère et Sœur, 6, rue des Grands-Crus, 21700 Vosne-Romanée, tél. 03.80.61.12.43, fax 03.80.61.34.05 ☑ ⟟ r.-v.
☛ Bernard Gros

ALAIN HUDELOT-NOELLAT 1998*

| ■ Gd cru | 0,68 ha | 3 300 | ⑪ | 200 à 249 F |

A ranger parmi les excellents clos de vougeot dégustés à l'intention de notre Guide 2001, ce 98 est déjà très agréable. De bonne intensité, il emplit les poumons de cassis, de framboise. Un vin fruité, souple, fondu, équilibré, assez persistant. On ne saurait trop conseiller de le laisser mûrir encore, car il est loin de son apothéose.
☛ Alain Hudelot-Noëllat, 21640 Chambolle-Musigny, tél. 03.80.62.85.17, fax 03.80.62.83.13 ☑ ⟟ r.-v.

DOM. FRANCOIS LAMARCHE 1998*

| ■ Gd cru | n.c. | n.c. | ▮⑪⬥ | 250 à 299 F |
| |91| 94 95 |97| 98 | | | |

Ce domaine exploite les vignes familiales sur 1,35 ha 89 ca, en plusieurs parcelles situées surtout dans la partie haute du clos. D'une couleur brillante et sombre, ce 98 sent la vendange. Déjà bien ouvert, il s'offre une excursion du côté de la violette, accompagnée de notes de torréfaction. Ni trop lourd ni trop dur, avec du corps et de la finesse, il devrait très bien évoluer.
☛ Dom. François Lamarche, 9, rue des Communes, 21700 Vosne-Romanée, tél. 03.80.61.07.94, fax 03.80.61.24.31 ⟟ r.-v.

CH. DE LA TOUR 1997**

| ■ Gd cru | 5,4 ha | n.c. | ⑪ | 300 à 499 F |
| 85 86 |87| 88 89 | 90 91 93 94 95 96 |97| | |

Constitué en 1870 par les ancêtres de Pierre Labet, ce château est emblématique de l'appellation. Ce 97 a été vinifié à partir de raisins entiers non foulés et d'une macération à froid, et n'a passé que dix-huit mois en fûts dont 50 % sont neufs. Plus corsé que charpenté, mais d'une excellente concentration, il est fruité et assez chaleureux. Il joue sur la séduction, la finesse. Un charmeur à attendre de cinq à huit ans.

☛ Ch. de La Tour, Clos de Vougeot, 21640 Vougeot, tél. 03.80.62.86.13, fax 03.80.62.82.72, e-mail labet@axnet.fr ☑ ⟟ t.l.j. sf lun. 10h30-18h30; f. 30 nov.-15 avr.
☛ François Labet

DOM. MONGEARD-MUGNERET
1997*

| ■ Gd cru | 0,62 ha | 2 300 | ⑪ | 250 à 299 F |

Parcelles sur la partie haute du clos, donnant jadis naissance à la « Cuvée du pape ». Pour un vin qui peut être consommé dès à présent, mais qui garde un réel potentiel, du ressort pour développer sa maturité. Son nez bien mûr, épicé et vanillé, sa longueur séduisent. Pensez à une bécasse flambée.
☛ Dom. Mongeard-Mugneret, 14, rue de la Fontaine, 21700 Vosne-Romanée, tél. 03.80.61.11.95, fax 03.80.62.35.75, e-mail mongeard@axnet.fr ⟟ r.-v.

MORIN PERE ET FILS 1997

| ■ Gd cru | n.c. | 6 000 | ⑪ | 300 à 499 F |

Morin Père et Fils fut longtemps propriétaire du château de la Tour construit dans le clos. Celui-ci et ses vignes demeurent au sein de cette famille, tandis que la maison de négoce-éleveur a été reprise par J.-Cl. Boisset, propriétaire de 1,05 ha 20 ca dans le clos (L'Héritier-Guyot), sa partie médiane. Ce 98 annonce tout de suite la couleur : pinot noir bien limpide, rouge ardent. Ses arômes de poivre et de musc introduisent une sève, une saveur très franches. Jeune encore, il nous fait penser à ce qu'Auguste Luchet écrivait jadis : « Ici l'enfant dans la bouteille ressaisit sa majesté native et rappelle les grands airs de ses ancêtres. » Il s'ouvrira pleinement dans quatre à cinq ans.
☛ Morin Père et Fils, 9, quai Fleury, 21700 Nuits-Saint-Georges, tél. 03.80.62.61.42, fax 03.80.62.37.38 ☑ ⟟ t.l.j. 9h-12h 14h-18h; l'été 8h-19h

DENIS MUGNERET ET FILS 1998*

| ■ Gd cru | 0,72 ha | 1 500 | ⑪ | 200 à 249 F |
| 90 93 |94| 95 97 98 | | | |

Cette parcelle plein sud (72,60 a) appartient à la famille Liger-Belair. Elle est exploitée depuis 1969 en métayage à mi-fruits par ce viticulteur de Vosne. Voici un vin d'une teinte éclatante, fauve, dirait un critique d'art. Son bouquet communique peu. Juste quelques notes de sous-bois, de réglisse. D'une plénitude corsée, un pinot noir qui emplit le palais. Nous sommes en présence d'un 98 qu'il faut laisser en paix cinq à dix ans.
☛ Denis et Dominique Mugneret, 9, rue de la Fontaine, 21700 Vosne-Romanée, tél. 03.80.61.00.97, fax 03.80.61.24.54 ☑ ⟟ r.-v.
☛ Liger-Belair

DOM. MICHEL NOELLAT ET FILS
1998*

| ■ Gd cru | 0,46 ha | 1 200 | ⑪ | 200 à 249 F |

Certains vont jusqu'à prétendre que le vin du clos aurait « la plénitude d'un solide ». Il lui arrive, il est vrai, d'être si bouqueté, si riche de sève, si généreux que l'on doute de son état liquide... Celui-ci s'agrémente d'un joli nez de Zan et de griotte. Sa puissance relative et sa persistance n'enlèvent rien à une élégance réelle : une main de bronze dans un gant de soie. Son austérité présente conduit à ne pas le servir avant trois ou quatre ans.

☛ SCEA Dom. Michel Noëllat et Fils, 5, rue de la Fontaine, 21700 Vosne-Romanée, tél. 03.80.61.36.87, fax 03.80.61.18.10 ☑ ⏺ r.-v.

DOM. HENRI REBOURSEAU 1997

| ■ Gd cru | 2,2 ha | 6 750 | ⦀ | 300 à 489 F |
89 90 92 93 |94| **95** 96 97

Situé au centre du clos, ces 2,20 ha ont donné un vin qu'il ne faudra pas ouvrir avant cinq ou six ans ; même si sa robe rouge intense est brillante, le nez se cache - ou ne laisse paraître que quelques notes de fleurs fanées -, le fût s'impose et l'extraction est sensible en bouche. Il faut donc attendre qu'il accepte de s'exprimer.

☛ NSE Dom. Henri Rebourseau, 10, pl. du Monument, 21220 Gevrey-Chambertin, tél. 03.80.51.88.94, fax 03.80.34.12.82, e-mail Rebourseau@aol.com ☑ ⏺ r.-v.

DOM. ARMELLE ET BERNARD RION 1998

| ■ Gd cru | 0,91 ha | 2 400 | ⦀ | 200 à 249 F |
|90| 95 96 98

La truffe fait partie de la garde rapprochée du clos de vougeot. Justement, ce couple de viticulteurs est l'un des principaux artisans de la renaissance de la truffe de Bourgogne. On ne sera donc pas surpris de vérifier, sous une robe très soutenue, l'existence de ces arômes complexes et durables de sous-bois, de gibier, d'épices. Un vin un peu sec dans l'immédiat, mais il possède tout ce qui lui permettra de se parfaire.

☛ Dom. Armelle et Bernard Rion, 8, rte Nationale, 21700 Vosne-Romanée, tél. 03.80.61.05.31, fax 03.80.61.24.60, e-mail rion@webiwine.com ☑ ⏺ r.-v.

DOM. THOMAS-MOILLARD 1998

| ■ Gd cru | 0,6 ha | 3 000 | ⦀ | 300 à 499 F |

Peu de vins savent à ce point vous égarer avant de vous prendre par la main pour vous indiquer la clé de leur complexité. C'est le cas de celui-ci. D'un rubis très intense, il concentre son bouquet sur le sous-bois, l'humus, la feuille d'automne. Au palais, c'est un peu *L'Année dernière à Marienbad* : un labyrinthe dont on ne sortira vraiment que vers 2010.

☛ Dom. Thomas-Moillard, chem. rural n° 29, 21700 Nuits-Saint-Georges, tél. 03.80.62.42.00, fax 03.80.61.28.13, e-mail nuicave@wanadoo.fr ⏺ r.-v.

☛ SCI du clos de Thorey

> Sachez ranger votre cave : les blancs près du sol, les rouges au-dessus ; les vins de garde dans les rangées du fond, les bouteilles à boire en situation frontale. Et n'oubliez pas le livre de cave....

Echézeaux et grands-échézeaux

Au sud du Clos de Vougeot, la commune de Flagey-Echézeaux, dont le bourg est dans la plaine, tout comme celui de Gilly (les Cîteaux) en face du Clos de Vougeot, longe le mur de celui-ci pour faire, jusqu'à la montagne, une incursion dans le vignoble. La partie du piémont bénéficie de l'appellation vosne-romanée. Dans le coteau se succèdent deux grands crus : le grands-échézeaux et l'échézeaux. Le premier fait environ 9 ha de surface, sur plusieurs lieux-dits et n'a produit que 444 hl en 1999, alors que le second en couvre plus de 30 pour un volume de 1 304 hl.

Les vins de ces deux crus, dont les plus prestigieux sont les grands-échézeaux, sont très « bourguignons » : solides, charpentés, pleins de sève mais aussi très chers. Ils sont essentiellement exploités par les vignerons de Vosne et de Flagey.

Echézeaux

DOM. FRANCOIS CAPITAIN ET FILS 1998

| ■ Gd cru | 0,3 ha | 1 500 | ⦀ | 250 à 299 F |

Ce domaine Capitain-Gagnerot compte aujourd'hui plus de 16 ha. Relisez les bons auteurs, ce grand cru sensuel est d'une conquête facile. Il ne boude pas son plaisir, et il aime à le faire partager. Pourpre vif, fruité jeune, cassis et cuir de tonalité légère, le 98 s'explique par la suite avec un rien d'austérité dont répondent ses tanins adolescents qui devraient trouver quelque rondeur dans trois ans.

☛ Capitain-Gagnerot, 38, rte de Dijon, 21550 Ladoix-Serrigny, tél. 03.80.26.41.36, fax 03.80.26.46.29 ☑ ⏺ r.-v.

CHRISTIAN CLERGET 1997

| ■ Gd cru | 1 ha | 4 000 | ⦀ | 150 à 199 F |
87 |89| |90| 91 92 93 |94| 95 96 97

Installée à Vougeot depuis cent vingt ans, la famille Clerget exploite 6 ha. Son échézeaux porte une robe rubis soutenu à reflets bigarreau. Le bouquet, ouvert et franc, pinote bien sur le fruit mis en confiture dans le chaudron de grand-maman. En bouche, « le contexte du millésime paraît » : ce n'est pas une grande matière mais c'est plus qu'honorable et demande deux à trois ans de garde.

⊶ Christian Clerget, ancienne RN 74, 21640 Vougeot, tél. 03.80.62.87.37, fax 03.80.62.84.37 ☑ Y r.-v.

FRANCOIS CONFURON-GINDRE 1998

■ Gd cru n.c. 1 350 (I) 150 à 199 F

Il devrait s'ouvrir car son parfum de cerise noire est un signe d'espoir. Ne pas s'étonner si ce vin est encore vert. Il a son âge, c'est tout. Rouge clair, le nez plein et chaud, légèrement boisé, il amorce une démarche complexe et structurée. L'attendre cinq ans en le laissant en paix au fond d'une bonne cave.

⊶ François Confuron-Gindre, 21700 Vosne-Romanée, tél. 03.80.61.20.84, fax 03.80.62.31.29 ☑ Y r.-v.

JOSEPH DROUHIN 1998*

■ Gd cru 0,5 ha n.c. (I) 300 à 499 F

Cette vigne de 52,63 ares se situe En Orveaux, l'un des meilleurs *climats* du grand cru que les actes notariaux appelaient jadis Grand Musigny. Entre voisins... Ce 98 est très honorable. Malgré son jeune âge ! La robe brille, intense. Le nez pinote, accompagné de notes boisées, fumées, animales. La bouche suit sur un registre identique, équilibrée, longue. Dans trois ou cinq ans, ce sera parfait.

⊶ Joseph Drouhin, 7, rue d'Enfer, 21200 Beaune, tél. 03.80.24.68.88, fax 03.80.22.43.14, e-mail drouhin@calva.net Y r.-v.

FAIVELEY 1997**

■ Gd cru 0,86 ha 2 940 (I) 300 à 499 F

86,82 ares En Orveaux, dans la partie la plus noble et autrefois cistercienne du grand cru. Tout en haut. Des pieds de vigne plantés durant les années 1940 et 1950 : cela donne un bon et grand vin pour le millésime. Odeurs de sous-bois, de champignon, de feuilles mortes, de gibier furtif : c'est ici de tradition. Bigarreau soutenu, il est généreux, vineux, et d'une longueur parfaitement concentrée. « Très bon vinificateur », écrit l'un des dégustateurs. Tous conseillent d'attendre ce 97 quatre à cinq ans et de le servir sur du gibier.

⊶ Bourgognes Faiveley, 8, rue du Tribourg, 21700 Nuits-Saint-Georges, tél. 03.80.61.04.55, fax 03.80.62.33.37, e-mail bourgognes.faiveley@wanadoo.fr ☑ Y t.l.j. 9h-12h 14h-18h; f. 21 juil.-21 août

DOM. A.-F. GROS 1998*

■ Gd cru 0,26 ha 1 400 (I) 250 à 299 F

89 **90** 94 96 97 98

Cinq parcelles aux Champs Traversins (*climat* niché dans le secteur historique du grand cru) composent ces 26,8 ares. Autant dire qu'il s'agit de tapisserie au petit point, d'un travail d'aiguille. D'une teinte très dense, un vin encore dans sa gangue, avec énormément de grain et de mâche, destiné à l'attente, à la patience. Fruits rouges, genièvre et notes boisées au nez. Petite touche réglissée en finale, pour entretenir l'espérance (trois à cinq ans).

⊶ Dom. A.-F. Gros, La Garelle, rte d'Ivry, 21630 Pommard, tél. 03.80.22.61.85, fax 03.80.24.03.16 ☑ Y r.-v.

⊶ Anne-Françoise Parent

DENIS MUGNERET ET FILS 1998

■ Gd cru 0,42 ha 1 800 (I) 200 à 249 F

Ample et long, il délimite d'emblée son territoire. Cerise limpide, végétal et épicé, il traite véritablement du sujet quand il pénètre au palais. La langue et les papilles lui rendent les honneurs dus à son rang, appréciant sa mâche altière et son fruit bien mûr. Un rien de sécheresse... Est-il intimidé ? Sans prétendre devenir maréchal à la cour, il y sera estimé... dans cinq à dix ans.

⊶ Denis et Dominique Mugneret, 9, rue de la Fontaine, 21700 Vosne-Romanée, tél. 03.80.61.00.97, fax 03.80.61.24.54 ☑ Y r.-v.

DOM. MICHEL NOELLAT ET FILS 1998*

■ Gd cru 0,46 ha 1 500 (I) 150 à 199 F

94 96 97 98

Deux parcelles pour près d'un demi-hectare. Dans les Treux et les Echézeaux du Dessus. Pour un juste milieu. *In medio stat virtus*, n'est-ce pas ? Rouge foncé, ce 98 se signale à l'attention par un nez animal et réglissé puis par une mâche profonde et sûre. Puissant, robuste, équilibré, il est de moyenne mais bonne garde (quatre à cinq ans).

⊶ SCEA Dom. Michel Noëllat et Fils, 5, rue de la Fontaine, 21700 Vosne-Romanée, tél. 03.80.61.36.87, fax 03.80.61.18.10 ☑ Y r.-v.

REINE PEDAUQUE 1998

■ Gd cru n.c. n.c. (I) 250 à 299 F

Il faut savoir résister à ce que La Rochefoucauld appelait « le trop grand empressement »... Car ce 98 est placé sous la protection de son ange gardien, pour quelques années encore. Rouge « larmoyant » (attention, les larmes sont une qualité lorsque l'on parle de bon vin), il a un petit nez en éveil sur le sous-bois et l'épice vanillée, puis une belle charpente forcément un peu rude à cette étape de sa vie. Deux ans avant de voir.

⊶ Reine Pédauque, Le Village, 21420 Aloxe-Corton, tél. 03.80.25.00.00, fax 03.80.26.42.00, e-mail rpedauque@axnet.fr Y r.-v.

DOM. FABRICE VIGOT 1997*

■ Gd cru 0,59 ha 900 (I) 250 à 299 F

90 91 92 93 |**94**| 96 97

De la bonté plus qu'il n'en faut dans ce 97 issu de 59,63 ares en métayage Mugneret-Gibourg et dans les Rouges du Bas (*climat* très bien situé et le plus méridional). Jolie robe et parure cerise noire, nez de framboise et de kirsch avec quelques nuances de tabac, bouche ouverte et placée sous le signe de la cerise. Les tanins enrobés, de bon aloi, garantissent une garde de quatre à cinq ans.

⊶ Dom. Fabrice Vigot, 16, rue de la Fontaine, 21700 Vosne-Romanée, tél. 03.80.61.13.01, fax 03.80.61.13.01 ☑ Y r.-v.

Grands-échézeaux

DOM. GROS FRERE ET SŒUR 1997★★

■ Gd cru   0,37 ha   1 519   ❙❙❙   300 à 499 F

Il est grand avant d'être échézeaux. Le vin favori de l'écrivain bourguignon Henri Vincenot qui l'accordait à sa fameuse *gruotte* de sanglier. Car il est solide et inébranlable, ce 97 sans intensité de couleur excessive, dans le respect du pinot, et développant sa complexité dans le verre, demeurant (bien sûr, à cet âge) sur la réserve. Charnue et pleine, d'une texture de bonne facture, une bouteille à conserver précieusement. Elle va perdre en cave ce caractère un peu austère pour rayonner sur le monde dans quatre ou cinq ans.
•➔ SCE Gros Frère et Sœur, 6, rue des Grands-Crus, 21700 Vosne-Romanée, tél. 03.80.61.12.43, fax 03.80.61.34.05 ☑ ⚗ r.-v.

DOM. FRANCOIS LAMARCHE 1998

■ Gd cru   n.c.   n.c.   ❚ ❙❙❙ ⚗   300 à 499 F

Le millésime reste dans ses limites, et cette bouteille, dégustée le 6 avril 2000, est bien jeune, tout juste sortie de son élevage en fût. Cela étant, elle rappelle cette jolie formule de René Engel appliquée à ce grand cru : « Il n'y a là que des chansons ! » Sous sa robe cerise noire coupée dans un beau tissu, mariant le fût raisonné au poivre et au fruit rouge, ce vin sait être frais, tourné vers le fruit, ménageant l'avenir par son acidité et l'assurant grâce à ses tanins.
•➔ Dom. François Lamarche, 9, rue des Communes, 21700 Vosne-Romanée, tél. 03.80.61.07.94, fax 03.80.61.24.31 ⚗ r.-v.

DOM. DE LA ROMANEE-CONTI 1997★★

■ Gd cru   3,52 ha   8 076   ❙❙❙   + de 500 F

Si le millésime 98 apparaît assez sévère dans ses tendres années, se révélant seulement à l'air ambiant et dévoilant peu à peu sa pureté, le 97 affirme nettement son droit à la différence. De forêt profonde, de gibier furtif, il a quelque chose de Lamartine se promenant à cheval, entre deux poèmes, dans les Hautes-Côtes près du château de Montculot. Mais au palais, sous ses abords de framboise, il sait changer de ton. Le voici plein de prévenance, presque suave, tout en rondeur.
•➔ SC du Dom. de La Romanée-Conti, 21700 Vosne-Romanée, tél. 03.80.62.48.80, fax 03.80.61.05.72

MAISON FRANCOIS MARTENOT 1997★

■ Gd cru   n.c.   900   ❙❙❙   200 à 249 F

Comme Henri de Villamont, François Martenot fait partie du groupe suisse Schenk. Ces grand échézeaux offrent une texture déjà soyeuse qui laisse s'exprimer les tanins bien ronds. Une classique note d'amertume apparaît compensée par le fruit. Très beau vin en conséquence, à la robe limpide et nette, au premier nez discret puis explosant au second, à l'aération, sur les fruits rouges, la myrtille et le boisé.

•➔ HDV Distribution, rue du Dr-Barolet, Z.I. Beaune Vignolles, 21200 Beaune Cedex, tél. 03.80.24.70.07, fax 03.80.22.54.31 ⚗ r.-v.

Vosne-romanée

Là aussi, la coutume bourguignonne est respectée : le nom de romanée est plus connu que celui de Vosne. Quel beau tandem ! Comme Gevrey-Chambertin, cette commune est le siège d'une multitude de grands crus ; mais il existe à côté des *climats* réputés, tels les Suchots, les Beaux-Monts, les Malconsorts et bien d'autres. L'appellation vosne-romanée a produit 7 325 hl en 1996, 5 939 hl en 1997 et 6 268, en 1998, 5 030 hl en 1999.

SYLVAIN CATHIARD En Orveaux 1998★

■ 1er cru   0,3 ha   1 500   ❙❙❙   150 à 199 F

Une famille qui a travaillé dur pour en arriver là. Elle a tout fait de ses mains, et même creusé sa cave. A la barre depuis 1994, Sylvain Cathiard possède la fibre. Son Orveaux, au nez boisé et dévoilant le fruit quand on y revient, est très enveloppé, harmonieux et sincère. Cerise tenace, sa complexité l'accompagne longtemps.
•➔ Sylvain Cathiard, 20, rue de la Goillotte, 21700 Vosne-Romanée, tél. 03.80.62.36.01, fax 03.80.61.18.21 ☑ ⚗ r.-v.

CHANSON PERE ET FILS Suchots 1997★

■ 1er cru   n.c.   1 800   ❙❙❙   200 à 249 F

Fondée en 1750 et devenue champenoise (Jacques Bollinger) tout en gardant ses attaches beaunoises, cette vénérable maison offre ici un vosne d'espérance, à savourer demain. A son avantage la jolie robe rubis soutenu à reflets violets, l'ampleur de la charpente. Le bouquet est encore fermé, sa complexité étant dominée par une note chaleureuse.
•➔ Chanson Père et Fils, 10, rue Paul-Chanson, 21200 Beaune, tél. 03.80.22.33.00, fax 03.80.24.17.42, e-mail tmarion@vins-chanson.com ⚗ r.-v.

DOM. BRUNO CLAVELIER Les Hautes Maizières Vieilles vignes 1997

■   0,5 ha   2 200   ❙❙❙   100 à 149 F

Ce *climat* est voisin des Suchots. Il donne ici un vin agréable à boire et qu'on n'attendra pas trop longtemps. Léger à l'œil comme en bouche, il est léger tout en tenant son rang.
•➔ Dom. Bruno Clavelier, 6, R.N. 74, 21700 Vosne-Romanée, tél. 03.80.61.10.81, fax 03.80.61.04.25 ☑ ⚗ r.-v.
•➔ Clavelier-Brosson

BOURGOGNE

FRANCOIS CONFURON
Les Chaumes Vieilles vignes 1998

■ 1er cru	0,37 ha	900	⊪ 100 à 149 F

« Des vertus encore à développer, mais il peut figurer dans le Guide » : c'est ce qu'on lit sur les fiches de dégustation de ce vin coloré et réglissé, fin, sans longue durée en bouche, bien dans l'ensemble et offrant l'image des Chaumes.
☞ François Confuron, Les Chaumes, 21700 Vosne-Romanée, tél. 03.80.61.03.23, fax 03.80.62.31.29 ☑ ⵜ r.-v.

JEAN GAGNEROT Les Suchots 1998*

■ 1er cru	n.c.	2 500	⊪ 100 à 149 F

Des Suchots qui méritent le détour. Rouge sang, ce 98 ne dit pas grand-chose au nez mais inspire la bouche. L'âge affinera tout ça. Il peut tenir huit à dix ans, selon le verdict de nos experts qui sont difficiles à convaincre, comme le prouve la sélection rigoureuse parmi les cinquante-quatre vins dégustés pour cette AOC prestigieuse. Ce négociant sait se fournir.
☞ Jean Gagnerot, 21420 Aloxe-Corton, tél. 03.80.25.00.00, fax 03.80.26.42.00, e-mail vinibeaune@bourgogne.net ⵜ r.-v.

DOM. FRANCOIS GERBET
Aux Réas 1998*

■	2 ha	10 000	⊪ 100 à 149 F

Un coup de cœur dans le Guide 1992, un autre dans l'édition 1998, ce domaine est dirigé par Marie-Andrée et Chantal Gerbet. Ce Réas pourpre profond, pinot jusqu'au bout des ongles, n'abuse pas du bois. Le fruit y apparaît concentré. Fin comme un vosne (et c'est tout dire), en même temps que tannique et complexe, d'une évolution prometteuse. Un *village* haut de gamme, à la limite de la note supérieure. Egalement dégusté, le **1er cru Les Petits Monts 98** (150 à 199 F) reçoit une étoile : c'est un vin de très belle tenue, bien élaboré.
☞ Dom. François Gerbet, Caveau La Maison des Vins, pl. de l'Eglise, 21700 Vosne-Romanée, tél. 03.80.61.07.85, fax 03.80.61.01.65 ☑ ⵜ r.-v.

ANDRE GOICHOT ET FILS 1997

■	n.c.	1 800	⊪ 100 à 149 F

« Il faudra attendre, mais c'est très bien », écrit un juré sur sa fiche, résumant le sentiment général. Rubis franc et soutenu, le nez bien présent (cuir, fruits noirs), ce 97 possède ce qu'il faut d'acidité pour envisager l'avenir avec confiance. Influence positive du fût et bonne présence en bouche ; malgré une petite note de sécheresse, il va tout droit son chemin.
☞ SA A. Goichot et Fils, av. Charles-de-Gaulle, 21200 Beaune, tél. 03.80.26.88.70, fax 03.80.26.80.69, e-mail goichot@goichotsa.com ☑ ⵜ r.-v.

DOM. A.-F. GROS Aux Réas 1998**

■	1,65 ha	8 000	⊪ 100 à 149 F

Cheval de bataille de la famille, un Réas issu de raisins à parfaite maturité et d'extraction superbe. L'équilibre est remarquable derrière la framboise qui montre plus que le bout de son nez. De grande élégance et à conserver précieusement.

☞ Dom. A.-F. Gros, La Garelle, rte d'Ivry, 21630 Pommard, tél. 03.80.22.61.85, fax 03.80.24.03.16 ☑ ⵜ r.-v.

MICHEL GROS Aux Brûlées 1998*

■ 1er cru	0,63 ha	3 500	⊪ 200 à 249 F

Michel, auteur du cinquième domaine Gros au pays, sur les assises du domaine Jean Gros. Dégusté jeune, ce 98 montre de bonnes aptitudes sans découvrir encore l'ensemble de ses dons. Sa fraîcheur plaide pour lui, de même que l'excellente configuration de tous les paramètres. Le nez champignonne un peu sous le fruit rouge. La bouche est calme et patiente. Six à huit ans de garde.
☞ Dom. Michel Gros, 7, rue des Communes, 21700 Vosne-Romanée, tél. 03.80.61.04.69, fax 03.80.61.22.29 ☑ ⵜ r.-v.

DOM. GROS FRERE ET SŒUR 1997

	3,72 ha	22 768	⊪ 100 à 149 F

Fils de Jean Gros, Bernard a repris le domaine de son oncle et de sa tante, tous deux célibataires. D'où Gros Frère et Sœur qui pourrait s'appeler Gros Oncle et Tante. Quant au vin, il est fin, flatteur sous sa robe intense et ses arômes de gibier et de pruneau cuit.
☞ SCE Gros Frère et Sœur, 6, rue des Grands-Crus, 21700 Vosne-Romanée, tél. 03.80.61.12.43, fax 03.80.61.34.05 ☑ ⵜ r.-v.
☞ Bernard Gros

DOM. GUYON En Orveaux 1998***

■ 1er cru	0,35 ha	1 200	⊪ 150 à 199 F

Coup de cœur l'an dernier pour le millésime 97, ce domaine, décidément éblouissant, abat à nouveau la meilleure carte du jeu. En un mot comme en mille : ce 98 est superbe et assurément de garde, *primus inter pares*. Intense, il garde son secret au nez mais offre une magnifique tenue en bouche où tout s'équilibre, vin et boisé, jusque dans la très belle finale. Quant au **village 98** (100 à 149 F), encore assez boisé mais riche et équilibré, il reçoit une étoile. Petit domaine vigneron parvenu au sommet.
☞ EARL Dom. Guyon, 11-16, R.N. 74, 21700 Vosne-Romanée, tél. 03.80.61.02.46, fax 03.80.62.36.56 ☑ ⵜ r.-v.

LABOURE-ROI 1998*

■	n.c.	n.c.	⊪ 100 à 149 F

Les frères Cottin présentent un vosne qui devrait faire remonter le cours de leurs actions en Bourse. Sa robe plaira aux investisseurs. Son nez assez boisé rassurera Wall Street. Cela di...

c'est tendre comme le bon pain, une valeur à réaliser dans deux ou trois ans pour bénéficier de la plus-value en bouche.

🠖 Labouré-Roi, rue Lavoisier, 21700 Nuits-Saint-Georges, tél. 03.80.62.64.00, fax 03.80.62.64.10, e-mail laboure@axnet.fr ☑ ⦻ r.-v.

DOM DU CH. DE MARSANNAY
En Orveaux 1997★

■ 1er cru	0,28 ha	760	⦀ 150 à 199 F

Un coup de cœur dans l'édition 1999 pour le millésime 95. Sans parvenir à cette gloire, le 97 ne manque pas de séduction. Rubis appuyé, sans trop de nez, un vin équilibré que le fût porte un peu, d'une acidité assez mordante et qui se fera, car la structure est indéniable. Le Château de Marsannay est l'œuvre dernière d'André Boisseaux (Patriarche, Kriter, Château de Meursault).

🠖 Ch. de Marsannay, rte des Grands-Crus, B.P. 78, 21160 Marsannay-la-Côte, tél. 03.80.51.71.11, fax 03.80.51.71.12 ☑ ⦻ t.l.j. 10h-12h 14h-18h30; f. 23 déc.-3 janv.

JEAN-PIERRE MUGNERET 1997★

■	0,95 ha	5 600	⦀ 100 à 149 F

Légère note d'évolution à l'œil. Le nez s'oriente vers l'animal et le fruit cuit. Agréable feu de bouche avec des notes boisées. Le cuir, le fauve demeurent présents et lui donnent son caractère de vosne plutôt sauvage. De la lignée Mugneret de Vosne, cet ancien photographe à l'esprit inventif (il a imaginé et réalisé un nouveau modèle de tonneau) sait s'exprimer par lui-même.

🠖 EARL Jean-Pierre Mugneret, Concœur-et-Corboin, 21700 Nuits-Saint-Georges, tél. 03.80.61.00.20, fax 03.80.62.33.04 ☑

DENIS MUGNERET ET FILS 1998★

■	1,4 ha	6 000	⦀ 100 à 149 F

Bien vinifié et typé 98, un peu austère encore en fin de bouche, ce vosne à la robe éclatante, en attente d'arômes sur un soupçon de cerise, peut traverser le village la tête haute. Il est issu d'un domaine en pleine propriété et en métayage, qui allie la compétence et la passion.

🠖 Denis et Dominique Mugneret, 9, rue de la Fontaine, 21700 Vosne-Romanée, tél. 03.80.61.00.97, fax 03.80.61.24.54 ☑ ⦻ r.-v.

DOM. MICHEL NOELLAT ET FILS
1998

■	1,3 ha	3 000	⦀ 100 à 149 F

On n'oublie pas ses coups de cœur répétés, dans les 1995 et 1996 pour des Suchots 92 et 93. Pourpre, un 98 réglissé, discrètement boisé, qui chante le fruit en ouverture de bouche. Un vin très fin, élégant, charmeur, à déguster dans deux à cinq ans. Vaste domaine de 21 ha et l'un des noms qui ont marqué le pays.

🠖 SCEA Dom. Michel Noëllat et Fils, 5, rue de la Fontaine, 21700 Vosne-Romanée, tél. 03.80.61.36.87, fax 03.80.61.18.10 ☑ ⦻ r.-v.

RION ET FILS Les Beaux-Monts 1997★

■ 1er cru	1,07 ha	6 000	⦀ 150 à 199 F

La table en a longuement discuté, et les commentaires vont bon train. La robe est puissante, nul ne le conteste. Animal et épicé, le nez divise un peu. En bouche, c'est clair : finesse et puissance... Bouteille d'une personnalité marquée et qui, comme toujours en pareil cas, suscite le pour et le contre. Le pour l'emporte cependant. Vin de race à mettre quatre ans en cave.

🠖 Dom. Daniel Rion et Fils, RN 74, 21700 Premeaux, tél. 03.80.62.31.28, fax 03.80.61.13.41, e-mail patrice.rion@wanadoo.fr ☑ ⦻ r.-v.

REMI SEGUIN 1997★

■	0,34 ha	n.c.	⦀ 70 à 99 F

Belle présentation de ce vin bien équilibré, corps et arômes à tendances vanillées et fruitées, épicées. Ce 97 produit une impression de puissance. Il est solide et ferme. A l'évidence, le vinificateur a su tirer le meilleur parti d'une vendange maîtrisée avec art.

🠖 Rémi Seguin, rue de Cîteaux, 21640 Gilly-lès-Cîteaux, tél. 03.80.62.89.61, fax 03.80.62.80.92 ☑ ⦻ r.-v.

DOM. ROBERT SIRUGUE 1998★

■	4,5 ha	14 000	⦀ 70 à 99 F

Charpenté comme une vieille et belle bâtisse bourguignonne, un 98 exprimant un maximum de couleur et un fruit réglissé. Son gras rend la bouche aimable et conviviale. Certes, il est assez tannique, et un élevage en cave lui est indispensable. Dans cinq ans, le bonheur sera au rendez-vous. Excellente vinification au sein d'un domaine vigneron de 11 ha dont près de la moitié en *village*.

🠖 Dom. Robert Sirugue, 3, av. du Monument, 21700 Vosne-Romanée, tél. 03.80.61.00.64, fax 03.80.61.27.57 ☑ ⦻ r.-v.

DOM. FABRICE VIGOT 1998★

■	1,7 ha	3 000	⦀ 100 à 149 F

Fabrice Vigot a pris en main l'exploitation il y a dix ans, mi-propriété mi-métayage. Son *village* 98 a beaucoup de couleur. Son nez est dominé par le sous-bois. Après une bonne attaque, la bouche se montre corpulente et longue. Un vin complet et de caractère qui, s'assouplissant, devrait bien vieillir.

🠖 Dom. Fabrice Vigot, 16, rue de la Fontaine, 21700 Vosne-Romanée, tél. 03.80.61.13.01, fax 03.80.61.13.01 ☑ ⦻ r.-v.

MADAME ROLAND VIGOT
Les Petits Monts 1998★

■ 1er cru	0,16 ha	900	⦀ 200 à 249 F

Les vins de la mère de Fabrice Vigot. Ces Petits Monts connaissent une fois de plus les faveurs de nos jurys. Bien dans son millésime, équilibré par des tanins bien fondus, un vin plaisant, à conserver une dizaine d'années.

🠖 Mme Roland Vigot, 16, rue de la Fontaine, 21700 Vosne-Romanée, tél. 03.80.61.17.70, fax 03.80.61.13.01 ☑ ⦻ r.-v.

Richebourg, romanée, romanée-conti, romanée-saint-vivant, grande rue, tâche

Tous sont des crus plus prestigieux les uns que les autres, et il serait bien difficile d'en indiquer le plus grand... Certes, le romanée-conti jouit de la plus grande renommée, et l'on trouve dans l'histoire de nombreux témoignages de « l'exquise qualité » de ce vin. La célèbre pièce de vigne de la Romanée fut convoitée par les grands de l'Ancien Régime : ainsi madame de Pompadour ne réussit pas à l'emporter contre le prince de Conti, qui put l'acquérir en 1760. Jusqu'à la dernière guerre, la vigne de la Romanée-Conti et celle de la Tâche restèrent non greffées, traitées au sulfure de carbone contre le phylloxéra. Mais il fallut alors les arracher et la première récolte des nouveaux plants eut lieu en 1952. Ce romanée-conti, exploité en monopole sur 1,80 ha, reste l'un des vins les plus illustres et les plus chers du monde.

La romanée est plantée sur une superficie de 0,83 ha, richebourg sur 8 ha, romanée-saint-vivant sur 9,5 ha, et la tâche sur un peu plus de 6 ha. Comme dans tous les grands crus, les volumes produits sont de l'ordre de 20 à 30 hl par hectare selon les années. L'ensemble de ces grands crus n'a pas produit plus de 1 021,83 hl en 1999, dont 321 en richebourg et 362,79 hl en romanée-saint-vivant. La grande rue a été reconnue en grand cru par le décret du 2 juillet 1992.

Richebourg

DOM. A.-F. GROS 1998★★

■ Gd cru	0,6 ha	3 000	◫ +de 500 F

89 90 **91** 92 |93| |94| ⑯ 97 **98**

Tout autant que le clos de vougeot, les moines de Cîteaux ont « lancé » le richebourg. Un vin dont le nom seigneurial emplit le verre à lui tout seul. Déjà coup de cœur dans l'édition 1999 pour son 96, Anne-Françoise (à ne pas confondre avec Anne et François Gros) renouvelle l'exploit avec ce 98 d'une exubérante jeunesse et sans doute de

très longue garde. Fruits, fleurs et boisé exquis donnent le ton de son élégance. Sa texture est fine et ferme, sa complexité en préfiguration. Avec 60 a, il s'agit d'un des principaux propriétaires du grand cru.

☛ Dom. A.-F. Gros, La Garelle, rte d'Ivry, 21630 Pommard, tél. 03.80.22.61.85, fax 03.80.24.03.16 ☑ ⵖ r.-v.
☛ Anne-Françoise Parent

DOM. GROS FRERE ET SŒUR 1997

■ Gd cru	0,69 ha	2 985	◫ +de 500 F

Robe d'intensité soutenue et d'un rouge profond. Parfum de raisin noir très mûr, de myrtille s'il faut être plus précis. Sévère au départ, ce 97 s'humanise un peu mais demeure tel que la nature l'a fait. Il est, bien sûr, à convoquer pour l'avenir. Issu du partage de 1963, ce domaine Gros est né de Colette et Gustave, deux célébrités, dont la demeure fait figure d'immeuble parisien en plein Vosne. Le mobilier de la salle à manger de Stephen Liégeard au château de Brochon se trouve ici. Un neveu, fils de Jean, Bernard, est à la barre.
☛ SCE Gros Frère et Sœur, 6, rue des Grands-Crus, 21700 Vosne-Romanée, tél. 03.80.61.12.43, fax 03.80.61.34.05 ☑ ⵖ r.-v.
☛ Bernard Gros

ALAIN HUDELOT-NOELLAT 1998

■ Gd cru	0,28 ha	1 200	◫ +de 500 F

Très exactement 28,17 a en richebourg. Voisins du domaine Marey-Monge repris par la Romanée-Conti. Un vin pivoine extrême avec un point d'exclamation. Pruneau cuit, de l'avis unanime. La bouche s'interroge un peu, mais elle laisse deviner un fort potentiel. Mérite toute notre attention et, comme le disait Alain Chapel, si le lièvre est goûteux, le servir en octobre ou novembre. Car il est digne d'un repas superbe, avec cette tonalité de cerise noire écrasée qui n'appartient qu'à lui.
☛ Alain Hudelot-Noëllat, 21640 Chambolle-Musigny, tél. 03.80.62.85.17, fax 03.80.62.83.13 ☑ ⵖ r.-v.

DOM. DE LA ROMANEE-CONTI 1998★★★

■ Gd cru	3,51 ha	12 350	◫ +de 500 F

|91| 97 ⑱

Le domaine possède près de la moitié du grand cru richebourg qui, comme le Clos de Vougeot, faisait partie des vignes de l'abbaye de Cîteaux. Né sous une bonne étoile, ce vin rayonne de santé. Il n'a aucune peine à emplir le verre. Pur fruit, il est bien ce mousquetaire du roi qui aime vivre en compagnie, à la puissance contenue, au serein équilibre. Il se présente ici sous des traits classiques. Et s'il tire l'épée, c'est sur un arôme de griotte.

SOCIÉTÉ CIVILE DU DOMAINE DE LA ROMANÉE-CONTI
PROPRIÉTAIRE A VOSNE-ROMANÉE (COTE-D'OR) FRANCE

RICHEBOURG
APPELLATION RICHEBOURG CONTROLÉE

Bouteilles Récoltées

LES ASSOCIÉS-GÉRANTS

BOUTEILLE N°
ANNÉE 1998

Mise en bouteille au domaine

🍷 SC du Dom. de La Romanée-Conti, 21700 Vosne-Romanée, tél. 03.80.62.48.80, fax 03.80.61.05.72

DENIS MUGNERET ET FILS 1998

■ Gd cru	0,52 ha	1 200	◫ +de 500 F
🄓 94 95 96 97 98			

Une très vieille vigne repiquée peu à peu mais gardant des ceps « gros comme des cuisses ». Il s'agit de la propriété Xavier Liger-Belair confiée depuis longtemps en métayage à ce viticulteur de Vosne (52,5 a). Ce 98 présente cette dureté de jeunesse assez classique pour un grand cru appelé à la durée. Il doit s'épanouir avec le temps pour atteindre cette richesse, ce velouté incomparables. Robe un tout petit peu évoluée, arômes sincères. Coup de cœur dans l'édition 1996 pour le millésime 93.
🍷 Denis et Dominique Mugneret, 9, rue de la Fontaine, 21700 Vosne-Romanée, tél. 03.80.61.00.97, fax 03.80.61.24.54 ☑ ⲧ r.-v.
🍷 Liger-Belair

La romanée-conti

DOM. DE LA ROMANEE-CONTI
1998★★★

■ Gd cru	1,8 ha	5 055	◫ +de 500 F
84 |88| 89 90 |91| 94 95 ⓖ ⓗ 98			

Un domaine emblématique de la Bourgogne viticole : jusqu'en 1584, une propriété ecclésiastique ; puis une terre réputée, acquise à prix d'or en 1760 par celui qui lui donna son nom Louis-François de Bourbon, prince de Conti, arbitre des élégances ; à la Révolution, un bien national, acheté par de nouveaux notables. Aujourd'hui, il est propriété des familles de Villaine et Leroy. Le vin séjourne dans des fûts de chêne du Tronçais. « Goûte-le ! Bois-le ! Mais n'essaie jamais de le décrire ! Impossible de rendre compte d'un tel délice avec des mots ! » écrit Roald Dahl. Tentons pourtant l'exercice. Quelle année rappelle ce 98 ? Par le fruit, plutôt le 95. Par une certaine austérité première, le millésime 88. Sa robe est d'un beau rouge sombre, son bouquet composé de violette et son palais, élégant,

intense, en même temps que délicat. Son élan de puissance ne retire rien au fruit. Ce carré de terre reste cette année encore au rendez-vous de l'histoire. Son expression 98 nous est apparue aussi précoce que celle de la tâche.
🍷 SC du Dom. de La Romanée-Conti, 21700 Vosne-Romanée, tél. 03.80.62.48.80, fax 03.80.61.05.72

Romanée-saint-vivant

ALAIN HUDELOT-NOELLAT 1998

■ Gd cru	0,47 ha	2 100	◫ +de 500 F

On s'enferme dès le premier regard en cette romanée-saint-vivant profonde et presque noire, élaborée par une famille issue de lignées fameuses dans le pays. Des grands crus comme s'il en pleuvait sur les noces. Près d'un demi-hectare dans celui-ci, donnant un vin puissant, démonstratif, déjà mûr, qui prend la parole et ne laisse guère aux autres.
🍷 Alain Hudelot-Noëllat, 21640 Chambolle-Musigny, tél. 03.80.62.85.17, fax 03.80.62.83.13
☑ ⲧ r.-v.

DOM. DE LA ROMANEE-CONTI
1998★★★

■ Gd cru	5,28 ha	13 265	◫ +de 500 F
67 72 **73** 75 76 78 |79| 80 81 |82| |87| |89| |91| |92| 95 97 98			

Parmi tous les vins de la maison, c'est cette romanée saint-vivant qui a le plus grand besoin de cave. Il lui faut vieillir, absolument. D'une concentration phénoménale en fruit, le millésime 98 est étonnant à ce titre, encore que les vinifications soient identiques au domaine. Beaucoup de mâche et de présence : les connaisseurs nous renvoient au millésime 52... L'histoire est ainsi faite, qui ne s'oublie pas ! Le domaine de la Romanée-Conti vient d'acquérir les vestiges du monastère de Saint-Vivant-de-Vergy, à l'origine du cru, et a organisé durant l'été 2000 un premier chantier de jeunes pour sa restauration. Ce monument en péril est désormais entre de bonnes mains.
🍷 SC du Dom. Romanée-Conti, 21700 Vosne-Romanée, tél. 03.80.61.04.57

DOM. LOUIS LATOUR
Les Quatre Journaux 1997★

■	0,76 ha	2 000	◫ +de 500 F

Les Quatre Journaux constituent l'un des Clos historiques du monastère de Saint-Vivant à Vosne. Trois propriétaires seulement depuis huit siècles... Les Marey-Monge ont cédé cette vigne aux Latour en 1898. Sur 76,3 a, rien n'a changé depuis lors. Grand cru, à l'évidence sous l'étiquette aux quintefeuilles de Vergy. Réglissé, soyeux, il n'est pas bâti comme la cathédrale de Chartres, mais comme une église romane, tout en harmonie, en élégance. Durée de vie moyenne.

➥ Maison Louis Latour, 18, rue des Tonneliers, 21200 Beaune, tél. 03.80.24.81.00, fax 03.80.22.36.21, e-mail louislatour@louislatour.com ☿ r.-v.

La grande rue

DOM. FRANCOIS LAMARCHE 1998

■ Gd cru	1,65 ha	n.c.	⦿ + de 500 F
	89		90		91		92		93		94	95 98			

Monopole du domaine Lamarche, ce grand cru se présente ici sous la robe la plus classique qu'on puisse imaginer : d'un rouge grenat attrayant. Ses arômes sont typés : on dit toujours que le gibier est passé par là. Ils sont en effet sauvages sur des notes de baies cueillies dans le sous-bois, fumées. L'attaque est nette, l'équilibre en plein devenir, la densité correspond au millésime.
➥ Dom. François Lamarche, 9, rue des Communes, 21700 Vosne-Romanée, tél. 03.80.61.07.94, fax 03.80.61.24.31 ☿ r.-v.

La tâche

DOM. DE LA ROMANEE-CONTI 1998★★

■ Gd cru	6,06 ha	17 215	⦿ + de 500 F
72 73 75 78 ⑲ |80| |81| |82| |87| |89| 91 92 ⑨ 98			

Un vin qui jette des semences pour d'autres temps. A ne pas ouvrir avant quinze ans, dit-on. Sur un bouquet réglissé, la bouche fine et glorieuse est en devenir. On pense au portrait de Fénelon par Saint-Simon : « Sa physionomie rassemblait tout, et les contraires ne s'y combattaient pas. Elle avait de la gravité et de la galanterie, du sérieux et de la gaieté. Il fallait faire effort pour cesser de le regarder ». Et en effet, il faudra longtemps regarder cette bouteille.
➥ SC du Dom. de La Romanée-Conti, 21700 Vosne-Romanée, tél. 03.80.62.48.80, fax 03.80.61.05.72

Nuits-saint-georges

Petite bourgade de 5 000 habitants, Nuits-Saint-Georges n'engendre pas de grands crus comme ses voisines du nord ; l'appellation déborde sur la commune de Premeaux, qui la jouxte au sud. Ici aussi, les très nombreux premiers crus sont à juste titre réputés, et avec l'appellation communale la plus méridionale de la Côte de Nuits, nous trouvons un type de vins différent aux caractères de *climats* très accusés, où s'affirme généralement une richesse en tanin plus élevée, assurant une grande conservation.

Les Saint-Georges, dont on dit qu'ils portaient déjà des vignes en l'an mil, les Vaucrains aux vins robustes, les Cailles, les Champs-Perdrix, les Porets, de « poirets », au caractère de poire sauvage accusé, sur la commune de Nuits, et les clos de la Maréchale, des Argillières, des Forêts-Saint-Georges, des Corvées, de l'Arlot, sur Premeaux, sont les plus connus de ces premiers crus. Les vignes ont produit 15 843 hl en 1999 dont 277 en blanc.

Petite capitale du vin de Bourgogne, Nuits-Saint-Georges a également son vignoble des Hospices, avec vente aux enchères annuelle de la production, le dimanche précédant les Rameaux. Elle est le siège de nombreux négoces de vin et de maints liquoristes qui produisent le cassis de Bourgogne, ainsi que d'élaborateurs de vins à mousse qui furent à l'origine du crémant de Bourgogne. C'est enfin ici que se trouve le siège administratif de la confrérie des Chevaliers du Tastevin.

DOM. BOUCHARD PERE ET FILS
Les Cailles 1997★

■ 1er cru	1,07 ha	n.c.	■ ⦿ ⚤ 200 à 249 F

On ne résiste pas aux Cailles dont le nom, par parenthèses, ne doit rien à ces oiseaux mais aux *crais*, cailloux. Ce vin aux ailes d'ange et aux parfums de rose fanée se montre dans le cas présent à la hauteur de sa réputation. Robe superbe, nez typé mais tirant sur la fraise des bois, aucune dureté en bouche. Celle-ci se résume ainsi : pleine, riche, vineuse. Il faudra lui laisser prendre un peu d'âge toutefois. Du même négociant, sous la marque **Tour Blondeau**, **le nuits village 97** (100 à 149 F) est cité par le jury.
➥ Bouchard Père et Fils, Ch. de Beaune, 21200 Beaune, tél. 03.80.24.80.24, fax 03.80.22.55.88, e-mail france@bouchard.pereetfils.com ☿ r.-v.

SYLVAIN CATHIARD Les Murgers 1998★

■ 1er cru	0,48 ha	2 400	⦿ 150 à 199 F

Si l'on en croit Graham Greene, le meilleur goût serait celui du sel. Il n'avait pas dégusté ces Murgers... On s'émerveille d'une robe si dense. On savoure le cassis, vanillé, il est vrai. La bouche n'est pas encore fondue, mais elle apparaît très fine, soutenue par de beaux tanins. Finale raffinée.
➥ Sylvain Cathiard, 20, rue de la Goillotte, 21700 Vosne-Romanée, tél. 03.80.62.36.01, fax 03.80.61.18.21 ☑ ☿ r.-v.

DOM. JEAN CHAUVENET
Les Vaucrains 1998★

■ 1er cru	0,41 ha	2 400	💵 150 à 199 F

Domaine créé au début du XXes. par le président fondateur de la coopérative viticole de Nuits. Son fils Claudius quitte la cave vers 1935 pour voler de ses propres ailes. Son petit-fils Jean poursuit l'œuvre familiale. C'est à lui, par exemple, et à Jean Collardot que l'on doit la signalisation des 1ers crus sur le terrain par des pierres levées. Et ce 98 ? Entre le noir et le violet, il commence à s'ouvrir sous des traits simples et de bon goût, dans un style tannique habituel au pays.

☛SCE Dom. Jean Chauvenet, 3, rue de Gilly, 21700 Nuits-Saint-Georges, tél. 03.80.61.00.72, fax 03.80.61.12.87 ☑ ☓ r.-v.

DOM. JEAN CHAUVENET
Les Perrières 1998★

■ 1er cru	0,23 ha	1 200	💵 150 à 199 F

Les Perrières font en tout 2,5 ha sur l'emplacement d'anciennes carrières, près de la falaise calcaire de Premeaux. Cela produit un vin élégant, bien en équilibre, rouge vif à reflets grenat. D'inspiration sauvage, myrtille, framboise, il offre peu de subtilité à l'heure actuelle, mais une forte concentration. Bon espoir pour les années futures. Quant aux **Damodes 98**. Elles reçoivent la même note.

☛SCE Dom. Jean Chauvenet, 3, rue de Gilly, 21700 Nuits-Saint-Georges, tél. 03.80.61.00.72, fax 03.80.61.12.87 ☑ ☓ r.-v.

CHAUVENET-CHOPIN
Charmottes 1998★★

■	0,71 ha	3 500	💵 70 à 99 F

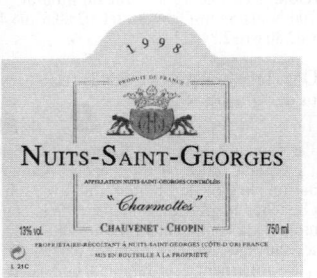

A l'unanimité le jury attribue le coup de cœur à ce domaine déjà couronné dans les éditions 1995 et 1999 ! Vous pouvez donc vous y fournir. Les yeux fermés ? Ce serait dommage de manquer ce rouge griotte. Grillé certes, le nez est aussi de cuir et de fruits rouges confiturés. Quelle mâche fruitée, puissante sur la cerise noire... Et notez-le bien : parmi tous les candidats, le **village 98** est également jugé digne de la même distinction.

☛Chauvenet-Chopin, 97, rue Félix-Tisserand, 21700 Nuits-Saint-Georges, tél. 03.80.61.28.11, fax 03.80.61.20.02 ☑ ☓ r.-v.

GEORGES CHICOTOT
Les Vaucrains 1997

■ 1er cru	0,24 ha	1 280	💵 100 à 149 F

Un *climat* où l'on trouve des « têtes de mouton », ces blocs calcaires émoussés par l'érosion. Il est bien connu des géologues et des amateurs de bon vin car la gloire des crus de Nuits s'annonce ici. Ce 97 évolue, et il est donc conseillé de le boire maintenant. Il présente une couleur moyenne, un nez très fin (fruits confits) et une bonne texture.

☛Georges Chicotot, 15, rue Gal-de-Gaulle, 21700 Nuits-Saint-Georges, tél. 03.80.61.19.33, fax 03.80.61.38.94 ☑ ☓ r.-v.

A. CHOPIN ET FILS Aux Damodes 1997★

■ 1er cru	0,13 ha	900	💵 70 à 99 F

Domaine déclaré coup de cœur dans les éditions 1998 (millésime 95) et 1991 (millésime 88). Si l'on apprécie **Les Murgers 98** (grande personnalité), on a un faible pour ces Damodes 97 qui nous laissent sur une sensation fraîche et gourmande. Chaleur et rondeur les portent sur des thèmes où l'on rencontre réglisse et violette. D'assez bonne intensité visuelle, ce vin sera très bon à table !

☛Dom. A. Chopin et Fils, R.N. 74, 21700 Comblanchien, tél. 03.80.62.92.60, fax 03.80.62.70.78 ☑ ☓ r.-v.

DOM. DU CLOS FRANTIN 1997★

■	0,84 ha	4 200	💵 200 à 249 F

L'honorable *Compagnie des Veilleurs de Nuits* pourrait convoquer ce vin à l'une de ses dîners. Coup de cœur pour le 82, s'il en reste. Ou à défaut, ce 97 à la parure profonde et vive, au nez superbe d'épices, de cannelle pour être plus précis. Il emplit le palais, le charme et le séduit. Excellent, vraiment. On sait que le clos Frantin appartient à Albert Bichot.

☛Dom. du Clos Frantin, 6 bis, bd Jacques-Copeau, 21200 Beaune, tél. 03.80.24.37.37, fax 03.80.24.37.38

☛ A. Bichot

XAVIER DUCLERT Les Damodes 1997★

■ 1er cru	n.c.	n.c.	■ 💵 ♨ 100 à 149 F

Etiquette Art Déco pour ce vin qui, sans doute, vaut la peine d'être attendu. Il ne se donne pas les bras ouverts, mais un jeune nuits est toujours tannique et astringent. Sa chaleur, son confit, entretiennent la conversation que l'on sent pleine d'intérêt. Son rubis est d'une bonne intensité, son bouquet un peu macéré, déjà concentré.

☛Xavier Duclert, 2 bis, pl. Carnot, 21200 Beaune, tél. 03.80.22.74.77, fax 03.80.22.74.77, e-mail xavier.duclert@fnac.net ☑ ☓ t.l.j. sf lun. 10h-19h

DUFOULEUR PÈRE ET FILS 1997★

■	n.c.	1 400	💵 150 à 199 F

Un vin qui peut se présenter aux élections municipales sans craindre le résultat du second tour, même si le ballottage lui fera du bien car il demande à évoluer. Mais son programme comme son bilan font bonne impression, sous le rouge

BOURGOGNE

cerise de sa profession de foi : cassis, fourrure, un bouquet de terroir complété par une structure tout à fait convenable et un rien de vivacité. On aura compris qu'il s'agit du nuits du maire de Nuits...

☛ Dufouleur Père et Fils, 15, rue Thurot, 21700 Nuits-Saint-Georges, tél. 03.80.61.21.21, fax 03.80.61.11.23 ☑ ⅄ r.-v.

FAIVELEY Les Vignerondes 1997★

■ 1er cru	0,46 ha	2 900	ⅢⅠ 200 à 249 F

Ce *climat* passe pour avoir un fruité presque exubérant. On le vérifie à la dégustation. Du fruit frais au confit, il nous fait le grand jeu. Si l'on en croit la tradition, cela devrait évoluer vers la prunelle, le cuir. Son corps est d'une configuration légère, dans un esprit souple et flatteur qui le destine à une cuisine pas trop relevée. Coup de cœur dans le Guide 1997 pour son 93 en Porèts-Saint-Georges.

☛ Bourgognes Faiveley, 8, rue du Tribourg, B.P. 9, 21701 Nuits-Saint-Georges Cedex, tél. 03.80.61.04.55, fax 03.80.62.33.37, e-mail bourgognesfaiveley@wanadoo.fr ☑ ⅄ r.-v.

MAISON ALEX GAMBAL
Les Murgers 1997

■ 1er cru	n.c.	600	ⅢⅠ 250 à 299 F

Affaire de négoce-éleveur créée en 1997 par un fou de bourgogne, Alex Gambal, d'origine américaine ! L'équipe Laronze et Montille guide ses pas. Le nez « terroite » comme l'on dit : sous-bois, musc. La bouche est assez ronde mais repose sur des tanins un peu austères. Le sujet est aimable mais garde son éloquence pour une date ultérieure. Classique à Nuits.

☛ EURL maison Alex Gambal, 4, rue Jacques-Vincent, 21200 Beaune, tél. 03.80.22.75.81, fax 03.80.22.21.66, e-mail agbeaune@aol.com ☑ ⅄ r.-v.

PHILIPPE GAVIGNET
Les Chaboeufs 1998★

■ 1er cru	1 ha	6 300	ⅢⅠ 100 à 149 F

En plein milieu du talweg issu des Vallerots, ce *climat* est servi ici par un style de vinification extrêmement plaisant. La chair en est charmante, souple, caressante ; le boisé aimable et discret. Rouge franc, laissant percevoir un petit parfum de cerise qui annonce le printemps, voilà un joli vin presque prêt à passer à table. **Bousselots 98** recommandés également, d'une composition analogue (70 à 99 F), de même qu'**Argillats 98**.

☛ Dom. Philippe Gavignet, 36, rue Dr-Louis-Legrand, 21700 Nuits-Saint-Georges, tél. 03.80.61.09.41, fax 03.80.61.03.56 ☑ ⅄ t.l.j. 8h-12h 14h-18h; sam. dim. sur r.-v.; f. 25 déc.-1er janv.

GEISWEILER ET FILS 1997

■	n.c.	4 000	ⅢⅠ 150 à 199 F

Reprise par la maison Picard (Chagny), la marque Geisweiler trôna sur Nuits-Saint-Georges pendant près de deux siècles. Elle accompagne les élans de ce vin à la robe légèrement tuilée, dont les arômes parlent de cassis et de mûre. Nuances végétales dans un style assez souple.

☛ Geisweiler, 4, rte de Dijon, 21700 Nuits-Saint-Georges, tél. 03.85.87.51.21, fax 03.85.87.51.11
☛ Michel Picard

DOM. ANNE-MARIE GILLE
Aux Bousselots 1997★

■ 1er cru	0,21 ha	1 100	ⅢⅠ 100 à 149 F

Installée avant la Révolution, la famille Gille possède aujourd'hui 6,5 ha. Un sol très riche en calcaire actif, un terrain rempli de bosses comme son nom l'indique : nous voici aux Bousselots, côté Vosne. Il serait regrettable de faire attendre ce 97 qui nous change agréablement d'une tendance du jour (la surextraction). Assez chaleureux, assez boisé, il est fort bien profilé et d'une bonne définition. Le pinot noir n'a pas besoin ici des grandes orgues pour s'exprimer à son aise.

☛ Dom. Anne-Marie Gille, 34, R.N. 74, 21700 Comblanchien, tél. 03.80.62.94.13, fax 03.80.62.99.88, e-mail gille@burgundywines.net ☑ ⅄ r.-v.

DOM. HENRI GOUGES
Clos des Porrets-Saint-Georges 1997★★

■ 1er cru	3,57 ha	12 000	ⅢⅠ 100 à 149 F

Le domaine Henri Gouges porte le nom d'un des fondateurs des AOC en Côte-d'Or. L'un de ceux (avec le marquis d'Angerville) qui refusèrent les grands crus pour ne pas laisser penser qu'ils se les donneraient. Un grand bonhomme ! Ce porrets-saint-georges fait honneur à sa mémoire. De l'éclat, du fruit noir très mûr, épicé et grillé, il ne manque pas de ressources. Une concentration phénoménale, une excellence parfaite. Ignorant son origine, un dégustateur écrit : « Pourquoi n'y a-t-il pas de grand cru à Nuits ? » Coup de cœur dans le Guide 1995 pour le 91. **Les Pruliers 1er cru 97** reçoivent une étoile. Attendre que le boisé se mette en place.

☛ Dom. Henri Gouges, 7, rue du Moulin, 21700 Nuits-Saint-Georges, tél. 03.80.61.04.40, fax 03.80.61.32.84

DOM. DU GRAND CONTOUR
Clos des Grandes Vignes 1997★★

■ 1er cru	2,12 ha	13 500	ⅢⅠ 200 à 249 F

Ce domaine du Grand Contour va droit au but... Grenat foncé, il est d'encre. Arômes de venaison : la typicité a rendez-vous avec son nez. En bouche, du gras, de la matière, de la concentration, de la complexité. En rétro-olfaction, des baies sauvages. Imposé naguère par les Viénot, ce clos appartient à la famille Thomas. Il présente une particularité rare car il est situé en-dessous de la route nationale, et il ne s'en porte pas plus mal.

☛ Dom. du Grand Contour, chem. rural 29, 21700 Nuits-Saint-Georges, tél. 03.80.61.08.92, fax 03.80.61.30.26

DOM. GUYON 1998

■	0,22 ha	1 400	ⅢⅠ 100 à 149 F

Friand et néanmoins tannique, tendre et cependant astringent, il plaide le pour et le contre comme un bon avocat. Il ne s'exprime pas encore d'une même et seule voix, mais possède du potentiel. Sa robe profonde et violacée annonce

un bouquet assez complexe aux allusions diverses (café, réglisse, fruits noirs et notes minérales).
☛ EARL Dom. Guyon, 11-16, R.N. 74, 21700 Vosne-Romanée, tél. 03.80.61.02.46, fax 03.80.62.36.56 ☑ ⊺ r.-v.

ALAIN HUDELOT-NOELLAT
Les Murgers 1998★

■ 1er cru	0,68 ha	2 100	❚❙❚	150 à 199 F

La bouteille sympathique, à déboucher rapidement. Au premier abord, car on se dit ensuite qu'elle mérite de plus amples compliments. Charnu, tannique, très structuré, un 98 qui doit atteindre le cap des dix ans. Intense, à disque violacé, sa robe est bien plaisante. On devine la complexité sous la retenue de son bouquet.
☛ Alain Hudelot-Noëllat, 21640 Chambolle-Musigny, tél. 03.80.62.85.17, fax 03.80.62.83.13 ☑ ⊺ r.-v.

DOM. JAVOUHEY Vieilles vignes 1997★

▫	0,44 ha	1 500	❚❙❚	100 à 149 F

Cette bouteille ne se fait pas tirer l'oreille pour révéler ses secrets. D'une teinte rubis soutenu, elle évoque le fruit en compote dans un début de complexité réglissée. Bien équilibrée, ferme à l'attaque et friande tout du long, elle suggère des qualités élevées : sincérité, droiture...
☛ SCEA Javouhey, 50, rue Gal-de-Gaulle, B.P. 63, 21700 Nuits-Saint-Georges, tél. 03.80.61.10.30, fax 03.80.61.35.76 ☑ ⊺ r.-v.

DOM. DE LA POULETTE
Les Poulettes 1997

■ 1er cru	1,08 ha	5 000	❚❙❚	100 à 149 F

Que venait faire une basse-cour à 290 m d'altitude et juste sous la falaise ? Ces Poulettes, en tout cas, ont une nuance pourpre, pénétrées ensuite de fruits noirs et de quelques arômes de venaison. Les tanins rigoureux ne se montrent pas inhospitaliers. Un 97 assez dur, mais lisez les bons auteurs : c'est la typicité de ce 1ᵉʳ cru. Coup de cœur dans le Guide 1987 pour un... 79 ! En ce temps-là, on sortait de vieilles bouteilles mais elles étaient rarement disponibles.
☛ Dom. de La Poulette, 21700 Corgoloin, tél. 03.80.62.98.02, fax 03.45.25.43.23 ☑ ⊺ r.-v.
☛ Mme Michaut-Audidier

BERTRAND MACHARD DE GRAMONT Les Vallerots 1997★

■	0,5 ha	2 700	❚❙❚	100 à 149 F

Un 97 issu du talweg des Vallerots (climat situé au-dessus des Vaucrains et des Saint-Georges). Pourpre carminé, un vin brillant, déjà ouvert sur des senteurs fruitées (framboise, cassis) accompagnées d'une touche boisée. La matière est plaisante et permet à la bouche de retrouver les impressions du nez. Il sera prêt dans un an, mais en supportera quatre de plus.
☛ Bertrand Machard de Gramont, 13, rue de Vergy et 32, rue Thurot, 21700 Nuits-Saint-Georges, tél. 03.80.61.16.96, fax 03.80.61.16.96 ☑ ⊺ r.-v.

MAISON MALLARD-GAULIN 1998★

■	0,25 ha	1 400	❚❙❚	250 à 299 F

« Aucun vin n'est aussi terrestre », écrit Curzio Malaparte du vin de Nuits dans son célèbre roman *Kaput*. Dans cet épisode, il escorte un sanglier de Carélie sortant d'un four embaumé de branches de pin. Ce 98 n'aura sans doute pas droit à un tel destin, mais il le mériterait. Quelques signes d'évolution de sa robe annoncent un nez déjà très ouvert. Son corps souple et gras, ponctué par une touche de fraise écrasée, permet de le boire, mais il pourrait vivre plus longtemps que ne l'autorise le nombre de bouteilles, si restreint !
☛ Maison Mallard-Gaulin, 21420 Aloxe-Corton, tél. 03.80.26.46.10, fax 03.80.26.43.57

MARSON ET NATIER 1997

■	n.c.	8 000	❚❙❚	100 à 149 F

La maison Chanson Père et Fils sous un autre nom, Marson et Natier ! Ce nuits, d'une couleur bigarreau, correspond à l'idée qu'on se fait de l'appellation. Son bouquet fait penser à un roman de La Varende, *Nez de cuir*. Au cassis également. Riche en tanins, harmonisant le gras et l'acidité, il pinote bien et fera un bon vin de garde.
☛ Marson et Natier, 10, rue du Collège, 21200 Beaune, tél. 03.80.25.97.96, fax 03.80.24.17.42

DOM. MARTIN-DUFOUR
Aux Argillats 1997

■ 1er cru	0,14 ha	797	❚❙❚	100 à 149 F

Faisant partie des nuits côté vosne-romanée, les Argillats évoquent un terroir un peu argileux dont le vin, réputé austère, sourit sur le tard. Celui-ci manifeste un tempérament beaucoup plus convivial. Peu de complexité mais de la souplesse et du goût, une certaine impression de chaleur et des baie cueillies en forêt...
☛ Dom. Martin-Dufour, 4a, rue des Moutots, 21200 Chorey-lès-Beaune, tél. 03.80.22.18.39, fax 03.80.22.18.39 ☑ ⊺ r.-v.

P. MISSEREY Les Pruliers 1997★

■ 1er cru	n.c.	3 000	❚❙❚	150 à 199 F

Des pruniers sauvages ont jadis donné ce nom au climat situé sur Nuits côté Premeaux. S'il n'offre pas ici un très long développement, on s'accorde à trouver ce vin riche et plein, net et frais. Résoudre une telle équation n'est pas à la portée de n'importe qui... A l'œil, brillant et limpide. Au nez, puissant et mûr, légèrement porté sur le gibier. Un coup de cœur pour un 85. Sous cette même étiquette, **Les Cailles 97** (200 à 249 F) sont citées par le jury, alors que sous l'étiquette **Coron Père et Fils**, **Les Vaucrains 97** (200 à 249 F) seront à servir dès l'hiver.
☛ Maison P. Misserey, 3, rue des Seuillets, B.P. 10, 21701 Nuits-Saint-Georges Cedex, tél. 03.80.61.07.74, fax 03.80.61.31.40 ☑ ⊺ r.-v.

MONGEARD-MUGNERET
Les Plateaux 1997★

■	0,69 ha	2 900	❚❙❚	100 à 149 F

Mongeard-Mugneret dans ses grandes œuvres. Ce climat peu connu se situe au-dessus de la ville de Nuits côté Premeaux. Ce vin possède du caractère et exprime bien son terroir d'origine : on y trouve de la cerise, des épices, un tempérament assez expansif et un rubis grenat en ins-

BOURGOGNE

tance d'évolution. Déjà agréable, mais il gagnera à se faire attendre en cave.
- Dom. Mongeard-Mugneret,
14, rue de la Fontaine, 21700 Vosne-Romanée, tél. 03.80.61.11.95, fax 03.80.62.35.75,
e-mail mongeard@axnet.fr ⵏ r.-v.

JEAN-PIERRE MUGNERET 1997

■	0,74 ha	4 300	⫙ 100 à 149 F

Grenat sans excès d'intensité, la robe est de ton classique. Sous-bois, le bouquet a de l'allant, et l'animal sauvage n'est pas très loin. Toujours ces notes animales en bouche, mariées aux fruits rouges, sur des tanins encore jeunes et qui vont se fondre.
- EARL Jean-Pierre Mugneret, Concœur-et-Corboin, 21700 Nuits-Saint-Georges,
tél. 03.80.61.00.20, fax 03.80.62.33.04 ☑

DOM. DES PERDRIX
Aux Perdrix Monopole 1997★★

■ 1er cru	3,49 ha	17 000	⫙ 200 à 249 F

Sous la conduite d'Antonin Rodet, voici une perdrix rouge qui ne devrait pas échapper à votre fusil ! Son plumage ? D'un rouge d'encre. Son ramage ? Flatteur et attirant, fruits rouges macérés, complexe et très fermé. La bouche, malgré une petite pointe d'alcool, se montre ample et de bon relief, s'achevant sur de longues caudalies. Le **village 97** a de la personnalité et fait une bouteille de garde. Il reçoit une étoile.
- B. et C. Devillard, Dom. des Perdrix,
Ch. de Champ Renard, 71640 Mercurey,
tél. 03.85.45.13.89, fax 03.85.45.21.61 ☑

CH. DE PREMEAUX 1998

■	2 ha	10 000	⫙ 70 à 99 F

Le grand-père a acquis le château de Premeaux en 1933. Les communes de Premeaux et de Nuits ont leurs crus en partage. Cela donne naissance à un 98 nerveux, vigoureux, rigoureux, généreux en gras, très robuste d'approche. Ne pas le déguster avant deux ou trois ans. Domaine coup de cœur pour le millésime 88 en Argillières.
- Dom. du Ch. de Premeaux, 21700 Premeaux-Prissey, tél. 03.80.62.30.64, fax 03.80.62.39.28
☑ ⵏ r.-v.
- Pelletier

REINE PEDAUQUE 1998★

■	n.c.	10 000	⫙ 100 à 149 F

D'évolution sans doute rapide, un 98 à savourer sans trop tarder. Il brille de tous ses feux. La cerise à l'eau-de-vie complète utilement un boisé prononcé. Riche et étoffé, il est en bouche assez confortable. Peu d'acidité, de la souplesse et de la rondeur.
- Reine Pédauque, Le Village, 21420 Aloxe-Corton, tél. 03.80.25.00.00, fax 03.80.26.42.00,
e-mail rpedauque@axnet.fr ⵏ r.-v.

HENRI ET GILLES REMORIQUET
Les Damodes 1998★

■ 1er cru	0,4 ha	n.c.	⫙ 100 à 149 F

Coup de cœur pour l'édition 1993 dans un Damodes 90. Le millésime 98 ne décevra pas les amateurs de bourgogne *new age*. C'est-à-dire un pinot noir si sombre qu'il en est presque opaque, évoquant le fruit sauvage, extrêmement char-

penté, nécessitant une longue attente pour sortir de ses gonds. Même style pour les **Allots 97** mais seulement cité tant le boisé domine l'ensemble (70 à 99 F).
- Dom. Henri et Gilles Remoriquet,
25, rue de Charmois, 21700 Nuits-Saint-Georges, tél. 03.80.61.24.84,
fax 03.80.61.36.63,
e-mail domaine.remoriquet@wanadoo.fr
☑ ⵏ r.-v.

DOM. JEAN-PIERRE TRUCHET 1997

■	1,63 ha	2 600	⫙ 100 à 149 F

Moyennement intense, relativement ouvert, il se libère en bouche. Celle-ci est fraîche en effet, d'une tonalité discrète mais en compagnie de tanins qui vont s'assagir et d'un fruit qui monte de palier en palier.
- Jean-Pierre Truchet, R.N. 74,
21700 Premeaux-Prissey, tél. 03.80.61.07.22, fax 03.80.61.34.35 ☑ ⵏ t.l.j. sf sam. dim. 9h-12h 14h-19h; f. 15-31 août

CHARLES VIENOT
Clos des Corvées Paget 1997★

■ 1er cru	n.c.	600	⫙ 150 à 199 F

Figure historique et ventripotente du pays, le Gros Charles a les mains larges pour trinquer à la santé de ses successeurs, l'équipe de Jean-Claude Boisset. La robe est pleine de bonne volonté. Le nez ? On dirait la Côte de Nuits, c'est tout dire. Les tanins ? En juste noce. Bonnes caudalies, finesse et discrétion, dans l'attente d'une paire d'années.
- Charles Viénot, 5, quai Dumorey,
21700 Nuits-Saint-Georges, tél. 03.80.62.61.41, fax 03.80.62.37.38

DOM. FABRICE VIGOT 1998★

■	0,58 ha	2 700	⫙ 150 à 199 F

C'est dans le feu que le fer se trempe. Riche en alcool, très expansif, ce 98 applique à la lettre le précepte. Franc de goût, agréable à contempler et d'un bouquet modéré, nuancé et boisé (arômes végétaux, épices), un nuits qui évoluera bien. Le 89 avait obtenu un coup de cœur.
- Dom. Fabrice Vigot, 16, rue de la Fontaine, 21700 Vosne-Romanée, tél. 03.80.61.13.01, fax 03.80.61.13.01 ☑ ⵏ r.-v.

Côte de nuits-villages

Après Premeaux, le vignoble s'amenuise pour se réduire à une longueur de vignes d'environ 200 m à Corgoloin. C'est l'endroit où la côte est la plus étroite. La « montagne » diminue d'altitude, et la limite administrative de l'appellation côte de nuits-villages, anciennement appelée « vins fins de la Côte de Nuits », s'arrête au niveau du clos des Langres, sur Corgoloin. Entre les deux, deux communes : Prissey, associée à Premeaux, et Comblanchien, réputée pour la pierre calcaire (appelée improprement marbre) que l'on tire des carrières du coteau. Toutes deux possèdent quelques terroirs aptes à porter une appellation communale. Mais les superficies de ces trois communes étant trop petites pour avoir une appellation individuelle, Brochon et Fixin y ont été associées pour constituer cette appellation unique appellation côte de nuits-villages, qui a produit, en 1999, 8 681 hl dont 305 hl en vin blanc. On y trouve d'excellents vins, à des prix abordables.

BERTRAND AMBROISE 1998★★

■	0,28 ha	8 000	❙❙❙ 70 à 99 F

Bertrand Ambroise voulait devenir berger. La vie en a décidé autrement. Il veille sur les vignes familiales, créant par ailleurs une affaire de négoce spécialisée dans les vins de la Côte de Nuits. Son palmarès est remarquable cette année. Cette bouteille rouge grenat, parfumée à la griotte, apparaît franche et de bonne tenue. Assez corsée comme le veut l'appellation, elle est déjà accessible à la dégustation mais semble également garder de garde.
☛ Maison Bertrand Ambroise, rue de l'Eglise, 21700 Premeaux-Prissey, tél. 03.80.62.30.19, fax 03.80.62.38.69, e-mail bertrand.ambroise@wanadoo.fr ☑ ⵌ r.-v.

RENE BOUVIER 1998★

■	0,49 ha	2 500	❙❙❙ 70 à 99 F

N'oublions pas que l'AOC concerne aussi la partie septentrionale de la Côte de Nuits. C'est de là que nous arrive cette bouteille très colorée, fortement aromatique, d'une extraction vigoureuse. La mâche est importante. De bonne constitution dans ce style, un vin bien élevé et qui a le temps de durer.
☛ René Bouvier, 2, rue Neuve, 21160 Marsannay-la-Côte, tél. 03.80.52.21.37, fax 03.80.59.95.96 ☑ ⵌ r.-v.

LOUIS CHAVY 1997★

■	n.c.	12 000	❙❙ᵭ 70 à 99 F

Ce vin a des moyens. D'une teinte aimable et profonde, il esquisse une intéressante complexité aromatique (framboise, cuir, réglisse) tout en donnant un aperçu de sa bouche. Il se présente bien : typique et réservé.
☛ Louis Chavy, Caveau de la Vierge romaine, pl. des Marronniers, 21190 Puligny-Montrachet, tél. 03.80.26.33.00, fax 03.80.24.14.84, e-mail mallet.b@cva-beaune.fr ☑ ⵌ t.l.j. 10h-18h; f. nov. à mars

DESERTAUX-FERRAND
Les Perrières 1997★

■	2,6 ha	13 000	❙❙❙ 50 à 69 F

Des Perrières à consommer maintenant pour profiter de leur élan. Nuance pourpre, nez de bourgeon de cassis (on en fait à Grasse la base de prestigieux parfums !), un 97 fin, équilibré, gardant sa fraîcheur et assez long.

☛ Dom. Désertaux-Ferrand, 135, Grande-Rue, 21700 Corgoloin, tél. 03.80.62.98.40, fax 03.80.62.70.32, e-mail desertaux@erb.com ☑ ⵌ r.-v.

R. DUBOIS ET FILS 1998★

☐	0,8 ha	1 500	❙❙❙ 50 à 69 F

Quand on a été porté à la présidence de la « Viti » à Beaune, on se doit de montrer l'exemple, même si la nouvelle génération prend le relais. Cette appellation s'ouvre peu à peu au chardonnay lorsque le terroir s'y prête. On en tient là un avocat convaincant. L'or brille. L'amande fraîche et le citron précèdent une bonne attaque, de la puissance, de la longueur dans ce même registre aromatique.
☛ R. Dubois et Fils, rte de Nuits-Saint-Georges, 21700 Premeaux-Prissey, tél. 03.80.62.30.61, fax 03.80.61.24.07, e-mail rdubois@wanadoo.fr ☑ ⵌ t.l.j. 8h-11h30 14h-18h; sam. dim. sur r.-v.

DOM. GACHOT-MONOT 1997★★

■	4 ha	12 000	❙❙❙ 50 à 69 F

L'appellation est en forme. Elle accomplit de grands progrès et l'Eté des Côtes de Nuits-Villages a beaucoup contribué à la porter en avant et vers le haut. Ce domaine a déjà obtenu l'an dernier un coup de cœur pour son 96. Ce 97 lui fait encore honneur. Brillant, intense, il a le nez convivial (mûre, cerise noire) et la bouche très élégante. Souple avec un rien de vivacité, un beau vin jeune, sain et plein d'avenir.
☛ Dom. Gachot-Monot, 13, rue Humbert-de-Gillens, 21700 Gerland, tél. 03.80.62.50.95, fax 03.80.62.53.85 ☑ ⵌ r.-v.

DOM. ANNE-MARIE GILLE 1998

■	2,95 ha	9 000	❙❙ᵭ 50 à 69 F

Ah ! ces étiquettes parcheminées à bords roulés... On les mettra un jour au musée. Quant à la bouteille, elle est pleine de bonnes intentions mais nécessite un petit délai de garde car ses tanins ont besoin de se fondre. Gras et fraîcheur incitent à la bienveillance. Il s'agit d'un des plus anciens domaines du village.
☛ Dom. Anne-Marie Gille, 34, R.N. 74, 21700 Comblanchien, tél. 03.80.62.94.13, fax 03.80.62.99.88, e-mail gille@burgundywines.net ☑ ⵌ r.-v.

La Côte de Nuits

Côte de nuits-villages

DOM. LALEURE-PIOT
Les Bellevues 1998★

■   0,9 ha   4 800   ❚❚❙ 50 à 69 F

Climat situé sur les hauteurs de Comblanchien, à deux pas du Clos de la Maréchale. Un 98 rubis bien affirmé, fruité, calme et reposant sous sa mâche. Simple et de bon goût, dans l'esprit de l'appellation.

🍷 Dom. Laleure-Piot, rue de Pralot,
21420 Pernand-Vergelesses, tél. 03.80.21.52.37,
fax 03.80.21.59.48,
e-mail laleure.piot@wanadoo.fr ☑ ❡ t.l.j.
8h-12h 14h-18h30; sam. dim. sur r.-v.
🍷 Frédéric Laleure

CLOS DES LANGRES 1997★

■   2,74 ha   6 000   ❚❚❙ 70 à 99 F

Monopole familial (Gabriel Liogier d'Ardhuy et ses enfants, par ailleurs propriétaires de la Reine Pédauque et Corton-André), le clos des Langres est à l'extrême sud de la Côte de Nuits. Il donne ici un vin que les chanoines de Langres mettaient jadis avec plaisir dans leurs burettes. Souple, gourmand, séducteur, un peu boisé, ce 97 est facile et commercial, le mot n'étant pas péjoratif.

🍷 Dom. d'Ardhuy, Clos des Langres,
21700 Corgoloin, tél. 03.80.62.98.73,
fax 03.80.62.95.15 ☑ ❡ t.l.j. sf dim. 10h-12h
14h-18h

La côte de Nuits (Sud)

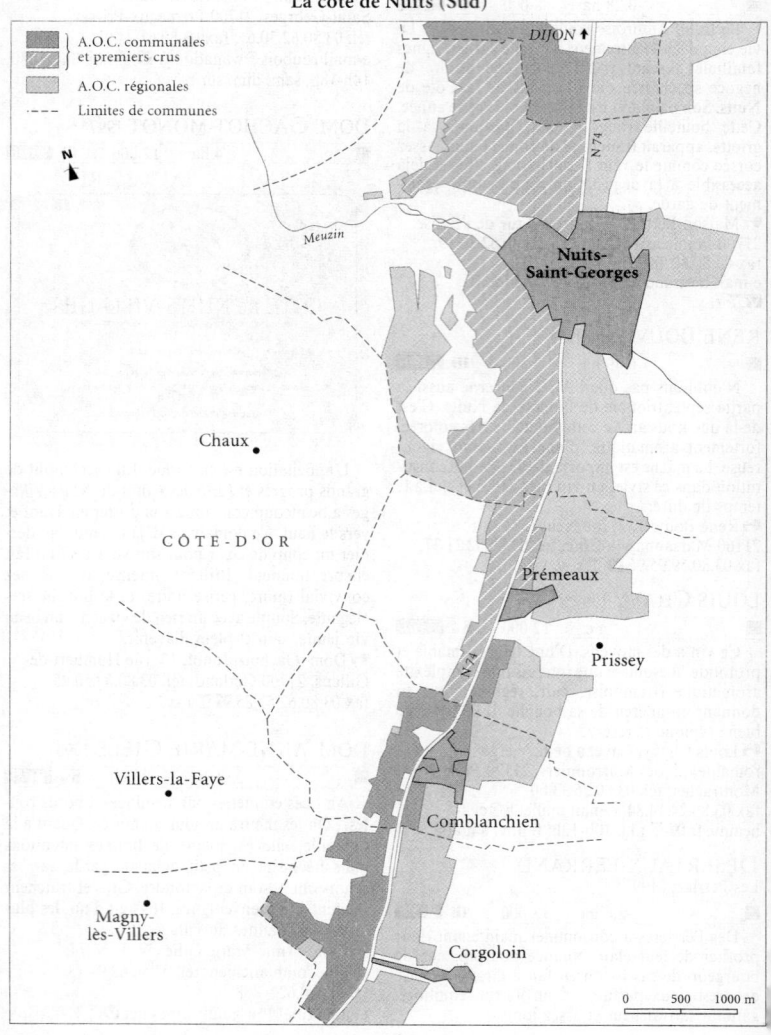

DOM. DE LA POULETTE 1998★★

| ☐ | 0,5 ha | 1 800 | ⦀ | 70 à 99 F |

Produce of France — **Vin de Bourgogne**

Côte de Nuits-Villages
BLANC
Appellation d'Origine Côte de Nuits-Villages Contrôlée

RÉCOLTÉ ÉLEVÉ ET MIS EN BOUTEILLE PAR LE
13% vol.   **DOMAINE DE LA POULETTE**   75cl
Propriétaire-Récoltant à Corgoloin 21700 Nuits-St-Georges (France)

L'AOC doit beaucoup à Lucien Audidier (1903-1992) dont le domaine a été repris par sa fille. Etonnante jeune vigne plantée sur une friche dominant la carrière de Corgoloin, dont le sol aujourd'hui montre sa capacité à produire de grands blancs : jaune or, distillant des notes d'agrumes et d'amande fraîche, ce vin délicat, ciselé, légèrement boisé est d'une finesse rare.
☛ Dom. de La Poulette, 21700 Corgoloin, tél. 03.80.62.98.02, fax 03.45.25.43.23 ☑ ☦ r.-v.
☛ Mme F. Michaut-Audidier

DOM. MICHEL MALLARD ET FILS 1997★

| ■ | 1,34 ha | 6 000 | ⦀ | 70 à 99 F |

Un vin un peu fermé aujourd'hui mais qui évoluera dans le bon sens. Sa concentration est forte, son gras assez réglissé et plein de prévenance. Nez de cuir épicé, robe très sombre, il se révèlera fort sociable.
☛ Dom. Michel Mallard et Fils, 43, rte de Dijon, 21550 Ladoix-Serrigny, tél. 03.80.26.40.64, fax 03.80.26.47.49 ☑ ☦ r.-v.

DOM. HENRI NAUDIN-FERRAND Vieilles vignes 1997★★

| ■ | n.c. | 8 556 | ⦀ | 50 à 69 F |

GRAND VIN — **DE BOURGOGNE**

Côte de Nuits-Villages
APPELLATION CONTROLÉE
Vieilles Vignes
13% vol.   Mise en bouteille à la propriété par
750 ml   Domaine Henri NAUDIN-FERRAND
Rue du Meix Grenot, 21700 Magny-lès-Villers, France

Henri Naudin peut être fier de ses filles. Déjà coup de cœur dans cette AOC dans le Guide 1999 (millésime 95) et dans l'édition 1995 (91), Anne et Claire décrochent en effet leur troisième coup de cœur (ici en Vieilles vignes 97). La robe est haute couture, le bouquet fruité à souhait et agrémenté d'épices. Certes, c'est chaleureux mais quelle richesse ! Du gras, de la structure, de la concentration, voilà le vin qu'Henri IV aurait pu conseiller à tous les Français pour accompagner leur poule au pot dominicale.

☛ Dom. Henri Naudin-Ferrand, rue du Meix-Grenot, 21700 Magny-lès-Villers, tél. 03.80.62.91.50, fax 03.80.62.91.77, e-mail dom.hnf.@wanadoo.fr ☑ ☦ r.-v.

DOM. ERIC PANSIOT Les Perrières 1998

| ■ | 0,4 ha | 2 400 | ⦀ | 50 à 69 F |

Quelques *climats* existent dans l'appellation. L'étiquette peut les indiquer s'ils sont vinifiés à part. Ainsi ces Perrières sur Corgoloin en montant vers Magny-lès-Villers. Rouge cerise, le nez encore réservé mais assez frais, un 98 qui mérite d'être attendu. Il possède de la consistance et du fruit, malgré des tanins carrés.
☛ Eric Pansiot, 21700 Corgoloin, tél. 03.80.62.94.32, fax 03.80.62.73.14 ☑ ☦ r.-v.

H. PROTOT 1997★

| ■ | 2,3 ha | 5 600 | ⦀ | 30 à 49 F |

D'une couleur éclatante, il dessine seulement les contours d'un nez grillé qui peut s'ouvrir sur autre chose. Vineux, tannique mais avec du gras, il doit encore s'harmoniser : tous les éléments sont réunis pour qu'il finisse en beauté.
☛ Henriette Protot, 21700 Premeaux-Prissey, tél. 03.80.62.35.13 ☑

DOM. VINCENT SAUVESTRE 1998★★

| ■ | 2,25 ha | 15 000 | ⦀ | 50 à 69 F |

Il offre un beau rubis. Il s'installe avec de la chaleur, du fruit, tandis que ses tanins se font doux comme des agneaux. Très agréable, d'accès aisé, il se marie bien et il sera fidèle... au moins trois ou quatre ans.
☛ Dom. Vincent Sauvestre, rte de Monthélie, B.P. 3, 21190 Meursault, tél. 03.80.21.22.45, fax 03.80.21.28.05 ☦ r.-v.

La Côte de Beaune

Ladoix

Trois hameaux, Serrigny, près de la ligne de chemin de fer, Ladoix, sur la R.N. 74, et Buisson, au bout de la Côte de Nuits, composent la commune de Ladoix-Serrigny. L'appellation communale est ladoix. Le hameau de Buisson est situé exactement à la frontière géographique des Côtes de Nuits et de Beaune. La limite administrative s'est arrêtée à la commune de Corgoloin, mais la colline, elle, continue un peu plus loin ; les vignes et les vins aussi. Au-delà de la combe de Magny, qui concrétise la séparation,

BOURGOGNE

commence la montagne de Corton, aux grandes pentes à intercalations marneuses, constituant avec toutes ses expositions, est, sud et ouest, l'une des plus belles unités viticoles de la Côte.

Ces différentes situations confèrent à l'appellation ladoix une variété de types auxquels s'ajoute une production de vins blancs mieux adaptés aux sols marneux de l'argovien ; c'est le cas des gréchons, par exemple, situés sur des mêmes niveaux géologiques que les corton-charlemagne, plus au sud, mais jouissant d'une exposition moins favorable. Les vins de ce lieu-dit sont très typés. Ayant produit 4 411 hl en rouge et 847 hl en blanc en 1999, l'appellation ladoix est peu connue ; c'est dommage !

Autre particularité : bien que jouissant d'une classification favorable donnée par le Comité de viticulture de Beaune en 1860, Ladoix ne possédait pas de premiers crus : omission qui a été régularisée par l'INAO en 1978 : la Micaude, la Corvée et le Clou d'Orge, aux vins de même caractère que ceux de la Côte de Nuits, les Mourottes (basses et hautes), aux allures sauvages, le Bois-Roussot, sur la « lave », sont les principaux de ces premiers crus.

BERTRAND AMBROISE
Les Gréchons 1998★

| ☐ 1er cru | 0,6 ha | 3 000 | ❙❙❙ | 70 à 99 F |

Une jolie robe bien dans le ton, un nez franc et profond où boisé et fruité dialoguent, une bouche bien construite. Que demander de plus ? La volaille à la crème qui l'accompagnera.
☛ Maison Bertrand Ambroise, rue de l'Eglise, 21700 Premeaux-Prissey, tél. 03.80.62.30.19, fax 03.80.62.38.69,
e-mail bertrand.ambroise@wanadoo.fr
☑ ☓ r.-v.

DOM. D'ARDHUY 1997★

| ■ | 5,35 ha | 15 150 | ❙❙❙ | 50 à 69 F |

Domaine familial de la famille Liogier d'Ardhuy (La Reine Pédauque). Installée au Clos des Langres, elle n'a guère de chemin à faire pour visiter ses vignes sur Ladoix. Ce 97 au nez légèrement confituré et assez boisé offre au regard la joie d'une flamme intense. Au-delà d'une attaque nette et franche, de tanins présents mais fondus, il nous donne rendez-vous dans un an ou deux. Le **village blanc 97** reçoit également une étoile (70 à 99 F). Or à reflet vert pâle, frais et vif bien que boisé, il est bon dès à présent.
☛ Dom. d'Ardhuy, Clos des Langres, 21700 Corgoloin, tél. 03.80.62.98.73, fax 03.80.62.95.15 ☑ ☓ t.l.j. sf dim. 10h-12h 14h-18h

DOM. CACHAT-OCQUIDANT ET FILS 1998★

| ■ | 2 ha | 3 600 | ❙❙❙ | 50 à 69 F |

Ne restez pas trop longtemps à genoux devant **Les Madonnes 98 rouge**. Il faut les goûter maintenant. L'appellation *village*, en revanche, a des vertus de garde. Couleur claire, bouquet passant du fruit noir à l'animal, tanins très lisses et fondus, enrobés dans le fruit, d'une longueur suffisante. Dans quelque temps, ce vin sera bien.
☛ Dom. Cachat-Ocquidant et Fils, pl. du Souvenir, 21550 Ladoix-Serrigny, tél. 03.80.26.45.30, fax 03.80.26.48.16 ☑ ☓ r.-v.

CAPITAIN-GAGNEROT
Les Hautes Mourottes Elevé en fût 1998★

| ☐ 1er cru | 0,42 ha | 3 000 | ❙❙❙ | 70 à 99 F |

Doré, beurré, le nez empli de fleurs jaunes et de miel sur une tonalité un peu évoluée et sauvage, ce vin nettement boisé doit poursuivre son élevage avant de connaître l'heure de sa venue à table. « Celle-ci pourra faire les honneurs d'un homard grillé aux baies », propose un dégustateur ! Notez aussi, une étoile et toujours en blanc, le **1er cru Les Gréchons 98** qui offre un bel équilibre entre le bois et le fruit et que le même dégustateur destine à une noix de veau aux champignons et à la crème. Ce domaine a reçu le coup de cœur dans les éditions 1990 et 1996, notamment pour ce dernier *climat*.
☛ Capitain-Gagnerot, 38, rte de Dijon, 21550 Ladoix-Serrigny, tél. 03.80.26.41.36, fax 03.80.26.46.29 ☑ ☓ r.-v.

CHEVALIER PÈRE ET FILS
Les Gréchons 1998★

| ☐ | 0,47 ha | 2 500 | ❙❙❙ | 100 à 149 F |

Domaine fondé en 1885 par E. Dubois. Georges et Claude Chevalier perpétuent de nos jours le savoir de quatre générations. Nous sommes ici en présence d'un chardonnay or vert bien soutenu, au bouquet de miel d'acacia, très suave au palais (belle sensation d'amande amère). Le saumon, ou tout poisson à la chair ferme, semble indiqué pour lui faire escorte.
☛ SCE Chevalier Père et Fils, Buisson, 21550 Ladoix-Serrigny, tél. 03.80.26.46.30, fax 03.80.26.41.47 ☑ ☓ r.-v.

DOM. CORNU 1997★

| ■ | 0,96 ha | 6 000 | ❙❙❙ | 50 à 69 F |

Bras dessus bras dessous comme on part en vendange, l'œil et le nez sont complices. Confiture de fraises sur rouge intense, voilà qui promet ! Nuances boisées, une certaine vigueur tannique ; la bouche dessine une force équilibrée et d'une persistance convaincante. Les commentaires vont d'« honnête » à « très beau vin » !
☛ Dom. Cornu, rue du Meix-Grenot, 21700 Magny-lès-Villers, tél. 03.80.62.92.05, fax 03.80.62.72.22 ☑ ☓ r.-v.

EDMOND CORNU ET FILS
Les Carrières 1997★

| ■ | 0,62 ha | 3 600 | ❙❙❙ | 70 à 99 F |

Egrappage pour ce vin bien typique qui provient du secteur des Mourottes, du Rognet et de Corton. Ce n'est pas le paradis mais cela y ressemble. Sous une teinte bien colorée, le premier nez est fermé, le second plus explicite, végétal et d'un discret boisé toasté. Les tanins sont très présents mais dépourvus d'agressivité. Un beau vin de garde (trois à cinq ans) qui tiendra ses promesses.

☛ EARL Edmond Cornu et Fils, Le Meix Gobillon, rue du Bief, 21550 Ladoix-Serrigny, tél. 03.80.26.40.79, fax 03.80.26.48.34 ☑ ⵏ r.-v.

CAVEAU DES FLEURIERES
Les Gréchons 1997★

☐ 1er cru	n.c.	n.c.	⑪ 100 à 149 F

Viticulteur et négociant-éleveur à Nuits, M. Javouhey nous invite à déguster un ladoix blanc 97 correctement structuré. Jaune assez appuyé, d'un tempérament puissant, il offre une belle allonge et se montre en effet assez persistant.

☛ Caveau des Fleurières, 50, rue du Gal-de-Gaulle, 21700 Nuits-Saint-Georges, B.P. 63, tél. 03.80.61.10.30, fax 03.80.61.35.76 ⵏ r.-v.
☛ Javouhey

FRANCOIS GAY 1997★

■	0,48 ha	2 200	⑪ 50 à 69 F

Coup de cœur l'an dernier (millésime 96) et déjà dans le Guide 1999 (le 95). On le constate, ce viticulteur de Chorey possède une très bonne pratique de tout ce qui est à portée de sécateur : beaune, savigny, corton, ladoix. Quant à ce 97 rouge soutenu et brillant, il est souple et rond, agréable, sans surprise. Beau potentiel mais qui n'a pas atteint sa plus haute expression. Ses arômes rappellent la mousse et le sous-bois, la framboise.

☛ François Gay, 9, rue des Fiètres, 21200 Chorey-lès-Beaune, tél. 03.80.22.69.58, fax 03.80.24.71.42 ☑ ⵏ r.-v.

CHRISTIAN GROS Côte-de-Beaune 1998★

■	n.c.	n.c.	⑪ 50 à 69 F

Rubis brillant, il est dressé sur ses tanins ; l'appellation se sent à son aise dans une atmosphère familière. Senteurs et saveurs mettent en valeur la griotte. Il semble nécessaire de laisser ce vin s'harmoniser deux à trois ans.

☛ Christian Gros, rue de la Chaume, 21700 Premeaux-Prissey, tél. 03.80.61.29.74, fax 03.80.61.39.77 ☑ ⵏ r.-v.

DOM. JEAN GUITON La Corvée 1998

■ 1er cru	0,79 ha	3 000	⑪ 70 à 99 F

Un coup de cœur l'an dernier, pour le millésime 96. Et ce n'est jamais une... corvée de le boire. Faisant un saut par-dessus le 97, voici le 98 tout juste mis en bouteille. Rubis clair, il fait étalage d'arômes de fraise d'une agréable finesse. S'il ne dispose pas du corps et du volume d'un grand 1er cru, il se révèle souple et quelque peu subtil, assez élégant.

☛ Jean Guiton, 4, rte de Pommard, 21200 Bligny-lès-Beaune, tél. 03.80.26.82.88, fax 03.80.26.85.05 ☑ ⵏ t.l.j. 9h-12h 14h-19h

DOM. ROBERT ET RAYMOND JACOB 1998★

☐	1 ha	4 500	⑪ 50 à 69 F

Une robe or pâle à reflets verts du plus bel effet. Un nez tout d'abord miellé, puis la verveine s'installe, accompagnée de notes d'agrumes et de bois grillé. On retrouve tout cela en bouche, où la fraîcheur domine.

☛ Dom. Robert et Raymond Jacob, Hameau de Buisson, 21550 Ladoix-Serrigny, tél. 03.80.26.40.42, fax 03.80.26.49.34 ☑ ⵏ r.-v.

DOM. DE LA GALOPIERE
Les Clous 1998★

■	0,46 ha	2 000	⑪ 50 à 69 F

Une robe « pinot foncé » parfaite, un nez intense où s'expriment les fruits rouges en confiture, une bouche ample, équilibrée, aux tanins discrets. Le fruit est rappelé en finale : tout cela donne un vin intéressant. Ce domaine, fondé au début du XXes., est joliment installé à Bligny-lès-Beaune.

☛ Claire et Gabriel Fournier, Dom. de La Galopière, 6, rue de l'Eglise, 21200 Bligny-lès-Beaune, tél. 03.80.21.46.50, fax 03.80.21.49.93, e-mail c.g.fournier@wanadoo.fr ☑ ⵏ r.-v.

DOM. MAILLARD PERE ET FILS
Les Chaillots 1998★

■	0,5 ha	n.c.	⑪ 70 à 99 F

Climat proche du grand cru de l'illustre corton. Daniel Maillard a créé son domaine en 1952, il y aura bientôt cinquante ans. De quelques vignes, on est passé à 18 ha. Ce 98 au fruit léger est le produit d'une extraction recherchée. Fait pour vieillir, il cache encore son jeu. Ses arômes ? café, compote de fruits rouges et fruits à l'alcool.

☛ Dom. Maillard Père et Fils, 2, rue Joseph-Bard, 21200 Chorey-lès-Beaune, tél. 03.80.22.10.67, fax 03.80.24.00.42 ☑ ⵏ r.-v.

DOM. MICHEL MALLARD ET FILS
Le Clos Royer 1997★★

■	1,2 ha	4 000	⑪ 70 à 99 F

Situé tout près du village de Ladoix, ce climat offre à la dégustation un vin plein de panache. Il pourra se conserver longtemps, n'en doutez pas. Il se présente sous les traits d'un rouge soutenu et brillant. Joli cocktail de petits fruits rouges en forme de bouquet : groseille, framboise, le nez est comblé. Persiste et signe en bouche sur des tanins équilibrés. Coup de cœur pour le millésime 99. Vous pouvez vous fier au Gréchons village 98 en blanc, une étoile, qui gagnera en complexité dans les trois à cinq ans à venir.

☛ Dom. Michel Mallard et Fils, 43, rte de Dijon, 21550 Ladoix-Serrigny, tél. 03.80.26.40.64, fax 03.80.26.47.49 ☑ ⵏ r.-v.

CATHERINE ET CLAUDE MARECHAL Les Chaillots 1998★

■	0,63 ha	3 000	⑪ 50 à 69 F

Pourpre brillant, il sent le sous-bois, le gibier. Matière et texture ne déçoivent pas. Ce n'est pas un vin d'une forte acidité, et il est donc à apprécier dès à présent sur un bon bresse rôti, par exemple.

BOURGOGNE

➤ EARL Catherine et Claude Maréchal, 6, rte de Chalon, 21200 Bligny-lès-Beaune, tél. 03.80.21.44.37, fax 03.80.26.85.01 ☑ ⌾ r.-v.

DOM. HENRI NAUDIN-FERRAND
La Corvée 1997★★

■ 1er cru	0,56 ha	3 343	⫴	70 à 99 F

Une fois de plus, bravo les filles ! Anne et Claire Naudin vendangent un ladoix de grande classe et grappillent même le coup de cœur qui vient coiffer la hotte. S'il est parfait à l'œil et au nez où commence à s'affirmer un concentré de fruits sur un boisé mesuré, sa rondeur séduit le palais tandis que sa charpente lui assure de beaux jours. Ce demi-hectare de Corvée réunit tous les atouts attendus d'un 1er cru. « Voilà la grande Bourgogne ! » observe sur sa fiche un de nos jurés.
➤ Dom. Henri Naudin-Ferrand, rue du Meix-Grenot, 21700 Magny-lès-Villers, tél. 03.80.62.91.50, fax 03.80.62.91.77, e-mail dom.hnf.@wanadoo.fr ☑ ⌾ r.-v.

DOM. NUDANT La Corvée 1997★

■ 1er cru	0,8 ha	5 600	⫴	70 à 99 F

Ce domaine vigneron de près de 13 ha signe un 97 bien limpide, au nez fruité évoluant sur des notes animales et d'où le kirsch n'est pas absent. En bouche, il se montre frais, bien fait si l'on tient compte du millésime. L'attendre deux à trois ans. Signalons en outre le **1er cru Les Gréchons 98 blanc**, très pierre à fusil, assez boisé-grillé, persistant ; il reçoit une étoile.
➤ Dom. Nudant, 11, R.N. 74, 21550 Ladoix-Serrigny, tél. 03.80.26.40.48, fax 03.80.26.47.13, e-mail domaine.nudant@wanadoo.fr ☑ ⌾ r.-v.

DOM. PARENT La Corvée 1997★

■ 1er cru	0,39 ha	2 400	⫴	70 à 99 F

Dix-huit mois de fût de chêne pour ce 1er cru, rouge cerise à l'œil, cerise et fraise au nez, équilibré sur des tanins fins. Très beau, très élégant, il peut déjà plaire mais saura attendre trois à cinq ans.
➤ SAE Dom. Parent, pl. de l'Eglise, 21630 Pommard, tél. 03.80.22.15.08, fax 03.80.24.19.33, e-mail parent-pommard@axnet.fr ☑ ⌾ r.-v.

LA MAISON PAULANDS
Les Briquottes 1998★

■	n.c.	n.c.	⫴	50 à 69 F

Lauréat du coup de cœur pour un 96 dans notre édition 1999, ce négociant (qui a également un hôtel-restaurant bien connu) est établi au pays. Il peut être cité pour ses **Champs Pussuet en village rouge 98**. On leur préfère néanmoins ces Briquottes (à flanc de coteau sur la route qui monte vers Magny-lès-Villers) d'un rouge clair et franc. Les notes animales se mêlent au fruit à l'eau-de-vie. Assez corpulent, soutenu par de bons tanins, il a de l'acidité et doit confirmer nos espoirs en prenant de l'âge.
➤ Caves des Paulands, RN 74, 21550 Aloxe-Corton, tél. 03.80.26.41.05, fax 03.80.26.47.56, e-mail paulands@wanadoo.fr ☑ ⌾ t.l.j. 8h-12h 14h-18h

DOM. PRIN 1997★

■	1,19 ha	6 100	▮⫴	50 à 69 F

L'étiquette parcheminée n'a pas l'âge du capitaine arrivé à la barre en 1994 ! Mais ce ladoix est intéressant : on lui trouve une robe rouge cerise, des parfums réglissés et qui évoquent la pivoine. En bouche, la griotte revient à la charge et prend le dessus dans un contexte vivifié par une bonne acidité. Ce vin équilibré ne demande qu'à s'épanouir après un à deux ans de garde.
➤ Dom. Prin, 12, rue de Serrigny, Cidex 10, 21550 Ladoix-Serrigny, tél. 03.80.26.40.63, fax 03.80.26.46.16 ☑ ⌾ r.-v.

Aloxe-corton

Si l'on tient compte de la superficie classée en corton et corton-charlemagne, l'appellation aloxe-corton en occupe une faible part, sur la plus petite commune de la Côte de Beaune, et a produit en 1999, 6 937 hl de vin rouge et 36 hl en blanc. Les premiers crus y sont réputés : les Maréchaudes, les Valozières, les Lolières (grandes et petites) sont les plus connus.

La commune est le siège d'un négoce actif, et plusieurs châteaux aux magnifiques tuiles vernissées méritent le coup d'œil. La famille Latour y possède un superbe domaine dont il faut visiter la cuverie du siècle dernier, qui reste encore un modèle du genre pour les vinifications bourguignonnes.

ARNOUX PERE ET FILS 1998★

■	n.c.	n.c.	⫴	70 à 99 F

Un *village* d'une certaine délicatesse : pourpre violacé, boisé et fruité à la fois, souple d'entrée, équilibré, réglissé, il s'exprime sur des tanins très fins. Deux à trois ans de garde.
➤ Arnoux Père et Fils, rue des Brenots, 21200 Chorey-lès-Beaune, tél. 03.80.22.57.98, fax 03.80.22.16.85 ☑ ⌾ r.-v.

DENIS BOUSSEY Les Valozières 1998

■	0,33 ha	2 400	⫴	70 à 99 F

Encore un peu elliptique, mais capable d'obtenir ses galons à l'ancienneté. Car il possède un potentiel très convenable. Son équilibre surtout, sa charpente aussi garantissent son avenir. *Climat* proche des Bressandes et partagé entre 1er cru et *village*. Son bouquet ? Cuir, noyau, cerise.

🏠 Dom. Denis Boussey, rue du Pied-de-la-Vallée, 21190 Monthélie, tél. 03.80.21.21.23, fax 03.80.21.62.46 ☑ ⊤ r.-v.

DOM. CACHAT-OCQUIDANT ET FILS Les Maréchaudes 1998*

| ■ 1er cru | 0,16 ha | 1 100 | ❙❙❙ 100 à 149 F |

Coup de cœur l'an dernier, ce domaine se présente cette fois encore de façon positive. Il est vrai que ce *climat* se situe pour partie en grand cru et qu'il bénéficie de solides atouts. Un 98 vantant la cerise à l'œil et au nez, légèrement grillé, franc et plutôt charmeur.

🏠 Dom. Cachat-Ocquidant et Fils, pl. du Souvenir, 21550 Ladoix-Serrigny, tél. 03.80.26.45.30, fax 03.80.26.48.16 ☑ ⊤ r.-v.

CAPITAIN-GAGNEROT Les Moutottes 1997**

| ■ 1er cru | 1,04 ha | 6 000 | ❙❙❙ 100 à 149 F |

Il ne faut pas confondre Moutottes et Mourottes ! Quelques reflets cuivrés donnent le sentiment d'une légère évolution, mais le nez magnifique offre l'animal et la framboise. Constitué d'une belle matière riche et délicieuse, tannique avec modération et sans astringence, ce 97 fera plaisir dans deux ou trois ans.

🏠 Capitain-Gagnerot, 38, rte de Dijon, 21550 Ladoix-Serrigny, tél. 03.80.26.41.36, fax 03.80.26.46.29 ☑ ⊤ r.-v.

PATRICK CLEMENCET La Coutière 1998*

| ■ 1er cru | 0,77 ha | 2 000 | ❙❙❙ 70 à 99 F |

Capiteux, regorgeant de mâche, onctueux sur la chair d'un Rubens, d'une chaleur volcanique, il ne s'appelle pas corton pour rien. Seigneur et

BOURGOGNE

La côte de Beaune (Nord)

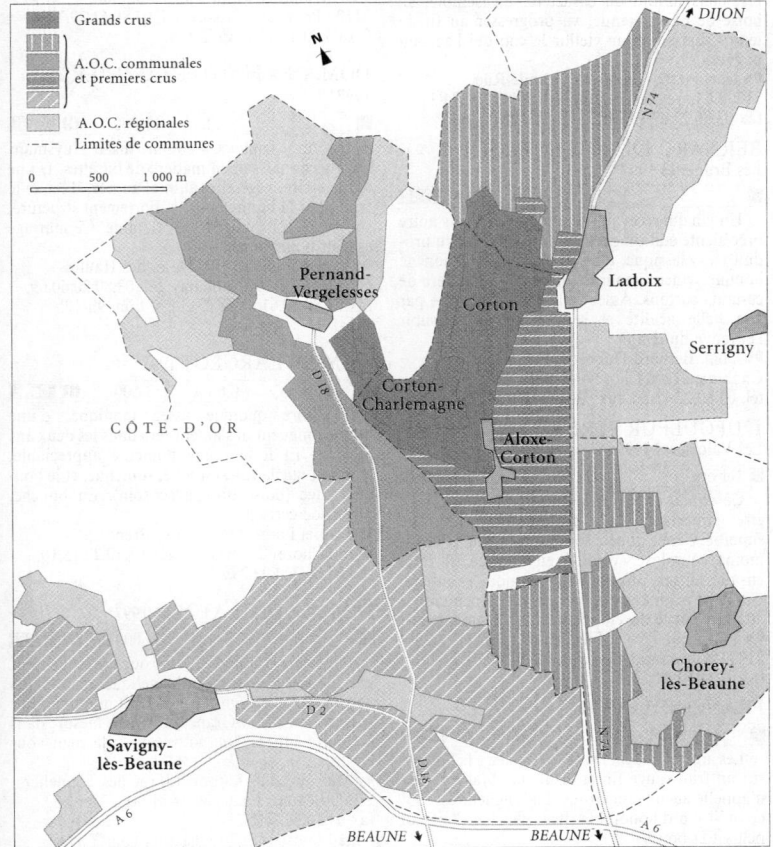

maître, entre le grillé et la mûre, sous une robe d'un pourpre poussé au noir. Calmons-le un peu. Il sera nécessaire de le faire vieillir une année avant de le servir sur des œufs en meurette.

➤ Patrick Clémencet, pl. de l'Europe, 21630 Pommard, tél. 03.80.22.59.11, fax 03.80.24.17.32 ☑ ⵣ r.-v.

EDMOND CORNU ET FILS
Vieille vigne 1997*

| ■ | 1,98 ha | 8 000 | ⅡⅠ | 70 à 99 F |

Assez gras et riche, déjà fondu et soyeux, il coule de source. On y trouve ce qu'il faut d'acidité, beaucoup de fruit à maturité, de la confiture de fraises à la hauteur du nez légèrement épicé, un rubis mauve de belle allure. Tout cela sur une note d'espérance, dans un style très jeune. A ne pas déboucher trop vite.

➤ EARL Edmond Cornu et Fils, Le Meix Gobillon, rue du Bief, 21550 Ladoix-Serrigny, tél. 03.80.26.40.79, fax 03.80.26.48.34 ☑ ⵣ r.-v.

JEAN-PIERRE DUBOIS-CACHAT
1998*

| ■ | 0,32 ha | 1 500 | ⅡⅠ | 70 à 99 F |

Pourpre violacé, cassis sur pointe végétale, ce 98 est un classique. Ses tanins sont encore sévères, mais ils ont du caractère. L'ensemble, au boisé de bonne tenue, va progresser au fil du temps. Laissez donc vieillir le coq qui l'accompagnera...

➤ Jean-Pierre Dubois, 2, Grande Rue, 21200 Chorey-lès-Beaune, tél. 03.80.22.27.83, fax 03.80.22.27.83 ☑ ⵣ t.l.j. 8h-19h

BERNARD DUBOIS ET FILS
Les Brunettes 1997*

| ■ | 1,2 ha | 6 000 | ⅡⅠ | 70 à 99 F |

Un vin qui recevait le coup de cœur dans notre précédente édition pour le millésime 96. Un produit très classique, d'un grenat brillant, dont le bouquet vineux renarde un peu à la manière de certains cortons. Assez sauvage, il est porté par une belle acidité et sera à même de subir l'épreuve du temps.

➤ Dom. Bernard Dubois et Fils, 8, rue des Chobins, 21200 Chorey-lès-Beaune, tél. 03.80.22.13.56, fax 03.80.24.61.43 ☑ ⵣ r.-v.

DUFOULEUR PÈRE ET FILS
Les Valozières 1997

| ■ 1er cru | n.c. | 1 200 | ⅡⅠ | 200 à 249 F |

Ce *climat* est couché sous Bressandes et sait être étincelant. Celui-ci possède une robe superbe. Cerise douce, son nez est jeune et néanmoins complexe. Velouté en attaque, il reste ensuite sur une physionomie tannique et entière. Corsé, d'acidité moyenne, il est cependant à attendre car le développement est prometteur.

➤ Dufouleur Père et Fils, 15, rue Thurot, 21700 Nuits-Saint-Georges, tél. 03.80.61.21.21, fax 03.80.61.11.23 ☑ ⵣ r.-v.

FRANCOIS GAY 1997

| ■ | | n.c. | 4 500 | ⅡⅠ | 100 à 149 F |

Les arômes jouent franc jeu du nez à la bouche sur un fruit rouge fin et distingué. Mais la robe n'appelle aucune remarque. La longueur est tout ce qu'il y a d'honorable. Beau vin bien fait, un peu vif et boisé.

➤ François Gay, 9, rue des Fiètres, 21200 Chorey-lès-Beaune, tél. 03.80.22.69.58, fax 03.80.24.71.42 ☑ ⵣ r.-v.

MICHEL GAY 1997*

| ■ | 1,23 ha | 7 500 | ⅡⅠ | 70 à 99 F |

On a affaire ici à un 97 au terroir dominant. Porter le nom de corton implique des devoirs, et celui-ci les remplit parfaitement. Pour qui aime les vins jeunes - mais il peut se conserver un peu. Nuances balsamiques, réglissées, et robe cerise burlat. Robuste ? Oui, c'est du vin.

➤ Michel Gay, 1b, rue des Brenôts, 21200 Chorey-lès-Beaune, tél. 03.80.22.22.73, fax 03.80.22.95.78 ☑ ⵣ r.-v.

CHRISTIAN GROS
Les Petites Lolières 1997

| ■ 1er cru | n.c. | n.c. | ⅡⅠ | 70 à 99 F |

Les Petites Lolières sont bien sûr à côté des Grandes sur Ladoix et pas très loin du Rognet et de Corton. Notre coup de cœur 1993 (Lolières déjà, version 90) propose un vin grenat à la teinte légèrement évoluée, au bouquet léger : sous-bois, poivron... Sa chair n'est pas considérable mais il se tient et répond du millésime.

➤ Christian Gros, rue de la Chaume, 21700 Premeaux-Prissey, tél. 03.80.61.29.74, fax 03.80.61.39.77 ☑ ⵣ r.-v.

DOM. DES HAUTES-CORNIERES
1997*

| ■ | 2 ha | 11 000 | ⅡⅠ | 70 à 99 F |

Un vin « fruiteux » comme disait Huysmans qui s'y connaissait en matière de burettes. D'une teinte claire, végétal et animal au nez, il laisse le fruit pour la bonne bouche. Fortement structuré, son corps est tout feu tout flamme. Ce mariage est fait pour durer.

➤ Ph. Chapelle et Fils, Dom. des Hautes-Cornières, 21590 Santenay, tél. 03.80.20.60.09, fax 03.80.20.61.01 ☑ ⵣ t.l.j. sf dim. 9h-12h 14h-18h

DANIEL LARGEOT 1998*

| ■ | 0,6 ha | 3 500 | ⅡⅠ | 70 à 99 F |

Equilibré quoique assez tannique, d'une bonne longueur, il s'améliorera dans les deux ans à venir. Et il fera une bouteille appréciable, d'autant que la robe est jolie, soutenue, et le bouquet racé (boisé dosé avec soin). En bouche, noyau de cerise.

➤ Daniel Largeot, 5, rue des Brenôts, 21200 Chorey-lès-Beaune, tél. 03.80.22.15.10, fax 03.80.22.60.62 ☑ ⵣ r.-v.

DOM. LOUIS LATOUR 1997*

| ■ | 5 ha | 20 000 | ⅡⅠ | 100 à 149 F |

Il est déjà complexe, d'un rouge presque noir, gras et ample, enrobé. L'angélique et le kirsch bercent son nez. On se dit que la monumentale cuverie de Corton-Grancey sera à sa mesure dans quelques années... ou votre cave si le cœur vous en dit.

➤ Maison Louis Latour, 18, rue des Tonneliers, 21200 Beaune, tél. 03.80.24.81.00, fax 03.80.22.36.21, e-mail louislatour@louislatour.com ⵣ r.-v.

DOM. MICHEL MALLARD ET FILS
1997★★

■   0,8 ha   4 500   ◖▮ 100 à 149 F

La bouteille des grandes occasions. Rubis à reflets bleutés, elle annonce tout de suite ses prétentions. Ce sont de légitimes ambitions. Complexe et fin, le bouquet marie l'épice douce et le cassis fraîchement cueilli. Corsé, concentré, ce 97, en bouche pratique à merveille l'art de la conversation. Il mérite de prendre un peu d'âge et figure parmi les meilleurs.
☛ Dom. Michel Mallard et Fils,
43, rte de Dijon, 21550 Ladoix-Serrigny,
tél. 03.80.26.40.64, fax 03.80.26.47.49 ☑ ☒ r.-v.

D. MEUNEVEAUX 1998★

■ 1er cru   1 ha   3 000   ◖▮ 100 à 149 F

Griotte écrasée au nez : on en redemande et on est satisfait. Cela revient en force dans la bouche. L'acidité et les tanins sont très complices et exaltent le fruit persistant. Un gibier en sauce poivrade paraît tout indiqué. Un 1er cru digne de son nom.
☛ Didier Meuneveaux, 21420 Aloxe-Corton,
tél. 03.80.26.42.33 ☑ ☒ r.-v.

DOM. NUDANT La Coutière 1997

■ 1er cru   0,7 ha   4 500   ◖▮ 100 à 149 F

Rouge grenat, une Coutière au nez frais dominé surtout par le bourgeon de cassis et l'églantine. Le corps est bien structuré, avec du gras et du fond, persistant.
☛ Dom. Nudant, 11, R.N. 74, 21550 Ladoix-Serrigny, tél. 03.80.26.40.48, fax 03.80.26.47.13, e-mail domaine.nudant@wanadoo.fr ☑ ☒ r.-v.

DOM. CHRISTIAN PERRIN
Les Boutières 1998★

■   n.c.   2 500   ◖▮ 70 à 99 F

Christian Perrin pratique la lutte raisonnée : ce mot est bien plus signifiant que l'adjectif qu'on veut imposer désormais « intégrée ». Mais là n'est pas la question centrale. Ses Boutières 98 sont d'une parfaite franchise, tant dans la robe que dans les arômes où le fruit rouge l'emporte sur le fût. Bien constitué, assez concentré, de bonne longueur, c'est un vin très réussi.
☛ Christian Perrin, 14, av. de Corton,
21550 Ladoix-Serrigny, tél. 03.80.26.40.93,
fax 03.80.26.48.40 ☑ ☒ t.l.j. sf dim. 8h-12h
14h-18h

DOM. POULLEAU PERE ET FILS
1998★

■   0,26 ha   1 600   ◖▮ 70 à 99 F

Ample et costaud... et de la réserve. Sa robe est profonde, son bouquet évoque la griotte et sa bouche apparaît bien construite. L'attendre trois ou quatre ans : le lièvre en sauce qui lui tiendra compagnie a encore de beaux jours devant lui.
☛ Dom. Poulleau Père et Fils, rue du Pied-de-la-Vallée, 21190 Volnay, tél. 03.80.21.62.61,
fax 03.80.26.45.90 ☑ ☒ r.-v.

DOM. RAPET PERE ET FILS 1997★

■   n.c.   n.c.   ◖▮ 70 à 99 F

Grand amateur des crus de Corton, Voltaire eût été impatient face à celui-ci (car il faut l'attendre), mais il eût apprécié son fruit élégant, sa complexité, son équilibre, sa longueur et son rubis de bel éclat.
☛ Dom. Rapet Père et Fils, 21420 Pernand-Vergelesses, tél. 03.80.21.59.94,
fax 03.80.21.54.01 ☑ ☒ r.-v.

DOM. GEORGES ROY ET FILS 1998

■   0,5 ha   3 000   ◖▮ 70 à 99 F

Il est à l'âge ingrat et demande plusieurs mois de garde, mais sa robe est jolie et intense, son nez délicat et fruité, son corps puissant : le fond est bon.
☛ Dom. Georges Roy et Fils,
20, rue des Moutots, 21200 Chorey-lès-Beaune,
tél. 03.80.22.16.28, fax 03.80.24.76.38 ☑ ☒ r.-v.

DOM. DU COMTE SENARD 1997★★

■   3 ha   9 000   ◖▮ 100 à 149 F

Philippe Sénard signe un 97 au terroir bien souligné et qui sort cependant des sentiers battus. Le nez offre une certaine minéralité et des arômes de fruits. La bouche pleine et agréable est harmonieuse. « Enfin du vin ! » s'exclame un dégustateur. Sa maturité déjà avancée n'en fera pas un vin de longue garde. C'est un bonheur à saisir maintenant ou à attendre un an ou deux.
☛ SCE du Dom. Comte Sénard, 7, rempart Saint-Jean, 21200 Beaune, tél. 03.80.24.21.65,
fax 03.80.24.21.44 ☑ ☒ t.l.j. sf dim. 10h-19h

Pernand-vergelesses

Situé à la réunion de deux vallées, exposé plein sud, le village de Pernand est sans doute le plus « vigneron » de la Côte. Rues étroites, caves profondes, vignes de coteaux, hommes de grand cœur et vins subtils lui ont fait une solide réputation, à laquelle de vieilles familles bourguignonnes ont largement contribué. On y a produit 4 635 hl de vins rouges en 1999, dont le premier cru le plus réputé, à juste titre, est l'Ile des Vergelesses, tout en finesse. On y fait aussi d'excellents vins blancs (2 318 hl en 1999).

ARNOUX PERE ET FILS 1998

□   0,4 ha   1 900   ◖▮ 70 à 99 F

Un blanc paille au nez de mirabelle, de bergamote peut-être, ou de résine, on en discute, annonçant une bouche fraîche et teintée de garrigue, sous une acidité qui, elle, ne se discute pas. Toutes ces sensations ne sont pas contradictoires. Pour un vin à attendre un an ou deux. Domaine de quelque 25 ha.
☛ Arnoux Père et Fils, rue des Brenots,
21200 Chorey-lès-Beaune, tél. 03.80.22.57.98,
fax 03.80.22.16.85 ☑ ☒ r.-v.

DOM. DES BALIVAUX 1998*

■   0,8 ha   2 800   **|||**   **70 à 99 F**

Grenat à reflets bleutés, ce 98 est sûr de lui et dominateur. Un peu boisé, nettement tannique, très charpenté, il a bon fond. Il doit encore s'ouvrir et en paraît capable.
➤ Dom. des Balivaux, chem. rural n° 29, 21700 Nuits-Saint-Georges, tél. 03.80.62.42.00, fax 03.80.61.28.13, e-mail nuicave@wanadoo.fr

BOUDIER PÈRE ET FILS
Les Fichots 1997*

■ 1er cru   1,1 ha   2 000   **|||**   **50 à 69 F**

« Qui voit Pernand n'est pas dedans », dit le proverbe. Car il faut y monter ! Charnu, puissant, fruité, confituré, un 97 qui fait oublier sa structure légère par un charme certain. L'ensemble est gourmand et rappelle bien le fruité du cépage. À déguster dans un à deux ans.
➤ Pascal Boudier, rue de Pralot, 21420 Pernand-Vergelesses, tél. 03.80.21.56.43, fax 03.80.21.56.43 ☑ ❦ r.-v.

DOM. CACHAT-OCQUIDANT ET FILS 1998*

☐   0,22 ha   1 100   **|||**   **70 à 99 F**

Deux vins qui méritent que vous vous arrêtiez dans ce domaine. Or gris, ce *village* blanc ne se livre pas entièrement. Mais derrière la vanille du fût, on perçoit l'abricot et la noisette. La première bouche affiche des arômes floraux ; il est intéressant, plaisant, et le jury tient à souligner l'harmonie établie entre les étapes de la dégustation, qui révèle une personnalité homogène. Le **village rouge 98**, à la forte constitution, devra attendre trois ans en cave (50 à 69 F).
➤ Dom. Cachat-Ocquidant et Fils, pl. du Souvenir, 21550 Ladoix-Serrigny, tél. 03.80.26.45.30, fax 03.80.26.48.16 ☑ ❦ r.-v.

DOM. CHANDON DE BRIAILLES
Ile des Vergelesses 1997**

☐ 1er cru   1 ha   4 000   **|||**   **100 à 149 F**

À tout seigneur... Le nez épouse la bouche comme s'il s'agissait d'un mariage en grande pompe à Saint-Honoré-d'Eylau. Fleurs blanches, citron vert, beurré léger... L'or brille en famille. La bouche ? Disons le palais, et presque le labyrinthe, tant le chemin est complexe... Encore en évolution, à ouvrir pendant dix ans, s'il vous en reste, dans de superbes circonstances. En revanche, le **Vergelesses 97 rouge** est prêt (70 à 99 F). Signalons qu'il faut réserver ses bouteilles...
➤ Dom. Chandon de Briailles, 1, rue Sœur-Goby, 21420 Savigny-lès-Beaune, tél. 03.80.21.52.31, fax 03.80.21.59.15 ☑ ❦ r.-v.
➤ de Nicolay

DOM. CORNU 1997*

■   0,39 ha   2 000   **|||**   **50 à 69 F**

Plus dense, plus sombre, plus grenat, on ne trouve pas sur la place. Notes de café, de cuir, de pruneau, on reste dans le même esprit. Ce 97 attaque avec charme : il a de l'étoffe, il ne manque pas de chaleur ; il sait promettre.
➤ Dom. Cornu, rue du Meix-Grenot, 21700 Magny-lès-Villers, tél. 03.80.62.92.05, fax 03.80.62.72.22 ☑ ❦ r.-v.

DOM. DENIS PÈRE ET FILS
Ile des Vergelesses 1998*

■ 1er cru   0,35 ha   1 500   **|||**   **70 à 99 F**

Le **village rouge 98** est tendre, charnu et charpenté, franc dans sa tonalité discrète. Il reçoit une étoile (50 à 69 F) Quant à celui-ci, il a l'éclat de la jeunesse qui se lit dans sa robe bien colorée et touchant au violacé, tout autant que dans le bouquet classique de fruits rouges épicés. Charnu et charpenté, lui aussi, ce qu'on appelle un « vin riche », à laisser en cave trois ou quatre ans.
➤ Dom. Denis Père et Fils, chem. des Vignes-Blanches, 21420 Pernand-Vergelesses, tél. 03.80.21.50.91, fax 03.80.26.10.32 ☑ ❦ r.-v.

DOM. DOUDET Les Fichots 1998

■ 1er cru   0,6 ha   n.c.   **|||**   **100 à 149 F**

Pourpre profond et assez limpide, ce 98 observe une ligne tannique qui lui confère actuellement une certaine sévérité. L'égrappage est pourtant total en règle générale dans cette cuverie rénovée en 1997. Les vignes sont âgées, et peut-être cette impression vient-elle de là. Car la structure est excellente. Le vin doit se fondre.
➤ Dom. Doudet, 50, rue de Bourgogne, 21420 Savigny-lès-Beaune, tél. 03.80.21.51.74, fax 03.80.21.50.69 ☑ ❦ r.-v.
➤ Yves Doudet

DOM. JEAN FÉRY ET FILS 1997**

■ 1er cru   0,39 ha   2 400   **|||**   **70 à 99 F**

On en a beaucoup discuté au moment d'élire le coup de cœur. Il se situe donc dans les tout premiers rangs. Sa brillance éblouit. Son fruit (framboise) est convaincant. D'une exquise finesse aromatique, il est d'une rare complexité ! On le sent de belle origine et il se tient bien dans le millésime : il ne faudra sans doute pas l'attendre au-delà de trois ans.
➤ Dom. Jean Féry et Fils, 21420 Echevronne, tél. 03.80.21.59.60, fax 03.80.21.59.59 ☑ ❦ r.-v.

DOM. JEAN-JACQUES GIRARD
Les Belles Filles 1998*

☐   0,35 ha   2 400   **|||**   **70 à 99 F**

Les Copiaus, ces jeunes comédiens réunis naguère à Pernand par Jacques Copeau (Marie-Hélène et Jean Dasté, etc.) auraient aimé composer un petit spectacle autour de cette bouteille souple et ronde, gentiment dorée, avec un joli nez, une attaque charmante et qui aura beaucoup de choses à raconter pendant deux ans.
➤ Dom. Girard, 16, rue de Cîteaux, 21420 Savigny-lès-Beaune, tél. 03.80.21.56.15, fax 03.80.26.10.08 ☑ ❦ r.-v.

DOM. GIRARD-VOLLOT ET FILS 1997**

☐ 1er cru   0,42 ha   1 100   **|||**   **70 à 99 F**

Un 1er cru à la hauteur du sujet. Rubis intense, au nez généreux (sinon opulent) fleurant la mûre, l'animal, le goudron, il réussit à être moelleux sans montrer la moindre faiblesse, la plus légère mollesse. Riche, dense, bien maintenu par ses tanins, il résulte d'une extraction sensible mais intelligente.

� Dom. Girard, 16, rue de Cîteaux,
21420 Savigny-lès-Beaune, tél. 03.80.21.56.15,
fax 03.80.26.10.08 ☑ ⵊ r.-v.

DOM. DOMINIQUE GUYON
Les Vergelesses 1997★

■ 1er cru	0,58 ha	3 600	⒤	100 à 149 F

Le **village blanc 98**, cité par le jury, est suave
à souhait, fleur d'acacia, pêche en retrait. Ces
Vergelesses, en rouge, appellent le compliment :
intensité et discrétion, de la chair et de la rondeur, c'est un vin encore un peu tannique mais
qui déroule sous vos pas le tapis rouge. S'il
n'explose pas, c'est qu'il sait se retenir. Typicité
très honnête et garde assurée.
� Dom. Dominique Guyon, 21420 Savigny-lès-
Beaune, tél. 03.80.67.13.24, fax 03.80.66.85.87,
e-mail vins@guyon-bourgogne.com ☑ ⵊ r.-v.

DOM. ROGER JAFFELIN ET FILS
Creux de la Net 1997

■ 1er cru	0,58 ha	2 950	⒤	70 à 99 F

D'intensité moyenne, un 97 aux accents assez
mûrs (pruneau, coing). Rond et charnu, vif en
milieu de bouche, il est agréable et d'une bonne
persistance aromatique. On peut l'attendre un
peu, mais il est déjà presque prêt à la consommation.
� Roger Jaffelin et Fils, 21420 Pernand-
Vergelesses, tél. 03.80.21.52.43,
fax 03.80.26.10.39 ☑ ⵊ t.l.j. 10h-12h 14h-19h;
dim. 10h-12h

DOM. LALEURE-PIOT 1998★

☐ 1er cru	0,84 ha	5 000	⒤	70 à 99 F

Ce domaine de 10,5 ha, coup de cœur dans
l'édition 1999 pour un 96 rouge, a fait un très
beau parcours en pernand-vergelesses. Cité, le
village 98 blanc est d'une pomme verte discrète
mais poursuivie en bouche. Et plus encore ce 1er
cru signé par la cinquième génération sur place.
La robe a cet inimitable reflet vert. Le bouquet
laisse les agrumes et le minéral faire affaire avec
un léger boisé. Délicatesse insigne relevée par le
curry. Longueur, subtilité, pourquoi attendre en
effet ? Recevant une étoile, le **village 98 rouge**
présente un bon potentiel ainsi que **les Vergelesses rouge 99**. Tous jouent dans la même fourchette de prix.
� Dom. Laleure-Piot, rue de Pralot,
21420 Pernand-Vergelesses, tél. 03.80.21.52.37,
fax 03.80.21.59.48,
e-mail laleure.piot@wanadoo.fr ☑ ⵊ t.l.j.
8h-12h 14h-18h30; sam. dim. sur r.-v.
� Frédéric Laleure

LE MANOIR MURISALTIEN
Sous le Bois de Noël et Belles Filles 1998★★

☐	n.c.	2 000	⒤	100 à 149 F

Sous le Bois de Noël et Belles Filles... Des
noms authentiques et qui ne doivent rien aux
artifices de la « communication ». D'autant
qu'ils gagnent haut la main le coup de cœur. Ils
ont du relief, de la complexité et sont bien
ouverts sur la noisette et l'aubépine. D'un or brillant de tous ses carats, ce vin a du caractère et
de la classe.

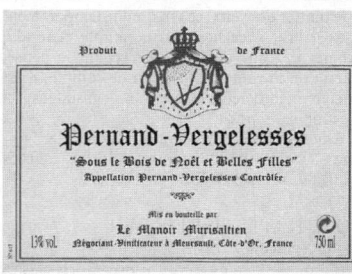

➤ Le Manoir murisaltien, 4, rue du Clos-de-
Mazeray, 21190 Meursault, tél. 03.80.21.21.83,
fax 03.80.21.66.48, e-mail vin@demessey.com
☑ ⵊ r.-v.
➤ Marc Dumont

JEAN-PHILIPPE MARCHAND 1998

■	n.c.	n.c.	⒤	70 à 99 F

Viticulteur et négociant-éleveur à Gevrey-
Chambertin, Jean-Philippe Marchand exploite
les marques Alfred Salbreux, Jean Virely... et
Jean-Philippe Marchand. Il a su dénicher un pernand rouge franc, d'un caractère assez animal en
première impression, puis tendre et réglissé.
Quelques notes d'évolution signalent sa maturité.
À déguster maintenant.
➤ Dom. Jean-Philippe Marchand,
4, rue Souvert, B.P. 41, 21220 Gevrey-
Chambertin, tél. 03.80.34.33.60,
fax 03.80.34.12.77,
e-mail marchand@axnet.com ☑ ⵊ r.-v.

PIERRE MAREY ET FILS 1998★

☐	2,45 ha	11 000	⒤	50 à 69 F

Allier fraîcheur, verdeur et fruit n'est pas à la
portée de chaque bouteille. Celle-ci y réussit. Elle
a du gras, de la structure, tout en se montrant
élégante et fraîche. Son or vert est classique, son
nez d'eucalyptus porte une trace d'abricot. Quant
aux **Belles Filles 98 en rouge**, elles reçoivent une
même note et devront attendre quelque temps
avant d'être servies.
➤ Pierre Marey et Fils, rue Jacques-Copeau,
21420 Pernand-Vergelesses, tél. 03.80.21.51.71,
fax 03.80.26.10.48 ☑ ⵊ r.-v.

JEAN-MARC PAVELOT
Les Vergelesses 1997★

■ 1er cru	0,61 ha	2 200	⒤	70 à 99 F

On parie sur ce cheval à la casaque cerise, au
coup de nez très efficace de vrai pur-sang (la
framboise au milieu de la fleur printanière).
Vineux, assez long, nettement masculin, il passe
d'un bond la rivière des tribunes et le grand obstacle. Il revient très fort. D'ici trois ans, il gagnera
à Auteuil.
➤ Jean-Marc Pavelot, 1, chem. des Guettottes,
21420 Savigny-lès-Beaune, tél. 03.80.21.55.21,
fax 03.80.21.59.73 ☑ ⵊ r.-v.

ALBERT PONNELLE
Les Vergelesses 1997★

■ 1er cru	n.c.	n.c.		150 à 199 F

« Rarement mon verre je laisse quand je bois
du vergelesses... » En effet, on n'a guère envie

BOURGOGNE

Corton

de le quitter des yeux, ce vin dont le tempérament assez « brut » cache un fruit souple et fondu. Arômes de cuir, de coing, précédant la cerise. L'aération l'avantage. « En fin de compte, il est du style pied de côte », écrit un dégustateur. La question reste posée.

➥ Albert Ponnelle, Clos Saint-Nicolas, 38, fg Saint-Nicolas, 21200 Beaune, tél. 03.80.22.00.05, fax 03.80.24.19.73 ☑ ☂ r.-v.

DOM. RAPET PÈRE ET FILS
Ile des Vergelesses 1998

| ■ 1er cru | 0,65 ha | 3 000 | ⅲ 100 à 149 F |

Une Ile des Vergelesses inaccessible actuellement. Certes, on la voit de loin, pourpre sombre à l'horizon. Des parfums s'en échappent. Des senteurs fauves, de cerise noire. L'île dessine ses contours. On discerne son relief. Mais elle apparaît encore carrée et sévère, et il faudra encore quelques années de navigation avant d'aborder son rivage. Domaine aussi vieux que le pays : on y conserve un tastevin millésimé Rapet 1792. Le 1er cru Vergelesses 98 blanc est également intéressant.

➥ Dom. Rapet Père et Fils, 21420 Pernand-Vergelesses, tél. 03.80.21.59.94, fax 03.80.21.54.01 ☑ ☂ r.-v.

DOM. ROLLIN PÈRE ET FILS 1998★

| ☐ | 1,5 ha | 8 200 | ⅲ 70 à 99 F |

Ce domaine reçut un coup de cœur dans l'édition 1996 pour un blanc. Nous restons sur cette couleur millésimée 98. Paille pâle, il déploie un nez qui vagabonde du foin coupé à la pivoine, du citron à l'abricot. Equilibré, il propose une finale acidulée, de type agrumes et avec un petit je-ne-sais-quoi de rose... Sa garde est assurée.

➥ Rollin Père et Fils, rte des Vergelesses, 21420 Pernand-Vergelesses, tél. 03.80.21.57.31, fax 03.80.26.10.38 ☑ ☂ r.-v.

NICOLAS ROSSIGNOL 1998

| ☐ | 0,12 ha | 600 | ⅲ 50 à 69 F |

D'une teinte cristalline, il tourne autour des agrumes, de la pêche de vigne. Encore un peu fermé, il attend son heure. Nicolas est ici à la barre depuis 1997. La jeune génération inspire confiance.

➥ Nicolas Rossignol, rue de Mont, 21190 Volnay, tél. 03.80.21.62.43, fax 03.80.21.27.61 ☑ ☂ r.-v.

CH. ROSSIGNOL-JEANNIARD
Les Fichots 1997

| ■ 1er cru | 0,9 ha | 1 500 | ⅲ 70 à 99 F |

Sur le coteau des Vergelesses, ce climat moins connu possède les qualités du célèbre 1er cru. Cerise foncé, un 97 qui offre un nez très pinot évoluant vers le fruit confit à l'aération. Robuste, charpenté, il témoigne de la vinification actuelle. Beaucoup de concentration, des tanins puissants l'appellent à une longue garde.

➥ Ch. Rossignol-Jeanniard, rue de Mont, 21190 Volnay, tél. 03.80.21.62.43, fax 03.80.21.27.61 ☑ ☂ r.-v.

Corton

La « montagne de Corton » est constituée, du point de vue géologique et donc du point de vue des sols et des types de vins, de différents niveaux. Couronnées par le bois qui pousse sur les calcaires durs du rauracien (oxfordien supérieur), les marnes argoviennes laissent apparaître des terres blanches propices aux vins blancs (sur plusieurs dizaines de mètres). Elles recouvrent la « dalle nacrée » calcaire en plaquettes, avec de nombreuses coquilles d'huîtres de grande dimension, sur laquelle ont évolué des sols bruns propices à la production de vins rouges.

Le nom du lieu-dit est associé à l'appellation corton, qui peut être utilisée en blanc, mais est surtout connue en rouge. Les Bressandes sont produits sur des terres rouges et allient à la puissance la finesse que leur confère le sol. En revanche, dans la partie haute des Renardes, des Languettes et du Clos du Roy, les terres blanches donnent en rouge des vins charpentés qui, en vieillissant, prennent des notes animales, sauvages, que l'on retrouve dans les Mourottes de Ladoix. Le corton est le grand cru le plus important en volume : 3 692 hl en rouge et 130 hl en blanc.

BERTRAND AMBROISE
Le Rognet 1997★

| ■ Gd cru | 0,66 ha | n.c. | ⅲ 200 à 249 F |

Il « cortonne », disait-on jadis d'un vin présentant la dureté caractéristique du cru durant sa jeunesse rebelle. Ce 97, vif et massif, taillé pour vieillir, cortonne en effet. Plus tard, sans aucun doute, il donnera libre cours à son génie. Très concentré, il n'est encore guère ouvert mais ses arômes sont déjà affirmés (mûre, myrtille). On aimerait être présent à son chevet le jour de son éveil.

➥ Maison Bertrand Ambroise, rue de l'Eglise, 21700 Premeaux-Prissey, tél. 03.80.62.30.19, fax 03.80.62.38.69, e-mail bertrand.ambroise@wanadoo.fr ☑ ☂ r.-v.

DOM. D'ARDHUY Renardes 1997

| ■ Gd cru | 2,06 ha | 2 262 | ⅲ 150 à 199 F |

On croit entendre M. Lampre sous la plume de Huysmans : « Il y a une certaine beauté, un certain art dans la saveur, dans la couleur, dans le bouquet d'un corton ». De fait, l'illustration est à notre portée. Rouge rubis à reflets bleutés, ce 97 évoque la groseille sous un manteau de fourrure. Le boisé apporte une touche empyreumatique, dans une bouche assez vive qui montre de l'entrain et de la persistance, un bon volume et une finale fraîche. Domaine d'Ardhuy, c'est-à-dire le cercle de famille propriétaire de la Reine Pédauque.

🍷 Dom. d'Ardhuy, Clos des Langres, 21700 Corgoloin, tél. 03.80.62.98.73, fax 03.80.62.95.15 ☑ ⏳ t.l.j. sf dim. 10h-12h 14h-18h

ARNOUX PERE ET FILS Rognet 1998*

| ■ Gd cru | 0,33 ha | 1 500 | ⑪ 150 à 199 F |

82 83 89 90 |91| |92| **97** 98

Coup de cœur dans l'édition 1995 pour le millésime 91, le domaine a acquis ces 33 a en 1984 lorsque les vignes de Charles Viénot ont en partie changé de main. Etre propriétaire en grand cru vaut brevet de noblesse ! Un 98 très masculin, bien rouge, ouvert et complexe, porteur de mûre et d'un soupçon de vanille. Ses tanins sont aimables et polis. Choisissez une belle côte de bœuf mais prenez tout votre temps (à attendre au moins trois ans).

🍷 Arnoux Père et Fils, rue des Brenots, 21200 Chorey-lès-Beaune, tél. 03.80.22.57.98, fax 03.80.22.16.85 ☑ ⏳ r.-v.

JEAN-CLAUDE BELLAND
Clos de la Vigne au Saint 1998*

| ■ Gd cru | 0,48 ha | 2 600 | ⑪ 150 à 199 F |

Nous avons goûté **Les Grèves** et **Les Perrières 98** : deux bons vins cités par le jury. Le Clos de la Vigne au Saint, à la robe étoffée, au nez se libérant peu à peu (cerise), à l'attaque douce et soyeuse, d'un équilibre parfait, est un vrai grand cru élégant, distingué. Ce *climat* est d'ailleurs réputé pour sa finesse et sa longue garde (sols assez argileux).

🍷 Jean-Claude Belland, 45, Grande-Rue, 21590 Santenay, tél. 03.80.20.61.90, fax 03.80.20.65.60 ☑ ⏳ r.-v.

BONNEAU DU MARTRAY 1997*

| ■ Gd cru | 1,6 ha | 4 000 | ⑪ 200 à 249 F |

⑧⓪ 86 87 88 |89| |90| 91 92 |93| **94 95 96 97**

Lorsqu'on descend de la marquise de Sévigné, on doit avoir un style. Tel est le cas. Certes, il s'agit ici d'un message à « relire » plus tard tout à loisir. Cette lettre est encore cachetée... Rien d'étonnant car les 97, s'ils sont réussis, ont souvent ce caractère. La fraîcheur de celui-ci, sa spontanéité, ses arômes mêlés (la fourrure, le fruit rouge) donnent cependant envie d'en prendre connaissance d'un trait. Suivez notre conseil et mettez cela de côté trois ou quatre ans.

🍷 Dom. Bonneau du Martray, 21420 Pernand-Vergelesses, tél. 03.80.21.50.64, fax 03.80.21.57.19 ☑

🍷 de la Morinière

DOM. CACHAT-OCQUIDANT ET
FILS Clos des Vergennes 1998*

| ■ Gd cru | 1,42 ha | 3 500 | ⑪ 150 à 199 F |

86 **87** 88 |90| 95 96 97 98

Coup de cœur pour un mémorable 87, ce domaine possède cette vigne achetée un peu par hasard en 1937. A défaut de pouvoir acquérir la maison qu'il convoitait en vente publique, le beau-père de Maurice Cachat se rabattit sur cette parcelle de 1,42 ha. Comme on s'en félicite dans la famille ! D'un nez assez empyreumatique et sauvage, ce vin à la couleur soutenue déroule en bouche le tapis rouge. D'abord charnu puis tannique, il va très bien se comporter en cave. Vous pourrez en profiter d'ici deux à trois ans.

🍷 Dom. Cachat-Ocquidant et Fils, pl. du Souvenir, 21550 Ladoix-Serrigny, tél. 03.80.26.45.30, fax 03.80.26.48.16 ☑ ⏳ r.-v.

CAPITAIN-GAGNEROT
Les Renardes 1997

| ■ Gd cru | 0,33 ha | 1 500 | ⑪ 250 à 299 F |

82 83 85 86 88 ⑧⑨ **90** 91 92 96 97

En Bourgogne, « on ne laisse rien perdre ». Ainsi, les pierres de l'ancienne prison de Beaune ont servi à construire la cave de ce domaine, il y a quelques années. Elles donnent sans doute à ce 97 le goût de la... liberté ! Il a envie de voler de ses propres ailes. D'un rubis léger mais normal, il doit adoucir un peu son caractère tannique. Mais il y a tant de cerise à l'eau-de-vie dans son bouquet qu'on lui accorde la libération conditionnelle ! Un 89 a été coup de cœur sur le Guide 1994.

🍷 Capitain-Gagnerot, 38, rte de Dijon, 21550 Ladoix-Serrigny, tél. 03.80.26.41.36, fax 03.80.26.46.29 ☑ ⏳ r.-v.

CHAMPY PERE ET CIE
Bressandes 1997**

| ■ Gd cru | n.c. | 800 | ⑪ 250 à 299 F |

Il y a les corton d'Aloxe et ceux de Ladoix. Celui-ci fait partie des premiers, né en plein milieu de coteau. Ce *climat* passe pour être d'une approche facile, on le vérifie ici. D'une couleur très soutenue, c'est un cœur tendre qui, sous des airs de bourgeon de cassis, de cerise à l'eau-de-vie, assure une puissance étonnante en bouche.

🍷 Maison Champy, 5, rue du Grenier-à-Sel, 21200 Beaune, tél. 03.80.25.09.99, fax 03.80.25.09.95 ☑ ⏳ r.-v.

🍷 Pierre Meurgey

DOM. DES HERITIERS PAUL
CHANSON PERE ET FILS
Vergennes 1997

| ☐ Gd cru | n.c. | 500 | ⑪ 300 à 499 F |

Une colle : un corton blanc peut-il porter le nom de son *climat*, comme ici Vergennes ? Sans doute, mais c'est très rare. Si vous collectionnez les étiquettes, celle-ci est à retenir, encore que la couleur n'y figure pas. Bref, un vin réussi à tous égards, le nez miellé et appuyé, le corps assez gras, un peu sur sa réserve et de tempérament tranquille, il avance pas à pas.

🍷 Dom. des héritiers Paul Chanson Père et Fils, 10, rue Paul-Chanson, 21200 Beaune, tél. 03.80.22.33.00, fax 03.80.24.17.42, e-mail tmarion@vins-chanson.com ⏳ r.-v.

MAURICE CHAPUIS Perrières 1997*

| ■ Gd cru | n.c. | 4 000 | ⑪ 100 à 149 F |

|91| |92| 96 97

Un vin qui a des lettres... A la barre depuis 1985, Maurice Chapuis avait fait des études de littérature anglaise quand il entendit l'appel de la vigne. Et son frère Claude est l'auteur de plu-

BOURGOGNE

sieurs livres sur ce vignoble. Ces Perrières ont un très bel aspect rubis foncé. Epices et fruits en compote se partagent les arômes dominants. Puissant et chaleureux, ce 97 présente une petite note de sécheresse, péché de jeunesse qui devrait disparaître après deux à trois ans de garde, car l'harmonie générale est belle.

☛ Maurice Chapuis, 21420 Aloxe-Corton, tél. 03.80.26.40.89, fax 03.80.26.40.99 ☑ ⵏ r.-v.

PATRICK CLEMENCET
Les Grandes Lolières 1998★

| ■ Gd cru | 0,92 ha | 2 000 | ⫼ 100 à 149 F |

Près d'un hectare en Grandes Lolières, *climat* assez mâle et rustique côté Ladoix. D'un grenat très intense, ce 98 s'ouvre peu à peu sur le cassis. Assez austère, il marque son terroir d'une empreinte de champignon, de tanins sévères. Mais les amoureux du grand cru savent qu'il est toujours ainsi dans son enfance, ayant besoin de quatre à cinq ans pour s'épanouir et courir les prix de beauté.

☛ Patrick Clémencet, pl. de l'Europe, 21630 Pommard, tél. 03.80.22.59.11, fax 03.80.24.17.32 ☑ ⵏ r.-v.

DOM. CORNU 1997

| ■ Gd cru | 0,61 ha | 2 600 | ⫼ 150 à 199 F |

Boire du corton est-il bon pour la voix ? Le chanteur Maurice Chevalier était en tout cas un fidèle client du domaine. Bouteille rubis clair et arômes très mûrs (pruneau cuit, cuir, sous-bois), de consistance légère, comme c'est souvent le cas dans ce millésime. Coup de cœur dans le Guide 1995, saluant la réussite du millésime 91.

☛ Dom. Cornu, rue du Meix-Grenot, 21700 Magny-lès-Villers, tél. 03.80.62.92.05, fax 03.80.62.72.22 ☑ ⵏ r.-v.

EDMOND CORNU ET FILS
Bressandes 1997★★★

| ■ Gd cru | 0,56 ha | 1 800 | ⫼ 150 à 199 F |

Ce n'est pas le premier coup de cœur obtenu par ce domaine en corton. Ses Bressandes 90 ont été couronnées dans notre édition 1994. Jamais deux sans trois ? Souhaitons-le. Un demi-hectare à peine de vigne donne l'un de ces vins qui font littéralement « craquer » le jury. Un trousseau de bonnes clés pour pénétrer un corton grenat violacé, baignant dans la cerise noire et le bourgeon de cassis, très tendre et néanmoins subtil. Quelle grâce et quelle aisance ! Il évolue tout en finesse. Superbe.

☛ EARL Edmond Cornu et Fils, Le Meix Gobillon, rue du Bief, 21550 Ladoix-Serrigny, tél. 03.80.26.40.79, fax 03.80.26.48.34 ☑ ⵏ r.-v.

DOM. DUPONT-TISSERANDOT
Le Rognot 1998★

| ■ Gd cru | 0,32 ha | 1 600 | ⫼ 150 à 199 F |

Le corton le plus septentrional, situé sur Ladoix-Serrigny. Il est ici d'une teinte assez claire. Son bouquet en revanche possède une remarquable force de conviction, avec des accents de violette et de feuille de cassis. Peu d'étoffe sans doute mais un pinot noir tout en fruit et en rondeur, mettant la bouche en joie et qui peut être savouré dès à présent.

☛ GAEC Dupont-Tisserandot, 2, pl. des Marronniers, 21220 Gevrey-Chambertin, tél. 03.80.34.10.50, fax 03.80.58.50.71 ☑ ⵏ r.-v.

DOM. ESCOFFIER Clos du Roi 1997★

| ■ Gd cru | 0,57 ha | 3 090 | ⫼ 100 à 149 F |

Le Clos du Roi est sans doute le plus représentatif des corton. Terres rouges et marnes s'y trouvent et s'y complètent. Ce vin mis en bouteilles au Clos des Langes (La Juvinière) présente une couleur discrète. Son parfum délicat rappelle le kirsch. Peu de corps, mais il joue habilement dans le registre de la finesse. De bon goût, tout comme sa jolie étiquette.

☛ Franck Escoffier, 16, rue du Parc, 71350 Géanges, tél. 03.85.49.98.22, fax 03.85.49.98.22, e-mail domaine.escoffier@wanadoo.fr ☑ ⵏ r.-v.

CLOS DES CORTONS FAIVELEY
1997★★★

| ■ Gd cru | 2,97 ha | 8 730 | ⫼ 300 à 499 F |

85 86 **88** 89 |90| |91| 92 94 ⑨⑤ **96 97**

A la suite d'une décision de justice (1930), la maison J. Faiveley reçut le droit d'appeler son vin Clos des Cortons, selon un usage ancien et dès lors que cette famille savait également mentionnée. Voici pourquoi cette vigne de 2,97 ha est quasiment la seule en Bourgogne à porter un nom de personne contemporaine. Coup de cœur dans le passé, en voici un est cette année très proche. Beaucoup d'intensité, de maturité à toutes les étapes de la dégustation. Myrtille, mûre, note grillée et touche vanillée sur un corps riche aux tanins fins et fort élégants. En deux mots : très beau.

☛ Bourgognes Faiveley, 8, rue du Tribourg, 21700 Nuits-Saint-Georges, tél. 03.80.61.04.55, fax 03.80.62.33.37, e-mail bourgognes.faiveley@wanadoo.fr ☑ ⵏ t.l.j. 9h-12h 14h-18h; f. 21 juil.-21 août

DOM. FOLLIN-ARBELET
Bressandes 1997★

| ■ Gd cru | 0,5 ha | 1000 | ⫼ 150 à 199 F |

Un rien l'habille. La robe est légère mais la suite n'est pas pour nous déplaire. Ses parfums de cerise fraîche lui vont bien, de même que quelques épices et un boisé très présent. La bouche est elle aussi assez vanillée mais l'ensemble est équilibré, structuré par des tanins veloutés. On reste sur une impression d'harmonie qui donne envie d'aller plus avant. Quant au **corton 98**

« tout court », il est puissant, boisé et accompagnera un gibier dans trois à huit ans.
☞ Dom. Follin-Arbelet, Les Vercots, 21420 Aloxe-Corton, tél. 03.80.26.46.73, fax 03.80.26.43.32 ☑ ⵑ r.-v.

MICHEL GAY Les Renardes 1998

| ■ Gd cru | 0,21 ha | 900 | ⅠⅠⅠ | 150 à 199 F |

96 **97** 98

Vin de bon caractère, d'un fruit plaisant : il « griotte » en avril 2000 sous un boisé évident mais restant dans les proportions acceptables. Sa nuance tendre ne signale pas une concentration extrême, mais un vin dont le plumage (rouge carmin brillant) s'accorde avec le ramage, ou plutôt le grumage assez fin. L'acheter pour le boire dans deux ans et non pour le garder.
☞ Michel Gay, 1b, rue des Brenôts, 21200 Chorey-lès-Beaune, tél. 03.80.22.22.73, fax 03.80.22.95.78 ☑ ⵑ r.-v.

DOM. ANNE-MARIE GILLE
Les Renardes 1998*

| ■ Gd cru | 0,16 ha | 800 | ⅠⅠⅠ | 150 à 199 F |

A la différence de la plupart des corton, ceux issus des Renardes s'écartent des habituels arômes floraux ou fruités. Ils se situent plutôt dans une gamme giboyeuse et sauvage. Pour l'essentiel, la tradition est respectée par cette bouteille vermillon se bonifiant à l'aération, légèrement réglissée et tirant sur la myrtille. Un 98 déjà très mûr et qui doit être apprécié maintenant. Domaine établi à Comblanchien et dont ce grand cru (16 a) est l'orgueil, non sans raison.
☞ Dom. Anne-Marie Gille, 34, R.N. 74, 21700 Comblanchien, tél. 03.80.62.94.13, fax 03.80.62.99.88, e-mail gille@burgundywines.net ☑ ⵑ r.-v.

DOM. ANTONIN GUYON
Clos du Roy 1997*

| ■ Gd cru | 0,55 ha | 3 000 | ⅠⅠⅠ | 200 à 249 F |

Le corton tient une place de choix dans *Bel-Ami*. Guy de Maupassant évoque « le bien-être complet, le bien-être de vie et de pensée, de corps et d'âme » que procure un grand corton. Celui-ci par exemple. Rubis foncé, il a le nez très hospitalier puis le palais gras, rond, élégant et flatteur. La maison et le domaine Antonin Guyon ont repris naguère à Aloxe une grande partie du domaine Thévenot-Bussière. Egalement dégusté, un **Bressandes 97** : un grand corton corpulent, conquérant, roi des bons vivants, au même niveau de qualité.
☞ Dom. Antonin Guyon, 21420 Savigny-lès-Beaune, tél. 03.80.67.13.24, fax 03.80.66.85.87, e-mail vins@guyon-bourgogne.com ☑ ⵑ r.-v.

DOM. LALEURE-PIOT
Le Rognet 1998***

| ■ Gd cru | 0,35 ha | 1 200 | ⅠⅠⅠ | 150 à 199 F |

Les peintres florentins s'attachaient au trait, à la ligne, à la forme ; les peintres vénitiens davantage à la couleur. Ce Rognet, lui, excelle dans les deux genres. Coup de cœur, issu d'une petite parcelle, il est grenat sombre à reflets violines. Son bouquet offre un long arrière-plan de fruits noirs discrètement grillés. Sa constitution (matière

dense, trame serrée, structure magnifique) lui permet d'arriver en tête d'une dégustation très disputée. A noter aussi les **Bressandes 98**, deux étoiles, dans un style classique et corsé qui réussit à insérer quelques points de dentelle.

☞ Dom. Laleure-Piot, rue de Pralot, 21420 Pernand-Vergelesses, tél. 03.80.21.52.37, fax 03.80.21.59.48, e-mail laleure.piot@wanadoo.fr ☑ ⵑ t.l.j. 8h-12h 14h-18h30; sam. dim. sur r.-v.

DOM. MAILLARD PERE ET FILS
Renardes 1998**

| ■ Gd cru | 0,34 ha | n.c. | ⅠⅠⅠ | 150 à 199 F |

Coup de cœur dans le Guide 1998 pour le corton « tout court » 95, ce domaine reçut aussi cette même distinction pour des Renardes dans les éditions 1997 et 1994 (millésimes 93 et 90) : ce Renardes a de qui tenir ! Il vous regarde avec un soupçon d'évolution qui est assez touchant. Une bouteille a ses sensibilités. Notes grillées et arômes de pinot dans leur première expression. Bouche très monolithique de cassis et de réglisse, avec un boisé bien présent qui incite à une garde de quatre à cinq ans. N'oublions pas que les piliers du cellier du Clos de Vougeot sont aussi monolithes ! Parcelle de 34 a bien sollicitée par le vigneron.
☞ Dom. Maillard Père et Fils, 2, rue Joseph-Bard, 21200 Chorey-lès-Beaune, tél. 03.80.22.10.67, fax 03.80.24.00.42 ☑ ⵑ r.-v.

DOM. MAILLARD PERE ET FILS
1998**

| ☐ Gd cru | 1,1 ha | n.c. | ⅠⅠⅠ | 150 à 199 F |

Le corton blanc fut accueilli naguère avec un certain scepticisme. Il s'agit le plus souvent, en effet, de chardonnay planté en lieu et place du pinot noir. Et voyez donc : cela donne un corton coup de cœur, sans être Charlemagne. Un vin

BOURGOGNE

très pur, admirablement proportionné, avec infiniment de liant entre l'œil, le nez et le palais. Fera un grand 98 à l'avenir.

☛ Dom. Maillard Père et Fils, 2, rue Joseph-Bard, 21200 Chorey-lès-Beaune, tél. 03.80.22.10.67, fax 03.80.24.00.42 ☑ ￶ r.-v.

DOM. MICHEL MALLARD ET FILS
Les Renardes 1997*

■ Gd cru	0,32 ha	1 500	◀▮▶ 200 à 249 F

Une vieille famille du village de Ladoix-Serrigny. Grenat foncé et cependant brillant, un vin au bouquet bien franc. Un soupçon de cassis le décore derrière les épices venues du fût. En bouche, il est puissant, encore sur la réserve et de belle longueur. Egalement dégusté, le **Rognet 97** (150 à 199 F) est cité par le jury.

☛ Dom. Michel Mallard et Fils, 43, rte de Dijon, 21550 Ladoix-Serrigny, tél. 03.80.26.40.64, fax 03.80.26.47.49 ☑ ￶ r.-v.

MALLARD-GAULIN Renardes 1997**

■ Gd cru	0,6 ha	1 900	◀▮▶ 300 à 499 F

Vous pouvez choisir **Les Hautes-Mourottes 97** citées par le jury, hautes en couleur et larges d'épaules, à laisser dormir. Ou, mieux encore, celui-ci. La grande pyramide ! Vineux et d'une complexité encore cachée, pourpre sombre, cuir et sous-bois, il est gras, solide, structuré, et Renardes comme il n'est pas permis. L'acidité est un excellent facteur d'avenir.

☛ Maison Mallard-Gaulin, 21420 Aloxe-Corton, tél. 03.80.26.46.10, fax 03.80.26.43.57

DOM. MARATRAY-DUBREUIL
Bressandes 1998

■ Gd cru	0,71 ha	2 500	◀▮▶ 100 à 149 F

Un Bressandes tout à fait conforme à ce qu'en dit Claude Chapuis dans son livre sur le corton. D'une teinte soyeuse, pourpre cramoisi, il marie subtilement la vanille et la cerise noire. Souple, facile à goûter, il « coule en bouche ». Il est sans aspérité, rond et charnu. On pourra le conserver de cinq à dix ans.

☛ Dom. Maratray-Dubreuil, 5, pl. du Souvenir, 21550 Ladoix-Serrigny, tél. 03.80.26.41.09, fax 03.80.26.49.07 ☑ ￶ r.-v.

DOM. NUDANT Bressandes 1998*

■ Gd cru	n.c.	3 000	◀▮▶ 150 à 199 F

Couleur d'atout, comme on dit au bridge. Le nez ne perd pas la main : un velours de cassis délicatement torréfié. La carte d'entame est souple, fruitée, légèrement épicée. Certes, elle n'a pas énormément de jeu, mais la bouche fait un maximum de levées. Merveilleux petit chelem, celui d'un vin plaisir dont les tanins sont aimables et le goût de réglisse adorable. Plutôt qu'une pièce de bœuf « maître de chai », on se porterait sur un petit gibier ou une belle volaille.

☛ Dom. Nudant, 11, R.N. 74, 21550 Ladoix-Serrigny, tél. 03.80.26.40.48, fax 03.80.26.47.13, e-mail domaine.nudant@wanadoo.fr ☑ ￶ r.-v.

DOM. PARENT Les Renardes 1997

■ Gd cru	0,3 ha	800	◀▮▶ 150 à 199 F

Prenant modèle sur le coteau du corton, Voltaire fit quelques expériences de viticulture à Ferney. Sans grand succès, il est vrai. Aussi devint-il

un client régulier des vins de Bourgogne, fourni par le châtelain d'Aloxe. En ce temps-là, la famille Parent était déjà bien implantée dans le vignoble. Son Renardes 97 conserve une belle robe de jeunesse. Poivré, cerisé, son nez est moyennement ouvert. Attaque assez souple, intéressant volume, finale plaisante.

☛ SAE Dom. Parent, pl. de l'Eglise, 21630 Pommard, tél. 03.80.22.15.08, fax 03.80.24.19.33, e-mail parent-pommard@axnet.fr ☑ ￶ r.-v.

PAULANDS Rognet 1998

■ Gd cru	n.c.	n.c.	◀▮▶ 150 à 199 F

Un hôtel-restaurant au bord de la RN 74, une affaire de négoce et un domaine viti-vinicole, l'œuvre de Mme Coulot a pris de l'extension un siècle plus tard. Ce Rognet grenat se démène à l'approche du nez. Fraîcheur et vivacité, légère pointe d'amertume, boisé très net : c'est dans l'immédiat un vin à attendre. Plus tard, une bouteille qu'on honorera davantage. Rappelez-vous, coup de cœur dans l'édition 1994 pour son millésime 90.

☛ Caves des Paulands, RN 74, 21550 Aloxe-Corton, tél. 03.80.26.41.05, fax 03.80.26.47.56, e-mail paulands@wanadoo.fr ☑ ￶ t.l.j. 8h-12h 14h-18h
☛ C. Fasquel

DOM. DU PAVILLON
Le Clos des Maréchaudes 1997*

■ Gd cru	0,54 ha	3 000	◀▮▶ 300 à 499 F

Calé entre Vergennes et Paulands, ce *climat* sépare le village de Ladoix et les Bressandes. Ces 54 a ont donné le jour à un vin très représentatif de son millésime quand il veut bien nous sourire. Sa robe est non seulement normale, mais même assez bonne pour l'année. Petit bout de nez entre le végétal et le fruit, équilibre interne sachant ménager la finesse et la vivacité. Assez élégant. Garde moyenne. Domaine appartenant à la maison Albert Bichot.

☛ Dom. du Pavillon, 6 bis, bd Jacques-Copeau, 21200 Beaune, tél. 03.80.24.37.37, fax 03.80.24.37.38

DOM. JACQUES PRIEUR
Bressandes 1997*

■ Gd cru	0,76 ha	1 750	◀▮▶ 300 à 499 F

On sait que ce domaine a été placé sous les soins vigilants de l'équipe Antonin-Rodet. Il a donné naissance à un 97 dont la robe est puissante pour le millésime. Le kirsch assure la transition, puis une belle esthétique corporelle accompagne ce vin vers des lendemains confiants.

☛ Dom. Jacques Prieur, 6, rue des Santenots, 21190 Meursault, tél. 03.80.21.23.85, fax 03.80.21.29.19 ☑ ￶ r.-v.

DOM. PRIN Bressandes 1997**

■ Gd cru	0,65 ha	2 600	◀▮▶ 150 à 199 F

« Dans un mois, dans un an... » Il est en effet à oublier quelques années, le temps de parfaire cette œuvre de qualité. Pourpre sombre, ce corton développe des touches animales, viandées, sur fond de girofle, de muscade. Au palais, il se montre plein de... plénitude. Finale grillée « très jolie ».

☛ Dom. Prin, 12, rue de Serrigny, Cidex 10, 21550 Ladoix-Serrigny, tél. 03.80.26.40.63, fax 03.80.26.46.16 ☑ ⊤ r.-v.

DOM. RAPET PERE ET FILS 1998**

■ Gd cru	1 ha	3 000	⦀ 150 à 199 F

Comme les **Pougets 98** d'excellente facture et qui, s'ils demandent à s'affirmer, en ont les moyens, ce corton « tout court » fait l'unanimité. Puissant mais nullement dominateur, il semble taillé dans le marbre tant il est superbe et fin. Un peu austère mais une très forte personnalité et de grandes vertus de garde. A aérer ou même à carafer.

☛ Dom. Rapet Père et Fils, 21420 Pernand-Vergelesses, tél. 03.80.21.59.94, fax 03.80.21.54.01 ☑ ⊤ r.-v.

COMTE SENARD Clos du Roi 1998*

■ Gd cru	1 ha	1 500	⦀ 200 à 249 F

Domaine né vers 1865, au sein d'une grande famille bourguignonne ayant offert à la France un grand ambassadeur, un grand maître de la Confrérie des chevaliers du tastevin, etc. Philippe poursuit l'œuvre de son père Daniel. D'une teinte lumineuse, ce 98 est déjà assez élégant mais sa présentation à la cour n'est pas pour demain. Attendons que sa jeunesse tannique s'enveloppe de toutes les bonnes manières ; il est ciselé et bien né.

☛ SCE du Dom. Comte Sénard, 7, rempart Saint-Jean, 21200 Beaune, tél. 03.80.24.21.65, fax 03.80.24.21.44 ☑ ⊤ t.l.j. sf dim. 10h-19h

DOM. THOMAS Clos du Roi 1997*

■ Gd cru	0,84 ha	4 500	⦀ 200 à 249 F

Intense, soutenue, sa robe lui vaut des compliments. Son bouquet semble assez fin sous des abords discrets mais peut-être plus complexes qu'il n'y paraît. Onctueux et gras, riche, ce 97 n'est pas dépaysé dans l'entourage du roi. On recherche, bien sûr, sa compagnie car il est généreux. Cela dit, mieux vaut bénéficier tout de suite de ses largesses car elles ne seront sans doute pas éternelles. Il s'agit des vignes familiales des Thomas (Moillard, Grivot à Nuits). Ce fut notre coup de cœur pour le millésime 88.

☛ Dom. Thomas, chem. rural n° 29, 21700 Nuits-Saint-Georges, tél. 03.80.62.42.00, fax 03.80.61.28.13, e-mail nuicave@wanadoo.fr ⊤ r.-v.

☛ SCI du Clos de Thorey

THOMAS-BASSOT 1996*

■ Gd cru	n.c.	n.c.	⦀ 200 à 249 F

C'est fou comme le vin suggère les péchés de gourmandise... Bécasse flambée, cuissot de marcassin, grive, perdreau, mange-t-on cela tous les jours ? Mais on peut toujours rêver, d'autant que ce 96 (notez le millésime), noyau de cerise, tendre et souple, léger sans doute, fait très bonne impression. A déguster maintenant. Thomas-Bassot est une maison reprise par Jean-Claude Boisset.

☛ Thomas-Bassot, 5, quai Dumorey, 21700 Nuits-Saint-Georges, tél. 03.80.62.61.61, fax 03.80.62.37.38

DOM. MICHEL VOARICK
Clos du Roi 1998

■ Gd cru	0,5 ha	1 800	⦀ 150 à 199 F

Domaine fondé par Pierre Voarick, le grand-père de Jean-Marc, vigneron des Hospices de Beaune durant les années 1920 et longtemps chargé de la fameuse cuvée Docteur Peste. Puissant et velouté comme tout Clos du Roi qui se respecte, ce 98 évolue légèrement à l'œil mais ne manque pas de persistance aromatique (grillé nuancé de cassis puis de kirsch). Assez tannique et masculin.

☛ Jean-Marc Voarick, 2, pl. du Chapitre, 21420 Aloxe-Corton, tél. 03.80.26.40.44, fax 03.80.26.41.22, e-mail Voarick.Michel@aol.com ☑ ⊤ r.-v.

Corton-charlemagne

L'appellation charlemagne, dans laquelle jusqu'en 1948 pouvait entrer l'aligoté, n'est pas utilisée. L'appellation corton-charlemagne représente en 1999 2 562 hl, dont la plus grande partie est produite sur les communes de Pernand-Vergelesses et d'Aloxe-Corton. Les vins de cette appellation - dont le nom est dû à l'empereur Charles le Grand qui aurait fait planter des blancs pour ne pas tacher sa barbe - sont d'un bel or vert et atteignent leur plénitude après cinq à dix ans.

BERTRAND AMBROISE 1998**

☐ Gd cru	0,22 ha	n.c.	⦀ 200 à 249 F

Le coup de cœur à la barbe fleurie. Ce négociant-éleveur réalise un sans-faute dans cette édition du Guide. Sève, moelleux, complexité, ce 98 a tout pour lui. Sans retirer aucun de ces compliments, notons néanmoins un boisé très présent - et très bon ! - alors que la matière est fantastique à elle toute seule.

☛ Maison Bertrand Ambroise, rue de l'Eglise, 21700 Premeaux-Prissey, tél. 03.80.62.30.19, fax 03.80.62.38.69, e-mail bertrand.ambroise@wanadoo.fr ☑ ⊤ r.-v.

DOM. BERTAGNA 1997*

☐ Gd cru	0,25 ha	1 050	⦀ 300 à 499 F

Domaine dont le maître de chai vient de devenir régisseur des Hospices de Beaune. C'est dire à quel niveau on se situe dans la hiérarchie bourguignonne ! Ce 97 est encore son œuvre. Jaune pâle, niché dans la finesse du fruit, un charlemagne heureusement boisé et dont le discours ne finira pas de sitôt. Un peu rude dans l'immédiat mais souverain et capable d'affronter le temps.
☛ Dom. Bertagna, rue du Vieux-Château, 21640 Vougeot, tél. 03.80.62.86.04, fax 03.80.62.82.58, e-mail bertagna@wanadoo.fr
☑ ⵉ r.-v.

DOM. BONNEAU DU MARTRAY 1997

☐ Gd cru	9,5 ha	43 000	⦀ 300 à 499 F

79 83 |90| |91| |92| 93 95 96 97

Sainte Jeanne de Chantal figure sur le cep généalogique de la famille. Sous son auréole dorée, ce vin offre un nez d'agrumes qui demeure quelque peu cloîtré ! Racé mais linéaire (très long), il se consacre à un avenir lointain. Coup de cœur pour les millésimes 83 et 79.
☛ Dom. Bonneau du Martray, 21420 Pernand-Vergelesses, tél. 03.80.21.50.64, fax 03.80.21.57.19 ☑
☛ de La Morinière

DOM. BOUCHARD PERE ET FILS 1997*

☐ Gd cru	3,25 ha	n.c.	⦀ 300 à 499 F

Bouchard a acheté en 1909 une même parcelle de près de 7 ha en corton et en corton-charlemagne (3,25 ha). Elle fournit ce vin élégant, couleur paille clair, au bouquet floral ouvert, d'un style suave et capiteux. Coup de cœur pour le millésime 83.
☛ Bouchard Père et Fils, Ch. de Beaune, 21200 Beaune, tél. 03.80.24.80.24, fax 03.80.22.55.88, e-mail france@bouchard.pereetfils.com ⵉ r.-v.

CHAMPY PERE ET CIE 1997

☐ Gd cru	n.c.	n.c.	⦀ 300 à 499 F

Les époux Meurgey ont fort bien relancé la vénérable maison Champy. Leur corton-charlemagne se pare d'un discret vieil or. Petite note de noix, de cuir, de grillé. Le fût règne en bouche, privant le vin de sa libre expression. Techniquement parfait, mais à laisser impérativement en cave pour retrouver l'excellente source de la bouteille.
☛ Maison Champy, 5, rue du Grenier-à-Sel, 21200 Beaune, tél. 03.80.25.09.99, fax 03.80.25.09.95 ⵉ r.-v.
☛ Pierre Meurgey

CHARTRON ET TREBUCHET 1998

☐ Gd cru	n.c.	2 400	⦀ + de 500 F

« Droit et net dans sa parure or blanc à jolis reflets verts », écrit le jury. Mais l'éblouissant, notes fraîches et minérales, le nez est riche. Après une attaque puissante, la bouche se fait gourmande, finement vanillée, laissant les fruits blancs s'exprimer. A attendre au moins deux ans.

☛ Chartron et Trébuchet, 13, Grande-Rue, 21190 Puligny-Montrachet, tél. 03.80.21.32.85, fax 03.80.21.36.35, e-mail jmchartron@chartron-trebuchet.com
☑ ⵉ t.l.j. 10h-12h30 14h-18h; f. nov. à mars

CHEVALIER PERE ET FILS 1997**

☐ Gd cru	0,22 ha	1 200	⦀ 250 à 299 F

Si Charlemagne a « inventé » l'école, le corton-charlemagne pourrait avoir inventé l'école de dégustation. Celui-ci est un remarquable professeur, d'un doré engageant et d'un naturel expressif. Il ne s'évade pas du sujet par des digressions boisées. Il parle net et franc. Toutes les vertus du ciel (fleurs blanches, pain grillé, noisette) et un terroir d'une sincérité désarmante. Demande à s'épanouir encore. N'allez pas le lui refuser ! Pour grands poissons en sauce ou fromage à pâte cuite.
☛ SCE Chevalier Père et Fils, Buisson, 21550 Ladoix-Serrigny, tél. 03.80.26.46.30, fax 03.80.26.41.47 ☑ ⵉ r.-v.

DUFOULEUR PERE ET FILS 1997

☐ Gd cru	n.c.	1 300	⦀ 300 à 499 F

Paillettes dorées... comme dans le lit d'un torrent de Californie. Boisé mais laissant une certaine place aux arômes de citron, il poursuit sur des notes balsamiques et une ample constitution. Ferme, gras, plein, onctueux, il se promène en prenant ses aises, opulent. C'est pourtant bien un 97.
☛ Dufouleur Père et Fils, 15, rue Thurot, 21700 Nuits-Saint-Georges, tél. 03.80.61.21.21, fax 03.80.61.11.23 ☑ ⵉ r.-v.

CH. GENOT-BOULANGER 1997**

☐ Gd cru	0,29 ha	1 010	⦀ 250 à 299 F

Dix ans, c'est le verdict de notre tribunal. Mais vous pouvez toujours solliciter la grâce présidentielle et en profiter bien avant. Vous vous priveriez cependant d'un plaisir. Car il est impérial, ce charlemagne. De la mâche, de la structure, des arômes de noix, un côté pierre à fusil, un gras qui fait la pirouette en finale. Superbe vin de garde. Félicitations du jury qui suggère de le servir avec un poisson grillé ou une raie.
☛ Ch. Genot-Boulanger, 25, rue de Cîteaux, 21190 Meursault, tél. 03.80.21.49.20, fax 03.80.21.49.21, e-mail genot-boulanger@wanadoo.fr ☑ ⵉ r.-v.

DOM. ANTONIN GUYON 1998*

☐ Gd cru	0,55 ha	3 000	⦀ 300 à 499 F

|92| |93| |94| 95 **96** 97 98

Si Charlemagne offrit (ou plutôt rendit) cette vigne aux moines de Saulieu, il mit au pas les Bourguignons et ne leur témoigna guère de sympathie. Peu importe. L'histoire emporte tout. D'un bel or, le nez marqué par une discrète note de pierre à fusil, de silex, accompagnée de senteurs toastées, un grand vin très sérieux, un peu strict malgré sa chair appétissante. Une garde de cinq ans lui donnera sa subtilité.
☛ Dom. Antonin Guyon, 21420 Savigny-lès-Beaune, tél. 03.80.67.13.24, fax 03.80.66.85.87, e-mail vins@guyon-bourgogne.com ☑ ⵉ r.-v.

DOM. LOUIS LATOUR 1997*

☐ Gd cru	9,65 ha	n.c.	⦀ 300 à 499 F

(83) **85 89** 91 92 |93| |94| |95| **96** 97

Grand vin quittant à pas lents et mesurés la célèbre cuverie de Corton-Grancey, haut lieu du pays. D'un or léger, truffé d'arômes de circonstance, il montre une fermeté de connétable. Il est encore plein de secrets, capiteux et complexe. Il ne confiera rien de l'essentiel avant quatre à cinq ans. Puis sera grandiose. Ce fut notre coup de cœur pour le millésime 83.

➧Maison Louis Latour, 18, rue des Tonneliers, 21200 Beaune, tél. 03.80.24.81.00, fax 03.80.22.36.21, e-mail louislatour@louislatour.com ⬥ r.-v.

OLIVIER LEFLAIVE 1998*

☐ Gd cru	n.c.	n.c.	⦀ 300 à 499 F

Or très clair à reflet vert, c'est ainsi qu'on le voit. Cire d'abeille empreinte de silex, c'est ainsi qu'on le hume. Attaque un peu vigoureuse. Une certaine salinité fraîche et ferme, une profondeur de bouche, c'est ainsi qu'on le goûte. Bel avenir ? N'en doutons pas.

➧Olivier Leflaive, pl. du Monument, 21190 Puligny-Montrachet, tél. 03.80.21.37.65, fax 03.80.21.33.94, e-mail leflaive-olivier@dial.oleane.com ☑ ⬥ r.-v.

LOUIS LEQUIN 1998**

☐ Gd cru	0,8 ha	570	⦀ 250 à 299 F

Coup de cœur l'an dernier, ce domaine remonte au XVIIᵉs. Deux ouvrées à peine donnant un 98 d'un or vert splendide. Le nez semble jouer à la marelle d'arôme en arôme : fruits de la Passion, croissant chaud, mangue. Charnu et gras, ce vin manifeste un tempérament moelleux fondé sur des tanins bien présents. Trop jeune ? Oui, bien sûr, on pourra l'explorer de fond en comble dans trois ou quatre ans.

➧Louis Lequin, 1, rue du Pasquier-du-Pont, 21590 Santenay, tél. 03.80.20.63.82, fax 03.80.20.67.14, e-mail louis.lequin@wanadoo.fr ☑ ⬥ r.-v.

REINE PEDAUQUE 1998

☐ Gd cru	1,48 ha	1 200	⦀ 200 à 249 F

De belle maturité, chaleureux, presque velouté, très typé charlemagne, fruité (pêche, poire) et vif en finale, un vin peut-être un peu moderne mais vinifié selon les règles de l'art. Il ne se livre pas encore tout à fait. L'attendre quatre à cinq ans.

➧Reine Pédauque, Le Village, 21420 Aloxe-Corton, tél. 03.80.25.00.00, fax 03.80.26.42.00, e-mail rpedauque@axnet.fr ⬥ r.-v.

ROUX PERE ET FILS 1998**

☐ Gd cru	n.c.	n.c.	⦀ 250 à 299 F

Un vin de fidèle devoir, comme on dit à la confrérie de Saint-Sébastien. Il a beaucoup de tout. De l'or, une minéralité subtile agrémentée de cannelle et de muscade, comme s'il venait de déjeuner chez Lameloise. De l'ampleur, de la plénitude, de la richesse... Peu de nuances encore, car le fût doit encore se fondre. A laisser reposer.

➧Dom. Roux Père et Fils, 21190 Saint-Aubin, tél. 03.80.21.32.92, fax 03.80.21.35.00 ☑ ⬥ r.-v.

Savigny-lès-beaune

Savigny est aussi un village vigneron par excellence. L'esprit du terroir y est entretenu, et la confrérie de la Cousinerie de Bourgogne est le symbole de l'hospitalité bourguignonne. Les Cousins jurent d'accueillir leurs convives « bouteilles sur table et cœur sur la main ».

Les vins de Savigny, en dehors du fait qu'ils sont « nourrissants, théologiques et morbifuges », sont souples, tout en finesse, fruités, agréables jeunes tout en vieillissant bien. En 1999, l'AOC a produit 16 598 hl de vin rouge et 2 037 hl de vin blanc.

DOM. ARNOUX PERE ET FILS
Les Guettes 1998**

■ 1er cru	0,38 ha	1 800	⦀ 70 à 99 F

Très beau domaine de 24 ha qui fut coup de cœur pour un 88. Ce Guettes 98 a enthousiasmé le jury. Si sa robe est de franche et nette intensité, son nez se présente un peu comme une auberge espagnole. On y respire la fleur, le fruit, l'animal au gré de la dégustation. Bouche fine et longue, souple, sur un lit de tanins charnus où le boisé ne domine pas. A garder deux ans en cave. Quant au **village rouge**, il reçoit une étoile. Il a de la chair et de la longueur.

➧Arnoux Père et Fils, rue des Brenots, 21200 Chorey-lès-Beaune, tél. 03.80.22.57.98, fax 03.80.22.16.85 ☑ ⬥ r.-v.

DOM. CAMUS-BRUCHON
Aux Grands Liards Vieilles vignes 1998

■	0,52 ha	2 400	⦀ 50 à 69 F

On hésite un peu entre un **Narbantons 98**, pas d'un volume énorme, mais plaisant, goûteux (70 à 99 F), et celui-ci. Vive ce Grands Liards ! Avec un nom pareil, on vaut de l'or... Là encore, la charpente est légère, mais l'équilibre convenable, et le petit fruit rouge s'en donne à cœur joie. Les tanins ne se montrent pas envahissants. Un rien d'amertume épicée en fin de bouche invite à l'attendre un peu.

➧Lucien Camus-Bruchon, Les Cruottes, 16, rue de Chorey , 21420 Savigny-lès-Beaune, tél. 03.80.21.51.08, fax 03.80.26.10.21 ☑ ⬥ r.-v.

NICOLE ET JEAN-MARIE CAPRON-CHARCOUSSET
Les Pimentiers 1997

■	0,33 ha	1 850	⦀ 50 à 69 F

Situé à 400 m de l'église du XIIᵉs., ce domaine compte 7,50 ha de vignes. D'une teinte en voie d'évolution, ces Pimentiers ont un joli nez de pêche, de pêche de vigne bien mûre, délicieusement parfumée, comme on n'en voit d'ailleurs plus beaucoup. En bouche, toujours cette ligne aromatique accompagnée de tanins enrobés. Une certaine élégance.

☞ Nicole et Jean-Marie Capron-Charcousset, 3, rue Couturie, 21420 Savigny-lès-Beaune, tél. 03.80.21.55.37, fax 03.80.21.55.37 ☑ ⟁ r.-v.

CHAMPY PERE ET CIE 1998

| □ | n.c. | 1 800 | ⦀ | 100 à 149 F |

Un vin finaud, si vous voyez ce qu'on veut dire. Lumineux à l'œil, il a le nez frais, acidulé, en début d'éveil. Très agréable d'entrée de bouche, il sait révéler son fruit agrémenté d'une touche minérale. Un bon point : il n'est pas trop marqué par le fût, qui reste à sa place. Coup de cœur l'an dernier et déjà dans le Guide 1998 (millésimes 96 et 95). Pierre Meurgey connaît à l'évidence les bonnes caves de Savigny.

☞ Maison Champy, 5, rue du Grenier-à-Sel, 21200 Beaune, tél. 03.80.25.09.99, fax 03.80.25.09.95 ☑ ⟁ r.-v.

☞ Pierre Meurgey

DOM. CHANDON DE BRIAILLES 1997★★

| ■ | 1 ha | 2 300 | ⦀ | 70 à 99 F |

Chef de culture et de cave, Jean-Claude Bouveret veille sur ce domaine classé Monument historique, qui fut visité, par exemple, et en toute simplicité, par la reine mère d'Angleterre. Et ce savigny, reconnaissons-le, a de la particule. Blason rubis grenat, bouquet assez vanillé mais qui s'efface devant les arômes du terroir, bouche chaleureuse et s'ouvrant sur la griotte à l'aération. Une bouteille de grande classe à savourer pendant de longues années.

☞ Dom. Chandon de Briailles, 1, rue Sœur-Goby, 21420 Savigny-lès-Beaune, tél. 03.80.21.52.31, fax 03.80.21.59.15 ☑ ⟁ r.-v.

☞ Nicolay

DOM. BRUNO CLAIR La Dominode 1997★★

| ■ 1er cru | 1,4 ha | 5 000 | ⦀ | 100 à 149 F |

Un grand classique. L'œil y trouve toutes les raisons de croire en son destin. Subtil, le nez confirme l'impression première. L'attaque est enlevée, agréable, sur fond de bien dessinés. Complexe, costaud, il ne vous laissera pas tomber. La Dominode ne figure pas sur toutes les cartes du vignoble car elle se situe au sein des Jarrons.

☞ Bruno Clair, 5, rue du Vieux-Collège, 21160 Marsannay-la-Côte, tél. 03.80.52.28.95, fax 03.80.52.18.14 ☑ ⟁ r.-v.

PIERRE CORNU-CAMUS 1997★

| ■ | 1,17 ha | 2 100 | ⦀ | 50 à 69 F |

Un vin qui donnerait aux avions du parc du château l'envie de prendre l'air, tant il a du jus ! Que de brillance ! A plein nez, du petit fruit ! Ces arômes (mûre surtout) demeurent au palais, tapissés par des tanins sociables. Le tout riche et complexe, méritant un beau charolais.

☞ Pierre Cornu-Camus, 2, rue Varlot, 21420 Echevronne, tél. 03.80.21.57.23, fax 03.80.26.11.94 ☑ ⟁ r.-v.

RODOLPHE DEMOUGEOT Les Bourgeots 1998★

| ■ | 0,75 ha | 3 000 | ⦀ | 50 à 69 F |

Celles et ceux qui apprécient une forte extraction seront servis. Sous des traits sombres, on sent la maturité. La confiture de fruits noirs. Riche et concentré, il est tout d'une pièce en bouche. Ce climat est très proche des Narbantons. Quant au domaine, constitué en 1992, il s'est étendu récemment sur Meursault. Le coup de cœur honora dans l'édition 1998 ce même vin (95).

☞ Dom. Rodolphe Demougeot, 2, rue du Clos-de-Mazeray, 21190 Meursault, tél. 03.80.21.28.99, fax 03.80.21.29.18 ☑ ⟁ r.-v.

DOUDET-NAUDIN Les Marconnets 1998★★

| ■ 1er cru | 1,5 ha | 2 690 | ⦀ | 100 à 149 F |

C'est ici, ou peu s'en faut, que Georges Pompidou a inauguré en 1970 l'autoroute A6. Les Marconnets sont exactement à mi-chemin entre Lille et Marseille. Assez grillés dans le cas présent, ils sont néanmoins un caractère équilibré, de la substance, une structure. D'un rouge très profond, ils sont à attendre plusieurs années. En **blanc 98**, voyez Les Vermots, discrets avec de subtiles notes de fleurs blanches et d'abricot sec, de bonne longueur. Ils sont cités.

☞ Doudet-Naudin, 3, rue Henri-Cyrot, 21420 Savigny-lès-Beaune, tél. 03.80.21.51.74, fax 03.80.21.50.69 ☑ ⟁ r.-v.

☞ Yves Doudet

DOM. DUBOIS D'ORGEVAL Les Marconnets 1997

| ■ 1er cru | 0,61 ha | 1 800 | ⦀ | 70 à 99 F |

S'il n'a pas un corps immense, ce 97 a toutefois du caractère. Un léger tuilé accompagne sa robe profonde. Le nez de noyau, de kirsch et d'épices est intense. Les tanins sont plutôt doux et accommodants, laissant après la dégustation une persistance savoureuse. La souplesse l'emporte sur toute autre considération.

☞ Dom. Dubois d'Orgeval, 3, rue Joseph-Bard, 21200 Chorey-lès-Beaune, tél. 03.80.24.70.89, fax 03.80.22.45.02 ☑ ⟁ r.-v.

BERNARD DUBOIS ET FILS Les Ratausses 1997★★

| ■ | 1 ha | 5 000 | ⦀ | 70 à 99 F |

Le coup de cœur n'est pas passé loin de ce 97 produit sur la partie de l'appellation la plus proche de chorey. En effet, s'il est trop jeune pour être pleinement épanoui, on fait un triple bam bourguignon en son honneur. Très rouge à reflets bleutés, très odorant, il tient admirablement la route. Charme, corps, longueur, il est complet et de grande classe. On peut également se faire plaisir avec le **clos des Guettes rouge 97** qui reçoit une étoile.

☞ Dom. Bernard Dubois et Fils, 8, rue des Chobins, 21200 Chorey-lès-Beaune, tél. 03.80.22.13.56, fax 03.80.24.61.43 ☑ ⟁ r.-v.

R. DUBOIS ET FILS
Les Narbantons 1997*

| ■ 1er cru | 0,25 ha | 1 600 | ⅢⅠ 70 à 99 F |

Béatrice Dubois est œnologue. Elle arrive sur la propriété familiale et, avec Raphaël, le maître de chai, elle propose un 97 qui ne pèche pas par la modestie. Rubis foncé, il annonce clairement la couleur. Au nez, le fruit prend le dessus à l'aération. En bouche, il révèle pas mal de coffre, de vigueur, de consistance ; il est encore un peu fermé, mais on le voit s'ouvrir à deux battants.
☛ R. Dubois et Fils, rte de Nuits-Saint-Georges, 21700 Premeaux-Prissey, tél. 03.80.62.30.61, fax 03.80.61.24.07, e-mail rdubois@wanadoo.fr ☑ Ⴖ t.l.j. 8h-11h30 14h-18h; sam. dim. sur r.-v.
☛ Régis Dubois

DOM. LOIS DUFOULEUR
Les Planchots 1997**

| ■ | 0,33 ha | 1 700 | ⅢⅠ 50 à 69 F |

Il faut bien connaître son savigny pour situer ces Planchots. Et nous-mêmes n'y réussissons pas. Voilà une vigne acquise en 1997 par la SAFER de Bourgogne et dont c'est la première mise en bouteille. Beau baptême du feu ! Sa couleur et ses reflets ont de quoi séduire. Arômes grillés et de cerise laissée sur l'arbre. Même sentiment au palais dans un environnement soyeux. « Vin plaisir », qui fut en compétition à l'heure du coup de cœur.
☛ Dom. Loïs Dufouleur, chem. des Bressandes, La Montagne, 21200 Beaune, tél. 03.80.22.70.34, fax 03.80.24.04.28 ☑ Ⴖ r.-v.

DUFOULEUR PERE ET FILS 1997**

| ■ | n.c. | 2 500 | ⅢⅠ 100 à 149 F |

SAVIGNY-LÈS-BEAUNE
APPELLATION SAVIGNY-LÈS-BEAUNE CONTRÔLÉE

DUFOULEUR PÈRE & FILS

NÉGOCIANTS-ÉLEVEURS À NUITS-S¹-GEORGES (CÔTE-D'OR) FRANCE
13% vol.   PRODUCE OF FRANCE   75 cl

Un vin d'une cohérence parfaite. Millésime, terroir, cépage, tout est mis en valeur de main de maître. Le coup de cœur salue cette réussite de typicité. Mais il faut le laisser vieillir un peu : à ouvrir dans deux ans et à servir pendant cinq à six ans. Sous sa robe pourpre admirable, le bouquet chante le fruit mûr, accompagné d'un boisé toasté élégant. La souplesse et la rondeur des bons 97 caractérisent des tanins harmonieux.
☛ Dufouleur Père et Fils, 15, rue Thurot, 21700 Nuits-Saint-Georges, tél. 03.80.61.21.21, fax 03.80.61.11.23 ☑ Ⴖ r.-v.

> Lumière et odeurs sont les ennemis du vin : attention à votre cave !

DOM. LIONEL DUFOUR
Les Goudelettes 1998*

| □ | 0,46 ha | 3 200 | ⅢⅠ 150 à 199 F |

Climat situé en haut de coteau sur la route de Bouilland. Il se présente ici de façon très avantageuse. D'un or jaune assez intense, il possède tout à la fois de l'ampleur et de la rondeur. Fleurs blanches, châtaigne, confiserie... et du fruit. Sa fraîcheur conduit à le boire dans sa jeunesse, mais il devrait pouvoir attendre une année ou deux.
☛ SCI Lionel Dufour, 7, rte de Monthélie, 21190 Meursault, tél. 03.80.21.67.02, fax 03.87.69.71.13

DOM. DUPONT-TISSERANDOT
Les Gollardes 1998*

| ■ | 0,49 ha | 2 300 | ⅢⅠ 50 à 69 F |

Pivoine fraîche et limpide, ce 98 fraise et cerise, qui commence sur un ton assez doux, est assez long à se révéler. Il offre une rétro-olfaction sympathique et finit comme dans les contes de fées. Ils se marièrent et eurent beaucoup de caudalies... Bien élevé, à boire sur sa fraîcheur car il n'est probablement pas de grande garde.
☛ GAEC Dupont-Tisserandot, 2, pl. des Marronniers, 21220 Gevrey-Chambertin, tél. 03.80.34.10.50, fax 03.80.58.50.71 ☑ Ⴖ r.-v.

FRANCOIS GAY 1997*

| ■ | 0,69 ha | 4 300 | ⅢⅠ 70 à 99 F |

Vin susceptible de passer à table dès à présent, mais qu'un fort potentiel confortera quelques années. Soutenu sans aucun signe d'évolution, porté sur le végétal et le fruit confit, il est bien vinifié. Ses saveurs sont respectées, développées. Et du corps avec ça ! Un peu rustique ? C'est vrai, mais cela lui va bien.
☛ François Gay, 9, rue des Fiètres, 21200 Chorey-lès-Beaune, tél. 03.80.22.69.58, fax 03.80.24.71.42 ☑ Ⴖ r.-v.

MICHEL GAY Vergelesses 1998

| ■ | 0,39 ha | 2 300 | ⅢⅠ 70 à 99 F |

Des **Serpentières 98 rouges en 1ᵉʳ cru** citées. Et ces Vergelesses qui interpellent. On apprécie un boisé bien fondu et non agressif, un fruit constant, des tanins qui ne tiennent pas la tête d'affiche, mais qui exigent deux ans de garde. Ce vin passe sans problème les premières épreuves, puis il s'installe sagement en bouche et fait comme chez lui.
☛ Michel Gay, 1b, rue des Brenôts, 21200 Chorey-lès-Beaune, tél. 03.80.22.22.73, fax 03.80.22.95.78 ☑ Ⴖ r.-v.

CH. GENOT-BOULANGER 1997*

| □ | 0,73 ha | 3 700 | ⅢⅠ 100 à 149 F |

« Il faut encore que l'œil soit séduit et flatté », dit-on sur un vieux manuel de dégustation à la bourguignonne. Etincelant, ce 97 fin et succulent, bien dans son millésime. Son bouquet est intense, riche, pourrait-on ajouter. Intéressant.
☛ Ch. Génot-Boulanger, 25, rue de Cîteaux, 21190 Meursault, tél. 03.80.21.49.20, fax 03.80.21.49.21, e-mail genot-boulanger@wanadoo.fr ☑ Ⴖ r.-v.

DOM. PHILIPPE GIRARD
Les Narbantons 1998★

■ 1er cru	0,64 ha	3 600	❚❙❙	70 à 99 F

Cinq siècles d'histoire : ce domaine compte aujourd'hui près de 9 ha. Le jury a cité en rouge les **Peuillets 98**, qui devront rester deux ans en cave. Ces Narbantons ont fait l'unanimité du jury, qui a aimé leur robe violet profond parsemée de reflets noirs. Le nez mêle le fruit et le fût mais c'est surtout le premier qui règne en bouche, dans une belle expression et un équilibre très réussi. Un vrai 1er cru.

☛ Dom. Philippe Girard, 37, rue Gal-Leclerc, 21420 Savigny-lès-Beaune, tél. 03.80.21.57.97, fax 03.80.26.14.84 ☑ ⵣ r.-v.

JEAN-JACQUES GIRARD 1998★

□	0,86 ha	3 300	❚❙❙	70 à 99 F

Savigny ne produit pas beaucoup de blanc. Environ 200 000 bouteilles contre deux millions en rouge. Et l'on déniche parfois l'oiseau rare. Comme celui-ci qu'une terrine de poisson mettra en joie. Vif, fin, très fruité, il concilie la puissance et la générosité. Déjà agréable et pouvant se conserver un peu.

☛ Dom. Girard, 16, rue de Cîteaux, 21420 Savigny-lès-Beaune, tél. 03.80.21.56.15, fax 03.80.26.10.08 ☑ ⵣ r.-v.

DOM. PIERRE GUILLEMOT
Dessus des Golardes 1998★

□	1,4 ha	3 000	❚❚❙❙⬤	70 à 99 F

Coup de cœur l'an dernier pour un 97 et plusieurs fois auparavant, ce domaine réussit une belle performance mais cette AOC. On sait que Pierre Guillemot raconte le vin (et surtout le sien) à merveille. Le jury a apprécié **Les Narbantons 98**, offrant une couleur aguichante, un nez fruité et brûlé, une structure légère. Ils obtiennent une citation. **Les Jarrons 98 en rouge**, d'un bon niveau, reçoivent une étoile, pour leur belle et ample matière. C'est ce blanc qui a retenu notre attention : « Je le mettrais bien dans ma cave », écrit un dégustateur. Joliment boisé, il est tout en amande et en aubépine sur une structure homogène. Pour se faire plaisir dès maintenant. Retenons aussi **Les Serpentières 98 en rouge**, d'un joli potentiel. Une étoile.

☛ SCE du Dom. Pierre Guillemot, 1, rue Boulanger-et-Vallée, 21420 Savigny-lès-Beaune, tél. 03.80.21.50.40, fax 03.80.21.59.98 ☑ ⵣ r.-v.

DANIEL LARGEOT 1998★★

■	0,68 ha	3 500	❚❙❙	50 à 69 F

Marie-France travaille déjà sur l'exploitation et succédera à ses parents. A en juger par cette bouteille, elle est à bonne école. Ce savigny est en effet à mettre de côté. On pourra le suivre pendant au moins dix ans. Etoffé, corsé, il est de pure race. Ses arômes s'orientent vers le chaudron à confiture (cerise). Quelle belle jeunesse !

☛ Daniel Largeot, 5, rue des Brenôts, 21200 Chorey-lès-Beaune, tél. 03.80.22.15.10, fax 03.80.22.60.62 ☑ ⵣ r.-v.

DOM. MAILLARD PERE ET FILS
1998★

■	1,8 ha	n.c.	❚❙❙	70 à 99 F

Un domaine créé en 1952 par Daniel Maillard et qui s'étend sur sept villages. Ce savigny ? Soyeux et caressant, un vin qui cousine aisément. Rien de plus facile que de l'aborder ! Boisé assez prononcé qui contribue à la bonté de ses sentiments. Sa robe est correcte, sa rondeur agréable. Un style de vinification pas très longue, pour un vin frais et facile. Mais il est juste de signaler que la note savigny ressort bien.

☛ Dom. Maillard Père et Fils, 2, rue Joseph-Bard, 21200 Chorey-lès-Beaune, tél. 03.80.22.10.67, fax 03.80.24.00.42 ☑ ⵣ r.-v.

CATHERINE ET CLAUDE MARECHAL 1998★

■	1,2 ha	6 400	❚❙❙	70 à 99 F

Théologiques ? On veut bien. Nourrissants ? Certainement. Morbifuges ? On le souhaite. Ainsi seraient les vins du village tels que la tradition les dépeint. Grenat profond, le nez encore un peu verrouillé (cerise burlat), ce 98 s'affirme entier, solide, structuré, à mûrir. Savigny jusqu'au bout des ongles.

☛ EARL Catherine et Claude Maréchal, 6, rte de Chalon, 21200 Bligny-lès-Beaune, tél. 03.80.21.44.37, fax 03.80.26.85.01 ☑ ⵣ r.-v.

GHISLAINE ET BERNARD MARECHAL-CAILLOT 1998

■	2,22 ha	2 700	❚❙❙	70 à 99 F

Sur l'étiquette, apparaissent le prénom de madame et celui de monsieur : on n'a pas attendu le Palais-Bourbon pour traiter les femmes au pied d'égalité. Ghislaine et Bernard, donc. Robe carmin, poivre et cassis, ce savigny va tout droit son chemin. Assez d'acidité, une bonne harmonie générale, mais une persistance moyenne. Pour un sauté de porc en sauce brune.

☛ Ghislaine et Bernard Maréchal-Caillot, 10, rte de Chalon, 21200 Bligny-lès-Beaune, tél. 03.80.21.44.55, fax 03.80.26.88.21 ☑ ⵣ r.-v.

DOM. MARTIN-DUFOUR
Narbantons 1997

■ 1er cru	0,24 ha	1 489	❚❚❙❙⬤	70 à 99 F

On vous donne le choix car nos jurés ont accordé leur satisfecit au **village 97 rouge** (50 à 69 F), observant néanmoins que ce 1er cru est bien sûr plus prometteur. Coloré, aromatique (noyau de cerise, champignon), il est d'une attaque franche et a besoin de s'ouvrir en cave. On l'imagine avec une blanquette de veau.

☛ Dom. Martin-Dufour, 4a, rue des Moutots, 21200 Chorey-lès-Beaune, tél. 03.80.22.18.39, fax 03.80.22.18.39 ☑ ⵣ r.-v.

DOM. PARIGOT PERE ET FILS
Les Peuillets 1998★

■	0,8 ha	4 800	❚❙❙	70 à 99 F

Il faut attendre le mariage et les grains de riz ! Déjà en ménage certes, mais c'est encore à fondre, à unir. Pourpre vif et violacé, le bouquet réglissé déjà ouvert, assez complexe, ce 98 est bien étoffé, avec un bon compte en banque : de

la finesse, du gras, de la distinction même, et une certaine chaleur.
🕭 Dom. Parigot Père et Fils, rte de Pommard, 21190 Meloisey, tél. 03.80.26.01.70, fax 03.80.26.04.32 ☑ ⵏ r.-v.

JEAN-MARC PAVELOT 1997★

■		5,36 ha	14 000	⫶⓵⓵	50 à 69 F

Le domaine a reçu le coup de cœur pour les millésimes 85 et 93. On est donc ici en pays de connaissance pour rencontrer une **Dominode rouge 1ᵉʳ cru 97**, très réussie (70 à 99 F), et ce *village* qui nous plaît également. Pourpre et jeune, à tendances framboisées, il pencherait plutôt pour le cassis en bouche où il se montre équilibré. Les tanins fondus sont de belle persistance. Une jolie volaille se ferait plaisir.
🕭 Jean-Marc Pavelot, 1, chem. des Guettottes, 21420 Savigny-lès-Beaune, tél. 03.80.21.55.21, fax 03.80.21.59.73 ☑ ⵏ r.-v.

ALBERT PONNELLE
Les Dentellières 1997★

■		n.c.	n.c.		100 à 149 F

Les Dentellières ? Où est-ce ? Il est vrai que le nom est porteur. Quand on pense qu'un excellent *climat* de Savigny s'appelle Connardises ! Allez écrire ça sur une étiquette... Bref, ce vin aux tanins bien présents mais harmonieux manifeste de bonnes intentions fruitées qui commencent à apparaître. Son grillé ne porte pas atteinte à ses arômes de cerise confite.
🕭 Albert Ponnelle, Clos Saint-Nicolas, 38, fg Saint-Nicolas, 21200 Beaune, tél. 03.80.22.00.05, fax 03.80.24.19.73 ☑ ⵏ r.-v.

DOM. DU PRIEURE Les Lavières 1998★★

■ 1er cru	1 ha	4 500	⫶⓵⓵	70 à 99 F

Un autre candidat sérieux au coup de cœur cette année. Il l'a d'ailleurs eu dans l'édition 1990, pour un 86. Voici ses Lavières grenat sombre, dont le coup d'envoi est donné par la myrtille. La suite est puissante, racée, avec une certaine chaleur réglissée. Mais on adore ce côté gouleyant, direct. Ce 1ᵉʳ cru devrait éclater d'ici un à deux ans, délai très raisonnable. Le **village 98 blanc** peut compléter la commande : il a obtenu une étoile. Laissez-le dormir deux à trois ans, et il sera superbe (50 à 69 F).
🕭 Jean-Michel Maurice, Dom. du Prieuré, 23, rte de Beaune, 21420 Savigny-lès-Beaune, tél. 03.80.21.54.27, fax 03.80.21.59.77, e-mail maurice.jean-michel@wanadoo.fr ☑ ⵏ r.-v.

DOM. PRIN 1997

■		0,84 ha	4 500	▐⫶⓵⓵	50 à 69 F

Pourpre clair avec une légère évolution visuelle, ce 97 amorce la conversation sur un sujet intéressant : la feuille de cassis. Son tempérament est tannique, mais la finale fruitée plaisante. Il n'est pas 97 pour rien.
🕭 Dom. Prin, 12, rue de Serrigny, Cidex 10, 21550 Ladoix-Serrigny, tél. 03.80.26.40.63, fax 03.80.26.46.16 ☑ ⵏ r.-v.

REINE PEDAUQUE 1998★

■		n.c.	16 000	⫶⓵⓵	70 à 99 F

Sous sa nuance pivoine, une bouteille qui fait un bien joli courrier de la reine. La fraîcheur du fruit en ouverture, la distinction... C'est vif, mais cela donnera quelque chose de bien ! Voilà du bon travail, une vinification soignée ; un canard devrait s'accorder à ses charmes. La reine Pédauque n'avait-elle pas les pieds palmés ?
🕭 Reine Pédauque, Le Village, 21420 Aloxe-Corton, tél. 03.80.25.00.00, fax 03.80.26.42.00, e-mail rpedauque@axnet.fr ⵏ r.-v.

ROGER ET JOEL REMY
Les Fourneaux 1998★★

■		1 ha	5 000	⫶⓵⓵	50 à 69 F

« On lèche trois fois ses lèvres et on en dit de bien », affirme-t-on du savigny lorsqu'il est, comme ici, aux... fourneaux : un *climat* voisin de pernand, fort brillant, déjà complexe et promis à un avenir souriant. D'excellente constitution, un peu tannique aujourd'hui - trait de jeunesse -, réglissé, il fait partie de ces crus faits pour durer comme on en voit de moins en moins, de cette qualité du moins.
🕭 SCEA Roger et Joël Rémy, 4, rue du Paradis, 21200 Sainte-Marie-la-Blanche, tél. 03.80.26.60.80, fax 03.80.26.53.03 ☑ ⵏ r.-v.

DOM. GEORGES ROY ET FILS
Les Picotins 1998

■		1,86 ha	3 000	⫶⓵⓵	50 à 69 F

Vincent a pris la suite de son père en 1998. Ce sont donc ses débuts. Le pinot éclaire la robe d'une teinte brillante. Groseille, fruits secs, à l'étape suivante. Ferme, vigoureux au palais, ce vin ne montre pas beaucoup d'aménité, mais il possède de quoi se préparer à une garde heureuse. Les Picotins sont du côté de chorey.
🕭 Dom. Georges Roy et Fils, 20, rue des Moutots, 21200 Chorey-lès-Beaune, tél. 03.80.22.16.28, fax 03.80.24.76.38 ☑ ⵏ r.-v.

DOM. SERRIGNY Petit Vallon 1997★

■		n.c.	9 000	⫶⓵⓵	100 à 149 F

On sait que ce négociant cite l'origine de ses vins, ce qui est exceptionnel dans le métier, ici, le Domaine Serrigny. En revanche, le *climat* Petit Vallon nous est inconnu. Cela dit, il s'entoure de jolis reflets et évolue de la mûre à l'animal selon une démarche très assurée. Assez chaud, ayant un certain goût de framboise, il est représentatif.
🕭 Cie des Vins d'Autrefois, abbaye Saint-Martin, 53, av. de l'Aigue, 21200 Beaune, tél. 03.80.26.33.00, fax 03.80.24.14.84, e-mail mallet.b@cva-beaune.fr ⵏ r.-v.
🕭 Jean-Pierre Nié

Chorey-lès-beaune

Situé dans la plaine, en face du cône de déjection de la combe de Bouilland, le village possède quelques lieux-dits voisins de Savigny. On y a produit, en

1999, 7 172 hl d'appellation communale rouge, et 193 hl de blanc.

BOISSEAUX-ESTIVANT 1997★

| ■ | n.c. | n.c. | 100 à 149 F |

Vin de plaisir et de soif. On n'a pas à s'interroger longtemps pour lui trouver du charme. La framboise et la groseille s'y sont donné rendez-vous. Ses tanins fondus incitent à le déguster aujourd'hui.
➥ Boisseaux-Estivant, clos Saint-Nicolas, 38, fg Saint-Nicolas, 21200 Beaune, tél. 03.80.22.00.05, fax 03.80.24.19.73 ☑ ☍ r.-v.

DOM. DUBOIS D'ORGEVAL 1997

| ■ | 2,15 ha | 4 600 | ⅻ 50 à 69 F |

Frais, pimpant et léger, ce vin offre un plaisir délicat au palais. Il n'a pas la prétention de bâtir une cathédrale, seulement une petite chapelle intime. Avec le pourpre de sa robe, et son cocktail de petits fruits, ce 97 s'annonce bien, mais il ne faudra pas trop l'attendre.
➥ Dom. Dubois d'Orgeval, 3, rue Joseph-Bard, 21200 Chorey-lès-Beaune, tél. 03.80.24.70.89, fax 03.80.22.45.02 ☑ ☍ r.-v.

XAVIER DUCLERT
Les Beaumonts 1997★★

| ■ | n.c. | n.c. | ▊⅋❶⅃ 50 à 69 F |

Une place d'honneur lui est décernée sur le podium. Les Beaumonts sont un *climat* de chorey en bordure de savigny. Charpenté et tannique, ce vin a du gras même à l'œil ! Cerise presque confite sur fond de cannelle, il joue franc-jeu et se gardera sans difficulté durant la présente décennie.
➥ Xavier Duclert, 2 bis, pl. Carnot, 21200 Beaune, tél. 03.80.22.74.77, fax 03.80.22.74.77, e-mail xavier.duclert@fnac.net ☑ ☍ t.l.j. sf lun. 10h-19h

FRANCOIS GAY 1997

| ■ | 2,75 ha | 12 000 | ⅻ 50 à 69 F |

Dense, veloutée, d'une trame très serrée, la robe moule un nez profond et généreux tant en fruit qu'en torréfaction. Au palais, une nature aimable le destine à une consommation dans l'année.
➥ François Gay, 9, rue des Fiètres, 21200 Chorey-lès-Beaune, tél. 03.80.22.69.58, fax 03.80.24.71.42 ☑ ☍ r.-v.

DOM. GUYON Les Bons Ores 1998

| ■ | 0,87 ha | 5 400 | ⅻ 50 à 69 F |

Climat de chorey séparé d'aloxe-corton par la RN 74. La famille Guyon a choisi avec succès d'abandonner l'orge de brasserie pour se tourner entièrement vers la vigne et le vin. Robuste, puissant, ce 98 est bâti sur des tanins serrés. On ne devra pas le déranger avant 2002, car il dévoilera alors toutes ses qualités.
➥ EARL Dom. Guyon, 11-16, R.N. 74, 21700 Vosne-Romanée, tél. 03.80.61.02.46, fax 03.80.62.36.56 ☑ ☍ r.-v.

LA P'TIOTE CAVE Les Beaumonts 1997★

| ■ | 0,26 ha | 5 000 | ▊⅋❶ 50 à 69 F |

L'un des seuls *climats* de chorey situés à l'ouest de la route nationale, côté savigny. Pourpre carminé, ce vin est mis en valeur par un parfum de gelée de framboise. Léger boisé comme de la poudre de riz... En bouche, le dessin se montre précis, s'attachant à la structure davantage qu'à la chair. Le fruit se révèle encore muselé. L'harmonie, en cours de réalisation, se sentira en 2002.
➥ La P'tiote Cave, 71150 Chassey-le-Camp, tél. 03.85.87.15.21, fax 03.85.87.28.08 ☑ ☍ r.-v.

DANIEL LARGEOT Les Beaumonts 1998★

| ■ | 1,5 ha | 8 000 | ⅻ 50 à 69 F |

Ce 98 à la robe engageante par sa franchise, au bouquet restreint dans l'immédiat (fruits noirs, réglisse) et à la structure classique accompagnera agréablement un rôti de porc. A boire de préférence dans trois ans.
➥ Daniel Largeot, 5, rue des Brenôts, 21200 Chorey-lès-Beaune, tél. 03.80.22.15.10, fax 03.80.22.60.62 ☑ ☍ r.-v.

DOM. MAILLARD PERE ET FILS
1998★

| ■ | n.c. | n.c. | ⅻ 50 à 69 F |

Ce chorey affiche un beau rubis luisant, bénéficie d'un bouquet puissant et saisissant (cuir, animal et café grillé). Souple et fondu, il est fort civil et conviendra à un lapin en sauce.
➥ Dom. Maillard Père et Fils, 2, rue Joseph-Bard, 21200 Chorey-lès-Beaune, tél. 03.80.22.10.67, fax 03.80.24.00.42 ☑ ☍ r.-v.

DOM. MARATRAY-DUBREUIL
Les Bons Ores 1998

| ■ | 2 ha | n.c. | ⅻ 50 à 69 F |

L'évolution est un phénomène naturel de ce qui vit. Ce vin léger, tuilé, associant les arômes d'humus, de sous-bois et de fruits dans l'alcool, se trouve à pleine maturité. Frais et vigoureux en bouche, il communique cependant une note sévère. Doit s'assagir et en possède la capacité.
➥ Dom. Maratray-Dubreuil, 5, pl. du Souvenir, 21550 Ladoix-Serrigny, tél. 03.80.26.41.09, fax 03.80.26.49.07 ☑ ☍ r.-v.

CLAUDE MARECHAL 1998★★

| ■ | 0,78 ha | 3 700 | ⅻ 50 à 69 F |

Un sérieux candidat au coup de cœur, auquel il n'a manqué qu'une voix. Grenat limpide, exhalant des notes toastées et des parfums de bourgeon de cassis, ce 98 remplit la bouche avec des tanins fins, équilibrés, et la comble. Mérite les félicitations du jury.
➥ EARL Catherine et Claude Maréchal, 6, rte de Chalon, 21200 Bligny-lès-Beaune, tél. 03.80.21.44.37, fax 03.80.26.85.01 ☑ ☍ r.-v.

DOM. MARTIN-DUFOUR
Les Beaumonts 1997★

| ■ | 4,55 ha | 4 896 | ▊⅋❶⅃ 50 à 69 F |

Coloré avec fraîcheur, expressif et complexe, ce vin attaque de façon bien enveloppée. Il présente le caractère gourmand des vins réussis du millésime. Ses tanins réveillent la finale et assurent une continuité fort convenable. Sympathique, agréable, ce 97 supportera un vieillissement raisonnable (deux à trois ans sans problème).

☛ Dom. Martin-Dufour, 4a, rue des Moutots, 21200 Chorey-lès-Beaune, tél. 03.80.22.18.39, fax 03.80.22.18.39 ☑ ⍦ r.-v.

DOM. POULLEAU PERE ET FILS
1998★

■		0,45 ha	2 700	⦀	50 à 69 F

Rubis et cassis s'harmonisent sur un socle tannique de bonne qualité. La matière est jolie, la rondeur en bouche déjà perceptible. Fruit d'une vinification soignée, cette bouteille va se bonifier avec le temps. Un canard aux olives lui fera escorte.

☛ Dom. Poulleau Père et Fils, rue du Pied-de-la-Vallée, 21190 Volnay, tél. 03.80.21.62.61, fax 03.80.26.45.90 ☑ ⍦ r.-v.

DOM. LOUIS VIOLLAND 1998

■		2,36 ha	12 000	⦀	70 à 99 F

Typé et sans défaut, léger et convivial, ce 98 remplit bien son contrat. La brillance de la couleur, le nez fruité, la bouche aimable définissent un plaisir immédiat.

☛ Dom. Louis Violland, abbaye Saint-Martin, 53, av. de l'Aigue, 21200 Beaune, tél. 03.80.26.33.00, fax 03.80.24.14.84 ⍦ r.-v.

Beaune

En superficie, l'appellation beaune est l'une des plus importantes de la Côte. Mais Beaune, ville d'environ 20 000 habitants, est aussi et surtout la capitale viti-vinicole de la Bourgogne. Siège d'un important négoce, centre d'un nœud autoroutier très important, elle est une des cités les plus touristiques de France. La vente des vins des Hospices est devenue un événement mondial, et représente certainement l'une des ventes de charité les plus illustres.

Les vins, essentiellement rouges, sont pleins de force et de distinction. La situation géographique a permis le classement en premiers crus d'une grande partie du vignoble, et, parmi les plus prestigieux, nous pouvons retenir les Bressandes, le Clos du Roy, les Grèves, les Teurons et les Champimonts. En 1999, l'AOC a produit 20 035 hl de vin rouge et 2 062 hl de vin blanc.

LYCEE VITICOLE DE BEAUNE
Les Perrières 1997★★

■ 1er cru	0,77 ha	3 579	⦀	70 à 99 F

Le lycée viticole ne reçoit pas le prix d'excellence, mais il a son bac avec la mention très bien.

Jolie bouteille en effet, qui fait honneur à la jeune génération ainsi qu'à ses maîtres. On a su lui donner un bagage important en couleur, en arômes. Quant à l'oral, c'est bien simple : le sujet est récité par cœur et avec cœur. Tout est parfaitement assimilé, tout est là : force et distinction. Notez aussi **Les Bressandes 97** et **La Montée rouge 97**, tous deux une étoile.

☛ Dom. du Lycée viticole de Beaune, 16, av. Charles-Jaffelin, 21200 Beaune, tél. 03.80.26.35.81, fax 03.80.22.76.69 ☑ ⍦ t.l.j. sf dim. 8h-11h30 14h-17h; sam. 8h-11h30

BITOUZET-PRIEUR Cent Vignes 1998★

■ 1er cru	n.c.	3 000	⦀	100 à 149 F

L'air lui fait du bien et le vin s'améliore dans le verre. L'âge lui fera également du bien. Cela dit, sa couleur très profonde, dominée par une tonalité violacée, s'accorde à merveille avec un bouquet intense, concentré sur le fruit et comportant des notes de torréfaction. Sa bouche est enveloppée, toujours dans cette configuration, ponctuée par la légère amertume des tanins à ce stade de son élevage. Trois à cinq ans de garde.

☛ Vincent Bitouzet-Prieur, rue de la Combe, 21190 Volnay, tél. 03.80.21.62.13, fax 03.80.21.63.39 ☑ ⍦ r.-v.

DOM. BOUCHARD PERE ET FILS
Les Sizies 1998★

☐ 1er cru	1,56 ha	n.c.	⦀	150 à 199 F

Ce *climat* en milieu de coteau est un 1er cru estimé par les connaisseurs. Jaune or limpide, ce 98 s'installe. Il prend place. Confit, parfumé, gras, ample, il révèle ses qualités bien avant l'entrée en bouche. Puis il montre cette souplesse qui lui permet de faire approuver son boisé, jugé parfois très démonstratif et quelque peu hors sujet. Plutôt pour un poisson grillé.

☛ Bouchard Père et Fils, Ch. de Beaune, 21200 Beaune, tél. 03.80.24.80.24, fax 03.80.22.55.88, e-mail france@bouchard.pereetfils.com ⍦ r.-v.

DOM. BOUCHEZ-CRETAL
Les Chouacheux 1997★

■ 1er cru	0,49 ha	3 200	⦀	70 à 99 F

On a l'impression de mordre dans la grappe. Ce *climat* au drôle de nom donne un vin racé, d'un grenat profond, intense. Beaucoup d'harmonie, de classe. Ses arômes rappellent la vendange bien mûre, et leur accent confituré évoque le fruit cuit dans le chaudron. Vin d'un style très affirmé et qui développe longtemps son argumentation en bouche.

☛ SCEA Dom. Bouchez-Crétal, 21190 Monthélie, tél. 03.85.87.17.40, fax 03.48.05.19.32 ☑ ⍦ r.-v.

REYANE ET PASCAL BOULEY 1998★

■		0,65 ha	3 600	■ ⍔	50 à 69 F

Voici un *village* qui coule bien, sans aspérité ni agressivité. Un peu calme peut-être, mais - entre nous - cela repose... Rouge violacé d'une intensité suffisante, il commence tout doucement à libérer ses arômes.

☛ Pascal Bouley, pl. de l'Eglise, 21190 Volnay, tél. 03.80.21.61.69, fax 03.80.21.66.44 ☑ ⍦ r.-v.

PIERRE BOUREE FILS
Les Epenottes 1997★

| ■ 1er cru | 1,2 ha | 6 500 | ◫ 100 à 149 F |

La famille Vallet maintient à Gevrey la tradition de cette respectable maison. Ce 1er cru est un beaune côté pommard, expressif à l'œil, mariant l'épice et le sous-bois, d'une constitution intéressante. L'attaque est fruitée, la structure convenable, avec des tanins aimables en fin de bouche.

↵ Pierre Bourée Fils, 13, rte de Beaune, 21220 Gevrey-Chambertin, tél. 03.80.34.30.25, fax 03.80.51.85.64 ☑ ⊥ r.-v.
↵ Louis Vallet

MICHEL BOUZEREAU ET FILS
Les Vignes Franches 1998★

| ■ 1er cru | 0,5 ha | n.c. | ◫ 100 à 149 F |

Voisines du Clos des Mouches, les Vignes Franches sont réputées pour leur panache. Richesse et profondeur, plénitude, texture, elles réunissent les atouts d'un vrai 1er cru, comme on le vérifie à la dégustation de cette bouteille en effet bien franche, fraîche et nette, gorgée de chair et de fruit mûr. La robe y ajoute une note d'élégance, tandis qu'au nez, le cuir, l'animal, la maturité se dessinent déjà.

↵ Michel Bouzereau et Fils, 3, rue de la Planche-Meunière, 21190 Meursault, tél. 03.80.21.20.74, fax 03.80.21.66.41 ☑ ⊥ r.-v.

CHANSON PERE ET FILS
Clos des Mouches 1997★

| ■ 1er cru | 2,5 ha | 7 000 | ◫ 150 à 199 F |

Coup de cœur pour son 88, cette maison qui a fêté en l'an 2000 ses deux cent cinquante ans. Son Clos des Mouches 97, rubis intense, apparaît charpenté, sérieux, vigoureux. Les tanins ne tirent cependant pas toute la couverture à eux, laissant sa place au fruit. Sous-bois et fraise s'expriment avec réserve. Le **Clos des Fèves 97**, cité, est à la hauteur de la réputation de ce monopole Chanson Père et Fils. Enfin, le **Clos des Marches blanc 97** cuvée du 250e anniversaire (200 à 249 F) reçoit une étoile pour la subtilité de son bouquet et l'équilibre de son palais.

↵ Chanson Père et Fils, 10, rue Paul-Chanson, 21200 Beaune, tél. 03.80.22.33.00, fax 03.80.24.17.42, e-mail tmarion@vins-chanson.com ⊥ r.-v.

RENE CHARACHE-BERGERET 1998★

| ■ 1er cru | 0,27 ha | 750 | ◫ 70 à 99 F |

Il franchit le cap de notre bonne espérance, celui-ci. Le domaine situé dans les Hautes-Côtes de Beaune est important (20 ha), mais cette parcelle en revanche ne couvre que six ouvrées environ. Equilibré, complexe, ce 98 n'impose rien sinon son pourpre intense. Le reste est habilement suggéré, sur des tanins très enveloppés. Sensation de pruneau en rétro-olfaction.

↵ René Charache-Bergeret, 21200 Bouze-lès-Beaune, tél. 03.80.26.00.86, fax 03.80.26.00.86 ☑ ⊥ r.-v.

C. CHARTON FILS 1997★

| ■ 1er cru | n.c. | n.c. | ◫ 300 à 499 F |

Issu de la maison beaunoise demeurée dans la famille Ponnelle, ce 1er cru d'assemblage est très satisfaisant. La netteté apparaît dès le premier coup d'œil. Elle se confirme jusqu'à l'arrière-nez, concentré d'épices et de framboise. Fin, rond, souple, déjà fondu, ce 97 peut passer à table dès 2001.

↵ C. Charton Fils, Clos Saint-Nicolas, 38, fg Saint-Nicolas, 21200 Beaune, tél. 03.80.22.00.05, fax 03.80.24.19.73 ☑ ⊥ r.-v.

CH. DE CITEAUX Teurons 1997★

| ■ 1er cru | n.c. | 2 500 | ◫ 70 à 99 F |

Sombre et profond, il n'a pas grand bouquet, mais marque le passage en bouche par une présence riche, puissante, concentrée, massive. Sa concentration le destine évidemment à la garde car il se présente encore de façon un peu rude. Vinification typée, pour un vin élevé dans un des berceaux viti-vinicoles des moines de Cîteaux (leur première vigne se situait à Meursault).

↵ Philippe Bouzereau, Ch. de Cîteaux, 18-20, rue de Cîteaux, B.P.25, 21190 Meursault, tél. 03.80.21.20.32, fax 03.80.21.64.34, e-mail domaine.bouzereau@wanadoo.fr ☑ ⊥ r.-v.

DOM. HENRI CLERC ET FILS
Chaume Gaufriot 1997

| ■ | 0,3 ha | 1 882 | ◫ 70 à 99 F |

Climat juché tout en haut de l'appellation et qui, sous une belle présentation, développe des arômes complexes où l'on perçoit le pain d'épice et le grillé dans une atmosphère réglissée. En bouche, la sensation tannique demande à se parfaire. Ce 97 a probablement de l'avenir et du corps en perspective.

↵ EARL Dom. Henri Clerc et Fils, pl. des Marronniers, 21190 Puligny-Montrachet, tél. 03.80.21.32.74, fax 03.80.21.39.60 ☑ ⊥ t.l.j. 8h30-11h45 14h-17h45
↵ Bernard Clerc

DOM. DOUDET Clos du Roy 1998★★★

| ■ 1er cru | 0,41 ha | 1 800 | ◫ 100 à 149 F |

Il n'est pas passé loin du coup de cœur et vous pouvez le choisir en toute confiance. Cerise brillante, le nez porté sur le cassis, il a tout ce que le millésime permet de gras, de rondeur, d'étoffe, de caractère en un mot. Laissez-le vieillir deux ou trois ans, il n'en sera que meilleur et ce n'est pas le bout du monde... Le **Cent-Vignes 98** est également superbe, à un niveau de qualité égal à celui-ci, et lui aussi finaliste de notre dégustation.

↵ Dom. Doudet, 50, rue de Bourgogne, 21420 Savigny-lès-Beaune, tél. 03.80.21.51.74, fax 03.80.21.50.69 ☑ ⊥ r.-v.
↵ Yves Doudet

DOM. DUBOIS D'ORGEVAL
Les Marconnets 1997★

| ■ 1er cru | 0,68 ha | 1 700 | ◫ 70 à 99 F |

Assez de structure pour assimiler le boisé et apaiser ses tanins. Sa persistance, sa relative souplesse, son penchant pour le fruit conduisent à émettre un pronostic favorable sur son évolution, sans attendre au-delà de deux ans. La couleur ? Sans défaut. Nez réglissé, franc, de type classique.

➼ Dom. Dubois d'Orgeval, 3, rue Joseph-Bard, 21200 Chorey-lès-Beaune, tél. 03.80.24.70.89, fax 03.80.22.45.02 ☑ ⏳ r.-v.

BERNARD DUBOIS ET FILS
Les Aigrots 1997★

| ■ 1er cru | 0,34 ha | 2 000 | ⅠⅠⅠ | 70 à 99 F |

Pourpre à reflets carminés, il ne craint pas la nuance. Et si son nez reste assez boisé, l'attaque est traitée avec élégance. Il s'y ajoute une belle matière ainsi qu'un agréable retour du fruit en dernière analyse. Bref, une heureuse réussite et une typicité réelle, dont on peut profiter maintenant ou dans quelques années.

➼ Dom. Bernard Dubois et Fils, 8, rue des Chobins, 21200 Chorey-lès-Beaune, tél. 03.80.22.13.56, fax 03.80.24.61.43 ☑ ⏳ r.-v.

R. DUBOIS ET FILS Blanche Fleur 1997★

| ■ | 0,3 ha | 1 500 | ⅠⅠⅠ | 50 à 69 F |

Dominant l'A 6 sur la montée de Savigny, côté beaunois, ce Blanche Fleur se consacre au... pinot noir. La jeune génération succède à Régis et à un grand-père qui eut naguère droit à une célèbre cuvée familiale. Elle signe ainsi un 97 cerise à reflets grenat, d'aspect flatteur, équilibré, vinifié sans dureté, soutenu par de bons tanins. Le fût est bien maîtrisé et utilisé à bon escient.

➼ R. Dubois et Fils, rue de Nuits-Saint-Georges, 21700 Premeaux-Prissey, tél. 03.80.62.30.61, fax 03.80.61.24.07, e-mail rdubois@wanadoo.fr ☑ ⏳ t.l.j. 8h-11h30 14h-18h; sam. dim. sur r.-v.

DOM. LOIS DUFOULEUR
Clos du Dessus des Marconnets 1998★★

| ■ | 0,4 ha | 2 000 | ⅠⅠⅠ | 50 à 69 F |

Situé près de Savigny-lès-Beaune et sur la hauteur, ce cru s'habille ici de grenat très sombre, presque noir. Le fruit noir, cassis, myrtille peuple son bouquet. N'allez cependant pas croire qu'il porte le deuil car, dense et mûr, il s'annonce durable et peut-être éclatant lorsqu'il aura apaisé son fût et montré sa civilité (quatre ou cinq ans).

➼ Dom. Loïs Dufouleur, chem. des Bressandes, La Montagne, 21200 Beaune, tél. 03.80.22.70.34, fax 03.80.24.04.28 ☑ ⏳ r.-v.

DUFOULEUR PERE ET FILS
Les Cent Vignes 1997★★

| ■ 1er cru | n.c. | 3 800 | ⅠⅠⅠ | 150 à 199 F |

Deux vins très bien notés et qui ont droit aux faveurs du jury : **Les Grèves 97** et, du même millésime, ce Cent Vignes qui attaque en souplesse, évolue sur le fruit rouge, tapisse le palais. Longueur, persistance enrobent bien la chair du pinot noir. Et avec ça, beau à voir et plaisant à respirer. Petite note grillée qui va en s'atténuant.

➼ Dufouleur Père et Fils, 15, rue Thurot, 21700 Nuits-Saint-Georges, tél. 03.80.61.21.21, fax 03.80.61.11.23 ☑ ⏳ r.-v.

MAISON ALEX GAMBAL Grèves 1997

| ■ 1er cru | n.c. | 1 200 | ⅠⅠⅠ | 100 à 149 F |

Américain d'origine, Alex Gambal a créé en 1997 cette maison de négoce-éleveur. Bienvenue donc ! Son Grèves, rubis pourpre, se situe sur un registre de finesse aromatique, le bois s'accordant au fruit. Celui-ci persiste en bouche. Plus souple que monumental, un vin destiné à l'année qui vient. La touche du millésime est présente.

➼ EURL maison Alex Gambal, 4, rue Jacques-Vincent, 21200 Beaune, tél. 03.80.22.75.81, fax 03.80.22.21.66, e-mail agbeaune@aol.com ☑ ⏳ r.-v.

MICHEL GAY Les Toussaints 1998★★

| ■ 1er cru | 0,43 ha | 2 600 | ⅠⅠⅠ | 70 à 99 F |

On pourra le vénérer longtemps, ce Toussaints mi-rouge, mi-grenat, légèrement boisé mais évoquant le kirsch, le fruit à l'eau-de-vie, plein d'entrain, de fraîcheur, de vivacité contenue. On lui trouve la bouche charnue, gourmande. Il devrait se faire assez vite et laisser de bons souvenirs.

➼ Michel Gay, 1b, rue des Brenôts, 21200 Chorey-lès-Beaune, tél. 03.80.22.22.73, fax 03.80.22.95.78 ☑ ⏳ r.-v.

DOM. LUCIEN JACOB
Les Toussaints 1998★

| ■ 1er cru | 0,3 ha | 1 800 | ⅠⅠⅠ | 70 à 99 F |

Rouge bordeaux, nous dit-on. On n'en fera pas toute une histoire... Nez de pruneau cuit, déjà à maturité. Bouche d'une texture dense, tannique et à arrondir, dépourvue toutefois d'agressivité. Elle est plutôt suave, en continuité avec les arômes du bouquet. Jean-Michel Jacob a pris la suite de son père Lucien, ancien député du Beaunois et grand défenseur de la vigne bourguignonne.

➼ Dom. Lucien Jacob, 21420 Echevronne, tél. 03.80.21.52.15, fax 03.80.21.55.65 ☑ ⏳ r.-v.

DOM. PIERRE LABET
Clos du Dessus des Marconnets 1998★

| ■ | 1 ha | n.c. | ⅠⅠⅠ | 70 à 99 F |

Un pied au château de La Tour (clos de vougeot), un autre en beaune. Le jambon à la lie de vin devrait faire bon accueil à ce Dessus des Marconnets bien en jambe. Si son bouquet est aujourd'hui tourné vers le bourgeon de cassis, le fumé, le cuir, ce 98 montre par sa matière structurée des aptitudes à vieillir honorablement. Légère note d'amertume en finale, classique à cet âge toujours un peu ingrat dans l'éveil d'un vin jeune. Cinq à six ans de garde. Pour un poisson en sauce, le lecteur pourra choisir un **Clos des Monsnières blanc 98** (100 à 149 F), cité par le jury : le boisé est très présent mais le vin s'épanouira dans cinq ans ou deux.

➼ Dom. Pierre Labet, Clos de Vougeot, 21640 Vougeot, tél. 03.80.62.86.13, fax 03.80.62.82.72, e-mail labet@axnet.fr ☑ ⏳ t.l.j. sf lun. 10h30-18h30; f. fin nov.-1er avr. ➼ François Labet

MICHEL LAHAYE
Les Bons Feuvres 1997★★

■   0,44 ha   1 200   **(1)** 70 à 99 F

Commentaires élogieux pour ce *climat* en allant vers Pommard. Rouge mauve, il a une réserve charmante, une bouche fruitée, réglissée et pleine de grâce. Un tantinet de chaleur, une pointe de vivacité, on sent qu'il est en train de se préparer, avec application, à un avenir qui équilibrera tout cela.
☛ Michel Lahaye, pl. de l'Eglise,
21630 Pommard, tél. 03.80.22.52.22 ✓ ⟂ r.-v.

LA JOLIVODE 1998★★★

■   0,86 ha   4 200   **(1)** 50 à 69 F

Si l'Enfant Jésus n'était pas dans les Grèves, on pourrait le croire en train de faire ici l'école buissonnière. Car voici une bouteille qui obtient un troisième coup de cœur pour ce viticulteur (déjà dans les éditions 1996 et 1999 pour les millésimes 92 et 96) ! Un joli nez où dominent les notes grillées et vanillées du fût qui néanmoins ne cachent pas les arômes de cassis et de mûre ; une robe claire et nette, puis un subtil velours réglissé en bouche offrant un sentiment de maturité, d'excellence.
☛ Christian Menaut, rue Chaude,
21190 Nantoux, tél. 03.80.26.01.53,
fax 03.80.26.01.53 ✓ ⟂ r.-v.

DANIEL LARGEOT Les Grèves 1998★

■ 1er cru   0,61 ha   3 000   **(1)** 100 à 149 F

Marcel Proust évoque dans un de ses livres le bonheur qu'on ressent en se promenant dans une ville comme Beaune. Et celui de sa promenade parmi ses crus ! Coup de cœur dans les éditions 1998 et 1999 du Guide pour ce Grèves (millésimes 95 et 96), ce viticulteur s'apprête à passer la main à sa fille Marie-France. Il signe encore ce 98 à la robe de velours et au bouquet de fruits écrasés (mûre, cassis) pénétrés de sous-bois. Vin à laisser dormir car l'acidité et les tanins doivent apprendre à vivre ensemble.
☛ Daniel Largeot, 5, rue des Brenôts,
21200 Chorey-lès-Beaune, tél. 03.80.22.15.10,
fax 03.80.22.60.62 ✓ ⟂ r.-v.

DOM. DE LA SALLE Champimonts 1997★

■ 1er cru   2 ha   7 300   **(1)** 150 à 199 F

Présenté par une filiale de la maison Albert Bichot, ce Champimonts va droit son chemin. D'une belle intensité brillante, il compose un nez à l'aide des épices, des fruits rouges, d'une note

végétale. Encore vif en finale, il offre une bouche agréable et bien faite, privilégiant la souplesse. Prêt à la dégustation.
☛ Vieilles Caves de Bourgogne et de Bordeaux, 6 bis, bd Jacques-Copeau, 21200 Beaune,
tél. 03.80.24.37.47, fax 03.80.24.37.38

LOUIS LATOUR 1997

☐   n.c.   22 000   **(1)** 100 à 149 F

Dire Latour à Beaune, c'est comme parler de l'Hôtel-Dieu. Une famille qui, d'ailleurs, a longtemps veillé sur son destin. Le jury a cité un **beaune village rouge 97** (70 à 99 F) qui offre un agréable équilibre d'ensemble, affichant davantage de conviction au nez, chantant son pinot tout en douceur et mesure. Si ce *village* blanc 97 n'est pas très ample, il a retenu l'attention par la qualité de sa couleur or vert, le léger grillé de son nez frais, sa bouche en devenir.
☛ Maison Louis Latour, 18, rue des Tonneliers, 21200 Beaune, tél. 03.80.24.81.00,
fax 03.80.22.36.21,
e-mail louislatour@louislatour.com ⟂ r.-v.

CH. DE LA VELLE Marconnets 1997

■ 1er cru   0,8 ha   1 800   **(1)** 100 à 149 F

Il fait partie du club des anciens coups de cœur (1999, Clos des Monsnières, millésime 96). Pourpre grenat, finement cassissé, un vin qui entre avec netteté dans le vif du sujet. D'un corps peu concentré, il est frais et souple. On le recommande pour une consommation assez prochaine. Au besoin, goûtez-le sur place. Ce château du XIIIe s., un est frais et souple, une bonne adresse pour séjourner au cœur du terroir.
☛ Bertrand Darviot, Ch. de La Velle,
17, rue de La Velle, 21190 Meursault,
tél. 03.80.21.22.83, fax 03.80.21.65.60,
e-mail chateaudelavelle@infonie.fr ✓ ⟂ r.-v.

DOM. MAILLARD PERE ET FILS 1998★

■   1,3 ha   n.c.   **(1)** 70 à 99 F

Coup de cœur il y a une paire d'années pour son 95, ce producteur joue cette fois la jeunesse de son vin. De 1952 à nos jours, on est passé ici de quelques vignes à 18 ha, dont 1,3 ha pour l'appellation qui nous retient. Robe bigarreau mûr, nez de bourgeon de cassis, matière fruitée accompagnée d'un boisé bien mené, assez long. Ce vin saura attendre deux ou trois ans. Un gigot d'agneau devrait l'apprécier à table.
☛ Dom. Maillard Père et Fils, 2, rue Joseph-Bard, 21200 Chorey-lès-Beaune,
tél. 03.80.22.10.67, fax 03.80.24.00.42 ✓ ⟂ r.-v.

DOM. MAZILLY PERE ET FILS
Vignes Franches 1998★

■ 1er cru   0,3 ha   2 200   **(1)** 70 à 99 F

Les pieds bien posés sur le sol (excellent équilibre entre les tanins, l'alcool, l'acidité), ce 98 garde un bouquet de jeunesse où l'on discerne la cerise, le noyau dans l'empreinte du fût. Travaillé avec soin, délicat et sans doute de garde moyenne, il résulte d'une macération engagée à froid. Le domaine couvre 14 ha et il se trouve dans les Hautes-Côtes de Beaune.

✦ Dom. Mazilly Père et Fils, rte de Pommard, 21190 Meloisey, tél. 03.80.26.02.00, fax 03.80.26.03.67 ☑ ☒ r.-v.

DOM. RENE MONNIER
Toussaints 1998★★

■ 1er cru	0,81 ha	4 000	◫ 70 à 99 F

L'archange saint Michel qui pèse les âmes sur le retable de Van der Weyden le rangerait du côté des saints tant sa robe est honnête, tant son bouquet est sincère (petits fruits bien mis en valeur), tant sa chair est pure, tant sa conduite est droite... La finesse de ses tanins, la franchise de son attaque, l'élégance de sa bouche, sa longueur méritent un avenir radieux. N'a-t-il pas eu le coup de cœur dans l'édition 1996 (millésime 93) ? Autre cuvée retenue avec une étoile, des **Cent Vignes 98**, d'une belle étoffe fruitée.
✦ Dom. René Monnier, 6, rue du Dr-Rolland, 21190 Meursault, tél. 03.80.21.29.32, fax 03.80.21.61.79 ☑ ☒ t.l.j. 8h-12h 14h-18h
✦ M. et Mme Bouillot

DOM. PARIGOT PERE ET FILS
Les Aigrots 1998★

■ 1er cru	0,8 ha	5 000	◫ 70 à 99 F

Ni trop mince, ni trop capiteux : le secret de l'appellation tient dans cette bouteille sensuelle et fruitée. Son rouge violacé a quelque chose des nuages au couchant sur la Montagne de Beaune. Nuances d'humus, de sous-bois, de terre mouillée, puis un corps vif, de bonne structure tannique, encore marqué par l'acidité. De la matière et du potentiel.
✦ Dom. Parigot Père et Fils, rte de Pommard, 21190 Meloisey, tél. 03.80.26.01.70, fax 03.80.26.04.32 ☑ ☒ r.-v.

CH. PHILIPPE-LE-HARDI
Clos du Roi 1998★★

■ 1er cru	0,83 ha	5 100	◫ 70 à 99 F

Le roi n'attend pas. Mais le Clos du Roi ? Attendons-le de deux à trois ans car il a besoin d'un peu de gras sous son armure de tanins. Son acidité lui permettra de passer ce cap. Sa robe est princière, son nez vanillé et framboisé. Ce très vaste domaine de quelque 90 ha (mercurey, notamment) est l'ancienne affaire de Paul Pidault cédée naguère à un groupe suisse. Il est régulièrement retenu dans le Guide.
✦ Ch. de Santenay, B.P. 18, 21590 Santenay, tél. 03.80.20.61.87, fax 03.80.20.63.66 ☑ ☒ r.-v.

DOM. JACQUES PRIEUR Grèves 1997★★

■ 1er cru	1,7 ha	6 300	◫ 100 à 149 F

Ce 97, d'un rouge intense et profond, arbore un nez tirant sur le fruit noir. Plein, homogène, concentré, il offre un bon potentiel, mais son astringence présente conduit à le mettre de côté. Domaine sur lequel veille la maison Antonin Rodet. Le **Champs Pimont 97** mérite également d'être mentionné en **rouge** (solide et robuste) comme en **blanc** (vin à boire jeune) : une étoile pour chacun.
✦ Dom. Jacques Prieur, 6, rue des Santenots, 21190 Meursault, tél. 03.80.21.23.85, fax 03.80.21.29.19 ☑ ☒ r.-v.

DOM. PRIEUR-BRUNET
Clos du Roy 1997★

■ 1er cru	0,4 ha	2 300	◫ 100 à 149 F

Bon prince, ce Clos du Roy fait honneur à son nom. Puissant et fin, il est disposé à assumer un règne de quelques années. Le fût ne masque pas le vin. Ce 97 a de la race, de l'onctuosité et, comme disait Saint-Simon, le nez « assez assaisonné d'esprit ». Sans dureté ni sécheresse, ses tanins se montrent de dévoués courtisans.
✦ Dom. Prieur-Brunet, rue de Narosse, 21590 Santenay, tél. 03.80.20.60.56, fax 03.80.20.64.31, e-mail uny-prieur@prieursantenay.com ☑ ☒ r.-v.

DOM. RAPET PERE ET FILS
Clos du Roi 1998★

■ 1er cru	0,5 ha	2 500	◫ 70 à 99 F

Rapet 1792, lit-on sur un vieux tastevin du domaine. Un demi-hectare en Clos du Roi pour nous faire partager le plaisir de ce 98 qui sonne bien : soyeux, rond, charnu sous un nez assez giboyeux et grillé, et d'une teinte bien prononcée. La finesse a du bon...
✦ Dom. Rapet Père et Fils, 21420 Pernand-Vergelesses, tél. 03.80.21.59.94, fax 03.80.21.54.01 ☑ ☒ r.-v.

CAVE PRIVEE ANTONIN RODET
1997★

■	0,5 ha	2 000	◫ 200 à 249 F

« Cave Privée » est une gamme des vins Antonin Rodet, maison dirigée par Bertrand Devillard. Cette cuvée pourra attendre quelques années au fond de la cave de l'amateur, mais elle peut aussi déjà plaire à ceux qui apprécient de fins tanins bien présents sur une chair aux parfums complexes de fruits mûrs. A choisir pour un rôti.
✦ Antonin Rodet, 71640 Mercurey, tél. 03.85.98.12.12, fax 03.85.45.25.49, e-mail rodet@rodet.com ☑ ☒ t.l.j. sf sam. dim. 9h-12h 13h30-18h

REGIS ROSSIGNOL-CHANGARNIER
Les Theurons 1997★

■ 1er cru	0,6 ha	1 800	◫ 70 à 99 F

Les Theurons (ou Teurons) sont exactement dans l'axe central du finage. Ils tiennent le milieu entre les influences du savigny et du pommard. On a affaire ici à un 97 plutôt sombre et fortement marqué par le fruit noir. Très franc, encore jeune, il ne semble pas s'exprimer tout à fait, rêvant de libérer son corps. Egrappage à moitié et cuvaison relativement courte selon les vieux et bons principes.
✦ Régis Rossignol, rue d'Amour, 21190 Volnay, tél. 03.80.21.61.59, fax 03.80.21.61.59 ☑ ☒ r.-v.

DOM. LOUIS VIOLLAND
Montée Rouge 1998★

■	5,25 ha	18 000	◫ 100 à 149 F

Reprise par Jean-Claude Boisset et installée dans les murs de l'abbaye Saint-Martin, cette maison possède ses propres vignes, dont la fameuse Montée Rouge qui domine tout le

coteau. Cette dernière se pare ici d'un rouge pivoine assez soutenu avant de se concentrer sur le fruit rouge (un peu d'aération lui fait du bien). Structure et complexité en font une bouteille puissante et tannique, à attendre un peu. Le 90 a reçu le coup de cœur dans l'édition 1995.
🍷 Dom. Louis Violland, abbaye Saint-Martin, 53, av. de l'Aigue, 21200 Beaune, tél. 03.80.26.33.00, fax 03.80.24.14.84 ⛾ r.-v.

Côte de beaune

A ne pas confondre avec le côte de beaune-villages, l'appellation côte de beaune ne peut être produite que sur quelques lieux-dits de la Montagne de Beaune. Elle a déclaré 942 hl de vin rouge et 595 hl de vin blanc en 1999.

DOM. DUBOIS D'ORGEVAL 1997★

| ☐ | 0,47 ha | 3 000 | ⬗ 50 à 69 F |

L'architecture est enveloppée, et on peut en prendre possession dès à présent. Intense tant à l'œil qu'au nez, floral, beurré et pain grillé, ce 97 possède une bonne matière que le boisé n'écrase pas. Bien typé de l'appellation, il est prêt mais pourra attendre six à douze mois.
🍷 Dom. Dubois d'Orgeval, 3, rue Joseph-Bard, 21200 Chorey-lès-Beaune, tél. 03.80.24.70.89, fax 03.80.22.45.02 ☑ ⛾ r.-v.

DOM. LOIS DUFOULEUR
Les Longes 1998

| ■ | 0,75 ha | n.c. | ⬗ 50 à 69 F |

Un vin qui ne fait pas trop de manières pour vous plaire. Pourpre grenat, cassis, il s'avère souple et gentil comme tout malgré un rien d'astringence. Il ne faut cependant pas avoir d'inquiétude sur son évolution : à boire dans les deux ans. *Climat* situé sur les hauteurs de la Montagne de Beaune.
🍷 Dom. Loïs Dufouleur, chem. des Bressandes, La Montagne, 21200 Beaune, tél. 03.80.22.70.34, fax 03.80.24.04.28 ☑ ⛾ r.-v.

EMMANUEL GIBOULOT
La Grande Châtelaine 1998

| ☐ | 2,3 ha | 5 200 | ⬗ 50 à 69 F |

Issu de raisins produits selon les règles de l'agriculture biologique, élevé sur lie en fûts (dont 18 % neufs) pendant onze mois, ce 98 est finement boisé, bien fondu, riche d'arômes minéraux et miellés, dans une robe or soutenu.
🍷 Emmanuel Giboulot, Combertault, 21200 Beaune, tél. 03.80.26.52.85, fax 03.80.26.53.67 ☑ ⛾ r.-v.

DOM. CHANTAL LESCURE
Le Clos des Topes Bizot Vieilles vignes 1998★

| ■ | 4,28 ha | 4 500 | ▤ 50 à 69 F |

Monopole du domaine, ce clos se situe en bonne compagnie, au-dessus des Bressandes et de l'Ecu. D'un rubis assez soutenu, inspiré par des accents réglissés de framboise, un 98 souple mais encore marqué par ses tanins. Son potentiel incite à la patience ; elle devrait être récompensée.
🍷 Dom. Chantal Lescure, 34 A, rue Thurot, 21700 Nuits-Saint-Georges, tél. 03.80.61.16.79, fax 03.80.61.36.64, e-mail domaine-lescure.com ☑ ⛾ r.-v.

DOM. POULLEAU PÈRE ET FILS
Les Mondes Rondes 1998

| ■ | 3,2 ha | 9 000 | ⬗ 30 à 49 F |

Au-dessus des Grèves, ce *climat* porte bien son nom. Un véritable « château fort » dominant Beaune, bien au milieu du paysage. Rouge cerise noire, le nez parcouru par l'humus, le cassis, ce vin est structuré par des tanins encore sévères qui jouent à cache-cache avec le fruit. Sa consistance est prometteuse. **En 98 blanc La Grande Châtelaine** s'ouvre peu à peu sur des perspectives intéressantes ; elle reçoit la même note.
🍷 Dom. Poulleau Père et Fils, rue du Pied-de-la-Vallée, 21190 Volnay, tél. 03.80.21.62.61, fax 03.80.26.45.90 ☑ ⛾ r.-v.

Pommard

C'est l'appellation bourguignonne la plus connue à l'étranger, sans doute en raison de sa facilité de prononciation... Le vignoble a produit 16 472 hl en 1999. L'argovien marneux est ici remplacé par des calcaires tendres, et les vins produits sont solides, tanniques et ont une bonne aptitude à la garde. Les meilleurs climats sont classés en premiers crus, dont les plus connus sont les Rugiens et les Epenots.

ROGER BELLAND Les Cras 1998★

| ■ | 0,98 ha | 5 200 | ⬗ 100 à 149 F |

Pour un rôti de grand-mère, un pommard dont la robe ne dit pas grand-chose, au nez marqué par le fût, entre le bois et le sous-bois, mais qui se déclare en bouche sur une touche tendre, soyeuse, nimbée de fruits rouges. Le fût bien fondu donne un caractère conciliant.
🍷 Dom. Roger Belland, 3, rue de la Chapelle, B.P. 13, 21590 Santenay, tél. 03.80.20.60.95, fax 03.80.20.63.93, e-mail belland.roger@wanadoo.fr ☑ ⛾ r.-v.

DOM. GABRIEL BILLARD
Vaumuriens 1997★★

| ■ | 0,78 ha | 3 000 | ⬗ 70 à 99 F |

La palme d'or, le coup de cœur (déjà pour un 90) ne doivent rien à la règle des quotas féminins ! Associée à Mireille Desmonet, Laurence Jobard (œnologue éminente) dans ses propres œuvres familiales, nous donne un *village* somptueux comme un éclat de soleil dans un vitrail, au bouquet composé avec adresse, le fût respectant le fruit. Réglisse et cannelle accompagnent une bouche tendre, structurée, si complexe, longue et harmonieuse que le jury applaudit. Le **1er cru Les Charmots 97** (100 à 149 F) reçoit une étoile et demie !

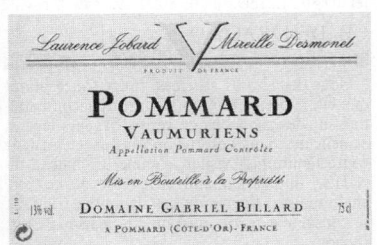

🠦 Dom. Gabriel Billard, imp. de la Commaraine, 21630 Pommard, tél. 03.80.22.27.82, fax 03.85.49.49.02 ☑ ⵣ r.-v.
🠦 Jobard-Desmonet

DOM. BILLARD-GONNET
Chaponnières 1997★

■ 1er cru	1 ha	3 271	⑪ 100 à 149 F

Parmi les différentes bouteilles dégustées, celle-ci séduit le jury. De teinte pivoine soutenue, le nez grillé mais très expressif, ce vin possède beaucoup d'atouts en main : le boisé bien intégré, une souplesse insistante et convaincante, la typicité du cru. Prêt à boire ou à attendre, comme il vous plaira. **Rugiens 97** et **1er cru 97**, sans autre précision, ont droit à des éloges analogues. Notez le coup de cœur historique en 1987 pour son 82 !
🠦 Dom. Billard-Gonnet, rte d'Ivry, 21630 Pommard, tél. 03.80.22.17.33, fax 03.80.22.68.92 ☑ ⵣ r.-v.

CH. DE BLIGNY 1998

■	n.c.	5 200	⑪ 100 à 149 F

Cédé par ses propriétaires (la GMF et le Japonais Suntory), acquis par la SAFER et vendu à la cave de Sainte-Marie-la-Blanche, le château de Bligny abrite de nos jours cette coopérative. Son pommard d'un rouge ocré a des accents de girofle et de cannelle. Une certaine féminité annonce un 98 en devenir et qui peut recevoir bague au doigt d'ici trois ou quatre ans.
🠦 Ch. de Bligny, Caves de la Vervelle, 21200 Bligny-lès-Beaune, tél. 03.80.21.47.38, fax 03.80.21.40.27 ☑ ⵣ t.l.j. sf dim. lun. 10h-12h 14h-18h

ERIC BOIGELOT 1997

■	0,35 ha	2 000	⑪ 100 à 149 F

Cuve puis fût durant une douzaine de mois, pour un vin d'un rouge assez frais. Arômes de gibier, de cuir, notes animales auxquelles la cerise apporte une touche fruitée. En bouche, il n'y va pas par quatre chemins. Du caractère, mais en finesse et sans chercher à s'appesantir sur la démonstration. Un peu d'acidité en finale qu'une à deux années de garde apaiseront.

🠦 Eric Boigelot, rue de Beaune, 21190 Monthelie, tél. 03.80.21.65.85, fax 03.80.21.66.01 ☑ ⵣ r.-v.

BOISSEAUX-ESTIVANT 1998★

■	n.c.	n.c.	250 à 299 F

Rien à dire ou, comme l'on dit ici, *à y redire.* Oui, ce produit Ponnelle (ils sont plusieurs à Beaune) et qui n'est pas Boisseaux (il faut une boussole pour s'y retrouver) est un très beau pommard, s'ouvrant progressivement sur la griotte, léger en première bouche, mais avec une jolie montée en puissance enrobée dans le fruit, ronde, aguichante. De garde, bien sûr.
🠦 Boisseaux-Estivant, clos Saint-Nicolas, 38, fg Saint-Nicolas, 21200 Beaune, tél. 03.80.22.00.05, fax 03.80.24.19.73 ☑ ⵣ r.-v.

DOM. BOUCHARD PÈRE ET FILS
Rugiens 1997★★

■ 1er cru	0,41 ha	n.c. ■ ⑪ ♨	200 à 249 F

Rugiens carmin clair, fraise des bois engageant à mettre le nez plus près, installant le cerise au beau milieu d'une bouche très jeune. Son boisé, ses tanins le destinent à cinq ou dix ans de garde qu'il supportera sans difficulté. Un vin pour plus tard. La patience a sa récompense !
🠦 Bouchard Père et Fils, Ch. de Beaune, 21200 Beaune, tél. 03.80.24.80.24, fax 03.80.22.55.88, e-mail france@bouchard.pereetfils.com ⵣ r.-v.

REYANE ET PASCAL BOULEY 1998

■	0,39 ha	1 200	⑪ 70 à 99 F

Ce qu'on appelle l'extraction. Il ne s'agit pas de « cet univers où la profondeur se masque » dont parlait Jean Guitton. Au contraire, c'est un espace éclairé. Sa robe est violette, son nez en perspective fruitée, sa bouche... se laisse approcher. Pas très ronde pour le moment, mais capable de bien faire, et l'on mise sur elle. A ne pas servir avant trois ans, peut-être davantage.
🠦 Pascal Bouley, pl. de l'Eglise, 21190 Volnay, tél. 03.80.21.61.69, fax 03.80.21.66.44 ☑ ⵣ r.-v.

DOM. DENIS BOUSSEY 1998★

■	0,56 ha	3 000	⑪ 100 à 149 F

L'accord parfait entre l'acidité, l'alcool et les tanins. Pourpre bleuté, le nez confit en dévotion fruitée, il est souple et d'une finesse angélique. Cerise noire surmaturée, d'une complexité et d'une plénitude agréables. Commercial ? Peut-être. Mais tellement bon !
🠦 Dom. Denis Boussey, rue du Pied-de-la-Vallée, 21190 Monthélie, tél. 03.80.21.21.23, fax 03.80.21.62.46 ☑ ⵣ r.-v.

DENIS CARRE Les Noizons 1998★★

■	n.c.	n.c.	⑪ 70 à 99 F

Kirsch, sous-bois, grillé, « il nous fait la totale ! » S'il est rond et souple, il n'en a pas moins une architecture tannique. Beaucoup de charme néanmoins avec une pièce de bœuf aux morilles. Elu coup de cœur dans le Guide 1995 pour ce vin millésimé 92.
🠦 Denis Carré, rue du Puits-Bouret, 21190 Meloisey, tél. 03.80.26.02.21, fax 03.80.26.04.64 ☑ ⵣ t.l.j. 8h-18h

BOURGOGNE

CHANSON PERE ET FILS
Clos Blanc 1997★

| ■ 1er cru | n.c. | 2 700 | ◖▮▮ | 150 à 199 F |

Il est bien né et il devrait bien finir. Rubis pivoine, il a un côté miellé qui peut surprendre en rouge. L'attaque est souple, la structure efficiente, les tanins assez fins, l'acidité correcte. La finale un peu dure devrait s'assouplir en vieillissant. Ce vin aromatiquement curieux est tout à fait orthodoxe en bouche.

☛ Chanson Père et Fils, 10, rue Paul-Chanson, 21200 Beaune, tél. 03.80.22.33.00, fax 03.80.24.17.42, e-mail tmarion@vins-chanson.com ⊤ r.-v.

DOM. DU CHATEAU DE MEURSAULT Clos des Epenots 1997★★

| ■ 1er cru | 3,5 ha | 16 000 | ◖▮▮ | 150 à 199 F |

On sait que le château de Meursault appartient à l'empire Boisseaux. **Les Petits Noizons 97** naissent sur des sols caillouteux en haut de coteau ; ils sont cités car ils ont de l'avenir, se montrant de prime abord tanniques et astringents. La sévérité globale du sentiment en bouche n'a rien d'étonnant de la part d'un 97 (100 à 149 F). Mais ce Clos des Epenots, portant une magnifique robe rubis, offre une richesse, une suavité, un équilibre qui ont ravi le jury. Cassis et framboise s'associent au bouquet. Bon dans deux ans... et pour vingt ans peut-être.

☛ Ch. de Meursault, 21190 Meursault, tél. 03.80.26.22.75, fax 03.80.26.22.76 ☑ ⊤ r.-v.

PATRICK CLEMENCET
Clos des Charmots 1998★

| ■ 1er cru | 0,2 ha | 700 | ◖▮▮ | 100 à 149 F |

Un domaine familial là aussi, et un 1er cru corpulent, charnu, aux tanins présents mais bien fondus. Le nez ouvert avait mis en appétit : fruits noirs bien mûrs, notes balsamiques et épicées. Attendre quatre à cinq ans avant de profiter de ses qualités.

☛ Patrick Clémencet, pl. de l'Europe, 21630 Pommard, tél. 03.80.22.59.11, fax 03.80.24.17.32 ☑ ⊤ r.-v.

HENRI DELAGRANGE ET FILS
Les Bertins 1997★

| ■ 1er cru | 0,44 ha | 2 500 | ◖▮▮ | 100 à 149 F |

Faut-il penser que le père fondateur du chambertin avait des vignes en Côte de Beaune ? Ces Bertins en tout cas ont une robe ardente et le nez très franc. « Il y a quelque chose », écrit sur sa fiche un dégustateur. Les Bourguignons pratiquent volontiers la litote ! Griotte, sous-bois, on est bien à Pommard, et ses arômes explosent en bouche. Très agréable dès à présent et de garde.

☛ Dom. Henri Delagrange et Fils, rue de la Cure, 21190 Volnay, tél. 03.80.21.61.88, fax 03.80.21.67.09 ☑ ⊤ r.-v.

RODOLPHE DEMOUGEOT
Les Vignots 1998★★

| ■ | n.c. | n.c. | ◖▮▮ | 100 à 149 F |

Deux **98** haut de gamme : le **village**, parfaitement représentatif, et ce Vignots. Vendange éraflée entièrement, quatorze mois de fût, pas de filtration, il s'agit là d'un travail très soigné, permettant au pommard de démontrer toutes ses capacités. D'une couleur si dense qu'on ne voit pas le fond du verre, il présente un bouquet que connaissent bien les cuisinières : thym et laurier. Impeccable parcours en bouche, efficace, sans la moindre dureté, et larges perspectives à venir. Deux fois deux étoiles.

☛ Dom. Rodolphe Demougeot, 2, rue du Clos-de-Mazeray, 21190 Meursault, tél. 03.80.21.28.99, fax 03.80.21.29.18 ☑ ⊤ r.-v.

CH. DE DRACY 1997

| ■ | 0,4 ha | 2 000 | ◖▮▮ | 200 à 249 F |

Sous des abords affirmés, rouge foncé plutôt que vif, le premier nez est vanillé, le second atténué sur des soupçons de cerise. Saveurs légères et délicates dans l'esprit, ou plus exactement le genre féminin. A visiter, comme ce château du XIIIᵉˢ., impressionnante forteresse de la Côte chalonnaise. Seigneur du lieu, Benoît de Charette se consacre à ce vin ainsi qu'à la maison Albert Bichot.

☛ SCA Ch. de Dracy, 71490 Dracy-lès-Couches, tél. 03.85.49.62.13 ⊤ r.-v.

☛ Benoît de Charette

CH. GENOT-BOULANGER
Les Sazenay 1997★

| ■ 1er cru | 1,8 ha | 8 200 | ◖▮▮ | 70 à 99 F |

Rubis soutenu, un vin fin et subtil dont les tanins demandent cinq ans de garde afin de se fondre. Car la bouche est franche, assez élégante, prometteuse. Le **village 97**, grenat intense, introduit le sujet par une touche de cerise avant d'évoluer sur la violette. Le reste doit attendre et mérite une citation. François Delaby vient de succéder à Guillaume de Castelnau à la tête du domaine acquis par son grand-père en 1975.

☛ Ch. Génot-Boulanger, 25, rue de Cîteaux, 21190 Meursault, tél. 03.80.21.49.20, fax 03.80.21.49.21, e-mail genot-boulanger@wanadoo.fr ☑ ⊤ r.-v.

GILBERT ET PHILIPPE GERMAIN 1997

| ■ | 1 ha | 2 000 | ◖▮▮ | 70 à 99 F |

Un vin pouvant faire plaisir dans sa jeunesse ainsi qu'après un petit séjour en cave. Exploitation reprise des parents en 1995, agrandie et développée depuis. Nuance cerise noire, un 97 sous-bois, noyau, d'intensité moyenne, se goûte bien, sur des tanins soyeux et dans une ambiance réglissée.

☛ Philippe Germain, 21190 Nantoux, tél. 03.80.26.05.63, fax 03.80.26.05.12 ☑ ⊤ r.-v.

DOM. GEORGES GLANTENAY
Les Rugiens 1997★

| ■ 1er cru | 0,22 ha | n.c. | ▮◖▮▮ | 100 à 149 F |

De cuvaison mi-longue, une dizaine de jours, et égrappé, ce pommard n'a pas une puissance considérable, mais il marque des points tout au long de la dégustation. Rubis délicat, il est agréable à regarder. Très franc de nez, ouvert, il est floral et inévitablement vanillé. Bouche ronde, souple et suave, très flatteuse. Mais il ne vit pas aux dépens de celui qui le déguste.

☛ Dom. Georges Glantenay et Fils, chem. de la Cave, 21190 Volnay, tél. 03.80.21.61.82, fax 03.80.21.68.66 ☑ ⊤ t.l.j. 10h-18h

ALBERT GRIVAULT Clos Blanc 1998★

■ 1er cru 0,89 ha 3 800 ◫ 100 à 149 F

A Pommard, le Clos Blanc donne du rouge. Ce vin, cependant, n'a nullement l'esprit de contradiction. Une jolie couleur cerise, un boisé charmeur. Il se montre vif et tannique en bouche, puissant, tout en ayant bon caractère. On comprend pourquoi les Carmélites de Beaune vénéraient jadis cette vigne ! Bien au niveau d'un 1ᵉʳ cru.

☛ Dom. Albert Grivault, 7, pl. du Murger, 21190 Meursault, tél. 03.80.21.23.12 ✓ ⍨ r.-v.
☛ Héritiers Bardet-Grivault

CH. DES GUETTES
Le Clos de Verger 1998★

■ 1er cru n.c. 1 200 ◫ 150 à 199 F

François Parent vinifie les vins du domaine A.-F. Gros depuis 1988. Dix ans plus tard, il crée son « chez-soi », à la fois viticulteur familial et négociant-éleveur. Imaginatif, il offre comme décor à son étiquette la truffe de Bourgogne : image et lexique. Son vin ? Truffé ? Disons poivre vert, en instance de fruit rouge. Il faudra être patient avant de le rejoindre, mais le volume est là. Assez boisé.

☛ François Parent-Ch. des Guettes, 14 bis, rue Pierre-Joigneaux, 21200 Beaune, tél. 03.80.22.61.85, fax 03.80.24.03.16 ✓ ⍨ r.-v.

JEAN GUITON 1997★

■   0,64 ha 1 500 ◫ 100 à 149 F

Grenat de nuance jeune ; mi-floral, mi-fruité. Ses tanins ont besoin d'un coup de rabot, mais l'ensemble est élégant. On le voit bien à l'apogée dans les années 2005/2010. Seule la robe, au fond, lui fait un peu défaut. En bouche, admettons-le, cela compte assez peu et l'âge lui donnera plus d'éclat.

La côte de Beaune (Centre-Nord)

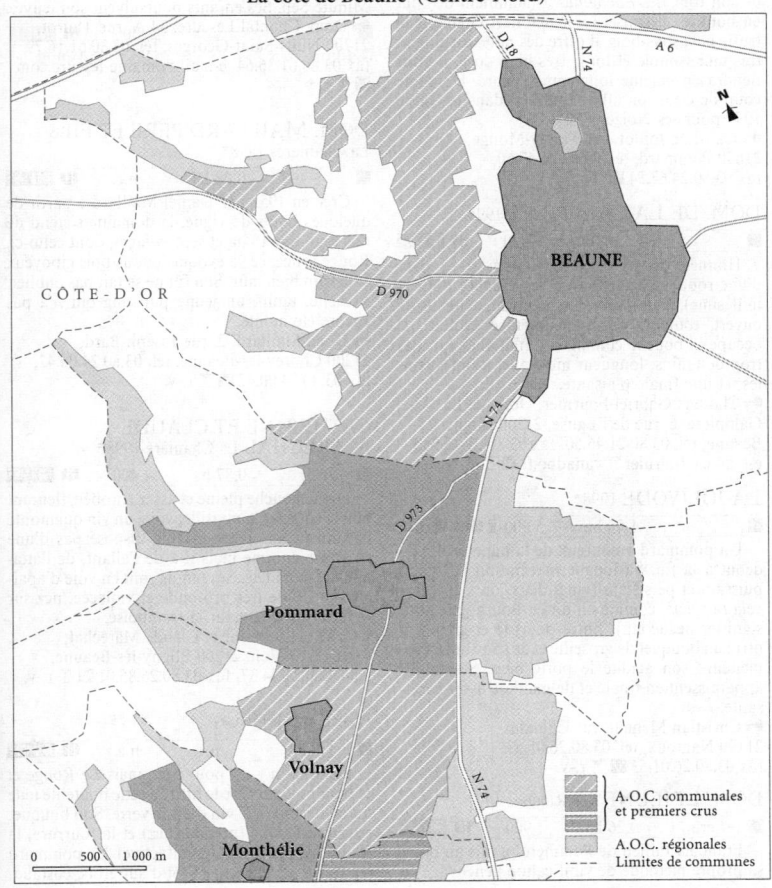

A.O.C. communales et premiers crus
A.O.C. régionales
- - - Limites de communes

➤ Jean Guiton, 4, rte de Pommard,
21200 Bligny-lès-Beaune, tél. 03.80.26.82.88,
fax 03.80.26.85.05 ☑ ⏺ t.l.j. 9h-12h 14h-19h

DOM. HUBER-VERDEREAU
Bertins 1998★★

| ■ 1er cru | 0,22 ha | 900 | ⏺ | 100 à 149 F |

Le vieil auteur Paradin voyait dans les pommard « la gloire des vins de Beaune ». Il n'avait pas tort. A en juger par ces Bertins, on confirme cette opinion. Le tri de la vendange, la macération à froid, tout est au service d'une forte extraction de couleur, d'un nez épicé (nuance boisée), d'une vinification qui met en valeur le corps et la matière. A besoin de s'ouvrir, mais promis au plus bel avenir.
➤ Dom. Huber-Verdereau, rue Moulin-Mareau, 21630 Pommard, tél. 03.80.22.51.50, fax 03.80.22.48.32 ☑ ⏺ r.-v.

JEAN-LUC JOILLOT Les Rugiens 1998★★

| ■ 1er cru | 0,25 ha | 1 500 | ⏺ | 150 à 199 F |

A deux doigts du coup de cœur, un Rugiens dramatique et de longue garde. Le pommard choisi par Alfred Hitchcock au cœur de l'intrigue de son film Les Enchaînés. Il maintient de bout en bout le suspense. Grenat foncé, chantant la truffe et le sous-bois, il offre des notes de gibier ; très mûr, souple et long, très bien dosé, il vous tiendra en haleine longtemps encore. Domaine coup de cœur, on allait l'oublier, dans le Guide 1994 pour les Noizons 90.
➤ Jean-Luc Joillot, rue Marey-Monge, 21630 Pommard, tél. 03.80.22.47.60, fax 03.80.24.67.54 ☑ ⏺ r.-v.

DOM. DE LA GALOPIERE 1998

| ■ | n.c. | 900 | ⏺ | 100 à 149 F |

Honnête reflet de l'appellation, il se pare d'une robe légèrement ambrée (avancée pour le millésime), mais montre un bon fruit au nez assez ouvert, toujours dans une nuance évoluée. Il occupe la bouche comme si c'était chez lui. Pas trop de tanins, longueur moyenne, arômes fruités, et une finale plaisante.
➤ Claire et Gabriel Fournier, Dom. de La Galopière, 6, rue de l'Eglise, 21200 Bligny-lès-Beaune, tél. 03.80.21.46.50, fax 03.80.21.49.93, e-mail c.g.fournier@wanadoo.fr ☑ ⏺ r.-v.

LA JOLIVODE 1998★

| ■ | 1,06 ha | 5 000 | ⏺ | 70 à 99 F |

Un pommard amoureux de la ligne droite du début à la fin. Sa longue macération l'a rendu puissant et persistant (vingt-deux mois en cuve, cela fait déjà, comme on dit en Bourgogne pour signifier beaucoup). Entre pourpre et grenat, il offre un bouquet de groseille et de sous-bois. Prometteur : son acidité le porte bien. Ses tanins apparaissent en finale et de manière assez caressante.
➤ Christian Menaut, rue Chaude, 21190 Nantoux, tél. 03.80.26.01.53, fax 03.80.26.01.53 ☑ ⏺ r.-v.

DOM. LEJEUNE Les Rugiens 1997

| ■ 1er cru | 0,26 ha | 900 | ⏺ | 200 à 249 F |

François Jullien de Pommerol a mis au point sa propre méthode de vinification : encuvage en grappes entières sur fond de cuve de raisins légèrement foulés aux pieds, macération semi-carbonique, vingt-deux mois de fût, etc. Ses Rugiens (coup de cœur dans le Guide 1990, millésime 86) ont des reflets carminés. Nez de cassis et de cuir. L'ensemble paraît un peu évolué, mais le vin se refait une jeunesse en bouche. De garde moyenne (de deux à cinq ans), alors que Les Poutures 97 (100 à 149 F), même note, devront attendre au moins cinq ans.
➤ Dom. Lejeune, La Confrérie, pl. de l'Eglise, 21630 Pommard, tél. 03.80.22.90.88, fax 03.80.22.90.88 ☑ ⏺ r.-v.
➤ Famille Jullien de Pommerol

DOM. CHANTAL LESCURE
Les Vignots 1998

| ■ | 1,01 ha | 2 000 | ⏺ | 100 à 149 F |

Pourpre intense, il célèbre son fût. Café, fumé, grillé, ainsi rime son nez. Cela dit, et si l'on se penche davantage sur le sujet, on lui trouve aussi un certain confit de bon aloi, une attaque fraîche, franche et structurée. Une bouteille à attendre. Chantal Lescure, aujourd'hui décédée, était l'une des filles de l'inventeur de la fameuse Cocotte-Minute Seb. Ses enfants poursuivent son œuvre.
➤ Dom. Chantal Lescure, 34 A, rue Thurot, 21700 Nuits-Saint-Georges, tél. 03.80.61.16.79, fax 03.80.61.36.64, e-mail domaine-lescure.com ☑ ⏺ r.-v.

DOM. MAILLARD PERE ET FILS
La Chanières 1998★

| ■ | 0,78 ha | n.c. | ⏺ | 100 à 149 F |

Créé en 1952 par Daniel Maillard à partir de quelques bouts de vigne, le domaine s'étend de nos jours sur 18 ha et sept villages, dont celui-ci. Rouge foncé, ce 98 évoque le sous-bois giboyeux et le fruit bien mûr. Son fût ne se fait pas oublier. Vivacité, tanin, un jeune pur-sang qui n'a pas encore été monté.
➤ Dom. Maillard, 2, rue Joseph-Bard, 21200 Chorey-lès-Beaune, tél. 03.80.24.00.42, fax 03.80.24.00.42 ☑ ⏺ r.-v.

CATHERINE ET CLAUDE MARECHAL La Chanière 1998★

| ■ | 0,87 ha | 4 400 | ⏺ | 100 à 149 F |

D'une bouche pleine et assez enrobée, fleurant bon le cassis et la myrtille, voici un vin qui monte hardiment au créneau. Il ne dispose pas d'une structure énorme mais il a de l'allant, de l'attaque, de la netteté. Ses tanins sont en voie d'apaisement. Robe très profonde et violacée, nez sur le fût et penchant sur la framboise.
➤ EARL Catherine et Claude Maréchal, 6, rte de Chalon, 21200 Bligny-lès-Beaune, tél. 03.80.21.44.37, fax 03.80.26.85.01 ☑ ⏺ r.-v.

MOILLARD 1997

| ■ | n.c. | n.c. | ⏺ | 150 à 199 F |

Stendhal n'y est pour rien, mais Le Rouge et le Noir pourrait être le titre de cette bouteille telle qu'on découvre le vin dans le verre. Son bouquet réunit la vanille (premier nez) et la fourrure, framboise (à la réflexion olfactive). Un pommard conforme au portrait-robot d'autrefois, costaud, fronçant les sourcils, et de garde. Sans excès, il est vrai.

🍷Moillard, 2, rue François-Mignotte, 21700 Nuits-Saint-Georges, tél. 03.80.62.42.22, fax 03.80.61.28.13 ☑ ⌇ t.l.j. 10h-18h; f. janv.

DOM. MOISSENET-BONNARD
Les Charmots 1998★★

■ 1er cru	0,22 ha	1000	‖‖ 100 à 149 F

Un carré d'as : quatre vins dégustés, et ils sont tous très bien notés, chaleureusement recommandés. S'il faut choisir, disons Charmots 98 en 1er cru, où le kirsch pianote délicieusement sur le velours des tanins. Quel panache ! Le laisser prendre de l'âge, bien sûr. Les **Epenots** ont en 1er **cru 98** de grandes qualités (deux étoiles), ainsi que le simple **village**, admirable (70 à 99 F). Pour ce dernier, les tanins soyeux emportent l'adhésion. Enfin, le **Pézerolles 1er cru 98** (100 à 149 F) reçoit une étoile. Tous sont de bonne garde. Un domaine à retenir.

🍷Dom. Moissenet-Bonnard, rte d'Autun, 21630 Pommard, tél. 03.80.24.62.34, fax 03.80.22.30.04 ☑ ⌇ r.-v.

DOM. RENE MONNIER
Les Vignots 1998★

■	0,77 ha	4 000	‖‖ 70 à 99 F

Ce vin a reçu le coup de cœur dans l'édition 1999 pour le millésime 96. Egrappé à 100 % et issu d'une vigne qui - dit-on - échappa miraculeusement à la destruction du vignoble par les insectes au XVe s., il a une robe... bordeaux, un nez de champignon légèrement grillé, un corps un peu vert encore, mais racé et bien enveloppé dans un style masculin, chaleureux et persuasif. Pour un râble de lapin à la purée d'oignons, par exemple.

🍷Dom. René Monnier, 6, rue du Dr-Rolland, 21190 Meursault, tél. 03.80.21.29.32, fax 03.80.21.61.79 ☑ ⌇ t.l.j. 8h-12h 14h-18h
🍷 M. et Mme Bouillot

DOM. MUSSY Epenots 1998★

■ 1er cru	0,57 ha	2 000	‖‖ 100 à 149 F

« Vin loyal, vermeil et marchand », disaient nos aïeux du pommard. De fait ! Ce 98 possède toute la classe des Epenots. Casaque cerise, bouquet austère mais capable de confier beaucoup de choses si l'on s'y prend bien, fraîcheur agréable, structure sérieuse, longue persistance ; l'extraction privilégie davantage la matière que le fruit. Mais ce sera un bon vin dans cinq ans.

🍷Dom. Mussy, anc. rte d'Autun, 21630 Pommard, tél. 03.80.22.89.11, fax 03.80.24.79.79 ☑ ⌇ r.-v.

DOM. DES OBIERS Rugiens 1998★

■ 1er cru	0,45 ha	1 800	‖‖ 200 à 249 F

Issu d'une cuve tournante, nous dit ce producteur. Voici un Rugiens à la robe si profonde qu'on y imagine l'infini... Son bouquet rappelle le chaudron à confiture, le fruit cuit, la myrtille, les épices... Des tanins de soie, la concentration sur le fruit noir, toujours cet aspect confituré, mais la densité, la tenue en bouche, la charpente font état d'un vin très réussi.

🍷Dom. des Obiers, chem. rural n° 29, 21700 Nuits-Saint-Georges, tél. 03.80.62.42.00, fax 03.80.61.28.13, e-mail nuicave@wanadoo.fr ⌇ r.-v.

DOM. PARENT Les Epenots 1997★★

■ 1er cru	n.c.	3 600	‖‖ 150 à 199 F

De ce domaine, qui eut l'honneur de compter Thomas Jefferson parmi ses clients, nous arrive ce très grand Epenots (coup de cœur dans le Guide 1994 pour le millésime 89). Empourpré, il délivre des notes épicées, poivrées, tout en nous racontant la myrtille et la mûre. Gras, rondeur séduisent : la chair est plus qu'aimable et elle paraît durable. En **village** par ailleurs, une **Croix blanche 97** (100 à 149 F), une étoile, comme les **Chaponnières 97** (150 à 199 F), très réussi, aux tanins bien enveloppés.

🍷SAE Dom. Parent, pl. de l'Eglise, 21630 Pommard, tél. 03.80.22.15.08, fax 03.80.24.19.33, e-mail parent-pommard@axnet.fr ☑ ⌇ r.-v.

DOM. ANNICK PARENT
Les Rugiens 1997★

■ 1er cru	0,5 ha	3 000	‖‖ 100 à 149 F

Annick Parent ne brusque rien, ni la vigne ni le raisin. Son vin lui donne raison. Domaine transmis de mère en fille, le Clos Gauthey (monopole) a un charme XVIIIe s. Son Rugiens 97 est d'une nuance claire. Sensation de fraise des bois. Vif et léger, il n'est pas désagréable du tout, mais tirera profit d'un élevage en cave.

🍷Dom. Annick Parent, rue du Château-Gaillard, 21190 Monthélie, tél. 03.80.21.21.98, fax 03.80.21.21.98, e-mail annick.parent@wanadoo.fr ☑ ⌇ r.-v.
🍷Jean Parent

DOM. PARIGOT PERE ET FILS
Charmots 1998★

■ 1er cru	0,55 ha	3 300	‖‖ 100 à 149 F

Un bon pommard doit être grenat foncé. Il l'est. Avoir du bouquet. Il en a un peu. Montrer de la structure, de l'ampleur, de la charpente. Il n'en manque pas. Confesser son fruit. Il le fait. Discipliner ses tanins. Il s'y emploie. Cette verdeur de jeunesse le paralyse encore, mais on parie dessus pour le long terme. Le coup de cœur pour le millésime 90.

🍷Dom. Parigot Père et Fils, rte de Pommard, 21190 Meloisey, tél. 03.80.26.01.70, fax 03.80.26.04.32 ☑ ⌇ r.-v.

DOM. DU PAVILLON
Clos du Pavillon Monopole 1997★

■	3,86 ha	22 000	‖‖ 200 à 249 F

Un vin tendre et coulant, fruité sous ses airs rubis sombre à reflets bleutés. Le nez vineux au bon sens du terme, champignonnant discrètement, il ne dépense pas en bouche une énergie considérable tout en ajoutant une page utile à la chronique du pommard. Une appellation qui gagne à être connue dans sa version sensible.

🍷Dom. du Pavillon, 6 bis, bd Jacques-Copeau, 21200 Beaune, tél. 03.80.24.37.37, fax 03.80.24.37.38

BOURGOGNE

MICHEL PICARD 1997

◼   n.c.   10 000   ⦀ 150 à 199 F

E solo robur. Il porte bien sa devise et pourrait y ajouter *quercus*, le chêne. D'un rouge légèrement teinté de brun, il évoque le fumé, le cuir, le gibier, puis chevauche comme dans un tournoi. La lance est vive et le bouclier tannique. A laisser mûrir car sa force et sa longueur ne sont pas de tout repos.

◆┓ Michel Picard, rte de Saint-Loup-de-la-Salle, 71150 Chagny, tél. 03.85.87.51.00, fax 03.85.87.51.11

GEORGES ET THIERRY PINTE 1997★

◼   0,69 ha   1 200   ◼ ⦀ ♨   70 à 99 F

Sous son étiquette traditionnelle de parchemin à bords roulés, voici un vin égrappé, cuvé en dix jours, né de la cuve et du fût. Rubis sombre. Fruit mûr et réséda. Sur fond de forêt, de sous-bois. Charpente solide. Plénitude en bouche. Complexité. Sensibilité. A revoir dans quelques années. Déjà harmonieux.

◆┓ GAEC Georges et Thierry Pinte, 11, rue du Jarron, 21420 Savigny-lès-Beaune, tél. 03.80.21.51.59, fax 03.80.21.51.59 ☑ ⵜ t.l.j. 9h30-11h30 14h-19h; dim. sur r.-v.

DOM. PRIEUR-BRUNET
Les Platières 1997

◼ 1er cru   0,12 ha   700   ⦀ 150 à 199 F

Rubis assez vif, orienté sur le cassis sans trop révéler ses intentions. Un vin à l'attaque plutôt franche, qui s'exprime par le fruit, y incluant ce qu'il faut de tanins, persistant et prometteur. Encore un peu fermé mais prêt à discourir. La cuve de bois a du bon !

◆┓ Dom. Prieur-Brunet, rue de Narosse, 21590 Santenay, tél. 03.80.20.60.56, fax 03.80.20.64.31, e-mail uny-prieur@prieursantenay.com ☑ ⵜ r.-v.

MICHEL REBOURGEON
Rugiens 1997★★

◼ 1er cru   0,17 ha   980   ⦀ 100 à 149 F

La robe pivoine est magnifique. Le nez profond tourne autour du lilas, de notes poivrées, du cassis. La bouche est bien pleine et riche, avec un gras onctueux qui se dessine tout en relief. Authentique, un Rugiens à mettre dans sa cave et à laisser reposer de deux à trois ans.

◆┓ Michel Rebourgeon, pl. de l'Europe, 21630 Pommard, tél. 03.80.22.22.83, fax 03.80.22.90.64 ☑ ⵜ r.-v.

REBOURGEON-MURE 1997★

◼   1,52 ha   3 600   ⦀ 70 à 99 F

Vin élégant, pas trop puissant mais bien typé. Il correspond en effet à ce qu'on attend d'un *village* et du millésime. Un peu de poivre au nez, mais on n'éternue pas. Le fruit s'exprime dans la douceur. Le **Clos des Arvelets 98** et les **Grands Epenots 97** (ce dernier de 100 à 149 F) peuvent également figurer dans votre cave, le premier de longue garde, le second destiné à une consommation plus rapide dans trois ou quatre ans.

◆┓ Daniel Rebourgeon-Mure, Grande-Rue, 21630 Pommard, tél. 03.80.22.75.39, fax 03.80.22.71.00 ☑ ⵜ r.-v.

REINE PEDAUQUE 1998★

◼   n.c.   6 000   ⦀ 100 à 149 F

Pommard de légende, bien équilibré en tanins (bonne macération) sous une couleur intense et brillante. Nez de cerise. Base tannique très solide. Retour parfumé. En réserve et cependant généreux. Aucune inquiétude quant à l'avenir.

◆┓ Reine Pédauque, Le Village, 21420 Aloxe-Corton, tél. 03.80.25.00.00, fax 03.80.26.42.00, e-mail rpedauque@axnet.fr ⵜ r.-v.

REGIS ROSSIGNOL-CHANGARNIER 1997★

◼   0,51 ha   2 000   ⦀ 100 à 149 F

On en discute ferme autour de la table. Vendange non égrappée, cuvaison assez courte (onze jours), un 97 rubis moyen et aux parfums légers, quoique délicats, à dominante boisée. Mais on sent le fruit en seconde approche. Bonne concentration, dit l'un. Tannique et assez austère, dit l'autre, ce qui revient souvent au même. Atypique, peut-être, et en tout état de cause à déboucher vers 2003, pour voir.

◆┓ Régis Rossignol, rue d'Amour, 21190 Volnay, tél. 03.80.21.61.59, fax 03.80.21.61.59 ☑ ⵜ r.-v.

DOM. VINCENT SAUVESTRE
Clos de La Platière 1998★★

◼   2 ha   14 000   ⦀ 150 à 199 F

« Vin vert, riche Bourgogne », disait-on jadis en manière de proverbe. Ce pommard est en effet un peu vert, mais pas fait pour des goujats ! Rubis cassis à l'œil, il est ensuite porté sur le kirsch, la cerise à l'eau-de-vie. Puis une authentique distinction élégante et réglissée. Le raisin frais... On lui porte une grande confiance tant il est complet et sûr.

◆┓ Dom. Vincent Sauvestre, rte de Monthélie, B.P. 3, 21190 Meursault, tél. 03.80.21.22.45, fax 03.80.21.28.05 ⵜ r.-v.

VEUVE DE MALVAUX
Cuvée Prestige 1997★★

◼   n.c.   4 500   ⦀ 100 à 149 F

Marque de SEDVP, un vin Philibert, bigarreau et cannelle. Tonus record pour un *village* ! Son corps a tout pour plaire. Charpente, maturité, longueur, fondu réglissé. Qu'on nous pardonne, mais on n'a guère envie d'en dire plus : il est parfait, un point c'est tout. A le voir si près du sommet, on rêve d'en partager le bonheur en compagnie d'une viande rouge.

◆┓ Veuve de Malvaux, 1, rue Ziem, 21200 Beaune, tél. 03.80.24.05.88, fax 03.80.22.37.08 ⵜ t.l.j. 9h-19h

CHRISTOPHE VIOLOT-GUILLEMARD
Clos Orgelot 1998★

◼ 1er cru   1,1 ha   3 800   ⦀ 100 à 149 F

Le jury est d'accord, l'impression est homogène. La couleur est nette, le boisé assez fin, le fruit bien dans la chair, les tanins très présents, le volume appréciable. Loin d'être ouvert. Dans les trois à quatre ans, nous reverrions bien ça ! Une étoile également, les **Rugiens 97** d'une heureuse jeunesse (150 à 199 F).

↪Christophe Violot-Guillemard, rue de la Refene, 21630 Pommard, tél. 03.80.22.03.49, fax 03.80.22.03.49 ☑ ⵟ r.-v.

Volnay

Blotti au creux du coteau, le village de Volnay évoque une jolie carte postale bourguignonne. Moins connue que sa voisine, l'appellation n'a rien à lui envier, et les vins sont tout en finesse ; ils vont de la légèreté des Santenots, situés sur la commune voisine de Meursault, à la solidité et à la vigueur du Clos des Chênes ou des Champans. Nous ne les citerons pas tous ici de peur d'en oublier... Le Clos des Soixante Ouvrées y est également très connu et donne l'occasion de définir l'ouvrée : quatre ares et vingt-huit centiares, unité de base des terres viticoles correspondant à la surface travaillée à la pioche par un ouvrier dans sa journée, au Moyen Age.

De nombreux auteurs du siècle dernier ont cité le vin de Volnay. Nous rappellerons le vicomte de Vergnette qui, en 1845, au congrès des Vignerons français, terminait ainsi son savant rapport : « Les vins de Volnay seront encore longtemps comme ils étaient au XIVᵉ s., sous nos ducs, qui y possédaient les vignobles de Caille-du-Roy (Cailleray, devenu Caillerets) : les premiers vins du monde. » Signalons que 11 362 hl de volnay ont été produits en 1999.

BITOUZET-PRIEUR Caillerets 1997★

| ■ 1er cru | 0,15 ha | 900 | ⅢⅠ 100 à 149 F |

« Qui n'a pas de vigne en Caillerets ne sait pas ce que vaut le volnay », prétend la sagesse du pays. Ce 97 montre une élégance et une finesse soumises aux canons modernes de la beauté. Grâce et fermeté. Tout en nuances, un vin d'un rouge franc, puissant sur la cerise, qu'une pointe tannique affirmée en finale marie avec le millésime dont il est un fils réussi. Petite parcelle, peu de bouteilles. A vos marques...
↪Vincent Bitouzet-Prieur, rue de la Combe, 21190 Volnay, tél. 03.80.21.62.13, fax 03.80.21.63.39 ☑ ⵟ r.-v.

DOM. JEAN-MARC BOULEY
Clos des Chênes 1997★★

| ■ 1er cru | 0,4 ha | 2 000 | ⅢⅠ 100 à 149 F |

Parmi les meilleurs de la dégustation, ce Clos des Chênes est signé par notre Grappe d'Or du

Guide 1994. On peut le boire dès à présent par plaisir, ou l'attendre par sagesse. Il n'économise sur rien, ni sur la couleur (typée 97), ni sur les arômes (sous-bois, champignon, pointe de violette, fruits rouges et noirs, note de torréfaction), ni sur le gras. Bel équilibre de puissance et de finesse. Les **Caillerets 97 1ᵉʳ cru** reçoivent une étoile pour leur élégance, et le **village 97** (70 à 99 F), une note en dessous, n'est pas mal non plus.
↪Jean-Marc Bouley, chem. de la Cave, 21190 Volnay, tél. 03.80.21.62.33, fax 03.80.21.64.78 ☑ ⵟ r.-v.

REYANE ET PASCAL BOULEY 1998★★

| ■ 1er cru | 0,52 ha | 2 000 | ⅢⅠ 100 à 149 F |

On accordera une étoile au **Champans 98**, encore plein de mâche mais en conformité avec son terroir. A laisser vieillir, évidemment. Plus agréable maintenant, ce 1ᵉʳ cru intense du début à la fin, souple puis épicé et porté sur le cassis, bien construit, au boisé en harmonie avec le vin qu'il ne masque pas. Cette cuvée provient des *climats* Robardelle et Ronceret, proches des Caillerets et des Champans.
↪Pascal Bouley, pl. de l'Eglise, 21190 Volnay, tél. 03.80.21.61.69, fax 03.80.21.66.44 ☑ ⵟ r.-v. ✳

DOM. JEAN-MARIE BOUZEREAU 1997★★ ✳

| ■ | 0,4 ha | 1000 | ⅢⅠ 70 à 99 F |

Voici un volnay de bonne souche dont la robe grenat a de beaux reflets violets. Son nez est d'heureuse disposition, épicé et fruité. Suit une bouche à la trame très serrée, précise, charpentée et forcément un peu boisée. Des capacités de garde ajoutent au plaisir que l'on ressent à son approche. En outre, le **Champans 97 en 1ᵉʳ cru** se présente très bien. Il est cité par le jury (100 à 149 F).
↪Jean-Marie Bouzereau, 7, rue Labbé, 21190 Meursault, tél. 03.80.21.62.41, fax 03.80.21.65.97 ☑ ⵟ r.-v.

DOM. VINCENT BOUZEREAU
Les Champans 1998★

| ■ 1er cru | 0,25 ha | 600 | ⅢⅠ 100 à 149 F |

Le **village 98** (70 à 99 F) ne manque ni de corps ni de fruit. Ni de gras. A mettre de côté deux ans. Quant à ce Champans, il est corsé, chaleureux, masculin comme tout Champans qui se respecte. Il est très caractéristique du millésime ainsi que de son terroir. Carnet mondain : Mathilde, la nouvelle princesse de Belgique, a honoré cette cave de son illustre visite.
↪Vincent Bouzereau, 7, rue Labbé, 21190 Meursault, tél. 03.80.21.61.08, fax 03.80.21.65.97 ☑ ⵟ r.-v.

DOM. FRANCOIS BUFFET
Clos de la Rougeotte Monopole 1997★

| ■ 1er cru | n.c. | 2 000 | ⅢⅠ 100 à 149 F |

Le **Clos des Chênes 97** (coup de cœur dans l'édition 1998 pour un 94) reçoit une étoile. Celui-ci est également en pleine ascension. Concentré, puissant, de garde, il se consacre à sa vocation sans chercher à plaire ni à déplaire. C'est Moïse rapportant les Tables de la Loi. Très peu évolué, encore fermé, long, il est à garder deux ou trois ans. Ce Clos de la Rougeotte est un 1er cru en monopole (Frémiets, côté Pommard).

☛ Dom. François Buffet, petite place de l'Eglise,
21190 Volnay, tél. 03.80.21.62.74,
fax 03.80.21.65.82, e-mail dfbuffet@aol.com
☑ ⏸ r.-v.
☛ Jacques Buffet

DOM. CAILLOT Clos des Chênes 1997★★

■ 1er cru	0,13 ha	700	🅱 ⏸ ♨	100 à 149 F

Bossuet adorait le volnay et le fit entrer la veille de sa mort à l'évêché de Meaux pour la splendeur de sa pompe funèbre. Il eût pu choisir ce superbe Clos des Chênes d'un velours sombre et lourd, d'un nez de fourrure, de mûre évoluée agrémentée d'une touche de grillé. Un vin de soie et d'épices, intégrant à merveille son fût, d'une race réelle. A ne pas ouvrir avant trois à quatre ans...
☛ Dom. Caillot, 14, rue du Cromin, 21190 Meursault, tél. 03.80.21.20.12, fax 03.80.21.69.58 ☑ ⏸ r.-v.

F. CHAUVENET 1997

■	n.c.	6 000	⏸	100 à 149 F

« Il n'y a qu'un volnay en France », observait non sans raison l'abbé Courtépée, il y a plus de deux cents ans. De fait ! Très belle robe, chère madame, et ce parfum de fruits macérés dans l'alcool... Framboise, n'est-ce pas ? Le palais tire davantage sur la mûre, le pruneau cuit et des tanins solides. Colette composa naguère un reportage enthousiaste sur cette maison nuitonne reprise par Jean-Claude Boisset.
☛ F. Chauvenet, 9, quai Fleury, 21700 Nuits-Saint-Georges, tél. 03.80.62.61.43, fax 03.80.62.37.38

LOUIS CHAVY 1997★

■	n.c.	6 000	⏸	100 à 149 F

Certains auteurs anciens voyaient à Volnay le cratère d'un volcan éteint ! L'hypothèse est de nos jours écartée, pourtant ce 97 a le feu sacré. Une robe pourpre-grenat, assez présent, subtil, sur les fruits mêlés. Bonne attaque, sans raideur, jusqu'à une belle charpente dont le fût n'écrase pas le pinot noir. A boire dans les trois à cinq ans.
☛ Louis Chavy, Caveau la Vierge romaine, pl. des Marronniers, 21190 Puligny-Montrachet, tél. 03.80.26.33.00, fax 03.80.24.14.84, e-mail mallet.b@cva-beaune.fr
☑ ⏸ t.l.j. 10h-18h; f. nov. à mars

DOM. CYROT-BUTHIAU 1998★

■	0,45 ha	2 300	⏸	100 à 149 F

Pas de filtration. Cela explique peut-être un léger manque de limpidité, mais il est vrai qu'il a été dégusté très jeune. Ses arômes ont des accents de sous-bois, de musc. Sévère en février 2000, il ne se présente pas sous son meilleur jour, mais il doit poursuivre calmement son élevage et sera d'excellente qualité, une fois décanté.
☛ Dom. Cyrot-Buthiau, rte d'Autun, 21630 Pommard, tél. 03.80.22.06.56, fax 03.80.24.00.86 ☑ ⏸ r.-v.

HENRI DELAGRANGE ET FILS 1997★

■	1,73 ha	10 000	⏸	70 à 99 F

La seconde mi-temps est un peu longue pour lui, mais il soutient avec honneur le blason familial (depuis l'an 1500 !) Qu'en retenir ? Pourpre foncé d'un tissu soyeux, il crée des liens entre le noyau de cerise et le grillé. Le mariage n'est cependant pas consommé. L'attaque est souple, la texture satisfaisante, les tanins bien polis, la finale d'une parfaite urbanité. Un *village* honorant son terroir et qu'un bœuf bourguignon n'effraiera pas.
☛ Dom. Henri Delagrange et Fils, rue de la Cure, 21190 Volnay, tél. 03.80.21.61.88, fax 03.80.21.67.09 ☑ ⏸ r.-v.

JOSEPH DROUHIN Chevret 1997★★

■ 1er cru	n.c.	n.c.	⏸	150 à 199 F

La douceur angevine est proverbiale. Mais la douceur bourguignonne ! Voici par exemple un vin d'une aménité parfaite, d'une éducation exemplaire, d'une finesse merveilleuse. La robe a de beaux reflets, et le nez sait suggérer la cerise et un boisé à la discrétion aimable. Au palais ? Tout est dans l'élégance, l'équilibre. Un très beau vin. Ce *climat* est inséré comme un coin dans le Cailleret.
☛ Joseph Drouhin, 7, rue d'Enfer, 21200 Beaune, tél. 03.80.24.68.88, fax 03.80.22.43.14, e-mail drouhin@calva.net ⏸ r.-v.

CH. GENOT-BOULANGER Les Aussy 1997★

■ 1er cru	0,4 ha	1 800	⏸	100 à 149 F

On peut tabler sur lui. Fruit et tanins bien en harmonie, longueur correcte, il est bien sûr un peu jeune et pas encore enrobé. Mais le pronostic est favorable. La robe a la profondeur d'un puits. Peu de nez à l'heure présente. L'étiquette montre la façade de la propriété. On a envie d'y être invité.
☛ Ch. Génot-Boulanger, 25, rue de Cîteaux, 21190 Meursault, tél. 03.80.21.49.20, fax 03.80.21.49.21, e-mail genot-boulanger@wanadoo.fr ☑ ⏸ r.-v.
☛ Mme Delaby

DOM. GEORGES GLANTENAY ET FILS Santenots 1997

■ 1er cru	0,52 ha	n.c.	🅱 ⏸ ♨	100 à 149 F

On sait que les Santenots constituent une enclave au sein de la commune de Meursault, sur 29 ha seulement. Ce 97 porte une petite robe d'un bel éclat. Le nez balance entre la mie de pain et le pain grillé avant d'offrir un visage de jeunesse. Fraîcheur, netteté, tanins fins prometteurs. Mais attention, ne débouchez pas cette bouteille au-delà de deux à trois ans.
☛ Dom. Georges Glantenay et Fils, chem. de la Cave, 21190 Volnay, tél. 03.80.21.61.82, fax 03.80.21.68.66 ☑ ⏸ t.l.j. 10h-18h

GOICHOT 1997★

■	n.c.	1 800	⏸	100 à 149 F

Goichot, un négociant-éleveur qui présente un volnay offrant une fraîcheur et une fermeté de bon aloi, un fruit assez généreux, des tanins soigneusement limés. Le nez se livre avec une juste retenue, et le fût n'occulte pas le fruit. Quant à la couleur, elle se pare de reflets grenat sur fond rubis.

☛SA A. Goichot et Fils, av. Charles-de-Gaulle, 21200 Beaune, tél. 03.80.26.88.70, fax 03.80.26.80.69, e-mail goichot@goichotsa.com ☑ ⏉ r.-v.

JEAN GUITON Les Petits Poisots 1997

| ■ | 0,34 ha | 1 500 | ⦀ | 70 à 99 F |

Voisins des Famines (un nom de *climat* qu'on ne voit jamais sur une étiquette !), ces Petits Poisots se situent entre la route nationale et le secteur des 1ers crus. Sous une robe jeune et légère à reflets rosés, un 97 intense et épicé, évoluant vers le musc, assez boisé. La matière n'est pas considérable, mais ce n'est pas mal pour un *village*.

☛Jean Guiton, 4, rte de Pommard, 21200 Bligny-lès-Beaune, tél. 03.80.26.82.88, fax 03.80.26.85.05 ☑ ⏉ t.l.j. 9h-12h 14h-19h

DOM. ANTONIN GUYON
Clos des Chênes 1997★

| ■ 1er cru | 0,87 ha | 4 800 | ⦀ | 150 à 199 F |

Le domaine Antonin Guyon possède près d'1 ha de ce 1er cru magnifiquement situé sur le coteau, juste au-dessus des Caillerets. Il en produit un volnay qui ressemble trait pour trait au portait-robot de l'appellation. Intense, vif, frais, élégant, cela vaut pour l'œil, le nez et la bouche qui parlent ici d'une même voix.

☛Dom. Antonin Guyon, 21420 Savigny-lès-Beaune, tél. 03.80.67.13.24, fax 03.80.66.85.87, e-mail vins@guyon-bourgogne.com ☑ ⏉ r.-v.

DOM. HUBER-VERDEREAU
Fremiets 1998★

| ■ 1er cru | 0,11 ha | 600 | ⦀ | 100 à 149 F |

Vin féminin, dit-on en général du volnay. Pas si sûr. Ainsi de ce 98 qui, certes, porte une belle robe brillante et soutenue, et possède un nez où fruits noirs et boisé dialoguent. D'un abord tannique, charpenté, et pour tout dire assez viril, le millésime n'est pas pris en défaut. De garde moyenne, mais typé volnay des temps nouveaux.

☛Dom. Huber-Verdereau, rue Moulin-Mareau, 21630 Pommard, tél. 03.80.22.51.50, fax 03.80.22.48.32 ☑ ⏉ r.-v.

DOM. JESSIAUME PERE ET FILS
Brouillards 1998★

| ■ 1er cru | 0,26 ha | 1 500 | ⦀ | 150 à 199 F |

Quinze hectares menés depuis cinq générations par la famille Jessiaume qui compte aujourd'hui un œnologue dans ses rangs. Ce volnay accomplit avec brio les premiers tours de piste. Brillant, très aromatique sur fond d'animal et de cuir, il se détache du peloton. La bouche ne réalise peut-être pas encore la même performance, mais ce 98 incarne bien la notion de « vin plaisir ». Un beau potentiel ne nuit pas à l'intérêt que vous lui porterez.

☛Dom. Jessiaume, 10, rue de la Gare, 21590 Santenay, tél. 03.80.20.60.03, fax 03.80.20.62.87 ☑ ⏉ r.-v.

DOM. LA POUSSE D'OR
Clos de la Bousse d'Or Monopole 1997

| ■ 1er cru | 2,13 ha | 8 737 | ⦀ | 200 à 249 F |

Clos de la Bousse d'Or. Domaine de la Pousse d'Or. Les connaisseurs n'ignorent rien de cette histoire, marquée naguère par un grand viticulteur. L'équipe qui a repris en décembre 1997 la Pousse d'Or présente ici un 97 d'un rouge sombre et étincelant. Belle ouverture sur l'animal et le cuir. On croit avoir affaire à un vieux briscard et on se trouve en présence d'un volnay assez différent. Fermé sans doute, d'une chaleur communicative. Monopole du Clos.

☛Dom. de La Pousse d'Or, rue de la Chapelle, 21190 Volnay, tél. 03.80.21.61.33, fax 03.80.21.29.97, e-mail la-pousse-d'or.fr ☑ ⏉ r.-v.
☛Landanger

DOM. CHANTAL LESCURE 1998★

| ■ | 1,5 ha | 2 000 | ⦀ | 100 à 149 F |

Si vous organisez un repas de fin de chasse à courre, choisissez ce vin à l'étiquette de circonstance. L'heure n'est cependant pas venue de sonner l'hallali des tanins, encore fauves et austères. Mais la parure de l'équipage est impeccable, les accents de cerise confiturée bien travaillés par le passage sous bois. Du caractère et de l'allant. A déboucher pour un débuché futur. Pas trop tôt...

☛Dom. Chantal Lescure, 34 A, rue Thurot, 21700 Nuits-Saint-Georges, tél. 03.80.61.16.79, fax 03.80.61.36.64, e-mail domaine-lescure.com ☑ ⏉ r.-v.

LOUIS MAX Clos des Chênes 1997★

| ■ 1er cru | n.c. | n.c. | ⦀ | + de 500 F |

Rubis léger, un volnay au nez de fruits rouges et de vanille. Bien que puissant, il ne manque pas d'élégance.

☛Louis Max, 6, rue de Chaux, 21700 Nuits-Saint-Georges, tél. 03.80.62.43.01, fax 03.80.62.43.16

DOM. DES OBIERS
Clos des Chênes 1998★

| ■ 1er cru | 0,4 ha | 3 000 | ⦀ | 100 à 149 F |

Il arrive qu'un philosophe soit de bon conseil. Ainsi Helvétius quand il nous recommande d'avancer par degrés au dernier des plaisirs... Ce vin est en effet à attendre, en raison de sa finale un peu sévère. Mais il a des vertus ; rubis violacé, il évolue sur le cassis et une vinosité souple et présente. Sa typicité est manifeste. A élever trois ou quatre ans. Coup de cœur dans l'édition 1999 pour le millésime 96.

☛Dom. des Obiers, chem. rural n° 29, 21700 Nuits-Saint-Georges, tél. 03.80.62.42.00, fax 03.80.61.28.13, e-mail nuicave@wanadoo.fr ⏉ r.-v.

DOM. ANNICK PARENT Fremiets 1997★

| ■ 1er cru | 0,64 ha | 2 700 | ⦀ | 100 à 149 F |

Climat situé côté pommard. La famille Parent est ici en pays de connaissance. Annick signe un vin très masculin, d'une couleur qui n'y va pas par quatre chemins, au nez de cassis et de mûre, de cuir, d'une intransigeance absolue : il n'a aucune mollesse en bouche, mais rappelle le fruit, accompagné de gras, structuré et persistant. Typé et très prometteur pour un 97, il fera une belle bouteille dans quatre à cinq ans.

Dom. Annick Parent, rue du Château-Gaillard, 21190 Monthélie, tél. 03.80.21.21.98, fax 03.80.21.21.98, e-mail annick.parent@wanadoo.fr ☑ ☍ r.-v.

DOM. JEAN PARENT
Clos des Chênes 1997

■ 1er cru	0,24 ha	450	⦀ 100 à 149 F

« Un bon vin, dit-on en Bourgogne, est un vin qui aime son prochain ». Tendre et léger, celui-ci est en effet plein d'affection. Sa robe très franche met en valeur ses bons sentiments. Quelques notes végétales animent son bouquet. Un 97 flatteur pour le millésime, s'achevant sur un rien d'austérité.

Dom. Jean Parent, rue du Château-Gaillard, 21190 Monthélie, tél. 03.80.21.21.98, fax 03.80.21.21.98, e-mail annick.parent@wanadoo.fr ☑ ☍ r.-v.

DOM. PARIGOT PERE ET FILS
Les Echards 1998

■	0,72 ha	4 500	⦀ 70 à 99 F

Les Echards ? Voyons voir... A la limite du Ronceret, c'est-à-dire mitoyen d'un 1er cru. Rouge foncé, un vin dont la robe séduit ! La suite est dominée par le cassis, au nez comme en bouche. Finesse, persistance, on lui reconnaît des qualités. Domaine ayant un pied dans la Côte, et l'autre dans les Hautes-Côtes sur 17 ha en tout.

Dom. Parigot Père et Fils, rte de Pommard, 21190 Meloisey, tél. 03.80.26.01.70, fax 03.80.26.04.32 ☍ r.-v.

DENIS PHILIBERT Les Brouillards 1997

■	n.c.	1 500	⦀ 100 à 149 F

Les Brouillards font partie des *climats* voisins de pommard, proche des Angles. Ce volnay est à l'évidence un battant. Sous ses arômes de laurier, de fruits très mûrs, boisés, poivrés, il se montre volontiers astringent et tannique à cette étape de son existence. A laisser vieillir et se fondre.

Maison Denis Philibert, 1, rue Ziem, 21200 Beaune, tél. 03.80.24.05.88, fax 03.80.22.37.08 ☍ t.l.j. 9h-19h

MICHEL PICARD 1997

■	n.c.	12 400	⦀ 100 à 149 F

Colette parle de son « instinctif penchant qui se plaît à la courbe ». Penchant que partage ce vin arrondi. Léger, certes, mais qui établit une délicieuse complicité, sur un registre tout en finesse. Un vin en demi-mesures, pas trop coloré, sachant nous rappeler que le volnay fleure bon la violette. Le mieux est de le savourer assez jeune. Il faut goûter la grâce quand elle passe.

Michel Picard, rte de Saint-Loup-de-la-Salle, 71150 Chagny, tél. 03.85.87.51.00, fax 03.85.87.51.11

Trouver un vin ? Consultez l'index en fin de volume.

MAX ET ANNE-MARYE PIGUET-CHOUET
Les Grands Champs 1998

■	0,28 ha	1 200	⦀ 70 à 99 F

D'un rouge léger à reflets groseille, un volnay né d'un ancien domaine placé sous la responsabilité de Max et Anne-Marye (avec un y) depuis 1999. Avant que les trois fils se décident à reprendre les vignes ! Le nez de ce 98 est furtif, la bouche fraîche et vive sur le fruit rouge et l'épice douce. Un peu d'amertume, rien d'étonnant à cela. Honnête et à attendre un peu.

Max et Anne-Marye Piguet-Chouet, rte de Beaune, 21190 Auxey-Duresses, tél. 03.80.21.25.78, fax 03.80.21.68.31 ☑ ☍ r.-v.

THIERRY PINQUIER-BROVELLI 1997

■	0,5 ha	3 300	⦀ 70 à 99 F

Ouvrier vigneron à Monthélie, Maurice Pinquier a créé ce domaine en 1955. Son fils marche sur ses traces. Heureuse époque où l'on pouvait réunir quelque 5 ha de vignes à force de labeur ! Cette bouteille montre des tanins sévères que le temps arrondira. Le bouquet se dessine au nez se libérant peu à peu du fût. Quant à la bouche, elle est bien honnête.

Thierry Pinquier, 5, rue Pierre-Mouchoux, 21190 Meursault, tél. 03.80.21.24.87, fax 03.80.21.61.09 ☑ ☍ t.l.j. 8h-19h

DOM. POULLEAU PERE ET FILS
1998★

■	1,22 ha	4 100	⦀ 70 à 99 F

Trois vins du domaine (8 ha, la nouvelle génération à la barre depuis 1996) sont sélectionnés : sont cités, le **village 98 en vieilles vignes** et le **1er cru 98** (plusieurs *climats* assemblés sans doute). Ce *village* « tout court » dans le même millésime reçoit une étoile. Sa robe est framboise alors que le nez est porté par de jolis arômes de cerise et de sous-bois. Il a ce qu'il faut de gras, et du fruit sur la langue. L'impression est très favorable.

Dom. Poulleau Père et Fils, rue du Pied-de-la-Vallée, 21190 Volnay, tél. 03.80.21.62.61, fax 03.80.26.45.90 ☑ ☍ r.-v.

DOM. JACQUES PRIEUR
Clos des Santenots 1997★★

■ 1er cru	1,2 ha	890	⦀ 150 à 199 F

MONOPOLE   MONOPOLE

CLOS DES SANTENOTS VOLNAY

APPELLATION VOLNAY 1er CRU CONTRÔLÉE

Mis en bouteille au domaine

DOMAINE JACQUES PRIEUR
Propriétaire à Meursault (Côte-d'Or) France

13% vol   PRODUCE OF FRANCE   750 ml

Ce qui se fait de mieux en matière de volnay. L'équilibre tout trouvé entre une acidité bien à sa place et des tanins déjà fondus, sur des arômes encore discrets de fruits rouges et un boisé très présent. On sait que le domaine Jacques Prieur est largement pris en main par Antonin Rodet. Non sans succès, on le constate. Il est vrai que Nadine Gublin fait partie des meilleurs œnologues de Bourgogne.

↚ Dom. Jacques Prieur, 6, rue des Santenots, 21190 Meursault, tél. 03.80.21.23.85, fax 03.80.21.29.19 ☑ ⌁ r.-v.

DOM. REBOURGEON-MURE
Caillerets 1997★

■ 1er cru	0,32 ha	1 500	❚❚❚ 70 à 99 F

Un coup de cœur pour les millésimes 89 et 91 ; on nous présente cette année un Caillerets en robe de velours et qui évolue au nez sur la fourrure. Il s'ouvre bien, et l'on y sent déjà la griotte. Au palais la fraîcheur rejoint le fruit pour donner un maximum de plaisir.

↚ Rebourgeon-Mure, Grande-Rue, 21630 Pommard, tél. 03.80.22.75.39, fax 03.80.22.71.00 ☑ ⌁ r.-v.

NICOLAS ROSSIGNOL Ronceret 1997★

■ 1er cru	0,24 ha	600	❚❚❚ 100 à 149 F

Ce *climat* se situe juste sous le Champans. Joli berceau, ma foi ! Ce jeune viticulteur présente en effet un premier-né de ses œuvres. Pourpre soutenu, un 97 aux arômes primaires (premier coup de nez) puis réglissés, vanillés. Puissant pour un volnay, un vin de bonne tenue et dont l'élégance approche le raffinement, sur une pointe finale d'astringence. « En gros comme en détail, on est satisfait. »

↚ Nicolas Rossignol, rue de Mont, 21190 Volnay, tél. 03.80.21.62.43, fax 03.80.21.27.61 ☑ ⌁ r.-v.

REGIS ROSSIGNOL-CHANGARNIER
1997

■	1,7 ha	5 000	❚❚❚ 70 à 99 F

L'un de nos premiers coups de cœur. Pensez donc, un 84 hissé sur le pavois en 1988 ! Egrappé à 80 %, ce 97 est dense et limpide. Sa robe annonce un bouquet mi-fruit mi-bois. Encore un peu dur, ce vin qui possède cependant l'architecture d'un bon *village*. Il ne se formalisera pas d'un délai de garde destiné à atténuer ses tanins.

↚ Régis Rossignol, rue d'Amour, 21190 Volnay, tél. 03.80.21.61.59, fax 03.80.21.61.59 ☑ ⌁ r.-v.

ROSSIGNOL-FEVRIER PERE ET ✿ FILS 1997★★

■	n.c.	4 000	❚❚❚ 50 à 69 F

Erigée sur le coteau après la guerre de 1870, Notre-Dame des Vignes, qui figure sur l'étiquette, bénit en effet cette cuvée d'un grenat intense et au bouquet de cassis. Matière, structure, finesse, longueur, voici pour les chapitres de la dégustation. Fermé pour l'instant, un très joli volnay qui mise sur la durée. Très bon rapport qualité-prix.

↚ GAEC Rossignol-Février, rue du Mont, 21190 Volnay, tél. 03.80.21.64.83, fax 03.80.21.67.74 ☑ ⌁ r.-v.

CH. ROSSIGNOL-JEANNIARD
Santenots 1997★★

■ 1er cru	2 ha	1 500	❚❚❚ 100 à 149 F

Destiné à une viande rouge relevée, un vin qui ne décevra pas. Puissant jusqu'au bout des ongles, il déborde d'intensité tout en sachant nuancer d'élégance cette solidité intrinsèque. Ses caudalies sont très convaincantes. On lui pardonne ses excès de jeunesse, sachant qu'il va s'épanouir encore (de trois à cinq ans de garde).

↚ Ch. Rossignol-Jeanniard, rue de Mont, 21190 Volnay, tél. 03.80.21.62.43, fax 03.80.21.27.61 ☑ ⌁ r.-v.

CHRISTOPHE VAUDOISEY 1998★

■	4 ha	n.c.	❚❚❚ 70 à 99 F

Huit générations dans la vigne dont l'actuel représentant est Christophe Vaudoisey. Cité par le jury, son **Clos des Chênes 98**, racé, offre une corbeille torréfiée de fruits rouges et noirs (100 à 149 F). Egalement à attendre, ce *village* se présente dans une robe qui donne envie d'y goûter. Le nez ne déçoit pas, tout en cerise et framboise. Le boisé est davantage agréable en bouche et ne gâche pas la bonne harmonie. Sera plaisant dans deux ou trois ans.

↚ Christophe Vaudoisey, pl. de l'Eglise, 21190 Volnay, tél. 03.80.21.20.14, fax 03.80.21.27.80 ⌁ r.-v.

JOSEPH VOILLOT Les Champans 1997

■ 1er cru	1,07 ha	3 000	❚❚❚ 100 à 149 F

Un domaine familial de 10 ha. Ce Champans à la robe s'accordant bien au millésime, simple et sans falbalas, propose un nez assez suave où framboise et sous-bois se marient avec la vanille du fût. Puis une tonalité légère mais confortable s'installe en bouche où il cherche davantage à plaire qu'à faire réfléchir. A servir dès à présent avec une pintade rôtie.

↚ Joseph Voillot, pl. de l'Eglise, 21190 Volnay, tél. 03.80.21.62.27, fax 03.80.21.66.63 ☑ ⌁ r.-v.

Monthélie

La combe de Saint-Romain sépare les terroirs à rouge des terroirs à blanc ; Monthélie est exposé sur le versant sud de cette combe. Dans ce petit village moins connu que ses voisins, les vins sont d'excellente qualité. 1999 a produit 5 723 hl de vin rouge et 501 hl de vin blanc.

ERIC BOIGELOT Sur la Velle 1997

■ 1er cru	0,26 ha	1 400	❚❚❚ 70 à 99 F

Vin précoce, plaisant à regarder et à savourer grâce à sa gentillesse. Ses tanins ne l'assèchent pas. Les notes fruitées du bouquet se retrouvent en finale avec un léger boisé. Eric Boigelot conduit bien ses 8 ha dont quelques ouvrées en ce 1er cru réputé. C'est un 97 qui fait du mieux qu'il peut, compensant par le charme de sa jeunesse le fond plutôt rare au sein du millésime.

🐦 Eric Boigelot, rue de Beaune,
21190 Monthélie, tél. 03.80.21.65.85,
fax 03.80.21.66.01 ☑ ⊻ r.-v.

JACQUES BOIGELOT 1997

☐		0,2 ha	1 300	ⅢⅠ	70 à 99 F

Coup de cœur lors d'une de nos premières éditions (1987), ce domaine nous invite à choisir : blanc ou rouge ? Petite préférence pour le blanc. D'un or brillant, il parle le chardonnay comme sa langue maternelle. Le fruit confit, l'amande grillée, le miel annoncent une bouche vive, bien persistante.

🐦 Jacques Boigelot, 21190 Monthélie,
tél. 03.80.21.22.81, fax 03.80.21.66.01 ☑ ⊻ r.-v.

DOM. BOUCHEZ-CRETAL 1997

■		0,28 ha	1 400	ⅢⅠ	50 à 69 F

Pictural tant sa couleur est profonde, intense, un vin qui n'est pas pour les gens pressés. Impatients s'abstenir ! En effet, son nez n'ouvre qu'une narine, mais il prend de la complexité à l'aération. La suite incite à l'attente. On a affaire à un 97 qui se conservera bien. Ce qui semble être un style assez léger dissimule sans doute des ambitions plus marquées.

🐦 SCEA Dom. Bouchez-Crétal,
21190 Monthélie, tél. 03.85.87.17.40,
fax 03.48.05.19.32 ☑ ⊻ r.-v.

DENIS BOUSSEY
Les Champs Fulliots 1998★

■ 1er cru	0,58 ha	3 000	ⅢⅠ	70 à 99 F

Notre coup de cœur 1996 (pour un 93 blanc) s'exprime cette fois-ci dans un rouge de forte extraction. Déjà installé sur la teinte grenat, ce vin confesse au nez sa prédilection pour le cassis et la vanille. Le fruit domine le sujet. Il faut donc attendre qu'il se fasse, sans trop le solliciter dans l'immédiat.

🐦 Dom. Denis Boussey, rue du Pied-de-la-Vallée, 21190 Monthélie, tél. 03.80.21.21.23,
fax 03.80.21.62.46 ☑ ⊻ r.-v.

DOM. BOUZERAND-DUJARDIN 1998★

☐	0,8 ha	2 400	ⅢⅠ	50 à 69 F

Nous aimons beaucoup ce monthélie blanc d'une fraîcheur citronnée, d'une nervosité spontanée. Il nous change de ces vins trop apprêtés qui font tant de manières. Les reflets verts répondent à l'appel. Les notes florales prennent le dessus. Pas trop de gras, mais une bonne typicité. Durant les années 1950, domaine remis sur pied par Bernard Bouzerand et son fils Xavier, ce dernier étant passionné de sculpture sur bois.

🐦 Dom. Bouzerand-Dujardin, pl. de l'Eglise,
21190 Monthélie, tél. 03.80.21.20.08,
fax 03.80.21.28.16 ☑ ⊻ r.-v.

RODOLPHE DEMOUGEOT
La Combe Danay 1998★★

■	0,3 ha	1 800	ⅢⅠ	50 à 69 F

Il est joliment bien fait, ce 98 honoré du coup de cœur. Sous sa robe carmin profond, il témoigne en effet d'une vinification particulièrement réussie. Quelle belle palette aromatique ! De la

rose à la muscade en passant par la pivoine et le poivre... Et un corps si velouté, si chaleureux, aux nuances de cerise, de cacao, quasiment prêt. Il y aura bientôt dix ans que ce viticulteur a pignon sur vigne à Monthélie, et maintenant à Meursault.

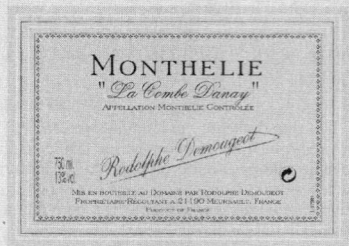

🐦 Dom. Rodolphe Demougeot, 2, rue du Clos-de-Mazeray, 21190 Meursault,
tél. 03.80.21.28.99, fax 03.80.21.29.18 ☑ ⊻ r.-v.

MICHEL DESCHAMPS 1998★

☐	0,76 ha	3 000	ⅢⅠ	50 à 69 F

Deux vins qui se tiennent au coude à coude : un **village 98 rouge** d'une excellente concentration et aux tanins très présents, de belle garde sans doute, et celui-ci pour vous faire découvrir l'appellation en blanc. Sur des parfums d'agrumes, quelque peu exotiques, floraux par la suite (jacinthe), un vin vif et plein de verve, qui se fera un plaisir d'accompagner la tourte bourguignonne.

🐦 Michel Deschamps, rue du Château-Gaillard, 21190 Monthélie, tél. 03.80.21.28.60,
fax 03.80.21.65.77 ☑ ⊻ r.-v.

GUY DUBUET 1998

■	0,4 ha	2 500	ⅢⅠ	50 à 69 F

Ce petit domaine de moins de 5 ha nous fait partager une jeune bouteille rubis clair. Son bouquet est orienté vers le terroir, dans la bonne direction. S'il entre en bouche avec discrétion, le vin s'y plaît et il évolue bien. Le substrat tannique devrait assurer un heureux vieillissement. A suivre donc.

🐦 Guy Dubuet, rue Bonne-Femme,
21190 Monthélie, tél. 03.80.21.26.22,
fax 03.80.21.29.79 ☑ ⊻ r.-v.

PAUL GARAUDET Le Clos Gauthey 1998

■ 1er cru	1,1 ha	4 300	ⅢⅠ	70 à 99 F

Sa robe est sombre, mais elle luit encore. Son bouquet commence seulement à déclarer ses intentions. Grillé, torréfié sans doute, tout en évoluant vers un schéma plus complexe où entrent le gibier et le fruit rouge. Long à se révéler en bouche, ce 98 n'est pas trop boisé à ce stade de la dégustation (un bon point) : son caractère, ses tanins, sa vie intérieure laisseront peut-être de regrets à ceux qui passeront à côté.

🐦 Paul Garaudet, imp. de l'Eglise,
21190 Monthélie, tél. 03.80.21.28.78,
fax 03.80.21.66.04 ☑ ⊻ r.-v.

GILBERT ET PHILIPPE GERMAIN
1998★

■	2,2 ha	5 000	❚❙❘	30 à 49 F

Le type même du bon élève. Sérieux, appliqué, assez sévère mais très droit ; ce 98 exprime déjà une plénitude solide tout en laissant entrevoir un bon potentiel. Rouge grenat, finement boisé, il n'est pas avare de ses arômes. Au pruneau et à des notes confiturées s'ajoutent la châtaigne, le marron chaud. Philippe Germain a repris le domaine familial il y a six ans.
☛ Philippe Germain, 21190 Nantoux, tél. 03.80.26.05.63, fax 03.80.26.05.12 ☑ ⍙ r.-v.

DOM. REMI JOBARD
Les Vignes-Rondes 1998★

■ 1er cru	n.c.	2 000	❚❙❘	70 à 99 F

Une robe rubis, de fins parfums boisés accompagnés de notes fruitées, une bouche souple et bien faite, assez généreuse, dont le côté floral est plaisant. Attendre deux à trois ans que le boisé se fonde. Le 1er cru rouge, les Champs-Fulliot 98, reçoit une citation ; très dominé par l'élevage en bois, il devra attendre l'expression de son fruit.
☛ Dom. Rémi Jobard, 12, rue Sudot, 21190 Meursault, tél. 03.80.21.20.23, fax 03.80.21.67.69, e-mail rémi.jobard@libertysurf.fr ☑ ⍙ r.-v.

OLIVIER LEFLAIVE 1997

■ 1er cru	n.c.	6 000		70 à 99 F

Si on faisait rôtir quelque chose ? Sans trop tarder, car les bons moments n'attendent pas. Certes, il s'agit d'une pointure moyenne. Mais l'œil est séduit par une couleur pimpante. Le nez est assez présent, mi-végétal, mi-fruité. Au palais, une touche d'élégance élève le débat. Bouteille à déboucher maintenant. On sait qu'Olivier Leflaive, de la célèbre lignée, a choisi de prendre son envol comme négociant-éleveur à Puligny.
☛ Olivier Leflaive, pl. du Monument, 21190 Puligny-Montrachet, tél. 03.80.21.37.65, fax 03.80.21.33.94, e-mail leflaive-olivier@dial.oleane.com ☑ ⍙ r.-v.

MANOIR MURISALTIEN
Les Champs-Fulliots 1997★

■ 1er cru	n.c.	3 900	❚❙❘	100 à 149 F

Maison de négoce-éleveur, se présentant également sous le nom de Château de Demessey, (situé aux environs de Tournus). Ce 97 vermillon offre une esquisse aromatique de bonne qualité. Fin, équilibré, assez persistant, son corps est franc, marqué par une certaine astringence tannique. A juger en fonction des possibilités du millésime.
☛ Marc Dumont, Manoir Murisaltien, 4, rue du Clos-de-Mazeray, 21190 Meursault, tél. 03.80.21.21.83, fax 03.80.21.66.48 ☑ ⍙ r.-v.

DOM. RENE MONNIER 1998★

■	0,87 ha	2 000	❚❙❘	50 à 69 F

Des rognons de veau sautés et une bonne sauce au vin pour ce 98 d'un rubis... Comment le qualifier ? D'un rubis bourguignon, si l'on peut dire. Le nez possède son permis de chasse : l'animal et le cuir, les épices et le fruit rouge, tout

cela est en battue. De longueur moyenne, un vin structuré mais dépourvu d'agressivité en finale.
☛ Dom. René Monnier, 6, rue du Dr-Rolland, 21190 Meursault, tél. 03.80.21.29.32, fax 03.80.21.61.79 ☑ ⍙ t.l.j. 8h-12h 14h-18h
☛ M. et Mme Bouillot

CH. DE MONTHELIE Sur la Velle 1997★

■ 1er cru	3 ha	8 700	❚❙❘	70 à 99 F

Des coups de cœur comme s'il en pleuvait... Pas plus tard que l'an dernier pour un 96 et déjà pour le 88. Sur la Velle est le climat- cheval de bataille du domaine. On est toujours heureux de recueillir ses premiers mots. Il se présente ici dans sa belle robe de baptême conservée au château de génération en génération (rubis foncé), soyeux et fondu, déjà charmeur. Ce bon petit diable est cependant d'une complexité qui promet. Entre le cassis et l'épice, très agréable. Le village rouge 97 reçoit une étoile. Le nez s'ouvre sur le fruit, les tanins sont fondus, la persistance se fait sur des notes boisées.
☛ EARL de Suremain, Ch. de Monthélie, 21190 Monthélie, tél. 03.80.21.23.32, fax 03.80.21.66.37 ☑ ⍙ r.-v.

DOM. J. PARENT Sur la Velle 1998★

■ 1er cru	n.c.	1000	❚❙❘	70 à 99 F

Ancienne famille du Beaunois comptant depuis trois siècles des vignerons et des tonneliers. Ici on dit « month'lie », mais ce 1er cru grenat fait entendre un accent différent : son nez est un pays exotique marqué par une légère sensation de cannelle. Très en mâche, il s'épanouit au palais en d'intéressants prolongements. Son élevage en fût lui est favorable. Riche et soutenu, il laisse le pinot noir jouer le premier rôle. Voyez aussi le Clos Gauthey, demeure de la famille (en 97 rouge et en 1er cru), cité par le jury.
☛ Dom. Jean Parent, rue du Château-Gaillard, 21190 Monthélie, tél. 03.80.21.21.98, fax 03.80.21.21.98, e-mail annick.parent@wanadoo.fr ☑ ⍙ r.-v.

ALBERT PONNELLE
En Percherottes 1997

■	n.c.	n.c.		100 à 149 F

Le vieux proverbe l'affirme : « Une poule à Monthélie meurt de faim durant les moissons », tant les pieds de vigne y occupent le paysage ! Présenté par l'une des maisons Ponnelle de Beaune, ce monthélie n'a pas le nez spécialement loquace ; doté d'une simplicité de bon aloi en bouche, il s'attire la sympathie par sa rude franchise. Un « bon gars » sur notes de kirsch.
☛ Albert Ponnelle, Clos Saint-Nicolas, 38, fg Saint-Nicolas, 21200 Beaune, tél. 03.80.22.00.05, fax 03.80.24.19.73 ☑ ⍙ r.-v.

PASCAL PRUNIER 1998

■	0,38 ha	1 400	❚❙❘	50 à 69 F

Cerise brillante, voilà un vin qui ne met pas ses convictions dans sa poche. D'autant que son bouquet présente déjà une ardeur communicative (animal, sous-bois, légère pointe de réduction), mis en valeur par des tanins stylés et qui prennent congé avec infiniment de délicatesse. Un vin robuste et vigoureux. Le 1er cru Les Vignes Rondes 98 rouge (70 à 99 F) peut également avoir

les honneurs de votre cave où il ne doit pas faire un long séjour. Notez que ce domaine vient de passer d'Auxey-Duresses à Meursault.
☛ Pascal Prunier, 23, rue des Plantes, 21190 Meursault, tél. 03.80.21.66.56, fax 03.80.21.67.33 ☑ ⴑ r.-v.

PRUNIER-DAMY 1998

| ■ | 1,48 ha | 4 000 | ◍ | 50 à 69 F |

Ce domaine signe un village 98 rouge dont la mise en bouche est assez souple et la présence au nez orientée sur la cerise à l'alcool. On lui prête l'aptitude à bien se comporter dans le temps, à tout le moins durant les trois prochaines années.
☛ Philippe Prunier-Damy, rue du Pont-Boillot, 21190 Auxey-Duresses, tél. 03.80.21.60.38, fax 03.80.21.26.64 ☑ ⴑ t.l.j. sf dim. 9h-11h30 14h-18h

Auxey-duresses

Auxey possède des vignes sur les deux versants. Les premiers crus rouges des Duresses et du Val sont très réputés. Sur le versant « Meursault », on produit d'excellents vins blancs qui, sans avoir la réputation des grandes appellations, sont également très intéressants. L'appellation a produit, en 1999, 2 145 hl en blanc et 4 927 hl en rouge.

CORINNE ET PASCAL ARNAUD-PONT Le Reugne 1998

| ☐ 1er cru | 0,43 ha | 1 200 | ◍ | 70 à 99 F |

Vinifié, élevé et mis en bouteilles par Vincent Pont, métayer, un auxey-duresses à la couleur déjà dorée, au nez plus en retrait sur des notes abricotées, minérales et presque iodées. Friand et tendre, il a des allures de gros chat ronronnant de plaisir. A laisser dormir un peu encore.
☛ Pascal et Corinne Arnaud-Pont, 36, av. Théophile-Gautier, 75016 Paris, tél. 01.42.24.74.80, fax 01.40.78.24.78 ☑

DOM. BILLARD ET FILS Les Jonchères 1998

| ■ | 0,32 ha | 1 500 | ◍ | 50 à 69 F |

Une jolie tradition à la maison : la grand-mère (93 ans aux dernières vendanges) coupe l'ultime grappe. Etabli dans les Hautes-Côtes, ce domaine s'est peu à peu étendu à Beaune, Saint-Romain, jusqu'à ces Jonchères. D'une brillance vive, un rouge aux arômes de fleurs et de fruits frais, franc de goût, un peu long à se déclarer mais capable de tenir ses promesses dans un an ou deux.
☛ Dom. Billard et Fils, rte de Beaune, 21340 La Rochepot, tél. 03.80.21.87.94, fax 03.80.21.72.17 ☑ ⴑ r.-v.

BOUCHARD PERE ET FILS Les Duresses 1997★

| ■ 1er cru | n.c. | n.c. | ▮◍↓ | 70 à 99 F |

Ce n'est pas un hasard si Auxey a choisi naguère d'associer son nom à celui de ce 1er cru. Un duresses rougeâtre, odorant (cuir, tabac, animal), qui progresse sur la base de tanins assez fermes. Un peu de mâche qui n'est pas pour déplaire.
☛ Bouchard Père et Fils, Ch. de Beaune, 21200 Beaune, tél. 03.80.24.80.24, fax 03.80.22.55.88, e-mail france@bouchard.pereetfils.com ⴑ r.-v.

DENIS CARRE Bas des Duresses 1998★

| ■ 1er cru | n.c. | n.c. | ◍ | 50 à 69 F |

Deux bouteilles bien notées et quasiment à égalité. Donnons la préférence au 1er cru, tout en retenant que le **village 98 rouge** a reçu la même note. Epicés en fin de bouche, les Bas des Duresses sont très étoffés, robustes, pleins de chair et d'esprit. Le boisé est discret : les nuances fruitées (mûre) et les tanins présents, gage de bonne garde, sont abrités sous une robe à la couleur appuyée.
☛ Denis Carré, rue du Puits-Bouret, 21190 Meloisey, tél. 03.80.26.02.21, fax 03.80.26.04.64 ☑ ⴑ t.l.j. 8h-18h

LOUIS CHAVY 1997★

| ■ | | n.c. | 6 000 | ◍ | 70 à 99 F |

Cassis, pivoine, il fait ses gammes. Rouge grenat prononcé, il connaît la musique. Il sait faire chanter le fruit sous l'archet, faire sonner les cuivres quand le gras entre en scène. Long moment de plaisir en bouche, suivi d'une finale assez vive. Peut rester plusieurs années en cave.
☛ Louis Chavy, Caveau de la Vierge romaine, pl. des Marronniers, 21190 Puligny-Montrachet, tél. 03.80.26.33.00, fax 03.80.24.14.84, e-mail mallet.b@cva-beaune.fr ☑ ⴑ t.l.j. 10h-18h; f. nov. à mars

CHRISTIAN CHOLET-PELLETIER 1998★

| ☐ | | 0,25 ha | 600 | ◍ | 50 à 69 F |

Un produit travaillé, d'où sa structure, sa concentration. Légère acidité, mais son tempérament le porte plutôt à l'aménité, à un contact assez doux, que le miel enrobe de bons sentiments. Le nez s'équilibre entre l'amande grillée et le citron. D'un bel or jaune, la robe appartient au paysage. Vigneron installé dans la plaine de Meursault, qui reçut un coup de cœur pour son millésime 97.
☛ Christian Cholet, 21190 Corcelles-les-Arts, tél. 03.80.21.47.76, fax 03.80.21.47.76 ⴑ t.l.j. 8h-12h 14h-18h

CH. DE CITEAUX Les Duresses 1997★

| ■ 1er cru | n.c. | 3 000 | ◍ | 70 à 99 F |

Rouge violacé, il ressemble aux feuilles de la vigne en automne. Son nez a quelque chose de la pierre calcaire et du chanoine Kir : minéral et cassis. D'une ampleur puissante, massif et riche en mâche, le palais est assez monolithique. L'extraction a dû être importante. Mais ce vin se réveillera dans quatre ou cinq ans.

●┐ Philippe Bouzereau, Ch. de Cîteaux,
18-20, rue de Cîteaux, B.P.25, 21190 Meursault,
tél. 03.80.21.20.32, fax 03.80.21.64.34,
e-mail domaine.bouzereau@wanadoo.fr
☑ ⊤ r.-v.

CLOS DU MOULIN AUX MOINES
Monopole Elevé en fût de chêne 1998*

| ■ | | 3 ha | 15 000 | Ⅲ 50 à 69 F |

On se trouve dans les vignes des moines de
Cluny qui ont longtemps vinifié ce clos, devenu
plus tard le domaine du vigneron-poète Roland
Thévenin. Depuis 1995, Muriel et Emile Hanique
y sont chez eux. Leur 98, très jeune, affiche des
intentions vigoureuses (notes de gibier au nez).
Bien dans son ensemble, le corps apparaît net,
équilibré, encore tannique et assez long. A ne pas
ouvrir avant 2002.
●┐ Emile Hanique, Dom. du Moulin aux
Moines,
21190 Auxey-Duresses, tél. 03.80.21.60.79,
fax 03.80.21.60.79 ☑ ⊤ t.l.j. 9h-12h 14h-19h

DOM. JEAN-PIERRE DICONNE 1998*

| ■ | | 1,4 ha | 3 500 | Ⅲ 50 à 69 F |

Ce domaine offre une belle vue sur le paysage
et les hauteurs de la Côte. D'un terroir bien marqué, limpide, déjà ouvert sur le fruit rouge, cet
auxey reste encore sur ses tanins. Mais son gras
s'annonce somptueux. Nul doute qu'il s'attend-
drira. Et un fromage au lait cru ne lui fera pas
peur...
●┐ Jean-Pierre Diconne, rue de la Velle,
21190 Auxey-Duresses, tél. 03.80.21.25.60,
fax 03.80.21.26.80 ☑ ⊤ r.-v.

LES VILLAGES DE JAFFELIN 1998**

| ☐ | | n.c. | 9 000 | Ⅲ 70 à 99 F |

Les « Villages de Jaffelin » dans leurs œuvres.
Cette maison a été reprise par Jean-Claude Boisset, tout en gardant son esprit Côte de Beaune.
D'un léger or gris, évoquant la pierre à fusil et
le citron, il se conserve jusqu'au bout une
pointe minérale. Beau travail du fût. Offrez-lui
pour escorte un beau brochet de Saône.
●┐ Jaffelin, 2, rue Paradis, 21200 Beaune,
tél. 03.80.22.12.49, fax 03.80.24.91.87 ⊤ r.-v.

DOM. JESSIAUME PERE ET FILS
Les Ecusseaux 1998*

| ☐ 1er cru | 0,31 ha | 2 100 | Ⅲ 100 à 149 F |

« Du bon boulot ! », note sur sa fiche un de
nos dégustateurs. Sous des traits brillants et
d'une nuance assez claire, ce vin est floral avec
une touche de pomme. Son gras, son opulence
même impressionnent le tâtevin. Rondeur ? Oui,
mais il a suffisamment de nerf, de mordant,
d'acidité pour vieillir. Il sera formidable à son
apogée d'ici un an ou deux.
●┐ Dom. Jessiaume Père et Fils,
10, rue de la Gare, 21590 Santenay,
tél. 03.80.20.60.03, fax 03.80.20.62.87 ☑ ⊤ r.-v.

DOM. DE LA ROCHE AIGUE 1998*

| ☐ | | 1,5 ha | 3 800 | Ⅲ 50 à 69 F |

Ce vin a les joues or pâle et un parfum où se
mêlent l'aubépine et la noisette. Equilibré, souple
et floral, légèrement boisé, il occupe le palais et
n'y passe pas inaperçu.

●┐ Eric et Florence Guillemard, EARL La
Roche Aiguë, rue du Glacis, 21190 Meloisey,
tél. 03.80.26.02.04, fax 03.80.26.06.14 ☑ ⊤ r.-v.

HENRI LATOUR ET FILS 1998**

| ☐ | | 0,56 ha | 3 180 | Ⅲ 70 à 99 F |

Si les **rouges village** (50 à 69 F) et **1er cru 98**
(70 à 99 F) reçoivent tous deux une étoile, celui-ci
est remarquable. Lies fines et bâtonnage, on est
ici de la bonne école. Une volaille à la crème
accompagnera à merveille cette bouteille à la présentation impeccable, au bouquet de pamplemousse, d'abricot relevé par une sensation minérale. Elégant et frais, un vin qui réjouit le palais.
●┐ Henri Latour et Fils, rte de Beaune,
21190 Auxey-Duresses, tél. 03.80.21.22.24,
fax 03.80.21.63.08 ☑ ⊤ r.-v.

MALLARD-GAULIN 1998*

| ☐ | | 0,2 ha | 1000 | Ⅲ 100 à 149 F |

Paille clair à reflets verts, il s'annonce classique. Bouquet épicé, vanillé, fleuri, il devient
moderne. Classique et moderne donc. Après une
attaque vive, poussé dans ses retranchements, il
confesse sa suavité sur des notes d'amande douce
et de miel. Une bouteille élégante et fraîche.
●┐ Maison Mallard-Gaulin, 21420 Aloxe-
Corton, tél. 03.80.26.46.10, fax 03.80.26.43.57

CATHERINE ET CLAUDE MARECHAL 1998*

| ■ | | 2,24 ha | 4 000 | Ⅲ 70 à 99 F |

Il nous raconte une longue histoire, ce 98 typique de l'année, à l'attaque nette et franche et qui,
d'une remarquable persistance, évolue au fil de
la dégustation. Sa robe est encore jeune. Son
second nez, meilleur que le premier, s'engage sur
le fruit. Cela fera vingt ans en 2001 que Catherine
et Claude Maréchal sont à la barre.
●┐ EARL Catherine et Claude Maréchal,
6, rte de Chalon, 21200 Bligny-lès-Beaune,
tél. 03.80.21.44.37, fax 03.80.26.85.01 ☑ ⊤ r.-v.

CHRISTOPHE MARY 1998*

| ■ | | 0,15 ha | 450 | Ⅲ 50 à 69 F |

Rouge intense, agrémenté d'arômes végétaux
puis fruités, il était un peu austère lors de la
dégustation, mais il a de la réserve et sa longueur
est prometteuse. A ne pas ouvrir avant 2003.
●┐ Christophe Mary, 21190 Corcelles-les-Arts,
tél. 03.80.21.48.98, fax 03.80.21.48.98 ☑ ⊤ r.-v.

PIGUET-GIRARDIN
Les Grands Champs 1997*

| ■ 1er cru | 0,18 ha | 1 200 | ■ Ⅲ ♨ 50 à 69 F |

Climat situé au bas du coteau des 1ers crus, les
Grands Champs se partagent ici entre la cerise
(à l'œil) et le cassis (au nez). Bonne attaque,
ample et pleine, équilibre plaisant entre la
matière et les tanins, jolie palette aromatique, on
ne se lasse pas de ce vin facile à boire. Deux
domaines se sont réunis en 1985 pour assurer
l'avenir de celui-ci, regroupant 12 ha.
●┐ Dom. Piguet-Girardin, rue du Meix,
21190 Auxey-Duresses, tél. 03.80.21.60.26,
fax 03.80.21.66.61 ☑ ⊤ r.-v.

BOURGOGNE

La Côte de Beaune

VINCENT PONT 1998★

■   1,32 ha   2 000   ❚❚❙ 50 à 69 F

Il n'a guère plus de vingt ans, et il débute dans le métier. Son nom, il est vrai, est bien connu dans la région. Son vin pourpre vif, légèrement tuilé, suggère la framboise, le tilleul, avant de se montrer sévère, austère, en raison de ses tanins. Normal à cet âge. Ne le bousculez pas trop tôt car il attend son heure (deux ou trois ans).
☛ Vincent Pont, rue des Etoiles, 21190 Auxey-Duresses, tél. 03.80.21.27.00, fax 03.80.21.24.49
☑ ⵞ r.-v.

DOM. JEAN-PIERRE ET LAURENT PRUNIER 1998★

☐   1,2 ha   3 000   ❚❚❙ 50 à 69 F

Quand on demande la cave Prunier à Auxey, il faut se rappeler le prénom. Car les Prunier remplissent à eux tous l'annuaire téléphonique ! Ici, c'est Jean-Pierre et Laurent qui proposent un chardonnay bien habillé. Son nez minéral et iodé lui convient parfaitement. L'étape suivante présente un bon équilibre entre l'acidité et le gras, une certaine puissance et des notes de cire d'abeille.
☛ Dom. Jean-Pierre et Laurent Prunier, rue Traversière, 21190 Auxey-Duresses, tél. 03.80.21.27.51, fax 03.80.21.27.51 ☑ ⵞ r.-v.

MICHEL PRUNIER 1998★★

■ 1er cru   n.c.   4 600   ❚❚❙ 70 à 99 F

L'auxey est souvent viril et dur dans sa jeunesse. Ne levons pas les bras au ciel s'il montre ainsi les dents ! Car la structure de ce 98 est bien celle d'un 1er cru concentré, en phase de mûrissement, riche en potentiel. Pas d'égrappage, cela se sent. Ses arômes initiaux (végétaux) s'accompagnent d'une évolution sur la groseille. Et si sa bouche est encore fermée, c'est qu'il parlera lorsqu'il en sera temps.
☛ Dom. Michel Prunier, rte de Beaune, 21190 Auxey-Duresses, tél. 03.80.21.21.05, fax 03.80.21.64.73 ☑ ⵞ r.-v.

PASCAL PRUNIER 1998★★

☐   1,16 ha   5 000   ❚❚❙ 50 à 69 F

Lauréat du coup de cœur dans le Guide 1992 (pour ses Duresses 89), ce viticulteur a proposé un **village rouge 98** gentil et cité, alors que sa version blanche porte l'une des plus belles robes du pays. Le chèvrefeuille en vedette d'une intéressante complexité, juste assez d'acidité pour affronter l'épreuve du temps. Ce vin est le fruit d'un beau travail du raisin et du fût. Changement d'adresse : Pascal Prunier s'est installé récemment à Meursault.
☛ Pascal Prunier, 23, rue des Plantes, 21190 Meursault, tél. 03.80.21.66.56, fax 03.80.21.67.33 ☑ ⵞ r.-v.

DOM. VINCENT PRUNIER
Les Grands Champs 1998★★

■ 1er cru   0,35 ha   1 600   ❚❚❙ 70 à 99 F

Vincent Prunier n'est pas né vigneron mais l'est devenu lorsqu'il a créé son domaine en 1988. Voici donc son dixième millésime. Comme il existe en bande dessinée une école de la « ligne pure », certains vins émerveillent par leur sincé-

rité. Ainsi de celui-ci, coup de cœur plébiscité. Une robe picturale, des arômes de fruits rouges que le fût embellit et respecte, une concentration splendide et un arrière-goût de griotte. Ses tanins sont enveloppés par le gras. Déjà agréable et de garde. Le **village rouge 98** (50 à 69 F) reçoit une étoile.

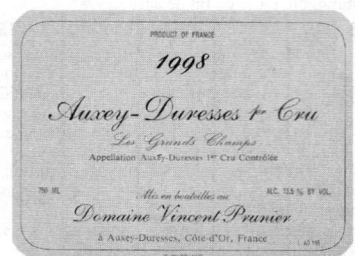

☛ Vincent Prunier, rte de Beaune, 21190 Auxey-Duresses, tél. 03.80.21.27.77, fax 03.80.21.68.87 ☑ ⵞ r.-v.

JEAN-MARC VINCENT
Les Hautes 1998★

☐   0,9 ha   1000   ❚❚❙ 70 à 99 F

Une étiquette originale : elle montre la bouteille qu'on a sous les yeux et reproduit son... étiquette ; c'est ce qu'on appelle une mise en abyme, en analyse littéraire ! Rassurez-vous, ce vin dégusté avec modération ne vous fera pas voir double. Jean-Marc Vincent a repris il y a cinq ans les vignes de son grand-père et propose un 98 or soutenu, style silex et agrumes, boisé à bon escient, solidement construit, et dont l'acidité assurera l'heureux vieillissement.
☛ Jean-Marc Vincent, 3, rue Sainte-Agathe, 21590 Santenay, tél. 03.80.20.67.37, fax 03.80.20.67.37 ☑ ⵞ r.-v.

Saint-romain

Le vignoble est situé dans une position intermédiaire entre la Côte et les Hautes Côtes. Les vins de Saint-Romain (4 992 hl), surtout les blancs (2 690 hl en 1999), sont fruités et gouleyants, et toujours prêts à donner plus qu'ils n'ont promis, selon les viticulteurs eux-mêmes. Les rouges représentaient, en 1996, 1 922 hl et, en 1999, 2 302 hl. Le site est magnifique et mérite une petite excursion.

FRANCOIS D'ALLAINES 1997★

☐   n.c.   3 300   ❚❚❙ 70 à 99 F

Si ce chardonnay vivifie de sa présence « dallaines.com », ce site mérite d'être visité. La bouteille en effet n'est nullement virtuelle ! Intense et en phase d'évolution, elle est gentiment miel-

538

lée, à la fois végétale et minérale. Le gras et l'acidité jouent à armes égales. Complet, un vin encore un peu vert, et à laisser reposer quelques mois encore.

☛ François d'Allaines, La Corvée du Paquier, 71150 Demigny, tél. 03.85.49.90.16, fax 03.85.49.90.19, e-mail francois@dallaines.com ☘ r.-v.

BERTRAND AMBROISE 1998*

☐	2,47 ha	8 000	⦀	70 à 99 F.

Frère de saint Lupicin, saint Romain vécut en ermite dans le Jura. Ce vin l'aurait sans doute tiré de sa grotte. Jaune clair limpide, abricot mûr au nez, il est d'une approche chaleureuse, légèrement miellée. Typé en un mot. D'ici un à deux ans, il sera parfait.

☛ Maison Bertrand Ambroise, rue de l'Eglise, 21700 Premeaux-Prissey, tél. 03.80.62.30.19, fax 03.80.62.38.69, e-mail bertrand.ambroise@wanadoo.fr ☑ ☘ r.-v.

DOM. BILLARD ET FILS
La Perrière 1998*

■	0,85 ha	3 500	⦀	50 à 69 F

Ce qu'on appelle un bon vin de vigneron. Tirant sur la couleur de la mûre, il ouvre largement ses fenêtres dès le premier coup de nez. Fruit rouge certes, mais on sent la complexité. Puis une maturité soyeuse sous des abords un peu sauvages. On n'est pas très loin des Hautes-Côtes, et d'ailleurs le viticulteur en vient. Belle matière première, équilibre satisfaisant. Ce 98 peut vieillir un peu.

☛ Dom. Billard et Fils, rte de Beaune, 21340 La Rochepot, tél. 03.80.21.87.94, fax 03.80.21.72.17 ☑ ☘ r.-v.

BOUCHARD PERE ET FILS 1997*

■	n.c.	n.c.	⦀ 🍷	70 à 99 F

Tout le négoce-éleveur semble s'être donné rendez-vous dans cette appellation. Ce 97 est « bien honnête », comme on dit par ici. Rouge grenat, il ne dépayse pas. Framboise-cassis, il ne va pas chercher ses arômes au fin fond de la Terre. La bouche est fraîche, portée par des tanins qui ressemblent aux angelots des plafonds peints. A saisir dans les deux ans.

☛ Bouchard Père et Fils, Ch. de Beaune, 21200 Beaune, tél. 03.80.24.80.24, fax 03.80.22.55.88, e-mail france@bouchard.pereetfils.com ☘ r.-v.

CHRISTOPHE BUISSON
Sous le Château 1998*

☐	0,5 ha	n.c.	⦀	50 à 69 F

Porté sur le minéral, il a dans sa hotte de l'acidité, des tanins, un rien d'amertume, un goût de groseille, une certaine chaleur due à l'alcool. A mettre de côté entre deux et quatre ans.

☛ Christophe Buisson, 21190 Saint-Romain, tél. 03.80.21.63.92, fax 03.80.21.67.03 ☑ ☘ r.-v.
☛ Gilles Buisson

DENIS CARRE Le Jarron 1998*

■	n.c.	n.c.	⦀	50 à 69 F

Climat estimé au village pour un rouge très rouge, ouvert à demi sur le cassis, et dont l'acidité

assure tout à la fois la fraîcheur et la durée. On n'en fera pas une bouteille à garder cent sept ans, mais en attendant on peut s'en satisfaire au moins pendant quatre ans.

☛ Denis Carré, rue du Puits-Bouret, 21190 Meloisey, tél. 03.80.26.02.21, fax 03.80.26.04.64 ☑ ☘ t.l.j. 8h-18h

CHARTRON ET TREBUCHET
Vieilli en fût de chêne 1998**

☐	n.c.	9 500	⦀	100 à 149 F

L'Ecole polytechnique conduit parfois au vin de Bourgogne. C'est le cas de Louis Trébuchet, X reconverti dans la vigne depuis son association avec Jean Chartron, ancien maire de Puligny et viticulteur au pays. Quant à ce 98, il apparaît structuré et ample, agréable dans une forte tonalité vanillée qui nécessite un temps d'attente.

☛ Chartron et Trébuchet, 13, Grande-Rue, 21190 Puligny-Montrachet, tél. 03.80.21.32.85, fax 03.80.21.36.35, e-mail jmchartron@chartron-trebuchet.com ☑ ☘ t.l.j. 10h-12h30 14h-18h; f. nov. à mars

DOM. DU CHATEAU DE PULIGNY-MONTRACHET 1997

☐	0,46 ha	3 000	⦀	70 à 99 F

Ce saint-romain se montre fidèle à la devise du domaine : « Vérité contre tout. » Or gris, il respecte terroir et cépage. Il sait éveiller les sens sur des arômes expressifs, d'une finesse toute minérale, tirant également sur la noisette et le coing. Le boisé reste subtil. D'une longueur moyenne, la bouche s'achève sur une touche de miel.

☛ SCEA Dom. du Château de Puligny-Montrachet, 21190 Puligny-Montrachet, tél. 03.80.21.39.14, fax 03.80.21.39.07, e-mail chateaupul@aol.com ☑ ☘ r.-v.

F. CHAUVENET 1998

☐	n.c.	9 000	■ 🍷	70 à 99 F

Fondée en 1853 à Nuits, la maison Chauvenet a toujours été dirigée par des femmes. Colette lui a consacré un article enthousiaste. Françoise Chauvenet l'a portée sur les fonts baptismaux. Fille de J.-Cl. Boisset, Nathalie la couve du regard. Or vert à reflets grisés, ce vin semble destiné à la tourte aux champignons : franchise et fraîcheur, vivacité. Le fruit est en réserve.

☛ F. Chauvenet, 9, quai Fleury, 21700 Nuits-Saint-Georges, tél. 03.80.62.61.43, fax 03.80.62.37.38

JOSEPH DROUHIN 1998*

☐	n.c.	n.c.	⦀	100 à 149 F

La citronnelle embellit le joli nez de ce saint-romain où l'on retrouve les fruits blancs et des notes florales. De structure légère, voici un 98 fort accommodant et qui conclut sur une finale assez fruitée. Il est prêt à passer à table et fera une agréable ouverture de déjeuner.

☛ Joseph Drouhin, 7, rue d'Enfer, 21200 Beaune, tél. 03.80.24.68.88, fax 03.80.22.43.14, e-mail drouhin@calva.net ☘ r.-v.
☛ Robert Drouhin

GERMAIN PERE ET FILS
Côte de Beaune 1998*

■   3,23 ha   6 500   ▮ ◧ ♨   50 à 69 F

La mention Côte de Beaune accolée au nom du *village* est autorisée. Spectaculaire comme la falaise de Saint-Romain, ce 98, un peu fermé et évoluant vers le pruneau, très sombre, séduit dès l'entrée en bouche. Avec de la chair, un peu de muscle, un air de griotte. Le fond n'est pas considérable, mais quel plaisir ! Le **Sous le château 97 rouge** est très impressionnant, et le garder est nécessaire, il reçoit une même note.
☛ EARL Dom. Germain Père et Fils, rue de la Pierre-Ronde, 21190 Saint-Romain,
tél. 03.80.21.60.15, fax 03.80.21.67.87 ☑ ⊺ t.l.j. 8h-20h; dim. sur r.-v.

DOM. GUY-PIERRE JEAN ET FILS
1998

■   0,35 ha   1000   ◧   50 à 69 F

Un bouquet assez original orne ce 98 d'un rouge convaincu et profond. Petite astringence, mais tout se tient en bouche dans l'équilibre et la concentration. Remontée de griotte comme s'il s'agissait d'une résurgence.
☛ Dom. Guy-Pierre Jean et Fils, rue des Cras, 21420 Aloxe-Corton, tél. 03.80.26.44.72, fax 03.80.26.45.36 ☑ ⊺ r.-v.

MICHEL PICARD 1997

■   n.c.   5 800   ◧   70 à 99 F

Pourpre à reflets bruns, ce 97 est en train de changer de port d'attache. Mais quel nez ! Délicat, sur le noyau de cerise, un peu animal. L'attaque est nette, la matière souple et fruitée, un tantinet alcooleuse. Ce n'est pas un navire pour une traversée au long cours, mais, pour une régate, l'embarcation est fraîche et sous le bon vent.
☛ Michel Picard, rte de Saint-Loup-de-la-Salle, 71150 Chagny, tél. 03.85.87.51.00, fax 03.85.87.51.11

PRUNIER-DAMY Sous le château 1998

■   0,19 ha   900   ◧   50 à 69 F

Couleur burlat, ce vin fait un parcours sur la cerise, de l'œil à la finale. Le bois prend ses marques mais sera fondu dans deux ou trois ans ; les arômes empyreumatiques sont d'ailleurs de qualité et participent à l'harmonie générale.
☛ Philippe Prunier-Damy, rue du Pont-Boillot, 21190 Auxey-Duresses, tél. 03.80.21.60.38, fax 03.80.21.26.64 ☑ ⊺ t.l.j. sf dim. 9h-11h30 14h-18h

FRANCOIS RAPET ET FILS
Côte de Beaune 1998*

■   4,5 ha   2 000   ◧   50 à 69 F

Portant également la mention Côte de Beaune comme il en a le droit, ce saint-romain d'une nuance très claire est sans complexes. Ouvert sur la fraise, le pain d'épice, il ramasse de bonnes cartes avant de relancer le jeu. Ses tanins sont fondus, l'acidité correcte, la persistance réelle et la typicité indiscutable. Agréable et à déboucher maintenant.

☛ EARL François Rapet et Fils, rue Sous-le-Château, 21190 Saint-Romain,
tél. 03.80.21.22.08, fax 03.80.21.60.19 ☑ ⊺ t.l.j. 9h30-12h 14h-18h

HENRI DE VILLAMONT 1998*

☐   n.c.   15 000   ◧   100 à 149 F

Filiale bourguignonne du groupe suisse Schenk, Henri de Villamont occupe les très beaux bâtiments et caves de feu Léonce Bocquet à Savigny. Son saint-romain blanc est plaisant sous ses arômes d'aubépine et de mandarine : cela rime fort bien au nez. Bon équilibre. Un caractère délicat et intéressant.
☛ Henri de Villamont, rue du Dr-Guyot, 21420 Savigny-lès-Beaune, tél. 03.80.24.70.07, fax 03.80.22.54.31, e-mail hdv@planetb.fr ☑ ⊺ t.l.j. sf mar. 9h30-18h30; jeu. 9h30-12h; f. 15 nov.-15 mars

Meursault

Avec Meursault commence la véritable production de grands vins blancs. Avec 19 563 hl en 1999 et des premiers crus mondialement réputés : les Perrières, les Charmes, les Poruzots, les Genevrières, les Gouttes d'Or, etc. Tous allient la subtilité à la force, la fougère à l'amande grillée, l'aptitude à être consommés jeunes aux possibilités de longévité. Meursault est bien la « capitale des vins blancs de Bourgogne ». Notons une petite production de vin rouge, 938 hl.

Les « petits châteaux » qui restent à Meursault sont les témoins d'une opulence ancienne, attestant une notoriété certaine des vins produits. La Paulée, qui a pour origine le repas pris en commun à la fin des vendanges, est devenue une manifestation traditionnelle qui se déroule le troisième jour des « Trois Glorieuses ».

CH. DE BLAGNY 1997

☐ 1er cru   n.c.   30 000   ◧   150 à 199 F

Un meursault-blagny, appellation méritant d'être mentionnée : elle n'est pas si fréquente et honore le château de Blagny, domaine vénérable pris en charge par Latour. Frais, léger, dans sa robe paille doré à reflets verts, ce 97 offre des arômes de fruits blancs, d'agrumes, complétés par une pointe de menthol. Son côté minéral contribue à faire pencher la balance en sa faveur.
☛ Maison Louis Latour, 18, rue des Tonneliers, 21200 Beaune, tél. 03.80.24.81.00, fax 03.80.22.36.21, e-mail louislatour@louislatour.com ⊺ r.-v.

CH. DE BLIGNY 1998

| | 0,5 ha | 1 900 | **❙❙❙** 100 à 149 F |

Une vraie truite cette bouteille. Fine, fugace, elle ne vous file cependant pas entre les papilles. Agréable à la vue, en instance d'arômes, elle fait de son mieux. Il s'agit du château de Bligny cédé, le 1er septembre 1999, à la cave de Sainte-Marie-la-Blanche par l'intermédiaire de la SAFER de Bourgogne (auparavant GMF et Suntory).

☛ Ch. de Bligny, Caves de la Vervelle, 21200 Bligny-lès-Beaune, tél. 03.80.21.47.38, fax 03.80.21.40.27 ☑ ☨ t.l.j. sf dim. lun. 10h-12h 14h-18h

DOM. GUY BOCARD Charmes 1998★★

| | 1er cru | 0,67 ha | 4 000 | ❙ ❙❙❙ ♦ 150 à 199 F |

Pourquoi donc Albert Camus a-t-il appelé Meursault le personnage de *L'Etranger* alors que le meursault est si souple et si rond ? D'une robe assez claire, celui-ci chante l'aubépine et la noisette. Sa bouche ronde est un vrai régal. Riche et beurrée, bien enrobée, elle rappelle le fruit sec. Ce domaine de 8,5 ha a remporté deux fois le coup de cœur, dans les éditions 1995 et 1997 (pour des millésimes 92 et 94), on reste ici sur cette lancée. Pensez également aux **Narvaux 97** (100 à 149 F) quand vous visiterez cette cave : ils reçoivent une étoile.

☛ Guy Bocard, 4, rue de Mazeray, 21190 Meursault, tél. 03.80.21.26.06, fax 03.80.21.64.92 ☑ ☨ r.-v.

BOUCHARD PERE ET FILS
Clos des Corvées de Cîteaux 1997★

| | n.c. | n.c. | **❙❙❙** 200 à 249 F |

Avant même le Clos de Vougeot, l'abbaye de Cîteaux reçut ses premières vignes à Meursault. Ce cru emprunte donc, à bon droit, le nom des moines... ou plutôt de leurs vignerons contraints à quelques « corvées » (travaux d'entretien sous forme d'impôt en nature). Pour la table du père abbé, ce 97 ? Robe, nez, constitution, il respecte la discrétion cistercienne tout en suivant la règle du chardonnay, sans montrer une piété excessive dans ses différents exercices. Le **meursault village 97** (150 à 199 F), reçoit également une étoile pour son harmonie.

☛ Bouchard Père et Fils, Ch. de Beaune, 21200 Beaune, tél. 03.80.24.80.24, fax 03.80.22.55.88, e-mail france@bouchard.pereetfils.com ☨ r.-v.

DOM. JEAN-MARIE BOUZEREAU
1998★

| | 1,2 ha | 5 000 | **❙❙❙** 70 à 99 F |

Or franc, il débute sa prestation sur un nez de miel et d'épices révélé d'emblée et qui acquiert un peu de complexité à l'aération, pour aboutir à une sensation de volupté orientale. En bouche, il se montre assez entreprenant, vif et fruité, légèrement minéral. Il peut offrir d'intéressantes perspectives à moyen terme. « Pour des gambas grillées », note le jury. Notez bien le prénom : les Bouzereau sont légion.

☛ Jean-Marie Bouzereau, 7, rue Labbé, 21190 Meursault, tél. 03.80.21.62.41, fax 03.80.21.65.97 ☑ ☨ r.-v.

DOM. VINCENT BOUZEREAU
Les Charmes 1998★

| | 1er cru | 0,25 ha | 600 | **❙❙❙** 150 à 199 F |

Coup de cœur l'an dernier pour des Gouttes d'Or 97, Vincent Bouzereau a proposé deux beaux vins dans le millésime 98. Certes, le **village 98** ne vous décevra pas (70 à 99 F) mais, à tout prendre et si vos économies vous le permettent, choisissez le 1er cru. Le vin dont rêve tout poisson en sauce. Peu de nez il est vrai, mais cette finesse au palais qui nous change des meursault parfois trop lourds. Des Charmes qui n'en manquent pas.

☛ Vincent Bouzereau, 7, rue Labbé, 21190 Meursault, tél. 03.80.21.61.08, fax 03.80.21.65.97 ☑ ☨ r.-v.

MICHEL BOUZEREAU ET FILS
Les Tessons 1998★★★

| | 1er cru | 0,5 ha | n.c. | **❙❙❙** 100 à 149 F |

Bis repetita... Domaine coup de cœur l'an dernier et à nouveau cette année. Un vin à l'or brillant, au bouquet fruité, au boisé bien maîtrisé. D'un tempérament assez chaud, il se plaira en compagnie d'un plat à la crème, le sandre par exemple. Quant à sa persistance en bouche, elle est remarquable. Au cas où... notez toujours **Les Grands Charrons 98** (une étoile), tout en finesse, souple et aux notes d'agrumes, qui a été proposé pour accompagner un filet de daurade aux olives alors que le coup de cœur est destiné aux grands poissons à la crème.

☛ Michel Bouzereau et Fils, 3, rue de la Planche-Meunière, 21190 Meursault, tél. 03.80.21.20.74, fax 03.80.21.66.41 ☑ ☨ r.-v.

MICHEL BOUZEREAU ET FILS
Les Charmes Dessus 1998★★

| | 1er cru | 0,3 ha | n.c. | **❙❙❙** 150 à 199 F |

Quatre vins proposés dans cette AOC, quatre vins bien notés ! Les Bouzereau, qui possèdent 11 ha, maîtrisent parfaitement l'élevage. Voyez ces 1ers crus : le charme, l'élégance, tant dans la couleur que dans les arômes et la structure. Tout est complexité, le boisé grillé respectant le fruit. **Les Genevrières 98** reçoivent une étoile pour leur bouquet de cire, de miel, de fleurs blanches et de pain grillé.

☛ Michel Bouzereau et Fils, 3, rue de la Planche-Meunière, 21190 Meursault, tél. 03.80.21.20.74, fax 03.80.21.66.41 ☑ ☨ r.-v.

DOM. HUBERT
BOUZEREAU-GRUERE Charmes 1998★

| | 1er cru | 0,65 ha | 2 000 | 🎁 150 à 199 F |

Issu d'une vieille famille de viticulteurs de Meursault, Hubert a travaillé dès l'âge de quatorze ans sur le domaine de ses parents. Deux de ses filles l'ont rejoint sur l'exploitation, doublée désormais d'un caveau à Chassagne et de chambres d'hôtes. Et ces Charmes ? Paille limpide, ils se partagent équitablement entre le fruit mûr et l'amande grillée. Volume, puissance et pas mal de vivacité tout au long du séjour en bouche.
🍷 Hubert Bouzereau, 22 a, rue de la Velle, 21190 Meursault, tél. 03.80.21.20.05, fax 03.80.21.68.16 ✓ ⅄ r.-v.

DOM. CAILLOT Le Limozin 1997★★★

| | | 0,41 ha | 2 500 | ⬛🎁♨ 100 à 149 F |

Le coup de cœur consacre ce 97 qui connaît à

la perfection ses classiques. Quelle jolie robe ! Le nez ouvert sur le fruit frais, respectant son terroir, il est à la fois sec et moelleux, vif et ample, agréable et plein d'avenir. Michel Caillot a repris en 1995 l'activité viticole de sa belle-famille, exploitant des vignes sur la plupart des villages de la Côte de Beaune. Vous pouvez en outre mettre de côté **La Barre Dessus - clos Marguerite 97** : excellent *village* noté une étoile.
🍷 Dom. Caillot, 14, rue du Cromin, 21190 Meursault, tél. 03.80.21.21.70, fax 03.80.21.69.58 ✓ ⅄ r.-v.

DOM. DU CERBERON
Clos des Cras 1998

| | 1er cru | 0,6 ha | 1 900 | 🎁 100 à 149 F |

Cire d'abeille, un peu timide, son bouquet est assez boisé et teinté de fleurs blanches. On retrouve cette discrétion en bouche, puis la montée en puissance ne manque pas d'ampleur. Un vin à boire dans les temps à venir. Ce *climat* se situe côté volnay, près des Santenots.
🍷 Dom. du Cerberon, 18, rue de Lattre-de-Tassigny, 21190 Meursault, tél. 03.80.21.22.95, fax 03.80.21.65.00, e-mail domaine-cerberon@wanadoo.fr ✓ ⅄ r.-v.
🍷 GFA des Belles Côtes

DOM. DU CHATEAU DE
PULIGNY-MONTRACHET 1998★

| | | 0,73 ha | 3 200 | 🎁 100 à 149 F |

« Vérité contre tout », proclame l'étiquette. Le Château de Puligny est passé entre de nombreuses mains, avant de devenir propriété du Crédit Foncier de France et d'un de ses directeurs pris de passion pour ce domaine depuis 1989. Ce

meursault ne manque pas de qualités de puissance et de rondeur sur des arômes de fruits mûrs, d'abricot confit. On cite Lamartine comme visiteur. On peut aussi mentionner le dessinateur Sempé qui, peu familier de ces cérémonies, fit ici naguère une mémorable descente de cave !
🍷 SCEA Dom. du Château de Puligny-Montrachet, 21190 Puligny-Montrachet, tél. 03.80.21.39.14, fax 03.80.21.39.07, e-mail chateaupul@aol.com ✓ ⅄ r.-v.

VINCENT DANCER Perrières 1998★

| | 1er cru | 0,29 ha | 900 | 🎁 150 à 199 F |

Un vin sans extravagance, moelleux comme il le faut, à la bouche ample et puissante, élégante, un peu chaude. D'une teinte doré clair, il met en scène des arômes mentholés. C'est le troisième millésime produit par ce jeune viticulteur qui ne manque pas d'inspiration en Perrières.
🍷 Vincent Dancer, 23, rte de Santenay, 21190 Chassagne-Montrachet, tél. 03.80.21.94.48, fax 03.80.21.94.48, e-mail vincentdancer@aol.com ✓ ⅄ r.-v.

DOM. DARNAT 1998★

| | | 1,5 ha | 7 000 | 🎁 100 à 149 F |

Jaune doré, une bouteille à ouvrir un peu à l'avance. Sensations grillées, notes de figue, de fruits secs, d'agrumes jusqu'en fin de palais. « Qui boit du meursault, dit-on au pays, ne vit ni ne meurt sot. » Faites-en donc l'expérience ! Une teinture aux deux lottes fera votre affaire...
🍷 Dom. Darnat, 20, rue des Forges, 21190 Meursault, tél. 03.80.21.23.30, fax 03.80.21.64.62 ✓ ⅄ r.-v.
🍷 Henri Darnat

JOSEPH DROUHIN 1997★★

| | | n.c. | n.c. | 🎁 150 à 199 F |

A l'occasion des vœux de l'an 2000, la maison Joseph Drouhin a eu l'heureuse idée de raconter tous les millésimes bourguignons du XX^{e}s. Le 97 montre ici qu'il ne doit pas être jugé trop vite. Voici en effet un *village* digne du rang des 1ers crus sous l'or vert d'une robe magnifique. Charmantes confidences beurrées au sortir de son nez. La bouche équilibrée et longue, très typée, est racée. Une très grande bouteille.
🍷 Joseph Drouhin, 7, rue d'Enfer, 21200 Beaune, tél. 03.80.24.68.88, fax 03.80.22.43.14, e-mail drouhin@calva.net ⅄ r.-v.

DUFOULEUR PERE ET FILS 1997★

| | | n.c. | 1 200 | 🎁 250 à 299 F |

Non, il ne fait pas pitié et ne réclame pas l'aumône, ce meursault cousu d'or au bouquet très riche (vanille, amande, mais aussi beurre et brioche). Moyennement intense, il a une corpulence enveloppée de gras et une petite note d'amertume sur la fin. Il vieillira bien.
🍷 Dufouleur Père et Fils, 15, rue Thurot, 21700 Nuits-Saint-Georges, tél. 03.80.61.21.21, fax 03.80.61.11.23 ✓ ⅄ r.-v.

LIONEL DUFOUR Les Cras 1997

| | 1er cru | n.c. | 3 000 | 300 à 499 F |

On le dit par ailleurs, le 1er cru Les Cras proche de Volnay fait un peu bande à part et peut se

décliner en rouge ou en blanc. Ce qui est logique vu sa situation. Rouge grenat, celui-ci attaque ferme sur le bourgeon de cassis accompagné de tanins assouplis. Le petit fruit s'en donne à cœur joie, sur une structure caractéristique des 97.
� SCI Lionel Dufour, 7, rte de Monthélie, 21190 Meursault, tél. 03.80.21.67.02, fax 03.87.69.71.13

DOM. BERNARD DURY 1998

| ■ | 0,26 ha | 1000 | ◫ | 50 à 69 F |

Rubis brillant sans forcer la note, un joli 98 griotte qui commence sur la framboise et se révèle au palais comme un vin de soif plus que de conversation. L'acidité a son mot à dire : la fraîcheur et le fruit s'équilibrent.
�'➙ Bernard Dury, rue du Château, Cissey-Merceuil, 21190 Meursault, tél. 03.80.21.48.44, fax 03.80.21.48.44 ☑ ♈ r.-v.

PAUL GARAUDET Vieilles vignes 1998★

| □ | 2 ha | 7 500 | ◫ | 100 à 149 F |

Après une attaque onctueuse, ce vin se développe ensuite dans la nervosité ; du minéral à souhait, marqué par un boisé qui exige une certaine attente : on voit en lui un « vin macho ». Musclé en tout cas, ayant quelque chose à dire, sinon à affirmer. Ses arômes jouent avec le citron, le pamplemousse. Sa longueur en bouche n'est pas de celles qu'on rencontre tous les jours.
➙ Paul Garaudet, imp. de l'Eglise, 21190 Monthélie, tél. 03.80.21.28.78, fax 03.80.21.66.04 ☑ ♈ r.-v.

CH. GENOT-BOULANGER
Clos du Cromin 1997★

| □ | 1,4 ha | 7 400 | ◫ | 100 à 149 F |

« Donner du temps au temps... », saint Bernard l'avait dit, bien avant François Mitterrand.

BOURGOGNE

La côte de Beaune (Centre-Sud)

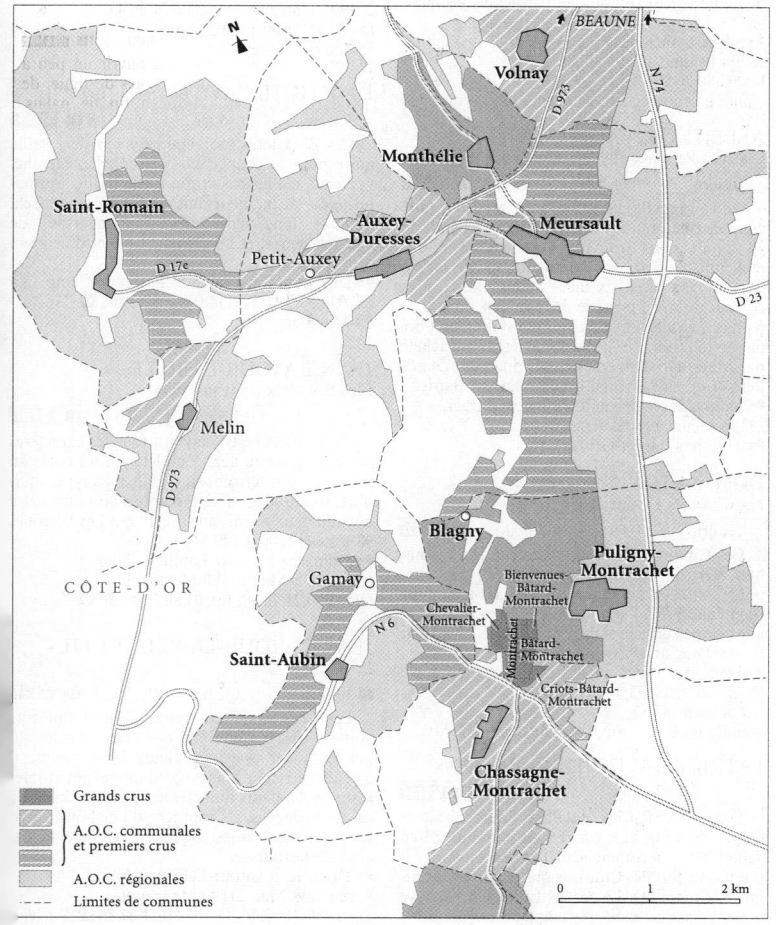

Grands crus

A.O.C. communales et premiers crus

A.O.C. régionales

--- Limites de communes

Ce précepte doit s'appliquer à ce 97 qui doit encore atténuer sa flamme acide. Ses reflets distingués et du plus bel or vert, sa minéralité, son élégance, sa richesse même en font ce qu'il est convenu d'appeler un vin très féminin. Et vous savez comment, avec l'âge souvent, la vivacité de jeunesse devient la tendresse partagée...

☛ Ch. Génot-Boulanger, 25, rue de Cîteaux, 21190 Meursault, tél. 03.80.21.49.20, fax 03.80.21.49.21, e-mail genot-boulanger@wanadoo.fr ☑ ⏧ r.-v.

☛ Mme Delaby

ANDRE GOICHOT 1998★

| ☐ | n.c. | 8 000 | ⏸ 150 à 199 F |

Il est drôle, ce vin. Il se cache derrière le verre. Il est très lent à révéler ses qualités de bouche. Pudeur ? Timidité ? Les vins nous ressemblent... Mais son âme est pure et il y a une bonne structure sous ces émotions de jeunesse. Un 98 complexe, brioché, avec une pointe de minéralité. On vous l'a dit : il est à solliciter. Sa trame un peu serrée aujourd'hui va se libérer, et cette bouteille jettera son bonnet par-dessus les moulins.

☛ SA A. Goichot et Fils, av. Charles-de-Gaulle, 21200 Beaune, tél. 03.80.26.88.70, fax 03.80.26.80.69, e-mail goichot@goichotsa.com ☑ ⏧ r.-v.

ALBERT GRIVAULT
Clos des Perrières 1998

| ☐ 1er cru | 0,95 ha | 6 100 | ⏸ 300 à 499 F |

On se rappelle que ce même vin remporta le coup de cœur dans l'édition 1999. Il s'agissait du 96. Nous nous trouvons ici dans la bonne moyenne ; le lecteur doit savoir que le jury a dégusté cent vingt-six meursault. Celui-ci, à la couleur discrète, possède des parfums de mie de pain et de fruits blancs. Le corps est fin, équilibré par un joli fruit. Le Clos des Perrières a été acheté par Albert Grivault en 1879. Il appartient de nos jours à ses successeurs, les Chevignard-Bardet.

☛ Dom. Albert Grivault, 7, pl. du Murger, 21190 Meursault, tél. 03.80.21.23.12 ☑ ⏧ r.-v.

☛ Héritiers Bardet-Grivault

DOM. ANTONIN GUYON
Les Charmes Dessus 1998

| ☐ 1er cru | 0,69 ha | 3 000 | ⏸ 200 à 249 F |

Ces Charmes Dessus ont des rondeurs aimables. Vert doré, un vin qui ne se fait pas prier pour confesser ses arômes : ananas, menthol... Bien équilibré à l'attaque, il est léger, relevé par une acidité correcte et il enrobe de gras sa chaleur finale. Pour un poisson en sauce.

☛ Dom. Antonin Guyon, 21420 Savigny-lès-Beaune, tél. 03.80.67.13.24, fax 03.80.66.85.87, e-mail vins@guyon-bourgogne.com ☑ ⏧ r.-v.

PATRICK JAVILLIER Les Clous 1998

| ☐ | 0,4 ha | 1 500 | ⏸ 100 à 149 F |

Dès 1988, Patrick Javillier nous faisait le coup... du coup de cœur. Et, de Narvaux 85 en Tillets 86, il recommençait l'année suivante. Il s'agit cette fois des Clous, se présentant avec brillance et limpidité. Le nez est fruité. On y trouve assez de matière mais une ampleur moyenne. Ne

perdez pas de vue, par ailleurs, le **cuvée Tête de Murger 98** : beaucoup d'allant ! Pour un feuilleté de ris de veau, alors que les Clous sont à servir sur une poularde de Bresse pochée.

☛ Patrick Javillier, 7, imp. des Acacias, 21190 Meursault, tél. 03.80.21.27.87, fax 03.80.21.29.39 ☑ ⏧ r.-v.

DOM. EMILE JOBARD Les Tillets 1998★

| ☐ | 0,38 ha | 1 300 | ⏸ 70 à 99 F |

Cette bouteille jaune d'or possède un nez assez percutant. On y rencontre toutes sortes de bonnes choses : vanille, amande bien sûr, mais aussi ortie, abricot... Le gras et l'acidité font bon ménage. Il est conseillé cependant de ne pas solliciter trop tôt ce 98. Il peut améliorer son expression. La bouteille de **village 98** (50 à 69 F) reçoit la même note. D'un excellent rapport qualité-prix, elle est harmonieuse dans un style très tendre. Celle de **Narvaux 98** mérite aussi qu'on s'y attarde : un joli meursault, une étoile (70 à 99 F). Trois grands classiques.

☛ Dom. Emile Jobard, 1, rue de la Barre, 21190 Meursault, tél. 03.80.21.26.43, fax 03.80.21.60.91 ☑ ⏧ r.-v.

☛ Jobard-Morey

LA P'TIOTE CAVE Bouchères 1997★

| ☐ 1er cru | 0,16 ha | 900 | ⏹⏸ 150 à 199 F |

Ces Bouchères sont vraiment réussies. Paille mûre pour le coup d'œil. Citronnelle, menthe, verveine, n'allez pas croire à une tisane. Surmaturité du raisin, meursault version Wagner. Cela dit, c'est long, harmonieux ; un meursault de l'ancien temps, et l'on peut y trouver d'heureux souvenirs.

☛ La P'tiote Cave, 71150 Chassey-le-Camp, tél. 03.85.87.15.21, fax 03.85.87.28.08 ☑ ⏧ r.-v.

☛ Mugnier

JEAN LATOUR-LABILLE
Clos des Meix Chavaux 1998★

| ☐ | 3,5 ha | 6 500 | ⏸ 70 à 99 F |

Or à reflets verts, ce vin a tous les caractères de son cépage au nez, complété par les notes du fût sans que le terroir soit oublié. Bien typé, équilibré, fondu, il est déjà agréable mais pourra être attendu deux à trois ans. Le 1er **cru Les Charmes 98** est cité (100 à 149 F).

☛ Dom. Jean Latour-Labille et Fils, 6, rue du 8-Mai, 21190 Meursault, tél. 03.80.21.22.49, fax 03.80.21.67.86 ☑ ⏧ r.-v.

JEAN LATOUR-LABILLE ET FILS
Les Cras 1998★

| ■ 1er cru | 0,2 ha | 1 100 | ⏸ 70 à 99 F |

Les Cras en 1er cru rouge. Tout à fait côté volnay, c'est en effet un des rares *climats* qu peuvent jouer les deux couleurs. Pourprissime, i a le nez cerise. Le bois est bien fondu. Ses arôme assez enchanteurs nous feraient presque croire à un conte de fées, à l'approche d'une bouche évi tant tout à la fois les risques de l'empâtement e ceux de la rudesse.

☛ Dom. Jean Latour-Labille et Fils, 6, rue du 8-Mai, 21190 Meursault, tél. 03.80.21.22.49, fax 03.80.21.67.86 ☑ ⏧ r.-v.

CH. DE LA VELLE Clos de la Velle 1998★

☐   0,5 ha   3 000   **▥** 100 à 149 F

A la manière du clocher de l'église paroissiale, belle flèche que l'on dit construite par les fées, cette bouteille élancée vise haut. Est-ce parce qu'il s'agit de fûts de... 350 l ? Le bois est bien intégré. Volume, concentration, persistance, tout est pour le mieux. Sa complexité aromatique est mise en valeur en fin de bouche, marquée également par une note d'acidité. Un vin de garde (de trois à quatre ans).
☛ Bertrand Darviot, Ch. de La Velle, 17, rue de La Velle, 21190 Meursault, tél. 03.80.21.22.83, fax 03.80.21.65.60, e-mail chateaudelavelle@infonie.fr ☑ ⊺ r.-v.

CHRISTOPHE MARY Les Charmes 1998★

☐ 1er cru   0,16 ha   150   **▥** 100 à 149 F

Bon vin procurant déjà beaucoup de plaisir et que saint Vincent bénit d'avance : il sommeillera en cave avec profit et sera sûrement en pleine forme dans quatre à cinq ans. Son jaune est doré. Sa vanille pas trop marquée. Sa bouche ? Très ouverte, bien riche en arômes, suffisamment acide pour faire durer le bonheur de la dégustation. Ajoutons que, contrairement à beaucoup d'autres, il est d'une approche facile. Le **village 98** est cité (50 à 69 F). Frais, il est à boire jeune.
☛ Christophe Mary, 21190 Corcelles-les-Arts, tél. 03.80.21.48.98, fax 03.80.21.48.98 ☑ ⊺ r.-v.

CH. DE MEURSAULT 1997

☐ 1er cru   5 ha   30 000   **▥** 200 à 249 F

Le parc du château allait être loti, l'eau et le téléphone étaient déjà posés, des pavillons déjà construits, quand André Boisseaux eut le beau geste de tout racheter et de tout replanter en vigne. Miraculé, le **meursault du Château de Meursault**, cité (150 à 199 F), produit sur 3,4 ha, pour partie élevé en fût et pour partie en cuve offre un bel or pâle ainsi qu'un bouquet net, franc, bien défini. Quant à ce 1er cru, or vert, fruits mûrs au nez, charnu en bouche, ample, fondu (bon mariage du bois et du vin), il se révèle assez chaleureux.
☛ Ch. de Meursault, 21190 Meursault, tél. 03.80.26.22.75, fax 03.80.26.22.76 ☑ ⊺ r.-v.

DOM. MICHELOT Clos Saint-Félix 1998★

☐   1 ha   5 400   **▥** 100 à 149 F

Saint Félix porte chance et bonheur, c'est bien connu. Ainsi ce clos, monopole du domaine, est-il toujours vendangé le premier, d'autant que son microclimat le rend précoce. Paille vif, ce 98 ne fait pas exception à la tradition Michelot. Ample et soyeux, il est doté de toutes les qualités espérées tout en montrant une petite pointe boisée appuyée qui pourrait s'atténuer au bénéfice de l'expression du vin, d'ici un à deux ans.
☛ Dom. Michelot, 31, rue de la Velle, 21190 Meursault, tél. 03.80.21.23.17, fax 03.80.21.63.62 ☑ ⊺ r.-v.

MOILLARD-GRIVOT Les Narvaux 1998★

☐   n.c.   3 600   **▥** 150 à 199 F

Parée pour sortir le soir, et dans le beau monde, cette bouteille a choisi la diversité, sinon la complexité : vanille, fruits blancs, fruits secs, miel... Ses soupirants auront du travail s'ils cher-chent à la définir. Peu de gras, mais l'intérêt est ailleurs. Dans une certaine présence sensible, rêveuse, attachante. Celle des premiers romans de Françoise Sagan, si l'on peut tenter cette comparaison. Une dégustatrice propose de l'associer à un soufflé aux écrevisses.
☛ Moillard-Grivot, 2, rue François-Mignotte, 21700 Nuits-Saint-Georges, tél. 03.80.62.42.22, fax 03.80.61.28.13, e-mail nuicave@wanadoo.fr ☑ ⊺ r.-v.

BERTRAND DE MONCENY Bellevue 1998★★

☐   n.c.   12 000   **▥** 150 à 199 F

On nous parle même du coup de cœur... pour l'année prochaine, tant ce jeune homme est droit dans ses bottes. Signé par la Compagnie des Vins d'Autrefois, un négociant installé maintenant à l'abbaye Saint-Martin à Beaune, ce 98 est un grand meursault, à déboucher pour fêter la Saint-Vincent tournante de 2001. Présentation idéale, bouquet brioché et truffé, saveurs de silex et d'agrumes, la race en un mot ! Un potentiel formidable, un vrai moment de bonheur.
☛ Cie des Vins d'Autrefois, abbaye Saint-Martin, 53, av. de l'Aigue, 21200 Beaune, tél. 03.80.26.33.00, fax 03.80.24.14.84, e-mail mallet.b@cva-beaune.fr ⊺ r.-v.

DOM. RENE MONNIER Le Limozin 1998★

☐   0,86 ha   5 000   **▥** 70 à 99 F

Récemment lauréat du prix de la Paulée de Meursault, Jean-Marie Rouart est venu ici. Un tel vin, il est vrai, est propre à donner de l'inspiration. Il se présente sous des traits soignés, tire un bon parti de son fût et montre un caractère assez suave. En un mot, il sait arrondir les angles. On recommande également **Les Charmes 98 en 1er cru** (100 à 149 F), un vin à déguster moins rapidement que celui-ci ; **Les Chevaliers 98 en village**.
☛ Dom. René Monnier, 6, rue du Dr-Rolland, 21190 Meursault, tél. 03.80.21.29.32, fax 03.80.21.61.79 ☑ ⊺ t.l.j. 8h-12h 14h-18h
☛ M. et Mme Bouillot

DOM. JEAN-PIERRE ET LAURENT PRUNIER 1998

☐   0,26 ha   1 200   **▥** 70 à 99 F

S'il ne possède pas beaucoup de couleur, son bouquet est en revanche assez développé sur des tonalités grillées (amande notamment). Vigoureux, riche en alcool, il ne manque ni de nerf ni de mordant. Une garde de un à deux ans est conseillée.
☛ Dom. Jean-Pierre et Laurent Prunier, rue Traversière, 21190 Auxey-Duresses, tél. 03.80.21.27.51, fax 03.80.21.27.51 ☑ ⊺ r.-v.

REINE PEDAUQUE 1998★

☐   n.c.   12 000   **▥** 100 à 149 F

Or vert, bien sûr, le nez encore masqué par le fût, il se montre dense et costaud. On y occupe en bouche tout le volume disponible. On y trouve un petit goût de noix pas désagréable du tout. Il conviendra à tout poisson, de rivière ou de mer.

🔷 Reine Pédauque, Le Village, 21420 Aloxe-Corton, tél. 03.80.25.00.00, fax 03.80.26.42.00, e-mail rpedauque@axnet.fr ☂ r.-v.

ROPITEAU 1997★

☐	n.c.	24 000	⦙⦙⦙ 100 à 149 F

On comprend que le cardinal de Bernis ait choisi le meursault comme vin de messe afin que le Créateur, disait-il, ne le vît pas faire la grimace à cet instant précis. Cette bouteille aurait fort bien fait l'affaire. D'un or jaune un peu soutenu, elle chardonne de façon expressive. Puissance et longueur s'affirment avec insistance. Voyez aussi **Les Perrières en 1er cru 97**, citées, encore marquées par le fût, à attendre deux ans.

🔷 Ropiteau Frères, 13, rue du 11-Novembre, 21190 Meursault, tél. 03.80.21.69.20, fax 03.80.21.69.29 ☑ ☂ t.l.j. 9h-19h; f. mi-nov. à Pâques

ROPITEAU 1997

■	n.c.	3 000	⦙⦙⦙ 70 à 99 F

Le meursault rouge n'est pas un mouton noir au pays des moutons blancs. Il y tient parfaitement sa place, et Ropiteau (repris par Jean-Claude Boisset mais sagement laissé sur ses terres qu'il connaît à merveille) présente ici un vin souple sur une matière équilibrée, d'un volume moyen et dont le fruit n'est pas absent malgré un boisé sensible.

🔷 Ropiteau Frères, 13, rue du 11-Novembre, 21190 Meursault, tél. 03.80.21.69.20, fax 03.80.21.69.29 ☑ ☂ t.l.j. 9h-19h; f. mi-nov. à Pâques

DOM. ROUX PÈRE ET FILS
Clos des Poruzots 1998★

☐ 1er cru	0,22 ha	1 500	⦙⦙⦙ 200 à 249 F

Un 88 sacré coup de cœur, cela pour nos mémoires. Celui-ci est encore un Poruzot. Il est élégant et gras, bien structuré et d'une fraîcheur très agréable. Le fût est fondu. Epanoui, ce 98 a incontestablement de la classe.

🔷 Dom. Roux Père et Fils, 21190 Saint-Aubin, tél. 03.80.21.32.92, fax 03.80.21.35.00 ☑ ☂ r.-v.

DOM. SAINT-FIACRE
Les Narvaux 1998★★

☐	0,36 ha	2 000	⦙⦙⦙ 70 à 99 F

Au sein de ce domaine appartenant à la même famille depuis plusieurs générations, Aline et Joël Patriarche se sont associés en 1997 en choisissant saint Fiacre, patron de leur village, comme protecteur. La viticulture n'est-elle pas aussi du jardinage ? Pour un vin à la robe attirante, parfumé et à la bouche généreuse. Très gras, savoureux, il n'est sans doute pas d'une extrême complexité mais il correspond tout à fait à l'image classique du meursault. Ce climat est juste au-dessus des Genevrières.

🔷 Aline et Joël Patriarche, Dom. Saint-Fiacre, 21190 Tailly, tél. 03.80.26.84.38, fax 03.80.26.87.97 ☑ ☂ r.-v.

DE SOUSA-BOULEY Les Millerans 1998

☐	0,51 ha	1 800	⦙⦙⦙ 70 à 99 F

Un demi-hectare mis à contribution pour produire ce vin à reflets argentés, dont les arômes s'ouvrent sur le tilleul. Sa bouche est suave,

fluide. Ce climat se situe en bas du village, l'un des plus au levant, et il gagne à être connu.

🔷 Albert de Sousa-Bouley, 7, RN 74, 21190 Meursault, tél. 03.80.21.22.79 ☑ ☂ t.l.j. 8h-20h

DOM. VIRELY-ROUGEOT 1998★

☐	1,39 ha	1 228	⦙⦙⦙ 70 à 99 F

Quand un gendre épouse le meursault, venant de Pommard, il passe du rouge au blanc. Il a eu la chance de rencontrer en son beau-père un excellent professeur, lui-même petit-fils du régisseur du château de Meursault. On ne s'étonne donc pas de déguster un vin très typé. Or pâle, vanillé sur miel, vineux et classique, de bonne garde ; on nous dit qu'il sera apprécié par les femmes...

🔷 Dom. Virely-Rougeot, Pl. de l'Europe, 21630 Pommard, tél. 03.80.22.34.34, fax 03.80.22.38.07 ☑ ☂ r.-v.

Blagny

Situé à cheval sur les communes de Meursault et de Puligny-Montrachet, un vignoble homogène s'est développé autour du hameau de Blagny. On y produit des vins rouges remarquables portant l'appellation blagny (366 hl en 1999), mais la plus grande superficie est plantée en chardonnay pour donner, selon la commune, du meursault 1er cru ou du puligny-montrachet 1er cru.

GILLES BOUTON Sous le Puits 1998

■ 1er cru	0,4 ha	2 500	⦙⦙⦙ 70 à 99 F

Si la vérité sort ici du puits, c'est couverte d'une robe fraîche, douce. Soie plutôt que velours. Entre pourpre et grenat. Respirez cette candeur parfumée de framboise. Goûtez-la. Un peu agressive, en arrêt sur ses tanins, elle n'a pas le corps de la Vénus de Milo mais elle n'est pas désagréable. Et quand on connaît la litote bourguignonne... « J'y ai pas trop détesté... »

🔷 Gilles Bouton, Gamay, 21190 Saint-Aubin, tél. 03.80.21.32.63, fax 03.80.21.90.74 ☑ ☂ r.-v.

DOM. HENRI CLERC ET FILS
Sous le Dos d'Ane 1997★

■ 1er cru	0,93 ha	3 906	⦙⦙⦙ 150 à 199 F
94 95 **96** 97			

Si l'automobiliste craint les dos-d'âne, l'amateur de bourgogne n'a rien à craindre de celui de Blagny. On le chevauche avec plaisir. Pourpre intense, celui-ci enveloppe le sujet de belle manière. Cannelle et cassis, de bons compagnons de nez. On retrouve le boisé fruité sur un volume assez tannique et d'une sensualité gourmande.

➔ EARL Dom. Henri Clerc et Fils,
pl. des Marronniers,
21190 Puligny-Montrachet,
tél. 03.80.21.32.74, fax 03.80.21.39.60 ☑ ⚊ t.l.j.
8h30-11h45 14h-17h45
➔ Bernard Clerc

DOM. LARUE Sous le Puits 1998★★

■ 1er cru	0,2 ha	1 200	⦀	70 à 99 F

94 95 96 97 **98**

Un classique de Blagny, ce Sous le Puits. Montrant une belle extraction de couleur sans excès ni outrance, il est grenat velouté. Le boisé se manifeste tout de suite parmi des arômes assez discrets pour l'heure. La première impression en bouche est très favorable. Il y a là de l'ampleur et du moelleux. De la charpente. Les nuances seront affaire de temps. Il est bon. Passer à côté du reste ? Il n'en dépend que de vous, et de votre patience.
➔ Dom. Larue, Gamay, 21190 Saint-Aubin,
tél. 03.80.21.30.74, fax 03.80.21.91.36 ☑ ⚊ r.-v.

Puligny-montrachet

Centre de gravité des vins blancs de Côte-d'Or, serrée entre ses deux voisines Meursault et Chassagne, cette petite commune tranquille ne fait en surface de vignes que la moitié de Meursault, ou les deux tiers de Chassagne, mais se console de cette modestie apparente en possédant les plus grands crus blancs de Bourgogne, dont le montrachet, en partage avec Chassagne.

La position géographique de ces grands crus, selon les géologues de l'université de Dijon, correspond à une émergence de l'horizon bathonien, qui leur confère plus de finesse, plus d'harmonie et plus de subtilité aromatique qu'aux vins récoltés sur les marnes avoisinantes. L'AOC a produit 12 453 hl de vin blanc et 107 hl de vin rouge en 1999.

Les autres *climats* et premiers crus de la commune exhalent fréquemment des senteurs végétales à nuances résineuses ou terpéniques, qui leur donnent beaucoup de distinction.

JEAN-CLAUDE BACHELET
Sous le puits 1997★

☐ 1er cru	0,23 ha	n.c.	⦀	100 à 149 F

Déjà maître de la situation, un vin jaune serin qui compense sa structure assez légère par une vivacité élégante et nullement apprêtée. Il a l'impertinence de la jeunesse. Floral et minéral

au premier nez, il évolue vers la pêche et le coing après un passage vanillé.
➔ Jean-Claude Bachelet, rue de la Fontaine,
21190 Saint-Aubin, tél. 03.80.21.31.01,
fax 03.80.21.97.71, e-mail JCBachelet@aol.com
☑ ⚊ r.-v.

DOM. ROGER BELLAND
Les Champs-Gains 1998

☐ 1er cru	0,45 ha	2 400	⦀	150 à 199 F

Sous la même signature ce 1er cru recevait dans le Guide 1997 le coup de cœur, récompensant les vertus du millésime 94. Encore jeune, ce 98 laisse l'or clair ouvrir le bal, puis le grillé mène la danse. Même sensation en bouche. Un Champs-Gains puissant, massif et réglissé.
➔ Dom. Roger Belland, 3, rue de la Chapelle,
B.P. 13, 21590 Santenay, tél. 03.80.20.60.95,
fax 03.80.20.63.93,
e-mail belland.roger@wanadoo.fr ☑ ⚊ r.-v.

BOUCHARD PÈRE ET FILS 1998

☐	n.c.	n.c.	⦀	150 à 199 F

Paille à reflets verts, ce *village* a de l'esprit. Pomme verte, citron, poire et pamplemousse s'expriment au nez alors que la bouche est plus minérale, plus épicée ; elle est riche en même temps que fraîche, et longue... Une bouteille élégante.
➔ Bouchard Père et Fils, Ch. de Beaune,
21200 Beaune, tél. 03.80.24.80.24,
fax 03.80.22.55.88,
e-mail france@bouchard.pereetfils.com ⚊ r.-v.

GILLES BOUTON Les Garennes 1998

☐ 1er cru	0,75 ha	5 200	⦀	100 à 149 F

Niché auprès du hameau de Blagny, ce *climat* donne en rouge du blagny et en blanc du puligny-montrachet. Le miel, la cire d'abeille sont ici ses arômes dominants. Une bonne acidité accompagne le gras. Ce vin, produit sur lies, finit sur une pointe d'amertume ; le boisé va se fondre d'ici quelques mois.
➔ Gilles Bouton, Gamay, 21190 Saint-Aubin,
tél. 03.80.21.32.63, fax 03.80.21.90.74 ⚊ r.-v.

HUBERT BOUZEREAU-GRUERE
1998★

☐	0,49 ha	1 200	⦀	70 à 99 F

Servi par ses arômes pénétrants (du pain grillé au miel d'acacia), ce vin est couleur or soutenu. La bouche, ample et puissante, subtilement boisée, balsamique, confite, très mûre, reflète un beau potentiel.
➔ Hubert Bouzereau, 22 a, rue de la Velle,
21190 Meursault, tél. 03.80.21.20.05,
fax 03.80.21.68.16 ☑ ⚊ r.-v.

DOM. CAILLOT Les Pucelles 1997★★

☐ 1er cru	0,19 ha	500	■⦀⚱	200 à 249 F

Si le voisinage immédiat du bâtard-montrachet permet de comprendre pourquoi ce 1er cru est justement réputé, sa complexité est en général modérée. Ce 97 offre un témoignage fidèle de la typicité du *climat* : finesse, élégance, franchise, spontanéité... Nous avons par ailleurs apprécié des **Folatières 97** (150 à 199 F) d'une sensualité à fleur de terre (une étoile).

BOURGOGNE

➤ Dom. Caillot, 14, rue du Cromin,
21190 Meursault, tél. 03.80.21.21.70,
fax 03.80.21.69.58 ☑ ⏻ r.-v.

EMILE CHANDESAIS 1997

☐	n.c.	1 500	⦀	200 à 249 F

Buvons ce vin à la mémoire d'Emile Chandesais, mort au printemps 2000. Il avait cédé sa maison à Picard (Chagny), il y a quelques années. Ce vin peu coloré exprime de façon assez tendre le silex et la fleur blanche. Il ne s'écarte pas d'un itinéraire strictement balisé par la noisette et l'amande.

➤ Emile Chandesais, rue Saint-Nicolas,
71150 Chagny, tél. 03.85.91.41.77,
fax 03.85.91.40.26
➤ Michel Picard

CHANSON PERE ET FILS
Hameau de Blagny 1998★

☐ 1er cru	n.c.	1 200	⦀	200 à 249 F

Exotique et très agréable, un puligny qui fait du hameau de Blagny une île des Antilles. Vanille et noix de coco, une note anisée : on part en vacances sous un soleil goutte d'or. La croisière est agréable, parfumée, dans une atmosphère chaleureuse. Servez-le plutôt à l'apéritif. La prestigieuse maison Chanson vient de passer sous la direction des Champenois, comme Bouchard Père et Fils naguère.

➤ Chanson Père et Fils, 10, rue Paul-Chanson,
21200 Beaune, tél. 03.80.22.33.00,
fax 03.80.24.17.42,
e-mail tmarion@vins-chanson.com ⏻ r.-v.

DOM. DANIEL CHANZY
Les Reuchaux 1997

☐	0,7 ha	3 800	⦀	100 à 149 F

Les Reuchaux sont en allant vers Meursault un bon *village*. Ce viticulteur, entreprenant et présent sur 45 ha dans les trois Côtes, signe un vin classique, dont le bouquet chante l'amande grillée, et qui demande à s'ouvrir. Bouche assez grasse et épicée, acidité élevée : on ne reculera pas trop le moment de le boire.

➤ Daniel Chanzy, 1, rue de la Fontaine,
71150 Bouzeron, tél. 03.85.87.23.69,
fax 03.85.91.24.92,
e-mail daniel.chanzy@wanadoo.fr ☑ ⏻ r.-v.

DOM. JEAN CHARTRON
Clos du Cailleret 1998★★

☐ 1er cru	1,24 ha	8 500	⦀	300 à 499 F

Le **puligny 98 blanc village** s'annonce bien et reçoit une étoile (200 à 249 F). Ce 1er cru se situe évidemment à un tout autre niveau. N'oublions pas que l'INAO a intégré naguère au grand cru chevalier-montrachet une parcelle très voisine, faisant partie du même domaine. Un vin si plein qu'on le reconnaît tout de suite, avec ce goût de noisette qui lui est particulier. Quelques notes de pamplemousse et un corps de grand seigneur, complexe autant que soyeux. Longévité assurée.

➤ Dom. Jean Chartron, 13, Grande-Rue,
21190 Puligny-Montrachet, tél. 03.80.21.32.85,
fax 03.80.21.36.35 ☑ ⏻ t.l.j. 10h-12h30 14h-18h

DOM. DU CHATEAU DE MEURSAULT 1997★

☐	0,52 ha	3 000	⦀	150 à 199 F

On sait que le château de Meursault est le versant Côte de Beaune de l'empire Patriarche Boisseaux. Doré à reflets légèrement ocrés, un puligny très aromatique, qui se partage entre la noisette grillée et l'écorce de citron. Au palais, il se livre rapidement et sans faire de manières. Une petite pointe d'alcool soutient la finale.

➤ Ch. de Meursault, 21190 Meursault,
tél. 03.80.26.22.75, fax 03.80.26.22.76 ☑ ⏻ r.-v.

DOM. DU CHATEAU DE PULIGNY-MONTRACHET 1997★★

☐	1,49 ha	10 000	⦀	150 à 199 F

Acquis en 1988 par le Crédit foncier de France et géré depuis lors par un financier passionné par le vin, le château de Puligny présente un 97 vinifié avec justesse et sans artifice. D'un or soutenu très éclatant, il s'entoure d'arômes qui pourraient être admis au jockey-club tant ils sont distingués. Parfaitement dans l'appellation et dans le millésime, doté d'une finesse riche en personnalité, un vin harmonieux.

➤ SCEA Dom. du Château de Puligny-Montrachet, 21190 Puligny-Montrachet,
tél. 03.80.21.39.14, fax 03.80.21.39.07,
e-mail chateaupul@aol.com ☑ ⏻ r.-v.

CH. DE CITEAUX
Les Champs Gains 1998★

☐ 1er cru	n.c.	2 000	⦀	150 à 199 F

Il fait penser à l'agneau pascal, ce fils de Cîteaux. La bonté même sous un or pétillant et sur un parfum prenant (pomme verte, pêche au miel). Vif et frais, de bon goût, il est très typé.

➤ Philippe Bouzereau, Ch. de Cîteaux,
18-20, rue de Cîteaux, B.P.25, 21190 Meursault,
tél. 03.80.21.20.32, fax 03.80.21.64.34,
e-mail domaine.bouzereau@wanadoo.fr
☑ ⏻ r.-v.

DOM. HENRI CLERC ET FILS 1998

☐	0,6 ha	8 542	⦀	150 à 199 F

Installé en 1965, Bernard Clerc a fait œuvre de bâtisseur. Il a vu grand, et l'histoire lui donne raison. Son puligny a d'ailleurs reçu le coup de cœur dans l'édition 1997 (millésime 94). Celui-ci est ample et soyeux, très gras, néanmoins frais et tout juste acide. Les arômes ? Minéraux, beurrés, muscatés, il y en a pour tous les goûts.

➤ EARL Dom. Henri Clerc et Fils,
pl. des Marronniers, 21190 Puligny-Montrachet,
tél. 03.80.21.32.74, fax 03.80.21.39.60
☑ ⏻ t.l.j. 8h30-11h45 14h-17h45
➤ Bernard Clerc

JOSEPH DROUHIN Les Folatières 1997★★

☐ 1er cru	n.c.	n.c.	⦀	250 à 299 F

Il s'agit d'une « folle terre » que les gros orages déménagent volontiers. Un sol caillouteux dont le précieux calcaire est très courtisé ! Or pâle, ce 97 folâtre entre la pêche et le coing avant de trouver son équilibre dans le respect du cru. Sans doute est-il vif comme un cheval de rodéo, mais l'excellent George Saintsbury disait avec raison qu'un bon puligny « tend les veines comme de la ficelle à fouet »... A ne pas déboucher avant un à deux ans.

☛ Joseph Drouhin, 7, rue d'Enfer, 21200 Beaune, tél. 03.80.24.68.88, fax 03.80.22.43.14, e-mail drouhin@calva.net ⵏ r.-v.

DOM. DUPONT-FAHN
Les Grands Champs 1998

| ☐ | | 0,16 ha | n.c. | ⵏ | 70 à 99 F |

Ce *village* se trouve tout près du 1er cru Clavaillon. Exactement la couleur espérée. Le nez est simple, joliment troussé sur une pointe d'amande amère. Un vin chaud, puissant, gras et beurré, auquel il ne manque rien. Donne quelques signes d'évolution et doit être bu dans les temps qui viennent.
☛ Michel Dupont-Fahn, Les Toisières, 21190 Monthélie, tél. 03.80.21.26.78, fax 03.80.21.21.22 ⵏ r.-v.

RAYMOND DUREUIL-JANTHIAL
Les Champs Gains 1998★

| ☐ 1er cru | | 0,19 ha | 1 200 | ⵏ | 150 à 199 F |

Climat rencontré à mi-coteau en montant vers le hameau de Blagny. Son sol très calcaire confère aux vins qui y naissent, comme celui-ci, une finesse fringante, une consistance et une texture très réussies. L'acidité ne dépasse pas le niveau nécessaire. Pour qui aime les vins tendres.
☛ Raymond Dureuil-Janthial, rue de la Buisserolle, 71150 Rully, tél. 03.85.87.02.37, fax 03.85.87.00.24 ☑ ⵏ t.l.j. 9h-12h 15h-19h; dim. sur r.-v.

DOM. HERITIERS LOUIS JADOT
Les Folatières 1997

| ☐ 1er cru | | n.c. | 1 500 | ⵏ | 300 à 499 F |

Jolie prestation, tant dans la robe (or pâle vert), qu'en bouche (léger boisé vanillé, ananas, pamplemousse) où l'équilibre entre les tanins fins, la qualité du boisé et la vivacité témoigne de la bonne origine de ce vin.
☛ Maison Louis Jadot, 21, rue Eugène-Spuller, 21200 Beaune, tél. 03.80.22.10.57, fax 03.80.22.56.03, e-mail contact@louisjadot.com ☑ ⵏ r.-v.

DOM. DES LAMBRAYS
Les Folatières 1997

| ☐ 1er cru | | 0,3 ha | 2 000 | ⵏ | 250 à 299 F |

Les frères Saier avaient non seulement acquis le Clos des Lambrays, mais aussi quelques vignes sur Puligny, aujourd'hui revendues à Gunter Freund de même que le domaine de Morey. Cet îlot de chardonnay dans l'océan du pinot noir se présente sous des traits flatteurs (notes grillées toastées, noisette, citron) et bien dorés. Assez persistant et chaleureux, il devra attendre 2002...
☛ Sté Nlle du Dom. des Lambrays, 31, rue Basse, 21220 Morey-Saint-Denis, tél. 03.80.51.84.33, fax 03.80.51.81.97 ☑ ⵏ r.-v.
☛ Freund

DOM. HUBERT LAMY
Les Tremblots 1998★

| ☐ | | 0,9 ha | 6 000 | ⵏ | 100 à 149 F |

Il mérite de prendre de l'âge tant il est réussi. Né en dessous du bâtard et proche du chassagne, il est d'un or jaune soutenu et suggère les agrumes exotiques. Pourquoi une ligne exquise ne s'accompagnerait-elle pas de quelques rondeurs ?
☛ Dom. Hubert Lamy, Paradis, 21190 Saint-Aubin, tél. 03.80.21.32.55, fax 03.80.21.38.32 ☑ ⵏ r.-v.

DOM. LARUE Les Garennes 1998★

| ☐ 1er cru | | 0,59 ha | 1 832 | ⵏ | 100 à 149 F |

On se rappelle le bon précepte : « Il faut voir avec son nez et boire avec ses yeux »... Ici on « voit » tout en blanc comme un jour de mariage carillonné : fleurs blanches, fruits blancs... Au reste, la robe est or blanc. Attaque modérée, mais la suite donne entière satisfaction. Pensez à des noix de Saint-Jacques...
☛ Dom. Larue, Gamay, 21190 Saint-Aubin, tél. 03.80.21.30.74, fax 03.80.21.91.36 ☑ ⵏ r.-v.

A. LIGERET 1998★

| ☐ | | n.c. | 10 000 | ⵏ | 200 à 249 F |

Ligeret appartient à la famille Thomas (Moillard à Nuits) depuis 1952. Ce 98, or pâle brillant à reflet vert, est boisé mais on perçoit derrière le fût des notes de pomme verte, de citron vert, d'ananas et de miel. Riche et gras, assez suave (le miel toujours), équilibré et persistant, c'est un très joli vin prêt à boire et pouvant attendre trois ans.
☛ A. Ligeret, 10, pl. du Cratère-Saint-Georges, 21700 Nuits-Saint-Georges, tél. 03.80.61.08.92, fax 03.80.61.30.26, e-mail ligeret@aol.com

ROLAND MAROSLAVAC-LEGER
Les Combettes 1997

| ☐ 1er cru | | n.c. | n.c. | ⵏ | 150 à 199 F |

Venu en France de Yougoslavie, il y a soixante-dix ans, Stephan fut porté par la chance à Puligny-montrachet. A force de labeur, la famille a fait souche. Ses Combettes (un vin souvent adorable) ont du tonus et de la maturité. Typées, elles n'ont pas une robe très intense mais un nez démonstratif et surtout la bouche caractéristique du cru, assortie d'amande et de truffe.
☛ Dom. Maroslavac-Léger, 43, Grande-Rue, 21190 Puligny-Montrachet, tél. 03.80.21.31.23, fax 03.80.21.91.39 ☑ ⵏ r.-v.

DOM. RENE MONNIER
Les Folatières 1998★

| ☐ 1er cru | | 0,83 ha | 5 000 | ⵏ | 100 à 149 F |

Il suffit de quelques pas pour aller des Folatières au montrachet. A tout souverain il faut un prince héritier... Que lui demande-t-on ? D'offrir son or aux regards, mais de ne pas le jeter par les fenêtres. De le montrer un nez fruité mais économe. De manifester des qualités de réserve tout en se préparant sérieusement à ses responsabilités futures. Un 98 assez rond et puissant, d'une longueur intéressante et avec un rien de noisette.

� Dom. René Monnier, 6, rue du Dr-Rolland,
21190 Meursault, tél. 03.80.21.29.32,
fax 03.80.21.61.79 ☑ ⏸ t.l.j. 8h-12h 14h-18h
� M. et Mme Bouillot

REINE PEDAUQUE 1998*

□	n.c.	9 000	⏸⏸ 100 à 149 F

Puligny est jumelé à Johannisberg en souvenir
du prince de Metternich qui appréciait ce vin
brillant et minéral. Son gras onctueux, son
ampleur, son patrimoine aristocratique, ses arômes mêlant fleurs blanches, fruits mûrs et notes
minérales nécessitent toutefois ici une patience
de plusieurs années.
� Reine Pédauque, Le Village, 21420 Aloxe-
Corton, tél. 03.80.25.00.00, fax 03.80.26.42.00,
e-mail rpedauque@axnet.fr ⏸ r.-v.

VEUVE HENRI MORONI 1998*

□	1,96 ha	11 000	⏸⏸ 100 à 149 F

Trois moments imprégnés de l'esprit mozar-
tien. D'abord un thème visuel, discret et pourtant
insistant. Un puligny limpide, et on reconnaît cet
air mille fois entendu : or pâle à reflets verts...
puis un thème aromatique, frais comme l'aubépine. Enfin un thème mobilisant tout l'orchestre.
Che bella sinfonia ! Elle nous rappelle les puligny d'autrefois. Notez en outre les **Pucelles 98** en
blanc bien sûr : si beurrées, si miellées qu'elles
perdront vite cet état (150 à 199 F), citées par le
jury.
� Veuve Henri Moroni, 1, rue de l'Abreuvoir,
21190 Puligny-Montrachet, tél. 03.80.21.30.48,
fax 03.80.21.33.08,
e-mail veuve.moroni@wanadoo.fr ☑ ⏸ r.-v.

CHARLES VIENOT
Les Champs Gains 1998*

□ 1er cru	n.c.	3 000	⏸⏸ 200 à 249 F

Couleur, bouquet, ce vin est au chardonnay
ce que le miel est au sucre. Onctueux et savoureux, peut-être encore un peu fermé, il présente
un bon équilibre entre l'alcool, les tanins et l'acidité. Bien vinifié et à déguster dans les quatre à
cinq ans.
� Charles Viénot, 5, quai Dumorey,
21700 Nuits-Saint-Georges, tél. 03.80.62.61.41,
fax 03.80.62.37.38

Montrachet, chevalier, bâtard, bienvenues bâtard, criots bâtard

La particularité la plus étonnante de ces grands crus, dans un passé
récent, était de se faire attendre plus ou
moins longtemps avant de manifester dans
sa plénitude la qualité exceptionnelle
qu'on attendait d'eux. Dix ans était le délai
accordé au « grand » montrachet pour
atteindre sa maturité, cinq ans pour le
bâtard et son entourage ; seul le chevalier-
montrachet semblait manifester plus rapidement une ouverture communicative.

Depuis quelques années
cependant, on rencontre des cuvées de
montrachet avec un bouquet d'une puissance exceptionnelle et des saveurs si élaborées qu'on peut en apprécier la qualité
immédiatement, sans avoir à supputer
l'avenir. Le volume de production est là
aussi très faible : l'ensemble des grands
crus de montrachet a représenté 1 635 hl en
1999.

Montrachet

CHARTRON ET TREBUCHET 1998*

□ Gd cru	n.c.	300	⏸⏸ + de 500 F

Jaune d'or canari, subtil et porté par un aimable boisé, un montrachet rond et gras. Amande
grillée, pain grillé, brioche, miel d'acacia, fleurs
blanches... Persistant autant qu'il est permis, il
dispose d'une structure suffisante. La langouste
grillée aux petits légumes devra l'attendre encore
quelques années, afin que le fût s'efface. S'exprimera mieux en 2001/2002.
� Chartron et Trébuchet, 13, Grande-Rue,
21190 Puligny-Montrachet, tél. 03.80.21.32.85,
fax 03.80.21.36.35,
e-mail jmchartron@chartron-trebuchet.com
☑ ⏸ t.l.j. 10h-12h30 14h-18h; f. nov. à mars

DOM. DE LA ROMANEE-CONTI 1998***

□ Gd cru	0,67 ha	2 670	⏸⏸ + de 500 F
	83		86	90	91	93 97 98			

SOCIÉTÉ CIVILE DU DOMAINE DE LA ROMANÉE-CONTI
PROPRIÉTAIRE A VOSNE-ROMANÉE (CÔTE-D'OR) FRANCE

MONTRACHET
APPELLATION MONTRACHET CONTROLÉE

Bouteilles Récoltées

LES ASSOCIÉS-GÉRANTS

BOUTEILLE N°
ANNÉE 1998

Mise en bouteille au domaine

Vendangé très tardivement avec des touches
de botrytis bien identifiables, il exprime une
maturation extrême, une concentration exceptionnelle. Sans doute le vin le plus riche produit
à ce jour par le domaine. Dévoreur de soleil, il
dépassait à sa naissance les 14 ° naturels. Le nez
de Pavarotti, du *bel canto* : nuances d'épices,
cannelle surtout. Au goût de miel habituel s'associe bientôt une saveur très complexe où l'on croit
reconnaître la pêche de vigne. Puis l'acidité lui

assure fraîcheur et potentiel de garde, tout en offrant à ce géant un visage humain.
☛ SC du Dom. de La Romanée-Conti, 21700 Vosne-Romanée, tél. 03.80.62.48.80, fax 03.80.61.05.72

DOM. JACQUES PRIEUR 1997**

☐ Gd cru	0,59 ha	2 250	‖ + de 500 F

83 85 |86| 87 |88| |90| 93 96 97

A genoux et tête découverte, c'est ainsi que se boit le divin montrachet ! Plusieurs précieuses parcelles composant 58,63 a, dont les fameux Dents de Chien intégrés au grand cru par jugement du tribunal de Beaune en 1921. Vigne située sur Chassagne, plantée en 1957, 1979 et 1986 et sous la gouverne d'Antonin Rodet. C'est superbe. D'un jaune mordoré, d'un nez un peu exotique, d'un palais insistant et glorieux, de pétales de rose. Coup de cœur pour l'émotion ressentie. Déjà coup de cœur dans le Guide 1994 pour le millésime 90, et l'an dernier pour le 96.
☛ Dom. Jacques Prieur, 6, rue des Santenots, 21190 Meursault, tél. 03.80.21.23.85, fax 03.80.21.29.19 ☑ ⵏ r.-v.

Chevalier-montrachet

DOM. JEAN CHARTRON
Clos des Chevaliers 1998**

☐ Gd cru	0,55 ha	2 500	‖ + de 500 F

91 92 93 94 |95| 96 97 98

Coup de cœur dans l'édition 1997 (millésime 94), un vin *glamour*. Sa robe est de celle qu'on voit sur les magazines imprimés sur papier glacé. Bouquet de jacinthe, très faubourg Saint-Honoré, assorti également de pain frais et d'une remarquable note minérale. Il fait bien vivre ! La bouche ne se déclare pas encore complètement, cependant on lui prédit un avenir intéressant en raison des arômes grillés (amande, noisette) et de miel qui l'entourent mais surtout de sa belle constitution et de sa longue persistance. Digne d'un homard.
☛ Dom. Jean Chartron, 13, Grande-Rue, 21190 Puligny-Montrachet, tél. 03.80.21.32.85, fax 03.80.21.36.35 ☑ ⵏ t.l.j. 10h-12h30 14h-18h

DOM. LOUIS LATOUR
Les Demoiselles 1997

☐ Gd cru	1 ha	1 500	‖ + de 500 F

Adèle et Julie Voillot possédaient cette vigne en Cailleret au début du XIXᵉs. On l'appelait « la vigne des Demoiselles ». Louis Latour et Louis Jadot qui l'achètent en 1913 plaident avec succès leur cause et obtiennent en 1939 le droit à ce nom et la reconnaissance du cru en chevalier-montrachet en vertu d'usages loyaux et constants. Servi par sa fraîcheur et sa vivacité, un 97 qui séduit le regard tout en restant assez fermé au nez. Concentration moyenne. Leur père général n'en prendra pas ombrage : ces Demoiselles sont... légères mais un bar en croûte de sel au beurre blanc ne leur fera pas peur, note un dégustateur.
☛ Maison Louis Latour, 18, rue des Tonneliers, 21200 Beaune, tél. 03.80.24.81.00, fax 03.80.22.36.21, e-mail louislatour@louislatour.com ⵏ r.-v.

Bâtard-montrachet

DOM. BACHELET-RAMONET PERE ET FILS 1998**

☐ Gd cru	0,5 ha	1 700	‖ 300 à 499 F

Reconnaissable les yeux fermés, un bâtard bien parti dans la vie. Robe, nez, palais, chacun occupe sa place et tient son rôle sur la scène. Mais le rideau ne s'ouvrira que dans trois, cinq ou dix ans, sinon dans l'éternité. Fruit jaune mûr, fleurs blanches, miel, noisette et pâte d'amande, un vin exceptionnellement concentré pour un 98, ample, gras et ferme. Deux parcelles, l'une André (Beaune) sur 39,68 a, en métayage, et l'autre en pleine propriété, sur 16,75 a. Vignes replantées en 1965 pour l'une et en 1980 pour l'autre.
☛ Dom. Bachelet-Ramonet Père et Fils, 11, rue du Parterre, 21190 Chassagne-Montrachet, tél. 03.80.21.32.97, fax 03.80.21.91.41 ☑ ⵏ r.-v.

DOM. J.M. BOILLOT 1998*

☐ Gd cru	0,19 ha	1 020	‖ 300 à 499 F

Comme le disait André Jullien, très bon auteur, on doit retrouver dans ce cru toutes les qualités d'un vin profond. Du corps, beaucoup de puissance, une sève et un bouquet pleins de force et de suavité... Nez de fruits secs, serré, très concentré. Attaque sensuelle et langoureuse, puis du gras, de la richesse. On a assurément recherché la pleine maturité. A ne pas solliciter avant cinq ans au moins.
☛ Dom. Jean-Marc Boillot, rue Mareau, 21630 Pommard, tél. 03.80.22.71.29, fax 03.80.24.98.07

OLIVIER LEFLAIVE 1998*

☐ Gd cru	n.c.	1 500	‖ + de 500 F

Le grand bâtard était un personnage considérable à la cour des ducs de Bourgogne. Il faut donc se ménager les bonnes grâces de celui-ci. Jolie présentation dans la tradition. Nez discret, minéral avec une touche de tilleul. Encore assez

BOURGOGNE

vert, ce vin très jeune doit unir ses forces pour ne pas se disperser. A l'évidence, il a besoin de temps, comme tous les crus issus de ce terroir.
☛ Olivier Leflaive, pl. du Monument, 21190 Puligny-Montrachet, tél. 03.80.21.37.65, fax 03.80.21.33.94, e-mail leflaive-olivier@dial.oleane.com
☑ ☖ r.-v.

LOUIS LEQUIN 1998*

| ☐ Gd cru | 0,12 ha | 750 | ⫴ 300 à 499 F |

Un louis d'or ! Il a, comme l'écrivait Saint-Simon, « le nez élevé » : flatté par le chèvrefeuille, la noisette. Beaucoup de brio à l'attaque, au point que l'impression première est très favorable. La suite invite à une garde de trois à cinq ans avant de le servir sur un brochet...
☛ Louis Lequin, 1, rue du Pasquier-du-Pont, 21590 Santenay, tél. 03.80.20.63.82, fax 03.80.20.67.14, e-mail louis.lequin@wanadoo.fr ☑ ☖ r.-v.

RENE LEQUIN-COLIN 1998***

| ☐ Gd cru | 0,12 ha | 750 | ⫴ 300 à 499 F |

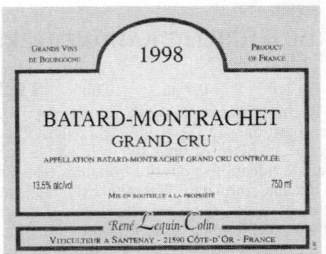

GRANDS VINS DE BOURGOGNE — 1998 — PRODUCT OF FRANCE

BATARD-MONTRACHET
GRAND CRU

APPELLATION BATARD-MONTRACHET GRAND CRU CONTRÔLÉE

13.5% alc/vol — MIS EN BOUTEILLE À LA PROPRIÉTÉ — 750 ml

René Lequin-Colin
VITICULTEUR A SANTENAY - 21590 CÔTE-D'OR - FRANCE

Domaine récent (1986) et parti d'1,5 ha de vigne. Cuverie en 1993. Extension constante. Jusqu'au coup de cœur qui honore ce bâtard récolté sur trois ouvrées seulement (12 a). Ce vin n'est pas fait pour être bu à l'automne prochain, mais est à garder pour une grande occasion. Doré évidemment. Aromatique ? Tout simplement. Miel et minéralité dans la discrétion. Mais au palais, quelle sève et quel montant ! Toute la panoplie défile devant nos papilles éblouies. Coup de cœur unanime.
☛ René Lequin-Colin, 10, rue de Lavau, 21590 Santenay, tél. 03.80.20.66.71, fax 03.80.20.66.70, e-mail renelequin@aol.com
☑ ☖ r.-v.

VEUVE HENRI MORONI 1998

| ☐ Gd cru | 0,32 ha | 1000 | ⫴ 300 à 499 F |

Maison de négoce-éleveur fondée en 1922 et exploitée par la famille Jomain aux côtés de son propre domaine. Cette bouteille à la robe très claire ne manque pas de distinction lorsqu'on la respire : épices douces, fruits secs, vanille discrète. Une note d'oxydation soutient ce vin, dans une configuration restreinte due au millésime.
☛ Veuve Henri Moroni, 1, rue de l'Abreuvoir, 21190 Puligny-Montrachet, tél. 03.80.21.30.48, fax 03.80.21.33.08, e-mail veuve.moroni@wanadoo.fr ☑ ☖ r.-v.

Bienvenues-bâtard-montrachet

JEAN-CLAUDE BACHELET 1997**

| ☐ Gd cru | 0,09 ha | n.c. | ⫴ 250 à 299 F |

Ici, 9 a et 42 ca d'une vigne acquise en 1960, pour un vin brillant et très ouvert, qui sort du rang. Floral et minéral, il ne raconte pas d'histoires et se contente de bien chardonner sans oublier son terroir. Pur et sûr, son corps est d'un équilibre superbe. Une petite pointe d'acidité contribue à relancer l'intérêt et lui permettra de vivre au-delà des cinq prochaines années.
☛ Jean-Claude Bachelet, rue de la Fontaine, 21190 Saint-Aubin, tél. 03.80.21.31.01, fax 03.80.21.97.71, e-mail JCBachelet@aol.com
☑ ☖ r.-v.

DOM. BACHELET-RAMONET PERE ET FILS 1998*

| ☐ Gd cru | 0,14 ha | 480 | ⫴ 300 à 499 F |

Parcelle de 13 a 20 ca et vigne replantée en 1971, pour un vin à la teinte jaune canari à reflets verts très agréables. Son bouquet rappelle les traits caractéristiques du pays : le beurre frais, la truffe blanche, le raisin bien mûr. Au palais, sa jeunesse le rend quelque peu agressif mais son ampleur et sa richesse ne nuisent en rien à sa concentration. Son potentiel de garde est certain. Décidément fin gourmet, un dégustateur conseille des queues d'écrevisses... dans cinq ans.
☛ Dom. Bachelet-Ramonet Père et Fils, 11, rue du Parterre, 21190 Chassagne-Montrachet, tél. 03.80.21.32.97, fax 03.80.21.91.41 ☑ ☖ r.-v.

CHARTRON ET TREBUCHET 1998*

| ☐ Gd cru | n.c. | 300 | ⫴ + de 500 F |

« On a envie de faire une pause et de le humer longuement », écrit un juré. La truffe est convoquée au rendez-vous. Clair et limpide, à reflets verts, acacia, agrumes, verveine et miel au nez, un vin riche au boisé élégant. Bien constitué, par ailleurs, dans un environnement de tilleul et de brioche chaude. Faible rendement sans doute et forte concentration. Avec la truffe, choisirez-vous le foie gras frais ? Pourquoi pas ? Mais pas avant trois ans. Vous l'apprécierez alors pendant dix ans.
☛ Chartron et Trébuchet, 13, Grande-Rue, 21190 Puligny-Montrachet, tél. 03.80.21.32.85, fax 03.80.21.36.35, e-mail jmchartron@chartron-trebuchet.com
☑ ☖ t.l.j. 10h-12h30 14h-18h; f. nov. à mars

DOM. HENRI CLERC ET FILS 1998*

| ☐ Gd cru | 0,46 ha | 1 646 | ⫴ + de 500 F |

Ce vin donne tort à Henri Vincenot qui prétendait que les Bourguignons ne pouvaient jamais tomber d'accord. En effet, nos jurés lui attribuent une très bonne note d'ensemble. Né d'une vigne replantée en 1978, ce 98 se pare d'une robe jaune d'or étincelante ; suit une explosion d'arômes très légèrement muscatés, issus d'une grande maturité. La structure, la relation acidité-rondeur, la persistance en fin de bouche, autant

d'atouts qui font l'unanimité. Tous les dégustateurs voient ce vin *over the top* d'ici quelques années. Le jury conseille de le servir sur un foie gras frais aux agrumes confits.
☛ EARL Dom. Henri Clerc et Fils, pl. des Marronniers, 21190 Puligny-Montrachet, tél. 03.80.21.32.74, fax 03.80.21.39.60 ☑ ⏀ t.l.j. 8h30-11h45 14h-17h45
☛ Bernard Clerc

DOM. GUILLEMARD-CLERC 1998★

☐ Gd cru	0,18 ha	1 143	⦀	250 à 299 F

Les archives de l'abbaye de Maizières parlent de la « vigne bienvenue » dès 1397. Et malgré tout ce temps, la terre reste bienveillante et si généreuse ! Jaune bouton d'or, voici un chardonnay très aromatique et à nuances exotiques, sur fond d'épices et de miel. Il présente le caractère tout en finesse de presque tous les 98 mais devra être attendu comme tout grand cru qui se respecte.
☛ Franck Guillemard-Clerc, 19, rue Drouhin, 21190 Puligny-Montrachet, tél. 03.80.21.34.22, fax 03.80.21.94.84 ☑ ⏀ r.-v.

Criots-bâtard-montrachet

ROGER BELLAND 1998★★★

☐ Gd cru	0,61 ha	2 000	⦀	300 à 499 F

89 |94| |95| 96 **98**

Les Criots ont conquis de haute lutte leur rang de grand cru. Terre de Chassagne. Parcelle acquise en 1982 sur les consorts Marcilly (près de la moitié de la superficie totale). La présentation cristalline laisse paraître l'or vert classique. Les arômes de pêche, d'aubépine, de tilleul sur fond vanillé sont d'une extrême complexité alors que la texture très grasse, généreuse, moelleuse, nette et persistante, est superbement élégante et riche. La typicité même. On peut se demander pourquoi il n'a pas de coup de cœur. Un dégustateur note : « L'attendre longtemps... mais pas après ma mort car j'aimerais bien être là pour le goûter »...
☛ Dom. Roger Belland, 3, rue de la Chapelle, B.P. 13, 21590 Santenay, tél. 03.80.20.60.95, fax 03.80.20.63.93, e-mail belland.roger@wanadoo.fr ☑ ⏀ r.-v.

LOUIS LATOUR 1997

☐ Gd cru	n.c.	n.c.	⦀	300 à 499 F

|⟨93⟩| |94| 95 96 97

Coup de cœur pour le 93, ce grand cru de Latour ne déçoit pas. Sous ses traits or blanc très classiques, le 97 montre un nez minéral encore assez fermé. Puis le chardonnay apparaît dans la fraîcheur. Vin de terroir, dirait-on, qui ne se révèle pas trop à ce jour. Sa persistance est plus qu'honorable, sa structure légère ; la finesse l'emporte. Réussi pour le millésime ? Sûrement. Eternel ? Certainement pas.

☛ Maison Louis Latour, 18, rue des Tonneliers, 21200 Beaune, tél. 03.80.24.81.00, fax 03.80.22.36.21, e-mail louislatour@louislatour.com ⏀ r.-v.

OLIVIER LEFLAIVE 1998

☐ Gd cru	n.c.	n.c.	⦀	+ de 500 F

Même si ce grand cru est minuscule, le négoce-éleveur réussit souvent à y dénicher une feuillette de vin. On se trouve ici face à un 98 or pâle. Son bouquet a bien appris sa leçon : miel, fleur blanche et brioche. Son corps n'en impose pas par ses dimensions mais par sa finesse. Svelte et néanmoins élégant et persistant. A ouvrir dans trois ans.
☛ Olivier Leflaive, pl. du Monument, 21190 Puligny-Montrachet, tél. 03.80.21.37.65, fax 03.80.21.33.94, e-mail leflaive-olivier@dial.oleane.com ☑ ⏀ r.-v.

Chassagne-montrachet

Une nouvelle combe, celle de Saint-Aubin, parcourue par la RN 6, forme à peu près la limite méridionale de la zone des vins blancs, suivie par celle des vins rouges ; les Ruchottes marquent la fin. Les Clos Saint-Jean et Morgeot, vins solides et vigoureux, sont les plus réputés de chassagne. Les blancs ont représenté 10 096 hl et les rouges 7 116 hl en 1999.

FRANCOIS D'ALLAINES 1997★

☐	n.c.	3 000	⦀	100 à 149 F

Il a tout d'un bon et honnête *village* 97, la robe brillante et dorée à souhait, le nez fin et complexe d'aubépine ou de chèvrefeuille. Il attaque en souplesse, puis la fraîcheur s'installe et persiste. Les papilles sont à la fête dans ce vin de style jeune et délicat. Queues d'écrevisse, filet de sandre, il est permis de rêver.
☛ François d'Allaines, La Corvée du Paquier, 71150 Demigny, tél. 03.85.49.90.16, fax 03.85.49.90.19, e-mail francois@dallaines.com ⏀ r.-v.

BERTRAND AMBROISE
La Maltroie 1998★

☐ 1er cru	n.c.	1 800	⦀	200 à 249 F

Bertrand Ambroise a choisi pour blason une grappe de raisin, un chêne et un sanglier en hommage à ses aïeux Chenot et Reboux. Sa Maltroie s'inspire du blason pour ce qui est du chêne, mais le jury estime que l'on doit atténuer cette sensation de jeunesse pour donner à tous les atouts de ce 98 la possibilité de se révéler. Un jugement très confiant.

• Maison Bertrand Ambroise, rue de l'Eglise, 21700 Premeaux-Prissey, tél. 03.80.62.30.19, fax 03.80.62.38.69,
e-mail bertrand.ambroise@wanadoo.fr
☑ ⏀ r.-v.

JEAN-CLAUDE BACHELET 1997

| ■ | 0,5 ha | n.c. | ⏐⏐⏐ 50 à 69 F |

Le 1er cru **La Boudriotte 97 en rouge** mérite d'être cité. Quant à ce *village*, il s'annonce fruité sous une touche végétale. D'un rouge grenat profond, il montre une acidité qui, si elle n'est guère typique du millésime, peut l'aider à prendre de l'âge. Un vin équilibré dont les tanins ne se font pas oublier. Bref, à laisser mûrir en cave.
• Jean-Claude Bachelet, rue de la Fontaine, 21190 Saint-Aubin, tél. 03.80.21.31.01, fax 03.80.21.97.71, e-mail JCBachelet@aol.com
☑ ⏀ r.-v.

CH. BADER-MIMEUR 1997

| ☐ | 3 ha | 10 000 | ⏐⏐⏐ 100 à 149 F |

Affaire de négoce-éleveur créée en 1919, lauréate du coup de cœur pour le millésime 86. Jaune doré, ce vin décline des arômes d'amande amère et grillée. Impression que l'on retrouve à l'étape suivante de la dégustation. Le gras n'exerce ici aucune position dominante et l'on reste sur une tonalité de fruits secs.
• Ch. Bader-Mimeur, 1, chem. du Château, 21190 Chassagne-Montrachet,
tél. 03.80.21.30.22, fax 03.80.21.33.29 ☑ ⏀ r.-v.

BALLOT-MILLOT ET FILS
Morgeot 1998*

| ☐ 1er cru | 0,59 ha | 2 000 | ⏐⏐⏐ 150 à 199 F |

Cette propriété familiale dont les origines remontent au XVIIᵉs. s'étend de Beaune à Chassagne-Montrachet. Son Morgeot 98 se présente sous un air jaune pâle. Ses arômes évoluent vers des notes anisées, de façon suave et douce. Sans disposer d'une importante complexité, il tire profit de son passage en bouche pour progresser tout en finesse. On se dit en finale qu'on n'a pas perdu son temps.
• Ballot-Millot et Fils, 9, rue de la Goutte-d'Or, B.P. 33, 21190 Meursault,
tél. 03.80.21.21.39, fax 03.80.21.65.92 ☑ ⏀ r.-v.

JEAN-CLAUDE BELLAND
Morgeot Clos Charreau 1998*

| ■ 1er cru | 0,48 ha | 2 400 | ⏐⏐⏐ 100 à 149 F |

Le Clos Charreau se situe juste après Morgeot, à la limite de Santenay. Il fait partie des *climats* fédérés sous le nom de Morgeot, mais il peut revendiquer son nom s'il provient de cet unique lieu-dit. On a affaire ici à un vin au nez assez secret mais à la bouche vigoureuse, pleine et entière. L'ensemble est flatteur, onctueux même, et doit satisfaire la restauration tant ce 98 est bien disposé. L'attendre un peu paraît sage.
• Jean-Claude Belland, 45, Grande-Rue, 21590 Santenay, tél. 03.80.20.61.90,
fax 03.80.20.65.60 ☑ ⏀ r.-v.

ROGER BELLAND
Morgeot Clos Pitois Monopole 1998★★★

| ☐ 1er cru | 1,21 ha | 6 000 | ⏐⏐⏐ 150 à 199 F |

Grand Vin de Bourgogne

CHASSAGNE-MONTRACHET
MORGEOT-CLOS PITOIS 1ᴱᴿ CRU
Appellation Chassagne-Montrachet Premier Cru Contrôlée
MONOPOLE

MIS EN BOUTEILLE PAR LE DOMAINE PAR
Roger BELLAND
13% vol. Viticulteur à Santenay (Côte-d'Or) France 750 m l

Les Belland sont dans la vigne depuis cinq générations. Ce *climat* quelque peu négligé de nos jours était considéré jadis comme le fin du fin. L'année lui réussit puisqu'il ne lui manquait qu'une seule voix pour être coup de cœur en **rouge 98** (70 à 99 F) et qu'il a fait l'unanimité en blanc. Ce vin minéral à l'état pur est d'une absolue distinction. Il sait de réussir aussi bien les deux couleurs d'un même *climat*.
• Dom. Roger Belland, 3, rue de la Chapelle, B.P. 13, 21590 Santenay, tél. 03.80.20.60.95, fax 03.80.20.63.93,
e-mail belland.roger@wanadoo.fr ☑ ⏀ r.-v.

JEAN-CLAUDE BOISSET 1998*

| ☐ | | n.c. | 6 000 | ⏐⏐⏐ 150 à 199 F |

Jean-Claude Boisset doit se fournir toujours ici, si son producteur persiste dans sa qualité. Car on a adoré ce *village* à la couleur admirable pour son fruit abricoté, ses notes de beurre et de noisette, un si heureux mariage ! Et c'est tendre, comme du bon pain, soyeux, chassagne en diable et d'une garde assurée.
• J.-C. Boisset, 5, quai Dumorey, B.P. 102, 21700 Nuits-Saint-Georges, tél. 03.80.62.62.61, fax 03.80.62.37.38

DOM. BORGEOT
Le Clos Saint-Jean 1998★★

| ■ 1er cru | 0,4 ha | 2 400 | ⏐⏐⏐ 100 à 149 F |

« Qui bon vin boit, Dieu voit » : ce serait une maxime des moines cisterciens, reprise à son compte par Romain Rolland dans *Colas Breugnon*. Placé sous le patronage de l'apôtre Jean, ce chassagne conduit en effet au paradis. Un remarquable 1er cru plein, rond et élégant, d'un bon boisé raisonnable. Certes, d'une puissance moyenne, mais ce 98 et son terroir s'apprécient en finesse. Parmi les joies de la dégustation...
• Dom. Borgeot, rte de Chassagne, 71150 Rémigny, tél. 03.85.87.19.92, fax 03.85.87.19.95 ☑ ⏀ r.-v.

JEAN BOUCHARD 1997

| ■ | | n.c. | 7 200 | ⏐⏐⏐ 100 à 149 F |

Tirant sur le violet et déjà grenat, ce chassagne nous réserve quelques confidences aromatiques intéressantes. Il ne conduit pas les opérations au pas de charge, se montrant plus moelleux que tannique, accommodant pour tout dire. Des qualités de garde ne seraient pas pour surprendre.

Jean Bouchard, B.P. 47, 21202 Beaune Cedex, tél. 03.80.24.37.27, fax 03.80.24.37.38

PHILIPPE BOUCHARD 1998★

	n.c.	1 200	◫ 100 à 149 F

Jaune paille, discret et minéral puis s'ouvrant sur la fleur blanche et le fruit exotique, il est à la fois ancien et moderne. Gras, il est soyeux. Vif, il ne reste pas inactif en bouche. Le raisin sec assure le relais, et sa complexité se dessine. Il n'a pas encore atteint sa plus haute expression, mais le potentiel est là.

Philippe Bouchard, 21420 Aloxe-Corton, tél. 03.80.25.00.00, fax 03.80.26.42.00, e-mail vinibeaune@bourgogne.net ☇ r.-v.

DOM. HUBERT BOUZEREAU-GRUERE
Les Blanchots dessous 1998★

	0,22 ha	1000	◫ 70 à 99 F

Issu d'une vieille famille de viticulteurs de Meursault, Hubert Bouzereau a travaillé dès l'âge de quatorze ans sur le domaine de ses parents. Et aujourd'hui ses filles prennent le relais. Elles présentent un vin qui « terroite » bien, où les arômes de pomme et d'amande grillée rejoignent ceux de la truffe. Frais, bien structuré, il devra être attendu un à trois ans. *Climat* voisin des criots-bâtard-montrachet et qu'on a pensé classer en grand cru durant les années 1930.

Hubert Bouzereau, 22 a, rue de la Velle, 21190 Meursault, tél. 03.80.21.20.05, fax 03.80.21.68.16 ☑ ☇ r.-v.

CH. DE CHASSAGNE-MONTRACHET
En Pimont 1998★

	2,66 ha	18 200	◫ 150 à 199 F

Si l'on pense plutôt « château » à Puligny et à des domaines plus vignerons à Chassagne, l'équipe de Michel Picard à Chagny s'emploie depuis quelque temps à relever le nom du château de Chassagne. Belle demeure en vérité, reprise en mai avec des ambitions légitimes. Or pâle, ce 98 se partage entre l'aubépine, le tilleul et des notes d'agrumes. La bouche est relevée dès l'attaque par un récital aromatique complexe. Un peu de gras complète le tableau. L'impression finale est vive et corsée.

Ch. de Chassagne-Montrachet, 21190 Chassagne-Montrachet, tél. 03.85.87.51.00, fax 03.85.87.51.11
Michel Picard

DOM. DU CHATEAU DE PULIGNY-MONTRACHET 1998★

	0,9 ha	5 200	◫ 100 à 149 F

Le Crédit foncier de France a acquis et rénové naguère un domaine passé auparavant de main en main et qui avait perdu son lustre. On ne s'étonnera donc pas de trouver de l'or dans ce verre. Des notes florales ne demandent qu'à s'ouvrir. Ce 98 offre beaucoup de fraîcheur aromatique. D'un grand raffinement, il est encore discret mais doit bientôt s'épanouir.

SCEA Dom. du Château de Puligny-Montrachet, 21190 Puligny-Montrachet, tél. 03.80.21.39.14, fax 03.80.21.39.07, e-mail chateaupul@aol.com ☑ ☇ r.-v.

CH. DE CITEAUX 1997

■	n.c.	1 500	◫ 50 à 69 F

Dominé par des notes végétales légèrement réglissées, il est coloré d'un rubis impérial. Ses épaules sont larges mais, si les tanins sont bien présents, aucune dureté excessive n'apparaît à la dégustation. Ce viticulteur s'est établi au château de Citeaux à Meursault en 1995, et il a entrepris utilement de remettre en valeur cette belle et ancienne demeure.

Philippe Bouzereau, Ch. de Citeaux, 18-20, rue de Citeaux, B.P.25, 21190 Meursault, tél. 03.80.21.20.32, fax 03.80.21.64.34, e-mail domaine.bouzereau@wanadoo.fr ☑ ☇ r.-v.

RAOUL CLERGET 1998

■	n.c.	8 000	◫ 50 à 69 F

Reprise par la maison alsacienne Tresch (comme la maison Chenu), la maison Raoul Clerget fait remonter sa fondation au XIIIᵉs. Voici un chassagne empourpré et de bonne intensité, pas trop boisé et on s'en réjouit, d'un bon fruit et d'une élégante simplicité. Vin commercial comme l'on dit, et ce n'est pas un défaut.

Bourgognes Raoul Clerget, chem. de la Pierre-qui-Vire, 21200 Montagny-lès-Beaune, tél. 03.80.26.37.37, fax 03.80.24.14.81

BERNARD COLIN ET FILS
Clos Saint Jean 1997★★

□ 1er cru	0,52 ha	n.c.	▮◫⬇ 100 à 149 F

Cette dégustation chez les Colin est un bonheur ! **le 1ᵉʳ cru, Les Chenevottes 97 blanc** (70 à 99 F), très parfumé et bien construit, reçoit une étoile, alors que ce superbe Clos Saint Jean, qui a de l'or sur sa parure et du mousseron au fond du nez, se montre tendre. Il faut fort bien s'y prendre : sa petite acidité, son aspect léger peuvent laisser croire à un vin futile, il n'en est rien ; il sera de bonne garde.

Bernard Colin et Fils, 22, rue Charles-Paquelin, 21190 Chassagne-Montrachet, tél. 03.80.21.32.78, fax 03.80.21.93.23 ☑ ☇ t.l.j. 8h-19h; dim. sur r.-v.

VINCENT DANCER La Romanée 1998

□ 1er cru	0,45 ha	1 800	◫ 100 à 149 F

Mais oui, il existe une Romanée à Chassagne, sans compter celle de Gevrey et la grandissime à Vosne. Un 1ᵉʳ cru assez riche tel qu'on en prend connaissance ici. Et c'est seulement le troisième millésime produit par ce domaine, nouveau venu dans l'appellation. Un rien d'agressivité sur fond moelleux. Ces choses sont possibles, en effet. Ce vin estimable ne manque pas de capacité de garde.

Vincent Dancer, 23, rte de Santenay, 21190 Chassagne-Montrachet, tél. 03.80.21.94.48, fax 03.80.21.94.48, e-mail vincentdancer@aol.com ☑ ☇ r.-v.

DOUDET-NAUDIN 1998★

■　　　0,85 ha　　1 800　　**❙❙❙** `100 à 149 F`

Demeurée indépendante, cette petite maison de négoce-éleveur, fondée il y a cent cinquante ans se range ici du côté de la tradition. Tannique, un peu rustique, ce 98 offre néanmoins un bouquet pénétrant et une chair framboisée. Un vin à attendre quatre ou cinq ans.
☛ Doudet-Naudin, 3, rue Henri-Cyrot, 21420 Savigny-lès-Beaune, tél. 03.80.21.51.74, fax 03.80.21.50.69 ☑ ☨ r.-v.
☛ Yves Doudet

GUY FONTAINE ET JACKY VION
Clos Saint-Jean 1998★

■ 1er cru　　0,65 ha　　2 000　　**❙❙❙** `70 à 99 F`

En **98 rouge, le village**, (une étoile) est dans son âge ingrat mais on en tirera quelque chose de bon dans trois ou quatre ans. Quant à celui-ci, excellemment vinifié, boisé avec doigté, il bénéficie d'une concentration en arômes et d'une longueur très suffisants. Soutenu, puissant... et distingué. Cette troisième génération à la tête du domaine laisse par ailleurs le souvenir d'un coup de cœur dans l'édition 1999 pour le millésime 95.
☛ GAEC des Vignerons, Le Bourg, 71150 Remigny, tél. 03.85.87.03.35, fax 03.85.87.03.35 ☑ ☨ r.-v.
☛ Fontaine-Vion

ANDRE GOICHOT 1997★

■　　　　n.c.　　11 600　　**❙❙❙** `70 à 99 F`

« Si tu ne viens pas à Chassagne, Chassagne viendra à toi. » Sous la forme d'un pinot noir dont la teinte connaît un début d'évolution. Fraise et framboise se mettent en quatre pour décorer le bouquet. Style assez corsé, kirsch tannique, mais la fraîcheur et le gras facilitent le contact. Coup de cœur dans le Guide 1998 (pour le millésime 95 rouge).
☛ SA A. Goichot et Fils, av. Charles-de-Gaulle, 21200 Beaune, tél. 03.80.26.88.70, fax 03.80.26.80.69, e-mail goichot@goichotsa.com ☑ ☨ r.-v.

DOM. DES HAUTES-CORNIERES
Morgeot 1997★

■ 1er cru　　2 ha　　11 000　　**❙❙❙** `70 à 99 F`

Visuellement, dix sur dix. Le nez est ouvert sur la confiture de fraises, les épices. Déjà on est en présence d'un corps consistant et structuré, d'une jolie concentration. Une bouteille de garde.
☛ Ph. Chapelle et Fils, Dom. des Hautes-Cornières, 21590 Santenay, tél. 03.80.20.60.09, fax 03.80.20.61.01 ☑ ☨ t.l.j. sf dim. 9h-12h 14h-18h

LOUIS JADOT 1997★★

□　　　　n.c.　　15 000　　**❙❙❙** `200 à 249 F`

Le chemin le plus court est-il toujours le meilleur ? Pas si sûr. Ainsi prend-on plaisir ici à s'attarder sur de jolis reflets verdâtres, à faire d'aimables détours du côté de l'humus et des fruits mûrs. Vanille en fleur, dirait-on presque. Mais l'amour n'est pas long à se déclarer en bouche, et on se plaît à accompagner ces élans de fraîcheur compensés par le gras. Ils ne nous éloi-

gnent pas du sujet. Très bon ensemble et pas loin de renouveler l'exploit du coup de cœur pour le millésime 83.
☛ Maison Louis Jadot, 21, rue Eugène-Spuller, 21200 Beaune, tél. 03.80.22.10.57, fax 03.80.22.56.03, e-mail contact@louisjadot.com ☑ ☨ r.-v.

GABRIEL JOUARD Les Baudines 1997

□ 1er cru　　1,4 ha　　1 800　　**❙❙❙** `70 à 99 F`

Tout en haut du coteau des 1ᵉʳˢ crus et en bordure du santenay, ce *climat* est signé par Paul Jouard qui a repris l'exploitation de ses parents en 1992. Il s'agit d'un 97 clair et limpide, nuancé et harmonieux. Son intérêt gustatif est sensible.
☛ EARL Dom. Gabriel et Paul Jouard, 3, rue du Petit-Puits, 21190 Chassagne-Montrachet, tél. 03.80.21.30.30, fax 03.80.21.30.30 ☑ ☨ r.-v.

CH. DE LA MALTROYE
Clos du Château de la Maltroye Monopole 1998

■ 1er cru　　1,37 ha　　8 200　　**❙❙❙** `100 à 149 F`

Le Clos du Château de la Maltroye est un monopole de la famille Cournut (à l'origine un pilote de ligne ayant décidé d'atterrir définitivement ici). Ce vin constitue un intéressant exemple de ce qu'on appelle en Bourgogne une vinification à l'ancienne, avec un peu de chaleur, une certaine acidité, et surtout pas mal d'amertume en fin de bouche. Celle-ci s'atténuera. En **village rouge 98**, un vin très friand, myrtille et réglisse, qui se gardera quelques années sans difficulté (70 à 99 F).
☛ SCE Ch. de La Maltroye, 16, rue de la Murée, 21190 Chassagne-Montrachet, tél. 03.80.21.32.45, fax 03.80.21.34.54 ☑ ☨ r.-v.
☛ Cournut

MICHEL LAMANTHE Les Vergers 1998

□ 1er cru　　0,26 ha　　1 500　　**❙❙❙** `100 à 149 F`

Il ne fait pas partie du cercle des poètes disparus, ce Vergers (coup de cœur dans l'édition 1995 pour le millésime 92). Limpide, plus gras au verre qu'en bouche, léger et fruité, c'est un quatrain et non une épopée. Mais il y a, en effet, de la poésie simple et spontanée dans ce 98 ayant pris pour muse un terroir riche en émotions. *Climat* tout près du Clos Saint-Jean.
☛ Michel Lamanthe, 21190 Saint-Aubin, tél. 03.80.21.33.23, fax 03.80.21.93.96 ☑ ☨ r.-v.

DOM. HUBERT LAMY
La Goujonne 1998

■　　　　2 ha　　9 000　　**❙❙❙** `70 à 99 F`

Climat situé en pied de côte sur la partie médiane du finage. Il produit ce rouge roboratif, d'une certaine ampleur et que sa mâche tannique rend actuellement quelque peu austère. Rubis foncé, il suggère la merise et présente une réelle finesse aromatique. Il est typé et à mettre de côté pour plus tard.
☛ Dom. Hubert Lamy, Paradis, 21190 Saint-Aubin, tél. 03.80.21.32.55, fax 03.80.21.38.32 ☑ ☨ r.-v.

DOM. LAMY-PILLOT Boudriotte 1998

| ■ 1er cru | 0,4 ha | 2 800 | ◀|▶ 70 à 99 F |

Plus brillant que profond, ce pinot noir est franc de goût et d'une finesse assez primesautière. Si vous avez envie de découvrir une collection phénoménale de tire-bouchons, venez ici visiter la cave ! Citons aussi le **village blanc 98**, boisé mais gras et plein.

☛ Dom. Lamy-Pillot, 31, rte de Santenay,
21190 Chassagne-Montrachet,
tél. 03.80.21.30.52, fax 03.80.21.30.02,
e-mail lamy.pillot@wanadoo.fr ☑ ⓨ r.-v.
☛ René Lamy

SYLVAIN LANGOUREAU
Les Voillenots Dessous 1997★

| ■ | 0,73 ha | 2 300 | ◀|▶ 50 à 69 F |

La plus récente extension de ce domaine concerne une cave voûtée et en belles pierres, bâtie en 1998 par un compagnon maçon. On peut se fournir ici en blanc - **Les Perclos 98 en village** (70 à 99 F), très raffiné -, ou en rouge (celui-ci). Tout venant à point à qui sait attendre, ce 97 vieillira bien tout en restant assez souple et parfumé au cassis.

☛ Sylvain Langoureau, Hameau de Gamay,
21190 Saint-Aubin, tél. 03.80.21.39.99,
fax 03.80.21.39.99 ☑ ⓨ r.-v.

OLIVIER LEFLAIVE
Abbaye de Morgeot 1997★

| ☐ 1er cru | n.c. | 8 000 | ◀|▶ 200 à 249 F |

Si vous avez une petite faim en passant par ici, vous pouvez tenter la *Table d'Olivier*, car on peut à la fois visiter les caves et déjeuner sur place. Ce vin n'aura guère de difficulté à trouver son accord. En robe claire, floral et beurré, il s'offre une petite note d'amertume. Tous les paramètres sont équilibrés, bien maîtrisés. Bref, on fait volontiers retraite en cette abbaye.

☛ Olivier Leflaive, pl. du Monument,
21190 Puligny-Montrachet, tél. 03.80.21.37.65,
fax 03.80.21.33.94,
e-mail leflaive-olivier@dial.oleane.com
☑ ⓨ r.-v.

LE MANOIR MURISALTIEN
Morgeot 1997★

| ☐ 1er cru | n.c. | 1 500 | ◀|▶ 200 à 249 F |

Un supplément d'âme ? On tourne comme les abeilles autour de cette bouteille d'un or appuyé, presque sans reflet. Un lingot ! Ses parfums sont également très tenaces (sous-bois). Puis une note de chaleur, une pointe d'amertume, mais sans excès. Jamais l'harmonie ne se rompt.

☛ Le Manoir murisaltien, 4, rue du Clos-de-Mazeray, 21190 Meursault, tél. 03.80.21.21.83,
fax 03.80.21.66.48, e-mail vin@demessey.com
☑ ⓨ r.-v.
☛ Marc Dumont

RENE LEQUIN-COLIN
Les Vergers 1998★

| ☐ 1er cru | 0,45 ha | 3 200 | ◀|▶ 100 à 149 F |

Vous pouvez diriger votre tâte-vin du côté du 1er cru **Les Caillerets 98 blanc**, cité, assez accueillant. Ou choisir ces Vergers pour faire comme nous. D'ailleurs, si vous saviez quelle infime dis-

tance sépare ce *climat* de l'illustrissime montrachet... Ce vin très fruité commence à s'ouvrir. On lui donne de cinq à six ans de plénitude. Ce domaine est parti de 1,5 ha de vigne il y a tout juste quinze ans (8,75 ha de nos jours).

☛ René Lequin-Colin, 10, rue de Lavau,
21590 Santenay, tél. 03.80.20.66.71,
fax 03.80.20.66.70, e-mail renelequin@aol.com
☑ ⓨ r.-v.

MESTRE PERE ET FILS
Tonton Marcel Monopole 1998

| ☐ 1er cru | 0,25 ha | 1 800 | ◀|▶ 150 à 199 F |

Tonton Marcel est un lieu-dit très ancien de chassagne : le nom donné à une pierre levée par les habitants de la contrée il y a quatre mille ans. Ce menhir bourguignon a disparu, mais le cadastre en rappelle le souvenir. La famille Mestre a le monopole de ce *climat* et en assure la promotion. D'une teinte presque blanche, ce 98 ressemble davantage à Astérix qu'à Obélix : intense et plein de caractère tout en sachant faire la part du moelleux.

☛ Mestre Père et Fils, 12, pl. du Jet-d'Eau,
B.P. 24, 21590 Santenay, tél. 03.80.20.60.11,
fax 03.80.20.60.97,
e-mail gilbert-mestre@wanadoo.fr
☑ ⓨ r.-v.

MICHEL MOREY-COFFINET
La Romanée 1998

| ☐ 1er cru | 0,8 ha | 4 200 | ◀|▶ 150 à 199 F |

Du beau, du bon, du fruit... A peine dorée, cette jeune Romanée au nom si princier ne manque à aucun de ses devoirs. Beurrée, miellée, elle aborde le palais avec panache. Sa vivacité est bien acceptée. Un enfant gâté ! Valent également une mention le **village blanc 98** (100 à 149 F) pour ses jolis arômes exotiques, tout en fruit et élégant, et en **rouge**, si vous changez de camp, le **village 98** (70 à 99 F), très bourgeon de cassis, friand, tout en mouvement. Ce domaine obtint un coup de cœur dans l'édition 1999 pour un 96.

☛ Dom. Michel Morey-Coffinet,
6, pl. du Grand-Four, 21190 Chassagne-Montrachet, tél. 03.80.21.31.71,
fax 03.80.21.90.81 ☑ ⓨ r.-v.

DOM. VINCENT PRUNIER 1998★

| ■ | 0,24 ha | 1 475 | ◀|▶ 50 à 69 F |

Grenat à reflets rubis, il fait partie de la maison. A maturité, cacao et fruits rouges, musc grillé, il parle comme tous par ici. Très chaleureux en bouche, cassis, cerise, il attaque ferme. Vineux, équilibré, il sait tempérer ses tanins et finit bien. Expressif, démonstratif, il peut déjà plaire mais saura attendre cinq ans. Ce domaine est récent (1988) car les parents de Vincent Prunier n'étaient pas viticulteurs, ce qui est rare dans ce village.

☛ Vincent Prunier, rte de Beaune,
21190 Auxey-Duresses, tél. 03.80.21.27.77,
fax 03.80.21.68.87 ☑ ⓨ r.-v.

ANTONIN RODET 1997★

| ☐ | | 2 ha | 10 000 | ■ ◀|▶ ♦ 150 à 199 F |

La seconde impression ne modifie pas la première. Favorable dans les deux cas. Jaune d'or à reflets d'émeraude, ce vin développe une ardeur

BOURGOGNE

aromatique fondée sur la pêche, le fruit blanc. En bouche, il a la rondeur, le gras, la souplesse citronnée du chassagne, dont il est un digne représentant. A ajouter aux compliments : des caudalies qui s'égrènent longtemps.

☛ Antonin Rodet, 71640 Mercurey, tél. 03.85.98.12.12, fax 03.85.45.25.49, e-mail rodet@rodet.com ☑ ♈ t.l.j. sf sam. dim. 9h-12h 13h30-18h

DOM. ROUX PÈRE ET FILS 1998★★

| ☐ | 0,8 ha | 5 000 | ◁▶ | 100 à 149 F |

Les fils Roux dans leurs belles œuvres ! Coup de cœur dans le Guide 1998 pour leur 95, ils présentent un 98 blanc irréprochable. Le nez très mûr égrène la noix, le foin, les épices, les fruits et une note boisée. Le palais déroule le tapis blanc avec un impressionnant résumé de la richesse, de l'ampleur, du volume et de la longueur d'une bouteille au sommet. A boire et non à attendre.

☛ Dom. Roux Père et Fils, 21190 Saint-Aubin, tél. 03.80.21.32.92, fax 03.80.21.35.00 ☑ ♈ r.-v.

Saint-aubin

Saint-Aubin est aussi dans une position topographique voisine des Hautes-Côtes ; mais une partie de la commune joint Chassagne au sud et Puligny et Blagny à l'est. Les Murgers des Dents de Chien, premier cru de Saint-Aubin, se trouvent même à faible distance des chevalier-montrachet et des Caillerets. Il faut dire que les vins sont également de grande qualité. Le vignoble s'est un peu développé en rouge (2 903 hl en 1999), mais c'est en blanc (5 683 hl) qu'il atteint le meilleur.

JEAN-CLAUDE BACHELET 1997★

| ☐ 1er cru | 0,44 ha | n.c. | ◁▶ | 50 à 69 F |

Un **Champlots 97 blanc** cité par le jury, et celui-ci dont l'œil et le nez partagent une convivialité particulièrement aimable et soutenue : or et miel, menthe, cumin. Dès l'attaque, il montre de l'ampleur, de la conviction dans le propos autour d'un boisé discret. Il est gras et long. Vin à apprécier dans la durée.

☛ Jean-Claude Bachelet, rue de la Fontaine, 21190 Saint-Aubin, tél. 03.80.21.31.01, fax 03.80.21.97.71, e-mail JCBachelet@aol.com ☑ ♈ r.-v.

DOM. BACHELET Les Cortons 1997

| ■ 1er cru | 1 ha | 4 000 | ◁▶ | 50 à 69 F |

Ils en voient passer du monde, ces Cortons en bordure de la RN 6 ! Mais ils ont le nostalgie des automobiles fabuleuses, *Voisin Chevreuse*, etc, qui faisaient jadis Paris-Nice en trois jours et cinq étapes gourmandes... Parfum de myrtille,

bouche charnue, un vin déjà très mûr, sur une note de chaleur.

☛ Dom. B. Bachelet et ses Fils, rue des Maranges, 71150 Dezize-lès-Maranges, tél. 03.85.91.16.11, fax 03.85.91.16.48 ☑ ♈ r.-v.

DOM. BILLARD ET FILS
Les Castets 1998

| ■ | 0,04 ha | 2 000 | ◁▶ | 50 à 69 F |

Vermillon, évolué (cerise confite), ce vin est bien équilibré, et sa petite pointe d'acidité n'a rien d'anormal. A ne pas ouvrir avant deux ans.

☛ Dom. Billard et Fils, rte de Beaune, 21340 La Rochepot, tél. 03.80.21.87.94, fax 03.80.21.72.17 ☑ ♈ r.-v.

GILLES BOUTON En Rémilly 1998

| ☐ 1er cru | 0,8 ha | 5 700 | ◁▶ | 50 à 69 F |

Or paille, ce vin déborde de matière, de plénitude. Epanoui et convivial, il ne fait pas son âge car il est prêt à boire et d'excellente composition. Il s'agit d'un domaine du hameau de Gamay, face à la vieille forteresse, hérité de son grand-père par le viticulteur en 1977 et porté de 3,7 à 13 ha sur vingt et une appellations différentes. Le choix est large.

☛ Gilles Bouton, Gamay, 21190 Saint-Aubin, tél. 03.80.21.32.63, fax 03.80.21.90.74 ☑ ♈ r.-v.

DOM. DE BRULLY Les Cortons 1998★★★

| ☐ 1er cru | 0,6 ha | 4 000 | ◁▶ | 70 à 99 F |

Il est tout simplement merveilleux, ce saint-aubin d'une belle teinte vive et aux arômes partagés entre la fleur blanche et le fruit exotique (aubépine et pamplemousse). L'attaque est sincère sur une matière bien dessinée et profilée pour l'avenir. Ferme, élégant, ce coup de cœur apparaît remarquable par ses justes proportions. Et il laisse une bouche désaltérée et parfumée. Il sera très grand pendant cinq à six ans.

☛ Dom. de Brully, 21190 Saint-Aubin, tél. 03.80.21.32.92, fax 03.80.21.35.00 ☑ ♈ r.-v.

DOM. JEAN CHARTRON
Les Murgers des Dents de Chien 1998★

| ☐ 1er cru | 0,55 ha | 4 000 | ◁▶ | 150 à 199 F |

D'une brillance or pâle, plus boisé que floral ; est-ce (comme l'écrit un de nos jurés), un « vin de tonnelier » ? Si l'on aime ce style, on sera gâté car le fût est de qualité et le vin existe. Son gras, son équilibre, sa longueur ont des vertus sous-jacentes qui s'affirmeront avec l'âge.

☛ Dom. Jean Chartron, 13, Grande-Rue, 21190 Puligny-Montrachet, tél. 03.80.21.32.85, fax 03.80.21.36.35 ☑ ♈ t.l.j. 10h-12h30 14h-18h

CH. DE CHASSAGNE-MONTRACHET
Le Charmois 1998★

□ 1er cru	5,68 ha	15 900	❚❙❚	70 à 99 F

Le Charmois se situe côté chassagne. Ce vin est proposé par la maison Picard de Chagny. Fort bon, un blanc plein de sève et d'esprit, jaune paille, vivifiant et tout compte fait assez gras.
🔊 Ch. de Chassagne-Montrachet, 21190 Chassagne-Montrachet, tél. 03.85.87.51.00, fax 03.85.87.51.11
🔊 Michel Picard

DOM. DU CHATEAU DE PULIGNY-MONTRACHET
En Rémilly 1997★

□ 1er cru	1,34 ha	8 000	❚❙❚	70 à 99 F

Coup de cœur dans l'édition 1997 pour le 94. Voici ce même *climat* dans le millésime 97. Vieil or, très boisé, il est d'une structure nerveuse, ferme et solide, avec toute une gamme intéressante d'arômes secondaires : poivre, piment vert, cardamome... mais aussi de coing, de pêche, alliés à une note minérale. Un vin prometteur.
🔊 SCEA Dom. du Château de Puligny-Montrachet, 21190 Puligny-Montrachet, tél. 03.80.21.39.14, fax 03.80.21.39.07, e-mail chateaupul@aol.com ☑ ⏺ r.-v.

FRANÇOISE ET DENIS CLAIR 1998★★

■ 1er cru	1 ha	6 000	❚❙❚ 🍷	50 à 69 F

En **1er cru blanc Les Murgers des Dents de Chien**, une étoile (70 à 99 F), évoquent un peu la gentiane et, sous une douceur vanillée apparente, ont du caractère. Ce 1er cru rouge reçoit des appréciations plus favorables encore. Fruité et parfaitement à point, il pourra être servi dès 2001. Il gagnera d'ailleurs à s'offrir sous ses traits de jeunesse.
🔊 Françoise et Denis Clair, 14, rue de la Chapelle, 21590 Santenay, tél. 03.80.20.61.96, fax 03.80.20.65.19 ☑ ⏺ r.-v.

JOSEPH DROUHIN 1997★

□ 1er cru	n.c.	n.c.	❚❙❚	100 à 149 F

En 1997, l'été indien a donné en blanc un vin flatteur, un peu svelte certes, mais qui ne manque pas de qualités, finement doté d'un bel équilibre entre le moelleux et l'acidité. Il a des arômes d'amande, de pêche et de cannelle, un retour sur le coing authentique ; cette bouteille élégante sera prête pour saluer l'an 2001.
🔊 Joseph Drouhin, 7, rue d'Enfer, 21200 Beaune, tél. 03.80.24.68.88, fax 03.80.22.43.14, e-mail drouhin@calva.net ⏺ r.-v.

ECHANSONNERIE DU GOUT-VINAGE
Les Murgers des Dents de Chien 1998

□ 1er cru	1 ha	4 000	❚❙❚	200 à 249 F

Sous l'étiquette étonnante de l'*Echansonnerie de l'Ordre du Goût, Vinage de France* (sic) dont le sanctuaire se trouve en Moselle, un vin d'un bel or soutenu qui bénéficie d'arômes assez mûrs (fleur fanée, pomme). Le fût n'impose pas sa présence. Enveloppe lisse et volume important sur finale épicée.

🔊 Echansonnerie du Goût-Vinage, rte de Moince, 57420 Louvigny, tél. 03.87.69.79.69, fax 03.87.69.71.13 ☑

DOM. HUBERT LAMY
Clos de la Chatenière 1998★★★

□ 1er cru	1,3 ha	8 000	❚❙❚	100 à 149 F

Abbé de Tincillac et évêque d'Angers, le bon saint Aubin était très populaire car il faisait volontiers d'utiles miracles. Ce 98 pâle et très brillant a reçu de telles grâces que sa finesse et sa délicatesse le portent au coup de cœur. Distinction déjà obtenue par ce viticulteur dans l'édition 1999 pour un 96 également blanc. Le nez fleuri s'accompagne de fruits secs auxquels le boisé ne porte pas ombrage. Riche de sensations, ce vin séduit par son charme d'une élégance princière. **En rémilly 98** reçoit une étoile.
🔊 Dom. Hubert Lamy, Paradis, 21190 Saint-Aubin, tél. 03.80.21.32.55, fax 03.80.21.38.32 ☑ ⏺ r.-v.

DOM. HUBERT LAMY
Les Frionnes 1998★★

□ 1er cru	3 ha	2 000	❚❙❚ 🍷	70 à 99 F

Rarement un producteur réussit autant d'examens de passage ! Excellents Frionnes 98, dont un dégustateur dit : « La bouteille que j'aime ! » D'un or limpide, offrant des odeurs superbes de fleurs blanches et de brioche, ce vin se définit parfaitement dès l'attaque, puis « ne se départit pas d'une élégante rectitude » jusqu'en finale. Il est tout jeune. Dans la même fourchette de prix en **rouge**, des **Castets 98**, également deux étoiles, d'une matière remarquable, ainsi que **Derrière chez Edouard** (oui, c'est le nom d'un 1er cru), une étoile, beau vin très puissant.
🔊 Dom. Hubert Lamy, Paradis, 21190 Saint-Aubin, tél. 03.80.21.32.55, fax 03.80.21.38.32 ☑ ⏺ r.-v.

DOM. LAMY-PILLOT Les Pucelles 1998★

□	0,82 ha	6 000	❚❙❚	70 à 99 F

Ce *climat* niché tout en haut du pays sur la route qui va à La Rochepot. Cette bouteille porte une robe qui n'est pas de quatre sous, loin de là. Son nez est légèrement menthol, toasté, vanillé de surcroît. Le corps est gras, moelleux, de belle longueur. Mais le bois domine encore. Il est conseillé d'attendre un an.

➤┑ Dom. Lamy-Pillot, 31, rte de Santenay,
21190 Chassagne-Montrachet,
tél. 03.80.21.30.52, fax 03.80.21.30.02,
e-mail lamy.pillot@wanadoo.fr ✔ 🍷 r.-v.
➤┑ René Lamy

SYLVAIN LANGOUREAU
Les Frionnes 1998★

| ☐ 1er cru | 0,3 ha | 1 900 | ⅠⅠⅠ | 50 à 69 F |

Coup de cœur dans l'édition 1999 (millésime 96), ces Frionnes portent une robe très pâle et présentent un nez d'amande grillée et de fruits confits. Plein de sève et de montant, gras et souple, ce vin donnera entière satisfaction à un prix raisonnable.
➤┑ Sylvain Langoureau, Hameau de Gamay, 21190 Saint-Aubin, tél. 03.80.21.39.99, fax 03.80.21.39.99 ✔ 🍷 r.-v.

DOM. LARUE En Rémilly 1998★

| ☐ 1er cru | 0,35 ha | 2 120 | ⅠⅠⅠ | 70 à 99 F |

En Rémilly fait partie des vignes de saint-aubin les plus proches du puligny-montrachet ; elles cousinent avec les plus prestigieux grands crus blancs. Ce 98 rappelle la fleur de tilleul. Peu d'acidité : il convient donc de le déboucher dans les deux ans à venir. Souplesse, gras, rondeur, ses qualités sont sans aucun doute celles d'un premier cru.
➤┑ Dom. Larue, Gamay, 21190 Saint-Aubin, tél. 03.80.21.30.74, fax 03.80.21.91.36 ✔ 🍷 r.-v.

OLIVIER LEFLAIVE Le Charmois 1997

| ☐ 1er cru | n.c. | 20 000 | ⅠⅠⅠ | 100 à 149 F |

Encore très jeune, déjà fin, un saint-aubin mettant un peu de vert dans son or. Miel et cire d'abeille, il évoque ensuite l'orange amère, le pamplemousse. Sans effets de manche et d'une jolie consistance. L'attendre un peu et le boire longtemps.
➤┑ Olivier Leflaive, pl. du Monument, 21190 Puligny-Montrachet, tél. 03.80.21.37.65, fax 03.80.21.33.94,
e-mail leflaive-olivier@dial.oleane.com
✔ 🍷 r.-v.

MALLARD-GAULIN 1998★★

| ☐ | 0,35 ha | 2 000 | ⅠⅠⅠ | 150 à 199 F |

Jaune paille, ce vin embaume le chèvrefeuille et annonce le printemps dans la cave. Gras et vineux, il prend possession des papilles avec beaucoup de classe. Et quelle persistance ! Une sole meunière lui tiendra compagnie. Arrivé troisième dans le grand jury des coups de cœur.
➤┑ Maison Mallard-Gaulin, 21420 Aloxe-Corton, tél. 03.80.26.46.10, fax 03.80.26.43.57

ROLAND MAROSLAVAC-LEGER
Les Murgers des Dents de Chien 1998★

| ☐ 1er cru | 0,37 ha | 2 200 | 🍶 ⅠⅠⅠ ⌀ | 100 à 149 F |

Un climat situé à vol d'oiseau tout près de l'illustrissime montrachet. Ce sont des choses qu'il faut savoir... Robe assez pâle mais à reflets dorés, bouquet très intense (la pomme et l'amande en dominante) il a bon goût tout en étant copieux et sans doute de bonne garde.
➤┑ Dom. Maroslavac-Léger, 43, Grande-Rue, 21190 Puligny-Montrachet, tél. 03.80.21.31.23, fax 03.80.21.91.39 ✔ 🍷 r.-v.

DOM. DES MEIX
Les Murgers des Dents de Chien 1998★

| ☐ 1er cru | 1,1 ha | 4 000 | ⅠⅠⅠ | 50 à 69 F |

Cet œnologue a repris des vignes de son grand-père qui étaient en métayage. Traditionaliste, il égrappe à moitié et bâtonne comme s'il sonnait les cloches à chaque angélus. Cela fait un bon vin. Nuance cuivre jaune, le 98 offre des arômes déjà affirmés dans un style floral, un peu boisé, et se montre expressif en bouche. Un dégustateur lui atttribue un « esprit meursault ».
➤┑ Christophe Guillo, Dom. des Meix, 21200 Combertault, tél. 03.80.26.67.05, fax 03.80.26.67.05,
e-mail Guillochristophe@aol.com ✔ 🍷 r.-v.

BERNARD PRUDHON Les Castets 1997★

| ■ 1er cru | 0,74 ha | 1000 | ⅠⅠⅠ | 50 à 69 F |

Bœuf bourguignon pour l'un, magret de canard pour un autre, les dégustateurs sont partagés sur l'accord parfait avec ce vin. Mais sa robe fait l'admiration de tous et elle résistera au temps. Son bouquet (épices, cassis) peut se développer encore. Harmonieux, chaleureux, c'est probablement un vin pour les années 2002.
➤┑ Bernard Prudhon, 21190 Saint-Aubin, tél. 03.80.21.35.66 ✔ 🍷 r.-v.

DOM. ROUX PERE ET FILS
La Pucelle 1998★★

| ☐ | 2,5 ha | 12 000 | ⅠⅠⅠ | 70 à 99 F |

Notre coup de cœur de l'an passé (millésime 97). Voici sa sœur cadette. Gentiment parée d'or vert, elle offre un parfum floral légèrement grillé, agrémenté de notes exotiques. Souple et ronde avec une pointe minérale, elle possède une bonne étoffe et saura attendre deux à trois ans. Saint-Aubin est le port d'attache de ce vaste domaine.
➤┑ Dom. Roux Père et Fils, 21190 Saint-Aubin, tél. 03.80.21.32.92, fax 03.80.21.35.00 ✔ 🍷 r.-v.

MICHEL SERVEAU En l'Ebaupin 1998

| ■ | 0,15 ha | 1000 | ⅠⅠⅠ | 50 à 69 F |

Une jolie robe pivoine bien soutenue. Le nez croque la griotte et en redemanderait volontiers. Mais la bouche est encore trop jeune. Il faut attendre qu'elle s'ouvre sur le fruit. Ce climat se situe sur la route de La Rochepot.
➤┑ Michel Serveau, 21340 La Rochepot, tél. 03.80.21.70.24, fax 03.80.21.71.87 ✔ 🍷 t.l.j. 8h-19h

GERARD THOMAS La Chatenière 1998

| ☐ 1er cru | 0,53 ha | 3 600 | ⅠⅠⅠ | 50 à 69 F |

La Chatenière tient le milieu à Saint-Aubin. Au centre de toutes les influences, elle donne ici un 98 doré sur tranche, citronné, vif, et cela ne déplaît pas.
➤┑ Gérard Thomas, 21190 Saint-Aubin, tél. 03.80.21.32.57, fax 03.80.21.36.51 ✔ 🍷 r.-v.

> Pour tout savoir d'un vin, lisez les textes d'introduction des appellations et des régions ; ils complètent les fiches des vins.

Santenay

Dominé par la Montagne des Trois-Croix, le village de Santenay est devenu, grâce à sa « fontaine salée » aux eaux les plus lithinées d'Europe, une ville d'eau réputée... C'est donc un village polyvalent, puisque son terroir produit également d'excellents vins rouges. Les Gravières, la Comme, Beauregard en sont les crus les plus connus. Comme à Chassagne, le vignoble présente la particularité d'être souvent conduit en cordon de Royat, élément qualitatif non négligeable. Enfin, les deux appellations de chassagne et santenay débordent légèrement sur la commune de Remigny, en Saône-et-Loire, où l'on trouve aussi les appellations de cheilly, sampigny et dezize-lès-maranges, maintenant regroupées sous l'appellation maranges. L'AOC santenay a produit en 1999 2 032 hl de vin blanc et 16 342 hl de vin rouge.

DOM. ALEXANDRE 1998★

■	2,25 ha	4 000	◫	50 à 69 F

Ce domaine situé à Remigny, partage avec Santenay, sur 13 ha en tout, l'AOC *village*. Pas mal fait, ce 98. Certes, il a jusqu'à présent les épaules assez larges, mais le fruit domine en bouche. Il y a de la matière. Des tanins qui vont se fondre. La cerise au sirop est particulièrement prononcée. Nuance entre le carmin et le mauve.
☛ Dom. Alexandre Père et Fils, pl. de la Mairie, 71150 Remigny, tél. 03.85.87.22.61, fax 03.85.87.22.61 ☑ ⵙ r.-v.

DOM. BACHELET 1997★

■	2,5 ha	10 000	▤ⵜ	50 à 69 F

Quand la nymphe des eaux épouse le dieu du Vin... C'est cela, Santenay qui s'appela longtemps Santenay-les-Bains tant ses sources ravigotent le corps et l'esprit. Entièrement égrappé, ce 97 au nez franc, homogène, entre le grillé et l'églantine, offre une bouche délicate et douce, fraîche et légère, avec juste ce qu'il faut d'acidité pour envisager un peu de garde (deux à trois ans).
☛ Dom. Bernard Bachelet et Fils, rue des Maranges, 71150 Dezize-lès-Maranges, tél. 03.85.91.16.11, fax 03.85.91.16.48 ⵙ r.-v.

DOM. BART En Bievau 1997★

☐	0,35 ha	1 500	◫	70 à 99 F

De Marsannay à Santenay, il y a un bout de chemin. Mais on ne vit plus au temps du cheval... En blanc, une réussite. L'œil se plaît à cajoler sa robe. Ses parfums sont influencés par le fût. L'attaque est tout en souplesse. Sur le fond, on lui trouve un peu d'acidité et une harmonie qui s'avère durable. Ce *climat* se situe entre le village et Saint-Jean-de-Narosse, le hameau haut perché.

☛ GAEC Bart, 23, rue Moreau, 21160 Marsannay-la-Côte, tél. 03.80.51.49.76, fax 03.80.51.23.43 ☑ ⵙ r.-v.

JEAN-CLAUDE BELLAND
Clos des Gravières 1998★

■ 1er cru	1,21 ha	6 120	◫	70 à 99 F

Comme 98 en 1er cru rouge ? Vin d'avenir au grain serré, très fin, bien parfumé. Celui-ci ? En pleine ascension. Il est déjà dans une nuance grenat très sombre, le nez légèrement poivré, marron d'Inde peut-être... Excellente texture, avec des tanins encore fermes. Ne manque ni de fruit ni de cœur ; sa longueur est prometteuse.
☛ Jean-Claude Belland, 45, Grande-Rue, 21590 Santenay, tél. 03.80.20.61.90, fax 03.80.20.65.60 ☑ ⵙ r.-v.

ROGER BELLAND Gravières 1998★★

■ 1er cru	1,14 ha	6 000	◫	70 à 99 F

Belland. Mais quel prénom ? Celui-ci fut coup de cœur dans l'édition 1998 pour son Beauregard 95. Son domaine de 23 ha est également bien assis en Gravières. Ce vin entreprenant, foncé, démonstratif, s'en sort de belle manière : rubis foncé, il montre un nez puissant encore porté sur le fût. Mais la bouche révèle une superbe matière : le fruit rouge n'est pas dominé par le boisé. A garder quatre à cinq ans. En **village**, le **Charmes 98 rouge** mérite une même note (50 à 69 F). Charnu et puissant, marqué par d'élégantes notes de torréfaction, il offre une persistance remarquable. C'est un bon rapport qualité-prix.
☛ Dom. Roger Belland, 3, rue de la Chapelle, B.P. 13, 21590 Santenay, tél. 03.80.20.60.95, fax 03.80.20.63.93, e-mail belland.roger@wanadoo.fr ☑ ⵙ r.-v.

ALBERT BICHOT 1997★

■	n.c.	3 000	▤◫ⵜ	100 à 148 F

Empli de sève, de montant, un vin qui prendra de l'âge avec bonheur. Pourpre, végétal, légèrement réglissé, il se tient en réserve. Mais le jour où l'on aura besoin de lui, il saura faire don de sa personne. Davantage de puissance que d'ampleur, et assez charmeur.
☛ Maison Albert Bichot, 6 bis, bd Jacques-Copeau, 21200 Beaune, tél. 03.80.24.37.37, fax 03.80.24.37.38

DOM. CAILLOT 1997★

☐	1 ha	6 000	▤◫ⵜ	50 à 69 F

Jolie bouteille bien typée. Jaune léger, pierre à fusil et fleurs blanches ; le chardonnay s'y montre empli de gras et d'arômes agréables (nuances d'abricot). Quand on est de Meursault, il est vrai qu'on maîtrise à merveille ce cépage. Domaine aux crus bien répartis de Beaune à Santenay : il est présent dans presque tous les villages.
☛ Dom. Caillot, 14, rue du Cromin, 21190 Meursault, tél. 03.80.21.21.70, fax 03.80.21.69.58 ☑ ⵙ r.-v.

DOM. CAPUANO-FERRERI ET FILS
La Comme 1998★

■ 1er cru	n.c.	n.c.	◫	70 à 99 F

Ce domaine nous fait partager beaucoup de bons moments. Le **village 98 rouge** (50 à 69 F) obtient une citation, et le **Passe-Temps 98 rouge**

en 1er cru, fin et élégant, reçoit une étoile (50 à 69 F). Tout cela passe la barre. On peut s'y fier. Ce Comme est digne d'une gigue de chevreuil. Car toute la dégustation est typée santenay, en harmonie du début à la fin, de la robe brillante au corps puissant, riche d'une belle mâche, en passant par des arômes de fruits rouges et de réglisse persistants.

➛ Capuano-Ferreri et Fils, 1, rue de la Croix-Sorine, 21590 Santenay, tél. 03.80.20.64.12, fax 03.80.20.65.75 ☑ ☒ r.-v.

LOUIS CHAVY 1997★

| ■ | | n.c. | 15 000 | ⫼ | 70 à 99 F |

Quand un vin est bon, pourquoi ne pas le dire ? Celui-ci n'est pas fait pour le regard, d'éclat moyen à nuances tuilées. Mais au nez, il est intarissable. Et, en bouche, il est bien construit. Un peu dur évidemment, mais un santenay rouge vit dans son armure ses premières années. Très classique, architecturé, il possède de la classe, de la race.

➛ Louis Chavy, Caveau de la Vierge romaine, pl. des Marronniers, 21190 Puligny-Montrachet, tél. 03.80.26.33.00, fax 03.80.24.14.84, e-mail mallet.b@cva-beaune.fr ☑ ☒ t.l.j. 10h-18h; f. nov. à mars

MAURICE CHENU 1998

| ■ | | n.c. | 6 000 | ⫼ | 50 à 69 F |

Même si l'affaire est devenue Tresch, ce santenay n'a pas l'accent alsacien. Un rubis d'intensité moyenne en lever de rideau. Duo cassis et cerise en ouverture. Un 98 encore un peu tannique mais qui sera facile à boire, car il n'est pas exempt de gras et de matière, jouant la finesse et y réussissant.

➛ Bourgognes Chenu-Tresch SA, chem. de la Pierre-qui-Vire, 21200 Montagny-lès-Beaune, tél. 03.80.26.37.37, fax 03.80.24.14.81

FRANÇOISE ET DENIS CLAIR
Clos Genet 1998★★

| ■ | | 1,2 ha | 6 000 | ▬ | 50 à 69 F |

Bien implanté aux Etats-unis et en Grande-Bretagne, ce domaine propose un très beau 98. On s'enfonce sans fin dans le velours capiteux de sa robe. Le nez légèrement balsamique, surmaturé, aux accents de pruneau cuit, annonce un corps rond, gras, robuste et persistant ; il accomplit parfaitement son chemin en bouche. Très santenay, il est riche et puissant, de bonne conversation. A poil il mettra en émoi.

➛ Françoise et Denis Clair, 14, rue de la Chapelle, 21590 Santenay, tél. 03.80.20.61.96, fax 03.80.20.65.19 ☑ ☒ r.-v.

DOM. HENRI CLERC ET FILS
Les Pôtets 1997★

| ■ | | 0,69 ha | 1 314 | ⫼ | 70 à 99 F |

Ce domaine, dont les origines remontent au XVIe s., a élevé ce vin en fûts de chêne dont un cinquième sont neufs. Ce *climat* est à chercher sur Santenay du côté du levant. Bouquet sur le confit, attaque réaliste, bouche souple, tout cela s'annonce assez bien. Bouteille présentée par un spécialiste du chardonnay qui fait du pinot noir un art d'agrément.

➛ EARL Dom. Henri Clerc et Fils, pl. des Marronniers, 21190 Puligny-Montrachet, tél. 03.80.21.32.74, fax 03.80.21.39.60 ☑ ☒ t.l.j. 8h30-11h45 14h-17h45
➛ Bernard Clerc

RAOUL CLERGET 1998

| ■ 1er cru | | n.c. | 6 000 | ⫼ | 70 à 99 F |

Vin d'un bon moelleux, avec un peu de mâche, de la vinosité, quelque chose comme du fruit, des arômes de champignon, une robe assez soutenue. Il n'est pas très puissant mais agréable et marchand. Cette maison fait partie du groupe alsacien Tresch qui s'est implanté dans le vignoble bourguignon.

➛ Bourgognes Raoul Clerget, chem. de la Pierre-qui-Vire, 21200 Montagny-lès-Beaune, tél. 03.80.26.37.37, fax 03.80.24.14.81

CLOS DE GATSULARD MONOPOLE
1997★

| | | 2,95 ha | 10 000 | ▬ ⫼ | 70 à 99 F |

Père des assurances agricoles mutuelles dans toute la région, Raymond Launay a su mettre plusieurs cordes à son arc. Il s'est intéressé au cheval, aux céréales et, ici, à la vigne. Sur les hauteurs, son Clos de Gatsulard est un monopole. S'il manifeste à l'œil une petite touche d'évolution sensible, son nez sauvage tire sur l'animal et le cuir, et sa bouche, en accord avec le millésime, se montre ronde et bien construite sur le pinot.

➛ Dom. Raymond Launay, rue des Charmots, 21630 Pommard, tél. 03.80.24.08.03, fax 03.80.24.12.87, e-mail raymond.launay@wanadoo.fr ☑ ☒ r.-v.

EDOUARD DELAUNAY ET SES FILS
Clos Rousseau 1997

| ■ 1er cru | | n.c. | 9 000 | ⫼ | 100 à 149 F |

Vince in bono malum, telle est la devise de cette maison très ancienne reprise par Jean-Claude Boisset. Vaincre le mal par le bien n'est-il pas un beau programme ? Cette bouteille s'y emploie de son mieux. D'un fruité intense mâtiné de genièvre, elle a beaucoup de volume et sait se montrer ronde. Vin bien travaillé.

➛ Edouard Delaunay et ses Fils, 5, rue du Moulin, 21700 Nuits-Saint-Georges, tél. 03.80.62.61.46, fax 03.80.62.37.38

DOUDET-NAUDIN La Maladière 1998

| ■ 1er cru | | 1,2 ha | 3 900 | ⫼ | 100 à 149 F |

La Maladière penche vers le sud, constituée de marnes calcaires et de sols bruns calcaires. On n'est donc pas surpris de rencontrer un vin plein de résistance, sous couvert boisé. Son acidité lui donne de l'assurance. Il a un rubis honnête et d'un cassis exubérant. Cette maison familiale a un pied dans la vigne et l'autre dans le négoce-éleveur depuis un siècle et demi.

➛ Doudet-Naudin, 3, rue Henri-Cyrot, 21420 Savigny-lès-Beaune, tél. 03.80.21.51.74, fax 03.80.21.50.69 ☑ ☒ r.-v.
➛ Yves Doudet

BOURGOGNE

GUY FONTAINE ET JACKY VION
1997★★

■   2,3 ha   4 000   ▮▮▮ 50 à 69 F

Les bons auteurs nous disent que Santenay a toujours brillé par les soins apportés à la culture de son vignoble. Ils nous disent aussi que cette AOC s'étend sur la commune de Remigny. Or, voici justement des viticulteurs de ce pays, et ils pratiquent les bons principes. Leur *village*, séveux et charnu, très expressif sur tous les plans, encore jeune, prometteur, fait déjà plaisir. Parmi les meilleurs de la dégustation.
☛ GAEC des Vignerons G. Fontaine et J. Vion, Le Bourg, 71150 Remigny, tél. 03.85.87.03.35, fax 03.85.87.03.35 ☑ ⲧ r.-v.

DOM. GADANT ET FRANÇOIS 1998

■   1 ha   3 300   50 à 69 F

Retenu par ses tanins comme par deux chiens de garde, il rêve de s'en libérer et d'aller de son propre pas. La charpente est ferme, le corps poivré, l'œil d'un beau rouge rubis brillant pâle. A ranger pour la garde sans rechercher la fin des temps (trois à cinq ans).
☛ Dom. Gadant et François, GAEC Le Clos Voyen, 71490 Saint-Maurice-lès-Couches, tél. 03.85.49.66.54, fax 03.85.49.60.62 ☑ ⲧ r.-v.

DOM. LOUIS JADOT
Clos de Malte 1997★★

☐   1,5 ha   7 000   ▮▮▮ 100 à 149 F

Brioché, un clos de Malte qui ne réclame pas la charité ! L'or et l'émeraude font partie de ses bijoux de famille. Il s'exprime intensément, tout en finesse et en longueur, offrant une bouche parfaite. Ses arômes persistent longuement (chèvrefeuille, pain grillé) et l'emportent vers de beaux lendemains.
☛ Maison Louis Jadot, 21, rue Eugène-Spuller, 21200 Beaune, tél. 03.80.22.10.57, fax 03.80.22.56.03, e-mail contact@louisjadot.com ☑ ⲧ r.-v.

DOM. JESSIAUME PERE ET FILS
Les Gravières 1998

☐ 1er cru   0,71 ha   4 500   ▮▮▮ 100 à 149 F

Gravières en blanc. D'une teinte soutenue, dorée, un 98 qui sent la vendange mûre et le fût d'élevage. Bon gras en début de bouche, finale vive, longueur moyenne : il faut attendre au moins une année que le boisé s'atténue.
☛ Dom. Jessiaume Père et Fils, 10, rue de la Gare, 21590 Santenay, tél. 03.80.20.60.03, fax 03.80.20.62.87 ☑ ⲧ r.-v.

GABRIEL JOUARD 1997

■   1,3 ha   2 500   ▮▮▮ 50 à 69 F

Pourpre intense, il passe l'écrit avec de fort bonnes notes. Le nez est fin, végétal, framboisé, un tantinet poivré. Complexe en un mot. L'oral ? En bouche, il attaque avec vivacité puis il joue sur ses connaissances (bonne structure) sans afficher un caractère très prononcé. Nuance boisée. Capable d'obtenir une mention d'ici un à deux ans.

☛ EARL Dom. Gabriel et Paul Jouard, 3, rue du Petit-Puits, 21190 Chassagne-Montrachet, tél. 03.80.21.30.30, fax 03.80.21.30.30 ☑ ⲧ r.-v.

DOM. HUBERT LAMY
Clos des Hâtes Vieilles vignes 1998★★

■   0,7 ha   2 100   ▮▮▮ 70 à 99 F

Le *jackpot* au casino de Santenay ! Cerise foncée, un clos des Hâtes (entre les 1ers crus Clos Faubard et Beaurepaire) à la robe cerise profonde, aux arômes de pain d'épice un peu confiturés, après un temps d'éveil. Il gagne son coup de cœur grâce à sa chair fondante, pleine, mûre. Ses tanins bien présents révèlent leur douceur. Parfait pour le millésime et d'une complexité adorable. A déboucher dans les trois à cinq ans.
☛ Dom. Hubert Lamy, Paradis, 21190 Saint-Aubin, tél. 03.80.21.32.55, fax 03.80.21.38.32 ☑ ⲧ r.-v.

LOUIS LATOUR 1997★★

☐   n.c.   20 000   ▮ 70 à 99 F

Fondée en 1797, la maison Louis Latour possède un vignoble de 50 ha. Dans la vraie lignée du grand négoce éleveur bourguignon, elle a produit ce santenay sans aucun passage sous bois, et il est superbe dans sa robe or pâle, avec ses arômes de fleurs blanches et d'amande douce, réservant au palais ses plus délicates et plus fermes intentions. Du fruit, du moelleux et de la vivacité, Latour nous satisfait pleinement. Une bouteille déjà épanouie et qu'il semble inutile de laisser dormir.
☛ Maison Louis Latour, 18, rue des Tonneliers, 21200 Beaune, tél. 03.80.24.81.00, fax 03.80.22.36.21, e-mail louislatour@louislatour.com ⲧ r.-v.

RENE LEQUIN-COLIN
Les Charmes 1998★

■ 0,46 ha 2 900 ❚❚❙ 50 à 69 F

Une étonnante robe aux superbes reflets violets annonce un nez intense et franc, plutôt floral. A attendre deux ou trois ans.

☛ René Lequin-Colin, 10, rue de Lavau, 21590 Santenay, tél. 03.80.20.66.71, fax 03.80.20.66.70, e-mail renelequin@aol.com ☑ ♈ r.-v.

JEROME MASSON Beaurepaire 1998★

■ 1er cru n.c. 600 ❚❚❙ 50 à 69 F

Jérôme Masson a pris en 1998 la direction du domaine familial que sa mère Nadine conduisait avec succès. Son premier millésime a séduit le jury : « C'est une bien jolie expression du pinot », note un dégustateur. La robe soutenue, le nez de bourgeon de cassis et de petite cerise sauvage, la bouche aux tanins fins bien enveloppés, tout concourt à une belle harmonie.

☛ Jérôme Masson, rue Haute, 21340 La Rochepot, tél. 03.80.21.72.42, fax 03.80.21.72.42 ☑ ♈ r.-v.

PROSPER MAUFOUX Beauregard 1997

■ 1er cru n.c. n.c. ❚❚❙ 70 à 99 F

Notaire de son état, Prosper Maufoux jette sa plaque aux orties et devient négociant-éleveur à Santenay. Nous sommes en 1860. Cyprien, Pierre, et aujourd'hui Vincent... la fibre familiale demeure vivante. Elle nous rend complices d'un Beauregard rouge comme il se doit, épicé et réglissé, d'une acidité très convenable, d'un corps assez rond avec encore une pointe austère en finale. Le bourgeon de cassis de la rétro-olfaction a du charme. A attendre deux ans.

☛ Prosper Maufoux, pl. du Jet-d'Eau, 21590 Santenay, tél. 03.80.20.60.40, fax 03.80.20.63.26 ☑ ♈ r.-v.

DOM. DU CH. DE MERCEY 1997

■ 1,3 ha 5 400 ❚❚❙ 70 à 99 F

Ce santenay de la maison Antonin Rodet est peut-être un peu fragile, mais il possède la meilleure robe qui soit, et son nez mêle : cuir, pruneau, terroir. Un peu évolué, tout en étant au palais intense et chaleureux, sympathique comme pas deux. On peut à coup sûr lui réserver sa place à la table du dimanche.

☛ Ch. de Mercey, Mercey, 71150 Cheilly-lès-Maranges, tél. 03.85.91.13.19, fax 03.85.91.16.28 ☑ ♈ r.-v.

MESTRE-MICHELOT Gravières 1997★

■ 1er cru 0,4 ha 2 000 ❚❚❙ 70 à 99 F

Domaine créé en 1985 et qui offre l'exemple d'épousailles entre Meursault et Santenay. Pour un Gravières 97 d'un rubis estimable, au nez très frais sur le fruit rouge. Cette sensation agréable persiste par la suite. L'acidité, l'alcool, les tanins vivent en bonne intelligence. Exactement le vin qu'on servira à ses amis sans craindre un froncement de sourcils.

☛ Mestre-Michelot, 12 bis, rue de Mazeray, 21190 Meursault, tél. 03.80.21.23.17, fax 03.80.21.63.62 ☑ ♈ r.-v.

MESTRE PERE ET FILS
Passe-Temps 1998★

☐ 1er cru 0,53 ha 3 000 ❚❚❙ 70 à 99 F

Coup de cœur dans le Guide 1990 pour ce climat en 87 blanc, ce domaine rappelle que son corton 89 a été servi au dîner de mariage de la princesse du Danemark. Il présente ici deux santenay blancs qui se valent : un **Beaurepaire 98** et cet autre 1er cru aux senteurs d'agrumes. Beaucoup de fraîcheur de jeunesse derrière l'or pâle à reflets verts. Des agrumes (citron vert), une note fumée, un corps gras à souhait avec une note acidulée élégante. Un vin bien vivant. Une volaille à la crème aimera ces deux bouteilles.

☛ Mestre Père et Fils, 12, pl. du Jet-d'Eau, B.P. 24, 21590 Santenay, tél. 03.80.20.60.11, fax 03.80.20.60.97, e-mail gilbert-mestre@wanadoo.fr ☑ ♈ r.-v.

EDMOND MONNOT
Les Charmes-dessus 1998★

■ 0,56 ha n.c. ❚❚❙ 70 à 99 F

Le genre de bouteille vers laquelle on se précipite si jamais on la croise. Sa robe carmin à reflets vermillon n'est pas de quatre sous. Un parfum de mûre, de bourgeon de cassis. Pointe chaleureuse, tanins fondus ; on y trouve franchise et consistance.

☛ Edmond Monnot, rue de Borgy, 71150 Dezize-lès-Maranges, tél. 03.85.91.16.12, fax 03.85.91.15.99 ☑ ♈ r.-v.

CH. MOROT-GAUDRY 1997★

■ 0,67 ha 1000 ❚❚❙ 50 à 69 F

A décanter, nous conseille-t-on, pour le faire apprécier. Toute petite marque d'évolution à l'œil, nuances végétales au bouquet, finesse et élégance en bouche : un bon santenay des familles. C'était jadis un moulin dans la mignonne vallée de la Cozanne (les Maranges). Il a fermé en 1965, et les Morot-Gaudry ont changé le sac de grain pour la hotte de raisin.

☛ Chantal Morot-Gaudry, Moulin Pignot, 71150 Paris-l'Hôpital, tél. 03.85.91.11.09, fax 03.85.91.11.09 ☑ ♈ r.-v.

☛ B. Morot-Gaudry

LUCIEN MUZARD ET FILS
Clos Faubard 1998★

■ 1er cru 1,75 ha 8 800 ❚❚❙ 70 à 99 F

Pour dire les choses comme elles sont, nous avons bien aimé la **Maladière 98 rouge, 1er cru**, valeureux et plein de panache, obtenant une citation. Mais nous avons placé à l'étage au-dessus cet autre 1er cru pourpre violacé, bouqueté (cerise, vanille) et d'une présence immédiate par ses tanins fermes sans rudesse. Une pointe d'alcool, sans que l'on perçoive de déséquilibre. Un vin sérieux, durable.

☛ Lucien Muzard et Fils, 11 bis, rue Cour-Verreuil, 21590 Santenay, tél. 03.80.20.61.85, fax 03.80.20.66.02 ☑ ♈ r.-v.

DOM. CLAUDE NOUVEAU 1998

☐ 1,3 ha 6 000 ❚❚❙ 70 à 99 F

Claude Nouveau a reçu deux coups de cœur pour les millésimes 89 et 95 de son Grand Clos Rousseau dans nos éditions 1992 et 1999. Son *village* porte une robe dorée à reflets argent, un nez assez ouvert, et donne un sentiment puissant et persistant. On peut également se faire un petit bonheur avec un **Grand Clos Rousseau 97 rouge** en train de s'épanouir.

↰ EARL Dom. Claude Nouveau, Marchezeuil, 21340 Change, tél. 03.85.91.13.34, fax 03.85.91.10.39 ☑ ⟀ r.-v.

PAUL PERNOT ET SES FILS
Bieveau 1998

■	n.c.	3 500	❙❙❙	50 à 69 F

Très tendre sur le fruit cuit, c'est un amant de Lady Chatterley qui pratique à merveille le discours amoureux. En robe rubis clair à reflets violets, il est, bien sûr, quelque peu fumé, mûr, animal, évolué... Il attaque franchement, caressant, affectueux, tendre. Il sera prêt pour l'automne 2001.

↰ EARL Paul Pernot et ses Fils, 7, pl. du Monument, 21190 Puligny-Montrachet, tél. 03.80.21.32.35, fax 03.80.21.94.51 ☑ ⟀ r.-v.

DENIS PHILIBERT Passe-temps 1998★

☐ 1er cru	n.c.	900	❙❙❙	70 à 99 F

Un Passe-temps comme on en conseille volontiers. Clair et citronné, aubépine et noisette, il nous fait le grand jeu. Riche et chaleureuse, sa bouche est sans doute portée par le fût mais son port est distingué. Petite pointe acide en finale pour nous rappeler à la réalité des choses. Ce domaine fut coup de cœur dans l'édition 1996 pour un 93. La version **rouge** de ce Passe-temps est assortie de jolies notes de kirsch, légère et souple, assez chaleureuse. Elle obtient une citation.

↰ Maison Denis Philibert, 1, rue Ziem, 21200 Beaune, tél. 03.80.24.05.88, fax 03.80.22.37.08 ☑ ⟀ t.l.j. 9h-19h

La côte de Beaune (Sud)

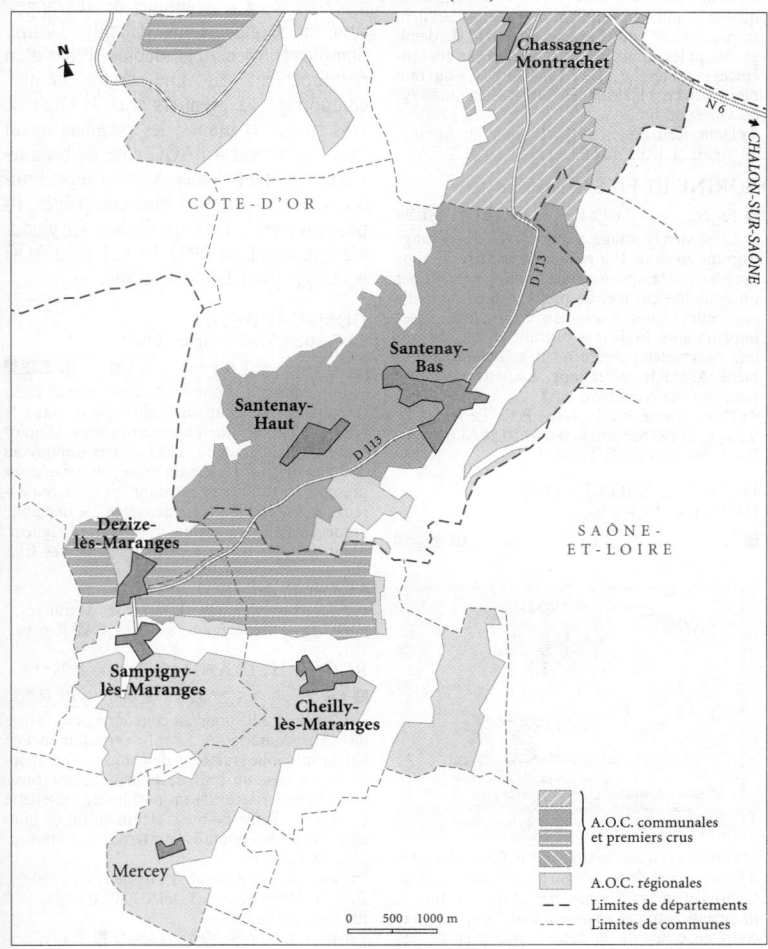

565

PAUL REITZ Clos Genêt 1997

| ■ | | n.c. | 1 800 | ◧ | 70 à 99 F |

Sous ses airs de griotte, un vin qui suscite des jugements contrastés. Est-il à boire ou à attendre ? A aimer tel quel ou à espérer ? Voilà bien un sujet de conversation qui plaît aux amateurs ! Ce sont là des choses qui se produisent car s'il y a du fruit, il y a aussi du fût. Originaire de la Sarre, le fondateur de la maison Reitz s'est installé en Côte de Nuits au début du XIXe s. Son activité de foudrier était très réputée.

☛ Maison Paul Reitz, 120-122, Grande-Rue, 21700 Corgoloin, tél. 03.80.62.98.24, fax 03.80.62.96.83, e-mail reitz.paul@laposte.fr ☑

DOM. ROUX PERE ET FILS
Beauregard 1997★

| ■ 1er cru | 1,9 ha | 8 000 | ◧ | 100 à 149 F |

Chez les Roux, on a de l'appétit : 5 ha en 1960, 60 de nos jours, tant en Côte de Beaune qu'en Côte de Nuits. Ce n'est pas au détriment de la qualité, comme en témoigne ce santenay qui tient sa place en 1er cru. C'est un beau vin de demigarde, où les tanins font la révérence sur des tons épicés et grillés. Le style est chaleureux, s'ouvrant peu à peu en y mettant les formes. Beau mariage du vin et du fût.

☛ Dom. Roux Père et Fils, 21190 Saint-Aubin, tél. 03.80.21.32.92, fax 03.80.21.35.00 ☑ ▼ r.-v.

SORINE ET FILS Beaurepaire 1998

| ■ 1er cru | 0,89 ha | 3 000 | ▮ ◧ ⚱ | 50 à 69 F |

Le santenay rouge n'aime pas être dérangé trop tôt en cave. Il a besoin de se faire. Il aime prendre son temps. Ainsi de celui-ci, produit par un domaine qui met de préférence en bouteille ses vieilles vignes. Rubis clair, ce 98 a le nez assez impénétrable. Mais il se rattrape en bouche, sur une escarpolette légère où il se balance gentiment. Agréable, assez long, à attendre un tout petit peu (deux ou trois ans).

☛ Dom. Sorine et Fils, 4, rue Petit, Le Haut-Village, 21590 Santenay, tél. 03.80.20.61.65, fax 03.80.20.61.65 ☑ ▼ r.-v.

DOM. DES VIGNES DES DEMOISELLES 1998★★★

| ■ | | 1,07 ha | 5 700 | ◧ | 70 à 99 F |

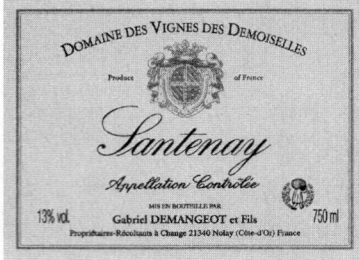

Quand on a été baptisé par le futur chanoine Kir, alors curé de Nolay, on a le vin dans le sang. Gabriel n'en est pas peu fier de fait, tout le monde ne peut pas en dire autant ! Son santenay coup de cœur vit en accointance avec le ciel.

Riche, solide, bien dans son millésime, un peu vanillé et très framboisé, réglissé... Sa robe rubis sombre à reflets bleus fait plaisir à voir. Toutes les aspérités tanniques et astringentes ont déjà disparu, laissant place à un fruit bien mûr et long. Le grand jury a applaudi. A découvrir dans trois à cinq ans.

☛ SCEA du dom. Gabriel Demangeot et Fils, rue de Berfey, 21340 Change, tél. 03.85.91.11.10, fax 03.85.91.16.83 ☑ ▼ r.-v.

Maranges

Le vignoble de maranges, situé en Saône-et-Loire (Chailly, Dezize, Sampigny), bénéficie depuis 1989 d'un regroupement en une AOC unique, comportant six premiers crus. Il s'agit de vins rouges et blancs, les premiers ayant droit également à l'AOC côte de beaune-villages et étant naguère vendus ainsi. Fruités, ayant du corps et bien charpentés, ils peuvent vieillir de cinq à dix ans. Ce vignoble a produit en 1999 10 921 hl d'AOC maranges dont 256 hl en blanc.

DOM. BACHELET
La Fussière Vieilles vignes 1998★

| ☐ 1er cru | 0,5 ha | 2 500 | ◧ | 50 à 69 F |

Bon ensemble d'une relative complexité et on se souvient du coup de cœur obtenu dans le Guide 1998 pour une Fussière rouge 94. D'un or moyennement soutenu, voici un chardonnay au bouquet de fruit et de pain grillé, au boisé assez présent, au fond bien résistant. Vineux, chaleureux : « Est-ce un terroir de rouge ? » demande un dégustateur anglais qui apprécie sa longueur. Mention pour la **Fussière 97 rouge** et **Les Clos Roussots 98 rouge**, deux vins d'avenir.

☛ Dom. B. Bachelet et ses Fils, rue des Maranges, 71150 Dezize-lès-Maranges, tél. 03.85.91.16.11, fax 03.85.91.16.48 ☑ ▼ r.-v.

ROGER BELLAND La Fussière 1998★★

| ■ 1er cru | 1,25 ha | 6 600 | ◧ | 50 à 69 F |

Cette bouteille pourrait concourir pour le titre de « Miss Maranges ». Sa robe vermillon met en valeur une jolie fraîcheur de jeunesse, des épaules gracieuses, un tour de poitrine avantageux. Elle laisse derrière elle un parfum de violette et de réglisse. Petite pointe d'alcool en fin de bouche. Il faut bien retomber sur terre ! Bon vin sous tous les rapports.

☛ Dom. Roger Belland, 3, rue de la Chapelle, B.P. 13, 21590 Santenay, tél. 03.80.20.60.95, fax 03.80.20.63.93, e-mail belland.roger@wanadoo.fr ☑ ▼ r.-v.

DOM. JEAN-FRANCOIS BOUTHENET
Sur le chêne Elevé en fût de chêne 1998★

☐	0,37 ha	2 000	❚❙❚	50 à 69 F

Un blanc et ce n'est pas si fréquent. Or à reflets verts de circonstance, il offre un vrai bouquet, fait de miel et de pêche de vigne. Son attaque fraîche annonce une bouche qui, sans être très longue, montre de la vigueur, du nerf dans sa partie médiane, lorsqu'il faut relancer l'attention. Le reste est gras, bien boisé.
☛ Jean-François Bouthenet, Mercey, 71150 Cheilly-lès-Maranges, tél. 03.85.91.14.29, fax 03.85.91.18.24 ☑ ☍ r.-v.

MAURICE CHARLEUX
Le Clos des Rois 1998★

■ 1er cru	0,3 ha	1 500	❚❙❚	50 à 69 F

Ce *climat* sur Sampigny est voisin des Clos Roussots. D'une belle transparence à reflets violets, ce 98 tend vers l'animal caressé par une touche de cassis. D'une texture enveloppée, il se signale par une rétro-olfaction discrète mais complexe, suave de goût. L'acidité et les tanins se montrent compréhensifs : ni trop ni trop peu. Petite expression mais cohérente.
☛ Maurice Charleux, Petite-Rue, 71150 Dezize-lès-Maranges, tél. 03.85.91.15.15, fax 03.85.91.11.81 ☑ ☍ r.-v.

Y. ET C. CONTAT-GRANGE
La Fussière 1998★

■ 1er cru	0,37 ha	2 000	❚❙❚	50 à 69 F

On remarque tout de suite ce producteur aux étiquettes en losange qui s'inspirent de l'art abstrait. Le vin, lui, est très figuratif et d'un rouge grenat profond. Les arômes de mûre, de sureau, de fruits à l'eau-de-vie se marient subtilement au fût. L'attaque est nette, le volume ample et souple. La finale s'appuie sur de nobles tanins. Coup de cœur pour son 88 rouge.
☛ EARL Yvon Contat-Grangé, Grande-Rue, 71150 Dezize-lès-Maranges, tél. 03.85.91.15.87, fax 03.85.91.12.54 ☑ ☍ r.-v.

ERIC DUCHEMIN 1997★

■ 1er cru	1 ha	3 000	❚❙❚	30 à 49 F

Eric a pris la suite de son père, René, en 1991, et a restructuré le domaine. Il égrappe à 100 % et a reçu le coup de cœur en 1994 pour son 90 rouge. Si vous lui rendez visite, vous verrez un superbe pressoir du XVIIIᵉ. Et vous dégusterez sans doute un **clos Roussots 97 rouge** que nous citons sans déplaisir (50 à 69 F) et ce *village* rouge rubis clair, petits fruits rouges, modèle de l'appellation tant il est fin, franc et coulant en bouche sur un beau concert aromatique.
☛ Eric Duchemin, Dom. du Vieux-Pressoir, 71150 Sampigny-lès-Maranges, tél. 03.85.87.32.02, fax 03.85.91.15.76 ☑ ☍ r.-v

HERVE GIRARD ET ISABELLE ROIZOT 1997★★

■ 1er cru	2 ha	1 500	▮❚❙❚	30 à 49 F

Les Hauts de Paris ! On pourrait se croire du côté des vignes de Suresnes ou de Montmartre. Mais il s'agit de Paris-L'Hôpital et des vignes d'un Lopitau et non d'un Parisien. Fort bon vin en vérité, d'un grenat soutenu, parfumé, charnu et charpenté par des tanins fondus avec assez de caractère et un passage très suave. Il pourra se conserver un peu.
☛ EARL Les Hauts de Paris, rte de Saint-Sernin, 71150 Paris-l'Hôpital, tél. 03.85.91.11.56, fax 03.85.91.16.22 ☑ ☍ r.-v.
☛ Hervé Girard & Isabelle Roizot

BERTRAND DE MONCENY
Clos Roussots Elevé en fût de chêne 1997★

■ 1er cru	n.c.	10 000	❚❙❚	70 à 99 F

Le Clos Roussots est ici un classique en suivent le mètre-étalon de la qualité sur Cheilly et Sampigny. Santenay est à deux pas. Typé et réussi, celui-ci est d'un rubis foncé et brillant. Ses arômes sont assez fugaces, mais la bouche est plaisante, sur de fermes tanins dépourvus d'astringence. Notes de kirsch. Présenté par Jean-Pierre Nié (Compagnie des Vins d'Autrefois), un négociant beaunois.
☛ Compagnie des Vins d'Autrefois, abbaye Saint-Martin, 53, av. de L'Aigue, 21200 Beaune, tél. 03.80.26.33.00, fax 03.80.24.14.84, e-mail mallet.b@cva-beaune.fr
☛ Jean-Pierre Nié

DOM. RENE MONNIER
Clos de la Fussière Monopole 1998★★

■ 1er cru	1,2 ha	7 000	❚❙❚	50 à 69 F

On a pensé au coup de cœur. En s'écriant : « Enfin un 1er cru ! » En plusieurs dimensions, qu'il s'agisse de l'équilibre stendhalien entre le rouge et le noir, du nez qui renarde à la maraude ou de la bouche composée avec soin, d'une étoffe réelle, ménageant à l'acidité et aux tanins leur juste place. Un vin très abordable, mais qui sait garder ses distances. Bravo !
☛ Dom. René Monnier, 6, rue du Dr-Rolland, 21190 Meursault, tél. 03.80.21.29.32, fax 03.80.21.61.79 ☑ ☍ t.l.j. 8h-12h 14h-18h
☛ M. et Mme Bouillot

EDMOND MONNOT
Le clos des Loyères 1998

■ 1er cru	1,09 ha	3 900	❚❙❚	70 à 99 F

À égalité, nous avons jugé d'un niveau suffisant le **clos de La Boutière 98 rouge, cuvée Vieilles vignes** et ce Loyères cerise burlat. Son bouquet distille le poivre et le sous-bois dans une ambiance torréfiée. Un vin ample et vineux, auquel on prédit un bon avenir dans les deux ans. Boisé prononcé.
☛ Edmond Monnot, rue de Borgy, 71150 Dezize-lès-Maranges, tél. 03.85.91.16.12, fax 03.85.91.15.99 ☑ ☍ r.-v.

DOM. CLAUDE NOUVEAU
La Fussière 1997★

■ 1er cru	0,3 ha	1 800	❚❙❚	50 à 69 F

Claude Nouveau n'est pas un inconnu parmi les vignerons de Maranges. Sa Fussière rouge est bien brillante avec cette coquetterie : un soupçon de reflets bleutés. On adore ! Son nez développe des tendances fruitées, plutôt cerise. Peu de chair en arrière-plan pour une bouteille bien typée dans le style tannique et charpenté (mais sans excès). Son **village 97** est un beau vin jouant pleinement dans sa catégorie. Il mérite aussi son étoile.

☛ EARL Dom. Claude Nouveau, Marchezeuil, 21340 Change, tél. 03.85.91.13.34, fax 03.85.91.10.39 ☑ ⟂ r.-v.

BERNARD REGNAUDOT 1998★

■		n.c.	2 800	⬛	30 à 49 F

Un **clos des Rois 98 rouge** cuvé en douze jours et qui nécessite une certaine garde d'élevage en bouteille, cité par le jury (50 à 69 F). Et puis ce *village* qui se présente bien. Son rubis intéresserait un joaillier. Fraise en premier nez. La suite révèle une structure renforcée par la mâche, un tantinet nerveuse mais d'une personnalité intéressante et assez riche.

☛ Bernard Regnaudot, rte de Nolay, 71150 Dezize-lès-Maranges, tél. 03.85.91.14.90, fax 03.85.91.14.90 ☑ ⟂ r.-v.

JEAN-CLAUDE REGNAUDOT
Les Clos Roussots 1998★

■ 1er cru	0,53 ha	2 900	⬛	50 à 69 F

Coup de cœur dans le Guide 1997 pour sa Fussière rouge 94, ce viticulteur se consacre à 6 ha dont 53 a en Clos Roussots. Limpide et violine, ce 98 évolue à l'aération vers le torréfié et la myrtille tout en s'installant en bouche sur un fruit jeune et vivace. Intense et complexe, voilà un beau vin de garde (deux à quatre ans), pour civet de lièvre. Egalement appréciés : l'honnête **Fussière rouge 98** et, du même millésime, le **village rouge** qui, lui, obtient une étoile (30 à 49 F).

☛ Jean-Claude Regnaudot, 71150 Dezize-lès-Maranges, tél. 03.85.91.15.95, fax 03.85.91.16.45 ☑ ⟂ r.-v.

Côte de beaune-villages

A ne pas confondre avec l'appellation côte de nuits-villages qui possède une aire de production particulière, l'appellation côte de beaune-villages n'est en elle-même pas délimitée. C'est une appellation de substitution pour tous les vins rouges des appellations communales de la Côte de Beaune, à l'exception de beaune, aloxe-corton, pommard et volnay. 625 hl ont été déclarés en 1999.

JEAN-CLAUDE BOISSET 1997

■		n.c.	30 000	⬛	70 à 99 F

Prêt à passer à table, un vin légèrement ambré (97) qui se laisse une petite marge d'évolution. Pain d'épice et confit, son bouquet est à point. Ses tanins montrent une politesse exquise. Ce qu'on appelle « un vin coulant ».

☛ J.-C. Boisset, 5, quai Dumorey, B.P. 102, 21700 Nuits-Saint-Georges, tél. 03.80.62.62.61, fax 03.80.62.37.38

DOM. GUY DIDIER 1998★

■	0,91 ha	4 800	⬛	70 à 99 F

Rubis à reflets bleutés, beau cocktail chromatique. Nez peu empressé mais, en revanche, un corps puissant, réglissé, qui ne demande qu'à s'épanouir. Si vous aimez le pinot noir charnu et plein. Un vin commercialisé par la maison Moillard.

☛ Dom. Guy Didier, chem. rural n° 29, 21700 Nuits-Saint-Georges, tél. 03.80.62.42.00, fax 03.80.61.28.13, e-mail nuicave@wanadoo.fr ⟂ r.-v.

LA TOUR BLONDEAU 1998★

■		n.c.	n.c.	■ ⬇	50 à 69 F

Présenté par Bouchard Père et Fils, ce 98 légèrement violacé connaît son Boileau (si l'on ose dire) par cœur. « Le secret est d'abord de plaire et de toucher. Inventez des ressorts qui puissent m'attacher ! » Ils sont là, ces ressorts de franchise et de fruit, de souplesse et de séduction. Parfait pour l'appellation.

☛ Grands Vins Forgeot, 15, rue du Château, 21200 Beaune, tél. 03.80.24.80.50

La Côte chalonnaise

Bourgogne
côte chalonnaise

Née le 27 février 1990, l'AOC bourgogne côte chalonnaise s'étend sur 44 communes qui ont donné 29 327 hl en rouge, et 7 942 hl en blanc en 1999. Selon la méthode appliquée déjà dans les Hautes-Côtes, un agrément résultant d'une seconde dégustation complète la dégustation obligatoire qui a lieu partout.

Située entre Chagny et Saint-Gengoux-le-National (Saône-et-Loire), la Côte chalonnaise possède une identité qui est reconnue à juste titre.

RENE BOURGEON Les Pourrières 1998★

■		n.c.	n.c.		30 à 49 F

Un 98 assez gras en fin de bouche après un premier tour de piste nerveux et plein de mâche. Rubis grenat, il ne surprend pas le regard. Au nez, il est moyennement communicatif sur un genièvre très agréable. En définitive, il est assez chat, ronronnant en bouche.

☛ GAEC René Bourgeon, 2, rue du Chapitre, 71640 Jambles, tél. 03.85.44.35.85, fax 03.85.44.57.80 ☑ ⟂ r.-v.

CAVE DES VIGNERONS DE BUXY
1997

■   146 ha   223 000 **▤ ◖▮ ♦** **30 à 49 F**

146 ha et quelque 220 000 bouteilles : la cave coopérative de Buxy voit les choses en grand. Forcément. Rubis clair et d'une nuance légèrement évoluée, un 97 aux effluves de petits fruits macérés. Très nette tonalité d'arômes. Tendre et facile, la bouche est framboisée. Vin à boire dans l'année qui vient.
🖝 Cave des vignerons de Buxy, Les Vignes de la Croix, 71390 Buxy, tél. 03.85.92.03.03, fax 03.85.92.08.06 **☑ 𝕐** t.l.j. sf dim. 9h-12h 14h-18h

CH. DE CARY-POTET
Vieilles vignes 1998

■   1 ha   4 000 **◖▮▯** **30 à 49 F**

Un château Directoire construit sur des caves du XVIIes. Un an de fût pour ce 98 qu'il faudra attendre deux ans tant le boisé s'affirme. C'est aujourd'hui un vin rustique au nez de vanille, accompagné d'une note de cassis.
🖝 Charles du Besset, rte de Chenevelles, 71390 Buxy, tél. 03.85.92.14.48, fax 03.85.92.11.88 **☑ 𝕐** r.-v.

CH. DE CHAMILLY 1997★

■   7,5 ha   45 000 **▤ ◖▮▯ ♦** **30 à 49 F**

Véronique Desfontaine dans ses œuvres. Le château de Chamilly est une très belle demeure ancienne. Pourpre sombre et soyeux, un vin qui assure d'emblée une bonne présence aromatique mais peu différenciée dans l'immédiat. Bouteille charmante à goûter, pour canard rôti. Facile à accommoder, élégante et racée, et à affiner encore deux à quatre ans.
🖝 Véronique Desfontaine, EARL Ch. de Chamilly, 71510 Chamilly, tél. 03.85.87.22.24, fax 03.85.91.23.91 **☑ 𝕐** r.-v.

DOM. CHAUMONT PERE ET FILS
1997★

■   1,03 ha   4 400 **◖▮▯** **30 à 49 F**

Si vous avez un petit gibier sous la main... Le voilà, le vin rouge à servir. Rubis foncé, il ne s'embarrasse pas de ronds de jambe. Son nez d'épices et de petits fruits noirs est dominé par le boisé. L'attaque est fière et franche, avec des nuances de fruits à noyau. Les tanins assez doux et une bonne allonge finale sont les garants d'un vieillissement de trois à quatre ans, mais ce 97 est déjà plaisant.
🖝 Dom. Chaumont Père et Fils, Le Clos Saint-Georges, 71640 Saint-Jean-de-Vaux, tél. 03.85.45.13.77, fax 03.85.45.27.77 **☑ 𝕐** r.-v.

DOM. DU CRAY 1997

■   4 ha   12 000 **◖▮▯** **30 à 49 F**

Un bon guide a de la mémoire. Ce domaine fut coup de cœur dans l'édition 1996 pour le 92 rouge. Le 97 ? D'un rubis consciencieux, le nez tirant un peu sur la fraise, le cassis et le fût, il attaque avec franchise et des tanins présents. Correct et à boire maintenant. Les Narjoux trinquent de père en fils dans leur cave depuis 1640.

🖝 Roger et Michèle Narjoux, Dom. du Cray, Cidex 712, 71640 Saint-Martin-sous-Montaigu, tél. 03.85.45.13.17, fax 03.85.45.29.10 **☑ 𝕐** r.-v.

DANIEL DAVANTURE ET FILS 1997★

■   8,5 ha   5 400 **▤** **30 à 49 F**

Rouge tuile (nuance, nous n'écrivons pas tuilé, et l'accent compte beaucoup), ce 97 modérément bouqueté (quelques traces de sous-bois) choisit d'évoluer en finesse. Un léger fruité, des tanins qui restent à leur place, tout se passe comme si ce vin sympathique se mettait à la portée du consommateur.
🖝 Daniel Davanture et Fils, GAEC des Murgers, rue de La Montée, Cidex1548, 71390 Saint-Désert, tél. 03.85.47.90.42, fax 03.85.47.99.88 **☑ 𝕐** r.-v.

CAVE DES VIGNERONS DE GENOUILLY 1998

▢   10 ha   20 000 **▤ ♦** **20 à 29 F**

Les huîtres les plus récalcitrantes s'ouvriront de bon cœur dès qu'elles le verront arriver sur la table. Or blanc, entouré d'arômes végétaux et floraux, il possède toute la vivacité nécessaire aux fruits de la mer ; il est même assez citronné pour remplacer ce complément d'usage.
🖝 Cave des vignerons de Genouilly, 71460 Genouilly, tél. 03.85.49.23.72, fax 03.85.49.23.58 **☑ 𝕐** t.l.j. sf dim. 8h-12h 14h-18h

DOM. MICHEL GOUBARD ET FILS
Mont-Avril 1998★

■   9,5 ha   58 000 **▤ ♦** **30 à 49 F**

On retrouve toujours cette étiquette avec plaisir. Auteur d'une célèbre *Description de la Bourgogne* au XVIIes., l'abbé Courtépée y célèbre en effet le vignoble du mont Avril et, vérification faite, c'est bien dans le texte. Et l'on retrouve toujours ce vin avec bonheur. Rubis brillant, ouvert sur le kirsch et le sous-bois, il est d'excellente tenue. A déguster dans deux à trois ans. Le **blanc 98** est vif comme une truite. Si vous êtes bon pêcheur...
🖝 Dom. Michel Goubard et Fils, 71390 Saint-Désert, tél. 03.85.47.91.06, fax 03.85.47.98.12 **☑ 𝕐** t.l.j. 8h-12h 14h-19h; dim. sur r.-v.

DOM. GOUFFIER
Clos de Malpertuis 1997★

▢   1 ha   3 000 **▤ ♦** **30 à 49 F**

Bon vin d'approche de la Bourgogne, pour qui souhaite y entrer en sécurité et à un rapport qualité-prix raisonnable. Ce côte chalonnaise jaune paille léger, végétal et beurre frais, apparaît sain et bien équilibré, très complet. On n'a aucune peine à porter le verre aux lèvres. Domaine situé à Fontaines près de Chalon-sur-Saône, où se trouve un lycée agricole réputé.
🖝 Dom. Gouffier, 11, Grande-Rue, 71150 Fontaines, tél. 03.85.91.49.66, fax 03.85.91.46.98 **☑ 𝕐** r.-v.

MICHEL ISAIE 1997

■   3 ha   22 000 **◖▮▯** **30 à 49 F**

Michel Isaïe appartient à une lignée prophète en son pays de vigne depuis le XVIIIes. Il nous rend témoins d'un pinot noir 97 cerise intense, où le grillé accompagne quelques notes de framboise. Bon potentiel en bouche, avec tout un régiment de tanins qui jouent à l'arme blindée. Richesse, matière, il y a du fond, et la bataille sera gagnée d'ici douze à dix-huit mois, et l'affaire conclue par la diplomatie.

➥ Michel Isaïe, chem. de l'Ouche, 71640 Saint-Jean-de-Vaux, tél. 03.85.45.23.32, fax 03.85.45.29.38 ☑ ￼ r.-v.

DOM. FRANCE LECHENAULT 1998★★

☐	0,68 ha	2 880	Ⅲ 30 à 49 F

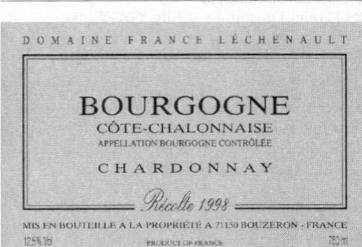

France Léchenault fut naguère le sénateur-maire de Bouzeron, et sa fille Claudette siège à Paris au Conseil économique et social. Ce coup de cœur vaut promotion dans l'Ordre du Mérite bourguignon ! Une élection à l'unanimité pour ce 98 issu de chardonnay : un vin magnifique et digne des plus grands. Un bel or vert l'habille. Les fleurs le parfument accompagnées d'une nuance beurrée très typée et d'un boisé mentholé très réussi. Franc, rond et vif à la fois, il donne en bouche tout ce que le nez avait promis. Le **rouge 98** peut être signalé bien qu'il n'obtienne pas d'étoile. Son tempérament le destine au vieillissement pour une cuisine familiale du dimanche.

➥ Dom. France Léchenault, 11, rue des Dames, 71150 Bouzeron, tél. 03.85.87.17.56, fax 03.85.91.27.17 ☑ ￼ r.-v.

DOM. MAZOYER
Sous Saint-Germain 1997★

■	6 ha	4 000	￼Ⅲ♦ 30 à 49 F

L'appellation fêtait en l'an 2000 son dixième anniversaire. C'est une réussite, car la qualité générale progresse honorablement. Voyez ce pinot noir bien rouge, pourpre même, offrant une netteté aromatique irréprochable. Le boisé n'étouffe pas le fruit. Le corps ne dépasse pas les limites serrées du millésime, mais il montre du cœur et de l'allant. C'est bon et à laisser de côté un à deux ans.

➥ Dom. Mazoyer, imp. du Ruisseau, 71390 Saint-Désert, tél. 03.85.47.95.28, fax 03.85.47.98.91 ☑ ￼ r.-v.

DOM. DES MOIROTS 1998

■	1,5 ha	4 500	￼Ⅲ 30 à 49 F

Denizot... C'est le nom de famille de plusieurs personnages fabuleux imaginés par Henri Vincenot dans ses romans. Relisez La Pie saoûle, Les Chevaliers du chaudron. Un nom venu tout droit de la Côte chalonnaise, des Maranges, où vivait la belle-famille de l'écrivain. C'est dire si on est ici dans le bon pays. Robe magnifique, nez sans défaut, flatteur, un vin costaud et à regoûter. Normal pour une bouteille de garde, et c'est devenu bien rare dans l'AOC.

➥ Dom. des Moirots, 14, rue des Moirots, 71390 Bissey-sous-Cruchaud, tél. 03.85.92.16.93, fax 03.85.92.09.42 ☑ ￼ r.-v.

➥ Lucien et Christophe Denizot

ALBERT SOUNIT 1998

■		n.c.	3 000	￼ 30 à 49 F

L'Union européenne est en marche. La maison Albert Sounit appartient en effet depuis 1993 à son importateur danois. Un fou de Bourgogne. Ce 98 ? Rouge griotte à anneaux violacés, il dévoile au nez une vinosité assez complexe. Le cassis monte en puissance sur fond de terroir et de façon assez friande.

➥ Albert Sounit, 5, pl. du Champ-de-Foire, 71150 Rully, tél. 03.85.87.20.71, fax 03.85.87.09.71 ☑ ￼ r.-v.

FLORENCE ET MARTIAL THEVENOT 1998★

■	2,4 ha	3 600	￼Ⅲ 30 à 49 F

Grenat à reflets chatoyants, ce 98 tourne autour de nuances aimables et discrètes de violette et de cassis. Frais, il se tient dans la moyenne : classsique et à attendre un peu.

➥ Florence et Martial Thévenot, 4, rue du Champ-de-l'Orme, 71510 Aluze, tél. 03.85.45.18.43, fax 03.85.45.09.98 ☑ ￼ r.-v.

LAURENT VENOT Les Pirrelées 1999

■	7,3 ha	25 000	30 à 49 F

Site majeur de la Côte chalonnaise, Germolles était le jardin secret de Marguerite de Flandre, l'épouse de Philippe le Hardi. Elle y créa un clos de vignes de 16 ha, fameux au temps de la Toison d'or. De nos jours, ce pinot est plus carmin violacé que vermeil comme jadis. Myrtille et fruits cuits. Vif, généreux, plein de mâche, et de style rustique.

➥ Laurent Venot, imp. des Petites-Chaumes, 71640 Germolles, tél. 03.85.45.15.07 ☑ ￼ r.-v.

Bouzeron

FORGEOT PERE ET FILS 1998★

☐	n.c.	n.c.	￼ 30 à 49 F

Bouchard Père et Fils (car il s'agit ici de cette maison) a toujours eu un œil fixé sur Bouzeron. Silex, pierre à fusil, un vin pour archéologues. N'est-on pas à deux pas du camp de Chassey, site préhistorique ? Reflets dorés, nez de pain grillé, il présente une acidité correcte sur des notes de kiwi, de mirabelle qui émoustillent le palais.

➥ Grands Vins Forgeot, 15, rue du Château, 21200 Beaune, tél. 03.80.24.80.50

Le Chalonnais et le Mâconnais

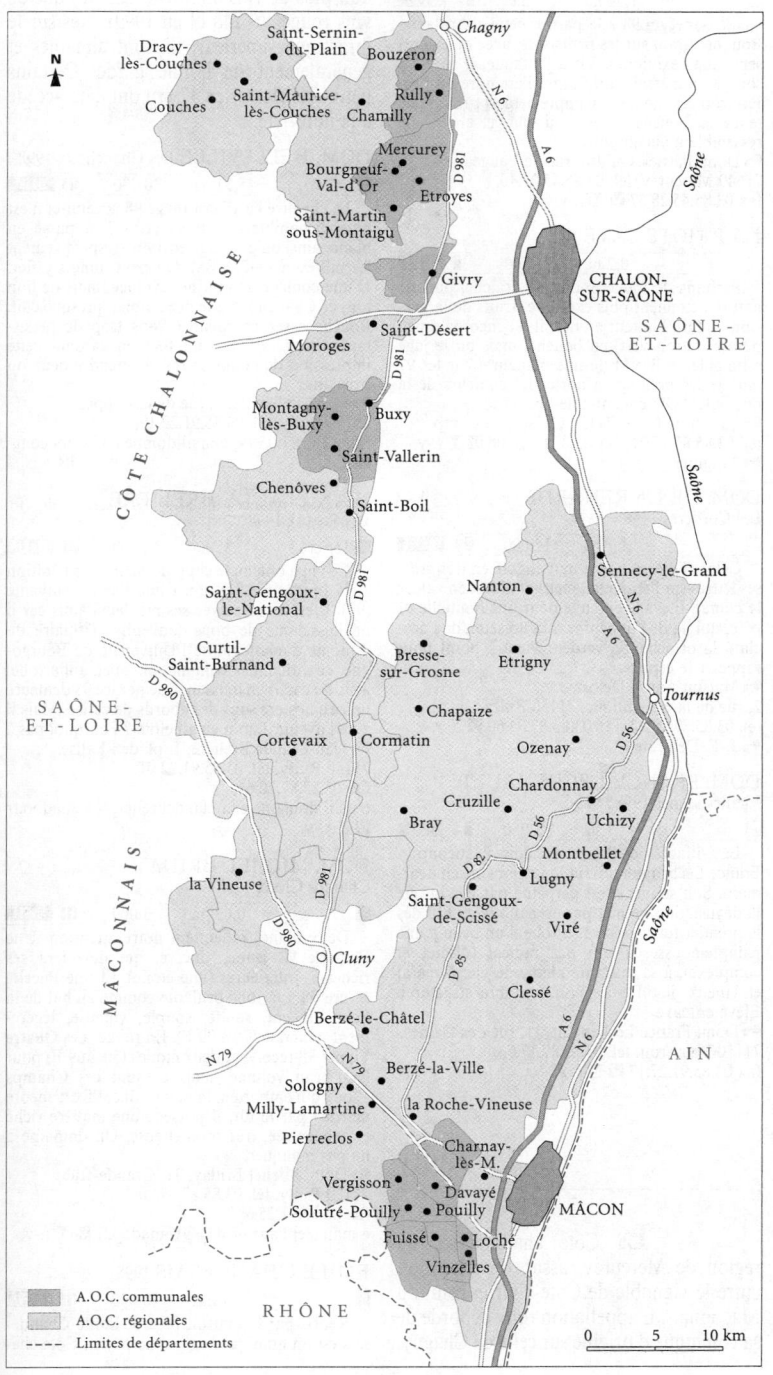

N

Chagny

Saint-Sernin-du-Plain

Dracy-lès-Couches

Bouzeron

Couches

Saint-Maurice-lès-Couches

Rully

Chamilly

Mercurey

Bourgneuf-Val-d'Or

Etroyes

Saint-Martin-sous-Montaigu

Givry

CHALON-SUR-SAÔNE

SAÔNE-ET-LOIRE

Saint-Désert

Moroges

Montagny-lès-Buxy

Buxy

Saint-Vallerin

Chenôves

Saint-Boil

Saône

Saint-Gengoux-le-National

Nanton

Sennecy-le-Grand

Curtil-Saint-Burnand

Bresse-sur-Grosne

Etrigny

SAÔNE-ET-LOIRE

Chapaize

Tournus

Cortevaix

Cormatin

Ozenay

Chardonnay

Cruzille

Uchizy

Bray

la Vineuse

Montbellet

Lugny

Saint-Gengoux-de-Scissé

Viré

Cluny

Clessé

Berzé-le-Châtel

Berzé-la-Ville

AIN

Sologny

Milly-Lamartine

la Roche-Vineuse

Pierreclos

Charnay-lès-M.

Vergisson

Davayé

Solutré-Pouilly

Pouilly

MÂCON

Fuissé

Loché

Vinzelles

RHÔNE

C Ô T E   C H A L O N N A I S E

M Â C O N N A I S

A.O.C. communales

A.O.C. régionales

Limites de départements

0   5   10 km

PATRICK GUILLOT 1998

| ☐ | 1,52 ha | n.c. | ▬ ↓ | 30 à 49 F |

Citronné, un 98 à la parure nette et brillante. Bouquet tirant sur les fruits secs, avec de légères sensations exotiques. Vif à l'attaque, il en est à son galop d'essai, et il faudra l'attendre un peu. Pas trop cependant. On appréciera sa très longue tenue en bouche : il est vrai que cet aligoté ne ressemble à aucun autre.

☛ Dom. Patrick Guillot, rue de Vaugeailles, 71640 Mercurey, tél. 03.85.45.27.40, fax 03.85.45.28.57 ☑ ⊥ r.-v.

LA P'TIOTE CAVE 1997

| ☐ | 0,2 ha | 1 700 | ▬ | 30 à 49 F |

Parfums de fougère, d'herbe fraîche, puis de nature nettement plus exotique (fruits de la passion, litchi). Flatteur au nez, il est encore un peu pointu (citron vert) en bouche, mais on le juge estimable. N.B. : Millésime inaugural car les 97 ont été les premiers à porter les couleurs de la nouvelle AOC communale bouzeron.

☛ La P'tiote Cave, 71150 Chassey-le-Camp, tél. 03.85.87.15.21, fax 03.85.87.28.08 ☑ ⊥ r.-v.
☛ Mugnier

DOM. DE LA RENARDE
Les Cordères 1998

| ☐ | 1,7 ha | 12 000 | ▬ ↓ | 30 à 49 F |

Celui-ci n'écrit pas le mot aligoté en très grosses lettres sur l'étiquette, mettant plutôt en valeur le *climat*. Elevage en cuve pour une bouteille or pâle, qui va de l'aubépine à la noisette, de l'acacia à la brioche. Sa verdeur vient à point pour rappeler le cépage.

☛ Maison André Delorme, 2, rue de la République, 71150 Rully, tél. 03.85.87.10.12, fax 03.85.87.04.60 ☑ ⊥ r.-v.
☛ J.-F. Delorme

DOM. FRANCE LECHENAULT
Vieilles vignes 1998★★

| ☐ | 1 ha | 1 950 | ▬ ↓ | 30 à 49 F |

Le village de Bouzeron doit beaucoup a France Léchenault qui fut longtemps le sénateur-maire Son souvenir est perpétué par ce vin que la dégustation ne met pas en ballottage. Elu dès le premier tour, grâce à sa robe d'un beau jaune pamplemousse, à son nez radical (discret et complexe), à sa maturité pleine de vie. Minéral et vineux, il offre un bon équilibre structurel. Elevé en cuve.

☛ Dom. France Léchenault, 11, rue des Dames, 71150 Bouzeron, tél. 03.85.87.17.56, fax 03.85.91.27.17 ☑ ⊥ r.-v.

Rully

La Côte chalonnaise, ou région de Mercurey, assure la transition entre le vignoble de Côte-d'Or et celui du Mâconnais. L'appellation rully déborde de sa commune d'origine sur celle de Chagny, petite capitale gastronomique. On y produit plus de vins blancs (11 927 hl) que de vins rouges (6 248 hl en 1999). Nés sur le jurassique supérieur, ils sont aimables et généralement de bonne garde. Certains lieux-dits classés en 1er cru ont déjà accédé à la notoriété.

DOM. BELLEVILLE Les Chauchoux 1998

| ■ | 5,57 ha | 20 000 | ▥▥▥ | 50 à 69 F |

Le **chapitre en 1er cru rouge 98** si celui-ci n'est plus disponible. Coup de cœur l'an passé en blanc, ainsi qu'en rouge en 1991 (respectivement les millésimes 97 et 88). On peut donc s'y fier. D'une couleur un tantinet évoluée, mais de bon ton, ce Chauchoux a le nez animal, presque cuit. Bouche assez charpentée, sans trop de persistance, suggérant le fruit tout en gardant cette impression de tanins serrés. A attendre deux ou trois ans.

☛ Dom. Belleville, 7, rue de la Loppe, 71150 Rully, tél. 03.85.91.22.19, fax 03.85.87.05.19, e-mail dombellevi@aol.com ☑ ⊥ r.-v.

JEAN-CLAUDE BRELIERE
Les Préaux 1998★★

| ■ 1er cru | 2,35 ha | 12 000 | ▥▥▥ | 50 à 69 F |

Ce vin a obtenu le coup de cœur dans l'édition 1994 (millésime 91), ainsi que l'année suivante (92). Il est à boire avec ses meilleurs amis car il ne laisse que de bons souvenirs. Titulaire du diplôme d'œnologie de l'Université de Bourgogne, ce viticulteur connaît son sujet. Jolie robe, avec du cassis en naissance de nez, ce 98 demeure un peu austère sous des abords de cerise. Mais il a de l'avenir. Lapin en gibelote ? Pourquoi pas ?

☛ Jean-Claude Brelière, 1, pl. de l'Eglise, 71150 Rully, tél. 03.85.91.22.01, fax 03.85.87.20.64, e-mail domainejean-claudebreliere@wanadoo.fr ☑ ⊥ r.-v.

DOM. MICHEL BRIDAY
Champs Cloux 1998★

| ■ | 0,62 ha | 3 000 | ▥▥▥ | 70 à 99 F |

Deux blancs retiennent notre attention. Une **Bergerie 98** jeune, sincère, qui dévoilera ses richesses intérieures (une étoile). Et une **Pucelle 1er cru 98** à la robe brillante comme au bal de la Saint-Vincent, ronde, souple, vineuse, légèrement minérale (70 à 99 F). En rouge, **Les Quatre Vignes 98** reçoivent deux étoiles (50 à 69 F) pour leur beau volume, mais ce sont ces Champs Cloux qui emportent la palme. Si ce 98 est encore marqué par le fût, il possède une matière riche et concentrée, très prometteuse. Un domaine à ne pas manquer.

☛ Dom. Michel Briday, 31, Grande-Rue, 71150 Rully, tél. 03.85.87.07.90, fax 03.85.91.25.68, e-mail stephane.briday@wanadoo.fr ☑ ⊥ r.-v.

EMILE CHANDESAIS 1998

| ■ | | n.c. | 20 000 | ▥▥▥ | 50 à 69 F |

Repris par la maison Picard, Emile Chandesais est un nom qui ne s'oublie pas en Côte chalonnaise. Une certaine délicatesse d'arômes débouchant sur des notes de réglisse introduit une bouche légèrement griottée, assez tannique - mais c'est là assez habituel parmi les jeunes vins de Rully en pinot noir. Puissance et potentiel sont capables d'en faire une bouteille intéressante d'ici deux ans.

🕿 Emile Chandesais, rue Saint-Nicolas, 71150 Chagny, tél. 03.85.91.41.77, fax 03.85.91.40.26
🕿 Michel Picard

CHARTRON ET TREBUCHET
La Chaume 1998

	n.c.	50 000	**(ID** 70 à 99 F

Or pâle et brillant, ce vin a fermenté et a été élevé neuf mois en fût de chêne, dont 20 % neuf. Le premier nez est vanillé puis les fruits blancs mûrs s'affirment. Equilibrée et fraîche, la bouche est élégante. Ce 98 conviendra à un saumon poché dès cet hiver.
🕿 Chartron et Trébuchet, 13, Grande-Rue, 21190 Puligny-Montrachet, tél. 03.80.21.32.85, fax 03.80.21.36.35, e-mail jmchartron@chartron-trebuchet.com ☑ ☒ t.l.j. 10h-12h30 14h-18h; f. nov. à mars

LOUIS CHAVY 1998

	n.c.	18 000	**(ID** 70 à 99 F

Vive et frottée de citron, une robe aguichante. Minéral et floral, un gentil bout de nez. Un corps où l'acidité, constamment présente, souligne un fruit encore croquant, un gras justement dosé.
🕿 Louis Chavy, Caveau la Vierge romaine, pl. des Marronniers, 21190 Puligny-Montrachet, tél. 03.80.26.33.00, fax 03.80.24.14.84, e-mail mallet.b@cva-beaune.fr ☑ ☒ t.l.j. 10h-18h; f. nov. à mars

ANNE-SOPHIE DEBAVELAERE 1997

1er cru	3 ha	10 000	▪**(ID** ♨	50 à 69 F

Un 97 visuellement bien présenté ; il décoche une touche d'anis dans un bouquet floral. La bouche tourne autour des fruits secs, de la cire d'abeille au sein d'un équilibre léger. A boire dès à présent.
🕿 Anne-Sophie Debavelaere, 14, rue de Cloux, 71150 Rully, tél. 03.85.48.65.64, fax 03.85.93.13.29 ☑ ☒ r.-v.

DEMESSEY 1998

▪	n.c.	15 000	**(ID** 70 à 99 F

Encore sur sa réserve et présenté par l'équipe du Manoir murisaltien à Meursault et du château de Messey près d'Ozenay aux environs de Tournus, ce 98 d'un rouge assez vif passe bien la barre en bouche, avec une rétro-olfaction épicée et des tanins conviviaux. Le bouquet peut surprendre : notes empyreumatiques, genièvre, poivre...
🕿 Ch. de Messey, Demessey, 71700 Ozenay, tél. 03.85.51.33.83, fax 03.85.51.33.82, e-mail vin@demessey.com ☑ ☒ r.-v.

DUFOULEUR PERE ET FILS
Meix Cadot 1997★

1er cru	n.c.	5 500	▪**(ID** ♨	100 à 149 F

Maire de Nuits-Saint-Georges et suppléant de sénateur, Xavier Dufouleur trouve encore le temps de dénicher de bonnes bouteilles. Ce 1er

cru, par exemple, d'un bel or gris soutenu et qui révèle à l'aération des notes mentholées. L'attaque est assez minérale, le corps plutôt rond, la finale plus éclatante pour donner un vin complet et de qualité.
🕿 Dufouleur Père et Fils, 15, rue Thurot, 21700 Nuits-Saint-Georges, tél. 03.80.61.21.21, fax 03.80.61.11.23 ☑ ☒ r.-v.

VINCENT DUREUIL-JANTHIAL
1998★★★

▪	0,91 ha	5 000	**(ID** 70 à 99 F

Ancien élève du lycée viticole de Beaune, Vincent Dureuil-Janthial remporte son premier coup de cœur en rully, et il fait même coup double avec son **village rouge 98** qui reçoit deux étoiles et à propos duquel le dégustateur note : « Voici enfin un *village* qui affiche ses ambitions » (50 à 69 F). Celui-ci, à la robe si riche, au bouquet enrobé de cassis, de prunelle sous un délicat grillé, possède une bouche magnifique qui laisse l'empreinte d'un corps harmonieux, tout en fruité et tanins fins. D'une typicité parfaite, ni trop rude ni trop douce, elle a grand caractère. Cuve en bois, égrappage à 80 %.
🕿 Vincent Dureuil-Janthial, rue de la Buisserolle, 71150 Rully, tél. 03.85.87.26.32 ☑ ☒ r.-v.

RAYMOND DUREUIL-JANTHIAL
1997★

▪	1,67 ha	8 000	**(ID** 70 à 99 F

Rubis sombre à reflets légèrement cuivrés, ce 97 aux accents de cuir et de sous-bois offre une certaine finesse en bouche, sur une touche réglissée. Ses tanins sont serrés, mais assez fins. La myrtille complète une dégustation parfaitement correcte. Les Janthial sont une des plus anciennes familles de Rully.
🕿 Raymond Dureuil-Janthial, rue de la Buisserolle, 71150 Rully, tél. 03.85.87.02.37, fax 03.85.87.00.24 ☑ ☒ t.l.j. 9h-12h 15h-19h; dim. sur r.-v.

GUY FONTAINE ET JACKY VION
La Bergerie 1998★

▪	0,5 ha	2 500	**(ID** 50 à 69 F

Aujourd'hui, le nez est supérieur à la bouche. Mais c'est un 98 ! Son équilibre, la puissance de ses tanins, leur longueur ne peuvent qu'être prometteurs. Le nez ? Fruits rouges, épices (genièvre), boisé bien intégré... Il fera un très beau vin dans trois ou quatre ans.

GAEC des Vignerons, Le Bourg, 71150 Remigny, tél. 03.85.87.03.35, fax 03.85.87.03.35 ☑ ⲧ r.-v.

DOM. DES FROMANGES
La Chatalienne 1998

■	2,2 ha	12 000	⦀	70 à 99 F

Coup de cœur dans notre édition 2000 pour un 97 blanc, ce producteur (SA F. Protheau et Fils) propose un 98 rouge qui montre des signes d'évolution, divisant quelque peu le jury. Celui-ci trouve un bon grain, des saveurs de fruits confits, une structure honnêtement charpentée.

Dom. des Fromanges, 71640 Mercurey, tél. 03.85.98.99.10, fax 03.85.98.99.00 ☑ ⲧ r.-v.

DOM. DE LA FOLIE Clos La Folie 1998★

☐	1,25 ha	7 559	⦀	70 à 99 F

Parmi les soixante-treize rully dégustés, voici deux vins recevant chacun une étoile : un **clos Saint-Jacques 98 blanc**, léger mais bien né, ainsi que cet autre blanc à la robe translucide et au bouquet charmeur (végétal, minéral). En bouche, un film si passionnant qu'on a envie de le revoir. Le chardonnay y tient vraiment la tête d'affiche. Quel festival ! Il est vrai que ces vignes appartenaient au XIXᵉs. à E.-J. Marey, l'un des pères du cinéma... De Lelouch à Polanski en passant par Tchernia, tout le septième art connaît cette cave qui a reçu le coup de cœur dans l'édition 1999 pour son **Clos La Folie blanc 96**.

Dom. de La Folie, 71150 Chagny, tél. 03.85.87.18.59, fax 03.85.87.03.53 ☑ ⲧ t.l.j. 9h-19h

Noël-Bouton

DOM. DE LA RENARDE Varot 1998★

■	10,13 ha	25 000	⦀	50 à 69 F

Le coup de cœur en Varot 85 blanc, c'était quand déjà ? En 1988, si l'on ne se trompe. Et encore dans le Guide 1997, pour le millésime 94, encore en blanc. Pas mal pour l'ancien maire de Rully qui, cette fois en Varot rouge, propose un vin montrant davantage de finesse, de souplesse que de structure. Grenat clair, ce 98 évoque au nez les baies sauvages. Très belle typicité. Le **Varot blanc 98**, léger mais franc, est un bon vin d'apéritif. Faites chauffer les gougères !

Maison André Delorme, 2, rue de la République, 71150 Rully, tél. 03.85.87.10.12, fax 03.85.87.04.60 ☑ ⲧ r.-v.

J.-F. Delorme

LA TOUR BLONDEAU 1998★

☐	n.c.	n.c.	▌⦀	50 à 69 F

Discrète et élégante, une bouteille au teint pâle, sans maquillage. Son parfum ? Fleur de vanille nuancée de pierre à fusil. Elle a des rondeurs bien enveloppées, un charme épicé. Mais a-t-elle du liant ? C'est à vous de faire le premier pas. Produit par Bouchard Père et Fils.

Grands Vins Forgeot, 15, rue du Château, 21200 Beaune, tél. 03.80.24.80.50

DOM. DE L'ECETTE 1997★

☐	5 ha	6 000	▌ ⬥	30 à 49 F

Un 97 à la démarche décidée. Vieil or, le nez très mûr, il engage la conversation avec la

volonté de conclure le marché. Du gras, du miel, il n'est pas avare de promesses. La finale est plaisante. Son côté muscaté fait partie du personnage. Quant au viticulteur, rejoint par son fils Vincent, il a quitté le Mâconnais où il était vigneron pour s'installer sur 9 ha à Rully en 1983. Il possède aujourd'hui 14 ha.

Jean et Vincent Daux, Dom. de L'Ecette, 21, rue de Geley, 71150 Rully, tél. 03.85.91.21.52, fax 03.85.91.24.33 ☑ ⲧ r.-v.

DOM. ANDRE LHERITIER
Clos Roch 1997

☐	0,5 ha	2 200	▬	50 à 69 F

Il n'est pas interdit d'attendre un an ou deux ce Clos Roch d'un or léger et aux parfums diserts : miel, pamplemousse, genêt, coing, si l'on en croit nos fins dégustateurs. Un vin démonstratif, mettant tout dans son attaque, de tonalité un peu surmaturée et qui témoigne d'une manière de vinifier.

André Lhéritier, 4, bd de la Liberté, 71150 Chagny, tél. 03.85.87.00.09 ☑ ⲧ r.-v.

MANOIR DE MERCEY En Rosey 1998

■	3,54 ha	8 000	⦀	50 à 69 F

Manoir du XIXᵉs., Mercey élève douze mois en fût ce vin rubis au nez de fraise et de framboise. L'attaque est fraîche puis les tanins s'imposent, assez sévères pour cacher encore le vin. Attendre un an ou deux.

Dom. Gérard Berger-Rive et Fils, Manoir de Mercey, 71150 Cheilly-lès-Maranges, tél. 03.85.91.13.81, fax 03.85.91.17.06 ☑ ⲧ r.-v.

PHILIPPE MILAN ET FILS 1998★

■	1,65 ha	7 000	▬⦀	50 à 69 F

Un coup de cœur en 1993 pour le 89 rouge. Celui-ci est de couleur agréable et douce. Il s'exprime bien : framboise sur fond de sous-bois. Peu de volume au cœur des tanins et une saveur épicée. S'il a été élevé en cuve et en fût, le chêne ne se fait pas oublier. A boire ou à attendre trois ou quatre ans.

Philippe Milan et Fils, Valotte, 71150 Chassey-le-Camp, tél. 03.85.91.21.38, fax 03.85.87.00.85 ☑ ⲧ r.-v.

CH. DE MONTHELIE Préaux 1997★

■ 1er cru	1 ha	3 700	⦀	50 à 69 F

Bel équilibre dans la générosité, lit-on sur l'une des fiches. En réalité, tout le monde est d'accord pour honorer ce Préaux de commentaires flatteurs. On sait que les Suremain ont un pied en Côte de Beaune et l'autre en Côte chalonnaise, qu'ils connaissent... sur le bout des doigts. Grenat, fleurant le fruit rouge et le cuir, un vin ferme, solide, un peu brut peut-être mais dont la présence est remarquable.

EARL de Suremain, Ch. de Monthélie, 21190 Monthélie, tél. 03.80.21.23.32, fax 03.80.21.66.37 ☑ ⲧ r.-v.

MUGNIER PERE ET FILS
Les Chênes 1997★

☐	0,8 ha	1 850	▬⦀	50 à 69 F

Un bon auteur voyait dans le rully blanc « le poli et la fraîcheur du marbre ». On tient ici un 97 assez frais en effet. Vieil or, au bouquet

d'agrumes et de miel, avec une pointe de tabac gris. Attaque plaisante et un peu légère, grillée, sans excès d'intensité.
🕯 La P'tiote Cave, 71150 Chassey-le-Camp, tél. 03.85.87.15.21, fax 03.85.87.28.08 ☑ ⵂ r.-v.

ROPITEAU 1998

☐	n.c.	40 000	⦀	50 à 69 F

Ronronnant dans le verre, il attend la caresse. Un vin chat, tendre comme tout, or vert d'une bonne limpidité et qui partage équitablement ses arômes entre le floral et le minéral. Petite note d'évolution. Bien construit, aimable, il privilégie fraîcheur et rondeur, laissant de côté la vivacité. Ropiteau est l'une des maisons réunies dans le groupe des Vins J.-C. Boisset.
🕯 Ropiteau Frères, 13, rue du 11-Novembre, 21190 Meursault, tél. 03.80.21.69.20, fax 03.80.21.69.29 ⵂ t.l.j. 9h-19h; f. mi-nov. à Pâques

CH. DE RULLY 1997★

☐	18 ha	100 000	▮⦀⚲	70 à 99 F

Les comtes de Ternay ont confié leurs vignes aux soins d'Antonin Rodet. Coup de cœur dans le Guide 1998 pour le 94 rouge, et déjà dans l'édition 1994 pour le 90. Ce domaine a donc des titres de noblesse. Ce chardonnay est riche en arômes. L'apport du fût apparaît bien réel, mais fondu, évoquant le pain grillé retiré assez tôt du grille-pain. Jolie robe et du relief. Notez également **la Bressande en 1er cru blanc 97**, au nez très aromatique, au corps bien constitué. Des cuisses de grenouilles pourraient l'accompagner en 2002.
🕯 Dom. du Ch. de Rully, 71640 Mercurey, tél. 03.85.98.12.12, fax 03.85.45.25.49 ☑ ⵂ r.-v.

ROLAND SOUNIT La Bergerie 1998★

▮	1 ha	6 500	⦀	50 à 69 F

Heureux moutons en cette bergerie ! D'un rouge grenat profond à reflets violines, un pinot noir aux arômes de kirsch, de fruits rouges cuits. Le plaisir de rencontrer un rully bien typé ! Souple et fin, racé, il aura encore quelques années de vie en cave, tout en restant sur une note plus aimable que robuste.
🕯 SCEA Dom. Roland Sounit, rte de Monthélie, 21190 Meursault, tél. 03.80.21.22.45, fax 03.80.21.28.05

Mercurey

Mercurey, situé à 12 km au nord-ouest de Chalon-sur-Saône, en bordure de la route Chagny-Cluny, jouxte au sud le vignoble de Rully. C'est l'appellation communale la plus importante en volume de la Côte chalonnaise : 28 797 hl dont 3 956 en blanc en 1999. Elle s'étend sur trois communes : Mercurey, Saint-Martin-sous-Montaigu et Bourgneuf-Val-d'Or.

Quelques lieux-dits bénéficient de la dénomination « premier cru ». Les vins sont en général légers et agréables, avec de bonnes aptitudes au vieillissement.

JEAN BOUCHARD 1998★

▮	n.c.	66 000	▮⦀⚲	100 à 149 F

Issu de la maison Albert Bichot ajoutant un Bouchard de plus à l'univers beaunois de cette famille, ce vin est globalement positif. Son bouquet s'ouvre sur le fruit noir. Ses tanins enrobent sa vinosité. A son apogée, il aura sans doute la saveur de la cerise. De garde ! N.B. Coup de cœur dans l'édition 1999 pour son 96.
🕯 Jean Bouchard, B.P. 47, 21202 Beaune Cedex, tél. 03.80.24.37.27, fax 03.80.24.37.38

BOUCHARD AINE ET FILS 1997★★

▮	n.c.	24 000	⦀	70 à 99 F

Pour un coq au mercurey, il vante avec succès toutes les qualités et vertus de l'appellation. D'une nuance cerise intense, il poursuit sur la même voie : ce fruit emplit son bouquet, marié à des notes florales. Au palais, élégance et fermeté, et cette étonnante jeunesse rime avec délicatesse. Bouchard Aîné et Fils appartient à la famille Boisset, qui reçoit à Beaune dans le très bel hôtel du Conseiller du Roy. Notez également le **village blanc 98**, cité, riche, gras, assez boisé.
🕯 Bouchard Aîné et Fils, hôtel du Conseiller-du-Roy, 4, bd Mal-Foch, 21200 Beaune, tél. 03.80.24.24.00, fax 03.80.24.64.12 ☑ ⵂ t.l.j. 9h30-12h30 14h-18h30
🕯 J.-C. Boisset

DOM. MICHEL BRIDAY
Clos Marcilly 1998★

▮ 1er cru	0,89 ha	1000	⦀	70 à 99 F

Marcilly fait partie des tout premiers 1ers crus délimités en mercurey. C'est donc une valeur sûre. Il est vrai que cette bouteille présentée par Stéphane Briday est en robe longue. Assez toastée, elle présente aussi un côté réglissé. Cette sensation demeure en bouche, sur fond de gras. La vinification est soignée, l'attente recommandée.
🕯 Dom. Michel Briday, 31, Grande-Rue, 71150 Rully, tél. 03.85.87.07.90, fax 03.85.91.25.68, e-mail stephane.briday@wanadoo.fr ☑ ⵂ r.-v.

CH. DE CHAMIREY 1998★

☐	9 ha	60 000		70 à 99 F

Fleuron des domaines Antonin-Rodin à Mercurey, le château de Chamirey, propriété de la fille du marquis de Jouennes d'Herville, tient son rang. Paille à reflets verts, il connaît les usages. Net et floral, riche et complet, il devrait faire son entrée dans le monde avec les meilleures chances de réussite. Son petit côté muscaté lui vient-il de famille ? En tout cas, il a de quoi faire souche. Coup de cœur en 1992 et en rouge (88).
🕯 Dom. du Château de Chamirey, 71640 Mercurey, tél. 03.85.98.12.12, fax 03.85.45.25.49 ☑ ⵂ t.l.j. sf sam. dim. 9h-12h 13h30-18h
🕯 Christine Devillard

DOM. CHANZY Les Carabys 1998★

☐   0,46 ha   3 300   ❙❙❙ `50 à 69 F`

Cette bouteille dont le *climat* rappelle une vieille chanson française devrait plaire à Compère Guilleri. Car elle possède une robe qui lui va à ravir, un bouquet ouvert sur le fruit et que flatte le fût. Son goût de fraise, sa petite pointe de vivacité, son gras et sa rondeur lui donnent un caractère délicat et à saisir dans l'instant.
☞ Daniel Chanzy, 1, rue de la Fontaine, 71150 Bouzeron, tél. 03.85.87.23.69, fax 03.85.91.24.92, e-mail daniel.chanzy@wanadoo.fr ☑ ⵏ r.-v.

JEAN-PIERRE CHARTON
Clos du Roy 1998★

■ 1er cru   1 ha   3 500   ❙❙❙❙↓ `50 à 69 F`

Si l'on en juge par tous les Clos du Roy du vignoble bourguignon, le monarque avait le nez fin. Celui-ci offre une approche chaleureuse. Sa structure tannique lui donne aujourd'hui une certaine rusticité fermée. Mais ce vin sincère a du fond, et il devrait confirmer ses espérances dans deux ou trois ans. Propriété assez récente d'une famille vigneronne originaire de Savigny.
☞ Jean-Pierre Charton, 29, Grande-Rue, 71640 Mercurey, tél. 03.85.45.22.39, fax 03.85.45.22.39 ☑ ⵏ r.-v.

COUVENT DES CORDELIERS 1997★

■   n.c.   6 500   ❙❙❙ `70 à 99 F`

Signé Boisseaux (Patriarche, Château de Meursault), ce vin à la robe légère montre un bel esprit de suite. Ses parfums ont du bout en bout la même intensité de fruit mûr et de gibier. D'accès assez facile, il est prêt à la consommation mais il peut tout aussi bien patienter quelque temps.
☞ Caves des Cordeliers, rue de l'Hôtel-Dieu, 21200 Beaune, tél. 03.80.25.08.85, fax 03.80.25.08.21 ☑ ⵏ t.l.j. 9h30-12h 14h-18h

DOUDET-NAUDIN Les Bussières 1998★

■   2,2 ha   5 100   ❙❙❙ `70 à 99 F`

Plaudite cives ! Applaudissez, citoyens ! Car voici une bonne bouteille. Table de tri, thermo-régulation, les installations ont été rénovées en 1999. Encore plein de juvénilité, ce 98 est à attendre. Son nez est déjà complexe et sa robe parfaite. Bon équilibre général dans la rondeur et la persistance. De la réserve et de l'avenir.
☞ Doudet-Naudin, 3, rue Henri-Cyrot, 21420 Savigny-lès-Beaune, tél. 03.80.21.51.74, fax 03.80.21.50.69 ☑ ⵏ r.-v.
☞ Yves Doudet

CH. D'ETROYES Les Velley 1998★

■ 1er cru   1,39 ha   8 000   ❙❙❙ `70 à 99 F`

Grenat légèrement ambré, il démarre sur la cerise à l'eau-de-vie, la confiture de vieux garçon. Ce tempérament puissant, voire massif, se retrouve au palais où acidité et tanins jouent aujourd'hui les premiers rôles. Le jury le destine au fond de la cave, quatre à cinq ans lui permettront de se fondre. Le château d'Etroyes a obtenu dans le passé un coup de cœur.

☞ Dom. Maurice Protheau, Ch. d'Etroyes, 71640 Mercurey, tél. 03.85.98.99.10, fax 03.85.98.99.00 ☑ ⵏ r.-v.
☞ Famille Maurice Protheau

DOM. GOUFFIER Champs Martin 1997★★

■ 1er cru   0,5 ha   1 500   ❙❙❙ `70 à 99 F`

Rubis tirant sur le grenat, habillé de frais, il a un nez de cassis et on ne s'en plaint pas. De légères notes animales nuancent le tableau. Superbe à l'attaque, puissant et rond, il opère en bouche un parcours sans faute. Et il peut attendre un peu en cave. Le **Clos de la Charmée 97** mérite d'être cité. C'est un vin rouge plus facile (50 à 69 F).
☞ Dom. Gouffier, 11, Grande-Rue, 71150 Fontaines, tél. 03.85.91.49.66, fax 03.85.91.46.98 ☑ ⵏ r.-v.

DOM. PATRICK GUILLOT
Clos des Montaigu 1998★

■ 1er cru   0,8 ha   3 200   ❙❙❙ `50 à 69 F`

De couleur cerise noire présentant quelques signes d'évolution, il exprime des arômes agréables de compote de fruits. Sa rondeur se mêle à la raideur, selon un cas de figure assez habituel pour les vins jeunes. Sa note tannique ne l'empêche pas de montrer de l'harmonie et un certain début de complexité. Le jury conseille trois à cinq ans de garde. Pas d'égrappage dans ce domaine de 6,8 ha conduit par Patrick Guillot depuis 1988. C'est donc son dixième millésime.
☞ Dom. Patrick Guillot, rue de Vaugeailes, 71640 Mercurey, tél. 03.85.45.27.40, fax 03.85.45.28.57 ☑ ⵏ r.-v.

JEANNIN-NALTET PERE ET FILS
Clos des Grands Voyens 1997★

■ 1er cru   4,91 ha   28 000   ❙❙❙ `50 à 69 F`

Une famille du cru et qui connaît son sujet sur le bout des doigts. Son clos des Grands Voyens est d'une belle présentation. Son bouquet est léger, mais que de gras au palais ! Une telle richesse vous ferait payer l'impôt sur la fortune... Ample, chaleureux, convivial en un mot, il est vraiment à la hauteur de son rang d'appellation.
☞ Jeannin-Naltet Père et Fils, 4, rue de Jamproyes, 71640 Mercurey, tél. 03.85.45.13.83, fax 03.85.45.18.24 ☑ ⵏ t.l.j. 8h-12h 14h-18h; sam. dim. sur r.-v.

JEAN-HERVE JONNIER 1997★

■   3 ha   7 200   ❙❙❙ `50 à 69 F`

Imagine-t-on dans ce village de Chassey qu'il y a quatre mille à cinq mille ans la civilisation chasséenne influença une bonne partie de l'Europe ? Le vin continue, il est vrai, d'assurer la notoriété du pays. Ainsi ce 97 qui fera merveille sur des œufs en meurette. Bien coloré, framboise et vanille, il est vif, léger, tout en présentant un certain relief. Intéressant car très typé.
☞ Jean-Hervé Jonnier, Bercully, 71150 Chassey-le-Camp, tél. 03.85.87.21.90, fax 03.85.87.23.63 ☑ ⵏ r.-v.

DOM. EMILE JUILLOT
Les Combins 1998★★

■ 1er cru	0,92 ha	4 500	❶❶	50 à 69 F

Vous avez le choix entre deux 1ers crus rouges que nous avons appréciés. **Champs Martins 98** (une étoile) ou celui-ci, toujours dans ce millésime. Pourpre profond, issu d'un fût de qualité et laissant le fruit rouge prendre toute sa mesure, il plaît beaucoup et conviendra à une bonne cuisine bourgeoise. Le présenter en carafe contribuera, s'il est encore jeune, à son épanouissement. Ce domaine a reçu plusieurs coups de cœur dans le passé, le plus récent dans le Guide 1997 pour ce même vin version 93. En blanc, **La Cailloute 98**, 1er cru monopole, reçoit une étoile pour son nez mêlant miel, fleurs blanches et agrumes ainsi que pour son équilibre. A servir sur une tourte ou des poissons élaborés.

☛ EARL N. et J.-C. Theulot, Dom. Emile Juillot, clos Laurent, 71640 Mercurey, tél. 03.85.45.13.87, fax 03.85.45.28.07 ☑ ⵊ r.-v.

DOM. MICHEL JUILLOT 1998★

▨	11 ha	55 000	❶❶	70 à 99 F

D'une jolie robe rubis, celui-ci s'affirme dès le premier coup de nez. Cela va de l'animal à l'épice en passant par le noyau. La bouche est assez fraîche et pourtant presque mûre, évitant la vigueur des tanins et jouant la suavité et l'élégance. A servir l'an prochain.

☛ Dom. Michel Juillot, 59, Grande-Rue, B.P. 10, 71640 Mercurey, tél. 03.85.98.99.89, fax 03.85.98.99.88, e-mail infos@domaine.michel.juillot.fr ☑ ⵊ t.l.j. sf dim. après-midi 9h-12h 14h-18h; groupes sur r.-v.

☛ Michel et Laurent Juillot

DOM. DE LA CROIX JACQUELET
Clos du Roy 1997★

■ 1er cru	2,54 ha	6 300	❶❶	70 à 99 F

Coup de cœur dans l'édition 1995 (même vin millésime 91) puis 1996 (millésime suivant), il s'agit de l'immense domaine Faiveley à Mercurey (79 ha). Pour un 1er cru puissant, épicé, racé, aux arômes de fruits cuits et à la teinte violacée. Ses tanins ont les épaules larges. Fera une très bonne bouteille dans quatre à cinq ans.

☛ Dom. de La Croix Jacquelet, SBEV, 71640 Mercurey, tél. 03.85.45.14.72, fax 03.85.45.26.42 ☑ ⵊ t.l.j. 8h-12h 13h30-18h; sam. dim. sur r.-v.

LOUIS LATOUR 1997

☐	n.c.	30 000	🍴🍷	50 à 69 F

D'un or peu intense mais agréable à l'œil, un mercurey qui survole le nez et atterrit en bouche. Joli vin de bonne ampleur, équilibré, assez chaleureux (note d'alcool) et dont on conseille la consommation durant l'année à venir.

☛ Maison Louis Latour, 18, rue des Tonneliers, 21200 Beaune, tél. 03.80.24.81.00, fax 03.80.22.36.21, e-mail louislatour@louislatour.com ⵊ r.-v.

DOM. DE L'EUROPE
Vignes des Chazeaux 1998★

■	1,75 ha	5 000	❶❶	50 à 69 F

Quand un viticulteur bourguignon rencontre une artiste belge... Cette union a suscité en 1994 la naissance du domaine de l'Europe dont les étiquettes s'inspirent du drapeau de l'Union européenne. Parmi les vins présentés par ce duo, notre préférence va à ce 98 qui exprime correctement son millésime. Rubis à l'œil, framboise au nez, un peu nerveux et tannique, il mérite de séjourner en cave pour laisser s'exprimer le fruit.

☛ Chantal Côte et Guy Cinquin, Dom. de L'Europe, 5 pl. du Bourgneuf, 71640 Mercurey, tél. 03.85.45.23.82, fax 03.85.45.23.82 ☑ ⵊ r.-v.

DOM. LEVERT-BARRAULT 1998★

■ 1er cru	0,4 ha	2 000	❶❶	70 à 99 F

Un jeune homme encore fermé, mais ce n'est pas grave. Pourpre vif, il a une belle plume à son chapeau. Sa structure est robuste, tannique, réglissée, façonnée pour une certaine garde. Sa finale en velours incite cependant à se faire plaisir sans attendre trop longtemps. Si la viande rouge est tendre, l'accord sera parfait.

☛ Dom. Levert-Barrault, rue de Mercurey, 71640 Mercurey, tél. 03.85.87.51.00, fax 03.85.87.51.11

☛ Michel Picard

DOM. LORENZON
Les Champs Martin Vieilles vignes 1998★★

■ 1er cru	1 ha	4 500	❶❶	70 à 99 F

Bruno Lorenzon a repris le domaine familial (4,5 ha) en 1997. Son **village rouge 98**, une étoile (50 à 69 F), a les traits distinctifs de l'appellation. D'une couleur soutenue et profonde, il sent encore sa vendange. De l'ampleur et du gras, des tanins bien présents mais fins, encore boisé, il a « le temps d'y voir », comme on dit en Bourgogne. Ces Champs Martin 98 en 1er cru Vieilles vignes sont remarquables. Sautez dessus : c'est un vin puissant, concentré et très typé de l'AOC. La robe est profonde, le nez tout en fruits rouges mûrs, fruits que l'on retrouve au palais malgré les tanins très présents. Le gibier lui conviendra dans trois ou quatre ans. Mais il vivra bien au-delà. La **cuvée des Champs Martin 98 rouge**, issue de jeunes vignes de trente ans, reçoit une étoile.

☛ Dom. Bruno Lorenzon, 14, rue du Reu, 71640 Mercurey, tél. 03.85.45.13.51, fax 03.85.45.15.52 ☑ ⵊ r.-v.

DOM. LOUIS MAX Les Vasées 1997

■ 1er cru	n.c.	6 000	❶❶	300 à 499 F

Sous sa drôle d'étiquette en forme de rideau de scène, voici une pièce en trois actes. Le premier est couleur de griotte déjà un peu évoluée. Le deuxième, assez boisé, est destiné à plaire au public, mais le premier rôle n'empêche pas le fruit de s'exprimer. Le troisième, chaleureux (pointe d'alcool), est agréable. On se quitte en pensant qu'on tient là un bon vin marchand, à prendre sur l'instant comme une pièce de boulevard. Voyez en outre, en **village blanc 98 Les Rochelles** : pas mal du tout !

BOURGOGNE

➤ Louis Max, 6, rue de Chaux, 21700 Nuits-Saint-Georges, tél. 03.80.62.43.01, fax 03.80.62.43.16

DOM. DU MEIX-FOULOT 1997*

■ 1er cru	1,5 ha	6 000	🍶 ❙❚ 70 à 99 F

Figure marquante de la Côte chalonnaise, Paul de Launay (coup de cœur en 1987, millésime 82) a transmis en 1996 ses pouvoirs à sa fille Agnès. Celle-ci montre ici ses dons : si les arômes de ce mercurey sont discrets (kirsch, marron glacé, torréfaction) sous une jolie parure, la bouche est friande, ferme, très plaisante. Un vin plein de promesses et d'une nuance boisée.
➤ Dom. du Meix-Foulot, 71640 Mercurey, tél. 03.85.45.13.92, fax 03.85.45.28.10 ☑ ⊥ r.-v.
➤ Paul de Launay

DOM. L. MENAND PERE ET FILS
Les Champs Martin 1998**

■ 1er cru	1 ha	5 000	❙❚ 50 à 69 F

Un domaine familial de 9 ha déjà bien implanté aux Etats-Unis, en Belgique et en Suisse. Concentré, représentatif, bien fait et de garde, ce mercurey est spontané, intéressant pour son âge, certainement solide et très classique. Le Clos des Combins est un monopole du domaine, mais on a affaire ici à un Champs Martin.
➤ Dom. L. Menand Père et Fils, Clos des Combins, 71640 Mercurey, tél. 03.85.45.19.19, fax 03.85.45.10.23 ☑ ⊥ r.-v.

MOILLARD La Chassière 1997

■ 1er cru	n.c.	3 600	❙❚ 70 à 99 F

D'un rouge foncé et brillant, le nez partagé entre la vanille et la cerise confite, un vin très direct en bouche, franc et fruité. Ses tanins sont très présents, puissants. Comment évolueront-ils ? Le jury hésite entre deux voies à suivre : soit le boire tel quel, soit le mettre longtemps de côté.
➤ Moillard, 2, rue François-Mignotte, 21700 Nuits-Saint-Georges, tél. 03.80.62.42.22, fax 03.80.61.28.13 ☑ ⊥ t.l.j. 10h-18h; f. janv.

CH. PHILIPPE-LE-HARDI 1998*

■ 1er cru	1,24 ha	7 800	❙❚ 50 à 69 F

L'ancien domaine Paul Pidault avait naguère beaucoup planté à Mercurey. Sous ce nom, qui lui fait suite, une bouteille d'un rouge sombre et qui joue habilement avec des notes animales, torréfiées, un peu fruitées, d'une intéressante complexité. Jolie bouche serrée, vineuse, équilibrée, à attendre au moins trois ans.
➤ Ch. de Santenay, B.P. 18, 21590 Santenay, tél. 03.80.20.61.87, fax 03.80.20.63.66 ☑ ⊥ r.-v.

ADRIEN PIERARNAULT
Les Champs Martin 1997*

■ 1er cru	n.c.	5 300	❙❚ 70 à 99 F

Rouge rubis brillant, il accorde de façon charmante les élans de son nez. Finesse de la framboise, vivacité de la groseille, allez donc trouver mieux ! Bien construit avec de l'ampleur, de la longueur, il conclut sur une touche réglissée. S'il ne dispose pas d'un corps considérable, il réussit sa prestation. Il s'agit d'une marque de la maison Goichot et Fils.

➤ SA A. Goichot et Fils, av. Charles-de-Gaulle, 21200 Beaune, tél. 03.80.26.88.70, fax 03.80.26.80.69, e-mail goichot@goichotsa.com ☑ ⊥ r.-v.

FRANCOIS RAQUILLET
Les Puillets 1998*

■ 1er cru	1,5 ha	8 000	❙❚ 50 à 69 F

Dégustez en rouge **Les Naugues** ou **Les Vasées en 1ers crus 98**, ou celui-ci qui présente d'égales qualités : chair, texture. Rouge velours aux reflets violacés, il ouvre le nez (réglisse, épices, cassis) avec beaucoup de bonne volonté. Un 98 qu'on serait curieux de revoir, d'un classicisme assez remarquable en matière de pinot noir, à laisser s'assagir pendant deux ans et à boire pendant cinq à six ans. En **1er cru blanc 98**, d'excellents **Veleys** riches et équilibrés, très longs, qu'un grand plat de poisson blanc épanouira pendant deux ou trois ans.
➤ François Raquillet, rue de Jamproyes, 71640 Mercurey, tél. 03.85.45.14.61, fax 03.85.45.28.05 ☑ ⊥ r.-v.

DOM. ROLAND SOUNIT
Les Murgers Elevé et vieilli en fût de chêne 1998*

	0,4 ha	2 500	❙❚ 50 à 69 F

D'un beau pourpre cerise à reflets mauves, il s'ouvre à l'aération sur un nez élégant mêlant fruité et vanille de la barrique. En bouche, son bon équilibre dans un style solide ne domine pas les arômes de fruits rouges, même si les tanins sont marqués et encore un peu relevés. Sa belle acidité lui permettra de mûrir. Typicité excellente. Notez **Les Varennes 98**, également pour œnophile patient et de très bonne composition.
➤ SCEA Dom. Roland Sounit, rte de Monthélie, 21190 Meursault, tél. 03.80.21.22.45, fax 03.80.21.28.05

Givry

A 6 km au sud de Mercurey, cette petite bourgade typiquement bourguignonne est riche en monuments historiques. Le givry rouge, la production principale (11 088 hl en 1999), aurait été le vin préféré d'Henri IV. Mais le blanc (2 216 hl en 1999) intéresse aussi. Les prix sont très abordables. L'appellation s'étend principalement sur la commune de Givry, mais « déborde » légèrement sur Jambles et Dracy-le-Fort.

GUILLEMETTE ET XAVIER BESSON
Les Grands Prétans 1998*

■ 1er cru	1,5 ha	9 000	❙❚ 50 à 69 F

Si vous passez par ici, ne manquez pas le festival Musicaves : musique et dégustation au domaine. En blanc, le **Petit Prétan 98** est une symphonie (30 à 49 F) d'agrumes sur une tonalité suave, moelleuse. Quant à ce rouge, il est encore un peu jeune. D'une couleur grenat sombre, il a un bouquet rustique (animal) d'une belle intensité. Il a de la chair et de la distinction. Une bonne année en cave lui portera conseil.

🕯 Dom. Guillemette et Xavier Besson, 9, rue des Bois-Chevaux, 71640 Givry, tél. 03.85.44.42.44, fax 03.85.44.42.44 ☑ � r.-v.

RENE BOURGEON
Clos de la Brûlée 1998★

☐	n.c.	n.c.		50 à 69 F

Très rare dans le passé (75 000 bouteilles par an sur un total de 850 000), le givry blanc grandit peu à peu et prend de l'assurance. Evoluant vers la fleur blanche sous un nez de fruits secs et de pain grillé, celui-ci est à suivre dans son évolution. Un peu caché pour le moment. Domaine titulaire du coup de cœur dans les Guides 1989 et 1998 (millésimes 86 et 95 en rouge). Le **givry rouge 98** est de bon augure : ardent, puissant, tout en fruits. Excellent potentiel. Il gagne une belle étoile.

🕯 GAEC René Bourgeon, 2, rue du Chapitre, 71640 Jambles, tél. 03.85.44.35.85, fax 03.85.44.57.80 ☑ ⫰ r.-v.

LOUIS CHAVY 1997★

■	n.c.	15 000	■↓	70 à 99 F

Cerise à reflets violets, un vrai *village* parfumé (griotte, mûre). Sa chair, ses tanins, sa puissance auraient assurément réjoui le bon roi Henri entre deux galanteries. On joue cependant à cache-cache avec le fruit. De garde ? Bien sûr.

🕯 Louis Chavy, Caveau la Vierge romaine, pl. des Marronniers, 21190 Puligny-Montrachet, tél. 03.80.26.33.00, fax 03.80.24.14.84, e-mail mallet.b@cva-beaune.fr ☑ ⫰ t.l.j. 10h-18h; f. nov. à mars

DOM. CHOFFLET-VALDENAIRE
Clos de Choue 1998

■ 1er cru	3 ha	15 000	⫯⫯	50 à 69 F

Ce domaine, familial depuis deux cent cinquante ans, possède 11 ha. Ce vin dans le millésime 93 a reçu le coup de cœur dans le Guide 1997. L'édition 98 est destinée à une consommation assez rapide. D'un rouge très soutenu, le pinot montre de la rondeur, un nez de fruits écrasés avec une pointe animale et une honnête structure tannique.

🕯 Dom. Chofflet-Valdenaire, Russilly, 71640 Givry, tél. 03.85.44.34.78, fax 03.85.44.45.25 ☑ ⫰ r.-v.

CLOS SALOMON 1998

■ 1er cru	6,8 ha	28 000	⫯⫯	50 à 69 F

Le jugement de Salomon pour le clos du même nom ? Ecoutons le cri du cœur et faisons-lui confiance... Vermillon brillant, la couleur promet. Petit bout de nez cassissé. En bouche, il prend son temps et se développe lentement. Du vin, de la matière en réserve, une bonne concentration, cela vaut le coup d'attendre deux à trois ans son plein épanouissement.

🕯 Dom. du Clos Salomon, 16, rue du Clos-Salomon, 71640 Givry, tél. 03.85.44.32.24, fax 03.85.44.49.79 ☑ ⫰ t.l.j. sf dim. 8h-19h 🕯 du Gardin

PROPRIETE DESVIGNES
La Grande Berge 1997★

■ 1er cru	1,7 ha	11 000	⫯⫯	50 à 69 F

Planté assez récemment, le *climat* **Clos Charlé 98 rouge**, classé premier cru en 1988, est cité par le jury pour sa texture nette, bien faite, et sa finesse. En 97 rouge, c'est la Grande Berge qui l'emporte ; ce sera un beau vin de garde ; sa robe intense est superbe, annonçant la complexité du vin. Certes, il est très boisé, mais il est bien bâti : sa puissance ne nuit pas à sa finesse. Ce sont les fruits noirs qui s'expriment en bouche. Pour un chapon.

🕯 Propriété Desvignes, 36, rue de Jambles, Poncey, 71640 Givry, tél. 03.85.44.37.81, fax 03.85.44.43.53 ☑ ⫰ r.-v.

DIDIER ERKER En Chenèvre 1998★

☐	0,6 ha	4 200	⫯⫯	30 à 49 F

Ce viticulteur qui a repris le domaine il y a cinq ans présente un givry jaune aux nuances de perle, doté de parfums beurrés floraux, et où l'on perçoit également une touche d'exotisme (pamplemousse). Sur fond de fraîcheur (une acidité bien présente mais pas désagréable), la bouche reste dans le même esprit. A découvrir avant la Saint-Vincent tournante 2002.

🕯 Didier Erker, 7 *bis*, bd Saint-Martin, 71640 Givry, tél. 03.85.44.39.62, fax 03.85.44.39.62, e-mail Erker@givry.net ☑ ⫰ t.l.j. sf dim. 8h-12h 14h-18h

DOM. MICHEL GOUBARD ET FILS
La Grande Berge 1998

■ 1er cru	2,3 ha	13 000	■⫯⫯↓	50 à 69 F

La famille Goubard s'intéresse à la vigne depuis le début du XVIIᵉs. Le moulin à vent sur l'étiquette pourrait faire croire à du beaujolais. Eh bien ! non. Nous sommes bien à Givry et chez une figure de la Côte chalonnaise. Le pinot s'exprime ici sans fioritures, aimable, dans une robe limpide. Assez léger mais plaisant.

🕯 Dom. Michel Goubard et Fils, 71390 Saint-Désert, tél. 03.85.47.91.06, fax 03.85.47.98.12 ☑ ⫰ t.l.j. 8h-12h 14h-19h; dim. sur r.-v.

LES VILLAGES DE JAFFELIN 1997

■	n.c.	10 000	⫯⫯	50 à 69 F

Visuellement d'intensité moyenne, il est ensuite très mûr sinon évolué. Animal, cuir, feuille morte, son nez revient de la chasse avec sa gibecière bien garnie. Acidité et tanins s'entendent suffisamment pour vivre en bonne intelligence. Intéressants arômes de fin de bouche, tournant autour du fruit cuit. A déboucher dans l'année qui vient.

🕯 Jaffelin, 2, rue Paradis, 21200 Beaune, tél. 03.80.22.12.49, fax 03.80.24.91.87 ⫰ r.-v.

LA SAULERAIE Champ Pourrot 1998★★

☐	0,47 ha	3 500	■	30 à 49 F

Coup de cœur l'an dernier pour un 97 rouge, ce viticulteur nous offre toujours une large dégustation. Nous avons apprécié ses **98 rouges,**

Les Grandes Vignes en 1er cru, citées par le jury,
et **Champ Nalot**, une étoile tous deux (50 à 69 F).
C'est ce blanc or pâle, miel et noisette, d'un gras
charmant, qui emporte la palme : vendange bien
mûre sans doute, donnant équilibre, richesse,
complexité, longueur... Tout en finesse.

☛ Gérard et Laurent Parize,
18, rue des Faussillons, 71640 Givry,
tél. 03.85.44.38.60, fax 03.85.44.43.54 ☑ ⊤ t.l.j.
9h-19h; dim. sur r.-v.

GERARD MOUTON Clos Jus 1997★

■ 1er cru	2 ha	13 000	☰ ⓲ ♨	50 à 69 F

Coup de cœur en 1992 (millésime 89), un Clos
Jus très harmonieux. Il associe le côté gouleyant
et la force, le caractère du terroir. Sous un beau
grenat, il marque un début de complexité tout en
effectuant un superbe parcours de l'attaque à la
finale. De la rondeur et du gras, puis une course
aérienne... Les noces du givry et du brie de
Meaux ont été célébrées en 1993. Fêtez-les !

☛ SCEA Gérard Mouton, 6, rue de l'Orcène,
Poncey, 71640 Givry, tél. 03.85.44.37.99,
fax 03.85.44.48.19 ☑ ⊤ r.-v.

DOM. RAGOT Clos Jus 1998

■ 1er cru	1 ha	6 500	⓲	50 à 69 F

Dès l'édition 1987, ce domaine inaugurait nos
coups de cœur, pour un 81. Nouveau succès dans
le Guide 1997 pour un 93. Celui-ci inspire des
commentaires assez divers. Pourpre vif, tout le
monde est bien d'accord. Le bouquet partage la
table : animal ou fruits frais ? Il est néanmoins
de bonne constitution. Peu de persistance, mais
des voix s'élèvent pour affirmer sa subtilité.

☛ Dom. Jean-Paul Ragot, 4, rue de l'Ecole,
Poncey, 71640 Givry, tél. 03.85.44.35.67,
fax 03.85.44.38.84 ☑ ⊤ t.l.j. sf dim. 8h-20h

MICHEL SARRAZIN
Champs Lalot 1998★

■	n.c.	15 000	⓲	50 à 69 F

En **rouge 98**, nous avons dégusté un **Grands
Prétans 1er cru** honorable, cité par le jury et qui
ne gagnera rien à une longue attente, ainsi que
cette bouteille à la robe franche et au nez jeune
de fruits rouges. Du nerf mais sans exubérance,
du volume et un peu de chaleur, un vin vanillé agréable, un vin de bonne composition à laisser vieillir. Domaine titulaire d'un coup de cœur dans les
éditions 1993 et 1998 (millésimes 90 et 95).

☛ Michel Sarrazin et Fils, Charnailles,
71640 Jambles, tél. 03.85.44.30.57,
fax 03.85.44.31.22 ☑ ⊤ t.l.j. sf dim. 9h-12h
14h-19h

JEAN TATRAUX ET FILS
Les Grandes Berges 1998

■ 1er cru	0,95 ha	6 000	☰ ⓲	30 à 49 F

Domaine familial de plus de 5 ha conduit par
Sylvain Tatraux depuis 1996. Une assez belle
robe habille son 1er cru élevé en foudre de bois.
Le nez est légèrement vanillé puis fruité. La bouche se montre plus rustique, mais on retrouve de
jolis fruits rouges concentrés. Ce vin possède une
certaine réserve pour une évolution positive.

☛ EARL Jean Tatraux et Fils,
20, rue de Locène, 71640 Givry,
tél. 03.85.44.36.89, fax 03.85.44.59.43 ☑ ⊤ r.-v.
☛ Sylvain Tatraux

DOM. BERNARD
TATRAUX-JUILLET Clos Jus 1998★★

■ 1er cru	0,25 ha	2 500	☰ ⓲	30 à 49 F

Clos Jus fait tout l'honneur de Dracy-le-Fort.
L'abbé Courtépée le plaçait au premier rang des
terroirs de la Côte chalonnaise. Malmené par le
phylloxéra, il a repris son ascendant et, si l'on
en juge par cette bouteille haut de gamme, la
hiérarchie est respectée. Pourpre profond, ce 98
est généreux par ses arômes aux notes animales
agrémentés de fruit écrasé ; l'attaque est riche,
le corps soyeux, l'architecture parfaite. Un chapon doit l'accompagner.

☛ Dom. Bernard Tatraux-Juillet,
33, rue de la Planchette, Poncey, 71640 Givry,
tél. 03.85.44.57.41, fax 03.85.44.57.20 ☑ ⊤ r.-v.

EMILE VOARICK 1998

■	1,99 ha	12 400	⓲	50 à 69 F

Acheté par Michel Picard, le domaine Voarick
a proposé un givry sympathique, rouge vif, au
nez marqué par le fût, le sous-bois et les fruits
rouges. Rond et facile, ce vin est pour
aujourd'hui, sans faire trop de complication.

☛ Dom. Emile Voarick, 71640 Saint-
Martin-sous-Montaigu, tél. 03.85.45.23.23,
fax 03.85.45.16.37 ⊤ t.l.j. sf sam. dim. 8h-12h
14h-18h
☛ Michel Picard

Montagny

Entièrement voué aux vins
blancs, Montagny, village le plus méridional de la région, annonce déjà le Mâconnais. L'appellation peut être produite sur
quatre communes : Montagny, Buxy,
Saint-Vallerin et Jully-lès-Buxy. Les *climats* peuvent être seuls revendiqués sur
la commune de Montagny. La production a
atteint 16 704 hl en 1999.

STEPHANE ALADAME
Cuvée Sélection 1998

□ 1er cru	0,85 ha	5 340	☰ ⓲	50 à 69 F

Il n'a pas beaucoup de couleur aux joues mais
son bouquet est entreprenant. Sous-bois, fougère, il reste sur ce registre tout en suggérant
quelques notes de pêche. Ferme et gras, il poursuit sur cette ligne aromatique, le fruit à chair
blanche. Il progressera lorsqu'il s'ouvrira. Jeune
domaine (créé en 1992), cuve (75 %) et fût (25 %).

☛ Stéphane Aladame, rue du Lavoir,
71390 Montagny-lès-Buxy, tél. 03.85.92.06.01,
fax 03.85.92.04.97,
e-mail stephane.aladame@wanadoo.fr ☑ ⊤ r.-v.

DOM. ARNOUX PERE ET FILS
Les Bonnevaux 1998

☐ 1er cru	0,5 ha	3 000	■ ⚭	30 à 49 F

Elevé en cuve, ce vin a d'abord le mérite de nous épargner la vanille, la noisette, le fût. Ne nous en plaignons pas, d'autant qu'on se fait plaisir tant sa fraîcheur irradie. Or pâle, floral mais sans trop d'arômes, il est plus délicat qu'opulent et bien dans l'esprit de l'appellation.

☛ Dom. Arnoux Père et Fils, 7, rue du Lavoir, 71390 Buxy, tél. 03.85.92.11.06, fax 03.85.92.19.28 ✔ Ⓣ r.-v.

BOUCHARD AINE ET FILS 1998★

☐ 1er cru	n.c.	12 000	■ ⏻ ⚭	70 à 99 F

Parfums frais et idées claires font escorte au montagny. Ce 98, franc et coulant, élégant et soyeux, est typé par son cépage : il traite fort bien son sujet.

☛ Bouchard Aîné et Fils, hôtel du Conseiller-du-Roy, 4, bd Mal-Foch, 21200 Beaune, tél. 03.80.24.24.00, fax 03.80.24.64.12 ✔ Ⓣ t.l.j. 9h30-12h30 14h-18h30

☛ J.-C. Boisset

BOUCHARD PERE ET FILS 1998★

☐ 1er cru	n.c.	n.c.	⏻	50 à 69 F

Une nuance paille, un bouquet expressif : amande, noisette sur fond d'aubépine. Aimable et délicat comme un vrai montagny, il a la bouche très jeune et légèrement miellée. La truite lui conviendra mieux que la langouste car il faut raison garder, mais une bonne truite, c'est délicieux.

☛ Bouchard Père et Fils, Ch. de Beaune, 21200 Beaune, tél. 03.80.24.80.24, fax 03.80.22.55.88, e-mail france@bouchard.pereetfils.com Ⓣ r.-v.

LES VIGNERONS DE BUXY
Cuvée spéciale 1998★

☐ 1er cru	8 ha	90 000	■ ⏻ ⚭	50 à 69 F

De la Cave de Buxy, un **village** (ce qui est assez rare, presque toute l'AOC étant classée en 1er cru) **97 Domaine des Pierres Blanches** dans une honnête moyenne, cité par le jury, et cette Cuvée spéciale, d'un jaune légèrement doré, portée sur le fruit exotique (pamplemousse), féminine et goûteuse, un tantinet beurrée. Comme le chantait Léo Ferré, *Jolie môme...*

☛ Cave des vignerons de Buxy, Les Vignes de la Croix, 71390 Buxy, tél. 03.85.92.03.03, fax 03.85.92.08.06 ✔ Ⓣ t.l.j. sf dim. 9h-12h 14h-18h

CH. DE CARY POTET Les Jardins 1998★

☐ 1er cru	0,92 ha	4 000		50 à 69 F

« Un montagny frais est absolument délicieux », estime Serena Sutcliffe qui connaît à merveille le vignoble bourguignon. Citron vert et pierre à fusil, celui-ci manifeste ces qualités de jeunesse, de vivacité, de discrétion. Un 98 qui va s'ouvrir davantage. Voici quelque cinq cents ans que cette famille se consacre à la vigne en ce vieux et beau château.

☛ Charles du Besset, rte de Chenevelles, 71390 Buxy, tél. 03.85.92.14.48, fax 03.85.92.11.88 Ⓣ r.-v.

CH. DE DAVENAY Clos Chaudron 1998

☐ 1er cru	4,42 ha	28 000	■ ⏻	50 à 69 F

Très vif dès l'attaque, il se concentre sur des notes d'agrumes. Assez boisé, il est donc toasté, brioché, avec des notes de pain grillé, laissant toutefois apparaître la citronnelle et le silex. Le gras n'est pas encore très explicite mais c'est un 98 à laisser un peu au calme et qui devrait faire une belle bouteille dès 2001-2002. Ce vin est présenté par la maison Michel Picard.

☛ SCEA Dom. Château de Davenay, 71390 Buxy, tél. 03.85.45.23.23, fax 03.85.45.16.37

☛ Michel Picard

JOSEPH DROUHIN 1998★★

☐	n.c.	n.c.	⏻	70 à 99 F

On comprend que le grand poète André Frénaud ait été un chantre ardent du montagny. Un vin lyrique, à en juger par ce 98 or vert. Ses arômes font l'arc-en-ciel : pêche, abricot sur un coussin brioché. Sa bouche est sans doute encore discrète sur un potentiel très important, mais son gras (d'entrée de jeu) et sa complexité (en conclusion) composent déjà de jolies strophes.

☛ Joseph Drouhin, 7, rue d'Enfer, 21200 Beaune, tél. 03.80.24.68.88, fax 03.80.22.43.14, e-mail drouhin@calva.net Ⓣ r.-v.

DOM. DE LA CROIX JACQUELET 1997★★

☐ 1er cru	0,19 ha	500	⏻	50 à 69 F

Doré limpide, cet enfant Faiveley offre un bon rapport entre l'alcool et l'acidité. Il se présente de façon assez souple, presque onctueuse. Et il annonce une intéressante complexité. Son fût reste cependant très présent tout au long de la dégustation.

☛ Dom. de La Croix Jacquelet, SBEV, 71640 Mercurey, tél. 03.85.45.14.72, fax 03.85.45.26.42 ✔ Ⓣ t.l.j. 8h-12h 13h30-18h; sam. dim. sur r.-v.

CH. DE LA GUICHE 1998

☐	0,9 ha	5 436	■ ⏻	50 à 69 F

Une sélection du négociant André Goichot, or à reflets verts comme il se doit, légèrement fumée par le fût, pamplemousse au nez, qui devient orange en bouche. Tendre et puissant à la fois, un vin à attendre un peu.

☛ Dom. du château de La Guiche, SA André Goichot, rue Paul-Masson, 21190 Merceuil, tél. 03.80.26.88.70, fax 03.80.26.80.69, e-mail goichot@goichotsa.com ✔ Ⓣ r.-v.

DOM. DE LA RENARDE 1998★

☐ 1er cru	3,86 ha	12 000	■ ⏻ ⚭	50 à 69 F

Très recherchée par les architectes, la pierre de Buxy est une des gloires du pays. Aussi n'est-il pas étonnant de trouver dans ce vin de forts accents minéraux, mariés à la fleur blanche et au citron. Les agrumes animent le palais. L'ensemble est pour le moment bien structuré et semble mériter une année de garde. Seulement 5 % du vin passe en fût.

❧ Maison André Delorme,
2, rue de la République, 71150 Rully,
tél. 03.85.87.10.12, fax 03.85.87.04.60 ☑ ⵝ r.-v.
❧ J.-F. Delorme

CH. DE LA SAULE
Elevé en fût de chêne 1998★

☐ 1er cru	4 ha	25 000	ⅢⅠ	50 à 69 F

Doré pâle, il est vineux dès que le premier
coup de nez engage la conversation. Bien
qu'assez rond, il montre une certaine vivacité.
L'équilibre est flatté par un léger boisé. Sur des
ris de veau ? Cette alliance convient bien au
montagny. A boire pendant deux ou trois ans.
❧ Alain Roy, La Saule, 71390 Montagny,
tél. 03.85.92.11.83, fax 03.85.92.08.12 ☑ ⵝ r.-v.

DOM. DE LA TOUR
Vieilli en fût de chêne 1997

☐ 1er cru	2,5 ha	12 000	ⅢⅠ	30 à 49 F

Domaine repris de père en fils, vinifiant par
lui-même à partir de 1987. C'est l'ancienne propriété des comtes d'Ivernoy. Ce vin offre une
belle intensité de couleur et une sensation minérale qui se poursuit du nez à la bouche. On aime
bien ce style vif et sec, un peu pointu, où l'on ne
s'endort pas.
❧ Daniel Joblot, SCEV dom. du Hameau La
Tour, 71390 Saint-Vallerin, tél. 03.85.92.13.69,
fax 03.85.92.09.43 ☑ ⵝ r.-v.

LES CAVES DU CHANCELIER
Elevé en fût de chêne 1998★★

☐ 1er cru	n.c.	10 000	ⅢⅠ	70 à 99 F

Coup de cœur l'an dernier pour un 97 étincelant, le négociant-éleveur beaunois Denis Philibert nous passionne à nouveau. Ce 98 est une
réussite en effet. Sous une robe limpide et soutenue, le bouquet se développe peu à peu dans une
tonalité de fruit mûr. La bouche joue sur la puissance et la persistance, incitant à l'attente. On
aura tout dit quand on aura signalé son léger
vanillé.
❧ Les Caves du Chancelier, 1, rue Ziem,
21200 Beaune, tél. 03.80.24.05.88,
fax 03.80.22.37.08 ⵝ t.l.j. 9h-19h

DOM. NOEL PERRIN Les Las 1998★

☐ 1er cru	0,3 ha	1000	ⅢⅠ	50 à 69 F

Déjà dorée, une bouteille sans intentions
olfactives particulières et qui a du punch dans le
verre. La matière est élégante dans un style chaleureux et puissant. Bon travail et une étiquette
originale qui reproduit une peinture de P. Ben-
dine à dominante bleutée.
❧ Dom. Noël Perrin, 71460 Culles-les-Roches,
tél. 03.85.44.04.25, fax 03.85.44.04.25 ☑ ⵝ t.l.j.
8h-12h 13h30-19h

ALBERT PONNELLE 1997

☐	n.c.	n.c.	70 à 99 F

Paille brillant, spontané, persistant, ce 97 est
un vin bien fait, clair, net et précis. Il s'accompagne d'un rien de noisette assez fondue dans le
tout. Il a de l'élan et donc de la réserve.
❧ Albert Ponnelle, Clos Saint-Nicolas, 38, fg
Saint-Nicolas, 21200 Beaune, tél. 03.80.22.00.05,
fax 03.80.24.19.73 ☑ ⵝ r.-v.

Mâcon, mâcon supérieur et mâcon-villages

Les appellations mâcon,
mâcon supérieur ou mâcon suivi de la
commune d'origine sont utilisées pour les
vins rouges, rosés et blancs. Les vins blancs
peuvent s'appeler aussi pinot-chardonnay-
mâcon et mâcon-villages. L'aire de production est relativement vaste, et, depuis la
région de Tournus jusqu'aux environs de
Mâcon, la diversité des situations se traduit
par une grande variété dans la production.

Le secteur de Viré, Clessé,
Lugny, Chardonnay, propice à la production de vins blancs légers et agréables, est
le plus connu, et de nombreux viticulteurs
se sont groupés en caves coopératives pour
vinifier et faire connaître leurs vins. C'est
d'ailleurs dans ce secteur que la production
s'est développée. La production atteint en
1999, 196 358 hl en blanc et 48 760 hl en
rouge.

Mâcon

CAVE D'AZE Azé 1998★

■	25 ha	8 000	■ ᵭ	30 à 49 F

Résumons. Un vin complexe, réglissé, fiable
en bouche, qui peut se boire dès à présent ou
s'apprécier dans le temps. Rouge soutenu, il a le
nez bien à sa place, bien présent. On y voit une
bonne bouteille future, de préférence à la
consommation hâtive. L'attente est souvent gage
de bonheur. Mais, si vous le souhaitez, ce vin est
déjà très agréable.
❧ Cave coop. d'Azé, 71260 Azé,
tél. 03.85.33.30.92, fax 03.85.33.37.21 ☑ ⵝ t.l.j.
9h-12h 14h-18h30

CAVE DE CHARNAY Charnay 1999

■	2,3 ha	20 000	■ ᵭ	30 à 49 F

Pour le mâchon, pas de question : c'est pour
lui. A l'œil, ce 99 est très soutenu. Le bouquet
sans prétention mérite de s'ouvrir. Typé sans la
moindre complexité, inscrit dans son terroir et
demandant à vieillir un peu.
❧ Cave de Charnay, En Condemine,
71850 Charnay-lès-Mâcon, tél. 03.85.34.54.24,
fax 03.85.34.86.84 ☑ ⵝ r.-v.

DOM. ELOY Pierreclos 1999★

| ■ | 1 ha | n.c. | ■ 20 à 29 F |

Groseille avec un arrière-goût animal, c'est du gamay tout craché. Rustique, impertinent, il est d'une teinte claire mais il cache bien son jeu. La transaction nez-bouche se fait bien, sur un fruit qui s'avère assez souple. Vin à boire maintenant. Ce 99 n'aura guère le temps de prendre des rides.
☛ Jean-Yves Eloy, Le Plan, 71960 Fuissé, tél. 03.85.35.67.03, fax 03.85.35.67.07 ☑ ⵣ r.-v.

MARIE-ODILE FREROT ET DANIEL DYON Etrigny 1999★

| ■ | 0,8 ha | 4 600 | ■ ⊞ 20 à 29 F |

Village du Tournugeois tout de vigne et de pierre, Etrigny est franchement échangeur nord de Mâcon. D'un rubis de bonne intensité, ce 99 a le nez fin : un léger boisé accompagne les notes fruitées du gamay. Chaleureux, équilibré par des tanins agréables, le vin est typé. Bons prolongements avec un esprit « primeur » : à boire dans l'année qui vient.
☛ Marie-Odile Frérot et Daniel Dyon, Veneuse, 71240 Etrigny, tél. 03.85.92.24.31, fax 03.85.92.24.31 ☑ ⵣ r.-v.

LES VIGNERONS D'IGE
Igé Elevé en fût de chêne 1999★

| ■ | n.c. | 9 000 | ⊞ 30 à 49 F |

Un bouquet d'une bonne finesse sur le fruit rouge, une bouche ronde et tannique, expansive. Puissance et chaleur s'accordent quand la finale arrive. Et c'est long... Pour une bavette poêlée sauce échalote.
☛ Cave coop. des vignerons d'Igé, 71960 Igé, tél. 03.85.33.33.56, fax 03.85.33.41.85, e-mail lesvigneronsdige@lesvigneronsdige.com ☑ ⵣ t.l.j. sf dim. 8h-12h 14h-18h

DOM. DE L'ABBE DUMONT 1999

| ◢ | 0,17 ha | 1 500 | 30 à 49 F |

Deux rosés seulement sont jugés dignes de figurer ici. Il est vrai que la recommandation de l'abbé Dumont... L'abbé qui ? Relisez, ou lisez *Jocelyn*, de Lamartine. Ce vin sera une excellente occasion de visiter un presbytère entré dans l'histoire et converti en exploitation viticole (plus fromage de chèvre). Framboisé, léger, il « terroite » beaucoup. Sincère et pas inintéressant.
☛ Benoît Dorry, Bussières, 71960 Pierreclos, tél. 03.85.37.71.60, fax 03.85.37.71.97 ☑ ⵣ t.l.j. 8h-20h

CH. DE LA BRUYERE Igé 1998★

| ■ | 2 ha | 6 500 | ■ ⸖ 20 à 29 F |

Intense et profonde, la robe est d'emblée séduisante. Le nez, un peu sur la réserve, s'exprime sur la cerise et les fruits confits. Le vin occupe pleinement la bouche construite sur des tanins assez présents mais « de belle finition », comme l'écrit un dégustateur. Ira très bien avec des viandes en sauce.
☛ Paul-Henry Borie, Ch. de La Bruyère, 71960 Igé, tél. 03.85.33.30.72, fax 03.85.33.40.65, e-mail mph.borie@wanadoo.fr ☑ ⵣ t.l.j. 8h30-12h 14h-19h

DOM. LACHARME ET FILS
La Roche-Vineuse Sélection de vieilles vignes 1999★★

| ■ | 0,7 ha | 4 300 | ■ 30 à 49 F |

Le gamay dans tous ses états et sous son meilleur jour. Presque pourpre, sa robe fixe le coup d'œil. Le cassis habite son nez. L'attaque est menée rondement, puis la bouche veloutée et ronde s'entoure de fruits rouges. Un superbe équilibre. Une persistance significative. La Roche-Vineuse porte bien son nom !
☛ Dom. Lacharme et Fils, Le Pied du Mont, 71960 La Roche-Vineuse, tél. 03.85.36.61.80, fax 03.85.37.77.02 ☑ ⵣ r.-v.

DOM. DE LA CREUZE NOIRE 1999★

| ▢ | 0,94 ha | 5 000 | ■ ⸖ 30 à 49 F |

Sa robe très claire et brillante annonce un chardonnay à l'état pur. Bien ouvert sur la fleur blanche. D'une fraîcheur adolescente. Vin de pique-nique, en n'oubliant pas la glacière.
☛ Dominique et Christine Martin, La Creuze Noire, 71570 Leynes, tél. 03.85.37.46.43, fax 03.85.37.44.17 ☑ ⵣ r.-v.

DOM. DE LA FEUILLARDE
Prissé 1999★

| ■ | 1,7 ha | 15 000 | ■ ⸖ 30 à 49 F |

Trois générations vigneronnes depuis les années 1930. On connaît tout à la fois le sujet et la leçon. Griotte soutenu, la robe introduit un bouquet cerise mâtiné d'animal. Le gamay donne en bouche le maximum de sa capacité d'expression. Vin à consommer pendant trois à cinq ans car il est de bonne garde. Pas si fréquent dans l'appellation.
☛ Lucien Thomas, Dom. de La Feuillarde, 71960 Prissé, tél. 03.85.34.54.45, fax 03.85.34.31.50 ☑ ⵣ t.l.j. 8h-12h 13h-19h

DOM. DE LA SARAZINIERE
Bussières Les Devants Vieilles vignes 1998★

| ■ | 0,8 ha | 5 000 | ⊞ 30 à 49 F |

Riche en matière et en tanins, un rien l'habille mais il faut aller au-delà du bouquet (discret et végétal) pour le saisir dans son intensité. Franc, net et nerveux, il a besoin encore d'un peu de calme en cave.
☛ Philippe Trébignaud, Dom. de La Sarazinière, 71960 Bussières, tél. 03.85.37.76.04, fax 03.85.37.76.23, e-mail philippe.trebignaud@wanadoo.fr ☑ ⵣ r.-v.

DOM. NICOLAS MAILLET Verzé 1999

| ■ | 0,2 ha | 800 | ■ ⸖ 20 à 29 F |

Avoir sur sa carte de crédit un teint cerise clair et brillant, un parfum de fraise très mûre, une bouche fraîche et fruitée, donne envie de boire son capital. Domaine ayant quitté la coopérative la plus proche en 1999 pour voler de ses propres ailes.
☛ Nicolas Maillet, La Cure, 71960 Verzé, tél. 03.85.33.46.76, fax 03.85.33.46.76 ☑ ⵣ r.-v.

CAVE DES VIGNERONS DE MANCEY 1999

◿ n.c. 13 000 ▣ ◆ 30 à 49 F

« ...Je vois la vie en rose ». Chantons avec cette bouteille rose perle qui fredonne au nez et qui laisse éclater sa joie en bouche. Ronde et riche, avec une finale acidulée. Vin de grillade.
🕭 Cave des vignerons de Mancey, R.N. 6, En Velnoux, 71700 Tournus, tél. 03.85.51.00.83, fax 03.85.51.71.20 ☑ ☰ r.-v.

DOM. MATHIAS 1998

☐ 3 ha 20 000 ▣ ◆ 30 à 49 F

Suffisamment de gras en bouche pour nous faire rêver. La robe est parfaite. Le nez abricoté, miellé, joliment dessiné. Consistant en un mot. Sans doute ce vin n'est-il pas d'une ampleur, d'une longueur... Mais il joue sa partition avec conviction.
🕭 Béatrice et Gilles Mathias, Dom. Mathias, rue Saint-Vincent, 71570 Chaintré, tél. 03.85.27.00.50, fax 03.85.27.00.52 ☑ ☰ r.-v.

DOM. DE MONTERRAIN Serrières 1999

■ 9 ha 40 000 ▣ 30 à 49 F

Un vin facile à boire, léger comme la plume au vent. Il est la joie de vivre, sans excès de couleur, le nez un rien sauvage et, on vous l'a dit, fait pour une consommation heureuse avec toutes sortes de charcuteries.
🕭 EARL Patrick et Martine Ferret, Dom. de Monterrain, 71960 Serrières, tél. 03.85.35.73.47, fax 03.85.35.75.36 ☑ ☰ r.-v.

ALAIN NORMAND
La Roche-Vineuse 1998★

■ 3,5 ha 3 000 ▣ 20 à 29 F

Un vin de qualité, où toutes les vertus du gamay s'épaulent mutuellement. Aucune agressivité, mais au contraire le meilleur équilibre entre l'acidité et l'alcool. Bien fondu et plaisant. Ce viticulteur récent (installé en 1994) maîtrise bien son sujet.
🕭 Alain Normand, chem. de la Grange-du-Dîme, 71960 La Roche-Vineuse, tél. 03.85.36.61.69, fax 03.85.51.60.97 ☑ ☰ r.-v.

PASCAL PAUGET 1998★

☐ 1,3 ha 3 000 ▣ ▥ ◆ 30 à 49 F

Jaune à reflets gris, il nous livre un nez de surmaturité tirant sur le miel. En bouche, cette sensation se confirme sur le fruit sec. Un vin un peu chaleureux, très long, où il subsiste un rien de sucre résiduel. On ne voit guère que le foie gras qui puisse l'escorter.
🕭 Pascal Pauget, La Croisette, 71700 Tournus, tél. 03.85.32.53.15, fax 03.85.51.72.67 ☑ ☰ r.-v.

CAVE DE PRISSE-SOLOGNY-VERZE 1999

■ n.c. 25 000 ▣ ◆ 30 à 49 F

Rubis à reflet violet, ce mâcon vogue sur les fruits rouges. Franc, simple, équilibré, il est bien typé.
🕭 Cave de Prissé-Sologny-Verzé, 71960 Prissé, tél. 03.85.37.88.06, fax 03.85.37.61.76 ☑ ☰ r.-v.

DOM. DE RUERE
Pierreclos Cuvée Prestige 1999★

■ 0,7 ha 6 000 ▣ 20 à 29 F

Ce gamay né de terrains sablonneux s'affiche grenat à reflets framboisés. Son bouquet est presque exotique, disons complexe. Compte tenu d'une structure efficace, équilibrée et puissante, il ne peut que s'améliorer le temps d'une année. Vin de rôti.
🕭 Mme Thérèse Eloy, Ruère, 71960 Pierreclos, tél. 03.85.35.70.19, fax 03.85.35.70.19 ☑ ☰ r.-v.

DOM. DU TERROIR DE JOCELYN
Bussières 1999

■ n.c. 5 000 ▣ 20 à 29 F

Le terroir de Jocelyn. Lamartine n'imaginait pas à quel point il figurerait sur des étiquettes... beaucoup plus tard. Seul poète dans ce cas : il y a des « domaines Lamartine » dans toute la France, et aucun domaine Musset ou Victor Hugo. Vin rubis-grenat, cassis-framboise, vineux, friand, riche, un peu tannique sur la fin. Poivré aussi. De caractère.
🕭 Daniel et Annie Martinot, Les Fuchats, 71960 Bussières, tél. 03.85.36.65.05, fax 03.85.36.65.05 ☑ ☰ r.-v.

Mâcon supérieur

DOM. DU BICHERON 1998★

■ 1 ha 4 000 ▣ ◆ 20 à 29 F

En moyenne, le mâcon supérieur se comporte très bien lors de cette dégustation. Témoin ce 98 un peu sur les fruits cuits, mais franc de bouche et bien structuré. Fille et garçon, la nouvelle génération prend ses marques au domaine.
🕭 Daniel Rousset, Dom. du Bicheron, Saint-Pierre-de-Lanques, 71260 Péronne, tél. 03.85.36.94.53, fax 03.85.36.99.80 ☑ ☰ r.-v.

LA BUXYNOISE 1998★★

■ 24 ha 140 000 ▣ ◆ 30 à 49 F

Mâcon supérieur est une appellation un peu kitsch. Mais il se produit parfois une émotion profonde. Un temps d'arrêt sur le regard. Une inspiration subtile. Quelque chose de prenant sur la mâche. Supérieur en effet. Les coopérateurs de Buxy en produisent beaucoup, et c'est très bon !
🕭 Cave des vignerons de Buxy, Les Vignes de la Croix, 71390 Buxy, tél. 03.85.92.03.03, fax 03.85.92.08.06 ☑ ☰ t.l.j. sf dim. 9h-12h 14h-18h

LORON ET FILS 1999★★★

■ n.c. n.c. ▣ 30 à 49 F

Supérieur ? Ce n'est pas le mot. Supériorissime ! Un vin parfait, représentatif. Foncé, fruité, puissant, soutenu, long, complexe : on chante ses louanges. Celui-ci peut parader sur le vieux pont de Mâcon un soir de 14 Juillet.
🕭 Ets Loron et Fils, Pontanevaux, 71570 La Chapelle-de-Guinchay, tél. 03.85.36.81.20, fax 03.85.33.83.19, e-mail vinloron@wanadoo.fr ☑ ☰ r.-v.

DOM. THEUROT Les Champaronds 1998★

■ n.c. 36 000 ▮♨ 30à49F

Fraise en chaudron au nez, il se révèle au palais sur des notes de fruits rouges. Il est issu de pinot noir. Sa mâche joue la complexité et y réussit.

☛ Cie des Vins d'Autrefois, abbaye Saint-Martin, 53, av. de l'Aigue, 21200 Beaune, tél. 03.80.26.33.00, fax 03.80.24.14.84, e-mail mallet.b@cva-beaune.fr ⌾ r.-v.

Mâcon-villages

CAVE COOPERATIVE D'AZE
Azé Cuvée Jules Richard 1998★

☐ 65 ha 7 500 ▮♨ 30à49F

Hommage à Jules Richard, pilier de la cave coopérative, cette cuvée cousue d'or dont les arômes semblent évoluer vers le minéral, marque probable du terroir, offre un bel équilibre miellé et structuré. Une vraie bouteille de qualité.

☛ Cave coop. d'Azé, 71260 Azé, tél. 03.85.33.30.92, fax 03.85.33.37.21 ⌾ ⌾ t.l.j. 9h-12h 14h-18h30

DOM. ANDRE BONHOMME
Viré Cuvée spéciale 1998★★

☐ 5 ha 40 000 ▮❚❙♨ 30à49F

La nouvelle AOC viré-clessé date de 1999. Ce mâcon-viré intéressera bien sûr les collectionneurs d'étiquettes. Mais ils auront aussi le plaisir de savourer un vin moelleux, capiteux, d'une richesse un peu exotique (fruit de la Passion). Celui-ci n'abuse pas du bois et conviendra à une volaille de Bresse préparée à la crème.

☛ Dom. André Bonhomme, Cidex 2108, 71260 Viré, tél. 03.85.33.11.86, fax 03.85.33.93.51 ⌾ ⌾ t.l.j. 8h-20h; dim. sur r.-v.

CUVEE PIERRE BONTEMPS 1998★

☐ n.c. 50 000 ▮ 30à49F

Il s'agit d'un vin de la maison Patriarche à Beaune. C'est l'occasion de rappeler que le fameux caveron « An 2000 » où Pierre Boiseaux enfermait ses trésors est solennellement ouvert le troisième dimanche de novembre 2000. Avis à ceux qui passeraient ce jour-là alentour ! Mâcon un peu réservé, mais ayant tout à la fois du minéral et du gras. Bon potentiel de garde sans ride.

☛ Patriarche Père et Fils, 5, rue du Collège, 21200 Beaune, tél. 03.80.24.53.01, fax 03.80.24.53.03 ⌾ ⌾ t.l.j. 9h-12h 14h-18h

FRANCOIS BOURDON 1998★★

☐ 0,64 ha 3 500 ▮ 30à49F

D'un or moyen mais qui fait feu des quatre fers, un *village* comme on n'en boit pas tous les jours. Silex et miel jouent une fameuse partie de go, ouvrant sur un univers de complexité. Et que de réserve avec ça ! Très grand vin et si ce viticulteur n'exporte pas encore au Japon, il va sûrement y accomplir des prouesses. N'était-il pas

coup de cœur l'an dernier pour cette AOC en millésime 97 ?

☛ François Bourdon, Pouilly, 71960 Solutré-Pouilly, tél. 03.85.35.81.44, fax 03.85.35.81.44 ☑ ⌾ r.-v.

CAVE DES VIGNERONS DE BUXY
Clos de Mont-Rachet 1998★

☐ 12 ha 80 000 ▮♨ 30à49F

Si vous invitez des amis un peu experts, si vous n'êtes pas sûr du début des propos de table, choisissez sans hésiter ce vin en ouverture. C'est l'autre Mont-Rachet, lieu-dit authentique de Savigny-sur-Grosne et connu également sous une forme fromagère appréciée. Or jaune et fruits blancs, il peut vieillir un peu et offre une homonymie amusante.

☛ Cave des vignerons de Buxy, Les Vignes de la Croix, 71390 Buxy, tél. 03.85.92.03.03, fax 03.85.92.08.06 ☑ ⌾ t.l.j. sf dim. 9h-12h 14h-18h

CH. DU CHARNAY 1999

☐ 7 ha 3 330 ▮♨ 30à49F

Situé à Sologny, ce château a accueilli Lamartine en voisin amical. « Qu'imprime le soleil... » écrivait ce doux menteur. Car il était vigneron et savait bien que sans soleil on fait de maigres vendanges. Dans ce 99, l'or est à point, le bouquet tout en finesse, la bouche d'une civilité parfaite. Cette typicité épanouie appelle le bouton de culotte, un chèvre mâconnais.

☛ Ch. du Charnay, 71960 Sologny, tél. 04.74.06.10.10, fax 04.74.66.13.77 ⌾ ⌾ r.-v.

DOM. DU CLOS GANDIN 1998★★

☐ 4 ha 6 000 ▮ 30à49F

Hand made harvest, on est bilingue sur l'étiquette ! Pour un 98 qui porte haut l'appellation. De l'élégance dans la finesse, nous dit-on, et ça ne s'invente pas : robe moyenne, nez printanier, bouche de volupté tirant sur l'amande et finissant sur une note d'amertume qui met en appétit. Très bien, donc, à l'apéritif.

☛ Thierry Delorme, dom. du Clos Gandin, La Cortière, 71700 Plottes-près-Chardonnay, tél. 03.85.40.50.89, fax 03.85.40.50.89 ☑ ⌾ t.l.j. 8h-20h

COTEAUX DES CHENES ET CROIX JARRIER Verzé 1998★★

☐ 6,42 ha 40 000 ▮♨ 30à49F

La coopérative de Prissé réunit 884 ha de vignes. Cette cuvée est d'une belle typicité. Si ce 98 se regarde dans son miroir, il ne trouve rien à changer. Sa couleur est parfaite. Beaucoup d'élégance dans les arômes, sur fond de noisette. La bouche épouse le nez en un prolongement que porte une certaine vivacité.

☛ Cave de Prissé-Sologny-Verzé, 71960 Prissé, tél. 03.85.37.88.06, fax 03.85.37.61.76 ⌾ ⌾ r.-v.

DEMESSEY Cruzille Les Avoueries 1998★

☐ 5 ha n.c. ▮❚❙♨ 50à69F

Cruzille se situe sur le « circuit des Brigands » conté par le *Guide Bleu*. Le château a d'ailleurs souffert du passage de ces messieurs en 1789. Un peu d'agressivité dans cette bouteille ? Elle s'explique donc, d'autant qu'il s'agit seulement d'un petit goût acidulé pas déplaisant du tout. D'un beau doré, un 98 suggérant au nez le miel et l'aubépine.

🕊 Demessey, Ch. de Messey, 71700 Ozenay, tél. 03.85.51.33.83, fax 03.85.51.33.82, e-mail vin@demessey.com ☑ ⵣ r.-v.

🕊 Marc Dumont

JACQUES DEPAGNEUX 1998

| ☐ | n.c. | 100 000 | ▮ | 30 à 49 F |

Une dentelle ? Une mousseline plutôt. Ce négociant-éleveur de Juliénas a su dénicher un *village* doux comme l'agneau pascal, or pâle, pas très gras, un peu léger, mais d'une délicatesse extrême. Il fond dans la bouche. Conseillé pour l'apéritif.

🕊 Jacques Depagneux, Les Chers, 69840 Juliénas, tél. 04.74.06.78.00, fax 04.74.06.78.71, e-mail avf@free.fr ⵣ r.-v.

MAISON DESVIGNES 1998★★

| ☐ | n.c. | 1 200 | ▮ | 30 à 49 F |

Desvignes est un nom respecté en Mâconnais. Or grisé, minéral, noyau de pêche, arbitre des élégances, ce 98 est remarquable. Au palais ? Sublime, sans forcer le compliment. Epanoui, beau, généreux, onctueux, parfumé.

🕊 Maison Desvignes, rue Guillemet-Desvignes, 71570 La Chapelle-de-Guinchay, tél. 03.85.36.72.32, fax 03.85.36.74.02 ☑ ⵣ r.-v.

DOM. DES DEUX ROCHES 1998★

| ☐ | 10 ha | n.c. | ▮🍷 | 50 à 69 F |

Fleurs blanches, notes anisées puis pâte de coings et amande, le tout sur fond minéral... on est bien dans ce pays des arômes ! La bouche suit sur le même registre, ronde, onctueuse... c'est très joli, là aussi.

🕊 Dom. des Deux Roches, 71960 Davayé, tél. 03.85.35.86.51, fax 03.85.35.86.12 ☑ ⵣ r.-v.

GEORGES DUBŒUF 1999

| ☐ | n.c. | 120 000 | ▮🍷 | 30 à 49 F |

Sait-on que Pierre Albuisson, auteur des étiquettes fleuries de Georges Dubœuf et installé près de Cluny, a signé quelques-uns des plus beaux timbres-poste édités dans le monde ? Il est rare qu'une étiquette soit confiée à un grand artiste. Quant au vin, il est coloré comme il se doit, vif et frais sur la fleur, agréable à l'attaque, léger comme un papillon. Mais long.

🕊 Vins Georges Dubœuf SA, quartier de la Gare, B.P. 12, 71570 Romanèche-Thorins, tél. 03.85.35.34.20, fax 03.85.35.34.25, e-mail mcvgd@csi.com ☑ ⵣ t.l.j. 9h-18h au Hameau en Beaujolais; f. 1er-15 jan.

MICHEL FOREST Vergisson 1998★

| ☐ | 0,3 ha | 2 500 | ❙❙❙ | 30 à 49 F |

Le type même du mâcon blanc de garde (quelques années) car il doit fondre son fût et vaincre une certaine dureté de caractère. C'est dans la logique d'une vinification attentive et soignée, nullement faite pour une consommation rapide.

🕊 Michel Forest, Les Crays, 71960 Vergisson, tél. 03.85.35.84.79, fax 03.85.35.86.14 ☑ ⵣ r.-v.

FORGEOT PERE ET FILS 1998

| ☐ | n.c. | n.c. | ▮🍷 | 30 à 49 F |

Forgeot ? Disons Bouchard Père et Fils. Bouteille or pâle se montrant minérale et grillée, pure et franche, une colombe de fruits blancs, vive et chaleureuse. Le tout bien formé mais fermé. L'attendre ? A l'évidence.

🕊 Grands Vins Forgeot, 15, rue du Château, 21200 Beaune, tél. 03.80.24.80.50

DOM. GAILLARD 1998

| ☐ | n.c. | 1 500 | ▮ | 30 à 49 F |

L'étiquette très originale témoigne d'un goût réel. L'art abstrait peut honorer le vin. Celui-ci se présente ici sans ambition excessive, mais avec conscience. Sa teinte n'a recours à aucun effet grandiloquent. Son nez de thym, de menthe, avance prudemment. Au palais, il a la plénitude et le caractère très sec d'un chardonnay de bonne éducation.

🕊 Roger Gaillard, Les Plantes, 71960 Davayé, tél. 03.85.35.83.31, fax 03.85.35.80.81 ☑ ⵣ r.-v.

DOM. DE LA BOFFELINE Azé 1998

| ☐ | 1 ha | 2 500 | ▮ | 20 à 29 F |

Si les écureuils buvaient du vin, on leur recommanderait celui-ci. Comme il sent la noisette ! Agréable à l'œil, également floral, il perd un peu de son élan en fin de course mais il représente ce qu'on attend de l'appellation.

🕊 Frédéric Lenormand, En Fourgeau, 71260 Azé, tél. 03.85.33.33.82, fax 03.85.33.33.82 ☑ ⵣ t.l.j. 9h-12h30 14h-19h30

DOM. DE LA CROIX SENAILLET Davayé 1998★

| ☐ | 1,3 ha | 7 000 | ▮🍷 | 50 à 69 F |

L'églantine et le silex se relaient pour former une suite aromatique pleine de diversité. L'acidité donne du relief au palais, légèrement nimbé d'agrumes. Il n'est pas d'une longueur folle mais réussit son numéro de charme. Pour un fromage frais de brebis mâconnais.

🕊 GAEC Richard et Stéphane Martin, Dom. de La Croix Sénaillet, En Coland, 71960 Davayé, tél. 03.85.35.82.83, fax 03.85.35.87.22 ☑ ⵣ r.-v.

DOM. DE LA DENANTE 1999★

| ☐ | 1,5 ha | 10 000 | ▮🍷 | 30 à 49 F |

Un vin de caractère, d'un or assez clair et d'un nez expressif. Puissant même. Une pointe muscatée lui offre un je-ne-sais-quoi d'agréable et de charmeur. Voire de raffiné. Et si l'on avait quelque chose à lui pardonner, sa jeunesse excuserait tout. Mais on cherche. Non, il n'a rien à confesser.

🕊 Robert Martin, Les Peiguins, 71960 Davayé, tél. 03.85.35.82.88, fax 03.85.35.86.71 ☑ ⵣ r.-v.

DOM. DE LALANDE Chaintré 1998★

| ☐ | 1,5 ha | 6 000 | ▮ | 30 à 49 F |

Vignerons et tonneliers se sont succédé ici de génération en génération jusqu'à l'actuel exploitant, à la barre depuis près de vingt ans. Son mâcon-Chaintré brille de tout son or. Il garde un nez très jeune et fleuri. Certes, la bouche apparaît un peu en retrait mais le corps est solide et pourra tenir deux à trois ans.

☛ Dominique Cornin, chem. du Roy-de-Croix, 71570 Chaintré, tél. 03.85.37.43.58, fax 03.85.37.43.58, e-mail dominique.cornin@fnac.net ☑ ☒ r.-v.

DOM. MICHEL LAPIERRE
Solutré-Pouilly 1998★

☐	0,5 ha	4 500	■ ⚫ 30 à 49 F

Quand on lit sur l'étiquette Solutré-Pouilly, on sait que le pouilly-fuissé n'est pas loin. Gras, souplesse, vivacité, ce 98 s'inspire quelque peu de son illustre voisin, mais il reste dans son camp et choisit le destin d'un honnête vin de soif.
☛ Michel Lapierre, 71960 Solutré-Pouilly, tél. 03.85.35.80.45, fax 03.85.35.87.61 ☑ ☒ r.-v.

DOM. LA SOUFRANDISE
Fuissé Le Ronté 1998★★

☐	1 ha	6 000	■ ⚫ 30 à 49 F

=== 1998 ===
Le Ronté   Le Ronté

MÂCON – FUISSÉ
Appellation Mâcon - Fuissé Contrôlée

Domaine La Soufrandise

Product of France   Mis en Bouteille au Domaine

Alc. 13% / Vol.   ℮ 750 ml

Françoise et Nicolas Melin
Propriétaires - Récoltants à 71960 Fuissé - France

Coup de cœur, et il ne s'agit pas d'une *start-up* au destin incertain. Domaine sérieux, abonné à nos félicitations, souvent sur le podium. Son 98 est de nouveau remarquable. Or sombre, il distille de superbes notes d'agrumes, de chèvrefeuille, d'iris, de fruits confits. La bouche témoigne d'un corps bien fait, délicieux et d'une grande longueur.
☛ Françoise et Nicolas Melin, EARL Dom. La Soufrandise, 71960 Fuissé, tél. 03.85.35.64.04, fax 03.85.35.65.57 ☑ ☒ r.-v.

CH. DE LA TOUR DE L'ANGE 1999

☐	14 ha	90 000	■ ⚫ 30 à 49 F

Le premier préfet de Saône-et-Loire nommé par Napoléon Ier gouverna jadis ce domaine qui aurait été exploité auparavant par le fameux Claude Brosse (il fit trinquer toute la cour de Versailles à la santé du mâcon). L'histoire est ici accolée à chaque pied de vigne. Le vin n'est pas indigne de ce passé. Or vert, il s'exprime par le fruit et est à boire dans l'année qui vient.
☛ SCE Ch. de La Tour de l'Ange, chem. du bourg, 71850 Charnay-lès-Mâcon, tél. 03.85.34.96.67, fax 03.85.34.97.98, e-mail info@latourdelange.com ☑ ☒ r.-v.

CH. DE LA TOUR PENET 1998★

☐	n.c.	n.c.	■ 30 à 49 F

Un soupçon de gaz. Effet de jeunesse. Pétulance admissible. A l'heure où j'en suis ce texte, tout cela a disparu. Inutile d'aller à *Disneyland*. La fée porte une robe éclatante. Le bon génie apporte au nez la noisette et le miel. De l'attaque

au dernier carré en bouche, cela tient le coup et vous raconte encore des histoires.
☛ Jacques Charlet, 71570 La Chapelle-de-Guinchay, tél. 03.85.36.82.41, fax 03.85.33.83.19

DOM. DES LEGERES Péronne 1999★★

☐	n.c.	n.c.	■ ⚫ 30 à 49 F

Ce nouveau-né déjà bien doré chardonne aimablement sur des arômes de coing. On retrouve ce fruit en bouche. Pas très puissant mais évocateur du Mâconnais, cette Bourgogne à l'accent chantant.
☛ Véronique et Pierre Janny, La Condemine, 71260 Péronne, tél. 03.85.36.97.03, fax 03.85.36.96.58 ☑ ☒ r.-v.

LES BRUYERES 1998★

☐	4 ha	25 000	■ 30 à 49 F

Une couleur or gris, un nez pas trop bavard. Frais, net, il chevauche une pointe citronnée. N'allons pas perturber ses rêves d'enfant. Il a de l'avenir et se révèlera en 2001 ou 2002.
☛ Maurice Lapalus, Les Bruyères, 71960 Pierreclos, tél. 03.85.35.71.90, fax 03.85.35.71.90, e-mail lapalus.maurice@wanadoo.fr ☑ ☒ r.-v.

DOM. ROGER LUQUET
Clos de Condemine 1998★★

☐	4,2 ha	35 000	■ 30 à 49 F

La fleur jaune, le fruit mûr, on peut tourner éternellement autour, et on en arrive toujours à ce même résultat : ce 98 répond présent à l'appel. La bouche est ici complète, avec un support minéral qui contribue à la sincérité du tableau. Peut attendre de deux à trois ans.
☛ Dom. Roger Luquet, 71960 Fuissé, tél. 03.85.35.60.91, fax 03.85.35.60.12 ☑ ☒ t.l.j. sf dim. 8h-19h

MARSON ET NATIER 1998★★

☐	n.c.	40 000	■ ⚫ 30 à 49 F

Créée par la maison Chauson, il y a une cinquantaine d'années, cette marque est destinée à 80 % à l'export (Royaume-Uni, Allemagne, Japon). Ces pays ont bien de la chance de recevoir ce vin : « c'est si bon ». Or pâle, il enroule le palais dans une finesse minérale presque infinie. L'ensemble est éblouissant.
☛ Marson et Natier, 10, rue du Collège, 21200 Beaune, tél. 03.80.25.97.96, fax 03.80.24.17.42

P. MISSEREY 1998★

☐	n.c.	30 000	■ ⚫ 50 à 69 F

Misserey à Nuits (famille Lanvin) a de fortes accointances en Mâconnais. Et un bon carnet d'adresses. Dès lors, ce 98 qui chardonne vertement est fringant comme un jeune offficier de cavalerie. Joli brin de vin, typé, comme la brise du printemps qui vous met le cœur en fête.
☛ Maison P. Misserey, 3, rue des Seuillets, B.P. 10, 21701 Nuits-Saint-Georges Cedex, tél. 03.80.61.07.74, fax 03.80.61.31.40 ☑ ☒ r.-v.

BOURGOGNE

DOM. PHILIPPE Vieilles vignes 1998★

| | 2 ha | 12 000 | 🍴⟐ 30 à 49 F |

Quand le vin est tiré... Celui-ci est « réalisé », et donc à boire maintenant. Il s'agrémente d'un nez de chèvrefeuille et de fruits à haute maturité. La prise en bouche est à l'avenant, sur la rondeur et le gras, avec un rien de nonchalance tranquille.
☛ Jean-Claude et Corinne Philippe, Chapotin Cidex 2163, 71260 Viré, tél. 03.85.33.90.91, fax 03.85.33.90.91 ⟐ t.l.j. 9h-19h30

DOM. SAINT-PHILIBERT Loché 1998

| | 1,05 ha | n.c. | 🍴⟐ 30 à 49 F |

Simple et de bon goût, un vin or gris, qui se plaît dans un parfum d'églantine d'une fraîcheur constante. Attaque souple, puis du mordant. Corsé tout en restant racé.
☛ Philippe Bérard, Dom. Saint-Philibert, 71000 Loché, tél. 04.78.43.24.96, fax 04.78.35.90.87,
e-mail berard-loche@wanadoo.fr ☑ ⟐ r.-v.

RAPHAEL ET GERARD SALLET
Chardonnay Dom. de l'Arfentière 1998★

| | 0,54 ha | 4 800 | 🍴⟐ 30 à 49 F |

Une statue de saint Vincent mesurant 4 m a été sculptée dans un cèdre. On dégusterait volontiers ce vin avec une part de brioche. D'un jaune profond, il allie fraîcheur et vivacité. Goûteux, séveux, en même temps que subtil, c'est un vin d'apéritif.
☛ EARL R. et G. Sallet, rte de Chardonnay, 71700 Uchizy, tél. 03.85.40.50.45, fax 03.85.40.58.05 ☑ ⟐ r.-v.

DOM. SAUMAIZE-MICHELIN
Les Sertaux 1998★

| | 1 ha | 4 500 | ◫ 30 à 49 F |

Jeune, bien jeune. On lui donne rendez-vous dans un an, dans deux ans. Mais son or jaune donne envie d'entrer dans le sujet. Nez de brugnon bien mûr sous fût à civiliser. L'acidité est adolescente. A revoir en effet, avec un geste de sympathie confiante.
☛ Roger et Christine Saumaize, Dom. Saumaize-Michelin, Le Martelet, 71960 Vergisson, tél. 03.85.35.84.05, fax 03.85.35.86.77 ☑ ⟐ r.-v.

GERALD ET PHILIBERT TALMARD
Chardonnay Cuvée Joseph Talmard 1998★

| | 6 ha | 36 000 | 🍴⟐ 30 à 49 F |

Le chardonnay de Chardonnay. Comme on dit d'un parfum Molinart de Molinart. Bouton d'or, intense et complexe au plan aromatique, il est doté d'une superbe constitution faite d'une belle étoffe. Destiné à une cuisine à la crème, car son volume s'y prêtera.
☛ Dom. Gérald et Philibert Talmard, rue des Fosses, 71700 Uchizy, tél. 03.85.40.53.18, fax 03.85.40.53.52, e-mail gerald.talmard@wanadoo.fr ☑ ⟐ r.-v.

DOM. DU TERROIR DE JOCELYN
Bussières 1999★

| | 3 ha | 6 000 | 🍴⟐ 30 à 49 F |

Fidèle à ses principes, rigoureux, déjà empli de maturité, un 99 assez flatteur et qui offre une harmonie sans défaut. Ne nous bousculons pas... Il faut lui laisser le temps de vivre sa vie en bouteille.
☛ Daniel et Annie Martinot, Les Fuchats, 71960 Bussières, tél. 03.85.36.65.05, fax 03.85.36.65.05 ☑ ⟐ r.-v.

DOM. THIBERT PERE ET FILS
Prissé En Chailloux 1999★★★

| | 1,3 ha | 9 000 | 🍴⟐ 30 à 49 F |

Après un stage dans une *winery* de Nouvelle-Zélande, la fille de la maison a rejoint le domaine. Son premier millésime (99) reçoit le coup de cœur : quel beau départ dans la vie ! Or jaune très doux, ce vin particulièrement réussi met en émoi les papilles. Bourgeon de cassis et violette composent un bouquet recherché. Très aromatique, le palais est d'une longueur étonnamment friande. Digne d'un feuilleté aux crustacés. Par ailleurs, le jury a attribué une étoile au **mâcon-fuissé 99**.
☛ Dom. Thibert Père et Fils, Au Bourg, 71960 Fuissé, tél. 03.85.35.61.79, fax 03.85.35.66.21,
e-mail domthibe@club-internet.fr ☑ ⟐ r.-v.

DOM. DES VALANGES Davayé 1999★

| | 0,5 ha | 4 500 | 🍴⟐ 30 à 49 F |

Croisière Paquet : ses arômes de mangue, de grenade ont le charme des îles lointaines. Jaune pâle, le nez intense, il privilégie le fruit et s'en trouve bien jusqu'en fin de bouche. Susceptible d'évolution positive, il peut attendre un peu avant d'être servi avec un fromage de chèvre affiné.
☛ Michel Paquet, Les Valanges, 71960 Davayé, tél. 03.85.35.85.03, fax 03.85.35.86.67, e-mail domainedesvalanges@wanadoo.fr ☑ ⟐ r.-v.

CHANTAL ET DOMINIQUE VAUPRE
Solutré 1998★★

| | 0,5 ha | 4 500 | 🍴⟐ 30 à 49 F |

« Il y a des gens qui ont en eux la richesse et la joie et qui les communiquent à tous ceux qu'ils touchent », écrit Thomas Wolfe. Il en est de même de certains vins. Celui-ci par exemple. Etincelant, il rappelle les parfums du tilleul, de la verveine, tout en manifestant une race superbe et authentique. Quel gras ! Mérite un poisson de mer, le rouget notamment.
☛ Dominique Vaupré, Au Bourg, 71960 Solutré-Pouilly, tél. 03.85.35.85.67, fax 03.85.35.86.63 ☑ ⟐ r.-v.

DOM. DU VIEUX PUITS 1998★★

| ☐ | 1,8 ha | 8 000 | 🍾⚲ | 30 à 49 F |

Une bouteille qu'on aimerait faire goûter à ses amis. Un vin pénétrant et subtil issu vraisemblablement d'un petit rendement. Discret à l'œil, partagé entre le citron, la minéralité et la fleur d'été, il est mâcon-villages jusqu'au bout des ongles.
☞ Corinne et Thierry Drouin, Le Grand Pré, 71960 Vergisson, tél. 03.85.35.84.36, fax 03.85.35.86.84 ☑ ⏧ r.-v.

Viré-clessé

Appellation communale récente née le 4 novembre 1998, viré-clessé a de solides ambitions en matière de vins blancs. La délimitation porte sur 552 ha dont 401,6 sont actuellement plantés. Les dénominations mâcon-viré et mâcon-clessé disparaîtront en 2002.

DOM. ANDRE BONHOMME
Vieilles vignes 1998

| ☐ | 2 ha | 10 000 | 🍾⏸⚲ | 50 à 69 F |

Des vignes de plus de soixante ans, 30 % de fûts de chêne neuf, voici pour l'origine. Grillé, brûlé, fumé, le fût donne ici un récital. Sous un bel or et avec des nuances de tilleul, ce vin évolue vers des arômes exotiques sans trop de vivacité, recherchant le confort plus que l'aventure.
☞ Dom. André Bonhomme, Cidex 2108, 71260 Viré, tél. 03.85.33.11.86, fax 03.85.33.93.51 ☑ ⏧ t.l.j. 8h-20h; dim. sur r.-v.

DOM. LES COMBELIERES 1998

| ☐ | n.c. | n.c. | 🍾 | 30 à 49 F |

Or, légèrement mentholé et pêche blanche, il est plaisant à boire, avec un petit goût muscaté qui le désigne pour l'apéritif.
☞ Prosper Maufoux, pl. du Jet-d'Eau, 21590 Santenay, tél. 03.80.20.60.40, fax 03.80.20.63.26 ☑ ⏧ r.-v.

DOM. LES COMBELIERES 1998★

| ☐ | 8 ha | 6 000 | 🍾 | 30 à 49 F |

La jeune appellation a besoin de tels vins pour plonger avec grâce dans ses fonts baptismaux. Floral et végétal sous une robe chaude, le chardonnay apparaît ici comme la générosité même. Amande grillée, un tantinet d'amertume, une fin de bouche intéressante, c'est pour tout dire bon. A goûter sur un fromage de chèvre mâconnais.
☞ EARL Claudius Rongier et Fils, rue du Mur, 71260 Clessé, tél. 03.85.36.94.05, fax 03.85.36.94.05 ☑ ⏧ r.-v.

DOM. DU MONT EPIN
Vieilles vignes 1998

| ☐ | 3,5 ha | 6 000 | 🍾⚲ | 50 à 69 F |

Riche mais de maturité avancée, très gras et fondé sur une matière surabondante, laissant deviner une pointe de fruits cuits, il met de l'or plein les yeux et se manifeste au nez par quelques touches florales. Un poisson crémeux lui fera passer un bon moment.
☞ Jean-Claude Terrier, Briconnat, 71260 Clessé, tél. 03.85.36.93.85, fax 03.85.36.98.78 ☑ ⏧ r.-v.

DOM. PHILIPPE 1998★

| ☐ | 3 ha | 13 300 | 🍾⚲ | 30 à 49 F |

En cave coopérative jusqu'en 1997, ce viticulteur est alors passé en cave particulière. Son 98 tire davantage sur le jaune foncé que sur l'or doux. Mais d'une brillance extrême ! Le lilas et la menthe agrémentent un bouquet qui ne manque pas de personnalité. Beaucoup de chevaux dans le moteur : un vin puissant et joliment fruité, en harmonie probable avec le brochet de Saône.
☞ Jean-Claude et Corinne Philippe, Chapotin Cidex 2163, 71260 Viré, tél. 03.85.33.90.91, fax 03.85.33.90.91 ☑ ⏧ t.l.j. 9h-19h30

RIJCKAERT L'Epinet 1998

| ☐ | 1,3 ha | 10 500 | ⏸ | 70 à 99 F |

Viticulteur et négociant établi à Leynes ; son nom nous rappelle que la Flandre fut jadis bourguignonne. Or pâle, nettement boisé, un vin qui plaira aux amateurs de cet élevage. On y trouve du miel et de la cire d'abeille aussi. Assez onctueux, il a des atouts dans son jeu et peut s'épanouir, sinon se libérer.
☞ Rijckaert, Correaux, 71570 Leynes, tél. 03.85.35.15.09, fax 03.85.35.15.09 ☑ ⏧ r.-v.

CAVE DE VIRE Cuvée spéciale 1999★★

| ☐ | 100 ha | 70 000 | 🍾⚲ | 30 à 49 F |

Une étoile pour le **Grande Réserve 99 blanc** destiné aux âmes sensibles. Frais, miellé mais encore sur la réserve. Une citation pour la cuvée **Prestige 98 blanc**, très boisée mais avec de la classe. Et celui-ci dit, Cuvée spéciale 99, étiquette blanche toute simple. Un vin très prometteur drapé dans un or assez ferme, le nez abricoté et piaffant de jeunesse, le palais équilibré et long, en devenir. Le meilleur ? Sans doute ici.
☞ Cave de Viré, En Vercheron, 71260 Viré, tél. 03.85.32.25.50, fax 03.85.32.25.55, e-mail cavedevin@wanadoo.fr ☑ ⏧ t.l.j. 8h-12h 14h-18h

Pouilly-fuissé

Le profil des roches de Solutré et de Vergisson s'avance dans le ciel comme la proue de deux navires ; à leur pied, le vignoble le plus prestigieux du

BOURGOGNE

Le Mâconnais

Mâconnais, celui de pouilly-fuissé, se développe sur les communes de Fuissé, Solutré-Pouilly, Vergisson, et Chaintré. La production atteint 44 306 hl en 1999.

Les vins de Pouilly ont acquis une très grande notoriété, notamment à l'exportation, et leurs prix ont toujours été en compétition avec ceux des chablis. Ils sont vifs, pleins de sève et parfumés. Lorsqu'ils sont élevés en fût de chêne, ils acquièrent en vieillissant des arômes caractéristiques d'amande grillée ou de noisette.

AUVIGUE Vieilles vignes 1998★★

	n.c.	7 000	◫	70 à 99 F

Cette maison de négoce présidée par Jean-Pierre Auvigue propose ici deux superbes vins. Recevant une étoile, un **Chailloux 98** de Solutré, jaune citron, fleurs séchées et ananas au nez, franc et bien rond. En finale, on retrouve les mêmes arômes baignant dans une cuiller de miel. Et ce coup de cœur au terroir omniprésent, d'une classe exceptionnelle. Fleurs d'acacia, noisette, amande grillée, il attaque sur un registre fin puis monte en puissance jusqu'à une finale complexe.
↳ Auvigue-Burrier-Revel, Le Moulin-du-Pont, 71850 Charnay-lès-Mâcon, tél. 03.85.34.17.36, fax 03.85.34.75.88,
e-mail vins-auvigue@wanadoo.fr ☑ ⏺ r.-v.
↳ Michel Auvigue

CH. DE BEAUREGARD 1998★

	10 ha	n.c.	▤◫⏺	70 à 99 F

« Que le vent qui gémit, le roseau qui soupire... » On se trouve ici au cœur du pays de Lamartine. S'étonnera-t-on si l'on juge ce vin lyrique ? D'une teinte assez jaune, alliant le végétal et le floral avec un petit côté surmaturé pas désagréable du tout, il sait rester jeune sans pour autant négliger ses rondeurs. Mentionnons en outre **La Maréchaude 98**, même note. Frédéric-Marc Burrier vient de prendre la barre de ce domaine créé en 1816.
↳ Joseph Burrier, Ch. de Beauregard, 71960 Fuissé, tél. 03.85.35.60.76, fax 03.85.35.66.04,
e-mail josephburrier@mageos.com ☑ ⏺ r.-v.

CLOS DE LA CHAPELLE 1998★★

	0,4 ha	1 600	◫	100 à 149 F

Coup de cœur en 1996 (millésime 93), Catherine et Pascal Rollet se sont installés ici il y a près de vingt ans. Issus de l'élevage charolais, ils étaient fermement décidés à restaurer ce domaine dans sa notoriété ancienne. Pari tenu. Nous avons aimé la cuvée **Vieilles vignes 98** (une étoile - 70 à 89 F), un vin très typé au boisé léger, agréable, et à servir pendant trois ou quatre ans ; et plus encore celui-ci : miel et pain grillé, gras, chaleureux, structuré, riche de promesses.
↳ Pascal Rollet, hameau de Pouilly, 71960 Solutré-Pouilly, tél. 03.85.35.81.51, fax 03.85.35.86.43 ☑ ⏺ r.-v.

CLOS DU MARTELET 1998

	0,9 ha	5 000	▤◫⏺	70 à 99 F

Michelle Galley-Golliard a un pied vigneron sur morey et chambolle, l'autre, ici, sur le flanc de la roche de Vergisson. Son 98 témoigne d'un bon doigté. Jaune clair, beurre et fleur blanche, il sait être discret, de bonne compagnie, tout en poussant ses pions avec un boisé bien fondu.
↳ Michelle Galley-Golliard, Le Tremblay, 71250 Cluny, tél. 03.85.59.11.58, fax 03.85.59.21.46 ☑ ⏺ r.-v.

CHRISTIAN COLLOVRAY ET JEAN-LUC TERRIER 1998★★

	n.c.	8 000	▤◫⏺	70 à 99 F

Un archet qui colle à la corde et qui en tire les plus beaux chants du chardonnay. Élégant, racé, il procure un rare et subtil sentiment d'émotion esthétique. Un premier violon affronté à une grande partition ! Sa robe est d'une sage discrétion, son bouquet une jolie composition florale. Ce vin provient d'une vigne perchée assez haut sous la roche de Vergisson. Presque coup de cœur.
↳ Collovray-Terrier, Vins des Personnets, 71960 Davayé, tél. 03.85.35.86.51, fax 03.85.35.86.12 ☑ ⏺ r.-v.

DOM. CORDIER PÈRE ET FILS
Vieilles vignes 1998★★

	2,5 ha	15 000	◫	100 à 149 F

« Nous avons fait un beau voyage... Nous avons fait... » Vous connaissez la chanson. Beau voyage en effet que celui-ci : **Vers Cras** et **Vers Pouilly 98** (150 à 199 F) sont d'excellents guides pour découvrir les qualités du cru. Notre préféré est toutefois la cuvée Vieilles vignes. Elle emplit le verre d'un or brillant. Nez d'agrumes un peu toasté. Puis une profondeur subtile (gras, cire d'abeille). Pourra se conserver. A essayer sur un foie gras frais ou tout autre grand plat !
↳ Dom. Cordier Père et Fils, 71960 Fuissé, tél. 03.85.35.62.89, fax 03.85.35.64.01 ⏺ r.-v.

DOM. MICHEL DELORMET
Sur la Roche 1998★★

	0,56 ha	4 000	▤⏺	50 à 69 F

Une étiquette utile. Elle montre tout simplement la belle maison mâconnaise à galerie au bourg de Vergisson, où vous serez les bienvenus le Guide en poche. Pour un pouilly-fuissé particulièrement bien élaboré, de belle intensité.

Riche, puissant, complexe, équilibré et long, il devra être mis dans une bonne cave pendant deux ans et bu pendant cinq ou six ans.
➤ Dom. Michel Delorme, Le Bourg, 71960 Vergisson, tél. 03.85.35.84.50, fax 03.85.35.84.50 ☑ ⏄ r.-v.

CORINNE ET THIERRY DROUIN
Vieilles vignes Vinifié en fût de chêne 1998**

| ☐ | 0,1 ha | 1 600 | ▮◖▮↓ | 70 à 99 F |

Très frais, très vif, très structuré, il est... très. Très tout. Très brillant. Très poire et coing. Très charnu. Très fondu. Très gras. Très long. Sera à son meilleur niveau d'ici un à trois ans. Vinification remarquable.
➤ Corinne et Thierry Drouin, Le Grand Pré, 71960 Vergisson, tél. 03.85.35.84.36, fax 03.85.35.86.84 ☑ ⏄ r.-v.

GEORGES DUBŒUF 1997

| ☐ | n.c. | 40 000 | ▮◖▮↓ | 50 à 69 F |

Si Georges Dubœuf n'était pas là, on aurait l'impression qu'il manque quelque chose au paysage. Le pape du beaujolais est cardinal en Mâconnais. Ce vin revêt une robe brodée d'or, vanillée. Un poulet aux morilles l'attendra un an ou deux.
➤ Vins Georges Dubœuf SA, quartier de la Gare, B.P. 12, 71570 Romanèche-Thorins, tél. 03.85.35.34.20, fax 03.85.35.34.25, e-mail mcvgd@csi.com ☑ ⏄ t.l.j. 9h-18h au Hameau en Beaujolais; f. 1er-15 jan.

DOM. DUTRON 1998

| ☐ | n.c. | 15 000 | ◖▮ | 70 à 99 F |

Plus classique, on n'en trouve guère. Or bronze, tirant sur l'exotique et la mangue... Oui, classique ou plus exactement néoclassique. C'est friand, légèrement acidulé, peu charpenté mais cela se boit bien. La finale reste antillaise ; c'est ainsi qu'on voyage par la pensée.
➤ Cie des Vins d'Autrefois, abbaye Saint-Martin, 53, av. de l'Aigue, 21200 Beaune, tél. 03.80.26.33.00, fax 03.80.24.14.84, e-mail mallet.b@cva-beaune.fr ⏄ r.-v.
➤ Jean-Pierre Nie

DOM. ELOY 1998**

| ☐ | 1 ha | 1 200 | ▮ | 50 à 69 F |

Depuis 1987, Jean-Yves Eloy dirige ce domaine. Sa maison à galerie mâconnaise est caractéristique de l'habitat de la région. Ce vin fait le parcours complet comme à Cluny ou à Paray-le-Monial. Sans faire tomber une barre. Mais le chronomètre ne le préoccupe pas : il a tout son temps et vous aussi. Doré à l'œil, citronné au nez, il est aisé de passer les premiers obstacles. En bouche, c'est une autre affaire, notamment le triple de l'entrée de bouche à l'arrière-fond du palais. Parfait !
➤ Jean-Yves Eloy, Le Plan, 71960 Fuissé, tél. 03.85.35.67.03, fax 03.85.35.67.07 ⏄ r.-v.

CH. FUISSÉ Les Combettes 1998**

| ☐ | 2 ha | 3 500 | ◖▮ | 100 à 149 F |

Le pouilly-fuissé possèdera-t-il un jour des 1ers crus ? La question partage depuis longtemps le pays et, à y bien regarder, elle mérite qu'on s'y arrête. D'autant que, comme ici, le *climat*

personnalise le vin avec bonheur. Des Combettes qui font jeu égal avec leurs cousines de la Côte de Beaune. L'or, le miel, elles ont beaucoup de charme et de présence. Elles sont de bonne garde. Ce domaine a reçu naguère un coup de cœur.
➤ SC Ch. de Fuissé, 71960 Fuissé, tél. 03.85.35.61.44, fax 03.85.35.67.34, e-mail jean-jacques.vincent@wanadoo.fr ☑ ⏄ r.-v.
➤ Jean-Jacques Vincent

ROGER GAILLARD Les Crays 1998*

| ☐ | n.c. | 1000 | ▮ | 50 à 69 F |

Un vieil or pâle ; noix fraîche et citron, pêche et fleurs blanches, le nez séduit d'emblée, ce vin n'a pas beaucoup de gras, tout en étincelant de typicité. Du caractère, il n'en manque pas, et on irait chercher les cuisses de grenouilles de la Dombes qu'on n'en serait pas surpris.
➤ Roger Gaillard, Les Plantes, 71960 Davayé, tél. 03.85.35.83.31, fax 03.85.35.80.81 ☑ ⏄ r.-v.

DOM. DES GERBEAUX
Aux Chailloux 1998*

| ☐ | n.c. | 600 | ◖▮ | 50 à 69 F |

Ce domaine obtint le coup de cœur dans notre édition 1992 (millésime 90). Il s'agit ici d'une petite parcelle sur Pouilly récoltée en cagettes comme c'était la tradition. Or vert, un chardonnay franc de goût, floral et noisette, terminant par une note vive et épicée, comme une invitation au revenez-y. À défaut, **Vieilles vignes terroir de Solutré 99**, en devenir, ou encore, plus équilibré et qui devrait valoir deux étoiles l'an prochain, un **Terroir pouilly et fuissé Vieilles vignes 99**.
➤ Béatrice et Jean-Michel Drouin, Dom. des Gerbeaux, 71960 Solutré-Pouilly, tél. 03.85.35.80.17, fax 03.85.35.87.12 ☑ ⏄ r.-v.

DOM. GONON Vieilles vignes 1998

| ☐ | 0,4 ha | 5 000 | ▮↓ | 50 à 69 F |

Un pouilly est en général un peu plus gras, mais celui-ci sera un vin délicieux dans un an ou deux. Citron léger à l'œil, citron mûr au nez, il intéresse par sa fraîcheur. Il glisse entre les papilles comme une truite de rivière. N'est-ce pas sa compagne privilégiée ?
➤ Dom. Gonon, 71960 Vergisson, tél. 03.85.37.78.42, fax 03.85.37.77.14 ☑ ⏄ r.-v.

CAVE DES GRANDS CRUS BLANCS
1998

| ☐ | 4,42 ha | 30 000 | ▮↓ | 50 à 69 F |

La cave de Vinzelles, qui vinifie 134 ha de vignes, dispose de 4,4 ha en pouilly-fuissé. Minéral, un peu grillé, très ouvert, celui-ci nous fait la bouche pleine ! Bien élaboré sur un support assez léger. Mais la statue n'est-t-elle pas plus intéressante que son socle ?
➤ Cave des Grands Crus blancs, 71680 Vinzelles, tél. 03.85.35.61.88, fax 03.85.35.60.43 ☑ ⏄ r.-v.

LOUIS JADOT
Le Mont de Pouilly Vieilli en fût de chêne 1998

| ☐ | n.c. | 36 000 | ◖▮ | 100 à 149 F |

Or gris, citronné, évoluant vers le fruit blanc et l'amande grillée, il a un bien joli nez. Son boisé de qualité, ses notes minérales donnent envie de

l'attendre un à deux ans, le temps d'apaiser son caractère encore un peu turbulent. Mais nul doute qu'il en gardera le bon côté, la fraîcheur.
🔌 Maison Louis Jadot, 21, rue Eugène-Spuller, 21200 Beaune, tél. 03.80.22.10.57, fax 03.80.22.56.03, e-mail contact@louisjadot.com ☑ 𝕐 r.-v.

DOM. DE LA CREUZE NOIRE
Le Clos de Monsieur Noly 1997

| ☐ | 2,35 ha | 5 000 | 🎐🍷🎵⚖ | 50 à 69 F |

Le Clos de Monsieur Noly est un classique du pays. Heureux homme qui a laissé ainsi son nom à un si bon vin ! Amande et miel, structuré, un peu démonstratif, assez boisé, ce 97 finit le trajet sur une note d'amertume que connaissent la plupart des chardonnays. Prêt à passer à table. Envoyez le saumon à l'oseille !
🔌 Dominique et Christine Martin, La Creuze Noire, 71570 Leynes, tél. 03.85.37.46.43, fax 03.85.37.44.17 ☑ 𝕐 r.-v.

DOM. DE LA CROIX SENAILLET
1998★

| ☐ | 0,17 ha | 1 300 | ⚖🍷 | 70 à 99 F |

Or jaune à reflets paille, il montre déjà l'étendue de ses possibilités. Expressif et complexe, fleurs sèches et fruits confits, il démontre qu'il n'entend pas être laissé sur la touche. La bouche s'exprime bien sur le fruit dans sa langue maternelle. Du gras, de la plénitude, on est sur un petit nuage...
🔌 GAEC Richard et Stéphane Martin, Dom. de La Croix Sénaillet, En Coland, 71960 Davayé, tél. 03.85.35.82.83, fax 03.85.35.87.22 ☑ 𝕐 r.-v.

DOM. DE LA FEUILLARDE
Vieilles vignes 1998★★

| ☐ | 0,5 ha | 3 000 | 🎵 | 50 à 69 F |

S'il n'est pas très coloré, il montre une typicité digne de tous les éloges. Ses arômes floraux précèdent puis accompagnent un séjour en bouche très intense, expressif, persistant. Sec comme doit l'être un pouilly-fuissé, il peut servir de modèle au sculpteur qui voudrait faire la statue du cru.
🔌 Lucien Thomas, Dom. de La Feuillarde, 71960 Prissé, tél. 03.85.34.54.45, fax 03.85.34.31.50 ☑ 𝕐 t.l.j. 8h-12h 13h-19h

DOM. LAPIERRE Vieilles vignes 1998

| ☐ | 0,3 ha | 2 000 | 🎵 | 70 à 99 F |

Bouteille légèrement évoluée mais bien dorée, miellée, grillée. Elle offre dans cette tonalité appuyée un honnête équilibre entre le moelleux et l'acidité. La chute finale est un peu abrupte, mais il est vrai que la roche de Solutré n'incite pas à faire les choses à moitié.
🔌 Michel Lapierre, 71960 Solutré-Pouilly, tél. 03.85.35.80.45, fax 03.85.35.87.61 ☑ 𝕐 r.-v.

DOM. LA SOUFRANDISE
Vieilles vignes 1998★

| ☐ | 3,5 ha | 16 000 | 🎐🍷🎵⚖ | 70 à 99 F |

Ancienne léproserie, la Soufrandise est l'œuvre d'un vieux grognard de Napoléon. Ce 98 veille sous son uniforme or jaune. Le miel et l'aubépine rendent les honneurs. Une note surmaturée peut-être (poire ?). Franc, équilibré, ce

vin tient bien debout. Avec ça très gras, corpulent même, et appelant le poisson à la crème.
🔌 Françoise et Nicolas Melin, EARL Dom. La Soufrandise, 71960 Fuissé, tél. 03.85.35.64.04, fax 03.85.35.65.57 ☑ 𝕐 r.-v.

DOM. PASCAL ET MIREILLE
RENAUD Cuvée aux Chailloux 1998★

| ☐ | 0,4 ha | 2 300 | 🍷⚖ | 50 à 69 F |

Ce *climat* situé sur Solutré est fort réputé. La robe d'un bel or pâle brillant, le nez sur le raisin de Corinthe, ce vin offre un bon équilibre entre le gras et l'acidité, même s'il n'a pas trop de prolongements. Recommandé pour dîner en ville à Paris : la vigne appartenait naguère à l'épouse d'Edouard Balladur. Ils se sont mariés à... Saint-Amour.
🔌 Dom. Pascal Renaud, Pouilly, 71960 Solutré-Pouilly, tél. 03.85.35.84.62, fax 03.85.35.87.42 ☑ 𝕐 r.-v.

MICHEL REY Les Crays 1998★

| ☐ | 0,12 ha | n.c. | | 70 à 99 F |

Michel Rey a proposé une **cuvée Vieilles vignes Les Charmes 98** pour une consommation aimable et prompte, et ces Crays. Ce vin destiné à l'attente car assez tannique demeure fermé malgré la présence de notes florales et miellées sur un fond grillé. Ses qualités sont néanmoins évidentes. A déguster dans cinq à dix ans, et pour un pouilly-fuissé c'est assez rare pour être signalé.
🔌 Michel Rey, Le Repostère, 71960 Vergisson, tél. 03.85.35.85.78, fax 03.85.35.87.91 ☑ 𝕐 r.-v.
🔌 Burrier

DOM. DU ROURE DE PAULIN 1998★

| ☐ | 1,1 ha | 4 000 | 🎐🍷🎵⚖ | 70 à 99 F |

Comment résister à cette bouteille au regard d'or, au parfum un tantinet exotique ? La bouche se donne très vite, vive en même temps que ronde.
🔌 Jean-Claude du Roure, 71960 Fuissé, tél. 03.85.35.65.48, fax 03.85.35.68.50 ☑ 𝕐 r.-v.

JACQUES SAUMAIZE
Vieilles vignes 1998★★

| ☐ | 0,9 ha | 4 000 | 🎵 | 70 à 99 F |

Ample, gras, parfumé, il nous fait comprendre pourquoi les Américains sont fous du pouilly-fuissé. Un vin géant, tout en velours et caractère, astucieux sur les bords et mettant les atouts dans sa manche. A Las Vegas, il ferait fortune. Accompagné de parfum de chèvrefeuille, d'aubépine, d'agrumes légèrement vanillés, il roule sur la langue comme un dé de casino. Pour tomber sur le bon chiffre : coup de cœur !

Jacques et Nathalie Saumaize, Les Bruyères, 71960 Vergisson, tél. 03.85.35.82.14, fax 03.85.35.87.00 ☑ ⊤ r.-v.

DOM. SAUMAIZE-MICHELIN
Clos sur la Roche 1998★★

	1,59 ha	9 000	**⑪** 70 à 99 F

Le cœur sur la main, un vin or blanc et pain grillé, nuancé d'acacia - le tout bien tempéré. Capiteux, ample, il s'impose comme l'un des 98 les mieux réussis, au point que le coup de cœur a été envisagé. *Climat* évoquant la roche de Vergisson, sœur jumelle de celle de Solutré. Mentionnons également **Les Ronchevats 98**, ainsi que **Vigne blanche 98**, qui ont fortement séduit nos dégustateurs, deux vins recevant chacun une étoile.
Dom. Roger et Christine Saumaize-Michelin, Le Martelet, 71960 Vergisson, tél. 03.85.35.84.05, fax 03.85.35.86.77 ☑ ⊤ r.-v.

DOM. DES TROIS TILLEULS 1999★

	6 ha	36 000	**▮ ⑪** 50 à 69 F

Les 99 ressemblent au TGV qu'on voit passer sans penser l'arrêter. Comme les Trois Mousquetaires, ces Trois Tilleuls sont quatre, près du bourg de Solutré. Un vin minéral et fermé, qui a du ressort, du montant et qui pourrait bien nous réserver d'ici longtemps de bonnes surprises.
Paul Beaudet, rue Paul-Beaudet, 71570 Pontanevaux, tél. 03.85.36.72.76, fax 03.85.36.72.02, e-mail paulbeaudet@compuserve.com ☑ ⊤ t.l.j. sf sam. dim. 8h-12h 13h30-17h30; f. août

VESSIGAUD Vers Pouilly 1998★

	0,4 ha	2 500	**▮** 70 à 99 F

Sous son étiquette très originale, on pourrait penser à un vin d'une modestie exemplaire. Il n'en est rien car sa personnalité n'est pas si réservée que ça : des parfums (pamplemousse, poire et tilleul) nettement marqués et une bouche, tendre, souple, plaisante. Coup de cœur en 1992 pour son 89 d'heureuse mémoire.
Dom. Vessigaud Père et Fils, hameau de Pouilly, 71960 Solutré-Pouilly, tél. 03.85.35.81.18, fax 03.85.35.84.29 ☑ ⊤ r.-v.

DOM. DES VIEILLES PIERRES
La Roche Vieilles vignes 1998★★

	0,36 ha	2 000	**▮ ↓** 70 à 99 F

Coup de cœur numéro un à l'issue de l'ultime dégustation. Il connaît son pouilly-fuissé sur le bout des doigts ! C'est ramassé à pleine maturité et porté à l'expression suprême du chardonnay méridional. La perfection.

Jean-Jacques Litaud, Les Nembrets, 71960 Vergisson, tél. 03.85.35.85.69, fax 03.85.35.86.26 ☑ ⊤ r.-v.

Pouilly loché et pouilly vinzelles

Beaucoup moins connues que leur voisine, ces petites appellations situées sur les communes de Loché et Vinzelles produisent des vins de même nature que le pouilly-fuissé, avec peut-être un peu moins de corps. La production a atteint, en 1999, 1 764 hl en loché et 2 830 hl en vinzelles, uniquement en vins blancs.

Pouilly loché

DOM. DU CHATEAU DE LOCHE 1998

	n.c.	15 000	**▮ ↓** 70 à 99 F

La maison nuitonne Misserey (Lanvin) a de fortes accointances avec ce domaine. Pâle, ce vin ne se révèle pas trop jusqu'à la bouche vive et fruitée, un peu complexe, entre l'agrume et le coing, qu'on aimerait légèrement plus ample et longue. Les choses sont ainsi.
Maison P. Misserey, 3, rue des Seuillets, B.P. 10, 21701 Nuits-Saint-Georges Cedex, tél. 03.80.61.07.74, fax 03.80.61.31.40 ☑ ⊤ r.-v.

DOM. CORDIER PERE ET FILS 1998★★

	0,45 ha	1 800	**⑪** 70 à 99 F

Célèbre domaine de Fuissé. C'est bien simple. Dès qu'il sent ce 98, le TGV s'arrête tout seul. Le signal d'alarme n'est pas plus efficace ! Ce pouilly-loché au mieux de sa forme décline tout, l'or jaune nuancé de bronze, le coing et le caramel, une excellente tenue en bouche. Bon assemblage vin-fût, laissant une impression de richesse cachée... le sentiment d'une complexité remarquable.
Dom. Cordier Père et Fils, 71960 Fuissé, tél. 03.85.35.62.89, fax 03.85.35.64.01 ☑ ⊤ r.-v.

ALAIN DELAYE 1998

	0,98 ha	6 500	**▮ ⑪** 50 à 69 F

La cave d'Alain Delaye est un endroit de fort bonne compagnie. Il signe un loché entre l'amande et la fleur, d'une robe limpide et qui a du répondant. Le fil est léger et cependant vivace.

Très *top model* comme les magazines nous en offrent l'image.
☛ Alain Delaye, Les Mûres, 71000 Loché, tél. 03.85.35.61.63, fax 03.85.35.61.63 ☑ ⏳ r.-v.

DOM. GIROUX Au Bûcher 1998★

| ☐ | 1 ha | 5 000 | ⬛⬇ | 30 à 49 F |

L'appellation loché en pouilly fut longtemps quasiment inexistante. Des producteurs s'y intéressent maintenant, et c'est très bien. Tel celui-ci qui propose un 98 dont la structure met en relief les arômes de fleurs tout d'abord, d'agrumes par la suite. Un vin très représentatif de ce cru, exprimé ici de façon plus robuste que fraîche.
☛ Yves Giroux, Les Molards, 71960 Fuissé, tél. 03.85.35.63.64, fax 03.85.32.90.08 ☑ ⏳ r.-v.

CAVE DES GRANDS CRUS BLANCS
Les Mûres 1998★★

| ☐ | 2,89 ha | 15 000 | ⬛⬇ | 50 à 69 F |

Presque coup de cœur, ce loché ressemble aux *Tableaux d'une exposition* de Moussorgski. Un véritable poème symphonique. Tantôt les cordes, tout en élégance et finesse. Tantôt l'orchestre entier, éclatant comme une marche triomphale. Belle finale épicée au moment où le chef dépose sa baguette sous les rappels. Bis ? Sur le fruit.
☛ Cave des Grands Crus blancs, 71680 Vinzelles, tél. 03.85.35.61.88, fax 03.85.35.60.43 ☑ ⏳ r.-v.

DOM. SAINT-PHILIBERT
Clos des Rocs 1998★★

| ☐ | 2,37 ha | n.c. | ⬛⬇ | 50 à 69 F |

Celui-ci est au sommet. Louis d'or, il s'ouvre sans doute un peu difficilement sur l'aubépine, la noisette. Mais au palais il rembourse les arriérés et vous compte les intérêts sans regarder la note. Attaque, structure, acidité, persistance, tout est au rendez-vous. A déguster sur sa fraîcheur préservée, sans attendre la fin des temps.
☛ Philippe Bérard, Dom. Saint-Philibert, 71000 Loché, tél. 04.78.43.24.96, fax 04.78.35.90.87, e-mail berard-loche@wanadoo.fr ☑ ⏳ r.-v.

Pouilly vinzelles

DOM. DES CLOSAILLES
Vieilles vignes 1997★★

| ☐ | 3,5 ha | 8 000 | ⬛⬛⬇ | 30 à 49 F |

Un vinzelles produit en grande partie sur le château. Il inspire de bons sentiments, tant il a d'éclat doré, de bouquet vivifiant et de boisé de bon aloi. Un corps de dieu grec ! Un rien d'amertume en finale. Ils sont tous faits ainsi. Le millésime suivant, **98 élevé en cuve**, représente sept mille bouteilles ; il est de très bonne tenue et obtient la même note.

☛ Dom. des Closailles, 71680 Vinzelles, tél. 03.85.35.63.49, fax 03.85.35.67.40 ☑ ⏳ r.-v.

DOM. DE FUSSIACUS 1998

| ☐ | 0,35 ha | 2 600 | ⬛⬛ | 50 à 69 F |

Avec un tel nom de domaine, ne serait-on pas tenté de faire remonter ses origines aux cousins d'Astérix et d'Obélix ? Ce vin est cousu d'or comme s'il sortait de la poche de Jules César. Nez grillé qui ne masque pas le fruit. Un vin discret mais aimable et de bonne compagnie.
☛ Jean-Paul Paquet, 71960 Fuissé, tél. 03.85.35.63.65, fax 03.85.35.67.50 ☑ ⏳ r.-v.

CH. DE LAYE 1998

| ☐ | 11,72 ha | 15 000 | ⬛⬇ | 50 à 69 F |

Gilbert Cornier vient de prendre la présidence de la cave, succédant à Michel Moreau. Cent adhérents et 136 ha, dont 16,5 dans ce cru. Ce château de Layé 98 est à la hauteur du sujet : vous pouvez vous y fier comme Thomas Jefferson, jadis, qui y séjourna et en goûta le vin en fin connaisseur.
☛ Cave des Grands Crus blancs, 71680 Vinzelles, tél. 03.85.35.61.88, fax 03.85.35.60.43 ☑ ⏳ r.-v.

DOM. MATHIAS 1998★

| ☐ | 1 ha | 7 000 | ⬛⬇ | 50 à 69 F |

Brillance, touches miellées et minérales, cela est très réussi et se complète de rondeur et de fraîcheur conjuguées. On se réjouit de l'ensemble et on ne trouve rien à y redire. Le lapin au pouilly-vinzelles est une spécialité à essayer avec ce vin très agréable.
☛ Béatrice et Gilles Mathias, Dom. Mathias, rue Saint-Vincent, 71570 Chaintré, tél. 03.85.27.00.50, fax 03.85.27.00.52 ☑ ⏳ r.-v.

DOM. RENE PERRATON
Les Buchardières 1999

| ☐ | 0,26 ha | 2 000 | ⬛⬇ | 30 à 49 F |

Poulet aux écrevisses ? Un vinzelles qui a des ailes. Minéral et fruité, il est net comme tout. On se plaît à parcourir ses rondeurs. Son manque de vivacité engage à le goûter dans les deux ans.
☛ René Perraton, rue du Paradis, Cidex 411, 71570 Chaintré, tél. 03.85.35.63.36, fax 03.85.35.67.45 ☑ ⏳ r.-v.

DOM. THIBERT PERE ET FILS 1998★

| ☐ | 1,1 ha | 8 000 | ⬛⬛ | 50 à 69 F |

Ramassé sur la fraîcheur, ce 98 ne dit mot et consent. Très léger, exotique, il se promène du nez en bouche comme sur un grand boulevard. Minéral et beurre frais, flatteur et souple, d'un fût discret, ce dont le jury se félicite.
☛ Dom. Thibert Père et Fils, Au Bourg, 71960 Fuissé, tél. 03.85.35.61.79, fax 03.85.35.66.21, e-mail domthibe@club-internet.fr ☑ ⏳ r.-v.

Saint-véran

Réservée aux vins blancs produits sur huit communes de la Saône-et-Loire, saint-véran a été reconnue en 1971. La production, en 1999 de 38 774 hl, peut être située dans la hiérarchie entre le pouilly et les mâcons suivis d'un nom de village. Ces vins sont légers, élégants, fruités, et accompagnent à merveille les débuts de repas.

Produite surtout sur des terroirs calcaires, l'appellation constitue la limite sud du Mâconnais.

DOM. ACERBIS 1998★

	n.c.	n.c.	🖩	30 à 49 F

Domaine Acerbis ? Quel drôle de nom. On lit dans le verre comme dans un livre à la bonne page. Un minimum de robe, juste pour faire habillé. Pêche blanche et poire agrémentent le bouquet. L'élégance ensuite, un corps flatteur et de la matière première.
➼ Véronique et Pierre Janny, La Condemine, 71260 Péronne, tél. 03.85.36.97.03, fax 03.85.36.96.58 ⊺ r.-v.

JEAN BARONNAT 1999★

	n.c.	n.c.	🖩⬗	30 à 49 F

Ce n'est pas un billet doux mais une lettre d'amour en douze feuillets. Vif, doré, très intense et d'inspiration exotique (litchi, goyave), il exprime ses sentiments avec style, de la longueur, de la complexité, et une acidité en fin de bouche qui incite à l'attendre un an ou deux.
➼ Jean Baronnat, Les Bruyères, rte de Lacenas, 69400 Gleizé, tél. 04.74.68.59.20, fax 04.74.62.19.21, e-mail info.@baronnat.com ☑ ⊺ r.-v.

CHARTRON ET TREBUCHET
Château de Chasselas 1998★

	n.c.	12 000	🖩⬗	50 à 69 F

Il entre en scène sur des nuances or pâle puis égrène des notes d'agrumes, de fleurs et de miel, doublées d'une certaine fraîcheur. Souple, gras et soutenu par sa vigueur, il finit sur une bonne longueur.
➼ Chartron et Trébuchet, 13, Grande-Rue, 21190 Puligny-Montrachet, tél. 03.80.21.32.85, fax 03.80.21.36.35, e-mail jmchartron@chartron-trebuchet.com ☑ ⊺ t.l.j. 10h-12h30 14h-18h; f. nov. à mars

DOM. CHAVET 1998★

	9 ha	20 000	🖩⬗	50 à 69 F

La ceinture dorée du pouilly-fuissé. Jolie formule pour parler d'un vin qui lui ressemble tout en ayant son propre caractère. Caractère authentique, qui n'a pas recours à des fragrances exotiques pour vous embobiner. Non, les arômes sont ici minéraux et sincères. Gras en première bouche, légèrement amer plus tard, assez fin et

d'une longueur estimable, il figure parmi nos bonnes découvertes en 98.
➼ GAEC Chavet et Fils, Aux Durandys, 71960 Davayé, tél. 03.85.35.82.48, fax 03.85.35.80.32 ☑ ⊺ t.l.j. 7h30-20h

DOM. CORDIER PERE ET FILS
Clos à la Côte 1998★★★

	0,38 ha	2 000	⫴	70 à 99 F

Coup de cœur en raison de sa typicité. Certes, il faut se montrer patient et le laisser vieillir. Mais en attendant... il ne lâche pas la proie pour l'ombre. Jaune or éclatant, d'un nez ravissant (pêche, fruits secs), il est déjà bien fondu, onctueux et savoureux, et avec une finale à n'en plus finir. Superbe.
➼ Dom. Cordier Père et Fils, 71960 Fuissé, tél. 03.85.35.62.89, fax 03.85.35.64.01 ☑ ⊺ r.-v.

DOM. CORSIN 1998★★

	4,7 ha	33 000	🖩⫴⬗	50 à 69 F

« Cueillez le doux fruit de l'allègre printemps », nous conseille le poète espagnol Garcilaso de La Vega. Passez à l'exercice avec ce 98 de belle couleur tranquille, riche en arômes floraux. Il attaque avec franchise et se déclare chardonnay mais aussi saint-véran : soyeux, complexe, équilibré. La cuvée **Tirage précoce 99** reçoit deux étoiles après avoir été élevée cinq mois en cuve et mise en bouteille dès février. Bravo. Domaine coup de cœur dans les éditions 1994 et 1995.
➼ Dom. Corsin, Les Plantés, 71960 Davayé, tél. 03.85.35.83.69, fax 03.85.35.86.64 ☑ ⊺ r.-v.

ANDRE DEPARDON 1999★

	2,75 ha	3 380	🖩⬗	30 à 49 F

L'un de nos premiers coups de cœur, pour le millésime 85. Cela ne s'oublie pas. Un 99 tiré de son berceau mais qui s'annonce bien. Robe cristalline, arômes de fruits secs et de citron vert, tandis que le gras et l'acidité s'épaulent efficacement.
➼ André Depardon, 71570 Leynes, tél. 04.74.06.10.10, fax 04.74.66.13.77 ☑ ⊺ r.-v.

DOM. DES DEUX ROCHES 1998★★

	12 ha	60 000	🖩⬗	50 à 69 F

Coup de cœur dans les éditions 1999, 1993 et 1990, ce domaine est docteur *honoris causa* de l'appellation. Il revient toujours parmi nous avec une bonne bouteille, pleine d'un fruit très mûr, comme cette fois-ci. Et du volume, et tout en tout. Digne d'un grand poisson mais on suggère aussi de le servir frais avec quelques feuilles de salade, un chèvre chaud du Mâconnais ! La cuvée **Vieilles vignes 98**, destinée à un poulet à la crème, est

de grande qualité. Elle dispose d'un fort potentiel
(70 à 99 F).

🖝 Dom. des Deux Roches, 71960 Davayé,
tél. 03.85.35.86.51, fax 03.85.35.86.12 ☑ ⊤ r.-v.

JOSEPH DROUHIN 1998★

| | n.c. | n.c. | ▮ | 50 à 69 F |

Un grand Beaunois sur ses terres extérieures.
Il doit avoir un bon carnet d'adresses, car ce
saint-véran vieil or ouvre sur le fruit et le silex.
Typé, très agréable, et pas du tout languissant.
🖝 Joseph Drouhin, 7, rue d'Enfer,
21200 Beaune, tél. 03.80.24.68.88,
fax 03.80.22.43.14, e-mail drouhin@calva.net
⊤ r.-v.

DOM. DE FUSSIACUS 1999★★

| | 1,1 ha | 9 800 | ▮ ⅏ ⚬ | 30 à 49 F |

Un 99 coup de cœur ? Eh bien ! Oui. Vendangé le 16 septembre, élevé pour moitié en cuve,
pour moitié en fût pendant six mois, dégusté le
6 avril, il a pris la meilleure part du millésime
dont on disait qu'il était parfois « dilué ». Le
boisé s'adapte ici fort bien et en fait un vin fin
et puissant, d'une très belle robe or pâle à reflets
verts. On trouve des truffes blanches et des raisins secs dans ses parfums. Très généreux pour
un 99, avec un équilibre aimable parmi toutes les
composantes. Oui, cela vaut le coup de cœur
spontané du jury, plebiscité par le grand jury.
🖝 Jean-Paul Paquet, 71960 Fuissé,
tél. 03.85.35.63.65, fax 03.85.35.67.50 ⊤ r.-v.

DOM. GONON 1998★

| | 0,4 ha | 3 200 | ▮ ⚬ | 30 à 49 F |

Plaisant comme tout, acidulé et pourtant rond.
Sans trop de corps mais équilibré, il choisit cette
tonalité discrète d'or blanc, de nez confidentiel,
fait d'agrumes et de fruits à chair blanche.
🖝 Dom. Gonon, 71960 Vergisson,
tél. 03.85.37.78.42, fax 03.85.37.77.14 ☑ ⊤ r.-v.

DOM. DE LA CREUZE NOIRE 1999★

| | 0,93 ha | 6 400 | ▮ ⚬ | 30 à 49 F |

Des vignes familiales, les autres en location
pour un saint-véran harmonieux. Unanime, le
jury lui décerne de chaleureux compliments et
l'encourage à persévérer. Complexité rare à cet
âge. Et si c'était un surdoué ?
🖝 Dominique et Christine Martin, La Creuze
Noire, 71570 Leynes, tél. 03.85.37.46.43,
fax 03.85.37.44.17 ☑ ⊤ r.-v.

DOM. DE LA CROIX SENAILLET
Chardonnissime 1998★★★

| | 2 ha | 5 000 | ▮ ⚬ | 50 à 69 F |

Chardonnissime, lit-on sur l'étiquette. Ostentatoire mais justifié car c'est le numéro un de nos
coups de cœur dans l'appellation : un vin magnifique. Inutile de détailler : floral et minéral avec
des notes fruitées et une pointe miellée, il éblouit
le jury. Longueur inégalée de nos jours ! Cela dit,
la **cuvée principale 98** reçoit une étoile. Déjà coup
de cœur en 1996 pour son 93.
🖝 GAEC Richard et Stéphane Martin,
Dom. de La Croix Sénaillet, En Coland,
71960 Davayé, tél. 03.85.35.82.83,
fax 03.85.35.87.22 ☑ ⊤ r.-v.

DOM. DE LA DENANTE 1999★

| | 6 ha | 20 000 | ▮ ⚬ | 50 à 69 F |

On dit parfois du saint-véran qu'il est le petit
frère du pouilly-fuissé. Ce n'est pas péjoratif car
il n'existe aucun droit d'aînesse parmi les vins.
Sur des notes d'agrumes, un 99 très gouleyant,
d'accès facile, bien vinifié, pas trop dilué et
offrant une bonne rétro-olfaction de fruits
blancs.
🖝 Robert Martin, Les Peiguins, 71960 Davayé,
tél. 03.85.35.82.88, fax 03.85.35.86.71 ☑ ⊤ r.-v.

DOM. ROGER LUQUET
Les Grandes Bruyères 1998★

| | 1,4 ha | 9 000 | ▮ | 30 à 49 F |

Un hyper-classique par un vigneron réputé.
C'est doré sur tranche, et les reflets verts participent à la fête. C'est floral et minéral, avec miel
et vanille sur le pourtour. Net et incisif, il a
besoin d'un peu de bouteille pour être à son meilleur niveau : deux ans et davantage.
🖝 Dom. Roger Luquet, 71960 Fuissé,
tél. 03.85.35.60.91, fax 03.85.35.60.12 ☑ ⊤ t.l.j.
sf dim. 8h-19h

DOM. DES MAILLETTES
La Bruyère 1998★

| | 1,3 ha | 11 000 | ▮ ⚬ | 30 à 49 F |

Coup de cœur en 1997 pour son 94. Davayé-
Solutré-Vergisson, ce domaine se situe sur le
triangle sacré ! Comme le disait André Chénier,
« qu'aimable est la vertu que la grâce envi-
ronne ! » Limpide, frais, floral, vif en finale, il
ne perd pas de temps et réussit à séduire. Sa
verdeur fait son charme, son piquant.
🖝 Guy Saumaize, Dom. des Maillettes,
71960 Davayé, tél. 03.85.35.82.65,
fax 03.85.35.86.69 ☑ ⊤ r.-v.

CH. DE MESSEY 1998★

| | n.c. | n.c. | ▮ ❶❷ ⚬ | 70 à 99 F |

Existe-t-il des vins féminins ? Celui-ci en serait un. La robe dorée limpide ouvre le sujet. Noisette, chèvrefeuille, le nez est d'une élégance aérienne. Le corps est assez suave, sur la fleur et le fruit. Comme il vous plaira !
☛ Demessey, Ch. de Messey, 71700 Ozenay, tél. 03.85.51.33.83, fax 03.85.51.33.82, e-mail vin@demessey.com ▨ ☓ r.-v.
☛ Marc Dumont

GENEVIEVE ET BERNARD MONTEIRO Elevé en fût de chêne 1998

| | 1 ha | 5 000 | ❶❷ | 30 à 49 F |

Doré, il ne fait pas les choses à moitié. Puis on trouve le miel et la brioche, les épices, la pêche jaune, comme si l'on se promenait entre Chassagne et Meursault. L'attaque est vibrante, ronde et souple, et la finale chaude, structurée, presque tannique. Curieux sujet, et attachant !
☛ Bernard et Geneviève Monteiro, En Durandys, 71960 Davayé, tél. 04.85.35.82.40, fax 04.85.35.81.32 ▨ ☓ r.-v.

ALAIN NORMAND 1998★

| | 0,25 ha | 1 500 | ❶❷ | 30 à 49 F |

Jaune brillant, fleur et fruit mûr, boisé avec doigté, il demande à s'ouvrir et se réveillera avec une étoile de plus. Sa richesse est intense, son acidité pleine de promesses. Jolie étiquette-paysage.
☛ Alain Normand, chem. de la Grange-du-Dîme, 71960 La Roche-Vineuse, tél. 03.85.36.61.69, fax 03.85.51.60.97 ▨ ☓ r.-v.

DOM. DES PERELLES 1999★

| | 0,33 ha | 2 400 | | 30 à 49 F |

Or limpide, ce saint-véran monte les escaliers de la cave sur des notes boisées, d'un pas un peu vif. En effet, ses notes citronnées lui apportent la fraîcheur, mais on distingue aussi des arômes de truffe blanche... La bouche équilibre le fût et le fruit. Ne pas attendre plus de deux ans.
☛ Jean-Marc Thibert, Les Pérelles, 71680 Crêches-sur-Saône, tél. 03.85.37.14.56, fax 03.85.37.46.02 ▨ ☓ r.-v.

DOM. PHILIBERT 1998★

| | n.c. | 19 700 | ▮ ⚬ | 50 à 69 F |

Le saumon frais ? C'est dans cet environnement qu'on le verrait le mieux. Or argenté à reflets brillants, partagé entre les agrumes et les fleurs, un saint-véran qui nous rappelle que son saint patron était un fameux chasseur de dragons. Finesse et équilibre pour pointer la lance !
☛ Cie des Vins d'Autrefois, abbaye Saint-Martin, 53, av. de l'Aigue, 21200 Beaune, tél. 03.80.26.33.00, fax 03.80.24.14.84, e-mail mallet.b@cva-beaune.fr ☓ r.-v.
☛ Jean-Pierre Nie

DOM. DES PONCETYS 1999

| | 1,4 ha | 10 987 | ▮ ⚬ | 30 à 49 F |

Le lycée viticole de Mâcon-Davayé entretient un domaine de 18 ha qui lui a été donné en 1963.

Il a présenté un 99 élevé quatre mois en cuve. Or à reflet vert, ce dernier a le nez fin, citronné, anisé. La bouche joue sur le même registre avec une pointe fruitée, tout en fraîcheur.
☛ Lycée viticole de Mâcon-Davayé, Les Poncetys, 71960 Davayé, tél. 03.85.33.56.20, fax 03.85.35.86.34, e-mail legta.macon@wanadoo.fr ▨ ☓ t.l.j. sf dim. 9h-12h 14h-17h30; sam. 9h-13h

CAVE DE PRISSE-SOLOGNY-VERZE 1998★★

| | 174,26 ha | 100 000 | ▮ ⚬ | 30 à 49 F |

Très importante coopérative du Mâconnais regroupant 884 ha de vignes. Abricot, poire, du fruit, du gras, la cave n'a jamais été mieux inspirée par un grand sujet. Ce vin est arrivé quatrième au grand jury. On peut lui faire toute confiance.
☛ Cave de Prissé-Sologny-Verzé, 71960 Prissé, tél. 03.85.37.88.06, fax 03.85.37.61.76
▨ ☓ r.-v.

DOM. SAUMAIZE-MICHELIN Vieilles vignes 1998★

| | 0,7 ha | 5 000 | ❶❷ | 30 à 49 F |

Atypique ? Peut-être un peu si l'on en croit nos dégustateurs. L'or pâle est bien. Bon équilibre des arômes entre le fruit et le grillé. Bouche très douce, plume au vent, toujours boisée.
☛ Dom. Roger et Christine Saumaize-Michelin, Le Martelet, 71960 Vergisson, tél. 03.85.35.84.05, fax 03.85.35.86.77
▨ ☓ r.-v.

DOM. DES VALANGES Cuvée hors Classe 1998★

| | 2 ha | 12 000 | ▮ ❶❷ ⚬ | 50 à 69 F |

88, 89, 94, 95, 97, tous ces millésimes ont reçu le coup de cœur. Existe-t-il pareil record au sein d'une même AOC ? Autant dire que ce domaine appartient au cercle très fermé de nos « têtes de cuvée ». Celle-ci est une sélection des meilleurs *climats* : Terres Noires, Valanges, Crêches. Doré à souhait, un vin aux arômes de pivoine et de fruits mûrs, friand et sympathique.
☛ Michel Paquet, Les Valanges, 71960 Davayé, tél. 03.85.35.85.03, fax 03.85.35.86.67, e-mail domainedesvalanges@wanadoo.fr
▨ ☓ r.-v.

DOM. DES VIEILLES PIERRES Les Pommards 1998★

| | 0,65 ha | 5 200 | ❶❷ | 50 à 69 F |

Dix mois en fût de chêne avec bâtonnages réguliers ont donné un vin riche accompagné par un boisé encore très présent. Mais on perçoit l'équilibre car sa vivacité est bien là. Les agrumes en témoignent. A attendre au moins un an avant de le servir à des amis amateurs de belles bouteilles et de boisé torréfié.
☛ Jean-Jacques Litaud, Les Nembrets, 71960 Vergisson, tél. 03.85.35.85.69, fax 03.85.35.86.26 ▨ ☓ r.-v.

BOURGOGNE

LA CHAMPAGNE

Vin des rois et des princes devenu celui de toutes les fêtes, le champagne s'auréole de la gloire et du prestige de porter dans le monde entier l'élégance et la séduction françaises. Son illustre réputation, il la doit autant à son histoire qu'à ses traits spécifiques qui font que, pour beaucoup, il n'est vin de Champagne que le champagne ; ce n'est pourtant pas si simple...

En effet, la région champenoise, située à moins de 200 km au nord-est de Paris, constitue l'aire délimitée de trois appellations d'origine contrôlée : le champagne, les coteaux champenois et le rosé des riceys, sur une aire spécifique, les deux dernières AOC ne donnant naissance qu'à une centaine de milliers de bouteilles. Cette zone, la plus septentrionale des régions vinicoles de France, s'étend principalement sur les départements de la Marne et de l'Aube, avec de modestes extensions dans l'Aisne, la Seine-et-Marne et la Haute-Marne. Le tout couvre plus de 34 000 ha, dont 31 220 sont effectivement plantés.

De part et d'autre de la Marne, Reims et Epernay se partagent le rôle de capitale du champagne ; la première bénéficie en outre de l'attrait de ses monuments et musées pour attirer la foule des visiteurs qui peuvent découvrir également l'univers surprenant des caves, parfois fort anciennes, des « grandes maisons ».

Un même paysage vallonné se révèle dans tout le vignoble, où l'on distingue cependant traditionnellement quatre régions principales : la Montagne de Reims, où certaines vignes sont orientées au nord, avec des sols sablonneux ; la Côte des Blancs, bénéficiant, aux portes d'Epernay, d'une relative régularité climatique ; la vallée de la Marne (21 652 ha), prolongée par le vignoble de l'Aisne (2 804 ha), et qui se coule entre les reliefs crayeux dont les pentes sont couvertes de vignes sur les deux rives, la qualité de la production ne variant guère, contrairement à ce que l'on pourrait croire, selon l'orientation au nord ou au sud ; le vignoble de l'Aube (6 649 ha), enfin, à l'extrême sud-est de l'aire d'appellation et séparé des autres secteurs par une zone de 75 km où la vigne n'est pas cultivée. Plus élevé et davantage exposé aux gelées de printemps, il n'en produit pas moins des vins de qualité ; c'est là que se trouve la seule appellation communale : celle du rosé des riceys. La Haute-Marne représente 68 ha et la Seine-et-Marne 47 ha.

Le retrait de la mer, il y a quelque 70 millions d'années, puis les bouleversements dus aux secousses telluriques ont formé un socle crayeux dont la perméabilité et la richesse en principes minéraux apportent leur finesse aux vins de la Champagne ; une couche superficielle argilo-calcaire recouvre ce socle sur près de 60 % des terroirs actuellement plantés. Dans l'Aube, la composition des sols les rapproche de ceux de la Bourgogne voisine (marnes).

Si le gel - à une telle latitude, les gelées de printemps sont fréquentes - rend difficile la régularité de la production, les écarts climatiques sont cependant tempérés par la présence d'importants massifs forestiers ; ils équilibrent la douceur atlantique et la rigueur continentale, en entretenant une relative humidité. L'absence d'excès de chaleur est également un élément déterminant de la finesse des vins. Le choix des cépages, bien sûr, s'adapte aux variations pédologiques et climatiques. Pinot noir (38 % de la surface plantée), pinot meunier (35 %), chardonnay (27 %) se partagent les 31 000 ha plantés, où la viticulture et l'élaboration des vins occupent environ 31 000 personnes, dont 14 695 vignerons exploitants.

L'élaboration particulière du champagne sur plusieurs années (en moyenne trois ans et beaucoup plus pour les millésimés) oblige à un stockage proche de 900 millions de bouteilles. Si la production annuelle (2 349 993 hl en 1999) représente

11 % du volume produit en France, le chiffre d'affaires de la Champagne à l'export représente 30,6 % de la valeur des exportations françaises de vin en 1999 et constitue 33,1 % du solde excédentaire de la balance du commerce exérieur des vins. La Grande-Bretagne, l'Allemagne et les Etats-Unis viennent en tête des pays importateurs devant la Suisse, la Belgique, l'Italie, les Pays-Bas et le Japon.

On fait du vin en Champagne au moins depuis l'invasion romaine. Il fut blanc, puis rouge et enfin gris, c'est-à-dire blanc ou presque, issu de pressurage de raisins noirs. Déjà, il avait la fâcheuse habitude de « bouillonner dans ses vaisseaux », c'est-à-dire de mousser dans les tonneaux. Ce fut sans doute en Angleterre que l'on inventa la mise en bouteilles systématique de ces vins instables qui, jusqu'en 1700 environ, étaient livrés en fûts ; cela eut pour effet de permettre au gaz carbonique de se dissoudre dans le vin : le vin effervescent était né. Procureur de l'abbaye de Hautvillers et technicien avant la lettre, Dom Pérignon produira dans son abbaye les meilleurs vins ; c'est aussi lui qui les vendra le plus cher...

En 1728, le conseil du roi autorise le transport du vin en bouteilles ; un an plus tard, la première maison de vin de négoce est fondée : Ruinart. D'autres suivront (Moët en 1743), mais c'est au XIXe s. que la plupart des grandes maisons se créent ou s'affirment. En 1804, Mme Clicquot lance le premier champagne rosé, et, dès 1830, apparaissent les premières étiquettes collées sur les bouteilles. A partir de 1860, Mme Pommery boit des « bruts », tandis que, vers 1870, sont proposés les premiers champagnes millésimés. Raymond Abelé invente, en 1884, le banc de dégorgement à la glace, avant que le phylloxéra puis les deux guerres ne ravagent les vignobles. Depuis 1945, les fûts de bois ont cédé la place, le plus souvent, aux cuves en acier inoxydable, dégorgement et finition sont automatisés, alors que le remuage lui-même se mécanise.

Une grande partie des vignerons champenois appartient aujourd'hui à la catégorie des producteurs de raisins : ce sont les « vendeurs au kilo ». Ils cèdent tout ou partie de leur production aux grandes marques qui vinifient, élaborent et commercialisent. Cette pratique a conduit l'interprofession à proposer un prix recommandé des raisins et à attribuer à chaque commune une cotation en fonction de la qualité de sa production : c'est l'échelle des crus. Les vins issus des communes viticoles sont classés dans une échelle des crus, apparue dès la fin du XIXe s. Cotés 100 %, ils ont droit au titre de « grand cru », ceux cotés de 99 à 90 % bénéficient de la mention « premier cru », la cotation des autres s'échelonne de 89 à 80 %. Le prix des raisins varie selon le pourcentage communal. Le rendement maximum à l'hectare est modulé chaque année (maximum = 12 500 kg), alors que 160 kg de raisins ne permettent pas d'obtenir plus d'un hectolitre de moût apte à être vinifié en champagne.

Champagne

La singularité du champagne apparaît dès les vendanges. La machine à vendanger est interdite ; toute la cueillette est manuelle car il est essentiel que les baies (grains) de raisin parviennent en parfait état au lieu de pressurage. Pour cela, on remplace les hottes par de petits paniers, afin que le raisin ne soit pas écrasé. Il a fallu aussi créer des centres de pressurage disséminés au cœur du vignoble afin de raccourcir le temps de transport du raisin. Pourquoi tous ces soins ?

Parce que le champagne étant un vin blanc issu en majeure partie d'un raisin noir - le pinot -, il convient que le jus incolore ne soit pas taché au contact de l'extérieur de la peau.

Le pressurage, lui, doit se faire sans délai et permettre de recueillir successivement et séparément le jus issu des zones concentriques du grain ; d'où la forme particulière des pressoirs traditionnels champenois : on y entasse le raisin sur une vaste surface mais à une faible hauteur, pour ne pas abîmer les baies et pour faciliter la circulation du jus ; la vendange n'est jamais éraflée.

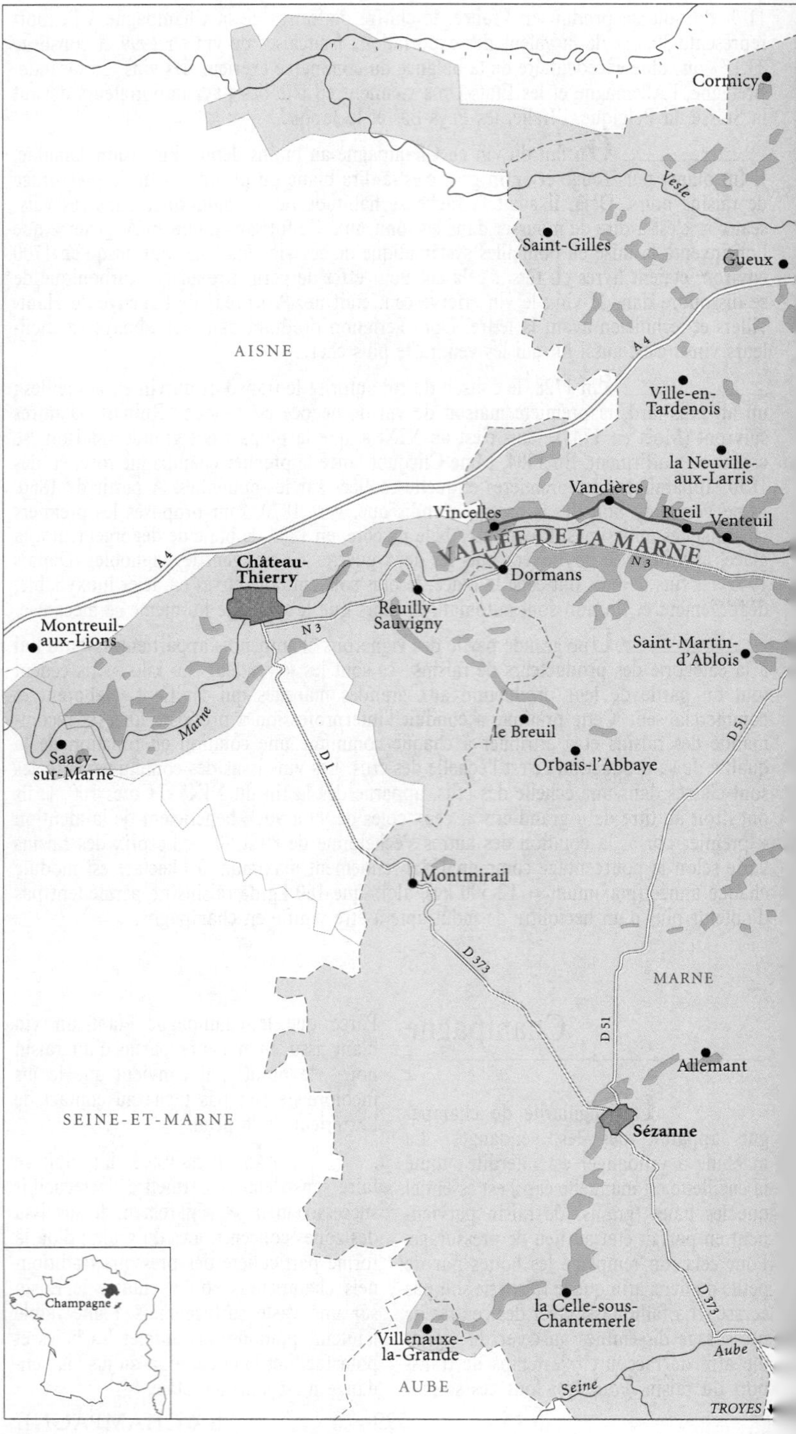

Cormicy

Vesle

Saint-Gilles

Gueux

AISNE

Ville-en-Tardenois

la Neuville-aux-Larris

Vandières

Vincelles

Rueil

Venteuil

VALLÉE DE LA MARNE

N 3

Château-Thierry

Dormans

A 4

Reuilly-Sauvigny

Saint-Martin-d'Ablois

Montreuil-aux-Lions

N 3

Marne

le Breuil

D 51

Orbais-l'Abbaye

D 1

Saacy-sur-Marne

Montmirail

MARNE

D 373

D 51

Allemant

SEINE-ET-MARNE

Sézanne

la Celle-sous-Chantemerle

D 373

Villenauxe-la-Grande

Aube

AUBE

Seine

TROYES

Champagne

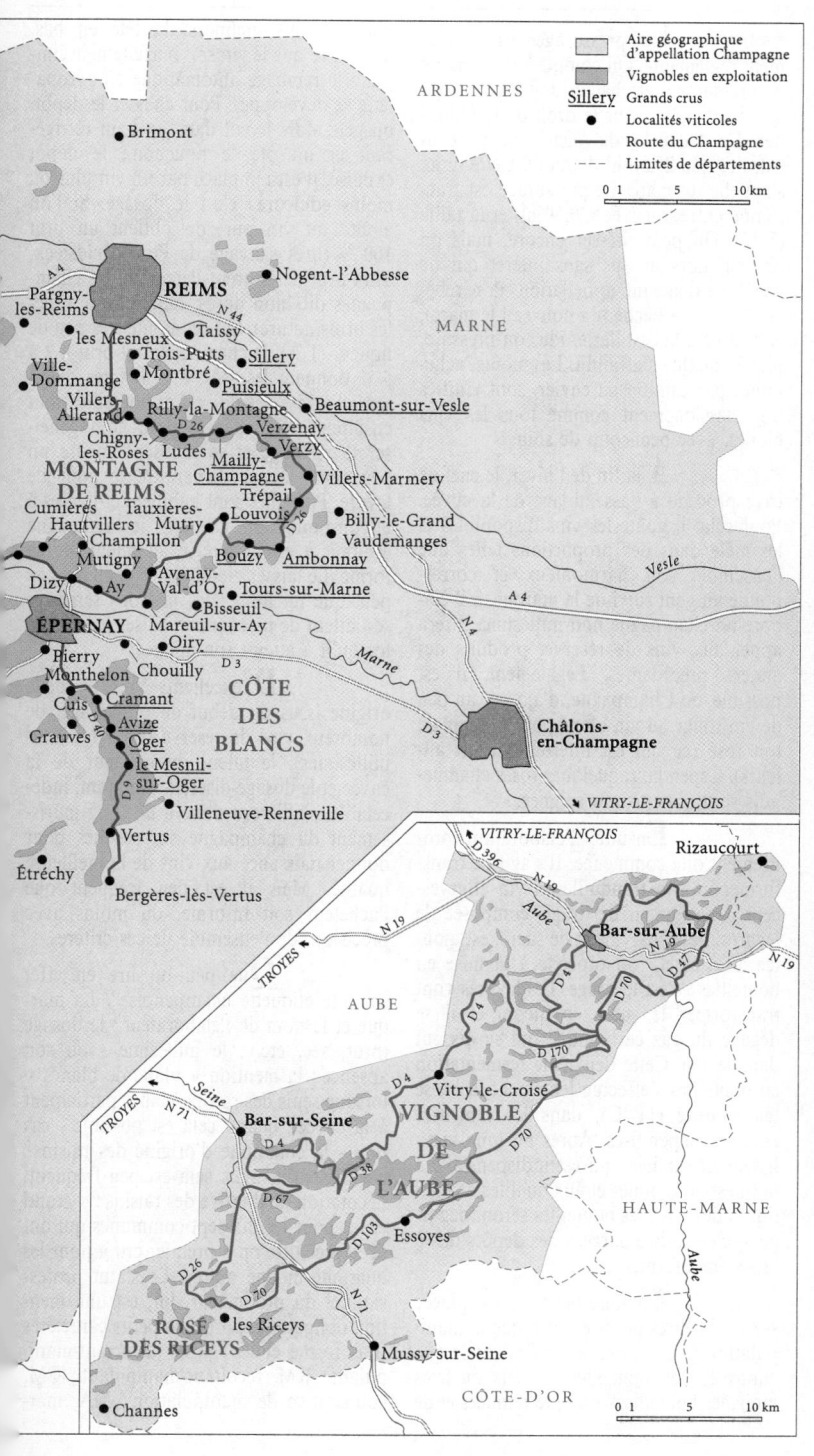

Aire géographique
d'appellation Champagne

Vignobles en exploitation

Sillery Grands crus

● Localités viticoles

Route du Champagne

Limites de départements

0 1   5   10 km

ARDENNES

● Brimont

● Nogent-l'Abbesse

REIMS

MARNE

Pargny-
les-Reims

les Mesneux

● Taissy

Trois-Puits

Sillery

Ville-
Dommange

Montbré

Villers-
Allerand

Puisieulx

Rilly-la-Montagne

Beaumont-sur-Vesle

Chigny-
les-Roses

Verzenay

Ludes

Verzy

MONTAGNE
DE REIMS

Mailly-
Champagne

Villers-Marmery

Cumières

Trépail

Hautvillers

Tauxières-
Mutry

Louvois

Billy-le-Grand

Champillon

Vaudemanges

Mutigny

Bouzy

Dizy

Ay

Avenay-
Val-d'Or

Ambonnay

Tours-sur-Marne

ÉPERNAY

Bisseuil

Mareuil-sur-Ay

Vesle

Pierry

Oiry

Monthelon

Chouilly

CÔTE
DES
BLANCS

Cuis

Cramant

Marne

Avize

Grauves

Oger

le Mesnil-
sur-Oger

Châlons-
en-Champagne

Villeneuve-Renneville

VITRY-LE-FRANÇOIS

Vertus

Étréchy

Bergères-lès-Vertus

VITRY-LE-FRANÇOIS

Rizaucourt

TROYES

AUBE

Bar-sur-Aube

VIGNOBLE

Vitry-le-Croisé

TROYES

Seine

Bar-sur-Seine

DE

L'AUBE

HAUTE-MARNE

Essoyes

Aube

ROSÉ
DES RICEYS

les Riceys

Mussy-sur-Seine

Channes

CÔTE-D'OR

0 1   5   10 km

Le pressurage est sévèrement réglementé. On compte 2 000 centres de pressurage, et chacun doit recevoir un agrément pour avoir le droit de fonctionner. De 4 000 kg de raisins, on ne peut extraire que 25,50 hl de moût. Cette unité s'appelle un marc. Le pressurage est fractionné entre la cuvée (20,50 hl) et la taille (5 hl). On peut presser encore, mais on obtient alors un jus sans intérêt qui ne bénéficie d'aucune appellation, la « rebêche » (on a « bêché » à nouveau le marc), et destiné à la distillerie. Plus on pressure, plus la qualité s'affaiblit. Les moûts, acheminés par camion au cuvier, sont vinifiés très classiquement comme tous les vins blancs, avec beaucoup de soin.

A la fin de l'hiver, le chef de cave procède à l'assemblage de la cuvée. Pour cela, il goûte les vins disponibles et les mêle dans des proportions telles que l'ensemble soit harmonieux et corresponde au goût suivi de la marque. S'il élabore un champagne non millésimé, il fera appel aux vins de réserve, produits des années précédentes. Légalement, il est possible, en Champagne, d'ajouter un peu de vin rouge au vin blanc pour obtenir un ton rosé (ce qui est interdit partout ailleurs). Cependant, quelques rosés champenois sont obtenus par saignée.

Ensuite, l'élaboration proprement dite commence. Il s'agit de transformer un vin tranquille en vin effervescent. Une liqueur de tirage, composée de levures, de vieux vins et de sucre, est ajoutée au vin, et l'on procède à la mise en bouteilles : c'est le tirage. Les levures vont transformer le sucre en alcool et il se dégage du gaz carbonique qui se dissout dans le vin. Cette deuxième fermentation en bouteilles s'effectue lentement, à basse température (11 °C), dans les fameuses caves champenoises. Après un long vieillissement sur lies, qui est indispensable à la finesse des bulles et aux qualités aromatiques des vins, les bouteilles seront dégorgées, c'est-à-dire purgées des dépôts dus à la seconde fermentation.

Chaque bouteille est placée sur les célèbres pupitres, afin que la manipulation fasse glisser le dépôt dans le col, contre le bouchon. Durant deux ou trois mois, les bouteilles vont être remuées et de plus en plus inclinées, la tête en bas, jusqu'à ce que le vin soit parfaitement limpide (le remuage automatique en gyropalette se développe). Pour chasser le dépôt, on gèle alors le col dans un bain réfrigérant et on ôte le bouchon ; le dépôt expulsé, il est remplacé par un vin plus ou moins édulcoré : c'est le dosage. Si l'on ajoute du vin pur, on obtient un brut 100 % (brut sauvage de Piper-Heidsieck, ultra-brut de Laurent-Perrier, et les champagnes dits non dosés, aujourd'hui appelés bruts nature). Si l'on ajoute très peu de liqueur (1 %), le champagne est brut ; 2 à 5 % donnent les secs, 5 à 8 % les demi-secs, 8 à 15 % les doux. Les bouteilles sont ensuite « poignettées » pour homogénéiser le mélange et se reposent encore un peu pour laisser disparaître le goût de levure. Puis elles sont habillées et livrées à la consommation. Dès lors, le champagne est prêt à être apprécié au mieux de sa forme. Le laisser vieillir trop longtemps ne peut que lui nuire : les maisons sérieuses se flattent de ne commercialiser le vin que lorsqu'il a atteint son apogée.

D'excellents vins de belle origine issus du début de pressurage, de nombreux vins de réserve (pour les non-millésimés), le talent du créateur de la cuvée et le dosage discret, minimum, indécelable, s'allieront donc à un long mûrissement du champagne sur ses lies pour donner naissance aux vins de la meilleure qualité. Mais il est peu fréquent que l'acheteur soit informé, du moins avec précision, de l'ensemble de ces critères.

Que peut-on lire en effet sur une étiquette champenoise ? La marque et le nom de l'élaborateur ; le dosage (brut, sec, etc.) ; le millésime - ou son absence ; la mention « blanc de blancs » lorsque seuls des raisins blancs participent à la cuvée ; quand cela est possible - cas rare - la commune d'origine des raisins ; parfois enfin, mais cela est peu fréquent, la cotation qualitative des raisins : « grand cru » pour les dix-sept communes qui ont droit à ce titre ou « premier cru » pour les quarante et une autres. Le statut professionnel du producteur, lui, est une mention obligatoire, portée en petits caractères sous forme codée : NM, négociant-manipulant ; RM, récoltant-manipulant ; CM, coopérative de manipulation ; MA, marque d'acheteur ; RC, récoltant-coopérateur ; SR, société de récoltants.

Que déduire de tout cela ? Que les Champenois ont délibérément choisi une politique de marque ; que l'acheteur commande du Moët et Chandon, du Bollinger, du Taittinger, parce qu'il préfère le goût suivi de telle ou telle marque. Cette conclusion est valable pour tous les champagnes de négociants-manipulants, de coopératives et des marques auxiliaires, mais ne concerne pas les récoltants-manipulants qui, par obligation, n'élaborent de champagne qu'à partir des raisins de leurs vignes, généralement groupées dans une seule commune. Ces champagnes sont dits monocrus, et le nom de ce cru figure en général sur l'étiquette.

En dépit de l'appellation unique « champagne », il existe un très grand nombre de champagnes différents, dont les caractères organoleptiques variables sont susceptibles de satisfaire tous les usages et tous les goûts des consommateurs. Ainsi, le champagne peut-il être blanc de blancs ; blanc de noirs (de pinot meunier, de pinot noir ou des deux) ; issu du mélange blanc de blancs/blanc de noirs, dans toutes les proportions imaginables ; d'un seul cru ou de plusieurs ; originaire d'un grand cru, d'un premier cru ou de communes de moindre prestige ; millésimé ou non (les non-millésimés peuvent être composés de vins jeunes, ou faire appel à plus ou moins de vins de réserve ; parfois ils sont le produit de l'assemblage d'années millésimées) ; non dosé ou dosé très variablement ; mûri brièvement ou longuement sur ses lies ; dégorgé depuis un temps plus ou moins long ; blanc ou rosé (rosé obtenu par mélange ou par saignée)... La plupart de ces éléments pouvant se combiner entre eux, il existe donc une infinité de champagnes. Quel que soit son type, on s'accorde à penser que le meilleur est celui qui a mûri le plus longtemps sur ses lies (cinq à dix ans), consommé dans les six mois suivant son dégorgement.

En fonction de ce qui précède, on s'explique mieux que le prix des bouteilles puisse varier de un à huit, et qu'il existe des « hauts de gamme » ou des « cuvées spéciales ». Il est malheureusement certain que, dans les grandes marques, les champagnes les moins chers sont les moins intéressants. En revanche, la grande différence de prix qui sépare la gamme intermédiaire (millésimés) de la plus élevée ne traduit pas toujours rigoureusement un saut qualitatif.

Le champagne se boit entre 7 et 9 °C, frais pour les blancs de blancs et les champagnes jeunes, moins rafraîchi pour les millésimés et les champagnes vineux. Outre la bouteille classique de 75 cl, le champagne est proposé en quart, demi, magnum (2 bout.), jéroboam (4 bout.), mathusalem (8 bout.), salmanazar (12 bout.)... La bouteille sera refroidie progressivement par immersion dans un seau à champagne contenant de l'eau et de la glace. Pour la déboucher, enlever ensemble muselet et habillage. Si le bouchon tend à être expulsé par la pression, on le laissera venir avec habillage et muselet. Lorsque le bouchon résiste, on le maintient d'une main alors que l'on fait tourner la bouteille de l'autre. Le bouchon est extrait lentement, sans bruit, sans décompression brutale. Le champagne ne doit pas être servi dans des coupes, mais dans des verres de cristal, étroits et élancés, secs, non refroidis par des glaçons, exempts de toute trace de détergent qui tuerait les bulles et la mousse. Il se boit aussi bien en apéritif, qu'avec les entrées et les poissons maigres. Les vins vineux, à majorité blanc de noirs, et les grands millésimes sont souvent servis avec les viandes en sauces. Au dessert et avec les mets sucrés, on boira un demi-sec plutôt qu'un brut, le sucre renforçant trop la sensibilité du palais aux structures acides.

Les derniers millésimes : 1982, grand millésime complet ; 1983, droit, sans artifices ; 1984 n'est pas un millésime, n'en parlons pas ; 1985, grandes bouteilles ; 1986, qualité moyenne, rarement millésimé ; 1987, un mauvais souvenir ; 1988, 1989, 1990, trois belles années à savourer ; 1991 : faible, généralement non millésimé ; 1992, 1993, 1994 : années moyennes ; quelques grandes maisons ont millésimé 92 ou 93 ; 1995 : la meilleure année depuis 1990 ; 1996 : grande année (sera millésimée en janvier 2000).

CHAMPAGNE

HENRI ABELE Le Sourire de Reims★★

| ◐ | n.c. | n.c. | ■ 300 à 499 F |

Cette très ancienne maison, fondée en 1757 par Théodore Van der Veken, d'origine belge, a été reprise en 1985 par le géant espagnol Freixenet, spécialiste des cavas. Cuvée spéciale, le Sourire de Reims rosé est un rosé de noirs (100 % pinot noir) structuré, fruité, complexe et élégant, avec ses arômes d'airelle, de merise, de fraise des bois et autres fruits rouges acidulés. Peu dosé, d'une belle fraîcheur, il convient pour le repas. « J'achète ! », écrit un dégustateur sous le charme. La maison a par ailleurs obtenu une citation pour le **Sourire de Reims 86** (90 % de chardonnay, 10 % de pinot noir), un millésime difficile, peu complexe. (NM)

☛Champagne Henri Abelé, 50, rue de Sillery, 51100 Reims, tél. 03.26.87.79.80, fax 03.26.87.79.81 ⊥ r.-v.

ADAM-GARNOTEL Tradition★

| ○ 1er cru | 9,2 ha | 60 000 | ■ 70 à 99 F |

Cette maison située dans la Montagne de Reims a tout juste un siècle, puisque Louis Adam l'a fondée en 1899. Dénommée Adam-Garnotel depuis 1971, elle dispose aujourd'hui d'un vignoble de plus de 9 ha. Son Tradition, né des trois cépages champenois récoltés en 1997, est un champagne confit, riche et mûr, à la bouche puissante. Il donnera la réplique à une entrée chaude ou à une viande blanche. Une étoile également pour le **95 1er cru** dans lequel le chardonnay (80 %) domine le pinot noir. On y découvre des agrumes vanillés, de l'ananas, de la réglisse, en un mot, de la complexité. (NM)

☛Champagne Adam-Garnotel, 17, rue de Chigny, 51500 Rilly-la-Montagne, tél. 03.26.03.40.22, fax 03.26.03.44.47, e-mail Garnotel@terre-net.fr ☑ ⊥ t.l.j. sf sam. dim. 9h-12h 14h-17h; f. août

AGRAPART ET FILS Blanc de blancs

| ○ Gd cru | 6,5 ha | n.c. | ■❶■♨ 70 à 99 F |

Depuis quatre générations, les Agrapart exploitent 9,5 ha de vignes dans la Côte des blancs. Il n'est donc pas étonnant de trouver deux de leurs blancs de blancs cités dans le Guide. Ce brut est issu de la récolte de 1996 complétée par un tiers de vins de réserve de 1995. Ses arômes sont floraux et élégants ; en bouche les fruits jaunes dominent. Quant au **Réserve**, il provient des récoltes de 1994 (principalement) et de 1993. Il est retenu pour son harmonie et sa longueur. (RM)

☛EARL Agrapart et Fils, 57, av. Jean-Jaurès, 51190 Avize, tél. 03.26.57.51.38, fax 03.26.57.05.06, e-mail champagne.agrapart@wanadoo.fr ☑ ⊥ r.-v.

GILLES ALLAIT Tradition★

| ○ | n.c. | n.c. | 70 à 99 F |

Passy-Grigny est situé au bord d'une petite rivière tributaire de la Marne, non loin de Dormans. Gilles Allait, depuis 1973, exploite 3,5 ha de vignes. Avec 80 % de meunier et 15 % de pinot noir, sa cuvée Tradition est presque un blanc de

noirs. Ses arômes rappellent la pâte de coings et les fruits blancs mûrs, la bouche est généreuse et dosée. Une étoile encore pour le **95** vieilli en fût de chêne (50 % de chardonnay et les deux pinots à égalité), à l'attaque ferme, nerveux et de bonne longueur. (RC)

☛Gilles Allait, 2, rue du Château, 51700 Passy-Grigny, tél. 03.26.52.92.19, fax 03.26.52.97.22 ☑ ⊥ r.-v.

JEAN-ANTOINE ARISTON
Carte jaune★★

| ○ | 2 ha | 20 000 | ■ 70 à 99 F |

Cette exploitation familiale de 6,5 ha est située sur le circuit des églises romanes de la vallée de l'Ardre. Trois de ses vins ont été retenus. La préférence va au Carte jaune, né des trois cépages champenois à parts égales et de la récolte 97. Son nez expressif et distingué précède une bouche équilibrée et complexe. Un champagne raffiné. Les **Carte or** et **Carte blanche** méritent d'être cités. Le premier (80 % des deux pinots, 20 % de chardonnay vendangés en 1996) est équilibré, direct et rond, le second (60 % de chardonnay, 40 % de pinot noir) très floral et vif. (RM)

☛Jean-Antoine Ariston, 4, rue Haute, 51170 Brouillet, tél. 03.26.97.47.02, fax 03.26.97.49.75 ☑ ⊥ t.l.j. 8h-12h 14h-18h

ARISTON FILS Carte blanche★★

| ○ | 7 ha | 8 000 | ■ 70 à 99 F |

Vignerons depuis 1794, les Ariston exploitent un vignoble de 10 ha. Les trois cépages champenois sont mis à contribution dans leur Carte blanche, floral, épicé, à l'attaque nette et dont l'équilibre est parfaitement réussi. A ouvrir dès l'apéritif lors d'un repas de fête. (RM)

☛Rémi Ariston, 4 et 8, Grande-Rue, 51170 Brouillet, tél. 03.26.97.43.46, fax 03.26.97.49.34, e-mail champagne.ariston.fils@wanadoo.fr ☑ ⊥ t.l.j. 9h-12h 13h30-18h; dim. 10h-12h 15h-17h

ARNAUD DE BEAUROY Tradition

| ○ | 10 ha | 15 000 | 70 à 99 F |

Arnaud de Beauroy est une marque du Champagne Gallimard, établi aux Riceys dans l'Aube. Cette cuvée est un blanc de noirs (100 % pinot noir). Si elle apparaît un peu fugace, sa vinosité, son fruité, sa souplesse et son équilibre d'ensemble lui valent de figurer ici. (RM)

☛Champagne Gallimard Père et Fils, 18-20, rue Gaston-Cheq, Le Magny, 10340 Les Riceys, tél. 03.25.29.32.44, fax 03.25.38.55.20 ☑ ⊥ t.l.j. dim. 9h-12h 14h-18h; sam. sur r.-v.

MICHEL ARNOULD ET FILS
Réserve★★

| ○ Gd cru | 3,5 ha | 25 000 | ■ 70 à 99 F |

Etabli dans l'un des plus célèbres villages de la Montagne de Reims, Michel Arnould exploite un vignoble de 12 ha et « fait de la bouteille » depuis 1961. Il assemble dans son Réserve 70 % de pinot noir et 30 % de chardonnay récoltés en 1994 et 1995. Un champagne expressif et racé. Un dégustateur enthousiaste le trouve « raffiné, élégant, avec du charme et de la structure ». Le **Tradition**, assemblage identique mais portant sur

des vins de 1995 et 1996, est évolué et très fortement dosé. Il a obtenu une citation. (RM)
☛ Michel Arnould et Fils, 28, rue de Mailly, 51360 Verzenay, tél. 03.26.49.40.06, fax 03.26.49.44.61, e-mail michelarnould@wanadoo.fr ☑ ⦿ r.-v.

L. AUBRY FILS Tradition 1995★★

| ○ 1er cru | 1,4 ha | 6 000 | ⫘ 100 à 149 F |

Etablis dans la Montagne de Reims, les Aubry exploitent un vignoble de 16,5 ha et vinifient avec beaucoup de soin des champagnes de caractère. Cette cuvée vinifiée de 70 % de chardonnay et de 30 % de meunier. Monocru de Jouy vinifié neuf mois sous bois, elle est empyreumatique, avec des notes complexes de pain grillé et de torréfaction, harmonieuse et longue. Le **brut classique** (70 à 99 F) est issu de 60 % de meunier, 20 % de pinot noir et 20 % de chardonnay de 1996, 1997 et 1998 : un vin prometteur, nerveux, au boisé léger et agréable (une étoile). Une citation enfin pour le **Sablé rosé** (100 à 149 F, 60 % de pinots et 40 % de chardonnay) tiré à demi-mousse, équilibré et vineux. (RM)
☛ SCEV Champagne L. Aubry Fils, 4-6, Grande-Rue, 51390 Jouy-lès-Reims, tél. 03.26.49.20.07, fax 03.26.49.75.27 ☑ ⦿ r.-v.

AUTREAU DE CHAMPILLON 1995★★

| ○ | 9,7 ha | 10 000 | ▮ 100 à 149 F |

Les Autréau sont vignerons depuis plus de trois siècles à Champillon, près d'Ay, d'Hautvillers et d'Epernay. Ils ont créé leur marque en 1953 et cultivent un vignoble de 27 ha. Ce 95 mi-noir mi-blanc développe des arômes expressifs et fins de fleurs blanches et de citron confit ; sa bouche est fraîche et longue. Méritent par ailleurs d'être cités la cuvée **Réserve 1er cru** (70 à 99 F), également mi-noire mi-blanche, qui a la vivacité du pamplemousse, et **Les Perles de la Dhuy 95** (100 à 149 F ; 90 % de chardonnay), vin épicé, équilibré, qui est à son apogée. (NM)
☛ SARL Vignobles Champenois, 15, rue René-Baudet, 51160 Champillon, tél. 03.26.59.46.00, fax 03.26.59.44.85 ☑ ⦿ t.l.j. 9h-12h 14h-18h; sam. dim. sur r.-v.; f. 10-20 août
☛ Eric Autréau

AUTREAU-LASNOT Prestige 1995

| ○ | 2 ha | 7 500 | ▮⫘ 70 à 99 F |

Cette exploitation fondée en 1932 dispose d'un vignoble de 10 ha dans la vallée de la Marne, à Venteuil et à Châtillon. Assemblant chardonnay et pinot noir à parts égales, sa cuvée Prestige a connu six mois de fût. Elle mérite d'être citée pour son nez qui mêle notes florales et noisette, et pour ses saveurs de cerise et de poire. Egalement cité, le **rosé** (pinot noir 40 %, pinot meunier 20 %, chardonnay 40 % vendangés en 1995, 1996 et 1997) possède une attaque douce et une bonne longueur. (RM)
☛ Champagne Autréau-Lasnot, 6, rue du Château, 51480 Venteuil, tél. 03.26.58.49.35, fax 03.26.58.65.44 ☑ ⦿ r.-v.
☛ Gérard Autréau

AYALA 1995

| ○ | n.c. | n.c. | ▮⦿ 150 à 199 F |

A l'origine de cette maison d'Ay, l'union, sous le Second Empire, du fils d'un diplomate colombien et d'une aristocrate champenoise. Dotée d'un beau vignoble, Ayala est conduite depuis 1979 par Jean-Michel et Alain Ducellier. Les trois cépages champenois - dont une part importante de pinot noir - s'épaulent dans ce 95 à l'attaque souple et à la bouche bien fondue. Egalement cité, un **blanc de blancs 95**, étonnamment jeune, franc, nerveux, minéral et élégant. (NM)
☛ Champagne Ayala, 2, bd du Nord, 51160 Ay, tél. 03.26.55.15.44, fax 03.26.51.09.04 ☑ ⦿ r.-v.
☛ Ducellier

BAGNOST PERE ET FILS
Cuvée Prestige★★

| ○ | 0,75 ha | 6 000 | ▮⦿ 70 à 99 F |

Cette exploitation familiale de 8 ha, fondée en 1889 et établie à Pierry, au sud d'Epernay, démontre que l'on peut élaborer un grand champagne à partir de raisins récoltés en 1993, millésime de faible réputation. Assemblage classique de chardonnay (70 %) et de pinot noir (30 %), cette cuvée Prestige a séduit par sa robe or clair à fines bulles, par son nez fruité et minéral et par sa bouche intense, ample, parfaitement équilibrée, fine et longue. Elle sera parfaite à l'apéritif ou au repas, sur un poisson au four. Le **blanc de blancs sans année** mais issu de la récolte de 1992, très fin, intense et équilibré, obtient une étoile. (RM)
☛ Champagne Bagnost Père et Fils, 30, rue du Gal-de-Gaulle, 51530 Pierry, tél. 03.26.54.04.22, fax 03.26.55.67.17 ☑ ⦿ t.l.j. 8h-12h 14h-19h

PAUL BARA Réserve

| ○ Gd cru | 11 ha | 50 000 | ▮⦿ 70 à 99 F |

Ce domaine établi à Bouzy - grand cru - depuis cent quarante ans dispose de 11 ha de vignes. 80 % de pinot noir et 20 % de chardonnay se marient dans ce Réserve aux arômes de coing et de miel, à la bouche ronde et équilibrée. Cité également, le **Spécial Club 96** (150 à 199 F), issu de deux tiers de pinot noir pour un tiers de chardonnay. Un champagne frais et plein qui n'a pas encore atteint son apogée. (RM)
☛ Champagne Paul Bara, 4, rue Yvonnet, B.P. 11, 51150 Bouzy, tél. 03.26.57.00.50, fax 03.26.57.81.24 ☑ ⦿ r.-v.

BARDOUX PERE ET FILS
Cuvée du 3e millénaire★★

○	3 ha	n.c.	🍴⬇ 150 à 199 F

Villedommange est un joli village du nord de la Montagne de Reims : de la chapelle Saint-Lié, le visiteur découvre un beau panorama sur le vignoble et la plaine rémoise. Les Bardoux y exploitent un domaine de 4 ha créé en 1929. Cette cuvée assemble les trois cépages champenois, dont 58 % de pinot meunier et 20 % de pinot noir de 1996 complétés par des vins de réserve de 1992 à 1995. Elle est miellée et citronnée, ample et longue. Un très beau champagne de repas. La cuvée de l'An 2000 (100 à 149 F), un assemblage du même style, évolué et néanmoins vif, a été citée. (RM)
➦Pascal Bardoux, 5-7, rue Saint-Vincent, 51390 Villedommange, tél. 03.26.49.25.35, fax 03.26.49.23.15 ☑ ⊺ r.-v.

EDMOND BARNAUT Blanc de noirs

○ Gd cru	2,5 ha	20 000	🍴⬇ 70 à 99 F

Le vignoble a été fondé en 1874 par Edmond Barnaut ; Philippe Secondé, son descendant de la cinquième génération, exploite aujourd'hui 14,5 ha. Un vin de base daté de 97, assisté de vins de réserve, est à l'origine de ce champagne rond, structuré, de longueur honorable. (RM)
➦Champagne Edmond Barnaut, 2, rue Gambetta, B.P. 19, 51150 Bouzy, tél. 03.26.57.01.54, fax 03.26.57.09.97, e-mail contact@champagne-barnaut.com ☑ ⊺ r.-v.
➦Philippe Secondé

BARON ALBERT La Préférence 1994★★

○		n.c.	12 000	🍴⬤⬇ 70 à 99 F

En 1677, les Baron travaillaient déjà la vigne à Charly-sur-Marne, à l'ouest de Château-Thierry. Albert Baron fut le premier, en 1947, à élaborer du champagne sous sa marque. Les vins passent par le bois et ne font pas leur fermentation malolactique. Cette cuvée naît de l'assemblage de 70 % de chardonnay et de 30 % de pinots (10 % de pinot meunier). Légèrement boisée, elle allie finesse et puissance. Ont été cités le rosé, équilibré et long, et le brut Tradition (90 % de pinot meunier, 10 % de chardonnay), frais, évolué et persistant. (NM)
➦Champagne Baron Albert, 1, rue des Chaillots, Grand-Porteron, 02310 Charly-sur-Marne, tél. 03.23.82.02.65, fax 03.23.82.02.44 ☑ ⊺ r.-v.

BARON-FUENTE Cuvée Prestige★★

○	5 ha	22 000	🍴⬇ 100 à 149 F

Etablis dans la partie occidentale du vignoble (Aisne), les Baron sont au service du vin depuis trois siècles. La marque Baron-Fuenté a été lancée en 1967 par Gabriel Baron après son mariage avec Dolorès Fuenté, originaire d'Andalousie. Les trois cépages champenois collaborent à parts égales à cette cuvée au nez empyreumatique et dont la bouche offre des saveurs complexes de fruits rouges et de noisette. (NM)

➦Champagne Baron-Fuenté, 21, av. Fernand-Drouet, 02310 Charly-sur-Marne, tél. 03.23.82.01.97, fax 03.23.82.12.00, e-mail champagne.baron-fuente@wanadoo.fr ☑ ⊺ r.-v.

BAUCHET PERE ET FILS Réserve★

○ 1er cru		n.c.	20 700	70 à 99 F

Etablis à Bisseuil, commune de la vallée de la Marne située entre Tours-sous-Marne et Ay, deux frères exploitent un vignoble de 36 ha. La famille a lancé son champagne en 1960. Chardonnay (60 %) et pinot noir (40 %) collaborent à cette cuvée dont le dosage est perceptible et dans laquelle les fruits rouges se manifestent au nez comme en bouche. (RM)
➦Sté Bauchet Frères, rue de la Crayère, 51150 Bisseuil, tél. 03.26.58.92.12, fax 03.26.58.94.74 ☑ ⊺ r.-v.

BAUGET-JOUETTE Blanc de blancs 1993★

○		n.c.	n.c.	🍴 150 à 199 F

Cette maison a lancé sa marque en 1973 et dispose d'un vignoble de 14 ha. Son blanc de blancs 93 a atteint son apogée. C'est un champagne rond, vineux, ample et généreux, dont la palette aromatique mêle des notes citronnées et des nuances de fruits confits. (NM)
➦Champagne Bauget-Jouette, 1, rue Champfleury, 51200 Epernay, tél. 03.26.54.44.05, fax 03.26.55.37.99 ⊺ r.-v.
➦Bauget

ANDRE BEAUFORT 1992★★

○	4,5 ha	n.c.	100 à 149 F

Jacques Beaufort pratique l'agrobiologie et fait figurer la date du dégorgement sur ses étiquettes. Son 92 (80 % pinot noir, 20 % chardonnay) est remarquable par son bouquet de miel, de beurre et de fruits confits, et par sa bouche ample et équilibrée. D'une composition identique, la Cuvée 2000 (150 à 199 F) a obtenu une étoile. On y découvre le miel d'acacia, la violette et le bonbon anglais. (RM)
➦Jacques Beaufort, 1, rue de Vaudemanges, 51150 Ambonnay, tél. 03.26.57.01.50, fax 03.26.52.83.50 ☑ ⊺ r.-v.

BEAUMET Blanc de blancs

○		n.c.	40 000	🍴⬇ 100 à 149 F

Marque créée en 1878 et reprise en 1977 par Jacques Trouillard, également propriétaire de Jeanmaire et de Oudinot. Ce blanc de blancs possède un joli nez aromatique qui s'ouvre sur les notes de vanille et de fleurs blanches, précédant une bouche fraîche et vive. (NM)
➦Champagne Beaumet, 3, rue Malakoff, 51207 Epernay Cedex, tél. 03.26.59.50.10, fax 03.26.54.78.52
➦J. et M. Trouillard

BEAUMONT DES CRAYERES
Grande Réserve★

○	34 ha	220 000	🍴⬇ 70 à 99 F

Créé en 1955, ce groupement de producteurs vinifie la production de 75 ha de vignes. Il exporte 80 % de sa production, des Etats-Unis à la Malaisie. Assemblant trois vendanges, sa cuvée Grande Réserve est très noire (75 % de

pinots dont 60 % de pinot meunier). La puissance aromatique du pinot meunier se manifeste et la bouche est persistante. Une étoile encore pour le **Fleur de rose 95** (140 à 149 F), mi-noir mi-blanc, un champagne au fruité généreux, puissant et équilibré. La cuvée **Nuit d'Or 90** (100 à 149 F) a obtenu elle aussi une étoile pour son nez confit et grillé (70 % de chardonnay). (CM)
☛Champagne Beaumont des Crayères, B.P. 1030, 51318 Epernay Cedex, tél. 03.26.55.29.40, fax 03.26.54.26.30, e-mail champagne-beaumont@wanadoo.fr
☑ ㅜ t.l.j. 10h-12h 14h-18h; f. sam. dim. de Noël à Pâques

L. BENARD-PITOIS 1995*

○ 1er cru	n.c.	3 335	🗋	100 à 149 F

L'exploitation a été créée en 1938. Elle compte aujourd'hui une dizaine d'hectares situés dans deux grands crus et quatre premiers crus. Ce 95 assemble 70 % de chardonnay et 30 % de pinot noir. C'est un champagne marqué par les agrumes, et sa légèreté le destine à l'apéritif. (RM)
☛Champagne L. Bénard-Pitois, 23, rue Duval, 51160 Mareuil-sur-Ay, tél. 03.26.52.60.28, fax 03.26.52.60.12 ☑ ㅜ r.-v.

BERECHE ET FILS**

○ 1er cru	2 ha	n.c.	🗋	70 à 99 F

Jean-Pierre Berèche cultive le vignoble familial fondé en 1847 dans la Montagne de Reims. Le brut sans année qu'il a proposé, issu des trois cépages champenois à parts égales, a suscité l'enthousiasme de plusieurs membres du jury, sensibles à sa belle complexité, à son équilibre réussi et à la longueur séduisante de ses arômes floraux et briochés. (RM)
☛Champagne Berèche et Fils, Le Craon-de-Ludes, B.P. 18, 51500 Ludes, tél. 03.26.61.13.28, fax 03.26.61.14.14 ☑ ㅜ r.-v.

CH. BERTHELOT Blanc de blancs

○ Gd cru	n.c.	5 000	🗋	70 à 99 F

Christian Berthelot est vigneron à Avize, commune de la Côte des Blancs classée en grand cru. Son blanc de blancs grand cru sans année assemble du chardonnay récolté en 1995, 1996 et 1997. Ses arômes citronnés, intenses et vifs le destinent à l'apéritif. (RM)
☛Christian Berthelot, 32, rue E.-Valle, 51190 Avize, tél. 03.26.57.58.99, fax 03.26.51.87.26 ☑ ㅜ r.-v.

PAUL BERTHELOT Blason d'Or

○	n.c.	n.c.	🗋	70 à 99 F

Cette maison de négoce, établie à Dizy près d'Epernay, exploite un vignoble de 22 ha. Cuvée mi-noire mi-blanche, son Blason d'Or a été apprécié pour sa finesse, sa fraîcheur, ses arômes de noisette et son équilibre soyeux. Un dégustateur suggère de le servir avec une gougère ou une brioche. (NM)
☛SARL Paul Berthelot, 889, av. du Gal-Leclerc, 51530 Dizy, tél. 03.26.55.23.83, fax 03.26.54.36.31 ☑ ㅜ r.-v.

BERTIN ET FILS Carte blanche*

○	3 ha	18 000	🗋	70 à 99 F

Etabli dans la Côte des Blancs, ce récoltant-manipulant cultive 3 ha de chardonnay et 1 ha de pinot noir. Il a lancé son champagne en 1978. Ce Carte blanche est un blanc de blancs 95. On y décèle le sous-bois, le beurre frais, le pain grillé ; en bouche le pain d'épice et la mirabelle dominent. Un ensemble fin, équilibré et long. A retenir encore, cité par le jury, le champagne **Carte d'Or** : un blanc de blancs issu de la vendange de 1992 ; il est très proche du précédent mais son dosage est sensible. Le servir avec une tarte au citron. (RM)
☛Bertin et Fils, 64, rue Saint-Gibrien, 51530 Cramant, tél. 03.26.57.93.38, fax 03.26.58.46.79, e-mail francis.bertin@fnac.net ☑ ㅜ r.-v.

BILLECART-SALMON
Cuvée Nicolas François Billecart 1995

	n.c.	n.c.	🗋	300 à 499 F

Les Billecart sont établis à Mareuil-sur-Ay depuis au moins quatre siècles. La maison, fondée en 1818, est connue pour ses champagnes haut de gamme, comme ceux décrits ci-dessous et cités par le jury. La cuvée Nicolas François Billecart naît de 60 % de pinot et de 40 % de chardonnay originaires de grands crus ; elle possède un nez complexe et une bouche équilibrée et longue. Quant à la cuvée **Elisabeth Salmon 95** (plus de 500 F), mi-blanche mi-noire, il s'agit d'un rosé coloré par du vin rouge de Mareuil-sur-Ay. De couleur saumonée, il est vif et équilibré. (NM)
☛Champagne Billecart-Salmon, 40, rue Carnot, 51160 Mareuil-sur-Ay, tél. 03.26.52.60.22, fax 03.26.52.64.88, e-mail billecart@champagne-billecart.fr
☑ ㅜ r.-v.

BINET 1992**

○	n.c.	n.c.	🗋	150 à 199 F

Maison créée par Léon Binet en 1849, reprise en 1948 par Henri Germain (Champagne Germain) et cédée en 1985 au groupe Frey. Assemblage de chardonnay (60 %) et de pinot noir (40 %), ce 92 a été jugé remarquable par sa fraîcheur et son élégance. Son nez citronné et sa bouche font songer au pamplemousse. Quant au **brut Elite** (100 à 149 F), cité par le jury, son assemblage est dominé par les raisins noirs. C'est un champagne léger en bouche, aux arômes de citron vert. (NM)
☛Champagne Binet, 31, rue de Reims, 51500 Rilly-la-Montagne, tél. 03.26.03.49.18, fax 03.26.03.43.11, e-mail info@champagne-binet.com ☑ ㅜ r.-v.
☛Daniel Prin

H. BLIN ET CIE Tradition

○	90 ha	400 000	🗋	70 à 99 F

Ce groupement de producteurs exploitant 120 ha de vignes a son siège dans la vallée de la Marne. Son Tradition, très marqué par le pinot meunier (77 %), est issu de raisins récoltés en 1995, 1996 et 1997. Un champagne floral, long en bouche, au dosage perceptible. La cuvée **chardonnay** (100 à 149 F), citée également, est issue des mêmes millésimes. Elle est pleine de jeunesse et de promesses avec ses arômes citronnés puis ses saveurs de pêche de vigne et de miel. (CM)

☛ SC Champagne H. Blin et Cie,
5, rue de Verdun, 51700 Vincelles,
tél. 03.26.58.20.04, fax 03.26.58.29.67 ▨ ⵣ r.-v.

R. BLIN ET FILS★

◒	n.c.	n.c.	70 à 99 F

Les Blin disposent d'un vignoble de 11 ha dans le massif de Saint-Thierry, l'un des berceaux du champagne. Ce rosé séduit par l'équilibre d'une bouche élégante dont le fruité fait songer à la cerise et au cassis. A retenir encore, cité par le jury, le **millésimé 93**, un blanc de noirs vineux, fugace mais agréable, aux saveurs de fruits rouges. (R)

☛ R. Blin et Fils, 11, rue du Point-du-Jour, 51140 Trigny, tél. 03.26.03.10.97, fax 03.26.03.19.63, e-mail contact@champagne-blin-et-fils.fr ▨ ⵣ r.-v.

BOIZEL Joyau de France 1991★

◯	n.c.	50 000	▤ ⅲ ⵠ	200 à 249 F

Auguste Boizel a fondé sa maison en 1834. Ses descendants la dirigent toujours au sein du groupe Boizel-Chanoine-Champagne. Lancée en 1961, la cuvée Joyau de France naît de 70 % de pinot noir et de 30 % de chardonnay et « fait » un peu de bois. On y découvre de la noisette, des fruits secs et du miel. La bouche est équilibrée, avec rondeur. Une citation pour le **Grand Vintage 95** (150 à 199 F) où le chardonnay (48 %) et les pinots sont presque à égalité. Un champagne souple, fondu, dans lequel le miel d'acacia et les agrumes jouent leur partie. (NM)

☛ Champagne Boizel, 46, av. de Champagne, 51200 Epernay, tél. 03.26.55.21.51, fax 03.26.54.31.83

☛ Groupe Boizel-Chanoine

BOLLINGER R.D. 1988★★

◯	n.c.	n.c.	ⅲ	300 à 499 F

Fondée en 1829, cette maison est née à la suite du mariage de l'Allemand Josef Bollinger (devenu Jacques Bollinger) avec une aristocrate dont la famille, enracinée en Champagne, possédait des vignes à Ay et à Cuis. Aujourd'hui, elle exporte ses vins dans quatre-vingts pays et dispose d'un vignoble vaste (près de 150 ha) et de qualité. Ses vins haut de gamme, comme cette cuvée R.D., fermentent et sont élevés dans le bois. « R.D. », sigle déposé par Bollinger, signifie « récemment dégorgé ». Cette technique vise à obtenir des vins complexes qui ne perdent rien de leur fraîcheur. Le but est atteint avec ce 88, assemblage de 72 % de pinot noir et de 28 % de chardonnay. Evolué sans être fatigué, il séduit par l'infinie complexité de sa palette aromatique où le boisé, les épices et la vanille se mêlent aux agrumes confits, au miel, aux fruits secs, au pain

grillé... Et quelle harmonie ! Quelle longueur ! Ce champagne de connaisseur, « qui fait parler autour d'une table », est plébiscité. (NM)

☛ Bollinger, 16, rue Jules-Lobet, 51160 Ay, tél. 03.26.53.33.66, fax 03.26.54.85.59

BOLLINGER Grande Année 1992★

◯	n.c.	n.c.	ⅲ	300 à 499 F

La Grande Année fait partie des cuvées phares de la maison Bollinger. Le 90 avait obtenu un coup de cœur dans l'édition précédente du Guide. Le 92, millésime plus modeste, est un cran en dessous mais ne démérite pas avec sa palette alliant la vanille et l'amande dans une bouche qui a atteint son apogée. L'assemblage comprend 65 % de pinot noir et 35 % de chardonnay. Quant au **Spécial Cuvée** (75 % de pinots dont 15 % de meunier, 25 % de chardonnay), c'est un champagne brioché et miellé (150 à 199 F). Il mérite une citation. (NM)

☛ Bollinger, 16, rue Jules-Lobet, 51160 Ay, tél. 03.26.53.33.66, fax 03.26.54.85.59

BONNAIRE Blanc de blancs★

◯ Gd cru	10 ha	n.c.	▤ ⵠ	70 à 99 F

Domaine fondé en 1932 dans la Côte des Blancs par Fernand Bouquemont, le grand-père de Jean-Louis Bonnaire, l'exploitant actuel. Le vignoble comprend 13 ha de chardonnay et 9 ha des deux pinots. Ce vin naît de l'assemblage de chardonnays récoltés en 1995 et 1996. Un grand cru rappelant le beurre frais et la noisette grillée, citronné, frais et souple : « tout ce qu'on attend d'un blanc de blancs ». Le 1er cru blanc de blancs **Gelminger** (une deuxième marque) mérite d'être cité : un champagne droit, pour l'apéritif. (RM)

☛ SA Bonnaire, 120, rue d'Epernay, 51530 Cramant, tél. 03.26.57.50.85, fax 03.26.57.59.17, e-mail info@champagne-bonnaire.com ▨ ⵣ r.-v.

☛ Jean-Louis Bonnaire

ALEXANDRE BONNET Madrigal 1993

◯	12 ha	7 000	▤ ⵠ	100 à 149 F

Cette marque lancée en 1932 est depuis 1998 dans le giron du groupe BRC. La cuvée Madrigal - « courte pièce en vers exprimant de tendres sentiments » -, mi-noire mi-blanche, mérite bien son nom : fine, florale, franche à l'attaque, elle laisse un souvenir bref. (NM)

☛ SA Alexandre Bonnet, 138, rue du Gal-de-Gaulle, 10340 Les Riceys, tél. 03.25.29.30.93, fax 03.25.29.38.65 ▨ ⵣ r.-v.

☛ Philippe Baijot

BONNET-PONSON 1995

◯ 1er cru	n.c.	n.c.	▤ ⵠ	70 à 99 F

Le vignoble voit le jour en 1835 avec Maxime-Isidore Bonnet. Aujourd'hui, il s'étend sur une dizaine d'hectares à Chamery, joli village de la Montagne de Reims. Ce 95 est l'œuvre de Thierry Bonnet qui a assemblé 40 % de chardonnay à 60 % de pinot noir. Rond, équilibré, il représente bien les qualités du millésime et accompagnera parfaitement la volaille. (RM)

☛Champagne Bonnet-Ponson,
20, rue du Sourd, 51500 Chamery,
tél. 03.26.97.65.40, fax 03.26.97.67.11,
e-mail champagne.bonnet.ponson@wanadoo.fr
☑ ⌑ r.-v.
☛ Thierry Bonnet

BOREL-LUCAS
Blanc de blancs Cuvée Sélection

○ Gd cru	1,8 ha	n.c.	🔳 ♦ 70 à 89 F

Connue pour son château du XVIIᵉˢ., Etoges est située en arrière de la Côte des Blancs. Cette exploitation y a été fondée en 1929. Elle propose un grand cru issu du millésime 95 complété par un tiers de vins de réserve de 94. Si le nez est discret, la bouche aux notes d'amandine est complexe. Egalement cité, le **rosé** (80 % de meunier, 10 % de pinot noir, 10 % de chardonnay récoltés en 1996 et surtout en 1997) est frais, équilibré et long. (RM)
☛EARL Borel-Crépaux, 1, rue Richebourg, 51270 Etoges, tél. 03.26.59.30.46,
fax 03.26.51.59.84 ☑ ⌑ t.l.j. 9h-12h 14h-18h; dim. 9h-12h; f. 15-31 août

BOUCHE PERE ET FILS Cuvée réservée*

○		n.c.	300 000	🔳 ♦ 70 à 89 F

Fondée en 1945, cette maison a lancé sa marque en 1955 et dispose aujourd'hui de 35 ha de vignes dans onze crus différents, dont cinq grands crus. Elle propose une cuvée mi-blanche mi-noire (30 % de pinot noir, 20 % de meunier) comprenant 20 % de vins de réserve. Un champagne très agréable par son élégance biscuitée et son équilibre axé sur la fraîcheur. Une étoile encore pour la cuvée **An 2000** (50 % de pinot noir, 50 % de chardonnay), ronde, à son apogée, et pour le **Grande Réserve 91** (pinot 55 %, chardonnay 45 %), floral et mentholé. (NM)
☛Champagne Bouché Père et Fils,
10, rue Charles-de-Gaulle, 51530 Pierry,
tél. 03.26.54.12.44, fax 03.26.55.07.22 ☑ ⌑ r.-v.

RAYMOND BOULARD Réserve*

○		5 ha	10 000	🔳 70 à 99 F

Les Boulard sont viticulteurs depuis la Révolution et négociants-manipulants depuis 1952. Leur vignoble (10 ha) s'étend sur sept crus différents. Certains vins passent par le bois. Ce Réserve, assemblage de 25 % de chardonnay et de 75 % de pinots (dont 45 % de meunier), naît du millésime 97 et de vins de réserve. Il est fruité, confituré, généreux et léger. Le **rosé** (100 à 149 F), obtenu par saignée des deux pinots à parts égales, évoque avec onctuosité le cassis, la framboise, la vanille et le fumé : une étoile. Une citation enfin pour la **Carte d'Or blanc de blancs** (100 à 149 F), frais et fin. (NM)
☛Champagne Raymond Boulard,
1, rue du Tambour, 51480 La Neuville-aux-Larris, tél. 03.26.58.12.08,
fax 03.26.61.54.92,
e-mail info@champagne.boulard.fr ☑ ⌑ r.-v.

JEAN-PAUL BOULONNAIS
Blanc de blancs Réserve★★

○		5 ha	5 000	🔳 70 à 99 F

En cinq générations, les Boulonnais ont constitué un vignoble de 5 ha à Vertus, au sud de la Côte des Blancs. Leur Réserve est un blanc de blancs typé. Associant notes florales et arômes miellés, il est souple et d'un parfait équilibre. Il convient aussi bien pour l'apéritif que pour le repas. Quant au 1ᵉʳ cru **Tradition**, il offre un fruité où ressort la poire (80 % de chardonnay, 20 % de pinot noir). Il est cité pour son ampleur et son équilibre. (NM)
☛Jean-Paul Boulonnais, 14, rue de l'Abbaye, 51130 Vertus, tél. 03.26.52.23.41,
fax 03.26.52.27.55 ☑ ⌑ r.-v.

R. BOURDELOIS
Blanc de blancs Cuvée de réserve

○	n.c.	n.c.	🔳 70 à 89 F

Etabli à Dizy, près d'Epernay, ce récoltant propose un blanc de blancs classique. Le nez encore discret laisse percer des notes de pain brioché avant que n'apparaissent en bouche le fruit mûr, le fruit sec puis le fruit confit. (RM)
☛Raymond Bourdelois, 737, av. du Gal-Leclerc, 51530 Dizy, tél. 03.26.55.23.34,
fax 03.26.55.29.81 ☑ ⌑ r.-v.

BOURGEOIS Cuvée de l'Ecu 1995

○	n.c.	n.c.	🔳 100 à 149 F

Depuis trois générations, les Bourgeois produisent du champagne. Michel Bourgeois propose cette cuvée de l'Ecu sous une étiquette bleu étoilé (cet écu ne serait-il pas un euro ?). Il s'agit d'un blanc de blancs qui n'a pas fait sa fermentation malolactique. Est-ce pour cela qu'il reste jeune ? Il est vif et léger. (NM)
☛Champagne Bourgeois, 43, Grande-Rue, 02310 Crouttes-sur-Marne, tél. 03.23.82.15.71,
fax 03.23.82.55.11, e-mail bourgeois-mhb@compuserve.com ☑ ⌑ r.-v.

CH. DE BOURSAULT Tradition*

○	10 ha	56 000	🔳 ♦ 70 à 99 F

Madame veuve Clicquot fit élever ce château en 1845, l'habita et y mourut. Depuis 1927, ce domaine est la propriété de la famille Fringhian. Les trois cépages champenois collaborent à peu près également à ce brut sans année distingué et structuré qui a atteint son apogée. Ont été cités, dans la fourchette de prix supérieure, le **93**, né d'autant de chardonnay que de pinot meunier, épicé, vanillé, grillé, harmonieux, et le **Tradition rosé**, un rosé de saignée issu des deux pinots, franc, boisé, élégant. (NM)
☛Champagne Ch. de Boursault,
2, rue Maurice-Gilbert, 51480 Boursault,
tél. 03.26.58.42.21, fax 03.26.58.66.12 ☑ ⌑ r.-v.

BOUTILLEZ-GUER Tradition★★

○ 1er cru	n.c.	n.c.	🔳 70 à 99 F

Depuis plusieurs siècles les Boutillez sont vignerons à Villers-Marmery, une commune de la Montagne de Reims connue pour la qualité de ses vins de chardonnay. Ils cultivent 3,6 ha. Leur Tradition comporte 75 % de chardonnay pour 25 % de pinot noir. Le cépage dominant marque ce champagne d'arômes de viennoiserie et de fleurs blanches qui précèdent des saveurs de citron et de pamplemousse. Le chardonnay imprime évidemment son empreinte dans le **blanc de blancs 1ᵉʳ cru** qui obtient aussi deux étoiles pour sa finesse et son élégance. Deux vins pour l'apéritif ou le poisson. (RM)

🕊 Champagne Boutillez-Guer, 38, rue Pasteur, 51380 Villers-Marmery, tél. 03.26.97.91.38, fax 03.26.97.94.95 ☑ 𝕏 r.-v.

🕊 Marc Boutillez

G. BOUTILLEZ-VIGNON
Blanc de blancs

○ 1er cru	0,25 ha	2 500	▮ 70 à 99 F

Établie à Villers-Marmery depuis le XVI°s., cette famille « fait de la bouteille » depuis 1976 et cultive aujourd'hui un vignoble de 5 ha. Elle propose un blanc de blancs né des vendanges de 1995 et 1997, beurré, complexe ; son attaque franche annonce une bouche fraîche. Egalement citée, la **cuvée Prestige** 1er cru est issue de pinot noir (40 %) et de chardonnay (60 %) récoltés en 1996, 1997 et 1998. Son nez riche et complexe domine sa bouche fraîche et épicée. Pour un apéritif en plein air. (RM)

🕊 G. Boutillez-Vignon, 26, rue Pasteur, 51380 Villers-Marmery, tél. 03.26.97.95.87, fax 03.26.97.97.23 ☑ 𝕏 t.l.j. 10h-12h 14h-18h; sam. dim. sur r.-v.; f. 15 août-5 sep.

BRICE Ay

○ Gd cru	n.c.	3 500	▮ 150 à 199 F

Fondée en 1994, la maison est récente, mais la famille Brice est établie à Bouzy depuis le XVII°s. Elle est propriétaire d'un vignoble de 7 ha. Ce négociant a la particularité de vinifier et de vendre des grands crus présentés sous leur nom, tel ce vin d'Ay (90 % de pinot noir et 10 % de chardonnay) cité pour son caractère floral et fruité, sa rondeur et sa longueur en bouche. (NM)

🕊 Champagne Brice, 3, rue Yvonnet, 51150 Bouzy, tél. 03.26.52.06.60, fax 03.26.57.05.07, e-mail ebea@wanadoo.fr ☑ 𝕏 r.-v.

BRICOUT Cuvée Arthur Bricout★

○ Gd cru	n.c.	n.c.	▮ ♦ 150 à 199 F

La maison, fondée par un Allemand, Charles Koch, en 1820, a pris le nom de Bricout et Koch lorsque Arthur Bricout est entré dans la famille. Elle est ensuite redevenue allemande jusqu'à un achat récent par le groupe Martin. Cette cuvée spéciale est un blanc de blancs. Elle a atteint son apogée et offre un nez complexe typé du chardonnay. La bouche est un peu en retrait mais sa longueur est intéressante. Le **millésime 92** mérite d'être cité. C'est aussi un blanc de blancs, mais, contrairement au précédent, sa bouche franche, fraîche et équilibrée surpasse le nez, minéral et fermé. (NM)

🕊 SA Champagne Bricout et Koch, 59, rte de Cramant, 51190 Avize, tél. 03.26.53.30.00, fax 03.26.57.59.26 ☑ 𝕏 r.-v.

🕊 Groupe Delbeck

BROCHET-HERVIEUX
Cuvée An 2000 1995

○	n.c.	4 000	100 à 149 F

Etablis à Ecueil, près de Reims, les Brochet viennent de perdre en mai 2000 Henri Brochet, forte et élégante personnalité de la Champagne. Ses enfants exploitent le vignoble de 16 ha. Cette cuvée An 2000 est très noire (80 % de pinots, dont 5 % de meunier). Puissante, équilibrée et longue, elle plaira aux amateurs de champagnes évolués. (RM)

🕊 Brochet-Hervieux, 12, rue de Villers-aux-Nœuds, 51500 Ecueil, tél. 03.26.49.77.44, fax 03.26.49.77.17 ☑ 𝕏 r.-v.

ANDRE BROCHOT★

○	1 ha	n.c.	▮ ♦ 70 à 99 F

Ce récoltant-manipulant a lancé son champagne dans les premières années d'après-guerre. Deux de ses vins obtiennent une étoile : ce brut sans année, ample et plein de jeunesse, et un **Grande Réserve**, cuvée spéciale à la riche palette aromatique (notes de fleurs, de verveine, de pêche cuite et d'agrumes), à l'attaque souple, à la bouche ronde et longue. (RM)

🕊 Francis Brochot, 50, rue Julien-Ducos, 51530 Saint-Martin-d'Ablois, tél. 03.26.59.91.39, fax 03.26.59.91.39 ☑ 𝕏 r.-v.

EDOUARD BRUN ET CIE 1995

○	n.c.	25 000	▮ ⑪ 100 à 149 F

Cette maison de négoce d'Ay a été fondée il y a plus d'un siècle (en 1898 exactement) par le fils dynamique d'un tonnelier. Elle propose une cuvée mi-noire mi-blanche, à l'attaque vive, fraîche malgré un dosage sensible. (NM)

🕊 Edouard Brun et Cie, 14, rue Marcel-Mailly, B.P. 11, 51160 Ay, tél. 03.26.55.20.11, fax 03.26.51.94.29 ☑ 𝕏 t.l.j. 8h-12h 14h-18h; sam. dim. sur r.-v.

ERIC BUNEL Tradition

○ Gd cru	4,5 ha	30 000	▮ 70 à 99 F

La commune de Louvois, sur le flanc sud de la Montagne de Reims, possédait jadis un château construit par l'ambitieux ministre de la Guerre de Louis XIV, Michel Le Tellier. Le palais a disparu. Restent les vignerons qui s'appuient sur des armes plus pacifiques. Parmi eux, Eric Bunel a lancé son champagne en 1970. Sa cuvée Tradition naît de l'assemblage de pinot noir (70 %) et de chardonnay (30 %) récoltés en 1996 et surtout en 1997. Elle a été retenue pour son nez alliant fleurs blanches et notes empyreumatiques, pour sa bouche ample de fruits mûrs. Egalement cité, le **92**, mi-noir mi-blanc, est lui aussi empyreumatique, riche, structuré et équilibré (100 à 149 F). (RM)

🕊 Eric Bunel, 32, rue Michel-Letellier, 51150 Louvois, tél. 03.26.57.03.06, fax 03.26.52.31.66 ☑ 𝕏 t.l.j. 9h30-12h 14h-17h30

CHRISTIAN BUSIN Tradition

● Gd cru	4 ha	40 000	▮ 70 à 99 F

Célèbre par son ancien moulin, Verzenay est l'une des communes les plus connues de la Montagne de Reims, classée en grand cru. Depuis quatre générations, les Busin y cultivent la vigne. Ils disposent aujourd'hui de 4 ha. Ce Tradition (80 % de pinot noir, 20 % de chardonnay, raisins récoltés en 1995 et 1996) est un rosé de couleur soutenue, souple à l'attaque, ce qui ne nuit pas à la fraîcheur. Toujours en grand cru mais en blanc, la **Cuvée 2000 Vieilles vignes** (150 à 199 F) un assemblage semblable au précédent, mais issu des vendanges de 1994 et 1995, est fruitée, riche et souple. Un champagne de repas, également cité. (RM)

☛Christian Busin, 4, rue d'Uzès, 51360 Verzenay, tél. 03.26.49.40.94, fax 03.26.49.44.19 ☑ ⏁ r.-v.

JACQUES BUSIN Cuvée 2000

○ Gd cru	0,6 ha	5 000	☐ ⚱ 100 à 149 F

Jacques Busin a la chance d'exploiter un vignoble situé dans quatre grands crus : Verzy, Verzenay, Ambonnay et Sillery. Sa Cuvée 2000 est un monocru de Verzenay issu de 75 % de pinot noir complété par 25 % de chardonnay - ces vignes de plus de quarante ans vendangées en 1995. C'est un champagne frais, minéral, assez rond et sérieux en bouche. (RM)

☛Jacques Busin, 17, rue Thiers, 51360 Verzenay, tél. 03.26.49.40.36, fax 03.26.49.81.11 ☑ ⏁ r.-v.

DANIEL CAILLEZ

⊘		5 ha	3 500	☐ ⑪ 50 à 69 F

Ce récoltant-manipulant exploite un vignoble de 5 ha à Damery dans la vallée de la Marne. Son rosé est un rosé de noirs de pinot meunier ; la robe rose tend vers le rouge, le nez « pinote » alors que la bouche s'affirme avec autorité, fraîcheur et persistance. Un rosé de repas. Son prix est doux, mais la cuvée est confidentielle ! (RM)

☛Daniel Caillez, 19, rue Pierre-Curie, 51480 Damery, tél. 03.26.58.46.02, fax 03.26.52.04.24 ☑ ⏁ r.-v.

CAILLEZ-LEMAIRE Grande Réserve★

○		2 ha	14 817	☐ ⚱ 70 à 99 F

Henri Caillez exploite un vignoble de 6 ha créé en 1942. Mi-blanche mi-noire (avec 25 % de pinot meunier), sa cuvée Grande Réserve n'a fait que partiellement sa fermentation malolactique. Elle est issue des vendanges de 1995 et de 1996. Ses arômes font songer aux agrumes et à la brioche miellée ; la bouche est vive avec rondeur. Un champagne d'apéritif. (RM)

☛SARL Champagne Caillez-Lemaire, 14, rue Pierre-Curie, B.P. 11, 51480 Damery, tél. 03.26.58.41.85, fax 03.26.52.03.24 ☑ ⏁ r.-v.
☛Henri Caillez

PIERRE CALLOT Blanc de blancs

○ Gd cru	4,93 ha	n.c.	☐ ⑪ 70 à 99 F

Né à Avize en 1784, Louis Callot était déjà attaché à la vigne. Ses descendants exploitent un vignoble de 6 ha, toujours dans cette commune de la Côte des Blancs classée en grand cru. Ils élaborent du champagne depuis 1955. Ce blanc de blancs est issu de la vendange de 1997 complétée par des vins de réserve de 1995 et de 1996. Floral (fleurs blanches) et élégant, il fait preuve d'une belle fraîcheur, d'une vivacité sans agressivité. Il faut également citer le **Grande Réserve grand cru** (100 à 149 F), un blanc de blancs d'Avize mais des années 1991, 1992 et 1993, retenu pour sa puissance florale et sa fraîcheur fruitée. (RM)

☛Champagne Pierre Callot et Fils, 100, av. Jean-Jaurès, 51190 Avize, tél. 03.26.57.51.57, fax 03.26.57.99.15 ☑ ⏁ r.-v.

CANARD-DUCHENE 1991★

○	n.c.	n.c.	☐ ⚱ 100 à 149 F

Marque fondée au XIXᵉs., associée à Veuve-Clicquot, donc aujourd'hui dans le giron de LVMH. Né des trois cépages champenois, ce 91 - un millésime difficile - a su garder sa jeunesse. Les fruits secs miellés s'imposent tant au nez qu'en bouche, dans un ensemble vif et complexe. Une étoile également pour la **Grande Cuvée Charles VII** (150 à 199 F), un assemblage proche du précédent (moins de pinot meunier), dans le même style. « Un vin en dentelle », écrit un dégustateur. (NM)

☛Canard-Duchêne, 1, rue Edmond-Canard, 51500 Ludes, tél. 03.26.61.11.60, fax 03.26.40.60.17, e-mail info@canard-duchene.fr ☑ ⏁ t.l.j. sf dim. lun. 11h-13h 14h30-17h; f. 15 oct.-1ᵉʳ avr.

JEAN-YVES DE CARLINI
Cuvée de réserve

○ Gd cru	3,5 ha	6 500	☐ 70 à 99 F

Les Carlini arrivent en Champagne en 1906. L'étiquette R. de Carlini apparaît en 1955, à laquelle succède en 1984 la marque Jean-Yves de Carlini. Le vignoble s'étend sur 6,5 ha, autour de Verzenay, commune de la Montagne de Reims classée en grand cru. C'est dans cette catégorie qu'entrent les trois champagnes du domaine cités par le jury. Cette Cuvée de réserve, mi-noire mi-blanche, assemble des vins de 1995, 1996, 1997 et 1998. La puissance des pinots de Verzenay s'exprime dans ce champagne jeune et frais. La **cuvée Montgolfière**, un blanc de noirs des quatre mêmes années, est équilibrée et ample ; le **96** (100 à 149 F), mi-noir mi-blanc, est proche de la Cuvée de réserve, avec plus de rondeur. (RM)

☛Jean-Yves de Carlini, 13, rue de Mailly, 51360 Verzenay, tél. 03.26.49.43.91, fax 03.26.49.46.46 ☑ ⏁ r.-v.

CATTIER 1995

○ 1er cru	18 ha	40 000	☐ ⚱ 100 à 149 F

Propriétaires de vignes dès 1763, les Cattier « font de la bouteille » depuis 1920. Leur vignoble s'étend sur 18 ha. Ce premier cru sollicite à peu près également les trois cépages champenois. Équilibré, il est rond et vineux. (NM)

☛Cattier, 6, rue Dom-Pérignon, 51500 Chigny-les-Roses, tél. 03.26.03.42.11, fax 03.26.03.43.13, e-mail jeancatt@cattier.com ☑ ⏁ t.l.j. sf sam. dim. 9h-11h 14h-17h; groupes sur r.-v.

CLAUDE CAZALS Blanc de blancs 1995★

○ Gd cru	2 ha	20 000	☐ ⚱ 70 à 99 F

Cette maison centenaire a lancé son champagne en 1950 et exploite un vignoble de 9 ha situé dans les grands crus de la Côte des Blancs. Riche, complexe, frais et long, ce 95 blanc de blancs a atteint son apogée. Un beau champagne et une bonne affaire. Il faut encore citer, pour les amateurs de vins non dosés, la **Cuvée vive, un blanc de blancs extra brut** de la vendange de 1994, pur, floral et épicé. (RC)

☛Claude Cazals, 28, rue du Grand-Mont, 51190 Le Mesnil-sur-Oger, tél. 03.26.57.52.26, fax 03.26.57.78.43 ☑ ⏁ r.-v.

CHARLES DE CAZANOVE
Tradition Père et Fils 1995★★

○	n.c.	n.c.	🖥 ⬇ 100 à 149 F

Cette maison restée familiale a été fondée en 1811 à Avize, mais est établie aujourd'hui à Epernay. L'assemblage de ce 95 réunit pinot noir (60 %) et chardonnay (40 %). Le jury a été séduit par le caractère expressif de ce champagne fortement empyreumatique (noisette grillée), à la bouche aromatique, épicée et élégante. A déguster à l'apéritif, sur une viande blanche ou un poisson à la crème. Même excellente note pour le **brut Azur 1er cru** où les blancs sont en proportion inverse (40 % de pinots dont 10 % de meunier) : un vin d'une belle harmonie, aux arômes de beurre frais vanillé, à l'attaque franche. (NM)
🐦 Charles de Cazanove, 1, rue des Cotelles, 51200 Epernay, tél. 03.26.59.57.40, fax 03.26.54.16.38
🐦 Lombard

CHANOINE Grande Réserve★★

○	n.c.	n.c.	70 à 99 F

Maison fondée en 1730, soit un an après la marque doyenne Ruinart, Chanoine a été ranimée par le groupe BBC. Sa cuvée Grande Réserve est très noire (85 % de pinots, dont 15 % de meunier). Ses arômes complexes, fruités et briochés, sont d'une grande finesse. La bouche confirme avec éclat cette richesse, harmonieuse et racée. Mi-blanche mi-noire, corsée et riche, la **cuvée Tsarine 95** obtient une étoile et le **91**, puissant et équilibré, une citation (100 à 149 F chacun). (NM)
🐦 Champagne Chanoine Frères, av. de Champagne, 51100 Reims, tél. 03.26.36.61.60, fax 03.26.36.66.62, e-mail chanoine-freres@wanadoo.fr
🐦 P. Baijot

JACQUES CHAPUT Blanc de blancs 1994★

○	2 ha	4 000	100 à 149 F

Cette exploitation dispose d'un vignoble de 12 ha à Arrentières (région de Bar-sur-Aube), dont les coteaux bénéficient d'une belle exposition. Son blanc de blancs 94, loin d'être timide, apparaît à la fois puissant, équilibré et long. Même note pour la **cuvée Calypso 95**, mi-blanche mi-noire, aux arômes de noisette et de brioche, tout en vivacité. Elle sera excellente à l'heure apéritive. (RM)
🐦 EARL Champagne Jacques Chaput, La Haie-Vignée, 10200 Arrentières, tél. 03.25.27.00.14, fax 03.25.27.01.75, e-mail champagne.chaput.jacques@wanadoo.fr
☑

CHAPUY
Blanc de blancs Réserve Carte verte★

○ Gd cru	6,25 ha	12 000	🖥 ⬇ 100 à 149 F

Héritiers d'une lignée de vignerons remontant au XVIIIes., les Chapuy élaborent leur champagne depuis 1952. Ils disposent d'un vignoble de plus de 6 ha dans un grand cru de la Côte des Blancs. Ce brut Réserve a obtenu un coup de cœur dans la précédente édition. Cette année, il naît de l'assemblage des récoltes 1995, 1996 et 1997 ; il ne démérite nullement avec ses arômes vanillés et floraux précédant une bouche souple dont la rondeur et le fruité séduisent. (NM)
🐦 SA Champagne Chapuy, 8 bis, rue de Flavigny, B.P. 14, 51190 Oger, tél. 03.26.57.51.30, fax 03.26.57.59.25, e-mail champagne.chapuy@oger.51.telepost.fr
☑ ⋔ r.-v.

CHARDONNET ET FILS Cuvée brut★★

○	2 ha	10 000	🖥 70 à 99 F

Le vignoble a cent ans ; le champagne a été lancé en 1970. Michel Chardonnet cultive 3 ha dans la Côte des Blancs ; il a assemblé 70 % de chardonnay à 30 % de pinot noir pour élaborer sa Cuvée brut et son **Brut Réserve** qui obtiennent chacun deux étoiles. Le premier naît des vendanges de 1993, 1994 et 1995, le second de celles de 1990, 1991 et 1992. Deux champagnes très proches, briochés, beurrés, miellés et longs. Quant au **blanc de blancs** issu de la récolte de 1992, il a été cité pour ses saveurs de citron et de pamplemousse. (RM)
🐦 Michel Chardonnet, 7, rue de l'Abattoir, 51190 Avize, tél. 03.26.57.91.73, fax 03.26.57.84.46 ☑ ⋔ t.l.j. 10h-12h 14h-20h

GUY CHARLEMAGNE
Blanc de blancs Mesnillésime 1995★

○ Gd cru	2 ha	12 000	🖥 ⊞ ⬇ 100 à 149 F

Il y a plus d'un siècle que les Charlemagne sont vignerons. Ils se sont lancés dans la vente directe en 1950 et exploitent désormais un vignoble de 14 ha dans la Côte des Blancs. Cette cuvée haut de gamme passe six mois en cuve et six mois dans le bois. Le 90 avait obtenu un coup de cœur. Le 95 offre un nez complexe, riche, vanillé, avec du fruit blanc. La bouche est équilibrée, harmonieuse, complexe et légèrement boisée. Toujours en grand cru, la cuvée **Charlemagne 95**, un **blanc de blancs** également, est citée. Elle est très proche de la précédente, le boisé en moins. (RM)
🐦 Champagne Guy Charlemagne, 4, rue de La Brèche-d'Oger, 51190 Le Mesnil-sur-Oger, tél. 03.26.57.52.98, fax 03.26.57.97.81 ☑ ⋔ r.-v.

ROBERT CHARLEMAGNE
Blanc de blancs Réserve

○ Gd cru	4 ha	30 000	🖥 ⬇ 70 à 99 F

Champagne lancé par Robert Charlemagne au début des années 1940. Située dans la Côte des Blancs, l'exploitation compte 4,3 ha. Il y a de l'aubépine dans le nez riche et frais de ce blanc de blancs, fraîcheur qui ne surprend pas dans un vin issu de la récolte de 1997. On retrouve en bouche une même richesse, avec subtilité. Le **rosé** (85 % de chardonnay de 1995 teinté par un vin rouge de pinot noir) est cité pour sa fraîcheur et sa puissance nerveuse. (RM)
🐦 Champagne Robert Charlemagne, av. Eugène-Guillaume, B. P. 25, 51190 Le Mesnil-sur-Oger, tél. 03.26.57.51.02, fax 03.26.57.58.05 ☑ ⋔ r.-v.

CHARLES COLLIN★

○	n.c.	n.c.	70 à 99 F

Créé en 1952, ce groupement de producteurs rassemble cent cinquante viticulteurs et vinifie la récolte de 300 ha, livrant 900 000 bouteilles. Le centre de ces vignobles est situé à Essoyes, dans

la Côte des Bars (Aube). Pierre-Auguste Renoir, qui possédait dans ce village un atelier, y puisa une part de son inspiration et repose dans le cimetière de la commune. Après une visite de ces lieux mémorables, vous pourrez goûter ce brut sans année fort réussi. Ce blanc de noirs (pinot noir), en dépit de son caractère monocépage, montre de la complexité ; son dosage « très professionnel » en augmente la persistance. Deux autres champagnes méritent d'être cités : le brut **Tradition** (pinot noir, chardonnay et vins de réserve de trois années), compoté, miellé et souple, et le **89** (100 à 149 F), ample et évolué. (CM)
☛ Champagne Charles Collin, B.P. 1, 10360 Fontette, tél. 03.25.38.31.00, fax 03.25.29.68.64 ☑ ☤ r.-v.

CHARLIER ET FILS 1995

○	14 ha	n.c.	❙❚❙ 100 à 149 F

Cette exploitation disposant d'un vignoble de 14 ha a la particularité d'élever tous ses vins un an sous bois. Ce 95 naît des trois cépages champenois à parts égales. Riche et complexe, avec ses saveurs de fruits confits ou compotés et de café, il a atteint son apogée. Les dégustateurs le destinent au repas. (RM)
☛ Charlier et Fils, 4, rue des Pervenches, Aux Foudres de Chêne, 51700 Montigny-sous-Châtillon, tél. 03.26.58.35.18, fax 03.26.58.02.31, e-mail champagne.charlier@wanadoo.fr ☑ ☤ t.l.j. 8h-12h 14h-18h; dim. 10h-12h

JEAN-MARC ET CELINE CHARPENTIER
Prestige Terre d'Emotions★★★

○	0,5 ha	4 000	☷ ♦ 100 à 149 F

Les Charpentier, qui vendaient leur vin aux bateliers de la Marne avant que le champagne ne prît mousse, ont créé leur marque en 1992 seulement. Ils cultivent un vignoble de 9 ha dans l'Aisne. Cette cuvée Terre d'Emotions mérite bien son nom, car elle a fait grande impression. Elle naît de 60 % de pinots (dont 50 % de pinot meunier) et de 40 % de chardonnay récoltés en 1992. Dans la robe d'un bel or montent de fines bulles. Le nez mêle les fruits secs et l'abricot sec miellé ; la bouche, citronnée et empyreumatique, se développe avec élégance. Quant au **brut Réserve** (70 à 99 F), il a été cité pour son équilibre. (RC)
☛ Jean-Marc et Céline Charpentier, 4, rue de l'Ecole, 02310 Charly-sur-Marne, tél. 03.23.82.10.72, fax 03.23.82.31.80 ☑ ☤ r.-v.

J. CHARPENTIER Réserve★

○	3,5 ha	30 000	☷ 70 à 99 F

Installé en 1974, Jacky Charpentier exploite un vignoble de 12 ha sur la rive droite de la vallée de la Marne. Son brut Réserve est un blanc de noirs dans lequel le pinot meunier joue le rôle principal (80 %). Un champagne mature, au nez d'abricot et de pâte de coings, à la bouche miellée et équilibrée. Il s'accordera avec une entrée. (RM)
☛ Jacky Charpentier, 88, rue de Reuil, 51700 Villers-sous-Châtillon, tél. 03.26.58.05.78, fax 03.26.58.36.59 ☑ ☤ r.-v.

CHARTOGNE-TAILLET
Cuvée Sainte-Anne 1995★

○	11 ha	n.c.	❙❚❙ 70 à 99 F

Les Chartogne sont établis depuis 1450 à Merfy, près de Saint-Thierry dont le vignoble monastique était célèbre bien avant l'apparition du champagne. Ils exploitent 11 ha de vignes. Mi-blanche mi-noire (avec 10 % de pinot meunier), cette cuvée est empyreumatique et vineuse au nez. Sa bouche briochée et réglissée la destine au repas. (RM)
☛ Philippe Chartogne-Taillet, 37-39, Grande-Rue, 51220 Merfy, tél. 03.26.03.10.17, fax 03.26.03.19.15 ☑ ☤ r.-v.

CHASSENAY D'ARCE

◕	n.c.	15 000	☷ ♦ 70 à 99 F

Marque d'un important groupe de producteurs créé en 1956 dans la Côte des Bar et vinifiant 310 ha de vignes. 85 % de pinot noir et 15 % de chardonnay se marient dans ce rosé orangé aux saveurs de fraise, de framboise et de miel, que certains membres du jury auraient préféré moins dosé. A essayer sur un dessert aux fruits rouges. (CM)
☛ Champagne Chassenay d'Arce, 10110 Ville-sur-Arce, tél. 03.25.38.30.70, fax 03.25.38.79.17 ☑ ☤ r.-v.

GUY DE CHASSEY
Cuvée réservée Nicolas d'Olivet★★

○ Gd cru	9,42 ha	1 500	☷ 70 à 99 F

Les bouteilles étiquetées Nicolas d'Olivet sont élaborées par le champagne Guy de Chassey établi à Louvois. Ce champagne sans année issu de la vendange de 1992 est à boire car il a très bien évolué. Evolué ne signifie pas vieux. Un nez de pâte de coings vanillée et de pruneau précède les arômes de fruits confits perceptibles en bouche. La surprise vient de l'attaque qui est vive et fraîche. A servir sur une bécasse ou sur une tarte aux poires. (RM)
☛ Champagne Guy de Chassey, 1, pl. de la Demi-Lune, 51150 Louvois, tél. 03.26.57.04.45, fax 03.26.57.82.08, e-mail mo.de.chassey@wanadoo.fr ☑ ☤ t.l.j. 9h-12h30 14h-18h30

CHAUVET Cuvée An 2000★★

○	n.c.	n.c.	☷ 100 à 149 F

La maison Chauvet a plus de cent cinquante ans et ses sept vignobles couvrent 10 ha. La cuvée An 2000 associe 30 % de pinot noir de 1991 et à 40 % de chardonnay de 1994. Le nez franc, puissant et beurré annonce une bouche charpentée, intense, vineuse, persistante. Un champagne de repas apte à accompagner volailles et viandes blanches. Quant au **Grand Rosé**, cité sans étoile, (60 % de chardonnay et 30 % de pinot noir colorés par 10 % de vin rouge de Bouzy), les dégustateurs goûtent son équilibre et sa discrétion. (NM)
☛ Chauvet, 41, av. de Champagne, 51150 Tours-sur-Marne, tél. 03.26.58.92.37, fax 03.26.58.96.31 ☑ ☤ r.-v.

MARC CHAUVET 1994

| ○ 1er cru | 1 ha | 9 000 | 🍾↓ | 70 à 99 F |

Dans l'église de Rilly (XIIᵉs.), une plaque signale la sépulture de Nicolas Chauvet, mort en 1529. Ses descendants, toujours rillois, cultivent 12 ha de vignes. Ils proposent une cuvée classique par son assemblage (60 % de pinot noir, 40 % de chardonnay), qui n'a pas fait sa fermentation malolactique. Ses arômes évoquent les agrumes (citron, pamplemousse) avec un soupçon d'exotisme (ananas). Sa bouche ample et confite fait de ce 94 un bon champagne de repas qui s'accordera avec une viande blanche. (RM)

☛ Champagne Marc Chauvet,
3, rue de la Liberté, 51500 Rilly-la-Montagne,
tél. 03.26.03.42.71, fax 03.26.03.42.38 ☑ ⍺ r.-v.

HENRI CHAUVET ET FILS★

| ⊘ | 1 ha | 1 500 | 🍾 | 70 à 99 F |

Henri Chauvet était pépiniériste et viticulteur au début du siècle. Ses descendants cultivent un vignoble de 8 ha dans la Montagne de Reims. Ce rosé privilégie les raisins noirs (80 % de pinot noir pour 20 % de chardonnay) des vendanges de 1995 et 1996. Il fleure la framboise, le cassis et la vanille ; sa bouche est marquée par la jeunesse. Ont été cités, le **95** (55 % de chardonnay, 45 % de pinot noir), brioché, évolué, et le **blanc de noirs**, complexe au nez, rond en bouche. (RM)

☛ Damien Chauvet, 6, rue de la Liberté,
51500 Rilly-la-Montagne, tél. 03.26.03.42.69,
fax 03.26.03.45.14,
e-mail champagnechauvet@aol.com ☑ ⍺ r.-v.

ANDRE CHEMIN★

| ⊘ 1er cru | 0,5 ha | n.c. | 🍾 | 70 à 99 F |

L'étiquette porte le nom du grand-père, qui a lancé son champagne en 1948. Son fils Jean-Luc lui a succédé en 1971, rejoint en 1997 par Sébastien qui représente la troisième génération. L'exploitation s'étend sur 6,5 ha dans la partie nord-ouest de la Montagne de Reims. Ce brut rosé doit tout au pinot noir. Le jury apprécie la finesse de ses arômes floraux (rose, œillet) assortis de notes de petites baies, ainsi que l'ampleur délicate et douce de la bouche. Quant à la **cuvée Prestige 1ᵉʳ cru**, très noire (10 % de chardonnay seulement), légère et élégante, elle fera un champagne d'apéritif. (RM)

☛ Champagne André Chemin,
3, rue de Châtillon, 51500 Sacy,
tél. 03.26.49.22.42, fax 03.26.49.74.89 ☑ ⍺ r.-v.
☛ Jean-Luc Chemin

ARNAUD DE CHEURLIN Réserve

| ○ | 2 ha | 12 000 | 🍾↓ | 70 à 99 F |

Les Cheurlin sont omniprésents dans l'Aube. Cette exploitation dispose d'un vignoble de 6 ha. C'est au brut Réserve (75 % de pinot, 25 % de chardonnay des récoltes 1996 et 1997) qu'est allée la préférence du jury. Un champagne mature et équilibré, agréablement fruité au nez comme en bouche, franc à l'attaque et assez long. (RM)

☛ Arnaud de Cheurlin, 58, Grande-Rue,
10110 Celles-sur-Ource, tél. 03.25.38.53.90,
fax 03.25.38.58.07 ☑ ⍺ r.-v.

RICHARD CHEURLIN Brut H★★

| ○ | 1 ha | 8 000 | 🍾↓ | 70 à 99 F |

Richard Cheurlin a hérité d'un microvignoble dont il a porté la superficie à 8,3 ha. Il a lancé son champagne en 1978. Mi-noir mi-blanc, provenant des vendanges de 1996 et 1997, son brut H a été très apprécié. L'élégance est le maître mot de la dégustation, avec des arômes d'une belle finesse, de la fraîcheur, de la structure. Un champagne encore jeune. Le **brut H millésimé 96** (70 % de pinot noir, 30 % de chardonnay), ample, vineux et gourmand, mérite une étoile, tout comme le brut **Carte Or** (même assemblage que le précédent, mais provenant des récoltes 1995, 1996 et 1997), mielé, harmonieux, et le **blanc de blancs 96** qui a la fraîcheur des fleurs blanches. (RM)

☛ Richard Cheurlin, 16, rue des Huguenots,
10110 Celles-sur-Ource, tél. 03.25.38.55.04,
fax 03.25.38.58.33 ☑ ⍺ r.-v.

CHEURLIN-DANGIN Carte Or Réserve

| ○ | 8,3 ha | 30 000 | 🍾 | 70 à 99 F |

L'union de deux familles a donné naissance à ce champagne en 1960. Le vignoble s'étend sur 18 ha, au cœur de la Côte des Bar, dans l'Aube. Très cultivé à Celles-sur-Ource, le pinot noir domine ce Carte Or (70 % de ce cépage pour 30 % de chardonnay provenant des récoltes 1996 et 1997). Souple à l'attaque, frais et sans complications, c'est un brut sans année honorable. (RM)

☛ Champagne Cheurlin-Dangin, 17, Grande-Rue, B.P. 2, 10110 Celles-sur-Ource,
tél. 03.25.38.50.26, fax 03.25.38.58.51,
e-mail cheurlin-dangin.fr ☑ ⍺ r.-v.

GASTON CHIQUET Spéciale Club 1995★★

| ○ | 3 ha | 12 500 | 🍾↓ | 100 à 149 F |

Nicolas Chiquet était vigneron en 1746. Les frères Chiquet lancèrent leur champagne en 1919, mais chacun reprit son indépendance en 1935, d'où cette étiquette Gaston Chiquet. Etablie à Dizy, au nord d'Epernay sur la rive droite de la Marne, l'exploitation s'étend aujourd'hui sur 22 ha, notamment sur le territoire d'Aÿ, commune voisine. Curieusement, bien que ce village soit réputé pour son pinot noir, le chardonnay règne dans ce vignoble. Il domine à 70 % cette cuvée haut de gamme, complété par du pinot noir. Floral, grillé, équilibré, encore ferme, c'est un « vin d'avenir », pour reprendre l'expression d'un dégustateur. (RM)

☛ Champagne Gaston Chiquet, 912, av. du Gal-Leclerc, 51530 Dizy, tél. 03.26.55.22.02,
fax 03.26.51.83.81,
e-mail gaston.chiquet@wanadoo.fr ☑ ⍺ r.-v.

CLEMENT ET FILS

| ○ | 6 ha | 50 500 | 🍾 | 70 à 99 F |

Congy est située près des marais de Saint-Gond qui furent le théâtre d'une célèbre bataille en 1914. Les Clément y exploitent un vignoble de 6 ha fondé en 1950. Un quart de chardonnay et trois quarts de pinots (5 % de pinot noir) composent leur brut sans année issu de la vendange de 1997 épaulée par du vin de réserve de 1996. Un champagne évolué qui a déjà atteint son apogée. (RM)

☛GAEC Champagne Clément et Fils,
15, rue des Prés, 51270 Congy,
tél. 03.26.59.31.19, fax 03.26.59.22.63 ☑ ꭡ r.-v.

CLERAMBAULT Carte noire*

| ○ | | n.c. | n.c. | 100 à 149 F |

Cet important groupe de producteurs (600 000 bouteilles) s'est donné le nom des seigneurs de Neuville-sur-Seine, commune où il a son siège. Deux de ses cuvées ont été jugées très réussies. Ce Carte noire est dominé par les pinots (57 % de pinot noir, 21 % de meunier, 22 % de chardonnay). Les dégustateurs sont très diserts sur sa palette aromatique, où ressortent les fruits secs, des notes briochées et confites, et apprécient son équilibre. Quant au champagne **Carte Or 91** (100 à 149 F ; 50 % de chardonnay) déjà dégusté et bien noté l'an dernier, il donne une belle image d'un millésime ingrat avec ses arômes de pain grillé et sa très bonne attaque franche et fraîche. Il a maintenant atteint son apogée. (CM)

☛Champagne Clérambault, 122, Grande-Rue, 10250 Neuville-sur-Seine, tél. 03.25.38.38.60, fax 03.25.38.24.36, e-mail champagne-clerambault@wanadoo.fr ☑

PAUL CLOUET

| ○ Gd cru | 3 ha | n.c. | ꭡ ♦ | 70 à 99 F |

Ce récoltant-manipulant a la chance d'être établi à Bouzy, commune classée en grand cru et célèbre pour ses pinots noirs. C'est de là que proviennent les 70 % de raisins noirs qui composent ce brut ; quant au chardonnay (30 %), il a été récolté à Chouilly, au nord de la Côte des Blancs. Il en résulte un champagne classique, encore jeune. Le **brut rosé**, assemblage similaire mais comprenant 12 % de bouzy rouge, est certes un peu fugace, mais il a été cité pour sa franchise. (RM)

☛Paul Clouet, 10, rue Jeanne-d'Arc, 51150 Bouzy, tél. 03.26.57.50.85, fax 03.26.52.64.65 ☑ ꭡ t.l.j. 10h-12h 14h-17h

COLIN Blanc de blancs Blanche de Castille*

| ○ 1er cru | 5 ha | 20 000 | 100 à 149 F |

Les Colin étaient déjà vignerons en 1829 à Vertus et à Bergères-lès-Vertus, dans la Côte des Blancs. Leurs descendants travaillent aujourd'hui 12 ha de vignes. Ce blanc de blancs est issu des vendanges de 1997 et de 1996. Les mots « finesse » et « délicatesse » reviennent sans cesse sous la plume des dégustateurs pour évoquer ce champagne très « féminin », vif, aérien, aux subtils arômes d'agrumes. Un vin rafraîchissant et de bonne compagnie. (RM)

☛Champagne Colin, 101, av. du Gal-de-Gaulle, 51130 Vertus, tél. 03.26.58.86.32, fax 03.26.51.69.79, e-mail info@champagne-colin.com ☑ ꭡ t.l.j. 9h-12h 14h-17h; dim. sur r.-v.

COLLARD-CHARDELLE Cuvée Prestige

| ○ | | n.c. | 40 000 | ꭡꭡ | 70 à 99 F |

Cette exploitation de la vallée de la Marne dispose d'un vignoble de plus de 8 ha. Sa cuvée Prestige fait appel aux trois cépages champenois (25 % de chardonnay et 75 % de pinots, dont 50 % de meunier). Elle provient de trois années : 1995, 1996 et 1997. Les dégustateurs n'ont pas tous la

même appréciation sur l'équilibre de ce champagne fruité et corpulent. (RM)

☛Champagne Collard-Chardelle, 68, rue de Reuil, 51700 Villers-sous-Châtillon, tél. 03.26.58.00.50, fax 03.26.58.34.76 ☑ ꭡ r.-v.

COLLARD-PICARD 1996*

| ○ | | n.c. | 4 000 | ꭡ ꭡꭡ | 100 à 149 F |

Champagne lancé récemment par Olivier Collard qui exploite 6,3 ha de vignes dans la vallée de la Marne. Un quart de chardonnay et trois quarts de pinots (dont 50 % de pinot meunier) sont à l'origine de ce 96 qui « pinote » agréablement, cherche sa longueur mais trouve son équilibre. Un ensemble prometteur. (RM)

☛Champagne Collard-Picard, 6, rue du Château, 51700 Villers-sous-Châtillon, tél. 03.26.52.36.93, fax 03.26.58.34.76, e-mail champcp51@aol.com ☑ ꭡ r.-v.

DANIEL COLLIN Tradition*

| ○ | | 2 ha | 22 000 | ꭡ ♦ | 70 à 99 F |

Baye est situé près du Petit Morin, affluent de rive gauche de la Marne. Daniel Collin y a constitué, à partir de 1959, un vignoble qui compte aujourd'hui 4 ha. Son fils Hervé est maintenant aux commandes de l'exploitation. Ce brut Tradition, un blanc de noirs (dont 60 % de pinot meunier) des vendanges de 1996 et 1997, a été unanimement apprécié pour sa palette aromatique mêlant notes épicées et fruits confits d'une part, pour la belle matière de sa bouche charpentée et pleine d'autre part. Une citation pour le **brut rosé**, un rosé de noirs (dont 60 % de pinot noir) au nez discret et à la bouche légère, « sensuelle et féminine », selon un dégustateur. (RM)

☛Daniel Collin, 3, rue Caye, 51270 Baye, tél. 03.26.52.80.50, fax 03.26.52.33.62 ☑ ꭡ r.-v.

COMTE DE NOIRON Cœur de Cuvée

| ◑ | | 4,5 ha | 30 000 | ꭡ ♦ | 70 à 99 F |

Cette maison de négoce rémoise a élaboré ce rosé en assemblant des vins de 1995, 1996 et 1997, issus de 70 % de pinot noir et de 30 % de chardonnay. La robe est rose orangé, le nez présente de discrètes notes d'agrumes. Après une attaque souple, la bouche se révèle équilibrée. Le **Cœur de Cuvée blanc** naît du même vin de base ; c'est un champagne plein d'agrément pour une fin d'après-midi car il est équilibré et frais. Sous l'étiquette **Charles du Roy 1er cru**, on trouve un beau champagne né de la vendange de 1997, dont le dosage compense la jeunesse nerveuse. (NM)

☛Champagne Comte de Noiron, 17, rue des Créneaux, 51100 Reims, tél. 03.26.82.70.67, fax 03.26.82.19.12 ☑ ꭡ r.-v.
☛Rapeneau

JACQUES COPINET

| ◑ | | 1 ha | 7 000 | 70 à 99 F |

Plus proche de la Seine que de la Marne (aux confins du département de Seine-et-Marne), Mongenost semble un peu excentré, mais son vignoble a été plus d'une fois bien représenté dans le Guide. Jacques Copinet y exploite un domaine de 7 ha constitué en 1975. Son brut rosé naît de deux tiers de pinot noir et d'un tiers de chardonnay vendangés en 1996 et 1997. On y

CHAMPAGNE

découvre des arômes de petits fruits rouges, discrets mais persistants. Dans la fourchette de prix supérieure, la **cuvée Marie Etienne 95 blanc de blancs** (coup de cœur dans le millésime 92) est retenue avec une citation pour sa complexité et sa structure ; elle ne demande qu'à s'ouvrir avec le temps. (RM)

🐦 Jacques Copinet, 11, rue de l'Ormeau, 51260 Montgenost, tél. 03.26.80.49.14, fax 03.26.80.44.61, e-mail champagne.copinet@wanadoo.fr ☑ ⏣ r.-v.

STEPHANE COQUILLETTE
Cuvée LD★★

○	1,5 ha	10 368	🔳	100 à 149 F

Installé à Chouilly depuis 1978, Stéphane Coquillette a proposé cette cuvée dominée par le pinot noir (67 %) et complétée par le chardonnay. D'une très belle teinte paille dorée, elle possède un nez très jeune et expressif où l'on retrouve fraise et fruits rouges cuits. Sa présence en bouche, son ampleur, son élégance séduisent le jury. « A servir sur un sandre au jus de canard et aux girolles ». Un grand brut sans année. (RM)

🐦 Stéphane Coquillette, 31 bis, rue des Bergers, 51530 Chouilly, tél. 03.26.51.74.12, fax 03.26.54.96.55 ☑ ⏣ r.-v.

COUCHE PERE ET FILS

○	2,5 ha	19 794	🔳	70 à 99 F

Cette exploitation disposant de 7 ha dans la Côte des Bar (Aube) a lancé récemment sa marque (1992). Son brut assemble 70 % de pinot noir et 30 % de chardonnay des années 1993 et 1994. C'est un champagne gras, équilibré et long, qu'il ne faut plus attendre. (RM)

🐦 EARL Champagne Couche, 29, Grande-Rue, 10110 Buxeuil, tél. 03.25.38.53.96, fax 03.25.38.41.69 ☑ ⏣ r.-v.

ROGER COULON Grande Réserve★★

○	2 ha	20 000	🔳⏣	70 à 99 F

Etablis de longue date à Vrigny, à l'ouest de Reims, les Coulon disposent de 8,5 ha de vignes. Ils élèvent certains de leurs vins en fût, comme le chardonnay qui entre dans cette cuvée Grande Réserve, issue à parts égales des trois cépages champenois. Equilibrée, souple et vineuse, celle-ci marie les épices et les fruits mûrs. Un champagne intéressant et de caractère, qui pourra accompagner un repas. Le jury a par ailleurs cité le **brut Tradition** et le **brut rosé**, assemblant eux aussi les trois cépages mais privilégiant les raisins noirs : le premier est confit et miellé, le second fruité, fondu, équilibré. (RM)

🐦 Champagne Roger Coulon, 12, rue de la Vigne-du-Roi, 51390 Vrigny, tél. 03.26.03.61.65, fax 03.26.03.43.68, e-mail champagne.coulon.roger@wanadoo.fr ☑ ⏣ r.-v.

🐦 Eric Coulon

ALAIN COUVREUR
Blanc de blancs Réserve★

○	1,5 ha	15 000	🔳	70 à 99 F

Alain Couvreur exploite un vignoble de 5,5 ha à Prouilly, commune cotée 85 % sur l'échelle des crus et située à l'ouest de Reims. Son blanc de blancs, issu des vendanges de 1990 et 1991, dominé par des notes de beurre et de noisette fraîche est d'une belle harmonie. Quant au **blanc de noirs Réserve** (60 % de pinot noir, 40 % de meunier des vendanges de 1985 et 1986), il mérite d'être cité pour sa complexité, son équilibre et sa longueur. (RM)

🐦 Champagne Alain Couvreur, 18, Grande-Rue, 51140 Prouilly, tél. 03.26.48.58.95, fax 03.26.48.26.29 ☑ ⏣ r.-v.

REMI COUVREUR Blanc de noirs Réserve

○	1 ha	n.c.	🔳⏣	70 à 99 F

Fils d'Alain Couvreur, Rémi Couvreur s'est installé en 1997. Son blanc de noirs Réserve fait la part belle au pinot noir, des récoltes 1993 et 1994. Il séduit par sa bouche très fruitée. (RM)

🐦 Rémi Couvreur, 18, Grande-Rue, 51140 Prouilly, tél. 03.26.48.58.95, fax 03.26.48.26.29 ☑ ⏣ r.-v.

LYCEE AGRICOLE DE CREZANCY
Cuvée Euphrasie-Guynemer 1995

○	0,3 ha	3 000	🔳	70 à 99 F

Le lycée agricole et viticole de Crézancy, dans la vallée de la Marne, dispose d'un vignoble de 3 ha ; il élabore du champagne qu'il vend au public. Cette cuvée est issue de chardonnay (60 %) et de pinot meunier (40 %). Si elle apparaît un peu légère, ses arômes beurrés sont flatteurs. (RM)

🐦 Lycée agricole et viticole de Crézancy, rue de Paris, 02650 Crézancy, tél. 03.23.71.50.70, fax 03.23.71.50.71 ☑ ⏣ r.-v.

PAUL DANGIN ET FILS Prestige 1995★

○	3 ha	20 000	🔳⏣	70 à 99 F

Fils de viticulteur, Paul Dangin produisit sa première bouteille en 1947. Aujourd'hui ses fils et petits-fils exploitent pas moins de 30 ha dans l'Aube. Leur 95 privilégie le chardonnay (70 %). Un champagne équilibré, ample et complexe. (RM)

🐦 SCEV Paul Dangin et Fils, 11, rue du Pont, 10110 Celles-sur-Ource, tél. 03.25.38.50.27, fax 03.25.38.58.08, e-mail c.dangin@champagne-dangin.com ☑ ⏣ r.-v.

DANTAN OUDIT★

○	5 ha	15 000	🔳⏣	70 à 99 F

Née d'un vignoble de 5 ha créé en 1969 dans la région de Vitry-le-François, sur des terres viticoles abandonnées depuis le phylloxéra, cette cuvée est aussi blanche que noire, les deux pinots intervenant à égalité (des raisins vendangés en 1994, 1995 et 1996). Elle est briochée et des notes de pamplemousse lui assurent vivacité et équilibre. Un joli champagne pour l'apéritif. (RC)

🐦 Champagne Dantan Oudit, 35, rue de Vavray, 51300 Bassuet, tél. 03.26.97.72.47, fax 03.26.40.52.90, e-mail champagne.dantan@wanadoo.fr ☑ ⏣ r.-v.

DEHOURS Grande Réserve★

○	n.c.	n.c.	🔳⏣	70 à 99 F

Maison fondée par Ludevic Dehours en 1930 et dirigée par ses descendants. Cette cuvée

Grande Réserve naît des trois cépages champenois presque à parts égales ; elle est minérale et florale ; sa bouche puissante finit sur une pointe d'amertume. Un classique. Une étoile encore pour la **Cuvée confidentielle** (100 à 149 F), plus noire que blanche (30 % de chardonnay et 10 % de vins de réserve), équilibrée et persistante. (NM)

☛Champagne Dehours et Fils, 2, rue de la Chapelle, Cerseuil, 51700 Mareuil-le-Port, tél. 03.26.52.71.75, fax 03.26.52.73.83, e-mail champagne-dehours@wanadoo.fr
☑ 𝖄 r.-v.

DEHU PERE ET FILS
Cuvée Léon Lhermitte★

○		n.c.	525	⬛🍷	100 à 149 F

Une étiquette inhabituelle pour cette cuvée. Elle reproduit un tableau célèbre de Léon Lhermitte, peintre natif de la vallée de la Marne : *La paie des moissonneurs*. La scène a pour cadre une ferme de Fossoy, village de l'Aisne où sont établis les Dehu, dont le vignoble compte 10 ha. Cette cuvée naît de l'assemblage des trois cépages champenois (dont 55 % de pinot meunier, récoltés en 1992). Elle est briochée et beurrée, son attaque est fraîche et sa finale souple. Le **brut Tradition** (70 à 99 F) comportant encore plus de pinot meunier (75 %) est un champagne puissant destiné à la table. Il est cité. (RC)

☛Déhu Père et Fils, 3, rue Saint-Georges, 02650 Fossoy, tél. 03.23.71.90.47, fax 03.23.71.88.91, e-mail varocien@aol.com
☑ 𝖄 r.-v.

DELABARRE

○		2,5 ha	20 000	⬛🍷	70 à 99 F

Cette exploitation familiale commercialise du champagne depuis 1956 et dispose d'un vignoble de 6 ha dans la vallée de la Marne. Avec 5 % de chardonnay, son brut sans année est pratiquement un blanc de noirs (20 % de pinot noir, 75 % de meunier). Les raisins ont été vendangés en 1996. Pas très long certes, mais vif à l'attaque et agréable, c'est un champagne d'apéritif. Même note pour la **cuvée Prestige** (100 à 149 F), mi-blanche mi-noire, (30 % de pinot noir), issue de la récolte 94, équilibrée, longue, dosée. (RM)

☛Christiane Delabarre, 26, rue de Châtillon, 51700 Vandières, tél. 03.26.58.02.65, fax 03.26.57.10.94 ☑ 𝖄 r.-v.

DELAHAIE Cuvée Prestige

○		n.c.	5 000		70 à 99 F

La cuvée Prestige de cette maison de négoce d'Epernay privilégie le chardonnay (60 %). Elle est fluide, facile, et son prix est doux. (NM)

☛Brochet, 22, rue des Rocherets, 51200 Epernay, tél. 03.26.54.08.74, fax 03.26.54.34.45 ☑ 𝖄 r.-v.

ANDRE DELAUNOIS
Cuvée du Fondateur★

○ 1er cru		1 ha	8 000	⬛	100 à 149 F

Depuis 1920, les Delaunay exploitent un vignoble de 7,7 ha à Rilly-la-Montagne, commune de la Montagne de Reims classée en 1er cru. Leur Cuvée du Fondateur privilégie le chardonnay (70 %). Le vin de base est de 1996,

complété par 15 % de vins de réserve des années 1993, 1994 et 1995. Le nez est floral (fleurs blanches), la bouche citronnée, fondue, ample. Un champagne pour la table. Toutes deux issues des trois cépages champenois, mais avec une dominante de pinots (des raisins récoltés en 1997 et 20 % de vins de réserve), la **Cuvée Sublime** et la cuvée **Carte d'or** méritent d'être citées pour leur longueur. La fourchette de prix (70 à 99 F) est inférieure. (RM)

☛SCE André Delaunois, 17, rue Roger-Salengro, B.P. 42, 51500 Rilly-la-Montagne, tél. 03.26.03.42.87, fax 03.26.03.45.40 ☑ 𝖄 r.-v.

DELAVENNE PERE ET FILS
Cuvée Tradition

○ Gd cru		4,8 ha	50 000	⬛	70 à 99 F

Cette exploitation familiale, créée en 1930 et conduite par Jean-Louis et Christophe Delavenne, obtient deux citations : pour la cuvée Tradition d'abord, née de pinot noir (60 %) et de chardonnay (40 %) vendangés en 1996 et 1997, citronnée, complexe et longue ; pour le **95 3e millénaire** (100 à 149 F) ensuite, qui propose une bouche puissante et dont le dosage est perceptible. (RM)

☛Delavenne Père et Fils, 6, rue de Tours, 51150 Bouzy, tél. 03.26.57.02.04, fax 03.26.58.82.93 ☑ 𝖄 t.l.j. sf dim. 9h-12h 14h-19h

DELBECK Cramant★★

○ Gd cru		n.c.	n.c.		150 à 199 F

Fondée en 1832, fournisseur de la cour de France, la maison fut un temps célèbre puis s'endormit. Elle a été ranimée et finalement cédée à ses propriétaires actuels. Les champagnes de cru sont rares : celui-ci, un blanc de blancs venu de Cramant, est exemplaire. Il affiche sa présence et la confirme en bouche, ample et harmonieux, riche d'une palette aromatique mêlant notes beurrées, herbe sèche et agrumes. Un vin qui sort de l'ordinaire, pour les amateurs. Dans le même esprit de cru, deux autres champagnes ont été cités : le **grand cru Bouzy** (80 % de pinot noir, 20 % de chardonnay), riche mais fortement dosé, et le **brut Origines 95** (vendu en magnum (plus de 500 F) : une bonne idée pour mieux goûter ce vin équilibré, rond et puissant. (NM)

☛Champagne Delbeck, 39, rue du Gal-Sarrail, B.P. 77, 51053 Reims Cedex, tél. 03.26.77.58.00, fax 03.26.77.58.01, e-mail chdelbeck@delbeck.com ☑
☛ Martin de La Giraudière

DELOUVIN NOWACK
Extra Sélection 1994★

○		1,2 ha	15 000	⬛🍷	70 à 99 F

Vignerons depuis quatre siècles à Vandières (vallée de la Marne), les Delouvin élaborent du champagne depuis 1930, l'étiquette actuelle remontant à 1943. Leur vignoble compte 6,5 ha. Mi-blanche mi-noire (50 % de pinot meunier), cette cuvée Extra Sélection, avec son nez empyreumatique privilégiant la puissance, son ampleur et sa longueur, est par excellence un champagne de repas. Quant au **Carte d'or**, un blanc de noirs de pinot meunier (récoltes de 1996 et 1997), charpenté et puissant, il a obtenu une citation. (RM)

☙ Champagne Delouvin-Nowack, 29, rue Principale, 51700 Vandières, tél. 03.26.58.02.70, fax 03.26.57.10.11 ☑ ⵅ r.-v.

SERGE DEMIERE Réserve*

| ○ Gd cru | 2,2 ha | 20 000 | 🎗 ⬛ 📦 | 70 à 99 F |

Avec ses 6 ha du côté d'Ambonnay, célèbre commune du coteau sud de la Montagne de Reims, classée en grand cru, Serge Demière possède de solides atouts pour obtenir des étoiles. Ce Réserve ainsi que le **Prestige**, issus de pinot noir et de chardonnay vendangés en 1997, en ont reçu chacun une. Si tous deux sont empyreumatiques, avec des notes de torréfaction, le premier apparaît confit, moelleux, tandis que le second est frais et vif. (RM)

☙ Serge Demière, 7, rue de la Commanderie, 51150 Ambonnay, tél. 03.26.57.07.79, fax 03.26.57.82.15 ☑ ⵅ r.-v.

E. DESAUTEZ ET FILS Tradition

| ○ Gd cru | 2 ha | 18 000 | | 70 à 99 F |

P. Deibener a pris en 1975 la succession de son beau-père. L'exploitation dispose d'un vignoble de près de 4 ha autour de Verzenay, commune classée en grand cru. Cette cuvée est très noire (pinot 70 %), issue des raisins vendangés en 1997 et 1998. L'attaque est souple, la bouche riche mais le dosage perceptible. (RM)

☙ Champagne Désautez et Fils, 22, rue de Mailly, 51360 Verzenay, tél. 03.26.49.40.59, fax 03.26.49.46.88 ☑ ⵅ r.-v.

DESBORDES-AMIAUD
Cuvée An 2000   1989★★★

| ○ 1er cru | n.c. | 2 000 | ⬛ | 150 à 199 F |

Située dans la Montagne de Reims, cette exploitation de 9 ha est conduite depuis plus d'un demi-siècle par des femmes, aujourd'hui par Marie-Christine Desbordes et sa fille Elodie. L'on constate leur grand savoir-faire, à en juger par cet excellent 89, produit d'une vinification classique, bien que les vins ne fassent pas leur fermentation malolactique. Issu d'un mariage de pinot noir (80 %) et de chardonnay (20 %), ce champagne offre une palette aromatique complexe mêlant arômes empyreumatiques (café, fruits secs grillés), notes florales et miellées que l'on retrouve dans une bouche ronde, fine et d'une grande longueur. Un vin concentré et subtil. (RM)

☙ Marie-Christine Desbordes, 2, rue de Villers-aux-Nœuds, 51500 Ecueil, tél. 03.26.49.77.58, fax 03.26.49.27.34 ☑ ⵅ r.-v.

LAURENT DESMAZIERES
Cuvée Tradition*

| ☙ 1er cru | 18 ha | n.c. | 🎗 📦 | 70 à 99 F |

Le champagne Cattier est responsable de la marque Laurent Desmazières. Ce rosé Tradition fait appel aux deux pinots assistés de 10 % de chardonnay. Quelques touches toastées, vanillées, caramélisées donnent de l'onctuosité à ce champagne de table qui s'accordera à la perfection avec un rôti de veau. (NM)

☙ Laurent Desmazières, 9, rue Dom-Pérignon, 51500 Chigny-les-Roses, tél. 03.26.03.44.46, fax 03.26.03.43.13 ☑

☙ J. -J. Cattier

A. DESMOULINS ET CIE
Cuvée Prestige*

| ○ | n.c. | n.c. | | 100 à 149 F |

Une maison toujours familiale, créée par Albert Desmoulins en 1908 et qui pratique encore le remuage et le dégorgement à la main. Deux de ses champagnes obtiennent une étoile : cette cuvée Prestige et la **Grande cuvée 2000**, issue de l'assemblage d'une vingtaine de crus. La première fait la part belle au chardonnay qui lui apporte vivacité et fraîcheur, la seconde bénéficie d'une bonne attaque et d'une belle rondeur. Une citation enfin pour le **brut rosé**, puissant et vineux. (NM)

☙ Champagne A. Desmoulins et Cie, 44, av. Foch, B.P. 10, 51201 Epernay Cedex, tél. 03.26.54.24.24, fax 03.26.54.26.15 ☑ ⵅ r.-v.

DEUTZ 1995★★

| ○ | n.c. | n.c. | 🎗 📦 | 200 à 249 F |

Maison fondée en 1838 par deux Allemands d'Aix-la-Chapelle et contrôlée depuis 1993 par le champagne Roederer, sans perte d'autonomie. Ce 95 allie 70 % de pinot (dont 10 % de pinot meunier) à 30 % de chardonnay. Son nez, complexe et fin, annonce une bouche exemplaire, ample, équilibrée, charnue et délicate. Ont été cités le **rosé 96** (250 à 299 F), un rosé de noirs concentré et souple, et un **blanc de blancs** - type de champagne toujours réussi chez Deutz - **millésimé 95** (300 à 499 F), minéral, citronné, équilibré et long. (NM)

☙ Champagne Deutz, 16, rue Jeanson, 51160 Ay, tél. 03.26.56.94.00, fax 03.26.56.94.10 ☑ ⵅ r.-v.

DOM BASLE Cuvée Première 1992★★★

| ○ Gd cru | 1 ha | 8 500 | ⬛ | 70 à 99 F |

Dom Basle, nom d'un ermite qui vécut à Verzy à l'époque mérovingienne, est la deuxième mar-

que du Champagne Lallement-Deville, maison fondée en 1892, dont le vignoble s'étend sur 3,5 ha. Le jury, suivi par le grand jury, s'est enthousiasmé pour cette cuvée 55 % pinot noir, 45 % chardonnay. Un fin cordon traverse une couleur paille claire élégante. Le nez, d'une grande complexité, égrène notes exotiques, confites, confiture de figues, fruits cuits, pruneau... D'une grande longueur, la bouche joue dans le même registre. Un champagne racé. (RM)
☛ Champagne Lallement-Deville,
28, rue Irénée-Gass, B.P. 29, 51380 Verzy,
tél. 03.26.97.95.90, fax 03.26.97.98.25 ☑ 〒 r.-v.
☛ Damien Lallement

PIERRE DOMI Cuvée spéciale★

○	0,5 ha	1 800	■	70 à 99 F

Etablie près d'Avize et de Cramant, cette exploitation fondée par Pierre Domi en 1947 est dirigée aujourd'hui par ses petits-enfants. Elle a obtenu une étoile pour cette cuvée spéciale qui est un blanc de blancs de la vendange de 1996. Un champagne miellé, beurré, grillé avec des notes d'agrumes en bouche. Le **blanc de blancs** (récolte 1997), onctueux et gourmand, obtient une citation. Il en va de même de la cuvée **Grande Réserve** élaborée à partir de raisins de la vendange 1998 (chardonnay 60 %, pinot meunier 40 %), assistés de 25 % de vin de réserve de 1997. Cette dernière est fruitée et équilibrée. (RM)
☛ Champagne Pierre Domi, 8, Grande-Rue,
51190 Grauves, tél. 03.26.59.71.03,
fax 03.26.52.86.91 ☑ 〒 r.-v.

DOQUET-JEANMAIRE
Blanc de blancs 1990★

○ 1er cru	9 ha	10 000	■ ♦	100 à 149 F

Pascal Doquet conduit depuis 1995 cette exploitation créée par ses parents en 1974. Le vignoble s'étend sur 15 ha autour de Vertus, et des communes limitrophes, dans la Côte des Blancs. Aussi, les trois champagnes retenus sont-ils des **blancs de blancs** ; ce 90 a atteint son apogée. Il doit à son millésime sa générosité, sa vinosité, sa puissance, ses arômes confits et miellés. Un vin pour un repas de fête. Pour l'apéritif, on préférera le champagne vendu sous l'étiquette **De La Cense** (70 à 99 F), issu des années 1995, 1996 et 1997 : vif, citronné, frais et jeune, il a obtenu également une étoile. Une citation enfin pour le brut **Tradition 1er cru** (issu des millésimes 95 et 96), souple et élégant. (SR)
☛ SA Champagne Doquet-Jeanmaire,
44, chem. Moulin-Cense-Bizet, 51130 Vertus,
tél. 03.26.52.16.50, fax 03.26.59.36.71,
e-mail doquet.jeanmaire@wanadoo.fr ☑ 〒 t.l.j.
9h30-12h 14h-18h; sam. dim. sur r.-v.

DIDIER DOUE Blanc de blancs 1994

○	3 ha	n.c.	■	70 à 99 F

Didier Doué exploite depuis 1973 un vignoble de 4 ha à Montgueux, dans l'Aube. Les chardonnays de cette commune sont connus pour leur qualité et leur caractère. Ici, ils ont donné un champagne toasté, beurré, miellé, frais. Pour l'apéritif. (RM)
☛ Didier Doué, chem. des Vignes,
10300 Montgueux, tél. 03.25.79.44.33,
fax 03.25.79.40.04 ☑ 〒 r.-v.

ETIENNE DOUE Grande Réserve

○	1 ha	6 000	■	70 à 99 F

Non loin de Troyes, Montgueux constitue un îlot viticole dans le département de l'Aube. Etienne Doué y exploite 4,5 ha de vignes et commercialise son champagne depuis 1977. Ce Grande Réserve est un blanc de blancs issu des vendanges de 1995, 1996 et 1997. On y découvre le miel et les fruits secs. Si son dosage est perceptible, le vin reste fin et équilibré. (RM)
☛ Etienne Doué, 11, rte de Troyes,
10300 Montgueux, tél. 03.25.74.84.41,
fax 03.25.79.00.47 ☑ 〒 r.-v.

DOURDON-VIEILLARD Grande Réserve

○	n.c.	8 000	■ ♦	70 à 99 F

Ce vignoble, situé à l'ouest d'Epernay dans la vallée de la Marne, s'étend sur 9,5 ha. Il est né il y a une centaine d'années. Cette cuvée Grande Réserve est issue des trois cépages champenois (dont 60 % de chardonnay) et de l'assemblage de 75 % de vins de 1994 et de 25 % de vins de 1993. Des notes de pêche lui donnent de l'élégance et sa finale fruitée est souple. Un ensemble agréable. (RM)
☛ Dourdon-Vieillard, 7, rue du Château,
51480 Reuil, tél. 03.26.58.06.38,
fax 03.26.58.35.13 ☑ 〒 r.-v.

R. DOYARD ET FILS
Blanc de blancs Cuvée Vendémiaire

○ 1er cru	4 ha	25 000	■ ⊪ ♦	100 à 149 F

Maurice Doyard est célèbre en champagne pour avoir créé, avec Robert Jean de Vogüé, le Comité interprofessionnel des vins de Champagne. La marque, lancée en 1997, dispose d'un vignoble de 7 ha. Cette cuvée est savamment vinifiée : une partie « fait de la barrique » et la fermentation malolactique n'est que partiellement accomplie. Sont assemblés des vins de 1993, 1994 et 1995. Les dégustateurs sont sensibles aux arômes de noisette citronnée et à l'équilibre intéressant. (RM)
☛ Champagne Robert Doyard et Fils,
61, av. de Bammental, 51130 Vertus,
tél. 03.26.52.14.74, fax 03.26.52.24.02 ☑ 〒 t.l.j.
sf sam. dim. 9h-12h 13h30-18h; f. août

DOYARD-MAHE
Cuvée blanc de blancs Carte d'Or

○ 1er cru	n.c.	n.c.	■ ♦	70 à 99 F

Philippe Doyard descend de Maurice Doyard, cofondateur du Comité interprofessionnel du vin de Champagne. Il exploite un vignoble de 6 ha autour de Vertus, dans la Côte des Blancs. Trois de ses champagnes 1er cru sont cités. Tous proviennent de la vendange de 1995 et sont essentiellement à base de chardonnay. Deux blancs de blancs, ce Carte d'Or, jeune, très fin, nerveux et long, le **95** (100 à 145 F), subtil, vif et citronné, qui peut encore évoluer ; enfin, un **brut rosé** (88 % de chardonnay et 12 % de vin rouge de pinot noir) aux arômes de griotte et de fraise, vineux avec délicatesse. (RM)
☛ Philippe Doyard, Le Moulin d'Argensole,
51130 Vertus, tél. 03.26.52.23.85,
fax 03.26.59.36.69 ☑ 〒 t.l.j. 10h-12h 14h-18h;
dim. 10h-12h

DRIANT-VALENTIN★★

○ 1er cru	2 ha	15 000	🔳⬛	70 à 99 F

Situé à Grauves, près d'Avize, ce domaine familial de 5,5 ha, a lancé son champagne en 1972. Celui-ci résulte d'un assemblage classique de chardonnay (60 %), de pinot noir (40 %) des vendanges de 1995 et 1996. Il mêle au nez des notes florales, ainsi que des touches de pain grillé. Son attaque vive est suivie de saveurs d'agrumes confits et de miel. Son équilibre et son harmonie lui valent deux étoiles. (RM)
☛ Jacques Driant, 4, imp. de la Ferme, 51190 Grauves, tél. 03.26.59.72.26, fax 03.26.59.76.55 🔳 ⵙ r.-v.

GERARD DUBOIS
Blanc de blancs 1992★★

○ Gd cru	3 ha	3 500	🔳	70 à 99 F

Une propriété créée en 1920 dans la Côte des Blancs et un champagne lancé en 1970. Il arrive que des blancs de blancs jouant la carte de la finesse s'égarent dans la minceur. Ce n'est pas le cas de celui-ci. Avec ses arômes de miel et de pâte de coings, avec sa présence en bouche, c'est un champagne de repas que l'on servira sur une viande blanche. (RM)
☛ Gérard Dubois, 67, rue Ernest-Vallé, 51190 Avize, tél. 03.26.57.58.60, fax 03.26.57.99.26 🔳 ⵙ r.-v.

HERVE DUBOIS Blanc de blancs 1991★★

○ Gd cru	2,5 ha	3 000	🔳	100 à 149 F

Un champagne lancé en 1980. L'exploitation, située dans la Côte des Blancs, dispose de 4,05 ha de vignes. Son blanc de blancs a emporté l'adhésion du jury par la richesse de ses arômes de pêche, d'abricot et de cannelle, et par sa bouche élégante et vive. Dans la fourchette de prix inférieure, le domaine obtient une étoile pour le **blanc de blancs Réserve grand cru sans année**, rond et souple, dans le même esprit que le précédent, et une citation pour le **brut** issu des trois cépages champenois, rond et léger en fin de bouche (70 à 99 F chacun). (RM)
☛ Hervé Dubois, 67, rue Ernest-Vallé, 51190 Avize, tél. 03.26.57.52.45, fax 03.26.57.99.26 🔳 ⵙ r.-v.

ROBERT DUFOUR ET FILS
Chardonnay Cuvée Prestige 1989★

○	n.c.	3 000	🔳	100 à 149 F

Ce récoltant-manipulant exploite un vignoble de 14 ha dans l'Aube. Son blanc de blancs 89 a déjà eu, à deux reprises (édition 2000 et 1998), les honneurs du Guide. On retrouve sa riche palette aromatique (fruits confits, café et pain d'épice, auxquels s'ajoutent en bouche l'abricot et le miel). Deux autres champagnes ont obtenu une citation dans la fourchette de prix inférieure : le **brut rosé** de la vendange de 1995, compoté, vanillé, généreux, et la **cuvée Benjamine** (70 % de pinot noir, 30 % de chardonnay), florale et légère. (RM)
☛ Champagne Robert Dufour, 4, rue de la Croix-Malot, 10110 Landreville, tél. 03.25.29.66.19, fax 03.25.38.56.50 🔳 ⵙ r.-v.

J. DUMANGIN FILS Grande Réserve

○ 1er cru	5,2 ha	30 000		70 à 99 F

Cette jeune exploitation, fondée en 1968, dispose d'un vignoble de plus de 5 ha à Chigny-les-Roses, dans la Montagne de Reims. Sa cuvée Grande Réserve fait la part belle aux pinots (75 % dont 50 % de meunier récoltés en 1995 et 1996). Le jury a apprécié sa générosité et la richesse de sa palette aromatique, où l'on découvre de la pâte à pain, des fruits blancs et de la pomme mûre. Une citation également pour le **brut rosé 1er cru** (100 à 149 F), mi-blanc mi-noir (dont 10 % de meunier), issu de la récolte de 1996, à l'attaque vive et aux saveurs de fraise et de groseille. (RM)
☛ Champagne Jacky Dumangin Fils, 3, rue de Rilly, B.P. 23, 51500 Chigny-les-Roses, tél. 03.26.03.46.34, fax 03.26.03.45.61, e-mail info@champagne-dumangin.fr 🔳 ⵙ r.-v.

DANIEL DUMONT Grande Réserve

○ 1er cru	6 ha	50 000	🔳	70 à 99 F

Daniel Dumont a repris et agrandi le vignoble de ses parents, pépiniéristes viticoles. Il exploite 10 ha dans la Montagne de Reims. Son Grande Réserve comprend 40 % de chardonnay, 40 % de pinot noir, 20 % de pinot meunier ; 70 % de raisins ont été récoltés en 1997 et 30 % sont des vins de réserve de 1996. C'est un champagne fruité, rond et équilibré. (RM)
☛ Daniel Dumont, 11, rue Gambetta, 51500 Rilly-la-Montagne, tél. 03.26.03.40.67, fax 03.26.03.44.82 🔳 ⵙ r.-v.

R. DUMONT ET FILS Blanc de blancs★

○	2 ha	1 980	🔳⬛	70 à 99 F

Vignerons depuis deux siècles, les Dumont sont à la tête d'un domaine de 22 ha situé dans l'Aube. Ils ont lancé leur champagne en 1974. Leur blanc de blancs naît de l'assemblage des vins de 1996 et de 1997. Les fleurs blanches et les agrumes s'y marient, cependant qu'un équilibre nerveux s'impose en bouche. Ce champagne conviendra à l'apéritif. Le **96** (65 % de pinot noir, 35 % de chardonnay) mérite d'être cité pour sa puissance et sa persistance. (RM)
☛ R. Dumont et Fils, 10200 Champignol-lez-Mondeville, tél. 03.25.27.45.95, fax 03.25.27.45.97 🔳 ⵙ r.-v.

DUVAL-LEROY Fleur de Champagne★★

○ 1er cru	n.c.	1 000 000	🔳⬛	100 à 149 F

Créée en 1859 et restée familiale, cette grande maison de Vertus (Côte des Blancs) dispose d'un vaste vignoble de 150 ha. Sa cuvée Fleur de Champagne brut (75 % de chardonnay, 25 % de pinot noir) est tout en finesse et en élégance, fraîche, vive, avec des saveurs d'agrumes. Deux autres cuvées ont obtenu la même note : la **Fleur de Champagne blanc de blancs 95**, aux arômes séduisants de coing vanillé et beurré, et la **Fleur de Champagne 95** (65 % de chardonnay, 35 % de pinot noir), citronnée, souple et au dosage sensible. (NM)
☛ Champagne Duval-Leroy, 69, av. de Bammental, B.P. 37, 51130 Vertus, tél. 03.26.52.10.75, fax 03.26.52.37.10, e-mail champagne@duval-leroy.com 🔳 ⵙ r.-v.
☛ Carol Duval

ESTERLIN Sélection★

| ○ | 120 ha | n.c. | 70 à 99 F |

Une cuvée signée par un groupement de producteurs fondé en 1948 et qui a lancé sa marque en 1985. Les vignes des adhérents s'étendent sur 120 ha. Assemblant chardonnay (60 %) et les deux pinots (40 %), ce champagne est élégant et très agréable. Le jury a apprécié ses arômes de fruits blancs qui lui assurent une belle complexité, sa vivacité et sa longueur. Une bouteille pour l'apéritif comme pour le repas. (CM)
➥Champagne Esterlin, 25, av. de Champagne, B.P. 342, 51334 Epernay Cedex, tél. 03.26.59.71.52, fax 03.26.59.77.72 ☑ ⵏ r.-v.

CHRISTIAN ETIENNE
1995★★

| ○ | 5 ha | 5 000 | ▮⬥ 70 à 99 F |

Disposant d'un vignoble de 9 ha dans l'Aube, cette exploitation élabore du champagne depuis la fin des années 1970. Son 95 confirme les espoirs nés l'an dernier de sa remarquable cuvée... de l'Espérance. Assemblant 70 % de pinot noir et 30 % de chardonnay, il offre un bouquet suave, floral et miellé. Après une attaque tendre, rémanence du bouquet, une bouche persistante et tout en finesse finit de conquérir le jury. Une citation pour le **blanc de noirs Cuvée de l'An 2000**, issu des vendanges de 1992 et 1993, à l'attaque vive et aux saveurs de fruits confits. (RM)
➥Christian Etienne, rue de la Fontaine, 10200 Meurville, tél. 03.25.27.46.66, fax 03.25.27.45.84 ☑ ⵏ r.-v.

JEAN-MARIE ETIENNE

| ◗ 1er cru | 1 ha | 3 000 | ▮ 70 à 99 F |

Ce domaine viticole de la vallée de la Marne existe depuis quatre générations. Jean-Marie Etienne a commencé à élaborer du champagne en 1958. Ce sont maintenant ses deux fils qui conduisent l'exploitation. Leur rosé est issu des trois cépages champenois, essentiellement récoltés en 1996, 1997 et 1998. Vêtu d'une robe claire, il est léger, fin, frais et offre de jolis arômes framboisés. (RM)
➥Champagne Etienne, 33, rue Louis-Dupont, 51480 Cumières, tél. 03.26.51.66.62, fax 03.26.55.04.65 ☑ ⵏ r.-v.

EUSTACHE DESCHAMPS
Blanc de blancs

| ○ | 1,1 ha | 9 533 | ▮⬥ 70 à 99 F |

Eustache Deschamps, poète, est né à Vertus en 1346. Le groupement de producteurs « La Vigneronne » de cette commune de la Côte des Blancs a tout naturellement choisi ce nom pour son blanc de blancs. Assemblant des vins de 1990 et 1991, celui-ci a atteint son apogée, comme le montre son caractère confit, souple et complexe. Un champagne pour un repas, voire pour une tarte aux pommes tiède avec boule de glace au caramel, suggère un dégustateur. (CM)
➥Champagne Eustache Deschamps, 38, av. de Bammental, 51130 Vertus, tél. 03.26.52.18.95, fax 03.26.58.39.47 ☑ ⵏ r.-v.

FRANCOIS FAGOT

| ◗ | 0,7 ha | 8 000 | ▮⬥ 70 à 99 F |

Cette maison familiale dispose de 7 ha de vignes dans la Montagne de Reims. Elle a lancé son étiquette en 1960. Elaboré par saignée, son rosé présente une robe saumonée et des arômes originaux d'abricot citronné. Il est équilibré et persistant. (NM)
➥SARL François Fagot, 26, rue Gambetta, 51500 Rilly-la-Montagne, tél. 03.26.03.42.56, fax 03.26.03.41.19 ☑ ⵏ r.-v.

FALLET-DART

| ◗ | 5 ha | 13 466 | ▮ 70 à 99 F |

Le vignoble existait déjà au début du XVII^{e}s. Il s'étend aujourd'hui sur 17 ha du côté de Charly-sur-Marne, non loin de Château-Thierry. Quant au champagne, il a été lancé en 1966. Ce rosé de noirs est né des deux pinots (dont 80 % de pinot meunier) récoltés en 1996 et 1997. Equilibré et harmonieux, c'est un bon classique. (RM)
➥Fallet-Dart, Drachy, 2, rues des Clos-du-Mont, 02310 Charly-sur-Marne, tél. 03.23.82.01.73, fax 03.23.82.19.15 ☑ ⵏ r.-v.

FANIEL-FILAINE★

| ○ | 3 ha | 25 000 | 70 à 99 F |

Si l'étiquette Faniel-Filaine, qui résulte de l'union de deux familles du cru, est récente (1992), les Filaine sont vignerons depuis trois siècles. Ils exploitent un vignoble de 5,5 ha autour de Damery, dans la vallée de la Marne. Ce brut sans année est un blanc de noirs (dont 80 % de pinot meunier) provenant de la vendange de 1996. On y découvre la pomme verte, les agrumes et les fruits confits. (RM)
➥Faniel-Filaine, 48, quai de Verdun, 51480 Damery, tél. 03.26.58.62.67, fax 03.26.58.03.26 ☑ ⵏ r.-v.

SERGE FAYE Tradition

| ○ 1er cru | 3 ha | 24 300 | ▮ 70 à 99 F |

Serge Faÿe a pris en 1984 la suite de son père Robert qui avait créé le domaine en 1952. Il exploite 4 ha autour de Louvois, au sud de la Montagne de Reims. Son brut Tradition comprend 80 % de pinot noir pour 20 % de chardonnay, récoltés en 1996 et 1997. Discret au nez, ce champagne n'est pas des plus longs mais sa bouche assez agréable lui vaut de figurer ici. (RM)
➥Serge Faÿe, 2 bis, rue André-Le-Nôtre, 51150 Louvois, tél. 03.26.57.81.66, fax 03.26.59.45.12 ☑ ⵏ r.-v.

NICOLAS FEUILLATTE
Réserve particulière★★

| ○ 1er cru | n.c. 3 000 000 | ▣ ♦ 100 à 149 F |

Cette Réserve particulière ne réjouira pas que quelques *happy few*, car elle n'a rien de confidentiel : pas moins de trois millions de cols mis sur le marché ! Et c'est tant mieux, car ce champagne a été jugé remarquable. Il est élaboré par le très important centre vinicole de Chouilly, créé en 1986. Elégante et complexe, cette cuvée possède une belle fraîcheur qui lui vient de ses arômes de pamplemousse ; ses saveurs d'ananas lui donnent un côté exotique. Un dégustateur suggère de la servir sur des entrées raffinées (saumon, coquilles Saint-Jacques). Deux étoiles encore pour le coûteux (de 300 à 499 F) **Palmes d'Or 92** : un champagne mi-noir, mi-blanc, frais, miellé, beurré, vanillé, long et ample. (CM)
☛ Champagne Nicolas Feuillatte, B.P. 210, Chouilly, 51206 Epernay, tél. 03.26.59.55.50, fax 03.26.59.55.82 ☑ ⍦ r.-v.

BERNARD FIGUET Cuvée de réserve

| ○ | 3 ha | 25 000 | ▣ 70 à 99 F |

Etablis dans la vallée de la Marne, non loin de Château-Thierry, les Figuet élaborent leur propre champagne depuis 1946. Leur vignoble couvre 11 ha. Mi-blanche, mi-noire (avec 30 % de meunier), issue de la récolte de 1996, leur cuvée de réserve est un champagne floral, droit et très sec. (RM)
☛ Bernard Figuet, 144, rte Nationale, 02310 Saulchery, tél. 03.23.70.16.32, fax 03.23.70.17.22 ☑ ⍦ r.-v.

FLEURY PÈRE ET FILS 1993★★

| ○ | 3 ha | 25 000 | ▣ ♦ 100 à 149 F |

Un domaine constitué à la fin du XIXᵉs. dans l'Aube et une marque lancée en 1929 par Robert Fleury. Aujourd'hui, Jean-Pierre Fleury dispose de 13 ha qu'il cultive en biodynamie. Tiré sous liège, très noir (20 % de chardonnay seulement), son 93 est un exemple de réussite dans un millésimé jugé ingrat. Les compliments fusent : « formidable, extra, magnifique », « champagne d'exception ». Une très belle effervescence dans une robe dorée, un feu d'artifice au nez, symphonie riche et complexe où s'accordent les fruits secs, le pain grillé, le miel, les fleurs blanches... Pour entrées raffinées et viandes blanches. (NM)
☛ Champagne Fleury, 43, Grande-Rue, 10250 Courteron, tél. 03.25.38.20.28, fax 03.25.38.24.65 ☑ ⍦ r.-v.
☛ Jean-Pierre Fleury

G. FLUTEAU
Blanc de blancs Cuvée Prestige 1996

| ○ | n.c. | n.c. | ▣ ♦ 70 à 99 F |

Cette maison, fondée en 1935 par Georges Fluteau, arrière-grand-père des propriétaires actuels, dispose d'un vignoble de 8 ha et se vante d'être la plus petite affaire de négoce en Champagne ! Son blanc de blancs cuvée Prestige offre un nez discret mais fin avec ses arômes de fruits secs et de tilleul. En revanche, la bouche est généreuse, marquée par les fruits - ananas, pêche, pamplemousse et citron. (NM)
☛ Hérard et Fluteau, 5, rue de la Nation, 10250 Gyé-sur-Seine, tél. 03.25.38.20.02, fax 03.25.38.24.84, e-mail champagne.fluteau @ wanadoo.fr ☑ ⍦ r.-v.

FORGET-CHEMIN Carte blanche★★

| ○ | 11 ha | 60 000 | ▣ 70 à 99 F |

En quatre générations, les Forget ont constitué un vignoble de 11 ha du côté de Ludes (Montagne de Reims). Les trois cépages champenois à parts égales, trois années et 44 parcelles, telle est la carte d'identité de cette Carte blanche, qui décline notes miellées, confites, florales, fruits exotiques compotés, noisette et agrumes, et se fait briochée en bouche. Un champagne pour entrées raffinées. Il faut noter que ce producteur avait frôlé le coup de cœur dans la précédente édition avec une cuvée proche de celle-ci et signaler l'étoile obtenue par le **brut rosé**, issu des trois cépages champenois (dont 50 % de pinot noir), au nez discret, à la bouche puissante et harmonieuse. (RM)
☛ Champagne Forget-Chemin, 15, rue Victor-Hugo, 51500 Ludes, tél. 03.26.61.12.17, fax 03.26.61.14.51 ☑ ⍦ r.-v.

FOURNAISE-THIBAUT 1995★

| ○ | 1 ha | 8 000 | ▣ ♦ 70 à 99 F |

Daniel Fournaise exploite un vignoble à Châtillon-sur-Marne ; il exporte la moitié de sa production en Allemagne. Son 95 mi-noir, mi-blanc présente un nez frais, où l'on trouve des touches mentholées et des notes de fougère à côté du pain grillé, alors qu'en bouche se développent des saveurs de fruits confits, de pamplemousse et de kiwi. Quelques dégustateurs sont sensibles à son dosage. Deux autres champagnes ont été cités, le **brut rosé**, un rosé de noirs (pinot meunier) au fruité nerveux, et la **cuvée Prestige**, issue des trois cépages à parts égales, récoltés en 1994, proche du 95. (RM)

☛ Daniel Fournaise, 2, rue des Boucheries, 51700 Châtillon-sur-Marne, tél. 03.26.58.06.44, fax 03.26.51.60.91 ☑ ⵑ r.-v.

PHILIPPE FOURRIER Carte d'or★★

○	3 ha	n.c.	70 à 99 F

Les premières vignes ont été acquises en 1947. Aujourd'hui, elles s'étendent sur 8 ha. L'exploitation a lancé son champagne en 1981. Ce Carte d'or, un blanc de noirs de pinot noir vendangé en 1997, frôle le coup de cœur. Il a tout pour plaire : l'élégance, la finesse, la fraîcheur, la complexité, la longueur. Le domaine a encore obtenu une étoile pour la **cuvée du 3ᵉ Millénaire** (100 à 149 F) comprenant 20 % de chardonnay, vive et équilibrée. (SR)
☛ Champagne Philippe Fourrier, 10200 Baroville, tél. 03.25.27.13.44, fax 03.25.27.12.49, e-mail champagne.fourrier@wanadoo.fr ☑ ⵑ r.-v.

J.C. FRANCOIS Carte d'or 1995★

○		n.c.	1 500	100 à 149 F

Cette maison familiale établie dans la Montagne de Reims disposait de 30 a à sa création en 1963. Elle regroupe aujourd'hui 12 ha. Sa cuvée Carte d'or 95 libère au nez des parfums de bonbon anglais, de banane et de fruits rouges, alors qu'en bouche on devine la vanille et l'amande, après une attaque souple. Un champagne pour apéritif, entrées et viandes blanches. (NM)
☛ J.-C. François-Delage, B.P. 40, 51500 Ludes, tél. 03.26.61.12.97, fax 03.26.61.11.91 ☑ ⵑ r.-v.

FRANCOIS-BROSSOLETTE
Cuvée Prestige

○	3 ha	3 118	70 à 99 F

En quatre générations, ces vignerons ont acquis une douzaine d'hectares dans l'Aube. Leur cuvée Prestige, mi-noire, mi-blanche, propose un nez de fruits mûrs, une attaque vive, une bouche un peu brève. Un ensemble honorable. (RM)
☛ François-Brossolette, 42, Grande-Rue, 10110 Polisy, tél. 03.25.38.57.17, fax 03.25.38.51.56 ☑ ⵑ r.-v.

RENE FRESNE Carte Argent★

○	2 ha	15 000	70 à 99 F

Cette exploitation dispose d'un vignoble de 8,5 ha dans la Montagne de Reims. Mi-noire mi-blanche, sa cuvée Carte d'Argent est minérale et fraîche au nez. Son attaque est nette et sa longueur appréciable. Le champagne **Carte Noire** est pratiquement un blanc de noirs (5 % de chardonnay, les deux pinots à peu près à parts égales). Discret au nez, il apparaît plus féminin en bouche que le précédent et conviendra à l'apéritif. Il obtient une citation. (RM)
☛ GAEC du Monastère, 20, rue du Franc-Mousset, 51500 Sermiers, tél. 03.26.97.60.38, fax 03.26.97.67.63 ☑ ⵑ r.-v.

FRESNET-BAUDOT

○	Gd cru	2 ha	12 000	70 à 99 F

Sillery (Montagne de Reims) contribua à la notoriété de la Champagne viticole dès le XVIᵉ s., avant que ses vins ne prissent mousse. Laurent Fresnet y exploite un vignoble de 3 ha depuis 1976. Il propose un grand cru assemblant pinot (60 %) et chardonnay (40 %), né de la vendange de 1996 assistée des millésimes 94 et 95. Le nez est confituré et miellé, le palais un peu bref mais structuré. Pour une viande blanche. (RM)
☛ Fresnet-Baudot, 9, rte de Puisieulx, 51500 Sillery, tél. 03.26.49.11.74, fax 03.26.49.10.72, e-mail courrier@champagne-fresnet-baudot.fr ☑ ⵑ r.-v.

FRESNET-JUILLET

○	1er cru	4 ha	35 000	70 à 99 F

Gérard Fresnet a créé son vignoble en 1954 et creusé sa cave à la force du poignet. L'exploitation dispose d'un domaine de 9 ha. Ce brut 1ᵉʳ cru comprend trois quarts de pinot noir pour 25 % de chardonnay. La vendange de 1997 est complétée par 40 % de vins de réserve de 1995 et 1996. C'est un champagne classique, onctueux, équilibré par une pointe de nervosité. (NM)
☛ Champagne Fresnet-Juillet, 10, rue de Beaumont, 51380 Verzy, tél. 03.26.97.93.40, fax 03.26.97.92.55 ☑ ⵑ t.l.j. sf dim. 9h-18h; f. août

G. DE BARFONTARC Extra Quality★

○	90 ha	150 000	70 à 99 F

Cette marque a été déposée en 1964 par un groupement de producteurs de l'Aube. Les raisins - en majorité des pinots (50 % de meunier et 35 % de pinot noir pour 15 % de chardonnay) ont été récoltés en 1997. Cette cuvée, à la fois vive et légèrement confite, possède une bouche très fruitée, ample et d'une belle finesse. Un ensemble très agréable. La coopérative propose aussi une autre marque, la **cuvée Sainte-Germaine 95** : un bon millésime à un prix intéressant. Un champagne de repas au nez puissant de noisette, d'abricot et de mirabelle confite, rond et puissant en bouche. Il a obtenu la même note. (CM)
☛ Champagne G. de Barfontarc, rte de Bar-sur-Aube, 10200 Baroville, tél. 03.25.27.07.09, fax 03.25.27.23.00, e-mail g.de.barfontarc@wanadoo.fr ☑ ⵑ t.l.j. sf dim. 8h-12h 13h30-16h30

LUC GAIDOZ Tradition

○	1er cru	n.c.	10 000	70 à 99 F

Luc Gaidoz exploite depuis 1983 un vignoble à Ludes (Montagne de Reims). On retrouve son Tradition, assemblage de 80 % de pinot meunier accompagné à parts égales de pinot noir et de chardonnay, ici récoltés en 1996 et 1997. Une cuvée « calme » qui privilégie l'ampleur et la rondeur plutôt que la vivacité. Elle laisse percevoir des arômes de fruits compotés. (RM)
☛ Luc Gaidoz, 4, rue Gambetta, 51500 Ludes, tél. 03.26.61.13.73, e-mail lgaidoz@wanadoo.fr ☑ ⵑ r.-v.

GAIDOZ-FORGET Carte d'or★★

○	1er cru	n.c.	n.c.	70 à 99 F

Ludes est une commune de la Montagne de Reims classée en 1ᵉʳ cru. Daniel Gaidoz y exploite un vignoble de 9 ha. Sa cuvée Carte d'or, très noire (90 % de pinots, dont 80 % de meunier, récoltés en 1995-1996), a comblé les dégustateurs. Son nez d'amande, de sous-bois, de cuir, de miel et de caramel précède une bouche briochée et longue. Un champagne mûr, prêt à boire. Une étoile revient au **1ᵉʳ cru brut rosé** (assemblage identique avec apport de vin de pinot noir), issu des vendanges de 1996 et 1997. Ce vin souple, velouté, rond, prêt à déguster devrait s'accorder avec un dessert (100 à 149 F). (RM)

🍾 Gaidoz-Forget, 1, rue Carnot, 51500 Ludes, tél. 03.26.61.13.03, fax 03.26.61.11.65 ☑ ϒ t.l.j. sf dim. 9h-11h30 14h-18h30; f.août

GAILLARD-GIROT★

○	n.c.	n.c.	⬤▮ 70 à 99 F

Depuis quatre générations, les Gaillard-Girot exploitent un vignoble à Mardeuil, à l'ouest d'Epernay. Assemblage de trois années, leur brut non millésimé privilégie le pinot meunier (78 % accompagné de 15 % de chardonnay et de 7 % de pinot noir). L'élevage des vins est effectué partiellement en fût de chêne. C'est un champagne de table, confit, gras, onctueux et long. (RM)

🍾 EARL Gaillard-Girot, 43, rue Victor-Hugo, 51530 Mardeuil, tél. 03.26.51.64.59, fax 03.26.51.70.59 ☑ ϒ r.-v.

GALLIMARD PÈRE ET FILS

◗	10 ha	8 700	70 à 99 F

Récoltants-manipulants aux Riceys (Aube), les Gallimard exportent 45 % de leur production. Ils élaborent du champagne depuis 1930 et sont à la tête d'un vignoble de 10 ha. Leur cuvée rosée est un rosé de macération (cuvaison courte) et provient donc exclusivement de pinot noir. Rose tirant sur le rouge, tuilée, elle libère des arômes floraux (rose) avec une touche de litchi qui invite à l'accorder avec des plats exotiques. (RM)

🍾 Champagne Gallimard Père et Fils, 18-20, rue Gaston-Cheq, Le Magny, 10340 Les Riceys, tél. 03.25.29.32.44, fax 03.25.38.55.20 ☑ ϒ t.l.j. dim. 9h-12h 14h-18h; sam. sur r.-v.

🍾 Didier Gallimard

GAUDINAT-BOIVIN Tradition

○	5 ha	33 600	▮ 70 à 99 F

Cette exploitation familiale de 5 ha commercialise son champagne depuis 1970. Privilégiant les « noirs » (85 % de pinots dont 80 % de meunier), sa cuvée Tradition a retenu l'attention par ses arômes de café, de chocolat et de torréfaction. C'est un champagne évolué, qu'il faut boire maintenant. (RM)

🍾 EARL Gaudinat-Boivin, 6, rue des Vignes, Mesnil-le-Huttier, 51700 Festigny, tél. 03.26.58.01.52, fax 03.26.58.97.47 ☑ ϒ r.-v.

🍾 Roger Gaudinat

GAUTHEROT Cuvée de réserve★★

○	7,5 ha	65 880	▮🍷 70 à 99 F

Etabli dans l'Aube, François Gautherot descend d'une lignée de vignerons remontant à 1695. Ce sont ses deux grands-pères qui se sont lancés dans la manipulation en 1935. Le domaine est devenu fournisseur de la « Royale » (marine française) dans les années 1950. Il s'étend aujourd'hui sur 12 ha. Née des vendanges de 1996 et de 1997 et comprenant 75 % de pinot noir pour 25 % de chardonnay, sa Cuvée de réserve est un brut sans année déjà excellent et prometteur. Au nez, l'abricot citronné évolue vers des

fleurs blanches ; en bouche, le miel, auquel s'ajoute le pamplemousse, contribue à la rondeur. Quant au **Sélection 95**, assemblage presque identique, il a obtenu une citation. Vif et vineux, il s'accordera avec un poisson grillé. (RM)

🍾 François Gautherot, 29, Grande-Rue, 10110 Celles-sur-Ource, tél. 03.25.38.50.03, fax 03.25.38.58.14 ☑ ϒ r.-v.

MICHEL GENET
Blanc de blancs Brut Esprit★

○ Gd cru	4 ha	40 000	▮ 70 à 99 F

Exploitation fondée en 1960 par Michel Genet, disposant d'un vignoble de 7 ha dans la Côte des Blancs. On retrouve sa cuvée Esprit, grand cru blanc de blancs. Un champagne structuré, fin et long, au joli nez d'aubépine et de fleurs blanches. Un autre **blanc de blancs grand cru**, le **Grande Réserve 95**, encore prisonnier de sa jeunesse, mérite cependant d'être cité. (RM)

🍾 Michel Genet, 22, rue des Partelaines, 51530 Chouilly, tél. 03.26.55.40.51, fax 03.26.59.16.92, e-mail champagne.genet.michel@wanadoo.fr ☑ ϒ r.-v.

RENE GEOFFROY Cuvée Prestige 1996★

○ 1er cru	1 ha	9 000	⬤▮ 100 à 149 F

Les Geoffroy sont vignerons depuis quatre siècles à Cumières, dont les coteaux dominent la vallée de la Marne. Ils cultivent 13 ha. Leur cuvée Prestige (75 % de chardonnay, 25 % de pinot noir) passe six mois en foudre et ne fait pas sa fermentation malolactique. Les dégustateurs ont apprécié son attaque franche, sa rondeur et sa finale longue. Ils ont cité en outre la **Cuvée de réserve 1ᵉʳ cru** (70 à 99 F), issue des trois cépages champenois récoltés en 1996 et 1997 : un champagne prometteur, souple, fin et long. (RM)

🍾 René Geoffroy, 150, rue du Bois-des-Jots, 51480 Cumières, tél. 03.26.55.32.31, fax 03.26.54.66.50, e-mail info@champagne-geoffroy.com ☑ ϒ r.-v.

PIERRE GERBAIS Prestige★★★

○	1 ha	4 000	▮🍷 70 à 99 F

Le vignoble, situé dans l'Aube, a été créé en 1906. Pierre Gerbais a lancé son champagne en 1960. Sa maison dispose de près de 14 ha. Issue de la récolte de 1996, sa cuvée Prestige est presque un blanc de blancs (10 % de pinot noir seulement), et le chardonnay s'affiche dans les reflets verts de sa robe. Un vin d'exception, disent les dégustateurs, qui admirent son équilibre, sa fraîcheur, sa finesse, son intensité et son élégance. Sa palette aromatique associe notes minérales, fleurs blanches et fruits blancs. Quant à la **cuvée 2000** (150 à 199 F), citée, c'est un « bon champagne de fête », résume un membre du jury. Il a vu juste ! (NM)

☛ Pierre Gerbais, 13, rue du Pont, B.P. 17, 10110 Celles-sur-Ource, tél. 03.25.38.51.29, fax 03.25.38.55.17 ☑ ☖ r.-v.

GIMONNET-GONET Tradition

○	4 ha	20 000	▊ 70 à 99 F

Un champagne lancé en 1988 et un vignoble de 8,5 ha situé principalement dans la Côte des Blancs. Mi-noire, mi-blanche, issue des vendanges de 1995 et 1996, la cuvée Tradition est vanillée, épicée, avec une note de mirabelle. En bouche, elle se montre vive et légère. (RM)

☛ Gimonnet-Gonet, 166, rue du Gal-de-Gaulle, 51530 Cramant, tél. 03.26.57.51.44, fax 03.26.58.00.03 ☑ ☖ r.-v.

BERNARD GIRARDIN Cuvée de réserve

○	1,2 ha	4 000	70 à 99 F

Exploitation fondée en 1970 par Bernard Girardin et reprise par sa fille Sandrine Britès-Girardin en 1991. On retrouve les trois cépages champenois (dont 60 % de chardonnay), récoltés en 1992, dans cette Cuvée de réserve briochée, beurrée, pain grillé au nez, qui a l'acidité du citron vert et qui pourrait convenir à un turbot en sauce. Une citation encore pour la **cuvée Vibrato**, un blanc de blancs issu de la vendange de 1995, à l'attaque souple et plein de nervosité (100 à 149 F). (RM)

☛ Sandrine Britès-Girardin, Champagne Bernard-Girardin, 14, Grande-Rue, 51530 Mancy, tél. 03.26.59.70.78, fax 03.26.51.55.45 ☑ ☖ r.-v.

PAUL GOBILLARD Cuvée Régence★

○	n.c.	n.c.	▊ ◖▮ ⌇ 150 à 199 F

Cette maison fondée en 1858 est propriétaire du château de Pierry (la dégustation, payante, comprend la visite du château du XVIIIᵉs.). La cuvée Régence n'assemble que des vins d'années dignes d'être millésimées ; sa moyenne d'âge s'élève à dix années. 70 % de chardonnay et 30 % de pinots (dont 10 % de meunier) contribuent à ses arômes floraux et vanillés et à sa bouche structurée, fraîche et longue. A servir à tout moment et notamment lors du repas, sur une viande blanche accompagnée de champignons à la crème. (NM)

☛ Paul Gobillard, Ch. de Pierry, B.P. 1, 51530 Pierry, tél. 03.26.54.05.11, fax 03.26.54.46.03 ☑ ☖ t.l.j. sf dim. 16h30 ; groupes sur r.-v.

J.-M. GOBILLARD ET FILS
Grande Réserve★★

○ 1er cru	10 ha	90 000	▊ ⌇ 70 à 99 F

C'est dans l'abbaye bénédictine d'Hautvillers, commune où est établie cette maison, que dom Pérignon fut cellérier de 1668 à 1715. Le moine ne s'est pas fait, comme on l'a dit, le promoteur des « bulles », mais n'en a pas moins joué un rôle clé dans l'avènement du champagne par sa recherche de la qualité du raisin et de la perfection des assemblages. C'est précisément la réussite du mariage, à parts égales, des pinots (25 % chacun) et du chardonnay, vendangés en 1996 et 1997 qui fait l'excellence de cette cuvée Grande

Réserve : un nez finement framboisé, de la fraîcheur, un bel équilibre et de la longueur. Tout pour plaire. La cuvée **Privilège des moines** (100 à 149 F), issue de 70 % de chardonnay et de 30 % de pinot noir des années 1995 et 1996, vinifiée avec beaucoup de soin et élevée pendant un an sous bois avec bâtonnage, a obtenu une étoile. Elle développe des arômes fins et élégants d'agrumes confits, légèrement boisés. En bouche, citron, mandarine, vanille et cacao persistent longuement. (NM)

☛ J.-M. Gobillard et Fils, 38, rue de l'Eglise, B.P. 8, 51160 Hautvillers, tél. 03.26.51.00.24, fax 03.26.51.00.18 ☑ ☖ r.-v.

GODME PERE ET FILS★

◉ Gd cru	1 ha	6 000	70 à 99 F

Il a fallu cinq générations pour constituer un domaine de 11,5 ha. Un vignoble exceptionnel, car il s'étend sur trois grands crus (Verzenay, Verzy, Beaumont-sur-Vesle) et deux 1ers crus (Villers-Marmery et Villedommange). Ce rosé, dominé par le pinot noir (80 % pour 20 % de chardonnay), se distingue par ses arômes d'orange, d'abricot et de figue et par son attaque souple. Deux autres champagnes de l'exploitation recueillent une citation. Dans la même fourchette de prix, le **brut Réserve 1ᵉʳ cru** est un mi-blanc, mi-noir, dont le nez puissant, selon un dégustateur, « vous fera penser à une oasis en pleine récolte de citron ». A marier à un poulet au gingembre. Le **95 grand cru** (100 à 149 F), aromatiquement riche et souple, est destiné à la table. (RM)

☛ Champagne Godmé Père et Fils, 10, rue de Verzy, 51360 Verzenay, tél. 03.26.49.48.70, fax 03.26.49.45.30 ☑

PAUL GOERG Tradition

○ 1er cru	n.c.	180 000	▊ ⌇ 70 à 99 F

Ce groupement de producteurs de Vertus (Côte des Blancs) vinifie la récolte de 120 ha. La marque existe depuis 1985. Cette cuvée Tradition naît de chardonnay (60 %) et de pinot noir (40 %) vendangés en 1994, 1995 et 1996. Un champagne direct et frais. Même note pour le **blanc de blancs 1ᵉʳ cru** (vendanges de 1995, 1996 et 1997), frais lui aussi, mais présentant une rondeur intéressante. (CM)

☛ Champagne Paul Goerg, 4, pl. du Mont-Chenil, 51130 Vertus, tél. 03.26.52.15.31, fax 03.26.52.23.96, e-mail champagnegoerg@wanadoo.fr ☑ ☖ r.-v.

CHAMPAGNE

FRANÇOIS GONET
Blanc de blancs Cuvée de réserve★★

○	2 ha	10 000	■	70 à 99 F

François Gonet a repris en 1962 la propriété familiale située dans la Côte des Blancs et a développé le vignoble vers la vallée de la Marne. Il élabore du champagne depuis 1972. Ce blanc de blancs est né de la vendange de 1993. On y découvre une palette à la fois riche et délicate : noisette fraîche, beurre, orange et pamplemousse. Des arômes que l'on retrouve dans une bouche tout en finesse et équilibre. (RM)
☛ François Gonet, 5, rue du Stade, 51190 Le Mesnil-sur-Oger, tél. 03.26.57.53.71, fax 03.26.57.93.66 ☑ 🍷 r.-v.

MICHEL GONET
Blanc de blancs Prestige 2000 1996★

○ Gd cru	5 ha	50 000	■ 🍷	100 à 149 F

On trouve des Gonet dans la Côte des Blancs depuis 1802. Michel Gonet se trouve à la tête d'un important vignoble familial (40 ha) en Champagne, auxquels s'ajoutent de vastes propriétés dans le Bordelais. Exportant 50 % de sa production, c'est un spécialiste du blanc de blancs. Ce Prestige 2000, un 96, brille par sa fraîcheur tant au nez qu'en bouche. Il est typé par son cépage (notes florales, beurrées, léger toasté) et marqué par sa jeunesse. Le **brut sans année Réserve** (70 à 90 F), mi-noir, mi-blanc issu des vendanges de 1997 et 1998, a obtenu une citation. Un champagne ample, rond, équilibré. (RM)
☛ SCEV Michel Gonet et Fils, 196, av. Jean-Jaurès, 51190 Avize, tél. 03.26.57.50.56, fax 03.26.57.91.98 ☑ 🍷 r.-v.

VINCENT GONET★

○	9 ha	82 490	■ 🍷	70 à 99 F

L'un des frères Gonet de la Côte des Blancs, à la tête d'un vignoble de 14,5 ha. Le jury a préféré cette cuvée comportant 60 % de pinot noir (pour 40 % de chardonnay) pour ses arômes de sous-bois, de tilleul et de petits fruits rouges, et pour son élégante puissance en bouche. Il a accordé une citation au **blanc de blancs Spécial Club 95**, étiqueté Gonet-Sulcova (100 à 149 F), vif à l'attaque et agréable en finale. (RM)
☛ SCEV Beauregard, 13, rue Henri-Martin, 51200 Epernay, tél. 03.26.54.34.63, fax 03.26.55.36.71, e-mail gonet-sulcova@wanadoo.fr ☑ 🍷 r.-v.
☛ Vincent Gonet

GOSSET Grande Réserve★★

○	n.c.	400 000	■ ◫ 🍷	200 à 249 F

Le champagne Gosset est longtemps demeuré aux mains de la famille fondatrice, dont les registres paroissiaux attestent l'enracinement dans le village d'Ay. Dès le XVᵉ s., ces notables possédaient des vignes dans la région. Aujourd'hui, Béatrice Cointreau préside aux destinées de la maison. Coup de cœur l'an dernier, double coup de cœur cette année ! (voir ci-après) : Gosset met les bouchées doubles ! Ce Grande Réserve est à peine plus noir que blanc (52 % de pinot pour 48 % de chardonnay des vendanges de 1996, 1997 et 1998). Son nez, d'une grande complexité, libère de multiples fragrances, surtout florales (chèvrefeuille, aubépine, tilleul, fleur d'oranger, verveine). Equilibrée, puissante et fine, d'une belle longueur, la bouche séduit le jury. (NM)
☛ Champagne Gosset, 69, rue Jules-Blondeau, 51160 Ay, tél. 03.26.56.99.56, fax 03.26.51.55.88, e-mail info@champagne-gosset.com ☑
☛ Béatrice Cointreau

GOSSET Grand Rosé★★

◑	n.c.	50 000	■ 🍷	200 à 249 F

Ce rosé a lui aussi obtenu un coup de cœur - mais le Guide Hachette a pour règle de ne pas reproduire plus d'une étiquette de la même maison dans une appellation donnée. Il est composé de 56 % de chardonnay, de 35 % de pinot noir et de 9 % de vins rouges de Bouzy et d'Ambonnay (grands crus). Sa palette aromatique, d'une grande finesse, laisse percevoir la framboise et la fraise des bois. L'élégance, la vivacité et l'équilibre de ce champagne en font un modèle. Deux étoiles encore pour une cuvée millésimée souvent distinguée, le **Grand Millésime 96** (300 à 499 F). Issu de 62 % de chardonnay et de 38 % de pinot, ce 96 est admirable de souplesse, de finesse et de longueur. (NM)
☛ Champagne Gosset, 69, rue Jules-Blondeau, 51160 Ay, tél. 03.26.56.99.56, fax 03.26.51.55.88, e-mail info@champagne-gosset.com ☑

GOSSET-BRABANT Tradition

○ 1er cru	4 ha	28 000	■	70 à 99 F

Etablie dans le célèbre vignoble d'Ay, cette exploitation compte 7,5 ha. Elle élabore son champagne depuis 1930. Dominée par les pinots (70 % de pinot noir, 10 % de meunier) et composée de vins de 1997 et de 1996, sa cuvée Tradition révèle un nez puissant, riche en parfum de sous-bois et une bouche de caractère. Un dégustateur l'apprécierait au coin du feu après une longue promenade sous la pluie. (RM)

☛ Gosset-Brabant, 23, bd du Mal-de-Lattre-de-Tassigny, 51160 Ay, tél. 03.26.55.17.42, fax 03.26.54.31.33 ☑ ⛾ r.-v.

J.-M. GOULARD Tradition★★

| ○ | | 7 ha | 18 950 | ▪ ⬧ | 70 à 99 F |

Fils de viticulteurs, Jean-Marie Goulard a développé son vignoble (7 ha aujourd'hui) et s'est lancé dans la vente en bouteilles en 1978. Sa cuvée Tradition est un blanc de noirs des deux pinots (deux tiers de meunier) récoltés en 1997. Fleurant le sous-bois, le cuir et les épices, elle est très fruitée et longue en bouche. (RM)
☛ Jean-Marie Goulard, 13, Grande-Rue, 51140 Prouilly, tél. 03.26.48.21.60, fax 03.26.48.23.67, e-mail goulard@club-internet.fr ☑ ⛾ r.-v.

GEORGE GOULET
Première cuvée spéciale★

| ○ | | 6 ha | 60 000 | ▪ ⬧ | 70 à 99 F |

Maison créée en 1834 par François Goulet. Son fils, George, a laissé son prénom à l'entreprise qui a changé de mains à plusieurs reprises depuis la dernière guerre ; Lionel Chaudron l'a cédée en avril 2000 à Jean-Louis Malard. Cette Première cuvée spéciale, composée de 70 % de pinot noir et de 30 % de chardonnay, est florale, élégante et équilibrée. (NM)
☛ Champagne George Goulet, 65, av. de Champagne, B.P. 95, 51203 Epernay Cedex, tél. 03.26.57.77.24, fax 03.26.52.75.54, e-mail champexport@wanadoo.fr
☛ Jean-Louis Malard

GOUSSARD ET DAUPHIN Prestige★

| ○ | | n.c. | 5 500 | | 70 à 99 F |

En 1989, après avoir obtenu son diplôme d'œnologie, Didier Goussard décide d'élaborer son champagne et s'associe avec son beau-frère. L'exploitation dispose d'un vignoble de 7 ha situé dans l'Aube. Classiques, la vinification et l'assemblage de la cuvée Prestige (40 % de pinot noir, 60 % de chardonnay récoltés en 1995 et 1996) on permis d'obtenir un champagne au nez discret de fleurs blanches et à la bouche flatteuse et élégante. (RM)
☛ Goussard et Dauphin, GAEC du Val de Sarce, 2, chem. Saint-Vincent, 10340 Avirey-Lingey, tél. 03.25.29.30.03, fax 03.25.29.85.96, e-mail goussard.dauphin@wanadoo.fr ☑ ⛾ r.-v.

HENRI GOUTORBE
Cuvée traditionnelle★

| ○ | | n.c. | 50 000 | ▪ | 70 à 99 F |

Les Goutorbe, pépiniéristes de longue date, ont créé leur marque de champagne en 1945. Leur vignoble s'étend sur 18 ha. Leur Cuvée traditionnelle brut, de même que leur cuvée Prestige, obtiennent chacune une étoile. Toutes deux comprennent 75 % de noirs pour 25 % de blancs, sont florales et d'une bonne intensité en bouche. Elle peuvent accompagner une viande blanche. (RM)
☛ Champagne Goutorbe, 9 bis, rue Jeanson, 51160 Ay, tél. 03.26.55.21.70, fax 03.26.54.85.11 ☑ ⛾ r.-v.

ALFRED GRATIEN Cuvée Paradis★

| ○ | | n.c. | n.c. | ◖◗ | 300 à 499 F |

Connue pour ses cuvées haut de gamme souvent distinguées dans le Guide, cette maison familiale fondée en 1864 a toujours recours à la technique traditionnelle de vinification sous bois en petits fûts usagés. La cuvée Paradis, en blanc comme en rosé, recueille une étoile. Ces deux champagnes assemblent environ deux tiers de blancs et un tiers de noirs. Les dégustateurs sont sensibles à leur élégance complexe et épicée, ainsi qu'au fruité confit qui prolonge la bouche. Il faut aussi mentionner la réussite du 91 (250 à 299 F) - millésime très difficile - qui a dû l'attaque et une longueur agréable. (NM)
☛ Champagne Alfred Gratien, 30, rue Maurice-Cerveaux, B.P. 3, 51201 Epernay Cedex, tél. 03.26.54.38.20, fax 03.26.54.53.44, e-mail contact@alfredgratien.com ☑ ⛾ r.-v.

GRUET 1995★★

| ○ | | n.c. | 62 768 | ▪ ⬧ | 70 à 99 F |

Héritier d'une lignée de vignerons remontant à 1670, Claude Gruet a créé sa propre marque en 1975. Situé au cœur de la Côte des Bar, dans l'Aube, son vignoble s'étend sur 10 ha. Ce 95 naît de deux tiers de pinot noir pour un tiers de chardonnay. Ses notes de fruits secs, de brioche grillée et sa vinosité lui donnent de la complexité, sa bouche est ample et fruitée. Deux champagnes reçoivent une étoile : le brut rosé, très noir (10 % de chardonnay), gras, évolué, fait pour la table, et la cuvée Charles 1er 95 (100 à 149 F), un blanc de blancs riche, poivré, mentholé, équilibré. (NM)
☛ SARL Champagne Gruet, 48, Grande-Rue, 10110 Buxeuil, tél. 03.25.38.54.94, fax 03.25.38.51.84 ☑ ⛾ t.l.j. 8h30-12h 14h-18h; sam. dim. sur r.-v.; f. août

G. GRUET ET FILS Blanc de blancs

| ○ | | 117 ha | 96 000 | ▪ ⬧ | 70 à 99 F |

Bethon est situé entre Sézanne et Nogent. Le champagne porte le nom du fondateur de ce groupement de producteurs qui exploite 117 ha de vignes. Ce blanc de blancs au nez floral révèle en bouche une puissance nerveuse soulignée d'une pointe d'amertume. (CM)
☛ Coop. Union viticole des Coteaux de Bethon, 5, rue des Pressoirs, 51260 Bethon, tél. 03.26.80.48.19, fax 03.26.80.44.57 ☑
☛ Bruno Henrich

MAURICE GRUMIER★

| ◔ | | n.c. | 5 000 | ▪ | 70 à 99 F |

Cette exploitation dispose d'un vignoble de 7,5 ha à Venteuil dans la vallée de la Marne. Son brut rosé naît de l'assemblage de 40 % de chardonnay et de 50 % de pinot meunier, coloré par 10 % de vin rouge de pinot noir. Une robe rose soutenu, un nez de cerise et de cassis précèdent une bouche souple, harmonieuse et longue. Un champagne de repas. Ont été cités la cuvée Sélection, un blanc de noirs de meunier des années 1996 et 1997, franc et nerveux, et la Cuvée de réserve, un autre blanc de noirs (80 % de meunier, 20 % de pinot noir vendangés en 1995 et 1996)

CHAMPAGNE

d'une fraîcheur citronnée et de bonne longueur. (RM)

🕊 Guy Grumier, 13, rte d'Arty, 51480 Venteuil, tél. 03.26.58.48.10, fax 03.26.58.66.08 ☑ ⟂ r.-v.

RENE GUE Blanc de blancs

○	3 ha	25 000	70 à 99 F

Ce domaine, fondé en 1971, exploite un vignoble de 6,5 ha situé dans la Côte des Blancs. Floral, beurré, rappelant aussi la pomme, son blanc de blancs est équilibré et frais en bouche. (RM)

🕊 Philippe Gué, 2, rue de Monthelon, 51530 Chouilly, tél. 03.26.54.50.32, fax 03.26.54.01.45 ☑ ⟂ r.-v.

GUY DE FOREZ★★

○	7 ha	26 000	70 à 99 F

Ce vignoble de 8 ha situé dans l'Aube a été créé par M. Spagnesi. Sa fille Sylvie a pris sa succession en 1987, rejointe par son mari Francis Wenner. Ce brut sans année est issu des vendanges de 1995 et 1997. Il propose un nez vineux, composé de notes d'agrumes et de touches poivrées très plaisantes ainsi qu'une bouche structurée, complexe et fraîche. Il donnera la réplique à un poisson au beurre blanc ou à un homard à l'armoricaine. (RM)

🕊 Guy de Forez, rte de Tonnerre, 10340 Les Riceys, tél. 03.25.29.98.73, fax 03.25.38.23.01 ☑ ⟂ r.-v.

HAMM Sélection

○	n.c.	40 000	70 à 99 F

Créée par Henri Hamm en 1910, cette maison est aujourd'hui conduite par ses descendants. Elle dispose d'un vignoble de 4 ha. Les vins ne font pas leur fermentation malolactique. Le brut est issu des trois cépages champenois, dont 20 % de chardonnay. Au nez floral (petite pointe de genièvre) et beurré répond une bouche équilibrée qui finit sur une note d'agrumes. (NM)

🕊 Champagne Hamm, 16, rue N.-Philipponnat, 51160 Ay, tél. 03.26.55.44.19, fax 03.26.51.98.68 ☑ ⟂ r.-v.

HARLIN Harmonie

○	n.c.	n.c.	100 à 149 F

Cette maison créée par Constant Harlin en 1848 à Tours-sur Marne est toujours dans la même famille. Le vignoble couvre 10 ha. Le brut Harmonie comporte deux fois plus de pinot noir que de chardonnay. La pomme se manifestant au nez comme en bouche, il laisse une impression de fraîcheur et conviendra à l'apéritif. (NM)

🕊 Harlin, 41, av. de Champagne, 51150 Tours-sur-Marne, tél. 03.26.51.88.95, fax 03.26.58.96.51 ☑ ⟂ r.-v.

🕊 Famille Paillard-Chauvet

HARLIN PERE ET FILS Prestige 1995

○	2 ha	1 500	70 à 99 F

Les Harlin sont vignerons depuis un siècle mais la marque ne date que de 1975. Le vignoble s'étend sur 8 ha. Le brut Prestige naît de 60 % de pinot noir et de 40 % de chardonnay récoltés en 1995. Son nez floral précède une bouche harmonieuse et longue. Le **grand cru 96** est structuré et généreux ; il obtient une citation. (RM)

🕊 Harlin Père et Fils, 8, rue de la Fontaine, 51700 Port-à-Binson, tél. 03.26.58.34.38, fax 03.26.58.63.78 ☑ ⟂ t.l.j. sf dim. 9h-12h 14h-18h

JEAN-NOEL HATON Cuvée Prestige★★

○	n.c.	n.c.	▮ ↓ 100 à 149 F

Jean-Noël Haton dispose d'un vignoble de 13 ha pour exploiter sa marque lancée en 1928. La cuvée Prestige est mi-noire, mi-blanche ; on ignore ses années d'assemblage pourtant décisives pour la qualité du champagne ; son nez floral est flatteur. En bouche, rondeur et fruité s'imposent. La cuvée dégustée par le jury est tout simplement remarquable. Il faut citer la **Cuvée de Réserve** (70 à 99 F), à base des trois cépages champenois, pour sa nervosité de pamplemousse et de citron. (NM)

🕊 Jean-Noël Haton, 5, rue Jean-Mermoz, 51480 Damery, tél. 03.26.58.40.45, fax 03.26.58.63.55 ☑ ⟂ r.-v.

HATON ET FILS Grande Réserve★

◑	7 ha	n.c.	▮ 70 à 99 F

Exploitation familiale sise à Damery et dirigée par Philippe Haton depuis 1983. Ce rosé de noirs issu des deux pinots - dont 10 % de pinot noir de la vendange 1997 - brille par ses arômes de fruits rouges et par sa délicatesse. Un rosé d'apéritif. (NM)

🕊 Haton et Fils, 3, rue Jean-Mermoz, 51480 Damery, tél. 03.26.58.41.11, fax 03.26.58.45.98 ☑ ⟂ r.-v.

JEAN-PAUL HEBRART Sélection★

○ 1er cru	n.c.	6 000	70 à 99 F

Le vignoble de Jean-Paul Hébrart, fils de Marc, est classé premier cru. La cuvée Sélection naît de l'assemblage de 60 % de pinot noir et de 40 % de chardonnay ; elle est intense, équilibrée et longue. Est cité le **brut blanc de noirs**, issu du seul pinot noir, vineux, typé, gourmand. (RM)

🕊 Jean-Paul Hébrart, 10, quai du Moulin, 51160 Mareuil-sur-Ay, tél. 03.26.52.05.57, fax 03.26.52.92.64 ☑ ⟂ r.-v.

MARC HEBRART Spécial Club 1996★

○ 1er cru	n.c.	n.c.	100 à 149 F

Mareuil-sur-Ay, un petit port de plaisance sur le canal latéral de la Marne. Si vous faites de la navigation de plaisance par ici, abordez puis marchez 300 m, vous trouverez Marc et Jean-Paul Hébrart qui ont créé une société en 1997 en regroupant leur deux exploitations. Cette cuvée, 60 % pinot et 40 % chardonnay, s'avère florale, fine, droite et équilibrée. (RM)

🕊 Marc Hébrart, 18-20, rue du Pont, 51160 Mareuil-sur-Ay, tél. 03.26.52.60.75, fax 03.26.52.92.64 ☑ ⟂ r.-v.

CHARLES HEIDSIECK
Réserve Mis en cave en 1996★

○	n.c.	n.c.	▮ ↓ 150 à 199 F

Cett maison fondée en 1851 est contrôlée par le groupe Rémy-Cointreau depuis 1985. Le chef de cave, Daniel Thibault, a inventé la formule « mise en cave », qui lui permet de faire figurer sur la bouteille la date du tirage, ici 1996. Cette bouteille contient 60 % de vin de 1995 complété par 40 % de vins de réserve (vieux), les raisins noirs étant largement majoritaires. Le nez est floral, tout en distinction, la bouche équilibrée et la finale fraîche. A offrir à tout moment et à marier plus particulièrement à un grand poisson au beurre blanc. (NM)

➤ Charles Heidsieck, 4, bd Henry-Vasnier, 51100 Reims, tél. 03.26.84.43.50, fax 03.26.84.43.86 ☑ ϒ r.-v.

HEIDSIECK & CO MONOPOLE
Extra dry Goût américain★

| ○ | | n.c. | n.c. | ▮♦ 100 à 149 F |

Maison fondée en 1834, reprise par Seagram en 1972 et revendue à Paul-François Vranken en 1996. L'Extra dry sollicite beaucoup les pinots ; il en résulte un vin bien construit, équilibré, de bonne longueur, faiblement dosé. (NM)

➤ Heidsieck & Co Monopole, 17, av. de Champagne, 51200 Epernay, tél. 03.26.59.50.50, fax 03.26.52.19.65 ϒ t.l.j. 9h30-16h30; dim. et groupes sur r.-v.

➤ P.-F. Vranken

D. HENRIET-BAZIN Blanc de blancs

| ○ 1er cru | 3 ha | n.c. | 70 à 99 F |

Ce domaine viticole de 7,5 ha fondé en 1890 est dirigé par une femme, Marie-Noëlle Henriet-Bazin. Ce blanc de blancs a une particularité : il vient de la Montagne de Reims. On y découvre les fruits mûrs, les fruits confits et le miel. La bouche n'est pas longue mais charnue. Le **grand cru**, qui est un blanc de noirs, obtient une citation pour sa rondeur fruitée, riche et longue ; il sera apprécié sur une viande blanche en sauce. (RM)

➤ D. Henriet-Bazin, 9 bis, rue Dom-Pérignon, 51380 Villers-Marmery, tél. 03.26.97.96.81, fax 03.26.97.97.30, e-mail henriet.bazin@wanadoo.fr ☑ ϒ r.-v.

HENRIOT 1995★

| ○ | | n.c. | n.c. | 150 à 199 F |

Marque fondée en 1808 par Appoline Henriot, actuellement conduite par Joseph Henriot. Le millésimé 95 privilégie à peine les pinots noirs (53 %), mais ce sont les chardonnays qui manquent ce vin fin, frais, élégant et long. Le **Brut Souverain** (40 % de chardonnay, 60 % de pinot noir) reçoit une étoile pour son équilibre et la finesse de son nez floral (140 à 150 F). (NM)

➤ Champagne Henriot, 3, pl. des Droits-de-l'Homme, B.P. 457, 51066 Reims, tél. 03.26.89.53.00, fax 03.26.89.53.10 ϒ r.-v.

PAUL HERARD★

| ◕ | | n.c. | 5 000 | ▮ 70 à 99 F |

Notre-Dame-des-Vignes domine ce vignoble de l'Aube créé en 1925 et demeuré familial. Aujourd'hui, Philippe Hérard est épaulé par ses enfants. Ce rosé est un rosé de noirs élaboré avec du pinot noir vendangé en 1996. Il est souple, fruité et fin. La **cuvée Paul**, plus coûteuse (100 à 149 F), est issue de pinot et de chardonnay (40/60). Sa charpente est belle et son équilibre très réussi. (NM)

➤ Champagne Paul Hérard, 31, Grande-Rue, 10250 Neuville-sur-Seine, tél. 03.25.38.20.14, fax 03.25.38.25.05 ☑ ϒ r.-v.

DIDIER HERBERT 1995★

| ○ 1er cru | | n.c. | n.c. | ▮♦ 100 à 149 F |

Didier Herbert est installé dans la Montagne de Reims. Son 95 est particulièrement réussi, soutenu par des arômes empyreumatiques, fruités, riches et chaleureux. Son **rosé 1er cru** reçoit également une étoile. Bien fait, long, il inspire un dégustateur : « j'aime bien ! », écrit-il. (RM)

➤ Didier Herbert, 32, rue de Reims, 51500 Rilly-la-Montagne, tél. 03.26.03.41.53, fax 03.26.03.44.64, e-mail champagne-herbert@terre-net.fr ☑ ϒ t.l.j. sf dim. 8h-18h; f. août

HEUCQ PERE ET FILS
Cuvée Antique 1996★

| ○ | | 0,5 ha | 4 000 | ▮▮♦ 100 à 149 F |

Exploitation créée après la guerre, dont le vignoble atteint aujourd'hui la superficie de 5,5 ha. La cuvée Antique est mi-noire mi-blanche. Ce champagne jeune séduit par ses arômes et ses saveurs de café, de chocolat et de caramel. « Un vin d'hiver », note un dégustateur. (RM)

➤ André Heucq, 51700 Cuisles, tél. 03.26.58.10.08, fax 03.26.58.12.00 ☑ ϒ r.-v.

M. HOSTOMME Blanc de blancs 1995★

| ○ Gd cru | | n.c. | 20 000 | ▮♦ 100 à 149 F |

Paul Hostomme, au début du siècle, commença à « faire de la bouteille ». Depuis, le vignoble s'est accru pour atteindre 10 ha de chardonnay sur la commune de Chouilly (grand cru) et 3,5 ha de pinots à l'ouest d'Epernay. Ce 95, subtil et brioché, attaque vivement ; ses arômes citronnés sont soutenus par une structure jeune. (NM)

➤ M. Hostomme et Fils, 5, rue de l'Allée, 51530 Chouilly, tél. 03.26.55.40.79, fax 03.26.55.08.55 ☑ ϒ r.-v.

BERNARD HUBSCHWERLIN Réserve★

| ○ | | 0,8 ha | 5 000 | ▮ 70 à 99 F |

Bernard Hubschwerlin, dont les vins ne font pas leur fermentation malolactique, exploite un vignoble de 4 ha. Coup de cœur pour son champagne Tradition dans la précédente édition, ce producteur de l'Aube reçoit une étoile pour sa cuvée Réserve habillée de vieil or, évoluée, briochée, beurrée, fondue. (RM)

➤ EARL Bernard Hubschwerlin, 12, Grande-Rue, 10250 Courteron, tél. 03.25.38.24.11, fax 03.25.38.47.80 ☑ ϒ t.l.j. 8h30-18h30; sam. dim. sur r.-v.

HUGUENOT-TASSIN Cuvée Tradition

| ○ | | n.c. | 30 000 | ▮ 70 à 99 F |

Vigneron à Celles-sur-Ource, dans l'Aube, Benoît Huguenot exploite un vignoble de 6 ha qui est à l'origine de cette cuvée Tradition composée pour moitié de pinot noir. Brioche et agrumes précèdent une bouche miellée et longue. (RM)

➤ Benoît Huguenot, 4, rue du Val-Lune, 10110 Celles-sur-Ource, tél. 03.25.38.54.49, fax 03.25.38.50.40 ☑ ϒ r.-v.

CHAMPAGNE

HUSSON Rosé de Mme Husson

● Gd cru	1 ha	10 000	▮ ◖▮ 100 à 149 F

Cette marque lancée en 1975 dispose de 4,5 ha de vignes, en particulier dans la commune d'Ay, classée grand cru. Ce rosé né de la vendange 1994 est destiné aux amateurs de vins évolués. Évolué, il l'est à l'œil par sa teinte pelure d'oignon ; au nez, par ses arômes de fruits cuits, de cire et d'encaustique ; en bouche, par sa souplesse et ses flaveurs de pain d'épice. (NM)

●┓Jean-Pierre Husson, 2, rue Jules-Lobet, 51160 Ay, tél. 03.26.55.43.05, fax 03.26.55.03.02 ▼ ⟂ r.-v.

IVERNEL Prestige★

○	n.c.	n.c.	▮ ◆ 100 à 149 F

Marque lancée à la fin du XIXes. et reprise en 1993 par le Champagne Gosset, dirigée aujourd'hui par Béatrice Cointreau. Les trois cépages champenois (dont 15 % de pinot meunier) sont sollicités dans cette cuvée Prestige dont les points forts sont l'équilibre, l'harmonie et la longueur. (NM)

●┓Champagne Ivernel, B.P. 15, 51160 Ay, tél. 03.26.55.21.10, fax 03.26.51.55.88 ▼

ROBERT JACOB 1990★

○	6 ha	6 000	▮ ◆ 70 à 99 F

Vignoble de 6 ha créé en 1960 par Robert Jacob, repris par son fils Daniel Jacob en 1976. Ses champagnes ne font pas leur fermentation malolactique. Quatre fois plus de chardonnay que de pinot noir se conjuguent dans ce 90 aux arômes de fruits cuits, de pruneau, de miel et de coing présents au nez et en bouche. (RM)

●┓Champagne Jacob, 14, rue de Morres, 10110 Merrey-sur-Arce, tél. 03.25.29.83.74, fax 03.25.29.34.86 ▼ ⟂ t.l.j. sf dim. 9h-12h 14h-18h

ANDRE JACQUART ET FILS
Blanc de blancs Spécial Club 1995★

○	8 ha	6 500	▮ ◆ 150 à 199 F

De 1960 à nos jours, le vignoble est passé de 2 ha à près de 19 ha ! Cette cuvée spéciale avait une étoile dans le guide précédent. Le vin, redégusté cette année son étoile : une bonne évolution vers les fruits confits, la figue, l'abricot et le miel. (RM)

●┓André Jacquart et Fils, 6, av. de la République, 51190 Le Mesnil-sur-Oger, tél. 03.26.57.52.29, fax 03.26.57.78.14 ▼ ⟂ r.-v.

YVES JACQUES Cuvée Gisèle 1995★

○	0,8 ha	4 500	▮ ◆ 100 à 149 F

La cuvée Gisèle est élaborée par Gisèle Jacques. Est-ce sa photographie qui orne l'étiquette ? Elle a retenu pour cette cuvée 70 % de chardonnay et 30 % de pinot noir. Vinosité et fruits rouges sont très présents dans ce champagne long en bouche. Le **Tradition** (70 à 99 F), issu des trois cépages champenois (50 % de pinot meunier) récoltés en 1997, rehaussés de vins de réserve, obtient une citation : c'est un champagne souple et harmonieux. (RM)

●┓Champagne Yves Jacques, 1, rue de Montpertuis, 51270 Baye, tél. 03.26.52.80.77, fax 03.26.52.83.97 ▼ ⟂ t.l.j. 9h-18h30; dim. 9h-12h
●┓Rémi Jacques

JACQUESSON ET FILS Perfection★★

○	n.c.	n.c.	▮ ◖▮ 150 à 199 F

Cette grande maison fondée en 1738, qui s'effondra dramatiquement, a retrouvé une place grâce à la la famille Chiquet. Le Perfection comprend 52 % de pinot meunier, 32 % de chardonnay et 16 % de pinot noir. Une partie du vin passe par le bois. Il est équilibré, intense, épicé, très fin et long. Le haut de gamme, **grand vin Signature**, reçoit une étoile : ce champagne, mi-blanc mi-noir, passe lui aussi par le bois. Il est très puissant, charnu mais a atteint son apogée (300 à 499 F). Ces vins ne sont disponibles que chez les cavistes. (NM)

●┓Champagne Jacquesson et Fils, 68, rue du Colonel-Fabien, 51530 Dizy, tél. 03.26.55.68.11, fax 03.26.51.06.25 ⟂ r.-v.

JACQUINET-DUMEZ Grande Réserve

○ 1er cru	2,5 ha	22 000	▮ ◆ 70 à 99 F

Marque lancée en 1935, dont le vignoble se développe sur 7 ha. Olivier Jacquinet élabore lui-même toutes ses cuvées depuis 1982. Ce blanc de noirs (dont 20 % de pinot meunier) est floral, vineux en bouche et typé. (RM)

●┓Jacquinet-Dumez, 26, rue de Reims, 51370 Les Mesneux, tél. 03.26.36.25.25, fax 03.26.36.58.92 ▼ ⟂ r.-v.

E. JAMART ET CIE Cuvée de réserve

○	n.c.	20 000	▮ ◆ 70 à 99 F

A Saint-Martin-d'Ablois, on peut voir une église baroque dont le clocher ressemble à un bouchon de champagne ! Cette maison de négoce, créée en 1934 par Emilien Jamart, le grand-père des propriétaires actuels, a proposé une Cuvée de réserve qui comprend quatre fois plus de pinot meunier que de chardonnay. Elle est nerveuse, légère et jeune. Demande à vieillir une petite année. (NM)

●┓Champagne E. Jamart et Cie, 13, rue Marcel-Soyeux, 51530 Saint-Martin-d'Ablois, tél. 03.26.59.92.78, fax 03.26.59.95.23, e-mail champagne.jamart@wanadoo.fr ▼ ⟂ t.l.j. 9h-12h 14h-18h; dim. sur r.-v., f. 15-31 août
●┓J.-Michel Oudart

PH. JANISSON Grande Réserve

○ 1er cru	4 ha	3 000	▮ ◆ 100 à 149 F

Cette marque de négociant créée en 1984 exploite un vignoble implanté dans quatre grands crus et trois premiers crus. Le Grande Réserve assemble pinot noir et chardonnay dans les proportions 50/50, des raisins récoltés en 1995 et 1996. C'est un champagne à l'attaque fraîche destiné à une fin de soirée ou à un porc à l'orange, au caramel, aux cerises, ce qu'on appelle un accord salé-sucré. Le **rosé** (70 à 99 F), issu de 40 % de pinot noir et de 60 % de chardonnay des vendanges 1995, 1996 et 1997, est citronné-fruité, persistant. (NM)

●┑ Philippe Janisson, 17, rue Gougelet,
51500 Chigny-les-Roses, tél. 03.26.03.46.93,
fax 03.26.03.49.00,
e-mail champagne.ph.janisson @ wanadoo.fr
☑ Ⴤ r.-v.

JANISSON-BARADON ET FILS
Cuvée Prestige Georges Baradon 1990★★★

○	1 ha	6 275	🍾↧ 100 à 149 F

CHAMPAGNE
Janisson Baradon et Fils
BRUT
CUVÉE PRESTIGE
Georges Baradon
Epernay

En 1922, Georges Baradon, remueur de son état, eut l'ambition d'élaborer son propre champagne en association avec son gendre Maurice Janisson, tonnelier. Son fondateur aurait été fier de l'accueil réservé à la cuvée Prestige baptisée en son hommage. Cet assemblage millésimé de 70 % de chardonnay et de 30 % de pinot noir est issu d'une grande année. Un superbe champagne ? Sans aucun doute. Ses arômes en témoignent, intenses, mêlant notes miellées, fruits secs et fruits confits. Ils se retrouvent en bouche après une attaque franche. Un modèle d'harmonie et d'équilibre. Un vin élégant pour repas raffinés. (RM)
●┑ Champagne Janisson-Baradon,
65, rue Chaude-Ruelle et 2, rue des Vignerons,
51200 Epernay, tél. 03.26.54.45.85,
fax 03.26.54.25.54, e-mail info@champagne-janisson.com ☑ Ⴤ r.-v.
●┑ R. Janisson

JANISSON-BARADON ET FILS
Collection du Millénaire 1996★★

○	1 ha	5 148	🍾↧ 100 à 149 F

La maison Janisson-Baradon, établie à Epernay, exploite un vignoble de 9 ha. La bouteille dégustée a été dégorgée le 28 juin 1999, cela est porté sur l'étiquette. Elle contenait un champagne issu de 70 % de chardonnay et de 30 % de pinot noir. C'est une cuvée complète, suave, riche, empyreumatique, équilibrée. A boire pour le plaisir à l'apéritif. Obtient une étoile la **cuvée 95 An 2000**, un assemblage du même type que le précédent, très équilibré, à servir au dessert. (RM)
●┑ Champagne Janisson-Baradon,
65, rue Chaude-Ruelle et 2, rue des Vignerons.
51200 Epernay, tél. 03.26.54.45.85,
fax 03.26.54.25.54, e-mail info@champagne-janisson.com ☑ Ⴤ r.-v.

RENE JARDIN Cuvée Noir et Blanc★

○	7 ha	70 000	🍾 70 à 99 F

Louis Jardin champagnise dès 1889. René Jardin développe la marque dont les approvi-

nements sont assurés par un vignoble très diversifié de 20 ha. Les trois cépages champenois collaborent chacun pour un tiers à cette cuvée ronde et longue. La cuvée **Cendre de rose Clos Saint-Roch** est un champagne rosé de noirs dont le pinot noir est originaire des Riceys. Il est équilibré, nerveux et élégant. (RM)
●┑ Champagne René Jardin, 3, rue Charpentier-Laurain, 51190 Le Mesnil-sur-Oger,
tél. 03.26.57.50.26, fax 03.26.57.98.22,
e-mail champagne-jardin@bpchamp.com
☑ Ⴤ r.-v.

JEANMAIRE Elysée 1989★★

○	n.c.	8 000	🍾↧ 300 à 499 F

Le château Malakoff, à Epernay, magnifiquement équipé, abrite cette marque créée en 1933 par André Jeanmaire et reprise en 1981 par la famille Trouillard qui dispose d'un vignoble de 124 ha. Sans qu'il l'avoue, ce champagne est un blanc de blancs. Il a réussi à gagner en complexité sans perdre sa fraîcheur. Une grande bouteille puissante et équilibrée. Le **rosé de noirs** (dont 30 % de pinot meunier) délicat, équilibré et jeune obtient une étoile (100 à 149 F). Enfin, le **blanc de blancs** (100 à 149 F) se montre puissant et long ; il est cité par le jury. (NM)
●┑ Champagne Jeanmaire, 12, rue Godart-Roger, 51200 Epernay, tél. 03.26.59.50.10,
fax 03.26.54.78.52
●┑ M. et J. Trouillard

RENE JOLLY Blanc de noirs★

○	9 ha	25 000	🍾 70 à 99 F

Les Jolly sont vignerons dans l'Aube depuis 1737 et exploitent aujourd'hui un vignoble de 10 ha. Pierre-Eric Jolly a pris en charge ce domaine en l'an 2000. Ce blanc de noirs de pinot noir, récolté dans les années 1994 et 1996, est un champagne droit, chaleureux, polyvalent. (RM)
●┑ René Jolly, 10, rue de la Gare,
10110 Landreville, tél. 03.25.38.50.91,
fax 03.25.29.12.43, e-mail jollyperic@easynet.fr
☑ Ⴤ t.l.j. 9h-18h; dim. sur r.-v.
●┑ Hervé Jolly

BERTRAND JOREZ

⬤ 1er cru	n.c.	n.c.	70 à 99 F

Le Champagne Bertrand Jorez exploite un vignoble de près de 5 ha à Ludes. Il y a autant de pinot que de chardonnay dans cette cuvée teintée par 16 % de vin rouge. Le résultat est convaincant : la cerise domine, l'attaque est vive, l'harmonie atteinte. (RM)
●┑ Bertrand Jorez, rue de Reims, B.P. 21,
51500 Ludes, tél. 03.26.61.14.05,
fax 03.26.61.14.96 ☑ Ⴤ r.-v.

JEAN JOSSELIN Tradition

○	0,65 ha	6 117	🍾 70 à 99 F

Installés à 7 km des Riceys, les Josselin sont vignerons depuis 1854 mais ce n'est qu'en 1957 que Jean Josselin dépose sa marque, rejoint par son fils Jean-Pierre en 1980. Le vignoble s'étend sur près de 10 ha. Le Tradition porte bien son nom puisqu'il naît d'une cuvée traditionnelle associant 60 % de pinot noir à 40 % de chardonnay récoltés en 1997. C'est un champagne fringant, tout en fraîcheur, destiné à l'apéritif. (RM)

📞 Jean-Pierre Josselin, 14, rue des Vannes, 10250 Gyé-sur-Seine, tél. 03.25.38.21.48, fax 03.25.38.25.00 ☑ 🍷 r.-v.

KRUG★★★

○	n.c.	11 000	❚❚❚	+de 500 F

En 1843, Johann Joseph Krug, Allemand venu de la vallée du Rhin, fonde la maison qui est toujours aux mains de ses descendants, bien que LVMH en ait pris le contrôle en 1999. Krug s'était toujours refusé à faire du rosé. Henri Krug ne s'y est résolu qu'il y a quelques années. Il s'agit d'un rosé haut de gamme, évidemment. D'un rosé spécial, ne serait-ce que parce que le vin de base, coloré par de l'Ay rouge des vignobles de la maison, est un vin du style Grande Cuvée ! Une fois de plus, Krug reçoit un coup de cœur (en réalité, il en mérite deux, voir ci-après le 79). Pourquoi ? Parce que la complexité de sa palette - notes empyreumatiques, cacao, amande, noisette, réglisse, vanille en gousse, épices telles que le curry - sa richesse et son harmonie s'imposent fortement. (NM)

📞 Krug Vins fins de Champagne, 5, rue Coquebert, B.P. 22, 51100 Reims, tél. 03.26.84.44.20, fax 03.26.84.44.49 ☑ 🍷 r.-v.

KRUG Collection 1979★★★

○	n.c.	n.c.	❚❚❚	+de 500 F

Certains pensent qu'il faut vingt à trente ans pour que les Krug millésimés atteignent leur apogée. Cette cuvée 79 (pinot noir et chardonnay 36 % chacun, et pinot meunier pour 28 %), vinifiée en petits fûts, avait obtenu deux étoiles dans l'édition précédente du Guide. Cette année, elle est parfaite à tous points de vue : digne du coup de cœur (l'étiquette ne figure pas ici en vertu de la règle du jury qui limite une telle reproduction à une marque par appellation). Le jury souligne l'intensité et la complexité de sa palette aromatique mêlant arômes de torréfaction divers, chocolat, moka, fruits secs variés, notes beurrées, réglissées..., l'élégance et l'harmonie de sa bouche, qui, ample, riche et longue, a su garder sa fraîcheur. Pour un repas gastronomique, avec foie gras poêlé. (NM)

📞 Krug Vins fins de Champagne, 5, rue Coquebert, B.P. 22, 51100 Reims, tél. 03.26.84.44.20, fax 03.26.84.44.49 ☑ 🍷 r.-v.

KRUG Clos du Mesnil 1986★★

○	n.c.	14 479	❚❚❚	+de 500 F

Cuvée rare (plus de 1 300 F), le Clos du Mesnil est une exception dans la maison Krug spécialisée dans les assemblages haut de gamme. Comme on le voit sur son étiquette, ce champagne provient en effet d'une parcelle unique (1,85 ha), ceinte de murs depuis 1698, maintenant complè-

tement entourée par le village du Mesnil-sur-Oger qui contribue à abriter les vignes des rigueurs du climat champenois. Le 86 a séduit les dégustateurs, l'un d'eux lui donnant un coup de cœur pour ses arômes où le miel se mêle au bois de l'élevage et pour sa longueur. Le jury a encore donné une étoile au **Grande Cuvée** sans année, au boisé sensible, et au **88**, structuré et long, au nez plutôt évolué, marqué par le pain d'épice et le miel. Toutes ces cuvées prestigieuses sont à plus de 600 F. (NM)

📞 Krug Vins fins de Champagne, 5, rue Coquebert, B.P. 22, 51100 Reims, tél. 03.26.84.44.20, fax 03.26.84.44.49 ☑ 🍷 r.-v.

MICHEL LABBE ET FILS
Blanc de blancs

○	1er cru	1,3 ha	2 500		70 à 99 F

Les Labbé sont vignerons depuis un siècle, ils exploitent un vignoble de 10,5 ha. Ce blanc de blancs, sans année, est issu de la récolte de 1996. Il attaque rondement, mène le combat avec souplesse, égrène des notes de pain grillé et d'agrumes mûrs, se retire promptement sur une note épicée. (RM)

📞 Champagne Michel Labbé et Fils, 5, chem. du Hasat, 51500 Chamery, tél. 03.26.97.65.45, fax 03.26.97.67.42 ☑
📞 Didier Labbé

LACROIX Grande Réserve

○		2,5 ha	20 000	❚ ❚❚❚	70 à 99 F

Jean Lacroix conduit depuis 1968 un vignoble de 11 ha. Une partie des vins qu'il élabore passe par des foudres de chêne. Les trois cépages champenois (dont 55 % de pinot noir), récoltés en 1996, s'expriment dans ce Grande Réserve doré, citronné, rond et jeune. (RM)

📞 Champagne Jean Lacroix, 14, rue des Genêts, 51700 Montigny-sous-Châtillon, tél. 03.26.58.35.17, fax 03.26.58.36.39 ☑ 🍷 t.l.j. 9h-12h 14h-17h; dim. sur r.-v.

LACROIX-TRIAULAIRE ET FILS
Tradition★

○		n.c.	10 000		70 à 99 F

François Lacroix, viticulteur à Merrey-sur-Arce - commune dont le mobilier de l'église du XVIᵉs. a été classé - exploite depuis 1972 un vignoble de 7,5 ha. La cuvée Tradition naît de trois fois plus de pinot noir que de chardonnay ; son nez brioché réjouit et son élégance séduit. Le **Prestige 95**, dont les proportions de l'assemblage sont les mêmes que pour le champagne précédent, mais avec ces cépages inversés, se montre empyreumatique et évolué. Il est cité. (RM)

📞 Lacroix-Triaulaire, 4, rue de La Motte, 10110 Merrey-sur-Arce, tél. 03.25.29.83.59 ☑ 🍷 r.-v.

CHARLES LAFITTE
Orgueil de France 1989★

○		n.c.	n.c.	❚ ↓	150 à 199 F

Charles Lafitte, lancé en 1983, est l'une des marques du champagne Vranken-Monopole. Le millésimé 1989 est conseillé aux amateurs de vins évolués. C'est une cuvée mi-noire mi-blanche, au nez d'arômes tertiaires et à la bouche puissante.

Un vin de repas. À citer, la **Grande Cuvée** (70 à 99 F) issue des trois cépages champenois : elle est simple, directe, jeune. (NM)
➡ Charles Lafitte, 17, av. de Champagne, 51200 Epernay, tél. 03.26.59.50.50, fax 03.26.52.19.65 ☑ ☖ t.l.j. 9h30-16h30; dim. et groupes sur r.-v.
➡ P. F. Vranken

BENOÎT LAHAYE★★

❷ Gd cru	0,5 ha	1 600	🍶↓ 70 à 99 F

Benoît Lahaye exploite depuis 1992 le vignoble familial de 4,5 ha. Il a exposé les anciens outils de la vigne qu'employaient ses ancêtres. Ce rosé est obtenu par une courte macération de raisins éraflés issus de la vendange 98. C'est donc un rosé de noirs. Il ne fait pas sa fermentation malolactique. Sa robe est rose foncé, son nez vif, gai, spirituel alors qu'en bouche se mêlent violettes et fruits rouges. (RM)
➡ Benoît Lahaye, 33, rue Jeanne-d'Arc, 51150 Bouzy, tél. 03.26.57.03.05, fax 03.26.52.79.94 ☑ ☖ r.-v.

LAMIABLE Extra Brut★

○ Gd cru	5,7 ha	10 000	🍶 70 à 99 F

Les Lamiable étaient déjà présents à Tours-sur-Marne au XVIᵉs. Leur vignoble s'étend sur 6 ha exclusivement dans la commune de Tours-sur-Marne classée grand cru. Cet extra brut, très faiblement dosé, naît de 70 % de pinot noir et de 30 % de chardonnay, les vins de réserve constituant le tiers de la cuvée. Les arômes empyreumatiques sont intenses, et la bouche, nerveuse, est marquée par les fruits rouges (cerise, framboise). Comme tous les extra-secs, un champagne de connaisseurs. (RM)
➡ Champagne Lamiable, 8, rue de Condé, 51150 Tours-sur-Marne, tél. 03.26.58.92.69, fax 03.26.58.76.67,
e-mail champagne.lamiable@wanadoo.fr
☑ ☖ r.-v.

LANCELOT FILS
Blanc de blancs Cuvée spéciale Cramant 1995

○ Gd cru	0,65 ha	5 000	🍶↓ 70 à 99 F

Les caves voûtées où ce domaine ont été construites en 1823. C'est dire l'ancienneté de la tradition familiale. Claude Lancelot exploite un vignoble de près de 5 ha dans la Côte des Blancs. Ce cramant est très jeune, c'est son seul défaut, car des étoiles l'attendent dans un an ou deux. Il propose des arômes de poire, de cire (l'encaustique de nos grand-mères) et de brioche, alors qu'en bouche s'imposent avec souplesse le citron et l'ananas fumés. (RM)
➡ Lancelot-Goussard, 30, rue Ernest-Vallé, 51190 Avize, tél. 03.26.57.94.68, fax 03.26.57.79.02 ☑ ☖ r.-v.

LANCELOT-PIENNE Sélection 1995★★

○	1,7 ha	15 000	🍶↓ 70 à 99 F

Gilles Lancelot, œnologue, a rejoint le domaine familial et sa nouvelle maison de Cramant qui offre une vue splendide sur le vignoble de la Côte des Blancs. Le brut Sélection a obtenu un coup de cœur dans le Guide Hachette de l'édition 2000. Le brut Sélection issu de la vendange de 1995 a failli « récidiver » : il ne lui a manqué

qu'une voix ! L'assemblage ne varie pas, toujours deux tiers de pinots (pinot noir 15 %) et un tiers de chardonnay. Un vin or soutenu, associant les notes de fruits compotés aux prunes jaunes, fruits secs, miel et touches grillées. Il est ample, rond, gourmand, idéal avec une viande blanche. (RM)
➡ Champagne Lancelot-Pienne, 1, allée de la Forêt, 51530 Cramant, tél. 03.26.57.55.74, fax 03.26.57.53.02 ☑ ☖ r.-v.

P. LANCELOT-ROYER
Blanc de blancs 1995★★

○	1 ha	4 000	70 à 99 F

Cramant a choisi comme enseigne - ou comme emblème - une bouteille colossale érigée à 50 m de cette cave. Ce 95 au nez complexe auquel participent tous les arômes d'un chardonnay champenois présente une bouche souple, fondue, harmonieuse. La **Cuvée des Chevaliers** (une étoile), encore un blanc de blancs, joue la difficile partie des vins faiblement dosés ; elle est étiquetée extra dry. Le chardonnay issu des récoltes de 1995 et 1996 contribue au nez de fleur (aubépine) et de pomme granny, pomme que l'on retrouve dans une bouche jeune. La **Cuvée de réserve RR**, un blanc de blancs, des vendanges 1996 et 1997, toujours direct, souple et rond, obtient une citation. (RM)
➡ EARL P. Lancelot-Royer, 540, rue du Gal-de-Gaulle, 51530 Cramant, tél. 03.26.57.51.41, fax 03.26.57.12.25 ☑ ☖ r.-v.

LANSON Black Label 1994★★

○	n.c.	n.c.	🍶↓ 150 à 199 F

Célèbre maison fondée en 1760, reprise par Marne et Champagne, ne pratiquant pas la fermentation malolactique comme le veut le style de la marque. Trois dégustateurs ont donné un coup de cœur à ce beau vin, mais l'un d'entre eux lui a donné une note (chiffrée) réglementairement inconciliable avec cette distinction. Saluons tout de même ce remarquable 94. Il naît de presque autant de chardonnay que de pinot noir. Un vin or limpide, puissant, fin et long, de grand caractère. (NM)
➡ Lanson, 12, bd Lundy, 51100 Reims, tél. 03.26.78.50.50, fax 03.26.78.53.88 ☑ ☖ r.-v.

GUY LARMANDIER★

○ 1er cru	3,5 ha	n.c.	🍶↓ 70 à 99 F

Etabli dans la Côte des Blancs où il exploite 9 ha avec son fils François, maintenant gérant du domaine, Guy Larmandier propose trois champagnes très réussis (une étoile chacun). On ne sera pas surpris que toutes ses cuvées soient dominées par le chardonnay. Elaboré à partir des récoltes de 1996 et 1997, ce 1ᵉʳ cru est presque un blanc de blancs (seulement 10 % de pinot). Il est « nettement typé blanc » écrit un dégustateur de ce vin plein de jeunesse. Le **blanc de blancs Cramant grand cru** apparaît équilibré, délicat, subtil et élégant avec ses arômes de fleurs blanches, d'agrumes et de pomme granny ; le **blanc de blancs 95 grand cru**, « élégant et bien campé », est dans la même ligne (100 à 149 F). (RM)

☛ EARL Champagne Guy Larmandier, 30, rue du Gal-Koenig, 51130 Vertus, tél. 03.26.52.12.41, fax 03.26.52.19.38 ☑ ⵣ r.-v.
☛ Guy et François Larmandier

LARMANDIER-BERNIER
Blanc de blancs Vieilles vignes de Cramant
Extra brut 1995★★

| ○ Gd cru | 1,5 ha | 10 000 | ▇♨ | 100 à 149 F |

A la mort de son mari, Elisabeth Larmandier-Bernier a repris le flambeau pour le transmettre à son fils Pierre. L'exploitation qui dispose de 11 ha dans la Côte des Blancs, à Cramant (grand cru) et à Vertus (1er cru), exporte quelque 70 % de sa production. Les champagnes très peu dosés, tel cet extra-brut, sont la spécialité de la maison. Issu de ceps âgés de cinquante ans, cette cuvée Vieilles vignes est exemplaire : équilibrée, avec une finale pure et longue. Son très faible dosage (3 g/l) lui laisse toute sa fraîcheur. Une étoile pour le **blanc de blancs brut 1er cru** (70 à 99 F), souple à l'attaque et néanmoins vif. (RM)
☛ Champagne Larmandier-Bernier,
43, rue du 28-Août, 51130 Vertus,
tél. 03.26.52.13.24, fax 03.26.52.21.00,
e-mail larmandier@terre-net.fr ☑ ⵣ r.-v.
☛ Famille Larmandier

LARMANDIER PERE ET FILS
Chardonnay Spécial Club 1995★

| ○ Gd cru | n.c. | 5 000 | ▇♨ | 150 à 199 F |

Françoise Gimonnet - née Larmandier - a de qui tenir puisqu'elle descend de Jules Larmandier qui fut l'un des premiers récoltants-manipulants à vendre son champagne blanc de blancs de la Côte des Blancs. C'était en 1899 ! Elle maintient la tradition en proposant le Spécial Club 95 à l'attaque vive, typé avec ses arômes d'agrumes et de belle longueur. Le **Cramant blanc de blancs**, issu de la vendange 1993 (100 à 149 F), reçoit également une étoile pour sa belle typicité. (RM)
☛ Larmandier Père et Fils,
1, rue de la République, 51530 Cuis,
tél. 03.26.57.52.19, fax 03.26.59.79.84 ☑ ⵣ r.-v.

J. LASSALLE Cuvée Angeline 1992★

| ○ 1er cru | n.c. | n.c. | ▇ | 100 à 149 F |

Cette exploitation de la Montagne de Reims (Chigny-les-Roses, commune classée en 1er cru) exporte environ les deux tiers de sa production. Sa cuvée Angeline est un assemblage de pinot noir (60 %) complété par 40 % de chardonnay. Elle séduit par son équilibre et la complexité de sa palette aromatique où l'on perçoit du coing, du fruit mûr et du caramel. Dans la fourchette de prix inférieure, on retrouve la cuvée **Préférence**, issue des trois cépages champenois (dont 60 % de meunier et 15 % de pinot noir) : expressive, chaleureuse, d'une bonne longueur, elle a gagné une étoile en atteignant sa maturité : elle est prête à boire. (RM)
☛ Champagne J. Lassalle,
21, rue du Châtaignier, 51500 Chigny-les-Roses,
tél. 03.26.03.42.19, fax 03.26.03.45.70 ☑ ⵣ r.-v.

P. LASSALLE-HANIN 1990★

| ○ | 0,6 ha | 2 700 | ▇ | 100 à 149 F |

Ce récoltant-manipulant a lancé sa marque en 1953 ; son vignoble couvre 9 ha. Ce millésimé est aussi blanc que noir (pinot noir) : il est rond, confit, puissant et convient aux viandes blanches. (RM)
☛ Champagne P. Lassalle-Hanin,
2, rue des Vignes, 51500 Chigny-les-Roses,
tél. 03.26.03.40.96, fax 03.26.03.42.10 ☑ ⵣ r.-v.

MARIE FRANCE DE LATOUR
Cuvée Troisième Millénaire★

| ○ | 1 ha | 760 | ▇▐▌ | 300 à 499 F |

Une aquarelle d'Hans Vleugels (paysage de vendanges) orne l'étiquette de ce magnum du Troisième Millénaire. On l'aura compris, c'est une bouteille à ouvrir le 1er janvier 2001 au cours du déjeuner : elle est bien charpentée, mais sans agressivité. Abricot, fruits confits, ananas et fleurs accompagnent sa dégustation. (RM)
☛ Champagne Marie-France de Latour,
48, rue Saint-Vincent, 51390 Vrigny,
tél. 03.26.03.60.41, fax 03.26.03.64.25 ☑ ⵣ t.l.j.
10h-12h 15h-19h

CH. DE L'AUCHE
Nectar de Saint-Rémi 1993★

| ○ | n.c. | 2 000 | ▇♨ | 100 à 149 F |

Fondé en 1961, ce groupement de producteurs réunit 125 ha de vignes. Il a lancé sa marque en 1970. Ce 93 est mi-blanc mi-noir. On y découvre des arômes floraux, vanillés, et des notes de café. L'attaque est vive, la finale harmonieuse. Deux autres cuvées, qui doivent tout aux pinots, méritent une citation (dans la fourchette 70 à 99 F) : le **rosé** pour son équilibre, et le **Sélection**, nerveux et bref, au joli nez floral. (CM)
☛ Coop. vinicole Germigny-Janvry-Rosnay,
rue de Germigny, 51390 Janvry,
tél. 03.26.03.63.40, fax 03.26.03.66.93 ☑ ⵣ r.-v.

LAUNOIS PERE ET FILS
Blanc de blancs 1995

| ○ Gd cru | 6 ha | 40 000 | ▇ | 70 à 99 F |

Un Launois vendait son champagne en 1872 ; il pourrait avoir été le premier récoltant-manipulant de la Côte des Blancs. Le vignoble se développe aujourd'hui sur 20 ha, ce qui est loin d'être négligeable. Ce 95 est un blanc de blancs équilibré et frais. Un honorable représentant de sa catégorie. (RM)
☛ Champagne Launois Père et Fils,
2, av. Eugène-Guillaume, 51190 Le Mesnil-sur-Oger, tél. 03.26.57.50.15, fax 03.26.57.97.82
☑ ⵣ r.-v.

LAURENT-GABRIEL 3e Millénaire

| ○ 1er cru | 1 ha | n.c. | | 100 à 149 F |

Deux citations pour cette exploitation de 2,5 ha, établie à Avenay (à l'est d'Epernay et d'Ay) et dont la vinification traditionnelle n'exclut pas l'usage de fûts pour une petite partie du vin : pour cette cuvée, très noire (80 % de pinot noir), fort évoluée - elle contient peut-être beaucoup de vins de réserve -, onctueuse, mûre, avec

une touche de bois, et enfin pour le **Prestige 93**
(85 % de pinot noir), puissant et rond. (RM)
📞 EARL Laurent-Gabriel, 2, rue des Remparts,
51160 Avenay-Val-d'Or, tél. 03.26.52.32.69,
fax 03.26.59.92.08, e-mail champagne.laurent-
gabriel@voila.fr ☑ ⍅ r.-v.

LAURENT-PERRIER
Grand Siècle Lumière du millénaire 1990★★

○	n.c.	n.c.	📋 ⚲ +de 500 F

Etablie dès l'origine à Tours-sur-Marne, cette
maison, fondée en 1812 par un ancien tonnelier,
monta en puissance au XIXᵉs. Eprouvée par la
Première Guerre mondiale, retombée à un rang
modeste jusqu'aux années 1950, elle connut
ensuite une expansion spectaculaire qui en a fait
l'une des maisons de champagne les plus importantes, réputée pour la régularité de sa production. Cuvée Prestige, la cuvée Grand Siècle n'est
millésimée que si la vendange est exceptionnelle,
ce qui fut le cas en 1990. L'assemblage comprend
du pinot noir et du chardonnay à parts sensiblement égales. Les dégustateurs sont conquis :
« Vin fin, frais..., beaucoup d'agrumes, alcool
discret, très long en bouche, un plaisir. » (NM)
📞 Champagne Laurent-Perrier, Dom. de Tours-
sur-Marne, 51150 Tours-sur-Marne,
tél. 03.26.58.91.22, fax 03.26.58.77.29 ☑ ⍅ r.-v.

ALBERT LE BRUN Vieille France★

◑	n.c.	n.c.	70 à 99 F

Signé par l'une des deux maisons de Châlons-
en-Champagne, fondée en 1860, voici un rosé
issu d'un assemblage classique (60 % de pinot
noir, 30 % de chardonnay et 10 % de vin rouge
de pinot noir qui lui donne sa couleur rose tuilé).
Ce champagne équilibré, aux arômes de fruits
frais, a particulièrement séduit l'un des dégustateurs qui lui donnerait bien un coup de cœur.
(NM)
📞 SCV Albert Le Brun, 93, av. de Paris,
51000 Châlons-en-Champagne,
tél. 03.26.68.18.68, fax 03.26.21.53.31,
e-mail info@champagne-lebrun.com ☑ ⍅ r.-v.
📞 Raulet

PAUL LEBRUN
Blanc de blancs Grande Réserve★★

○	5 ha	35 000	📋 70 à 99 F

Fondée en 1902, cette maison familiale dispose dans la Côte des Blancs d'un vignoble de
16,5 ha, exclusivement planté de chardonnay. Ce
Grande Réserve est un blanc de blancs qui privilégie la rondeur et l'ampleur : un champagne
de repas. La cuvée **Prestige**, un autre blanc de
blancs de la vendange de 1996 (100 à 149 F),
offre des arômes de fruits à noyau et de fruits

confits qui vont de pair avec un dosage sensible.
Il recueille une citation. (NM)
📞 SA Champagne Vignier-Lebrun,
35, rue Nestor-Gaunel, 51530 Cramant,
tél. 03.26.57.54.88, fax 03.26.57.90.02 ☑ ⍅ r.-v.
📞 M. P. Vignier

LE BRUN DE NEUVILLE
Blanc de blancs Cuvée Chardonnay★

○	n.c.	50 000	📋 ⚲ 70 à 99 F

Ce groupement de producteurs dynamique et
moderne, créé en 1963, vinifie le produit de
145 ha de vignes. Sa cuvée Chardonnay allie
notes florales et agrumes confits. En bouche,
l'attaque est vive ; fruité et fraîcheur s'harmonisent. Le **millésime 92** (100 à 149 F), à 5 % près
un blanc de blancs, en a toute la fraîcheur beurrée et les arômes réglissés ; son dosage est sensible. (CM)
📞 Champagne Le Brun de Neuville,
rte de Chantemerle, 51260 Bethon,
tél. 03.26.80.48.43, fax 03.26.80.43.28 ☑ ⍅ r.-v.

LE BRUN-SERVENAY 1993

○ Gd cru	1,3 ha	9 000	📋 ⚲ 70 à 99 F

Etabli à Avize, commune de la Côte des
Blancs classée en grand cru, ce domaine familial
a été constitué en 1947. Les vignes ont
aujourd'hui une soixantaine d'années. Ce 93 est
un blanc de blancs souple et long en bouche. Il
offre des arômes de cerise, curieux pour un vin
issu de chardonnay. Quant au **Spécial Club 94**
(100 à 149 F), il comprend 80 % de chardonnay
et les deux pinots à parts égales. Les vins ne font
pas leur fermentation malolactique, ce qui peut
expliquer la fraîcheur de ce 94. Il est minéral,
citronné et vif ; pour du poisson grillé. (RM)
📞 EARL Le Brun-Servenay, 14, pl. Léon-
Bourgeois, 51190 Avize, tél. 03.26.57.52.75,
fax 03.26.57.02.71 ☑ ⍅ r.-v.

LECLERC BRIANT Cuvée divine 1990★

○	1,5 ha	10 000	📋 ⚲ 200 à 249 F

Les Leclerc étaient déjà vignerons à Ay à
l'époque du Roi-Soleil. Louis Leclerc vendit sa
première bouteille en 1872. Aujourd'hui Pascal
Leclerc-Briant dispose de 30 ha cultivés en agriculture biologique. Mi-noire mi-blanche, la
Cuvée divine - un haut de gamme - est cette année
issue du grand millésime 90. Elle offre un nez
complexe mêlant fragrances exotiques, miellées
et fruits secs. La bouche est riche, voire opulente.
(NM)
📞 Champagne Leclerc Briant, 67, rue Chaude-
Ruelle, B.P. 108, 51204 Epernay Cedex,
tél. 03.26.54.45.33, fax 03.26.54.49.59 ☑ ⍅ t.l.j.
9h-12h 13h30-17h30 ; sam. dim. sur r.-v. ; f. 5-25
août
📞 Pascal Leclerc-Briant

LECLERC-MONDET

○	6 ha	38 000	70 à 99 F

Le petit village de Chassins autour duquel le
petit-fils d'Henri Leclerc, créateur du vignoble
en 1952, exploite 8 ha, est situé dans la vallée de
la Marne, près de Dormans. Les trois cépages
champenois (dont 65 % de pinots), vendangés en
1996 et 1997, ont été sollicités pour composer ce
brut sans année équilibré et charnu en bouche,

au nez élégant de cire, de miel d'acacia et même de fougère et de génoise. Le **Grande Réserve**, assemblage similaire des trois cépages, mais récoltés en 1992 et 1993, évoque par ses arômes l'amande et le pain d'épice. Il a obtenu la même note. (RM)

•➥ Champagne Leclerc-Mondet, 5, rue Beethoven, Chassins, 02850 Trélou-sur-Marne, tél. 03.23.70.26.40, fax 03.23.70.10.59 ☑ ￦ r.-v.

LEGOUGE-COPIN Tradition★

○	n.c.	8 000	▬ ♦	70 à 99 F

L'exploitation (4,5 ha) est située dans la vallée de la Marne. L'étiquette Legouge-Copin traduit l'union, en 1992, de la fille aînée du fondateur de ce vignoble, Serge Copin, avec Jean-Marc Legouge. Les trois cépages champenois (dont 70 % de pinot meunier), vendangés de 1994 à 1997, se conjuguent dans cette cuvée Tradition framboisée, biscuitée, élégante et structurée. Cité par le jury, le **rosé** (pinot noir 66 %, chardonnay 30 %, un soupçon de meunier) fleure la framboise. En bouche, framboise toujours... et un dosage perceptible. (RM)

•➥ Jean-Marc Legouge, 6, rue de l'Abbé-Bernard, 51700 Verneuil, tél. 03.26.52.96.89, fax 03.26.51.85.62 ☑ ￦ r.-v.

ERIC LEGRAND Cuvée Prestige★

○	0,4 ha	4 000	▬ ♦	70 à 99 F

Eric Legrand exploite 7 ha de vignes dans l'Aube depuis 1982. Il organise des initiations au champagne dans ses caves. Sa cuvée Prestige, dominée par le chardonnay (70 % pour 30 % de pinot noir), provient des récoltes 1997 et 1998. Les dégustateurs y découvrent les fleurs blanches et les agrumes confits. Un ensemble agréable. Citée par le jury, la **cuvée Rubis** comprend, malgré son nom, encore plus de chardonnay (80 %). Briochée, fine, élégante et vive, elle constitue un bon champagne d'apéritif. (RM)

•➥ Eric Legrand, 39, Grande-Rue, 10110 Celles-sur-Ource, tél. 03.25.38.55.07, fax 03.25.38.56.84 ☑ ￦ t.l.j. sf mer. dim. 9h-12h30 14h-18h; f. août

LEGRAND-BROQUET Cuvée 2000   1995

○ Gd cru	2,2 ha	n.c.	▬	100 à 149 F

Jean-Yves Legrand exploite le petit vignoble familial (2,2 ha), créé en 1946 et situé à Chouilly, commune classée en grand cru. Sa cuvée 2000 est un blanc de blancs. Les arômes vont du miel au pain grillé, avec une touche végétale que l'on retrouve dans une bouche onctueuse. (RM)

•➥ Jean-Yves Legrand, 16, rue des Gouttes-d'Or, 51200 Epernay, tél. 03.26.55.00.30 ☑ ￦ r.-v.

R. ET L. LEGRAS
Blanc de blancs Présidence 1990★★

○	10 ha	60 000	▬ ♦	150 à 199 F

Cette maison de négoce est établie à Chouilly, commune classée en grand cru, située à l'est d'Epernay. Elle dispose d'un vignoble de 14 ha, constitué à partir de 1790. Sa cuvée Présidence, un blanc de blancs 90, demeure jeune en dépit de l'opulence du millésime, à qui elle doit son ampleur, sa mâche et sa persistance. « Pour les viandes blanches », écrit un dégustateur ; mais

autre la boirait bien toute la soirée ! Cité par le jury, le **blanc de blancs** sans année (70 à 99 F) manque peut-être de complexité, mais avec ses notes de noisette et d'épices, sa fraîcheur et surtout sa finesse, il n'est « pas mal du tout ». (NM)

•➥ Champagne R. et L. Legras, 10, rue des Partelaines, 51530 Chouilly, tél. 03.26.54.50.79, fax 03.26.54.88.74, e-mail contact@legras.fr ☑ ￦ t.l.j. sf dim. 8h30-12h 14h-17h; sam. sur r.-v.

LEGRAS ET HAAS
Blanc de blancs Sélection du millénaire 1995★★

○ Gd cru	14 ha	10 000	▬ ♦	100 à 149 F

Cette maison familiale de négoce a constitué, en cinq générations, un vignoble de 25 ha, notamment à Chouilly (grand cru). Grand millésime, grand cru, grand cépage, et une vinification respectueuse, tout concourt à la qualité de cette bouteille harmonieuse, élégante, ronde, épicée et longue. Dans la fourchette de prix inférieure (70 à 99 F), deux vins ont obtenu chacun une étoile : le **blanc de blancs grand cru sans année** né des vendanges de 1996 et 1997, gras, ample, à l'acidité bien fondue, et le **Tradition** issu des trois cépages champenois (60 % de chardonnay) récoltés en 1996 et 1997. « Un champagne qui explose en bouche », écrit un dégustateur. (NM)

•➥ Legras et Haas, 7-9, Grande-Rue, 51530 Chouilly, tél. 03.26.54.92.90, fax 03.26.55.16.78 ☑ ￦ r.-v.

LELARGE-PUGEOT Réserve★

○	0,5 ha	4 000	▬ ♦	70 à 99 F

Dominique Lelarge vinifie à Vrigny (à l'ouest de Reims) depuis 1986. Son brut Réserve est issu des trois cépages champenois, surtout du pinot meunier (60 %), récolté en 1990. Belle année ! Le vin est riche, le nez flatteur, la bouche ample, réglissée et équilibrée. Un vin de repas. (RM)

•➥ Dominique Lelarge, 30, rue Saint-Vincent, 51390 Vrigny, tél. 03.26.03.69.43, fax 03.26.03.68.93, e-mail champagnelelarge-pugeot@wanadoo.fr ☑ ￦ t.l.j. sf dim. 9h-12h 14h-18h

PATRICE LEMAIRE 1995★★

○	n.c.	2 500	❚❙	70 à 99 F

Implanté à Boursault dans la vallée de la Marne, le vignoble a été constitué dans les années 1920. En 1950, Claude Lemaire s'est lancé dans la manipulation. Son fils Patrice lui a succédé en 1988. Son 95 est un blanc de blancs au nez complexe associant fleurs blanches, notes mentholées et miellées, à la bouche ample et aromatique. Sous l'étiquette **Claude Lemaire**, Patrice Lemaire propose un rosé issu des trois cépages champenois (dont 40 % de chardonnay), auquel 10 % de vin rouge donne sa couleur. Un champagne cité pour son équilibre et son fruité. (RM)

•➥ Patrice Lemaire, 9, rue Croix-Saint-Jean, 51480 Boursault, tél. 03.26.58.40.58, fax 03.26.52.30.67 ☑ ￦ r.-v.

PHILIPPE LEMAIRE 1993★

○	0,8 ha	2 300	▬❚❙ ♦	70 à 99 F

Philippe Lemaire élabore du champagne depuis 1992. Il fait passer ses vins dans le bois et les bâtonne. Le boisé, très discret, ne nuit pas

à la fraîcheur de ce 93, un blanc de blancs aux arômes caractéristiques d'amande grillée, agréable et fin. Une citation pour la **Dame de Louis**, issue des trois cépages champenois (dont 60 % de meunier) récoltés en 1997. Un vin à l'attaque franche, aux arômes empyreumatiques (fruits secs) et à la finale fraîche. (RM)
🍷 Philippe Lemaire, 40, rue du 8-Mai, 51480 Œuilly, tél. 03.26.58.30.82, fax 03.26.52.92.44 ☑ ⬜ r.-v.

R.C. LEMAIRE Chardonnay 1995**

○ 1er cru	n.c.	5 000	⦀ 150 à 199 F

Gilles Tournant exploite un vignoble de 10 ha situé dans la vallée de la Marne. Les raisins qui composent ce 95 ont été cueillis sur des vignes de vingt-huit ans plantées dans la commune d'Hautvillers où vécut dom Pérignon. Le vin passe sept mois dans le bois et demeure cinq ans sur lies en bouteille. Il est excellent. Les dégustateurs ne tarissent pas d'éloges sur ses arômes puissants et variés (citron vert, ananas, grillé, vanille...), sa fraîcheur, son caractère soyeux et onctueux, son côté féminin... Quant à la **cuvée Trianon** (55 % de pinot noir, 45 % de chardonnay), ses vins n'ont pas fait leur fermentation malolactique. Vive, mentholée, nerveuse, elle a obtenu une étoile (70 à 99 F). A signaler, les préoccupations écologistes de cette exploitation, où l'on lutte contre les ravageurs par la confusion sexuelle. (RM)
🍷 Gilles Tournant, rue de la Glacière, 51700 Villers-sous-Châtillon, tél. 03.26.58.36.79, fax 03.26.58.39.28,
e-mail tournant@clubinternet.fr ☑ ⬜ r.-v.

LEMAIRE-RASSELET Tradition*

○	9,2 ha	17 000	▮⬛ 70 à 99 F

Une exploitation de plus de 9 ha dans la vallée de la Marne. Sa cuvée Tradition naît des trois cépages champenois, surtout du meunier (75 %), récoltés en 1995 et en 1996. Le nez évoque les agrumes confits et la pêche de vigne alors qu'en bouche, la noisette et le caramel s'imposent. Un dégustateur est sensible à sa « prestance ». Même note pour la cuvée **Sélection**, assemblage à peu près identique au précédent, aux arômes empyreumatiques (torréfaction, moka, caramel) et à la finale persistante. Un champagne à son apogée, pour volailles et viandes blanches. (RM)
🍷 SCEV Lemaire-Rasselet, 5, rue de la Croix-Saint-Jean, 51480 Boursault, tél. 03.26.58.44.85, fax 03.26.58.09.47 ☑

MICHEL LENIQUE 1995

○	1 ha	8 000	▮⬛ 100 à 149 F

Les Lenique sont au service du vin depuis plus de deux siècles. Actuellement, leur vignoble s'étend sur 9 ha. Seuls 10 % de pinot meunier entrent dans cette cuvée dévolue au chardonnay. Le tilleul, l'acacia, les fleurs blanches forment la trame aromatique de ce vin minéral et nerveux, destiné à l'apéritif ou au poisson. (NM)
🍷 SA Lenique et Fils, 20, rue du Gal-de-Gaulle, 51530 Pierry, tél. 03.26.54.03.65, fax 03.26.51.57.14,
e-mail champagne.michel.lenique@wanadoo.fr
☑ ⬜ r.-v.

A. R. LENOBLE Blanc de blancs**

○ Gd cru	9 ha	40 000	▮ 100 à 149 F

Fils d'un Alsacien ayant fui sa province natale en 1870, Armand Raphaël Graser fait son apprentissage dans une maison de champagne, devient courtier puis, après la Première Guerre, crée sa maison, dont le vignoble s'étend aujourd'hui sur 18 ha. Celle-ci est actuellement dirigée par ses arrière-petits-enfants. La marque Lenoble a été lancée en 1941. A. R. représentent sans doute les initiales du fondateur. Ce grand cru recueille tous les suffrages. D'emblée, il séduit par la grande finesse de ses arômes, floraux, miellés, fumés, son élégance et sa complexité. On retrouve cette complexité dans une bouche fraîche, souple, ronde, réglissée et longue. Ce vin structuré accompagnera un poisson en sauce. Le **Réserve** (70 à 99 F), issu des trois cépages champenois, obtient une étoile pour sa minéralité vineuse et son équilibre. (NM)
🍷 Champagne A. R. Lenoble, 35-37, rue Paul-Douce, 51480 Damery, tél. 03.26.58.42.60, fax 03.26.58.65.57,
e-mail champagne.lenoble@wanadoo.fr
☑ ⬜ r.-v.
🍷 Malassagne

LIEBART-REGNIER Brut de brut*

○	3 ha	4 000	▮⬛ 70 à 99 F

Tous les vins de cette exploitation (8 ha de vignes) naissent de l'assemblage de deux crus de la vallée de la Marne : Baslieux et Vauciennes. Ce Brut de brut est un blanc de noirs des deux pinots (70 % de meunier) des années 1993 et 1994. Evolué, assez vineux, il développe des arômes de noisette, d'amande, de rhubarbe et de fruits confits. Une étoile encore pour la **cuvée Excelia 94** (100 à 149 F), née des trois cépages (dont 70 % de pinot noir), un champagne brioché remarqué pour sa longue finale marquée par des notes d'orange. (RM)
🍷 Liébart-Régnier, 6, rue Saint-Vincent, 51700 Baslieux-sous-Châtillon,
tél. 03.26.58.11.60, fax 03.26.52.34.60,
e-mail liebart-regnier@wanadoo.fr ☑ ⬜ r.-v.
🍷 Laurent Liébart

LILBERT-FILS Blanc de blancs*

○ Gd cru	n.c.	n.c.	▮ 70 à 99 F

Avant 1750, les Lilbert étaient déjà vignerons. Aujourd'hui, ils cultivent 4 ha à Cramant, commune de la Côte des Blancs classée en grand cru. Le domaine réalise une très belle prestation : trois de ses champagnes obtiennent chacun une étoile. Tous sont des blancs de blancs grand cru.

CHAMPAGNE

Le premier, né des vendanges de 1994, 1995 et 1996, est confit, miellé, parfaitement équilibré ; le **brut perlé** assemble les millésimes 91, 92, 94 à 50 % de 95 ; tiré à 4 kg, ce type de champagne était appelé naguère « crémant » ; il est souple, épicé et long ; le **95** (100 à 149 F) a séjourné dans le bois, comme l'atteste en bouche un boisé marié au coing citronné, au miel et à la vanille. (RM)
🔷 Georges Lilbert , 223, rue du Moutier B.P. 14, 51530 Cramant, tél. 03.26.57.50.16, fax 03.26.58.93.86 ☑ ⌁ r.-v.

MICHEL LORIOT 1996★★★

○　　　　　1,5 ha　　10 000　　▯ 100 à 149 F

Etablis à Festigny (région de la vallée de la Marne), les Loriot ont élaboré leurs premiers champagnes en 1931. Ils exploitent aujourd'hui un peu plus de 6 ha. Ce 96 naît d'un assemblage qui a fait ses preuves : 80 % de pinot meunier et 20 % de chardonnay. Les dégustateurs sont sous le charme : « attaque de velours, très belle bouche tout en finesse et en harmonie, très grande longueur, vin net et parfait de légèreté ». Une étoile pour le **Loriot extra brut** (illustré sur l'étiquette par l'oiseau du même nom), assemblage identique mais issu de la vendange de 1997 : un champagne souple, net, frais, vif et ample. (RM)
🔷 Michel Loriot, 13, rue de Bel-Air, 51700 Festigny, tél. 03.26.58.33.44, fax 03.26.58.03.98 ☑ ⌁ r.-v.

JOSEPH LORIOT-PAGEL
Blanc de blancs 1995

○　　　　　1 ha　　3 000　　▯ 70 à 99 F

Exploitation dont le vignoble de 8 ha se développe dans quatre crus de la vallée de la Marne et deux grands crus de la Côte des Blancs. Le 95, habillé d'une robe presque incolore, a été retenu pour son nez frais de fleurs blanches et pour sa bouche bien construite. (RM)
🔷 Joseph Loriot, 33, rue de la République, 51700 Festigny, tél. 03.26.58.33.53, fax 03.26.58.05.37 ☑ ⌁ r.-v.

YVES LOUVET Cuvée de réserve★

○　　　　　1 ha　　10 000　　▯ 70 à 99 F

Yves Louvet exploite 6,5 ha de vigne du côté de Tauxières (entre Ay et Bouzy). Sa Cuvée de réserve naît de la vendange de 1994 ; elle a été élaborée à partir de 75 % de pinot noir complétés par 25 % de chardonnay. Après un nez frais d'aubépine et de miel s'impose une bouche dont la puissance est le principal caractère. (RM)
🔷 Yves Louvet, 21, rue du Poncet, 51150 Tauxières, tél. 03.26.57.03.27, fax 03.26.57.67.77 ☑ ⌁ r.-v.

PHILIPPE DE LOZEY Prestige★

○　　　　　12 ha　　6 000　　▯⌁ 70 à 99 F

Marque lancée en 1990 par Daniel Cheurlin, rejoint par son fils Philippe. Mi-blanche mi-noire (pinot noir), cette cuvée Prestige provient de raisins vendangés en 1994. Elle obtient une étoile pour son nez de fleurs blanches miellées et pour sa fraîcheur en bouche que ne perturbe pas un dosage sensible. (NM)
🔷 Champagne Philippe de Lozey, 72, Grande-Rue, B.P. 3, 10110 Celles-sur-Ource, tél. 03.25.38.51.34, fax 03.25.38.54.80, e-mail de.lozey@wanadoo.fr ☑ ⌁ r.-v.
🔷 Ph. Cheurlin

M. MAILLART Brut Cuvée de réserve 1994

○　　　　　n.c.　　16 500　　▯ 70 à 99 F

Il y aura bientôt trois siècles que les Maillart sont vignerons, mais ils n'ont créé leur marque qu'en 1965. Le vignoble couvre 8,4 ha. Le chardonnay et le pinot participent pratiquement à égalité à cette cuvée qui a évolué (millésime difficile), et qui perd en finesse ce qu'elle gagne en longueur. (RM)
🔷 Michel Maillart, 13, rue de Villers, 51500 Ecueil, tél. 03.26.49.77.89, fax 03.26.49.24.79 ☑ ⌁ r.-v.

MAILLY GRAND CRU Blanc de noirs★

○ Gd cru　　n.c.　　40 000　　▯⌁ 100 à 149 F

Ce groupement - club pourrait-on dire - de producteurs fondé en 1927 n'accepte que les vignerons dont les vignes sont situées dans la commune de Mailly, classée grand cru. En conséquence, il ne peut y avoir de pinot meunier dans les assemblages. Ce blanc de noirs est brioché ; sa puissance ne nuit pas à son élégance. Trois autres champagnes doivent être cités, tous issus de trois quarts de pinot noir et d'un quart de chardonnay : l'**extra brut** aux arômes de poire, pomme, aubépine et tilleul, le **rosé**, équilibré et fugace (150 à 199 F), et la cuvée **Les Echansons 88** très évoluée et fort chère (300 à 499 F). On ne peut que conseiller la visite de la cave longue de 1 km creusée par les sociétaires entre 1930 et 1967. (CM)
🔷 Champagne Mailly Grand Cru, 28, rue de la Libération, 51500 Mailly-Champagne, tél. 03.26.49.41.10, fax 03.26.49.42.27, e-mail contact@champagne-mailly.com ☑ ⌁ r.-v.

JEAN-LOUIS MALARD
Sélection 2000　1991★

○　　　　　n.c.　　n.c.　　▯ 100 à 149 F

Entreprise de négoce créée en 1970, élaborant ses champagnes à Oiry. L'étiquette précise l'assemblage : 60 % de pinot noir et 40 % de chardonnay. C'est une champagne classique, floral, citronné et frais en bouche. Sous l'étiquette Malard (sans prénom), la **cuvée Excellence** (70 à 99 F) blanc de blancs grand cru doit être citée pour ses notes de torréfaction, sa rondeur, son équilibre et sa persistance. (NM)
🔷 Champagne Malard, 65, av. de Champagne, B.P. 95, 51203 Epernay Cedex, tél. 03.26.57.77.24, fax 03.26.52.75.54

HENRI MANDOIS 1995★★

| ○ 1er cru | 2 ha | 15 000 | 🍾⚲ 70 à 99 F |

Une maison déjà ancienne dont les caves du XVIIIᵉs. sont creusées sous l'église de Pierry. La maison dispose de 35 ha de vignes. Les trois cépages champenois collaborent à cette cuvée légère et fine, minérale, empyreumatique (fumée) et citronnée, avec des nuances d'aubépine. Son équilibre, son harmonie et sa longueur lui valent de frôler le coup de cœur, avec deux étoiles. Ce champagne donnera la réplique à un poisson cuisiné ou à de la volaille. Excellent rapport qualité-prix. La **Cuvée de réserve**, mi-noire mi-blanche (40 % de meunier), a été citée pour la légèreté de sa finale. (RM)
☛Champagne Henri Mandois, 66, rue du Gal-de-Gaulle, 51530 Pierry, tél. 03.26.54.03.18, fax 03.26.51.53.66 ☑ ⴲ r.-v.

MANSARD★

| ○ 1er cru | 15 ha | 100 000 | 🍾⚲ 70 à 99 F |

Ce négociant d'Epernay dispose d'un important vignoble. Il n'est pas étranger au champagne G. H. Martel. Ce 1ᵉʳ cru mi-blanc mi-noir (pinot noir) naît des vendanges de 1995 à 1997. Après une attaque souple, le vin fait preuve d'équilibre et de longueur. « C'est un vrai brut sans année. » Un autre champagne est retenu par le jury, cité, la cuvée **Carte noire** ; les trois cépages champenois récoltés en 1995, 1996 et 1997 sont générateurs d'arômes citronnés compensés par un dosage apparent. (NM)
☛Champagne Mansard, 14, rue Chaude-Ruelle, B.P. 1066, 51319 Epernay Cedex, tél. 03.26.54.18.55, fax 03.26.51.99.50 ☑ ⴲ r.-v.
☛ Rapeneau

PATRICE MARC Cuvée noir et blanc★

| ○ | 2 ha | 21 584 | 🍾⚲ 70 à 99 F |

Les trois cépages champenois collaborent également à cette cuvée qui naît de l'assemblage de vins issus des vendanges de 1994 et 1995. Elle est tout en fruits : pêche de vigne, fruits à noyau, agrumes confits, abricot et mandarine... Ce champagne convient donc au canard laqué à l'orange. (RM)
☛Patrice Marc, 1, rue du Creux-Chemin, 51480 Fleury-la-Rivière, tél. 03.26.58.46.88, fax 03.26.59.48.21 ☑ ⴲ r.-v.

A. MARGAINE★★

| ○ 1er cru | 5,3 ha | 50 000 | 🍾 70 à 99 F |

Maison conduite par l'arrière-petit-fils de son fondateur. Elle exploite un vignoble de 6,5 ha comprenant beaucoup de chardonnay ; ce cépage a une réputation d'excellence à Villers-Marmery. Son brut sans année, très blanc, ne comprend que 16 % de pinot noir. Les vins qui le composent sont issus de raisins récoltés en 1997 (57 %), complétés par les vendanges 1992, 1994, 1995 et 1998. Deux étoiles lui sont attribuées pour la qualité de ses arômes d'amande et de noisette, ainsi que pour sa fraîcheur souple, son harmonieux équilibre... La **cuvée « Spécial Club »** des vignerons champenois, toujours millésimée - ici **95** - est logée dans une bouteille spéciale. Obtenant une étoile, elle « spécule sur la finesse » et la subtilité de l'équilibre (100 à 149 F). (RM)

☛Champagne A. Margaine, 3, av. de Champagne, 51380 Villers-Marmery, tél. 03.26.97.92.13, fax 03.26.97.97.45 ☑ ⴲ r.-v.

MARIE STUART Cuvée de la Reine★

| ○ | n.c. | 70 000 | 🍾⚲ 150 à 199 F |

Maison fondée en 1867 et revendue en 1927, 1954, 1972 et, enfin, en 1994 à Alain Thiénot ! La Cuvée de la Reine est presque blanche (10 % de pinot noir). Le chardonnay dominant se manifeste : fruits jaunes, miel, abricots secs, noisette. Un champagne d'une grande finesse. Le millésime **96** reçoit une étoile. Son bouquet est celui du chardonnay, sa bouche révèle un bon potentiel de garde (100 à 149 F). Ont été cités, un **blanc de blancs sans année**, vif et fondu, et un **rosé**, très pinot noir, au nez discret de fruits rouges, au corps « bien balancé » : c'est une dégustatrice qui l'écrit (100 à 149 F). (NM)
☛Champagne Marie Stuart, 8, pl. de la République, 51100 Reims, tél. 03.26.77.50.50, fax 03.26.77.50.59, e-mail Laurent-Fedou@alian-thienot.fr ☑ ⴲ r.-v.

MARQUIS DE SADE
Blanc de blancs Prestige 2000   1996

| ○ Gd cru | 5 ha | 50 000 | 🍾⚲ 100 à 149 F |

Cette marque appartient à Michel Gonet, important producteur de la Côte des Blancs : l'étiquette indique « grand cru » car les raisins sont originaires des communes d'Oger et du Mesnil-sur-Oger, toutes deux classées. Voici un blanc de blancs classique aux arômes de pain grillé, d'agrumes (citron), puis de fruits jaunes. Son élégante nervosité lui permettra de vieillir. (RM)
☛SCEV Michel Gonet et Fils, 196, av. Jean-Jaurès, 51190 Avize, tél. 03.26.57.50.56, fax 03.26.57.91.98 ☑ ⴲ r.-v.

G. H. MARTEL & Cᵒ Prestige

| ○ | 37,5 ha | 250 000 | 🍾⚲ 70 à 99 F |

Fondée en 1869, cette maison appartient à un négociant d'Epernay vendant sous sa marque et sous diverses marques d'acheteur. Elle dispose d'un important vignoble. La cuvée Prestige naît de l'assemblage de 70 % de pinot noir et de 30 % de chardonnay - des raisins récoltés en 1995, 1996 et 1997. Elle fait songer au bonbon anglais. Son attaque est franche, sa bouche ferme. (NM)
☛Champagne G.H. Martel, 69, av. de Champagne, B.P. 1011, 51318 Epernay Cedex, tél. 03.26.51.06.33, fax 03.26.54.41.52 ☑ ⴲ r.-v.
☛ Rapeneau

PAUL LOUIS MARTIN
Cuvée Vincent Chardonnay 1995★

| ○ Gd cru | 1,8 ha | 12 000 | 🍾⚲ 70 à 99 F |

Vinifié par la même équipe que les champagnes Martel et Mansard, ce blanc de blancs de Bouzy est assez singulier. Avec son nez minéral et ses senteurs de fleurs blanches, il se montre harmonieux jusque dans sa finale. Le **Bouzy grand cru non millésimé** associe 60 % de pinot noir à 40 % de chardonnay issus des récoltes de 1994, 1995 et 1996. Il est un peu marqué par son dosage mais mérite d'être cité pour son fruité. (RM)

Champagne Paul-Louis Martin,
3, rue d'Ambonnay, 51150 Bouzy,
tél. 03.26.57.01.27, fax 03.26.57.83.25 ☑ ⲧ r.-v.

D. MASSIN 1996*

○		0,5 ha	5 000	🍾	100 à 149 F

Dominique Massin a vendu ses premières bouteilles en 1975. Son vignoble de 11 ha n'est complanté que des deux cépages nobles de la Champagne. La cuvée 96 est classique : 60 % de pinot et 40 % de chardonnay. Elle est fruitée, briochée et souple. Sa fraîcheur fait songer aux pommes. Un dégustateur la servirait sur des entrées chaudes. La **Cuvée de réserve en rosé** - qui est un rosé de noirs (70 à 99 F) - est foncée et emplit bien la bouche. (RM)
☛ Dominique Massin, rue Coulon, 10110 Ville-sur-Arce, tél. 03.25.38.74.97, fax 03.25.38.77.51 ☑ ⲧ r.-v.

THIERRY MASSIN Réserve

○		n.c.	28 000	70 à 99 F

Frère et sœur, Thierry et Dominique Massin possèdent un vignoble de 10 ha. Les premières bouteilles portant cette étiquette datent de 1977. Ce Réserve est presque un blanc de noirs puisque seuls 10 % de chardonnay complètent le pinot noir. Il est constitué de raisins provenant de la Côte des Bar et des vendanges 1995, 1996 et 1997. Il est très jeune, mais séduit déjà l'œil par sa couleur jaune paille doré et sa mousse au beau cordon. Ensuite apparaissent quelques notes florales. Sa bouche vive est pleine de promesses. (RM)
☛ Thierry Massin, 6, rte des Deux-Bar, 10110 Ville-sur-Arce, tél. 03.25.38.74.01, fax 03.25.38.79.10 ☑ ⲧ t.l.j. 9h-12h 13h30-18h30; sam. dim. sur r.-v.

LOUIS MASSING Cuvée Prestige***

○ Gd cru	2 ha	14 000	🍾♦	100 à 149 F

Une marque de négociant lancée il y a un quart de siècle et disposant d'un vignoble de 11 ha. Ce n'est qu'un brut sans année. Oui, mais une cuvée Prestige et un grand cru, dit l'étiquette... et qui provient d'Avize, lit-on encore. Il y avait de fortes probabilités que ce vin fût un blanc de blancs. C'est bien le cas. Un blanc de blancs comme il doit être, tout en élégance et en finesse, avec en plus l'harmonie, la complexité et la longueur. La version millésimée de cette **cuvée Prestige** (un **92**, millésime à travailler), sans défaut, mais au dosage sensible, a recueilli une citation. (NM)

SA Deregard-Massing, La Haie-Maria, R.D. 9, 51190 Avize, tél. 03.26.57.52.92, fax 03.26.57.78.23 ☑ ⲧ r.-v.

HERVE MATHELIN

◕		0,3 ha	2 000	🍾	70 à 99 F

Cette marque a été créée en 1961 par un vigneron de Troissy ; son vignoble s'étend sur 14 ha. Ce rosé, issu des trois cépages champenois récoltés en 1997, présente un côté fruits surmûris, style prune ou pomme. Cela lui donne du poids. (RM)
☛ Hervé Mathelin, 2, rte de Paris, 51700 Troissy, tél. 03.26.52.74.42, fax 03.26.57.16.54 ☑ ⲧ r.-v.

SERGE MATHIEU*

◕		n.c.	6 000	🍾♦	70 à 99 F

Vigneron dans l'Aube, Serge Mathieu exploite 11 ha de vigne qu'il mène en lutte intégrée avec enherbement partiel de certaines parcelles. Il présente trois champagnes qui reçoivent chacun une étoile. Le premier, rosé né de pinot noir, est distingué, tout en fruits rouges (griotte surtout), équilibré, vineux, long, destiné à une viande blanche. Le second, un **brut millésimé 95** (100 à 149 F), assemble 70 % de pinot noir au chardonnay : il est ample et rond. Le troisième, **Brut Select Tête de cuvée** (100 à 149 F), chardonnay et pinot noir à parts égales, au nez plus complexe que fin, à l'attaque vive, rafraîchissante, est judicieusement dosé. (RM)
☛ Champagne Serge Mathieu, 6, rue des Vignes, 10340 Avirey-Lingey, tél. 03.25.29.32.58, fax 03.25.29.11.57, e-mail champagne.mathieu@wanadoo.fr ☑ ⲧ r.-v.

MATHIEU-PRINCET 1995**

○ 1er cru	4 ha	20 000	100 à 149 F

Vigneron à Grauves (à l'ouest d'Avize), où il exploite 8 ha, Michel Mathieu fait une entrée fracassante dans le Guide avec cette cuvée toute simple, mi-blanche mi-noire (pinot noir), du beau millésime 95. Ce champagne apparaît comme un modèle par la complexité et la finesse de ses arômes où l'on décèle les agrumes, un fruité exotique (mangue) ou encore la suavité de l'acacia. Cette complexité se retrouve en bouche, avec légèreté et fraîcheur, et se prolonge dans une finale harmonieuse. Son **blanc de blancs 93** obtient une étoile pour sa puissance qui n'altère pas sa finesse (70 à 99 F). (RM)
☛ SARL Mathieu-Princet, 16, rue Bruyère, 51190 Grauves, tél. 03.26.59.73.72, fax 03.26.59.77.75 ☑ ⲧ r.-v.

MAXIM'S Cuvée an 2000   1994

○	4,5 ha	30 000	■⤓ 100 à 149 F

La même équipe, toujours la même, celle des champagnes G. H. Martel, P. Louis Martin ou encore Mansard (voir ces marques), vinifie le champagne Maxim's. La cuvée 2000, mi-noire mi-blanche, exploite des raisins récoltés en 1994. La démarche est audacieuse ; elle est discutée par les dégustateurs qui ne tombent d'accord sur les mots « légèreté » et « évolué ». (MA)

☛ Champagne Maxim's, 17, rue des Créneaux, 51100 Reims, tél. 03.26.82.70.67, fax 03.26.82.19.12 ☑ ⵊ r.-v.

☛ Rapeneau

MERCIER Cuvée Eugène Mercier★

○	n.c.	n.c.	100 à 149 F

Maison fondée en 1858 par Eugène Mercier, l'homme qui démocratisa le champagne. Le vignoble Mercier s'étend sur 231 ha. Il faut avoir visité les caves organisées sur 18 km de galeries creusées en voûte, dans le hall d'accueil, le foudre sculpté d'une contenance équivalant à 213 000 bouteilles. Les trois cépages champenois (10 % de chardonnay, 55 % de pinot noir et 35 % de pinot meunier) et 30 % de vin de réserve contribuent à cette cuvée créée en l'honneur du fondateur. Elle est de belle facture, marquée par la forte présence du pinot noir, équilibrée et de bonne longueur. Ce champagne a atteint son apogée. Un juré le goûterait volontiers sur une viande rouge ou un gibier. (NM)

☛ Champagne Mercier, 75, av. de Champagne, B.P. 134, 51333 Epernay, tél. 03.26.51.22.00, fax 03.26.54.84.23 ☑ ⵊ r.-v.

DE MERIC
Cuvée Prestige Catherine de Médicis 1993★

○ Gd cru	n.c.	n.c.	■⤓ 100 à 149 F

Cette marque, lancée par Christian Besserat en 1960, propose un 93 puissant et évolué, dont la gamme aromatique va jusqu'au champignon. Un champagne de repas. (NM)

☛ SA Christian Besserat Père et Fils, Champagne de Meric, 17, rue Gambetta, 51160 Ay, tél. 03.26.55.20.72, fax 03.26.55.69.23 ☑ ⵊ r.-v.

J.B. MICHEL Blanc de blancs★

○	1 ha	7 000	70 à 99 F

Bruno Michel est œnologue. Il dispose d'un vignoble d'une dizaine d'hectares dont les vignes ont un âge moyen respectable : plus de trente ans. Deux cuvées ont été retenues. Le 93 est un blanc de blancs (100 à 149 F). Les fleurs blanches, les abricots secs et les fruits secs sont soutenus par sa vivacité. Il est cité par le jury. Le blanc de blancs non millésimé est élégant à l'œil, très fruité au nez, équilibré, souple et rond. (RM)

☛ Bruno Michel, 4, allée de la Vieille-Ferme, 51530 Pierry, tél. 03.26.55.10.54, fax 03.26.54.75.77, e-mail champagne.j.b.michel@cdr.fr ☑ ⵊ r.-v.

G. MICHEL Tradition 1982★★

○	2,5 ha	12 000	100 à 149 F

Avec 20 ha dans une dizaine de crus, ce récoltant peut proposer une vaste gamme de champagnes. Son 82 est l'un des plus vieux champagnes du Guide. Il naît pourtant d'un cépage réputé fragile, le pinot meunier (80 %), assisté de 20 % de chardonnay. Il est incroyablement frais, incroyablement fin, incroyablement persistant. Le blanc de blancs 90 a obtenu une étoile. Ce vin n'a pas fait sa fermentation malolactique et, malgré cela, a fortement évolué. Une étoile encore pour le Réserve issu des trois cépages vendangés en 1996 et 1997 : il évoque les fleurs blanches et le miel, et se révèle plein de jeunesse. Ces deux dernières cuvées se situent dans une fourchette de 70 à 99 F. (RM)

☛ G. Michel, 19 bis, rte Nationale, Le Clos du Prieuré, 51530 Moussy, tél. 03.26.54.03.17, fax 03.26.58.15.84 ☑ ⵊ r.-v.

JOSE MICHEL ET FILS
Blanc de blancs 1995★

○	1 ha	6 500	■ 100 à 149 F

Bruno Michel seconde son père depuis 1980 sur le domaine créé par ses ancêtres en 1860 à Moussy, village situé à 4 km d'Epernay. Les notes florales et minérales séduisent d'emblée. Fin et équilibré, un champagne très agréable. (RM)

☛ Champagne José Michel et Fils, 14, rue Prelot, 51530 Moussy, tél. 03.26.54.04.69, fax 03.26.55.37.12 ☑ ⵊ r.-v.

CHARLES MIGNON Grande Réserve

○ 1er cru	n.c.	n.c.	100 à 149 F

Marque récente de la famille Mignon, à la tête d'une maison de négoce à Epernay. Les dégustateurs estiment que ce Grande Réserve est marqué par sa jeunesse. Citronnée au nez et en bouche, sa structure est intéressante. A offrir dans un an à un plat de fruits de mer. (NM)

☛ Charles Mignon, 1, av. de Champagne, 51200 Epernay, tél. 03.26.58.33.33, fax 03.26.51.54.10, e-mail bruno-mignon@champagne-mignon.fr ☑ ⵊ r.-v.

☛ Bruno Mignon

PIERRE MIGNON Grande Réserve★

○	6 ha	n.c.	■ 70 à 99 F

Non loin de l'église abbatiale d'Orbais - témoignage du premier art gothique et dont la verrière de la Rédemption (XIIIᵉ s.) justifie à elle seule le voyage - Le Breuil abrite le Champagne Pierre Mignon, marque créée en 1970, exploitant un vignoble de plus de 10 ha. Beaucoup de pinot meunier (80 %) et autant de pinot noir que de chardonnay confèrent des arômes de pomme et de fruits blancs, ainsi que de la fraîcheur à ce champagne droit et équilibré. Le Brut Prestige naît de l'assemblage de beaucoup de pinot meunier (65 %) et des deux autres cépages champenois ; il obtient une citation pour son attaque souple et sa finale nerveuse. (NM)

☛ Pierre Mignon, 5, rue des Grappes-d'Or, 51210 Le Breuil, tél. 03.26.59.22.03, fax 03.26.59.26.74, e-mail p.mignon@lemel.fr ☑ ⵊ r.-v.

MIGNON ET PIERREL Cuvée florale

◑ 1er cru	n.c.	n.c.	100 à 149 F

Cette maison de négoce d'Epernay est connue pour ses étranges bouteilles colorées contrastant avec la sobriété de l'étiquette. Chez Mignon et

Pierrel on aime le chardonnay. Ce rosé est un blanc de blancs teinté par du pinot noir (10 %). Il est fin et harmonieux. Le millésimé **92 cuvée florale** premier cru (150 à 199 F) est un blanc de blancs, bien que l'étiquette n'en dise rien. Mais ses arômes ne le cachent pas (cire, miel...). Un champagne équilibré et fin. (NM)

☛ SA Pierrel et Associés, 26, rue Henri-Dunant, B.P. 295, 51200 Epernay, tél. 03.26.51.00.90, fax 03.26.51.69.40, e-mail champagne@pierrel.fr ☑ ⵏ r.-v.

JEAN-CHARLES MILAN
Blanc de blancs Cuvée de réserve★★

○ Gd cru	n.c.	n.c.	ⵏ 70 à 99 F

Le vignoble a vu le jour en 1864, la marque cent ans plus tard. Henri-Pol Milan possède aujourd'hui 6 ha. Voici un blanc de blancs de grand style, coté trois étoiles par certains dégustateurs. Les vins qui le composent, des vendanges 1995 et 1996, sont passés par le bois. Ce champagne est d'une grande finesse ; le miel et les fleurs blanches soulignés par un léger boisé prennent de l'ampleur en bouche. Très prometteur. (NM)

☛ Champagne Milan, 6, rue d'Avize, 51190 Oger, tél. 03.26.57.50.09, fax 03.26.57.78.47, e-mail champagne.milan@wanadoo.fr ☑ ⵏ r.-v.

MOET ET CHANDON Brut Impérial★★

○ 1er cru	n.c.	n.c.	ⵏ 150 à 199 F

La maison fut fondée en 1743 par Claude Moët, négociant en vins descendant d'une famille établie en Champagne au XIVᵉs. Elle compta parmi sa clientèle Mme de Pompadour, ce qui n'empêcha pas plus tard Jean-Remy Moët d'entretenir d'excellentes relations avec Napoléon. A partir des années 1960, la prise de contrôle de vénérables maisons, de multiples acquisitions à l'étranger, puis la constitution du groupe LVMH (1987) lui ont donné un rôle majeur en Champagne. Forte d'un vignoble de 771 ha, le plus vaste de Champagne, la maison occupe la première place sur les marchés à l'exportation. Le Brut Impérial est un assemblage des trois cépages champenois. Son nez subtil gagne en intensité, offrant des senteurs miellées et fruitées bien fondues. La bouche équilibrée est charpentée, briochée et longue. Un champagne bien fait, qui se prête autant à l'apéritif qu'au repas. (NM)

☛ Champagne Moët et Chandon, 20, av. de Champagne, B.P. 140, 51200 Epernay, tél. 03.26.51.20.00, fax 03.26.54.84.23 ☑ ⵏ t.l.j. 9h30-11h30 14h-16h30; groupes sur r.-v.

MOET ET CHANDON
Dom Pérignon 1990★★★

◔	n.c.	n.c.	ⵏ + de 500 F

De loin le meilleur champagne rosé du Guide. Evidemment coûteux (plus de 1000 F). Tout est secret dans l'élaboration du Dom Pérignon, jusqu'au nombre de bouteilles produites ! La composition la plus couramment admise est la suivante : 40 % de chardonnay, 60 % de pinot noir originaires de trois grands crus rouges et de deux grands crus blancs. A cela il faut ajouter le premier cru d'Hautvillers, symbolique oblige ! Ce rosé, cuivre doré, propose un nez empyreumatique de fève de cacao, de noisette grillée, d'amande, de fraise et de griotte à l'eau-de-vie. Ces arômes se retrouvent en bouche, fondus harmonieusement, amplement et sublimement fins avec une touche réglissée. Le **Dom Pérignon blanc 93** n'est pas de la même veine ; pour nos dégustateurs exigeants, sa finesse réelle est quelque peu marquée par la liqueur de dosage. Ce millésime, ainsi que le 92, ne font pas oublier le superbe 90. (NM)

☛ Champagne Moët et Chandon, 20, av. de Champagne, B.P. 140, 51200 Epernay, tél. 03.26.51.20.00, fax 03.26.54.84.23 ☑ ⵏ t.l.j. 9h30-11h30 14h-16h30; groupes sur r.-v.

PIERRE MONCUIT
Blanc de blancs Vieilles vignes
Cuvée Nicole Moncuit 1992

○ Gd cru	0,75 ha	9 000	ⵏ 100 à 149 F

Cette propriété centenaire exploite un vignoble de 15 ha dans la Côte des Blancs. Des bulles fines animent la robe jaune d'or de ce champagne 92. Le nez typé évoque les fruits mûrs et confits ainsi que la noisette. Il est déjà évolué. En bouche, on retrouve les fruits secs et les fruits confits. (RM)

☛ Champagne Pierre Moncuit, 11, rue Persault-Maheu, 51190 Le Mesnil-sur-Oger, tél. 03.26.57.52.65, fax 03.26.57.97.89 ☑ ⵏ r.-v.
☛ Nicole Moncuit

MONMARTHE Grande Réserve

○ 1er cru	4 ha	30 000	ⵏ 70 à 99 F

Cinquante ans avant la Révolution française, les Monmarthe étaient déjà vignerons. Ernest, en 1930, créa sa marque. Aujourd'hui; le vignoble s'étend sur 17 ha dans la commune de Ludes, 1ᵉʳ cru. La Grande Réserve, mi-noir mi-blanc, provient des vendanges de 1994, 1995 et 1996. Il offre des arômes de pruneau cuit, de pain grillé et de caramel. En bouche, l'équilibre est atteint. Le **Carte Blanche**, issu de vins qui ont un an de moins et des trois cépages champenois, affirme sa jeunesse avec de petits côtés exotiques. (RM)

☛ Jean-Guy Monmarthe, 38, rue Victor-Hugo, 51500 Ludes, tél. 03.26.61.10.99, fax 03.26.61.12.67, e-mail champagne-monmarthe@wanadoo.fr ☑ ⵏ r.-v.

DE MONTESPAN Grande Cuvée★

○ n.c. n.c. ▮▯ 100 à 149 F

Marque de négociants, récemment créée. Cette Grande Cuvée, un brut sans année, mérite bien son nom car elle a mis les dégustateurs en verve. L'or intense de sa robe animé d'un joli cordon, la complexité fruitée et évoluée de ses arômes (fruits secs ou très mûrs, miel, brioche...) et le bel équilibre de sa bouche mûre et encore fraîche en font une bouteille pour amateurs de vins ayant atteint leur apogée. (NM)

🕭 Champagne de Montespan et Cie, Galerie Sacres, 18, rue Tronsson-du-Coudray, 51100 Reims, tél. 03.26.86.81.14, fax 03.26.40.54.18 ☑ ⵉ r.-v.

🕭 Desbleds

DANIEL MOREAU
Carte noire Blanc de noirs★

○ 4 ha 30 000 ▮ 70 à 99 F

Les Moreau sont viticulteurs depuis 1875. Daniel Moreau vinifie depuis 1978 sa propre production. Le Carte noire est un blanc de noirs de pinot meunier vendangé en 1996 (25 %) et 1997. C'est une recette simple pour obtenir un vin au nez floral, à la bouche légère, fraîche, aux arômes citronnés. Le dosage est sensible. Cité, le **Blanc de blancs Carte d'or**, récolté en 1997, étonne et intéresse par ses notes aromatiques (fleurs, tilleul, puis menthol et citron, miel et parfums de boulangerie) qui lui donnent du caractère. (RM)

🕭 Daniel Moreau, 5, rue du Moulin, 51700 Vandières, tél. 03.26.58.01.64, fax 03.26.58.15.64 ☑ ⵉ r.-v.

MOREL PERE ET FILS
Rosé de cuvaison 1997★

◒ 1 ha 3 700 ▮▯ 70 à 99 F

Les Morel, spécialistes de rosé des Riceys, ne proposent ce champagne que depuis 1997. C'est un champagne rosé spécial puisqu'il est obtenu par saignée de la cuve (macération courte). Ce rosé est donc un rosé de noirs. Les fruits rouges sont là, avec un début d'évolution. Ils sont suivis par un bon équilibre et une longueur caramélisée. (RM)

🕭 Pascal Morel, 93, av. du Gal-de-Gaulle, 10340 Les Riceys, tél. 03.25.29.10.88, fax 03.25.29.66.72 ☑ ⵉ r.-v.

MORIZE PERE ET FILS Réserve★

○ 11 ha 42 600 ▮▯ 70 à 99 F

Installé aux Riceys depuis 1830, les Morize possèdent une cave du XII⁰s. Ils n'ont créé leur marque qu'en 1964. Cette cuvée Réserve est très noire (10 % de chardonnay), issue de raisins récoltés en 1995, épaulés par un peu de 1994 et de 1993. Un champagne aux notes d'agrumes et de pamplemousse, léger, dont la finale miellée laisse percevoir le dosage. (RM)

🕭 Morize Père et Fils, 122, rue du Gal-de-Gaulle, 10340 Les Riceys, tél. 03.25.29.30.02, fax 03.25.38.20.22 ☑ ⵉ r.-v.

PIERRE MORLET Prestige 2000★

○ 1er cru 1,53 ha 13 000 ▮▯▯ 70 à 99 F

A 50 m de cette maison d'Avenay, l'église Saint-Trésain (religieux venu d'Ecosse qui évangélisa la région au V⁰s.) offre au visiteur de beaux vestiges du XIII⁰s. Cette cuvée Prestige 2000 naît de l'assemblage de 60 % de pinot noir et de 40 % de chardonnay, récoltés en 1995. Le vin, qui passe par le bois, est fin, élégant, avec rondeur et netteté. Le **Grande Réserve 1er cru**, issu de 30 % de pinot pour 70 % de chardonnay, assemble les années 1992, 1993, 1995 et 1996. Il obtient une citation, se montre vanillé, grillé mais plus évolué. (NM)

🕭 Champagne Pierre Morlet, 7, rue Paulin-Paris, 51160 Avenay-Val-d'Or, tél. 03.26.52.32.32, fax 03.26.59.77.13 ☑ ⵉ r.-v.

JEAN MOUTARDIER 1993★★

○ 3 ha 30 000 ▮▯ 70 à 99 F

Les Moutardier sont vignerons depuis 1650 ! Mais la marque ne date que de 1920. Aujourd'hui, le vignoble couvre 16 ha. Le 93 - une année délicate - est une cuvée originale : 70 % de pinot meunier et 30 % de chardonnay. Il ravit les dégustateurs par ses arômes fruités, empyreumatiques, épicés (cannelle) et par sa bouche longue et prête. Deux étoiles encore pour le **Sélection**, mi-pinot noir mi-chardonnay, qui se montre floral, équilibré, souple et d'une couleur parfaite. Un champagne de grande classe. (NM)

🕭 SA Champagne Jean Moutardier, 51210 Le Breuil, tél. 03.26.59.21.09, fax 03.26.59.21.25 ☑ ⵉ r.-v.

MOUTARD PERE ET FILS
Grande Réserve★★

○ 3 ha 18 000 ▮▯ 70 à 99 F

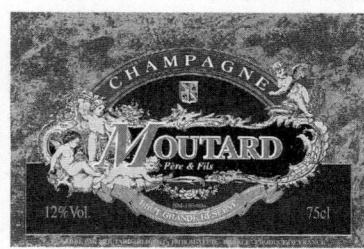

Les Moutard élaborent du champagne depuis 1927. François Moutard, qui dispose d'un vignoble de 21 ha, replante avec passion des cépages champenois oubliés. Cette cuvée Grande Réserve est un blanc de blancs... de l'Aube ! Plus d'une fois distinguée dans le Guide, parfois aux meilleures places, elle triomphe cette année. Son élégance, ses arômes de noisette, de miel d'acacia, de cire d'abeille, sa longueur, son harmonie, tout concourt au coup de cœur. Mi-noire mi-blanche, la **cuvée Prestige** (100 à 149 F) est une vraie cuvée spéciale par sa richesse, son ampleur et, surtout, par son originalité. Cela vaut bien deux étoiles. (NM)

•┓SARL Champagne Moutard-Diligent,
6, rue des Ponts, B.P. 1, 10110 Buxeuil,
tél. 03.25.38.50.73, fax 03.25.38.57.72,
e-mail champagne.moutard@wanadoo.fr
☑ ⵏ r.-v.

R. MOUZON-JUILLET★★

| ○ Gd cru | n.c. | 2 400 | ❙❙❙ | 100 à 149 F |

Marque de Philippe Mouzon qui agit ici en tant que vigneron. Il assemble deux tiers de chardonnay à un tiers de pinot noir des années 1990 (30 %) et 1991 (70 %). Riche en arômes (orange confite, miel, cassis, brioche, moka, épices), la bouche est ronde, pleine, confite, onctueuse et harmonieuse. Ce champagne élégant frôle le coup de cœur. Il ne lui manque que la longueur d'exception pour être exceptionnel. (RM)
•┓EARL Mouzon-Leroux, 16, rue Basse-des-Carrières, 51380 Verzy, tél. 03.26.97.96.68, fax 03.26.97.97.67 ☑ ⵏ r.-v.

Y. MOUZON LECLERE Carte d'or★

| ○ 1er cru | n.c. | 1 800 | 70 à 99 F |

Les Mouzon « champagnisaient » avant la Première Guerre. Mais Mouzon Leclère n'existe que depuis 1959. Le Carte d'or est très blanc avec 80 % de chardonnay pour 20 % de pinot noir, des années 1993 et 1994. La fraîcheur est apportée par les arômes de fleurs et de pomme ; la bouche est intéressante et fait songer aux agrumes confits, à la bergamote et au miel. Dosage juste. (RM)
•┓Yvon Mouzon, 1, rue Haute-des-Carrières, 51380 Verzy, tél. 03.26.97.91.19, fax 03.26.97.97.89 ☑ ⵏ r.-v.

PH. MOUZON-LEROUX
Grande Réserve★

| ○ Gd cru | n.c. | 80 000 | 70 à 99 F |

Le village de Verzy (Montagne de Reims) est célèbre par sa forêt qui recèle une curiosité de la nature, les « faux », hêtres « tortillards » aux formes tourmentées. C'est aussi une commune classée en grand cru, où les Mouzon exploitent près de 10 ha de vigne. Cette cuvée Grande Réserve (80 % de pinot noir, 20 % de chardonnay) assemble 40 % de vin de 1996 et 60 % de vin 1992 à 1995. C'est un excellent champagne, ample, rond, finement fruité, pour fin de repas. Une citation pour le **rosé 1er cru**, né d'un assemblage identique au vin précédent, coloré par 10 % de vin rouge. Clair à l'œil, il est facile à boire. (RM)
•┓EARL Mouzon-Leroux, 16, rue Basse-des-Carrières, 51380 Verzy, tél. 03.26.97.96.68, fax 03.26.97.97.67 ☑ ⵏ r.-v.

MUMM DE CRAMANT Chardonnay★

| ○ Gd cru | 50 ha | 80 000 | 200 à 249 F |

La longue et mouvementée histoire de Mumm, commencée en 1827, a connu un nouvel épisode en juin 1999, lorsque Seagram, qui en était propriétaire depuis 1969, a cédé cette marque (et Perrier-Jouet) au groupe américain Hicks, Muse, Tate and First. Deux cuvées sont citées. Le **Cordon rouge** - les trois cépages champenois - est classique, équilibré ; six millions de bouteilles de 100 à 149 F. Dans la même fourchette, le **Cordon rosé**, composé des trois cépages dont beaucoup

de pinot noir (60 %), est rond, gourmand et harmonieux. Quant à cette célèbre étiquette Mumm de Cramant (blanc de blancs grand cru), elle est équilibrée, souple, épicée et fine. (NM)
•┓Champagne G.-H. Mumm et Cie, 29, rue du Champ-de-Mars, 51100 Reims, tél. 03.26.49.59.69, fax 03.26.77.40.69 ☑ ⵏ t.l.j. 10h-12h 14h-18h

LUCIEN ORBAN Carte d'or★

| ○ | n.c. | n.c. | 70 à 99 F |

Un champagne qui a atteint son apogée. Ses arômes de fruits blancs confits précèdent une attaque souple et une bouche confiturée. (RM)
•┓Lucien Orban, 8, rue du Général-de-Gaulle, 51700 Cuisles, tél. 03.26.58.10.51, fax 03.26.52.84.82 ⵏ r.-v.

CHARLES ORBAN Cuvée spéciale 2000★

| ○ | 2,25 ha | 15 000 | ❙ ♦ | 70 à 99 F |

Cette marque du récoltant-manipulant de Troissy, qui dispose d'un vignoble de 6 ha, appartient à la galaxie Rapeneau. La Cuvée spéciale 2000 naît de quatre fois plus de chardonnay que de pinot noir récoltés en 1994, 1995 et 1996. Ce champagne a pour lui la vivacité et la finesse du cépage majoritaire et une composition équilibrée. Une citation pour le **Carte noire** auquel collaborent également les trois cépages champenois (des vins plus jeunes, de 1995, 1996 et 1997) ; le jury apprécie son équilibre. (RM)
•┓Champagne Charles Orban, 44, rte de Paris, 51700 Troissy, tél. 03.26.52.70.05, fax 03.26.52.74.66 ☑ ⵏ r.-v.
•┓ Rapeneau

OUDINOT★

| ○ | n.c. | 700 000 | ❙ ♦ | 100 à 149 F |

Fondée en 1889, cette maison, reprise par Jacques et Michel Trouillard en 1981, dispose d'un vignoble de 124 ha situé dans la Côte des Blancs. La Cuvée brut fait appel aux trois raisins champenois à parts égales. Les arômes de beurre, de miel et de caramel se retrouvent dans une bouche grasse et néanmoins fraîche. Une étoile également, le **rosé** de noirs, auquel contribuent les deux pinots, est fruité, souple et ample. (NM)
•┓Champagne Oudinot, 12, rue Godart-Roger, 51200 Epernay, tél. 03.26.59.50.10, fax 03.26.54.78.52
•┓ M. et J. Trouillard

BRUNO PAILLARD Première Cuvée★

| ○ | n.c. | 525 000 | ❙❙❙ ♦ | 100 à 149 F |

Cette maison fut lancée en 1981 par Bruno Paillard. Ce dernier a associé trente-deux crus et des vins de cinq années dans sa Première Cuvée qui fait appel aux trois cépages champenois. C'est un beau champagne, fin, équilibré, complexe. Quoique Bruno Paillard dise doser très peu, le dosage est sensible ! Le **rosé Première Cuvée** est aussi fin que le vin précédent. Un dégustateur écrit : « Rosé pour intellectuel ». Enfin, le **chardonnay Réserve privée** obtient une citation ; toujours fin mais d'une extrême jeunesse. Ces deux derniers champagnes jouent dans une fourchette de 150 à 199 F. (NM)

•🍷Champagne Bruno Paillard,
av. de Champagne, 51100 Reims,
tél. 03.26.36.20.22, fax 03.26.36.57.72 ☑ ⵉ r.-v.

PALMER & CO★

| ○ | | n.c. | n.c. | 🍾⬇ | 70 à 99 F |

Dynamique groupement de producteurs vinifiant une vaste gamme. Le brut non millésimé
(pinot et chardonnay) séduit par des arômes originaux de sous-bois, de vanille avec une touche
animale. En bouche, fraîcheur et longueur
s'imposent. Cité, le **blanc de blancs 93**, un millésime difficile, a évolué ; fin et rond, il est destiné
à l'heure apéritive (100 à 149 F). (CM)
•🍷Champagne Palmer et C°, 67, rue Jacquart,
51100 Reims, tél. 03.26.07.35.07,
fax 03.26.07.45.24 ☑ ⵉ r.-v.

PANNIER 1995★

| ○ | | n.c. | n.c. | 🍾⬇ | 100 à 149 F |

Château-Thierry, où l'on peut voir la maison
où naquit La Fontaine en 1621, est le siège de
Pannier, coopérative dont les adhérents totali-
sent 560 ha de vignes. Ce 95 issu des trois cépages
champenois a atteint son apogée. Les dégustateurs pensent au miel d'acacia, au coing confit,
à la cire d'abeille, une richesse de fruits très mûrs
qu'ils retrouvent en bouche. Un sommelier
recommande cette bouteille pour une pintade
aux pêches ; elle remportera tout autant de succès
à l'apéritif. Une mention pour la **cuvée Louis
Eugène** (150 à 199 F) qui réunit les trois cépages
mais avec davantage de pinot noir ; elle se montre élégante et très jeune. (CM)
•🍷SCVM COVAMA, 25, rue Roger-Catillon,
B.P. 55, 02403 Château-Thierry Cedex,
tél. 03.23.69.51.30, fax 03.23.69.51.31,
e-mail chppannier@aol.com ☑ ⵉ r.-v.

PASCAL-DELETTE Cuvée de réserve★

| ○ | | 5 ha | 40 300 | 🍾 | 70 à 99 F |

Yves Pascal a deux fils et espère qu'ils conti-
nueront l'œuvre commencée par ses ancêtres
vignerons. Il exploite aujourd'hui un vignoble de
5 ha et a proposé un blanc de noirs né des deux
pinots, meunier (75 %) et noir (25 %), récoltés en
1996. En dépit de cette simplicité, la complexité
est à l'appel : le fruité, le beurré et l'exotisme des
arômes se marient harmonieusement, avec légèreté. (RM)
•🍷Yves Pascal-Delette, 48, rue Valentine-
Régnier, 51700 Baslieux-sous-Châtillon,
tél. 03.26.58.11.35, fax 03.26.57.11.93 ☑ ⵉ r.-v.

ERIC PATOUR

| ○ | | n.c. | n.c. | 🍾 | 70 à 99 F |

Vigneron à Celles-sur-Ource dans l'Aube, Eric
Patour a proposé un champagne que les dégustateurs ont identifié comme provenant du seul
pinot noir. Son brut sans année est en effet un
blanc de noirs de pinot noir de l'année 1996. Il
offre des arômes de fruits et de pain grillé. Sa
bouche équilibrée est d'une bonne longueur.
(RM)
•🍷Eric Patour, 11, rue du Vivier, 10110 Celles-
sur-Ource, tél. 03.25.38.25.33, fax 03.25.38.22.65
☑ ⵉ r.-v.

DENIS PATOUX 1992★★

| ○ | | n.c. | n.c. | 🍾⬇ | 100 à 149 F |

Une immense statue du pape Urbain II qui
prêcha la première croisade domine les vignobles. Installés à 2 km, les Patoux sont vignerons
depuis un siècle. Ce très joli champagne offre un
nez fin et élégant de pain d'épice et d'agrumes.
La bouche est bien construite ; on y découvre
l'amande et le tilleul. Le **millésime 95** a obtenu
une citation pour son fruité exotique et sa puissance. (RM)
•🍷Denis Patoux, 1, rue Bailly, 51700 Vandières,
tél. 03.26.58.36.34, fax 03.26.59.16.10 ☑ ⵉ r.-v.

PEHU-SIMONET Cuvée Junior 1993★

| ○ Gd cru | 0,15 ha | 1 150 | 🍾🍾🍾 | 100 à 149 F |

Depuis cent ans dans le vignoble, les Péhu-
Simonet disposent de 5 ha. Ils ont proposé deux
cuvées très réussies : leur **Sélection grand cru** (70
à 99 F) comporte deux fois plus de pinot noir
que de chardonnay, vendangés de 1994 à 1997.
C'est un excellent champagne fin, frais, onctueux, harmonieux avec du caractère. On trouve
encore plus de caractère à cette cuvée Junior 93,
mi-noire mi-blanche, issue de vignes éclaircies
(vendanges vertes), élevée un an en fût, ne faisant
pas sa fermentation malolactique (comme le précédent). Un champagne d'amateurs, évolué,
boisé, caramel-pain grillé. (RM)
•🍷Pehu-Simonet, 7, rue de la Gare, B.P. 22,
51360 Verzenay, tél. 03.26.49.43.20,
fax 03.26.49.45.06 ☑ ⵉ r.-v.

JEAN-MICHEL PELLETIER
Cuvée Anaëlle 1995★

| ○ | | n.c. | 1 300 | 🍾🍾🍾⬇ | 70 à 99 F |

Jean-Michel Pelletier a repris la marque Pel-
letier-Maillet et a acquis de nouvelles parcelles.
Ses vignes atteignent aujourd'hui 4 ha. Cette
cuvée mi-blanche mi-noire doit retenir l'attention car sont assemblés du chardonnay et du
pinot meunier exclusivement. Le chardonnay
passe quatre mois en fût après fermentation
malolactique. Ses arômes de pomme, de pain
grillé s'accompagnent d'une touche animale. La
bouche complexe finit sur la réglisse. (RC)
•🍷Jean-Michel Pelletier, 22, rue Bruslard,
51700 Passy-Grigny, tél. 03.26.52.65.86,
fax 03.26.52.65.86 ☑ ⵉ r.-v.

JOSEPH PERRIER Cuvée royale

| ◑ | | n.c. | 30 000 | 🍾⬇ | 150 à 199 F |

Maison fondée en 1825, récemment alliée à
Laurent Perrier et, depuis 1998, associée au
groupe Alain Thiénot. La Cuvée royale rosée naît
de trois fois plus de pinot noir que de chardonnay. Sa teinte est apportée par du vin rouge de
Cumières. Habillé de saumon clair, ce rosé offre
un bouquet de fraise vanillée et épicée. En bouche, on aime sa souplesse et ses arômes de framboise. (NM)
•🍷SA Champagne Joseph Perrier, 69, av. de
Paris, B.P. 31, 51000 Châlons-en-Champagne,
tél. 03.26.68.29.51, fax 03.26.70.57.16 ☑ ⵉ r.-v.

PERRIER-JOUET Belle Epoque 1995★★

| ○ | | n.c. | n.c. | 🍾⬇ | 300 à 499 F |

Pierre Nicolas-Marie Perrier-Jouet fonde sa
maison en 1816. En 1959, Mumm prend le

CHAMPAGNE

contrôle de Perrier-Jouet. En 1969, Mumm est acquis par Seagram qui cède Perrier-Jouet en 1999 au groupe américain Hicks Muse. La cuvée Belle Epoque 95 naît des trois cépages champenois originaires de cinq grands crus et de Dizy pour le pinot meunier. C'est un vin de grande classe, vif sans agressivité, fin sans mièvrerie et élégant sans maniérisme. Une étoile pour le **brut millésimé 92** issu des trois cépages champenois et de trente crus : il a la puissance et la délicatesse du miel d'acacia, de la pâtisserie briochée et de la noisette grillée. (NM)

☛Champagne Perrier-Jouët, 28, av. de Champagne, 51380 Verzy, tél. 03.26.53.38.00, fax 03.26.54.54.55 ☑ ☓ r.-v.

DANIEL PERRIN Cuvée Prestige

| ○ | 1 ha | 7 000 | 🔳 ♦ 70 à 99 F |

Daniel Perrin a pris en charge le domaine familial en 1957. Il exploite un beau vignoble et élabore 50 000 bouteilles de champagne par an. Deux tiers de pinot noir et un tiers de chardonnay se marient dans cette cuvée Prestige aux arômes de pomme, à la bouche fruitée et fine. (RM)

☛EARL Champagne Daniel Perrin, 10200 Urville, tél. 03.25.27.40.36, fax 03.25.27.74.57 ☑ ☓ r.-v.

PERSEVAL-FARGE Blanc de blancs★

| ○ 1er cru | 1 ha | 4 000 | 🔳 ♦ 70 à 99 F |

Pratiquant la lutte intégrée par respect de l'environnement, les Perseval habitent Chamery depuis le XVIIIᵉˢ. Leur **blanc de noirs** (100 à 149 F) est cité. Issu des deux pinots à parts égales, c'est un gentil champagne dont la robe « fait l'œil ». Puissant, confituré, il ne cherche pas midi à quatorze heures. Le blanc de blancs assemble les vendanges 1994, 1995 et 1996. Or pâle à reflets verts, il est tout d'abord floral puis les agrumes s'imposent dans une bouche vive et fraîche, très jeune. (RM)

☛Isabelle et Benoist Perseval, 12, rue du Voisin, 51500 Chamery, tél. 03.26.97.64.70, fax 03.26.97.67.67, e-mail champagne.perseval-farge@wanadoo.fr ☑ ☓ r.-v.

PIERRE PETERS
Blanc de blancs Cuvée spéciale 1996★

| ○ Gd cru | 3 ha | 20 000 | 100 à 149 F |

Pierre Peters est un spécialiste du blanc de blancs. Son vignoble s'étend sur 17,5 ha. Un dégustateur écrit « grand vin ». Que dire de plus sur ce champagne fin, frais, élégant, équilibré, viril, riche, au dosage parfait ? (RM)

☛Champagne Pierre Peters, 26, rue des Lombards, 51190 Le Mesnil-sur-Oger, tél. 03.26.57.50.32, fax 03.26.57.97.71 ☑ ☓ r.-v.

☛ F. Peters

PETITJEAN-PIENNE Blanc de blancs

| ○ Gd cru | 2,5 ha | 2 000 | 🔳 70 à 99 F |

Il y a eu plusieurs marques Petitjean depuis la guerre, le second patronyme variant. Le vignoble couvre près de 4 ha. Ce blanc de blancs classique, aux arômes frais d'agrumes, se montre vif, équilibré et persistant en bouche. (RM)

☛Petitjean-Pienne, 4, allée des Bouleaux, 51530 Cramant, tél. 03.26.57.58.26, fax 03.26.59.34.09 ☑ ☓ r.-v.

PHILIPPONNAT Clos des Goisses 1990★

| ○ | 5,5 ha | 30 000 | 300 à 499 F |

La famille Philipponnat a de lointaines racines à Mareuil, remontant au XVIᵉˢ. Son vignoble pentu se reflète dans la Marne. Le Clos des Goisses, issu du plus grand clos de la Champagne (5,5 ha), est un vin d'exception qui ne fait pas de fermentation malolactique et passe par des foudres de chêne. La cuvée assemble 70 % de pinot noir et 30 % de chardonnay. Les dégustateurs ont apprécié ses arômes de fruits rouges, de torréfaction, sa fraîcheur, sa structure et sa longueur. Obtiennent également une étoile le **Réserve millésimé 91** et le **Reflet du millénaire** - assemblage dans le même esprit (pinot dominant) -, deux champagnes équilibrés jouant dans la fourchette 150 à 199 F. (NM)

☛SA Champagne Philipponnat, 13, rue du Pont, 51160 Mareuil-sur-Ay, tél. 03.26.56.93.00, fax 03.26.56.93.18, e-mail champagne.philipponnat@wanadoo.fr ☑ ☓ r.-v.

PIERREL Cuvée Tradition

| ○ 1er cru | 10 ha | n.c. | 100 à 149 F |

Cette marque qui est en relation avec le champagne Mignon et Pierrel a été créée en 1990. Bien que cela n'apparaisse pas sur l'étiquette, le Tradition est un blanc de blancs ; il est complexe, velouté, équilibré, agréable. A citer également, la **cuvée Arabesque** qui se présente sous **étiquette or** ou blanche. Or : 60 % de chardonnay ; blanche : 80 %, le solde étant du pinot noir. La bouteille or, florale et beurrée, groseille en bouche, est équilibrée. (NM)

☛SA Pierrel et Associés, 26, rue Henri-Dunant, B.P. 295, 51200 Epernay, tél. 03.26.51.00.90, fax 03.26.51.69.40, e-mail champagne@pierrel.fr ☑ ☓ r.-v.

PIERSON-CUVELIER
Prestige Carte d'or★

| ○ Gd cru | 2,5 ha | 24 000 | 🔳 ♦ 70 à 99 F |

Ce domaine, créé en 1901 dans le grand cru Louvois, dispose d'un vignoble de 8 ha. Assemblage des années 1993, 1994 et 1995, ce Carte d'or est un blanc de pinot noir dont le nez est assez proche d'un blanc de blancs. Miel, fruits confits, mirabelle, brioche et beurre. Constatation renouvelée en bouche : amande grillée, brioche chaude... Tout cela dans l'équilibre et l'harmonie. (RM)

☛François Pierson-Cuvelier, 4, rue de Verzy, 51150 Louvois, tél. 03.26.57.03.72, fax 03.26.51.83.84 ☑ ☓ r.-v.

PIPER-HEIDSIECK

| ○ | n.c. | n.c. | 🔳 ♦ 100 à 149 F |

Par son histoire, Piper-Heidsieck est très représentative de nombreuses maisons de champagne : à son origine, on trouve la fructueuse alliance d'un négoce étranger, dynamique et voyageur, avec des notables enracinés dans la région. Celle-ci fut scellée par le mariage, en 1785, de Florens Louis Heidsieck, originaire de

Westphalie, avec la fille d'un Rémois, négociant en laine et en vins. Une promotion active en direction des cours d'Europe porta l'affaire, laquelle s'est scindée en trois sociétés en 1835, dont Piper-Heidsieck est l'une des branches. Son brut sans année est un assemblage dominé par les pinots (65 % de pinot noir et 15 % de meunier pour 20 % de chardonnay) qui s'imposent à la dégustation. Un champagne d'une bonne harmonie, à la bouche riche et aromatique, encore jeune. (NM)

🖢 Piper-Heidsieck, 51, bd Henry-Vasnier, 51100 Reims, tél. 03.26.84.43.00, fax 03.26.84.43.49 ☑ ☥ r.-v.

REGIS POISSINET Cuvée Prestige★★

○	n.c.	3 000	📷 70 à 99 F

Du même vignoble que le vin suivant, les raisins de pinot meunier récoltés par Régis Poissinet sont de qualité car ce producteur en a tiré un blanc de noirs brioché, floral et aux arômes d'agrumes. En bouche, rondeur et vivacité se fondent harmonieusement. « Le vinificateur a très bien travaillé », note un œnologue enseignant. Notez que Régis Poissinet a créé sa propre marque en 1995. (RM)

🖢 Champagne Régis Poissinet, 10, bis rue de Ménicourt, 51480 Cuchery, tél. 03.26.58.16.20, fax 03.26.58.16.20 ☑ ☥ r.-v.

POISSINET ASCAS Blanc de blancs 1994

○	n.c.	n.c.	70 à 99 F

Cette exploitation familiale de 8,6 ha que dirige Jean-Pierre Poissinet depuis 1967 a proposé un blanc de blancs dont on nous dit qu'il est né sur un terroir argileux. Les 94 sont rares, comme les 91. Deux millésimes à évolution rapide. Ce champagne est à boire si l'on veut profiter de ses arômes de pain grillé beurré et de fruits jaunes. La touche de noix caramélisée en bouche est signe d'évolution. (RM)

🖢 Jean-Pierre Poissinet, 8, rue du Pont, 51480 Cuchery, tél. 03.26.58.12.93, fax 03.26.52.03.55 ☑ ☥ r.-v.

POL ROGER Blanc de blancs 1993★★

○	n.c.	n.c.	200 à 249 F

L'une des rares maisons de champagne à demeurer familiale. Fondée il y a un siècle et demi, en 1849, elle exploite 85 ha. Dès le XIXe s., elle s'est tournée vers le marché britannique, puis vers les pays du Commonwealth. Winston Churchill figure parmi les amateurs des champagnes Pol Roger. Nul ne s'étonnera de ce coup de cœur, car tous les « champagnophiles » savent que l'un des meilleurs blancs de blancs et l'un des plus constants est celui de cette maison. Sa palette aromatique associant pain beurré, fougère, fruits blancs et jaunes, sa complexité, sa finesse et surtout sa fraîcheur font l'unanimité. Cette distinction est un hommage rendu à James Coffinet, chef de cave de Pol Roger - qu'il vient de quitter - et excellent dégustateur. Une étoile salue la **Cuvée de prestige 90** (300 à 499 F), assemblage de chardonnay et de pinot noir : un champagne de repas complexe et long, qui a atteint son apogée. (NM)

🖢 SA Pol Roger, 1, rue Henri-Lelarge, 51200 Epernay, tél. 03.26.59.58.00, fax 03.26.55.25.70, e-mail polroger@abc.net ☑ ☥ r.-v.

POMMERY Apanage★

○	40 ha	1 000 000	📷 ♨ 150 à 199 F

Louis-Alexandre Pommery s'associe en 1856 à une maison champenoise créée vingt ans auparavant. Il meurt en 1858. Sa veuve, Louise Pommery, développe alors l'entreprise et lui donne sa configuration actuelle, constituant l'un des deux plus beaux vignobles de Champagne. Le brut Apanage fait appel aux trois cépages champenois (dont 20 % de pinot meunier). C'est un champagne largement floral qui recherche et atteint la finesse. (NM)

🖢 Pommery, 5, pl. du Gal-Gouraud, B.P. 87, 51100 Reims, tél. 03.26.61.63.98, fax 03.26.61.63.98 ☑ ☥ r.-v.
🖢 LVMH

CHARLES POUGEOISE Blanc de blancs

○ 1er cru	8 ha	n.c.	📷 70 à 99 F

Marque lancée en 1950 avec un tout petit vignoble de 50 ares qui s'étend aujourd'hui sur 9 ha dans la commune de Vertus. Ce champagne est un blanc de blancs. Il en a tous les caractères : le nez floral et citronné, la bouche dans le même esprit, fine et vive. (RM)

🖢 SCEV Charles Pougeoise, 21, bd Paul-Goerg, 51130 Vertus, tél. 03.26.52.26.63, fax 03.26.52.02.66, e-mail chpougeoise@aol.fr ☑ ☥ r.-v.

ROGER POUILLON ET FILS
Le brut Vigneron

○ 1er cru	0,7 ha	4 500	📷 70 à 99 F

Vignerons depuis des générations à Mareuil-sur-Ay, les Pouillon ont créé leur marque en 1947. Le vignoble a une superficie de 6,5 ha. Le brut Vigneron est une cuvée mi-noire mi-blanche issue des vendanges de 1995 et 1996. Un champagne classique et élégant, aux notes d'agrumes et de fruits mûrs. A noter que ce producteur vinifie des champagnes sous bois, ce qui n'est pas le cas du vin cité. (RM)

🖢 Roger Pouillon et Fils, 3, rue de la Couple, 51160 Mareuil-sur-Ay, tél. 03.26.52.60.08, fax 03.26.59.49.83, e-mail champagne.pouillon@wanadoo.fr ☑ ☥ t.l.j. 9h-12h 14h-18h; sam. dim. sur r.-v.
🖢 James Pouillon

PRESTIGE DES SACRES
Réserve spéciale★

○	n.c.	140 000	📷 ♨ 70 à 99 F

Ce groupement de producteurs fondé en 1961 commercialise son propre champagne depuis 1970. Le vignoble des adhérents s'étend sur 125 ha. Voici un bon brut sans année né des vendanges de 1994 à 1997 et des trois cépages champenois à parts égales. Il a du caractère. La finesse lui est apportée par des arômes de noisette grillée, tant au nez qu'en bouche. (CM)

🍷 Coop. vinicole Germigny-Janvry-Rosnay, rue de Germigny, 51390 Janvry, tél. 03.26.03.63.40, fax 03.26.03.66.93 ☑ ⵒ r.-v.

YANNICK PREVOTEAU Carte d'or★★

○		n.c.	50 000	🖹 70 à 99 F

Yannick et Eric Prévoteau sont les fils de Gérald et Mireille. Ils disposent d'une dizaine d'hectares exploités familialement. Leur brut sans année est issu des trois cépages champenois à parts égales et des vendanges de 1997 et 1998. Les vins ne font pas leur fermentation malolactique. Des arômes de pain grillé donnent à ce vin de la distinction et sa rondeur en bouche contribue à sa puissance et à sa longueur. Une citation pour le **rosé** issu des trois cépages également, teinté par un vin rouge de pinot meunier. Il a des arômes de kirsch et de fraise des bois, et une longueur sympathique. (RM)

🍷 EARL Prévoteau Père et Fils, 4 bis, av. de Champagne, 51480 Damery, tél. 03.26.58.41.65, fax 03.26.58.61.05 ☑ ⵒ r.-v.

PREVOTEAU-PERRIER

◔		n.c.	31 000	70 à 99 F

Cette marque, lancée en 1946, exploite un vignoble de 13 ha. Ce rosé est vinifié à partir de la cuvée Tradition dans laquelle sont incorporés 15 % de vin rouge de pinot noir. Quelques arômes floraux et framboisés animent ce vin équilibré. La cuvée de base, la **cuvée Tradition**, est citée également. Elle naît d'une égale quantité des deux pinots complétés de 15 % de chardonnay. Un peu exotique, ce champagne léger est complexe. (RM)

🍷 Champagne Prévoteau-Perrier, 15, rue André-Maginot, 51480 Damery, tél. 03.26.58.41.56, fax 03.26.58.65.88 ☑ ⵒ r.-v.

ACHILLE PRINCIER Grande Tradition

○		n.c.	n.c.	🖹 100 à 149 F

Maison de négoce d'Epernay créée après la guerre. Son **blanc de blancs millésime 95** (150 à 199 F) exploite pleinement les qualités du cépage : attaque vive, arômes citronnés, finesse et élégance alors que ce Grande Tradition issu des trois cépages champenois (dont 20 % de meunier) récoltés en 1995 marie les fruits rouges et les arômes floraux. (NM)

🍷 Achille Princier, 9, rue Jean Chandon Moët, 51200 Epernay, tél. 03.26.54.04.06, fax 03.26.59.16.90 ☑ ⵒ t.l.j. 10h-20h

PRIN PERE ET FILS
Blanc de blancs 1995★★

○		n.c.	n.c.	🖹 150 à 199 F

Cette marque dirigée par Daniel Prin, œnologue, est installée dans la Côte des Blancs, à Avize. Le blanc de blancs 95, d'un prix respectable, est très apprécié par les dégustateurs qui lui attribuent une vocation apéritive. Ils l'estiment suave, miellé, délicat, frais et long. Le **Tradition**, 70 % chardonnay et 30 % pinot noir, brio-

ché, confit, miellé, dosé, obtient une citation (100 à 149 F). (NM)

🍷 Champagne Prin Père et Fils, 28, rue Ernest-Valle, 51190 Avize, tél. 03.26.53.54.55, fax 03.26.53.54.56 ☑ ⵒ r.-v.

SERGE RAFFLIN★★

○ 1er cru	n.c.	n.c.	70 à 99 F

Depuis 1740, les Rafflin cultivent la vigne. En 1950, la marque Serge Rafflin a succédé à celle en usage dans les années 1920 : Rafflin-Peters. Les trois cépages champenois (dont 20 % de chardonnay) collaborent à cet excellent brut sans année parfaitement composé et équilibré, caractères que l'on retrouve dans le **rosé** qui obtient une étoile pour ses parfums fruités (mûre et framboise), son excellente constitution et sa jolie longueur. (RM)

🍷 Denis Rafflin, 10, rue Nationale, B.P. 25, 51500 Ludes, tél. 03.26.61.12.84, fax 03.26.61.14.07, e-mail denis.rafflin@wanadoo.fr ☑ ⵒ r.-v.

DIDIER RAIMOND Tradition★★

○		1 ha	7 000	70 à 99 F

Cette jeune exploitation familiale établie à Epernay dispose de plus de 5 ha de vignes. Elle montre son savoir-faire avec cette cuvée Tradition mariant deux tiers de chardonnay à un tiers de pinots (dont 10 % de meunier) de 1996 et 1997. Le nez complexe, typé par les agrumes et les fruits confits, la structure et l'ampleur en bouche de ce champagne ont enthousiasmé les dégustateurs. Une étoile encore pour la **cuvée Sublime**, cuvée spéciale sans année - en fait un blanc de blancs de 1996 -, tout en fraîcheur et en finesse. (RM)

🍷 Didier Raimond, 39, rue des Petits-Prés, 51200 Epernay, tél. 03.26.54.39.05, fax 03.26.54.51.70 ☑ ⵒ r.-v.

RASSELET PERE ET FILS Réserve★★

○		3 ha	8 000	🖹 70 à 99 F

Ce récoltant-manipulant exploite un vignoble de près de 8 ha qui offre un beau point de vue sur la vallée de la Marne. Un cinquième de chardonnay et quatre cinquièmes de pinots (dont 30 % de pinot meunier) composent ce brut sans année. Tout en agrumes, fruits secs, miel et abricot, celui-ci se montre souple et flatteur. (RM)

🍷 Champagne Rasselet Père et Fils, 13, rue des Hussards, Montvoisin, 51480 Œuilly, tél. 03.26.58.30.26, fax 03.26.57.10.65 ☑ ⵒ r.-v.

CHAMPAGNE DU REDEMPTEUR
Blanc de blancs★★

○	0,5 ha	n.c.	❙❚❙ 70 à 99 F

Edmond Dubois, qui joua un rôle lors de la révolte des vignerons en 1911, fut surnommé le « Rédempteur de la Champagne ». Claude Dubois, son petit-fils, qui exploite 7 ha dans la vallée de la Marne, lui rend hommage à travers cette cuvée. Le vin, de la récolte 1996, a séjourné onze mois en foudre de chêne. Harmonieux, fondu, équilibré et élégant, ce champagne n'est pas loin du coup de cœur. Quant à la **Cuvée de l'An 2000** (100 à 149 F), qui naît de 40 % de pinot noir et de 60 % de chardonnay vendangés en 1995 et 1996, et qui a été élevée douze mois en foudre, elle est complexe, briochée, grillée, équilibrée. Elle a remporté une étoile. La cuvée **Les Almanachs Grande Réserve en rosé** obtient une citation ; vinifiée en foudre elle aussi, elle se montre ronde. (RM)

☛ EARL du Rédempteur Dubois Père et Fils, rte d'Arty, 51480 Venteuil, tél. 03.26.58.48.37, fax 03.26.58.63.46 ☑ ☗ t.l.j. 8h-12h 14h-17h30; sam. dim. sur r.-v.
☛ Claude Dubois

PASCAL REDON 1995

○ 1er cru	0,2 ha	1000	❙ ☗ 70 à 99 F

Ce viticulteur de Trépail dispose d'un vignoble de plus de 4 ha depuis 1980. Ce champagne est pratiquement un blanc de blancs (5 % de pinot noir) ; il est frais, équilibré, simple et droit, agrémenté d'un beau bouquet d'agrumes confits. (RM)

☛ Pascal Redon, 2, rue de la Mairie, 51380 Trépail, tél. 03.26.57.06.02, fax 03.26.58.66.54 ☑ ☗ r.-v.

BERNARD REMY Carte blanche

○	n.c.	55 000	❙ ☗ 70 à 99 F

Cette marque déposée en 1975 exploite un vignoble de 6,5 ha. Le Carte blanche assemble autant de chardonnay que de pinot noir récoltés en 1997 et complétés par des vins de 1996. C'est un champagne fin, floral. Le **rosé**, également cité, est la version colorée de cette cuvée ; son nez est discret, sa bouche équilibrée. (RM)

☛ Françoise Rémy, 19, rue des Auges, 51120 Allemant, tél. 03.26.80.60.34, fax 03.26.80.37.18 ☑ ☗ r.-v.
☛ Bernard Rémy

R. RENAUDIN Grande Réserve 1995

○	n.c.	92 669	❙ ☗ 100 à 149 F

Disposant d'un vignoble de 24 ha, ce domaine, créé en 1933, exporte 60 % de sa production. Cette cuvée, issue de chardonnay et de pinot noir, privilégiant les raisins blancs (70 %), est réussie. Son attaque est franche, le développement élégant sur le fruit mûr et la finale vive. Sa jeunesse le destine à l'apéritif. (RM)

☛ SCEV Champagne R. Renaudin, 31, rue de la Liberté, 51530 Moussy, tél. 03.26.54.03.41, fax 03.26.54.31.12 ☑ ☗ r.-v.

MARC RIGOLOT Blanc de blancs

○	0,5 ha	20 518	❙ ☗ 70 à 99 F

Beau résultat d'ensemble de ce viticulteur établi non loin d'Epernay. Son vignoble s'étend sur 4 ha. Deux blancs de blancs sont retenus : le « sans année » est souple, bien construit et puissant, fruité et légèrement miellé, alors que la **cuvée An 2000** est onctueuse, pleine et complexe, avec des notes toastées, de fleurs et de fruits jaunes. A essayer sur un poisson grillé (100 à 149 F).

☛ Champagne Marc Rigolot, Côtes d'Epernay, 54-56, rue Julien-Ducos, 51530 Saint-Martin-d'Ablois, tél. 03.26.59.95.52, fax 03.26.59.94.95, e-mail champagne.rm@wanadoo.fr ☑ ☗ r.-v.

ANDRE ROBERT
Blanc de blancs Cuvée de réserve★★

○ Gd cru	n.c.	28 000	❙ 70 à 99 F

Au service du vin depuis un siècle, les Robert possèdent des vignes au Mesnil-sur-Oger, village de la Côte des Blancs justement classé en grand cru. Leur cuvée de réserve en blanc de blancs est remarquable. Subjugués par la finesse élégante de ses arômes (fleurs blanches, agrumes, fruits exotiques) et son fruité qui envahit longuement une bouche complexe, ronde et souple, certains membres du jury lui auraient bien décerné un coup de cœur. Une étoile vient saluer **Le Mesnil blanc de blancs 95** (100 à 149 F), grand cru également, excellent mais un peu jeune. Dans la même fourchette de prix, la **cuvée Séduction 95**, champagne proche du précédent mais comprenant 25 % de pinot noir de Vertus, obtient une citation pour son équilibre. (RM)

☛ Champagne André Robert, 15, rue de l'Orme, B.P. 5, 51190 Le Mesnil-sur-Oger, tél. 03.26.57.59.41, fax 03.26.57.54.90 ☑ ☗ t.l.j. 9h-12h 14h-19h; sam. dim. sur r.-v.
☛ Bertrand Robert

ERIC RODEZ Cuvée des Crayères★

○ Gd cru	6,12 ha	n.c.	❙❙❚❙ 70 à 99 F

Eric Rodez, à la tête de son domaine de 6 ha à Ambonnay (grand cru), pratique des vinifications raffinées : avec ou sans bois, avec ou sans fermentation malolactique. Cette cuvée, mi-noire mi-blanche, est fraîche et intense quoique son dosage soit assez perceptible. Elle a un très beau nez (fleurs, agrumes, menthol, note minérale). Le **93** de même composition doit être cité pour sa rondeur fruitée et sa belle évolution. Autre succès à l'actif de ce viticulteur : une étoile pour la **Cuvée des Grands Vintages**, pinot noir (60 %) et chardonnay, grand vin boisé de garde (100 à 149 F). (RM)

☛ Eric Rodez, 4, rue d'Isse, 51150 Ambonnay, tél. 03.26.57.04.93, fax 03.26.57.02.15, e-mail e.rodez@champagne-rodez.fr ☑ ☗ r.-v.

LOUIS ROEDERER Brut Premier★★

○	n.c.	n.c.	❙ ☗ 150 à 199 F

Cette maison familiale fondée en 1776 possède aujourd'hui un important vignoble de 200 ha. Jean-Claude Rouzaud, descendant des fondateurs, préside à ses destinées et a développé son entreprise tant par le rachat d'autres maisons de Champagne (Deutz) que par la prise de contrôle de maisons de Bordeaux ou de Porto. Ce brut Premier est le cheval de bataille de Roederer, un brut sans année haut de gamme à peu près mi-noir mi-blanc (10 % de pinot meunier), élaboré à partir de vins de réserve élevés en foudre. Ce champagne or jaune à reflets verts, puissant,

CHAMPAGNE

équilibré et long, a des parfums de fleurs de genièvre et de miel. Son dosage est idéal, déclare un dégustateur enchanté. Une bouteille parfaite, dit un autre. A citer, le **94** (250 à 199 F) deux tiers de pinot noir, un tiers de chardonnay, puissant. (NM)

🍷 Champagne Louis Roederer, 21, bd Lundy, 51100 Reims, tél. 03.26.40.42.11, fax 03.26.47.66.51, e-mail com@champagne-roederer.com

ROGGE CERESER Cuvée de réserve

○	2,3 ha	1 717	🖥🍷	70 à 99 F

Cette entreprise familiale fondée en 1997 exploite un vignoble de près de 7 ha. Trois quarts de pinot noir et un quart de pinot meunier récoltés en 1997 sont assemblés dans ce blanc de noirs qui présente un nez engageant, beurré, toasté et une bouche équilibrée, vive. Un champagne qui demande quelques mois pour se faire. (RM)

🍷 SCEV Rogge Cereser, 1, imp. des Bergeries, 51700 Passy Grigny, tél. 03.26.52.96.05, fax 03.26.52.07.73 ☑ ⟂ r.-v.

JACQUES ROUSSEAUX
Cuvée de la Montgolfière

○ Gd cru	0,4 ha	3 000	70 à 99 F

Propriété familiale de 8 ha, marque lancée en 1968. Autant de pinot noir que de chardonnay récoltés en 1996 et 1997 sont au service d'un vin aux arômes fruités que l'on retrouve dans une bouche équilibrée et longue, sympathique. (RM)

🍷 Jacques Rousseaux, 5, rue de Puisieulx, 51360 Verzenay, tél. 03.26.49.42.73, fax 03.26.49.40.72 ☑ ⟂ r.-v.

ROUSSEAUX-BATTEUX*

◑	0,25 ha	2 000	🖥	70 à 99 F

Appartenant à la troisième génération de récoltants-manipulants, Denis Rousseaux exploite un vignoble de plus de 3 ha. Ce rosé est un rosé de noirs (pinot noir) issu des vendanges de 1996 et 1997. La teinte est soutenue, en accord avec le fruité rouge du nez (cerise et fraise des bois). Les arômes se confirment en bouche avec nervosité. « A boire avec des fraises, à deux ! », note un juré. (RM)

🍷 Rousseaux-Batteux, 17, rue de Mailly, 51360 Verzenay, tél. 03.26.49.81.81, fax 03.26.49.48.49 ☑ ⟂ r.-v.

PAUL ROYER Cuvée réservée

○	n.c.	n.c.	🖥🍶	70 à 99 F

Créée en 1888, cette marque a été reprise par la société Edouard Brun en 1928. La Cuvée réservée est très noire : 86 % de pinots dont 50 % de pinot meunier vendangés en 1995, 1996 et 1997. C'est un champagne d'apéritif de style nerveux, équilibré, à l'amertume désaltérante. (NM)

🍷 Edouard Brun et Cie, 14, rue Marcel-Mailly, B.P. 11, 51160 Ay, tél. 03.26.55.20.11, fax 03.26.51.94.29 ☑ ⟂ t.l.j. 8h-12h 14h-18h; sam. dim. sur r.-v.

🍷 Delescot

ROYER PERE ET FILS**

○	n.c.	n.c.	🖥	70 à 99 F

Situé dans l'Aube, au cœur de la Côte des Bar, ce vignoble dispose de 21 ha. Le brut sans année est un vin « goûteux » au nez de fleurs blanches et de foin très sec. En bouche, les agrumes confiturés s'imposent. « C'est un vin original qui sort des sentiers battus », note un dégustateur-œnologue. Ce récoltant-manipulant obtient une citation pour le **rosé de noirs** vendangé en 1997, vineux et confit, et une autre pour la **cuvée de Prestige**, un blanc de blancs, souple et équilibré, né de vendange 1996, fleurant l'aubépine et la noisette. (RM)

🍷 Champagne Royer Père et Fils, 120, Grande-Rue, 10110 Landreville, tél. 03.25.38.52.16, fax 03.25.29.92.26, e-mail champagne.royer@wanadoo.fr ☑ ⟂ r.-v.

RUELLE-PERTOIS

○	4,5 ha	30 000	🖥	70 à 99 F

La famille Pertois dispose d'un vignoble de 6 ha. Son brut sans année, assez noir, fait la part belle au pinot meunier (70 %) et ne comporte que 10 % de raisins blancs récoltés en 1996 et 1997. On y découvre des arômes de fruits très mûrs, de coing, ce que confirme une bouche de pêche surmûrie et de pâte de fruits. Un sommelier a proposé de marier ce champagne à une tarte Tatin. (RM)

🍷 Michel Ruelle-Pertois, 11, rue de Champagne, 51530 Moussy, tél. 03.26.54.05.12, fax 03.26.52.87.58 ☑ ⟂ t.l.j. 8h30-12h 13h30-19h; sam. dim. sur r.-v.; f. 7-31 août

RUFFIN ET FILS Cuvée chardonnay d'or

○	2 ha	20 000	🖥🍶	70 à 99 F

Marque lancée en 1946 par le père de Dominique Ruffin qui dispose aujourd'hui d'un vignoble de 11 ha mais qui s'approvisionne également à Cramant, Rilly et Ecueil. Ce blanc de blancs floral, beurré, frais, presque trop frais tant il est jeune, porte une élégante robe or pâle à reflets verts. (NM)

🍷 Champagne Ruffin et Fils, 20, Grande-Rue, 51270 Etoges, tél. 03.26.59.30.14, fax 03.26.59.34.96 ☑ ⟂ t.l.j. sf dim. 9h-12h 14h-17h30; f. nov. à mars

RUINART "R"**

◑	n.c.	n.c.	🖥	200 à 249 F

On sait que dom Ruinart, contemporain de dom Pérignon, officiait à l'abbaye d'Hautvillers. C'est son neveu qui fonda en 1729 ce qui est aujourd'hui la plus ancienne maison de champagne, contrôlée par LVMH. Ce rosé est un champagne classique issu des deux pinots et du chardonnay (60/40), teinté par le vin rouge de Champagne. Il est rond, gras, élégant, équilibré, avec des arômes de fraise sauvage. Le **Dom Ruinart rosé 1986**, coup de cœur deux étoiles dans la précédente édition, retrouve ses deux étoiles. C'est un extraordinaire rosé de quatorze ans d'âge (plus de 500 F) ! Une étoile enfin pour le « **R** » **blanc** de pinot noir et chardonnay (150 à 199 F), séduisant par son équilibre et sa finesse. (NM)

🍷 Champagne Ruinart, 4, rue des Crayères, B.P. 85, 51053 Reims Cedex, tél. 03.26.77.51.51, fax 03.26.82.88.43 ☑ ⟂ r.-v.

LOUIS DE SACY★

⬤ Gd cru 3 ha 10 000 ▮ ⑪ ⬇ 100 à 149 F

Les Sacy, qui exploitent un vignoble de 25 ha, sont en Champagne depuis 1633. Leur rosé de noirs - dont 20 % de pinot meunier - est très bouqueté (prune et violette). En bouche, il est puissant et long. Un rosé de repas à essayer sur un tournedos et sa sauce aux airelles, conseille un juré. Le **Grand Soir Millenium** (150 à 199 F), cité, s'adresse aux amateurs de champagnes évolués ; il est toasté, miellé, caramélisé, accompagné de notes de fruits confits. C'est un style. (NM)

☛ Champagne Louis de Sacy,
6, rue de Verzenay, B.P. 2, 51380 Verzy,
tél. 03.26.97.91.13, fax 03.26.97.94.25,
e-mail contact@champagne-louis-de-sacy.fr
☑ ⊤ r.-v.
☛ Alain Sacy

SAINT-CHAMANT Blanc de blancs 1991★

◯ n.c. 14 760 ▮ 100 à 149 F

Christian Coquillette ne vinifie que des blancs de blancs, issus des 11,5 ha dont il dispose dans la commune de Chouilly (grand cru). Celui-ci ne fait pas mentir son cépage avec ses arômes d'agrumes (citron) et sa fraîcheur en bouche. Un dégustateur conseille une alliance classique avec poisson ou viande blanche. (RM)

☛ Christian Coquillette, Champagne Saint-Chamant, 50, av. Paul-Chandon,
51200 Epernay, tél. 03.26.54.38.09,
fax 03.26.54.96.55 ☑ ⊤ r.-v.

DE SAINT GALL Blanc de blancs 1995★

◯ 1er cru n.c. 100 000 ▮ ⬇ 100 à 149 F

Marque de l'importante Union de coopératives d'Avize, spécialisée dans les blancs de blancs, Saint Gall exporte 50 % de sa production sur trois continents. Ce 95, bien qu'âgé de cinq ans, manifeste une grande jeunesse, ce qui ne le prive pas d'une attaque souple. D'une belle teinte or à reflets verts, il offre d'élégants parfums floraux et briochés. La **cuvée Orpale**, un haut de gamme (grand cru) du superbe millésime 90, tout en fruits secs et en miel, tend vers le confit, une richesse si grande qu'elle fait songer au sucre. Elle est citée. (250 à 299 F). (CM)

☛ Union Champagne, 7, rue Pasteur,
51190 Avize, tél. 03.26.57.94.22,
fax 03.26.57.57.98, e-mail info@de-saint-gall.com ☑ ⊤ r.-v.

DENIS SALOMON Cuvée Prestige 1996★

◯ 0,7 ha 4 005 70 à 99 F

Depuis 1974, Denis Salomon exploite les vignes plantées sur les coteaux de la vallée de la Marne. Nous avons à nouveau goûté sa **cuvée Elégance**, blanc de blancs issu des récoltes de 1993 et de 1994 ; elle a bien évolué : les fruits cuits, l'acacia puis le miel s'imposent dans une bouche corpulente (100 à 149 F). L'autre cuvée, Prestige celle-ci, est un blanc de noirs dont 30 % de vieux pinot meunier. Sa belle structure soutient un fruité très mûr. « On en redemande... ». (RM)

☛ Denis Salomon, 5, rue Principale,
51700 Vandières, tél. 03.26.58.05.77,
fax 03.26.58.00.25,
e-mail denis.salomon@wanadoo.fr ☑ ⊤ r.-v.

SALON Blanc de blancs Le Mesnil 1988★

◯ Gd cru 7 ha 70 000 ▮ ⬇ +de 500 F

Le champagne préféré chez *Maxim's* durant les années folles. Il est toujours blanc de blancs, toujours millésimé, toujours monocru (du Mesnil, grand cru). En un siècle, il n'y a eu que trente-deux millésimes de Salon. Certains dégustateurs lui reprochent d'accuser son âge... Sa teinte est vieil or, son nez est puissant, marqué par un léger rancio, et sa bouche est vineuse et vive à la fois. C'est un champagne de table à servir dès à présent. (NM)

☛ Champagne Salon, 5, rue de la Brèche-d'Oger, 51190 Le Mesnil-sur-Oger,
tél. 03.26.57.51.65, fax 03.26.57.79.29 ⊤ r.-v.

SANGER Blanc de blancs★

◯ Gd cru n.c. n.c. ▮ ⬇ 70 à 99 F

Depuis 1952, sous la marque Sanger, le lycée viticole de la Champagne (Avize) propose divers champagnes. Par exemple, ce blanc de blancs caractérisé par ses arômes d'agrumes confits que l'on retrouve en bouche additionnés d'épices citronnées. Sont cités deux autres champagnes : le **brut sans année**, classiquement issu des trois cépages champenois et le **rosé**, un blanc de blancs teinté, tous deux souples, ronds et équilibrés. (CM)

☛ Coopérative des Anciens Elèves du Lycée viticole d'Avize, 51190 Avize, tél. 03.26.57.79.79, fax 03.26.57.78.58 ☑ ⊤ t.l.j. sf sam. dim. 8h-12h 14h-18h

CAMILLE SAVES Carte blanche★★

◯ 1er cru 9 ha 34 780 ▮ ⬇ 70 à 99 F

En 1894, Anaïs Jolicœur, fille d'un vigneron de Bouzy, épouse Eugène Savès, ingénieur agricole... Leurs descendants exploitent un vignoble de 9 ha qui comprend 7,5 ha de grand cru Bouzy. Cette cuvée Carte blanche est composée de 80 % de pinot noir pour 20 % de chardonnay récoltés en 1996 et 1997. C'est un vin parfaitement équilibré, très jeune, remarquable dans la difficile catégorie des bruts sans année. (RM)

☛ Camille Savès, 4, rue de Condé,
51150 Bouzy, tél. 03.26.57.00.33,
fax 03.26.57.03.83 ☑ ⊤ r.-v.
☛ Hervé Savès

JOEL SCHMIT★★

◯ Gd cru 2,5 ha n.c. ▮ 70 à 99 F

Joël Schmit est coopérateur mais a élaboré lui-même cette remarquable cuvée assemblant 85 % de pinot noir au chardonnay des millésimes 93 et 94. Une mousse aussi franche que le jaune qui habille ce brut sans année, aussi franche que son nez, que sa bouche vineuse et ronde, bien structurée. Un champagne de repas. (RC)

☛ Joël Schmit, 11, allée des Dames de France,
51150 Louvois, tél. 03.26.57.04.22,
fax 03.26.58.46.97 ☑ ⊤ r.-v.

FRANCOIS SECONDE
Blanc de blancs 1995★

○ Gd cru	0,7 ha	2 500	🍽 100 à 149 F

François Secondé, à la tête de ses 5 ha de vignes de Sillery, commune classée grand cru, propose un blanc de blancs tout en finesse, marqué par la minéralité. D'une grande fraîcheur et de belle harmonie, c'est un vin très réussi. Cité, le **brut sans année** - 66 % de pinot noir et 34 % de chardonnay - (70 à 99 F) se montre rond, charpenté, équilibré : un champagne de repas. (RM)

☞ François Secondé, 6, rue des Galipes, 51500 Sillery, tél. 03.26.49.16.67, fax 03.26.49.11.55 ☑ ☂ r.-v.

CRISTIAN SENEZ 1994★

○	5 ha	12 780	🍽 100 à 149 F

La maison de champagne Cristian Senez, fondée en 1973, exploite un vignoble de 30 ha. Ce 94 comporte trois fois plus de chardonnay que de pinot noir. Les dégustateurs sont d'accord sur son élégance. En revanche, le nez est-il seulement odorant ou évolué ? En bouche, est-ce « un bonbon sucré » ou y découvre-t-on une note « caféinée » ? Au lecteur de choisir. Rappelons que la cuvée Carte verte était coup de cœur l'an dernier. (NM)

☞ Champagne Cristian Senez, 6, Grande-Rue, 10360 Fontette, tél. 03.25.29.60.62, fax 03.25.29.64.63, e-mail champagne.senez@wanadoo.fr ☑ ☂ r.-v.

SERVEAUX FILS 1996

○	0,5 ha	3 400	🍽 100 à 149 F

Lancé en 1959 par le père de l'exploitant actuel, ce vignoble se développe sur 11 ha. Beaucoup de chardonnay (70 %) se marie avec les deux pinots dans la **cuvée Carte d'or** (70 à 99 F) qui assemble deux récoltes, celles de 1996 et de 1997. Tout en fleurs blanches et de petits vins, fraîcheur en bouche avec une finale citronnée, cette cuvée est citée comme ce millésime 96, élaboré à partir de 60 % de chardonnay et de 40 % de pinot noir. Pâle, limpide et brillant, c'est un champagne équilibré et plein de jeunesse comme l'expriment les arômes d'agrumes (citron, pamplemousse). (RM)

☞ Pascal Serveaux, 2, rue de Champagne, 02850 Passy-sur-Marne, tél. 03.23.70.35.65, fax 03.23.70.15.99, e-mail serveauxp@aol.com ☑ ☂ r.-v.

SIMART-MOREAU Grande Réserve★

○ 1er cru	3,5 ha	15 000	🍽 70 à 99 F

En 1976, Pascal Simart épouse une demoiselle Moreau ; il était logique d'associer les deux noms lorsqu'ils créèrent leur marque sur un vignoble s'étendant sur 4 ha. Trois quarts de chardonnay et un quart de pinots donnent vie à cette cuvée comprenant des vins de 1995 assistés de vins de 1994. C'est un champagne de table au nez puissant, presque fauve, alors qu'en bouche son corps s'installe : il est vineux et gras, peut-être destiné à un gibier. (RM)

☞ Pascal Simart-Moreau, 9, rue du Moulin, 51530 Chouilly, tél. 03.26.55.42.06, fax 03.26.57.53.66, e-mail simart.moreau@wanadoo.fr ☑ ☂ r.-v.

PATRICK SOUTIRAN
Précieuse d'Argent 1993

○ Gd cru	0,5 ha	4 000	🍽♦ 100 à 149 F

Patrick Soutiran dirige la maison familiale depuis vingt-cinq ans. Il dispose de 3 ha de vignes. Cette cuvée Précieuse d'Argent est un blanc de blancs, ce que son nom laisse soupçonner, mais l'étiquette n'en dit rien. Ses arômes de compote de poire, de miel et de fruits confits annoncent une bouche de même nature. La finale, persistante, fait songer aux abricots secs. Un sommelier conseille un mariage avec une volaille. (RM)

☞ Patrick Soutiran, 3, rue des Crayères, 51150 Ambonnay, tél. 03.26.57.08.18, fax 03.26.57.81.87, e-mail patrick.soutiran@wanadoo.fr ☑ ☂ r.-v.

A. SOUTIRAN-PELLETIER

○ Gd cru	7 ha	60 000	🍽♦ 70 à 99 F

Le vignoble « maison » de cette marque est complété par des achats sur plus de 12 ha. Cette cuvée de grand cru se compose de 70 % de pinot noir d'Ambonnay, de 15 % de chardonnay de même origine et de 15 % de chardonnay d'Avize, des années 1996 et 1997. Résultat : belle attaque, puissance et ampleur. (RM)

☞ Soutiran-Pelletier, 12, rue Saint-Vincent, 51150 Ambonnay, tél. 03.26.57.07.87, fax 03.26.57.81.74, e-mail alain.soutiran@wanadoo.fr ☑ ☂ r.-v.

STEPHANE ET FILS
Blanc de blancs Grande Réserve

○	n.c.	5 000	🍽 70 à 99 F

L'entreprise familiale fondée en 1907 par Auguste Foin est aujourd'hui conduite par ses descendants. A 5 % près, ce champagne est un blanc de noirs des deux pinots récoltés en 1995 et 1996. Ses arômes sont complexes, dominés par la noisette et les épices. En bouche, noisette, noix et coing s'expriment jusque dans une finale persistante. (RM)

☞ Xavier Foin, 1, pl. Berry, 51480 Boursault, tél. 03.26.58.40.81, fax 03.26.51.03.79 ☑ ☂ r.-v.

SUGOT-FENEUIL
Blanc de blancs Spécial club 1985

○ Gd cru	1 ha	600	🍽♦ 200 à 249 F

Cette marque existait avant la guerre mais son intitulé actuel date de 1970. Le vignoble s'étend sur 10 ha. Cette cuvée passionnera les amateurs de vins évolués : sa robe est d'or soutenu, son bouquet fait songer aux noisettes fumées et aux fruits confits. En bouche, on retrouve les fruits confits et les fruits secs. Un vin riche pour foie gras poêlé. (RM)

☞ Champagne Sugot-Feneuil, 40, imp. de la Mairie, 51530 Cramant, tél. 03.26.57.53.54, fax 03.26.57.17.01 ☑ ☂ r.-v.

TAITTINGER Réserve

○	n.c.	n.c.	150 à 199 F

Fondée en 1734 par Jacques Fourneaux, cette maison rémoise porte le nom de Taittinger depuis 1937. Elle est à la tête d'un vignoble de 250 ha. Avec une régularité impressionnante, les dégustateurs citent tous les champagnes Taittinger. Le **Prestige rosé** pour son équilibre, le **millésime 95** pour son évolution élégante (à boire maintenant) et enfin ce **Réserve** issu des trois cépages champenois. Fin, miellé, brioché, ce dernier est prêt. (NM)

🍾Taittinger, 9, pl. Saint-Nicaise, 51100 Reims, tél. 03.26.85.45.35, fax 03.26.85.17.46 ⚱ r.-v.

TAITTINGER
Blanc de blancs Comtes de Champagne 1994★★

○	n.c.	178 900	+ de 500 F

Il était beau il y a un an, il est éblouissant aujourd'hui. Cette ascension au sommet avait été annoncée par les dégustateurs du Guide Hachette 2000, elle est constatée par les dégustateurs du Guide 2001. Un blanc de blancs comme on les aime : la touche d'agrumes est légèrement confite, la nuance vanillée et briochée se fond voluptueusement dans la suavité d'une bouche langoureusement nerveuse. Le paradoxe des grands vins. (NM)

🍾Taittinger, 9, pl. Saint-Nicaise, 51100 Reims, tél. 03.26.85.45.35, fax 03.26.85.17.46 ⚱ r.-v.

TARLANT Réserve★

○	n.c.	25 000	🍾⚱ 70 à 99 F

Onze générations de Tarlant se sont consacrées à la vigne ; partisan de la lutte raisonnée, Jean-Mary Tarlant vinifie depuis une dizaine d'années certaines cuvées en fût de chêne neuf. Les trois cépages champenois se conjuguent avec simplicité et naturel. Ce Réserve qui n'a pas connu le bois est équilibré, brioché ; il sera excellent à l'heure de l'apéritif. En revanche, la **Cuvée Louis**, très réussie également, mi-noire mi-blanche issue des récoltes de 1993, 1994 et 1995, passe par le bois (150 à 199 F). La complexité et la corpulence sont là, le plaisir aussi. (RM)

🍾Champagne Tarlant, 51480 Œuilly, tél. 03.26.58.30.60, fax 03.26.58.37.31, e-mail champagne@tarlant.com ☑ ⚱ t.l.j. sf dim. 10h-12h 13h30-17h30; f. 14-16 août

J. DE TELMONT
Blanc de blancs Cuvée Grand Couronnement 1990★

○	n.c.	32 000	🍾⚱ 100 à 149 F

A 6 km d'Epernay, Damery offre au touriste l'intéressante église Saint-Georges datant du XIIᵉs. dont le transept est richement sculpté. Rien ne l'empêche d'aller découvrir, après sa visite, les caves profondes de cette maison appartenant à la famille Lhopital. Son blanc de blancs 90 est toujours apprécié pour sa finesse, sa fraîcheur florale et sa touche d'agrume. Idéal pour un poisson au beurre blanc. (NM)

🍾Champagne J. de Telmont, 1, av. de Champagne, 51480 Damery, tél. 03.26.58.40.33, fax 03.26.58.63.93, e-mail telmont@wanadoo.fr ☑ ⚱ r.-v.

🍾Famille Lhopital

V. TESTULAT Cuvée de réserve★

○		3 ha	40 000	🍾⚱ 70 à 99 F

La maison Testulat dispose d'un vignoble de 20 ha dont les premières vignes ont été acquises en 1862. Ce Réserve est un blanc de noirs - dont trois quarts de pinot meunier - issu des vendanges de 1994 et 1995. C'est un champagne vif, floral dont le fruité élégant est équilibré et d'une jolie longueur. A associer à des coquillages. (NM)

🍾Champagne V. Testulat, 23, rue Léger-Bertin, B.P. 21, 51200 Epernay, tél. 03.26.54.10.65, fax 03.26.54.61.18, e-mail vtestulat@champagne-testulat.com ☑ ⚱ r.-v.

JACKY THERREY ★

⊘		1 ha	3 000	70 à 99 F

Montgueux est une commune intéressante par son terroir de qualité. A côté d'une cuvée **François 95** - beau blanc de blancs souple à l'attaque, rond et long - citée par le jury, Jacky Therrey propose ce rosé 100 % pinot noir qui séduit et étonne. C'est un rosé très fruité, épicé et puissant. Un dégustateur écrit « trop typé ». Avis à ceux qui aiment les vins de caractère. (RM)

🍾Jacky Therrey, 8, rte de Montgueux, La Grange-au-Rez, 10300 Montgueux, tél. 03.25.70.30.87, fax 03.25.70.30.84 ☑ ⚱ r.-v.

THEVENET-DELOUVIN
Prestige du Millénaire★

○		0,5 ha	4 000	70 à 99 F

Les Thévenet exploitent un vignoble de 4 ha à Passy-Grigny où l'on peut voir la chapelle d'une ancienne commanderie de Templiers appelée aujourd'hui ferme du Temple. Cette cuvée rend hommage à l'an 2000 ! Elle est des trois cépages champenois vendangés en 1995 et 1996. Briochée au nez, elle s'impose en bouche par un fruité ample. Une étoile également pour le **Réserve** assemblant les années 1995 et 1996, une cuvée plus noire, aussi équilibrée que fruitée, qui « se marierait royalement avec une pintade aux morilles ». (RM)

🍾Xavier Thévenet, rue Bruslard, 51700 Passy-Grigny, tél. 03.26.52.91.64, fax 03.26.52.97.63 ☑ ⚱ r.-v.

GUY THIBAUT

○ Gd cru	n.c.	n.c.	70 à 99 F

Cette propriété exclusivement située dans la commune de Verzenay propose un grand cru qui a du caractère. Son champagne est régulièrement cité dans le Guide. La composition de cette cuvée ne varie pas, quatre fois plus de pinot noir que de chardonnay ; elle est toujours longue en bouche et a gagné en fraîcheur. (RM)

🍾SCEV Guy Thibaut, 7, rue des Perthois, 51360 Verzenay, tél. 03.26.08.41.30, fax 03.26.49.42.16 ☑ ⚱ r.-v.

ALAIN THIENOT Grande Cuvée 1995★

| ○ | n.c. | 30 000 | **❰❱ 300 à 499 F** |

Alain Thiénot, coup de cœur dans la précédente édition, est un homme efficace dont les champagnes sont excellents et réguliers. Son **brut sans année** en témoigne. Sa composition ne varie pas : un quart de chardonnay, un tiers de pinot noir et du pinot meunier. Il est toujours aussi complexe et long, et obtient une étoile (100 à 149 F). Quant à cette Grande Cuvée 95 - à base de 60 % de chardonnay et de 40 % de pinot noir -, elle dévoile une mousse très fine, un nez boisé associé à des notes torréfiées et à une pointe minérale, une bouche encore fraîche d'une élégante longueur. Elle a atteint son apogée. (NM)
☛ Alain Thiénot, 4, rue Joseph-Cugnot, 51500 Taissy, tél. 03.26.77.50.10, fax 03.26.77.50.19, e-mail alain-thienot@alain-thienot.fr ☑ ☉ r.-v.

DIOGENE TISSIER ET FILS

| ◑ | 0,6 ha | 6 000 | **70 à 99 F** |

Cette exploitation fondée en 1931 est située à 7 km au sud d'Epernay. Elle dispose d'un vignoble de 8 ha environ. Ce rosé est né de la cuvée de réserve (vins de 1996 et de 1997), complétée par 14 % de vin rouge. Discret, vif à l'attaque, c'est un champagne d'apéritif. (SR)
☛ Diogène Tissier et fils, 10, rue du Gal-Leclerc, 51530 Chavot-Courcourt, tél. 03.26.54.32.47, fax 03.26.51.88.94 ☑ ☉ r.-v.

GUY TIXIER Cuvée de réserve★

| ○ | 2,8 ha | 20 000 | ☉♦ **70 à 99 F** |

Cette exploitation familiale, créée en 1960 et disposant de 5 ha de vignes, est dirigée par Olivier Tixier, fils du fondateur. Les trois cépages champenois collaborent à cette Cuvée de réserve très bien accueillie par les dégustateurs qui vantent son fruité frais et l'élégance de sa structure. Cité par le jury, le **Sélection Grande Année** issu de pinot noir et de chardonnay (60/40), à l'attaque vive et à la finale citronnée, est un vin très jeune. (RC)
☛ Olivier Tixier, 12, rue Jobert, 51500 Chigny-les-Roses, tél. 03.26.03.42.51, fax 03.26.03.43.00 ☑ ☉ r.-v.

MICHEL TIXIER Cuvée réservée

| ○ | 3 ha | 20 000 | **70 à 99 F** |

Disposant de près de 4,5 ha, Michel Tixier dirige le domaine familial depuis 1956. La Cuvée réservée est issue des trois cépages champenois récoltés en 1995 et de vins de réserve. Elle est briochée, fruitée, charnue, de bonne tenue, prête. (RM)
☛ Champagne Michel Tixier, 8, rue des Vignes, 51500 Chigny-les-Roses, tél. 03.26.03.42.61, fax 03.26.03.41.80 ☑ ☉ r.-v.

LOUIS TOLLET Cuvée Prestige★★

| ○ 1er cru | n.c. | n.c. | **70 à 99 F** |

Cette marque appartient au Champagne Charles Mignon, négociant d'Epernay qui propose également des champagnes sous son propre nom. Les dégustateurs couvrent de compliments ce brut sans année : pain d'épice, tabac blond, miel, richesse, rondeur, équilibre... Pour l'apéritif et avec des viandes. (NM)
☛ Charles Mignon, 1, av. de Champagne, 51200 Epernay, tél. 03.26.58.33.33, fax 03.26.51.54.10, e-mail bruno-mignon@champagne-mignon.fr ☉ r.-v.
☛ Bruno Mignon

G. TRIBAUT Cuvée de réserve 1996★

| ○ | n.c. | 30 000 | **70 à 99 F** |

Cinq membres de la famille travaillent dans les vignes et les caves de cette exploitation s'étendant sur 12 ha. Ils ont ouvert un petit musée des Outils vignerons dans un cellier situé au cœur d'Hautvillers. Les trois cépages champenois collaborent à cette Cuvée de réserve au nez intense de fruits rouges, vive, charnue et jeune en bouche. (RM)
☛ Champagne G. Tribaut, 88, rue d'Eguisheim, B.P. 5, 51160 Hautvillers, tél. 03.26.59.40.57, fax 03.26.59.43.74, e-mail tribaut@epicuria.fr ☑ ☉ t.l.j. 9h-12h 14h-18h30

TRIBAUT-SCHLŒSSER 1995★

| △ | 10 ha | 40 000 | ☉♦ **70 à 99 F** |

C'est en 1929 que Léon Tribaut et René Schlœsser ont uni leurs forces pour créer cette maison de négoce qui dispose d'un vignoble de 30 ha. Le millésime 95 assemble pinot noir et chardonnay (60/40). Il est biscuité au nez et en bouche, sa finale est longue. La **cuvée René Schlœsser** (150 à 199 F) comprend trois fois plus de chardonnay que de pinot noir récoltés en 1995, 1993 et 1992 ; elle est complexe et riche, très vanillée et reçoit une étoile. La **cuvée Tradition** doit être citée : les trois cépages champenois y collaborent (années 1996, 1997 et 1998). Elle est fine et extrêmement jeune. (NM)
☛ Tribaut-Schlœsser, 21, rue Saint-Vincent, 51480 Romery, tél. 03.26.58.64.21, fax 03.26.58.44.08, e-mail tribaut-romery@wanadoo.fr ☑ ☉ r.-v.

TRICHET-DIDIER Cuvée spéciale★★

| ○ 1er cru | 0,7 ha | n.c. | ☉♦ **70 à 99 F** |

Les premières vignes ont été plantées en 1951 par les grands-parents de Pierre Trichet qui exploite un vignoble de 2,7 ha en même temps qu'il mène une activité de négociant par achat d'apports. Cette Cuvée spéciale est un blanc de blancs et ne peut le cacher par son nez typique de fougère, de pain beurré et de mirabelle ; en bouche, une forte charpente donne de la longueur à ce vin harmonieux. (NM)
☛ Trichet-Didier, 11, rue du Petit-Trois-Puits, 51500 Trois-Puits, tél. 03.26.82.64.10, fax 03.26.97.80.94 ☑ ☉ r.-v.
☛ Pierre Trichet

ALFRED TRITANT 1995★

| ○ Gd cru | 3,37 ha | 10 000 | **100 à 149 F** |

Toute la récolte vient ici de la commune de Bouzy classée grand cru. Le 95 naît de l'assemblage de deux tiers de pinot noir et d'un tiers de chardonnay. C'est un champagne très réussi car il est tout à la fois frais, fin, floral et puissant. La **cuvée Prestige** (70 à 99 F), assemblage identique au précédent mais élaboré à partir de raisins vendangés en 1994 et 1995, est proche du 95 avec davantage de jeunesse. (RM)

☞ Alfred Tritant, 23, rue de Tours,
51150 Bouzy, tél. 03.26.57.01.16,
fax 03.26.58.49.56, e-mail champagne-
tritant@wanadoo.fr ☑ ⟙ t.l.j. 9h-12h 14h-18h;
sam. dim. sur r.-v.

JEAN VALENTIN ET FILS
Blanc de blancs Saint-Avertin⋆

| ○ | | 0,3 ha | 2 400 | ▮ ♣ | 70 à 99 F |

Cette maison fondée en 1922 exploite un
vignoble de 6 ha à Sacy, commune dont l'église
Saint-Rémy mérite le détour : elle possède une
tribune d'orgue du XVIIᵉs. Gilles Valentin propose un blanc de blancs de la Montagne de
Reims, or pâle, aux arômes de tabac blond, de
fleurs blanches et d'agrumes accompagnant une
légère note mentholée. Frais, jeune, bien
construit, ce vin présente un dosage sensible.
(RM)
☞ Champagne Jean Valentin et Fils,
9, rue Saint-Remi, 51500 Sacy,
tél. 03.26.49.21.91, fax 03.26.49.27.68,
e-mail givalentin@wanadoo.fr ☑ ⟙ r.-v.
☞ Gilles Valentin

JEAN-CLAUDE VALLOIS
Blanc de blancs 1993⋆

| ○ | | 4 ha | 20 000 | ▮ ♣ | 70 à 99 F |

L'église Saint-Nicolas, de Cuis, fondée au
XIIᵉs., est du plus haut intérêt. Elle jouxte la
propriété des Vallois qui ont constitué un vignoble de 6 ha en quatre générations. Ce champagne
a bien la teinte d'un blanc de blancs, il en a aussi
les arômes beurrés et la bouche briochée d'une
longue persistance. Très « désirable à l'apéritif »,
note un juré. Un 93 qui a encore quelques années
devant lui. (RM)
☞ Jean-Claude Vallois, 4, rte des Caves,
51530 Cuis, tél. 03.26.59.78.46,
fax 03.26.58.16.73 ☑ ⟙ r.-v.

VAUTRAIN-PAULET 1995

| ○ | | 1 ha | 5 000 | | 100 à 149 F |

Cette exploitation de Dizy dispose d'un vignoble de 11 ha. Ce millésimé est un blanc de blancs
bien que l'étiquette n'en dise rien. Sa robe d'or
est soutenue et la nervosité de la bouche fait songer à la pomme verte. Egalement cité par le jury,
le Carte blanche 1ᵉʳ cru assemblant 60 % de pinot
noir au pinot meunier et au chardonnay à parts
égales (70 à 99 F). Sa puissance convient à un
repas. (RM)
☞ Vautrain-Paulet, 195, rue du Colonel-Fabien,
51530 Dizy, tél. 03.26.55.24.16,
fax 03.26.51.97.42 ☑ ⟙ r.-v.

F. VAUVERSIN Blanc de blancs

| ○ Gd cru | | 1 ha | 7 000 | ▮ | 70 à 99 F |

Les Vauversin sont vignerons depuis trois siècles et demi. Ils ont créé leur marque en 1930 et
leur vignoble s'étend sur 3 ha. Ce blanc de blancs
grand cru est né de la vendange de 1996 addi-
tionnée d'un peu de 1995 ; il est souple à l'attaque, offrant un nez où miel, cire, fleurs et fruits
secs se conjuguent. Puis il se développe avec
vivacité sur des notes d'agrumes. (RM)
☞ Champagne F. Vauversin, 9 bis, rue de
Flavigny, 51190 Oger, tél. 03.26.57.51.01,
fax 03.26.51.64.44,
e-mail bruno.vauversin@wanadoo.fr ☑ ⟙ r.-v.

VAZART-COQUART ET FILS
Blanc de blancs Réserve

| ○ Gd cru | 8 ha | 60 000 | ▮ ♣ | 70 à 99 F |

Les Vazart ont fondé leur marque en 1953. Ils
exploitent un vignoble de 11 ha. Ce blanc de
blancs grand cru est issu de la vendange de 1997
épaulée par 30 à 40 % de vins de réserve des
quatre années précédentes. Il brille par sa finesse
et sa longueur. Citée également, la cuvée Grand
Bouquet blanc de blancs grand cru 93 (100 à
149 F), citronnée, mentholée et tout en fruits
blancs. (RM)
☞ Champagne Vazart-Coquart,
6, rue des Partelaines, 51530 Chouilly,
tél. 03.26.55.40.04, fax 03.26.55.15.94,
e-mail vazart@cder.fr ☑ ⟙ r.-v.

JEAN VELUT Tradition

| ○ | | 6 ha | 20 000 | ▮ | 70 à 99 F |

Le vigneron Jean Velut exploite un vignoble
de 7 ha à Montgueux, connu pour être favorable
au chardonnay. La marque existe depuis un
quart de siècle. Ce brut sans année est né de
l'assemblage de vins de 1995, 1996 et 1997 issus
de 85 % de chardonnay et de 15 % de pinot noir.
Un vin élégant, harmonieux, d'une vinosité généreuse. Egalement cité, le millésime 95 (90 % de
chardonnay) riche, frais, nerveux, destiné aux
fruits de mer. (RM)
☞ Champagne Jean Velut, 9, rue du Moulin,
10300 Montgueux, tél. 03.25.74.83.31,
fax 03.25.74.17.25 ☑ ⟙ r.-v.

DE VENOGE Blanc de blancs 1995⋆⋆

| ○ | | n.c. | 80 000 | ▮ ♣ | 150 à 199 F |

Marque fondée en 1837 par Henri-Marc de
Venoge, citoyen suisse, appartenant aujourd'hui
au groupe BCC présidé par Bruno Paillard qui
dispose d'un vignoble de 115 ha. Beau tir groupé
de la marque sparnacienne qui place trois champagnes dans les étoiles. Deux pour ce blanc de
blancs 95 au nez d'une très grande finesse florale,
rond et long en bouche. Une étoile pour le Grand
Vin des Princes 92 (300 à 499 F), un autre blanc
de blancs équilibré, plein et de bonne ampleur.
Une étoile encore pour le Sélect Cordon Bleu
(100 à 149 F), assemblage des trois cépages champenois des années 1995 et 1996, puissant et long.
(NM)
☞ Champagne de Venoge,
46, av. de Champagne, 51200 Epernay,
tél. 03.26.53.34.34, fax 03.26.53.34.35 ☑

J.-L. VERGNON Blanc de blancs

| ○ Gd cru | n.c. | 36 000 | ▮ | 70 à 99 F |

Cette marque lancée en 1950 dispose d'un
vignoble de plus de 5 ha. Ce blanc de blancs
grand cru est nerveux, équilibré. Sa longueur est
moyenne. Les vendanges de 1996 et 1997 sont
mises à contribution, comme dans le blanc de
blancs extra brut, également cité par le jury, proche du précédent, racé et fin, à servir avec des
huîtres. (RM)
☞ SCEV J.-L. Vergnon, 1, Grande-Rue,
51190 Le Mesnil-sur-Oger, tél. 03.26.57.53.86,
fax 03.26.52.07.06 ☑ ⟙ r.-v.

CHAMPAGNE

GEORGES VESSELLE Juline★

| ○ Gd cru | 0,25 ha | 2 000 | 🍾 ↓ | 150 à 199 F |

Georges Vesselle, dont la famille s'adonne à la vigne depuis le XVIᵉˢ., a été maire de Bouzy vingt-cinq années consécutives. Il exploite dans cette commune classée grand cru un vignoble de plus de 15 ha. La cuvée Juline assemble des vins « mûrs » - 1980, 1982, 1985. Elle est très noire : 90 % de pinot noir. Sa robe est vieil or, superbe. Sa bouche ronde, équilibrée est d'une longueur appréciable. On y découvre les fruits confits et des notes de torréfaction. Le **grand cru millésimé 95** (100 à 149 F) a retenu l'attention pour son équilibre et sa vivacité. (NM)
🍾 Georges Vesselle, 16, rue des Postes, 51150 Bouzy, tél. 03.26.57.00.15, fax 03.26.57.09.20, e-mail contact@champagne-vesselle.fr 🍾 ↧ t.l.j. sf sam. dim. 9h-12h 14h-17h

B. VESSELLE

| ○ 1er cru | n.c. | 50 000 | 🍾 ↓ | 100 à 149 F |

Le fils de Georges Vesselle a créé sa propre marque en 1994. Ce 1ᵉʳ cru doit aux trois cépages champenois son agrément. 50 % de pinot noir, 20 % de pinot meunier et 30 % de chardonnay - assemblage classique. Les dégustateurs constatent son caractère lisse. Sa robe jaune d'or offre le plaisir d'une mousse de bonne tenue. (NM)
🍾 Georges Vesselle, 16, rue des Postes, 51150 Bouzy, tél. 03.26.57.00.15, fax 03.26.57.09.20, e-mail contact@champagne-vesselle.fr ↧ t.l.j. sf sam. dim. 9h-12h 14h-17h

JEAN VESSELLE Prestige

| ○ | n.c. | n.c. | 🍾 ↓ | 150 à 199 F |

Pas moins de quatre continents reçoivent les vins de cette marque ! C'est que les Vesselle sont vignerons depuis trois siècles. Mais leur société comportant le prénom « Jean » a été créée en 1972 seulement. Depuis le décès de son père, Delphine conduit le domaine (11 ha). Le brut Prestige est élaboré à partir de 70 % de pinot noir et 30 % de chardonnay. Un champagne or-vert, frais, équilibré, aux arômes d'agrumes, vif en finale. (RM)
🍾 Champagne Jean Vesselle, 4, rue Victor-Hugo, 51150 Bouzy, tél. 03.26.57.01.55, fax 03.26.57.06.95 🍾 ↧ r.-v.

MAURICE VESSELLE 1988★

| ○ Gd cru | 3 ha | 15 000 | 🍾 ↓ | 100 à 149 F |

Propriété de 8,5 ha fondée en 1955 à Bouzy et à Tours-sur-Marne, deux grands crus propices au pinot noir. Il y en a 85 % dans ce 88, un excellent millésime. Un champagne harmonieux et complexe qui reste frais. Le nez joue sur les fruits confits, la figue, le coing, le pain d'épice. (RM)
🍾 Maurice Vesselle, 2, rue Yvonnet, 51150 Bouzy, tél. 03.26.57.00.81, fax 03.26.57.83.08 🍾 ↧ t.l.j. 10h-12h 14h-18h

VEUVE A. DEVAUX Grande Réserve★

| ○ | n.c. | n.c. | 🍾 ↓ | 100 à 149 F |

Marque sparnacienne lancée il y a plus d'un siècle et demi et reprise en 1967 par l'Union auboise. Le Grande Réserve tient toutes ses promesses : il est floral (violette) puis les agrumes et les amandes s'imposent. La **Cuvée spéciale blanc de blancs** obtient une étoile également pour sa fraîcheur fumée, son attaque franche et sa persistance. (CM)
🍾 Union Auboise des prod. de vin de Champagne, Dom. de Villeneuve, 10110 Bar-sur-Seine, tél. 03.25.38.30.65, fax 03.25.29.81.53, e-mail champagnedevaux@wanadoo.fr 🍾 ↧ r.-v.

VEUVE CLICQUOT PONSARDIN
La Grande Dame 1993★★

| ○ | n.c. | n.c. | 🍾 ↓ | + de 500 F |

La « Grande Dame », tout le monde le sait, désigne Madame Veuve Clicquot. Juste hommage rendu à celle qui avait acquis les vignobles de grands crus dont sont issus les raisins assemblés dans cette cuvée de prestige. Dans l'orchestre, le pinot noir (dominant) a la souplesse des violoncelles et la puissance des cuivres, alors que le chardonnay, agile, s'exprime comme des violons et des flûtes. Un fondu harmonique dont l'écho se prolonge... Robe longue et smoking de rigueur. (NM)
🍾 Veuve Clicquot-Ponsardin, 12, rue du Temple, 51100 Reims, tél. 03.26.89.54.40, fax 03.26.85.23.89, e-mail marketing@veuve-clicquot.fr 🍾 ↧ r.-v.

VEUVE CLICQUOT PONSARDIN
Réserve 1995

| ◐ | n.c. | n.c. | 🍾 ↓ | 200 à 249 F |

Madame Veuve Clicquot a été la première à commercialiser un champagne rosé. Cela fut même une spécialité de sa marque. Cette réputation se maintient de nos jours. En témoigne ce rosé 95 très marqué par les pinots (28 % de chardonnay) et teinté par un vin rouge de Bouzy. On y découvre les fruits confits, l'écorce d'orange, le caramel au lait vanillé, une rondeur douce. (NM)
🍾 Veuve Clicquot-Ponsardin, 12, rue du Temple, 51100 Reims, tél. 03.26.89.54.40, fax 03.26.85.23.89, e-mail marketing@veuve-clicquot.fr 🍾 ↧ r.-v.

VEUVE FOURNY ET FILS Réserve★★

| ○ 1er cru | 4 ha | 40 000 | 🍾 ↓ | 70 à 99 F |

Loin d'être une figure d'un passé mythique ou une création publicitaire, Madame Veuve Fourny est une authentique femme du vin qui exploite avec ses deux enfants un vignoble principalement situé à Vertus (commune de la Côte des Blancs classée en 1ᵉʳ cru). Le champagne a été lancé dans les années 1950. Ce Réserve est né de 80 % de chardonnay et de 20 % de pinot noir, vendangés en 1993, 1995 et 1996. Briochés, vanillés, floraux (fleurs blanches) avec des nuances de noix verte, ses arômes sont d'une grande finesse. On découvre, en outre, la pêche et l'abricot dans une bouche crémeuse, miellée, d'un équilibre parfait et d'une grande longueur. Deux étoiles encore pour le **blanc de blancs 1ᵉʳ cru**, vif, frais, fin, ample et équilibré. (NM)

➥ Champagne Veuve Fourny et Fils, 5, rue du Mesnil, 51130 Vertus, tél. 03.26.52.16.30, fax 03.26.52.20.13, e-mail info@champagne-veuve-fourny.com ☑ ⌶ t.l.j. sf dim. 9h-12h 14h-18h

VEUVE MAITRE-GEOFFROY
Blanc de blancs Cuvée du Centenaire

○ 1er cru	0,6 ha	6 000	▮ 70 à 99 F

Marque fondée en 1878 par Madame Veuve Maître-Geoffroy. Depuis 1984, c'est Thierry Maître qui vinifie. Ce blanc de blancs est originaire de Cumières, commune classée 1ᵉʳ cru. Les raisins ont été vendangés en 1996. La robe de ce champagne est pâle, son bouquet rappelle les petits fruits blancs et la pomme golden. En bouche, son ampleur frappe. (RM)

➥ Veuve Maître-Geoffroy, 51480 Cumières, tél. 03.26.55.29.87, fax 03.26.51.85.77 ☑ ⌶ r.-v.

VEUVE MAURICE LEPITRE Demi-sec★

○ 1er cru	1 ha	5 000	▮ ⚲ 70 à 99 F

Exploitation familiale créée en 1905 par Maurice Lepitre. Le vignoble s'étend sur 7 ha autour de Rilly (Montagne de Reims). Il est rare de trouver dans le Guide un champagne demi-sec noté une étoile ! Celui-ci est issu des trois cépages champenois à parts égales. Le vin de base, de qualité, n'est pas étouffé par le sucre ; il l'a intégré dans un ensemble riche et harmonieux. Le **Brut Extra Réserve 1ᵉʳ cru** de même composition a été cité pour sa souplesse charnue. (RM)

➥ Veuve Maurice Lepitre, 26, rue de Reims, 51500 Rilly-la-Montagne, tél. 03.26.03.40.27, fax 03.26.03.45.76, e-mail lepitrem@aol.com ☑ ⌶ r.-v.
➥ B. Rilliex

MARCEL VEZIEN
Cuvée Armand Vezien 1993

○	0,8 ha	n.c.	▮ 100 à 149 F

Vieille famille auboise qui joua son rôle dans la lutte contre le phylloxéra. Cette cuvée honore le fondateur, alors que Jean-Pierre Vézien prend la relève de son père récemment disparu. Assemblant 70 % de pinot noir à 30 % de chardonnay, ce vin offre un nez charmeur de fruits confits et de pêche, puis une bouche pleine et ronde de pâte de coings. Longueur intéressante. (RM)

➥ SCEV Champagne Marcel Vézien et Fils, 68, Grande-Rue, 10110 Celles-sur-Ource, tél. 03.25.38.50.22, fax 03.25.38.56.09 ☑ ⌶ t.l.j. 8h30-18h; sam. dim. sur r.-v.

FLORENT VIARD Cuvée Prestige 1995★

○	0,22 ha	800	100 à 149 F

Florent Viard s'est installé en 1994 sur un vignoble de 2 ha. A 5 % près, ce champagne équilibré et riche est un blanc de blancs ; ceci explique les senteurs de fleur d'acacia. En bouche, cire et miel se marient. Un dégustateur propose de le servir avec un saint-pierre aux pousses d'épinard. (RC)

➥ Champagne Florent Viard, 3, rue du Donjon, 51130 Vertus, tél. 03.26.51.60.82 ☑ ⌶ r.-v.

VOIRIN-DESMOULINS Réserve★

○ Gd cru	n.c.	n.c.	▮ 70 à 99 F

Bernard Voirin et Nicole Desmoulins ont réuni leurs vignobles en 1960 et disposent aujourd'hui de 9 ha. Le Réserve assemble pinot noir et chardonnay à parts égales. Les fleurs blanches et le pain d'épice composent un bouquet agréable qu'une bouche ample et fraîche confirme. (RM)

➥ SCEV Voirin-Desmoulins, 41, rue Dom-Pérignon, 51530 Chouilly, tél. 03.26.54.50.30, fax 03.26.52.87.87 ☑ ⌶ r.-v.

VOLLEREAUX 1996★

◌	2,5 ha	20 000	▮ ⚲ 70 à 99 F

Cette maison familiale élabore 400 000 bouteilles à partir de ses propres vignes. Les champagnes rosés obtenus par macération sont rares. Celui-ci naît du pinot noir. Il est rose vif, très fruité, tant au nez qu'en bouche (fraise et cassis). C'est un rosé gourmand ! La cuvée **Marguerite 93** (100 à 149 F) est citée. Elle comprend trois fois plus de chardonnay que de pinot noir. Elle est florale, fumée, légère. (NM)

➥ Champagne Vollereaux, 48, rue Léon-Bourgeois, 51530 Pierry, tél. 03.26.54.03.05, fax 03.26.54.88.36, e-mail champagne.vollereauxsa@wanadoo.fr ☑ ⌶ t.l.j. 9h-12h 14h-18h; sam. dim. sur r.-v.

VRANKEN Demoiselle★

○	n.c.	n.c.	▮ ⚲ 100 à 149 F

Paul Vranken a constitué un groupe en 1976 puis créé la marque Demoiselle en 1985. Il a introduit son empire au second marché de la Bourse de Paris en 1998. Cette Demoiselle est issue de 60 % de chardonnay pour 40 % de pinot noir. Très appréciée pour sa fraîcheur florale (fleurs blanches) et pour sa vivacité élégante et équilibrée en bouche, elle constitue un vin raffiné destiné à l'apéritif ou à un grand poisson à la crème. La **Demoiselle 95**, encore plus marquée par le chardonnay (80 %), ressemble beaucoup à la première cuvée. Dans les deux cas, vinification et dosage sont exemplaires. Toutes deux reçoivent une étoile. (NM)

➥ Vranken Monopole, 17, av. de Champagne, 51200 Epernay, tél. 03.26.59.50.50, fax 03.26.52.19.65 ☑ ⌶ t.l.j. 9h30-16h30; dim. et groupes sur r.-v.
➥ P.-F. Vranken

WARIS-LARMANDIER
Blanc de blancs Cuvée Collection★

○ Gd cru	0,5 ha	1000	▮ ⚲ 100 à 149 F

Ce jeune viticulteur de trente-trois ans s'est installé sur près de 6 ha dans la Côte des Blancs. Issue de la vendange 96, cette cuvée spéciale allie les fleurs blanches, le miel, les agrumes et la brioche. Un vin charnu et frais. (RM)

➥ Waris-Larmandier, 608, rempart du Nord, 51190 Avize, tél. 03.26.57.79.05, fax 03.26.52.79.52 ☑ ⌶ r.-v.

Coteaux champenois

Appelés vins nature de Champagne, ils devinrent AOC en 1974 et prirent le nom de coteaux champenois. Tranquilles, ils sont rouges, plus rarement rosés ; on boira les blancs avec respect et curiosité historique, en songeant qu'ils sont la survivance de temps anciens, antérieurs à la naissance du champagne. Comme lui, ils peuvent naître de raisins noirs vinifiés en blanc (blanc de noirs), de raisins blancs (blanc de blancs), ou encore d'assemblages.

Le coteau champenois rouge le plus connu porte le nom de la célèbre commune de Bouzy (grand cru de pinot noir). Dans cette commune, on peut admirer l'un des deux vignobles les plus étranges au monde (l'autre est situé à Ay) : un vaste panneau indique « vieilles vignes françaises préphylloxériques » ; on ne les distinguerait pas des autres si elles n'étaient conduites « en foule », selon une technique immémoriale abandonnée partout ailleurs. Tous les travaux sont exécutés artisanalement, à l'aide d'outils anciens. C'est la maison Bollinger qui entretient ce joyau destiné à l'élaboration du champagne le plus rare et le plus cher.

Les coteaux champenois se boivent jeunes, à 7-8 °C et avec les plats convenant aux vins très secs pour les blancs, à 9-10 °C et avec des mets légers (viandes blanches et... huîtres) pour les rouges que l'on pourra, pour quelques années exceptionnelles, laisser vieillir.

PAUL BARA Bouzy 1990

| | Gd cru | 2,5 ha | 10 000 | ▪ ♦ 100 à 149 F |

Comme à Ay, les coteaux champenois de Bouzy ne sont que rouges, issus de pinot noir. C'est le « pynos », cépage dont parlait le poète Eustache Deschamps au XIVᵉ s. Chez les Bara, le moût des vendanges 90 a cuvé dix jours durant, avec remontages et pigeages, et le vin n'a pas été élevé en fût. Il en résulte un ensemble très fruité, parvenu à son apogée. Le jury a apprécié l'évolution de ce Bouzy à la bouche épicée et équilibrée.
🖝Champagne Paul Bara, 4, rue Yvonnet, B.P. 11, 51150 Bouzy, tél. 03.26.57.00.50, fax 03.26.57.81.24 ☑ ⏻ r.-v.

HERBERT BEAUFORT Bouzy 1994

| | ▪ | 1 ha | 8 000 | ⏻ 100 à 149 F |

Marcelin Beaufort a produit ses premières bouteilles de champagne en 1932. Ses petits-fils exploitent un vignoble de 16,5 ha. Ce Bouzy rouge, vinifié à la bourguignonne, a été élevé deux ans en fût. Habillé de rubis tuilé, il présente une concentration moyenne, conforme au millésime.
🖝 Herbert Beaufort, 32, rue de Tours-sur-Marne, 51150 Bouzy, tél. 03.26.57.01.34, fax 03.26.57.09.08 ☑ ⏻ t.l.j. 9h-12h 14h-17h

CAILLEZ-LEMAIRE Damery★★

| | ▪ | 0,6 ha | 1000 | ▪ ⏻ 70 à 99 F |

Ce coteaux champenois très coloré affiche un beau rouge sombre et profond. Il est né d'un assemblage d'années d'une part, de deux tiers de pinot noir et d'un tiers de pinot meunier d'autre part. Les fruits rouges marquent sa palette au nez comme en bouche, et l'on perçoit de la matière, fine et persistante.
🖝 SARL Champagne Caillez-Lemaire, 14, rue Pierre-Curie, B.P. 11, 51480 Damery, tél. 03.26.58.41.85, fax 03.26.52.03.24 ☑ ⏻ r.-v.
🖝 Henri Caillez

CHARLES DE CAZANOVE 1993

| | ▪ | n.c. | n.c. | ⏻ 70 à 99 F |

Charles de Cazanove est l'une des plus anciennes marques de Champagne. Elle fut créée en 1811 à Avize, mais la maison est désormais installée à Epernay. Elle propose ici un coteaux champenois rouge de pinot meunier, élevé en pièce champenoise (205 l). Habillé d'une robe profonde, ce vin décline des arômes de griotte et de fruits rouges concentrés. Il constituera un bel accord avec des viandes rouges.
🖝 Charles de Cazanove, 1, rue des Cotelles, 51200 Epernay, tél. 03.26.59.57.40, fax 03.26.54.16.38 ☑
🖝 Lombard

R. DUMONT ET FILS 1998

| | ▪ | 1 ha | 600 | ⏻ 50 à 69 F |

Pierre, Charles et Bernard Dumont ont repris au début des années 1980 ce domaine familial présent à Champignol depuis deux siècles. Ils ont vinifié un coteaux champenois issu de pinot noir éraflé qu'ils ont élevé six mois en fût. Une robe rouge violacé habille ce vin dont les senteurs légèrement boisées se marient à des saveurs de mûre et de cassis.
🖝 R. Dumont et Fils, 10200 Champignol-lez-Mondeville, tél. 03.25.27.45.95, fax 03.25.27.45.97 ☑ ⏻ r.-v.

FRESNET-BAUDOT Sillery★

| | Gd cru | 0,5 ha | 1000 | ⏻ 70 à 99 F |

Célèbres au XIXᵉ s., les Sillery rouges sont peu nombreux aujourd'hui. Vinifié à la bourguignonne et élevé en fût de chêne neuf mois durant, celui-ci est donc un cas rare. Bien coloré, aromatiquement riche et complexe, il se développe sur une bonne structure ; des tanins nobles et un boisé bien présent le destinent à la garde.
🖝 Fresnet-Baudot, 9, rte de Puisieulx, 51500 Sillery, tél. 03.26.49.11.74, fax 03.26.49.10.72, e-mail courrier@champagne-fresnet-baudot.fr ☑ ⏻ r.-v.

RENE GEOFFROY Cumières 1997

■   0,6 ha   3 800   ❚❙❚ 100 à 149 F

De vieilles vignes de trente-cinq ans sont à l'origine de ce coteaux champenois dont l'élevage sous bois a duré dix mois. Sous une robe soutenue apparaît un nez épicé (poivre). La bouche structurée est de bonne longueur.
☛René Geoffroy, 150, rue du Bois-des-Jots, 51480 Cumières, tél. 03.26.55.32.31, fax 03.26.54.66.50, e-mail info@champagne-geoffroy.com ☑ ⓘ r.-v.

GOSSET-BRABANT Ay 1996

■ Gd cru   0,3 ha   1 800   ❚❙❚ 100 à 149 F

Ce coteaux champenois rouge de pinot noir issu de la vendange 96 a bénéficié d'une cuvaison de six à sept jours, de remontages et de pigeages réguliers, puis d'un élevage de dix-huit mois en vieux fût. Intense à l'œil, il évoque au nez comme en bouche les fruits rouges.
☛Gosset-Brabant, 23, bd du Mal-de-Lattre-de-Tassigny, 51160 Ay, tél. 03.26.55.17.42, fax 03.26.54.31.33 ☑ ⓘ r.-v.

LACROIX-TRIAULAIRE ET FILS

■   n.c.   1000   50 à 69 F

Sur fond grenat, un début d'évolution est perceptible dans la robe de ce vin. Le nez n'en est pas moins délicat par ses nuances de sureau et de réglisse, et la bouche laisse une agréable impression de légèreté.
☛Lacroix-Triaulaire, 4, rue de La Motte, 10110 Merrey-sur-Arce, tél. 03.25.29.83.59 ☑ ⓘ r.-v.

LARMANDIER-BERNIER
Vertus 1996★★

■ 1er cru   0,5 ha   1 500   ❚❙❚ 100 à 149 F

Les coups de cœur pour les coteaux champenois rouges sont très rares tant il est difficile d'élaborer des vins rouges dans les régions septentrionales. Ce Vertus est donc d'autant plus remarquable. Les raisins triés, partiellement éraflés ont bénéficié d'un cuvage, de pigeages et de remontages. Puis le vin a été élevé dix-huit mois sous bois. Et le voici, rouge profond, livrant un nez complexe. La bouche, d'une même complexité, est soutenue par des tanins fondus et harmonieux.
☛Champagne Larmandier-Bernier, 43, rue du 28-Août, 51130 Vertus, tél. 03.26.52.13.24, fax 03.26.52.21.00, e-mail larmandier@terre-net.fr ☑ ⓘ r.-v.

DIDIER RAIMOND Epernay★

■   0,25 ha   500   ❚❙❚ 50 à 69 F

Didier Raimond, dont la maison familiale est installée en plein centre d'Epernay, cultive son vignoble selon les méthodes de lutte raisonnée. Un Epernay rouge... Une autre rareté ! Issu de deux tiers de pinot meunier et d'un tiers de pinot noir récolté en 1996, il s'habille d'une robe déjà évoluée. Le nez fleure la griotte et les épices douces héritées d'un élevage en fût de deux ans. La bouche ronde invite à déguster ce vin dès à présent.
☛Didier Raimond, 39, rue des Petits-Prés, 51200 Epernay, tél. 03.26.54.39.05, fax 03.26.54.51.70 ☑ ⓘ r.-v.

FRANCOIS SECONDE Sillery 1997★

■ Gd cru   1 ha   2 500   70 à 99 F

Un joli vin de Sillery né de la vendange 97. Sa robe ne manque pas d'attraits avec ses reflets violacés. Son bouquet flatteur libère des effluves de fruits rouges et d'épices. En bouche, les tanins nobles laissent augurer une belle évolution et traduisent le savoir-faire du maître d'œuvre, tant à la vigne (qualité du raisin) qu'à la cave (très belle vinification du pinot noir).
☛François Secondé, 6, rue des Galipes, 51500 Sillery, tél. 03.26.49.16.67, fax 03.26.49.11.55 ☑ ⓘ r.-v.

A. SOUTIRAN Ambonnay Les Crupots

■   n.c.   2 500 ▮❚❙❚ ⚗   70 à 99 F

Les raisins de pinot noir à l'origine de ce vin ont été vendangés dans les années 1988, 1989, 1990, 1994, 1996 et 1998, en un lieu-dit exposé au sud-est : les Crupots. Le vin a été élevé en pièce pendant une période de six à neuf mois. Il résulte de cet assemblage un Ambonnay soutenu, cerise noir. Ce même fruit apparaît au nez comme en bouche, appelant un accord avec un petit gibier.
☛Soutiran-Pelletier, 12, rue Saint-Vincent, 51150 Ambonnay, tél. 03.26.57.07.87, fax 03.26.57.81.74, e-mail alain.soutiran@wanadoo.fr ☑ ⓘ r.-v.

TARLANT Œuilly★

■   n.c.   n.c.   ❚❙❚ 70 à 99 F

Dans son vignoble de 13 ha, Jean-Mary Tarlant a sélectionné quelques vignes pour élaborer son coteaux champenois rouge. Des vignes d'Œuilly. Contenant 80 % de pinot noir et 20 % de pinot meunier récoltés en 1996, ce vin n'est pourtant pas millésimé. Bien habillé sous sa robe rouge foncé, il offre des arômes vanillés et un fruité sensuel. La bouche équilibrée apporte la dernière touche à cet ensemble flatteur.
☛Champagne Tarlant, 51480 Œuilly, tél. 03.26.58.30.60, fax 03.26.58.37.31, e-mail champagne@tarlant.com ☑ ⓘ t.l.j. sf dim. 10h-12h 13h30-17h30; f. 14-16 août
☛Jean-Mary Tarlant

EMMANUEL TASSIN Les Fioles 1998

☐   0,25 ha   700   ❚❙❚ 50 à 69 F

Emmanuel Tassin exploite un vignoble de 5,5 ha depuis 1987. Il a vinifié luxueusement ce coteaux champenois blanc de blancs dont les fermentations alcoolique et malolactique ont été réalisées en fût (25 % de bois neuf). Ce vin est donc boisé, certes, mais aussi citronné, mentholé et beurré... On pourra le déguster dès à présent ou le garder en cave. Sous la même étiquette, le **coteaux champenois rouge 98**, élevé quinze mois en fût, est également cité pour ses arômes de cassis et de groseille, et sa bouche de grande concentration (50 à 70 F).

☛ Emmanuel Tassin, 104, Grande-Rue, 10110 Celles-sur-Ource, tél. 03.25.38.59.44, fax 03.25.29.94.59, e-mail emmanuel.tassin@wanadoo.fr ☒ ⵡ r.-v.

Rosé des riceys

Les trois villages des Riceys (Haut, Haute-Rive et Bas) sont situés à l'extrême sud de l'Aube, non loin de Bar-sur-Seine. La commune des Riceys accueille les trois appellations : champagne, coteaux champenois et rosé des riceys. Ce dernier est un vin tranquille, d'une grande rareté (seuls 819 hl ont été récoltés en 1999) et d'une grande qualité, l'un des meilleurs rosés de France. C'est un vin que buvait déjà Louis XIV : il aurait été apporté à Versailles par les spécialistes établissant les fondations du château, les « canats », originaires des Riceys.

Ce rosé est issu de la vinification par macération courte de pinot noir, dont le degré alcoolique naturel ne peut être inférieur à 10 °. Il faut interrompre la macération - « saigner la cuve » - à l'instant précis où apparaît le « goût des riceys » qui, sinon, disparaît. Ne sont labellisés que les rosés marqués par ce goût spécial. Elevé en cuve, le rosé des riceys se boit jeune, à 8-9 °C ; élevé en pièces, il attendra entre trois et dix ans, et on le servira alors à 10-12 °C, pendant le repas. Jeune, il se boira à l'apéritif ou au début du repas.

ALEXANDRE BONNET 1996★★

| | 6 ha | 9 000 | 🗐 ♦ | 100 à 149 F |

La marque Alexandre Bonnet a été créée dans les années 1930 par le grand-père des actuels propriétaires qui sont devenus le plus important producteur de rosé des riceys. Ce 96 de teinte soutenue livre un bouquet de fruits, de pruneau, de caramel et de réglisse. Il laisse en bouche une saveur de cerise fraîche et persistante. Un joli vin équilibré et typique qui ouvrira remarquablement un repas.

☛ SA Bonnet Père et Fils, 138, rue du Gal-de-Gaulle, 10340 Les Riceys, tél. 03.25.29.30.93, fax 03.25.29.38.65 ☒ ⵡ r.-v.

GUY DE FOREZ 1998

| | 1 ha | 9 000 | 🗐 ◫ | 70 à 99 F |

Un rosé des riceys obtenu par macération courte, comme il se doit (soixante-douze heures). Il est bien habillé d'une robe rose intense et profonde, et offre des arômes de cerise, d'agrumes. En bouche, les fruits rouges persistent longuement dans une matière ronde.

☛ Guy de Forez, rte de Tonnerre, 10340 Les Riceys, tél. 03.25.29.98.73, fax 03.25.38.23.01 ☒

MOREL PERE ET FILS 1996★

| | 2 ha | 10 000 | ◫ | 70 à 99 F |

Jusqu'en 1995, les Morel n'élaboraient que du rosé des riceys. Ils complètent aujourd'hui leur gamme par du champagne brut et rosé. Leur rosé des riceys est élevé en barrique de plusieurs vins pendant douze mois. Celui-ci, très réussi, a bien le goût des Riceys. On y découvre la griotte et les agrumes, ainsi que la vanille et des épices. La bouche se développe en souplesse et en équilibre.

☛ Pascal Morel, 93, av. du Gal-de-Gaulle, 10340 Les Riceys, tél. 03.25.29.10.88, fax 03.25.29.66.72 ☒ ⵡ r.-v.

LE JURA, LA SAVOIE ET LE BUGEY

Le Jura

Faisant le pendant de celui de la haute Bourgogne, de l'autre côté de la vallée de la Saône, ce vignoble occupe les pentes qui descendent du premier plateau des monts du Jura vers la plaine, selon une bande nord-sud traversant tout le département, depuis la région de Salins-les-Bains jusqu'à celle de Saint-Amour. Ces pentes, beaucoup plus dispersées et irrégulières que celles de la Côte-d'Or, se répartissent sous toutes les expositions, mais ce ne sont que les plus favorables qui portent des vignes, à une altitude se situant entre 250 et 400 m. Le vignoble couvre environ 1 828 ha sur lesquels ont été produits, en 1999, année abondante, environ 110 758 hl.

Nettement continental, le climat voit ses caractères accusés par l'orientation générale en façade ouest et par les traits spécifiques du relief jurassien, notamment l'existence des « reculées » ; les hivers sont très rudes et les étés très irréguliers, mais avec souvent beaucoup de journées chaudes. La vendange s'effectue pendant une période assez longue, se prolongeant parfois jusqu'à novembre en raison des différences de précocité qui existent entre les cépages. Les sols sont en majorité issus du trias et du lias, surtout dans la partie nord, ainsi que des calcaires qui les surmontent, surtout dans le sud du département. Les cépages locaux sont parfaitement adaptés à ces terrains argileux et sont capables de réaliser une remarquable qualité spécifique. Ils nécessitent toutefois un mode de conduite assez élevé au-dessus du sol, pour éloigner le raisin d'une humidité parfois néfaste à l'automne. C'est la taille dite « en courgées », longs bois arqués que l'on retrouve sur les sols semblables du Mâconnais. La culture de la vigne est ici très ancienne : elle remonte au moins au début de l'ère chrétienne si l'on en croit les textes de Pline ; et il est sûr que le vin du Jura, qu'appréciait tout particulièrement Henri IV, était fort en vogue dès le Moyen Age.

Pleine de charme, la vieille cité d'Arbois, si paisible, est la capitale de ce vignoble ; on y évoque le souvenir de Pasteur qui, après y avoir passé sa jeunesse, y revint souvent. C'est là, de la vigne à la maison familiale, qu'il mena ses travaux sur les fermentations, si précieux pour la science œnologique ; ils devaient, entre autres, aboutir à la découverte de la « pasteurisation ».

Des cépages locaux voisinent avec d'autres, issus de la Bourgogne. L'un d'entre eux, le poulsard (ou ploussard), est propre aux premières marches des monts du Jura ; il n'a été cultivé, semble-t-il, que dans le Revermont, ensemble géographique incluant également le vignoble du Bugey, où il porte le nom de mècle. Ce très joli raisin à gros grains oblongs, délicieusement parfumé, à pellicule fine peu colorée, contient peu de tanin. C'est le cépage type des vins rosés, qui sont en fait vinifiés ici le plus souvent comme des rouges. Le trousseau, autre cépage local, est en revanche riche en couleur et en tanin, et c'est lui qui donne les vins rouges classiques très caractéristiques des appellations d'origine du Jura. Le pinot noir, venu de la Bourgogne, lui est souvent associé en petites proportions pour l'élaboration des vins rouges. Il a par ailleurs un avenir important pour la vinification de vins blancs de noirs destinés à des assemblages avec le blanc de blancs, pour élaborer des mousseux de qualité. Le chardonnay, comme en Bourgogne, réussit ici parfaitement sur les terres argileuses, où il apporte aux vins blancs leur bouquet inégalable. Le savagnin, cépage blanc local, cultivé sur les marnes les plus ingrates, donne, après plus de six ans d'élevage spécial dans des fûts en vidange, le magnifique vin jaune de très grande classe. Le vin de paille est également l'une des grandes productions du Jura.

_____ La région paraît spécialement favorable à l'obtention d'un type d'excellents mousseux de belle classe, issus, comme on l'a dit, d'un assemblage de blanc de noirs (pinot) et de blanc de blancs (chardonnay). Ces mousseux sont de grande qualité, depuis que les vignerons ont compris qu'il fallait les élaborer avec des raisins d'un niveau de maturité assurant la fraîcheur nécessaire.

_____ Les vins blancs et rouges sont de style classique, mais, du fait semble-t-il d'une attraction pour le vin jaune, on cherche à leur donner un caractère très évolué, presque oxydé. Il y a un demi-siècle, il existait même des vins rouges de plus de cent ans, mais on est maintenant revenu à des évolutions plus normales.

_____ Le rosé, quant à lui, est en fait un vin rouge peu coloré et peu tannique, qui se rapproche souvent plus du rouge que du rosé des autres vignobles. De ce fait, il est apte à un certain vieillissement. Il ira très bien sur les mets assez légers, les vrais rouges - surtout issus de trousseau - étant réservés aux mets puissants. Le blanc a les usages habituels, viandes blanches et poissons ; s'il est vieux, il sera un bon partenaire du fromage de comté. Le vin jaune excelle sur le comté mais aussi sur le roquefort et sur certains plats difficiles à accorder aux vins tels le canard à l'orange ou les préparations en sauce américaine.

Arbois

La plus connue des appellations d'origine du Jura s'applique à tous les types de vins, produits sur douze communes de la région d'Arbois, soit environ 849 ha ; la production a atteint 50 938 hl en 1999, dont 26 749 hl de rouges et rosés, 23 432 hl de blancs ou jaunes et 213 hl d'effervescents. Il faut rappeler l'importance des marnes triasiques dans cette zone, et la qualité toute particulière des « rosés » de poulsard qui sont issus des sols correspondants.

FRUITIERE VINICOLE D'ARBOIS
Grande Réserve 1995

	20 ha	30 000	❙❙	30 à 49 F

Impossible de ne pas trouver la Fruitière vinicole à Arbois. Celle-ci y possède trois salles de dégustation. Elle est également implantée à Arc-et-Senans, juste en face de la saline royale. Pomme, noix et agrumes nous attendent dans ce vin d'assemblage constitué surtout de chardonnay, mais dont la petite proportion de savagnin est tout à fait perceptible. Ce 95 est à attendre un peu car il est encore vif.

Fruitière vinicole d'Arbois, 2, rue des Fossés, 39600 Arbois, tél. 03.84.66.11.67, fax 03.84.37.48.80 ✓ ☒ r.-v.

FRUITIERE VINICOLE D'ARBOIS
Vin jaune 1993★

	35 ha	400 000	❙❙❙ ❙❙ ♨	150 à 199 F

Les importantes structures comme cette fruitière peuvent parfaitement réussir le vin jaune. La preuve, ce 93 est le digne héritier du millésime précédent, coup de cœur l'an dernier. Fin, il a des parfums intenses, avec ce fameux « nez de jaune » si caractéristique, où la noix et le poivre se croisent et s'entrecroisent. Bien constitué en bouche, il peut néanmoins déjà être bu.

Fruitière vinicole d'Arbois, 2, rue des Fossés, 39600 Arbois, tél. 03.84.66.11.67, fax 03.84.37.48.80 ✓ ☒ r.-v.

LUCIEN AVIET
Réserve du Caveau Cuvée des Docteurs 1998★

	0,4 ha	2 500	❙❙	50 à 69 F

Bacchus père - Lucien Aviet - et son fils Vincent se sont associés au début de l'année 1999. Nul doute que cette équipe père/fils sera l'occasion de transmettre et de renouveler une passion au service du terroir. La voilà cette cuvée des Docteurs, toujours tant attendue comme le remède à la grisaille et à l'ennui. Le nez ? Superbe : amande et noisette, fraîcheur et complexité ! La bouche demande à évoluer : il lui faut quelques mois de garde.

➤Lucien Aviet et Fils, Caveau de Bacchus,
39600 Montigny-lès-Arsures, tél. 03.84.66.11.02
☑ ☗ r.-v.

LUCIEN AVIET
Vin jaune Cuvée de la Confrérie 1993★

□	0,3 ha	1000	◖◗ 150 à 199 F

Pour goûter à la cuvée de la Confrérie, il faut
être initié. « Bacchus », le grand maître, vous
ouvrira la voie. Le nez est franc et puissant. Noix
fraîche et pomme reinette sont annoncées.
Encore très jeune en bouche, et fort bien constitué, ce vin jaune a de l'avenir ; il faudra l'attendre. « Ça laisse le temps d'élever le coq qui se
mariera si bien avec lui », note un juré.
➤Lucien Aviet et Fils, Caveau de Bacchus,
39600 Montigny-lès-Arsures, tél. 03.84.66.11.02
☑ ☗ r.-v.

LUCIEN AVIET
Réserve du caveau Cuvée des Géologues 1998★

■	0,6 ha	3 000	◖◗ 50 à 69 F

Peut-être cette cuvée des Géologues vous
aidera-t-elle à revoir vos notions de géologie ?
Dans le lias, ce trousseau s'est trouvé à l'aise, et
a su en tirer une très belle expression : le nez
d'abord marqué par le cassis évolue vers la groseille. Légèrement perlant sur la langue, ce 98 se
révèle fruité en bouche. Bien équilibré également.
➤Lucien Aviet et Fils, Caveau de Bacchus,
39600 Montigny-lès-Arsures, tél. 03.84.66.11.02
☑ ☗ r.-v.

PAUL BENOIT
Pupillin Chardonnay 1998★★

□	3 ha	20 000	◖◗ 30 à 49 F

Le nom de Pupillin peut être adjoint à celui
de l'AOC arbois pour les seuls vins obtenus sur
le territoire délimité de la commune de Pupillin.
Paul Benoit est l'un des viticulteurs qui peut
bénéficier de cette disposition. Le nez de son joli
blanc est ouvert à souhait sur des notes de noisette, de grillé et d'abricot. L'attaque en bouche
est vive mais la dégustation se prolonge dans une
belle cohérence avec le nez. De la race et du
charme, tout y est.
➤Paul Benoit, La Chenevière, 39600 Pupillin,
tél. 03.84.66.15.61, fax 03.84.37.40.17 ☑ ☗ t.l.j.
9h-19h30

COLETTE ET CLAUDE BULABOIS
Chantemerle 1996★

□	1,2 ha	4 000	■ ◖◗ 30 à 49 F

Depuis 1996, les Bulabois vendent directement au consommateur. Cette cuvée est issue de
l'assemblage, dès la récolte, de savagnin et d'un
peu de chardonnay (20 %). Le nez est discret mais
bien typé. La noix s'exprime en particulier. Si
elle manque un peu de vivacité, la bouche offre
cependant une belle longueur. Un vin qui mérite
qu'on l'attende.
➤Claude et Colette Bulabois, 1, Petite-Rue,
39600 Villette-lès-Arbois, tél. 03.84.66.01.93
☑ ☗ t.l.j. sf sam. dim. 14h-19h

MARCEL CABELIER 1997★★

■		n.c.	19 000	■ ♦ 30 à 49 F

La Compagnie des Grands Vins du Jura
exerce une activité de négoce à Crançot, juste
au-dessus du vignoble, en allant vers les plateaux
jurassiens. Cette cuvée d'assemblage (80 % de
pinot noir et 20 % de trousseau) offre une robe
splendide, d'un rouge très profond, et un nez
superbe de fruits rouges. C'est une bouche puissante, concentrée et complexe qu'il nous est
donné de déguster. La structure imposante
confère à ce vin un potentiel de garde important.
Pour l'accord gourmand, un sanglier fera
l'affaire.
➤Cie des Grands Vins du Jura,
rte de Champagnole, 39570 Crançot,
tél. 03.84.87.61.30, fax 03.84.48.21.36 ☑ ☗ r.-v.

JOSEPH DORBON
Trousseau Vieilles vignes 1998★

■	0,6 ha	3 500	▤ 30 à 49 F

Joseph Dorbon vit de la vigne et du vin depuis
1996. Il a proposé un **arbois blanc 97** issu du seul
chardonnay vinifié en fût dès le début de la fermentation alcoolique ; le jury l'a cité pour son
potentiel de garde. Quant à ce trousseau, il est
très réussi : « Voilà un nez de haut rang, sur le
fruit et la vanille ! » En bouche, la facture est
classique, avec une belle structure tannique et de
la matière. Le terroir s'exprime totalement dans
une bouteille qu'il faut attendre un petit peu. Elle
sera agréablement mariée à un gigot d'agneau.
➤Joseph Dorbon, pl. de la Liberté,
39600 Vadans, tél. 03.84.37.47.93,
fax 03.84.37.47.93 ☑ ☗ t.l.j. 10h-19h

DANIEL DUGOIS Trousseau 1998★

■	0,6 ha	2 800	◖◗ 50 à 69 F

Robe légère mais grand sérieux au nez : ce
trousseau a de la classe et de la délicatesse. S'il

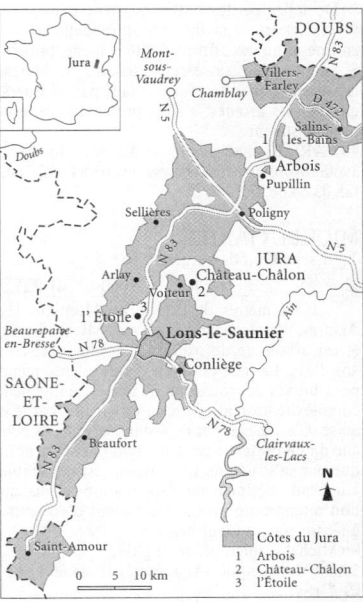

Le Jura

JURA

n'a pas une structure très imposante, il offre en revanche une belle présence aromatique. Sa légèreté lui permet d'être bu dès à présent, mais il restera en vie encore longtemps.

☞ Daniel Dugois, 4, rue de la Mirode, 39600 Les Arsures, tél. 03.84.66.03.41, fax 03.84.37.44.59 ☑ Ⲧ r.-v.

DOM. FORET
L'instant Flora Trousseau 1998★

| ■ | | 2 ha | 4 000 | ■ ♦ | 70 à 99 F |

L'instant Flora est un bon moment à passer. Cet arbois issu du cépage trousseau possède un nez très fruité, puissant et assez long, et une bouche où l'on trouve du fruit, beaucoup de fruit, dans une bonne longueur. La structure est bien réalisée. Parfait avec un gibier d'eau ou une entrée, mais à éviter avec le fromage.

☞ Dom. Foret, 13, rue de la Faïencerie, 39600 Arbois, tél. 03.84.66.23.01, fax 03.84.66.10.98 ☑ Ⲧ r.-v.

RAPHAEL FUMEY ET ADELINE CHATELAIN Trousseau 1997★

| ■ | | 0,5 ha | 3 000 | ■ ⅰⅼ | 30 à 49 F |

Fruits rouges, violette et une pointe de vanille, ce trousseau ne laisse pas indifférent au nez. Il a de la matière, quelques notes boisées agréables et une structure souple qui le rend déjà bon à boire. Un gigot, des flageolets, et le tour est joué.

☞ EARL Raphaël Fumey et Adeline Chatelain, 39600 Montigny-lès-Arsures, tél. 03.84.66.27.84, fax 03.84.66.27.84 ☑ Ⲧ r.-v.

RAPHAEL FUMEY ET ADELINE CHATELAIN Méthode traditionnelle★

| ○ | | 0,8 ha | 5 000 | ■ | 30 à 49 F |

De jolies petites bulles montent dans notre verre. Cet arbois méthode traditionnelle est tout en finesse au nez : floral, fruité et même brioché. Si la mousse est assez envahissante, la bouche laisse une bonne impression tant par sa finesse que par ses arômes. « Très présentable », note un dégustateur.

☞ EARL Raphaël Fumey et Adeline Chatelain, 39600 Montigny-lès-Arsures, tél. 03.84.66.27.84, fax 03.84.66.27.84 ☑ Ⲧ r.-v.

MICHEL GAHIER
Trousseau Grands Vergers 1998★

| ■ | | 1,2 ha | 6 000 | ⅰⅼ | 30 à 48 F |

A vingt mètres de l'église de Montigny-lès-Arsures, vous trouverez la cave de Michel Gahier et cet arbois né de trousseau de quarante-cinq ans d'âge. La robe est intense, très intense même pour un vin de trousseau ; le nez offre une belle complexité aromatique, à la fois fruité, carné et anisé. C'est élégant et persistant, comme la bouche d'une présence certaine, tant par ses arômes que par sa structure. La longueur est honorable. Un beau spécimen de l'appellation arbois qui doit attendre un an ou deux avant d'accompagner un rôti de bœuf braisé.

☞ Michel Gahier, pl. de l'Eglise, 39600 Montigny-lès-Arsures, tél. 03.84.66.17.63 ☑ Ⲧ r.-v.

DOM. AMELIE GUILLOT
Chardonnay Vieilles vignes 1997

| □ | | 0,4 ha | 2 000 | ⅰⅼ | 50 à 69 F |

Le domaine, conduit par une jeune œnologue, a été créé en 1995 mais les vignes sont beaucoup plus âgées (un demi-siècle). Cette cuvée de vieilles vignes, comme pour le précédent millésime, possède un support acide soutenu. Elle n'a pas beaucoup de volume, mais une fraîcheur qui laisse une bonne impression finale. Une réelle harmonie dans un style très sec. L'**arbois poulsard Vieilles vignes 97** a également été retenu par le jury. Rond, léger, fruité, équilibré et frais, c'est un vin d'automne.

☞ Amélie Guillot, 37, rue de Courcelles, 39600 Arbois, tél. 03.84.66.11.78, fax 03.84.66.11.78, e-mail amelie.guillot @ wanadoo.fr ☑ Ⲧ r.-v.

PATRICK JOHANN Savagnin 1996★★

| □ | | 1 ha | 2 000 | ⅰⅼ | 70 à 99 F |

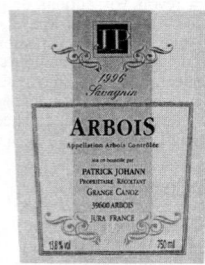

Ce vin a passé quatre ans en fût et s'y est plu. Il attire tout de suite l'œil par sa robe or et ses beaux reflets verts. Le nez est superbe : noix sèche et pomme verte rivalisent dans la puissance. La bouche est « prenante », comme l'indique un dégustateur. Des arômes de noix, d'orange et d'abricot persistent dans une structure d'un équilibre parfait. Ce n'est pas un vin jaune, mais cette bouteille s'en rapproche. A découvrir absolument.

☞ Patrick et Michèle Johann, Grange Canoz, 39600 Arbois, tél. 03.84.66.13.82, fax 03.84.37.48.81 ☑ Ⲧ r.-v.

LA CAVE DE LA REINE JEANNE
Chardonnay 1998★

| □ | | 9 ha | 50 000 | ■ ⅰⅼ ♦ | 30 à 49 F |

Bénédicte et Stéphane Tissot ont créé cette petite affaire de négoce qui complète le domaine familial. L'achat de raisins et la vinification selon les méthodes de la maison permettent une certaine maîtrise du style. Ce blanc aux reflets verts est végétal au nez et discrètement boisé. Souple, gras, il sait être séducteur par une belle rétro-olfaction de pomme fraîche. Incontestablement, la cuvée de **poulsard en arbois 98** qui ne connaît pas le fût, a obtenu une citation pour sa souplesse plaisante et sa légèreté : c'est un **rosé** à boire dès l'automne.

●┐SARL Le Cellier des Tiercelines, 54, Grande-Rue, 39600 Arbois, tél. 03.84.66.25.79, fax 03.84.66.25.08 ☑ ⵟ t.l.j. 10h-12h 13h30-19h, f. oct.-mai
●┐Bénédicte et Stéphane Tissot

DOM. DE LA PINTE Les Genevrets 1997

■　　2 ha　8 000　🟦🟦& 30à49F

Cette cuvée a été élevée en foudre et en fût pendant dix-huit mois. Philippe Chatillon est le maître de chai et le régisseur de ce domaine créé par Roger Martin en 1952. Ces Genevrets assemblent 1 % de trousseau au poulsard planté sur des marnes du trias. Le nez se révèle fin et racé avec de jolies notes de caramel accompagnant le fruité du poulsard. Le caractère fruité se retrouve en bouche et en fait un vin plaisant.
●┐Dom. de La Pinte, 39600 Arbois, tél. 03.84.66.06.47, fax 03.84.66.24.58 ☑ ⵟ t.l.j. 9h-12h 14h-18h; dim. sur r.-v.
●┐Roger Martin

DOM. DE LA RENARDIERE
Pupillin Chardonnay 1998

☐　　2 ha　12 000　🟦🟦 30à49F

Le domaine de La Renadière est devenu celui de la Renardière en 1999. Un R de plus, comme Renommée ou Réussite. Ce vin blanc issu de chardonnay a été élevé sur ses lies et bâtonné. Le nez est puissant, concentré, axé sur la noisette, tout en affichant un côté surmaturé très présent. La bouche ample et chaleureuse plaira aux amateurs de vin d'un style presque emphatique.
●┐Jean-Michel Petit, rue du Chardonnay, 39600 Pupillin, tél. 03.84.66.25.10, fax 03.84.66.25.10, e-mail renardiere@libertysurf.fr ☑ ⵟ t.l.j. 10h-12h 13h30-19h

DOM. DE LA TOURNELLE
Fleur de savagnin 1998★

☐　　1,4 ha　2 500　🟦🟦 50à69F

Pascal Clairet est un jeune producteur qui s'est laissé tenter par l'aventure vigneronne après cinq ans de conseil technique auprès des viticulteurs jurassiens. Cette Fleur de savagnin - c'est ainsi qu'il a baptisé ce vin - vient conforter sa vocation quelques années après. Si la première approche au nez est un peu difficile, ce vin se révèle ensuite agréablement typé. Très élégante en bouche, affichant une belle typicité, cette cuvée est marquée par son cépage. Pour le meilleur !
●┐Pascal Clairet, 5, Petite-Place, 39600 Arbois, tél. 03.84.66.25.76, fax 03.84.66.27.15 ☑ ⵟ r.-v.

DOM. DE LA TOURNELLE
Ploussard 1998★

■　　1,3 ha　6 500　🟦🟦 30à49F

Très belle robe pelure d'oignon. Le nez est discret mais néanmoins très agréable. Bien équilibré, ce 98 est sur le fruit. Il accompagnera agréablement une terrine.
●┐Pascal Clairet, 5, Petite-Place, 39600 Arbois, tél. 03.84.66.25.76, fax 03.84.66.27.15 ☑ ⵟ r.-v.

DOM. LIGIER PERE ET FILS
Trousseau 1998★

■　　1 ha　4 000　🟦🟦& 30à49F

Issu de vendanges manuelles, ce trousseau a été récolté fin septembre 1998. Le nez s'ouvre sur le fruité et les épices. Bien équilibré en bouche, il est très rafraîchissant, presque gouleyant. Un vin agréable, donc. Plaisant dès aujourd'hui, il peut également être gardé quelques années.
●┐Ligier Père et Fils, 7, rte de Poligny, 39380 Mont-sous-Vaudrey, tél. 03.84.71.74.75, fax 03.84.81.59.82 ☑ ⵟ r.-v.

DOM. LIGIER PERE ET FILS
Savagnin Elevé en fût de chêne 1996★

☐　　1 ha　5 000　🟦🟦 70à99F

Un vin de pur savagnin, né sur marnes grises, limpide et brillant, et qui est bien présent au nez : noix sèche et écorce d'orange s'expriment avec puissance. Déjà assez évolué en bouche, il est équilibré et affiche une bonne longueur. Voilà l'exemple parfait du produit qui permet d'approcher le fameux goût de jaune.
●┐Ligier Père et Fils, 7, rte de Poligny, 39380 Mont-sous-Vaudrey, tél. 03.84.71.74.75, fax 03.84.81.59.82 ☑ ⵟ r.-v.

FREDERIC LORNET
Trousseau des Dames 1998★★

■　　0,6 ha　2 800　50à69F

Le trousseau des dames est... plutôt masculin. Le nez, de haut rang, décline le cuir et le fauve, sur un fond de cerise également. La charpente est bien présente et les tanins se montrent déjà ronds. Il faut savoir que ce vin est issu de parcelles où la concentration des raisins était particulièrement recherchée. Cuvé dix-huit jours, c'est un joli modèle de l'appellation et de l'expression du cépage. Un sanglier ne serait pas de trop pour l'accompagner.
●┐Frédéric Lornet, L'Abbaye, 39600 Montigny-lès-Arsures, tél. 03.84.37.44.95, fax 03.84.37.40.17 ☑ ⵟ r.-v.

FREDERIC LORNET Ploussard 1998★

◢　　1,5 ha　9 000　🟦🟦 30à49F

Belle brillance, bonne limpidité : tout commence bien pour cet arbois rosé. Le premier nez est dominé par un côté végétal puis il devient assez complexe : on y trouve beaucoup d'agrumes. Cette fraîcheur du nez se poursuit en bouche et donne une impression finale très agréable. Pour un début de repas.

➥ Frédéric Lornet, L'Abbaye, 39600 Montigny-lès-Arsures, tél. 03.84.37.44.95, fax 03.84.37.40.17 ☑ ⵢ r.-v.

DOM. MARTIN FAUDOT
Chardonnay 1998★★

	0,8 ha	4 000	ⅡⅠ	30 à 49 F

Ce vin fait un peu plus que son âge, mais il est parfaitement typé « Jura » ! Le nez est intense, évolué. Pas de fruit, mais plutôt de la vanille et du cacao. Sa belle évolution en bouche, où la noix et le chocolat se disputent les faveurs du palais, accompagne une structure et un équilibre parfaits. Dans cette même AOC, le **poulsard 98** reçoit une citation pour son nez naissant de fruits rouges et de cannelle, sa rondeur et sa fraîcheur.
➥ Dom. Martin-Faudot, 1, rue Bardenet, 39600 Mesnay, tél. 03.84.66.29.97, fax 03.84.66.29.84 ☑ ⵢ r.-v.

DOM. DE MONTFORT 1996★

■	n.c.	24 000	ⅡⅠ	100 à 149 F

Le domaine de Montfort est l'un des domaines de la maison Henri Maire, célèbre notamment pour sa force de vente par démarchage à domicile. Une belle couleur rouge profond habille ce vin d'assemblage comportant principalement du pinot noir, mais aussi du poulsard et du trousseau. Le nez est puissant, presque fauve et déjà évolué, cependant les tanins sont fermes ; ce vin présente une forte personnalité qui sera totalement mise en valeur d'ici quelques années (deux ou trois ans).
➥ Dom. de Montfort, Ch. Boichailles, 39600 Arbois, tél. 03.84.66.12.34, fax 03.84.66.42.42 ☑ ⵢ r.-v.
➥ SCV H. Maire

DESIRE PETIT ET FILS
Pupillin Ploussard 1998★

◢	3,5 ha	18 000	■ⅡⅠ⌗	30 à 49 F

Les deux frères Petit, Gérard et Marcel, se dépensent sans compter pour faire connaître les vins du Jura. Avec 17 000 clients, ils privilégient les particuliers. Un puissant bouquet de fruits et une note sauvage de sous-bois introduisent la dégustation de ce rosé. Rond et chaleureux en bouche, celui-ci se comporterait presque comme un rouge, ce qui n'a rien d'étonnant ici. Rouge ou rosé, c'est en tout cas très bon.
➥ Désiré Petit, rue du Ploussard, 39600 Pupillin, tél. 03.84.66.01.20, fax 03.84.66.26.59 ☑ ⵢ t.l.j. 8h30-12h 14h-19h
➥ Gérard et Marcel Petit

JACQUES PUFFENEY Poulsard 1998★

◢	1,5 ha	10 000	ⅡⅠ	50 à 69 F

Montigny-lès-Arsures est l'un des villages les plus attachants du vignoble d'Arbois. Une petite flânerie vous permettra de prendre la mesure du temps vigneron. Ce vin de pur poulsard offre un nez d'une forte intensité, très fruité et d'une agréable fraîcheur. La bouche possède beaucoup de matière ; elle est encore un peu marquée par le bois, mais bien équilibrée. Il faut vraisemblablement laisser ce 98 évoluer encore. L'**arbois jaune 92** a obtenu une citation pour l'ampleur et la richesse de sa structure (150 à 199 F).

➥ Jacques Puffeney, Saint-Laurent, 39600 Montigny-lès-Arsures, tél. 03.84.66.10.89, fax 03.84.66.08.36 ☑ ⵢ r.-v.

JACQUES PUFFENEY Trousseau 1998★★

■	0,8 ha	4 000	ⅡⅠ	70 à 99 F

Le nez est typé : animal et épicé. La bouche, plus flatteuse, présente un fruité simple, mais agréable. Ronde et chaleureuse, elle offre une note boisée qui s'ajoute à un ensemble bien fait. Ce 98 peut être dégusté dès à présent mais possède matière à vieillir de longues années. Pour un retour de chasse d'automne, ce sera extra.
➥ Jacques Puffeney, Saint-Laurent, 39600 Montigny-lès-Arsures, tél. 03.84.66.10.89, fax 03.84.66.08.36 ☑ ⵢ r.-v.

FRUITIERE VINICOLE DE PUPILLIN Pupillin Chardonnay 1998★★

☐	28 ha	100 000	■⌗	30 à 49 F

Après plus de quatre-vingt-dix ans d'existence, la Fruitière vinicole de Pupillin produit année après année des vins fort justement appréciés. Celui-ci est sur la fleur blanche au nez. Son style assez opulent offre à la dégustation une belle matière d'où émane la noblesse du miel et de l'amande. Une impression de richesse que l'on peut découvrir tout de suite ou d'ici quelques années. La Fruitière propose aussi un **rosé Pupillin Ploussard 98** qui a été cité pour son agréable légèreté.
➥ Fruitière vinicole de Pupillin, 39600 Pupillin, tél. 03.84.66.12.88, fax 03.84.37.47.16 ☑ ⵢ r.-v.

ROLET PERE ET FILS
Vin de paille Caveau des Capucins 1996★★

☐	2 ha	4 000	ⅡⅠ	100 à 149 F

Il n'y a que des cépages blancs dans ce vin de paille : savagnin (25 %) et chardonnay. Pâte de coing et pruneau au nez, ce 96 est particulièrement expressif, riche et puissant en bouche. On devine un travail remarquable sur une belle matière. Un côté fruits secs, fruits confits, accapare nos sens. Une réjouissante dégustation.
➥ Dom. Rolet Père et Fils, rte de Dole, 39600 Arbois, tél. 03.84.66.00.05, fax 03.84.37.47.41, e-mail rolet@wanadoo.fr ☑ ⵢ r.-v.

ROLET PERE ET FILS Vin jaune 1992★

☐	4 ha	9 000	ⅡⅠ	150 à 199 F

Deuxième domaine viticole du Jura par sa taille, le domaine Rolet est aussi l'un des plus célèbres par la qualité de ses vins. Si celui-ci n'offre pas encore un grand éclat au nez, une subtile note de curry vient titiller nos sens. L'attaque en bouche est plaisante. Ce vin riche, complet, harmonieux et persistant doit être mis en cave pour être au mieux de sa forme dans quelques années. La cuvée **Mémorial en arbois 97 rouge** (50 à 69 F) a obtenu une citation. Puissante et bien fruitée, elle accompagnera une viande rouge.

�¬ Dom. Rolet Père et Fils, rte de Dole, 39600 Arbois, tél. 03.84.66.00.05, fax 03.84.37.47.41, e-mail rolet@wanadoo.fr
☑ 𝖸 r.-v.

ANDRÉ ET MIREILLE TISSOT
Vin de paille 1996★

☐	1,2 ha	4 000	🗃 ⏻	150 à 199 F

Les vins d'André et Mireille Tissot sont bien connus. Ce qui est nouveau, mais dans l'air du temps, c'est la reconversion de la totalité du domaine en agriculture biologique. Récoltés fin septembre 1996, les raisins de poulsard, chardonnay et savagnin ont été pressurés entre fin janvier et le début mars 1997. Ils ont donné naissance à un vin de paille aux fruit belles nuances de coing et d'abricot. Doux à souhait, ce 96 reste très intéressant sur le plan aromatique.

➬ André et Mireille Tissot, 39600 Montigny-lès-Arsures, tél. 03.84.66.08.27, fax 03.84.66.25.08 ☑ 𝖸 r.-v.
➬ André et Stéphane Tissot

JACQUES TISSOT Trousseau 1997★

■	2 ha	10 500	⏻ 🍷	50 à 69 F

Rencontrer Jacques Tissot est un moment de bonheur. Sa jovialité et sa simplicité rendent l'homme particulièrement sympathique. Son vin de trousseau est d'abord végétal au nez, puis fruité, bien qu'encore un peu fermé. En bouche, l'ensemble apparaît assez léger mais bien équilibré. Soyeux, agréable, ce 97 saura vous conter le Jura avec autant de plaisir que le vigneron qui l'a élaboré.

➬ Jacques Tissot, 39, rue de Courcelles, 39600 Arbois, tél. 03.84.66.14.27, fax 03.84.66.24.88 ☑ 𝖸 r.-v.

JACQUES TISSOT Vin jaune 1992★

☐	3,5 ha	8 000	🗃 ⏻ 🍷	150 à 199 F

Sous une belle robe d'or, se cache un vin au nez d'éthanal marqué. Très typé en bouche, ce vin jaune se révèle intéressant par sa persistance. Il faut absolument vous mettre en quête d'un bon morceau de comté ; n'oubliez pas que ce fromage d'AOC se produit aussi à Arbois, qui possède une fruitière fromagère.

➬ Jacques Tissot, 39, rue de Courcelles, 39600 Arbois, tél. 03.84.66.14.27, fax 03.84.66.24.88 ☑ 𝖸 r.-v.

JEAN-LOUIS TISSOT Vin jaune 1992★

☐	0,6 ha	1000	⏻	100 à 149 F

Que ce soit à Vauxelles, le village d'origine, ou aux Arsures, la famille de Jean-Louis Tissot aime à faire découvrir les vins du Jura, et ne manquera pas de vous séduire avec ce vin jaune. Plutôt discret au nez, celui-ci n'en est pas moins très fin. La bouche est agréable, assez facile. Et si ce vin est déjà prêt, tout en pouvant se conserver, il satisfera les gens pressés. Avez-vous pensé

à l'apéritif ? Avec un petit morceau de comté, c'est divin. L'**arbois rouge 98** issu de **trousseau** (30 à 49 F) a obtenu une citation pour son bouquet de fruits rouges mûrs (cerise bien évoluée) et de réglisse. Sa bouche est distinguée.

➬ Jean-Louis Tissot, Vauxelles, 39600 Montigny-lès-Arsures, tél. 03.84.66.13.08, fax 03.84.66.08.09 ☑ 𝖸 t.l.j. 9h-12h 14h-18h; dim. et groupes sur r.-v.

Château-chalon

Le plus prestigieux des vins du Jura, produit sur 45 ha, est exclusivement du vin jaune, le célèbre vin de voile élaboré selon des règles strictes. Le raisin est récolté dans un site remarquable, sur les marnes noires du lias ; les falaises, au-dessus desquelles est établi le vieux village, le surplombent. La production est limitée mais a atteint, en 1999, 2 054 hl, et la mise en vente s'effectue six ans et trois mois après la vendange. Il est à noter que, dans un souci de qualité, les producteurs eux-mêmes ont refusé l'agrément en AOC pour les récoltes de 1974, 1980 et 1984.

BAUD 1992★

☐	1,8 ha	2 300	⏻	150 à 199 F

Huit générations de vignerons sur ce domaine qui s'est constitué au fil d'acquisitions successives pour atteindre aujourd'hui 16 ha. Les parcelles de château-chalon sont entrées dans l'exploitation en 1986. Le nez de ce 92 n'est pas très intense mais délivre des notes de noix d'une très grande finesse. En revanche, la bouche est déjà bien ouverte, offrant de l'acidité, du gras et une très belle longueur. Toute la puissance de ce vin s'exprime en finale sur de superbes arômes de grillé.

➬ Dom. Baud Père et Fils, rte de Voiteur, 39210 Le Vernois, tél. 03.84.25.31.41, fax 03.84.25.30.09 ☑ 𝖸 r.-v.

MARCEL CABELIER 1992

☐	n.c.	7 000	⏻	150 à 199 F

Cette maison de négoce située à Crançot diversifie sa gamme autour de l'activité principale liée aux vins effervescents. Si ce château-chalon est assez pâle à l'œil, il est en revanche très généreux au nez : noix mûre, fruits confits, amande grillée s'y pressent. Déjà bien ouvert, il est doté d'un bon équilibre et offre une qualité aromatique très honorable. Il a l'avantage de pouvoir être bu dès à présent mais ne gagnera pas à être attendu trop longtemps.

➬ Cie des Grands Vins du Jura, rte de Champagnole, 39570 Crançot, tél. 03.84.87.61.30, fax 03.84.48.21.36 ☑ 𝖸 r.-v.

JURA

RESERVE CATHERINE DE RYE
1983★★

☐　　　　n.c.　　12 000　⏸⏸ 300 à 499 F

Henri Maire peut s'enorgueillir de détenir la plus grande réserve mondiale de vins jaunes, ce qui explique la présentation de ce millésime très ancien. En 1997, nous l'avions trouvé très réussi. Dégusté le 24 janvier 2000, il apparaît sous une robe d'or très intense. Le nez, qui a bien évolué, offre beaucoup de complexité aromatique. La noix est toujours là, bien présente. Grâce à une bonne acidité, ce château-chalon tient sans peine. Les arômes de noix et de fruits secs se développent ensuite au palais avec finesse. Il est bien sûr bon à boire mais peut encore rester quelques décennies en cave.
☛ Henri Maire SA, Ch. Boichailles, 39600 Arbois, tél. 03.84.66.12.34, fax 03.84.66.42.42 ☑ ⏺ r.-v.

D. ET P. CHALANDARD 1992

☐　　　　1 ha　　2 000　⏸⏸ 150 à 199 F

Daniel Chalandard s'est installé ici en 1970. Partisan de la lutte raisonnée, son fils travaille désormais avec lui. Jaune pâle à beaux reflets verts, ce vin jaune manque-t-il d'intensité au nez ou est-il encore fermé ? Sa jeunesse n'a pas permis aux dégustateurs de trancher. En revanche, ils s'accordent sur sa franchise, son bon équilibre, sa jolie longueur où des arômes de noix mûre et un peu de grillé s'expriment progressivement dans une grande finesse. On le sent discret mais il a bien des atouts. A attendre trois à cinq ans.
☛ GAEC du Vieux Pressoir, rte de Voiteur, 39210 Le Vernois, tél. 03.84.25.31.15, fax 03.84.25.37.62 ☑ ⏺ r.-v.

DESIRE PETIT ET FILS 1992★

☐　　　　0,3 ha　　1 400　⏸⏸ 150 à 199 F

Sur les 20 ha de vignes de l'exploitation, seulement 30 ares peuvent produire de l'AOC château-chalon. Les 1 400 bouteilles de ce millésime contiennent un vin jaune paille qui a besoin d'aération pour offrir des parfums de noix sèche au nez. La bouche est marquée par de la puissance et du gras au départ, puis progressivement se développent des arômes doux entre fruits secs, amande et noisette. A attendre cinq ans.
☛ Gérard et Marcel Petit, rue du Ploussard, 39600 Pupillin, tél. 03.84.66.01.20, fax 03.84.66.26.59 ☑ ⏺ t.l.j. 9h-12h 14h-19h; groupes sur r.-v.

AUGUSTE PIROU 1992★★

☐　　　　n.c.　　15 000　⏸⏸ 100 à 149 F

La maison présidée par P. Menez (maison Henri Maire) est également riche en vins jaunes. Le jury, une fois encore, a apprécié le succès de l'élevage sur ce millésime. Plus que la puissance, c'est la finesse qui plaît au nez. Ce château-chalon offre beaucoup de gras et d'élégance en bouche où la noix se fait délicate, discrète mais persistante. Le fond d'acidité nécessaire à tout bon vin jaune s'exprime en finale, lui aussi très discrètement. Un vrai vin de plaisir, fin et complexe, qui peut être bu maintenant et qui devrait tenir dix à quinze ans.

☛ Auguste Pirou, Les Caves Royales, 39600 Arbois, tél. 03.84.66.42.70, fax 03.84.66.42.42

FRUITIERE VINICOLE DE VOITEUR
1989

☐　　　　10 ha　　60 000　⏸⏸ 150 à 199 F

Sur les 70 ha des adhérents de la Fruitière vinicole de Voiteur qui, rappelons-le ici, désigne une coopérative, 10 sont classés en AOC château-chalon. Cela représente une production importante. Ce 89 est encore plein de jeunesse. Si le nez n'est pas très intense, la note de noix fraîche est agréable. La bouche est également discrète, mais joue toujours de la même finesse.
☛ Fruitière vinicole de Voiteur, 60, rue de Nevy-sur-Seille, 39210 Voiteur, tél. 03.84.85.21.29, fax 03.84.85.27.67, e-mail voiteur@fruitiere-vinicole-voiteur.fr
☑ ⏺ t.l.j. 9h-12h 13h30-18h

Côtes du jura

L'appellation englobe toute la zone du vignoble de vins fins. La surface en production est de 619 ha en 1999 et donne 37 596 hl, comportant tous les types de vins.

CH. D'ARLAY 1996★

■　　　　12 ha　　20 000　■ ⏸⏸ 50 à 69 F

Le domaine n'a jamais été vendu ni acheté depuis sa fondation au XII[e]s. Alain de Laguiche poursuit l'œuvre de son père depuis 1995. Le pinot noir est ici le roi, avec plus de 40 % de l'encépagement de l'exploitation, ce qui est exceptionnel dans les structures viticoles jurassiennes. Ce 96 présente un nez de feuilles de cassis et une bouche dotée d'une certaine matière qui aura besoin de temps pour s'assouplir. On évoque déjà les grands noms du plateau de fromages français, tels que munster ou livarot, comme compagnons.
☛ Ch. d'Arlay, rte de Saint-Germain, 39140 Arlay, tél. 03.84.85.04.22, fax 03.84.48.17.96, e-mail chateau@arlay.com
☑ ⏺ t.l.j. sf dim. 8h-12h 14h-18h
☛ Comte A. de Laguiche

Côtes du jura

CH. D'ARLAY 1995

☐   6 ha   25 000   ▪ ⑪ ⚄   `70 à 99 F`

Cet assemblage de 70 % de chardonnay et de 30 % de savagnin, réalisé au niveau des raisins et non des vins, donne des arômes de fruits muscatés. La bouche est concentrée, entre fruits et épices. On ne retrouve pas du tout le caractère oxydatif propre aux vins du Jura, mais des arômes presque alsaciens ! Un style plaisant et assez atypique.

☛ Ch. d'Arlay, rte de Saint-Germain, 39140 Arlay, tél. 03.84.85.04.22, fax 03.84.48.17.96, e-mail chateau@arlay.com
☑ 🍷 t.l.j. sf dim. 8h-12h 14h-18h

BERNARD BADOZ Vin jaune 1992★

☐   1,25 ha   1 200   ⑪   `150 à 199 F`

Bernard Badoz le dit, mais il faut le répéter : le vin jaune doit être servi légèrement chambré. Fruit sec et tabac au nez, celui-ci a une approche agréable. L'attaque est encore un peu anguleuse mais l'arrière-bouche de noix verte est intéressante. Un très bon potentiel qu'il faut laisser s'extérioriser. Les dégustateurs vous demandent de leur faire confiance et d'attendre... une dizaine d'années. Boire du vin jaune... ça se mérite !

☛ Bernard Badoz, 15, rue du Collège, 39800 Poligny, tél. 03.84.37.11.85, fax 03.84.37.11.18 ☑ 🍷 t.l.j. 8h-20h

BERNARD BADOZ
Tradition du Terroir 1996★

☐   1,5 ha   5 000   ⑪   `50 à 69 F`

Puissant, le nez n'en est pas moins fin : vanille, noisette et fleurs blanches sont au menu. La bouche est d'une belle ampleur : amande verte et citronnelle se partagent les faveurs de notre palais. Aucun déséquilibre, et une finale dans la puissance qui fait vraiment plaisir. Egalement une étoile, le rosé 98 (30 à 49 F) offre de jolies notes de fruits rouges et sera agréable sur une entrée (salade de foie de canard).

☛ Bernard Badoz, 15, rue du Collège, 39800 Poligny, tél. 03.84.37.11.85, fax 03.84.37.11.18 ☑ 🍷 t.l.j. 8h-20h

BAUD PERE ET FILS Vin jaune 1992

☐   3,5 ha   2 500   ⑪   `150 à 199 F`

Au domaine Baud, on produit à la fois du château-chalon et du côtes du jura jaune. Ce dernier est discret au nez mais agréable. Tout à fait typé dans son millésime, il est tout en équilibre et en finesse. Très plaisant, il pourra être dégusté avec une entrée chaude.

☛ Dom. Baud Père et Fils, rte de Voiteur, 39210 Le Vernois, tél. 03.84.25.31.41, fax 03.84.25.30.09 ☑ 🍷 r.-v.

BAUD PERE ET FILS Savagnin 1996★

☐   4 ha   4 000   ▪ ⑪ ⚄   `70 à 99 F`

Le mariage de la noisette et du curry au côté beurré et épicé est particulièrement apprécié tant au nez qu'en bouche. Longueur et complexité caractérisent ce vin de pur savagnin, très représentatif de son AOC. Boisé, il porte la marque d'un bel équilibre et d'une grande finesse.

☛ Dom. Baud Père et Fils, rte de Voiteur, 39210 Le Vernois, tél. 03.84.25.31.41, fax 03.84.25.30.09 ☑ 🍷 r.-v.

PHILIPPE BUTIN Vin jaune 1993

☐   0,5 ha   1 200   ⑪   `150 à 199 F`

Les Butin sont vignerons depuis trois générations. Philippe est à la tête de la propriété depuis 1981. Cette petite production de vin jaune se sent bien dans sa robe dorée. Robuste, très structuré en bouche et assez riche en alcool, ce 93 peut vieillir.

☛ Philippe Butin, 21, rue de la Combe, 39210 Lavigny, tél. 03.84.25.36.26, fax 03.84.25.39.18 ☑ 🍷 t.l.j. 8h-19h

CAVEAU DES BYARDS
Chardonnay 1997★★

☐   1,2 ha   8 000   ⑪   `30 à 49 F`

Ici, on a fait de gros efforts dans le domaine technologique pour que le raisin soit traité avec respect. Ce vin issu du chardonnay en est reconnaissant. Derrière une robe or pâle, un bouquet de fleurs d'acacia s'annonce. La bouche est construite sur un équilibre alcool-acidité bien maîtrisé et une superbe qualité d'arômes. Le miel, les fruits secs grillés et l'amande verte sont au rendez-vous. Quand on sait que tout cela dure longtemps, longtemps, longtemps, on se dit qu'il n'y a pas que les plus grands qui gagnent. En effet, seule la production de 25 ha de vignes rentre au caveau des Byards.

☛ Caveau des Byards, 39210 Le Vernois, tél. 03.84.25.33.52, fax 03.84.25.38.02 ☑ 🍷 r.-v.

CAVEAU DES BYARDS Vin jaune 1992★

☐   2 ha   2 700   ⑪   `150 à 199 F`

Une petite cave coopérative mais qui a tous les atouts d'une grande. Avec les 2 ha de savagnin des adhérents, le maître de chai a réalisé ce vin jaune paré d'une superbe robe vieil or. Le nez, déjà évolué, reste assez frais sur le pain d'épice et la noix. Le palais apparaît rond, légèrement madérisé. Un membre du jury se réjouit de ne pas saturer dans la dégustation de ce vin et rappelle le formidable sentiment de plaisir que l'on peut ressentir quand on découvre ces vins jaunes, œuvres de viticulteurs passionnés.

☛ Caveau des Byards, 39210 Le Vernois, tél. 03.84.25.33.52, fax 03.84.25.38.02 ☑ 🍷 r.-v.

MARCEL CABELIER Chardonnay 1997

☐   n.c.   18 000   ▪ ⑪ ⚄   `30 à 49 F`

Une belle présentation : la robe or pâle est parfaitement limpide et brillante. Le nez est marqué par la vanille, la noisette, avec quelques notes grillées. La bouche est agréable, assez vive. Friand, ce 97 peut être bu dès maintenant. Le jury vous conseille des cuisses de grenouille à la crème pour l'accompagner.

☛ Cie des Grands Vins du Jura, rte de Champagnole, 39570 Crançot, tél. 03.84.87.61.30, fax 03.84.48.21.36 ☑ 🍷 r.-v.

DANIEL ET PASCAL CHALANDARD 1997

☐   3 ha   9 000   ▪ ⑪   `30 à 49 F`

Comme d'autres de leurs collègues jurassiens, Daniel et Pascal Chalandard ont été séduits par la culture dite « raisonnée ». Distingués l'année dernière par un coup de cœur, le tandem père-fils propose un vin d'assemblage chardonnay (70 %)

- savagnin (30 %), qui est plutôt marqué par ce dernier. Ce 97 fait bonne impression avec un nez intense et complexe et une bouche aromatique.
🐓 GAEC du Vieux Pressoir, rte de Voiteur, 39210 Le Vernois, tél. 03.84.25.31.15, fax 03.84.25.37.62 ☑ ⍊ r.-v.

DENIS ET MARIE CHEVASSU
Chardonnay 1997

☐	2 ha	2 000	◫ 30 à 49 F

Ici, les vaches sont restées, alors qu'ailleurs, bien souvent, elles ont été chassées par les vignes. Le lait sert à fabriquer le comté, autre élément primordial du patrimoine gastronomique jurassien. Mais revenons à ce côtes du jura. Son joli nez de miel a encore un peu de mal à s'exprimer. Souple, gras, le vin est bien équilibré grâce à une bonne acidité. Quant aux arômes, ils apportent déjà un bon goût de fruit mais devraient s'ouvrir davantage d'ici deux ou trois ans.
🐓 Denis Chevassu, Granges Bernard, 39210 Menétru-le-Vignoble, tél. 03.84.85.23.67, fax 03.84.85.23.67 ☑ ⍊ r.-v.

DOM. VICTOR CREDOZ
Chardonnay 1997★

☐	3 ha	10 000	◫ 30 à 49 F

Le domaine Victor Credoz a privilégié la production des vins blancs. Né du chardonnay, celui-ci est très floral au nez avec une pointe de grillé en finale. La bouche est vive mais de jolis arômes de grillé se développent dans une bonne longueur. Agréable par sa fraîcheur, ce 97 demande à s'ouvrir encore.
🐓 Dom. Victor Credoz, 39210 Menétru-le-Vignoble, tél. 06.80.43.17.44, fax 06.84.44.62.41 ☑ ⍊ t.l.j. 8h-12h 13h-19h

DOM. VICTOR CREDOZ
Pinot noir 1998★★

■	1 ha	5 000	◫ 30 à 49 F

Quelques notes de cassis et un côté animal : le nez de ce beau vin rouge nous est tout de suite sympathique. On retrouve une bouche de cassis où le pinot noir semble dominer. Les dégustateurs ont été sensibles aux grandes qualités que développe ce 98, mais ont un peu de mal à y retrouver la typicité « Jura ». Un chevreuil doit pouvoir l'accompagner.
🐓 Dom. Victor Credoz, 39210 Menétru-le-Vignoble, tél. 06.80.43.17.44, fax 06.84.44.62.41 ☑ ⍊ t.l.j. 8h-12h 13h-19h

RICHARD DELAY Pinot noir 1998★★★

■	1,75 ha	7 000	◫ 30 à 49 F

Décidément cette cuvée de pinot noir séduit les dégustateurs du Guide qui lui ont toujours marqué un grand intérêt. Le 98 confirme l'engouement. De jolis reflets violacés nous accueillent. Flatteur et printanier au nez, ce vin encore tannique, d'une richesse alcoolique certaine, n'en est pas moins aromatique. Cassis et cerise l'annoncent. Le côté concentré est vraiment très apprécié. Un bon point pour ce vignoble du sud du Revermont, dont Richard Delay assure la défense et la promotion depuis longtemps déjà.

🐓 Richard Delay, 37, rue du Château, 39570 Gevingey, tél. 03.84.47.46.78, fax 03.84.43.26.75 ☑ ⍊ r.-v.

JACQUES ET BARBARA DURAND-PERRON 1996

☐	2 ha	5 000	◫ 30 à 49 F

Jacques Durand est le gendre de Marius Perron, ancien producteur réputé de Château-Chalon. C'est lui maintenant qui a pris la suite. La robe or paille de ce côtes du jura ne passe pas inaperçue. Le nez est légèrement grillé, la bouche briochée. Il faudra attendre un peu pour que la vivacité s'atténue. Une belle longueur cependant, très prometteuse. Pour un filet de sandre à la crème, dans deux ou trois ans.
🐓 Jacques et Barbara Durand-Perron, 9, rue des Roches, 39210 Voiteur, tél. 03.84.44.66.80, fax 03.84.44.62.75 ☑ ⍊ r.-v.

DOM. GRAND FRERES
Chardonnay 1998★★

☐	4 ha	25 000	◫ 30 à 49 F

Assurément, les frères Grand ont fait là un très grand vin ! Or pâle, il distille au nez des notes de miel, de coing et de fleurs blanches. Sa complexité et sa finesse sont déjà de bon augure. Mais quand on découvre en bouche ce que l'on peut appeler un nectar, c'est alors merveilleux. Une très belle attaque, un exemple d'équilibre et un beau volume. Le miel est encore là dans une jolie longueur. Typique, ce 98 a été vinifié de main de maître. Par ailleurs, le domaine a obtenu deux citations : la première va à un **vin jaune 93** (100 à 149 F), qui devra attendre au moins cinq ans ; la seconde à un **rouge 98** de trousseau en robe claire, léger, souple et fruité, qui accompagnera toutes ces bonnes choses fumées que l'on produit dans le haut Jura.

☛ Dom. Grand Frères, rue du Savagnin, 39230 Passenans, tél. 03.84.85.28.88, fax 03.84.44.67.47 ☑ ⵑ t.l.j. 9h-12h 14h-18h; f. sam. dim. de jan. fév.

CH. GREA Vin de paille 1996

| ☐ | n.c. | 500 | ⏸⏸ | 100 à 149 F |

Nicolas Caire est vigneron au château Gréa. Il a élaboré ces cinq cents petites bouteilles de vin de paille essentiellement à base de cépages blancs. Miel et raisins secs au nez, ce 96 possède une importante quantité de sucres résiduels et peu d'acidité compensés par une belle carte aromatique.
☛ Nicolas Caire, Ch. Gréa, 39190 Rotalier, tél. 06.81.83.67.80, fax 03.84.25.05.47 ☑ ⵑ r.-v.

CLOS DES GRIVES Savagnin 1996★

| ☐ | n.c. | 2 500 | ⏸⏸ | 70 à 99 F |

Claude Charbonnier conduit ses vignes selon les méthodes de l'agriculture biologique depuis déjà un certain temps. Sous sa belle robe dorée, son savagnin n'a pas peur de s'afficher au nez : vanille, caramel et noisette s'affirment avec puissance. A peine acide, la bouche présente une belle harmonie générale. Les nuances de noix verte et une finale épicée sont agréables. Un bon produit typé qui demande à vieillir.
☛ Claude Charbonnier, 204, Grande-Rue, 39570 Chillé, tél. 03.84.47.23.78, fax 03.84.47.29.27 ☑ ⵑ r.-v.

FRANCK GUIGNERET Fruité 1996★★

| ☐ | 2 ha | 6 000 | 🖺♦ | 50 à 69 F |

On est toujours heureux quand un nouveau vigneron s'installe et apparaît au Guide Hachette. C'est le cas de Franck Guigneret qui, venant de la région parisienne, a repris quelques hectares de vignes à Château-Chalon. Toujours passionné par les rapaces qu'il continue de faire voler à Arley, le voici lancé dans cette aventure viti-vinicole. Son vin blanc dit « fruité » est toutes fleurs dehors au nez. Une pointe de noisette, une touche de vanille, une note de grillé, tout est délicatesse et équilibre. La persistance est également superbe. Pour une première, c'est vraiment extra. Le jury est enthousiasmé par tant d'harmonie. Sa cuvée **Typé 96** élevée deux ans en fût est citée pour l'intensité de son fruité.
☛ Franck Guigneret, rue des Chèvres, 39210 Château-Chalon, tél. 03.84.44.67.97, fax 03.84.44.69.20, e-mail savagnin@aol.com ☑ ⵑ r.-v.

CAVEAU DES JACOBINS
Savagnin 1994★

| ☐ | n.c. | 8 200 | ⏸⏸ | 70 à 99 F |

Ce n'est pas tous les jours qu'il peut être donné de déguster dans une église désaffectée. Située en plein centre de Poligny, elle n'est pas difficile à trouver. Le cadre à lui seul mérite déjà le détour. Mais au-delà de cet environnement surprenant, il y a ce côtes du jura pur savagnin prêt à vous ravir lui aussi. Noix et curry au nez et une bouche très concentrée, un peu austère encore mais bien typique, contribuent à la qualité de ce bon produit, à boire sans aucun repentir.

☛ Caveau des Jacobins, rue Nicolas-Appert, 39800 Poligny, tél. 03.84.37.01.37, fax 03.84.37.30.47 ☑ ⵑ r.-v.

CLAUDE JOLY Pinot noir 1998

| ■ | n.c. | 4 500 | ⏸⏸ | 30 à 49 F |

Le même vin, mais dans son millésime 97, fut élu coup de cœur l'an dernier. Cette fois, le nez de ce côtes du jura de pur pinot noir est plutôt végétal et assez intense. Les tanins sont présents mais assez souples. En bouche aussi la dominante est végétale avec quelques arômes légers de griotte. Une bouteille qu'il faudra boire assez jeune après une petite garde.
☛ Claude Joly, chem. des Pataratts, 39190 Rotalier, tél. 03.84.25.04.14, fax 03.84.25.14.48 ☑ ⵑ r.-v.

ALAIN LABET Fleur de chardonnay 1998

| ☐ | 1,2 ha | 4 550 | ⏸⏸ | 50 à 69 F |

Rotalier est l'un des villages viticoles du Revermont, partie sud du vignoble jurassien. Alain Labet y fait pousser cette « fleur de chardonnay ». Le nez est floral, légèrement boisé. Ce vin rond et chaud, assez marqué par le fût, n'a sans doute pas une grande typicité Jura ; il est néanmoins bien fait, et vous l'aimerez sur des entrées chaudes.
☛ Alain Labet, pl. du Village, 39190 Rotalier, tél. 03.84.25.11.13, fax 03.84.25.06.75 ☑ ⵑ r.-v.

DOM. MOREL-THIBAUT
Vin de paille 1996

| ☐ | 1 ha | 3 000 | ⏸⏸ | 100 à 149 F |

A l'entrée sud de Poligny, en face de l'école de laiterie, Jean-Luc Morel et Michel Thibaut préparent un vin de paille qui n'a pas peur de se montrer. Couleur or paille, comme il se doit ! Chocolat et raisins secs au nez, il est rond et équilibré en bouche. Bien représentatif de ce type de production, il peut se boire ou se garder.
☛ Dom. Morel-Thibaut, 8, rue Coittier, 39800 Poligny, tél. 03.84.37.07.61, fax 03.84.37.07.61 ☑ ⵑ t.l.j. 15h-19h; dim. 10h-12h

DOM. MOREL-THIBAUT 1997★★

| ☐ | 3 ha | 10 000 | ⏸⏸ | 30 à 49 F |

Il n'y a dans cet assemblage que 5 % de savagnin. Le reste est constitué de chardonnay. Intense et complexe, le nez évoque l'acacia, la cire d'abeille et le grillé. Bien équilibré et long, le palais développe la même gamme aromatique qu'au nez, gamme à laquelle on peut ajouter pain d'épice et caramel. Voilà donc un vin délicat et persistant, doté d'une très belle matière et qui supportera parfaitement la présence d'un gratin d'écrevisses à ses côtés.
☛ Dom. Morel-Thibaut, 8, rue Coittier, 39800 Poligny, tél. 03.84.37.07.61, fax 03.84.37.07.61 ☑ ⵑ t.l.j. 15h-19h; dim. 10h-12h

PIGNIER PERE ET FILS
Trousseau 1998★★

| ■ | 0,6 ha | 2 500 | ⏸⏸ | 30 à 49 F |

Marie-Florence, Antoine et Jean-Etienne Pignier sont des partisans de l'agriculture dite raisonnée. Parmi les pratiques culturales employées, il faut citer l'enherbement des vignes. Il est parfaitement raisonnable et même conseillé de goûter à leur côtes du jura né de vignes de trousseau exclusivement vendangées à la main. Griotte, cassis, framboise : c'est un panier de fruits rouges au nez. Légèrement perlant, un peu tannique aussi, ce 98 demande à être attendu. Digne d'un chevreuil, ou de cailles aux raisins.

🍷 Dom. Pignier, Cellier des Chartreux, 39570 Montaigu, tél. 03.84.24.24.30, fax 03.84.47.46.00 ☑ ⵣ t.l.j. 8h-12h 13h30-19h; dim. 8h-12h; groupes sur r.-v.

AUGUSTE PIROU Rouge chaud 1998★★★

■	n.c.	16 000	30 à 49 F

Le rouge chaud d'Auguste Pirou, marque de la société Henri Maire, n'est pas en froid avec nos dégustateurs. Toujours assez marqué par le pinot noir qui domine l'assemblage, il séduit par sa note presque cassis. Accrocheur, c'est avec des pointes de petits fruits rouges et de kirsch qu'il flatte. Doté d'une belle matière en bouche, il est équilibré. L'ensemble est fondu, velouté. Il peut être bu dès maintenant mais saura attendre. A déguster aux alentours de 14 °C sur les viandes grillées.

🍷 Auguste Pirou, Les Caves Royales, 39600 Arbois, tél. 03.84.66.42.70, fax 03.84.66.42.42

XAVIER REVERCHON
Les Boutasses 1998★

■	0,5 ha	3 000	ⵣ 30 à 49 F

Xavier Reverchon vinifie séparément les raisins issus des différents lieux-dits qu'il exploite. Ainsi, cette cuvée des Boutasses provient de vignes de poulsard et de trousseau sises à Poligny. Le nez se développe au fur et à mesure de l'aération. Le départ est plutôt végétal mais un côté grillé s'épanouit ensuite. Une légère acidité apporte une agréable fraîcheur, tandis que les tanins ronds donnent une structure agréable en fin de bouche. Un vin tendre pour jambon à l'os.

🍷 Xavier Reverchon, EARL Chantemerle, 2, rue du Clos, 39800 Poligny, tél. 03.84.37.02.58, fax 03.84.37.00.58 ☑ ⵣ r.-v.

PIERRE RICHARD Vin de paille 1996★★★

☐	0,3 ha	1000	ⵣ 100 à 149 F

Ce vin de paille qui associe chardonnay, poulsard, savagnin et trousseau a été pressuré le 1ᵉʳ mars 1997, soit après plus de cinq mois de séchage. La robe or paille est tout de suite très séduisante. Le nez est torride ; ananas, pêche, fruits exotiques, fruits confits, vanille : une intensité et une variété d'arômes époustouflantes. Et quelle bouche ! Un superbe équilibre sucre-alcool et une finale sur la cire d'abeille laissent rêveur au bon sens du terme. Quel plaisir, mais quel plaisir ! Seul ou avec un foie gras, c'est le summum !

🍷 Pierre Richard, 39210 Le Vernois, tél. 03.84.25.33.27, fax 03.84.25.36.13 ☑ ⵣ r.-v.

PIERRE RICHARD Vin jaune 1992★

☐	1 ha	1000	ⵣ 150 à 199 F

Le premier nez de ce vin jaune est marqué par les levures et la croûte de comté, mais à l'aération il devient beaucoup plus fruité. Tout en discrétion, la noix et la noisette émerveillent les papilles. Bien équilibré, ce vin doit à l'heure actuelle être carafé pour que son bon goût de jaune s'exprime pleinement. Plutôt que le traditionnel coq au vin jaune, la croûte aux morilles paraît tout indiquée.

🍷 Pierre Richard, 39210 Le Vernois, tél. 03.84.25.33.27, fax 03.84.25.36.13 ☑ ⵣ r.-v.

MARIE-CLAUDE ROBELIN ET FILS
Vin jaune 1992★★

☐	2 ha	2 000	ⵣ 150 à 199 F

Depuis 1999, Philippe et Didier Robelin ont repris l'exploitation familiale en société avec M. Quillot. D'abord un peu fermé, le nez de leur vin jaune s'ouvre très vite sur des notes de tabac et de noisette. L'attaque en bouche est un peu vive mais n'impression de gras et de grand équilibre qui vient ensuite fait oublier ce trait de jeunesse. Une merveilleuse harmonie se dégage et s'affirmera avec le temps. Un des musts des jaunes de garde. Surtout l'attendre avant de le servir avec une tourte à la crème.

🍷 Dom. Quillot-Robelin Fils, pl. de l'Eglise, 39210 Voiteur, tél. 03.84.44.69.12, fax 03.84.85.26.03 ☑ ⵣ t.l.j. 10h-12h 14h-19h

DOM. DE SAVAGNY Poulsard 1998★

☐	0,8 ha	4 000	ⵣ 30 à 49 F

Près d'un tiers de ce domaine est consacré au **chardonnay** dont le 97, cité par le jury, doit être attendu de deux à trois ans afin de lui permettre de mieux s'exprimer. Plus immédiat, ce 98 issu de poulsard, dont l'intensité colorante est assez soutenue. Des notes animales s'affichent tout d'abord, puis le nez s'ouvre sur un registre de petits fruits rouges. De l'ampleur, une belle rondeur et des tanins plaisants en finale caractérisent la bouche. Agréable et bien construit, ce vin est parfaitement typique. A boire dans les trois années qui viennent avec un bon petit casse-croûte.

🍷 Claude Rousselot-Pailley, 140, rue Neuve, 39210 Lavigny, tél. 03.84.25.38.38, fax 03.84.25.31.25 ☑ ⵣ r.-v.

JEAN TRÉSY ET FILS Trousseau 1998★

■	0,5 ha	2 800	ⵣ 30 à 49 F

Dans ce département où l'élevage est très présent, les vaches sont parties de cette exploitation en 1985. Seule la vigne fait maintenant l'objet de toutes les attentions. Depuis 1998, Denis Trésy vinifie des raisins de trousseau provenant de la commune de Mesnay. Elevé en cave pendant dix mois, ce vin se montre dans une jolie robe cerise.

Bien que discret, le nez est plutôt fin. Des notes de petits fruits rouges se révèlent doucement. Ce 98 peut être bu dès à présent, avec une pintade par exemple. Obtenant une citation, la **cuvée Mont Royal 98**, 100 % chardonnay, est saluée pour son nez de fleurs d'acacia et sa franchise. Elle peut être servie dès maintenant.
☛Jean Trésy et Fils, rte des Longevernes, 39230 Passenans, tél. 03.84.85.22.40, fax 03.84.44.99.73, e-mail tresy.vin@wanadoo.fr ☑ ⵟ r.-v.

FRUITIERE VINICOLE DE VOITEUR
Savagnin 1995

☐		2 ha	10 000	∎ ⑪	70 à 99 F

Si la Fruitière vinicole de Voiteur a été créée à la fin des années 1950, elle a su se moderniser au fil des ans, notamment pour les derniers millésimes. On y produit toute la gamme des vins dans l'AOC côtes du jura, du crémant du jura et le fameux château-chalon. Le vin qui est soumis à notre appréciation est un pur savagnin élevé un an en cuve et trois ans en fût. Le nez est puissant, sur le grillé et le beurré à l'ouverture, puis sur les épices. La bouche est également riche, marquée par une pointe d'alcool.
☛Fruitière vinicole de Voiteur, 60, rue de Nevy-sur-Seille, 39210 Voiteur, tél. 03.84.85.21.29, fax 03.84.85.27.67, e-mail voiteur@fruitiere-vinicole-voiteur.fr ☑ ⵟ t.l.j. 9h-12h 13h30-18h

Crémant du jura

Reconnue par décret du 9 octobre 1995, l'AOC crémant du jura s'applique à des mousseux élaborés selon les règles strictes des crémants, à partir de raisins récoltés à l'intérieur de l'aire de production de l'AOC côtes du jura. Les cépages rouges autorisés sont le poulsard (ou ploussard), le pinot noir appelé localement gros noirien, le pinot gris et le trousseau ; les cépages blancs sont le savagnin (appelé localement naturé), le chardonnay (appelé melon d'Arbois ou gamay blanc). Notez qu'en 1999 ont été déclarés 12 873 hl de crémant.

MARCEL CABELIER 1997

○		n.c.	100 320	∎ ⵊ	30 à 49 F

La Compagnie des Grands Vins du Jura, sous sa marque Marcel Cabelier, est le principal élaborateur de crémant du jura. Issu de chardonnay, celui-ci se présente dans une robe brillante et limpide où se forme une belle collerette. Relativement fermé au nez, ce vin vif est très présent en bouche. Un crémant pour l'apéritif.
☛Cie des Grands Vins du Jura, rte de Champagnole, 39570 Crançot, tél. 03.84.87.61.30, fax 03.84.48.21.36 ☑ ⵟ r.-v.

DOM. VICTOR CREDOZ 1998★★

○		1,5 ha	6 000	30 à 49 F

Fondé en 1859 par Victor Credoz, ce domaine de plus de 10 ha est aujourd'hui exploité par Daniel et Jean-Claude Credoz. Un cordon de fines bulles remonte à la surface de ce vin à la robe d'un jaune assez soutenu. Au nez, ce 98 développe des notes plutôt minérales. Après une très agréable attaque en bouche, sans aucune agressivité, il affiche un beau corps ample et équilibré et une élégante intensité aromatique : les agrumes et autres fruits frais font la fête ! Son harmonie est son premier atout.
☛Dom. Victor Credoz, 39210 Menétru-le-Vignoble, tél. 06.80.43.17.44, fax 03.84.44.62.41 ☑ ⵟ t.l.j. 8h-12h 13h-19h

RICHARD DELAY
Cuvée 2000 R. D. 1998★

○		n.c.	13 400	30 à 49 F

Une couleur jaune paille clair et une mousse fine, abondante et persistante annoncent un nez de bonne qualité, pomme verte et noisette. En bouche, on trouve de la fraîcheur grâce à une très légère dominante acide et à une note citronnée, une agréable rétro-olfaction de pomme et de la longueur. Un beau crémant du jura.
☛Richard Delay, 37, rue du Château, 39570 Gevingey, tél. 03.84.47.46.78, fax 03.84.43.26.75 ☑ ⵟ r.-v.

MICHEL GAHIER 1998★★

○		1 ha	3 000	∎	30 à 49 F

Ce crémant est issu de jeunes vignes. Ce qui aurait pu être un handicap dans d'autres types de vins n'a en rien gêné ici l'élaboration d'un bien bel effervescent. Les bulles ont de la persistance au sein d'une ravissante robe jaune citron. Au nez, le côté floral est très flatteur. Une excellente impression en bouche confirme le nez : l'équilibre est parfait, construit sur une bonne acidité qui soutient un fruité fin et délicat. La pomme verte termine le feu d'artifice aromatique. Qualité et personnalité réunies, c'est remarquable.
☛Michel Gahier, pl. de l'Eglise, 39600 Montigny-lès-Arsures, tél. 03.84.66.17.63 ☑ ⵟ r.-v.

DOM. GRAND FRERES Brut Prestige

○		7 ha	50 000	50 à 69 F

Une bonne mousse, un nez fruité assez élégant bien qu'un peu vineux, une bouche harmonieuse, équilibrée avec une finale fruitée plaisante : ce crémant paraît un peu timide, mais rien de tel qu'un apéritif pour faire sa connaissance !
☛Dom. Grand Frères, rue du Savagnin, 39230 Passenans, tél. 03.84.85.28.88, fax 03.84.44.67.47 ☑ ⵟ t.l.j. 9h-12h 14h-18h; f. sam. dim. de jan. fév.

CH. GREA 1998★★

○		1 ha	4 000	∎	30 à 49 F

Une belle robe jaune pâle et de fines bulles forment une jolie mousse : ce crémant se présente sous les meilleurs auspices. Avec une dominante citronnée, le nez d'agrumes donne une impression de fraîcheur vivifiante. Vif en bouche éga-

JURA

lement, mais sans excès, ce crémant finit sur un fruité fin et délicat. D'une grande élégance, il est typique de l'appellation.

🐦 Nicolas Caire, Ch. Gréa, 39190 Rotalier, tél. 06.81.83.67.80, fax 03.84.25.05.47 ☑ 🍷 r.-v.

CH. DE L'ETOILE 1997

○　　　　2 ha　　11 000　　30 à 49 F

Dans cette maison perchée sur le mont Muzard, ce n'est pas d'aujourd'hui que l'on fait des vins effervescents. Depuis quelques années, les Vandelle se sont mis à la production de crémant du Jura. Le nez de celui-ci est assez vineux alors que la bouche est vive : la matière est dominée par des arômes de pomme mûre.

🐦 Vandelle et Fils, GAEC Ch. de L'Etoile, 39570 L'Etoile, tél. 03.84.47.33.07, fax 03.84.24.93.52 ☑ 🍷 r.-v.

DOM. MARTIN-FAUDOT 1998

○　　0,8 ha　　4 500　　🍴 30 à 49 F

Jean-Pierre Martin et Michel Faudot exploitent un domaine familial qui s'était distingué en 1896 dans la lutte contre le phylloxéra. Une belle robe jaune avec quelques nuances vertes habille ce crémant. Les bulles s'y sentent bien et forment un cordon fin et persistant. Si l'intensité du nez est moyenne, on peut attester une certaine finesse. La bouche vive développe de jolis arômes fruités. Un vin pour l'apéritif.

🐦 Dom. Martin-Faudot, 1, rue Bardenet, 39600 Mesnay, tél. 03.84.66.29.97, fax 03.84.66.29.84 ☑ 🍷 r.-v.

CH. DE PERSANGES 1997★

○　　　　1 ha　　5 000　　🍴 30 à 49 F

Le domaine viticole du château de Persanges a été constitué à partir de 1983. Pour le crémant, seul le chardonnay a été utilisé. Les bulles sont fines et le nez mêle fleurs et pomme verte. On retrouve en bouche les arômes du nez, suivis par une finale citronnée qui donne une note acidulée agréable. Assez original, équilibré, c'est un bel apéritif de printemps.

🐦 Ch. de Persanges, rte de Saint-Didier, 39570 L'Etoile, tél. 03.84.86.03.36, fax 03.84.47.46.56 ☑ 🍷 t.l.j. 9h30-12h 14h30-19h; f. dim. lun.

🐦 Lionnel-Marie d'Arc

DESIRE PETIT 1997★

◑　　　　n.c.　　4 000　　🍴 30 à 49 F

La devise de la maison est : « petit de nom, grand de renom ». Ce rosé est un joli effervescent drapé dans une robe rose très soutenue. Il offre la framboise au nez et une bouche fruitée sympathique. Féminin, précise le jury. Il est prêt à boire.

🐦 Gérard et Marcel Petit, rue du Ploussard, 39600 Pupillin, tél. 03.84.66.01.20, fax 03.84.66.26.59 ☑ 🍷 t.l.j. 9h-12h 14h-19h; groupes sur r.-v.

AUGUSTE PIROU 1997★

○　　　　n.c.　　10 000　　30 à 49 F

La maison Henri Maire élabore son crémant sous la marque Auguste Pirou avec le seul chardonnay. On ne le trouvera pas à la propriété mais surtout en grande distribution. Jolie robe et bul-

les fines. Si beaucoup de crémants ont un nez plutôt floral ou fruité, celui-ci associe notes végétales et fleurs séchées : singulier mais agréable. La mousse est douce en bouche et persiste dans une belle finesse. Sympathique et intéressant.

🐦 Auguste Pirou, Les Caves Royales, 39600 Arbois, tél. 03.84.66.42.70, fax 03.84.66.42.42

ROLET PERE ET FILS 1996★★

○　　　　1 ha　　8 000　　🍴 30 à 49 F

La cuvée 2000 avait fait chavirer le cœur de notre jury l'an dernier. Ce rosé a séduit lui aussi. L'effervescence est parfaite dans une robe œil-de-perdrix. Au nez, ce qui frappe d'entrée, c'est un fruité puissant de gelée de coing. Quelle finesse ! Un peu surprenant, mais quelle impression ! Le bon équilibre avec une acidité plaisante, ne cache pas la matière un peu évoluée. La pâte de coing persiste et signe. A découvrir et à réserver plutôt à un dessert qu'à l'apéritif.

🐦 Dom. Rolet Père et Fils, rte de Dole, 39600 Arbois, tél. 03.84.66.00.05, fax 03.84.37.47.41, e-mail rolet@wanadoo.fr ☑ 🍷 r.-v.

CLAUDE ROUSSELOT-PAILLEY 1998★★

○　　　　2 ha　　16 000　　🍴 30 à 49 F

Il était une fois une mousse légère, de fines bulles dans une robe jaune pâle. Tout commence bien dans cette histoire qui va nous emmener loin, très loin. Le nez est en effet marqué par les fruits exotiques. Mais comme pour nous rappeler qu'il est d'ici, ce crémant distille aussi quelques notes de pomme verte. Il possède une acidité suffisante en bouche pour apporter la fraîcheur nécessaire mais également du corps qui héberge une belle rétro-olfaction de fruits secs. A déguster entre amis en se racontant des histoires...

🐦 Claude Rousselot-Pailley, 140, rue Neuve, 39210 Lavigny, tél. 03.84.25.38.38, fax 03.84.25.31.25 ☑ 🍷 r.-v.

ANDRE ET MIREILLE TISSOT 1998★★

○　　　　4,5 ha　　25 000　　🍴 30 à 49 F

Depuis 1990, Stéphane Tissot a rejoint son père sur l'exploitation. Tous deux se sont engagés en 1999 dans l'agriculture biologique. Ce vin a été mis en bouteille en février 1999 et dégorgé en décembre suivant. La mousse est d'une grande finesse. Discret, le nez nous offre cependant quelques jolies notes florales. C'est en bouche que ce crémant se révèle vraiment. Avec juste ce qu'il faut d'acidité, il s'avère d'une grande classe. Flo-

ral et citronné, très long, il est d'une netteté absolue. Une élégance qui le destine à l'apéritif.
☛ André et Mireille Tissot, 39600 Montigny-lès-Arsures, tél. 03.84.66.08.27,
fax 03.84.66.25.08 ☑ ☖ r.-v.
☛ André et Stéphane Tissot

JACQUES TISSOT Cuvée 2000 1998

○	n.c.	20 000	30 à 49 F

Il a une jolie mousse, ce crémant préparé pour fêter l'an 2000 mais qui sera encore là pour le nouveau millénaire : de toutes petites bulles s'affairent dans une belle robe or pâle. Au nez, les nuances de fleurs blanches sont très fines. La mousse est soyeuse en bouche où l'on retrouve les fleurs blanches mêlées à des notes de fruits frais très agréables.
☛ Jacques Tissot, 39, rue de Courcelles, 39600 Arbois, tél. 03.84.66.14.27,
fax 03.84.66.24.88 ☑ ☖ r.-v.

L'étoile

Le village doit son nom à des fossiles, segments de tiges d'encrines (échinodermes en forme de fleurs), petites étoiles à cinq branches. Son vignoble (76 ha) a produit en 1999 4 762 hl de vins blancs, jaunes, de paille et mousseux.

DOM. GENELETTI Vin de paille 1996★

☐	0,5 ha	2 000	100 à 149 F

Michel Geneletti et son fils élaborent leur vin de paille avec 80 % de chardonnay, 10 % de savagnin et 10 % de poulsard. Cuivré à l'œil, ce 96 est complexe, riche et élégant au nez. Fruits secs, pruneau, pâte de coings, agrumes, miel vont et viennent. La bouche est agréable, bien équilibrée. Pour un gâteau au chocolat.
☛ Dom. Michel Geneletti et Fils, 373, rue de l'Eglise, 39570 L'Etoile,
tél. 03.84.47.46.25, fax 03.84.47.38.18 ☑ ☖ r.-v.

DOM. GENELETTI 1997

☐	3 ha	12 000	30 à 49 F

Cette exploitation est surtout axée sur les vins blancs. Chardonnay et savagnin y règnent en maîtres. La robe de cet étoile est avenante. « Cela sent le bon vin », dit un dégustateur, qui s'empresse de préciser qu'il y retrouve du miel et de la pomme. En bouche, les arômes floraux sont intéressants. L'évolution devrait être favorable.
☛ Dom. Michel Geneletti et Fils, 373, rue de l'Eglise, 39570 L'Etoile,
tél. 03.84.47.46.25, fax 03.84.47.38.18 ☑ ☖ r.-v.

CH. DE L'ETOILE 1997★★

☐	12 ha	20 000	30 à 49 F

Au fil des années, les coups de cœur s'accumulent pour cette propriété acquise par Auguste Vandelle en 1883. Un dégustateur note : « Une très belle robe d'or 24 carats. » Nous ne sommes

pas allés chez un bijoutier pour vérifier mais nous sommes certains d'avoir là un joyau ! Le nez est très complexe (tilleul, fleurs blanches, miel, notes grillées) suivi par une belle attaque en bouche dans la rondeur. Ce vin présente une superbe structure et une présence aromatique de type floral soutenue. Laissez-le dans son écrin pendant au moins deux ans et faites-en profiter ensuite vos amis les plus chers.

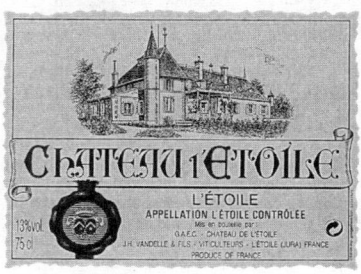

☛ Vandelle et Fils, GAEC Ch. de L'Etoile, 39570 L'Etoile, tél. 03.84.47.33.07,
fax 03.84.24.93.52 ☑ ☖ r.-v.

CH. DE L'ETOILE Vin jaune 1992★

☐	5 ha	15 000	100 à 149 F

Robe d'or intense, larmes lourdes : il y a de la matière dans ce vin jaune. Le nez est riche et complexe ; le jury y trouve de la noix, de l'amande, des épices, du café et des notes beurrées. De quoi mettre en bouche ! Celle-ci est racée, structurée et d'une belle longueur. On est ravi de déguster un vin qui est le reflet des bons vins jaunes.
☛ Vandelle et Fils, GAEC Ch. de L'Etoile, 39570 L'Etoile, tél. 03.84.47.33.07,
fax 03.84.24.93.52 ☑ ☖ r.-v.

DOM. DE MONTBOURGEAU 1997★

☐	6 ha	40 000	30 à 49 F

Nicole Deriaux poursuit avec efficacité et passion le travail engagé par son père, Jean Gros. Bien limpide dans une belle robe jaune pâle assortie de fines larmes, cet étoile continue de séduire au nez par ses parfums intenses de miel, de pomme bien mûre et de fruits secs. La complexité y est aussi. S'il a peu de gras en bouche, ce vin reste globalement très réussi. Il accompagnera les viandes blanches.
☛ Jean Gros, Dom. de Montbourgeau, 39570 L'Etoile, tél. 03.84.47.32.96,
fax 03.84.24.41.44 ☑ ☖ r.-v.

DOM. DE MONTBOURGEAU Vin jaune 1993

☐	1,5 ha	2 000	150 à 199 F

C'est à L'Etoile, en février 2000, qu'a eu lieu la troisième édition de la « Percée du vin jaune ». Une belle fête pour un vin inimitable ! Celui du domaine de Montbourgeau est assez discret au nez mais demande à s'ouvrir. Plutôt rude en bouche, il est typique en cela du millésime 93. Il devrait s'exprimer dans un an ou deux.
☛ Jean Gros, Dom. de Montbourgeau, 39570 L'Etoile, tél. 03.84.47.32.96,
fax 03.84.24.41.44 ☑ ☖ r.-v.

JURA

DOM. DE MONTBOURGEAU
Vin de paille 1996★★

☐   0,5 ha   2 000   ◖▮ 100 à 149 F

Un vin de paille 95 coup de cœur. Le millésime suivant également. Cela ressemble à une consécration. La robe ambrée est, à elle seule, superbe. Fin et subtil, le nez dévoile des arômes de miel,

de cire et de fruits secs qui s'entremêlent. La bouche est construite sur une grande matière parfaitement équilibrée. Pruneau, coing et figue continuent d'honorer le palais. Un foie gras lui est destiné.

☛ Jean Gros, Dom. de Montbourgeau,
39570 L'Etoile, tél. 03.84.47.32.96,
fax 03.84.24.41.44 ☑ ⟁ r.-v.

CH. DE PERSANGES Vin de paille 1995

☐   0,5 ha   2 000   ◖▮ 70 à 99 F

Les cépages blancs, chardonnay et savagnin, forment l'essentiel de l'assemblage de ce vin de paille ; le poulsard complète. La présentation abricot cuivré est très belle. Le nez est discret, assez classique, sur des notes de fruits secs. Si la bouche n'est pas très longue, elle reste agréable.
☛ Ch. de Persanges, rte de Saint-Didier,
39570 L'Etoile, tél. 03.84.86.03.36,
fax 03.84.47.46.56 ☑ ⟁ t.l.j. 9h30-12h
14h30-19h ; f. dim. lun.

La Savoie

Du lac Léman à la vallée de l'Isère, dans les deux départements de la Savoie et de la Haute-Savoie, le vignoble occupe les basses pentes favorables des Alpes. En constante extension (près de 1 800 ha), il produit bon an mal an environ 130 000 hl. Il forme une mosaïque complexe au gré des différentes vallées dans lesquelles il est établi en îlots plus ou moins importants. Cette diversité géographique se retrouve dans les variantes climatiques, les caractères montagnards étant accentués par le relief ou tempérés par le voisinage des lacs Léman et du Bourget.

Vin de savoie et roussette de savoie sont les appellations régionales, utilisées dans toutes les zones ; elles peuvent être suivies de la mention d'un cru, mais ne s'appliquent alors qu'à des vins tranquilles, uniquement blancs pour les roussettes. Les vins des secteurs de Crépy et de Seyssel ont droit chacun à leur propre appellation.

Les cépages, du fait de la grande dispersion du vignoble, sont assez nombreux mais, en réalité, un certain nombre n'existent qu'en très faible quantité : le pinot et le chardonnay, notamment. Quatre blancs et deux noirs sont les principaux, en même temps que ceux qui donnent des vins originaux spécifiques. Le gamay, importé du Beaujolais voisin après la crise phylloxérique, est celui des vins frais et légers, à consommer dans l'année. La mondeuse, cépage local, donne des vins rouges bien charpentés, notamment à Arbin, dont elle est la variété exclusive ; c'était, avant le phylloxéra, le cépage le plus important de la Savoie ; il est souhaitable qu'il reprenne sa place, car ses vins sont de belle qualité et ont beaucoup de caractère. La jacquère est le cépage blanc le plus répandu ; elle donne des vins blancs frais et légers, à consommer jeunes. L'altesse est un cépage très fin, typiquement savoyard, celui des vins blancs vendus sous le nom de roussette de savoie. La roussanne, portant le nom local de bergeron, donne également des vins blancs de haute qualité, spécialement à Chignin, avec le chignin-bergeron. Enfin, le chasselas, présent sur les rives du lac Léman, est utilisé dans la partie haut-savoyarde de l'AOC.

Crépy

Comme sur toute la rive du lac Léman, c'est le chasselas qui est planté dans le vignoble de Crépy (80 ha), dont il est le cépage unique. Il donne environ 4 800 hl de vin blanc léger. Cette petite région a obtenu l'AOC en 1948.

DOM. DE LA GRANDE CAVE
Réserve La Goutte d'Or Crépytant 1998★

| | 33 ha | 160 000 | ⏚ ◫ & | 30 à 49 F |

Le grand-père, puis le père de Claude Mercier ont œuvré pour la reconnaissance du crépy en AOC. L'exploitation compte aujourd'hui 39 ha. Ici, on laisse faire le temps, et l'on privilégie de patients élevages (pour ce 98, un an en cuve et six mois en fût). On retrouve dans ce vin toute la typicité de l'appellation. Le nez, d'abord floral, évoque ensuite la noix fraîche et l'amande douce. L'attaque est tout en rondeur, soutenue par une acidité présente sans agressivité. Une bouteille qui commence son évolution, à acheter en confiance.

☛STEF Claude Mercier, Dom. de La Grande Cave de Crépy, 74140 Ballaison, tél. 04.50.94.01.23, fax 04.50.94.19.86 ☑ ⏛ r.-v.

DOM. LE CHALET 1999★

| | 2 ha | 13 000 | ◫ | 30 à 49 F |

Le domaine a été acheté en 1962 par Jean Métral. Son fils, qui a repris l'exploitation dix ans plus tard, a élaboré un crépy dans lequel on pressent une belle richesse aromatique, mais qui restait encore voilée le jour de la dégustation.

La Savoie

LA SAVOIE

SAVOIE

Une impression de puissance, de gras, domine à l'attaque tandis qu'une pointe de fruits confits en finale confère à ce vin de la rondeur. Cette bouteille devrait être prête à la sortie du Guide.
☛ Jacques Métral, Dom. Le Chalet, 74140 Loisin, tél. 04.50.94.10.60, fax 04.50.94.18.39 ☑ ⛾ t.l.j. sf dim. 9h-12h 14h-19h

Vin de savoie

Le vignoble donnant droit à l'appellation vin de savoie est installé le plus souvent sur les anciennes moraines glaciaires ou sur les éboulis, ce qui, joint à la dispersion géographique, conduit à une diversité qui est souvent consacrée par l'adjonction d'une dénomination locale à celui de l'appellation régionale. Au bord du Léman, c'est, comme sur la rive suisse, le chasselas qui, à Marin, Ripaille, Marignan, donne des vins blancs légers, à boire jeunes, et que l'on élabore souvent parlants. Les autres zones ont des cépages différents et, selon la vocation des sols, produisent des vins blancs ou des vins rouges. On trouve ainsi, du nord au sud, Ayze, au bord de l'Arve, avec des vins blancs pétillants ou mousseux, puis, au bord du lac du Bourget (et au sud de l'appellation seyssel), la Chautagne, dont les vins rouges en particulier ont un caractère affirmé. Au sud de Chambéry, les bords du mont Granier recèlent des vins blancs frais, comme l'apremont et le cru des Abymes, vignoble établi sur un effondrement qui, en 1248, fit des milliers de victimes. En face, Monterminod, envahi par l'urbanisation, a conservé un vignoble qui donne des vins remarquables ; il est suivi de ceux de Saint-Jeoire-Prieuré, de l'autre côté de Challes-les-Eaux, puis de Chignin, dont le bergeron a une renommée parfaitement justifiée. En remontant l'Isère, rive droite, les pentes sud-est sont occupées par les crus de Montmélian, Arbin, Cruet et Saint-Jean-de-la-Porte.

Produits en faible quantité, mais avoisinant les 130 000 hl dans une région très touristique, les vins de savoie sont surtout consommés dans leur jeunesse, sur place, avec un marché où la demande dépasse parfois l'offre. Les vins de savoie blancs vont bien sur les produits des lacs ou de la mer, et les rouges issus de gamay s'accordent avec beaucoup de mets. Il est cependant dommage de consommer jeunes les vins rouges de mondeuse, qui ont besoin de plusieurs années pour s'épanouir et s'assouplir : ces bouteilles de haut niveau conviendront aux plats puissants, au gibier, à l'excellente tomme-de-savoie et au fameux reblochon.

DOM. DES ANGES Aligoté 1999

☐	1,5 ha	13 000	▪	20 à 29 F

Un 99 très puissant au nez, marqué par des notes de fruits exotiques. Le jury a aimé sa bouche harmonieuse, soutenue par une vivacité maîtrisée, gage d'une certaine aptitude à la garde. Déjà ouvert, simple et sans façon, convivial, il accompagnera un poisson grillé ou une viande blanche.
☛ Angelier Frères, Hameau des Murs, 73800 Les Marches, tél. 04.79.28.03.41, fax 04.79.71.52.59 ☑ ⛾ t.l.j. 8h-20h

DOM. BELLUARD FILS Gringet 1998★

☐	4 ha	18 000		30 à 49 F

La famille Belluard exploite 13 ha de vignes à Ayse. Depuis quelques années, elle développe la production de vins tranquilles dans une région vouée aux mousseux. Celui-ci est issu de gringet, un cépage local ressemblant au savagnin, et que l'on ne rencontre guère que dans la vallée de l'Arve. Il a séduit le jury par son nez anisé, son attaque agréable, bien soutenue par des notes de fruits. Un produit original, très rare, que vous prendrez plaisir à faire découvrir à vos amis.
☛ Dom. Belluard, Les Chennevaz, 74130 Ayze, tél. 04.50.97.05.63 ☑ ⛾ t.l.j. sf dim. 8h-12h 14h-18h

BLARD ET FILS
Abymes Cuvée Hubert Vieilles vignes 1999★

☐	0,3 ha	30 000	▪	30 à 49 F

Le domaine Blard a investi il y a quelques années dans une cave de stockage moderne, ce qui permet à ses vins de garder leur qualité initiale. Tel sera le cas pour ce 99 aux reflets paillés et aux arômes marqués par la mirabelle. Très bon représentant de son appellation, il offre en bouche un équilibre heureux entre sève et fraîcheur. Un vin bien structuré qui devrait mettre en valeur poissons grillés et viandes blanches.
☛ Blard et Fils, Le Darbé, 73800 Les Marches, tél. 06.11.50.30.37, fax 04.79.28.01.35 ☑ ⛾ r.-v.

DOM. G. ET G. BOUVET
Méthode traditionnelle Brut 1997★★

○	1,5 ha	10 000	▪	30 à 49 F

Cette exploitation de 22 ha, établie à Fréterive dans la vallée de l'Isère, a élaboré un mousseux qui révèle un réel savoir-faire. Ce vin séduit autant à l'œil, avec une bulle fine, abondante et durable, qu'au nez, marqué par des notes de bergamote dans un ensemble fruité délicieusement citronné. Une bouteille élégante, alliant la corpulence à l'indispensable pointe de vivacité qui

lui confère une harmonie remarquable. Pour un apéritif de classe.
◆┐Dom. G. et G. Bouvet, Le Villard, 73250 Fréterive, tél. 04.79.28.54.11, fax 04.79.28.51.97 ☑ ☧ t.l.j. sf dim. 8h-12h 14h-19h

EUGENE CARREL ET FILS
Jongieux Mondeuse 1999★★★

■	2 ha	8 000	20 à 29 F

Profondeur de la robe, intensité des arômes à la fois épicés et frais, longueur en bouche confèrent à ce vin une classe exceptionnelle. Eugène Carrel pratique largement l'égrappage de sa vendange, ce qui a donné cette année une bouche superbe où des tanins soyeux délivrent une cascade de sensations harmonieuses. Un coup de cœur unanime !
◆┐GAEC Eugène Carrel et Fils, 73170 Jongieux, tél. 04.79.44.00.20, fax 04.79.44.03.06 ☑ ☧ t.l.j. sf dim. 8h-19h

EUGENE CARREL ET FILS
Jongieux Gamay 1999★★

■	5 ha	10 000	■☧	20 à 29 F

Notre jury a jugé remarquable ce 99 à la robe d'un pourpre intense. Sa puissance en bouche n'a d'égale que sa complexité aromatique où se mêlent les fruits rouges, le pain grillé et la réglisse. Un vin encore rustique le jour de la dégustation mais présentant tous les atouts d'un grand. Il devrait être parfait à la sortie du Guide. Un beau doublé pour cette exploitation !
◆┐GAEC Eugène Carrel et Fils, 73170 Jongieux, tél. 04.79.44.00.20, fax 04.79.44.03.06 ☑ ☧ t.l.j. sf dim. 8h-19h

CAVE DE CHAUTAGNE
Chautagne 1999★

■	40 ha	300 000	■☧	30 à 49 F

Dotée d'une installation récente et moderne, la cave de Chautagne peut mettre en valeur la diversité de ce territoire de l'avant-pays alpin. Les sols, constitués d'éboulis plus ou moins marneux reposant parfois sur un soubassement molassique, permettent aux cépages blancs et rouges de s'exprimer avec le même bonheur. Vous serez séduits par l'ampleur en bouche de ce gamay. Des tanins soyeux, alliés à un bouquet plein de fruits, vous raviront et feront de ce vin l'allié des viandes grillées.

◆┐Cave de Chautagne, Saumont, 73310 Ruffieux, tél. 04.79.54.27.12, fax 04.79.54.51.37 ☑ ☧ t.l.j. 9h-12h 14h-19h; f. 30-31 août

C. DELALEX Marin Clos de Pont 1999★

□	n.c.	12 000	❙❙❙	30 à 49 F

Rejoint en 1998 par son fils Samuel, Claude Delalex contribue avec quelques autres viticulteurs à faire revivre le vignoble de Marin. Situé sur un balcon dominant le lac Léman, celui-ci bénéficie d'une dénomination particulière et a fait l'objet d'une délimitation. Le chasselas a donné ici un vin encore discret le jour de la dégustation, mais prometteur. La palette aromatique est nettement marquée par le litchi. La bouche, d'une belle présence, est soutenue par une acidité de bon aloi. Cette bouteille peut attendre quelques années.
◆┐Cave Delalex, EARL La Grappe dorée - Marinel, 74200 Marin, tél. 04.50.71.45.82, fax 04.50.71.06.74 ☑ ☧ r.-v.

DOM. DUPASQUIER Jacquère 1998★

□	3 ha	18 000	■	30 à 49 F

Ce vigneron préfère récolter ses raisins tardivement et privilégie une « œnologie lente ». Il livre ici un blanc d'une belle tenue si l'on considère qu'il est issu de jacquère, cépage réputé donner des vins de faible garde. Ce 98 tiendra dans le temps. Ses arômes empyreumatiques et sa présence en bouche, soutenue par des sucres résiduels très présents, lui confèrent une note d'originalité. A découvrir.
◆┐Dom. Dupasquier, Aimavigne, 73170 Jongieux, tél. 04.79.44.02.23, fax 04.79.44.03.56 ☑ ☧ r.-v.

ANDRE GENOUX
Arbin Mondeuse Cuvée des Grands Lacs 1999★

■	0,5 ha	2 000	■☧	50 à 69 F

Même s'il n'exploite que 50 ares de vignes, André Genoux n'en élabore pas moins ses vins avec soin. N'est-il pas l'héritier, dit-il, d'une lignée de vignerons remontant à 1248 ? Sa cuvée des Grands Lacs provient d'Arbin, célèbre par sa mondeuse. Sa robe foncée et sa puissance aromatique dominée par les fruits rouges lui donnent un abord très généreux. C'est en ayant ce vin en bouche que l'on découvre son réel potentiel de garde. Il apparaît encore sur sa réserve mais révèle déjà une belle harmonie, appuyée sur une structure tannique de grand avenir.
◆┐André Genoux, 450, chem. des Moulins, 73800 Arbin, tél. 04.79.65.24.32, fax 04.79.65.24.32 ☑ ☧ r.-v.

CHARLES GONNET Chignin 1999★

□	5 ha	45 000	■☧	30 à 49 F

Doté d'une solide formation d'ingénieur, Charles Gonnet a élaboré une cuvée issue de vignes âgées de quarante ans. Elégance et classe caractérisent ce 99 aux notes minérales. Légèrement citronné en bouche, ce vin laisse une impression de grande finesse et d'équilibre structuré. Typique de son appellation, il est à boire à l'apéritif ou sur un poisson du lac.

Charles-Humbert Gonnet, Chef-lieu,
73800 Chignin, tél. 04.79.28.09.89,
e-mail charles.gonnet@wanadoo.fr ☑ ⏀ r.-v.

DOM. LA COMBE DES
GRAND'VIGNES Chignin 1999★

☐	5 ha	40 000		30 à 49 F

En 1997, Denis Berthollier a repris l'exploitation familiale, et il s'attache à offrir le meilleur de ce vignoble de Chignin, installé dans les éboulis calcaires du massif des Bauges. Ce vin, issu de vignes âgées d'une quarantaine d'années, présente une palette aromatique dominée par les fleurs blanches. Très franc en bouche, il finit sur une note rafraîchissante classique. Une bouteille caractéristique des vins blancs de Savoie.
EARL La Combe des Grand'Vignes,
Le Viviés, 73800 Chignin, tél. 04.79.28.11.75,
fax 04.79.28.16.22,
e-mail berthollier@chignin.com ☑ ⏀ t.l.j.
8h-12h 14h-19h
Denis Berthollier

LE VIGNERON SAVOYARD
Les Abymes Les Pierrailles ensoleillées 1999

☐	8,9 ha	12 600		30 à 49 F

Un vin retenu pour la qualité de sa palette aromatique, dominée par des notes d'agrumes rehaussées de fragrances florales. Très ouvert, il révèle une belle maîtrise. La bouche, encore vive, devrait s'arrondir pour faire de ce 99 un bon ambassadeur de la Savoie.
Le Vigneron Savoyard, rte du Crozet,
73190 Apremont, tél. 04.79.28.33.23,
fax 04.79.28.26.17,
e-mail vigneron-savoyard@epicuria.fr
☑ ⏀ t.l.j. sf dim. lun. 8h-12h 14h-18h; f. 1er -20 mai

MICHEL MAGNE Abymes 1999

☐	2,84 ha	7 000		30 à 49 F

Michel Magne est à la tête d'une exploitation de 12 ha depuis 1998. Il a élaboré un 99 typique de son appellation, au nez déjà très ouvert, où l'on décèle des notes de fruit de la passion, avec une touche minérale. Vif à l'attaque, de bonne longueur, le palais finit sur une pointe d'amertume que l'élevage devrait gommer. Un vin adolescent qui sera parfait à la sortie du Guide.
Michel Magne, Saint-André,
38530 Chapareillan, tél. 04.79.28.07.91,
fax 04.79.28.17.96 ☑ ⏀ r.-v.

MICHEL, JEAN-PAUL ET SAMUEL
NEYROUD Mondeuse 1998★★★

■	1,5 ha	8 000		30 à 49 F

La révélation de cette sélection ! Née en Haute-Savoie, département plutôt connu pour ses vins blancs, voici une mondeuse éclatante, opulente, tant au nez qu'en bouche, qui a ravi les jurés par sa matière. Le vin est, il est vrai, issu de vieilles vignes accrochées aux coteaux de Desingy et de Frangy. Très complexe au nez, marqué par des notes animales mais aussi vanillées, il apparaît armé pour la garde.
Michel et Jean-Paul Neyroud, GAEC Les Aricoques, 74270 Desingy, tél. 04.50.32.22.73,
fax 04.50.44.75.42 ☑ ⏀ r.-v.

DOM. PERRIER PERE ET FILS
Abymes Cuvée Prestige 1999★

☐	9 ha	20 000		20 à 29 F

Cette exploitation de 20 ha, dont le vignoble est situé sur les éboulis du mont Granier et autour du lac de Saint-André, a été fondée en 1853. Les Perrier possèdent aussi une activité de négoce. Cette cuvée provient de leur domaine familial. Elle possède de beaux arômes de fruits exotiques assortis de notes minérales du meilleur effet. Si la bouche a paru un peu alourdie par la présence de sucres restants, ce vin n'en est pas moins très bien fait et révèle une vendange de qualité. A boire sans attendre à la sortie du Guide, pour se faire plaisir.
SCEA dom. Perrier Père et Fils, Saint-André,
73800 Les Marches, tél. 04.79.28.11.45,
fax 04.79.28.09.91 ☑ ⏀ t.l.j. sf dim. 9h-12h 14h-18h

DOM. MARC PORTAZ Apremont 1999

☐	0,7 ha	5 000		30 à 49 F

La commune de Chapareillan est la seule du département de l'Isère qui appartienne à l'aire des vins de Savoie. Marc Portaz et son fils s'ingénient à en porter haut les couleurs. Ils présentent un classique d'Apremont au nez délicieusement floral. La prise en bouche est soutenue par une harmonie qui ne se dément pas tout au long de la dégustation. Un vin très typique de son appellation et représentatif du millésime.
Dom. Marc Portaz, allée du Colombier,
38530 Chapareillan, tél. 04.76.45.23.51,
fax 04.76.45.57.60 ☑ ⏀ r.-v.
Jean-Marc Portaz

ANDRE ET MICHEL QUENARD
Chignin Bergeron Coteau de Tormery 1999★★

☐	6,5 ha	15 000		50 à 69 F

Présents dans le Guide dès la première édition, André et Michel Quénard sont des habitués des coups de cœur avec leurs vins de Chignin. Cette année, le bergeron qui obtient cette distinction est un grand vin, dans la lignée du 96. Récolté par tries successives, il ne sera dans sa splendeur que dans quelques années. Le nez, marqué par la figue, annonce une remarquable richesse aromatique en bouche, que l'élevage devrait dévoiler. Très concentré, charpenté, un savoie pour le foie gras !
André et Michel Quénard, Torméry,
73800 Chignin, tél. 04.79.28.12.75,
fax 04.79.28.19.36 ☑ ⏀ r.-v.

ANDRE ET MICHEL QUENARD
Chignin Mondeuse Vieilles vignes Coteau de Torméry 1999★

■	1,38 ha	7 000	■ ♦ 30 à 49 F

André et Michel Quénard soignent également la vinification de leurs vins rouges, témoin cette mondeuse, issue d'une vendange par grains entiers partiellement égrappée. Déjà très affiné, ce 99 dévoile sa complexité aromatique et son harmonie dès l'attaque et se montre puissant et long. Il est déjà prêt à servir sur une viande rouge ou du gibier.

📞 André et Michel Quénard, Torméry, 73800 Chignin, tél. 04.79.28.12.75, fax 04.79.28.19.36 ☑ 🍷 r.-v.

LES FILS DE RENE QUENARD
Chignin 1999★

■	1,15 ha	7 000	■ ◗◖ 30 à 49 F

La Savoie produit peu de vins issus du pinot. Les fils de René Quénard mettent un point d'honneur à réussir le leur. C'est à nouveau le cas cette année avec ce 99 aux notes de griotte. La prise en bouche, tout en rondeur, soutenue par une pointe réglissée, lui donne une touche délicate. Une jolie bouteille qui sera parfaite à la sortie du Guide. A servir avec du gibier.

📞 Les Fils de René Quénard, Le Cellier des Tours, 73800 Chignin, tél. 04.79.28.01.15, fax 04.79.28.18.98 ☑ 🍷 r.-v.

PHILIPPE RAVIER
Chignin Bergeron 1999★

□	3,6 ha	20 000	■ 30 à 49 F

Ce 99 a été jugé encore juvénile le jour de la dégustation, mais que de promesses dans ce vin ! Derrière un abord assez vigoureux, voire impétueux, se cache une bouteille d'avenir. Riche de ses senteurs de fruits secs, elle se révèle envahissante en bouche où l'on trouve de la matière, de la vivacité et une pointe d'amertume. A encaver en toute confiance et à oublier quelques années.

📞 Philippe Ravier, Léché, 73800 Myans, tél. 04.79.28.17.75, fax 04.79.28.17.75 ☑ 🍷 r.-v.

PHILIPPE RAVIER Mondeuse 1999★

■	0,8 ha	5 000	20 à 29 F

Grenat à reflets pourprés, cette mondeuse présente un nez très ouvert, dominé par un duo épices-fruits rouges. Elle s'impose sans ménagement en bouche par ses tanins jeunes, donc impétueux. Cependant, la matière est là, armant ce vin pour la garde. Son potentiel s'exprimera pleinement dans les trois à quatre ans à venir, et l'on découvrira alors une bouteille excellente.

📞 Philippe Ravier, Léché, 73800 Myans, tél. 04.79.28.17.75, fax 04.79.28.17.75 ☑ 🍷 r.-v.

BERNARD ET CHRISTOPHE RICHEL Apremont Vieilles vignes 1999★★

□	1,06 ha	8 000	■ ♦ 30 à 49 F

Joseph Richel, le grand-père, a planté les coteaux de Saint-Baldoph, Bernard, le père, a spécialisé complètement l'exploitation, et Christophe, le petit-fils, a agrandie, portant les superficies travaillées à près de 9 ha de vignes. Issu de vignes de cinquante ans, ce vin d'Apremont est remarquable. D'une grande complexité aromati-

que, il est dominé par les fleurs blanches. La prise en bouche donne une impression de gras qui se prolonge dans une finale persistante où le cépage s'efface au profit du terroir. Cette bouteille devrait être prête à la sortie du Guide.

📞 Bernard et Christophe Richel, rte de Fontaine-Lamée, 73190 Saint-Baldoph, tél. 04.79.28.36.55, fax 04.79.28.36.55 ☑ 🍷 r.-v.

DOM. DE ROUZAN Gamay 1999★

■		n.c.	3 500	■ 30 à 49 F

Denis Fortin met en œuvre une fermentation semi-carbonique pour son gamay. Il a obtenu un vin très ouvert au nez, et caractéristique du cépage. Harmonie et équilibre font le charme de cette bouteille qui se livre sans retenue. Une belle réussite pour ce terroir plutôt dédié aux vins blancs. A servir sur de la charcuterie ou des viandes blanches.

📞 Denis Fortin, 152, chem. de la Mairie, 73190 Saint-Baldoph, tél. 04.79.28.25.58, fax 04.79.28.21.63 ☑ 🍷 r.-v.

GUY TOURNOUD Abymes 1999★★

□	2,5 ha	n.c.	■ ♦ 30 à 49 F

Il n'est pas loin du coup de cœur, ce 99 de Guy Tournoud. Malgré sa jeunesse, il s'affirme déjà comme un parfait représentant du terroir des Abymes, issu de l'effondrement du mont Granier. A un nez remarquable de finesse, où l'on décèle des notes minérales, succèdent une attaque typique de l'appellation, une bouche très bien équilibrée et une finale minérale et citronnée assez persistante. Une bouteille prête à boire mais qui peut être conservée quelques années.

📞 Guy Tournoud, Bellecombe, 38530 Chapareillan, tél. 04.76.45.22.05, fax 04.76.45.22.05 ☑ 🍷 r.-v.

CHARLES TROSSET
Arbin Mondeuse Cuvée 2000 Prestige des Arpents 1999

■	3,6 ha	30 000	■ ♦ 30 à 49 F

Partisans d'une « œnologie lente », les frères Trosset ont tiré du vignoble d'Arbin ce 99 déjà très ouvert au nez, aux parfums de cassis et de petits fruits rouges. La prise en bouche est dominée par des tanins qui se montraient un peu rustiques le jour de la dégustation, et le jury aurait aimé trouver un peu plus de matière en finale. Nul doute que l'élevage soigné de la maison amènera cette mondeuse à son potentiel à la sortie du Guide.

📞 Charles Trosset, chem. des Moulins, 73800 Arbin, tél. 04.79.84.30.99, fax 04.79.84.30.99 ☑ 🍷 r.-v.

JOSEPH TROSSET Arbin 1999★★

■	1 ha	5 000	■ ♦ 30 à 49 F

Quoique présentée sous le nom de Joseph Trosset, cette autre cuvée de mondeuse a été élaborée par la même maison que la précédente, selon une même vinification. La matière première a fait l'objet d'une vendange en vert. Cela donne un vin un peu plus concentré, puissant en bouche et apte à la garde. Ses tanins, déjà fondus, permettront aux impatients de déboucher dès la sortie du Guide ce remarquable représentant de l'appellation.

➥ Joseph Trosset, Les Rochettes, 73800 Arbin, tél. 04.79.84.05.22 ☑ ⊤ r.-v.

DOM. DE VERONNET Chautagne 1999

| ■ | 2,5 ha | 22 000 | ■ ♦ | 30 à 49 F |

A la tête d'une propriété de 7,5 ha, Alain Bosson met tous ses vins en bouteilles et les vend à la propriété. Il présente ici un vin de Chautagne issu de gamay. Structuré en bouche, ce 99 libère des fragrances de crème brûlée mêlées à des notes plus discrètes de framboise. Ce bouquet persiste longtemps et donne à la finale une richesse très particulière. A boire à la sortie du Guide.
➥ Alain Bosson, Dom. de Veronnet, 73310 Serrières-en-Chautagne, tél. 04.79.63.73.11, fax 04.79.63.73.11, e-mail alain.bosson@wanadoo.fr ☑ ⊤ r.-v.

DOM. VIALLET
Chignin Bergeron Les Bouillettes 1999★

| □ | 1,2 ha | 12 000 | | 30 à 49 F |

Etabli à Apremont, Pierre Viallet n'a pas hésité à franchir la vallée pour cultiver sur son flanc exposé au sud, autour de Chignin, quelques hectares de roussanne. C'est de ce cépage qu'est issu ce 99 riche et gras, aux arômes de fruits confits. Un vin bien né dont la pointe d'amertume, sensible le jour de la dégustation, devrait s'estomper après un élevage de quelques mois. Dès la sortie du Guide, il sera prêt à accompagner un repas fin.
➥ GAEC dom. Viallet, rte de Myans, 73190 Apremont, tél. 04.79.28.33.29, fax 04.79.28.20.68 ☑ ⊤ r.-v.

DOM. JEAN VULLIEN
Mondeuse Cuvée particulière Elevé en fût de chêne 1999★★

| ■ | 2,4 ha | 18 000 | ◫ | 30 à 49 F |

Rejoint par ses deux fils, David et Olivier en 1999, Jean Vullien exploite 18 ha de vignes. Sa Cuvée particulière est un vin des plus prometteurs. Parée d'une somptueuse robe grenat, elle charme d'emblée par sa riche palette aromatique mêlant des touches d'épices à des notes plus profondes de griotte. Les mêmes sensations dominent en bouche et accompagnent des tanins très présents, encore un peu sauvages, mais qui laissent augurer une bonne garde.
➥ EARL dom. Jean Vullien, La Grande Roue, 73250 Fréterive, tél. 04.79.28.61.58, fax 04.79.28.69.37 ☑ ⊤ t.l.j. sf dim. 8h30-12h 14h-19h

Roussette de savoie

Issue du seul cépage altesse (depuis le nouveau décret du 18 mars 1998), la roussette de savoie se trouve essentiellement à Frangy, le long de la rivière des Usses, à Monthoux et à Marestel, au bord du lac du Bourget.

L'usage qui veut que l'on serve jeunes les roussettes de ce cru est regrettable, puisque, bien épanouies avec l'âge, elles font merveille avec des préparations de poisson ou de viandes blanches ; ce sont elles qui accompagnent le beaufort local.

DOM. G. BLANC ET FILS 1999

| □ | 0,6 ha | 5 300 | ■ ♦ | 20 à 29 F |

Depuis l'installation du fils de Gilbert Blanc, Willy, en 1996, l'exploitation a investi dans la commercialisation des vins et l'accueil des visiteurs. Fruit d'un réel savoir-faire et d'une technologie éprouvée, voici une jolie bouteille, tout en dentelle, dotée d'une certaine suavité. Avec ses arômes mêlant les fruits et les fleurs, elle offre une harmonie discrète - « une douce musique de chambre ». Un vin stylé, à boire à l'apéritif, en ouverture d'un repas fin.
➥ Dom. Gilbert Blanc et Fils, 73, chem. de Revaison, 73190 Saint-Baldoph, tél. 04.79.28.36.90, fax 04.79.28.36.90, e-mail domaine.blanc@wanadoo.fr ☑ ⊤ t.l.j. sf mar. dim. 9h-12h 15h-19h

GILBERT BOUCHEZ 1999★

| □ | 0,95 ha | n.c. | ■ ♦ | 30 à 49 F |

Issu d'un des plus beaux terroirs de la Savoie, voici un vin complexe, tant au nez qu'en bouche. Il s'annonce par des fragrances de pain d'épice. La bouche est structurée, soutenue par une acidité discrète. Son onctuosité et sa longueur confèrent à cette bouteille une grande classe. A mettre en cave en toute confiance.
➥ Gilbert Bouchez, Saint-Laurent, 73800 Cruet, tél. 04.79.84.30.91, fax 04.79.84.30.50 ⊤ r.-v.

FRANCOIS CARREL ET FILS
Marestel Cuvée Prestige 1998★

| □ | 0,8 ha | n.c. | ■ ♦ | 30 à 49 F |

François Carrel et son fils Eric - qui s'est installé en 1993 - sont à la tête de cette exploitation fondée en 1948 et qui compte aujourd'hui 10 ha. Leur roussette ne peut cacher qu'elle provient de Marestel : les jurés y ont trouvé toute la complexité aromatique et gustative des vins qui naissent sur ce beau terroir. Le nez, d'intensité moyenne, est marqué par une nuance de beurre frais. L'attaque annonce une matière première de premier choix. Une bouteille de classe, qu'il faut attendre un peu pour lui permettre de parfaire son équilibre chair-acidité. Elle accompagnera alors les mets les plus fins.
➥ François et Eric Carrel, GAEC de la Rosière, 73170 Jongieux, tél. 04.79.44.02.20, fax 04.79.44.03.73 ☑ ⊤ r.-v.

SYLVAIN CHEVALLIER
Marestel 1998★★

| □ | 1 ha | 8 500 | ■ | 30 à 49 F |

Sylvain Chevallier, qui a pris les rênes de l'exploitation familiale en 1990, représente la quatrième génération sur le domaine. Sa roussette provient de Marestel, microterroir très particulier. Le nez somptueux livre des arômes de pêche et de poire soutenus par une légère note vanillée. La bouche ne déçoit pas : à une attaque franche et fraîche fait suite une impression de plénitude soutenue par une acidité bien fondue, gage d'un bel avenir. Un magnifique ambassadeur de la Savoie, et un vin de garde que l'on prendra plaisir à voir évoluer.

🐦 Sylvain Chevallier, Le Haut, 73170 Jongieux, tél. 04.79.44.03.30, fax 04.79.44.03.13 ☑ 🍷 t.l.j. 8h-19h30

LA CAVE DU PRIEURE Marestel 1999★

| ☐ | 2 ha | 15 000 | 🍾🍷 | 30 à 49 F |

Un coquet domaine (21 ha) qui a obtenu de beaux succès avec ses 94 et 96, qui ont reçu chacun un coup de cœur. Le 99 réunit toutes les qualités attendues d'une grande roussette. Le nez est réservé, mais déjà complexe avec ses notes rappelant la noisette. La bouche, qui attaque avec franchise et vivacité, révèle ensuite des flaveurs de fruits secs et de noix fraîche. Un vin harmonieux, très élégant, qui devrait être prêt à la sortie du Guide.

🐦 Raymond Barlet et Fils, La Cave du Prieuré, 73170 Jongieux, tél. 04.79.44.02.22, fax 04.79.44.03.07 ☑ 🍷 t.l.j. sf dim. 14h-19h

> Lumière et odeurs sont les ennemis du vin : attention à votre cave !

Le Bugey

Bugey AOVDQS

Dans le département de l'Ain, le vignoble du Bugey occupe les basses pentes des monts du Jura, dans l'extrême sud du Revermont, depuis le niveau de Bourg-en-Bresse jusqu'à Ambérieu-en-Bugey, ainsi que celles qui, de Seyssel à Lagnieu, descendent sur la rive droite du Rhône. Autrefois important, il est aujourd'hui réduit et dispersé.

Il est établi le plus souvent sur des éboulis calcaires de pentes assez fortes. L'encépagement reflète la situation de carrefour de la région : en rouge, le poulsard jurassien - limité à l'assemblage des effervescents de Cerdon - y voisine avec la mondeuse savoyarde et le pinot et le gamay de Bourgogne ; de même, en blanc, la jacquère et l'altesse sont en concurrence avec le chardonnay - majoritaire - et l'aligoté, sans oublier la molette, seul cépage vraiment local.

ANGELOT Chardonnay 1999★

| ☐ | 2,5 ha | 25 000 | 🍾🍷 | 30 à 49 F |

Philippe et Eric Angelot conduisent un domaine familial de 20 ha fondé par la génération précédente. Ils ont élaboré un vin de chardonnay, cépage bien adapté aux terroirs du Bugey, et qui s'exprime par un nez frais et ouvert où apparaissent quelques notes grillées. La bouche, assez longue, est relevée par une vivacité bien maîtrisée qui lui assure une belle élégance. Une jolie bouteille, représentative de son appellation, à boire à la sortie du Guide.

🐦 GAEC maison Angelot, 01300 Marignieu, tél. 04.79.42.18.84, fax 04.79.42.13.61 ☑ 🍷 r.-v.

CHRISTIAN BOLLIET
Cerdon Pétillant Méthode ancestrale Cuvée spéciale 1999★

| ◯ | 0,44 ha | 4 500 | 🍾🍷 | 30 à 49 F |

Le savoir-faire de Christian Bolliet transparaît dans cet effervescent élaboré à partir du seul cépage poulsard, dont les lecteurs du Guide ont pu découvrir certains millésimes précédents. Le 99, encore discret au nez, où l'on perçoit néanmoins une nuance mentholée, s'ouvre en bouche sur une note de vivacité qui lui confère un bel équilibre avec les sucres restants. Un parfait représentant des vins de Cerdon, ce qui n'exclut pas une touche d'originalité.

◆ Christian Bolliet, hameau des Bôches, 01450 Saint-Alban, tél. 04.74.37.37.21, fax 04.74.37.37.69 ☑ ☒ r.-v.

BONNARD FILS
Roussette du Bugey 1998★

☐	0,36 ha	2 500	☒☒ 30 à 49 F

Montagnieu constitue l'un des microterroirs de l'appellation. Sur ces coteaux calcaires bien exposés, le cépage altesse s'épanouit à merveille. Les frères Bonnard ont tiré de vieilles vignes (plus de cinquante ans) un vin très racé, à la riche palette aromatique où l'on décèle des notes de fruits confits. La bouche commence à acquérir de la complexité, la farandole de fruits s'accompagnant en finale de quelques nuances grillées. Un vin tendre, marqué par des sucres résiduels qui incitent à l'oublier quelques années en cave pour obtenir un meilleur fondu.
◆ GAEC Bonnard Fils, Crept, 01470 Seillonnaz, tél. 04.74.36.73.11, fax 04.74.36.14.50
☑ ☒ r.-v.

LE CAVEAU BUGISTE
Brut Blanc de blancs Méthode traditionnelle 1997★

○	3 ha	20 000	☒☒ 50 à 69 F

En 1967, six vignerons ont mis en commun leurs vignobles (35 ha aujourd'hui) et leur savoir-faire pour fonder le Caveau bugiste. Une maison qui représentait déjà le Bugey dans la première édition du Guide. Elle propose aujourd'hui un effervescent élégant et très mature. Une jolie dentelle de fines bulles puis une palette aromatique de fruits blancs, rehaussée d'une pointe briochée, lui donnent un atout sympathique. La prise en bouche tout en rondeur, harmonieuse, en fait un excellent vin d'apéritif.
◆ Le Caveau Bugiste, 01350 Vongnes, tél. 04.79.87.92.32, fax 04.79.87.91.11
☑ ☒ r.-v.

P. CHARLIN
Montagnieu Altesse Elevé en fût de chêne 1998★

☐	0,35 ha	1 700	⬙ 30 à 49 F

Patrick Charlin a planté ses vignes en 1976 et s'est installé lorsqu'elles ont atteint la quatrième feuille, en 1980. Il exploite 5 ha dont a su tirer trois vins sélectionnés par le jury. Le plus apprécié est cet altesse obtenu à partir d'une matière première très riche et élaboré en fût dès la fermentation. Sa bouche puissante, qui exprime des arômes grillés, s'avère très longue et vive. Caractéristique du cépage, il gagnera en fondu dans quelques années. La commission a encore cité un **effervescent de Montagnieu 97**, né dans un village qui produit de longue date des mousseux (seuls les assemblages ont évolué). Issu de pinot noir (30 %) et de chardonnay (70 %), ce vin aux arômes floraux, rehaussés en bouche par la vivacité, sera à servir frais sur du poisson. Même note enfin pour un **pinot noir 98 élevé en fût de chêne**, un vin cerise mariant les fruits à noyau macérés et la vanille de l'élevage. Avec ses tanins fondus, il sera prêt à accompagner des grillades dès la sortie du Guide.

◆ Patrick Charlin, Le Richenard, 01680 Groslée, tél. 04.74.39.73.54, fax 04.74.39.75.16 ☑ ☒ r.-v.

DUPORT ET DUMAS Mondeuse 1999★★★

	1 ha	6 000	☒☒ 30 à 49 F

Installé depuis 1996 sur une exploitation de 7 ha, Jacques Duport avait franchi la barre du jury avec une mondeuse 97. Le 99 est éblouissant ! La robe pourpre somptueuse, le nez, où les notes fruitées le disputent aux fragrances de cuir et de cacao, constituent une excellente entrée en matière. D'une extraordinaire présence, la bouche, épicée à souhait, évolue vers la réglisse. Elle repose sur des tanins encore serrés. Un bugey impatient de plaire, mais qu'on ne regrettera pas d'oublier quelques années en cave.
◆ EARL Duport Dumas, Caveau du Pont Bancet, 01680 Groslée, tél. 04.74.39.74.21, fax 04.74.39.70.95 ☑ ☒ t.l.j. 10h-12h 14h-19h
◆ Jacques Duport

MARJORIE GUINET ET BERNARD RONDEAU
Cerdon Méthode ancestrale 1999★★

◑	1,3 ha	8 000	☒☒ 30 à 49 F

Entré brillamment dans le Guide l'année dernière, avec deux étoiles, ce couple de vignerons consacre tous les soins à élaborer du vin de Cerdon méthode ancestrale. Ses efforts sont pleinement récompensés avec le millésime suivant. Si le nez se montre expressif, c'est surtout en bouche que ce rosé révèle sa richesse, en laissant jaillir une sarabande de petits fruits rouges. L'équilibre est subtil, fait de finesse et d'harmonie. Quel beau vin d'apéritif !
◆ Marjorie Guinet et Bernard Rondeau, Cornelle, 01640 Boyeux-Saint-Jérôme, tél. 04.74.37.12.34, fax 04.74.37.12.34 ☑ ☒ r.-v.

DOM. LAUBEZ

Chardonnay Elevé sur fine lie Réserve Tonton Marcel 1999★

☐	0,8 ha	3 600	▮ 30 à 49 F

A la tête d'une modeste exploitation familiale (4 ha environ), René Laubez signe son entrée dans le Guide avec cette cuvée dont la dégustation s'ouvre très vite et avec intensité sur des parfums rappelant le buis, la violette et l'églantine. Les quelques sucres restants lui donnent une bouche ronde - ce que regrette le jury qui lui aurait donné une note encore plus élevée s'il avait été plus sec - mais grâce à une vivacité de bon aloi, l'équilibre est préservé. Un ensemble agréable.

☛ René Laubez, 01300 Andert-Condon, tél. 04.79.81.16.10, fax 04.79.81.16.10 ☑ ⅄ r.-v.

DOM. MONIN

Chardonnay Les Bâtardes Tête de cuvée 1999★

☐	2 ha	15 000	▮ ♦ 30 à 49 F

Ces Bâtardes ont été accueillies à bras ouverts par le jury qui a aimé leur jolie robe ambrée, leurs arômes grillés enveloppant des fragrances de chèvrefeuille. L'attaque puissante ouvre une symphonie plus complexe jusqu'à la finale marquée par une note minérale. Une bouteille à encaver quelques années, ce qui lui permettra de gagner en richesse et en harmonie. Hubert et Philippe Monin, qui sont à la tête de plus de 20 ha de vignes, en ont tiré deux autres cuvées tout aussi réussies (une étoile) : un **pinot noir cuvée Vieilles vignes 99**, vin « très bavard » aux arômes complexes de fruits rouges et de baies sauvages, aux tanins déjà arrondis et au boisé bien dosé, qui devra aussi être oublié en cave deux ou trois ans ; et une **mondeuse cuvée Vieilles vignes 98**, à la très belle robe pourpre intense et nette, aux arômes caractéristiques du cépage, épicés sur fond fruité et sauvage, à la bouche vigoureuse, voire tumultueuse : encore un vin bien né, et de garde (à attendre).

☛ Dom. Hubert et Philippe Monin, 01350 Vongnes, tél. 04.79.87.92.33, fax 04.79.87.93.25 ☑ ⅄ t.l.j. 8h-12h 14h-19h; groupes sur r.-v.

BUGEY

LE LANGUEDOC ET LE ROUSSILLON

Entre la bordure méridionale du Massif central et les régions orientales des Pyrénées, c'est une mosaïque de vignobles et une large palette de vins qui s'offrent à travers quatre départements côtiers : le Gard, l'Hérault, l'Aude, les Pyrénées-Orientales, grand cirque de collines en pentes parfois raides se succédant jusqu'à la mer, constituant quatre zones successives : la plus haute, formée de régions montagneuses,

Le Languedoc

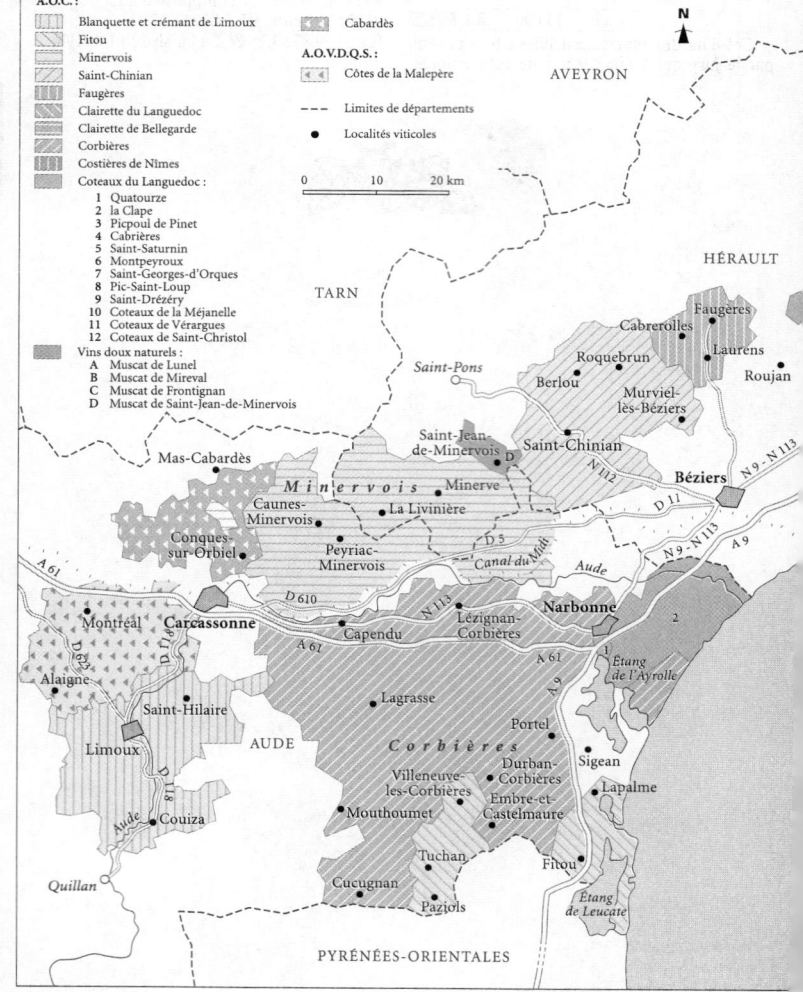

A.O.C. :

- Blanquette et crémant de Limoux
- Fitou
- Minervois
- Saint-Chinian
- Faugères
- Clairette du Languedoc
- Clairette de Bellegarde
- Corbières
- Costières de Nîmes
- Coteaux du Languedoc :
  1 Quatourze
  2 la Clape
  3 Picpoul de Pinet
  4 Cabrières
  5 Saint-Saturnin
  6 Montpeyroux
  7 Saint-Georges-d'Orques
  8 Pic-Saint-Loup
  9 Saint-Drézéry
  10 Coteaux de la Méjanelle
  11 Coteaux de Vérargues
  12 Coteaux de Saint-Christol
- Vins doux naturels :
  A Muscat de Lunel
  B Muscat de Mireval
  C Muscat de Frontignan
  D Muscat de Saint-Jean-de-Minervois

- Cabardès

A.O.V.D.Q.S. :

- Côtes de la Malepère
- - - Limites de départements
- Localités viticoles

0   10   20 km

N

AVEYRON

HÉRAULT

TARN

AUDE

PYRÉNÉES-ORIENTALES

notamment de terrains anciens du Massif central ; la seconde, région des soubergues et des garrigues, la partie la plus ancienne du vignoble ; la troisième, la plaine alluviale assez bien abritée présentant quelques coteaux peu élevés (200 m) ; et la quatrième, zone littorale formée de plages basses et d'étangs dont les récents aménagements ont fait l'une des régions de vacances les plus dynamiques d'Europe. Ici encore, c'est aux Grecs que l'on doit sans doute l'implantation de la vigne, dès le VIIIᵉ s. av. J.-C., au voisinage des points de pénétration et d'échanges. Avec les Romains, le vignoble se développa rapidement et concurrença même le vignoble romain, si bien qu'en l'an 92 l'empereur Domitien ordonna l'arrachage de la moitié des surfaces plantées ! La culture de la vigne resta alors une spécificité de la Narbonnaise pendant deux siècles. En 270, Probus redonna au vignoble du Languedoc-Roussillon un nouveau départ, en annulant les décrets de 92. Celui-ci se maintint sous les Wisigoths, puis dépérit lorsque les Sarrasins

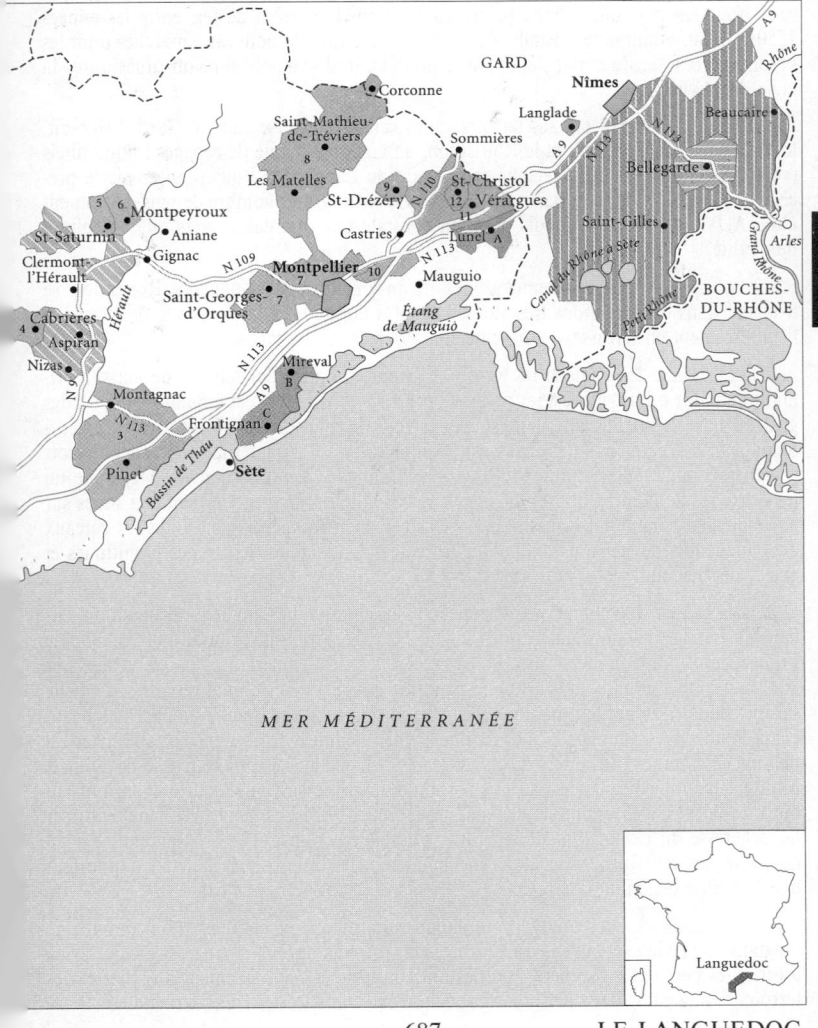

intervinrent dans la région. Le début du IXᵉ s. marqua une renaissance du vignoble, dans laquelle l'Eglise joua un rôle important grâce à ses monastères et à ses abbayes. La vigne est alors placée surtout sur les coteaux, les terres de plaine étant réservées aux cultures vivrières.

Le commerce du vin s'étendit surtout aux XIVᵉ et XVᵉ s., de nouvelles technologies voyant le jour, tandis que les exploitations se multipliaient. Aux XVIᵉ et XVIIᵉs. se développa aussi la fabrication des eaux-de-vie.

Aux XVIIᵉ et XVIIIᵉ s., l'essor économique de la région passe par la création du port de Sète, l'ouverture du canal des Deux Mers, la réfection de la voie romaine, le développement des manufactures de tissage de draps et de soieries. Il donne une nouvelle impulsion à la viticulture. Facilitée par les nouvelles infrastructures de transport, l'exportation du vin et des eaux-de-vie est encouragée.

On assiste alors au développement d'un nouveau vignoble de plaine, et l'on voit apparaître dès cette période la notion de terroir viticole, où les vins liquoreux occupent déjà une grande place. La création du chemin de fer, entre les années 1850 et 1880, diminue les distances et assure l'ouverture de nouveaux marchés dont les besoins seront satisfaits par l'abondante production de vignobles reconstitués après la crise du phylloxéra.

Grâce à ses terroirs situés sur les coteaux, dans le Gard, l'Hérault, le Minervois, les Corbières et le Roussillon, un vignoble planté de cépages traditionnels (voisin des vignobles qui avaient fait la gloire du Languedoc-Roussillon au siècle précédent) va se développer à partir des années 1950. Un grand nombre de vins deviennent alors AOVDQS et AOC, tandis que l'on constate une orientation vers une viticulture de qualité.

Les différentes zones de production du Languedoc-Roussillon se trouvent dans des situations très variées quant à l'altitude, à la proximité de la mer, à l'établissement en terrasses ou en coteaux, aux sols et aux terroirs.

Les sols et les terroirs peuvent être ainsi des schistes de massifs primaires comme à Banyuls, à Maury, en Corbières, en Minervois et à Saint-Chinian ; des grès du lias et du trias alternant souvent avec des marnes comme en Corbières et à Saint-Jean-de-Blaquière ; des terrasses et cailloux roulés du quaternaire, excellent terroir à vignes comme à Rivesaltes, Val-d'Orbieu, Caunes-Minervois, dans la Méjanelle ou les Costières de Nîmes ; des terrains calcaires à cailloutis souvent en pente ou situés sur des plateaux, comme en Roussillon, en Corbières, en Minervois ; ou, dans les coteaux du Languedoc, des terrains d'alluvions récentes (sans oublier les arènes granitiques et gneiss des Fenouillèdes).

Le climat méditerranéen assure l'unité du Languedoc-Roussillon, climat fait parfois de contraintes et de violence. C'est en effet la région la plus chaude de France (moyenne annuelle voisine de 14 ° C, avec des températures pouvant dépasser 30 ° C en juillet et en août) ; les pluies sont rares, irrégulières et mal réparties. La belle saison connaît toujours un manque d'eau important du 15 mai au 15 août. Dans beaucoup d'endroits du Languedoc-Roussillon, seule la culture de la vigne et de l'olivier est possible. Il tombe 350 mm d'eau au Barcarès, la localité la moins arrosée de France. Mais la quantité d'eau peut varier du simple au triple suivant l'endroit (400 mm au bord de la mer, 1 200 mm sur les massifs montagneux). Les vents viennent renforcer la sécheresse du climat lorsqu'ils soufflent de la terre (mistral, cers, tramontane) ; au contraire, les vents provenant de la mer modèrent les effets de la chaleur et apportent une humidité bénéfique à la vigne.

Le réseau hydrographique est particulièrement dense ; on compte une vingtaine de rivières, souvent transformées en torrents après les orages, souvent à sec à certaines périodes de sécheresse. Elles ont contribué à l'établissement du relief et des terroirs depuis la Vallée du Rhône jusqu'à la Têt, dans les Pyrénées-Orientales.

_____ **S**ols et climat constituent un environnement très favorable à la vigne en Languedoc-Roussillon, ce qui explique qu'y soient localisées près de 40 % de la production nationale, dont annuellement environ 2 700 000 hl en AOC et 30 000 hl en AOVDQS.

_____ **L**es vins AOC se composent de 300 000 hl de vins doux naturels produits en majeure partie dans les Pyrénées-Orientales, le reste venant de l'Hérault (voir le chapitre les concernant) ; 66 000 hl de vins mousseux dans l'Aude ; 2 270 000 hl de vins rouges et 150 000 hl de vins blancs.

_____ **D**ans le vignoble de vins de table, on constate depuis 1950 une évolution de l'encépagement : régression importante de l'aramon, cépage de vins de table légers planté au XIX^{e}s., au profit des cépages traditionnels du Languedoc-Roussillon (carignan, cinsault, grenache noir, syrah et mourvèdre) ; et implantation d'autres cépages plus aromatiques (cabernet-sauvignon, cabernet franc, merlot et chardonnay).

_____ **D**ans le vignoble de vins fins, les cépages rouges sont le carignan qui apporte au vin structure, tenue et couleur ; le grenache, cépage sensible à la coulure, qui donne au vin sa chaleur, participe au bouquet mais s'oxyde facilement lors du vieillissement ; la syrah, cépage de qualité, qui apporte ses tanins et un arôme se développant avec le temps ; le mourvèdre, qui vieillit bien et donne des vins élégants, résistants à l'oxydation ; le cinsault enfin, qui, cultivé en terrain pauvre, donne un vin souple présentant un fruité agréable et surtout entrant dans l'assemblage des vins rosés.

_____ **L**es blancs sont produits à base de grenache blanc pour les vins tranquilles, de picpoul, de bourboulenc, de macabeu, de clairette - donnant une certaine chaleur mais madérisant assez rapidement. Depuis peu, marsanne, roussanne et vermentino agrémentent cette production. Pour les vins effervescents, on fait appel au mauzac, au chardonnay et au chenin.

LANGUEDOC

Le Languedoc

Blanquette de limoux et blanquette méthode ancestrale

Ce sont les moines de l'abbaye Saint-Hilaire, commune proche de Limoux, qui, découvrant que leurs vins repartaient en fermentation, ont été les premiers élaborateurs de blanquette de limoux. Trois cépages sont utilisés pour son élaboration : le mauzac (90 % minimum), le chenin et le chardonnay, ces deux derniers cépages étant introduits à la place de la clairette et apportant à la blanquette acidité et finesse aromatique.

La blanquette de limoux est élaborée suivant la méthode traditionnelle et se présente sous dosages brut, demi-sec ou doux.

AOC à part entière, la blanquette méthode ancestrale reste un produit confidentiel. Le principe d'élaboration réside dans une fin de fermentation en bouteille. Aujourd'hui, les techniques modernes permettent d'élaborer un vin peu alcoolisé, doux, provenant du seul cépage mauzac.

Dans le Limouxin, outre blanquette et crémant de limoux, il existe une autre appellation très confidentielle : un vin blanc sec tranquille, le « limoux ».

CUVÉE PRINCESSE DE AIMERY★★

○   n.c.   150 000   `30 à 49 F`

Alain Gayda, chef d'orchestre dynamique de la cave de Sieur d'Arques, et qui possède une cuvée remarquée à son nom s'efface devant la cuvée Princesse de Aimery, coup de cœur l'an dernier. Or pâle, à l'effervescence légère, cette cuvée laisse alterner senteurs champêtres de foin coupé et grillé de la noisette. Ample, miellée, mature, la bouche est équilibrée. Un vin en plénitude.

☛ Aimery-Sieur d'Arques, av. de Carcassonne, B.P. 30, 11303 Limoux Cedex, tél. 04.68.74.63.00, fax 04.68.74.63.13 ⟁ r.-v.

PIERRE CHANAU Tête de cuvée 1998

○   n.c.   100 000   `30 à 49 F`

Avec Françoise Antech, la continuité de la maison Antech, référence en Limouxin, est désormais assurée, le charme en plus. La Tête de cuvée est à l'approche un beau classique limouxin avec sa robe pâle, ses notes typiques de pomme verte et de pain grillé, apanage du mauzac. Puis la bouche surprend avec une touche de fruit rouge qui fera préférer ce vin sur une tarte aux fraises.

☛ Georges et Roger Antech, Dom. de Flassian, 11300 Limoux, tél. 04.68.31.15.88, fax 04.68.31.71.61, e-mail courriers@antech-limoux.com ⟁ t.l.j. sf sam. dim. 8h-12h 14h-18h

DOM. COLLIN
Cuvée Jean Philippe 1998★★★

○   10 ha   56 000   `20 à 29 F`

Régulier dans le Guide et très souvent en bonne place avec cette cuvée ou le château de Villelongue, le domaine, depuis dix-huit campagnes, s'est fait une place au soleil. La robe or pâle est ici avenante ; l'effervescence délicate et régulière accompagne des senteurs florales d'acacia. Très agréable, très fruitée, la bouche est plaisir autour de la pêche, sur une délicieuse finale de noyau qui équilibre et prolonge le vin. A noter, un très beau **Domaine Collin-Rosier 98**.

☛ Dom. Collin-Rosier, rue Farman, 11300 Limoux, tél. 04.68.31.48.38, fax 04.68.31.34.16 ⟁ r.-v.

DIAPHANE★★★

○   500 ha   150 000   `30 à 49 F`

Limoux, c'est la fête, les incomparables « fêcos », et tout un monde laborieux de vignerons qui, autour de la cave de Sieur d'Arques, s'appliquent à nous rendre la fête agréable. Avec la **Tête de cuvée Aimery**, cette Diaphane au regard clair, toute fleurie et remarquable de maturité en bouche. Elle se montre ample et fruitée avec une touche épicée en finale ; le léger grillé du fruit sec appelle la mise en bouche.

☛ Aimery-Sieur d'Arques, av. de Carcassonne, B.P. 30, 11303 Limoux Cedex, tél. 04.68.74.63.00, fax 04.68.74.63.13 ⟁ r.-v.

G. GUINOT Cuvée réservée★

○   4,16 ha   30 000   `30 à 49 F`

Des caves centenaires, un savoir-faire reconnu jusque dans la grande Russie à l'époque de Nicolas II, une famille d'agriculteurs établie depuis François Ier en Limouxin et désormais sur Internet... L'or de la robe annonce l'élevage que confirme un nez intense de pomme mûre, de pain grillé et de noisette. Ample, harmonieuse, la bouche est à l'avenant, pleine, fruitée et miellée avec une belle longueur.

☛ Maison Guinot, 3, av. Chemin-de-Ronde, 11304 Limoux, tél. 04.68.31.01.33, fax 04.68.31.60.05, e-mail guinot@blanquette.fr ⟁ t.l.j. sf sam. dim. 9h-12h 14h-18h

☛ Michel Rancoule

LE PROPRIETAIRE Méthode ancestrale★★

○   500 ha   150 000   `30 à 49 F`

La cave élabore traditionnellement, pour le compte des vignerons, ce produit si particulier titrant à peine 6 % vol., très doux, et 100 % mauzac. L'or devient doré, bien soutenu par une effervescence délicate. Le nez est intense, de pomme et de fruits très mûrs. Puis la méthode ancestrale se fait reconnaître, très pomme verte, tout en douceur, avec ici un excellent équilibre sucre-acide qui lui confère une agréable fraîcheur.

☛ Aimery-Sieur d'Arques, av. de Carcassonne, B.P. 30, 11303 Limoux Cedex, tél. 04.68.74.63.00, fax 04.68.74.63.13 ⟁ r.-v.

ROBERT Méthode ancestrale★

○   4 ha   10 000   `30 à 49 F`

Originale, cette blanquette méthode ancestrale que l'on a du mal à classer dans les vins, avec ses 7 % vol. d'alcool seulement et sa douceur caractéristique ! Or pâle, avec l'effervescence persistante, le vin s'exprime dès l'ouverture sur des notes fruitées et miellées. Typique, la pomme verte qui rappelle le cidre devient très douce. L'ensemble est très miellé. On est bien dans l'ancestrale.

☛ GFA Robert, Dom. de Fourn, 11300 Pieusse, tél. 04.68.31.15.03, fax 04.68.31.77.65 ⟁ r.-v.

TAILHAN-CAVAILLES 1998★

○   n.c.   30 000   `30 à 49 F`

Ce nouveau venu en Limouxin a repris le vignoble Tailhan dans le vieux village médiéval de Magrie, ancienne commanderie des chevaliers de l'ordre de Malte. D'entrée, il se fait remarquer avec cette belle cuvée 98 or pâle, à l'effervescence légère et régulière. Entre fleur miellée et pêche, la bouche surprend ensuite par ses notes fondues et fruitées. Très bien équilibré, le vin est prêt à boire.

↜ Alain Cavaillès, 6, chem. Furinier, 11300 Limoux, tél. 04.68.31.66.14, fax 04.68.31.11.01, e-mail cavailles.alain@wanadoo.fr ☨ r.-v.

Crémant de limoux

Reconnu par le décret du 21 août 1990, le crémant de limoux n'en est pas pour autant peu expérimenté. En effet, les conditions de production de la blanquette étant très strictes et très proches du crémant, les Limouxins n'ont eu aucune difficulté à intégrer ce groupe d'élite.

Depuis déjà quelques années s'affinaient dans les chais des cuvées issues de subtils mariages entre la personnalité et la typicité du mauzac, l'élégance et la rondeur du chardonnay, la jeunesse et la fraîcheur du chenin.

J. LAURENS Cuvée Domaine JL 1998★

○　　　10 ha　　25 000　　∎ ⅃　30 à 49 F

S'écarter de l'axe principal de circulation, c'est prendre le risque de découvrir vers La Digne un paysage viticole serein, lové dans ses terrasses, et regroupé autour du vieux village encore préservé. L'or pâle danse agréablement, et s'ouvre sur la pomme verte, la fleur d'acacia et l'aubépine. Le vin est vif, frais, élégant. La pêche et la pomme verte se retrouvent dans un ensemble entraînant, idéal pour l'apéritif. A noter, un **Clos des Demoiselles 98** fort apprécié.

↜ SARL Dervin, rte de La Digne-d'Amont, 11300 La Digne d'Aval, tél. 04.68.31.54.54, fax 04.68.31.61.61 ☑ ☨ r.-v.
↜ Michel Dervin

DOM. LAURENT-MAUGARD 1997

○　　　2,6 ha　　6 000　　∎ ⅃　30 à 49 F

Cépie, avec ses coteaux exposés au sud, est la porte d'entrée du Limouxin ; c'est aussi le terroir le plus précoce et le plus méditerranéen. Le vin du domaine colle à cette image, avec une approche chaleureuse de vieil or, un nez de fleurs jaunes miellées et de coing. Ample, gras, l'équilibre est doux, la bouche ronde, évoluée, avec des notes de coing et de fruits très mûrs. A réserver à un dessert de gâteaux secs.

↜ Dom. Laurent-Maugard, 33, rte du Piemont, 11300 Cépie, tél. 04.68.31.33.85, fax 04.68.31.22.14 ☑ ☨ t.l.j. 8h-20h
↜ Christian Laurent

MICHEL OLIVIER Tête de cuvée 1998★★

○　　　5 ha　　28 000　　∎ ⅃　30 à 49 F

Coup de cœur en blanquette, très apprécié en crémant : c'est un total succès pour les domaines Collin-Rosier habitués, il est vrai, au tableau d'honneur de la classe. D'un bel or très vivant, l'approche emprunte sa fraîcheur à l'acacia et sa finesse aux fruits d'été. Posé, d'une sage évolution, le vin est rond, mûr, bien frais, avec une finale grillée qui appelle les petits fours. Du même auteur, un **château de Villelongue**, cité par le jury.

↜ Dom. Collin-Rosier, rue Farman, 11300 Limoux, tél. 04.68.31.48.38, fax 04.68.31.34.16 ☑ ☨ r.-v.

ROBERT 1996★★

○　　　6 ha　　30 000　　50 à 69 F

Du domaine de Fourn, un col sur deux part pour l'étranger : ambassadeur de cette région à la fois douce et sauvage qui s'accroche à la belle Aude et dont la famille Robert est par son talent un des meilleurs atouts. L'or pâle est agrémenté d'une belle tenue de mousse qui libère délicatement des senteurs de fleurs de verger et de genêt. La mangue apparaît sur fond de grillé dans un ensemble rond, ample, qui sait rester vif et harmonieux.

↜ GFA Robert, Dom. de Fourn, 11300 Pieusse, tél. 04.68.31.15.03, fax 04.68.31.77.65 ☑ ☨ r.-v.

SIEUR D'ARQUES 1998★★★

○　　　500 ha　　150 000　　50 à 69 F

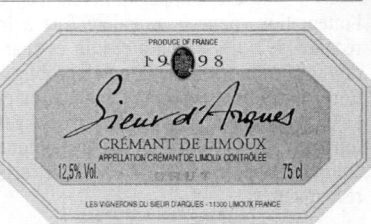

Initiateurs d'une démarche terroir qui les a conduits à un cahier des charges très strict, les vignerons de Sieur d'Arques récoltent désormais au quotidien le fruit de leurs efforts et de leur sérieux. Enveloppé d'une robe or pâle, soutenu par une effervescence délicate, le nez fin et subtil de fleurs blanches (aubépine) évolue vers le fruit sec. Vif, ample, très fleuri, ce brut offre une harmonie remarquée. En bouche, le soupçon d'agrume initial cède le pas en finale à des notes briochées très douces.

↜ Aimery-Sieur d'Arques, av. de Carcassonne, B.P. 30, 11303 Limoux Cedex, tél. 04.68.74.63.00, fax 04.68.74.63.13 ☑ ☨ r.-v.

SIEUR DE LIMOUX Extra-brut 1999★

○　　　500 ha　　150 000　　50 à 69 F

La cave fait partie des sites à visiter dans l'Aude. Elle possède un équipement des plus modernes, avec une partie de la cuverie suspendue comme un balcon ; vous pourrez serpenter au frais dans les tunnels des barriques. Voici l'Extra-brut, très vif et net dès l'approche, tout en fleurs printanières. Une touche de fruits exotiques complète une fort agréable sensation de fraîcheur. Remarquées également la **Grande cuvée 1531** et la cuvée **Renaissance**.

🍷 Aimery-Sieur d'Arques, av. de Carcassonne, B.P. 30, 11303 Limoux Cedex, tél. 04.68.74.63.00, fax 04.68.74.63.13 ☑ ⵣ r.-v.

Limoux

L'appellation limoux nature reconnue en 1938 était en réalité le vin de base destiné à l'élaboration de l'appellation blanquette de limoux et toutes les maisons de négoce en commercialisaient quelque peu.

En 1981, cette AOC s'est vu interdire à son grand regret l'utilisation du terme nature et elle est devenue limoux. Resté à 100 % mauzac, le limoux a décliné lentement, les vins de base blanquette de limoux étant alors élaborés avec du chenin, du chardonnay et du mauzac.

Cette appellation renaît avec l'intégration, pour la première fois à la récolte 1992, des cépages chenin et chardonnay, le mauzac restant toutefois obligatoire. Une particularité : la fermentation et l'élevage jusqu'au 1er mai, à réaliser obligatoirement en fût de chêne. La dynamique équipe limouxine voit ainsi ses efforts récompensés.

DOM. ASTRUC Elevé en fût de chêne 1998

☐	1 ha	6 500	💵 50 à 69 F

L'obligation de fermentation et d'élevage en barrique limite forcément la production. Cela contraint également vigneron et vinificateur à avoir une démarche volontaire sans faille. Ce 98 offre un surprenant nez de garrigue et de fleurs autour d'une robe or pâle. Notes qui se confirment en bouche où le vin se montre gras avec un boisé fondu. Déjà prêt à boire.

🍷 SARL Pierjacq Astruc, 20, av. du Chardonnay, 11300 Malras, tél. 04.68.31.13.26, fax 04.68.31.72.11 ⵣ r.-v.

🍷 Jacques Astruc

COLLOVRAY ET TERRIER 1998★★★

☐	n.c.	1 300	💵 70 à 99 F

Voilà deux nouveaux venus du Mâconnais qui n'ont pas l'intention de faire de la figuration. Négociants et propriétaires du château d'Antugnac, ils nous offrent ce vin, à l'approche discrète de fleurs d'amandier sur fond boisé, mais remarquable en bouche, élégant, frais, harmonieux, équilibré. L'alliance du fût et du vin est parfaite ;

structuré et finement grillé, c'est le vin plaisir par excellence.

🍷 Collovray et Terrier, Vins des Personnets, Ch. d'Antugnac, 11190 Antugnac, tél. 03.85.35.86.51, fax 03.85.35.86.12 ☑

CH. DE FLANDRY Elevé en fût de chêne★

☐	50 ha	35 000	💵 30 à 49 F

Racheté il y a une dizaine d'années par la cave du Sieur d'Arques, le château de Flandry, dans son écrin de verdure aux portes de Limoux, semble veiller aux éventuels débordements de la cité sur le vignoble. L'or clair laisse filtrer une très agréable senteur de noisettes grillées. Franc dès l'attaque, ce vin surprend par sa rondeur, sa présence, son volume enveloppé autour de notes vanillées. A réserver à un poisson au beurre blanc. A noter, une belle collection avec **Les Hauts Clochers** et **Les Quatre Clochers**.

🍷 Aimery-Sieur d'Arques, av. de Carcassonne, B.P. 30, 11303 Limoux Cedex, tél. 04.68.74.63.00, fax 04.68.74.63.13 ☑ ⵣ r.-v.

TOQUES ET CLOCHERS
Terroir Haute Vallée Elevé en fût de chêne★★

☐	50 ha	35 000	💵 30 à 49 F

Incontournable Toques et Clochers. La bagarre est toujours aussi ouverte entre les quatre célèbres terroirs, le **Terroir d'Autan** se faisant devancer par une Haute Vallée à la robe d'or brillante et lumineuse. La réglisse et le fruit se partagent le nez, puis le vin se fait vif, racé, très nerveux sur fond de grillé. En pleine jeunesse, il sera parfait dans un à deux ans.

🍷 Aimery-Sieur d'Arques, av. de Carcassonne, B.P. 30, 11303 Limoux Cedex, tél. 04.68.74.63.00, fax 04.68.74.63.13 ☑ ⵣ r.-v.

Clairette de bellegarde

Reconnue AOC en 1949, la clairette de bellegarde est produite dans la partie sud-est des Costières de Nîmes, dans une petite région comprise entre Beaucaire et Saint-Gilles, et entre Arles et Nîmes, sur des sols rouges caillouteux. 2 000 hl de vin présentant un bouquet caractéristique en sont issus.

DOM. DU MAS CARLOT 1999

☐	15 ha	64 000	🍶 20 à 29 F

Né sur galets roulés, ce vin au nez caractéristique de clairette par ses notes d'écorces d'agrumes et de fruits secs offre une bouche équilibrée, dont la finale présente une fine pointe d'amertume typique de cette appellation.

🍷 Mas Carlot, 30127 Bellegarde, tél. 04.66.01.11.83, fax 04.66.01.62.74 ☑ ⵣ t.l.j. 8h-12h 14h-17h; sam. dim. sur r.-v.

Clairette du languedoc

Corbières

Les vignes sont cultivées dans huit communes de la vallée moyenne de l'Hérault et ont produit 3 663 hl en 1999. Après vinification à basse température avec le minimum d'oxydation, on obtient un vin blanc généreux, d'une robe jaune soutenu. Il peut être sec, demi-sec ou moelleux. En vieillissant, il acquiert un goût de rancio qui plaît à certains consommateurs. Il s'allie bien à la bourride sétoise et à la baudroie à l'américaine.

ADISSANIMUS Rancio doux 1992★★

| ☐ | 1 ha | 800 | ◖▮▮ 150 à 199 F |

Une curiosité en même temps qu'une tradition retrouvée. La coopérative d'Adissan est composée de nombreux vignerons amoureux de la clairette. Ils ont conçu un vin rare qui a suscité beaucoup de commentaires. La conclusion est simple : « C'est un vin plaisir d'une très grande complexité » (chocolat, café, caramel, moka, confiture d'abricots). Un vin de dessert à découvrir dans l'intimité mais à encourager. Bravo !
☛ Cave coop. La Clairette d'Adissan, 34230 Adissan, tél. 04.67.25.01.07, fax 04.67.25.37.76, e-mail clairette.adissan@wanadoo.fr ☑ ⟐ t.l.j. sf sam. dim. 9h-12h 15h-18h

DOM. LA CROIX CHAPTAL 1999

| ☐ | 1,2 ha | 5 500 | ▮◖▮▮⟐ 30 à 49 F |

M. Pacaud travaillait dans une grande maison connue dans le monde entier pour la production de vins gris. Passionné du vin, il s'est laissé séduire par le métier de vigneron. La réussite est là, dans ce vin vêtu d'une belle robe jaune paille brillante, au nez assez intense, grillé, beurré, floral, avec des notes de pêche, d'agrumes, de fruits exotiques et un soupçon de garrigue. La bouche surprend par une attaque vive mais se montre équilibrée par beaucoup de gras et de rondeur. Bonne persistance.
☛ Pacaud-Chaptal, Dom. de Cambous, 34725 Saint-André-de-Sangonis, tél. 04.67.16.09.36, fax 04.67.16.09.36 ⟐ r.-v.

Les corbières, VDQS depuis 1951, sont passés AOC en 1985. L'appellation s'étend sur quatre-vingt-sept communes, pour une production de 650 000 hl en moyenne (7 % de blanc et rosé, 93 % de rouge). Ce sont des vins généreux, puisqu'ils titrent entre 11 ° et 13 ° d'alcool. Ils sont élaborés à partir d'assemblage de cépages comportant un maximum de 60 % de carignan.

Les Corbières constituent une région typiquement viticole, et n'offrent guère d'autres possibilités de culture. L'influence méditerranéenne dominante, mais également une certaine influence océanique à l'ouest, le cloisonnement des sites par un relief accentué, l'extrême diversité des sols, conduisent aujourd'hui à une réflexion sur les spécificités des terroirs de l'AOC.

CH. AIGUILLOUX
Cuvée des Trois Seigneurs 1998★★

| ■ | 6 ha | 25 000 | ◖▮▮ 50 à 69 F |

Au point culminant de la crête des Aiguilloux, une borne délimite les anciens comtés de Narbonne, Durban et Lézignan ; naturellement, la tête de cuvée ne pouvait être que « des Trois Seigneurs ». Ce 98 s'apparente au 96 par une pointe de confiture aux fruits rouges, une touche un peu animale et un léger boisé encore présent. Obtenant une étoile, le rosé 99 confirme que Marthe et François Lemarié aiment le bon vin.
☛ Marthe et François Lemarié, Ch. Aiguilloux, 11200 Thézan-des-Corbières, tél. 04.68.43.32.71, fax 04.68.43.30.66 ☑ ⟐ r.-v.

DOM. DE BELLEVUE
Cuvée Grande Délicatesse Elevé en fût de chêne 1998★

| ■ | 5 ha | 20 000 | ◖▮▮ 50 à 69 F |

Ce domaine est situé sur les anciennes terrasses de l'Orbieu et se distingue par un encépagement de carignan et grenache noir exclusivement. Pourpre et brillant, avec des arômes intenses et très variés (épices, cacao, fruits rouges, vanille), ce vin au bel équilibre possède une structure dense, fondue, de grande personnalité. Rond, il offre une bonne persistance.
☛ Vignerons de la Méditerranée, 12, rue du Rec-de-Veyret, ZI Plaisance, 11100 Narbonne, tél. 04.68.42.75.00, fax 04.68.42.75.01, e-mail valdorbieu-didierferrier@wanadoo.fr ⟐ r.-v.

CH. CANOS 1999★

| ◢ | 6 ha | 13 000 | ▮⟐ 30 à 49 F |

Pierre Galinier, docteur Corbières es-rosé ! En effet, ce 99 mérite toutes les distinctions. Rose

pâle à reflets saumon, limpide, cristallin, il possède un nez complexe (framboise, violette et note de fruits exotiques). L'attaque franche annonce une bouche pleine, avec une belle réponse aromatique et une persistance suffisante.
⊶ Pierre Galinier, Dom. de Canos,
11200 Luc-sur-Orbieu, tél. 04.68.27.00.06,
fax 04.68.27.61.08 ☑ ⊻ r.-v.

CH. DE CAPENDU Cuvée Eugénie 1998*

■ 3,5 ha 18 000 ⊪ 50 à 69 F

Christophe Barbier peut être fier de ce vin très charpenté, solide, dont la belle ossature dégage de la puissance. D'une couleur sombre très agréable, ce 98 laisse de remarquables notes boisées avant une attaque franche et nette. Les tanins généreux et harmonieux rappellent le nez. La finale encore un peu jeune est très prometteuse.
⊶ SA Ch. de Capendu, pl. de la Mairie,
11700 Capendu, tél. 04.68.79.01.36,
fax 04.68.79.01.36 ☑

CASTELMAURE Grande cuvée 1998***

■ 30 ha 57 000 ⊪ 50 à 69 F

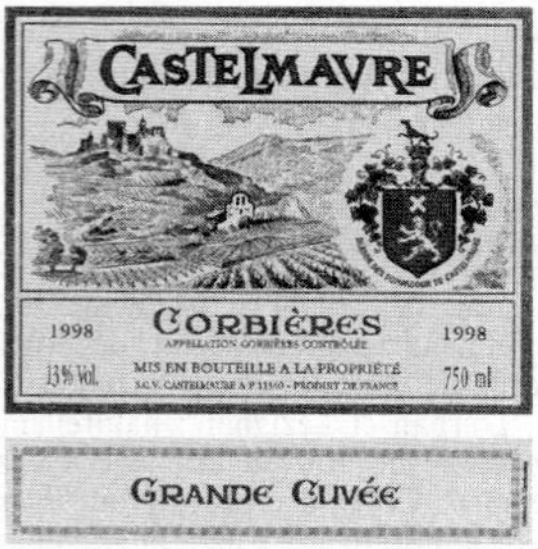

C'est le cœur des Corbières, l'âme de la garrigue, la rudesse de la pierre, l'authenticité du vigneron, l'avarice de ses vignes mais la générosité du bon ! Moitié syrah, moitié grenache, mi-calcaire, mi-schiste, mais totalement parfait. Réglisse et vanille s'harmonisent avec les fruits confits. La puissance s'associe au volume. Le vin peut déjà se déguster, mais les mois à venir ne peuvent que l'embellir, à moins que quelques années ne lui confèrent une parfaite plénitude.
⊶ SCV Castelmaure, 4, rte des Cannelles,
11360 Embres-et-Castelmaure,
tél. 04.68.45.91.83, fax 04.68.45.83.56 ☑ ⊻ t.l.j. sf sam. dim. 8h-12h 14h-18h

PIERRE CHRISTMAN 1998

■ 15 ha 12 000 ▮♁ 50 à 69 F

Jeune négociant, il choisit la mise en bouteilles au château, sélectionne sa cuvée à dominante syrah mi-macération, mi-traditionnelle, complétée par du carignan vinifié pareillement et affiné par les grenache, cinsault et mourvèdre. L'absence d'élevage sous bois donne un nez vineux, légèrement poivré ; franc, ample, ce 98 possède les tanins caractéristiques des corbières.
⊶ Pierre Christman, rte de Cazedarnes,
34360 Pierrerue, tél. 04.67.38.18.15,
fax 04.67.38.25.11 ☑ ⊻ r.-v.
⊶ Ph. de La Boisse

CH. CRUSCADES HORTALA 1998*

■ 20 ha 103 400 ▮♁ 20 à 29 F

D'un parfait classicisme, ce vin composé des trois cépages principaux du corbières a subi une vinification des plus traditionnelles et n'est pas élevé en fût. Pourtant, il est singulier. La dégustation montre un 98 riche et dense, évoquant le fruit mûr, concentré, équilibré, long et souple à la fois. Toute la production du château de Cruscades est mise en bouteilles par ce négociant de Mèze.
⊶ SA Bessière, 40, rue du Port, 34140 Mèze,
tél. 04.67.18.40.40, fax 04.67.43.77.03
⊶ Duquesne

CELLIER DES DEMOISELLES
Cuvée des Vignerons 1998

■ 15 ha 35 000 ⊪ 30 à 49 F

Le Cellier des Demoiselles réussit à chaque récolte un fameux **blanc de blancs** et le **99** est dans la lignée de ses prédécesseurs, obtenant une citation. Mais ce corbières rouge 98 d'une teinte violacée très foncée ne manque pas d'avenir. Une touche encore végétale pleine de promesses, du pruneau et du caramel animent le bouquet. L'impression gustative est complète, riche, harmonieuse. La forte charpente enrobée de tanins généreux et la grande longueur sont gages d'un épanouissement certain.
⊶ SCV Cellier des Demoiselles,
5, rue de la Cave,
11220 Saint-Laurent-de-la-Cabrerisse,
tél. 04.68.44.02.73, fax 04.68.44.07.05
☑ ⊻ t.l.j. sf dim. 8h-12h 14h-18h

CH. ETANG DES COLOMBES
Bicentenaire Vieilles vignes 1998**

■ 20 ha 90 000 ⊪ 30 à 49 F

Précurseur de la dynamique « corbières », Henri Gualco n'a jamais relâché son effort pour être parmi les meilleurs ; le vignoble, le chai, le caveau de vieillissement, tout se perfectionne. Ce vin friand, à la belle présentation rouge cerise aux reflets violacés, offre une intensité aromatique suffisante très agréablement fruitée et à peine vanillée. Superbement surprenant en bouche dès l'attaque, rond et gras, riche d'arômes subtils et élégants, le tout dans un parfait équilibre et d'une persistance remarquable, voici un vrai vin plaisir.
⊶ Henri Gualco, Ch. Etang des Colombes,
11200 Lézignan-Corbières, tél. 04.68.27.00.03,
fax 04.68.27.24.63 ☑ ⊻ t.l.j. 8h-19h

CH. FABRE-GASPARETS
Elevé en fût de chêne 1998*

■ 5 ha 26 000 ⊪ 30 à 49 F

L'union du terroir de Boutenac avec de fameux cépages, mourvèdre (beaucoup), syrah (judicieusement) et grenache (parcimonieusement), et avec la dextérité de Louis Fabre a engendré un 98 rubis sombre, au nez fruité et floral à la fois, légèrement épicé. Très agréable malgré des tanins jeunes, la bouche laisse la meilleure place au fruit et à une très belle persistance aromatique, tous deux étant les garants d'une excellente longévité.

➤Louis Fabre, Ch. de Luc, rue du Château,
11200 Luc-sur-Orbieu, tél. 04.68.27.10.80,
fax 04.68.27.38.19, e-mail chateauluc@aol.com
☑ ⊺ r.-v.

CH. DU GRAND CAUMONT
Cuvée Tentation 1998★★

| ■ | | 8 ha | 48 000 | ▤ ⬗ ⚖ | 50 à 69 F |

Le Guide 2000 présentait le millésime 97 avec
un coup de cœur, Château Grand Caumont doit
certainement beaucoup à Patrick Blanchard, son
maître de culture. Un minimum de carignan et
de grenache pour assurer par une vinification en
grain entier le fond du corbières, une bonne moitié de syrah vendangée à parfaite maturité : c'est
presque simple. Et pourtant ! ce vin réussit à
allier puissance, élégance et palette de fruits mûrs
aux tons de pruneau. Chaleureux, harmonieux,
il possède une très bonne aptitude au vieillissement.
➤SARL F.L.B. Rigal, Ch. du Grand Caumont,
11200 Lézignan-Corbières, tél. 04.68.27.10.82,
fax 04.68.27.54.59 ☑ ⊺ r.-v.
➤Françoise Rigal

DOM. DU GRAND CRES
Cuvée majeure 1997

| ■ | | 3 ha | n.c. | ▤ ⬗ | 70 à 99 F |

Hervé et Pascaline Leferrer préfèrent les vins
matures, élevés à la force de leur caractère. Après
un remarquable 96 sur le Guide 2000, voici, au
milieu des 98, un honorable 97. Cuvée majeure
par la syrah (trois quarts), puis le grenache (un
quart), plantés sur un terroir élevé, donc plus
tardif, et qui ont pu mûrir après les pluies de
début septembre. La palette aromatique va de la
guigne au pruneau. Rond et équilibré, ce vin
offre une finale légèrement boisée. Rappelons à
ceux qui lisent pour la première fois ce Guide
qu'Hervé Leferrer a eu un parcours original
puisqu'il a été régisseur de La Romanée-Conti
avant de se passionner pour les corbières.
➤Hervé et Pascaline Leferrer, Dom. du Grand
Crès, 40, av. de la Mer,
11200 Ferrals-les-Corbières,
tél. 04.68.43.69.08, fax 04.68.43.58.99 ☑ ⊺ r.-v.

CH. GRAND MOULIN
Vieilles vignes 1998

| ■ | | 13,5 ha | 80 000 | ⬗ | 30 à 49 F |

Jean-Noël Bousquet, homme de caractère,
volontaire, a bataillé pour bâtir son vignoble et
a surtout subi la terrible inondation de novembre
1999. Par miracle, cette cuvée était déjà en bouteilles. Le nez fin, suffisant, offre des notes d'épices, de tabac, élégantes et complexes. Bâti sur des
tanins au grain soyeux, accompagné d'une
pointe de fraîcheur, ce vin rond et harmonieux
peut se boire ou se garder.
➤Jean-Noël Bousquet, Ch. Grand Moulin,
11200 Luc-sur-Orbieu, tél. 04.68.27.40.80,
fax 04.68.27.47.61 ☑ ⊺ t.l.j. 8h-12h 14h-19h

CH. HAUT-GLEON
Elevé en fût de chêne 1998★

| ■ | | 12 ha | 45 000 | ⬗ | 50 à 69 F |

En 1991, M. Duhamel s'enthousiasme pour les
corbières et pour ce domaine datant du XIVᵉs. et
ne peut résister à l'envie de devenir vigneron : il
achète le Château Haut-Gléon. Le vignoble est
remodelé, le chai transformé, le cuvier moder-
nisé, le vieillissement instauré, la mise en marche
organisée. Il lui aura suffi de quelques années
pour acquérir la notoriété. Ce 98 est parfait à
déguster. Celui-ci possède des notes remarquables de fruits macérés et de laurier, une bouche
bien enveloppée à forte présence aromatique.
Riche et plein, un très joli vin.
➤Ch. Haut-Gléon, Villesèque-les-Corbières,
11360 Durban, tél. 04.68.48.85.95,
fax 04.68.48.46.20,
e-mail châteauhautgleon@wanadoo.fr
☑ ⊺ t.l.j. 8h-12h 13h30-17h30
➤Duhamel

CH. LA BARONNE
Montagne d'Alaric Vigne La Prière 1998

| ☐ | | 8 ha | 15 000 | ▤ ⚖ | 50 à 69 F |

Une autre approche du corbières blanc : il
s'agit d'un 98. Le vin a mûri sans voir de fût : il
est calme, posé, sûr de lui, d'un doré brillant avec
des arômes peaufinés d'agrumes, de poivre, de
cannelle ; l'équilibre gustatif impressionne par sa
solidité, son gras et sa parfaite longueur. D'une
forte originalité, c'est un vin qui ne laisse pas
indifférent.
➤Suzette Lignères, Ch. La Baronne,
11700 Fontcouverte, tél. 04.68.43.90.20,
fax 04.68.43.96.73 ☑ ⊺ r.-v.

DOM. DE LA BOUYSSE Mazerac 1998★

| ■ | | 1,58 ha | 8 000 | ⬗ | 50 à 69 F |

Martine Pages et Christophe Molinier, tous
deux œnologues, cherchent à redonner vie au
domaine familial. Ce 98 leur permet une première sélection : paré d'une robe très jeune, vive,
violine, il laisse encore le boisé dominer, mais il
affiche sa très belle facture. Mûr, chaleureux, il
donne une bonne première impression gustative,
puis affirme des arômes de fruits secs d'un beau
relief ainsi qu'une finale vanillée.
➤Dom. de La Bouysse, rue des Ecoles,
11200 Saint-André-de-Roquelongue,
tél. 04.68.45.15.23, fax 04.68.45.50.34 ☑ ⊺ r.-v.
➤Molinier

DOM. DE LA PEYROUSE
Elevé en fût 1998★★

| ■ | | 3 ha | 5 000 | ⬗ | 50 à 69 F |

Déjà remarqué sur le Guide 2000, La Peyrouse
revient avec le millésime 98, cette fois élevé en
barrique ; sacrée récompense pour un domaine
qui était fortement lié à la cave coopérative
jusqu'en 1995. La robe est soutenue et le nez est
un classique du corbières. Parfaitement élaboré,
c'est un vin puissant, épicé, légèrement vanillé.
D'un très bel équilibre, la bouche est construite
sur un bon tanin au grain fin signant la présence
d'un joli boisé qui ne masque pas la finale fruitée.
➤Jean-Louis et Laurent Gili,
Dom. de la Peyrouse, av. de Narbonne,
11360 Durban-Corbières, tél. 04.68.45.85.69,
fax 04.68.45.85.69 ☑ ⊺ t.l.j. 10h-12h 15h-19h

CH. LA VOULTE-GASPARETS
Cuvée Romain Pauc 1998★★

■ 15 ha 34 000 ⅠⅠⅠ 70 à 99 F

Faut-il annoncer le meilleur « Boutenac » ou le « Château La Voulte » ou « La Romain Pauc » ? Patrick Reverdy choisit ses parcelles parmi les galets roulés, sélectionne son carignan (ses vieux et fidèles carignans), le complète avec des « anciens » grenache et le peaufine avec syrah et mourvèdre ; il les accompagne en grappes intactes jusqu'au chai puis les élève (on dit même qu'il les instruit) en barrique. La dégustation ne s'écrit pas, elle se ressent en terroir, cépage, personnalité, plénitude, sensualité, force, générosité ; un bel hommage à son vigneron.
☛ Patrick Reverdy, Ch. La Voulte-Gasparets, 11200 Boutenac, tél. 04.68.27.07.86, fax 04.68.27.41.33 ☑ ⵑ t.l.j. 9h-12h 14h-19h

CH. LES OLLIEUX
Elevé en fût de chêne 1998

■ 9 ha 60 000 ⅠⅠⅠ 30 à 49 F

En 1153 est fondé sur ce lieu la première communauté cistercienne de femmes. C'est aujourd'hui un beau domaine de 50 ha qui présente le corbières par excellence ; né sur les coteaux du versant sud de Boutenac, il assemble une moitié de vieux carignan, un quart de grenache, un quart de syrah et est complètement vinifié en grains entiers. Grenat sombre, avec une pointe minérale, il se montre légèrement empyreumatique, personnalisé par la macération carbonique, et la bouche s'annonce avec densité, structurée par des tanins qui assurent un long vieillissement.
☛ François-Xavier Surbezy, Ch. Les Ollieux, 11200 Montséret, tél. 04.68.43.32.61, fax 04.68.43.30.78, e-mail ollieux@free.fr
☑ ⵑ t.l.j. 9h-20h; sam. et dim. 10h-20h

CH. LES PALAIS Cuvée Randolin 1998★

■ 10 ha 40 000 ⅠⅠⅠ 50 à 69 F

Saint Randolin fonda un monastère au Moyen-Age ; il donne son nom à cette cuvée. Le château Les Palais a obtenu plusieurs coups de cœur ; son millésime 98 est à peine différent de ses glorieux prédécesseurs. Le nez attrayant et profond offre des arômes de café puis de cacao avec une pointe de vanille qui le rehausse. La bouche s'étire en souplesse, gracieusement mise en relief par des tanins racés et élégants.
☛ Ch. Les Palais, 11220 Saint-Laurent-de-la-Cabrerisse, tél. 04.68.44.01.63, fax 04.68.44.07.42 ☑ ⵑ t.l.j. 9h-12h 14h-18h; sam. et dim. sur r.-v.
☛ de Volontat

CH. DE L'ILLE 1998

■ 6 ha 30 000 ⅠⅠⅠ 30 à 49 F

Né entre plage et garrigue, entre étangs et marais salants, sans carignan, je suis un corbières des temps modernes. Ma robe est profonde ; mes senteurs de sous-bois sont agrémentées de fraise et de framboise. Une sensation gustative attrayante, souple et légère mais de belle persistance, compose la bouche où le volume et la matière reposent sur des tanins ronds.

☛ Pol Flandroy, Ch. de L'Ille, rue de L'Etang, 11440 Peyriac-de-Mer, tél. 04.68.41.05.96, fax 04.68.42.81.73 ⵑ r.-v.

CH. MANSENOBLE
Cuvée Marie-Annick 1998★★★

■ 13,5 ha 6 000 Ⅰ ⅠⅠⅠ 🍷 70 à 99 F

Guido Jansegers, chroniqueur œnologue, s'installe en corbières en 1993. De sa Belgique, il a apporté toute sa passion œnophile et, sans erreur, sélectionne les meilleures parcelles et adapte la cave du château Mansenoble. Cinq ans après, il extirpe le meilleur de son terroir : un vin rubis sombre déjà attrayant, dont les arômes d'épices et de fruits mûrs se marient à merveille et se perpétuent en bouche, retrouvant des tanins veloutés et soyeux à souhait, avec des notes de cacao voire de café qui lui confèrent une très forte persistance aromatique.
☛ Guido Jansegers, Ch. Mansenoble, 11700 Moux, tél. 04.68.43.93.39, fax 04.68.43.97.21, e-mail mansenoble@wanadoo.fr
☑ ⵑ t.l.j. sf dim. 10h-11h30 14h30-17h30
☛ Jansegers-Dewitte

CH. DE MATTES-SABRAN
Cuvée Sabran 1998★

■ 22 ha 25 000 Ⅰ 🍷 20 à 29 F

Ce 98 profite de l'effet terroir, de l'encépagement particulier, de l'absence d'élevage en fût, tout comme son prédécesseur, le 97, coup de cœur. Nous avons dit alors la spécificité de ce sol argilo-calcaire. Cette cuvée assemble 60 % de syrah au carignan et de grenache à parts égales. Très flatteurs, ses parfums primaires de fleurs (la violette) sont complétés par des arômes plus évolués de fruits ; la bouche charmeuse, onctueuse, toujours aussi aromatique a pourtant du caractère. Plutôt à déguster tant elle est jeune.
☛ Brouillat-Arnould, Ch. de Mattes, B.P. 44, 11130 Sigean, tél. 04.68.48.22.77, fax 04.68.48.55.32, e-mail jlbrouillat@compuserve.com
☑ ⵑ t.l.j. 8h30-12h 13h30-19h30

CH. MERVILLE 1998★★

■ 7,5 ha 32 400 ⅠⅠⅠ 30 à 49 F

La vérité du terroir, des cépages (grenache et syrah) et des hommes : un signe de reconnaissance. Une innovation dans les Corbières. François et Jacques Lurton, Bordelais, ont créé leur affaire de négoce. D'excellente réputation, ils sélectionnent, vinifient, élèvent, distribuent dans le monde et se distinguent. D'une teinte parfaite, ce 98 offre des senteurs de garrigue mêlée de vanille, d'accents floraux. La sensation gustative se révèle avec grâce et un gras onctueux sur des tanins doux et intenses à la fois ; les arômes soyeux aux notes grillées contribuent au charme de ce vin pulpeux.

➤ SA Jacques et François Lurton, Dom. de Poumeyrade, 33870 Vayres, tél. 05.57.74.72.74, fax 05.57.74.70.73, e-mail jflurton@jflurton.com

CH. MEUNIER SAINT-LOUIS
A Capella 1998★★

| ■ | n.c. | 32 400 | ❙❙❙ | 50 à 69 F |

Une première cuvée (un 95) recevait un coup de cœur et donnait le ton d'un domaine cherchant à ne produire que des millésimes de haute expression : 1998 en est et a donné naissance à une nouvelle étiquette. A Capella est d'une intensité soutenue. Le nez présent est fin, boisé, racé. Un très bel équilibre s'établit en bouche, avec élégance et harmonie. La potentialité des raisins a été « délivrée et non extraite », signe d'un parfait respect de la matière première. Seul, le boisé mérite quelques mois d'attente pour se fondre. Ne serait-ce pas ce qu'on appelle un vin féminin ?

➤ Ch. Meunier Saint-Louis, 11200 Boutenac, tél. 04.68.27.09.69, fax 04.68.27.53.34 ☑ ☖ r.-v.
➤ Ph. Pasquier-Meunier

PEYRES NOBLES 1999★

| ◢ | 24 ha | 146 600 | 30 à 49 F |

Une cave au vrai sens de la coopération ; les adhérents deviennent d'authentiques vignerons, participent aux travaux du cuvier, du chai, de la mise en bouteilles. Cette générosité se perçoit dans un rosé à la couleur cerise, floral et intense, à la bouche fraîche et pourtant ronde, très aromatique ; un vrai rosé d'été pour une étiquette qu'aurait pu signer Leonor Fini.

➤ Vignerons de Camplong, 11200 Camplong-d'Aude, tél. 04.68.43.60.86, fax 04.68.43.69.21 ☑ ☖ t.l.j. sf dim. 8h-12h 14h-18h

CH. PRIEURE BORDE-ROUGE
Cuvée Signature 1998

| ■ | 5,6 ha | 30 000 | ❙❙❙ | 30 à 49 F |

Un couple de vignerons heureux : en six ans, ils se sont implantés aussi profondément que les racines des vieux carignans de Borde-Rouge. Ils font montre d'un enthousiasme sans faille dont témoigne cette jolie cuvée. Ses arômes vifs, chatoyants, d'un léger fruité (framboise et griotte), terminent par un subtil boisé. Equilibre, souplesse, harmonie, sont les principaux atouts de ce vin qui glisse tout en restant persistant.

➤ SCEA Devillers-Quénehen, Dom. de Borde-Rouge, 11220 Lagrasse, tél. 04.68.43.12.55, fax 04.68.43.12.51, e-mail quenehen@aol.com ☑ ☖ t.l.j. 9h-13h 14h-19h30

PRIEURE SAINTE-MARIE D'ALBAS
Clos de Cassis Elevé en fût de chêne 1998★★

| ■ | 3 ha | 10 000 | ❙❙❙ | 30 à 49 F |

Déjà révélé avec cette même cuvée en millésime 1997, ce domaine revient, fier, alors que ce millésime 98 est béni dans toutes les Corbières.

Ce trésor d'Alaric impressionne par ses caractères aromatiques envahissants : menthol, poivre et nuance balsamique. Ferme au palais, il s'affirme par des tanins généreux et un parfait boisé.

➤ Gisèle et Jean-Louis Galibert, Prieuré Sainte-Marie-d'Albas, 11700 Moux, tél. 04.68.79.09.64, fax 04.68.79.28.39 ☑ ☖ r.-v.

CH. ROQUEFORT SAINT-MARTIN
Grande Réserve 1998★★

| ■ | 8 ha | 25 000 | ❙❙❙ | 70 à 99 F |

Ce vignoble tout au bord des étangs et de la Méditerranée n'a d'yeux que pour son soleil et ne peut s'extérioriser que sur des terroirs très spécifiques ; il en est un, à Roquefort, qui profite d'une belle terrasse caillouteuse, complantée par tiers de grenache noir, de mourvèdre et de syrah et qui délivre une couleur sombre dans un écrin de garrigue aux saveurs harmonieuses, généreuses et un soupçon capiteuses.

➤ Celliers Saint-Martin, 11540 Roquefort-des-Corbières, tél. 04.68.48.21.44, fax 04.68.48.48.76 ☑ ☖ r.-v.

ROQUE SESTIERE Vieilles vignes 1999★

| ☐ | 3 ha | 15 000 | ■ ☖ | 30 à 49 F |

On dit que la routine entraîne la monotonie et pourtant, tous les ans, le Roque Sestière blanc nous revient plus que parfait ; très pâle, mais tellement brillant. Netteté du nez idéale, avec de subtiles et discrètes notes d'aubépine et un tout petit soupçon amylique. On lui trouve du volume, de la fraîcheur, de la rondeur et de la longueur ; c'est à l'infini... A remarquer, un sérieux accessit avec le **Roque Sestière rouge 98 cuvée Carte blanche**.

➤ EARL Roland Lagarde, rue des Etangs, 11200 Luc-sur-Orbieu, tél. 04.68.27.18.00, fax 04.68.27.18.00 ☑ ☖ r.-v.

DOM. ROUIRE-SEGUR
Cuvée Tradition 1998★

| ■ | 8 ha | 15 000 | ■ ❙❙❙ | 20 à 29 F |

Geneviève Bourdel, notre vigneronne, s'est souvent distinguée pour son rosé plutôt « féminin ». Elle profite d'un fameux millésime pour nous révéler un corbières rouge 98. Au nez, de multiples arômes sont parfaitement rehaussés d'un léger passage en barrique. La saveur riche et le gras confèrent à ce vin une structure élégante, complétée par une finale aux notes grillées.

➤ Geneviève Bourdel, 11220 Ribaute, tél. 04.68.27.19.76, fax 04.68.27.62.51 ☑ ☖ r.-v.

CH. SAINT-ESTEVE
Cuvée Prestige Elevé en fût de chêne 1998★

| ■ | 5 ha | 15 000 | ■ ❙❙❙ ☖ | 30 à 49 F |

Une situation à mi-coteau, au cœur géographique des Corbières, un encépagement déjà assagi par l'âge, à dominante de syrah, parfaitement complété par les grenache, carignan et mourvèdre, sont d'excellents atouts. A cela il faut ajouter l'égrappage et une vinification en macération. Le jury a trouvé dans cette cuvée des notes croustillantes de pain grillé, et un vin franc, net, dense et long avec une pointe tannique garante de sa longévité.

LANGUEDOC

➥GFA Ch. Saint-Estève, 11200 Thézan-
des-Corbières, tél. 04.68.79.16.04,
fax 04.68.79.16.19 ☑ ⌶ t.l.j. 8h-19h
➥ Eric Latham

DOM. SAINT-JEAN-DE-LA-GINESTE
Carte noire 1998★★★

| ■ | | 4 ha | 10 000 | ❚❚❙ | 30 à 49 F |

St Jean de la Ginesta

Marie-Hélène Bacave et son sportif de mari
ont choisi de relever le domaine familial. Un vrai
défi ; des vignes au chai et au caveau, tout a été
revu, amélioré, perfectionné, et la nature le leur
rend bien. Cette Carte noire, d'une couleur profonde aux reflets violets, est un atout majeur. Ses
arômes suaves de violette se mêlent aux notes de
fruits noirs confits, puis le boisé apporte la persistance que l'on retrouve au palais ; sa structure
apparaît en tanins puissants mais soyeux ; elle a
du caractère, de la profondeur et de la personnalité. Une bouteille qui « sent » l'amour et la
générosité d'un vrai couple de vignerons.
➥Marie-Hélène Bacave, Dom. Saint-Jean-de-
la-Gineste, 11200 Saint-André-de-Roquelongue,
tél. 04.68.45.12.58, fax 04.68.45.12.58 ☑ ⌶ r.-v.

SEIGNEURS DE QUERIBUS 1999★

| ◢ | | n.c. | 5 000 | | 20 à 29 F |

Les citadelles cathares protègent un territoire
des Corbières qui, béni par le curé de Cucugnan,
ne donne peut-être pas un vin de messe mais
sûrement un rosé divin. Tendre, pâle aux reflets
violets et gris clair, parfumé de partout, ce vin
est une véritable salade de fruits. Plaisante, très
gouleyante et persistante, une bouteille dont il
faut profiter avec modération.
➥SCA Vignerons du château de Quéribus,
11350 Cucugnan, tél. 04.68.45.41.61,
fax 04.68.45.02.25 ☑ ⌶ t.l.j. 9h-12h 14h-18h

DOM. SERRES-MAZARD 1998

| ■ | | 15 ha | 50 000 | ❚❚❙ | 30 à 49 F |

Jean-Pierre Mazard détient un secret, celui de
renouveler à chaque millésime un corbières de
caractère, à la personnalité affirmée et tellement
particulière ; impossible de ne pas faire appel au
vocabulaire charmeur de la garrigue après une
chaude journée qui, par hasard, a reçu quelques
gouttes de pluie : romarin, thym, menthe, ciste,
laurier, un soupçon de minéral, c'est sans fin, et
la bouche suit, souple, charnue.
➥Annie et Jean-Pierre Mazard,
11220 Talairan, tél. 04.68.44.02.22,
fax 04.68.44.08.47 ☑ ⌶ t.l.j. 9h-19h

CH. THEZANNES
Cuvée spéciale Elevé en fût de chêne 1998★

| ■ | | n.c. | n.c. | ❚❚❙ | 50 à 69 F |

Une année particulière pour un vin à la robe
légèrement évoluée qui regarde la Méditerranée,
composé de syrah à 60 % et de carignan à 40 %.
Le nez s'exprime sur un léger boisé aux accents
d'épices et de muscade. Ferme et droit, équilibré,
à prédominance tannique, marqué par un bois
de chêne élégant et pas dominateur, ce 98 offre
une certaine rondeur qui devrait mieux s'apprécier dans quelques mois.
➥Caves Rocbère, 11490 Portel-des-Corbières,
tél. 04.68.48.28.05, fax 04.68.48.45.92 ⌶ t.l.j.
9h-12h 14h-18h

CH. DU VIEUX PARC La Sélection 1998★

| ■ | | 10 ha | 45 000 | ❚❚❙ | 50 à 69 F |

Château Vieux Parc, un classique et pourtant
aussi un vin moderne ; du carignan en macération, de la syrah prépondérante agrémentée de
grenache et mourvèdre en vendanges égrappées,
des fûts de chêne de un à trois vins. Le nez
intense, à peine mentholé, propose des arômes
de sous-bois, à tendance végétale savoureuse. La
bouche grasse et riche repose sur une structure
légère mais équilibrée. D'une grande élégance et
d'une parfaite sensualité.
➥Louis Panis, av. des Vignerons,
11200 Conilhac-Corbières, tél. 04.68.27.47.44,
fax 04.68.27.38.29,
e-mail louis.panis@wanadoo.fr ☑ ⌶ r.-v.

Costières de nîmes

Ce sont 25 000 ha de terrains
qui ont été classés en AOC ; 12 000 ha sont
actuellement plantés dans ce périmètre. Les
vins rouges, rosés ou blancs sont élaborés
dans un vignoble établi sur les pentes ensoleillées de coteaux constitués de cailloux
roulés, dans un quadrilatère délimité par
Meynes, Vauvert, Saint-Gilles et Beaucaire, au sud-est de Nîmes, au nord de la
Camargue. 197 748 hl de vin sont agréés en
1999 sous l'appellation costières de nîmes
(75 % de rouge, 22 % de rosé, 3 % de blanc),
produits sur le territoire de vingt-quatre
communes. Les rosés s'associent aux charcuteries des Cévennes, les blancs se marient
fort bien aux coquillages et aux poissons de
la Méditerranée et les rouges, chaleureux et
corsés, préfèrent les viandes grillées. Une
confrérie vineuse, l'Ordre de la Boisson de
la Stricte Observance des Costières de
Nîmes, a repris une tradition créée en 1703.
Une route des Vins parcourt cette région au
départ de Nîmes.

CH. DES AVEYLANS
Vieilli en fût de chêne 1999★

| ■ | 2,2 ha | 6 000 | ❚❙❚ 30 à 49 F |

85 % de syrah pour ce vin à la robe très foncée, éclairée de reflets carminés ; il exhale intensément des notes vanillées et fumées qui disent les onze mois passés en fût. La structure est marquée par un bel équilibre entre tanins, acidité et moelleux. L'élevage est réussi. Un peu de patience : ce vin sera à son optimum dans trois ou quatre ans.
☛ EARL Hubert Sendra, Dom. des Aveylans, 30127 Bellegarde, tél. 04.66.70.10.28, fax 04.66.01.02.80 ☑ ⵧ r.-v.

CH. BEAUBOIS Cuvée Tradition 1998★

| ■ | 15 ha | 100 000 | ❙ 30 à 49 F |

Cette grande propriété dépendait, jadis, de l'abbaye cistercienne de Franquevaux qui domine les étangs de la Petite Camargue. Sa cuvée Tradition a su séduire le jury par sa robe d'un rouge profond, son nez animal au premier abord, suivi de notes de sirop de cassis. La bouche se révèle ronde, équilibrée, soutenue par des tanins légèrement amers. Une rétro-olfaction à connotation végétale accompagne la fin de la dégustation. Ce bon vin des costières est à déboucher deux heures avant d'être consommé sur une grillade.
☛ SCEA Ch. Beaubois, 30640 Franquevaux, tél. 04.66.73.30.59, fax 04.66.73.33.02, e-mail fannyboyer@chateau-beaubois.com ☑ ⵧ t.l.j. sf dim. 8h-12h 14h-18h

CELLIER DU BONDAVIN 1999★

| ■ | 12,23 ha | 25 000 | ❙ 20 à 29 F |

Cette coopérative porte le nom du plus vieux quartier de la commune de Redessan ; le vin qu'elle propose est une réussite avec sa robe d'un rouge profond et sa palette d'arômes plutôt riches : fruits confits, poivre, violette. En bouche, il se montre rond et d'une rétro-olfaction assez complexe. La jeunesse de ses tanins encore un peu amers est un gage de longévité. Seuls les dégustateurs patients le découvriront au meilleur de sa forme.
☛ Cellier du Bondavin, 43, av. de Provence, 30129 Redessan, tél. 04.66.20.22.06, fax 04.66.20.59.41 ☑ ⵧ r.-v.

MAS DES BRESSADES
Cuvée Tradition 1999★★

| □ | 2 ha | 13 000 | ❙ 20 à 29 F |

Les cuvées Tradition du Mas des Bressades ne sont pas boisées... et se montrent tout aussi réussies que les cuvées Excellence. Celle-ci, d'une superbe robe jaune clair à reflets verts offre un nez intense, à dominante de fleurs blanches, avec une touche de fruits exotiques et de pêches blanches. D'une grande fraîcheur en bouche, c'est un ensemble harmonieux à la finale savoureuse. Le **rosé Tradition 99** reçoit une étoile. C'est un vin fringant, fleurant bon l'été, à goûter cet automne pour ensoleiller une réunion amicale.
☛ Cyril Marès, Mas des Bressades, 30129 Manduel, tél. 04.66.01.11.78, fax 04.66.01.63.63 ☑ ⵧ t.l.j. sf sam. dim. 8h30-12h 14h-17h

MAS DES BRESSADES
Cuvée Excellence Elevé en fût de chêne 1999★★

| □ | 2 ha | 8 000 | ❚❙❚ 50 à 69 F |

Cyril Marès est l'heureux propriétaire de ce domaine depuis 1996. Sa cuvée porte bien son nom. D'un beau jaune soutenu, elle réjouit par un nez intense et complexe, aux arômes mêlant pâtisserie, vanille, fleur d'oranger et abricot sec. La bouche révèle à la fois une belle rondeur, de l'ampleur et un équilibre acide et frais. Une bonne persistance en bouche et de la finesse assureront un bel avenir (trois à quatre ans) à ce vin dont le passage en barrique est manifestement très bien maîtrisé. La **cuvée Excellence rouge 98**, une étoile, se révèle puissante et méridionale par ses senteurs de garrigue et de thym.
☛ Cyril Marès, Mas des Bressades, 30129 Manduel, tél. 04.66.01.11.78, fax 04.66.01.63.63 ☑ ⵧ t.l.j. sf sam. dim. 8h30-12h 14h-17h

CH. DE CAMPUGET
Tradition de Campuget 1999★★

| □ | 7 ha | 50 000 | ❙♨ 20 à 29 F |

Né sur gress à partir d'un assemblage classique de grenache blanc (40 %), de roussanne (55 %) et de marsanne, ce 99 séduit le jury par sa franchise et son équilibre. Le bouquet fait de résine et de fruits secs accompagne toute la dégustation jusque dans une longue finale. Ample et rond, c'est de toute évidence un excellent costières de nîmes à apprécier dans l'état.
☛ SCA Ch. de Campuget, 30129 Manduel, tél. 04.66.20.20.15, fax 04.66.20.60.57 ☑ ⵧ t.l.j. sf dim. 10h-12h 14h-18h

CH. DE CAMPUGET
Tradition de Campuget 1999★★

| ◩ | 9 ha | 60 000 | ❙♨ 20 à 29 F |

Cette année encore, le château de Campuget recueille des éloges : son **rouge 98 Sommelière de Campuget, élevé en fût**, reçoit une étoile pour sa complexité alliant les épices (poivre), les fruits noirs et une touche de brûlé. Un vin d'avenir, à apprécier dans quatre ou cinq ans. C'est le rosé qui suscite surtout l'enthousiasme par sa couleur éclatante de cerise bien mûre. Le nez fin et élégant laisse s'élever des arômes floraux de chèvrefeuille, puis de fruits exotiques et d'agrumes, que l'on croque en bouche. D'un bel équilibre, frais et acidulé, ce 99 se termine sur une légère pointe d'amertume loin d'être désagréable. En tout point un vin harmonieux.
☛ SCA Ch. de Campuget, 30129 Manduel, tél. 04.66.20.20.15, fax 04.66.20.60.57 ☑ ⵧ t.l.j. sf dim. 10h-12h 14h-18h
☛ Famille Dalle

DOM. DES CANTARELLES
Cuvée Vieilles vignes 1999★

| ■ | 2,8 ha | 8 000 | ❚❙❚ 30 à 49 F |

Souvent rencontré dans le Guide, ce domaine propose un vin qui a passé onze mois en fût. La robe séduit par sa couleur profonde aux reflets violacés. Le nez, complexe, libère d'abord des notes boisées ; puis à l'aération, apparaissent les fruits cuits, suivis en rétro-olfaction de nuances épicées et grillées. La bouche, ample, puissante, soutenue par des tanins très fermes, s'achève sur une légère amertume. Un vin à attendre.

➤ Jean-François Fayel, Dom. des Cantarelles, 30127 Bellegarde, tél. 04.66.01.16.78, fax 04.66.01.02.80 ☑ ⵖ r.-v.

JEUNES VIGNES DE CARLOT 1999★

☐ | | 3 ha | 12 000 | 🍴🍷 | 20 à 29 F

Nathalie Blanc-Marès a pris en main les vinifications du Mas Carlot. Nés sur galets roulés, les trois cépages blancs de l'AOC, encore jeunes, donnent un très joli vin jaune soutenu qui développe des arômes fins et complexes ; d'abord minéral, il évolue sur des notes de pêche-abricot, puis une touche de grillé. La bouche ample et longue avec une finale acidulée est d'une grande finesse.

➤ Mas Carlot, 30127 Bellegarde, tél. 04.66.01.11.83, fax 04.66.01.62.74 ☑ ⵖ t.l.j. 8h-12h 14h-17h; sam. dim. sur r.-v.

➤ Paul Blanc

DOM. DE CESAR 1999★

■ | | 13,3 ha | 55 000 | 20 à 29 F

Cette propriété vinifiée par la coopérative Costières et Soleil est issue de deux domaines regroupés. Elle voit deux de ses vins retenus à égalité : un rosé 99 au nez agréable à dominante de fruits rouges et de cassis, à la bouche équilibrée où pointe en finale une intéressante note fraîche, et ce très beau rouge à la robe profonde rehaussée de reflets noirs. L'olfaction est puissante et complexe : violette, fruits bien mûrs, cassis et framboise évoquent la syrah à maturité optimale et en macération longue. La bouche suit bien, avec des tanins fermes, encore jeunes, et une longue finale.

➤ SCA Costières et Soleil, rue Emile-Bilhau, B.P. 25, 30510 Générac, tél. 04.66.01.31.31, fax 04.66.01.38.85,
e-mail costieres-et-soleil@wanadoo.fr
☑ ⵖ t.l.j. sf dim. 10h-12h30 15h30-19h

CH. CLAUSONNE 1998★

■ | | 3 ha | 7 000 | 🍶🍶 | 30 à 49 F

Un 98 habillé d'une très belle robe, profonde et brillante. Un sol de galets roulés et deux cépages, la syrah et le grenache, lui ont donné naissance. Le premier nez, uniforme, s'ouvre sur des notes vanillées et boisées ; suit une rétro-olfaction puissante et complexe autour du cassis, des fruits des bois, du pruneau, qui procure au vin sa longueur agréable. En bouche, la structure est ample et solide, avec des tanins qui s'affineront d'ici un an ou deux.

➤ SCA Grands Vins de Pazac, rte de Redessan, 30840 Meynes, tél. 04.66.57.59.95, fax 04.66.57.57.63 ☑ ⵖ t.l.j. sf dim. 8h-12h 14h-18h; sam. 8h-12h

DOM. DE COUVIN 1999★

■ | | 8 ha | 20 000 | 🍴 | 30 à 49 F

Là où s'étend aujourd'hui le domaine régnait autrefois la garrigue. La robe est jolie, grenat foncé à reflets violets. Le nez, intense et fin, est bien typé fruits rouges. L'attaque se montre ronde et savoureuse ; la structure allie le moelleux à un tanin souple et élégant. Un vin plaisant à boire dès maintenant.

➤ Jean Senmartin, Dom. du Mas de Couvin, 30840 Meynes, tél. 04.66.57.51.52, fax 04.66.57.28.45 ☑ ⵖ r.-v.

CH. GRANDE CASSAGNE 1999★

◢ | | n.c. | 40 000 | 🍴🍷 | 20 à 29 F

Depuis cinq générations dans la même famille, le domaine propose cette année un séduisant rosé aux arômes fins et délicats, issu d'un assemblage de trois cépages (dont 30 % de mourvèdre). Une bonne ampleur en bouche, avec ce qu'il faut de rondeur, rend la dégustation de ce vin très agréable. Le jury a également attribué une étoile au Château Grande Cassagne blanc 99. Plantées sur un beau terroir de grès et d'argilo-calcaire, grenache (60 %) et roussanne ont donné un vin blanc à la robe jaune clair. L'examen olfactif fait apparaître des odeurs de fleurs blanches, avec une touche de pêche blanche. L'attaque est ronde et l'équilibre très réussi.

➤ Dardé Fils, La Grande Cassagne, 30800 Saint-Gilles, tél. 04.66.87.32.90, fax 04.66.87.32.90 ☑ ⵖ r.-v.

CH. GUIOT 1999★

■ | | 46 ha | 200 000 | 🍴🍷 | - de 20 F

Grenache et syrah assemblés à part égale ont donné ce vin très réussi au nez de garrigue et de fruits confits sous une robe violine. La bouche équilibrée, souple, aux tanins encore jeunes mais de qualité, conduit à une finale harmonieuse. Ce costières est à consommer dans l'année.

➤ GFA Ch. Guiot, Dom. de Guiot, 30800 Saint-Gilles, tél. 04.66.73.30.86, fax 04.66.73.32.09 ⵖ r.-v.

➤ Cornut

DOM. DU HAUT PLATEAU 1999★★

■ | | 3 ha | 20 000 | 20 à 29 F

Figurant un combat d'étalons camarguais, l'étiquette inspire la métaphore. La syrah (60 %) fournit le pur sang sa force et sa fougue. Une attaque très fruitée et une puissance tannique en font un favori au départ de la course.

➤ Denis Fournier, Dom. du Haut-Plateau, 30129 Manduel, tél. 04.66.20.31.78, fax 04.66.20.20.53, e-mail FDenis2501@aol.com ☑ ⵖ r.-v.

DOM. DE LA BAUME
Réserve Saint-Jacques 1998★

■ | | 2 ha | 10 000 | 🍴🍷 | 30 à 49 F

Les pèlerins en route vers Saint-Jacques-de-Compostelle faisaient halte en ces lieux. Que n'ont-ils rencontré, chemin faisant, cette Réserve ! A l'olfaction, la première impression est indéniablement animale. Ensuite et avec un peu de patience, apparaissent nettement des effluves de bourgeon de cassis. En bouche, ce vin est ample ; ses tanins encore vifs laissent s'exprimer une rétro-olfaction de cassis et d'épices. Sa persistance plutôt longue fait entrevoir un bon potentiel de garde. A déboucher deux heures avant de le consommer.

☛ Jean-François Andreoletti, Dom. de la Baume, 30800 Saint-Gilles, tél. 04.66.87.30.77, fax 04.66.87.16.47 ☑ ⵖ r.-v.

CH. DE LA CADENETTE 1999★

◩   10 ha   10 000   🍶🍷 `20 à 29 F`

Le jury n'est pas resté insensible devant la jolie robe rose tendre, les arômes de bonbon et de fruits rouges bien perceptibles. Rond en attaque, ce rosé possède une nervosité agréable et une bonne fin de bouche.

☛ Pierre Dideron, Dom. de La Cadenette, 30600 Vestric-et-Candiac, tél. 04.66.88.21.76, fax 04.66.88.20.59, e-mail chbommel@club-internet.fr ☑ ⵖ r.-v.

DOM. DE LA COLOMBE D'OR 1999★

■   n.c.   60 000   `20 à 29 F`

« Entre les deux mon cœur balance », tant ils sont réussis l'un et l'autre : le **rouge 99 élevé en barrique** plaît par sa robe grenat, son joli nez de cassis et de vanille, sa bouche ample, malgré des tanins encore juvéniles, et sa longue finale légèrement vanillée. Et celui-ci, par son nez de réglisse et de fruits confits, une bouche ample aux tanins nobles, une rétro-olfaction réglissée, voire poivrée, et une finale harmonieuse. Les deux sont à attendre un peu.

☛ Les domaines Bernard, rte de Sérignan, 84100 Orange, tél. 04.90.11.86.86, fax 04.90.34.87.30

CH. LAMARGUE Cuvée Prestige 1999★

☐   5 ha   25 000   `30 à 49 F`

Repris par la famille Bonomi, ce château, situé aux portes de la Camargue, est déjà bien connu des lecteurs du Guide. Ce 99 ne décevra pas : jaune pâle brillant perlé, il offre un nez léger qui évoque le printemps et la floraison des iris, suivi d'un grain de litchi en rétro-olfaction. Sa finesse en bouche participe à un équilibre léger soutenu par une pointe d'acidité et de fraîcheur en finale.

☛ SCI du Dom. de Lamargue, rte de Vauvert, 30800 Saint-Gilles, tél. 04.66.87.31.89, fax 04.66.87.41.87, e-mail domaine.de.lamargue@wanadoo.fr ☑ ⵖ r.-v.

☛ Bonomi

CH. DE L'AMARINE
Cuvée de Bernis 1999★★

◩   3,5 ha   25 000   🍶🍷 `20 à 29 F`

La très jolie robe rose tendre aux reflets brillants, le nez intense à dominante de fleurs blanches, tout charme et suscite l'éloge dans cette cuvée remarquable ; elle a la bouche ronde, ample des grands rosés méridionaux. La rétro-olfaction confirme les fleurs blanches qui persistent agréablement. La finale équilibrée laisse une impression de parfaite harmonie.

☛ SCA Ch. de L'Amarine, Ch. de Campuget, 30129 Manduel, tél. 04.66.20.20.15, fax 04.66.20.60.57, e-mail campuget@wanadoo.fr ☑ ⵖ t.l.j. sf dim. 10h-12h 14h-18h

☛ Famille Dalle

DOM. DE L'ARBRE SACRÉ 1999★★

☐   n.c.   15 000   `30 à 49 F`

Est-ce l'arbre sous lequel s'abritaient les pèlerins de Saint-Jacques ? C'est ce que dit la légende. Quoi qu'il en soit, il est un bel emblème pour ce vin remarquable, tant par sa robe que par son nez puissant. La bouche riche, ronde, presque grasse, persiste longuement sur des notes de fumé et de fruits secs. De toute évidence, une bouteille à réserver aux amateurs de vins puissants et bien élevés.

☛ SCA Costières et Soleil, rue Emile-Bilhau, B.P. 25, 30510 Générac, tél. 04.66.01.31.31, fax 04.66.01.38.85, e-mail costières-et-soleil@wanadoo.fr ☑ ⵖ t.l.j. sf dim. 10h-12h30 15h30-19h

CH. DE LA TUILERIE Cuvée Eole 1998★

■   7,8 ha   36 000   ⵏ `100 à 149 F`

Au Moyen Age, la Tuilerie fournissait aux moines de l'abbaye de Saint-Gilles vin de messe et bois de chauffage. Elle constituait aussi une étape pour les pèlerins en partance pour Saint-Jacques-de-Compostelle. Le domaine a bien réussi un 98 à la robe très foncée, presque noire, reflétant la puissance du millésime. Les arômes étonnent par leur intensité, combinant les fruits noirs à des caractères de fumé ; en rétro-olfaction apparaît un côté poivron, pain grillé et brûlé. La structure est très puissante et n'atteindra son optimum que dans quelques années.

☛ Chantal et Pierre-Yves Comte, SCA Ch. de La Tuilerie, rte de Saint-Gilles, 30900 Nîmes, tél. 04.66.70.07.52, fax 04.66.70.04.36, e-mail vins@chateautuilerie.com ☑ ⵖ r.-v.

DOM. DU MAS DE LA TOUR 1999★

■   13,55 ha   90 000   `20 à 29 F`

La coopérative Costières et Soleil, à Générac, signe là encore un vin généreux à la robe d'un rouge profond et vif. Le nez évoque les fruits très mûrs, le cassis, le sous-bois, puis évolue sur une note animale. La bouche est ample et ronde, malgré la présence de tanins de qualité, fermes mais soyeux, la finale agréable. A déboucher deux heures avant le service.

☛ SCA Costières et Soleil, rue Emile-Bilhau, B.P. 25, 30510 Générac, tél. 04.66.01.31.31, fax 04.66.01.38.85, e-mail costières-et-soleil@wanadoo.fr ☑ ⵖ t.l.j. sf dim. 10h-12h30 15h30-19h

CH. MAS NEUF
Prestige des Gibelins Elevé en barrique 1998★★★

■   1,5 ha   15 000   ⵏ `30 à 49 F`

Le nom de cette cuvée ne rend pas hommage aux partisans de l'empereur du Saint-Empire romain germanique ; elle fait simplement honneur à son auteur et porte bien haut l'étendard du domaine. Ce 98 représente l'un des plus beaux vins de la dégustation, qui a séduit au premier coup d'œil par sa belle robe grenat foncé. Le nez, intense et complexe, allie les fruits rouges aux épices (laurier sauce) et au cuir frais. L'attaque est ample, dotée d'un bel équilibre soutenu par des tanins réglissés. La finale se montre très longue. Un vin complet et puissant, particulièrement réussi, que l'on appréciera parfaitement dans deux ans.

🔹 Olivier Gibelin, Ch. Mas Neuf,
30600 Gallician, tél. 04.66.73.33.23,
fax 04.66.73.33.49,
e-mail olivier.gibelin@wanadoo.fr ☑ Ⅰ r.-v.

CH. MOURGUES DU GRES
Capitelles des Mourgues 1998★★

| ■ | 2 ha | 10 000 | ⅠⅠⅠ | 50 à 69 F |

D'un noir d'encre profond et brillant, ce vin offre un nez vanillé, encore sous l'emprise de son passage en fût de chêne, et laisse pour l'instant le fruit en sourdine. Mais grâce à une structure remarquable, franche et équilibrée, aux tanins nobles et soyeux, il atteindra sa plénitude d'ici deux ou trois ans. Quant au rosé 99 Galets Rosés (30 à 49 F), il reçoit une étoile : c'est un vin plutôt floral, équilibré en bouche, agréable, doté d'une finale toute de douceur et d'élégance.
🔹 François Collard, Ch. Mourgues du Grès, rte de Bellegarde, 30300 Beaucaire, tél. 04.66.59.46.10, fax 04.66.59.34.21 ☑ Ⅰ r.-v.

CH. MOURGUES DU GRES
Terre d'Argence 1999★★

| ■ | 5 ha | 30 000 | ⅰ ♣ | 30 à 49 F |

Beau palmarès pour ce domaine, ancien couvent des ursulines de Beaucaire, très bien noté dans le Guide ces dernières années, dont trois vins ont été jugés dignes d'éloges. Cette cuvée Terre d'Argence, d'un beau grenat à reflets violets, suscite l'enthousiasme par la concentration de ses arômes, les épices douces venant compléter la dominante de fruits rouges. L'équilibre est superbe, une bonne rondeur venant compenser les tanins très présents. Un vin de garde prometteur.
🔹 François Collard, Ch. Mourgues du Grès, rte de Bellegarde, 30300 Beaucaire, tél. 04.66.59.46.10, fax 04.66.59.34.21 ☑ Ⅰ r.-v.

CH. DE NAGES
Cuvée Joseph Torrès 1998★

| ■ | 8 ha | 50 000 | ⅠⅠⅠ | 50 à 69 F |

Un beau vin à dominante de syrah (90 % de l'assemblage), d'un rouge profond. Agréablement vanillé, il ne cache pas ses douze mois passés en fût. La bouche est ronde, riche et complexe, soutenue par des tanins puissants et vanillés, persistante en finale. A réserver aux amateurs de vins concentrés.

🔹 EARL Roger Gassier, Ch. de Nages,
30132 Caissargues, tél. 04.66.38.44.20,
fax 04.66.38.44.21,
e-mail m.gassier@châteaudenages.com
☑ Ⅰ r.-v.

CH. D'OR ET DE GUEULES
Cuvée Prestige 1998★

| ■ | 10 ha | 20 000 | ⅠⅠⅠ | 50 à 69 F |

Revêtue d'une robe très colorée à reflets violets, cette cuvée Prestige a retenu l'attention du jury : le nez, concentré et agréable, où dominent les fruits noirs, mêle le cassis, la mûre et la myrtille. La structure est à la hauteur des arômes et révèle un équilibre puissant. Il faudra patienter trois ou quatre ans pour permettre aux tanins de s'assouplir.
🔹 Ch. d'Or et de Gueules, rte de Générac, 30800 Saint-Gilles, tél. 04.66.87.32.86, fax 04.66.87.39.11, e-mail Châteaudoretdegueules@wanadoo.fr
☑ Ⅰ r.-v.
🔹 Puy Morin

PAVILLON DE L'ESCALION 1998★

| ■ | 8,2 ha | 22 000 | ⅰ ♣ | 30 à 49 F |

Après avoir été aux mains de différents propriétaires de nationalité étrangère, le domaine fut remembré en 1800. Il propose un vin tout entier contenu dans le mot puissance : puissance du rouge profond et sombre de la robe, puissance du nez aux notes intenses de cuir, d'humus et de sous-bois. Puissance de la bouche, charnue, soutenue par des tanins ronds et serrés, à la finale longue et fruitée. Ce 98 demande à attendre un an ou deux.
🔹 SCI Dom. du Grand Escalion, rte de Nîmes, 30510 Générac, tél. 04.66.01.31.72, fax 04.66.01.31.72, e-mail vinescal@wanadoo.fr
☑ Ⅰ r.-v.

DOM. DE PIERREFEU 1999★

| ☐ | 1 ha | 6 500 | ⅰ ♣ | 30 à 49 F |

Coup de cœur pour le château du Mas Neuf, Olivier Gibelin propose ce Domaine de Pierrefeu très réussi. Un 99 vêtu d'une robe jaune clair à reflets brillants, marqué par une touche d'agrumes fine et élégante qui accompagne toute sa dégustation. Un bel équilibre en bouche, une bonne longueur et une finale agréable confirment la qualité de ce vin.
🔹 Olivier Gibelin, Ch. Mas Neuf, 30600 Gallician, tél. 04.66.73.33.23, fax 04.66.73.33.49, e-mail olivier.gibelin@wanadoo.fr ☑ Ⅰ r.-v.

DOM. SAINT-ANTOINE 1999★★

| ◹ | 12 ha | 13 000 | | 20 à 29 F |

Pour sa deuxième présentation au Guide, ce domaine ne déçoit pas avec ce rosé à la très belle robe rose bonbon. Le nez, intense et élégant, exhale des arômes de fruits frais (fraise, framboise) et de bonbon au cassis. Avivée par une pointe de gaz carbonique, la bouche est harmonieuse et équilibrée, ronde et fraîche à la fois, d'une remarquable persistance aromatique.
🔹 Jean-Louis Emmanuel, EARL dom. Saint-Antoine, 30800 Saint-Gilles, tél. 04.66.01.87.29, fax 04.66.01.87.29 ☑

CH. SAINT-BENEZET 1999★

◢ 17 ha 55 000 🍴🍷 20 à 29 F

La propriété a été rachetée en 1999 ; ses propriétaires actuels proposent un rosé 99 qui retient l'attention par sa belle robe rose tendre à reflets brillants. Le nez, moyennement intense, est un doux mélange de fruits et de fleurs. La bouche, plutôt ronde, présente en rétro-olfaction une nette dominante florale. L'impression finale allie finesse et harmonie. Un vin qui comblera les amateurs de rosés méridionaux.
☛SCEA Saint-Bénézet, Dom. Saint-Bénézet, 30800 Saint-Gilles, tél. 06.16.57.32.02, fax 06.66.70.05.11 ✔ ☨ t.l.j. sf dim. 9h-20h
☛ Bosse-Platière

CH. SAINT-CYRGUES 1999★★

■ 5 ha 25 000 🍴🍷 20 à 29 F

Evelyne et Guy de Mercurio - jeune vigneron et œnologue helvétique - dirigent la propriété depuis 1991. Ils proposent deux vins très appréciés par le jury : ce rouge remarquable affiche une robe violine, et un nez dense de bourgeon de cassis suivi d'une rétro-olfaction plutôt végétale. La bouche, aux tanins fins et élégants, charme par sa rondeur, son ampleur et sa chair. La finale est longue, légèrement amère. On prédit sans grand risque un bel avenir à ce 99. La **cuvée Amérique 98** (30 à 49 F), d'un noir sombre et brillant, reçoit une étoile : elle porte le nom d'origine du domaine, en souvenir du fils de la maison d'alors, parti à la conquête de terres nouvelles. Elle révèle - mais sans outrance - des notes subtiles issues de son passage en barrique. La bouche aux tanins très présents demande quelques années pour s'arrondir.
☛Guy de Mercurio, Ch. Saint-Cyrgues, rte de Montpellier, 30800 Saint-Gilles, tél. 04.66.87.31.72, fax 04.66.87.70.76 ✔ ☨ r.-v.

CH. SILEX 1999★

■ n.c. n.c. 30 à 49 F

Cet assemblage de syrah, de grenache, avec un zeste de mourvèdre se présente sous une robe d'un rouge intense à reflets violets. L'attaque, franche, est suivie en bouche d'un bel équilibre entre tanins, moelleux et acidité. On peut apprécier d'ores et déjà ce vin très réussi.
☛SCEA Saint-Bénézet, Dom. Saint-Bénézet, 30800 Saint-Gilles, tél. 06.16.57.32.02, fax 06.66.70.05.11 ✔ ☨ t.l.j. sf dim. 9h-20h

CH. DES SOURCES
Elevé en fût de chêne 1999★

■ 10,9 ha n.c. 🍶 - de 20 F

D'une couleur très foncée, voici un rouge au nez puissant et concentré. Après une belle entame, on retrouve en bouche un vin charpenté, soutenu par un tanin vigoureux. Il faudra laisser le temps faire son œuvre pour bien l'apprécier.
☛Jean-François Fayel, Dom. des Cantarelles, 30127 Bellegarde, tél. 04.66.01.16.78, fax 04.66.01.02.80 ✔ ☨ r.-v.

CH. DE VALCOMBE 1999★

◢ 2 ha 5 000 🍴🍷 20 à 29 F

Dans la même famille depuis le XVIIIᵉs., Valcombe présente un beau rosé au nez agréable-ment fruité. La bouche ronde laisse persister des arômes de fruits rouges. Sa finale est plutôt longue. L'impression générale de douceur et d'harmonie qu'il réussit à communiquer fera de ce 99 l'excellent compagnon de vos repas sous la tonnelle.
☛Dominique Ricome, Ch. de Valcombe, 30510 Générac, tél. 04.66.01.32.20, fax 04.66.01.92.24, e-mail valcombe@wanadoo.fr ✔ ☨ r.-v.

Coteaux du languedoc

Cent soixante-huit communes, dont cinq dans l'Aude et dix-neuf dans le Gard, les autres étant dans l'Hérault, constituent un ensemble de terroirs disséminés dans le Languedoc, dans la zone des coteaux et des garrigues s'étendant de Narbonne à Nîmes. Ces terroirs spécialisés plus particulièrement dans le vin rouge et rosé produisent des AOC coteaux du languedoc, appellation d'origine contrôlée depuis 1985, à laquelle peuvent être ajoutées onze dénominations particulières en rouge et rosé : la Clape et Quatourze dans l'Aude, Cabrières, Montpeyroux, Saint-Saturnin, Pic-Saint-Loup, Saint-Georges-d'Orques, les coteaux de la Méjanelle, Saint-Drézéry, Saint-Christol et les coteaux de Vérargues dans l'Hérault ; ainsi que deux dénominations en blanc : la Clape et Picpoul de Pinet.

Toutes sont issues des vins renommés dans les siècles passés. Les coteaux du languedoc produisent 435 000 hl de vins.

ABBAYE DES MONGES
La Clape 1999★★

☐ 1,8 ha 4 000 🍶 20 à 29 F

La Clape est à l'honneur dans le présent Guide. Il est vrai que le terroir bénéficia d'excellentes conditions climatiques en ce millésime 99, avec beaucoup de soleil et juste ce qu'il fallut d'ondées l'été quand la vigne avait soif. C'est ainsi que l'abbaye des Monges nous gratifie d'une cuvée exquise à la robe pâle aux reflets dorés, d'un nez accompli aux senteurs d'abricot, de pêche, de miel, accompagnées de notes grillées, florales. La bouche est savoureuse, fraîche, vive, ample et longue, en un mot, harmonieuse.
☛Paul de Chefdebien, 45, rue Parerie, 11100 Narbonne, tél. 04.68.42.36.27, fax 04.68.41.53.07 ✔ ☨ r.-v.

ABBAYE DE VALMAGNE
Cuvée de Turenne 1998★★

☐ 4,27 ha 20 000 ▊❙❙❙ 50 à 69 F

Ne serait-ce que l'architecture cistercienne du XIIᵉs. et la restauration très réussie, l'abbaye de Valmagne vaut le détour. Mais lorsqu'après la traversée du cloître on s'attarde à la cave, on n'en sortirait plus. Surtout en dégustant la cuvée de Turenne blanc 98 revêtant une belle robe jaune pâle, au nez intense et subtil de fruits confits, de miel, de fleur d'acacia, de grillé, discrètement boisé. La bouche équilibre harmonieusement le volume, l'onctuosité et le gras, prolongeant indéfiniment cette sensation-là.
☛ d'Allaines, SCEA dom. de Valmagne, Abbaye de Valmagne, 34560 Villeveyrac, tél. 04.67.78.06.09, fax 04.67.78.02.50, e-mail valmagne@aol.com ☑ ⵏ r.-v.

ARNAUD DE NEFFIEZ 1998★

■ 2 ha 5 000 ❙❙❙ 50 à 69 F

Arnaud de Neffiès, quatre-vingt-dix-huitième du nom, se montre digne de ses illustres prédécesseurs. Né sous une bonne étoile, d'un rouge soutenu, il dégage pêle-mêle et généreusement le cassis, le café et les épices. Finement boisé, il présente une belle attaque franche précédant une bouche ample et ronde avec suffisammment de corps et de prolongement. La cuvée de **Catherine de Saint-Juéry** s'est fait aussi remarquer par sa grâce en l'an **98**. Elle est citée (30 à 49 F).
☛ Cave coop. de Neffiès, av. de la Gare, 34320 Neffiès, tél. 04.67.24.61.98, fax 04.67.24.62.12 ☑ ⵏ r.-v.

DOM. HONORE AUDRAN
Cuvée Terroir 1998★

■ 3 ha 4 000 ▊❙❙❙⌷ 50 à 69 F

C'est avec une constante régularité que le domaine Honoré Audran cueille son étoile à chaque édition. Le 98 arbore une robe rouge sombre, un nez intense de fruits en confiture, de fruits secs, de grillé, une bouche où gras et ampleur participent à une belle structure de tanins érodés et longs. Un vin très harmonieux.
☛ GAEC Luc Biscarlet, 8, chem. du Moulin, 34700 Le Bosc, tél. 04.67.44.73.44, fax 04.67.44.73.44 ☑ ⵏ r.-v.

DOM. D'AUPILHAC
Montpeyroux 1998★★

■ 10 ha 50 000 ❙❙❙ 50 à 69 F

Marqué encore par l'impétuosité de la jeunesse, véritable pièce d'anthologie, le Domaine d'Aupilhac 98, rouge sombre, offre la pétulance d'un nez intense de cassis très mûr, avec des notes de thym, de cumin mais aussi de vanille et de brûlé ; cependant le boisé est atténué. En bouche, ferme et franche, s'ouvre sur l'ampleur et le gras ; les tanins encore bien présents s'affirment soyeux, comme dans tous les bons 98.
☛ Sylvain Fadat, Dom. d'Aupilhac, 28, rue du Plô, 34150 Montpeyroux, tél. 04.67.96.61.19, fax 04.67.96.67.24, e-mail aupilhac@wanadoo.fr ☑ ⵏ r.-v.

DOM. DE BAUBIAC 1998★

■ 3,14 ha 13 470 ❙❙❙ 30 à 49 F

Si vous avez du goût pour les vins charnus, vous aimerez les vins de Baubiac. Ce 98 en est un bel exemple avec sa robe couleur de mûre, son bouquet de fleurs séchées, de fruits rouges et de sous-bois, sa belle matière en bouche. Il ne s'est pas laissé dominer par la barrique et s'exprimera plus encore dans les années à venir.
☛ SCEA Philip Frères, Dom. de Baubiac, 30260 Brouzet-lès-Quissac, tél. 04.66.77.33.45, fax 04.66.77.33.45, e-mail philip@dstu.univ-montp2.fr ☑ ⵏ r.-v.

CH. BELLES EAUX Tradition 1999★

◨ 4 ha 8 000 ■⌷ 30 à 49 F

En ce millésime 99, le château Belles Eaux se distingue par une affriolante cuvée de belle allure, d'une teinte séduisante, rose pâle brillant. Des notes florales très intenses, des fruits rouges comme la cerise burlat accompagnent une bouche ronde, tout en ampleur, souplesse et douceur, délicieusement équilibrée.
☛ Ch. Belles Eaux, 34720 Caux, tél. 04.67.09.30.95, fax 04.67.09.30.95 ☑ ⵏ r.-v.

MAS BLANCHARD
Cuvée Tradition 1998★

■ 6 ha 15 000 ■⌷ 30 à 49 F

Une sélection de vieilles vignes de grenache et de carignan est à l'origine de ce vin. Nous sommes en présence d'une robe pourpre et profonde, violacée, d'un nez agréable plein de fruits et d'épices, de tanins bien marqués mais néanmoins suffisamment fondus pour nous permettre d'apprécier un joli équilibre en bouche et une intéressante longueur.
☛ Dominique Chiapino, 10, rue Louis Guy, 34490 Murviel-les-Béziers, tél. 04.67.89.63.15, fax 04.67.89.65.17 ☑

BOIS D'ELEINS 1999★

■ 3,5 ha 4 000 ■⌷ 20 à 29 F

Les vignerons de Crespian sont encore une fois remarqués avec ce nouveau millésime 99 d'une belle couleur grenat. Après les arômes de cassis et de groseille se devinent des notes de réglisse et de poivre. La bouche, souple et gouleyante, se fera aimer dans sa jeunesse. En revanche, la **Grande Réserve 98**, citée par le jury, saura attendre (30 à 49 F).
☛ SCA Les vignerons d'Art, R.N. 110, 30260 Crespian, tél. 04.66.77.81.87, fax 04.66.77.81.43, e-mail w.valgalier@lemel.fr ☑ ⵏ t.l.j. sf dim. lun. 9h-18h

MAS BRUGUIERE
Pic Saint-Loup La Grenadière 1998★

■ 4 ha 18 000 ❙❙❙ 70 à 99 F

Si vous souhaitez découvrir la Grenadière 98 du Mas Bruguière, hâtez-vous, car ce flacon est aussi rare que bon. Il faut réserver. La couleur est sombre et brillante ; le nez assez puissant de fruits noirs, de garrigue torréfiée, de muscade s'ouvre sur une bouche dense, aux tanins granuleux dont la présence s'harmonise avec quelque chose de capiteux. La cuvée les **Muriers** en **blanc 98** retient l'attention du jury (50 à 69 F).

⊷Guilhem Bruguière, La Plaine,
34270 Valflaunès, tél. 04.67.55.20.97,
fax 04.67.55.20.97 ☑ ⊤ r.-v.

CH. CABRIERES
Cabrières Elevé en fût de chêne 1998★

| ■ | 10 ha | 10 000 | ◫ | 50 à 69 F |

Château Cabrières, jadis bien connu de Louis le Quatorzième, se distingue à nouveau en obtenant une étoile grâce à la version 98 élevée en fût. La robe est profonde et vive ; le nez intense, fin, exhale l'épice, la garrigue, le bois brûlé et le fruit rouge. La bouche est concentrée, d'une attaque soyeuse agréablement équilibrée. Egalement citée par le jury, la cuvée **Fulcran de Cabanon 99**, d'un beau grenat ; un vin épicé, fruité, d'une rondeur gourmande.
⊷Cave des Vignerons de Cabrières,
34800 Cabrières, tél. 04.67.88.91.60,
fax 04.67.88.00.15 ☑ ⊤ t.l.j. sf dim. 9h-12h
14h-18h

MAS CAL DEMOURA 1998★

| ■ | 5 ha | 21 000 | ■◫ | 50 à 69 F |

A vouloir rester à la terre et en refusant obstinément l'exode rural, Jean-Pierre Jullien démontre la philosophie du « bien vivre » en élaborant des cuvées hautement dignes d'intérêt. Ce rouge 98 est très jeune, encore sur sa réserve, d'une couleur de belle intensité, d'un nez fermé mais prometteur avec ses fruits rouges mûrs, ses notes de fumé et de garrigue. Beaucoup de matière habite une bouche aux tanins légèrement rugueux en raison de leur âge. Cette bouteille demande trois à quatre ans d'élevage dans une cave hospitalière.
⊷Jean-Pierre Jullien, Mas Cal Demoura,
34725 Jonquières, tél. 04.67.88.61.51,
fax 04.67.88.61.51 ☑ ⊤ r.-v.

CAMPLAZENS LE CHATEAU
La Clape Elevé en fût de chêne 1998

| ■ | 14 ha | 50 000 | ◫ | 70 à 99 F |

Le château de Camplazens, c'est la Clape et la Méditerranée revisitées par une personne originaire du Nord. La bouteille, d'un grenat profond, est bien élaborée avec un nez plutôt intense révélant des arômes de fruits rouges, du cacao, de la vanille et du bois brûlé. L'attaque est encore un peu serrée et rustique, et la bouche ne demande qu'à s'affiner au cours d'un élevage d'une année ou deux.
⊷SCEA dom. de La Jasse, La Jasse,
34980 Combaillaux, tél. 04.67.84.34.62,
fax 04.67.84.30.51 ⊤ r.-v.

CH. DE CAPITOUL
La Clape Les Rocailles 1998★★

| ☐ | 4 ha | 6 000 | ■◫� | 30 à 49 F |

Les grands crus du Languedoc se préparent. Pour l'instant, ils s'affichent timidement dans l'incrédulité générale. Mais on se persuade très facilement de leur existence quand on débouche un Capitoul Rocailles 98, jaune doré brillant, dont la puissance s'affirme dès le nez très riche d'abricot, d'agrumes, d'infusion des garrigues, de gingembre, d'épices et de miel. Un vin volumineux en bouche, « voluptueux » même, d'un

équilibre superbe sur le gras et le moelleux. **Les Rocailles rouge 98** ont mérité une citation.

⊷SA du Ch. de Capitoul, rte de Gruissan,
11100 Narbonne, tél. 04.68.49.23.30,
fax 04.68.49.55.71,
e-mail chateau.capitoul@wanadoo.fr ☑ ⊤ t.l.j.
8h-20h
⊷Charles Mock

DOM. CELINGUET 1998★

| ■ | 7,5 ha | 24 000 | ■⌄ | 30 à 49 F |

Remarqué à juste titre avec les plus grands honneurs pour le millésime 97, le Domaine Célinguet 98 présente une couleur pourpre soutenu, brillante, aux reflets de jeunesse, un nez intense associant notes de fruits macérés, griotte, pruneau, épices, laurier et pointe animale. Le palais est encore sur une certaine retenue en raison des tanins fermes et bien présents. Longueur en bouche très honorable.
⊷Pierre et Myriam Rouquette,
34380 Argelliers, tél. 04.67.55.62.36,
fax 04.67.55.52.11,
e-mail rouquette.celinguet@wanadoo.fr
☑ ⊤ r.-v.

DOM. CHARTREUSE DE MOUGERES
Clos de l'Abbaye Elevé en fût de chêne 1998★

| ■ | 2 ha | 10 000 | ◫ | 30 à 49 F |

Les chartreuses et les chartreux sont depuis longtemps et à juste titre réputés spécialistes des liqueurs, vins et eaux-de-vie. Avec le Clos 98 de l'Abbaye des Chartreuses de Mougères, on approche du Paradis. Jugez et appréciez de bonne grâce ce rouge de belle intensité, au joli nez épicé, fleurant le laurier, la réglisse, le pruneau, d'un boisé bien dosé, avec beaucoup de gras dans une bouche charpentée qui présage des années de sérénité.
⊷Sareh Bonne Terre, Dom. Chartreuse de Mougères, 34720 Caux, tél. 04.67.98.40.01,
fax 04.67.98.46.39,
e-mail nicolas.lebecq@libertysurf.fr
☑ ⊤ mar. jeu. ven. sam. 9h-12h 14h-17h

COMBEROUSSE Rocalhan 1998★★

| ☐ | 3,5 ha | 2 000 | ◫ | 50 à 69 F |

Alain Reder, après avoir élevé des moutons, s'est spécialisé dans l'élaboration de blancs d'AOC. Le Rocalhan 98, roussanne et rolle, qui dut hélas s'incliner devant le grand jury, est proche du sublime : robe jaune paille de belle intensité, kyrielle d'arômes dont des notes de grillé, de fumé, de coing, de pâte de fruits, de menthol, d'épices et fleurs. Le bouche, où dominent

LANGUEDOC

ampleur et suavité, est puissante et distinguée. L'affabilité et un deuxième verre de cette très belle cuvée incitent à l'emploi de superlatifs.
☞ Alain Reder, SCEA du Djebel, Comberousse, rte de Gignac, 34660 Cournonterral, tél. 04.67.85.05.18, fax 04.67.85.05.18 ☑ ☒ r.-v.

DOM. COUR SAINT VINCENT 1999

☐	n.c.	5 000	▮ 30 à 49 F

Première vinification en cave particulière pour Francis Bouys qui présente une cuvée 99 jaune pâle brillant à jolis reflets verts, au nez fin, élégant, évoquant la fleur d'églantier, les agrumes. A la fois nerveuse et ronde en bouche, elle offre un bel équilibre sur le gras, d'une agréable longueur.
☞ Francis Bouys, 1, pl. Saint-Vincent, 34730 Saint-Vincent-de-Barbeyrargues, tél. 04.67.59.60.74, fax 04.67.59.60.74 ☑ ☒ ven. sam. 9h-19h; f. 1er-15 août

ERMITAGE DU PIC SAINT-LOUP
Pic Saint-Loup Cuvée Sainte-Agnès 1998★

▮	4 ha	8 000	◫ 30 à 49 F

Le blason aux trois poissons se retrouve sur les étiquettes des deux Ermitage du Pic Saint-Loup retenus par le jury : le **Guilhem Gaucelm 97**, cité (100 à 149 F), et cette cuvée Sainte-Agnès à la robe pourpre et brillante. Le nez de fruits, d'épices et de grillé dévoile après coup des notes de vanille. La bouche est charpentée, d'une matière encore puissante. Le boisé est bien dosé.
☞ Ravaille, GAEC Ermitage du Pic Saint-Loup, Cazevieille, 34270 Saint-Mathieu-de-Tréviers, tél. 04.67.55.20.15, fax 04.67.55.23.49 ☑ ☒ r.-v.

DOM. FERRI ARNAUD
La Clape Cuvée Romain Elevé en fût de chêne 1998★

▮	1,5 ha	6 500	◫ 70 à 99 F

Le domaine Ferri Arnaud se situe à Fleury, une des communes de La Clape, à quelques encablures de la Méditerranée. La cuvée Romain (bien sûr ils étaient là aussi), élevée quatorze mois sous bois, est un 98 rouge sombre avec quelques reflets bruns. Le nez torréfié, mentholé et poivré offre des notes de réglisse et de cassis. Le bois encore présent en bouche se fond dans des tanins enrobés de velours. Goûtez aussi le **Domaine rouge 98**, cité, qui ne fait que neuf mois de fût ; vous ne serez pas déçus (50 à 69 F).
☞ EARL Ferri Arnaud, av. de l'Hérault, 11560 Fleury-d'Aude, tél. 04.68.33.62.43, fax 04.68.33.74.38 ☑ ☒ r.-v.
☞ Joseph Ferri

CH. DE FLAUGERGUES
La Méjanelle Cuvée Sommelière 1998★

▮	13 ha	60 000	▮ 50 à 69 F

Superbe bastide du XVIIᵉs. située aux portes de Montpellier, Flaugergues a été Grappe d'or pour un millésime 93. Le prestige du Château de Flaugergues s'auréole cette année d'une étoile octroyée à la Sommelière 98 qui revêt une robe grenat dense d'un brillant reflet violet, professe un nez distingué de fruits, de cuir et d'épices avec une touche de sous-bois. Ce 98 tapisse harmonieusement le palais par le grain soyeux de tanins bien présents.
☞ Henri de Colbert, Ch. de Flaugergues,1744, av. Albert-Einstein, 34000 Montpellier, tél. 04.99.52.66.37, fax 04.99.52.66.44, e-mail colbert@flaugergues.com ☑ ☒ r.-v.

CAVE DE FLORENSAC
Picpoul de Pinet Cuvée Ressac 1999★

☐	20 ha	40 000	▮ 20 à 29 F

Ancré dans un sol caillouteux argilo-calcaire, ce terroir offre un 99 frais et équilibré. Ce blanc, habillé d'une belle robe cristalline à reflets verts, dévoile des notes citronnées suivies de fleurs d'acacia. La bouche marie à ravir la rondeur et la vivacité bien typique des picpoul de Pinet.
☞ Cave coopérative de Florensac, B.P. 9, 34510 Florensac, tél. 04.67.77.00.20, fax 04.67.77.79.66 ☑ ☒ t.l.j. sf dim. 9h-12h 14h-18h

CH. FONDOUCE 1998★

▮	4 ha	6 486	▮ 50 à 69 F

Les coteaux, certainement d'origine volcanique, situés en bordure de Pézenas réservent de très bonnes surprises. Fondouce réussit à nous envelopper de son charme. Un vrai plaisir que ce 98 rouge sombre, au nez fleurant intensément le cuir, la torréfaction, les fruits rouges bien mûrs. L'attaque franche ouvre sur une bouche équilibrée, ronde et grasse, aux tanins fondus.
☞ Jean-Claude Magnien, dom. de Fondouce, rte de Roujan, 34120 Pézenas, tél. 04.67.98.30.32, fax 04.67.98.29.76, e-mail sicla@wanadoo.fr ☑ ☒ t.l.j. sf sam. dim. 10h-12h 14h-18h

MAS DE FOURNEL
Pic Saint-Loup Cuvée Pierre 1998★★

▮	3 ha	2 200	◫ 50 à 69 F

Gérard Jeanjean est, selon ses dires, un « jeune vinificateur » de soixante-dix ans. Avant, il transportait du vin dans son camion citerne ; depuis trois ans il « mène » le domaine familial. Trois ans qui lui permirent de parfaire ce magnifique coup de cœur, cuvée Pierre 98, grenat profond, au nez très complexe par ses notes de fruits noirs, de fumée, d'épices et de réglisse. Le boisé est présent mais se fond dans une bouche superbement structurée, onctueuse, volumineuse et longue à souhait. Raisin sur le gâteau : une étoile gratifie le **Mas de Fournel rouge 98** (30 à 49 F) qui ne connaît pas la barrique.

•┐Gérard Jeanjean, Mas de Fournel,
34270 Valflaunes, tél. 04.67.55.22.12,
fax 04.67.55.22.12 ☑ ϒ t.l.j. 9h-12h 14h-19h

CH. DE FOURQUES
Saint-Georges d'Orques Cuvée Jeanne 1999

◢ | | 3 ha | 5 500 | ▤↓ | 30 à 49 F |

Au château de Fourques, les rosés sont friands
et charment régulièrement. Le 99 ne déroge pas
à la règle avec sa robe flatteuse et saumonée, son
nez élégant de framboise et de fleurs blanches,
sa bouche gourmande, vive, fraîche et harmonieuse.
•┐Mme Fons-Vincent, Ch. de Fourques,
rte de Laverune, 34990 Juvignac,
tél. 04.67.47.90.87, fax 04.67.27.48.72,
e-mail fourques@caves-particulieres.com
☑ ϒ t.l.j. 8h30-19h30

CUVEE DES GENTILSHOMMES
VERRIERS Pic Saint-Loup 1999★

◢ | | 15 ha | 8 000 | ▤↓ | 20 à 29 F |

Sur le chemin des verriers, les vignerons du
Pic offrent à déguster cette cuvée enchanteresse
à la belle robe rose pâle et vif à la fois brillante,
au nez très intense de pomme verte, de fleur blanche et de fruit rouge. Franche, la bouche est
somme toute ample et harmonieuse. Le **Château
d'Assas blanc 99** mérite une citation pour sa fraîcheur gourmande et son bel équilibre.
•┐Les Vignerons du Pic, 285, av. de Sainte-
Croix, 34820 Assas, tél. 04.67.59.62.55,
fax 04.67.59.56.39 ☑ ϒ r.-v.

MAS GRANIER Les Marnes 1998★★

☐ | | 3 ha | 5 000 | ◫ | 30 à 49 F |

Des cailloutis calcaires aux foudres en chêne
de Russie, des soins constants ont permis l'élaboration de cette remarquable cuvée, les Marnes
98, d'une couleur jaune citron brillante arborant
une palette aromatique des plus séduisantes :
agrumes, abricot, verveine, fleurs blanches plus
une pointe de grillé et quelque chose de vanillé.
La bouche, ample, grasse et onctueuse, n'en finit
pas de s'éterniser. Une étoile encore pour le **Mas
Granier 98 rouge** profond, intense au nez, de
bonne structure en bouche et, ma foi, bien long.
A noter aussi la cuvée **Les Grès en rouge 98** (50 à
69 F), au très beau potentiel.
•┐EARL Granier, Mas Montel, 30250 Aspères,
tél. 04.66.80.01.21, fax 04.66.80.01.87,
e-mail montel@wanadoo.fr ☑ ϒ t.l.j. sf dim.
9h-19h

DOM. DE GRANOUPIAC
Elevé en fût 1998★

■ | | 5,2 ha | 4 000 | ◫ | 30 à 49 F |

Claude Flavard présente une belle expression
de la syrah (60 % de l'assemblage) née sur sol
argilo-calcaire puis élevée en barrique. D'un grenat soutenu, ce vin offre un nez intense de garrigue, de fruit rouge, de nuances animales, arômes associés à quelques notes de cade et d'épices.
La bouche est ample, généreuse ; le grain des
tanins s'avère ferme et suffisamment velouté
pour offrir le plaisir de l'élégance. D'un bel équilibre, tout en finesse, la **cuvée principale 98**, qui
n'a pas connu, elle, l'usage de la futaille, a séduit
les dégustateurs qui l'ont gratifiée d'une citation.

•┐Claude Flavard, Dom. de Granoupiac,
34725 Saint-André-de-Sangonis,
tél. 04.67.57.58.28, fax 04.67.57.95.83 ☑ ϒ r.-v.

DOM. DES GRECAUX
Montpeyroux 1999

■ | | 3,15 ha | 11 500 | ▤ | 50 à 69 F |

Dès son premier millésime, ce nouveau
domaine situé à Montpeyroux a su percer dans
le Guide. Sa robe est légère, couleur rubis. Son
nez rappelle les fruits et le grillé. La bouche est
franche et friande avec ses arômes de fruits rouges. Un vin déjà prêt à boire.
•┐Isabelle Caujolle-Gazet,
4, av. du Monument, 34150 Saint-Jean-de-Fos,
tél. 04.67.57.38.83, fax 04.67.57.38.83,
e-mail caujolle@club-internet.fr ☑ ϒ sam. dim.
17h-19h; f. 25 août-30 juin

CH. GRES SAINT-PAUL Antonin 1998★★

■ | | 7 ha | 28 000 | ◫ | 70 à 99 F |

Enfin un coup de cœur pour la cuvée Antonin
98 de Grès Saint-Paul. Classée deuxième par le
grand jury, cette bouteille offre un maintien de
grande classe. La robe est rouge sombre à reflets
noirs et violets. Des arômes intenses, subtils de
fruits rouges bien mûrs, de bois brûlé, d'épices,
de cacao et de réglisse se révèlent au nez et en
bouche. Celle-ci, bien structurée de tanins veloutés, fondus, possède ce qu'il faut de gras et de
longueur à tout vin de bonne compagnie. Citons
la cuvée **Romanis 99** élevée en cuve (30 à 49 F),
bien faite et, elle aussi, à attendre un peu.
•┐Ch. Grès Saint-Paul, rte de Restinclières,
34400 Lunel, tél. 04.67.71.27.90,
fax 04.67.71.73.76 ☑ ϒ r.-v.

HAUT BLANVILLE 1998★★

■ | | 4 ha | 13 000 | ◫ | 70 à 99 F |

M. et Mme Nivollet, septentrionaux en mal de
Méditerranée, se sont reconvertis dans la vigne
avec bonheur comme le prouve le Haut Blanville
98 d'un rouge soutenu, au nez exprimant intensément le fruit rouge très mûr, la torréfaction, le
cuir et les épices. La bouche offre un très bel
équilibre, de l'ampleur, les tanins présents et fondus du millésime, une longueur remarquable.
•┐Bernard et Béatrice Nivollet, dom. Rieutort
de Blanville, rte de Gignac, 34230 Saint-
Pargoire, tél. 04.67.98.47.66, fax 04.67.98.49.93,
e-mail deblanville@wanadoo.fr ☑ ϒ t.l.j. sf
dim. 10h-12h30 16h-18h30

MAS HAUT-BUIS
Terrasse du Larzac 1999★

■   5 ha   15 000   ▮◀▶ 50 à 69 F

Voici un nouveau domaine d'appellation contrôlée dans la région des terrasses du Larzac. La renommée reste à bâtir. Ce 99 donne un joli départ : une robe profonde à reflets violets, des arômes d'épices, de fumé et de fruits rouges surmûris. La bouche, encore très jeune, nous livre une belle matière qui permettra à ce vin d'atteindre un plus bel épanouissement dans les années à venir.

☛ Olivier Jeantet, 34520 La Vacquerie, tél. 04.67.88.64.92, fax 04.67.88.64.92 ☑ ▼ r.-v.

CH. HAUT-CHRISTIN
Terres de Sommières 1998★

■   5 ha   24 000   ▮ 30 à 49 F

Haut-Christin dresse son imposante et ancienne bâtisse non loin de Sommières la Romaine. C'est vous dire si le vin fait partie intégrante de la culture. Laissez-vous convaincre par le Château 98, rouge brillant et soutenu, avec des notes de sous-bois, de garrigue, de fruits macérés dans la bonne eau-de-vie et une lichette de cuir. D'un grain finement serré, ample, charnu, volumineux et persistant, il attaque sans minauder en bouche. Notez aussi, cité sans étoile, le **Domaine de Christin, cuvée Tradition, vieillie en fût, rouge 97** prêt à honorer dès maintenant votre table (50 à 69 F).

☛ André et Marie-France Mahuzies, rte d'Aubais, 30250 Junas, tél. 04.66.80.95.90, fax 04.66.80.95.90, e-mail mahuzies@aol.com ☑ ▼ r.-v.

DOM. HAUT LIROU
Pic Saint Loup 1999★

◢   4 ha   n.c.   30 à 49 F

Voici un rosé plein de charme bien à l'image de son village d'origine, Saint-Jean-de-Cuculles : une robe pastel et saumonée, un nez de fruits rouges et de fleurs. La bouche, gourmande et ample, donne l'impression de croquer le fruit mûr.

☛ Rambier et Fils, 34270 Saint-Jean-de-Cuculles, tél. 04.67.55.38.50, fax 04.67.55.38.49, e-mail rambier@rambier.com ☑ ▼ t.l.j. sf dim. 9h-12h30 14h-18h30

DOM. HENRY
Saint-Georges d'Orques 1998★

■   4 ha   15 000   ▮▮ 70 à 99 F

C'est sur des calcaires à chailles que se niche le vignoble qui a donné naissance à cette cuvée. Ce 98 entre en scène dans une robe grenat, lumineuse et attrayante. Son nez rappelle la garrigue, la cannelle et la fraise cuite. La bouche a du répondant avec ses tanins soyeux, sa générosité et sa persistance épicée. On l'imagine sur un agneau rôti au thym.

☛ Dom. Henry, av. d'Occitanie, 34680 Saint-Georges-d'Orques, tél. 04.67.45.57.74, fax 04.67.45.57.74, e-mail domainehenry@wanadoo.fr ☑ ▼ r.-v.

HUGUES DE BEAUVIGNAC
Picpoul de Pinet 1999★★

□   100 ha   400 000   ▮▮ 20 à 29 F

On a dit qu'en Languedoc le millésime 99 avait engendré de fameux vins blancs. Corroborons ce dire en dégustant le merveilleux picpoul de Pinet Hugues de Beauvignac, élaboré par les vignerons de Pomérols, près du bassin de Thau qui baigne Sète. La robe est séduisante, jaune paille clair, l'intensité du nez n'a d'égale que sa finesse avec d'élégantes notes d'agrumes, d'aneth, d'anis, de petites fleurs blanches. L'attaque, belle et vive, s'épanouit dans la suavité en équilibrant la vivacité et le gras ; la bouche est longue. Une étoile est décernée au **Domaine Saint Peyre 99** attrayant par sa rondeur et son équilibre.

☛ Cave Les Costières de Pomérols, 34810 Pomérols, tél. 04.67.77.01.59, fax 04.67.77.77.21, e-mail pomerols@mnet.fr ☑ ▼ r.-v.

CH. DE JONQUIERES
Comte de Lansade 1998★

□   1 ha   4 500   ▮◀▶ 50 à 69 F

Le château de Jonquières se décline en deux personnalités. Le Comte de Lansade blanc 98, pour commencer, à la robe jaune or, limpide, brillante, aux belles jambes. Le nez est d'une intensité séduisante, beurré par quelque lie, vanillé, fumé. La bouche, franche et douce, développe un bel équilibre sur le gras qui s'étire avec langueur. Citée, la **Baronnie 98** en **rouge**, encore toute jeune en ses barriques.

☛ François de Cabissole, Ch. de Jonquières, 34725 Jonquières, tél. 04.67.96.62.58, fax 04.67.88.61.92, e-mail chateau.de.jonquieres@wanadoo.fr ☑ ▼ r.-v.

MAS DE LA BARBEN Tradition 1999

■   28,1 ha   130 000   ▮▮ 20 à 29 F

Le Mas de la Barben présente cette cuvée à la couleur irisée de violet, au nez assez intense (notes de fruits rouges, avec un peu de cuir). La bouche, tout en nuance, est de bonne longueur.

☛ Mas de La Barben, rte de Sauve, 30900 Nîmes, tél. 04.66.81.15.88, fax 04.66.63.80.43 ☑ ▼ r.-v.

☛ Marcel Hermann

ELIXIR DE LA CONDAMINE BERTRAND Pézenas 1999★

■   2 ha   4 000   ▮◀▶ 100 à 149 F

L'Elixir, un « médicament » contre les troubles du cœur et « l'essence » d'une « boisson magique » ? Sans oublier la modération... D'un rouge soutenu et violacé, le breuvage exhale un nez complexe et puissant de torréfaction, de sous-bois, de foin coupé, d'épices, de petits fruits mûrs, de pruneau, annonçant une bouche ferme, équilibrée sur des tanins fondus.

☛ Bernard et Charles Jany, Ch. La Condamine Bertrand, 34230 Paulhan, tél. 04.67.25.27.96, fax 04.67.25.07.55 ☑ ▼ t.l.j. 10h-12h 15h-19h

Coteaux du languedoc

DOM. DE LA COSTE Saint Christol 1998★

■　　15 ha　　35 000　　■♦ 30 à 49 F

Nous retrouvons dans ce Domaine de La Coste le bouquet caractéristique des terroirs de galets roulés avec ses notes d'épices, de fruits cuits et de réglisse. Il révèle une belle intensité de la robe mais aussi de la bouche qui marie une grande générosité à une structure solide et veloutée. Si l'on en croit sa persistance aromatique, on peut parier que ce vin va se garder.

☛ Luc et Elisabeth Moynier, Dom. de La Coste, 34400 Saint-Christol, tél. 04.67.86.02.10, fax 04.67.86.07.71 ☑ ⵊ t.l.j. sf dim. 9h-19h

DOM. LA CROIX SAINTE EULALIE
Elevé en fût 1999★

☐　　1 ha　　4 000　　⬛ 50 à 69 F

Les vignes sont situées sur le terroir de schiste de Saint-Chinian qui donne des vins de forte expression. Celui-ci s'exprime en **saint-chinian rosé 99** et **rouge 98** (30 à 49 F), tous deux cités par les dégustateurs. En coteaux du languedoc, cette cuvée a un nez racé avec des notes complexes de fruits secs, de brioche et de fleurs. La bouche, après une attaque franche, révèle un bel équilibre. Très harmonieux.

☛ Michel et Aline Gleizes, Combejean, dom. La Croix Sainte-Eulalie, 34360 Pierrerue, tél. 04.67.38.08.51, fax 04.67.38.08.51, e-mail michel.gleizes@libertysurf.fr ☑ ⵊ r.-v.

DOM. LACROIX-VANEL
Clos Mélanie 1998

■　　3 ha　　5 000　　■ 50 à 69 F

Le domaine Lacroix-Vanel, c'est l'histoire d'un restaurateur sétois et de sa compagne, tous deux amoureux des livres, de la bonne cuisine, du vin et de la vigne. Voici leur première vinification tout en finesse. C'est joli, rouge soutenu et bleuté, floral, fruité, grillé, évoquant le foin coupé. Epicé au nez, élégant et soyeux, leur 98 est fondant et équilibré en bouche. Une belle réussite.

☛ Jean-Pierre Vanel, 46, bd du Puits-Allier, 34720 Caux, tél. 04.67.09.32.39, fax 04.67.09.32.39 ☑ ⵊ r.-v.

CH. DE LA DEVEZE MONNIER 1998★

☐　　2 ha　　2 000　　⬛ 50 à 69 F

Une entrée très honorable dans le Guide pour ce vignoble, le plus septentrional des coteaux du languedoc, et classé en appellation contrôlée depuis 1997. Les blancs sont ici d'une grande finesse : une robe pâle, dorée à reflets verts ; des arômes complexes de fleurs, de grillé et de noix de coco ; une bouche à la fois vive et chaleureuse. L'élevage en barrique est très bien maîtrisé.

☛ Laurent Damais, GAEC du Dom. de la Devèze, 34190 Montoulieu, tél. 04.67.73.70.21, fax 04.67.73.32.40, e-mail damais@deveze.com ☑ ⵊ r.-v.
☛ Marcel Damais

DOM. L'AIGUELIERE
Montpeyroux Côte Rousse 1998★★

■　　2,5 ha　　12 000　　⬛ 100 à 149 F

L'Aiguelière présente un merveilleux 98 qui ne s'est attiré que des éloges. C'est un vin à la robe pourpre concentrée, au nez complexe, intense et élégant, évoquant la griotte, le sous-bois, le cuir, la fumée, les épices et une pointe balsamique. La bouche est ronde et grasse, ample et longue, structurée par des tanins fermes qui demanderont au moins cinq années avant de se fondre.

☛ Commeyras, 2, pl. du square Michel-Teisserenc, 34150 Montpeyroux, tél. 04.67.96.61.43, fax 04.67.96.61.43 ☑ ⵊ r.-v.

CH. DE LANCYRE
Pic Saint-Loup Grande Cuvée 1998★★

■　　5 ha　　20 000　　⬛ 70 à 99 F

La Grande Cuvée s'avère remarquable parée d'une robe rouge soutenu. Les arômes de petites baies, d'herbes des garrigues, de réglisse et de vanille annoncent une bouche où s'affirment le gras et des tanins puissants mais enrobés, d'une grande richesse et d'une impressionnante longueur. Un vin de classe à stocker cinq ans dans votre cave. Son *alter ego* en **blanc 98**, finement boisé, lui aussi, obtient une étoile.

☛ GAEC de Lancyre, 34270 Valflaunès, tél. 04.67.55.22.28, fax 04.67.55.23.84 ☑ ⵊ r.-v.
☛ Durand et Valentin

CH. DE LA NEGLY
La Clape Cuvée La Brise Marine 1999★

☐　　6 ha　　19 600　　■⬛♦ 30 à 49 F

Depuis deux ans La Négly nous a émerveillés avec ses rouges. C'est maintenant au tour d'un blanc dont les vignes de marsanne, de bourboulenc et de grenache puisent leur typicité dans le terroir sauvage de La Clape, à 1 km à peine de la mer. Ce 99 se présente dans une robe dorée très élégante. Ses arômes capiteux de miel et de fruits confits trouvent un support en bouche avec le gras et la belle présence. Un vin bien mûr pour une table de gastronomes. La cuvée La Côte avait obtenu en rouge un coup de cœur pour le millésime 98.

☛ SCEA Ch. de La Négly, 6, rue de l'Albigeois, 11560 Fleury-D'Aude, tél. 04.68.32.36.28, fax 04.68.32.10.69 ☑ ⵊ r.-v.
☛ Jean Paux-Rosset

DOM. DE LA PROSE
Saint-Georges d'Orques 1998★

■　　3 ha　　11 000　　■ 30 à 49 F

Enraciné dans un plateau calcaire dominant Saint-Georges-d'Orques et les environs, le jeune vignoble de La Prose engendre de belles cuvées, d'une année sur l'autre. Une fois encore, on ne se laisse pas d'être séduit par le Domaine 98 ; l'étoile attribuée par le jury rend hommage à sa belle nuance grenat perlé de violet, au nez délicat et charmeur de bigarreau, de garrigue, d'épices, à sa charpente bien présente et soyeuse. Deux mots pour signaler la **Grande Cuvée du Domaine, blanc 98** (70 à 99 F), digne de figurer dans le présent ouvrage.

☛ Bertrand de Mortillet, Dom. de La Prose, 34570 Pignan, tél. 04.67.03.08.30, fax 04.67.03.48.70 ☑ ⵊ r.-v.

CH. LA ROQUE
Pic Saint-Loup Cupa Numismae 1998*

■   20 ha   n.c.   ❙❙❙ 50 à 69 F

Voici cette année encore une très belle concentration dans cette cuvée du château La Roque. La robe est d'un grenat très intense. On trouve au nez des arômes de moka, de vanille, de bois brûlé mêlés à des notes d'épices. La bouche, ronde et puissante, est dominée par des tanins nombreux et serrés. Le caractère boisé demande un peu de temps pour s'adoucir (de trois à quatre ans).

☛ Jack Boutin, Ch. La Roque, 34270 Fontanès, tél. 04.67.55.34.47, fax 04.67.55.10.18 ☑ ⏱ t.l.j. sf dim. 10h-12h 14h-18h; groupes sur r.-v.

DOM. DE LA ROSE
Picpoul de Pinet Elevé en fût de chêne 1998*

☐   2 ha   13 000   ❙❙❙ 20 à 29 F

Voici un blanc qui se singularise, dans la série des picpoul de Pinet dégustés, par son âge (millésime 98) et son élevage en barrique. La robe aux luxueux reflets dorés annonce déjà un nez bien typé : de la vanille, des notes de grillé et des fruits secs. La bouche allie la rondeur et la vivacité au boisé. Le jury conseille de le garder encore quelques mois avant de le boire.

☛ SCV de L'Ormarine, 1, av. du Picpoul, 34850 Pinet, tél. 04.67.77.03.10, fax 04.67.77.76.23

CH. LA SAUVAGEONNE
Cuvée Prestige 1999*

■   6 ha   40 000   ■ ♨ 30 à 49 F

Le Château La Sauvageonne 99 est entouré d'un certain prestige qui colle bien à ses flacons. Il est d'un abord rouge profond, et fleure le grillé, le cuir, les épices, la violette. Il possède en bouche la force de la jeunesse, et les tanins fondus de 99. Harmonieux. **Les Ruffes 99 rouge** ont été avantageusement remarquées par le jury . Une cuvée citée (20 à 29 F), à boire dans l'année.

☛ Gaëtan Poncé et Fils, Ch. La Sauvageonne, 34700 Saint-Jean-de-la-Blaquière, tél. 04.67.44.71.74, fax 04.67.44.71.02, e-mail yvanof@aol.com ☑ ⏱ t.l.j. 9h-12h 13h30-19h

CH. DE LASCAUX
Pic Saint-Loup Les Nobles Pierres 1998*

■   n.c.   45 000   ❙❙❙ 50 à 69 F

Lascaux : ce nom est celui d'un tènement sur lequel Jean-Benoît Cavalier, tout nouveau président de l'appellation contrôlée coteaux du languedoc, cultive son vignoble. Les Nobles Pierres sont l'objet de toute son attention. Ce vin séduit par sa robe pourpre et profonde, ses arômes de fruits noirs, de torréfaction et de gibier. La bouche, pleine et charnue, révèle des tanins bien serrés. L'élevage finement maîtrisé ne cache pas le caractère de ce vin qui peut patienter cinq ans dans votre cave.

☛ Jean-Benoît Cavalier, 34270 Vacquières, tél. 04.67.59.00.08, fax 04.67.59.06.06, e-mail j.bcavalier@wanadoo.fr ☑ ⏱ t.l.j. sf dim. 10h-12h30 14h-19h

CH. DE LASCOURS Pic Saint-Loup 1999

◢   n.c.   6 500   ■ 30 à 49 F

Un rosé de saignée, couleur rose saumon bien brillant, au nez fruité, beurré et grillé. Il attaque rondement dans une bouche volumineuse et appétissante. Finesse et persistance en sont les deux traits de caractère.

☛ Claude Arlès, Ch. de Lascours, 34270 Sauteyrargues, tél. 04.67.59.00.58, fax 04.67.59.00.58 ☑ ⏱ t.l.j. 9h-20h

CH. LAVABRE Pic Saint-Loup 1998**

■   4 ha   16 000   ❙❙❙ 70 à 99 F

Jadis épris de recherche en son laboratoire, Olivier Bridel rencontra le Mas de Lavabre qui était à vendre. Il fut conquis comme nous le sommes aujourd'hui à la vue de ce vin rouge sombre aux reflets violets, aux parfums divers de bonne intensité - la mûre, la cerise, le cassis, le café et les épices ; un 98 à la fois tendre et concentré à la bouche longue et capitonnée de velours ; il porte bien ses deux étoiles.

☛ Dom. de Lavabre, Lavabre, 34270 Claret, tél. 04.67.59.02.25, fax 04.67.59.02.39 ☑ ⏱ r.-v.
☛ Bridel

CH. LA VERNEDE 1998*

■   n.c.   n.c.   ■ 20 à 29 F

A l'origine, c'est une centurie que les Romains, initiateurs de la culture de la vigne, établirent sur le site, puis le domaine appartint à des religieux qui conservèrent les traditions. Cela résume d'un trait l'histoire du Languedoc viticole qui nous permet de déguster ce vin d'une belle couleur pourpre, au nez de cuir, de fruits rouges, de torréfaction. La bouche est ample, d'un bon équilibre, avec des tanins encore présents. Egalement très réussi, le **98** alangui en **fût de chêne** (50 à 69 F) et le **blanc 99** élevé en fût (70 à 99 F) au bouquet intense de miel, de grillé, de cire d'abeille, de pêche... très élégant, à servir en apéritif.

☛ Jean-Marc Ribet, GFA La Vernède, 34440 Nissan-lez-Ensérune, tél. 04.67.37.00.30, fax 04.67.37.60.11 ⏱ t.l.j. 9h-12h 14h-19h

CH. DE L'ENGARRAN
Saint-Georges d'Orques Cuvée Quetton
Saint-Georges 1998**

■   5 ha   25 000   ❙❙❙ 70 à 99 F

A l'Engarran, le plaisir de goûter les vins s'accroît à mesure que la qualité s'impose. Le bonheur, bénéfice de l'expérience : à commencer par le distingué Quetton Saint-Georges 98, attirant par sa robe grenat profond. L'intensité s'affirme au nez, fin, élégant, complexe aux notes de fruits noirs, de cuir, de torréfaction, de café et d'épices (poivre) et aussi de fleurs et de réglisse. La puissance marque la bouche qui s'avère ample, suave, harmonieuse, d'une structure au grain affiné, d'une longueur exquise. Le **rosé Saint-Georges**, dans l'élaboration duquel on est ici passé maître, a vu sa classe récompensée de deux étoiles pour le **98**.

☛ SCEA du Ch. de L'Engarran, Ch. de l'Engarran, 34880 Laverune, tél. 04.67.47.00.02, fax 04.67.27.87.89 ☑ ⏱ t.l.j. 12h-19h; sam. dim. 10h-19h
☛ Grill

DOM. LES FERRAGERES
Pic Saint Loup 1998★★

| ■ | | 6 ha | 40 050 | 🍶 | 20 à 29 F |

Quelle est donc cette curiosité mise en bouteille par la maison Bessière ? C'est le Domaine Les Ferragères de M. Poncet. D'une couleur rouge soutenu à reflets bruns et bleus, avec un nez subtil de cuir, de framboise, de garrigue, de violette, épicé, il attaque franchement. La bouche est séductrice par sa matière dense, sa mâche bien présente, son volume et son appréciable longueur. N'oubliez pas de le décanter.
🍷 SA Bessière, 40, rue du Port, 34140 Mèze, tél. 04.67.18.40.40, fax 04.67.43.77.03
🍷 M. Poncet

LES TERRES ROUGES
Picpoul de Pinet 1999★

| ☐ | | n.c. | n.c. | 🍶 | 20 à 29 F |

Voici un picpoul de Pinet bien attrayant qui prend racine dans des terres d'argiles rouges. Ce 99 allie une robe limpide à nuances vertes à un nez bien ouvert de fleurs blanches et de fruits exotiques. Marquée par l'ampleur et la fraîcheur, la bouche se termine sur des notes citronnées. Le **Domaine du Roc blanc 99** (30 à 49 F) a, lui aussi, reçu une étoile.
🍷 Cave coop. La Montagnacoise, 15, rte d'Aumes, 34530 Montagnac, tél. 04.67.24.03.74, fax 04.67.24.14.78 ☑

LE TARRAL Montpeyroux 1998★

| ■ | | 2 ha | 12 000 | ⅢⅠ🍶 | 50 à 69 F |

Le Tarral est le nom local donné au vent de nord-est qui chasse le mauvais temps et apporte le soleil. Dans ce vin, les raisins devaient être gorgés de soleil. La robe d'un grenat discret ne laissait pas deviner un nez aussi sauvage : garrigue, cade, musc et épices. L'attaque en bouche est douce, assez ronde ; puis les tanins structurent l'ensemble, bien harmonieusement.
🍷 Cave coop. de Montpeyroux, Les coteaux du Castellas, 5, pl. Franç-Villon, 34150 Montpeyroux, tél. 04.67.96.61.08, fax 04.67.88.60.91 ☑ ⵣ t.l.j. 8h30-12h30 14h-18h; f. dim. de jan. à avril

CH. L'EUZIERE
Pic Saint-Loup Cuvée Les Escarboucles 1998★

| ■ | | 6 ha | 13 500 | ⅢⅠ | 50 à 69 F |

Un nom bien languedocien pour cette cuvée des Escarboucles qui naît au cœur du Pic Saint-Loup. Derrière la robe rubis sombre se profilent de beaux arômes de grillé, d'eucalyptus, de fruits cuits et de sous-bois. La bouche est ronde et pleine, les tanins fins et nombreux, le boisé bien maîtrisé. Tout cela mérite que l'on attende un peu en dégustant la cuvée **Tradition 98**, citée par le jury (30 à 49 F).
🍷 Michel et Marcelle Causse, ancien chem. d'Anduze, 34270 Fontanès, tél. 04.67.55.21.41, fax 04.67.55.21.41 ☑ ⵣ r.-v.

DOM. LEYRIS-MAZIERE 1999

| ■ | | 2 ha | 6 000 | 🍶 | 20 à 29 F |

Tout nouveau dans ce Guide puisqu'il s'agit de son premier millésime, ce domaine gardois a charmé le jury avec ce vin de couleur rubis léger,

son nez de fruits rouges et de grillé. Souple et équilibré en bouche, il se laisse boire dès maintenant.
🍷 Yvon Leyris, rue Cantarel, 30260 Cannes-et-Clairan, tél. 04.66.77.88.17 ☑ ⵣ r.-v.

LUCIAN Saint-Saturnin 1999★

| ■ | | 12,06 ha | 50 000 | 🍶🍷 | 30 à 49 F |

Deux cuvées, le Lucian 99 et le **Seigneur des Deux Vierges 98**, très réussies. Les vignerons de Saint-Saturnin s'imposent encore. Deux vins d'un rouge intense, framboise et cassis pour le 99, fruits confits, épicé et fumé pour le 98 élevé en fût ; fondu, souple et rond pour le premier, doté de tanins puissants, gras et d'une belle longueur pour le deuxième. Il est inutile de résister, laissez-vous tenter les yeux fermés.
🍷 Les Vins de Saint-Saturnin, rte d'Arboras, 34725 Saint-Saturnin-de-Lucian, tél. 04.67.96.61.52, fax 04.67.88.60.13 ☑ ⵣ r.-v.

CH. MALAVIEILLE Alliance 1999★

| ◢ | | 1 ha | 2 000 | 🍶🍷 | 30 à 49 F |

Encore des ruffes ! C'est le coin : toutes les collines qui bordent le lac du Salagou sont constituées de ces roches rouges ravinées, ridées par les intempéries. On dirait le Colorado. A Malavieille, on commence par le rosé 99 à la robe saumonée, au nez distingué (fleurs, groseille, framboise, agrumes, pain d'épice), à la bouche onctueuse et nerveuse à la fois, ronde, grasse et longuement veloutée. Les jurés ont également retenu, mais sans étoile, la cuvée **Alliance rouge 98**, encore sur la retenue en raison de ses seize mois de barrique.
🍷 Mireille Bertrand, Malavieille, 34800 Mérifons, tél. 04.67.96.34.67, fax 04.67.96.32.21 ☑ ⵣ r.-v.

CH. MANDAGOT
Montpeyroux Grande Réserve 1998★

| ■ | | 2 ha | 10 000 | ⅢⅠ | 50 à 69 F |

La Grande Réserve 98 du Château Mandagot devra séjourner de trois à quatre ans dans votre cave avant de sortir de... sa réserve. La couleur grenat est très soutenue, le nez exhale le cassis, la mûre, la figue, avec des notes animales et quelques épices. La bouche puissante révèle des tanins bien prononcés, avec du gras, du volume et quelque chose de chaleureux. Elle est d'une longueur honorable.
🍷 Jean-François Vallat, Dom. Les Thérons, 34150 Montpeyroux, tél. 04.67.96.64.06, fax 04.67.96.67.63 ☑ ⵣ r.-v.

MAS DES CHIMERES 1998★

| ■ | | 3 ha | 16 000 | ⅢⅠ | 50 à 69 F |

Ce Mas des Chimères 98 est à l'image de son géniteur : chaleureux et généreux. La couleur rouge soutenu, joliment violacée. Le nez intense séduit par sa palette diversifiée où l'on remarque des fruits mûrs, des épices, du cacao et du cuir. L'attaque est franche puis la bouche révèle du gras et du volume, le soyeux des tanins tapissant le palais.
🍷 Guilhem Dardé, Mas des Chimères, 34800 Octon, tél. 04.67.96.22.70, fax 04.67.88.07.00, e-mail mas.des.chimeres@free.fr ☑ ⵣ r.-v.

LANGUEDOC

CH. MINISTRE
Terroir de la Méjanelle Réserve 1998★

■　　　　8 ha　14 000　　■ 50 à 69 F

Mais à qui sont destinées les cuvées produites au Château Ministre ? A tout amateur éclairé disposant des quelques francs, moins de cent, donnant le privilège d'ôter le bouchon du 98 Réserve ; un vin grenat très profond, avec quelques anneaux tuilés, au nez riche, intense, de fruits confits, de garrigue épicée, ferme et doux en bouche, aux tanins lisses, en un mot harmonieux. Il existe aussi un **rouge 98** dit **« classique »** considéré comme réussi (30 à 49 F).
☛ SCEA ch. Ministre, Mas du Ministre, chem. du Ministre, 34130 Mauguio, tél. 04.67.15.03.64, fax 04.67.15.13.66, e-mail chateau@ministre.org ☑ ☎ t.l.j. 10h30-12h30; f. jan.

CH. MIRE L'ETANG La Clape 1999★★

☐　　　　6 ha　12 000　　■ ☗ 30 à 49 F

Face au Levant, bénéficiant des embruns de la Méditerranée toute proche et du soleil, le domaine de Mire L'Etang offre un Clape blanc 99 jaune doré brillant, au nez floral assez intense avec des pointes de miel et d'agrumes, de coing et de grillé. Une bonne vivacité, une fraîcheur gourmande équilibrent la bouche de remarquable ampleur, le tout s'exprimant suffisamment pour que l'on soit pleinement satisfait.
☛ Ch. Mire L'Etang, 11560 Fleury-d'Aude, tél. 04.68.33.62.84, fax 04.68.33.99.30 ☑ ☎ r.-v.

LES VIGNERONS DE MONTARNAUD-MURVIEL
Saint-Georges d'Orques Sélection Prestige Cuvée 2000 1998★

■　　　　4,7 ha　18 800　　■ ☗ 50 à 69 F

Les vignerons de Montarnaud-Murviel (les Montpellier) signent ici une belle cuvée à la robe pourpre sombre, au nez fin et riche, développant des notes de réglisse, de café et de cachou agrémentées de fruits rouges. L'entrée en bouche est grasse, veloutée avec beaucoup de volume et des tanins bien fondus.
☛ Les vignerons de Montarnaud-Murviel, 401, av. Saint-Paul, 34570 Montarnaud, tél. 04.67.55.59.45, fax 04.67.55.59.45 ☑ ☎ t.l.j. sf dim. 9h-12h 14h-19h

CH. DE MONTBAZIN 1999

■　　　　n.c.　20 000　　■ ☗ 30 à 49 F

Les vignerons de Montbazin présentent une belle sélection de syrah et de grenache en ce millésime 99 : une robe plutôt soutenue, un nez expressif dominé par le sous-bois, les fruits rouges, la violette et la torréfaction. La bouche s'avère équilibrée, tout en souplesse et en rondeur, chaleureuse et harmonieuse.
☛ Cave coop. Les Costières, 305, av. de la Gare, 34560 Montbazin, tél. 04.67.18.63.80, fax 04.67.78.64.46, e-mail cave-coopérative-les-costières@ wanadoo.fr ☑ ☎ t.l.j. sf dim. 9h-12h 14h-18h

CH. DE MONTPEZAT
La Pharaonne 1998★

■　　　　1 ha　3 500　　⦀ 70 à 99 F

Dans le terroir de Pézenas, Montpezat fait partie des incontournables. Si vous souhaitez goûter cet assemblage de mourvèdre et de grenache longuement et soigneusement mûris, réservez quelques bouteilles qui révéleront une robe intense arborant des reflets violets, un nez encore sur la réserve aux arômes de cassis, de fumée et d'épices et une bouche aux tanins fondus en harmonie avec le volume et le gras. Racé !
☛ J.-Christophe Blanc, Ch. de Montpezat, 34120 Pézenas, tél. 04.67.98.10.84, fax 04.67.98.98.78, e-mail contact@chateau-montpezat.com ☑ ☎ t.l.j. sf dim. 10h-19h; hiver sur r.-v.

MORTIES Pic Saint-Loup 1998★

■　　　　8 ha　18 000　　■ ⦀ ☗ 50 à 69 F

Mortiès décline ici un bel aperçu de sa gamme. Ce 98 se pare d'une robe pourpre sombre ; son beau nez évolue vers des fruits rouges assortis de notes de cuir, en passant par la truffe et la garrigue, et sa bouche assez profonde, de bonne longueur, se tapisse de tanins présents mais fins. Une étoile aussi pour le **blanc 98** qui connut discrètement le fût, où la roussanne dominante exprime un nez délicatement complexe d'une harmonie suave. Egalement retenu mais cité, le **Mortiès Jamais Content rouge 98**.
☛ Mortiès, 34270 Saint-Jean-de-Cuculles, tél. 04.67.55.11.12, fax 04.67.55.11.12 ☑ ☎ r.-v.
☛ Jorcin-Duchemin

CH. MOUJAN
La Clape Cuvée Baronne de Rivières 1998★

■　　　　1,05 ha　3 200　　⦀ 30 à 49 F

A Moujan, la tradition est bien présente dans un vignoble dont la renommée remonte au temps des Romains. Une étoile pour le Moujan 98 qui s'affirma douze mois en barrique pour nous charmer de sa robe de bonne intensité, de son nez épicé (vanille et girofle), fumé, avec une note de petits fruits, de sa bouche aux tanins puissants mais domestiqués, d'un bel équilibre. Compliments du jury pour l'élevage.
☛ SCE de La Clape, Ch. Moujan, 11100 Narbonne, tél. 04.68.65.24.71, fax 04.68.65.83.31, e-mail chateaumoujan@libertysurf.fr ☑ ☎ r.-v.
☛ M. de Braquilanges

CH. NOTRE-DAME DU QUATOURZE
1999★

☐　　　　4 ha　25 000　　■ 20 à 29 F

Très ancien carrefour de civilisations, Narbonne a toujours été étroitement liée à l'histoire du vin. Le château Notre-Dame du Quatourze s'illustre régulièrement en inscrivant une cuvée chaque année dans le Guide, quelquefois deux. Le blanc 99 charme aujourd'hui par sa robe jaune pâle, brillante. Il offre un agréable nez de fruits blancs, d'agrumes avec une note florale, avant de nous séduire par une bouche croquante toujours sur le fruit blanc, d'un bon volume persistant.

Georges Ortola, Ch. Notre-Dame-du-Quatourze, 11100 Narbonne, tél. 04.68.41.58.92, fax 04.68.42.41.88, e-mail georges.ortola@libertysurf.fr ☑ ⵏ t.l.j. 8h-12h 14h-19h

CH. PECH-CELEYRAN La Clape 1998★

| ■ | 38 ha | 220 000 | ■ ⵜ 30 à 49 F |

Nous retrouvons avec plaisir cette année le château Pech-Céleyran de la famille Saint-Exupéry. La robe est d'un grenat très profond. Le nez reflète bien la région de La Clape avec ses notes de garrigue, de poivre et de réglisse. Les nuances fruitées se révèlent en bouche à côté de tanins puissants. Un vin de garde qui s'ouvrira encore avec le temps.

Jacques de Saint-Exupéry, Ch. Pech-Céleyran, 11110 Salles-d'Aude, tél. 04.68.33.50.04, fax 04.68.33.36.12, e-mail pech-celeyran@mnet.fr ☑ ⵏ t.l.j. sf dim. 9h-18h

CH. PECH REDON
La Clape L'Epervier 1998★★

| ■ | 15 ha | 30 000 | ⵏⵏ 30 à 49 F |

Présenté au grand jury, l'Epervier 98 de Pech Redon a frôlé d'un cheveu la plus haute distinction. La robe est noire, concentrée ; le nez de cuir, de fruits rouges mûrs, de grillé, de garrigue précède une bouche de belle matière aux tanins bien présents mais relativement soyeux. L'équilibre et la longueur attestent la grande classe de ce vin. La **cuvée Clape l'Epervier blanc 99** a obtenu une citation. Grenache blanc et malvoisie ont donné des parfums délicieux et une bouche ronde, vive et longue.

Christophe Bousquet, Ch. Pech Redon, rte de Gruissan, 11100 Narbonne, tél. 04.68.90.41.22, fax 04.68.65.11.48 ☑ ⵏ t.l.j. sf dim. 9h-12h 14h-19h

CH. PERIES 1998★

| ■ | 5 ha | 3 300 | ■ ⵜ 30 à 49 F |

Entre l'Oppidum de Nissan-lez-Ensérune et la vieille Narbonnaise chère aux Gallo-Romains pour la réputation de ses vins, on traverse les terrasses de Béziers. Là, il vous sera loisible de déguster, la villégiature s'y prête, ce vin de Périès, d'un rouge pourpre profond, offrant une séduisante corbeille de fruits rouges, un soupçon de tilleul. Les tanins de ce 98 dominent encore l'équilibre.

J.-Jacques et Micheline Ortiz-Bernabé, Ch. Périès, 34440 Nissan-lez-Ensérune, tél. 04.67.37.01.34, fax 04.67.37.01.34 ☑ ⵏ t.l.j. 8h-12h 13h-20h

CH. PETIT ROUBIE
Picpoul de Pinet 1999★

| ☐ | 9,7 ha | n.c. | ■ 20 à 29 F |

Voici un picpoul de Pinet issu d'une agriculture biologique. Une robe pâle à reflets verts introduit ce 99. C'est ensuite la légèreté qui marque le nez avec des fleurs blanches et des agrumes ; quant à la bouche, le gras et la vivacité en font l'allié privilégié des huîtres de Bouzigues.

Olivier Azan, EARL Les dom. de Petit Roubié, B.P. 4, 34850 Pinet, tél. 04.67.77.09.28, fax 04.67.77.76.26, e-mail roubie@club-internet.fr ☑ ⵏ r.-v.

CH. DE PINET Picpoul de Pinet 1999★

| ☐ | n.c. | 40 000 | ■ ⵜ 30 à 49 F |

C'est sur un terroir argilo-calcaire, non loin de l'étang de Thau, qu'est né ce vin élégant et assez puissant. Derrière sa robe légère de couleur jaune paille se dégagent des arômes frais mêlant agrumes, fruits exotiques et aneth. Sa persistance en bouche est bien là et assure une bonne finale à ce vin à la fois rond et vif.

Simone Arnaud-Gaujal, Ch. de Pinet, 34850 Pinet, tél. 04.68.32.16.67 ☑ ⵏ r.-v.

DOM. DU POUJOL 1999★★

| ◪ | 5 ha | 24 000 | ■ ⵜ 30 à 49 F |

Le domaine du Poujol est représenté cette année par deux magnifiques cuvées étoilées : tout d'abord ce rosé assez pâle au nez très fin, élégant, de fleur et d'abricot, gourmand en bouche où l'on est comblé par un bel équilibre sur le gras et la fraîcheur et une remarquable longueur. Bien noté également, le **Podio Alto rouge 98** obtient une étoile ; il se révèle complexe, puissant et chaleureux, et atteindra la plénitude d'ici quatre ou cinq ans (50 à 69 F).

Robert et Kim Cripps, Dom. du Poujol, 34570 Vailhauquès, tél. 04.67.84.47.57, fax 04.67.84.47.57, e-mail kcripps@aol.com ☑ ⵏ r.-v.

PRIEURE SAINT-HIPPOLYTE 1999★

| ◪ | 10 ha | 15 000 | ■ ⵜ 20 à 29 F |

Les vignerons de Fontès sont passés maîtres dans l'art d'élaborer des rosés. Le 99 s'est distingué en arborant une couleur rose soutenu irisée de violet, un nez fin et de belle intensité aromatique dominé par les fruits rouges et exotiques. Il attaque gaillardement en bouche avec beaucoup de fraîcheur, de consistance, de longueur.

Cave coop. La Fontesole, 34320 Fontès, tél. 04.67.25.14.25, fax 04.67.25.30.66 ☑ ⵏ t.l.j. sf sam. dim. 8h-12h 14h-18h

PRIMA TERRA Montpeyroux 1998★★

| ■ | n.c. | 100 000 | 30 à 49 F |

Voici un joli Montpeyroux qui ne trahit pas son terroir d'origine même s'il n'est pas embouteillé sur place par ce négociant, mais au château Canet. Après une magnifique robe grenat, ce sont des arômes complexes qui vous transportent dans un monde d'épices douces, de confiture et de garrigue. La bouche se montre franche, structurée et d'une bonne persistance. L'harmonie signe toute la dégustation. Ce 98 pourra accompagner tout un repas dès maintenant ou pendant trois ans.

Domaines du Soleil, Ch. Canet, 11800 Rustiques, tél. 04.90.12.32.41, fax 04.90.12.32.49

DOM. PUECH Cuvée spéciale 1998★

| ■ | 2 ha | 4 700 | ■ ⵏⵏ 50 à 69 F |

Christophe Puech assure depuis trois, quatre ans la relève du trio familial. Il propose cette cuvée bien affinée, grenat sombre, aux notes de

LANGUEDOC

fumée, de fruits mûrs et de cerise, au boisé maîtrisé. Une belle charpente, des tanins veloutés sur une bouche ample, grasse et assez longue complètent le tableau.

🐾 J.-Louis, Christine et Christo Puech, GAEC Dom. Puech, 34980 Saint-Clément-de-Rivière, tél. 04.67.84.12.31, fax 04.67.66.63.16, e-mail domaine.puech@libertysurf.fr ☑ ⴲ r.-v.

CH. PUECH-HAUT
Saint-Drézéry Tête de cuvée 1998

| ■ | 18 ha | 52 000 | ⑪ | 100 à 149 F |

Un homme, deux domaines, trois vins, Gérard Bru, Puech-Haut et Silène des Peyrals. Tout d'abord Puech-Haut 98, Tête de cuvée, grenat sombre, au nez intense de cassis, vanillé, torréfié, à l'attaque nette en bouche ; structure et concentration persistent sur le gras avec toutefois des tanins encore un peu anguleux et un boisé toujours présent. Une étoile pour **Silène des Peyrals 98 rouge** sombre, au nez puissant encore marqué par le boisé avec des fruits vanillés, possédant une structure impressionnante (150 à 199 F). Enfin marsanne et roussanne ont donné un vin vinifié et élevé en fût, le **Puech-Haut blanc 99 Tête de cuvée** (100 à 149 F), assez long, qui a été cité.

🐾 SCEA Ch. Puech-Haut, 2250, rte de Teyran, 34160 Saint-Drézéry, tél. 04.67.86.93.70, fax 04.67.86.94.07 ☑ ⴲ r.-v.

🐾 Gérard Bru

CH. RICARDELLE
La Clape Blason du château Ricardelle 1998★

| ■ | 7 ha | 35 000 | ⑪ | 70 à 99 F |

Le duc de Fleury, quantième du nom, s'installa à Ricardelle en l'an de grâce 1696. Gageons qu'il devait apprécier les beaux flacons que, traditionnellement, on élabore dans ce domaine. Pour s'en convaincre, goûtons le Blason du château Ricardelle, d'un rouge grenat légèrement bruni par la barrique, riche de fruits confits, de torréfaction, au boisé délicat et serré en bouche, laquelle s'avère plutôt longue. Une étoile également pour le **Duc de Fleury blanc 98** à la robe jaune doré, très marqué par les agrumes et la verveine, de bonne ampleur et long (30 à 49 F).

🐾 Ch. Ricardelle, rte de Gruissan, 11100 Narbonne, tél. 04.68.65.21.00, fax 04.68.32.58.36, e-mail ricardelle@wanadoo.fr ☑ ⴲ t.l.j. 9h-20h

🐾 Pellegrini

CH. RIVIERE LE HAUT
Réserve Elevée en fût de chêne 1998★

| ■ | 0,26 ha | 1 200 | ■⑪♨ | 50 à 69 F |

Le château Rivière le Haut, dont la notoriété presque oubliée, fut fort heureusement redécouvert par Josiane Segondy. Les travaux de restauration du domaine portent déjà leurs fruits. Goûtez donc : cette Réserve se pare de pourpre profond et livre un nez intense de fruits macérés, de vanille, de fumée. Le boisé se fait discret dans une bouche ample, puissante et structurée. Une belle harmonie.

🐾 Josiane Segondy, Ch. Rivière Le Haut, 11560 Fleury-d'Aude, tél. 04.68.33.61.33, fax 04.68.33.90.32, e-mail rivierelehaut@wanadoo.fr ☑ ⴲ t.l.j. sf sam. dim. 9h-12h 14h-17h

CH. ROUMANIERES
Les Garrics Vieilli en fût de chêne 1998★

| ■ | 4 ha | 15 000 | ⑪ | 70 à 99 F |

Cette cuvée Garrics, comme son nom l'indique, arrive tout droit de la garrigue méditerranéenne. Ce 98 revêt une robe limpide et d'un grenat profond à reflets violets. Son nez puissant exhale des arômes de vanille, de fruits mûrs et de boisé tandis que son palais, riche en tanins, boisé, saura s'épanouir avec le temps.

🐾 GFA Gravegeal, EARL Ch. Roumanières, 34160 Garrigues, tél. 04.67.86.81.71, fax 04.67.86.82.00 ☑ ⴲ t.l.j. sf dim. lun. 9h-12h 15h-19h

CH. ROUQUETTE-SUR-MER
La Clape 1999★

| ◪ | 10 ha | 10 000 | ■♨ | 30 à 49 F |

De l'ancienne bastide, il ne reste plus que des pierres éparses, des pans de mur. Dans les nouveaux bâtiments on élabore de bien sympathiques cuvées comme ce Château Rouquette rosé 99 à la robe intense et brillante, au nez mentholé et fruité (cassis, framboise), frais et vif en bouche, révélant un très bel équilibre entre le gras et l'acidité. Le **rouge 98** a aussi retenu l'attention des jurés qui furent sensibles à sa robe profonde, à son nez délicat et à sa bouche gourmande ; il est cité.

🐾 Jacques Boscary, rte Bleue, 11100 Narbonne-Plage, tél. 04.68.49.90.41, fax 04.68.65.32.01 ☑ ⴲ t.l.j. 10h-12h 15h-19h

DOM. DES ROUVRES 1999★

| ■ | 1,45 ha | 8 000 | ⑪ | 30 à 49 F |

Tout nouveaux dans le club des AOC, les vignerons de Villevieille présentent leur carte de visite, en l'occurrence le Domaine des Rouvres 99, d'un rouge grenat intense, élégamment ourlé de violet, au nez de bonne intensité libérant des senteurs de pruneau, de cade, d'épices et de brûlé. Quant à la bouche, on y trouve un bel équilibre entre gras et rondeur, ainsi que la très bonne longueur d'un vin parvenu à maturité.

🐾 SCA les vignerons de Villevieille, 67, av. de la Calmette, 30250 Villeville, tél. 04.66.80.02.90, fax 04.66.77.70.51, e-mail lesvignerons.villevieille@voila.fr ☑ ⴲ t.l.j. sf sam. dim. 9h-12h 14h-18h

CUVEE SAINT-CHRISTOPHE 1999★

| ▢ | 25 ha | 20 000 | ■♨ | 20 à 29 F |

Voici un joli terroir à blancs situé à deux pas de l'abbaye de Fontcaude, un célèbre lieu de recueillement où les pèlerins faisaient étape avant de reprendre leur route vers Saint-Jacques-de-Compostelle. Ce 99, friand et équilibré, charmera d'abord par sa robe limpide et brillante parsemée de reflets dorés, puis par son nez évocateur d'agrumes, de fleurs blanches et de noisette. Enfin la bouche se montre à la hauteur avec sa rondeur et sa vivacité bien en harmonie.

•➜ Les Vignerons de Puisserguier,
29, rue Georges-Pujol, 34620 Puisserguier,
tél. 04.67.93.74.03, fax 04.67.93.87.73 ☑ ⊥ r.-v.

CLOS SAINTE-CAMELLE 1999★

| ■ | 3 ha | 17 000 | ■ ↓ | 30 à 49 F |

Catherine Do était déjà connue des amateurs grâce à d'excellents vins de pays élaborés à partir de rendements dignes des meilleures AOC. Le Clos Sainte-Camelle est bien sûr issu de cette catégorie. Sa couleur brillante est celle d'un vin concentré, son nez est enclin à la puissance en même temps qu'à la finesse, associant des fruits mûrs, des fruits secs et une note de garrigue. La très belle matière, suave en bouche, s'équilibre avec la présence de tanins fondus. Le **Clos 99 rosé** s'est distingué par son élégance et son originalité récompensées par l'attribution d'une étoile (20 à 29 F).
•➜ Catherine Do, Dom. de Campaucels, 34530 Montagnac, tél. 04.67.24.19.16, fax 04.67.24.19.16 ☑ ⊥ r.-v.

CLOS SAINTE-PAULINE P 1998★★

| ■ | 3 ha | 8 000 | ■ ↓ | 50 à 69 F |

Alexandre Pagès est un jeune vigneron comme on les aime, passionné et compétent. Tout en restant coopérateur, il tente l'aventure en cave particulière. Sa première vinification récolte deux étoiles, c'est un coup de maître. Du rubis sur la robe profonde, du cuir, un côté sous-bois, des fruits rouges mûrs, des épices, du grillé composent une belle palette. Des tanins bien présents mais soyeux, onctueux et d'une bonne longueur confirment la qualité de cette cuvée assemblant 65 % de syrah au grenache. Cette bouteille porte une étiquette bordée en hauteur d'un liseré bordeaux, marque qui la distingue d'**une autre cuvée** (30 à 49 F) assemblant le carignan aux deux autres cépages, citée par le jury pour son agréable fruité.
•➜ Alexandre Pagès, 1, rue Raspail, 34230 Paulhan, tél. 04.67.25.29.42, fax 04.67.25.29.42 ☑ ⊥ t.l.j. sf dim. 13h-18h

SAINT-JACQUES 1999★

| ◢ | 4 ha | 26 000 | ■ ↓ | 20 à 29 F |

L'association de Saint-Jacques et des vignerons de Saint-Félix se révèle fertile en très bonnes surprises. Notamment cette cuvée revêtue d'une belle robe chatoyante, rose soutenu, dentelée de reflets violets, d'une intensité aromatique apte à subjuguer, exhalant une pleine corbeille de fruits divers plus un petit bouquet de fleurs. Ronde, friande, veloutée au palais, elle affiche une ébauche de charpente qui lui donne un joli corps.
•➜ Cave des vignerons de Saint-Félix, 21, av. Marcelin-Albert, 34725 Saint-Félix de Lodez, tél. 04.67.96.60.61, fax 04.67.88.61.77 ☑ ⊥ r.-v.

CH. SAINT-JEAN D'AUMIERES
Cuvée Noble de Massane 1998★

| ■ | 4,88 ha | 13 066 | ■ | 30 à 49 F |

Après la robe rubis, c'est une jolie palette d'arômes qui a séduit le jury : des notes de miel, de pain d'épice, de résine et de confiture. La bouche chaleureuse et fruitée s'achève sur des tanins doux et réglissés. Ce vin peut s'affiner encore en bouteille.
•➜ Daniel Delclaud, Dom. St-Jean d'Aumières, rte de Montpellier, 34150 Gignac, tél. 04.67.57.52.57 ☑ ⊥ r.-v.

CH. SAINT-JEAN DE BUEGES
Elevé en fût de chêne 1998

| ■ | 1 ha | 5 100 | ⦀ | 50 à 69 F |

Nous voici dans la Buèges, un site sauvage et exceptionnel. Presque le bout du monde... Pourtant la vigne et les barriques ont su monter jusque-là comme en témoigne cette cuvée de couleur sombre au nez de vanille et de pain grillé. La bouche, complexe, offre des tanins bien présents. Elle est aujourd'hui un peu trop marquée par les notes boisées qui demandent à se fondre avec le temps. Un vin très prometteur.
•➜ SCA des Coteaux de Buèges, rte des Graves, 34380 Saint-Jean-de-Buèges, tél. 04.67.73.10.07, fax 04.67.73.12.38 ☑ ⊥ t.l.j. sf lun. mer. ven. 10h-12h 15h-17h

CAVE DE SAINT-JEAN DE LA BLAQUIERE Cuvée des Oliviers 1999★

| ◢ | 10 ha | 44 000 | ■ | 20 à 29 F |

On trouve de tout sur les calcaires pentus cultivés par les vignerons de Saint-Jean de la Blaquière. Les ruffes, bien sûr, ces roches grenat qui s'érodent en éléments fins propices à *vitis vinifera*, du basalte, du schiste, du calcaire... Ce sont sans doute des adrets bien exposés qui ont permis ce joli rosé soutenu et brillant, garni d'un bouquet de fruits rouges (cassis et framboise) complété par du grillé. Il se révèle frais, rond, coulant et gras en bouche, harmonieux sur une belle longueur. Cité, le **Domaine du Relais, rouge 98** est tout en souplesse (30 à 49 F).
•➜ Les vignerons de Saint-Jean-de-la-Blaquière, 34700 Saint-Jean-de-la-Blaquière, tél. 04.67.44.70.53, fax 04.67.44.75.06 ☑ ⊥ r.-v.

CUVEE SAINT-JEAN DES SOURCES
Picpoul de Pinet 1999★

| ☐ | 3 ha | 15 000 | ■ | 20 à 29 F |

Au domaine Saint-Paul-Colline on élabore et élève de très bons picpoul de Pinet. Cette cuvée jaune paille brillant, avec un nez délectable (fleur d'acacia, miel, agrumes, anis, fenouil, encaustique et grillé), attaque tout en rondeur alliant gras et vivacité, dans un équilibre persistant.
•➜ Pascale Morin, Dom. Saint-Paul-Colline, 34140 Meze, tél. 04.67.43.58.01, fax 04.67.43.33.60 ☑ ⊥ r.-v.

CH. SAINT-MARTIN DE LA GARRIGUE 1998★

| ■ | 3,1 ha | 20 000 | ⦀ | 70 à 99 F |

Ce terroir de grès calcaire a obtenu en 1997 l'appellation contrôlée pour ses vins rouges. Ce 98 confirme la belle aptitude de ces coteaux à faire naître des vins typés : sa robe sombre et très brillante laisse place à des arômes de vanille derrière lesquels se dissimulent des notes de fruits et de grillé. La bouche est élégante et bien structurée. Son boisé gagnera en fondu avec le temps. En **blanc 98** ce château a également obtenu une étoile.

➹SCEA Saint-Martin de la Garrigue,
Ch. Saint-Martin de la Garrigue,
34530 Montagnac, tél. 04.67.24.00.40,
fax 04.67.24.16.15 ☑ ⴲ r.-v.
➹ Umberto Guida

CH. SAINT-MARTIN DES CHAMPS
Elevé en fût de chêne 1998★

■　　　　7,89 ha　　20 000 ▮❙▮↓ ❚30 à 49 F❚

Du temps de Charlemagne, Saint-Martin-des-
Champs était une abbaye entourée de vignobles.
C'est en partie grâce à eux que l'on connaît la
science du vin. Les Birot, vignerons de père en
fils depuis la nuit des temps, bénéficient de cette
expérience séculaire. Témoin ce 98 finement
élevé en chêne, d'un rouge soutenu. Il offre des
senteurs de fruits, de garrigue, ce côté fleur
séchée, un peu balsamique du romarin, la réglisse
d'une belle syrah, l'inévitable torréfaction, et des
tanins bien présents mais suffisamment veloutés,
d'une très bonne longueur.
➹Pierre et Michel Birot, Ch. Saint-Martin-des-
Champs, 34490 Murviel-les-Béziers,
tél. 04.67.32.92.58, fax 04.67.37.84.49,
e-mail domaine@saintmartindeschamps.com
☑ ⴲ t.l.j. sf dim 9h-12h 15h-18h

DOM. DE SALENTE 1999★

◢　　　　1,84 ha　　3 500　　❚ 20 à 29 F❚

Aux portes des terrasses du Larzac, au
domaine de Salente, il vous est loisible de déguster un savoureux rosé 99 de teinte soutenue, aux
arômes de fraise, de framboise, de cerise, soulignés d'une pointe de réglisse. Rond et tendre, ce
vin est aussi élégant et harmonieux en bouche.
➹SCEA Dupin-Leygue, Dom. de Salente,
34150 Gignac, tél. 04.67.57.54.79,
fax 04.67.57.81.84 ☑ ⴲ r.-v.

DOM. DES SAUVAIRE 1999

■　　　　3 ha　　6 000　　❚ 20 à 29 F❚

Hervé Sauvaire est un des derniers arrivés
dans le club des coteaux du languedoc. Il se
signale par une cuvée 99 rouge soutenu fleurant
la cerise et autres petits fruits rouges, les épices,
avec des notes de torréfaction. La bouche aux
tanins fondus est ronde, tout en souplesse et bien
équilibrée.
➹Hervé Sauvaire, Mas de Reulhe,
30260 Crespian, tél. 04.66.77.89.71,
fax 04.66.77.89.71 ☑ ⴲ r.-v.

CH. DE TARAILHAN 1999★★

☐　　　　n.c.　　2 000　❙↓ ❚30 à 49 F❚

Sont-ce les pinèdes toutes proches, au cœur du
massif de La Clape, qui confèrent au Château de
Tarailhan 99, à la robe jaune doré, ses notes balsamiques si subtiles ? Cela sent intensément
l'essence de pin, puis le cade, la cire d'abeille, le
miel avec un côté fruité. La bouche attaque sur
une agréable vivacité qui laisse ensuite la place
à beaucoup d'étendue et de gras. Le tout, bien
proportionné, s'équilibre harmonieusement.
➹Jean-Yves Duret et Marie-José Richaud,
Dom. du ch. de Tarailhan,
11560 Fleury-D'Aude, tél. 04.68.33.91.88

DOM. DE TERRE MEGERE
Les Dolomies 1998★

■　　　　3 ha　　16 000　▮↓ ❚30 à 49 F❚

Des garrigues défrichées il y a une quinzaine
d'années, Michel Moreau a extrait la quintessence : de nombreuses cuvées régulièrement réussies comme les Dolomies 98 de Terre Mégère, un
98 de couleur soutenue, au nez intense, minéral,
brûlé, grillé, épicé et animal, évoquant aussi le
pruneau. Puissant et séveux, joliment équilibré
avec suffisamment de grain, ce vin pourra être
bu dans les trois ou quatre années à venir.
➹Michel Moreau, Dom. de Terre Mégère,
Cœur de Village, 34660 Cournonsec,
tél. 04.67.85.42.85, fax 04.67.85.25.12 ☑ ⴲ r.-v.

CH. DE VALCYRE Pic Saint-Loup 1998★

■　　　　5 ha　　9 000　❙↓ ❚30 à 49 F❚

Première mise en bouteilles pour le château de
Valcyre qui réussit une belle entrée dans le Guide
avec ce vin de plaisir : robe pourpre, nez de cassis, de mûre et de violette, bouche ronde et nette.
Il est à boire sur son fruit, même si les tanins se
présentent avec la fougue de leur jeunesse.
➹Ch. de Valcyre-Benezech, 34270 Valflaunes,
tél. 04.67.55.28.99, fax 04.67.55.28.99 ☑

CH. VALOUSSIERE
Elevé en fût de chêne 1998★

■　　　　12 ha　　80 000　　❙▮❙▮ ❚30 à 49 F❚

Le Château Valoussière et **Les Hauts de Lunes
97**, autant de Domaines de la maison Jeanjean
qui élaborent deux flacons réussis. Rouge soutenu aux reflets bleutés pour le millésime 98,
encore de bonne intensité pour le 97, fin, puissant, complexe ; tous deux sont riches en arômes
et en senteurs élégantes d'épices, de fruits rouges,
avec un peu de cuir, et révèlent une charpente
au grain encore serré. De bonne garde.
➹Hugues Jeanjean, SARL Les Hauts de
Lunes, 34230 Cabrials, tél. 04.67.88.41.30,
fax 04.67.88.41.33

DOM. DES VIGNES HAUTES
Pic Saint Loup 1998★

■　　　　2,11 ha　　9 800　　❚ ▮❙▮ ❚50 à 69 F❚

Deux vins des vignerons de Corconne reçoivent une étoile cette année : bien connue, la **Gravette rouge (millésime 99)** (30 à 49 F), et cette
cuvée 98 à la robe dense et pourpre. Des arômes
complexes de pâtes de fruits, d'épices et de poivre
typent ce vin. L'attaque en bouche, ronde et
pleine, laisse place à une belle structure puis à
des notes boisées en finale. Ce 98 pourra attendre.
➹SCA La Gravette, 30260 Corconne,
tél. 04.66.77.32.75, fax 04.66.77.13.56 ☑ ⴲ r.-v.

DOM. ZUMBAUM-TOMASI
Clos Maginiai 1998★★

■　　　　4 ha　　13 600　❙▮❙▮↓ ❚70 à 99 F❚

Domaine Zumbaum-Tomasi ? Il s'agit d'un
nouveau venu, un juriste allemand international.
Il étudia le droit en Languedoc, aima aussitôt la
région et finit par acheter un domaine près du
Pic Saint-Loup. Le 98, première vinification, est
rouge sombre. Il allie au nez confiserie, viennoiserie et fruits confits, grillé, sous-bois, cuir, boisé

de noble essence. La bouche puissante et ample est riche d'une matière promettant six ou sept ans de garde. On nous dit que le domaine est en train de se convertir à l'agriculture biologique.

🠆 Dom. Zumbaum-Tomasi, rue du Cagarel, 34270 Claret, tél. 04.67.02.82.84, fax 04.67.02.82.84 ☑ ⊥ r.-v.

Faugères

Les vins de Faugères sont des vins AOC depuis 1982, comme les saint-chinian leurs voisins. La région de production, qui comporte sept communes situées au nord de Pézenas et de Béziers et au sud de Bédarieux, produit 60 à 70 000 hl de vin. Les vignobles sont plantés sur des coteaux à forte pente, d'altitude relativement élevée (250 m), dans les premiers contreforts schisteux peu fertiles des Cévennes. Le faugères est un vin bien coloré, pourpre, capiteux, aux arômes de garrigue et de fruits rouges.

CH. DES ADOUZES
Elevé et vieilli en fût de chêne 1998★

■		4 ha	8 000	◀▌▶	30 à 49 F

Des millésimes particulièrement remarquables (95, 96) ont rapidement donné à ce domaine ses lettres de noblesse. Ce 98, élaboré à partir de vieux carignans (50 %) et de syrah, reste encore dominé par le fruit. Il s'exprime simplement avec rondeur et souplesse. Un joli vin à boire sur une grillade d'agneau des Cévennes.

🠆 Jean-Claude Estève, Tras du Castel, 34320 Roquessels, tél. 04.67.90.24.11, fax 04.67.90.12.74 ☑ ⊥ r.-v.

CH. CHENAIE Les Douves 1998★★

■		7,5 ha	26 000	◀▌▶	70 à 99 F

A égalité, le **blanc 98 cuvée Les Douves blanches** et cette cuvée Les Douves 98 qui ont participé à la sélection du grand jury pour le coup de cœur. Ce domaine sait exploiter toutes les qualités de son merveilleux terroir. C'est un faugères très bien travaillé, de belle expression, qui allie finesse aromatique et tanins de qualité. Un grand vin qui ne se prend pas au sérieux.

🠆 EARL André Chabbert et Fils, Ch. Chenaie, 34600 Caussiniojouls, tél. 04.67.23.17.73, fax 04.67.95.44.98 ☑ ⊥ r.-v.

CH. DES ESTANILLES 1998★

■		5 ha	20 000	◀▌▶	100 à 149 F

Estagnols et Fontanilles ont donné son nom à ce domaine très connu par les œnophiles avertis. Des vignes relativement âgées et une vendange manuelle triée signent ce 98 qui se présente dans une robe pourpre, avec un nez concentré et fermé. La bouche est particulièrement intéres-

sante par sa rondeur et son équilibre. Il est évident que ce vin a un bel avenir.

🠆 Michel Louison et Sophie Louison, Ch. des Estanilles, 34480 Cabrerolles, tél. 04.67.90.29.25, fax 04.67.90.10.99, e-mail earl.louison@worldonline.je ☑ ⊥ r.-v.

DOM. DE FRAISSE 1999★

◤		5,35 ha	25 000		30 à 49 F

Autignac sur schistes, dans le Faugérois, sur les contreforts de l'extrême sud du Massif central, en Languedoc. M. et Mme Pons, aimant la belle ouvrage, nous divulguent chaque année le secret de la vinification de leurs fameux rosés. La couleur est pâle et brillante, le nez s'impose, intense et raffiné, fruits rouges et fleurs blanches, un peu fumé. Le palais s'emplit de rondeur, de gras et d'harmonie.

🠆 Jacques Pons, 1 bis, rue du chem. de Ronde, 34480 Autignac, tél. 04.67.90.23.40, fax 04.67.90.10.20, e-mail jacques.pons6@wanadoo.fr ☑ ⊥ r.-v.

CH. DE LA LIQUIERE Cistus 1998

■		6 ha	19 000	◀▌▶	70 à 99 F

Bon terroir ne saurait mentir. Ce vin n'est pas très expressif aujourd'hui. Mais sa couleur prometteuse engage à lui faire confiance. Le nez discret laisse apparaître des notes de grillé, de fumé. L'ensemble est d'une bonne texture avec des tanins tendres et fins.

🠆 Famille Vidal, Ch. de La Liquière, 34480 Cabrerolles, tél. 04.67.90.29.20, fax 04.67.90.10.00, e-mail bvidal@terre-net.fr ☑ ⊥ t.l.j. sf sam. dim. 9h-12h 14h-18h

DOM. DES LAURIERS
Elevé en fût de chêne 1997★

■		12 ha	70 000	🍴◀▌▶	30 à 49 F

Cette année c'est la cuvée des Lauriers qui passe devant le **Domaine de Fenouillet 98**, cité. La famille Jeanjean vinifie à la cave de Laurens et sait exploiter ce très beau terroir. D'un rouge sombre avec un nez vénérable (encaustique, laurier), ce 97 illustre bien la qualité potentielle de ce millésime à Faugères. Une bouteille à maturité offrant un bel équilibre.

🠆 Vignerons et Passions, B.P. 1, 34725 Saint-Félix-de-Lodez, tél. 04.67.88.80.39, fax 04.67.96.65.67

LE MOULIN COUDERC
Elevé en fût de chêne 1998★

■		4 ha	6 000	◀▌▶	30 à 49 F

Concentration de la robe et du nez de fruits cuits mêlés de violette, d'épices et de grillé. Toute la chaleur du terroir s'exprime dans la bouche très puissante mais élégante, marquée par une persistance aromatique importante. Vous pourrez déjà apprécier ce 98, mais il gagnera encore avec le temps.

🠆 Vincent Fonteneau, chem. de l'Aire, 34320 Roquessels, tél. 04.67.90.23.25, fax 04.67.90.11.05 ☑ ⊥ r.-v.

LANGUEDOC

DOM. DU MÉTÉORE
Réserve Elevé en fût de chêne 1998★★★

■　　　3 ha　　9 500　　**I|I**　50 à 69 F

Le domaine doit son nom à une curiosité vieille de dix mille ans que l'on peut aller voir au fond d'un cratère. Superbe, impressionnant, ce vin est coup de cœur à l'unanimité du grand jury. La robe est très sombre et le nez a des parfums distingués, grillés, fumés, poivrés, balsamiques. L'ensemble est solide, harmonieux, avec une finale ferme, à la fois dense. Belle illustration du terroir de schistes, ce faugères est somptueux mais il ne faut pas oublier de le décanter !
☛ Geneviève Libes-Coste, Dom. du Météore, 34480 Cabrerolles, tél. 04.67.90.21.12, fax 04.67.90.11.92 ☑ ⵠ t.l.j. 10h-12h30 15h-19h30; hiver sur r.-v.

MOULIN DE CIFFRE Eole 1998★★
■　　　2 ha　　7 000　　**I|I**　70 à 99 F

Récemment établie dans la région, la famille Lésineau a mis très peu de temps pour s'adapter et comprendre son terroir comme le prouvent les étoiles obtenues tant en faugères qu'en **saint-chinian 98** (une étoile, 30 à 49 F). Cette cuvée Eole est, elle, élaborée en fût alors que le saint-chinian ne l'est pas. C'est un vin racé dans lequel la puissance des fruits cuits et un côté minéral côtoient harmonieusement un équilibre tout en fruit. Charnue, soyeuse, la bouche est bien fondue et d'une bonne persistance. Un beau vin de terroir.
☛ SARL Ch. Moulin de Ciffre, Moulin de Ciffre, 34480 Autignac, tél. 04.67.90.11.45, fax 04.67.90.12.05 ☑ ⵠ r.-v.
☛ B. et J. Lésineau

DOM. OLLIER TAILLEFER
Cuvée Castel Fossibus 1998★★

■　　　5 ha　　12 000　　**I|I**　50 à 69 F

Ce superbe terroir de schistes ne peut faire naître que des vins de grande typicité. Celui-ci répond à l'ensemble des critères de l'appellation comme le montrent sa robe pourpre, son nez minéral s'ouvrant sur du grillé et du fumé. Remarquable par sa fraîcheur en finale, il possède des tanins encore jeunes mais sans excès. A servir pendant quatre ou cinq ans.
☛ Dom. Ollier-Taillefer, rte de Gabian, 34320 Fos, tél. 04.67.90.24.59, fax 04.67.90.12.15 ☑ ⵠ r.-v.
☛ Alain Ollier

CH. DES PEYREGRANDES
Prestige 1998

■　　　3 ha　　8 660　　**I|I**　50 à 69 F

Issu de sols schisteux, ce 98 composé de vieux carignans, de syrah, de grenache et de mourvèdre donne un vin jeune et plaisant. La robe est sombre ; le bouquet, encore replié sur lui-même, annonce une bonne concentration. Une belle matière compose ce vin qui gagnera a être un peu attendu.
☛ SCEA Dom. Bénézech et Fils, Tras du Castel, 34320 Roquessels, tél. 04.67.90.15.00, fax 04.67.90.15.60 ☑ ⵠ r.-v.
☛ Marie G. Boudal

DOM. RAYMOND ROQUE
Elevé en fût de chêne 1998★

■　　　4 ha　　6 500　　**I|I**　50 à 69 F

Il est bien fait et attachant, nous dit-on. L'harmonie générale est bonne avec un nez délicat, finement fumé, typé de son terroir de schistes. Un joli vin aux tanins élégants et fondus, prêt à être consommé sur du gibier à plume.
☛ GAEC Raymond Roque et Fils, quartier de l'Ancien-Château, 34480 Cabrerolles, tél. 04.67.90.21.88 ☑ ⵠ r.-v.

TERRASSES DU RIEUTOR 1998★★

■　　　20 ha　　20 000　　**I|I**　50 à 69 F

Deux étoiles pour le **blanc 99 cuvée Terrasses du Rieutor** (30 à 49 F), ainsi que pour ce rouge. Cette année encore la cave de Faugères confirme sa position parmi les premiers de l'appellation. Cette cuvée 98, élevée en fût de chêne, présente une robe pourpre et un nez aux notes de ciste, de fumé, de goudron. Complexe en bouche, elle offre beaucoup de volume et de classe.
☛ Les Crus Faugères, Mas Olivier, 34600 Faugères, tél. 04.67.95.08.80, fax 04.67.95.14.67 ☑ ⵠ r.-v.

Fitou

L'appellation fitou, la plus ancienne appellation AOC rouge du Languedoc-Roussillon (1948), est située dans la zone méditerranéenne de l'aire des corbières ; elle s'étend sur neuf communes qui ont également le droit de produire des vins doux naturels rivesaltes et muscat de rivesaltes. La production a atteint 103 680 hl en 1999. C'est un vin d'une belle couleur rubis foncé qui compte au minimum 12 ° d'alcool et dont l'élevage dure au moins neuf mois.

DOM. ASTRUC Cuvée Privilège 1998★

■　　　3 ha　　7 500　　**I|I**　50 à 69 F

Seuls les vieux carignan et grenache, objets de tous les soins, et ici récoltés en plusieurs passages, peuvent se payer le luxe d'un élevage de douze mois en demi-muids de chêne et s'offrir dans le verre avec une robe d'un pourpre aussi intense. Vanillé, du bois, et grillé laissent filtrer la présence du ciste. Puis la bouche, puissante, virile et vanillée laisse augurer un fitou de gibier.

🍷 Claudine et Eric Astruc, rue de La Gare, 11350 Tuchan, tél. 04.68.27.66.24, fax 04.68.27.66.32 ☑ ⵝ r.-v.

DOM. BERTRAND-BERGE
Tradition 1998★

■	15 ha	60 000	▤⭣ 30 à 49 F

Ici, la valeur n'attend pas le nombre des années. Depuis sept ans aux commandes de l'exploitation, Jérôme Bertrand n'a pas tardé à se faire un nom en fitou, surtout à l'export. Les vieux carignan l'attendaient pour s'exprimer. Déjà fort agréable et prêt à boire, ce 98 grenat aux arômes grillés où se bousculent café, épices, sur fond de pruneau est un bel exemple d'équilibre et de finesse.

🍷 Jérôme Bertrand, av. du Roussillon, 11350 Paziols, tél. 04.68.45.41.73, fax 04.68.45.41.73 ☑ ⵝ r.-v.

LES MAITRES VIGNERONS DE CASCASTEL Cuvée spéciale 1998★★★

■	60 ha	150 000	▤⭣ 30 à 49 F

Plus de ponts, plus de routes, un paysage dévasté tout au long de la Berre : les inondations de novembre ont remodelé à leur façon le cadastre. La cave ébranlée a tenu mais sera reconstruite. Les hommes ont décidé de regarder devant eux. Il faut dire que cette coopérative possède de sacrés atouts et que le choix a été difficile entre une **Carte Or 98** superbe et des remarqués **Sélection** et **Château de Seigneur d'Arse 98**. La Cuvée spéciale, très ample et riche, parée d'un beau grenat, en bataille entre fruit mûr, épice, torréfaction et bourgeon de cassis. La puissance des tanins est adoucie par un grain velouté ; l'équilibre est parfait. Un vin en devenir qui s'ouvrira pleinement d'ici deux ans.

🍷 Les Maîtres Vignerons de Cascastel, 11360 Cascastel, tél. 04.68.45.91.74, fax 04.68.45.82.70 ☑ ⵝ r.-v.

DOM. DES ESTAGNELS 1998

■	6 ha	26 000	▤⭣ 30 à 49 F

Savoir s'arrêter, prendre le temps de se perdre parmi les petites routes qui, du village, serpentent hardiment dans les collines minérales des Corbières, c'est découvrir un décor unique et

comprendre le fitou. Très soutenu, celui-ci se présente avec des senteurs d'épices, de lentisque et le grillé très fin du mourvèdre. Fondu mais ample, bien équilibré quoique chaleureux, il est vraiment typique du fitou.

🍷 SCV Fitou, B.P. 1, 11510 Fitou, tél. 04.68.45.71.41, fax 04.68.45.60.32

DOM. DE LA ROCHELIERRE
Elevé en fût de chêne 1998★★

■	3 ha	7 000	ⵒ 30 à 49 F

La barrique a remplacé le foudre avec bonheur, permettant de mettre en valeur syrah et mourvèdre à côté des traditionnels carignan et grenache qui firent la force des fitou. La robe pourpre, intense, solide de ce 98 a du mal à retenir les senteurs matures de fruit et d'épices. Rond, puissant, épicé, ce fitou est harmonieux, avec une excellente qualité des tanins tout en fondu.

🍷 Jean-Marie Fabre, 17, rue du Vigné, 11510 Fitou, tél. 04.68.45.70.52, fax 04.68.45.70.52 ☑ ⵝ t.l.j. 9h-12h 13h30-19h30; nov. à avril 13h30-19h30

DOM. LERYS Cuvée Prestige 1998★★★

■	n.c.	20 000	▤⭣ 30 à 49 F

Très affectés par les inondations de novembre, Maguy et Alain Izard ont réagi immédiatement pour s'affirmer face aux éléments, et aller plus loin encore. Belle leçon de volonté, de dynamisme et d'espoir. Le rubis profond de ce 98 s'accorde avec bonheur aux senteurs fraîches de fruits mûrs et d'épices. Un vin à la fois souple et ample, sur un superbe équilibre, dont le fruit perdure autour de tanins toujours frais et de très belle facture. Encore de beaux jours à venir.

🍷 Dom. Lerys, 11360 Villeneuve-les-Corbières, tél. 04.68.45.95.47, fax 04.68.45.86.11, e-mail domlerys@aol.fr ☑ ⵝ t.l.j. 10h-20h

🍷 Izard

DOM. LES MILLE VIGNES
Cuvée Les Vendangeurs de la Violette 1998★

■	2 ha	2 600	▤ 150 à 199 F

Un amoureux du vin qui, après l'achat de 1 000 ceps en 1979, se retrouve aujourd'hui avec 5 ha en production mais toujours avec la même volonté de bien faire (vendange en caisses). L'approche de ce 98 est solide, le grenat profond tout en senteurs lourdes de fruits mûrs, de pruneau et de sous-bois. En bouche, le fruit se fait confit ; le vin est trapu, dans sa jeunesse, bien épaulé par de bons tanins encore durs. A attendre...

🍷 Jacques Guérin, 24, av. Saint-Pancrace, 11480 La Palme, tél. 04.68.48.57.14, fax 04.68.48.57.14 ☑ ⵝ r.-v.

DOM. MAYNADIER
Cuvée de l'Ancêtre 1998★

■	5 ha	6 483	▤ 20 à 29 F

Le nom de Fitou tire son origine de *Fita* (borne, frontière) et non comme le dit avec humour le dicton « Dieu fit tout, l'homme le fitou ». D'entrée, le vin annonce la « couleur » avec une robe sombre, un nez puissant, épicé, empyreumatique, sauvage avant que la bouche aux tanins bien présents ne confirme une belle concentration. Un vin typique à attendre. Comme le **98 élevé en fût**, tout aussi bien noté par le jury.

☛ Maynadier, R.N. 9, 11510 Fitou, tél. 04.68.45.63.11, fax 04.68.45.60.94 ☑ ⏚ t.l.j. 9h-12h 14h-19h

MONT TAUCH Prestige 1998★★

■	25 ha	60 000	ⅰ⏐ⅰ	50 à 69 F

Après de belles vendanges, c'est un terroir déchiré qu'ont découvert les vignerons au lendemain des inondations de novembre. Le secteur de Ségure a souffert mais comme toujours ici, les hommes se sont retrouvés pour panser les plaies et repartir. Cette cuvée Prestige est tout en mûre et en cassis puis en violette dans une belle robe pourpre. Le plaisir se poursuit autour d'un vin fruité, soyeux, finement épicé. Le maître-mot de la dégustation est équilibre. A noter d'excellents **Seigneurie Don Neuve 98** et **Château de Ségure 98.**

☛ Cave du Mont Tauch, 11350 Tuchan, tél. 04.68.45.41.08, fax 04.68.45.45.29 ⏚ r.-v.

TERRE ARDENTE 1998

■	n.c.	25 000	ⅰ ↓	50 à 69 F

Huîtres, vins, longue plage de sable fin, étang réputé pour la planche à voile, Leucate a tous les atouts en mains pour bien vous accueillir. D'autant qu'à l'initiative de son charismatique président, la cave a entrepris une heureuse réhabilitation des clos viticoles. Très soutenu, sombre, ce 98 au nez intense de sous-bois, de civette et de raisin mûr où perce le genièvre laisse augurer un vin solide, chaleureux mais souple à l'attaque. La puissance se confirme en bouche avec une finale tannique apte aux meilleurs gibiers.

☛ Les vignerons du Cap Leucate, 2, av. F.-Vals, 11370 Leucate, tél. 04.68.40.01.31, fax 04.68.40.08.90 ☑ ⏚ r.-v.

Minervois

Le minervois, vin AOC, est produit sur soixante et une communes, dont quarante-cinq dans l'Aude et seize dans l'Hérault. Cette région plutôt calcaire, aux collines douces et au revers exposé au sud, protégée des vents froids par la Montagne Noire, produit des vins blancs, rosés et rouges : ces derniers représentent 95 % ; en tout 212 267 hl en 1999 dans les trois couleurs sur près de 5 000 ha.

Le vignoble du Minervois est sillonné de routes séduisantes ; un itinéraire fléché constitue la route des Vins, bordée de nombreux caveaux de dégustation. Un site célèbre dans l'histoire du Languedoc (celui de l'antique cité de Minerve, où eut lieu un acte décisif de la tragédie cathare), de nombreuses petites chapelles romanes et les intéressantes églises de Rieux et de Caune sont les atouts touristiques de la région. La confrérie locale, les Compagnons du Minervois, a son siège à Olonzac.

La commune de la Livinière s'inscrit désormais dans le cadre d'une appellation minervois-la-livinière regroupant cinq communes. Elle a produit 6 782 hl de vin rouge en 1999.

ABBAYE DE THOLOMIES 1997★

■	7 ha	36 000	ⅰ⏐ⅰ	30 à 49 F

Sous l'abbaye bénédictine millénaire se cache une cave ultramoderne. Mais dans ce cadre béni, on ne s'en remet pas uniquement à la providence pour livrer un vin d'une belle concentration, volumineux et chaud. Ses bons arômes balsamiques et grillés côtoient les fruits cuits. Il est ample et long, très réussi.

☛ SARL Lucien Rogé, 34210 La Livinière, tél. 04.68.78.10.21, fax 04.68.78.36.04

ABBOTTS Cumulo Nimbus 1998★★

■	10 ha	36 000	ⅰ⏐ⅰ	100 à 149 F

Venue d'Australie, la maison Sneyd et Abbott est convaincue du potentiel du vignoble du Minervois. Même si le nom de la cuvée étonne - les cumulo-nimbus sont porteurs de pluie - ce vin est remarquable. Elevée quatorze mois en fût, la syrah est ici somptueuse ; la couleur intense jette de fins éclairs, les arômes pleuvent tant au nez qu'en bouche : vanille, épices, café s'articulent sur une trame tannique de haute expression. La longue finale assure l'avenir de cette bouteille. A essayer sur des pigeons à la catalane.

☛ SARL Abbott Sneyd Anderson, 5, rue de la Friperie, 34000 Montpellier, tél. 04.67.91.31.00, fax 04.67.91.31.07, e-mail abbotts@wanadoo.fr

DOM. DE BARROUBIO 1999★★

◢	1 ha	3 500		20 à 29 F

Issu des calcaires durs de Saint-Jean-de-Minervois, terroir réputé pour ses muscats, ce rosé tuilé de Raymond Miquel est splendide. Le bouquet, subtil et printanier, conjugue élégance et générosité ; il surprend par sa complexité. La bouche a de beaux accents de garrigue ; sa longueur dépasse toutes les espérances. Ce vin confirmera ses qualités sur vos plats épicés.

☛ Raymond Miquel, Dom. de Barroubio, 34360 Saint-Jean-de-Minervois, tél. 04.67.38.14.06, fax 04.67.38.14.06, e-mail barroubio@club-internet.fr ☑ ⏚ t.l.j. 9h-12h 15h-19h

CH. BELVIZE Cuvée des Oliviers 1997

■	0,8 ha	25 000	ⅰ⏐ⅰ	30 à 49 F

Remarqué pour ses blancs l'an passé, le château se distingue cette fois avec sa cuvée des Oliviers d'un rouge sombre intense. Ses fruits rouges et ses épices naviguent avec aisance sur un édifice équilibré et chaleureux, dominé par les tanins du

mourvèdre. Il faut savoir attendre que ce vin soit apprivoisé.
⊶ Ch. Belvize, La Lecugne, 11120 Bize-Minervois, tél. 04.68.46.22.70, fax 04.68.46.35.72, e-mail belvize@terre-net.fr ☑ Ι r.-v.
⊶ Amiel

CH. DE BLOMAC Cuvée Tradition 1998

■ 8 ha 45 000 ▮🌡 30 à 49 F

Fidèle à la tradition par sa composition (40 % de carignan en macération carbonique), ce vin, témoin du retour aux sources, est séduisant. Dès l'attaque, il offre la profondeur de ses fruits noirs qui vont si bien à ce cépage lorsqu'on l'apprivoise. Ample, persistant et fin, ce 98 attendra encore un peu.
⊶ SCEA Ch. de Blomac, 11700 Blomac, tél. 04.68.79.01.54, fax 04.68.79.22.28 ☑ Ι r.-v.

CH. BONHOMME 1997

■ 7 ha 30 000 ⦶ 50 à 69 F

Les vieilles vignes de carignan et de cinsault atteignent leur maturité pour donner un vin où la bouche, sur le fruit et le cacao, fait son bonhomme de chemin. L'ensemble tient la longueur avec finesse et fraîcheur. Un 97 prêt à boire.
⊶ SCE Ch. Bonhomme, Dom. de Bonhomme, 11800 Aigues-Vives, tél. 04.68.79.28.47, fax 04.68.79.28.48 ☑ Ι r.-v.

DOM. BORIE DE MAUREL Cuvée Sylla 1998★★★

■ 6 ha 10 000 ▮🌡 100 à 149 F

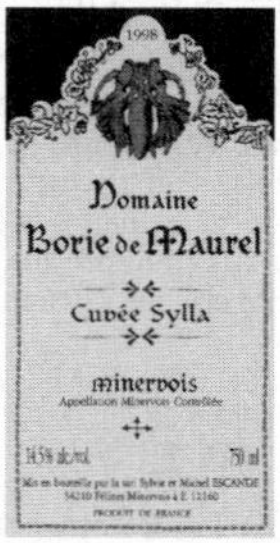

Cinquième coup de cœur en six ans ! Désormais mondialement connue, cette cuvée fait tourner bien des têtes... Brillante comme un rubis, elle promène au sous-bois des arômes de violette, de truffe, de moka et de réglisse. La bouche est une révélation ; sa puissance ouvre les portes du paradis. Les arômes dansent tout en finesse, en équilibre harmonieux. D'une douceur extrême, la finale est pure extase. Ce vin est digne des plus grands.
⊶ Michel Escande, Dom. Borie de Maurel, 34210 Félines-Minervois, tél. 04.68.91.68.58, fax 04.68.91.63.92 ☑ Ι r.-v.

DOM. DES CAUSSERELS 1998★★

■ 1,8 ha n.c. ▮ 30 à 49 F

Syrah et grenache composent cette cuvée vinifiée en macération carbonique. De belle prestance dans sa robe grenat, ce 98 offre une gamme aromatique complexe, alliant réglisse, fruits des bois et vanille sur des tanins cousus main. Ample, volubile, le palais est relevé. Un vin de collection.
⊶ Michel Sicart, chem. des Aires, 34210 Siran, tél. 04.68.91.54.06 ☑ Ι t.l.j. 9h30-20h

DOM. DE CERENS 1999★

□ 0,89 ha 3 000 ▮🌡 20 à 29 F

Avec le souci de la perfection qui le caractérise, Christian Lauber, maître de chai de la coopérative, présente un minervois blanc brillant, légèrement hâlé, aux arômes floraux et épicés. Equilibré et chaleureux en bouche, ce Méridional taquin vient déposer délicatement sur la finale un bouquet pétillant aux accents résinés.
⊶ Cellier Armand de Bezons, 11600 Villalier, tél. 04.68.77.16.69, fax 04.68.77.15.85 ☑ Ι r.-v.

CH. COUPE ROSES Rosé Frémillant 1999

◩ 1 ha 6 000 ▮🌡 30 à 49 F

Exporté aux quatre coins du monde, ce rosé pâle et brillant fera bien des heureux. Si celui-ci affiche une parfaite maîtrise technologique, il laisse s'exprimer un fruité plaisant, du volume et de la rondeur. Bien frais, il sera idéal sur des salades.
⊶ Frissant, Ch. Coupe Roses, rue de la Poterie, 34210 La Caunette, tél. 04.68.91.21.95, fax 04.68.91.11.73, e-mail couperoses@aol.com ☑ Ι r.-v.

DOM. CROS Les Aspres 1998★★★

■ 1,5 ha 5 000 ⦶ 100 à 149 F

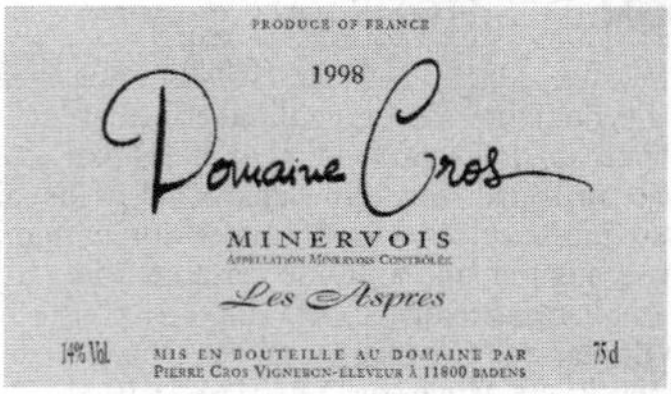

Un caractère en acier trempé, un terroir de feu ! Les Aspres : Pierre Cros, parfaitement secondé par l'œnologue Claude Gros, décroche avec brio le coup de cœur du Guide. En tenue grenat, cette cuvée surprend par la puissance de l'attaque. Vanille, réglisse, violette forment un trio de choc poussé par des tanins massifs qui évoluent cependant en finesse. Les papilles aiment ce vin à la finale interminable. Ce titre est dans les annales de votre cave pour longtemps.
⊶ Pierre Cros, 20, rue du Minervois, 11800 Badens, tél. 04.68.79.21.82, fax 04.68.79.24.03 ☑ Ι r.-v.

CH. DU DONJON Cuvée Prestige Elevé en fût de chêne 1998★★

■ 5 ha 35 000 ⦶ 50 à 69 F

Le donjon du château jaillit au centre de la cave ! Les descendants de cette propriété, familiale depuis le XVᵉ s., montent au créneau avec ce joli 98 grenat aux reflets violacés. Chargé d'épices, de fruits des bois et de cacao, le vin est intense dès l'attaque. Chaleureux, son corps puissant assure un équilibre parfait et une grande garde.

➤ Jean Panis, Ch. du Donjon, 11600 Bagnoles, tél. 04.68.77.18.33, fax 04.68.72.21.17, e-mail jean.panis@wanadoo.fr ☑ ⵋ t.l.j. 9h-18h

PREMIER DE FONTALIERES 1998★★

| ■ | 6,5 ha | 15 000 | ■ 50 à 69 F |

Cette cuvée est major de la promotion de la cave. On est fier ici d'avoir pareil élève qui excelle dans toute sa matière et avec classe !... Formé en macération carbonique, élevé dans le bois en cycle long, ce vin aux notes épicées et boisées est remarquable. Ses tanins parfaitement éduqués et son équilibre en font un des lauréats à la remise des diplômes. Promis à un bel avenir.
➤ Caves des producteurs de Pouzols-Minervois, RDS Les Auberges, 11120 Pouzols-Minervois, tél. 04.68.46.13.76, fax 04.68.46.33.95 ☑ ⵋ t.l.j. 8h-12h 14h-18h; groupes sur r.-v.; f. dim. du 10 oct.-30 mars

CH. GUERY Elevé en fût de chêne 1998

| ■ | 0,8 ha | 3 000 | ◀▮▶ 30 à 49 F |

Huit générations de vignerons sur ce domaine ! René-Henry, le petit dernier, nous propose un joli 98 rouge burlat aux reflets vermeils. Le nez, bien mûr, est fait d'épices puis de cassis et de framboise. Soyeux, délicatement grillé, ce vin est prêt à boire. Idéal sur agneau et viande en sauces.
➤ GAEC L'Ermitage, 4, av. du Minervois, 11700 Azille, tél. 04.68.91.44.34, fax 04.68.91.44.34 ⵋ ⵋ r.-v.

DOM. DES HOMS 1998

| ■ | 2 ha | 6 000 | ■ ⵋ 30 à 49 F |

Le domaine s'enorgueillit d'effectuer un tri sélectif sur toute sa vendange ; le résultat est là avec un rouge soutenu et charpenté. Il dévoile avec finesse épices et fruits rouges. Son harmonie laisse augurer une aptitude certaine à la garde. A oublier dans votre cave.
➤ Bernard de Crozals, Dom. des Homs, 11160 Rieux-Minervois, tél. 04.68.78.10.51, fax 04.68.78.10.51 ⵋ ⵋ r.-v.

CUVEE IMAGE 1998★

| ■ | 4 ha | 6 000 | ◀▮▶ 30 à 49 F |

La cuvée Image se présente comme une toile moderne au fond pourpre à reflets violets. Structuré, il possède des tanins élégants et libère un ample panier de fruits rouges qui s'épanouira encore ; joli vin de garde. Vous pouvez apprécier dès à présent le rosé Vidal la Marquise 99.
➤ Les crus du Haut-Minervois, Cave coopérative, 34210 Azillanet, tél. 04.68.91.22.61, fax 04.68.91.19.46, e-mail cavelescrusduhautminervois@wanadoo.fr ☑ ⵋ r.-v.

JACQUES DE LA JUGIE
Vieilli en fût de chêne 1998

| ■ | 25 ha | 150 000 | ◀▮▶ 20 à 29 F |

Une sélection parcellaire, dix mois d'élevage en fût pour un minervois tout en finesse qui s'ouvre sur des arômes charnus de griotte et se pose lentement, accompagné de douce réglisse. A boire.

➤ Cave coop. de La Livinière, 34210 La Livinière, tél. 04.68.91.42.67, fax 04.68.91.51.77 ☑ ⵋ r.-v.

CH. LA GRAVE Expression 1999★

| ☐ | n.c. | 30 000 | ■ ⵋ 30 à 49 F |

L'esprit de famille n'est pas ici vain mot, puisque parents, enfants et gendres sont embarqués sur le navire, où ce blanc fringant, chargé de fruits exotiques, hisse pavillon. Ananas, pamplemousse, orange défilent sous le vent, la bouche au long cours tient le cap avec vivacité. Loin de rester à fond de cale, le rosé Expression 99 fait un beau second. Rappelons que ce domaine a reçu la Grappe de bronze du Guide Hachette. C'est une valeur sûre du minervois et des vins de France.
➤ Jean-Pierre et Jean-François Orosquette, SCEA Ch. La Grave, 11800 Badens, tél. 04.68.79.16.00, fax 04.68.79.22.91 ☑ ⵋ t.l.j. 9h-12h 14h-19h; sam. dim. sur r.-v.

CLOS L'ESQUIROL 1998★

| ■ | 10 ha | 35 000 | ■ 30 à 49 F |

Notre « écureuil » occitan sort de son clos pour la quatrième année consécutive ! Et pas seul, puisque 35 000 cols l'accompagnent ! Belle présence de cette macération carbonique aux arômes de fruits cuits. Tout en puissance, alliant finesse et équilibre, sa structure laisse pantois. Sa finale n'a d'égale que sa complexité. Voici un profil typique de l'AOC.
➤ La Siranaise, 34210 Siran, tél. 04.68.91.42.17 ☑ ⵋ r.-v.

CH. MALVES BOUSQUET 1999

| ☐ | 1 ha | 4 000 | ■ ⵋ 30 à 49 F |

« Parlons peu et buvons bien », telle est la devise du château. Voici pourtant un vin qui délie les langues avec sa touse scintillante et ses arômes expressifs de fruits blancs et exotiques. Puissant, le verbe gras, l'équilibre éloquent, il montre une belle vivacité et vous laissera bouche bée en finale.
➤ SCEA Bousquet, Ch. de Malves, 11600 Malves, tél. 04.68.72.25.32, fax 04.68.77.18.82 ☑ ⵋ r.-v.

CH. D'OUPIA Les Barons 1998★

| ■ | 6 ha | 33 000 | ◀▮▶ 30 à 49 F |

On ne compte plus les trophées ramenés des joutes du Guide par la maison d'Oupia, vaste domaine de 55 ha. Avec un blason aux armoiries pourpres, ce 98 se distingue par une attaque tout en puissance. Vanillé, grillé se livrent généreusement aux côtés de tanins francs. La finale est très belle.
➤ Famille André Iché, EARL Ch. d'Oupia, 34210 Oupia, tél. 04.68.91.20.86, fax 04.68.91.18.23 ☑ ⵋ r.-v.

DOM. PICCININI 1999★★

| ☐ | 3 ha | 5 000 | ■◀▮▶ⵋ 30 à 49 F |

Maurice Piccinini est l'homme par qui La Livinière a rejoint la cour fermée des grands vins d'appellation ; toujours « bon pied » sur son domaine, il impose un blanc « bon œil » au regard clair et lumineux, empli de senteurs de pêche. Franc sur l'attaque, vif et chaleureux, il livre en finale le secret d'un élevage vanillé où miel et nuance muscatée se fondent en une douceur incomparable.

🕿 Dom. Piccinini, rte des Meulières, 34210 La Livinière, tél. 04.68.91.44.32, fax 04.68.91.58.65 ☑

CH. PLO DU ROY
Le Balcon du Diable Elevé en fût de chêne 1998★★

■ 　　7 ha　16 000 　🍷⦀⦀ 30 à 49 F

Franc Benazeth n'est pas homme à renoncer. Durement touché par les inondations de novembre 1999, il a su conjurer le mauvais sort en présentant ce 98 que le jury a trouvé remarquable. La robe est rouge rubis intense et les accents de garrigue et de vanille séduisent. Elégant, ce vin est aussi complexe et chaleureux ; la puissance des tanins force le respect et le destine au gibier.

🕿 M. et Mme Benazeth, 8, chem. de Bel-Mati, 11160 Villeneuve, tél. 04.68.26.13.64, fax 04.68.26.13.64

DOM. SAINTE-LEUCHERE
Cuvée du Clos de Mathieu Vieilli en fût de chêne 1998

■ 　　n.c.　2 500　⦀⦀ 30 à 49 F

Un domaine entièrement réplanté en syrah et en grenache noir, un terroir argilo-calcaire somptueux, un bel élevage, voilà les clés de la réussite. Dans une tenue grenat, fruits rouges et confits se donnent la main pour jouer avec des tanins taquins. Ce vin est encore jeune, mais présente de bonnes dispositions en finale.

🕿 Yves Bru, dom. Sainte-Leuchère, rue des Ecoles, 34210 Aigne, tél. 04.68.91.34.93, fax 04.68.91.82.27 ☑ ⟁ t.l.j. 14h-19h

CH. SAINT-LEON
Cuvée Amour Elevé en fût de chêne 1997

■ 　　1,5 ha　5 000　⦀⦀ 30 à 49 F

La tenue de scène est vive aux nuances violacées. Si le nez est minéral, ses fruits rouges montent en volume sur des tanins au rythme soutenu. Il sait se faire entendre en finale. Profil typique de l'AOC.

🕿 Guy et Emmanuel Giva, Dom. de Sautes, R.N. 113, 11000 Carcassonne, tél. 04.68.78.77.98, fax 04.68.78.51.66, e-mail domainesautes@infonie.fr ☑ ⟁ t.l.j. sf dim. 14h-19h

CH. VILLERAMBERT JULIEN 1999★

◢ 　　15 ha　80 000　🍷⦀ 30 à 49 F

Quatre cépages pour un rosé unique. Michel Julien, en artiste vigneron, imprime sur sa toile colorée et lumineuse une palette fruitée d'une belle complexité : fraise, grenadine, cassis s'entrelacent avec fraîcheur et puissance, le tout sur une finale parfaitement cadrée. Idéal avec des mets exotiques.

🕿 Michel Julien, Ch. Villerambert Julien, 11160 Caunes-Minervois, tél. 04.68.78.00.01, fax 04.68.78.05.34 ☑ ⟁ t.l.j. 9h-11h30 13h-18h30; sam. dim. sur r.-v.

CH. DE VILLERAMBERT MOUREAU 1999

◢ 　　40 ha　5 300　🍷⦀ 30 à 49 F

Belle présence de ce rosé de schistes à dominante de syrah où s'entrelace avec onctuosité et gourmandise une kyrielle de fruits rouges. Equilibré et friand, ce 99 est à boire dès à présent sur une grillade.

🕿 Marceau Moureau et Fils, Ch. de Villerambert, 11160 Caunes-Minervois, tél. 04.68.77.16.40, fax 04.68.77.08.14 ☑ ⟁ t.l.j. sf sam. dim. 14h-19h

DOM. VORDY-MAYRANNE
Cuvée Louise 1998★

■ 　　2 ha　8 600　🍷⦀ 20 à 29 F

Proche de Minerve, haut-lieu du catharisme, se trouve le domaine où carignan et grenache conservent leur terre de prédilection. Ce minervois aux accents chaleureux et rocailleux s'adosse à une charpente épicée. Il est ample, généreux. Ses arômes de fruits cuits et grillés s'affirment avec intensité en finale.

🕿 Didier Vordy, Mayranne, 34210 Minerve, tél. 04.68.91.80.39, fax 04.68.91.80.39 ☑ ⟁ t.l.j. 9h-19h

Minervois la livinière

DOM. BORIE DE MAUREL
Cuvée La Féline 1998★★★

■ 　　6 ha　21 000　🍷⦀⦀ 50 à 69 F

Président de cette nouvelle appellation, Michel Escande, cultivant l'excellence, montre la voie à suivre en décrochant la lune avec sa cuvée Féline. Vin de terroir concentré, orné d'épices, de fraise et de noix de muscade, il évolue avec distinction sur des tanins enrobés et racés. Chaleureux, ample, complexe, c'est un seigneur qui sera longtemps un des joyaux de votre cave.

🕿 Michel Escande, Dom. Borie de Maurel, 34210 Félines-Minervois, tél. 04.68.91.68.58, fax 04.68.91.63.92 ☑ ⟁ r.-v.

DOM. CHABBERT-FAUZAN
Clos La Coquille 1998★

■　　　　2,8 ha　　9 000　　**III** 30 à 49 F

C'est du site privilégié du hameau de Fauzan fait de calcaires durs que l'on extrait des vins de haute lignée. En tenue burlat, celui-ci exhale des parfums de fraise, d'eucalyptus et d'épices suaves. Corsé en bouche, il cueille encore de la violette. Si la trame tannique est serrée, l'étoffe reste soyeuse et s'abandonne longuement.
☛ Gérard Chabbert, Dom. Chabbert-Fauzan, 34210 Cesseras, tél. 04.68.91.23.64, fax 04.68.91.31.17 ☑ ⲓ r.-v.

CUVÉE GAIA 1998★

■　　　　7 ha　　40 000　　50 à 69 F

La réception de la vendange est unique, elle s'effectue en wagonnets de 1000 kg. De cette technique sélective, on obtient un vin rouge aux accents de garrigue et de giroflée. Présent dès l'attaque par un boisé bien dosé, il danse avec grâce et harmonie sur des tanins fondus. Une pointe acidulée agréable taquine le palais sur une finale ample. Joli profil caractéristique.
☛ Les crus du Haut-Minervois, Cave coopérative, 34210 Azillanet, tél. 04.68.91.22.61, fax 04.68.91.19.46, e-mail cavelescrusduhautminervois@wanadoo.fr ☑ ⲓ r.-v.

CH. DE GOURGAZAUD Réserve 1998★

■　　　　15 ha　　80 000　　**III** 30 à 49 F

Bastion du cru, le château, s'appuyant sur son terroir, livre un vin profond, corsé et concentré. Bien élevés, ses tanins réglissés sont soyeux. Il ne s'économise pas et évolue longuement dans une gamme de fruits cuits et de vanille. A boire où à attendre.
☛ SA Ch. de Gourgazaud, 34210 La Livinière, tél. 04.68.78.10.02, fax 04.68.78.30.24 ☑ ⲓ r.-v.

CLOS DE L'ESCANDIL 1998★★

■　　　　4 ha　　12 000　　**III** 70 à 99 F

Un vin classique de l'appellation qui occupe toujours une place de choix à la remise des trophées. Défilant sur un tapis rouge sombre, le 98 se présente chargé de fruits rouges, cassis et mûres aux parfums intenses. Elégant, fin, venu du bois, il excelle par la persistance de ses tanins fondus et par sa puissance capiteuse aux accents de garrigue. Il est promis à une longue garde.
☛ Gilles Chabbert, chem. des Aires, 34210 Siran, tél. 04.68.91.54.40, fax 04.68.91.54.40 ☑ ⲓ r.-v.

Saint-chinian

VDQS depuis 1945, le saint-chinian est devenu AOC en 1982 ; cette appellation couvre vingt communes et pro-duit 130 000 hl de vins rouges et rosés. Dans l'Hérault, au nord-ouest de Béziers, sur des coteaux s'élevant à 100 ou 200 m d'altitude, le vignoble est orienté vers la mer. Les sols sont constitués de schistes, surtout dans la partie nord, et de cailloutis calcaires, dans le sud. Le vin est réputé depuis très longtemps : on en parlait déjà en 1300. Une maison des Vins a été créée à Saint-Chinian même.

DOM. DE BASTIDE ROUSSE
Haute Gastronomie 1997

■　　　　n.c.　　3 500　　**III** 30 à 49 F

La robe, belle et franche, devance un nez encore un peu fermé. En revanche, la dégustation laisse un palais tapissé par de fins tanins. Ce vin nécessite une bonne aération mais devrait pouvoir rapidement être servi.
☛ Anne et Jean-Paul Crassus, Dom. de Bastide Rousse, 34360 Villespassans, tél. 04.67.38.18.54 ☑ ⲓ r.-v.

BERLOUP COLLECTION 1998★

■　　　　20 ha　　10 000　　**III** 50 à 69 F

Ici les vins sentent le schiste. Un terroir qui s'exprime dans ce petit village situé au pied des Cévennes. Ce saint-chinian a une robe grenat à reflets bleutés. Le nez d'abord discret s'ouvre au cours de la dégustation, mêlant le cassis, la fraise, le cuir et les notes minérales. Cette complexité se retrouve en bouche avec des épices et un très bon équilibre entre les tanins et la générosité du vin. Même note pour la **cuvée Schisteil en coteaux du languedoc blanc 99**, (30 à 49 F).
☛ Les Coteaux du Rieu Berlou, av. des Vignerons, 34360 Berlou, tél. 04.67.89.58.58, fax 04.67.89.59.21, e-mail cve.berloup@wanadoo.fr ☑ ⲓ r.-v.

CANET VALETTE
Le Vin Maghani 1998★★

■　　　　12 ha　　35 000　■**III**⬥　70 à 99 F

Marc Valette, installé dans sa nouvelle cave depuis deux ans, est attaché au pigeage quotidien pour extraire la typicité de son terroir. Robe somptueuse, dense et profonde. Nez racé, exprimant notes empyreumatiques, truffes, épices. Bouche puissante, ample et volumineuse pleine d'une matière riche : une bouteille de grande classe au superbe potentiel. A ouvrir dans quelques années.
☛ EARL Canet-Valette, rte de Causses-et-Veyran, 34460 Cessenon, tél. 04.67.89.37.50, fax 04.67.89.37.50 ☑ ⲓ r.-v.
☛ Marc Valette

CH. DE CASTIGNO Le Sabinas 1998★

■　　　　5 ha　　11 000　■⬥　30 à 49 F

Dans un paysage magnifique au terroir argilo-calcaire, Jean-Pierre Sireyjol a su élaborer ce vin aux senteurs de garrigue. La cuvée Sabinas développe aussi, après agitation, des parfums de fruits et de tabac. En bouche, les tanins ronds et harmonieux permettront d'accorder ce vin à de petits gibiers à plume.

🛒 Jean-Pierre Sireyjol, Castigno, 34360 Villespassans, tél. 04.67.38.05.50, fax 04.67.38.05.50, e-mail castigno@caves-particulieres.com ☑ ⅂ r.-v.

CH. CAZAL-VIEL Larmes des Fées 1998★★

■	3 ha	3 000	Ⅲ	150 à 199 F

Larmes des Fées reste sans conteste l'élite du château Cazal-Viel. Le nez de ce 98 est puissant, fruité, épicé, mêlant des odeurs d'encens et de fruits macérés. Les tanins fondus mais présents donnent un bel équilibre à ce vin. La **cuvée des Fées 99**, qui ne connaît pas le fût, obtient une étoile (50 à 69 F). La typicité saint-chinian est moins manifeste dans sa jeunesse.

🛒 Ch. Cazal-Viel, dom. Cazal-Viel, 34460 Cessenon-sur-Orb, tél. 04.67.89.63.15, fax 04.67.89.65.17 ☑ ⅂ t.l.j. 8h30-12h30 13h30-18h; dim. sur r.-v.

🛒 Henri Miquel

CLOS BAGATELLE
Sélection du Clos 1998★

■	7 ha	40 000	Ⅲ	50 à 69 F

Un vin bien fait, mais pour certains dégustateurs le nez est fermé. Une bonne aération libère des parfums de fruits confits et laisse une bouche aux tanins puissants qui demandent un bon élevage. Cette cuvée Sélection du Clos devrait pouvoir vieillir avec grâce.

🛒 Henry Simon, Clos Bagatelle, 34360 Saint-Chinian, tél. 04.67.93.61.63, fax 04.67.93.68.84 ☑ ⅂ t.l.j. sf dim. 8h-12h 13h-18h

DOM. DE FONTCAUDE
Elevé en fût de chêne 1998★★

■	15 ha	35 000	Ⅲ	30 à 49 F

Un jeune président très motivé, à la recherche de la qualité, dirige désormais cette coopérative. Voici un saint-chinian agréable, très bien équilibré, charnu, rond, aux saveurs intenses (laurier, réglisse). Ses tanins bien enrobés et souples lui permettent de trouver une excellente place dans le Guide.

🛒 Les Vignerons du pays d'Ensérune, 235, av. Jean-Jaurès, 34370 Maraussan, tél. 04.67.90.09.80, fax 04.67.90.09.55 ☑ ⅂ r.-v.

DOM. DE GABELAS
Cuvée Juliette Elevé en fût de chêne 1998

■	4 ha	5 600	Ⅲ	30 à 49 F

Un terroir argilo-calcaire, 85 % de syrah assemblés au grenache dont l'âge moyen est de vingt ans, un élevage de douze mois donnent ce vin simple mais élégant. Il est très fruité, doté d'une structure tannique légère et prêt à être consommé.

🛒 Pierrette Cravero, Dom. de Gabelas, 34310 Cruzy, tél. 04.67.93.84.29, fax 04.67.93.84.29 ☑ ⅂ r.-v.

DOM. DES JOUGLA 1997★★

■	3 ha	13 000	Ⅲ	30 à 49 F

La famille Jougla est établie ici depuis cinq générations. Conjuguant tradition et modernité,

voici un vin de charme, plein de personnalité. La robe profonde offre de légers reflets tuilés. Une bonne intensité aromatique de fruits rouges et de notes vanillées annonce des tanins bien présents qui lui confèrent une belle harmonie et une finale épicée.

🛒 Alain Jougla, 34360 Prades-sur-Vernazobre, tél. 04.67.38.06.02, fax 04.67.38.17.74 ☑ ⅂ r.-v.

CH. LA DOURNIE Elise 1998★★

■	4 ha	7 300	■	70 à 99 F

Un domaine qui brille avec son **rosé 99** (une étoile, 30 à 49 F) et sa nouvelle sélection Elise. Cette dernière est très typée de son terroir de schiste. La robe, d'un joli pourpre, est profonde. Le nez est envahi par des parfums de fruits noirs et de violette. La bouche est impressionnante par son côté très velouté, ses tanins fins et prometteurs. Que d'élégance dans le verre !

🛒 EARL Ch. La Dournie, 34360 Saint-Chinian, tél. 04.67.38.19.43, fax 04.67.38.00.37 ☑ ⅂ r.-v.

🛒 Etienne

DOM. DU LANDEYRAN
Cuvée Emilia 1998

■	1,8 ha	7 000	■ ⅃	50 à 69 F

Un 98 issu d'un terroir renommé pour son potentiel viticole. Sa belle robe laisse percevoir des reflets violines. Le nez, encore discret, s'ouvre peu à peu sur des notes de fruits mûrs. L'équilibre entre les tanins et le gras promet une très bonne évolution.

🛒 EARL du Landeyran, rue de la Vernière, 34490 Saint-Nazaire-de-Ladarez, tél. 04.67.89.67.63, fax 04.67.89.67.63 ☑ ⅂ r.-v.

DOM. MARQUISE DES MURES
Les Sagnes 1998★

■	14 ha	15 000	■ Ⅲ	50 à 69 F

Petite exploitation artisanale plantée par trois générations : le carignan du grand-père, le grenache du père et la syrah du fils. Cela donne un vin tout en finesse, au nez de laurier, de garrigue et à la bouche souple et soyeuse. A boire dans les deux ou trois ans.

🛒 Jean-Jacques Mailhac, Dom. des Marquises, 34460 Roquebrun, tél. 04.67.89.55.63, fax 04.67.89.55.63 ⅂ r.-v.

MAS CHAMPART
Causse du Bousquet 1998★★

■	4,25 ha	12 000	■ Ⅲ⅃	50 à 69 F

Isabelle et Mathieu Champart présentent une cuvée exceptionnelle que le grand jury a retenue pour le coup de cœur. La robe profonde a des reflets violines ; le nez très puissant, complexe, mêle notes empyreumatiques, fruits à l'alcool, olive noire, épices. Après une attaque franche, la bouche affirme une structure tannique parfaite. Les dégustateurs ont tenu à saluer le travail du vigneron sur l'élevage en barrique. Un remarquable saint-chinian. Signalons que la **cuvée principale** qui ne connaît pas le fût a été sélectionnée avec une étoile (30 à 49 F). Un dégustateur a noté : « Un joli argilo-calcaire franc et typique » ; c'est exactement cela.

📞 EARL Champart, rte de Villespassans, 34360 Saint-Chinian, tél. 04.67.38.20.09, fax 04.67.38.20.09, e-mail mas.champart@libertysurf.fr ☑ ⵏ r.-v.

CH. MAUREL FONSALADE
La Fonsalade Vieilles vignes 1997★★

| ■ | 1,5 ha | 6 900 | 🍾 ⑪ ♿ | 50 à 69 F |

Cette cuvée Fonsalade Vieilles vignes est présentée pour la première fois dans ce Guide : elle est issue d'une sélection rigoureuse provenant des meilleurs terroirs du domaine dans un millésime difficile. La patience et le sérieux des hommes ont donné un vin puissant et complexe dont la longueur en bouche est celle d'un grand vin. Une bouteille qui tiendra dans le temps.

📞 Philippe et Thérèse Maurel, Ch. Maurel Fonsalade, 34490 Causses-et-Veyran, tél. 04.67.89.57.90, fax 04.67.89.72.04 ☑ ⵏ r.-v.

CH. MILHAU-LACUGUE 1999★

| ◢ | 4 ha | 23 000 | 30 à 49 F |

Ce rosé est un assemblage de cinsault, grenache, syrah, vinifié avec macération pelliculaire. La robe rose foncé, brillante, laisse découvrir un nez de fruits rouges (fraise, framboise). Bien équilibrée, assez vive, la bouche confirme les arômes évoqués au nez et s'achève sur une finale harmonieuse.

📞 Ch. Milhau-Lacugue, Dom. de Milhau, rte de Cazedarnes, 34620 Puisserguier, tél. 04.67.93.64.79, fax 04.67.93.51.93 ☑ ⵏ t.l.j. 9h30-12h 13h30-17h; sam. dim. sur r.-v.
📞 Lacugue

DOM. NAVARRE
Cuvée Olivier Elevé en fût de chêne 1999★★★

| ■ | 6 ha | 12 000 | 🍾 ⑪ | 50 à 69 F |

Thierry Navarre est installé depuis douze ans sur le terroir exceptionnel de Roquebrun. Il réalise un coup de maître avec cette cuvée Olivier Ce 99, malgré sa jeunesse, a enthousiasmé le jury par son bouquet intense associant notes de moka, myrtille, figue et poivre gris. Le palais confirme le nez avec des tanins enrobés et une très belle longueur. Un festival de sensations et d'émotion. Une étoile pour la cuvée **Le Laouzil 98** (30 à 49 F).

📞 Thierry Navarre, av. de Balaussan, 34460 Roquebrun, tél. 04.67.89.53.58, fax 04.67.89.70.88 ☑ ⵏ t.l.j. sf dim. 9h-12h 14h-18h

PRIEURE SAINT-ANDRE
Cuvée Angelus 1997★

| ■ | 1,5 ha | 3 000 | ⑪ | 50 à 69 F |

Paré d'une robe grenat révélant une légère évolution, ce vin introduit le dégustateur dans un univers de schiste (terroir de Roquebrun) avec des notes grillées et des saveurs de figue sèche et de cassis. Le palais chaleureux s'appuie sur une charpente légèrement tannique. A apprécier sur du petit gibier (perdrix, lapin de garenne).

📞 Michel Claparède, Prieuré Saint-André, 34460 Roquebrun, tél. 04.67.89.70.82, fax 04.67.89.71.41 ☑ ⵏ r.-v.

LES VINS DE ROQUEBRUN
Prestige 1999★

| ■ | 35 ha | 140 000 | 🍾 | 50 à 69 F |

La cave de Roquebrun reste fidèle à ce terroir d'où elle sait tirer des cuvées prestigieuses. En AOC **coteaux du languedoc**, le **blanc 99** obtient une étoile, tout comme en **saint-chinian 98** la **cuvée Roches noires**. Quant à cette cuvée Prestige, elle est revêtue d'une robe grenat. Le nez fin offre des notes de cuir et des arômes empyreumatiques. La bouche, soyeuse, minérale avec une finale grillée et fumée, est d'une grande typicité.

📞 Cave Les Vins de Roquebrun, av. des Orangers, 34460 Roquebrun, tél. 04.67.89.64.35, fax 04.67.89.57.93, e-mail info@cave.roquebrun.fr ☑ ⵏ t.l.j. sf dim. 8h-12h 14h-18h

JEAN DE ROUEYRE 1999★★

| ◢ | 15 ha | 82 000 | - de 20 F |

Les coopérateurs de Rouïère ont travaillé comme un seul vigneron obtenant un splendide rosé digne d'accompagner vos soirées gastronomiques. D'un rose saumon cristallin, d'un nez gracieux et souverain nuancé de cassis, framboise, pêche, fruit exotique et une pointe florale, ce 99 attaque franchement en bouche où l'on retrouve du grain, de la contenance, du volume, qui ne laissent pas de nous charmer.

📞 Les Vignerons de Rouïère, Dom. de Rouïère, 34310 Quarante, tél. 04.67.89.40.10, fax 04.67.89.32.20 ☑ ⵏ t.l.j. sf lun. 10h-18h

DOM. DU SACRE-CŒUR
Cuvée Kevin 1998★

| ■ | 8 ha | 25 000 | 🍾 ⑪ ♿ | 30 à 49 F |

Marc Cabaret fut propriétaire de supermarchés avant de se consacrer à ce vignoble en 1991. C'est la structure très robuste qui ressort le plus de sa cuvée Kevin issue d'un terroir argilo-calcaire. Malgré cela, dans un millésime délicat, le vigneron a réussi à élaborer un vin complexe avec les parfums de la garrigue (thym, laurier). Une matière riche qui ne demande qu'à s'épanouir pleinement.

� GAEC du Sacré-Cœur, Dom. du Sacré-Cœur, 34360 Assignan, tél. 04.67.38.17.97, fax 04.67.38.24.52 ☑ ⵏ r.-v.

➽ Cabaret Père et Fils

DOM. SORTEILHO 1999★

| ■ | 25 ha | 750 | ⬛ 20 à 29 F |

Les trois couleurs ont été remarquées par les dégustateurs. Cette cuvée est un vin de schiste à la robe pourpre jeune et séduisante, aux arômes de poivre gris sur fond de ciste et d'épices. En revanche la bouche est plus timide que le nez ; elle est souple et fondue. Une bouteille prête à boire.

➽ Cave des Vignerons de Saint-Chinian, rte de Sorteilho, 34360 Saint-Chinian, tél. 04.67.38.28.41, fax 04.67.38.28.43 ☑ ⵏ r.-v.

CH. SOULIE DES JONCS 1998★

| ■ | 2,66 ha | 8 000 | ⬛⬛ 30 à 49 F |

Une propriété transmise de père en fils depuis 1610. Ce 98 présente une belle robe pourpre très concentrée, un nez de poivre, d'épices, de garrigue et de mûre écrasée. On retrouve en bouche le sol argilo-calcaire par sa puissance et sa persistance aromatique. Une bouteille qui demande à attendre encore quelques années.

➽ Dom. des Soulié, Carriera de la Teuliera, 34360 Assignan, tél. 04.67.38.11.78, fax 04.67.38.19.31, e-mail remysoulie@aol.com ☑ ⵏ r.-v.

DOM. DU TABATAU Albin 1999★

| ◨ | 2 ha | 4 300 | ⬛ 30 à 49 F |

Ancien ambassadeur sommelier à la Maison des Coteaux du Languedoc, Bruno Gracia s'est converti, avec son frère Jean-Paul, au métier de vigneron. La robe de cette cuvée Albin est rose très pâle, brillante. Le nez, tout délicat, respire la fleur, la framboise, la noix, avec une pointe minérale. La bouche est en harmonie par son gras, sa fraîcheur et sa constance.

➽ Bruno Gracia, Le village, rue des Anciens Combattants, 04360 Assignan, tél. 04.67.38.19.60, fax 04.67.38.19.54 ☑ ⵏ r.-v.

DOM. DE TRIANON 1998★★★

| ■ | 8 ha | 40 000 | ⬛ 30 à 49 F |

Jolie performance de Vignerons et Passions pour leur sélection à la cave de Saint-Chinian. La robe profonde et soutenue de ce 98 incite à découvrir ses parfums complexes, fins et plaisants (épices, cerise, fruits rouges mûrs). Dans la bouche onctueuse apparaissent des notes réglissées, bien fondues dans la charpente. Un vin qui demande un peu de patience mais qui tiendra ses promesses.

➽ Vignerons et Passions, B.P. 1, 34725 Saint-Félix-de-Lodez, tél. 04.67.88.80.39, fax 04.67.96.65.67

> Une sélection de cavistes, de bistrots à vin, de grandes caves de restaurants ? Voyez le chapitre « les bonnes adresses du guide ».

CH. VEYRAN
Cuvée Henri Elevé en fût de chêne 1998★★

| ■ | 4,75 ha | 15 000 | ⬛⬛ 50 à 69 F |

Dans une cave du XVIᵉs. comportant une partie voûtée du XIIᵉs., Gérard Antoine a vinifié une superbe cuvée Henri. L'élevage en barrique a été parfaitement maîtrisé : la structure tannique est du meilleur grain, fine et ronde, sur une matière concentrée. La robe, magnifique d'intensité et de densité, a retenu l'attention des dégustateurs. Le nez associant garrigue, fruits à l'alcool, réglisse, cassis laisse rêveur. Ce vin est un succès !

➽ Gérard Antoine, Veyran, 34490 Causses-et-Veyran, tél. 04.67.89.65.77, fax 04.67.89.65.77 ☑ ⵏ r.-v.

CH. VILLESPASSANS
Elevé en fût de chêne 1998★★

| ■ | 12 ha | 80 000 | ■⬛⬛ 30 à 49 F |

Coup de cœur il y a deux ans, et présente dans le grand jury cette année, cette cave est à suivre de près. On choisira ce Château pour sa couleur pourpre qui annonce le nez de moka, de fruits rouges surmûris. La bouche structurée, aux tanins déjà bien enrobés, donne un vin que l'on a envie d'observer au cours des deux prochaines années mais qui est déjà prêt à boire.

➽ Cave coop. de Cruzy-Montouliers-Cebazan, 34310 Cruzy, tél. 04.67.89.41.20, fax 04.67.89.35.01 ☑

Cabardès

Les vins des Côtes de Cabardès et de l'Orbiel proviennent de terroirs situés au nord de Carcassonne et à l'ouest du Minervois. Le vignoble s'étend sur 2 200 ha et dix-huit communes. Il produit 21 953 hl de vins rouges et rosés en 1999 associant les cépages méditerranéens et atlantiques. Ces vins d'appellation sont assez différents des autres vins du Languedoc-Roussillon : produits dans la région la plus occidentale, ils subissent davantage l'influence océanique.

CH. BANCALIS 1998

| ■ | 14,78 ha | 55 000 | ■⬛ 30 à 49 F |

Pour arriver à la propriété, il faut traverser Aragon, très beau village au riche passé qui abrite depuis peu le syndicat de l'appellation. On doit tout particulièrement découvrir de superbes capitelles. Une robe assez vive habille ce 98 finement épicé au nez. Les tanins enrobés et une

LANGUEDOC

pointe de fraîcheur donnent un vin prêt à boire et caractérisé par son élégance.

🠒SCV Les Celliers du Cabardès, 11600 Aragon, tél. 04.68.24.90.64, fax 04.68.24.87.09 ☑ ⦓ r.-v.

CH. BOURNONVILLE 1998★★

| ■ | | 6,7 ha | 12 100 | ■ ↓ | 30 à 49 F |

C'est un nouveau venu au Guide Hachette. La propriété a été achetée en 1994 et de très nombreux investissements ont été réalisés. Cette première sélection apparaît comme un encouragement. Caractérisé par sa maturité, ce vin égrène des notes de pruneau et fruits confits au nez. Volumineuse et dense, la bouche offre une finale chaleureuse. Un 98 à attendre et qui mérite d'être décanté avant dégustation.

🠒EARL Bournonville, 11170 Moussoulens, tél. 04.68.24.86.74, fax 04.68.24.90.61 ☑ ⦓ r.-v.

DOM. DE CABROL
Cuvée Vent d'Ouest 1997★

| ■ | | 5 ha | 15 000 | ■ ↓ | 30 à 49 F |

Très joli vignoble d'altitude. Ce sont les dernières vignes que l'on rencontre avant d'aborder la Montagne Noire dont la proximité permet ici une maturité lente mais parfaite. Ce vigneron, habitué du Guide Hachette, sait chaque année attendre le bon moment pour vendanger. Une robe soutenue et profonde, une bonne intensité aromatique de fruits mûrs, une puissance tannique accompagnée de notes de réglisse et de sous-bois caractérisent ce vin expressif.

🠒Claude et Michel Carayol, Dom. de Cabrol, 11600 Aragon, tél. 04.68.77.19.06, fax 04.68.77.54.90 ☑ ⦓ t.l.j. 11h-19h

DOM. DE CAUNETTES HAUTES
1999★

| ◢ | | 0,9 ha | 5 000 | ■ | 20 à 29 F |

Ce très joli vignoble en limite du causse calcaire est fréquemment retenu pour ses vins rosés. A signaler, un circuit ampélographique qui traverse la propriété et permet de découvrir les cépages de l'appellation. Une bien séduisante robe rose tendre, légèrement saumonée, habille ce vin au nez friand, mariage de fleurs et de fruits. Surprenant par son gras et sa vivacité qui conduit à un très bel équilibre, ce 99 présente une bonne longueur fruitée.

🠒SCEA Dom. de Caunettes Hautes, 11170 Moussoulens, tél. 04.68.24.93.15, fax 04.68.24.81.77 ☑ ⦓ r.-v.
🠒Gilbert Rouquet

CH. DE PENNAUTIER
Collection privée Elevé en fût de chêne 1998★★★

| ■ | | 1,5 ha | 5 200 | ◖▮▮◗ | 100 à 149 F |

Citer le château de Pennautier, c'est remonter les plus grands moments de l'histoire du Languedoc et notamment la construction du canal du Midi. C'est décrire l'un des plus beaux châteaux construit au XVIᵉs., remanié au XVIIIᵉ et XIXᵉ, dont le parc a été dessiné par Le Nôtre. C'est aussi évoquer Molière qui y séjourna. Aujourd'hui, c'est le vin qui perpétue la tradition. Celui-ci est exceptionnel. La robe bien soutenue aux nuances violines annonce la gamme

aromatique complexe déclinant des notes très mûres accompagnées d'un boisé fondu, vanillé et fumé. La bonne présence tannique s'achève sur une très belle longueur. Un vin à conserver. A noter que le deuxième vin, **Esprit de Pennautier 97**, est également retenu (30 à 49 F).

🠒SCEA Ch. de Pennautier, 11610 Pennautier, tél. 04.68.72.65.29, fax 04.68.72.65.84, e-mail contact@vignobles-lorgeril.com ☑ ⦓ r.-v.
🠒N. de Lorgeril

CH. SALITIS Cuvée Premium 1998★

| ■ | | 14 ha | 50 000 | ■ | 30 à 49 F |

Une habituée du Guide Hachette, coup de cœur l'an dernier pour cette même cuvée en 97. Ancienne dépendance de l'abbaye de Lagrasse, cette exploitation a été la première à réaliser le parfait mariage des cépages méditerranéens et atlantiques en Cabardès. Ce vin, caractérisé par son élégance et sa jeunesse, offre des notes de fruits frais, une bonne attaque et une réelle ampleur. Prêt à boire, il peut aussi attendre.

🠒Depaule-Marandon, Ch. Salitis, 11600 Conques-sur-Orbiel, tél. 04.68.77.16.10, fax 04.68.77.05.69 ☑ ⦓ t.l.j. 8h30-11h30 13h30-17h30

CH. VENTENAC
Cuvée Les Pujols 1998★★★

| ■ | | 12 ha | 40 000 | ■ ◖▮▮◗ | 20 à 29 F |

Alain Maurel confirme chaque année qu'il est un maître-vigneron ! Ses nouvelles installations, qui allient modernité et vieilles pierres, sont à visiter. L'axe dominant de ce vin est la finesse, tant au nez, avec un joli mariage entre le fruit et le boisé, qu'en bouche où les tanins sont à la fois puissants et enrobés. Un vin gras, très élégant.

🠒Alain Maurel, 1, pl. du Château, 11610 Ventenac-Cabardès, tél. 04.68.24.93.42, fax 04.68.24.81.16, e-mail alainmaurel@wanadoo.fr ☑ ⦓ r.-v.

Côtes de la malepère AOVDQS

On produit 40 000 hl en moyenne de cette AOVDQS sur trente et une communes de l'Aude, dans un terroir soumis à l'influence océanique et situé au nord-ouest des Hauts-de-Corbières qui le protègent de l'influence méditerranéenne. Ces vins rouges ou rosés, corsés et fruités, comprennent non pas du carignan, mais, en plus du grenache et du cot, les cépages bordelais cabernet-sauvignon, cabernet franc et merlot dominants.

CH. DE COINTES 1999★

◢   1,2 ha   10 000   ▮ ♦   20 à 29 F

André et Jean Cointes, premiers consuls de Carcassonne au XVII^{e}s., ont donné leur nom à ce domaine qui s'affirme par sa régularité, tant pour les vins rouges que rosés. Couleur pétale de rose, celui-ci est intense et complexe par ses arômes d'iris et d'épices. Ample et vif en bouche, il offre un très bel équilibre avec une finale longue sur des arômes de groseille. Le **vin rouge 98** est également très réussi.

☛ Anne Gorostis, Ch. de Cointes, 11290 Roullens, tél. 04.68.26.81.05, fax 04.68.26.84.37, e-mail info@châteaudecointes.com ☑ ⵏ r.-v.

CH. DE FESTES 1998★★★

■   n.c.   8 000   ▮ ♦   20 à 29 F

La cave de la Malepère à Arzens accède pour la première fois au coup de cœur. C'est le reflet d'un travail de fond qui montre le dynamisme de cette jeune appellation. Un parfait équilibre caractérise ce vin. Complexe au nez avec des senteurs de fruits très mûrs et de garrigue, il possède une superbe structure aux tanins enrobés, accompagnés par du volume et une finale très douce. Déjà prêt à boire, il saura se faire attendre. La commission a également retenu le **Domaine de**

Foucauld 98 dans un style très fruité : à boire dès à présent.

☛ Cave de La Malepère, av. des Vignerons, 11290 Arzens, tél. 04.68.76.71.71, fax 04.68.76.71.72, e-mail oeno@cavelamalepere.com ☑ ⵏ t.l.j. sf sam. dim. 8h-12h 14h-18h

CH. GUIRAUD 1998★★

■   18 ha   20 000   ◖▮   30 à 49 F

Le Château Guiraud s'affirme comme le fleuron de la cave du Razès. Une robe profonde, un nez de fruits noirs et de poivron associé à un boisé élégant, une belle attaque en bouche avec un tanin présent de grande qualité, un élevage en barrique réussi, ce vin semble déjà prêt et pourra pourtant attendre dans une bonne cave. Egalement cité, le **Domaine de Majou 98** dans un style très fondu (20 à 29 F) .

☛ Cave du Razès, 11240 Routier, tél. 04.68.69.02.71, fax 04.68.69.00.49 ☑ ⵏ t.l.j. sf sam. dim. 8h-12h 14h-18h

CH. HERAIL DE ROBERT
Cuvée Merlin 1998★★★

■   n.c.   10 000   ◖▮   50 à 69 F

Le château de Robert, situé à l'ouest de l'appellation sur une terrasse graveleuse, tire profit de condition de maturation lente et de rendements faibles qui confèrent au vin une grande concentration. Celui-ci porte une superbe robe rubis intense. Le nez est fait de fruits rouges, groseille et cerise, alliés à une pointe d'épices douces. Très suave à l'attaque, la bouche évolue tout en rondeur. Long et équilibré, un vin qui a de la personnalité. A boire ou à conserver.

☛ Marie-Hélène Herail-Artigouha, Ch. de Robert, 11150 Villesiscle, tél. 04.68.76.11.86, fax 04.68.76.58.62 ☑ ⵏ t.l.j. 9h-12h 14h-18h

CH. DE ROUTIER
Cuvée Renaissance 1997★★

■   8 ha   1 100   ◖▮   50 à 69 F

Ce très joli château dont l'origine remonte au XV^{e}s. possède de superbes caves voûtées où a été élevé ce vin très jeune comme le montre sa robe grenat foncé. Le nez intense et complexe laisse les épices, (girofle et badiane) s'exprimer pleinement. La bouche puissante, aux tanins encore présents, offre une finale ample. Une cuvée prometteuse.

☛ Michèle Lézerat, Ch. de Routier, 11240 Routier, tél. 04.68.69.06.13, fax 04.68.69.06.58 ☑ ⵏ t.l.j. 10h-12h 13h30-20h

Le Roussillon

L'implantation de la vigne en Roussillon, sous l'impulsion des marins grecs attirés par les richesses minières de la côte catalane, date du VIIe s. avant notre ère. Elle se développa au Moyen Age, et les vins doux de la région connurent de bonne heure une solide réputation. Après l'invasion phylloxérique, la vigne a été replantée en abondance sur les coteaux du plus méridional des vignobles de France.

Amphithéâtre tourné vers la Méditerranée, le vignoble du Roussillon est bordé par trois massifs : les Corbières au nord, le Canigou à l'ouest, les Albères au sud, qui font la frontière avec l'Espagne. La Têt, le Tech et l'Agly sont des fleuves qui ont modelé un relief de terrasses dont les sols caillouteux et lessivés sont propices aux vins de qualité, et particulièrement aux vins doux naturels (voir ce chapitre). On rencontre également des sols d'origine différente avec des schistes noirs et bruns, des arènes granitiques, des argilo-calcaires ainsi que des collines détritiques du Pliocène.

Le vignoble du Roussillon bénéficie d'un climat particulièrement ensoleillé, avec des températures clémentes en hiver, chaudes en été. La pluviométrie (350 à 600 mm) est mal répartie, et les pluies d'orages ne profitent guère à la vigne. Il s'ensuit une période estivale sèche, dont les effets sont souvent accentués par la tramontane qui favorise la maturation des raisins.

La vigne est conduite en gobelet, avec une densité de 4 000 pieds. La culture reste traditionnelle, souvent peu mécanisée. L'équipement des caves se modernise avec la diversification des cépages et des techniques de vinification. Après de rigoureux contrôles de maturité, la vendange est transportée en comportes ou petites bennes sans être écrasée ; une partie des raisins est traitée par macération carbonique. Les températures au cours de la vinification sont de mieux en mieux maîtrisées, afin de protéger la finesse des arômes : tradition et technicité se côtoient.

Côtes du roussillon et côtes du roussillon-villages

Ces appellations sont issues des meilleurs terroirs de la région. Le vignoble, de 6 800 ha environ, a produit 347 382 hl dans l'ensemble des appellations en 1999. Les côtes du roussillon-villages sont localisés dans la partie septentrionale du département des Pyrénées-Orientales ; deux communes bénéficient de l'appellation avec le nom du village : Caramany et Latour-de-France. Terrasses de galets, arènes granitiques, schistes confèrent aux vins une richesse et une diversité qualitatives que les vignerons ont bien su mettre en valeur.

Les vins blancs sont produits principalement à partir des cépages macabeu, malvoisie du Roussillon et grenache blanc, mais également avec la marsanne, la roussanne et le rolle, vinifiés par pressurage direct. Ils sont de type vert, légers et nerveux, avec un arôme fin, floral (fleur de vigne). Ce sont des compagnons de choix pour les fruits de mer, les poissons et les crustacés.

Les vins rosés et les vins rouges sont obtenus à partir de plusieurs cépages : le carignan noir (60 % maximum), le grenache noir, le lladonner pelut, le cinsaut, comme cépages principaux, et la syrah, le mourvèdre et le macabeu (10 % maximum dans les vins rouges) comme cépages complémentaires ; il faut obligatoirement deux cépages principaux et un cépage complémentaire. Tous ces cépages (sauf la syrah) sont conduits en taille courte à deux yeux. Souvent, une partie de la vendange est vinifiée en macération carbonique, surtout à partir du carignan qui donne, avec cette méthode de vinification, d'excellents résultats. Les vins rosés sont vinifiés obligatoirement par saignée.

Les vins rosés sont fruités, corsés et nerveux ; les vins rouges sont fruités, épicés, avec une richesse alcoolique de 12 °C environ. Les côtes du roussillon-villages sont plus corsés et chauds ; certains peuvent se boire jeunes, mais d'autres peuvent se garder plus longtemps et développer alors un bouquet intense et complexe. Leurs qualités organoleptiques bien personnalisées et diversifiées leur permettent de s'associer avec les mets les plus variés.

Côtes du roussillon

ARNAUD DE VILLENEUVE 1999★

◢   n.c.   40 000   ▐ ⚭   30 à 49 F

Longtemps production marginale, le rosé, grâce à un excellent équipement technique et à un choix judicieux des parcelles, est en passe de devenir une valeur sûre du Roussillon. D'un rose framboise très vif, celui-ci, encore amylique, laisse filtrer des senteurs de fraise et de banane flambée. Bien relevé par une présence carbonique, l'équilibre fraîcheur-gras est très réussi, le fruité agréable. Une référence.

↦ Les Vignobles du Rivesaltais,
1, rue de la Roussillonnaise, 66602 Rivesaltes-Salses, tél. 04.68.64.06.63, fax 04.68.64.64.69,
e-mail vignobles.rivesaltais@wanadoo.fr
☑ ⏇ r.-v.

CH. DE BLANES
Elevé en fût de chêne 1998★

■   n.c.   40 000 ▐ ⬛⬛ ⚭   30 à 49 F

Plus connue pour ses côtes et villages rouges ou ses VDN, la cave de Pézilla attire également

ROUSSILLON

Le Roussillon

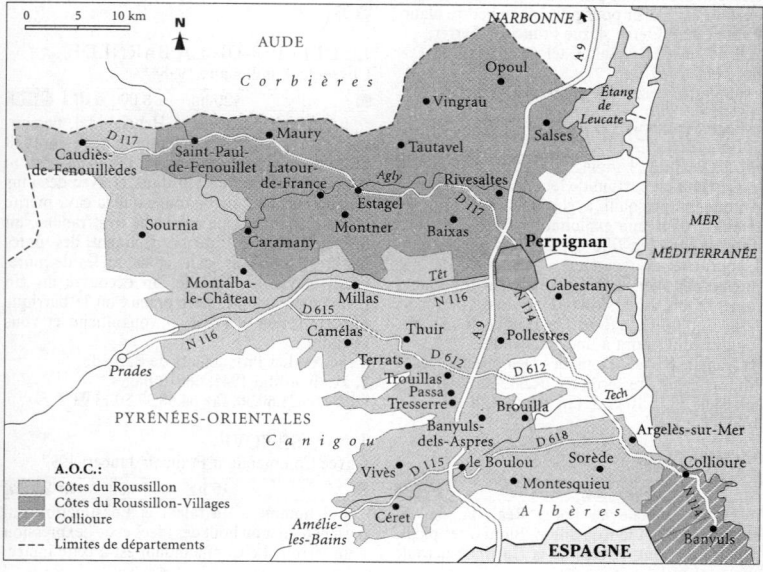

A.O.C.:
▨ Côtes du Roussillon
▨ Côtes du Roussillon-Villages
▨ Collioure
--- Limites de départements

l'attention avec son **château de Blanes blanc 99** et son **rosé 99**. Ce rouge, lui, se fait discret à l'approche, puis affirme doucement son fruité de mûre et de raisin frais. Fougueux, il explose en bouche entre violette et fruits des bois que surprend la torréfaction. Ample, le tanin solide, il a la vie devant lui.

☛ SCV Les Vignerons de Pézilla, 66370 Pézilla-la-Rivière, tél. 04.68.92.00.09, fax 04.68.92.49.91
☑ ⟁ t.l.j. sf dim. 8h30-12h30 14h-18h30

DOM. JOSEPH BORY
Elevé en fût de chêne 1998★

■		n.c.	2 500	⦿	30 à 49 F

Que ce soit en vins secs ou en vins doux, Bages se veut village vigneron : caves et enseignes se disputent le regard ; nul doute qu'ici, ce qui marque le vin c'est la volonté des hommes... et de Mme Verdeille. Le rouge profond de la robe rappelle celui des fruits qui attendent dans le verre : cassis, cerise et mûre sur fond de boisé. Déjà fondu, harmonieux, le vin est prêt à boire, avec une finale épicée qui conviendra aux charcuteries catalanes.

☛ Andrée Verdeille, 6, av. Jean-Jaurès, 66670 Bages, tél. 04.68.21.71.07, fax 04.68.21.71.07
☑ ⟁ t.l.j. sf lun. dim. 15h-19h

DOM. CAZES 1999★

□		3,75 ha	10 000	⊟⦿⚲	30 à 49 F

Les frères Cazes possèdent un immense vignoble de 160 ha et jouent un rôle moteur sur la scène internationale. Toujours à la hauteur de leur réputation, ils surprennent encore avec ce vin blanc qui réussit le subtil mariage de la finesse du macabeu et de la puissance du vermentino. L'approche est d'or pâle sur des senteurs amyliques légèrement citronnées. L'ampleur, la présence, le fondu séduisent. Judicieusement rehaussé par une touche carbonique, c'est un vin plaisir pour poisson au beurre blanc.

☛ Sté Cazes Frères, 4, rue Francisco-Ferrer, B.P. 61, 66602 Rivesaltes, tél. 04.68.64.08.26, fax 04.68.64.69.79, e-mail info@cazes-rivesaltes.com ☑ ⟁ r.-v.

DOM. DES DEMOISELLES 1999★★

◪		1,24 ha	3 700	⦿⚲	20 à 29 F

Ce vin a un parfum de femme, ce qui n'a rien d'étonnant puisqu'il a été élaboré, vinifié au féminin, dans une exploitation familiale transmise de mère en fille depuis trois générations. L'approche est soutenue, grenadine ; le nez intense mêle cerise, fraise, mûre, sur fond amylique. Franc, droit, structuré, le vin est fier, mais reste fin, fruité, axé sur la framboise. Ample, long, il conviendra à une escalivade.

☛ Isabelle Raoux, Dom. des Demoiselles, Mas Mulès, 66300 Tresserre, tél. 04.68.38.87.10, fax 04.68.38.87.10 ☑ ⟁ t.l.j. sf lun. 12h-14h 16h-20h

FORCA 1998★

■		n.c.	150 000		20 à 29 F

De la chapelle de Força Réal, la vue est sublime sur tout le Roussillon. Blotti à ses pieds, à l'abri du vent, le mas de la Garrigue déroule

son vignoble au soleil. Grenat très soutenu, ce 98 offre un nez sauvage, très marqué par le cuir. Puis sous-bois et cassis s'en mêlent. Souple à l'attaque, fondue, grillée, la bouche est agréable jusque dans la finale poivrée et fraîche.

☛ J.-P. Henriquès, rue Pierre-Pascal-Fauvelle, 66002 Perpignan, tél. 04.68.85.06.07, fax 04.68.85.49.00, e-mail henriquès@forca-real.com

LES VIGNERONS DE FOURQUES
Cuvée 2000 1998★

■		5 ha	6 000	⦿	50 à 69 F

À l'écart du tumulte, Fourques, réputé pour ses charcuteries, reste accroché à son vignoble qui ne cède le pas qu'à la forêt des Aspres. Lumineux dans sa robe grenat limpide, ce vin s'exprime d'entrée sur des notes fortes de venaison, de musc, de poivre et de cuir. En bouche, il se fait plus souple mais reste présent avec des notes de mûre et des tanins réglissés fondus dans un bel équilibre.

☛ SCV les Vignerons de Fourques, 1, rue des Taste-Vin, 66300 Fourques, tél. 04.68.38.80.51, fax 04.68.38.89.65 ☑ ⟁ t.l.j. sf dim. 9h-12h 14h-18h

DOM. JOLIETTE
Cuvée Nicole Mercier 1999

□		1,37 ha	5 800	⊟⦿⚲	50 à 69 F

Le nom est bien trouvé pour ce domaine superbe aux accents très méditerranéens avec ses pins, son romarin, ses cigales et sa vue imprenable sur la mer Méditerranée. Clair, limpide, brillant, le vin surprend par ses notes fleuries et cette touche douce que donne un excellent boisé. Fin, entouré de notes miellées, il reste très vif et frais, dans l'attente de fruits de mer.

☛ EARL Mercier, Dom. Joliette, rte de Vingrau, 66600 Espira-de-l'Agly, tél. 04.68.64.50.60, fax 04.68.64.18.82
☑ ⟁ r.-v.

LE CELLIER DE LA BARNEDE
Cuvée du 3ᵉ millénaire 1998★★

■		20 ha	8 000	⊟⦿⚲	50 à 69 F

Bages doit beaucoup à Henri Vidal, personnage charismatique qui fonda la cave en 1938 avant de faire sa réputation sur les « vins verts ». Aujourd'hui, c'est en vin doux et avec des vins secs comme ce superbe rouge que la cave mérite d'être reconnue. Une approche très franche, un nez complexe et intense déclinant des notes matures : sous-bois, cuir, épice, mêlés de mûre, cassis et vanille. Ensuite, on découvre un vin plein, riche, ample, harmonieux où la barrique apporte fondu et grillé. Il vous attend et vous attendra.

☛ SCAV Les Producteurs de Barnède, 5, av. du 8-Mai-1945, 66670 Bages, tél. 04.68.21.60.30, fax 04.68.37.50.13 ☑ ⟁ r.-v.

LA CASENOVE
Cuvée Commandant François Jaubert 1997

■		15 ha	7 000	⦿	100 à 149 F

Cet homme a du talent et l'obstination qui permet d'aller au bout des idées et de l'expression d'un terroir. Le Commandant est à cette image,

d'une approche sévère, très soutenue, tout en fruits mûrs et cerise à croquer sur fond d'épices. Après, il faudra attendre que l'admirable extraction, charnue, solide, structurée, se fonde.
🠒Ch. La Casenove, 66300 Trouillas, tél. 04.68.21.66.33, fax 04.68.21.77.81 ☑ ⊤ t.l.j. sf dim. 10h-12h 16h-20h

DOM. LAFAGE 1998★★★

■ 18 ha 30 000 ◧ 30 à 49 F

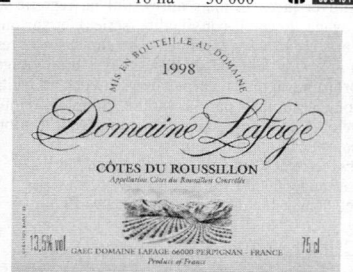

Un compagnonnage réussi à travers le Nouveau Monde pour ce couple d'œnologues qui, expérience acquise, est revenu « plein d'usage et raison », œuvrer dans la propriété familiale en Roussillon. Récompense d'un remarquable travail à la vigne et à la cave, voici un 98 fort soutenu en couleur, aux arômes très fruités - cerise, mûre et un surprenant abricot. Après, quel plaisir ! Le vin est ample, fondu, généreux sans retenue. La cerise croque, la mûre se fond sur un soupçon de vanille. Puis la torréfaction emporte la finale. Remarquable.
🠒GAEC Dom. Lafage, mas Llaro, 66100 Perpignan, tél. 04.68.67.12.47, fax 04.68.62.10.99, e-mail enofool@aol.com ☑ ⊤ r.-v.

DOM. LAPORTE Domitia 1998★★★

■ 10 ha 25 000 ■ ♨ 50 à 69 F

Bien sûr les puristes diront : « La syrah marque trop le vin. » Il n'en reste pas moins vrai que Lafage, Miraflors et maintenant Laporte, tous voisins et élus, sont sur le même terroir. L'approche est d'un pourpre profond à reflets violines. Très marqué par le cassis, la violette, le fruit surmûri et les épices, le vin se poursuit en bouche à l'avenant, charnu, toujours sur le fruit mûr, avec de puissants tanins qui lui préparent un bel avenir. Rappelons que cette cuvée avait reçu le coup de cœur l'an dernier pour le millésime 97.
🠒Dom. Laporte, Château-Roussillon, 66000 Perpignan, tél. 04.68.50.06.53, fax 04.68.66.77.52, e-mail domaine-laporte@wanadoo.fr ☑ ⊤ r.-v.

CH. LAS COLLAS Cuvée classique 1996★★

■ n.c. 8 000 ■ 30 à 49 F

Au pied des premières collines des Aspres, l'arboriculture dispute la terre au vignoble regroupé autour de superbes demeures, tel le château Las Collas. Au **98 E. Rous**, remarqué mais encore jeune, le jury a préféré un vin plus évolué aux riches notes de venaison, de cuir et nuancé du fumé de la tourbe. Surprenant ensuite par son attaque fruitée, il se montre agréable par sa souplesse, construit mais fondu, avec une finale très fraîche.
🠒Jacques Bailbé, Ch. Las Collas, 66300 Thuir, tél. 04.68.53.40.05, fax 04.68.53.40.05 ☑ ⊤ r.-v.

CH. L'ESPARROU
Elevé en fût de chêne 1998

7,7 ha 13 000 ■ ◧ ♨ 50 à 69 F

Cerné par les étangs et le cordon littoral de Canet-Plage, le domaine campé sur sa terrasse apparaît comme un îlot de verdure... très convoité par les promoteurs. Maturité des raisins et vanille de la barrique s'unissent pour donner un vin de belle approche, marqué par des notes chaudes de garrigue et de vieux cuir. La bouche, à l'avenant, reprend les notes très méditerranéennes. Un vin fondu.
🠒J.-L. et M.-P. Rendu, Ch. L'Esparrou, 66140 Canet-en-Roussillon, tél. 04.68.73.30.93, fax 04.68.73.58.65 ☑ ⊤ r.-v.

DOM. MAS BECHA 1999

☐ 10 ha 4 000 ■ ♨ 20 à 29 F

Ce nouveau venu, acquéreur du domaine en 1997, a la ferme intention de nous transporter en jouant avec l'équilibre d'un encépagement traditionnel. Le fruité de la pêche devance la fleur d'acacia dans une robe très franche. Puis le moelleux du grenache impose sa puissance miellée, bien contrebalancée par la fraîcheur du macabeu avant une finale légèrement citronnée.
🠒Dom. Mas Bécha, 1, av. de Pollestres, 66300 Nyls-Ponteilla, tél. 04.68.54.52.80, fax 04.68.55.31.89 ☑
🠒Perez

DOM. DU MAS CREMAT 1998★★

■ 10 ha 35 000 ■ ♨ 30 à 49 F

« Jean-Marc » nous a quittés : les vins de qualité sont orphelins d'un des leurs. Mais en dix ans de travail, il a tracé la voie ; sa « patte » restera, l'équipe est solide et saura à travers les vins nous parler de lui. Entre un 98 boisé de garde et un non boisé, le second a pris aujourd'hui le devant : tout en puissance, après un accueil au regard profond, il évolue sur des notes de cédrat, de cassis, légèrement poivrées. Généreux, ample, le fruit dans la chair s'estompe sur de très beaux tanins qui invitent déjà au plaisir.
🠒Dom. du Mas Cremat, 66600 Espira-de-l'Agly, tél. 04.68.38.92.06, fax 04.68.38.92.23 ☑ ⊤ t.l.j. sf dim. 10h-12h 15h-18h30

MAS DES OLIVIERS 1998★

■ 5 ha 17 200 ■ ♨ 30 à 49 F

Avec le Mas, Méditerroirs, spécialisé dans les vins haut de gamme, nous montre à la fois sa bonne connaissance des terroirs et son art consommé en matière d'étiquetage. Ce 98 offre une belle continuité entre saveurs et arômes. Le fruit confit, la cannelle et le grillé accompagnent un vin structuré, plein, aux tanins encore présents ; déjà agréable, cette bouteille saura attendre.

◗┑ Méditerroirs, Ch. Cap-de-Fouste, Villeneuve-de-la-Raho, 66100 Perpignan,
tél. 04.68.85.69.25, fax 04.68.85.22.26

DOM. DU MAS ROUS 1998★★★

| ■ | | 5 ha | 20 000 | ■↓ | 30 à 49 F |

Les collines des Albères qui accompagnent les Pyrénées jusqu'à la mer constituent un terroir d'exception par sa beauté et par l'inégalable finesse qu'il confère aux vins, témoin ce 98 pourpre et profond. Très épicé, poivré, aux senteurs de venaison, de cuir et de fruits confits, il se révèle en bouche. Velouté et fin, le tanin soyeux accompagne un fruit mûr omniprésent avant une finale fraîche et agréablement relevée. Du même auteur, dans un chapitre boisé remarquable, un **Mas Rous sélection 97**.
◗┑ José Pujol, Dom. du Mas Rous, 66140 Montesquieu-des-Albères, tél. 04.68.89.64.91, fax 04.68.89.80.88, e-mail joseph.pujol@.fr ☑ ⵏ r.-v.

CH. MIRAFLORS Tramuntana 1998★★

| ■ | | 5 ha | 5 000 | ⵏⵏ | 50 à 69 F |

Sur la haute terrasse de la Têt, le domaine s'étire entre Perpignan et la mer, chargé de l'histoire du village médiéval de Villarnau découvrant tout récemment sous ses ceps. La cuvée Tramuntana présente une grande maturité que traduisent des notes chaleureuses de venaison, de sous-bois sur fond de fruits confits, de torréfaction qui se poursuivent en bouche. Un très beau grain de tanins contribue à un superbe équilibre.
◗┑ SA Cibaud-Ch. Miraflors et Belloch, 7, rue Béranger, 66000 Perpignan, tél. 04.68.34.03.05, fax 04.68.51.31.70, e-mail vins.cibaud@wanadoo.fr ☑ ⵏ t.l.j. sf dim. 9h30-12h30 15h-19h; f. jan.

MOULIN DE BREUIL 1998★

| ■ | | 17 ha | 40 000 | ■↓ | 20 à 29 F |

Il est heureux que Joseph de Massia ait pu reprendre et préserver l'intégrité de ce beau domaine situé au pied des Albères. Déjà, grâce à la rigueur de cet industriel du sport, la partie est gagnée. Outre sa couleur avenante, ses senteurs de sous-bois, de mûre et de cassis, ce sont surtout le fondu et la finesse en bouche, la souplesse et l'épice des tanins qui font de ce vin une bouteille aujourd'hui des plus agréables.
◗┑ Joseph de Massia, Moulin de Breuil, 66740 Montesquieu, tél. 04.68.89.67.68, fax 04.68.89.67.68, e-mail joseph@sacedi.fr ☑ ⵏ r.-v.

DOM. PARCE Vieilli en fût de chêne 1997★★

| ■ | | 3 ha | 15 150 | ⵏⵏ | 30 à 49 F |

Petit à petit, avec patience, application, sérieux et compétence, André Parcé a su reconvertir son vignoble et, viticulteur devenir vigneron. Reconversion réussie. Merveilleux, ce 97 à la robe grenat soutenu et profond, au nez associant fruits rouges et épices où, déjà, l'alliance vin-bois est un plaisir ! Très fondu, équilibré, encore sur le fruit, le grillé et l'épice, le vin se poursuit sur des tanins solides au grain très fin. Du présent et de l'avenir.

◗┑ EARL A. Parcé, 21 ter, rue du 14-Juillet, 66670 Bages, tél. 04.68.21.80.45, fax 04.68.21.69.40 ☑ ⵏ t.l.j. sf dim. 9h30-12h15 16h-19h30

DOM. PIQUEMAL
Elevé en fût de chêne 1998

| ■ | | 20 ha | 40 000 | ⵏⵏ | 50 à 69 F |

Bien sûr, dans Espira, il faut serpenter pour trouver la cave, mais après, nul ne regrette le voyage. Accueil, convivialité, sérieux et surtout l'art de faire « s'exprimer » les fameuses terres noires. La robe de ce 98 est vive, d'un rouge profond, agrémentée par des senteurs de fruits rouges adoucis par la vanille. Souple, fondu, velouté, le vin épouse la barrique : c'est l'union complice faite pour durer.
◗┑ Pierre et Franck Piquemal, 1, rue Pierre-Lefranc, 66600 Espira-de-l'Agly, tél. 04.68.64.09.14, fax 04.68.38.52.94 ☑ ⵏ r.-v.

CH. PLANERES Prestige 1999★

| ☐ | | 8 ha | 25 000 | ■↓ | 30 à 49 F |

Avec une toute nouvelle cave fort bien conçue, Jaubert et Noury n'ont pas fini de nous surprendre et de révéler le terroir des Aspres. Un très beau travail d'expression de maturité pour ce blanc aux senteurs de miel, de genêt et de pêche. Gras, ample, c'est un vin de structure riche, à la finale citronnée, idéal pour un poisson au beurre blanc.
◗┑ Jaubert-Noury, Ch. Planères, 66300 Saint-Jean-Lasseille, tél. 04.68.21.74.50, fax 04.68.37.51.95 ☑ ⵏ t.l.j. sf dim. 8h30-12h 14h-18h

CH. PRADAL 1998★

| ◢ | | 2 ha | 6 500 | ■↓ | 20 à 29 F |

Cerné par la ville de Perpignan, le domaine fait de la résistance. Ici, à deux pas du centre du monde selon Dali, ce sont les ceps qui regardent passer les trains. La robe est fraîche, jeune, en harmonie avec les petits fruits rouges et le cassis qui marquent le vin. La bouche est à l'avenant, toute en fruit, un rien fumée, ample, avant une finale cassis très fraîche.
◗┑ André Coll-Escluse, Ch. Pradal, 58, rue Pépinière-Robin, 66000 Perpignan, tél. 04.68.85.04.73, fax 04.68.56.80.49 ☑ ⵏ r.-v.

ROC DU GOUVERNEUR 1999

| ■ | | n.c. | 30 000 | ■↓ | 20 à 29 F |

Belle opposition entre le fort ramassé et imposant de Salses et les vins de la cave, tout en finesse comme ce remarquable **Roc du Gouverneur blanc** et un **rosé 99** vermeil tout en fruits frais. Dans une robe très jeune, on est surpris de sentir autant de maturité de fruits confits, et de découvrir un vin déjà agréable, souple, gouleyant, à la finale très fraîche, n'attendant que les charcuteries.
◗┑ Les Vignobles du Rivesaltais, 1, rue de la Roussillonnaise, 66602 Rivesaltes-Salses, tél. 04.68.64.06.63, fax 04.68.64.64.69, e-mail vignobles.rivesaltais@wanadoo.fr
☑ ⵏ r.-v.

CH. ROMBEAU
Cuvée Elise Vieilles vignes 1997★

■　　　　　2,5 ha　　12 000　　　❙❙❙ 50 à 69 F

Le *Babau*, la tarrasque du Rivesaltais, n'effrayera plus personne : il est désormais figé en cailloux roulés dans la cave voûtée de Pierre-Henri de La Fabrègue. C'est là, qu'après douze mois de barrique, le vin d'Elise se présente en robe grenat, imprégné de grillé, de cerise mûre et d'épices. Très fruité, il sait être souple ; le bois apporte le fondu et s'allie au vin dans une remarquable finale poivrée.

☛ P.-H. de La Fabrègue,
SCEA Dom. de Rombeau, 66600 Rivesaltes,
tél. 04.68.64.35.35, fax 04.68.64.64.66 ☑ ♈ t.l.j.
8h-23h

DOM. DE SAINTE-BARBE 1995

■　　　　　15 ha　　13 000　　❙♣ 30 à 49 F

Aux portes de Perpignan, au pied du Serrat d'en Vaquer célèbre pour les fossiles livrés par cette colline, vous trouverez un vignoble irréprochable. C'est celui de Robert Tricoire, conteur, philosophe et surtout véritable homme de la terre. Ce 95 est intéressant par son évolution très sage, cette approche tuilée, chaleureuse, agrémentée de notes de venaison, d'épices et de cuir. Souple, fondu, le tanin relève la finale. C'est le vin qui appelle une viande grillée.

☛ Robert Tricoire, Dom. de Sainte-Barbe, chem. de Sainte-Barbe, 66000 Perpignan, tél. 04.68.54.61.22, fax 04.68.54.61.22 ☑ ♈ r.-v.

DOM. SAINTE-HELENE 1998

■　　　　　6 ha　　　8 000　　❙♣ 20 à 29 F

Confortablement adossé au contrefort des Pyrénées, Sorède est un village fort agréable. Il n'y a d'ailleurs que des enfants sages. Est-ce dû à la fabrique de fouets, unique au monde ? Autour d'un rubis intense, naissent des senteurs de sous-bois, de cuir et d'épices. Souple et fondu, le vin s'exprime en fruits mûrs avant une finale encore soutenue.

☛ Henri Cavaillé, 10, rue Moulin-Cassanyes, 66690 Sorède, tél. 04.68.89.30.30,
fax 04.68.95.42.66 ☑ ♈ t.l.j. sf dim. 9h-12h
17h-19h

DOM. SALVAT Taïchac 1999

◢　　　　　12 ha　　15 000　　❙♣ 30 à 49 F

Entre Fenouillèdes et Ribéral, J.-Ph. Salvat, tel un compositeur, joue avec bonheur de la complémentarité de ses terroirs, avec l'appui d'une solide équipe technique. D'un rose tendre s'échappent des petits fruits rouges et une touche de bourgeon de cassis. Le vin se montre vif et frais ; une note amylique équilibre une finale plus relevée. Un ensemble à déguster sur des charcuteries.

☛ Dom. Salvat, Pont-Neuf, 66610 Villeneuve-la-Rivière, tél. 04.68.92.17.96, fax 04.68.38.00.50
☑ ♈ t.l.j. 10h-18h30

DOM. SARDA-MALET
Terroir Mailloles 1997★

■　　　　　5 ha　　11 000　　　❙❙❙ 100 à 149 F

Le paysage est doux et reposant. Près du pont construit sous Charlemagne paissent les mou-

tons. Tout autour, la vigne sur fond de Canigou. Vous êtes sur la commune de Perpignan au mas Saint-Michel... Très sombre, solide, le vin apparaît très marqué par la cerise confite, avec du sous-bois, un début de venaison, et un léger fumé. Le fruit éclate en bouche, où la mûre rejoint l'épice. Le fondu laisse place à de superbes tanins. Un vin en devenir.

☛ Dom. Sarda-Malet, Mas Saint-Michel, chem. de Sainte-Barbe, 66000 Perpignan, tél. 04.68.56.72.38, fax 04.68.56.47.60 ☑ ♈ r.-v.
☛ Suzy Malet

CH. DE SAU Cuvée réservée 1996★

■　　　　　n.c.　　　n.c.　　❙♣ 30 à 49 F

Un choix judicieux des parcelles, un bon équilibre entre la trilogie carignan, grenache, syrah, une vinification carbonique pour le premier, classique pour les autres. Pas de bois. Tout paraît simple quand Henri Passama et Hervé Parayre sont à la manœuvre. Le vin tout en pourpre hésite entre sous-bois, cuir, cassis et groseille. Agréable et fruité, il se montre ensuite solide et charpenté, n'attendant que des grillades... puis une sieste.

☛ Hervé Passama, Ch. de Saü, 66300 Thuir, tél. 04.68.53.21.74, fax 04.68.53.29.07,
e-mail chateaudesau @aol.com ♈ r.-v.

TERRASSOUS 1998★

■　　　　　50 ha　　40 000　　❙♣ 20 à 29 F

Depuis 1932, la cave, forte de ses 110 adhérents, dresse sa structure au cœur du vignoble des Aspres, s'adaptant avec succès, au fil des ans, à toutes les évolutions techniques. Après aération, venaison et grillé du café laissent percer les notes plus sourdes du bourgeon de cassis. Très présent en bouche, ce vin est généreux, ample. Encore jeune, il laisse entrevoir sa plénitude d'ici deux ou trois ans.

☛ SCV Les Vignerons de Terrats, B.P. 32, 66302 Terrats, tél. 04.68.53.02.50,
fax 04.68.53.23.06 ☑ ♈ t.l.j. sf dim. 8h-12h
14h-18h

CELLIER TROUILLAS
Cuvée du Gouverneur Vieilli en fût de chêne 1995★

■　　　　　25 ha　　42 000　　❙❙❙ 30 à 49 F

C'est dans un mas, à proximité du village, qu'Arnaud de Villeneuve, médecin célèbre, avait au XIIIᵉ s. découvert le principe du mutage (arrêt de fermentation par ajout d'alcool) à la base des vins doux naturels. La robe de ce Gouverneur est profonde, soutenue, accompagnée par le senteur des sous-bois, une note de cuir et de pruneau confit. Le palais est heureusement surpris par le soyeux des tanins, la finesse du fruit, le grillé agréable et par un très bel équilibre.

☛ SCV Le Cellier de Trouillas, 1, av. du Mas-Deu, 66300 Trouillas, tél. 04.68.53.47.08,
fax 04.68.53.24.56 ☑ ♈ r.-v.

DOM. DU VIEUX CHENE 1999

■　　　　　10 ha　　　6 000　　❙♣ 30 à 49 F

Dominant la plaine du Roussillon, avec une vue imprenable sur les Pyrénées et le Canigou, et au fond la Grande Bleue... Quel cadre pour

ROUSSILLON

travailler ! Et quel plaisir d'y déguster ce 99 encore très sombre, tout en fruits : cerise, mûre, et vendange fraîche. Riche, très présent, il ne demande qu'un peu de temps pour s'exprimer.

☛ Dom. du Vieux Chêne, Mas Kilo, 66600 Espira-de-l'Agly, tél. 04.68.38.92.01, fax 04.68.38.95.79 ☑ ☪ r.-v.

Côtes du roussillon-villages

CH. AYMERICH 1998★★

| ■ | 5 ha | 24 000 | ☷ ☖ | 50 à 69 F |

Une proportion élevée de syrah (80 %) et un terroir de schistes expliquent les superbes expressions rencontrées dans ce vin : des arômes de cassis, des notes de fruits bien mûrs, des tanins élégants, un équilibre harmonieux entre la charpente et la chair. De quoi donner une réplique savoureuse à une pièce de bœuf saisie à la braise. Ce jeune domaine confirme son savoir-faire.

☛ Jean-Pierre et Catherine Grau-Aymerich, Ch. Aymerich, 52, av. Dr-Torreilles, 66310 Estagel, tél. 04.68.29.45.45, fax 04.68.29.10.35 ☑ ☪ r.-v.

DOM. REGIS BOUCABEILLE
Les Orris 1998

| ■ | 1 ha | 2 000 | ◫ | 100 à 149 F |

Régis Boucabeille s'est installé dans le Roussillon en 1990. Il y exploite 12 ha et met en œuvre ses compétences en matière de commerce international pour écouler sur les marchés européens (Allemagne, Suisse, Hollande...) 95 % de ses vins. Celui-ci possède une structure tannique solide. Quelques notes boisées se mêlent aux accents de vendanges mûres qui s'affirment en bouche. Des notes miellées viennent rehausser la persistance aromatique en finale. A attendre.

☛ EARL Régis Boucabeille, 146, rte Nationale, 66550 Corneilla-la-Rivière, tél. 04.68.57.22.02, fax 04.68.57.11.63 ☑ ☪ r.-v.

DOM. BOUDAU Cuvée Henri Boudau 1998

| ■ | 2 ha | 6 000 | ◫ | 30 à 49 F |

Issu des terrasses cailouteuses du Crest de Rivesaltes, ce 98 se pare d'une belle robe à reflets rubis violine et développe des arômes de baies rouges bien mûres. En bouche, les touches boisées se fondent harmonieusement avec le gras de la charpente, puis les tanins prennent le dessus avec leur accent réglissé.

☛ Dom. Véronique et Pierre Boudau, 6, rue Marceau, B.P. 60, 66600 Rivesaltes, tél. 04.68.64.45.37, fax 04.68.64.46.26 ☑ ☪ t.l.j. sf dim. 10h-12h 15h-19h de juin à sept.

CH. DE CALADROY Les Schistes 1998★★★

| ■ | 45 ha | 38 000 | ☷ ☖ | 30 à 49 F |

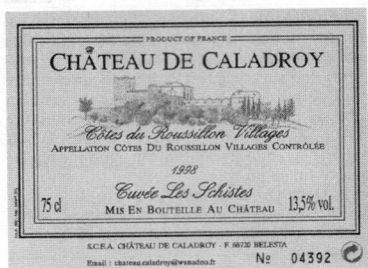

Cet immense domaine est situé sur des collines schisteuses, entre la vallée de la Têt et la vallée de l'Agly, tout près du village de Belesta. Sa cuvée Les Schistes, d'un grenat profond et brillant, dévoile des arômes de fruits confits rehaussés d'épices. Les sensations gustatives séduisent par l'ampleur et la douceur des tanins délicatement réglissés. Les notes de noyau persistent en fin de bouche.

☛ Mezerette, SCEA Ch. de Caladroy, 66720 Belesta, tél. 04.68.57.10.25, fax 04.68.57.27.76, e-mail château.caladroy@wanadoo.fr ☑ ☪ t.l.j. sf sam. dim. 8h-12h 13h30-17h30 (16h30 le ven.)

LES VIGNERONS DE CARAMANY
Caramany Cuvée du Presbytère 1998★

| ■ | 50 ha | 80 000 | ☖ | 30 à 49 F |

Les vins de Caramany se distinguent par leur rondeur et leur saveur épicée due à la macération carbonique. C'est le cas de cette Cuvée du Presbytère 98 aux arômes de fruits mûrs. En bouche, on apprécie son onctuosité et sa souplesse savoureuse. A noter également dans ce millésime la **Cuvée élevée en fût de chêne**, d'un tout autre style mais apprécié : un vin de garde.

☛ SCV de Caramany, 66720 Caramany, tél. 04.68.84.51.80, fax 04.68.84.50.84 ☑ ☪ r.-v.

DOM. CAZES 1996★★★

| ■ | 7 ha | 25 000 | ☷ ◫ ☖ | 50 à 69 F |

Les frères Cazes, pionniers des vins du Roussillon, les font connaître aujourd'hui sur tous les continents, des Etats-Unis au Japon. Leur vaste domaine (160 ha) leur permet de produire toute la gamme des vins de la région. La quantité va de pair avec la qualité, témoin ce 96, dont la belle robe rouge soutenu laisse paraître quelques reflets rubis. Intense et complexe, le nez évoque les fruits grillés, la confiture de vieux garçon, avec quelques touches vanillées rappelant l'élevage en fût. Des tanins délicats, enveloppés dans une onctuosité savoureuse, et une belle longueur en bouche concluent heureusement la dégustation. Un vin d'exception.

☛ Sté Cazes Frères, 4, rue Francisco-Ferrer, B.P. 61, 66602 Rivesaltes, tél. 04.68.64.08.26, fax 04.68.64.69.79, e-mail info@cazes-rivesaltes.com ☑ ☪ r.-v.

DOM. DES CHENES Tautavel 1997★

■   3 ha   13 000 ▮❙❙⬥ 50 à 69 F

Le domaine des Chênes était déjà connu pour ses cuvées de côtes du roussillon-villages et son muscat. Il fait son entrée dans l'appellation Tautavel avec ce 97 déjà bien mûri. Sa robe est brillante, d'un rubis légèrement nuancé de reflets tuilés. Ses arômes évolués rappellent le foin coupé, les sous-bois d'automne et les épices orientales. Des tanins assez doux laissent à ce vin toute son expression aromatique en bouche.
☛ Razungles, Dom. des Chênes, 7, rue Mal-Joffre, 66600 Vingrau, tél. 04.68.29.40.21, fax 04.68.29.10.91 ☑ ⵏ r.-v.

DOM BRIAL Elevé en fût de chêne 1997★★

■   n.c.   45 000 ▮❙❙⬥ 30 à 49 F

La cave de Baixas possède aujourd'hui une gamme de vins aussi riche que variée. Elle propose un 97, millésime déjà évolué, aux arômes de musc, de vieux cuir et de fruits confits dans un écrin rubis aux reflets légèrement tuilés. Les notes boisées sont parfaitement fondues en bouche avec la finesse des tanins. Une bouteille prête à accompagner les premiers gibiers de l'automne.
☛ Cave des Vignerons de Baixas, 14, av. Mal-Joffre, 66390 Baixas, tél. 04.68.64.22.37, fax 04.68.64.26.70, e-mail baixas@smi-telecom.fr ☑ ⵏ r.-v.

DOM. FONTANEL
Tautavel Prieuré Vieilli en fût de chêne 1998★★★

■   5 ha   8 000 ❙❙❙ 50 à 69 F

La puissance et l'élégance sont au rendez-vous avec cette cuvée qui offre de superbes expressions de fruits et de la concentration ; tout laisse augurer un splendide avenir à ce vin. Tanins réglissés, baies rouges sauvages, plénitude en bouche ont séduit tous les dégustateurs. Un excellent représentant de ce terroir d'élite des côtes du roussillon-villages.
☛ Dom. Fontanel, 25, av. Jean-Jaurès, 66720 Tautavel, tél. 04.68.29.04.71, fax 04.68.29.19.44 ☑ ⵏ r.-v.
☛ Fontaneil

DOM. FONTANEL 1998★★

■   11 ha   18 000 ▮⬥ 30 à 49 F

Quelle jeunesse dans ce millésime 98 à la robe grenat encore nuancée de violine ! Ce sont les notes épicées qui dominent au nez, puis l'harmo-nie gustative laisse apparaître des tanins d'une grande finesse autour d'une onctuosité savoureuse.
☛ Dom. Fontanel, 25, av. Jean-Jaurès, 66720 Tautavel, tél. 04.68.29.04.71, fax 04.68.29.19.44 ☑ ⵏ r.-v.

DOM. FORÇA REAL 1999★★★

■   5 ha   15 000   50 à 69 F

Les cuvées de ce domaine se suivent avec la même régularité dans le registre des belles expressions de terroir : le 96 n'avait-il pas obtenu trois étoiles ? Le 99 affiche une robe rubis profond et des arômes de fruits rouges sauvages avec quelques nuances de violette. L'onctuosité des tanins, les notes de griotte en fin de bouche en font un vin de gourmandise auquel on peut prédire un grand avenir. Une selle d'agneau catalane le mettra en valeur.
☛ J.-P. Henriquès, Dom. Força Réal, Mas de la Garrigue, 66170 Millas, tél. 04.68.85.06.07, fax 04.68.85.49.00, e-mail domaine@força-real.com ☑ ⵏ r.-v.

LES VIGNERONS DE FORÇA REAL 1998

■   30,32 ha   19 300 ▮ 20 à 29 F

On trouve plus d'élégance que de puissance dans ce 98 à reflets rubis. Sa souplesse en bouche, ses notes de vendanges fraîches bien mûres et sa longueur en finale lui permettent de se faire apprécier dès maintenant.
☛ SCV les Vignerons de Força Réal, rue Léo-Lagrange, 66170 Millas, tél. 04.68.57.35.02, fax 04.68.57.28.09 ☑ ⵏ t.l.j. sf dim. lun. 15h-18h30

DOM. GARDIES
Tautavel La Torre 1998★★★

■   n.c.   6 000 ❙❙❙ 70 à 99 F

Encore une cuvée éblouissante chez ce jeune vigneron qui avait remporté un coup de cœur avec le millésime 1997. Une robe cerise assez soutenue entoure des arômes de fruits rouges bien mûrs qui se retrouvent en bouche, rehaussés par des touches épicées. Un tanin au grain très doux, à l'accent réglissé, enveloppé dans une harmonie chaleureuse. L'exception deviendrait-elle la norme dans ce domaine ? A suivre...
☛ Dom. Gardiés, 66600 Vingrau, tél. 04.68.64.61.16, fax 04.68.64.69.36 ☑ ⵏ r.-v.

DOM. GARDIES Les Millères 1998★★

■   n.c.   20 000 ▮⬥ 30 à 49 F

On attend avec intérêt les cuvées de ce domaine qui ont été très bien accueillies ces dernières années. Ainsi, ces Millères ont-elles obtenu trois étoiles l'an dernier. Le 98 est remarquable : des arômes de baies rouges sauvages, des senteurs de garrigue, des notes épicées accompagnent un tanin doux et puissant à la fois. La fin de bouche persistante laisse une sensation d'harmonie. La recette du lièvre de Tautavel semble faite pour ce vin.
☛ Dom. Gardiés, 66600 Vingrau, tél. 04.68.64.61.16, fax 04.68.64.69.36 ☑ ⵏ r.-v.

ROUSSILLON

CH. DE JAU 1998

■   60 ha   250 000   ▮▮   30 à 49 F

Le château de Jau organise chaque année une exposition d'art contemporain. Il bénéficie d'un restaurant qui permet aux visiteurs de déguster ses vins. Celui-ci révèle des arômes de petits fruits rouges ; ils accompagnent des sensations de rondeur grâce à la finesse des tanins, composant une savoureuse harmonie d'ensemble.
☛ Ch. de Jau, 66600 Cases-de-Pène,
tél. 04.68.38.90.10, fax 04.68.38.91.33,
e-mail jau66@aol.com ☑ ⊺ t.l.j. sf sam. dim.
8h-16h ou 10h-19 h du 15 juin au 1er oct.
☛ Famille Dauré

JEAN D'ESTAVEL
Elevé en fût de chêne 1997★

■   n.c.   20 000   ▮▮▮   30 à 49 F

Ce négociant propose une sélection des plus réussies : un vin en pleine maturité avec ses notes grillées en accord avec les sensations boisées. La bouche laisse une impression de fondu et de rondeur. Une belle harmonie d'ensemble.
☛ SA Destaval, 7bis, av. du Canigou,
66000 Perpignan, tél. 04.68.68.36.00,
fax 04.68.54.03.54 ☑
☛ M.G. Baissas

DOM. JOLIETTE
Cuvée Romain Mercier 1999

■   3 ha   12 000   ▮▮▮   50 à 69 F

Du domaine Joliette, on aperçoit Salses, et, au-delà, l'étang de Leucate et la Méditerranée. Le vignoble s'insinue entre les pinèdes des contreforts des Corbières. Ce 99 présente une robe profonde à reflets grenat, des arômes de baies rouges sauvages et d'épices. Sa solide structure tannique domine encore l'harmonie gustative mais laisse augurer un bel avenir à ce vin.
☛ EARL Mercier,
Dom. Joliette, rte de Vingrau, 66600 Espira-de-l'Agly, tél. 04.68.64.50.60, fax 04.68.64.18.82
☑ ⊺ r.-v.

DOM. LA PLEIADE 1998

■   1,4 ha   6 000   ▮▮▮   30 à 49 F

Etabli dans la partie nord-ouest de l'appellation, ce domaine est connu pour ses cuvées de maury. Il élabore aussi des côtes du roussillon-villages intéressants, comme ce 98 : on y trouve des arômes de mûre dans un écrin aux nuances grenat, et, en bouche, une onctuosité qui laisse place rapidement à une finale dominée par les tanins.
☛ Dom. La Pléiade, Hameau de La Roque,
66220 Lesquerde, tél. 04.68.52.21.66,
fax 04.68.52.21.66 ☑ ⊺ r.-v.
☛ Delcour

LES HAUTS DE FORÇA REAL 1998★

■   5 ha   15 000   70 à 99 F

Les arômes de noyau sont encore écrasés par la puissance tannique de ce 98. Mais sa très belle structure et l'harmonie entre l'élevage en fût et l'expression intrinsèque du vin ont su séduire l'ensemble du jury. Des notes réglissées s'affirment peu à peu en bouche.

☛ J.-P. Henriquès, Dom. Força Réal, Mas de la Garrigue, 66170 Millas, tél. 04.68.85.06.07, fax 04.68.85.49.00, e-mail domaine@força-real.com ☑ ⊺ r.-v.

CH. LES PINS 1997★

■   n.c.   104 000   ▮▮▮   50 à 69 F

Un millésime qui commence à peine à s'attendrir avec des tanins à la fois doux et réglissés et un boisé de belle qualité. La bouche révèle une harmonie onctueuse, des notes miellées et quelques touches rappelant le vieux cuir. Le millésime 94 avait obtenu un coup de cœur.
☛ Cave des Vignerons de Baixas, 14, av. Mal-Joffre, 66390 Baixas, tél. 04.68.64.22.37, fax 04.68.64.26.70, e-mail baixas@smi-telecom.fr ☑ ⊺ r.-v.

LESQUERDE
Lesquerde Les Arènes de Granit 1997

■   11,3 ha   40 000   ▮▮   30 à 49 F

Ce vin tire son nom d'un terroir qui a la réputation de donner des vins aux tanins d'une grande finesse. Il révèle un millésime qui évolue rapidement avec sa robe rubis à reflets tuilés, ses arômes de gratin de fruits rouges accompagnés de quelques notes épicées en bouche. Souplesse et élégance des tanins caractérisent les sensations gustatives.
☛ SCV Lesquerde, 66220 Lesquerde,
tél. 04.68.59.02.62, fax 04.68.59.08.17 ☑ ⊺ t.l.j. sf dim. 8h-12h 14h-18h

CH. MONTNER Grande Réserve 1998★★

■   40 ha   150 000   ▮   20 à 29 F

Le terroir de schistes de Montner a été souvent à l'origine de belles cuvées. C'est le cas de ce millésime 98 qui, dès le premier coup de nez, offre des arômes de fruits rouges grillés et quelques notes fumées traduisant déjà un début d'évolution. En bouche, l'onctuosité donne la réplique à une charpente tannique à la fois douce et virile.
☛ Vignerons Catalans, 1870, av. Julien-Panchot, 66011 Perpignan Cedex,
tél. 04.68.85.04.51, fax 04.68.55.25.62,
e-mail vignerons.catalans@wanadoo.fr ⊺ r.-v.

DOM. DU MOULIN Romani 1998★★★

■   3 ha   8 000   ▮▮   70 à 99 F

Henri Lhéritier réussit aussi bien ses cuvées Crest et Romani que ses essais littéraires consacrés à son vignoble. Celle-ci révèle des arômes de fruits mûrs et de garrigue - Romani signifie romarin en catalan - habillés d'une robe d'un grenat soutenu. Des tanins puissants, persistants et d'une belle expression donnent à ce vin une charpente aussi robuste que majestueuse qui sera en parfaite complicité avec un jeune marcassin rôti.
☛ Henri Lhéritier, av. Gambetta,
66600 Rivesaltes, tél. 04.68.38.56.53,
fax 04.68.38.56.52,
e-mail domainelheritier@wanadoo.fr ☑ ⊺ t.l.j. sf dim. 8h-12h 14h-19h

LES VIGNERONS DE PEZILLA 1998★

■ 45 ha 13 000 ⓘ🍷 20 à 29 F

La coopérative de Pézilla-la-Rivière vinifie la récolte de 790 ha de vignes. Rondeur, souplesse mais aussi plénitude et onctuosité caractérisent ce vin aux arômes de vendanges bien mûres et de baies rouges sauvages. Un vin de séduction pour apprécier dès maintenant le millésime 98 encore fermé dans beaucoup de cuvées.
📞SCV Les Vignerons de Pézilla, 66370 Pézilla-la-Rivière, tél. 04.68.92.00.09, fax 04.68.92.49.91 ☑ ⊤ t.l.j. sf dim. 8h30-12h30 14h-18h30

DOM. PIQUEMAL
Elevé en fût de chêne 1998★★

■ 6 ha 40 000 ⓘⓘ 50 à 69 F

La cave du domaine Piquemal se trouve tout près de la très belle église romane d'Espira-de-l'Agly. Elle a élaboré un 98 d'un grenat profond, dévoilant peu à peu des arômes de cerise et de cassis. C'est l'onctuosité des tanins et la longueur en bouche qui ont surtout séduit les dégustateurs.
📞 Pierre et Franck Piquemal, 1, rue Pierre-Lefranc, 66600 Espira-de-l'Agly, tél. 04.68.64.09.14, fax 04.68.38.52.94 ☑ ⊤ r.-v.

LES VIGNERONS DE PLANEZES-RASIGUERES
Les Gravières 1998★★★

■ 20 ha 25 000 ⓘ🍷 30 à 49 F

Les vignerons de cette cave connue pour ses vins rosés présentent également des cuvées de vins rouges de très belle facture, tel ce 98, cuvée qui aurait fait honneur au Festival de Rasiguères, malheureusement aujourd'hui disparu. Un nez de fruits mûrs et des notes légèrement grillées et épicées entourent une charpente déjà patinée qui laisse aux arômes de bouche toute leur expression en finale.
📞 Les Vignerons de Planèzes-Rasiguères, 5, rte de Caramany, 66720 Rasiguères, tél. 04.68.29.11.82, fax 04.68.29.16.45, e-mail rasigueres@little.france.com ☑ ⊤ t.l.j. sf dim. 8h-12h 14h-18h

ROC DU GOUVERNEUR 1998

■ n.c. 30 000 ⓘ🍷 30 à 49 F

Elevée dans une galerie d'un château du XVᵉs., cette cuvée offre des arômes de fruits rouges en compote dans un écrin rubis. Il procure une sensation charnue en attaque, puis la structure tannique prend le dessus promettant ce vin à une longue garde.
📞 Les Vignobles du Rivesaltais, 1, rue de la Roussillonnaise, 66602 Rivesaltes-Salses, tél. 04.68.64.06.63, fax 04.68.64.64.69, e-mail vignobles.rivesaltais@wanadoo.fr ☑ ⊤ r.-v.

DOM. DU ROUVRE Força Réal 1998★

■ 4 ha 6 000 ⓘⓘ 30 à 49 F

Né sur les pentes schisteuses de la colline de Força Réal, ce vin affiche une robe pleine de jeunesse avec ses reflets violines. Ses arômes, qui se développent peu à peu au nez avant de s'affirmer en bouche, sont dominés par des expressions de baies rouges. L'empreinte boisée se marie bien avec la charpente tannique et laisse une impression d'harmonie en finale.
📞GFA Domaines du Château Royal, Los Parès, 66550 Corneilla-la-Rivière, tél. 04.68.57.22.02, fax 04.68.57.11.63 ☑ ⊤ r.-v.
📞 Pouderoux

DOM. DES SCHISTES Tradition 1998★

■ 7 ha 20 000 ⓘ🍷 30 à 49 F

Jacques et Nadine Sire élaborent régulièrement deux cuvées : l'une, élevée dans le bois, **Les Terrasses**, qu'il faut savoir attendre, l'autre, appelée Tradition, prête à boire. Cette dernière se pare d'une belle robe rubis à reflets grenat. Les notes de fruits rouges bien mûrs dominent au nez comme en bouche, autour d'une charpente tannique qui séduit par son élégance et ses touches réglissées.
📞Jacques Sire, 1, av. Jean-Lurçat, 66310 Estagel, tél. 04.68.29.11.25, fax 04.68.29.47.17 ☑ ⊤ r.-v.

LES MAITRES VIGNERONS DE TAUTAVEL
Tautavel Vieilli en fût de chêne 1998★★

■ 58 ha 24 000 ⓘⓘ 30 à 49 F

Cette cave, située à quelques pas du musée de la Préhistoire, fait preuve d'une belle régularité. Le 98 ne déroge pas à la règle avec ses deux étoiles. On y trouve des arômes de cassis et de cerise bien mûre dans un écrin rubis brillant. Les tanins sont marqués par l'élégance dans un équilibre où les sensations charnues viennent entourer une solide charpente et assurer à ce vin une remarquable persistance aromatique.
📞 Les Maîtres Vignerons de Tautavel, 24, av. Jean-Badia, 66720 Tautavel, tél. 04.68.29.12.03, fax 04.68.29.41.81, e-mail vignerons.tautavel@wanadoo.fr ☑ ⊤ r.-v.

Collioure

C'est une toute petite appellation : actuellement, 330 ha produisent quelque 15 000 hl. Le terroir est le même que celui de l'appellation banyuls : les quatre communes de Collioure, Port-Vendres, Banyuls-sur-Mer et Cerbère.

L'encépagement est à base de grenache noir, carignan et mourvèdre, avec la syrah et le cinsault comme cépages accessoires. Ce sont uniquement des vins rouges et rosés, qui sont élaborés en début de vendanges, avant la récolte des raisins pour le banyuls. La faiblesse des rendements est à l'origine de vins bien colorés, assez chauds, corsés, avec des arômes de fruits rouges bien mûrs. Les rosés sont aromatiques, riches et néanmoins nerveux.

CH. DES ABELLES 1998***

| | 24 ha | 77 000 | 🍷👄 | 70 à 99 F |

Le nouveau circuit de visite de la cave des Templiers à Banyuls est un modèle de pédagogie et d'esthétique. Il permet de connaître les vignobles et vins des appellations banyuls et collioure. Dans sa parure rubis profond, ce collioure rouge offre à la fois le fruit et les épices de l'Orient. Sa générosité en bouche vient entourer une charpente tannique parfaite pour donner en finale une impression charnue.
🍷 Cellier des Templiers, rte du Mas-Reig, 66650 Banyuls-sur-Mer, tél. 04.68.98.36.70, fax 04.68.98.36.91 ☑ ☗ r.-v.

DOM. DE BAILLAURY 1998**

| | n.c. | 8 480 | 🍷👄 | 50 à 69 F |

Les senteurs de cerise bien mûre et de mûre qui apparaissent dès le premier coup de nez avec des notes épicées traduisent la vinification d'une partie de la vendange en raisins entiers. La puissance de la charpente tannique révèle un vin de garde.
🍷 La Cave de L'Abbé Rous, 56, av. Charles-de-Gaulle, 66650 Banyuls-sur-Mer, tél. 04.68.88.72.72, fax 04.68.88.30.57, e-mail contact@banyuls.com

DOM. CAMPI 1998*

| | n.c. | 30 000 | 🍷👄 | 50 à 69 F |

Ce 98 offre des arômes de fruits rouges longuement mûris au soleil dans un écrin rubis, brillant et profond à la fois. Des notes poivrées en bouche précèdent une solide charpente aux tanins élégants qui commencent à peine à se fondre dans l'harmonie gustative.
🍷 Cellier des Templiers, rte du Mas-Reig, 66650 Banyuls-sur-Mer, tél. 04.68.98.36.70, fax 04.68.98.36.91 ☑ ☗ r.-v.

CASTELL DES HOSPICES 1997***

| | n.c. | 10 002 | 🍷🍷 | 100 à 149 F |

L'abbé François Rous fut un des premiers à faire connaître les vins de Banyuls. Hommage lui est rendu aujourd'hui à travers la création de cette cave qui distribue toute une gamme des produits de ce terroir. Ce 97, déjà ambré, révèle une

bonne maturité avec sa robe à reflets tuilés, ses arômes de pain grillé et de fruits cuits, alliés à quelques notes de vieux cuir en bouche. Elégance des tanins et longueur sont au rendez-vous.
🍷 La Cave de L'Abbé Rous, 56, av. Charles-de-Gaulle, 66650 Banyuls-sur-Mer, tél. 04.68.88.72.72, fax 04.68.88.30.57, e-mail contact@banyuls.com

CLOS CHATART 1998

| | 2 ha | 6 000 | 🍷🍷 | 70 à 99 F |

Le clos Chatart, qui doit son nom à l'entomologiste banyulencq, se trouve juste à côté du tombeau du célèbre sculpteur Aristide Maillol qui vivait dans le voisinage. Son collioure rouge offre des arômes de fruits à l'eau-de-vie qui se développent surtout en bouche autour d'une charpente charnue, dans un écrin rubis à reflets cerise.
🍷 Clos Chatart, 66650 Banyuls-sur-Mer, tél. 04.68.88.12.58, fax 04.68.88.51.51 ☑ ☗ r.-v.
🍷 Laverrière

DOM. DE LA MARQUISE
Rosé de l'Arquette 1999**

| | 0,6 ha | 2 800 | | 30 à 49 F |

Les millésimes se suivent avec la même qualité pour ce rosé né d'un vignoble dominant la crique de Collioure. La robe d'un rose pâle, aux reflets saumonés, annonce des arômes de fruits rouges mêlés de notes amyliques. L'onctuosité domine en bouche, avec une savoureuse fraîcheur en finale.
🍷 Dom. de La Marquise, 17, rue Pasteur, 66190 Collioure, tél. 04.68.98.01.38, fax 04.68.82.51.77 ☑ ☗ r.-v.
🍷 Jacques Py

DOM. LA TOUR VIEILLE
Puig Ambeille 1998***

| | 2 ha | 7 971 | 🍷👄 | 70 à 99 F |

Après le coup de cœur attribué au 97, ce nouveau millésime confirme la parfaite qualité de ce domaine. Ce 98 développe des arômes de baies rouges sauvages et de cerise à l'eau-de-vie dans un écrin d'un rubis profond. Des tanins très doux et une délicate onctuosité se donnent la réplique en bouche, dans une harmonie de sensations généreuses.
🍷 Dom. La Tour Vieille, 3, av. du Mirador, 66190 Collioure, tél. 04.68.82.44.82, fax 04.68.82.38.42 ☑ ☗ r.-v.
🍷 Cantié et Campadieu

DOM. LA TOUR VIEILLE
Rosé des Roches 1999**

| | 2 ha | 8 712 | 🍷👄 | 50 à 69 F |

Le domaine de La Tour Vieille a produit également cet excellent rosé, qui affiche une belle robe d'un rose vif, légèrement violine, et des arômes intenses de fruits rouges, rehaussés d'épices. En bouche, il procure une sensation presque charnelle. Il donnera une réplique parfaite à la sarzuella locale.
🍷 Dom. La Tour Vieille, 3, av. du Mirador, 66190 Collioure, tél. 04.68.82.44.82, fax 04.68.82.38.42 ☑ ☗ r.-v.

L'ETOILE Vieilli en montagne 1998★

■		5 ha	13 500	♨	50 à 69 F

La cave de l'Etoile possède encore de très vieux millésimes en banyuls d'une tenue remarquable. Ce collioure 98, vieilli en montagne, offre des notes grillées et épicées, traduisant la maturation de ce millésime. En bouche, les tanins, encore bien présents, dominent l'équilibre gustatif. De la même cave, le jury a retenu le **rosé 99**, d'un rose très pâle, légèrement saumoné, qui accompagnera les poissons de la Méditerranée.

☙ Sté coopérative L'Etoile, 26, av. du Puig-del-Mas, 66650 Banyuls-sur-Mer, tél. 04.68.88.00.10, fax 04.68.88.15.10 ☑ ⏚ t.l.j. sf sam. dim. 8h-12h 14h-18h

DOM. DU MAS BLANC
Clos du Moulin 1998

■		n.c.	n.c.		100 à 149 F

Jean-Michel Parcé reprend le flambeau de son père qui œuvra toute sa vie à la notoriété des appellations banyuls et collioure. Enveloppé dans une robe d'un rubis profond, son Clos du Moulin est une cuvée de longue garde, si on en juge par la puissance et la qualité tannique de la charpente. Ses arômes de griotte se devinent peu à peu au travers des notes grillées et laissent à penser qu'il sera aisé de trouver à ce collioure un accompagnement culinaire de choix.

☙ Dom. du Mas Blanc, 66650 Banyuls-sur-Mer, tél. 04.68.88.32.12, fax 04.68.88.72.24 ☑ ⏚ t.l.j. sf sam.-dim. 9h-12h 15h-18h
☙ Jean-Michel Parcé

MAS CORNET 1999★

◢		n.c.	5 610	⦀	50 à 69 F

Les notes d'eau-de-vie de banane paraissent dominer au premier coup de nez, puis peu à peu des arômes de fraise et de framboise se développent en bouche. Celle-ci est fraîche et agréable, avec une structure équilibrée.

☙ La Cave de L'Abbé Rous, 56, av. Charles-de-Gaulle, 66650 Banyuls-sur-Mer, tél. 04.68.88.72.72, fax 04.68.88.30.57, e-mail contact@banyuls.com

LES CLOS DE PAULILLES 1998★

■		7 ha	35 000	⦀	70 à 99 F

Un collioure que l'on pourra découvrir à la ferme-auberge de ce domaine, situé au bord d'une des criques à l'abri du Cap Béar, entre Port-Vendres et Banyuls. Ses arômes de baies rouges sauvages se fondent dans des notes vanillées apportées par l'élevage en fût. En bouche, la finesse des tanins du mourvèdre (70 % de l'assemblage) se reconnaît à travers la charpente solide de ce vin.

☙ Les Clos de Paulilles, Baie de Paulilles, 66660 Port-Vendres, tél. 04.68.38.90.10, fax 04.68.38.91.33, e-mail jau66@aol.com ☑ ⏚ t.l.j. 11h-23h
☙ Famille Dauré

DOM. PIETRI-GERAUD 1999

◢		0,7 ha	3 500	■ ♨	30 à 49 F

Maguy Pietri-Géraud et sa fille Laetitia conduisent avec passion leur domaine situé sur le territoire même de Collioure, établi sur des terrasses de schistes. Elles viennent de rénover leur local de vieillissement. Leur collioure rosé possède une robe rose pivoine, des arômes de fruits surmûris au soleil et quelques notes d'épices. Les sensations généreuses y prennent le pas sur la vivacité.

☙ Maguy et Laetitia Piétri-Géraud, 22, rue Pasteur, 66190 Collioure, tél. 04.68.82.07.42, fax 04.68.98.02.58 ☑ ⏚ t.l.j. 10h-12h30 15h30-18h30

CH. REIG 1996

■		n.c.	61 000	⦀	70 à 99 F

Les amateurs de millésimes un peu anciens auront plaisir à découvrir ce 96 déjà bien évolué. La robe à reflets tuilés, rappelant celle du banyuls, accompagne des arômes de musc, de cuir et de confiture de fruits rouges. Les notes boisées s'associent à une structure tannique dominante en bouche.

☙ Cellier des Templiers, rte du Mas-Reig, 66650 Banyuls-sur-Mer, tél. 04.68.98.36.70, fax 04.68.98.36.91 ☑ ⏚ r.-v.

DOM. DU ROUMANI 1998★★

■		30 ha	41 160	■ ♨	70 à 99 F

Ce domaine du Roumani vinifié par le cellier des Templiers a eu les honneurs du Guide dans le millésime 94. Le 98 mérite lui aussi le détour, avec sa robe aux reflets grenat, ses arômes de fruits mûrs écrasés, assortis de quelques notes empyreumatiques. En bouche, les tanins sont dominants, mais d'excellente facture, avec quelques accents réglissés. Un vin à oublier quelque temps en cave, mais aura-t-on la patience d'attendre ?

☙ Cellier des Templiers, rte du Mas-Reig, 66650 Banyuls-sur-Mer, tél. 04.68.98.36.70, fax 04.68.98.36.91 ☑ ⏚ r.-v.

DOM. DU TRAGINER 1998★★

■		3 ha	6 500	⦀	70 à 99 F

Le *traginer* dirigeait le mulet qui transportait les comportes à la cave... image d'Epinal des vendanges à Banyuls. L'étiquette de ce vin joue aussi sur la nostalgie : elle montre une photo ancienne du port de Collioure avec ses barques de pêche et ses filets. Ce collioure rouge affiche une robe d'un grenat profond. Des arômes de baies rouges sauvages se développent peu à peu en bouche où l'équilibre met en avant les tanins doux et vanillés. La **Cuvée d'Octobre** du même domaine, avec des expressions plus concentrées et des arômes surmûris, mérite d'être citée.

☙ Dom. du Traginer, 56, av. du Puig-del-Mas, 66650 Banyuls-sur-Mer, tél. 04.68.88.15.11, fax 04.68.88.31.48 ☑ ⏚ r.-v.
☙ J.-F. Deu

ROUSSILLON

Collioure

DOM. VIAL-MAGNERES
Les Espérades 1998★

■   2 ha   6 000 ■❶⬇ 70 à 99 F

Etabli à Banyuls-sur-Mer, Bernard Sapéras produit toute une gamme de vins aussi originaux qu'intéressants. Cette cuvée des Espérades présente une robe à reflets cerise et des notes de petits fruits rouges aux accents de sangria. Elle est encore dominée en bouche par des tanins un peu fermes : il faut l'espérer quelque temps.

●┑ Dom. Vial-Magnères, Clos Saint-André, 66650 Banyuls-sur-Mer, tél. 04.68.88.31.04, fax 04.68.55.01.06,
e-mail al.tragou@wanadoo.fr ☑ ⅄ r.-v.
●┑ M. et B. Sapéras

LA PROVENCE ET LA CORSE

La Provence

La Provence, pour tout un chacun, c'est un pays de vacances, où « il fait toujours soleil » et où les gens, à l'accent chantant, prennent le temps de vivre... Pour les vignerons, c'est aussi un pays de soleil, qui brille trois mille heures par an. Les pluies y sont rares mais violentes, les vents fougueux et le relief tourmenté. Les Phocéens, débarqués à Marseille vers 600 av. J.-C., ne se sont pas étonnés d'y voir de la vigne, comme chez eux, et ont participé à sa diffusion. Plus tard, les Romains puis les moines et les nobles, et jusqu'au roi-vigneron René d'Anjou, comte de Provence, les ont imités.

Éléonore de Provence, épouse d'Henri III, roi d'Angleterre, sut donner aux vins de Provence un grand renom, tout comme Aliénor d'Aquitaine, l'avait fait pour les vins d'Aquitaine. Ils furent par la suite un peu oubliés du commerce international, faute de se trouver sur les grands axes de circulation. Ces dernières décennies, le développement du tourisme les a remis à l'honneur, et spécialement les vins rosés, vins joyeux s'il en fut, symboles de vacances estivales et dignes accompagnements des plats provençaux.

La structure du vignoble est souvent morcelée, ce qui explique que près de la moitié de la production soit élaborée en caves coopératives : il n'y en a pas moins de cent dans le département du Var. Mais les domaines, pour la plupart embouteilleurs, ont toujours leur importance, et leur présence active sur le marché et dans la promotion s'avère précieuse pour toute la région. La production annuelle atteint deux à trois millions d'hectolitres, dont environ un million dans les huit appellations d'origine. Pour le seul département du Var, le vin représente encore 45 % du produit agricole brut, pour 51 % de la surface.

Comme dans les autres vignobles méridionaux, les cépages sont très variés : l'appellation côtes de provence en admet treize. Encore que les muscats, qui firent la gloire de bien des terroirs provençaux avant la crise phylloxérique, aient aujourd'hui disparu. Le vignoble est le plus souvent conduit en gobelet bas ; cependant, les formes palissées se font de plus en plus fréquentes. Vins rosés et vins blancs (ceux-ci plus rares, mais souvent surprenants) sont généralement bus jeunes ; et peut-être pourrait-on revoir cette habitude si l'on trouvait des conditions de maturation en bouteilles moins sévères que celles de notre climat. Il en est de même pour beaucoup de rouges, lorsqu'ils sont légers. Mais les plus corsés, dans toutes les appellations, vieillissent fort bien : on connaît un bandol 1965 qui se tient encore bien droit !

Tout petit, le vignoble de Palette, aux portes d'Aix, englobe l'ancien clos du bon roi René. On signalera ici ses blancs, rosés et rouges.

PROVENCE

——————— Et puisqu'on parle encore provençal dans quelques domaines, sachez qu'un « avis » est un sarment, qu'une « tine » est une cuve et qu'une « crotte » est une cave ! Peut-être vous dira-t-on aussi qu'un des cépages porte le nom de « pecouitouar » (queue tordue) ou encore « ginou d'agasso » (genou de pie), à cause de la forme particulière du pédoncule de sa grappe...

Côtes de provence

Cette appellation dont la production est considérable (près de 800 000 hl par an) occupe un bon tiers du département du Var, avec des prolongements dans les Bouches-du-Rhône, jusqu'aux abords de Marseille, et une enclave dans les Alpes-Maritimes. Elle a produit, en 1999, 934 086 hl. Trois terroirs la caractérisent : le massif siliceux des Maures, au sud-est, bordé au nord par une bande de grès rouge allant de Toulon à Saint-Raphaël et, au-delà, l'importante masse de collines et de plateaux calcaires qui annonce les Alpes. On conçoit que les vins issus de nombreux cépages différents, en proportions variables, sur des sols et des expositions tout aussi divers, présentent, à côté d'une parenté due au soleil, des variantes qui font précisément leur charme... Un charme que le Phocéen Protis goûtait sans doute déjà, 600 ans avant notre ère, lorsque Gyptis, fille du roi, lui offrait une coupe en aveu de son amour...

Sur les blancs tendres, mais sans mollesse, du littoral, les nourritures maritimes et très fraîches seront tout à fait à leur place, tandis que ceux qui sont un peu plus « pointus », un peu plus au nord, apaiseront mieux les irritations des écrevisses à l'américaine et des fromages piquants. Les rosés, tendres ou nerveux, selon l'humeur et le goût, seront les meilleurs compagnons des fragrances puissantes de la soupe au pistou, de l'anchoïade, de l'aïoli, de la bouillabaisse, et aussi des poissons et des fruits de mer aux arômes iodés : rougets, oursins, violets. Enfin, dans les rouges, ceux qui sont tendres (à boire frais) conviennent aux gigots, aux rôtis, mais aussi aux pot-au-feu, et en particulier au pot-au-feu froid en salade ; quelques rouges corsés, puissants, généreux, conviendront aux civets, aux daubes, aux bécasses. Et pour ceux qui ne sont pas ennemis d'harmonies insolites, rosé frais et champignons, rouge et crustacés en civet, blanc avec daube d'agneau (au vin blanc) procurent de bonnes surprises.

CH. D'ASTROS Cuvée spéciale 1999★

| | 3 ha | 20 000 | 📦⬇ | 30 à 49 F |

C'est au château d'Astros qu'a été tourné le film d'Yves Robert *Le Château de ma mère*. Si le cadre a séduit le cinéaste, les vins seront appréciés des visiteurs. Une sélection de vieux grenaches est à l'origine de cette cuvée très pâle, aux arômes exacerbés de banane et de fruits exotiques. On retiendra la tenue et l'équilibre en bouche de ce vin prêt à boire.
➥SCEA du Ch. d'Astros, rte de Lorgues, 83550 Vidauban, tél. 04.94.99.73.00, fax 04.94.73.00.18 ☑ ⊤ t.l.j. sf dim. 8h30-12h 14h-18h

CH. BARBANAU 1999★

| | 6 ha | 30 000 | 30 à 49 F |

La production de ce domaine est en général fort appréciée. Une nouvelle fois le rosé a la préférence du jury, peut-être par l'attrait de sa robe pâle couleur pivoine, certainement par l'élégance de ses arômes d'agrumes et autres fruits exotiques. Rond, doux, équilibré, il est sympathique et persistant.
➥GAEC Ch. Barbanau, Hameau de Roquefort, 13830 Roquefort-la-Bédoule, tél. 04.42.73.14.60, fax 04.42.73.17.85, e-mail barbanau@aol.com ☑ ⊤ t.l.j. sf dim. 10h-12h 15h-18h
➥ Cerciello

CH. BARBEIRANNE Cuvée Camille 1999

| | 1,3 ha | 3 500 | 〽 | 50 à 69 F |

Le château de Barbeiranne possède plus de 30 ha de vignes sur Pignans, joli village viticole remontant au XVIe s. Son rosé a bénéficié d'un élevage sous bois de six mois bien maîtrisé, qui se traduit par des notes vanillées et grillées. Le fruité pointe également dans cette palette aromatique. Atypique de l'appellation, ce vin n'en est pas moins réussi.
➥Ch. Barbeiranne, La Pellegrine, 83790 Pignans, tél. 04.94.48.84.46, fax 04.94.33.27.03 ☑ ⊤ t.l.j. 9h-18h
➥ Sonnpez

LOU BASSAQUET
Cuvée des Rascailles 1999★

◼ 4 ha 19 600 ▮♦ 30 à 49 F

Derrière un nom bien provençal se cache un vin aux nuances atlantiques. C'est en effet le cabernet-sauvignon qui domine dans cet assemblage riche en odeurs épicées et animales intenses. En bouche, le vin se fait rond, fin et subtil, agréable à boire maintenant, mais capable de patienter.

◈ Coopérative Vinicole Le Mont Aurélien, chem. du Loup, 13530 Trets, tél. 04.42.29.20.20, fax 04.42.29.32.03 ☑ ☖ r.-v.

DOM. DE BELEOUVE 1999★

◼ 2 ha 12 000 ▮♦ 30 à 49 F

Cette vaste propriété bien connue pour ses bandol produit aussi d'excellents côtes de provence. Ce 99 d'un pourpre sombre, à la fois structuré et fondu, flatte par ses arômes de cuir et de sous-bois. Un joli vin qui exprimera pleinement son potentiel dans quelque temps.

◈ Domaines Bunan, B.P. 17, 83740 La Cadière-d'Azur, tél. 04.94.98.58.98, fax 04.94.98.60.05 ☑ ☖ r.-v.

CH. DE BERNE Cuvée spéciale 1998★

◼ 8 ha 50 000 ▥ 50 à 69 F

Il se passe toujours quelque chose au château de Berne - expositions, représentations théâtrales, musicales, rencontres gastronomiques et dégustations à thème qui devraient accorder une bonne place aux trois cuvées spéciales retenues par le jury. Ce vin rouge bien construit sous sa robe pourpre offre un bouquet toasté et vanillé. Le **rosé Cuvée spéciale 99** (30 à 49 F) est tout aussi réussi et typique du millésime. Enfin, le **blanc Cuvée spéciale 99** (50 à 69 F), élevé en fût pendant huit mois, mérite également une étoile ; son évolution est prometteuse.

◈ Ch. de Berne, Flayosc, 83510 Lorgues, tél. 04.94.60.43.60, fax 04.94.60.43.58, e-mail info@chateau-berne.fr ☑ ☖ t.l.j. 10h-18h

CH. DE BREGANCON
Cuvée Prestige 1999★

◢ Cru clas. 10 ha 10 000 30 à 49 F

Le lieu idyllique, ne serait-ce que pour la vue sur les îles dont on bénéficie depuis la terrasse du château. Les vins qu'on y déguste sont plaisants, tel ce rosé très fruité, plein, persistant et rafraîchissant en bouche. La **Réserve rouge du château 99** est d'un très bon potentiel, et le jury lui a également accordé une étoile.

◈ Jean-François Tézenas, Ch. de Brégançon, 639, rte de Léoube, 83230 Bormes-les-Mimosas, tél. 04.94.64.80.73, fax 04.94.64.73.47, e-mail chbregancon@terre.net.fr ☑ ☖ t.l.j. sf sam. dim. 9h-12h 14h-18h

CH. DE CABRAN
Cuvée du Pont Romain 1999★

◢ 3,2 ha 15 300 ▮♦ 30 à 49 F

Le château de Cabran cultive ses 15 ha de vignes sur un terroir original constitué de roches volcaniques. Il y a produit un vin rosé aux nuances saumonées, plutôt classique, qui se définit par une belle cohérence gustative et une bonne longueur.

◈ Ch. de Cabran, chem. de Cabran, 83480 Puget-sur-Argens, tél. 04.94.40.80.32, fax 04.94.40.75.21 ☑ ☖ r.-v.

◈ de Saint-Seine/de Saint-Julien

MAS DE CADENET 1999★

◢ 20 ha n.c. 30 à 49 F

La ville de Trets a gardé son visage médiéval à travers ses rues étroites et ses maisons romanes. Elle s'inscrit dans la Provence de Cézanne, celle de la montagne Sainte-Victoire. Dense et lumineux... Le rosé du Mas de Cadenet l'est tout autant que le paysage. Il laisse une impression de grande homogénéité entre son expression fruitée (fruits exotiques) et épicée, puis il se développe en bouche avec fraîcheur sans rien perdre de son ampleur.

◈ Guy Négrel, EARL Mas de Cadenet, 13530 Trets, tél. 04.42.29.21.59, fax 04.42.61.32.09 ☑ ☖ r.-v.

CH. CARPE DIEM Premium 1999★

▢ n.c. 9 000 ▮♦ 30 à 49 F

Carpe diem... Cette philosophie réussit bien à Francis Adam. Son côtes de provence blanc livre sa générosité sous des reflets dorés et des arômes intenses de fruits bien mûrs (fruits à chair blanche, pêche, coing). Attention à ce qu'il ne vous tourne pas la tête. La **cuvée Major rouge 98** (50 à 69 F), citée, possède un profond caractère de gibier et une bouche enveloppée. Elle est prête.

◈ Francis Adam, Ch. Carpe Diem, R.D. 13, rte de Carces, 83570 Cotignac, tél. 04.94.04.76.65, fax 04.94.04.77.50 ☑ ☖ t.l.j. 10h-12h30 15h-18h30

CH. DE CHAUSSE 1997★

◼ 7 ha 30 000 ▮▥ 30 à 49 F

Ce jeune domaine créé en 1990 a planté ses 15 ha de vignes en coteau. Plus sauvage que le millésime précédent qui avait obtenu deux étoiles, le 97 livre des notes de gibier, de cuir et de grillé. C'est un vin long et fin, assez déterminé, qui peut être dégusté dès à présent.

◈ Ch. de Chausse, 83420 La Croix-Valmer, tél. 04.94.79.60.57, fax 04.94.79.59.19 ☑ ☖ t.l.j. 10h-12h 15h-18h

◈ Y. et R. Schelcher

COSTE BRULADE Cuvée spéciale 1999★

◢ 20 ha 11 000 30 à 49 F

Sélection des plus vieilles vignes et macération à froid avant à l'origine de cette cuvée à la robe rose bonbon assez prononcé. Très odorante, elle fait la part belle à la banane et à la fraise. Franc et bien construit, c'est un rosé qui fait le grand jeu et dont on apprécie la densité.

◈ SCA Cellier Saint-Sidoine, rue de la Libération, 83390 Puget-Ville, tél. 04.98.01.80.50, fax 04.98.01.80.59 ☑ ☖ r.-v.

DOM. DE CUREBEASSE
Roches noires 1998★★

◼ 2,6 ha 8 500 ▥ 30 à 49 F

Un endroit peu sûr si l'on en croit la dénomination de *cure biasse*, c'est-à-dire « vide besace » en provençal. Ce n'est qu'un vieux dicton... Fiez-

PROVENCE

vous plutôt à ce remarquable vin rouge soutenu. Vanillée et bien fondue, la bouche s'exprime déjà au mieux et mérite d'être attendue. Quant au **blanc 99**, très réussi, il saura patienter une année. Aromatique, il est ponctué d'une note boisée et trouve en fin de bouche un élan de jeunesse à la faveur de sa matière fraîche et ronde.

☛ Paquette, Dom. de Curebeasse, rte de Bagnols-en-Forêt, 83600 Fréjus, tél. 04.94.40.87.90, fax 04.94.40.75.18, e-mail curebeasse@infonie.fr ☑ ☊ r.-v.

CH. DEFFENDS Cuvée première 1999

◢ 2 ha 12 800 ▮◆ 30 à 49 F

Si la robe est discrète, le parfum est beaucoup plus expressif dans les notes fruitées de banane et de bonbon anglais. Très présent en bouche, ce rosé est frais et équilibré, bien typé.

☛ EARL Ch. Deffends, 83660 Carnoules, tél. 04.94.28.33.12, fax 04.94.28.33.12 ☑ ☊ r.-v.
☛ Verges

DOM. DU DRAGON
Cuvée Saint-Michel Vieillie en fût de chêne 1998★★★

■ 6 ha 22 000 ◫ 30 à 49 F

Le changement de propriétaire il y a quelques années a entraîné une profonde et bénéfique rénovation de ce domaine, ce qui lui a valu de figurer dans certaines des précédentes éditions du Guide. Ce 98 traduit bien l'influence du cabernet-sauvignon et de l'élevage en fût. Sombre, puissant, plein et fruité avec des nuances de vanille et de girofle bien maîtrisées, il laisse en bouche une impression de noblesse qui lui vaut trois étoiles.

La Provence

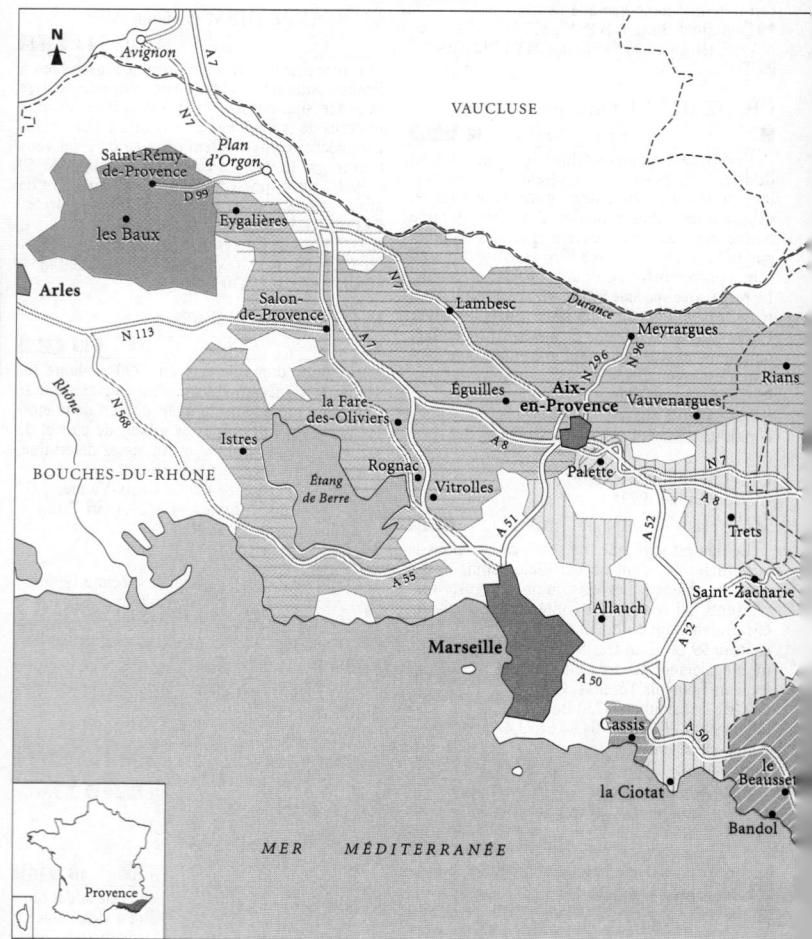

M. Waroquier,
Dom. du Dragon, rte de Montferrat,
83300 Draguignan, tél. 04.94.68.14.46,
fax 04.94.68.14.46 ☑ ⬥ t.l.j. 10h-12h 16h-18h
M. Houppertz

DOM. DES FERAUD
Cuvée réservée 1999★★

◨ 7,5 ha 34 000 ▮⬥ 30 à 49 F

Ce rosé très pâle est un bouquet de senteurs
florales et fruitées ; lilas, aubépine, pêche, citron
vert et autres parfums lui confèrent un caractère
un peu atypique. En bouche, les saveurs sont au
rendez-vous dans un ensemble velouté, harmonieux, équilibré, avec une pointe rafraîchissante
en finale. Un beau produit.

Dom. des Féraud, rte de La Garde-Freinet,
83550 Vidauban, tél. 04.94.73.03.12,
fax 04.94.73.08.58 ☑ ⬥ r.-v.

CH. DES FERRAGES 1999★

◨ 5 ha 30 000 30 à 49 F

L'élégance discrète de la robe pétale de rose
donne le ton de la dégustation. Agréable compromis entre intensité et finesse, ce vin fleure bon
les agrumes et stimule les papilles par sa bouche
soyeuse bien confortée par de la vivacité.

José Garcia, Ch. des Ferrages, R.N. 7,
83470 Pourcieux, tél. 04.94.59.45.53,
fax 04.94.59.72.49 ☑ ⬥ t.l.j. 8h30-12h30
14h-18h30; dim. sur r.-v.

CH. DU GALOUPET 1999★

☐ Cru clas. n.c. 30 000 ⬥⬥ 30 à 49 F

La robe soutenue, presque citron à nuances
dorées, laisse augurer un vin riche et complexe.
Le nez confirme cette impression par ses arômes
développés de fleurs blanches et de fruits mûrs,
d'iode et de noisette grillée. Généreux et gras en

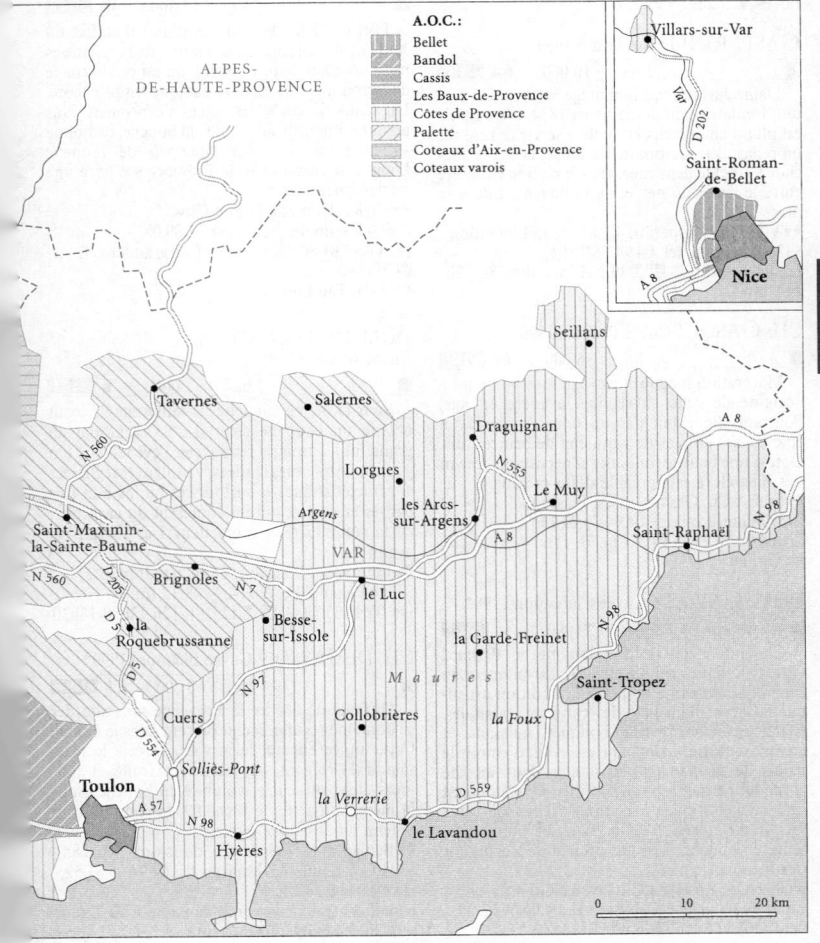

A.O.C.:
- Bellet
- Bandol
- Cassis
- Les Baux-de-Provence
- Côtes de Provence
- Palette
- Coteaux d'Aix-en-Provence
- Coteaux varois

bouche, ce 99 ne manque pas de personnalité et répondra à de nombreux accords gourmands.
🍷 Ch. du Galoupet, Saint-Nicolas, 83250 La Londe-les-Maures, tél. 04.94.66.40.07, fax 04.94.66.42.40 ☑ ￼ t.l.j. sf dim. 9h-12h 14h-18h (19h l'été)
🍷 S. Shivdasani

LES VIGNERONS DU GARLABAN 1999★

| ￼ | 5 ha | 13 000 | ￼ 20 à 29 F |

Aux abords de Marseille, au pied du massif du Garlaban si cher à Marcel Pagnol, cette cave coopérative propose un vin rouge intense, expressif et porté par une bonne structure. Encore un peu jeune, il est à surveiller au cours des deux prochaines années. Le **rosé 99**, noté une étoile, affiche une robe plutôt soutenue. Tout aussi franc à l'œil qu'au nez (fruité), c'est un rosé de saignée bien fait.
🍷 Les Vignerons du Garlaban, 8, chem. Saint-Pierre, 13390 Auriol, tél. 04.42.04.70.70, fax 04.42.72.89.49 ☑ ￼ r.-v.

GASPERINI Dame Jardin 1999

| ￼ | 5 ha | 10 000 | ￼ 30 à 49 F |

Dame Jardin rend hommage à Joséphine Jardin, fondatrice du domaine en 1834. L'ensemble est plutôt chaleureux et invite à servir ce rosé sur un repas, dès l'automne. En **blanc**, la cuvée **Joachim 99**, également citée, réussit un bon équilibre entre le fruité du nez et de la bouche. Elle a sa place à table.
🍷 Vignoble Gasperini, 42, av. de la Libération, 83260 La Crau, tél. 04.94.66.70.01, fax 04.94.66.10.33 ☑ ￼ t.l.j. sf sam. dim. 8h-12h 14h-19h

CH. GASQUI Cuvée Prestige 1996★

| ￼ | 0,8 ha | 6 000 | ￼ 50 à 69 F |

Macération longue et élevage sous bois sont à l'origine de cette cuvée déjà avancée en âge. Pourtant elle séduit par ses odeurs poivrées et épicées, ses arômes de vanille et de beurre frais. Doté d'une bouche fondante et persistante, ce vin très bien élevé est agréable dès à présent.
🍷 SCEA Ch. Gasqui, rte de Flassan, 83590 Gonfaron, tél. 04.94.78.23.14, fax 04.94.78.27.16 ☑ ￼ t.l.j. 9h-18h
🍷 G. Fiat

DOM. GAVOTY Cuvée Clarendon 1998★

| ￼ | 6,5 ha | 30 000 | 50 à 69 F |

Clarendon était le pseudonyme de Bernard Gavoty, célèbre critique musical, chroniqueur au *Figaro*. Le domaine perpétue la tradition artistique en accueillant l'été des concerts classiques. Cette cuvée offre un bouquet puissant et complexe (torréfaction, épices) avant d'emplir le palais de sa matière persistante. Deux ans de garde lui permettront de s'affiner. Une étoile est également attribuée à la **cuvée Clarendon rosée 99**. Ample et gras, ce vin est d'une bonne présence en bouche ; son nez promet de s'épanouir très bientôt.
🍷 Pierre et Roselyne Gavoty, Le Grand Campdumy, 83340 Cabasse, tél. 04.94.69.72.39, fax 04.94.59.64.04 ☑ ￼ r.-v.

CH. GRAND'BOISE 1999★

| ￼ | 10 ha | 53 000 | ￼ ￼ 30 à 49 F |

Ce vignoble bien particulier s'étend de 300 à 600 m d'altitude au milieu de la forêt méditerranéenne, sur le versant nord de la Sainte-Baume. Le domaine a vu une complète renaissance qui se traduit par cette première signature d'un rosé cristallin aux nuances saumonées élégantes. Odorant et ponctué de notes de fruits exotiques et de fleurs blanches, c'est un vin rond et vif à la fois, d'une belle consistance. Le grenache a son mot à dire dans cette cuvée. Une jolie réussite.
🍷 SCEA La Grenobloise, Ch. Grand'Boisé, Ch. de Grisole, 13530 Trets, tél. 04.42.29.22.95, fax 04.42.61.38.71, e-mail grandboise@wanadoo.fr ☑ ￼ r.-v.
🍷 Nielsen

DOM. DU GRAND CROS Cuvée classique 1998

| ￼ | 3 ha | 13 300 | ￼￼ 30 à 49 F |

Fort de 22 ha de vignes et d'un bel édifice du XVIIᵉˢ., le Grand Cros mérite deux citations pour ses côtes de provence. L'un est ce vin rouge de terroir à garder en cave quelque temps encore. Les fruits rouges et les épices s'expriment dans un nez d'intensité moyenne ; la bouche, de bonne structure, garde encore un peu de fermeté. L'autre, le **rosé Esprit de Provence 99**, livre une matière bien fraîche.
🍷 EARL Dom. du Grand Cros, 83660 Carnoules, tél. 04.98.01.80.08, fax 04.98.01.80.09, e-mail info@grandcros.fr ☑ ￼ r.-v.
🍷 J.-H. Faulkner

DOM. DE GRANDPRE Cuvée spéciale 1998★★

| ￼ | 3 ha | 7 000 | ￼ 30 à 49 F |

Sous la même étiquette, le millésime 97 avait obtenu un coup de cœur. Le 98, candidat au grand jury, aurait pu renouveler l'événement. On y retrouve les notes fruitées, vanillées et réglissées si caractéristiques et surtout ces tanins à la fois denses et soyeux qui lui confèrent du caractère, de la complexité et promettent à ce vin un bel avenir.
🍷 Emmanuel Plauchut, Dom. de Grandpré, 83390 Puget-Ville, tél. 04.94.48.32.16, fax 04.94.33.53.49 ￼ t.l.j. 9h-12h 13h30-18h30

CH. DE JASSON Cuvée Eléonore 1999★

| ￼ | 9,1 ha | 60 000 | ￼ 50 à 69 F |

Difficile de décrire la Provence sans aborder ce domaine régulièrement présent dans le Guide. Cette année encore, le jury a apprécié le rosé, saumoné, élégant, agréablement fruité et toujours aussi présent et volubile en bouche. Sous la même étiquette, le **blanc 99**, très expressif, a obtenu lui aussi une étoile.
🍷 Benjamin de Fresne, Ch. de Jasson, R.D. 88, 83250 La Londe-les-Maures, tél. 04.94.66.81.52, fax 04.94.05.24.84, e-mail chateau.de.jasson@wanadoo.fr ☑ ￼ t.l.j. 9h-12h30 14h30-19h30

Côtes de provence

DOM. DE LA BASTIDE NEUVE
Cuvée d'Antan 1997★

■　　2,6 ha　　12 000　　❙❙❙ `50 à 69 F`

Cette production, issue des cépages syrah, mourvèdre et cabernet-sauvignon, a fait l'objet d'un élevage en fûts de 600 litres appelés demi-muids ou encore « boulés » en Provence. Cela a certainement permis l'évolution des arômes vers des notes de kirsch, de réglisse et des fumets assez racés. En bouche, ce vin est structuré, stylé. Il faudra l'attendre quelque temps.
☛SCEA Dom. de La Bastide Neuve, M. Paquette, 83340 Le Cannet-des-Maures, tél. 04.94.50.09.80, fax 04.94.50.09.99, e-mail dnebastideneuve@compuserve.com
☑ ⵖ r.-v.
☛ Wiestner

DOM. DE L'ABBAYE
Cuvée Pugette 1999★

◣　　6 ha　　35 000　　■ `30 à 49 F`

Certes, le domaine est mitoyen de l'abbaye cistercienne du Thoronet, mais son propriétaire est d'abord vigneron, et la culture des fruits d'ici-bas lui réussit plutôt bien. Ce rosé, plus gris que rose, est un bouquet de fruits exotiques, aux saveurs fondues et aériennes. Dans un autre registre plus épicé et plus profond, le **rosé de saignée 99**, a, lui aussi, obtenu une étoile (50 à 69 F).
☛Franc Petit, Dom. de l'Abbaye, 83340 Le Thoronet, tél. 04.94.73.87.36, fax 04.94.60.11.62
☑ ⵖ t.l.j. sf dim. 8h-12h 13h-18h

DOM. DE LA BOUVERIE 1999★

☐　　3 ha　　15 000　　❙❙❙ `30 à 49 F`

Les vignes de La Bouverie se développent dans le magnifique décor de la vallée de l'Argens, dominée par la masse imposante des rochers de grès rouge de Roquebrune. Bien maîtrisés, une fermentation et un élevage de six mois en barrique ont donné à ce blanc un nez fin de litchi, de noisette et de grillé. La bouche prend de l'étoffe jusqu'à une finale intéressante.
☛Jean Laponche, Dom. de La Bouverie, 83520 Roquebrune-sur-Argens, tél. 04.94.44.00.81, fax 04.94.44.04.73 ☑ ⵖ t.l.j. sf dim. 9h30-12h30 14h-17h

CH. DE LA CASTILLE 1998

■　　12,05 ha　　7 300　　■ ♦ `20 à 29 F`

Les caves voûtées du château de La Castille, ancienne propriété des comtes de Provence et aujourd'hui celle de l'évêché, ont été creusées en 1730 par les bagnards de Marseille et de La Ciotat. Elles ont attiré un 98 de caractère qu'il faudra dompter. Attirant à l'œil et expressif au nez, ce vin possède une matière consistante, gage d'une bonne évolution au cours de deux années au moins.
☛Fondation La Castille, 83260 La Crau, tél. 04.94.66.23.63, fax 04.94.33.42.15 ☑ ⵖ r.-v.

CH. DE LA COULERETTE 1999

◣　　40 ha　　200 000　　■ ♦ `30 à 49 F`

Situé à La Londe-les-Maures, à l'entrée du massif des Maures, le château de La Coulerette commande 40 ha de vignes. Il a produit un rosé de teinte soutenue, solide et gaillard. Le nez frais, d'intensité moyenne, laisse place à une bouche bien équilibrée.
☛S. Brechet, SCA Ch. La Coulerette, 83250 La Londe-les-Maures, tél. 04.90.12.32.42, fax 04.90.12.32.49

LA COURTADE 1998★★

■　　9,5 ha　　44 000　　❙❙❙ `100 à 149 F`

Située sur l'île de Porquerolles, La Courtade bénéficie d'un environnement très particulier où l'ensoleillement et l'atmosphère maritime jouent un rôle fondamental dans la maturation des raisins. Essentiellement issu de mourvèdre, ce 98 est l'objet des plus grands soins en matière de rendement, de cuvaison et d'élevage. Le jury a apprécié sa complexité aromatique au travers des notes de fumé, de musc, de truffe et de sous-bois. En bouche, le vin se fait plus boisé sur une structure puissante et encore virile.
☛Dom. de La Courtade, 83400 Ile-de-Porquerolles, tél. 04.94.58.31.44, fax 04.94.58.34.12, e-mail la-courtade@terre-net.fr ☑ ⵖ r.-v.
☛ M. H. Vidal

CELLIER DE LA CRAU
Cuvée des Vieux Ceps 1998★★

■　　10 ha　　10 000　　■ ♦ `20 à 29 F`

La coopérative de La Crau propose cette cuvée riche en couleur et en reflets profonds. Aux arômes de figue et de confiture répond une bouche déjà équilibrée et veloutée, tant les tanins sont fondus. La dégustation sera plaisante dès l'automne, mais une garde de trois à cinq ans est également possible.
☛Cellier de La Crau, 85, av. de Toulon, 83260 La Crau, tél. 04.94.66.73.03, fax 04.94.66.17.63 ☑ ⵖ t.l.j. sf dim. 8h-12h 14h-17h30

DOM. DE LA CRESSONNIERE
Cuvée Prunelle 1999★

◣　　2 ha　　12 500　　■ ♦ `30 à 49 F`

Un platane de plus de deux siècles marque l'entrée du domaine, dont la création remonte à 1639. Issue de sols argilo-calcaires et schisteux, la cuvée Prunelle, de couleur pâle et aux multiples reflets, est un vin élégant et fin. Elle s'ouvre sur des arômes de fruits rouges, relayés en bouche par des notes d'agrumes. Le **côtes de provence blanc cuvée Bel-Avi 99** a passé quelques mois sous bois. L'hiver lui permettra de se bonifier. Il est également très réussi.
☛GFA Dom. de La Cressonnière, R.N. 97, 83790 Pignans, tél. 04.94.48.81.22, fax 04.94.48.81.25, e-mail cressoniere@wanadoo.fr ☑ ⵖ r.-v.
☛ Gourdon et Depeursinge

CH. LA FONT DU BROC 1999★★

◣　　5,3 ha　　20 000　　`50 à 69 F`

Un élevage de chevaux lusitaniens participe à sa manière (épandage de fumier dans les rangs de vignes) à la notoriété vinicole du domaine. Si ce 99 constitue un ensemble délicat, il n'en a pas moins de présence. De la beauté de sa robe aux senteurs subtiles, légèrement amyliques, il offre une charmante harmonie.

749　　　　LA PROVENCE

➥Sylvain Massa, Ch. La Font du Broc, chem. du Font-du-Broc, 83460 Les Arcs-sur-Argens, tél. 04.94.47.48.20, fax 04.94.47.50.46 ✓ ⵏ r.-v.

CH. L'AFRIQUE 1999★★

◢ 5 ha 35 000 ▮ 30 à 49 F

Le château L'Afrique doit son nom au courant orientaliste qui se développa au XIX°s. L'étiquette du château est ainsi illustrée par un tableau de Géricault. Quelle exubérance aromatique dans ce rosé saumoné ! Le pamplemousse ressort nettement de la palette, tandis qu'en bouche ce vin friandise se développe avec ampleur. Plus classique, le **rouge 98** témoigne, avec un certain caractère, de son élevage en fût. Il patientera en cave entre trois et cinq ans.

➥Famille Elie Sumeire, Ch. L'Afrique, 83390 Cuers, tél. 04.42.61.20.00, fax 04.42.61.20.01, e-mail sumeire@chateaux-elie-sumeire.fr ✓ ⵏ r.-v.

DOM. DE LA GARNAUDE
Cuvée Santane 1998★

■ 2 ha 5 800 ◫ 30 à 49 F

Derrière une présentation assez classique, on se laisse facilement séduire par la large palette d'odeurs qu'offre cette cuvée : beaucoup de fruits ainsi que des épices (muscade) et un peu de cuir. Plaisante et souple en bouche, elle a atteint sa plénitude et mérite d'être consommée.

➥SCEA Martel-Lassechère, Dom. de La Garnaude, 83590 Gonfaron, tél. 04.94.78.20.42, fax 04.94.78.24.71 ✓ ⵏ r.-v.
➥GFA Dom. de La Garnaude

DOM. DE LA GERADE 1998★

■ 1 ha 3 000 ▮ 30 à 49 F

Ce côtes de provence rouge très friand possède un bouquet intense de fruits rouges (framboise), finement réglissé. Bien équilibré, sans aucune agressivité, il s'associera dès l'automne à une viande rouge ou à un fromage à pâte tendre. Le **rosé 99** mérite quant à lui d'être cité pour ses arômes originaux.

➥EARL de La Gérade, 1300, chem. des Tourraches, 83260 La Crau, tél. 04.94.66.13.88, fax 04.94.66.73.52 ✓ ⵏ t.l.j. sf dim. 9h-11h45
➥B. Henry

DOM. DE LA GISCLE Carte noire 1998★

■ 2,5 ha 5 000 ◫ 30 à 49 F

Avant d'être consacré à la vigne vers la fin du XVI°s., le domaine de La Giscle fut tour à tour un moulin à farine puis une magnanerie. Il s'inscrit dans une vallée cernée par les crêtes des Maures. De son vignoble est né ce vin rouge élevé en fût pendant sept mois. Sous des effluves vanillés et réglissés, il est dense et de bonne persistance. On le conservera entre deux et trois ans. En **rosé**, la cuvée **Moulin de L'Isle 99** mérite elle aussi une étoile.

➥EARL Dom. de La Giscle, hameau de l'Amirauté, rte de Collobrières, 83310 Cogolin, tél. 04.94.43.21.26, fax 04.94.43.37.53 ✓ ⵏ t.l.j. 9h-12h30 14h-19h; dim. 9h-12h30
➥Audemard

CH. LA GORDONNE Les Gravières 1999

◢ 12 ha 80 000 ▮ ⵏ 20 à 29 F

Le château La Gordonne fait partie des domaines Listel. Depuis 1995, l'ensemble appartient au Val-d'Orbieu, important groupe du Languedoc. Retenu pour sa texture et sa franchise, ce rosé livre en outre une palette fruitée classique (notes amyliques, fraise), sous une teinte soutenue, presque cerise.

➥Domaines Listel, Ch. La Gordonne, 83390 Pierrefeu-du-Var, tél. 04.94.28.20.35, fax 04.94.28.20.35 ✓ ⵏ t.l.j. 8h-12h 13h-18h; sam. dim. sur r.-v.

DOM. DE LA LAUZADE 1999★★

☐ 10 ha 50 000 ▮ ⵏ 30 à 49 F

Sur le site actuel de La Lauzade se trouvait une *villa* romaine vers 46 avant J.-C. Le lieu était alors déjà apprécié pour ses sources et sa position à l'abri du mistral, derrière une barrière de coteaux. Le domaine est aujourd'hui connu non seulement pour ses vins, mais aussi pour son conservatoire expérimental de soixante cépages. Il vous réserve une gourmandise, un vin blanc plein de jeunesse, dont l'expression intense rappelle la fraîcheur des agrumes. Ce 99 s'harmonise autour d'un équilibre de saveurs et flatte longuement le palais.

➥Dom. de La Lauzade, rte de Toulon, 83340 Le Luc, tél. 04.94.60.72.51, fax 04.94.60.96.26, e-mail lauzade.abouvier@wanadoo.fr ✓ ⵏ r.-v.

DOM. DE LA LAUZADE 1999★

■ 25 ha 140 000 ▮ ⵏ 30 à 49 F

Salade d'agrumes aux épices : le nez et la bouche sont complices sur ces notes surprenantes pour un vin rouge, qui viennent en complément du gras et d'une bonne longueur. Le jury qualifie ce côtes de provence d'atypique mais s'accorde à le définir comme plaisant et prêt à boire. Quant au **rosé 99**, il est étincelant dans sa robe et attachant par ses arômes. La bouche aiguisera vos papilles.

➥Dom. de La Lauzade, rte de Toulon, 83340 Le Luc, tél. 04.94.60.72.51, fax 04.94.60.96.26, e-mail lauzade.abouvier@wanadoo.fr ✓ ⵏ r.-v.

DOM. DE LA MAYONNETTE
Cuvée Prestige 1998★★

■ 1,6 ha 5 000 ▮ ⵏ 50 à 69 F

Cette cuvée vêtue d'une robe profonde possède toute la matière souhaitée. Des tanins de bonne facture l'étayent et assurent une longueur significative sur la réglisse qui fait écho aux arômes d'épices perçus au nez. Parions sur son devenir et sur un vrai plaisir.

☛ Julian, Dom. de la Mayonnette, rte de Pierrefeu, 83260 La Crau, tél. 04.94.48.28.38, fax 04.94.28.26.66 ☑ ⏇ t.l.j. sf dim. 9h-12h 13h30-18h30

DOM. DE LA NAVARRE
Cuvée Les Roches 1999★

| ■ | | 1,5 ha | 6 000 | ⊪ | 50 à 69 F |

Le domaine fondé par saint Jean Bosco au XIXᵉs. est encore dirigé par les frères salésiens. Il propose dans le millésime 99 un vin de teinte soutenue aux notes de fruits rouges (cassis, framboise). Ses tanins étant encore jeunes, cette bouteille patientera deux ou trois ans en cave.

☛ Fondation La Navarre, Cave du domaine, 3451, chem. de la Navarre, 83260 La Crau, tél. 04.94.66.04.08, fax 04.94.35.10.66 ☑ ⏇ r.-v.

CLOS LA NEUVE Prestige 1998★★

| ■ | | 5 ha | 20 000 | ▮↓ | 20 à 29 F |

Le 98 du Clos La Neuve ne se contente pas d'être agréable à l'œil, il mêle aussi joliment la violette et les fruits noirs à un fumé léger. Il se développe au palais avec une rondeur et une vinosité franches. L'évolution de ce vin peut être estimée à une période de deux à cinq ans.

☛ EARL Dom. de La Neuve, 83910 Pourrières, tél. 04.94.78.17.02, fax 04.94.59.86.42 ☑ ⏇ t.l.j. 9h-12h 14h-19h

DOM. DE L'ANGUEIROUN 1999★

| ◢ | | 2 ha | 12 000 | ▮↓ | 30 à 49 F |

Le changement dans la continuité : Eric Dumon a désormais pris les rênes de la propriété, avec succès comme le démontre ce rosé très fruité, qui rappelle la poire, la pêche et le citron. Vif, équilibré et ample, ce vin se fait généreux et complet en bouche.

☛ Eric Dumon, 1077, chem. de l'Angueiroun, 83230 Bormes-les-Mimosas, tél. 04.94.71.11.39, fax 04.94.71.75.51 ☑ ⏇ t.l.j. sf dim. 8h-12h 14h-19h

LES MAITRES VIGNERONS DE LA PRESQU'ILE DE SAINT-TROPEZ
Carte noire 1999★★

| ◢ | | 40 ha | 150 000 | ▮↓ | 30 à 49 F |

Difficile de découvrir l'appellation sans croiser cette étiquette. Ce groupement de producteurs a déjà prouvé toute sa compétence. Son rosé 99, issu essentiellement de grenache, en témoigne. Très pâle de couleur, il explose de nuances fruitées en bouche : ananas, pêche jaune, abricot, menthe. Rond, enveloppé, équilibré et long en bouche, il satisfera généreusement vos attentes.

☛ Maîtres vignerons de La Presqu'île de Saint-Tropez, 83580 Gassin, tél. 04.94.56.32.04, fax 04.94.43.42.57 ☑ ⏇ t.l.j. sf dim. 9h-12h 15h-19h

DOM. DE LA SANGLIERE 1999★★★

| ☐ | | 2,5 ha | 10 000 | ▮↓ | 30 à 49 F |

Sur la route bordée de mimosas du fort de Brégançon, le domaine de La Sanglière bénéficie d'une belle situation pour ses 42 ha de vignes en bord de mer. Ce 99 exceptionnel a frôlé le coup

de cœur. Sa réussite tient à l'explosion aromatique perçue au nez comme en bouche. Les saveurs d'agrumes se marient à une texture ronde et généreuse. Un vin blanc complet et fort élégant. La **Cuvée spéciale 99 en rosé** mérite une étoile pour sa couleur pétale de rose, brillante, et son expression équilibrée.

☛ François et Rémy Devictor, Dom. de la Sanglière, 83230 Bormes-les-Mimosas, tél. 04.94.66.68.20, fax 04.94.66.60.72 ☑ ⏇ t.l.j. sf dim. 8h-12h 14h-19h

DOM. DE LA SAUVEUSE 1999★★

| ◢ | | 5,45 ha | 27 800 | 20 à 29 F |

Parmi les différentes cuvées du domaine, le jury a retenu ce vin de caractère. Aromatique, complexe, généreux, élégant et persistant : autant de qualificatifs signalant un grand rosé. Du même producteur, la cuvée **Plan de Loube en rosé 99** a également séduit ; elle mérite une étoile.

☛ SCEA Dom. de La Sauveuse, chem. de la Sauveuse, 83390 Puget-Ville, tél. 04.94.28.59.60, fax 04.94.28.52.48 ☑ ⏇ t.l.j. sf sam. dim. 8h-12h 13h-17h30

☛ Salinas

DOM. DE LA SEIGNEURIE 1999

| ■ | | 9,06 ha | 58 800 | ▮↓ | 30 à 49 F |

Ancienne demeure des princes de Condé, le domaine de La Seigneurie propose un côtes de provence aux reflets violacés, encore jeune et discret dans son expression aromatique. En revanche, la structure en bouche laisse espérer une évolution intéressante.

☛ SCEA Dom. de La Seigneurie, rte de Cabasse, 83340 Flassans-sur-Issole, tél. 04.94.69.72.27, fax 04.94.59.62.71 ☑ ⏇ r.-v.

DOM. LA TOUR DES VIDAUX 1999★★

| ◢ | | 12 ha | 9 000 | ▮↓ | 30 à 49 F |

Le chai est tout récent mais le vignoble a déjà trente ans de production. Cette signature séduit le jury par sa pureté, et par le contraste entre l'élégance et la finesse de ses parfums au regard de sa fermeté et de sa tenue en bouche. Une belle réussite et un avenir assuré.

☛ Marlena et Paul Weindel, quartier Les Vidaux, 83390 Pierrefeu-du-Var, tél. 04.94.48.24.01, fax 04.94.48.24.02 ☑ ⏇ t.l.j. sf dim. 8h30-12h 14h30-18h30

DOM. LA TOURRAQUE 1999★★

| ◢ | | 1,5 ha | 6 000 | ▮↓ | 50 à 69 F |

Qui n'a pas évoqué l'exotisme de la plage de Pampelonne située à Ramatuelle - et non à Saint-Tropez ? Ce même exotisme apparaît dans ce rosé de couleur tendre qui s'exprime tout en fruit et en délicatesse. L'élégance, l'équilibre et la longueur caractérisent la bouche. Le **98 rouge vieilli en barrique** mérite une citation pour sa franchise et sa complexité aromatique.

☛ GAEC Brun-Craveris, Dom. La Tourraque, 83350 Ramatuelle, tél. 04.94.79.25.95, fax 04.94.79.25.95 ☑ ⏇ t.l.j. sf dim. 8h-12h 14h-18h

CH. DE L'AUMERADE
Cuvée Sully 1999★

| ☐ | 3 ha | 20 000 | 🍴⬇ | 30 à 49 F |

Ce domaine est riche en histoire ; il imposa son huile et ses vins à la cour, de Henri IV jusqu'à Louis-Philippe. Aujourd'hui, il propose au visiteur une jolie collection de santons et, bien sûr, ce vin blanc de teinte pâle, dont le nez discret laisse percevoir des arômes d'agrumes. La bouche est équilibrée et fraîche. En **rouge**, la **cuvée Marie-Christine 99** mérite d'être citée pour sa palette de fruits rouges et sa souplesse.
🛒SCEA des Dom. Fabre, Ch. de l'Aumerade, 83390 Pierrefeu, tél. 04.94.28.20.31, fax 04.94.48.23.09 ☑ ⊺ r.-v.

CH. DES LAUNES Cuvée Prestige 1998★

| ■ | 1 ha | 3 400 | ◖▮▮ | 50 à 69 F |

Au pied du massif des Maures, ce petit domaine incarne à lui seul toute la magie de la terre provençale. Outre la vigne, les chênes-lièges, lauriers, pins parasols, eucalyptus et autres essences défient les sols de schistes arides et le soleil brûlant. Sous des platanes séculaires vous apprécierez ce vin rouge boisé, légèrement vanillé et empyreumatique, aux saveurs généreuses et aux tanins bien fondus.
🛒 Hans-Y. et Brigitte Handtmann, Ch. des Launes, R.D. 558 vers le Luc, 83680 La Garde-Freinet, tél. 04.94.60.01.95, fax 04.94.60.01.43 ☑ ⊺ r.-v.

DOM. LE BERCAIL
Cuvée de l'Opale 1999★

| ◢ | 3 ha | 11 000 | 🍴⬇ | 30 à 49 F |

La robe claire s'agrémente de reflets cristallins. Les notes d'agrumes et d'abricot se déclinent au nez, puis la bouche s'ouvre harmonieusement et dans la douceur. La dominante de grenache n'est pas étrangère à cette impression. En **rouge**, la **cuvée Confidence 98**, citée est prête à boire tant sa matière est fondue.
🛒 Dom. Le Bercail, 864, chem. de la Plaine, 83480 Puget-sur-Argens, tél. 04.94.19.54.09, fax 04.94.19.54.09 ☑ ⊺ t.l.j. sf sam. dim. 8h-16h30

CH. LES CROSTES 1999★★

| ◢ | 20 ha | 50 000 | 🍴⬇ | 30 à 49 F |

La Cuvée spéciale en rosé 97 du château Les Crostes avait reçu un coup de cœur dans le Guide 1999. Aujourd'hui, le jury salue le rosé classique du domaine. D'une présentation rose pâle lumineux irréprochable, ce vin libère un fruité fin et

intense (fruit de la passion), puis affirme son élégance par la structure harmonieuse de son palais. L'alchimie s'est faite entre une bonne matière première et un savoir-faire.
🛒SARL H.L. Ch. Les Crostes, 83510 Lorgues, tél. 04.94.73.98.40, fax 04.94.73.97.93, e-mail chateau.les.crostes@wanadoo.fr ☑ ⊺ t.l.j. sf dim. 10h-18h30

L'ESTANDON 1999★

| ◢ | n.c. | n.c. | | 30 à 49 F |

Cette cuvée d'un domaine régulièrement présent dans le Guide a des charmes multiples. Sa robe est vive et printanière, ses arômes ont un accent de fruits d'été : pêche, framboise et cassis. L'ensemble développe une matière équilibrée et longue au palais, tout empreinte de cette corbeille de fruits.
🛒SA Bagnis et Fils, quartier des Aubregades, 83390 Cuers, tél. 04.94.48.50.08, fax 04.94.48.50.18 ☑ ⊺ r.-v.

L'ESTELLO Sextant d'or 1999★★

| ◢ | 3 ha | 18 000 | 🍴⬇ | 30 à 49 F |

L'aventure du navigateur devenu vigneron continue remarquablement bien. Flatteur à l'œil, ce rosé franc est vif, séduisant, voire explosif. Sa générosité enveloppe longuement le palais. Bien vinifié, ce vin est à déguster toute l'année. Le **Sextant d'or blanc 99** est plus floral mais tout aussi harmonieux et complet. Le jury lui a également attribué deux étoiles.
🛒 Dom. de L'Estello, rte de Carces, 83510 Lorgues, tél. 04.94.73.22.22, fax 04.94.73.29.29, e-mail rtordjman@aol.fr ☑ ⊺ r.-v.
🛒 R. Tordjmann

CH. MAIME 1999★

| ◢ | 7,5 ha | 35 000 | 🍴⬇ | 30 à 49 F |

Le château Maïme entre cette année dans le Guide avec un rosé fort sympathique. Sa couleur très pâle et sa palette encore discrète ne doivent pas vous détourner d'une belle surprise en bouche : un réel équilibre entre acidité et moelleux. Le **blanc 99**, lui aussi timide au nez, mérite une étoile pour son élégante harmonie.
🛒SCEA Ch. Maïme, quartier La Maïme, 83460 Les Arcs-sur-Argens, tél. 04.94.47.41.66, fax 04.94.47.42.08, e-mail maime@terre-net.fr ☑ ⊺ t.l.j. 10h-12h 15h-19h
🛒 Sibran et Garcia

CH. MARAVENNE
Collection privée 1999★

| ◢ | 1,5 ha | 6 600 | 🍴⬇ | 30 à 49 F |

Situé à La Londe-les-Maures, importante station estivale qui préserve la beauté sauvage de ses plages, ce domaine couvre 70 ha sur un terroir de schistes. Un bouquet exquis laisse une impression d'élégance à la dégustation de ce rosé saumoné pâle. La bouche, relevée d'une pointe citronnée et minérale, présente un équilibre réussi.
🛒EARL Gourjon, rte de Valcros, 83250 La Londe-les-Maures, tél. 04.94.66.80.20, fax 04.94.66.97.79 ☑ ⊺ t.l.j. sf dim. 9h-12h 14h-18h

DOM. DE MARCHANDISE 1999★

◪ n.c. 100 000 ▮↓ 30 à 49 F

Sobre et élégant, à l'instar de l'étiquette qui habille cette bouteille, le rosé du domaine de Marchandise se présente sous une robe si pâle qu'elle semble parée de reflets gris. Aucune tristesse cependant sous ses atours. On perçoit une envolée florale, une étoffe de soie en bouche et une finale équilibrée.

☛ GAEC Chauvier Frères,
Dom. de Marchandise, 83520 Roquebrune-sur-Argens, tél. 04.94.45.42.91, fax 04.94.81.62.82
☑ ⏏ t.l.j. 9h-19h

CH. DE MAUPAGUE 1998★★

■ 9 ha 40 000 ⦀ 30 à 49 F

Au pied de la montagne Sainte-Victoire, cette propriété de la famille Elie Sumeire obtient de faibles rendements des sols d'éboulis de colluvions d'argile ou de grès. Elle donne ainsi tout son sens à son nom de Maupague (littéralement « donne peu »). Son rouge 98, dans sa robe soutenue, déploie une palette variée : du fruit confit au pruneau en passant par la vanille héritée d'un élevage en fût d'un an. Portée par une charpente solide, sa bouche reprend en finale le fruit et la vanille. C'est un vin à conserver au moins deux ans. Le second vin rouge du château, le **Cézanne 98** (20 à 29 F) obtient une étoile. Il comprend 10 % de grenache et il est aussi bien construit que le premier.

☛ Famille Elie Sumeire, Ch. de Maupague, 13114 Puyloubier, tél. 04.42.61.20.00, fax 04.42.61.20.01, e-mail sumeire@chateau-elie-sumeire.fr ☑ ⏏ r.-v.

DOM. DE MAUVAN 1999★

◪ 3 ha 20 000 30 à 49 F

Le domaine de Mauvan est l'un de ces vignobles de la Sainte-Victoire dont on apprécie la personnalité et la typicité des vins. D'une pâleur bien dans le ton provençal, ce rosé réveille le palais par sa fougue et sa vivacité. Puis sa rondeur tempère cet élan juvénile, en prenant des caractères de fruits frais, de bonbon anglais et de petites fleurs.

☛ Gaëlle Maclou, Dom. de Mauvan, R.N. 7, 13114 Puyloubier, tél. 04.42.29.38.33, fax 04.42.29.38.33 ☑ ⏏ r.-v.

CH. DE MAUVANNE Cuvée 2 1999★★

■ Cru clas. 10 ha 39 000 ⦀ 30 à 49 F

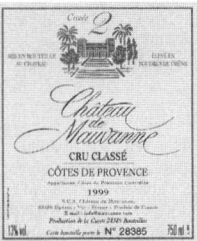

Propriété de Simone Berriau, ce vaste domaine fut au milieu du XXᵉs. un lieu de rencontre prisé des personnalités du monde de l'art

et de la littérature. Quelques décennies plus tard, il vient de changer de propriétaire pour un renouveau viticole et œnologique qui lui permet d'accéder à la plus haute marche. Encore très jeune lors de la dégustation, ce 99 a néanmoins enthousiasmé le jury par sa complexité aromatique, heureuse alliance de notes fruitées et chocolatées, et surtout par ses promesses en bouche : un vin généreux, riche et concentré, mais déjà élégant.

☛ SCA Ch. de Mauvanne, 2805, rte de Nice, 83400 Hyères, tél. 04.94.66.40.25, fax 04.94.66.46.29 ☑ ⏏ t.l.j. 9h-12h30 14h-18h30

CH. DES MESCLANCES
Cuvée Saint-Honorat 1998★★

■ n.c. 6 000 ⦀ 30 à 49 F

Il est difficile de rester indifférent au charme de cette vieille demeure provençale où une cave romaine du Iᵉʳ s. a été découverte en 1996. Comme il est difficile de ne pas réagir à la plénitude et à la complexité de ce 98 rouge sombre, profond, très épicé qui sent bon le poivre, la garrigue et l'olive noire ! Un vin de gastronomie, encore jeune.

☛ Xavier de Villeneuve Bargemon, Les Mesclances, 83260 La Crau, tél. 04.94.66.75.07, fax 04.94.35.10.03, e-mail mesclances@yahoo.fr ☑ ⏏ t.l.j. sf dim. 9h-12h 14h-18h30

CH. MINUTY Prestige 1999★

◪ Cru clas. 6 ha 40 000 ▮↓ 70 à 99 F

Sur les sables et les schistes du golfe de Saint-Tropez, le grenache et le tibouren ont des spécificités inimitables. Cette nuance pâle discrètement ocre, ces odeurs savamment fondues d'abricot, de pamplemousse, de pêche et d'ananas et cette persistance en bouche où le gras et la vivacité ont fait alliance sont autant d'attributs d'un vin de caractère.

☛ Matton-Farnet, Ch. Minuty, 83580 Gassin, tél. 04.94.56.12.09, fax 04.94.56.18.38 ☑ ⏏ t.l.j. sf dim. 9h-12h 14h-18h30
☛ Matton

CH. MONTAGNE
Réserve du Coseigneur 1998★

■ 3 ha 15 000 ⦀ 30 à 49 F

Le Coseigneur n'est autre que François de Montagne qui eut ce titre en 1780 à Pierrefeu. C'est la syrah qui domine dans cette cuvée 98 à la robe grenat soutenu. La bouche étoffée mais déjà assez fondue est confortée par des arômes élégants de fruits noirs, de violette et de chocolat. Un vin harmonieux, plaisant à boire dès maintenant.

☛ Henri Guérard, Ch. Montagne, 83390 Pierrefeu-du-Var, tél. 04.94.28.68.58, fax 04.94.28.51.28, e-mail guerard@club-internet.fr ☑ ⏏ t.l.j. 9h-18h

DOM. DE MONT REDON
Cuvée Louis Joseph 1999★★

■ 1,5 ha 6 000 ▮↓ 30 à 49 F

Rouge profond, cette cuvée compose un bouquet concentré, agrémenté d'arômes de violette et de notes plus chaleureuses (cuir, épices). Puissante, elle possède un corps ferme et bien enrobé. Le temps fera de ce 99 un remarquable ouvrage.

Michel Torné, SCEA Dom. de Mont Redon, 2496, rte de Pierrefeu, 83260 La Crau, tél. 04.94.66.73.86, fax 04.94.57.82.12 ☑ ☨ r.-v.

CH. MOURESSE 1999★★

| □ | 2 ha | 9 000 | ⓘ♨ | 20 à 29 F |

La nouvelle équipe du château Mouresse se distingue par un côtes de provence blanc élégamment floral à l'olfaction. Un élevage de quelques mois sur lies fines a apporté à ce vin une maturité et une générosité gourmande sur des notes très fruitées en bouche.

Michael Horst, Ch. Mouresse, 3353, chem. de Pied-de-Banc, 83550 Vidauban, tél. 04.94.73.12.38, fax 04.94.73.57.04, e-mail info@chateau-mouresse.com ☑ ☨ t.l.j. sf dim. 8h-12h 14h-19h

DOM. DES MYRTES Cuvée spéciale 1999

| □ | 2 ha | 4 000 | ⓘ♨ | 30 à 49 F |

Au domaine des Myrtes, la vigne côtoie la production florale. Cette Cuvée spéciale rappelle ce paysage : quelques effluves de fleurs mariées au miel accompagnent toute la dégustation jusqu'à une finale fraîche. Un bon compagnon des poissons grillés et - pourquoi pas - des fromages frais.

GAEC Barbaroux, Dom. des Myrtes, 83250 La Londe-les-Maures, tél. 04.94.66.83.00, fax 04.94.66.65.73 ☑ ☨ r.-v.

MAS NEGREL CADENET 1998★

| ■ | 2 ha | n.c. | ⓘⓘ | 70 à 99 F |

A l'ouest de l'appellation, les vignerons de la Sainte-Victoire se sont mobilisés pour affirmer l'identité et la spécificité de leur terroir. Cette démarche ne manque pas de fondement, comme le prouve cette cuvée très épicée et réglissée, teintée de syrah, et qui traduit bien la marque de cette zone (sur le plan pédologique et climatique) sur l'équilibre en bouche des cuvaisons rouges : des vins élégamment structurés et fondus, ni trop lourds ni trop secs.

Guy Négrel, EARL Mas de Cadenet, 13530 Trets, tél. 04.42.29.21.59, fax 04.42.61.32.09 ☑ ☨ r.-v.

CUVEE NOTRE-DAME 1999★

| ◢ | 5 ha | 30 000 | ⓘ♨ | 20 à 29 F |

La coopérative de La Londe-les-Maures est bien représentée par ce rosé destiné à un bel automne. De couleur classique, ce 99 a de la présence en bouche : de la matière associée à de la fraîcheur. C'est une bouteille friande et flatteuse. En **rouge**, le **Château Pansard 99** mérite d'être cité pour son nez frais de fraise et sa souplesse (30 à 49 F).

Cave des vignerons Londais, 83250 La-Londe-les-Maures, tél. 04.94.66.80.23, fax 04.94.05.20.10 ☑ ☨ r.-v.

DOM. DES PEIRECEDES
Tradition 1999★

| □ | 1,9 ha | 8 000 | ⓘ♨ | 20 à 29 F |

La cuvée Tradition, pâle mais brillante, a beaucoup de présence avec ses arômes intenses, légèrement épicés. D'une bonne attaque, la bouche se développe assez longuement. À découvrir sur des fruits de mer. Cité, le **rosé Tradition 99**

(30 à 49 F) est un vin tendre et expressif, aux notes fruitées.

Alain Baccino, SCEA Beauvais, Dom. des Peirecèdes, 83390 Pierrefeu, tél. 04.94.48.67.15, fax 04.94.48.52.30, e-mail alain.baccino@wanadoo.fr ☑ ☨ r.-v.

CH. DE POURCIEUX 1999★

| ◢ | 6 ha | 40 000 | ⓘ♨ | 30 à 49 F |

Ce vignoble ancien, partagé entre le Var et les Bouches-du-Rhône, égaie depuis longtemps par ses vins les meilleures tables de la ville d'Aix-en-Provence. Assemblage judicieux de syrah et de grenache, ce rosé se pare d'une robe franche et plutôt soutenue, aux nuances framboise. C'est aussi la framboise qui s'exprime au nez, tandis que la bouche se fait pleine, complète et généreuse.

Michel d'Espagnet, Ch. de Pourcieux, 83470 Pourcieux, tél. 04.94.59.78.90, fax 04.94.59.32.46, e-mail pourcieux@terre-net.fr ☑ ☨ t.l.j. 9h-12h 14h-18h; sam. dim. sur r.-v.

CH. REAL MARTIN 1999★

| ◢ | 10 ha | 40 000 | ⓘ♨ | 50 à 69 F |

Le petit village médiéval du Val, au creux de la vallée de la Ribeirotte, réserve de belles surprises au visiteur. Cinq kilomètres à peine les séparent des vignes du château Réal Martin, dont le côtes de provence rosé a été jugé très réussi. Un vin de teinte pastel, aux nuances florales, qui attaque en rondeur pour finir de manière un peu plus austère. On l'appréciera sur une cuisine de la mer. Le **rouge 97**, chaleureux, n'en est pas moins harmonieux et mérite d'être cité (70 à 99 F).

Jacques Clotilde, Ch. Réal Martin, rte de Barjols, 83143 Le Val, tél. 04.94.86.40.90, fax 04.94.86.32.23 ☑ ☨ t.l.j. 8h-12h 14h-18h (19h en été); sam. dim. sur r.-v.

CH. REILLANNE Grande Réserve 1999★★

| ◢ | n.c. | 250 000 | ⓘ♨ | 30 à 49 F |

Sur les deux cuvées dégustées en rosé, la Grande Réserve a eu la préférence du jury pour sa palette aromatique complexe, fleurie, épicée et minérale. Elle possède de l'étoffe en bouche, associant finesse, harmonie et présence. « Ce rosé a du grain et il est propice aux escapades tropéziennes », dit un dégustateur. La **cuvée Prestige 99 en rosé** obtient quant à elle une étoile.

Comte G. de Chevron Villette, Ch. Reillanne, rte de Saint-Tropez, 83340 Le Cannet-des-Maures, tél. 04.94.50.11.72, fax 04.94.47.92.06 ☑ ☨ t.l.j. sf sam. dim. 8h-12h 14h-17h

CH. REQUIER Cuvée spéciale 1999

| □ | 10 ha | 10 000 | ⓘ♨ | 30 à 49 F |

Le château Réquier est idéalement situé sur la commune de Cabasse, dans la vallée de l'Issole. Ce petit bourg passionnant livre de nombreux vestiges de l'histoire gallo-romaine et même de la préhistoire (le dolmen de la Gastée est le plus beau mégalithe de la région). Le millésime 99 a donné un joli résultat dans cette Cuvée spéciale, presque transparente à l'œil. Très aromatique, le

nez décline agrumes et notes anisées, puis la bouche se développe avec plus de simplicité.
☛Ch. Réquier, La Plaine, 83340 Cabasse, tél. 04.94.80.25.72, fax 04.94.80.21.14 ☑ ⵁ t.l.j. sf dim. 8h30-17h

RIMAURESQ 1999★

◢ Cru clas.   17 ha   94 000   `50 à 69 F`

Dans la précédente édition, le jury avait plébiscité le côtes de provence rouge. Les millésimes ayant leur spécificité, c'est un rosé très pâle qui est aujourd'hui retenu. D'abord soyeux et caressant, puis un peu plus vif, il émoustille les papilles et laisse un agréable souvenir. Mais **blanc 99** et **rouge 98** ne déméritent pas et obtiennent une citation chacun.
☛SA Dom. de Rimauresq, rte de Notre-Dame-des-Anges, 83790 Pignans, tél. 04.94.48.80.45, fax 04.94.33.22.31 ☑ ⵁ t.l.j. sf sam. dim. 8h-12h 13h30-17h30
☛ Wemyss Devel

CH. ROUBINE
Cuvée Philippe Riboud 1999★★

☐ Cru clas.   1 ha   4 000   ⓘⵁ `50 à 69 F`

La ville de Lorgues fut longtemps la plus grande commune oléicole de France et témoigne de sa richesse passée dans son architecture. D'abord propriété des Templiers puis de l'ordre de Saint-Jean-de-Jérusalem, le château Roubine a également connu l'influence de grandes familles provençales. Il possède aujourd'hui 77 ha de vignes et propose dans le millésime 99 un vin (70 % de clairette, 30 % de sémillon) aux arômes complexes, dont l'expression franche et intense participe au caractère gourmand. A déguster sur un poisson ou une viande blanche.
☛Ch. Roubine, R.D. 562, 83510 Lorgues, tél. 04.94.85.94.94, fax 04.94.85.94.95, e-mail riboud@toulon.pacwan.net ☑ ⵁ r.-v.
☛ Valérie et Philippe Riboud

CH. DE ROUX 1999

■   3,74 ha   26 000   `30 à 49 F`

La couleur soutenue annonce un vin apte au vieillissement. Sur une base de fruits rouges et de sous-bois, les tanins s'expriment fermement. La pointe d'acidité devrait s'estomper avec le temps (dans deux ou trois ans).
☛Ch. de Roux, 83340 Le Cannet-des-Maures, tél. 04.94.60.73.10, fax 04.94.60.89.79 ☑ ⵁ t.l.j. 9h-12h 14h-17h30
☛ J.-G. Cupillard

DOM. SAINT-ANDRE DE FIGUIERE
Grande Cuvée Vieilles vignes 1998★

■   2 ha   8 000   ⓘⵁ `50 à 69 F`

Le domaine possède désormais un chai de mise en bouteilles flambant neuf et un caveau de dégustation où l'on pourra découvrir cette cuvée Vieilles vignes (trente-cinq ans) à base de mourvèdre et de carignan, élevée en fût. Encore jeune, le vin affiche des reflets violacés et prend des accents de fruits frais, de mousse et de fougère. Puissant et ferme, il présente un relief intéressant. Laissez-le un an ou deux en cave pour l'amadouer.

☛Dom. Saint-André de Figuière, B.P. 47, 83250 La Londe-les-Maures, tél. 04.94.66.92.10, fax 04.94.35.04.46 ☑ ⵁ t.l.j. 9h-12h 14h-18h
☛ Alain Combard

DOM. DE SAINTE-CROIX
Rosé charmeur 1999

◢   10 ha   30 000   ▮ `30 à 49 F`

Voilà près de trente ans que le domaine de Sainte-Croix a été créé à Carcès, une commune riche d'histoire dont les maisons s'imbriquent autour d'une forteresse. Il se situe en outre à quelques kilomètres de l'abbaye cistercienne du Thoronet. A robe cerise, bouche de fraise... Son rosé constitue un ensemble un peu sauvageon, mais dans la bonne moyenne.
☛SCEA Pélépol Père et Fils, Dom. de Sainte-Croix, 83570 Carcès, tél. 04.94.04.56.51, fax 04.94.04.58.10 ☑ ⵁ r.-v.

M DE CH. SAINTE-MARGUERITE
Cuvée Saint-Pons 1999★★

◢ Cru clas.   2 ha   10 000   ▮ⵁ `50 à 69 F`

M. Chevillon, pianiste concertiste, créa ce vignoble en 1929. Le domaine fut acquis en 1977 à la Fondation de France, et le montant de la vente fit l'objet d'un prix musical au nom du fondateur. Cette tête de cuvée, fruit d'une sélection de vignes âgées de quarante-cinq ans (grenache en majorité, cinsault et syrah) provenant d'un terroir spécifique, tient régulièrement ses promesses. Dans un millésime assez difficile, Jean-Pierre Fayard a su créer un remarquable vin. La pâleur, la finesse et l'élégance sont au rendez-vous, mais on découvre en outre une concentration et une complexité qui multiplient les sensations au palais. Un grand rosé.
☛Jean-Pierre Fayard, Ch. Sainte-Marguerite, B.P. 1, 83250 La Londe-les-Maures, tél. 04.94.00.44.44, fax 04.94.00.44.45, e-mail christine.fayard@wanadoo.fr ☑ ⵁ t.l.j. sf sam. dim. 8h30-12h30 14h-18h

CLOITRE DE SAINTE-ROSELINE
1999★

◢   25 ha   120 000   ▮ⵁ `30 à 49 F`

Une visite au domaine de Sainte-Roseline s'impose non seulement pour ses vins mais aussi pour la chapelle de l'abbaye construite à partir du XIIᵉ's. Les plus grands artistes modernes y ont laissé leur empreinte : Chagall dans une mosaïque, Bazaine dans les vitraux, Giacometti dans un bas-relief de bronze. Le rosé 99 débute avec timidité, peut-être parce qu'il fait preuve d'origi-

PROVENCE

nalité au nez avec ses notes de pierre à fusil. Il prend toutefois vite le cap de la franchise et de l'équilibre. Une bouteille à ouvrir dès l'automne.
➙ SCEA Ch. Sainte-Roseline, 83460 Les Arcs, tél. 04.94.99.50.30, fax 04.94.47.53.06 ☑ ⵏ t.l.j. 8h-12h 14-18h30
➙ Bernard Teillaud

DOM. DU SAINT-ESPRIT
Grande Cuvée 1998★

| ■ | 12 ha | 10 000 | ❶❶ | 30 à 49 F |

Des vignes bien conduites, un assemblage équilibré et un élevage en fût sont à l'origine de ce 98 certes un peu discret à l'œil mais nettement plus expressif au nez comme en bouche. Des nuances épicées et boisées confortent une impression de densité, de volume, d'équilibre mais aussi de jeunesse en bouche. Un vin prometteur, encore un peu fougueux. Du même producteur, le **Château Clarettes, Grande Cuvée rouge 98** reçoit la même note.
➙ EARL Crocé Spinelli, Dom. des Clarettes, 83460 Les Arcs-sur-Argens, tél. 04.94.47.45.05, fax 04.94.73.30.73 ☑ ⵏ r.-v.

CH. DE SAINT-JULIEN D'AILLE
Cuvée des Rimbauds 1997★

| ■ | 51 ha | 6 000 | | 30 à 49 F |

Derrière une robe profonde et mystérieuse se cache un vin au tempérament fougueux, agréablement boisé et chocolaté. Harmonieux mais encore jeune, il nécessite quelques mois de vieillissement. Un côtes de provence riche et prometteur.
➙ Ch. de Saint-Julien d'Aille, n° 5480, R.D.48, 83550 Vidauban, tél. 04.94.73.02.89, fax 04.94.73.61.31 ☑ ⵏ r.-v.

DOM. DE SAINT-MARC 1998★

| ■ | 1,2 ha | 8 000 | ▮❶❶♦ | 50 à 69 F |

Cette petite production, issue essentiellement de vieilles vignes de syrah, a su mettre en valeur les caractères du cépage, tant par ses arômes poivrés, végétaux et floraux que par sa bouche plus structurée que moelleuse. Les tanins sont fins et soyeux comme dans les vins produits sur sols de schistes.
➙ Miyamoto, Dom. de Saint-Marc Leï Crottes, 83310 Cogolin, tél. 04.94.54.69.92, fax 04.94.54.01.41 ☑ ⵏ r.-v.

CH. SAINT-PIERRE Cuvée Marie 1999★

| ◢ | 2 ha | 10 000 | ▮♦ | 30 à 49 F |

Le château Saint-Pierre déploie ses 36 ha de vignes sur sol argilo-calcaire, à 1,5 km du village médiéval des Arcs. Sa cuvée Marie offre sous une teinte pâle des senteurs printanières. La suavité et l'équilibre apparaissent au palais. Un ensemble joyeux à ne pas oublier sur la terrasse encore chaude des premières journées d'automne.
➙ Jean-Philippe Victor, Ch. Saint-Pierre, Les Quatre-Chemins, 83460 Les Arcs, tél. 04.94.47.41.47, fax 04.94.73.34.73 ☑ ⵏ r.-v.

DOM. DE SAINT-QUINIS 1999★

| ◢ | 20 ha | 13 000 | ▮♦ | 20 à 29 F |

La coopérative de Gonfaron est une habituée du Guide. Cette année le jury a été séduit par ce rosé très pâle et fort agréable. Bien équilibré, le

vin libère des arômes de fruits exotiques, de pêche et d'abricot. Le **rouge 99**, cité, mérite de passer l'hiver pour assagir sa structure.
➙ Les Maîtres Vignerons de Gonfaron, Cave coopérative, 83590 Gonfaron, tél. 04.94.78.30.02, fax 04.94.78.27.33 ☑ ⵏ t.l.j. 8h-12h 14h-18h

SAINT-ROCH-LES-VIGNES 1999★

| ◢ | 60 ha | 200 000 | ▮♦ | 20 à 29 F |

Les vins de la coopérative Saint-Roch à Cuers sont pris en charge par les Maîtres vignerons de la Presqu'île de Saint-Tropez. Ce joli rosé bien vinifié ne passe pas inaperçu. Derrière sa robe légère, tirant sur le pétale de rose, apparaissent un nez intense d'agrumes puis une vivacité de bon aloi, valorisant une longue fin de bouche légèrement citronnée.
➙ Cave Saint-Roch-les-Vignes, rte de Nice, 83390 Cuers, tél. 04.94.28.60.60 ☑ ⵏ lun. mar. jeu. ven. 9h-12h 14h-18h

DOM. DE SAINT-SER
Hauts de Sainte-Victoire 1998★

| ■ | 3 ha | 4 000 | ❶❶ | 70 à 99 F |

Au versant sud de la Sainte-Victoire, la chaleur qui mûrit les raisins est modérée par l'altitude des terroirs. Cette cuvée particulière est un heureux assemblage de syrah et de cabernet élevés sous bois dont on apprécie les nuances de fruits, d'olive et de vanille. Un vin plaisant, équilibré et fondu. On retiendra aussi de ce producteur le **rosé Prestige 99**, très aromatique, qui a obtenu une étoile.
➙ Dom. de Saint-Ser, R.D. 17, 13114 Puyloubier, tél. 04.42.66.30.81, fax 04.42.66.37.51, e-mail saintser@europost.org ☑ ⵏ t.l.j. 10h-12h 14h-18h; groupes sur r.-v.
➙ Pierlot

CH. DES SARRINS 1998★

| ■ | 1,5 ha | 5 000 | ▮♦ | 50 à 69 F |

Selon la légende, un chef sarrasin, tué au VIII[e]s. à l'époque des invasions arabes, serait enterré ici avec son armure d'or. Une armure de velours protège ce 98 dont l'élégance se mesure au nez à travers des arômes poivrés, épicés et un léger sous-bois. Un dégustateur lui prédit un beau mariage avec une volaille. Autre prestation remarquée, celle du **rosé 99**, très pâle à reflets gris, tout rond et plein d'agrumes au nez (30 à 49 F).
➙ SCEV Dom. des Sarrins, 83510 Saint-Antonin-du-Var, tél. 04.94.73.26.93, fax 04.94.73.26.93 ☑

DOM. SIOUVETTE
Cuvée Marcel Galfard 1999★

| ▢ | 2 ha | 10 000 | ▮❶❶♦ | 30 à 49 F |

À quelques encablures de Saint-Tropez, cette ancienne bastide du XVIII[e]s. cultive 20 ha sur un sol limoneux. Un heureux mariage de sémillon et de vermentino est à l'origine de cette cuvée vinifiée et élevée en barrique. On apprécie le volume et l'équilibre en bouche, ainsi que les arômes complexes de grillé, de cannelle, de prune et de pâte de fruits, même si l'effet terroir s'en trouve un peu estompé.

•☎Sylvaine Sauron, Dom. Siouvette, R.N. 98, 83310 La Mole, tél. 04.94.49.57.13, fax 04.94.49.59.12 ☑ ♈ r.-v.

DOM. DES THERMES 1999★★

◢ 1,78 ha 13 000 ▮♨ 20 à 29 F

Coup de cœur l'an passé pour son rosé 98 et lauréat de la grappe de bronze du Guide pour son premier millésime, le domaine des Thermes propose son second rosé ! Eh bien le jury ne s'était pas trompé : ce domaine tient ses promesses. Une note lumineuse apparaît dans la robe pâle, saumonée, tandis qu'au nez se dégage une réelle fraîcheur sur des notes d'agrumes et de petits fruits rouges. La bouche franche et persistante met en valeur cette impression. Dans la même lignée, le **blanc 99** mérite une étoile.
•☎EARL Robert, Dom. des Thermes, 83340 Le Cannet-des-Maures, tél. 04.94.60.73.15, fax 04.94.60.73.15 ☑ ♈ r.-v.

CH. TOUR SAINT-HONORE
Grande Réserve 1999★

◢ 6 ha 20 000 ▮♨ 30 à 49 F

Sous sa robe flatteuse, saumonée, cette Grande Réserve présente un nez de belle intensité sur des notes de pamplemousse et d'agrumes. Après une attaque vive, elle dévoile un corps harmonieux et bien aromatique. En **blanc**, la **cuvée Olivier 99** (50 à 69 F), d'esprit plus aiguisé, est tout aussi odorante et mérite une étoile.
•☎ Serge Portal, Ch. Tour Saint-Honoré, R.D. 559, 83250 La Londe-les-Maures, tél. 04.94.66.98.22, fax 04.94.66.52.12 ☑ ♈ r.-v.

DOM. TURENNE Cuvée Bastien 1999★

■ 5 ha 20 000 ❰▮❱ 50 à 69 F

Sur ce terroir argilo-calcaire entre Pierrefeu et Cuers, les vins rouges s'expriment au mieux. En témoigne cette cuvée à base de mourvèdre, élevée en fût pendant dix mois. D'un beau rubis profond, elle bénéficie de tanins bien sculptés, entourés d'une matière intensément fruitée. L'ensemble est puissant et vieillira sans encombre quatre ou cinq ans.
•☎Philippe Benezet, Dom. Turenne, 83390 Cuers, tél. 04.94.48.68.77, fax 04.94.28.57.13 ☑ ♈ t.l.j. sf dim. 8h-12h 14h-18h

CH. VANNIERES 1998★★

■ 6 ha 18 000 ❰▮❱ 70 à 99 F

Ce domaine dont le château date du XVIᵉs. est bien connu pour sa production en AOC bandol, mais il produit aussi un côtes de provence dont la cuvaison en rouge s'inspire des techniques de vinification bordelaises. Le mourvèdre ayant aussi son mot à dire, on obtient un vin puissant, soutenu, complexe aux arômes de truffe, de fruits et d'épices. Très tannique, ce vin certes déjà expressif mérite un peu de temps pour affirmer toute sa richesse.
•☎Ch. Vannières, 83740 La Cadière-d'Azur, tél. 04.94.90.08.08, fax 04.94.90.15.98 ☑ ♈ t.l.j. sf dim. 8h-12h 14h-18h
•☎ Boisseaux

CH. DE VAUCOULEURS 1999★

◢ 4 ha 20 000 30 à 49 F

Grenache et syrah sont à l'origine de ce rosé à la fois discret et consistant. Pâle et floral, privilégiant finesse et élégance, ce vin a suffisamment de tenue et de longueur pour séduire aujourd'hui comme demain.
•☎P. Le Bigot, Ch. de Vaucouleurs, R.N. 7, 83480 Puget-sur-Argens, tél. 04.94.45.20.27, fax 04.94.45.20.27 ☑ ♈ t.l.j. sf dim. 10h-12h 14h-18h; f. nov.

CH. VEREZ 1999★

◢ 21 ha 20 000 ▮♨ 30 à 49 F

Lumineux, rose pâle à reflets fuchsia, ce rosé mêle fleurs et fruits dans une palette aussi profonde qu'intense. La bouche, tendre à l'attaque, évolue vers plus de vivacité. Un beau vin à découvrir à l'apéritif ou à déguster sur des brochettes.
•☎Ch. Verez, Le Grand Pré, 83550 Vidauban, tél. 04.94.73.69.90, fax 04.94.73.55.84, e-mail verez@wanadoo.fr ☑ ♈ t.l.j. sf dim. 9h-19h

VIEUX CHATEAU D'ASTROS
Cuvée du Commandeur 1999★★

◢ n.c. n.c. 30 à 49 F

Qu'il s'agisse de couleur, d'arômes ou de saveurs, certains rosés sont plus volubiles que d'autres. Celui-ci n'a pas manqué d'inspirer le jury qui a notamment relevé des nuances pastel, des notes de fleurs, d'agrumes, d'épices et de bergamote. Mais plus que ses multiples senteurs, c'est le plaisir du palais, nerveux, équilibré entre finesse, franchise et caractère, qui lui vaut d'obtenir deux étoiles.
•☎Christian Maurel, Vieux Château d'Astros, rte de Lorgues, 83550 Vidauban, tél. 04.94.73.02.56, fax 04.94.73.66.27 ☑ ♈ t.l.j. sf dim. 8h30-12h30 14h-18h

DOM. DES VINGTINIERES 1999★

◢ 3,5 ha 18 000 ▮♨ 30 à 49 F

Du haut de son piton rocheux, à quelque 127 m d'altitude, le Vieux Cannet ménage une belle vue sur le massif des Maures. A 4 km de là, le domaine des Vingtinières déploie ses 26 ha de vignes. Récoltés sur sol argilo-calcaire, grenache et cinsault ont contribué à la complexité florale et fruitée de ce rosé, un vin tendre et équilibré que l'on pourra boire dès à présent sur des filets de rouget à la provençale par exemple.
•☎Patrice Moreux, Dom. des Vingtinières, rte de Saint-Tropez, 83340 Le Cannet-des-Maures, tél. 04.94.99.81.12, fax 04.94.99.81.12 ☑ ♈ r.-v.

Cassis

Un creux de rochers, auquel on n'accède que par des cols relativement hauts depuis Marseille ou Toulon, abrite, au pied des plus hautes falaises de France, des calanques, des anchois et une certaine fontaine qui, selon les Cassidens, rendait leur ville plus remarquable que Paris... Mais aussi un vignoble que se disputaient déjà, au XIᵉ s., les puissantes abbayes, en demandant l'arbitrage du pape. Le vignoble occupe aujourd'hui environ 175 ha, dont 123 en cépages blancs. Les vins sont rouges et rosés, mais surtout blancs. Mistral disait de ces derniers qu'ils sentaient le romarin, la bruyère et le myrte. Ne cherchez pas les grandes cuvées : elles sont bues au fur et à mesure, avec les bouillabaisses, les poissons grillés et les coquillages.

CLOS D'ALBIZZI 1999

| | 11 ha | 40 000 | 30 à 49 F |

Un petit air d'Italie entoure ce domaine de 13 ha, rappelant que la famille Albizzi, arrivée dans la région de Cassis au début du XVᵉs., est d'origine florentine. Simple mais d'une franche expression au palais, c'est un vin rond que le jury a retenu. Il s'apprécie pour son nez de fruits frais, évocateur d'ananas ou encore de banane, auquel se mêlent pain grillé et brioche.
☛ François Dumon, Clos d'Albizzi, 13260 Cassis, tél. 04.42.01.11.43 ☑ ☖ r.-v.

DOM. DU BAGNOL
Marquis de Fesques 1999

| | 3,5 ha | 20 000 | 30 à 49 F |

Cette cuvée porte le nom de celui qui fonda le domaine du Bagnol dans la seconde moitié du XIXᵉs. On se laisse charmer dès que l'on porte le regard sur sa robe jaune or pâle. Discret, le vin s'oriente vers des notes de pâtisserie tout aussi caressantes.
☛ Dom. du Bagnol, 12, av. de Provence, 13260 Cassis, tél. 04.42.01.78.05, fax 04.42.01.11.22, e-mail jeanlouisgeno@aol.fr ☑ ☖ t.l.j. sf dim. 10h-12h30 14h30-18h30
☛ Genovesi

DOM. CAILLOL 1999*

| | 3 ha | 17 000 | 30 à 49 F |

Le cassis blanc 98 avait obtenu un coup de cœur l'an passé. Le rosé prend la vedette dans le millésime 99 avec une étoile. Habillé d'une tenue rose à reflets violines des plus seyantes, il s'entoure de notes de fruits rouges - fraise, framboise - qui s'expriment longuement dans un ensemble friand et bien équilibré.
☛ Caillol Frères, 11, chem. du Bérard, 13260 Cassis, tél. 04.42.01.05.35, fax 04.42.01.31.59 ☑ ☖ t.l.j. sf dim. 8h-12h 14h-18h30; groupes sur r.-v.

CH. DE FONTBLANCHE 1999

| | 10 ha | 40 000 | 50 à 69 F |

Il est un homme qui fit renaître la langue des poètes provençaux et le cassis : Emile Bodin, créateur en 1890 de ce vignoble qui couvre aujourd'hui une quarantaine d'hectares. Le château de Fontblanche offre ici un vin jaune clair aux senteurs mêlées de fruits secs, de verveine,

de tilleul et de menthe. On y perçoit de la rondeur et du gras.
☛ SCEA Bontoux-Bodin Père et Fils, Ch. de Fontblanche, 13260 Cassis, tél. 04.42.01.00.11, fax 04.42.01.32.11 ☑ ☖ t.l.j. sf dim. 9h-12h 15h-18h

CH. DE FONTCREUSE Cuvée F 1998★★

| | 13,99 ha | 60 000 | 30 à 49 F |

Ce château du XVIIᵉs. doit son nom à la présence d'une fontaine creusée dans la roche. Son cassis blanc a été maintes fois coup de cœur dans le Guide (millésimes 95 et 96 notamment). Un bel effet de sa robe gansée d'or lui donne de l'élégance dans le millésime 98. Le côté mentholé, l'eucalyptus cèdent progressivement la place à l'amande grillée. Le vin s'affirme dans un style structuré, gras et généreux, puis s'enrichit de notes de miel. Il est encore frais en finale et c'est tant mieux. Une bouteille de repas. La **cuvée F en rosé 99**, plus discrète, mêle le fruité et le fleuri sous une enveloppe soyeuse et équilibrée. Elle obtient une étoile.
☛ SA J.-F. Brando, Ch. de Fontcreuse, 13, rte de La Ciotat, 13260 Cassis, tél. 04.42.01.71.09, fax 04.42.01.32.64 ☑ ☖ t.l.j. sf sam. dim. 8h-12h 14h-17h30

DOM. LA FERME BLANCHE 1997

| ■ | 3 ha | 9 000 | 50 à 69 F |

Une petite production d'un vin rouge intéressant à la dégustation. Très profond à l'œil, ce 97 a besoin de s'oxygéner pour dévoiler sa palette aromatique mêlant les notes animales à la douceur de la griotte à l'eau-de-vie. La charpente est harmonieuse et souple.
☛ Dom. de La Ferme Blanche, R.N. 559, 13260 Cassis, tél. 04.42.01.00.74, fax 04.42.01.73.94 ☑ ☖ t.l.j. 9h-19h
☛ F. Paret

DOM. DU PATERNEL 1999

| | 6 ha | 30 000 | 50 à 69 F |

Dès sa création en 1951, ce domaine a destiné sa production à la restauration. Ce rosé trouvera sa place sur des plats provençaux. Marqué par les fleurs, il s'exprime en toute simplicité, avec vivacité et toujours avec harmonie.
☛ Jean-Pierre Santini, Dom. du Paternel, 11, rte Pierre-Imbert, 13260 Cassis, tél. 04.42.01.76.50, fax 04.42.01.09.54 ☑ ☖ t.l.j. sf dim. 10h-12h 14h-18h

DOM. DES QUATRE-VENTS 1999★

☐ | 4 ha | 20 000 | ▮▮ ▮ | 30 à 49 F

Alain de Montillet a repris en 1985 ce domaine de plus de 8 ha sur sols argilo-calcaires. Le millésime 99 s'exprime tout en fleurs dans ce cassis blanc, des pointes de menthol et de citron venant souligner le nez. Habillé d'une robe pâle à reflets verts, c'est un ensemble printanier et charmant malgré une finale un peu austère.
☛ Alain de Montillet, Dom. des Quatre-Vents, 13260 Cassis, tél. 04.42.01.88.10 ☑ ⵏ t.l.j. sf sam. dim. 8h-12h 14h-18h

CLOS SAINTE-MAGDELEINE 1999★

☐ | 11 ha | 40 000 | ▮▮ ▮ | 50 à 69 F

Jaune paille mais démonstratif dans sa maturité, ce cassis se définit par une attaque ronde, de la matière et une puissance moyenne. La palette aromatique va du fruit mûr au grillé, libérant des touches de verveine et de tilleul. Une bouteille à déguster sur un poisson grillé.
☛ Sack-Zafiropulo, Clos Sainte-Magdeleine, av. du Revestel, 13260 Cassis, tél. 04.42.01.70.28, fax 04.42.01.15.51 ☑ ⵏ r.-v.

CLOS VAL BRUYERE 1998★

☐ | 7 ha | 25 000 | ▮▮ ▮ | 50 à 69 F

Ce cassis a gardé une part de jeunesse dans sa palette florale. Gras, plein, il traduit sa maturité en bouche à travers des arômes de fruits mûrs ou de pâte de fruits.
☛ GAEC Ch. Barbanau, Hameau de Roquefort, 13830 Roquefort-la-Bédoule, tél. 04.42.73.14.60, fax 04.42.73.17.85, e-mail barbanau@aol.com ☑ ⵏ t.l.j. sf dim. 10h-12h 15h-18h
☛ Cerciello

Bellet

De rares privilégiés connaissent ce minuscule vignoble (32 ha) situé sur les hauteurs de Nice, dont la production est réduite (environ 1 000 hl) et presque introuvable ailleurs qu'à Nice. Elle est faite de blancs originaux et aromatiques, grâce au rolle, cépage de grande classe, et au chardonnay (qui se plaît à cette latitude quand il est exposé au nord et suffisamment haut) ; de rosés soyeux et frais ; de rouges somptueux, auxquels deux cépages locaux, la fuella et le braquet, donnent une originalité certaine. Ils seront à leur juste place avec la riche cuisine niçoise si originale, la tourte de blettes, le tian de légumes, l'estoficada, les tripes, sans oublier la soca, la pissaladière ou la poutine.

CH. DE BELLET Cuvée Baron G 1998★

■ | n.c. | n.c. | 100 à 149 F

Les anciennes tours du château de Bellet ont retrouvé leur couleur rouge profond grâce au travail du maître fresquiste, Guy Ceppa. Une tonalité que l'on découvre aussi dans ce bellet grenat soutenu. S'il s'ouvre timidement sur des notes fumées et de fruits à l'eau-de-vie, il en développe une matière concentrée sur des tanins fermes mais déjà agréables. Les arômes d'épices et de boisé, dominants, s'atténueront d'ici cinq à sept ans.
☛ Ghislain de Charnacé, Ch. de Bellet, 440, chem. de Saquier, 06200 Nice, tél. 04.93.37.81.57, fax 04.93.37.93.83 ☑

CLOT DOU BAILE 1999★★

☐ | 0,9 ha | 3 200 | ▮▮ ▮ | 70 à 99 F

Naguère simple colline en friche, le Clot Dóu Baile est devenu un beau domaine viticole de 6 ha sur sols de poudingues. Il propose un bellet d'une jeunesse resplendissante. Une corbeille de fruits (pêche, fruits exotiques) exubérante participe à la complexité de ce vin rond et frais. L'avenir est assuré et il sera intéressant d'apprécier son évolution dans trois ou cinq ans. Le 98 avait obtenu un coup de cœur.
☛ SCEA Clot Dóu Baile, 277, chem. de Saquier, Saint-Roman-de-Bellet, 06200 Nice, tél. 04.93.29.85.87, fax 04.93.29.85.87 ☑ ⵏ r.-v.

COLLET DE BOVIS 1999

☐ | 0,25 ha | 1000 | ▮▯ | 50 à 69 F

Dans le cadre de l'opération « Art et Vigne », le domaine accueille pour la deuxième fois des peintres de l'école de Nice. Une occasion pour découvrir ce 99. Si la barrique est omniprésente, le vin parvient néanmoins à forger son identité au palais, où rondeur et vivacité s'associent sur une pointe d'agrumes. Il est ainsi équilibré et généreux, mais devra s'assagir au cours de trois années de garde au moins pour se faire apprécier.
☛ Jean Spizzo, Dom. du Fogolar, 370, chem. de Crémat, 06200 Nice, tél. 04.93.37.82.52, fax 04.93.37.82.52, e-mail gianni.spizzo@wanadoo.fr ☑ ⵏ t.l.j. 8h30-19h

COLLET DE ROUSTAN 1998★

☐ | 0,35 ha | 1 300 | ▮▮ ▮ | 50 à 69 F

Le domaine Collet de Roustan a été créé en 1992. Les vignes de rolle et de chardonnay avaient passé leur septième feuille lorsqu'elles ont produit sur sol de poudingue ce bellet pâle à reflets verts. S'il manque un peu de concentration, le profil aromatique est bien dans la lignée du millésime : minéral, légèrement floral (giroflée, genêt). La bouche ronde dévoile des saveurs épicées avec une bonne persistance.
☛ Blanc-Gonnet, 30, chem. de la Pouncia, 06200 Nice, tél. 04.93.37.89.84, fax 04.93.37.89.84 ☑ ⵏ t.l.j. 8h-12h 13h-18h

PROVENCE

MAX GILLI 1998

■   0,5 ha   2 000   ■↓ 50 à 69 F

Sûr de lui en attaque, ce vin grenat profond évolue avec une vraie rondeur, sur des tanins fins et élégants. Ses arômes se partagent entre fruits rouges presque confiturés et notes empyreumatiques. Il est à boire.
☛ Gilli, chem. de Saint-Roman, 06200 Nice, tél. 04.93.37.82.71, fax 04.93.37.82.71 ☑ ⍑ r.-v.

LES COTEAUX DE BELLET 1999★

☐   1,95 ha   9 300   ⫼ 70 à 99 F

Il mérite bien son étoile, ce 99 jaune pâle à reflets verts. Il s'avère puissant tout en délivrant des notes aromatiques fraîches (agrumes) où se mêle un boisé très fin. Bien équilibré, il est en harmonie avec son appellation, et son avenir est assuré.
☛ SCEA Les Coteaux de Bellet, 325, chem. de Saquier, 06200 Nice, tél. 04.93.29.92.99, fax 04.93.18.10.99 ☑ ⍑ r.-v.
☛ Hélène Calviera

CLOS SAINT-VINCENT 1999

☐   0,5 ha   2 500   ⫼ 70 à 99 F

Issu exclusivement de rolle, ce vin affiche un nez complexe, composé d'agrumes et de notes florales. Une telle palette donne une touche de gaieté à un ensemble encore marqué par l'influence de l'élevage sous bois (douze mois) et par une finale chaude. Une garde d'un à deux ans sera la bienvenue.
☛ Joseph Sergi et Roland Sicardi, Collet des Fourniers, Saint-Roman-de-Bellet, 06200 Nice, tél. 04.92.15.12.69, fax 04.92.15.12.69 ☑ ⍑ r.-v.

Bandol

Noble vin, qui n'est d'ailleurs pas produit à Bandol même, mais sur les terrasses brûlées de soleil des villages alentour recouvrant une superficie de 1 300 ha, le bandol (53 440 hl en 1999) est blanc, rosé ou rouge. Ce dernier est corsé et tannique grâce au mourvèdre, cépage qui le compose pour plus de la moitié. Vin généreux, compagnon idéal des venaisons et des viandes rouges, il apporte ses subtilités aromatiques faites de poivre, de cannelle, de vanille et de cerise noire. Il supporte fort bien une longue garde.

DOM. DES BAGUIERS 1997★

■   1,6 ha   6 000   ⫼ 50 à 69 F

Baguier est le nom provençal du laurier-sauce, plante aromatique très prisée dans la région. Ce domaine de 25 ha est implanté sur les terres du joli village médiéval du Castellet propose un rouge solide, certes un peu rustique mais qui sent bon les petits fruits, les épices et le boisé. En bouche,

ce 97 est droit, campé sur sa structure, expressif. Un excellent compagnon pour des plats d'automne, tels un civet ou une daube de sanglier aux herbes de Provence.
☛ GAEC Jourdan, Dom. des Baguiers, 83330 Le Plan-du-Castellet, tél. 04.94.90.41.87, fax 04.94.90.41.87 ☑ ⍑ r.-v.

DOM. DU CAGUELOUP 1999★★

◢   5,7 ha   24 000   ■↓ 50 à 69 F

Installé à Saint-Cyr-sur-Mer, le domaine du Cagueloup est une valeur sûre de l'appellation, plusieurs fois coup de cœur en blanc ou rosé (notamment dans les éditions 1995, 1996, 1997 et 1998 du Guide). C'est un rosé élégant et de bonne stature qui tient ici la vedette. Enveloppé d'une robe pâle, il présente une palette fine d'agrumes. La bouche, à la fois ronde et volumineuse, s'harmonise avec le nez dans cette même ligne fruitée. Le **bandol blanc 99** obtient une étoile pour sa minéralité fraîche et son équilibre.
☛ SCEA Dom. de Cagueloup, quartier Cagueloup, 83270 Saint-Cyr-sur-Mer, tél. 04.94.26.15.70, fax 04.94.26.54.09 ⍑ r.-v.

CH. DE CASTILLON 1998★★

■   1,5 ha   5 000   ⫼ 50 à 69 F

René de Saqui de Sannes est un descendant direct des seigneurs du Castellet qui fondèrent cette propriété il y a cinq siècles, à l'époque du roi René. Cette cuvée recèle dans ses fragrances tout le potentiel du terroir et de la tradition. On y trouve des odeurs végétales de garrigue, de myrte, des fruits noirs et du poivre, ainsi que des senteurs plus profondes de cuir, de fourrure et de torréfaction. Très dense avec des tanins bien typés, ce vin incarne parfaitement l'idée d'un bandol de tradition et de garde.

� René de Saqui de Sannes,
Dom. de Castillon, 83330 Sainte-
Anne-du-Castellet, tél. 04.94.32.66.74,
fax 04.94.32.67.36 ☑ ⌶ jeu. ven. sam. 8h-19h

DOM. DE FONT-VIVE 1999★

◹		6,5 ha	26 000	⬛↧	50 à 69 F

Philippe Dray a créé son vignoble au tout
début des années 1990 sur la commune du Beausset, village qui se constitua au XVIe s. dans la
plaine. Son bandol rosé ne montre aucune extravagance mais n'en est pas moins bien fait. Tout
en souplesse, il développe progressivement des
arômes d'agrumes et de fleurs blanches. En
blanc, le **99** est tout aussi réussi dans le registre
fruité, vif et structuré.
➤ Philippe Dray, quartier Val-d'Arenc,
83330 Le Beausset, tél. 04.94.98.60.06,
fax 04.94.98.65.31 ☑ ⌶ r.-v.

DOM. DE FREGATE 1998★

⬛		3,5 ha	13 000	⬛⬛	50 à 69 F

Le domaine se partage la beauté du site avec
un golf dont le parcours ne manque ni de charme
ni de difficultés. Au pays de la vigne et de l'olivier, tant de verdure est une curiosité... Plus classique la présentation de ce 98 aux arômes
jeunes de cerise et autres fruits à noyau, de
réglisse et de poivre. La bouche est plaisante,
généreuse et bien structurée par des tanins élégants et fondus. Un vin agréable aujourd'hui
mais dont le potentiel de vieillissement s'élève à
quelques années.
➤ Dom. de Frégate, rte de Bandol, 83270 Saint-
Cyr-sur-Mer, tél. 04.94.32.57.57,
fax 04.94.32.24.22 ☑ ⌶ r.-v.

CH. JEAN-PIERRE GAUSSEN 1998★

⬛		3 ha	13 300	⬛⬛	70 à 99 F

Sous une robe profonde, presque violacée, ce
bandol laisse échapper un bouquet fruité aux
notes de myrtille et de griotte. Après aération, la
bouche devient goûteuse : sa densité tannique
s'affirme dans une ligne aromatique plus réglissée, traduisant un élevage en foudre de deux ans.
Ce vin sera assurément de longue garde, comme
le mentionne son étiquette.
➤ Jean-Pierre Gaussen, La Noblesse, 1585,
chem. de l'Argile, B.P. 23, 83740 La Cadière-
d'Azur, tél. 04.94.98.75.54, fax 04.94.98.65.34
☑ ⌶ r.-v.

LA BASTIDE BLANCHE 1998★★

⬛		10 ha	50 000	⬛⬛	50 à 69 F

Depuis dix ans, Michel Bronzo a maintenu un
haut niveau qualitatif pour ses bandol rouges,
millésime après millésime. Dans le ton du 98,
celui-ci est encore bien réservé, un peu secret,
mais son potentiel laisse augurer des expressions
beaucoup plus intéressantes d'ici quelques
années.
➤ EARL Bronzo, 367, rte des Oratoires,
83330 Sainte-Anne-du-Castellet,
tél. 04.94.32.63.20, fax 04.94.32.74.34 ☑ ⌶ r.-v.

DOM. DE LA BEGUDE 1999★

◹		1,5 ha	6 000	⬛↧	50 à 69 F

Bis repetita, le rosé 98 avait déjà obtenu une
étoile l'an dernier. Preuve que l'école bordelaise

- Guillaume Tari a fait ses premières armes dans
les grands crus de Bordeaux - s'adapte bien au
mourvèdre et à la Provence. C'est le mourvèdre
qui domine ici, avec ses notes très végétales de
garrigue et de peau d'agrumes. Dense et consistant en bouche, ce rosé est un exemple de typicité.
➤ Guillaume Tari, Dom. de La Bégude,
83330 Le Camp-du-Castellet, tél. 04.42.08.92.34,
fax 04.42.08.27.02,
e-mail domaines.tari@wanadoo.fr ☑ ⌶ r.-v.

DOM. LAFRAN-VEYROLLES 1998★

⬛		3 ha	6 000	⬛⬛⬛	70 à 99 F

Remontant au XVIIe s., ce domaine est installé
sur les coteaux de Veyrolles. Il a reçu de nombreux coups de cœur, notamment dans la dernière édition. Voici un bandol bien typé qui
prend son temps pour se révéler. Il distille une
riche palette d'arômes, parmi lesquels on relève
des fruits noirs, du cuir et des notes de résine
bien caractéristiques. A la fois élégant et robuste,
il est flatteur dans l'état, tout en réservant un bon
potentiel de garde.
➤ Mme Jouve-Férec, Dom. Lafran-Veyrolles,
2115, rte de l'Argile, 83740 La Cadière-d'Azur,
tél. 04.94.90.13.37, fax 04.94.90.11.18 ☑ ⌶ r.-v.

DOM. DE LA LAIDIERE 1998★★

⬛		3 ha	14 000	⬛⬛⬛	70 à 99 F

Grâce à ses terroirs marno-sableux et à son
exposition, le domaine de La Laidière entretient
une typicité propre qui lui vaut d'être régulièrement présent dans le Guide. Retenu l'an passé
pour son rosé, il obtient aujourd'hui deux étoiles
pour le rouge 98. Un caractère de raisins frais
légèrement boisé, une attaque pleine et concentrée au palais puis des tanins fermes et bien droits
sont autant d'indicateurs d'un vin déjà plaisant
mais promis à un bel avenir. Le **blanc 98**, toujours aussi friand, a obtenu une étoile.
➤ SCEA Estienne, Dom. de La Laidière,
426, chem. de Font-Vive,
83330 Sainte-Anne-d'Evenos, tél. 04.94.90.35.29,
fax 04.94.90.38.05,
e-mail freddy-estienne@laidiere.com ☑ ⌶ t.l.j.
sf dim. 9h30-12h 13h30-18h; sam. sur r.-v.

LA ROQUE Les Baumes 1999★

☐		6 ha	32 000	⬛↧	30 à 49 F

La Roque est certainement le plus important
regroupement de vignerons de l'appellation.
Soucieuse de mettre en avant leurs efforts de qualité, la cave propose cette cuvée issue d'une sélection des meilleures parcelles. En blanc, c'est la
clairette qui domine avec ses arômes de fleurs
jaunes et de pêche. La bouche est rafraîchissante
et légèrement acidulée. Sous la même étiquette,
le **rosé 99** a été apprécié pour sa belle structure,
ce qui lui vaut aussi une étoile.
➤ Cave du Moulin de La Roque, quartier
Vallon, B.P. 26, 83740 La Cadière-d'Azur,
tél. 04.94.90.10.39, fax 04.94.90.08.11 ☑ ⌶ t.l.j.
sf dim. 8h-12h 13h30-17h30

MAS DE LA ROUVIERE 1998★★

⬛		4 ha	15 000	⬛⬛⬛	70 à 99 F

Le mas de La Rouvière fait partie des domaines de la famille Bunan. Expression des plus
vieilles vignes de la propriété et originale dans

son assemblage, cette cuvée explose en bouche par ses saveurs : ample, souple, puissante, élégante, sont autant de qualificatifs pour la décrire. La palette des arômes n'étant pas en reste, notamment par sa complexité, le jury a abandonné sa plume pour manifester oralement son enthousiasme.

🕿 Domaines Bunan, B.P. 17, 83740 La Cadière-d'Azur, tél. 04.94.98.58.98, fax 04.94.98.60.05 ☑ ⌥ r.-v.

DOM. LA SUFFRENE
Cuvée Les Lauves 1998★

| ■ | 2 ha | 8 000 | ⦀ | 70 à 99 F |

Les plus vieilles vignes du domaine sont réservées à l'élaboration de cette cuvée. Certains ceps ont largement dépassé les cinquante ans. Ils ont produit un vin concentré, très profondément aromatique : épices, poivre, bois de santal, café... Encore jeune dans ses tanins, ce 98 atteindra sa plénitude dans trois ou quatre ans.
🕿 Cédric Gravier, Dom. La Suffrene, 1066, chem. de Cuges, 83740 La Cadière-d'Azur, tél. 04.94.90.09.23, fax 04.94.90.02.21 ☑ ⌥ t.l.j. sf dim. 8h30-12h 14h-18h30; sam. 8h30-12h

DOM. DE LA TOUR DU BON 1999★★

| ☐ | 1,2 ha | 4 000 | ▮↓ | 50 à 69 F |

Une dominante de clairette est à l'origine du caractère floral de ce 99, nuancé de notes grillées. En bouche, le vin est à la fois frais et enrobé, généreux et élégant, fin et long. Mais surtout, il laisse une sensation de fraîcheur juvénile et un souvenir de nectar des dieux. Un très beau bandol.
🕿 Dom. de La Tour du Bon, Le Brûlat-du-Castellet, 83330 Le Brûlat, tél. 04.94.32.61.62, fax 04.94.32.71.69, e-mail tourdubon@aol.com ☑ ⌥ r.-v.
🕿 Hocquard

DOM. DE LA VIVONNE 1998★

| ■ | n.c. | n.c. | ⦀ | 50 à 69 F |

La robe grenat intense se pare de reflets violins. Le bouquet complexe mérite attention car il s'accorde à la bouche savoureuse, dont les tanins denses ne tarderont pas à se fondre. Une belle bouteille à garder cinq ans dans sa cave.
🕿 EARL Walter Gilpin, 3345, montée du Château, 83330 Le Castellet, tél. 04.94.98.70.09, fax 04.94.90.59.98 ☑ ⌥ r.-v.

LE GALANTIN 1998

| ■ | | n.c. | 55 000 | ⦀ | 50 à 69 F |

Ce Galantin est un mourvèdre à 95 %. Au départ assez sauvage, il révèle un nez surprenant qui s'oriente après aération vers des arômes de réglisse. La bouche puissante et souple recentre le vin et laisse sur une impression durable de douceur.
🕿 Famille Achille Pascal, Dom. Le Galantin, 690, chem. Le Galantin, 83330 Le Plan-du-Castellet, tél. 04.94.98.75.94, fax 04.94.90.29.55, e-mail galantin@caves-particulieres.com ☑ ⌥ r.-v.

DOM. LES LUQUETTES 1997

| ■ | 4 ha | 2 500 | ⦀ | 50 à 69 F |

Le millésime 97 est la première mise en bouteilles d'Elisabeth Lafourcade sur cette exploitation familiale de 12 ha de vignes qui se consacre également à l'élevage de brebis. Charpenté, le vin est agréable à déguster ; le nez marie les fruits rouges, la truffe et le sous-bois, puis la bouche prend en finale des accents plus réglissés et poivrés. S'il peut patienter entre trois et cinq ans, ce bandol a déjà sa place sur une daube.
🕿 Dom. Les Luquettes, 20, chem. des Luquettes, 83740 La Cadière-d'Azur, tél. 04.94.90.02.59, fax 04.94.98.31.95 ☑ ⌥ t.l.j. 8h-12h 14h-20h
🕿 E. Lafourcade

DOM. DE L'HERMITAGE 1998★

| ■ | 11,3 ha | 50 000 | ⦀ | 50 à 69 F |

Ici l'histoire est brève mais déjà si riche. Il y a trois décennies, ce domaine n'était que friches. Depuis, au prix de beaucoup d'efforts et de fatigue, il a su affirmer sa personnalité, tant par ses vins que par sa présence dans l'appellation. L'an passé, le jury avait remarqué le rosé 98. C'est le rouge du même millésime qui s'exprime aujourd'hui, encore plein de fruits frais, mais aussi de tabac et d'épices. Jeune, il est néanmoins tout en finesse et en équilibre. Il parviendra à maturité d'ici deux à trois ans.
🕿 SCEA Gérard Duffort, Le Rouve, B. P. 41, 83330 Le Beausset, tél. 04.94.98.71.31, fax 04.94.90.44.87 ☑ ⌥ t.l.j. sf dim. 9h-12h 14h-18h; sam. 8h-12h

DOM. DE L'OLIVETTE 1998★★

| ■ | | n.c. | n.c. | ⦀ | 50 à 69 F |

Dans les années 1970, le domaine de L'Olivette, dont la création remonte à 1790, connut une restructuration complète et repartit sur des bases solides à partir de 3 ha de vignes seulement. Trente ans ont passé, et le vignoble couvre désormais 55 ha. Le millésime 98 se traduit ici par un vin de teinte grenat, encore sur la réserve mais concentré sur les fruits rouges (cerise, cassis), le sous-bois et la réglisse. Son expression intense et sa charpente traduisent l'influence du mourvèdre. Ce vin, d'une grande personnalité, doit être mis en cave pendant cinq ans. Le **rosé 99**, généreux et parfumé, obtient une étoile, et le **blanc 99** (70 à 99 F) mérite d'être cité pour ses fragrances qui reflètent la maturité du raisin.

•🔓SCEA Dumoutier, Dom. de L'Olivette, 83330 Le Castellet, tél. 04.94.98.58.85, fax 04.94.32.68.43 ☑ ⵋ t.l.j. sf sam. dim. 8h-12h 14h-18h

DOM. MAZET DE CASSAN 1999★

◸ | 13 ha | 65 000 | ▮◢ | 50 à 69 F |

Beaucoup d'intensité dans ce rosé très fruité qui rappelle la pêche et le pamplemousse. Il est aussi bien présent en bouche, équilibré et parfait pour accompagner un poisson grillé.
•🔓Monique Barthès, chem. du Val-d'Arenc, 83330 Le Beausset, tél. 04.94.98.60.06, fax 04.94.98.65.31 ☑ ⵋ r.-v.

MOULIN DES COSTES 1998★★

■ | 12 ha | 50 000 | ▥ | 70 à 99 F |

Voilà longtemps que ce moulin ne tourne plus. A sa place une vaste cave, heureux mariage d'Inox, de fer et de bois. Ici, les étiquettes ne manquent pas ! Et la qualité est au rendez-vous, comme en témoigne ce bandol rouge aux arômes complexes de réglisse, de cacao et de fruits noirs. Dense et élégant, celui-ci sait déjà séduire mais a de la réserve. Sous la même étiquette, le **blanc** et le **rosé 99** sont obtenu une étoile.
•🔓Domaines Bunan, B.P. 17, 83740 La Cadière-d'Azur, tél. 04.94.98.58.98, fax 04.94.98.60.05 ☑ ⵋ r.-v.

DOM. DU PEY-NEUF 1999★★

☐ | 1 ha | 4 000 | ▮◢ | 50 à 69 F |

Petit par sa taille, ce domaine n'en est pas moins remarquable par ses vins. Celui-ci, de teinte pâle, offre une vraie bouffée exotique qui vient adoucir la légère amertume finale. Un bandol équilibré à découvrir à l'apéritif, sur un plat de poisson en sauce, puis à reprendre sur un fromage de chèvre. Le **rouge 98**, une étoile, demande à être décanté en carafe pour mieux épanouir ses arômes et sa matière.
•🔓Guy Arnaud, Dom. du Pey-Neuf, 367, rte de Sainte-Anne, 83740 La Cadière-d'Azur, tél. 04.94.90.14.55, fax 04.94.26.13.89 ☑ ⵋ r.-v.

CH. DE PIBARNON 1998★★

■ | 25 ha | 80 000 | ▥ | 100 à 149 F |

Vingtième millésime vinifié par la famille Saint-Victor, ce 98 confirme que la notoriété internationale de ce domaine n'est pas usurpée. Coup de cœur dans le millésime 97, le château de Pibarnon nous propose un 98 tout aussi riche, dont on appréciera la complexité aromatique - fruits noirs, griotte, réglisse - et surtout la qualité de l'équilibre en bouche : volume, longueur, harmonie et finesse ne sont pas de vains mots. Un bandol à conserver.
•🔓Eric de Saint-Victor, 410, chem. la Croix-des-Signaux, 83740 La Cadière-d'Azur, tél. 04.94.90.12.73, fax 04.94.90.12.98 ☑ ⵋ r.-v.

DOM. ROCHE REDONNE
Cuvée La Lyre 1999

◸ | 4 ha | 18 000 | ▮◢ | 50 à 69 F |

Un assemblage particulier de vieux cinsault et de mourvèdre est à l'origine de cette cuvée très expressive. On appréciera les arômes d'agrumes et de fruits exotiques très présents.

•🔓Henri et Geneviève Tournier, Dom. Roche Redonne, 83740 La Cadière-d'Azur, tél. 04.94.90.11.83, fax 04.94.90.00.96, e-mail roche-redonne@dial.oleane.com ☑ ⵋ r.-v.

CH. SALETTES 1998★

■ | 8,86 ha | 42 000 | ▥ | 70 à 99 F |

Une propriété ancienne et riche d'histoire, qui, entre vignobles et oliviers, connut des sorts plus ou moins heureux. Après le gel de 1956 et la reprise par l'actuel exploitant, la vigne a désormais pris seule possession des terres. Drapée d'une robe grenat encore jeune avec quelques éclairs violines, cette cuvée donne le ton du millésime par des tanins denses et structurés mais déjà soyeux, par sa rondeur généreuse et ses arômes de fruits mûrs, de girofle et autres épices.
•🔓Jean-Pierre Boyer, Ch. Salettes, 83740 La Cadière-d'Azur, tél. 04.94.90.06.06, fax 04.94.90.04.29 ☑ ⵋ r.-v.

DOM. SORIN 1998★

■ | 2,5 ha | 11 000 | ▥ | 70 à 99 F |

Entre bandol et côtes-de-provence, le domaine cultive 12 ha d'un seul tenant. Luc Sorin, vigneron d'origine auxerroise qui a repris les rênes en 1994, a laissé une empreinte presque bourguignonne à ce 98 élevé seize mois sur lies en fût avec bâtonnage. Volumineux et expressif, son vin a de la mâche. Très boisé, il reste fidèle à l'esprit du domaine.
•🔓Dom. Sorin, 1617, rte de La Cadière-d'Azur, 83270 Saint-Cyr-sur-Mer, tél. 04.94.26.62.28, fax 04.94.26.40.06 ☑ ⵋ r.-v.

DOM. DE SOUVIOU 1999★

☐ | 1,5 ha | 4 000 | ▮◢ | 70 à 99 F |

Le domaine, dont l'origine remonte au XVᵉ s., est tout aussi connu pour son huile d'olive que pour son vin. Le jury a apprécié ce bandol harmonieux, au fruité suave et aux saveurs douces qui perdurent agréablement. Un mariage s'impose avec un poisson grillé légèrement épicé.
•🔓SCEA Dom. de Souviou, R.N. 8, 83330 Le Beausset, tél. 04.94.90.57.63, fax 04.94.98.62.74 ☑ ⵋ r.-v.
•🔓Cagnolari

DOM. DE TERREBRUNE 1998★★

■ | 6 ha | 25 000 | ▥ | 70 à 99 F |

Certainement un des domaines les plus maritimes de l'appellation. On y trouve une impressionnante vinothèque et la possibilité de s'approvisionner en vieux millésimes. Beaucoup plus inspiré par des caractères de jeunesse, ce 98 est un bandol bien typé, aux fragrances végétales et florales. Il sait mettre en valeur sa complexité et sa richesse. Un ensemble cohérent et déjà enrobé, prometteur pour les trois ans à venir.
•🔓Delille, Dom. de Terrebrune, 724, chem. de la Tourelle, 83190 Ollioules, tél. 04.94.74.01.30, fax 04.94.88.47.51 ☑ ⵋ t.l.j. sf dim. 9h-12h30 14h-18h30

CH. VANNIERES 1998★★

■ | 12 ha | 30 000 | ▥ | 100 à 149 F |

L'architecture un peu insolite du château recouvre une cave bien plus ancienne qui entre-

PROVENCE

tient quelques secrets. Le rouge 98 en est un. Il se décline sur des notes de fruits noirs, de cuir, de musc et de cire. Plein, généreux à souhait mais encore réservé, présent et déjà fondu, il se laisse partager, mais n'a pas encore tout dit. Un grand secret à révéler.

MIS EN BOUTEILLE AU CHATEAU

CHATEAU VANNIÈRES
1998
APPELLATION BANDOL CONTRÔLÉE

BANDOL
APPELLATION BANDOL CONTRÔLÉE

☛ Ch. Vannières, 83740 La Cadière-d'Azur, tél. 04.94.90.08.08, fax 04.94.90.15.98 ☑ Ⓨ t.l.j. sf dim. 8h-12h 14h-18h
☛ Boisseaux

Palette

Tout petit vignoble, aux portes d'Aix, qui englobe l'ancien clos du bon roi René.

Blancs, rosés et rouges sont produits régulièrement. Le plus souvent, et après une bonne maturation (car le rouge est de longue garde), on y retrouve une odeur de violette et de bois de pin.

CH. SIMONE 1997*

☐	n.c.	28 000	⫯⫯ 100 à 149 F

Il y a deux siècles que la famille Rougier a attaché son nom au château Simone, belle demeure dont le corps et les caves ont été édifiés par les moines des Grands Carmes d'Aix au XVIᵉ s. Cézanne a aimé les paysages environnants, assis au bord de l'Arc devant son chevalet. Sous une étiquette immuable depuis quatre-vingts ans, se découvre un vin jaune paille à reflets dorés dont les arômes sont autant de touches florales encore fraîches (genêt). Enveloppant le palais, il se fond avec rondeur et équilibre sur des notes intenses, agréables : le miel témoigne d'une maturité naissante. Puissant et complexe, ce 97 se prête déjà à la dégustation, mais il a de la réserve : c'est un château Simone.
☛ René Rougier, Ch. Simone, 13590 Meyreuil, tél. 04.42.66.92.58, fax 04.42.66.80.77 ☑ Ⓨ r.-v.

Coteaux d'aix-en-provence

Sise entre la Durance au nord et la Méditerranée au sud, entre les plaines rhodaniennes à l'ouest et la Provence triasique et cristalline à l'est, l'AOC coteaux d'aix-en-provence appartient à la partie occidentale de la Provence calcaire. Le relief est façonné par une succession de chaînons, parallèles au rivage marin, et couverts naturellement de taillis, de garrigue ou de résineux : chaînon de la Nerthe près de l'étang de Berre, chaînon des Costes prolongé par les Alpilles, au nord.

Entre ces reliefs s'étendent des bassins sédimentaires d'importance inégale (bassin de l'Arc, de la Touloubre, de la basse Durance) où se localise l'activité viticole, soit sur des formations marno-calcaires donnant des sols caillouteux à matrice argilo-limoneuse, soit sur des formations de molasses et de grès avec des sols très sableux ou sablo-limoneux caillouteux. 3 500 ha produisent 195 418 hl en 1999 en moyenne dont 8 536 en blanc. La production de vins rosés s'est développée récemment. Grenache et cinsault forment encore la base de l'encépagement, avec une prédominance du grenache ; syrah et cabernet-sauvignon sont en progression et remplacent progressivement le carignan.

Les vins rosés sont légers, fruités et agréables ; ils ont largement profité des améliorations des techniques de vinification. Ils doivent être bus jeunes avec des plats provençaux : ratatouille, artichauts barigoule, poissons grillés au fenouil, aïoli...

Les vins rouges sont des vins équilibrés, quelquefois rustiques. Ils bénéficient d'un contexte pédologique et climatique favorable. Jeunes et fruités, avec des tanins souples, ils peuvent accompagner viandes grillées et gratins. Ils atteignent leur plénitude après deux ou trois ans d'élevage et peuvent accompagner alors viandes en sauce et gibier. Ils méritent que l'on parte à leur (re)découverte.

La production de vins blancs est limitée. La partie nord de l'aire de production est plus favorable à leur élaboration qui mêle la rondeur du grenache blanc à la finesse de la clairette, du rolle et du bourboulenc

CH. BARBEBELLE Réserve 1998

| ■ | n.c. | n.c. | ❚❙❘ | 30 à 49 F |

Le château Barbebelle est une demeure du XVIIᵉs., dont les 37 ha de vignobles sont plantés sur des coteaux argilo-calcaires. Sa cuvée Réserve 98 est actuellement dominée par le bois et repose sur des tanins serrés. Le temps l'assouplira et lui apportera de la complexité.
☞ Brice Herbeau, Ch. Barbebelle, R.D. 543, 13840 Rognes, tél. 04.42.50.22.12, fax 04.42.50.10.20 ☑ ⵑ t.l.j. 9h-12h 14h-18h

JEAN BARONNAT 1998*

| ■ | n.c. | n.c. | ☷ ♦ | - de 20 F |

Ce négociant propose un joli vin rouge frais dont les notes mentholées perçues à l'olfaction s'associent à la réglisse et à un côté épicé dans une bouche bien structurée. L'ensemble procure une sensation très agréable. Un vin à boire dès l'automne.
☞ Jean Baronnat, Les Bruyères, rte de Lacenas, 69400 Gleizé, tél. 04.74.68.59.20, fax 04.74.62.19.21, e-mail info.@baronnat.com ☑ ⵑ r.-v.

CH. BAS Cuvée du Temple 1999★★

| ◢ | 3 ha | 2 500 | ☷❚❙❘♦ | 50 à 69 F |

Ce 99 n'est pas un rosé de provence classique mais le fruit d'une certaine recherche : il est destiné aux amateurs éclairés. De teinte soutenue, ce rosé élevé six mois en fût présente de la puissance et un côté boisé sur des notes complexes de vanille, de fruits et de fleurs. Structuré en bouche, il saura attendre et procurer de nouvelles sensations gustatives à l'avenir. Bravo à Philippe Pouchin qui a exploré avec succès un nouvel univers du rosé.
☞ EARL Georges de Blanquet, Ch. Bas, 13116 Vernègues, tél. 04.90.59.13.16, fax 04.90.59.44.35, e-mail chateaubas@wanadoo.fr ☑ ⵑ r.-v.

CH. BAS Cuvée du Temple 1998★★

| ■ | 4 ha | 10 000 | ☷❚❙❘ | 50 à 69 F |

La cuvée du Temple ne faillit dans aucune couleur. A défaut de coup de cœur, deux étoiles viennent récompenser cette version rouge vif. Après un nez aux notes boisées et réglissées, apparaît une matière bien équilibrée, soutenue par des tanins fondus. La bouche se prolonge sur

des arômes épicés et vanillés hérités d'un élevage de huit mois en fût. Quant à **la cuvée du Temple 98 en blanc**, elle est tout aussi remarquable par son ampleur sur des accents de fruits secs et un boisé très fin.
☞ EARL Georges de Blanquet, Ch. Bas, 13116 Vernègues, tél. 04.90.59.13.16, fax 04.90.59.44.35, e-mail chateaubas@wanadoo.fr ☑ ⵑ r.-v.

CH. BEAUFERAN 1999

| ◢ | 15 ha | 20 000 | ❚❙❘ | 30 à 49 F |

Tout près de la commune de Velaux, dans la vallée de l'Arc, le sanctuaire préromain de Roquepertuse mérite un détour avant qu'on ne se dirige vers le château Beauferan. Ce domaine de 72 ha a produit deux vins cités par le jury. Le premier est ce rosé de teinte légèrement saumonée qui traduit bien, par ses arômes d'abricot compoté, une vendange mûre. Cette impression de maturité se confirme dans une bouche pleine et chaleureuse. Le **rouge 95** s'inscrit dans la tradition provençale : d'un noir profond, il est complexe et long, avec une dominante de fruits rouges confiturés.
☞ Ch. Beauferan, 870, chem. de la Degaye, 13880 Velaux, tél. 04.42.74.73.94, fax 04.42.87.42.96, e-mail beauferan@cavesparticulieres.com ☑ ⵑ t.l.j. sf dim. 9h-12h 14h-16h; sam. 9h-12h
☞ Sauvage-Veysset

CH. DE BEAUPRE
Collection du Château 1999★★

| ▢ | 1 ha | 4 000 | ❚❙❘ | 50 à 69 F |

Beaupré, c'est une superbe bastide du XVIIIᵉs. entourée d'un domaine viticole. Le jury a souvent distingué les rouges de la Collection du Château. Cette année - est-ce par un esprit de modernité -, il a jugé remarquable ce blanc 99. Le vanillé très présent traduit une élaboration en barrique, mais là n'est pas l'essentiel. C'est l'impression d'intensité et d'harmonie qui a motivé l'excellente appréciation.
☞ Christian Double, Ch. de Beaupré, 13760 Saint-Cannat, tél. 04.42.57.33.59, fax 04.42.57.27.90, e-mail chbeaupre@aol.com ☑ ⵑ t.l.j. 8h-12h 14h-18h30

CH. DE CALAVON Grande Cuvée 1998

| ■ | 10 ha | 10 000 | ☷ | 30 à 49 F |

Bâti à l'emplacement d'une *villa* romaine, ce mas cultive 47 ha. Pour découvrir sa cave, on se rendra à Lambesc, importante ville dont l'élégante architecture rappelle celle d'Aix-en-Provence. Le 98 se caractérise par un trait bien animal et mérite aujourd'hui une bonne aération pour développer sa complexité aromatique. Il faudra laisser le temps œuvrer.
☞ Michel Audibert, Ch. de Calavon, B.P. 4, 13410 Lambesc, tél. 04.42.57.15.37, fax 04.42.57.15.37 ☑ ⵑ t.l.j. sf dim. 9h-12h 15h-18h

CH. CALISSANNE Clos Victoire 1998★★★

| ■ | n.c. | n.c. | ❚❙❘ | 70 à 99 F |

Jean Bonnet ne fait pas mentir le dicton « jamais deux sans trois ». Le château Calissanne est pour la troisième année consécutive coup de cœur dans le Guide. Rien n'est dû au hasard. Ce coteaux d'aix rouge constitue l'apothéose de la gamme présentée, par la délicatesse de son nez de réglisse et de fumé, par sa bouche longue tapissée de tanins fondus. Tout traduit ici une maîtrise totale du sujet. Et l'on ne trouvera certes pas de contre-exemple dans la suite du palmarès. En **rosé, le Clos Victoire 99** (50 à 69 F), en **blanc, la cuvée Prestige 99** et, en rouge, la **cuvée du Château 99** élevée en cuve (30 à 49 F pour ces deux cuvées) reçoivent chacun une étoile.

➤ Ch. Calissanne, R.D. 10, 13680 Lançon-de-Provence, tél. 04.90.42.63.03, fax 04.90.42.40.00, e-mail calissan@club-internet.fr ✅
➤ Compass et AXA

DOM. CAMAISSETTE 1999★

◢ 5,5 ha 30 000 ▮ ♦ 30 à 49 F

Blanc ou rosé ? Pas de doute, le millésime 99 est très réussi dans les deux couleurs au domaine de Camaïssette, situé en bordure d'une ancienne voie romaine, la voie Aurélienne. Ce rosé de saignée est bien long en bouche. Franc et vif en attaque, il laisse une impression de plénitude. Le **blanc 99**, très réussi, est un vin équilibré, de fine expression.
➤ Michelle Nasles, Dom. de Camaïssette, 13510 Eguilles, tél. 04.42.92.55.57, fax 04.42.28.21.26, e-mail michelle.nasles@wanadoo.fr ✅ ✗ t.l.j. sf dim. 9h30-12h 14h30-18h30

COMMANDERIE DE LA BARGEMONE Cuvée Tournebride 1997★

■ 1 ha 5 000 ❶ 30 à 49 F

Cette ancienne commanderie du XIIIᵉ s. propose une cuvée très fruitée. Framboise, disent les uns, cassis, commentent les autres. « Légèreté mais bel équilibre » soulignent tous les dégustateurs à l'unisson. Ce vin est prêt à boire.
➤ Jean-Pierre Rozan, La Bargemone, R.N. 7, 13760 Saint-Cannat, tél. 04.42.57.22.44, fax 04.42.57.26.39 ✅ ✗ r.-v.

DOM. DE COSTEBONNE 1996★

■ 15 ha 40 000 ▮ 20 à 29 F

Dans les Alpilles d'Eygalières, Mollégès garde trace d'une ancienne abbaye cistercienne, dont on peut encore admirer une belle façade Renaissance. Le domaine Costebonne a produit sur cette commune un vin surprenant pour son millésime. Bien charpenté et équilibré, celui-ci laisse une impression de tanins ronds et de fruits rouges légèrement confits.

➤ S.C.I.E.V., B.P. 17, quartier de la Gare, 13940 Mollégès, tél. 04.90.95.19.06, fax 04.90.95.42.00 ✅ ✗ t.l.j. sf dim. 9h-12h 14h-18h

DOM. D'EOLE Cuvée Léa 1998★

■ 4 ha 10 000 ▮ ❶ ♦ 70 à 99 F

Un assemblage de grenache (55 %) et de syrah (45 %), un rendement de 23 hl/ha et un tri rigoureux de la vendange : telles sont les conditions d'élaboration de la cuvée de prestige du domaine, qui porte le nom de la fille des fondateurs. Il faudra attendre que le bois se marie avec le vin, mais on ressent déjà du gras, du fruit rouge et du cassis. De belle facture, ce 98 pourra être conservé en cave trois ans. Le **rosé 99** mérite une étoile pour son agréable harmonie, et le **rouge 98** une citation (de 30 à 49 F chacun).
➤ EARL Dom. d'Eole, rte de Mouries, 13810 Eygalières, tél. 04.90.95.93.70, fax 04.90.95.99.85, e-mail domaine@domainedeole.com ✅ ✗ t.l.j. sf sam. dim. 9h-12h30 13h30-17h30
➤ C. Raimont

CH. DE FONSCOLOMBE
Cuvée spéciale 1999★

□ 10 ha 30 000 ▮ ♦ 30 à 49 F

Le château de Fonscolombe est un vaste domaine viticole de 160 ha dont l'élégance réside tout autant dans les vignes que dans sa demeure remaniée au XIXᵉs., avec son double escalier montant jusqu'à une terrasse gardée par deux sphinges et décorée de grands vases sculptés. Ce coteaux d'aix n'a pas moins de charme. Fin, puissant et complexe, il est aussi franc, vif et fruité. Bien que le sauvignon ne constitue qu'une part de l'assemblage de cette cuvée spéciale, il marque la bouche de ses caractères.
➤ SCA des Domaines de Fonscolombe, 13610 Le Puy-Sainte-Réparade, tél. 04.42.61.89.62, fax 04.42.61.93.95, e-mail mail@fonscolombe.com ✅ ✗ r.-v.
➤ de Saporta

DOM. DES GLAUGES 1999

□ 2 ha 9 000 ▮ ♦ 30 à 49 F

Le domaine des Glauges est actuellement en pleine restructuration et investit non seulement dans l'équipement technique mais aussi dans des infrastructures d'accueil du public. Il propose dans le millésime 99 un vin issu à 90 % de rolle, complété par l'ugni blanc. Une macération pelliculaire de douze heures a marqué ce vin au nez discret d'agrumes, qui n'exprime pas encore le terroir.
➤ Dom. des Glauges, voie d'Aureille, 13430 Eyguières, tél. 04.90.59.81.45, fax 04.90.57.83.19 ✅ ✗ t.l.j. sf dim. 10h-12h30 14h30-18h

CH. GRAND SEUIL 1998★★

■ 9 ha 15 000 ❶ 50 à 69 F

Le parc et la façade du château du Seuil sont inscrits à l'inventaire des monuments historiques. Cette ancienne résidence d'été et seigneuriale s'est longtemps partagée entre l'olivier, l'amandier et la vigne, mais aujourd'hui le vignoble seul demeure, occupant 55 ha sur les flancs de la Trévaresse. Le rouge 98, d'une présentation irréprochable, traduit bien la noblesse de sa naissance. Il doit à un passage de dix-huit mois en barrique un bel équilibre sur des notes de goudron et de vanillé harmonieuses. Le **château du Seuil rosé 99** est par ailleurs très réussi (30 à 49 F) grâce à sa complexité aromatique (agrumes confits, orange amère, pamplemousse rose), et le **château Grand Seuil blanc 99**, élevé onze mois en fût, mérite d'être cité (50 à 69 F).

☛ Philippe et Janine Carreau-Gaschereau, Ch. du Seuil, 13540 Puyricard, tél. 04.42.92.15.99, fax 04.42.28.05.00 ☑ ☖ t.l.j. 9h-12h 14h-19h

CH. LA BOUGERELLE 1998*

■	3 ha	3 000	■ 20 à 29 F

Au XVIIIᵉ s., l'archevêque d'Aix, monseigneur de Vintimille, habita cette demeure après avoir fait détruire le château de Puyricard en 1709. Aujourd'hui, l'habit ecclésiastique n'est apparent que dans la robe rouge des coteaux d'aix, tel ce 98 dont les tanins fondus, les arômes de griotte, de cacao et de vanille ont suggéré au jury un vin élevé sous bois, alors que celui-ci n'a connu que la cuve. Le **blanc 99** est cité.

☛ EARL Ch. La Bougerelle, 1360, rte de Berre, Les Granettes, 13090 Aix-en-Provence, tél. 04.42.20.18.95, fax 04.42.20.18.95 ☑ ☖ t.l.j. sf dim.10h-19h (9h-19h l'été)
☛ Granier

CH. LA COSTE Cuvée Lisa 1999*

◪	15 ha	10 000	■ ↓ 30 à 49 F

La cuvée Lisa s'écrit à l'encre rose ou rouge avec le même succès. Le rosé 99 apporte beaucoup de fraîcheur et de finesse. Il résulte d'un beau travail de vinification et d'un choix judicieux des cépages : du grenache soutenu par du mourvèdre. L'essai est concluant. Le **rouge 96**, également noté une étoile, est fort agréable par son caractère fruité et son équilibre.

☛ GFA du Ch. La Coste, C.D. 14, 13610 Le Puy-Sainte-Réparade, tél. 04.42.61.89.98, fax 04.42.61.89.41 ☑ ☖ r.-v.
☛ Bordonado

DOM. DE LA REALTIERE
Cuvée Clara 1998*

■	1,35 ha	6 000	⬗ 50 à 69 F

Implanté à 400 m d'altitude sur les coteaux de La Vautubière, le domaine de La Réáltière a été repris en 1994 par l'agronome Jean-Louis Michelland, de retour dans l'Hexagone après une carrière dans le Pacifique Sud. Pour caractériser le 98, un même mot revient sans cesse sur les fiches de dégustation : puissance. Rouge sombre, ce vin fait la part belle aux arômes vanillés ; il lui faudra un peu de temps pour se fondre et retrouver ses origines derrière le côté cabernet-sauvignon qui rappelle une autre grande région viticole. A ne pas oublier, le **rosé cuvée spéciale 99** qui mérite lui aussi une étoile (30 à 49 F).

☛ Jean-Louis Michelland, rte de Jouques, 83560 Rians, tél. 04.94.80.32.56, fax 04.94.80.55.70 ☑ ☖ r.-v.

DOM. DE LA VALLONGUE 1999

☐	3 ha	5 000	■ ↓ 50 à 69 F

Il n'aura pas fallu moins de quatre cépages à parts rigoureusement égales pour élaborer ce coteaux d'aix-en-provence : grenache, rolle, clairette et sémillon. Une fermentation lente et un élevage en cuve de trois mois ont donné un vin bien fait, doté de gras, d'arômes de fenouil et de fruits exotiques.

☛ Ph. Paul-Cavallier, Dom. de La Vallongue, B.P. 4, 13810 Eygalières, tél. 04.90.95.91.70, fax 04.90.95.97.76, e-mail vallongue@caves-particulieres.com ☑ ☖ r.-v.

DOM. DES LAVANDES 1999*

■	5 ha	20 000	■ ↓ 30 à 49 F

Aux environs de Salon-de-Provence - cette ancienne cité commerçante de basse Provence -, le domaine des Lavandes est installé à Sénas, dont l'église gothique du XIVᵉs. mérite bien une halte. Son coteaux d'aix rouge sombre fleure bon le cassis. Les tanins serrés assurent le devenir d'un vin encore un peu timide lors de la dégustation mais qui est déjà une belle réussite.

☛ Cellier Saint-Augustin, quartier de la Gare, 13560 Senas, tél. 04.90.57.20.25, fax 04.90.59.22.96 ☑ ☖ r.-v.

LE MAGISTRAL DES VIGNERONS 1998*

■	2 ha	10 000	■ ⬗ ↓ 30 à 49 F

Cette cave coopérative a pour la première fois misé sur une cuvée haut de gamme. Une macération pendant vingt-deux jours de chaque cépage (cabernet-sauvignon, grenache, syrah) puis un passage en fût neuf d'un an pendant dix mois ont permis d'obtenir une belle bouteille. Ce vin bien rond livre des arômes de pain d'épice, de cannelle et de vanille.

☛ Les Vignerons de Mistral, av. de Sylvanes, 13130 Berre l'Etang, tél. 04.42.85.40.11, fax 04.42.74.12.55 ☑ ☖ t.l.j. sf dim. 9h-12h 14h-18h

DOM. LES BASTIDES
Cuvée Valéria 1998*

■	n.c.	n.c.	50 à 69 F

Une surprenante note mentholée prononcée apparaît dans ce vin rouge sombre. Les tanins encore très présents s'accompagnent d'arômes de cerise, de goudron et de fruits séchés (pruneau, figue). Autant de belles promesses pour l'avenir.

☛ Carole et Jean Salen, Dom. Les Bastides, rte de Saint-Canadet, 13610 Le Puy-Sainte-Réparade, tél. 04.42.61.97.66, fax 04.42.61.84.45

CH. MONTAURONE 1998

■	20 ha	50 000	■ ↓ 20 à 29 F

On pourra apprécier dès l'automne deux vins du château Montaurone, cités par le jury. Le **blanc 99**, bien travaillé, et ce 98 rouge franc, chaleureux et simple qui n'a pas connu le bois et se découvrira seul, sans artifice. Pour un moment de plaisir immédiat.

☛ Pierre Decamps, SCEA Berthoune, Ch. Montaurone, 13760 Saint-Cannat, tél. 04.42.57.20.04, fax 04.42.57.32.80 ☑ ☖ r.-v.

DOM. DES OULLIERES
Réserve Louis Charles 1998★★

■   15 ha   18 000   ❙❙❙   30 à 49 F

A la dégustation de ce vin, la première impression est celle d'équilibre. Puis les termes de plénitude et d'ampleur complètent la description d'un ensemble animal qui laisse une bonne place aux arômes de fruits cuits et de fruits confits, soulignés d'une touche vanillée. A boire ou à attendre de trois à cinq ans.
☛ Les Treilles de Cézanne, R.N. 7, 13410 Lambesc, tél. 04.42.92.83.39, fax 04.42.92.70.83 ☑ ⊻ r.-v.

CH. PARADIS 1999★

◢   4,5 ha   n.c.   ▮♦   30 à 49 F

Ce rosé ne se laisse pas aborder facilement et demande une longue aération pour révéler la complexité de ses arômes de fruits. Une pointe d'acidité finale est certes encore perceptible en bouche mais elle s'estompera dans les mois à venir. En **blanc, la cuvée Prestige 99**, très sauvignonnée, mérite également une étoile pour son intensité aromatique et sa rondeur.
☛ Dom. de Paradis, Quartier Paradis, 13610 Le Puy-Sainte-Réparade, tél. 04.42.54.09.43, fax 04.42.54.09.41 ☑ ⊻ r.-v.

CH. PETIT SONNAILLER 1999

◢   20 ha   150 000   ▮♦   30 à 49 F

Située sur la route du sel, cette ancienne commanderie des Templiers, qui propose aujourd'hui des chambres d'hôtes, garde trace de son passé dans une tour dont l'escalier en pierre mérite un coup d'œil. Dans ce vin rose pâle, la forte présence de carignan explique en partie le caractère acidulé perceptible en bouche, tandis que la gamme aromatique est dominée par les agrumes à l'olfaction comme en rétro-olfaction.
☛ Dominique Brulat, Ch. Petit Sonnailler, 13121 Aurons, tél. 04.90.59.34.47, fax 04.90.59.32.30 ☑ ⊻ r.-v.

CH. PIGOUDET 1998

■   n.c.   6 000   ▮❙❙❙   20 à 29 F

« Un vin déjà bien évolué », disent les dégustateurs. La robe légèrement tuilée ainsi que les notes de cacao en sont de bons indices. L'élevage en barrique a été bien intégré mais les tanins restent austères en fin de bouche.
☛ SCA Ch. Pigoudet, rte de Jouques, 83560 Rians, tél. 04.94.80.31.78, fax 04.94.80.54.25 ☑ ⊻ r.-v.
☛ Schmidt-Rabe

CH. PONT-ROYAL
Cuvée gourmande 1999★

◢   n.c.   10 000   30 à 49 F

Les écuries voûtées du château Pont-Royal, qui abritèrent de 1740 à 1890 le relais de poste royale, sont aujourd'hui le lieu d'expositions artistiques ou de présentation de produits régionaux. On y trouvera ce rosé de saignée, fin et équilibré, fruit du versant caillouteux de la colline d'Alleins où Sylvette et Jacques-Alfred Jauffret se convertissent à l'agriculture biologique.

☛ Sylvette Jauffret, Ch. Pont-Royal, 13370 Mallemort, tél. 04.90.57.40.15, fax 04.90.59.12.28, e-mail chateau-pont-royal@mnet.fr ☑ ⊻ t.l.j. sf lun. mer. dim. 9h-12h 15h-19h
☛ Jacques-Alfred Jauffret

CELLIER DES QUATRE TOURS
Cuvée Prestige 1999

◢   n.c.   n.c.   20 à 29 F

Le Cellier des Quatre Tours est installé à Venelles, village qui fut détruit par le tremblement de terre de 1909 puis reconstruit. Cette cave propose un rosé classique issu d'une macération pelliculaire du grenache (70 %) et de la syrah. Le vin est franc, dominé par des notes de framboise dans un équilibre agréable qui le rend prêt à boire.
☛ Cellier des Quatre Tours, R.N. 96, 13770 Venelles, tél. 04.42.54.71.11, fax 04.42.54.11.22 ☑ ⊻ t.l.j. sf dim. 8h30-12h 14h-19h

CH. REVELETTE 1999

☐   3 ha   13 000   ▮   30 à 49 F

La forte présence d'ugni blanc (50 %) aux côtés du sauvignon, du rolle et de la clairette n'est pas étrangère à la discrétion du nez. L'attaque est un peu vive mais les notes d'amande douce viennent rajeunir le palais.
☛ Peter Fischer, Ch. Revelette, 13490 Jouques, tél. 04.42.63.75.43, fax 04.42.67.62.04 ☑ ⊻ r.-v.
☛ GFA Dom. de Revelette

MAS SAINTE-BERTHE 1999★★

   4 ha   23 000   ▮♦   30 à 49 F

Christian Nief ne laisse jamais rien au hasard. Le jury a beaucoup apprécié cette construction entre délicatesse et puissance. Finement fleurs blanches au nez, le vin propose la trilogie aromatique sauvignon, poire et salade de fruits en bouche, dans un équilibre remarquable entre acidité, alcool et gras. Le coup de cœur n'était pas loin.
☛ GFA Mas Sainte Berthe, 13520 Les-Baux-de-Provence, tél. 04.90.54.39.01, fax 04.90.54.46.27 ☑ ⊻ r.-v.
☛ Hélène David et Fils

DOM. SAINT-ESTEVE 1999★

■   3 ha   12 000   ▮♦   30 à 49 F

En rouge, le **Terra d'Or 98** (250 à 299 F) a certes retenu l'attention du jury par ses tanins très présents et mérite d'être cité pour ses promesses d'avenir. Toutefois, c'est à cet autre coteaux d'aix que la préférence a été donnée. Si la présence tannique demande à s'affiner, le fruit est déjà bien perceptible, franc, et l'acidité relève l'ensemble. Voilà deux vins à attendre.
☛ Dom. des Béates, rte de Caireval, 13410 Lambesc, tél. 04.42.57.07.58, fax 04.42.57.07.58, e-mail chapoutier@chapoutier.com ☑ ⊻ r.-v.
☛ Chapoutier et Terrat

CH. DE VAUCLAIRE 1998

■   8 ha   20 000   ▮   20 à 29 F

Dans son château de Vauclaire, propriété familiale depuis 1774, Uldaric Sallier offre un bon représentant du terroir des coteaux d'aix-en-provence. Grillé, griotte, cerise au nez, son vin évoque les fruits rouges et le poivre en bouche. Un vin frais et rond. Egalement cité, le **blanc 99** (30 à 49 F), élevé six mois en fût, mérite d'être attendu.

☛ Uldaric Sallier, Ch. de Vauclaire, 13650 Meyrargues, tél. 04.42.57.50.14, fax 04.42.63.47.16, e-mail chateau-de-vauclaire@libertysurf.fr ✉ ☎ t.l.j. sf dim. 9h-12h 14h-18h

CH. VIGNELAURE 1997★

| ■ | 28 ha | 67 000 | ◀▶ | 70 à 99 F |

Le château Vignelaure, racheté voilà cinq ans par David O'Brien, figure régulièrement dans le Guide. Il cumule cette année les étoiles. Le jury ne tarit pas d'éloges sur ce vin rouge et lui prédit un bel avenir en cave. Puissant, tannique mais équilibré, ce 97 repose sur un bois bien présent qui ne devient jamais asséchant. Les arômes se déclinent dans le registre de la mûre et de la myrtille. Encore un peu jeune ? Certes, mais les plus patients seront récompensés. Le **rosé La Source de Vignelaure 99** (30 à 49 F) est tout aussi réussi.

☛ Ch. Vignelaure, rte de Jouques, 83560 Rians, tél. 04.94.37.21.10, fax 04.94.80.53.39, e-mail david.obrien@wanadoo.fr ✉ ☎ t.l.j. 9h30-12h30 14h-18h

CH. VIRANT Tradition 1999★★

| ☐ | 3 ha | 20 000 | ▮♦ | 20 à 29 F |

Cela sent bon la Provence au château Virant, entre un vignoble de 100 ha et une oliveraie de 20 ha. Voici un coteaux d'aix blanc où le rolle tient la vedette avec brio. Très clair et brillant, ce vin est bien expressif dans ses notes de fruits exotiques. Il se développe avec finesse en bouche jusqu'à une longue finale. En rouge, la **cuvée des Oliviers 97**, élevée en fût, est citée et mérite d'être bue dès l'automne (30 à 49 F).

☛ SCEA Ch. Virant, C.D. 10, 13680 Lançon-de-Provence, tél. 04.90.42.44.47, fax 04.90.42.54.81 ✉ ☎ t.l.j. 8h-12h 14h-18h30

☛ Robert Cheylan

Les baux-de-provence

Les Alpilles, chaînon le plus occidental des anticlinaux provençaux, est un massif érodé, au relief pittoresque taillé en biseau, fait de calcaires et calcaires marneux du crétacé. C'est le paradis de l'olivier. Le vignoble trouve également dans ce secteur un milieu favorable, sur les dépôts caillouteux très caractéristiques de cette région. Les grèzes litées sont peu épaisses et la fraction fine, dont dépend la réserve hydrique du sol, est importante. Au sein de l'AOC coteaux d'aix-en-provence, ce sec-

teur se distingue par une nuance climatique qui en fait une zone précoce, peu gélive, chaude et plus arrosée (650 mm).

Des règles de production plus affinées (rendement plus bas, densité plus élevée, taille plus restrictive, élevage d'au moins douze mois pour les vins rouges, minimum de 50 % de saignée pour les vins rosés), un encépagement mieux défini reposant sur le couple grenache-syrah, accompagné quelquefois du mourvèdre, sont à la base de la reconnaissance de cette appellation sous-régionale en 1995. Elle est réservée aux vins rouges (80 %) et rosés, et met en valeur un terroir original autour de la citadelle des Baux-de-Provence sur une superficie de 300 ha.

MAS DE LA DAME Stèle 1998★

| ■ | 35 ha | 18 000 | | 70 à 99 F |

Vincent Van Gogh fut inspiré par ce mas dont il peignit la façade est. Juste retour des choses, la richesse des couleurs de ce peintre se serait-elle transmise aux vins de ce domaine ? Celui-ci, dans sa robe grenat foncé, dévoile une palette complexe de fruits rouges très mûrs et de notes animales. Le nez devrait s'épanouir et acquérir une plus grande richesse aromatique, traduisant une vendange d'une parfaite maturité. Ce vin chaleureux repose sur des tanins qui méritent de s'affiner encore. Patientez entre deux et cinq ans pour le découvrir.

☛ Mas de La Dame, R.D. 5, 13520 Les Baux-de-Provence, tél. 04.90.54.32.24, fax 04.90.54.40.67 ✉ ☎ r.-v.

☛ A. Poniatowski et C. Missoffe

DOM. DE LA VALLONGUE
Cuvée Murielle 1997★

| ■ | n.c. | 30 000 | ◀▶ | 50 à 69 F |

Grenache, cabernet-sauvignon, syrah, cinsault, counoise et carignan. Pas moins de six cépages sont entrés dans l'élaboration de ce vin rouge complexe et très réussi. On y apprécie la griotte et les épices au nez, puis une matière bien grasse. Ce vin a une classe indéniable.

☛ Ph. Paul-Cavallier, Dom. de La Vallongue, B.P. 4, 13810 Eygalières, tél. 04.90.95.91.70, fax 04.90.95.97.76, e-mail vallongue@caves-particulieres.com ☎ r.-v.

MAS SAINTE-BERTHE
Cuvée Louis David 1998★

| ■ | 5 ha | 23 000 | ▮◀▶♦ | 30 à 49 F |

Christian Nief s'occupe désormais de toute l'activité du mas Sainte-Berthe, et le sérieux de la vinification est toujours aussi manifeste. De la complexité pour le plus grand plaisir du palais. Cette cuvée de teinte assez soutenue laisse monter d'agréables arômes d'épices et de grillé. Bien faite, elle repose sur un bon équilibre sur des tanins serrés et fins qui témoignent d'un joli travail d'élevage. On perçoit en outre une empreinte évoluée de cacao et de tabac. Les cuvées **Tradition 98**, en rouge, et **Passe-Rose 99**, en rosé, ont

PROVENCE

retenu l'attention du jury et obtiennent une citation.

☙ GFA Mas Sainte-Berthe, 13520 Les Baux-de-Provence, tél. 04.90.54.39.01, fax 04.90.54.46.17 ☑ �Y r.-v.
☙ David

DOM. TERRES BLANCHES 1999

| ◢ | | 10 ha | 35 000 | ▮▯ | 30 à 49 F |

Un rosé dominé par les fruits rouges : framboise, cassis, fraise des bois. Ces impressions se retrouvent tout au long de la dégustation, avec un côté charmeur. A déguster sur des viandes blanches grillées.

☙ Dom. Terres Blanches, 13210 Saint-Rémy-de-Provence, tél. 04.90.95.91.66, fax 04.90.95.99.04 ☑ �Y t.l.j. 9h-13h 14h30-18h30; sam. dim. 11h-18h30; groupes sur r.-v.

Coteaux varois

Les coteaux varois sont produits au centre du département, autour de Brignoles. Les vins, à boire jeunes, sont friands, gais et tendres, à l'image de cette jolie petite ville provençale qui fut résidence d'été des comtes de Provence. Ils ont été reconnus en AOC par décret du 26 mars 1993 et recouvrent 1 700 ha ; rosés, rouges et blancs se partagent les 85 000 hl de l'AOC.

DOM. DES CHABERTS
Cuvée Prestige 1999★★

| ☐ | | n.c. | 10 000 | ▮▲ | 30 à 49 F |

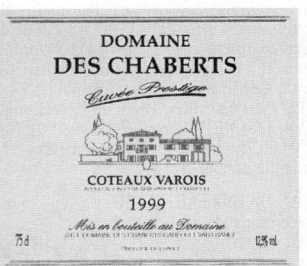

DOMAINE
DES CHABERTS
Cuvée Prestige

COTEAUX VAROIS
1999

Mis en bouteille au Domaine
75 cl   12,5% vol.

Avec ses 30 ha de vignes dans la vallée de l'Issole, le domaine des Chaberts est un habitué des récompenses dans le Guide. La cuvée Prestige 99 obtient un coup de cœur en blanc. Le nez intense et complexe décline fruits exotiques, pamplemousse, fleurs blanches. Harmonieusement équilibré, le vin prolonge longuement le plaisir sur une pointe acidulée bienvenue. Un coteaux varois délicieux. Dans le même esprit, la **cuvée Prestige en rosé 99** est expressive, voire

explosive. Solide et bien faite, elle porte fièrement ses deux étoiles.

☙ SCI Dom. des Chaberts, 83136 Garéoult, tél. 04.94.04.92.05, fax 04.94.04.00.97, e-mail chaberts@wanadoo.fr ☑ �Y t.l.j. 9h-12h 14h-19h; dim. sur r.-v.

DOM. COULOMB
La cuvée du Grand-Père 1998★

| ▮ | | 3 ha | 15 000 | ▮▯ | 20 à 29 F |

C'est à Seillons, village perché sur une crête, que l'Argens prend sa source. C'est aussi le berceau de la famille Coulomb. Si la cuvée du Grand-Père n'a pas l'étoffe d'un vin de garde, elle est bien bavarde et de bonne tenue avec ses notes de pain grillé et de fougère. Les tanins souples et fondus en font un vin friand.

☙ Patrick Apkarian, rue du Moulin, 83470 Seillons, tél. 04.94.72.16.18, fax 04.94.72.12.01 ☑ �Y r.-v.

CH. DUVIVIER Les Mûriers 1997

| ▮ | | 4,5 ha | 12 900 | ▮▯▮▲ | 70 à 99 F |

Cette cuvée issue de l'agriculture biologique laisse apparaître le fruit derrière le cacao et la vanille. Les tanins sont encore jeunes, mais l'ensemble témoigne d'un élevage sous bois bien maîtrisé. Ce 97 pourra encore attendre un an.

☙ SCEA Ch. Duvivier, rte de Draguignan, 83670 Pontevès, tél. 04.94.77.02.96, fax 04.94.77.26.66, e-mail antoine.kaufmann@delinat.com ☑ �Y r.-v.

LES BARRIQUES DE GARBELLE 1998

| ▮ | | n.c. | 2 250 | ▮▯ | 30 à 49 F |

Le domaine de Garbelle propose un vin élevé en fût pendant un an. Profond et intense, à la belle nuance rouge sombre, c'est un coteaux varois chaleureux au nez, qui présente beaucoup de constance, bien que le boisé soit encore très prononcé.

☙ Gambini, Vieux chemin de Brignoles, 83136 Garéoult, tél. 04.94.04.86.30 ☑ �Y t.l.j. 9h-12h 14h-18h30

DOM. DE LA BATELIERE 1997★

| ▮ | | 0,25 ha | 1 500 | ▮▯ | 20 à 29 F |

Profitant d'une situation plutôt ventée, une aire de battage était autrefois implantée sur ce site et donna son nom au domaine à la fin du XIX°s. Ce 97 a été particulièrement apprécié pour ses notes de cire d'abeille et d'épices, pour sa structure agréable et sa finale boisée qui plaira aux initiés. Il est à boire, mais une garde d'un à cinq ans ne lui fait pas peur.

☙ Philippe Chabas, Dom. de La Batelière, 83470 Saint-Maximin, tél. 04.94.78.01.21, fax 04.94.78.01.21, e-mail philippe.chabas@wanadoo.fr ☑ �Y r.-v.

CH. LA CALISSE Cuvée Etoiles 1999★★

| ▮ | | 0,3 ha | 1 500 | ▮▯▮ | 70 à 99 F |

Cette ancienne magnanerie reconvertie en domaine viticole a reconstitué son vignoble au début des années 1990 et bénéficie désormais de la qualification « agriculture biologique ». Implantée dans la région de Barjols où les cultures sont variées, elle produit également de l'essence de lavandin sur 2 ha. Les étoiles ne manquent certes pas à cette cuvée flamboyante dans sa robe rouge profond à reflets irisés. D'une grande expression, le nez livre des parfums de fruits mûrs, de cacao et de tabac. La bouche exhale ses saveurs sous une texture charnue et puissante, et contribue à l'harmonie remarquable de cette bouteille coup de cœur. Quant au **rosé 99** (50 à 69 F), il s'avère complexe, structuré et suave. Son nez et sa bouche sont en parfaite adéquation, ce qui lui vaut une étoile.

🍾 Patricia Ortelli, Ch. La Calisse, 83670 Pontevès, tél. 04.93.99.11.01, fax 04.93.99.06.10 ☑ ⊤ t.l.j. 9h-19h

CH. LA CURNIERE 1997★

| ■ | 4,7 ha | 18 000 | 🍾 ♦ | 50 à 69 F |

Michèle et Jacques Pérignon sont arrivés en 1989 sur cette propriété de 15 ha qu'ils ont entièrement rénovée. Finement bouqueté (garrigue, bourgeon de cassis, fruits rouges), leur coteaux varois prolonge ses arômes en bouche en s'appuyant sur des tanins fermes mais déjà accueillants. Si sa constitution le rend prêt à la découverte, elle lui assure aussi une garde de deux ou trois ans. Conviendra à du gibier à plume.
🍾 Michèle et Jacques Pérignon, Dom. La Curnière, 83670 Tavernes, tél. 04.94.72.39.31, fax 04.94.72.30.06 ☑ ⊤ r.-v.

DOM. LA ROSE DES VENTS 1999

| ◢ | 8 ha | 45 000 | 🍾 ♦ | 30 à 49 F |

Depuis 1994, Jean-Louis Baude et son fils, Gilles, entretiennent ce domaine de plus de 24 ha à La Roquebrussanne, un bourg viticole qui se forma au XIVᵉs. dans la plaine de l'Issole. Leur rosé 99 est issu d'un assemblage classique (grenache et cinsault) et s'avère typique de l'appellation. De teinte claire à reflets saumonés, il se développe en souplesse et en rondeur sur des notes originales, la brioche et l'amande s'alliant aux fruits à noyau (pêche notamment).
🍾 EARL Baude, Dom. La Rose des Vents, rte de Toulon, 83136 La Roquebrussanne, tél. 04.94.86.99.28, fax 04.94.86.91.75, e-mail rosedesvents@infonie.fr ☑ ⊤ t.l.j. sf lun. dim. 9h-12h 14h-18h

CH. DE L'ESCARELLE
Les Hautes Bastides 1999

| ◢ | 15 ha | 40 000 | 🍾 ♦ | 30 à 49 F |

Le château de l'Escarelle avait obtenu un coup de cœur pour un coteaux varois blanc 98 l'an passé. De sa cave construite en 1920 par François-Joseph Fournier alors propriétaire de l'île de Porquerolle, provient ce rosé 99 de teinte fran-

che, original par ses arômes empyreumatiques. Chaleureux, ce vin aiguisera l'appétit.
🍾 Ch. de L'Escarelle, 83170 La Celle, tél. 04.94.69.09.98, fax 04.94.69.55.06 ☑ ⊤ r.-v.

CH. MARGILLIERE 1998

| ■ | 5 ha | n.c. | | 30 à 49 F |

Depuis son rachat en 1996 par Patrick Caternet, le château Margillière a bénéficié d'importants travaux de rénovation qui lui ont permis de produire de jolis vins, tel ce 98 finement structuré. Celui-ci se développe sur une note de réglisse et des tanins encore bien présents. Le **rosé 99** mérite, lui aussi, d'être cité pour son équilibre et son agréable fraîcheur ; le floral et le fruité y font bon ménage.
🍾 SCEA Ch. La Margillière, rte de Cabasse, 83170 Brignoles, tél. 04.94.69.05.34, fax 04.94.72.00.98 ☑ ⊤ r.-v.
🍾 Patrick Caternet

DOM. DE RAMATUELLE 1998

| ■ | 5,5 ha | 27 000 | ▮ | 20 à 29 F |

Brignoles n'a jamais cessé d'être une ville commerçante active, au carrefour des routes du haut Var et de la Côte d'Azur. Si ses productions d'olives et de prunes étaient autrefois renommées, les vins tiennent aujourd'hui le premier rôle. Le domaine de Ramatuelle propose ici un coteaux varois aux notes animales, tempérées par une pointe végétale (fougère, champignon). Le vin s'harmonise autour de sa structure fondue.
🍾 Bruno Latil, Dom. de Ramatuelle, Les Gaëtans, 83170 Brignoles, tél. 04.94.69.10.61, fax 04.94.69.51.41 ☑ ⊤ r.-v.

CH. ROUTAS Agrippa 1997★

| ■ | 6 ha | 24 000 | 🍾 ♦ | 50 à 69 F |

Une grande partie de la production du château Routas est exportée vers les Etats-Unis. Espérons qu'il restera des bouteilles de cette cuvée Agrippa très réussie pour les lecteurs européens. Grenat foncé, le vin livre des senteurs variées : vanille, amande, épices. Les fruits à l'alcool marquent la finale. Un ensemble structuré et avenant, où les tanins ont de l'entrain. Le **rosé 99** (20 à 29 F), soutenu et d'une bonne présence, mérite d'être cité.
🍾 SARL Rouvière-Plane, 83149 Châteauvert, tél. 04.94.69.93.92, fax 04.94.69.93.61, e-mail rouviere.plane@wanadoo.fr ☑ ⊤ r.-v.
🍾 P. Bieler

LE CELLIER DE LA SAINTE-BAUME
Elevé en fût de chêne 1998★

| ■ | | n.c. | 15 000 | ◫ | 30 à 49 F |

Le Cellier de la Sainte-Baume regroupe les vignerons de Tourves et de Saint-Maximin. Son coteaux varois rouge est un vin brillant, de teinte grenat soutenu. Complexe au nez, il s'ouvre davantage en bouche, avec une bonne ampleur aromatique : réglisse, vanille, sous-bois. A l'attaque tendre répond une finale soyeuse.
🍾 Le Cellier de la Sainte-Baume, R.N. 7, 83470 Saint-Maximin-la-Sainte-Baume, tél. 04.94.78.03.97, fax 04.94.78.07.40 ☑ ⊤ r.-v.

PROVENCE

CH. SAINT-ESTEVE Prestige 1999

◩ 1,5 ha 7 000 ▮♦ 30 à 49 F

Jacques Ortet a acquis le domaine en septembre 1998. Ce rosé du millésime 99 a donc été élaboré par la nouvelle direction. Bien construit, il ne s'embarrasse pas de détails et va à l'essentiel. Sa matière solide devrait s'accorder à une grillade d'agneau aux herbes.
☞ Jacques Ortet, Ch. Saint-Estève, 83119 Brue-Auriac, tél. 04.94.72.14.70, fax 04.94.72.11.89, e-mail st.esteve@wanadoo.fr ✓ ⵏ t.l.j. 9h-19h

DOM. SAINT-JEAN LE VIEUX
Cuvée du Grand Clos 1998★★

◼ 0,75 ha 3 800 ▮♦ 30 à 49 F

Après la visite incontournable de Saint-Maximin et de sa basilique Sainte-Marie-Madeleine, remarquable édifice gothique de Provence, vos pas vous conduiront peut-être au domaine Saint-Jean-Le-Vieux. Là, un vrai bouquet de Provence vous attend : garrigue, thym, verveine s'expriment élégamment sur les tanins fondus de ce vin, et la finale flatte les sens. Un coteaux varois qui a participé au grand jury. Le **blanc 99** a été jugé très réussi : d'abord floral, il prend en bouche des accents exotiques dans une matière franche et fraîche. Quant au **rosé 99**, exubérant et bien fait, il obtient aussi une étoile (20 à 29 F chacun).
☞ GAEC Dom. Saint-Jean-le-Vieux, rte de Bras, 83470 Saint-Maximin, tél. 04.94.59.77.59, fax 04.94.59.73.35 ✓ ⵏ r.-v.
☞ Boyer

CH. SAINT-JULIEN 1998★★

◼ 5 ha 15 000 ◀▮▶ 20 à 29 F

La famille Garrassin est bien connue dans la région brignolaise. Racheté en 1992, le domaine est en cours de restructuration et de rénovation. Il fait une belle entrée dans le Guide avec ce 98 remarquable. Dense et profond, le vin livre un nez encore réservé mais élégamment boisé et ponctué de notes de noix de coco. L'attaque, encore fraîche, a les accents du terroir ; elle introduit une chair ferme mais sensuelle et persistante. Un bel avenir en perspective. Le **rosé 99** mérite une étoile : frais et doux, il s'épanouit sur une note poivrée.
☞ EARL Dom. Saint-Julien, ZI Les Consacs, 83170 Brignoles, tél. 04.94.77.52.00 ✓ ⵏ r.-v.
☞ M. Garrassin

DOM. DE SAINT-MITRE Clarté 1999

◩ 2,9 ha 18 000 20 à 29 F

Le domaine de Saint-Mitre fut l'un des premiers à quitter la cave coopérative de Saint-Maximin en 1964. Depuis deux ans, les nouveaux propriétaires s'orientent vers la culture raisonnée. Leur rosé 99 est un vin de repas qui laisse des sensations pleines de gaieté. Il présente une continuité aromatique entre le nez et la bouche jusqu'à la finale longue et fruitée.
☞ Dom. de Saint-Mitre, 83470 Saint-Maximin-la-Sainte-Baume, tél. 04.94.71.07.54, fax 04.98.05.82.88, e-mail saintmitre@wanadoo.fr ✓ ⵏ r.-v.

CH. TRIANS 1999★★

◩ 2 ha 11 000 ▮♦ 30 à 49 F

Des raisins vendangés tardivement au début du mois d'octobre, un assemblage grenache-syrah : le résultat est des plus séduisants. La bouche de ce vin se développe *crescendo* dans un volume généreux et rond, mis en valeur par des arômes fruités. Et si le nez était encore sur la réserve lors de la dégustation, il n'en était pas moins prometteur.
☞ Dom. de Trians, chem. des Rudelles, 83136 Néoules, tél. 04.94.04.08.22, fax 04.94.04.84.39, e-mail trians@compuserve.com ✓ ⵏ t.l.j. 9h-12h 14h-18h
☞ Jean-Louis Masurel

DOM. DE VALCOLOMBE 1999★

◻ 1 ha 4 200 ▮♦ 30 à 49 F

Pierre et Marie Léonetti, deux médecins, ont décidé de restaurer une ferme à l'abandon, entourée de ses 7 ha de vignes. Leur millésime 99 mérite bien une étoile en blanc comme en rosé. La belle nuance pâle du coteaux varois blanc convient à cet ensemble frais et exotique. Délicat, le vin s'équilibre et persiste bien. A découvrir sur une terrine de poisson. Le **rosé 99** s'exprime lui aussi agréablement : belle attaque, rondeur, un caractère sympathique et vrai.
☞ Dom. de Valcolombe, chem. des Espèces, 83690 Villecroze, tél. 04.94.67.57.16, fax 04.94.67.57.16 ✓ ⵏ t.l.j. sf mar. ven. 10h-12h 13h-18h
☞ Léonetti

La Corse

Une montagne dans la mer : la définition traditionnelle de la Corse est aussi pertinente en matière de vins que pour mettre en évidence ses attraits touristiques. La topographie est en effet très tourmentée dans toute l'île, et même l'étendue que l'on appelle la côte orientale - et qui, sur le continent, prendrait sans doute le nom de costière - est loin d'être dénuée de relief. Cette multiplication des pentes et des coteaux, inondés le plus souvent de soleil mais maintenus dans une relative humidité par l'influence maritime, les précipitations et le couvert végétal, explique que la vigne soit présente à peu près partout. Seule l'altitude en limite l'implantation.

Le relief et les modulations climatiques qu'il entraîne s'associent à trois grands types de sols pour caractériser la production vinicole, dont la majeure partie est constituée de vins de pays et de vins de table. Le plus répandu des sols est d'origine granitique ; c'est celui de la quasi-totalité du sud et de l'ouest de l'île. Au nord-est se rencontrent des sols de schistes, et, entre ces deux zones, existe un petit secteur de sols calcaires.

Associés à des cépages importés, on trouve en Corse des cépages spécifiques d'une originalité certaine, en particulier le niellucciu, au caractère tannique dominant et qui excelle sur le calcaire. Le sciacarellu, lui, présente plus de fruité et donne des vins que l'on apprécie davantage dans leur jeunesse. En blanc, le malvasia (vermentinu ou malvoisie) est, semble-t-il, apte à produire les meilleurs vins des rivages méditerranéens. En 1999, les superficies revendiquées en AOC ont été de 2 244 ha qui ont produit 92 637 hl.

En règle générale, on consommera plutôt jeunes les blancs et surtout les rosés ; ils iront très bien sur tous les produits de la mer et avec les excellents fromages de chèvre du pays, ainsi qu'avec le brocciu. Les rouges, eux, conviendront, selon leur âge et la vigueur de leurs tanins, aux différentes préparations de viande et, bien sûr, à tous les fromages de brebis.

CORSE

Vins de corse

Les vignobles de l'appellation vins de corse couvrent une superficie de 1 803 ha. Selon les régions et les domaines, les proportions respectives des différents cépages ajoutées aux variétés des sols apportent des tonalités diverses qui, dans la plupart des cas, justifient une indication spécifique de la sous-région dont le nom peut être associé à l'appellation (Coteaux du Cap Corse, Calvi, Figari, Porto-Vecchio, Sartène). Ces vins peuvent en effet être produits partout, excepté dans l'aire de Patrimonio. La majeure partie des 70 460 hl vinifiés est issue de la côte orientale, où les coopératives sont nombreuses.

DOM. D'ALZIPRATU Calvi 1999★

| ☐ | | n.c. | 10 000 | 🖥 ♨ | 20 à 29 F |

Situé en Balagne, près de Calvi, le domaine est constitué de 25 ha essentiellement plantés en cépages traditionnels. Maurice (le père) et Pierre (le fils) vous confient un blanc 99 très réussi. Jaune paille, ce vin expressif est riche d'arômes multiples (fruits frais, fruits secs, miel). En bouche, il est bien équilibré, rond et frais. A boire en toutes circonstances, d'autant que son prix est raisonnable.

🍷 Dom. d'Alzipratu, 20214 Zilia, tél. 04.95.62.75.47, fax 04.95.60.32.16 📷 🍽 t.l.j. 8h-12h 14h-18h
🍷 Acquaviva

CORSICAN 1998★

| ■ | | 50 ha | 100 000 | 🖥 🍶 ♨ | – de 20 F |

Le Corsican est une valeur sûre de la cave coopérative de la Marana. Il est élaboré de manière classique à partir de 75 % de niellucciu, 15 % de syrah et 10 % de grenache. Son prix inférieur à 20 F ne doit pas vous faire hésiter une seconde. Le vin est habillé d'un très beau rouge sombre, et son nez intense mêle fruits rouges, notes de cerise et d'épices. En bouche, sa charpente solide devrait s'assouplir en vieillissant.

🍷 SICA Uval, Rasignani, 20290 Borgo, tél. 04.95.58.44.00, fax 04.95.38.38.10 📷 🍽 t.l.j. sf dim. 9h-19h

CLOS CULOMBU Calvi 1999★

◩　　　5 ha　　20 000　　▮↓ 30à49F

Non loin de la Chapelle San Petru datant du XI^{e}s., le domaine Culombu s'étend sur 39 ha d'arènes granitiques argileuses. A sa tête depuis 1989, Etienne Suzzoni confirme ses qualités de vigneron à travers deux vins du millésime 99. Le rosé a une jolie robe saumonée pâle : il est très expressif et typé sciacarellu. En bouche, il affirme un bon équilibre, de beaux arômes et de la fraîcheur. Le **blanc exclusivement vermentinu** est doré avec des reflets verts. Un joli nez, une bouche agréable suffisent à séduire les amateurs. A servir avec un plateau de crustacés.

☛ Etienne Suzzoni, Clos Culombu, chem. San-Petru, 20260 Lumio, tél. 04.95.60.70.68, fax 04.95.60.63.46, e-mail culombu.suzzoni@wanadoo.fr ☑ Ⴤ t.l.j. 8h30-12h 14h-20h

DOM. FILIPPI 1998★★

■　　　30 ha　　n.c.　　▮↓ 30à49F

Le domaine Filippi crée la surprise en remportant avec panache le coup de cœur pour ce très beau 98. Le vignoble de 42 ha, planté en 1972, est situé à Linguizzetta, non loin de la mer. 70 % de niellucciu, 15 % de syrah et 15 % de mourvèdre ont été soigneusement sélectionnés. Le nez, riche de senteurs de fruits bien mûrs de type cassis, et d'une grande complexité épicée, avec des notes de réglisse, précède une bouche intense constituée de beaucoup de matière autour d'une structure irréprochable. Un superbe vin, à laisser sagement vieillir un minimum de deux ans.

☛ Toussaint Filippi, La Ruche Foncière, Arena, 20215 Venzolasca, tél. 04.95.58.40.80, fax 04.95.36.40.55 ☑ Ⴤ r.-v.

DOM. FIUMICICOLI Sartène 1999★★

☐　　　5 ha　　n.c.　　▮↓ 30à49F

Félix et Simon Andréani s'inscrivent dans la continuité. Trois vins présentés, trois vins recommandés par les jurys du Guide, dont deux remarquables ! Le sartène blanc 99 est typique et luisera dans quelque temps s'épanouir les senteurs qu'il libère timidement. En bouche, il affiche un très bel équilibre, de la puissance, de la matière, du goût... Que dire de plus, sinon qu'il gagnera à attendre un peu pour mieux vous conquérir ? Le **rosé 99**, 100 % sciacarellu, est cité pour sa typicité, sa vivacité et sa légèreté. A boire très frais en compagnie d'une araignée de mer nature.

☛ EARL Andréani, rte de Levie, 20100 Sartène, tél. 04.95.76.14.08, fax 04.95.76.24.24 ☑ Ⴤ r.-v.

DOM. FIUMICICOLI
Sartène Cuvée Vassilia Elevé en fût de chêne 1997★★

■　　　3 ha　　n.c.　　▮◫↓ 50à69F

Cette cuvée 97 de niellucciu, élevée six mois en cuve et quatorze mois en fût, a séduit le jury qui salue sa très belle allure, rouge soutenu aux reflets tuilés. Marqué au nez par les épices du niellucciu, boisé, vanillé, ce vin procure une sensation gustative riche, autour d'une structure tannique fondue et équilibrée. Déjà fort plaisant à déguster, il gagnera à vieillir un ou deux ans de plus.

☛ EARL Andréani, rte de Levie, 20100 Sartène, tél. 04.95.76.14.08, fax 04.95.76.24.24 ☑ Ⴤ r.-v.

DOM. MAESTRACCI
Calvi E Prove 1999★

☐　　　2 ha　　7 000　　▮↓ 50à69F

Vinifié après macération pelliculaire, ce pur vermentinu 99 issu d'un terroir argilo-sableux est une belle réussite de Michel Raoust. Fin d'arômes, il est rond, bien équilibré, harmonieux. Une sensation de fraîcheur porte le fruit avec délicatesse. Le **rosé 99** est nerveux mais équilibré. Très agréable à boire en accompagnement de brochettes de poissons ou de viandes blanches épicées.

☛ Michel Raoust, Clos Reginu, 20225 Feliceto, tél. 04.95.61.72.11, fax 04.95.61.80.16, e-mail clos.reginu@wanadoo.fr ☑ Ⴤ été t.l.j. sf dim. 9h-12h 14h-19h30

DOM. MAESTRACCI Calvi Reginu 1999★

◩　　　5 ha　　25 000　　▮↓ 30à49F

Le rosé 99 du Clos Reginu est une petite merveille. De couleur très pâle, saumonée, il offre un bouquet d'arômes très typé sciacarellu. La bouche friande, fruitée et bien équilibrée accompagnera parfaitement une dorade au four. Sous la même appellation, le **blanc 99** séduit par son nez fin et délicat. Une acidité un peu marquée le prédispose à accompagner des huîtres.

☛ Michel Raoust, Clos Reginu, 20225 Feliceto, tél. 04.95.61.72.11, fax 04.95.61.80.16, e-mail clos.reginu@wanadoo.fr ☑ Ⴤ été t.l.j. sf dim. 9h-12h 14h-19h30

CLOS D' ORLEA 1999

◩　　　n.c.　　n.c.　　▮↓ 20à29F

François Orsucci exploite un domaine de 30 ha à mi-chemin entre Bastia et Porto-Vecchio. Son vignoble est implanté dans les hauteurs d'Aléria sur un plateau argilo-calcaire. Il propose un rosé sympathique, vêtu d'une robe lumineuse, très bien équilibré. Agréable, ce vin accompagnera parfaitement un déjeuner de charcuteries corses.

☛ François Orsucci, Le Clos Léa, 20270 Aléria, tél. 04.95.57.13.60, fax 04.95.57.09.64 ☑ Ⴤ t.l.j. 9h-12h 15h-20h

COMTE PERALDI 1999★

☐   n.c.   25 300   🍴🍷 `30 à 49 F`

Le domaine Peraldi, réputé pour ses vins d'Ajaccio, produit également chaque année une partie de son blanc en AOC corse. Le millésime 99 est très floral, moelleux et long en bouche. Peu nerveux, il est destiné à accompagner une blanquette de veau plutôt que des coquillages, mais à l'apéritif, bien frappé, il fera merveille !
↬ Guy Tyrel de Poix, Dom. Peraldi,
chem. du Stiletto, 20167 Mezzavia,
tél. 04.95.22.37.30, fax 04.95.20.92.91 ☑ 🍷 r.-v.

DE PERETTI DELLA ROCCA
Figari Prestige Cuvée Alexandra 1999★★

☐   3 ha   10 000   🍴🍷 `30 à 49 F`

Le domaine de Tanella, propriété de la famille de Peretti della Rocca depuis plusieurs générations, se situe non loin de la mythique et merveilleuse plage de Palombaggia au sud de Porto-Vecchio. Le vignoble de 57 ha a sélectionné 3 ha de vermentinu pour la cuvée Alexandra qui triomphe une fois encore avec ce coup de cœur ! Ce vin magnifique est puissant et complexe. Des arômes d'agrumes et de pomme verte très typiques annoncent un palais superbe alliant équilibre, rondeur, exubérance et longueur. A boire seul en apéritif ou en accompagnement d'un repas raffiné à base de poissons.
↬ Jean-Baptiste de Peretti della Rocca,
Dom. de Tanella, 20114 Figari,
tél. 04.95.70.46.23, fax 04.95.70.54.40 ☑ 🍷 r.-v.

DE PERETTI DELLA ROCCA
Figari Prestige Cuvée Alexandra 1998★

■   8 ha   32 000 🍴🍶🍷 `50 à 69 F`

Non contents de nous offrir un coup de cœur, les Peretti della Rocca confirment leur savoir-faire avec ce rouge 98 et un rosé 99 très réussi. Le rouge est un savant assemblage de niellucciu, sciacarellu et syrah. D'une belle tenue rouge très foncé, il offre un nez au caractère animal légèrement boisé, une bouche typée par le niellucciu, équilibrée et persistante. Le rosé 99, mi-niellucciu, mi-sciacarellu, est vêtu d'une robe diaphane à reflets orangés. Son nez fruité est original, ponctué de notes de tabac blond et de grillé. Typique, vif, équilibré, il accompagnera parfaitement une cuisine très épicée.
↬ Jean-Baptiste de Peretti della Rocca,
Dom. de Tanella, 20114 Figari,
tél. 04.95.70.46.23, fax 04.95.70.54.40 ☑ 🍷 r.-v.

DOM. PERO-LONGO Sartène 1999★★

☐   2 ha   7 000   🍴🍷 `20 à 29 F`

Pierre Richarme a restructuré son vignoble en 1994 et construit une cave de vinification. Il nous confie son blanc 99 né de la complicité d'un coteau d'arènes granitiques et du vermentinu. Ses vignes sont situées entre le lion de Roccapina et Sartène dans un lieu à la beauté sauvage et préservée. Encore discret, ce vin jeune délivre des parfums typiques et prometteurs. Ample, gras, riche en fruits, il termine sa course par une impression acidulée très agréable. Petite production à petit prix !
↬ Pierre Richarme, lieu-dit Navara,
20100 Sartène, tél. 04.95.77.10.74,
fax 04.95.77.10.74 ☑ 🍷 r.-v.

DOM. DE PETRA BIANCA
Figari Prestige 1997★

■   10 ha   40 000   🍴🍷 `50 à 69 F`

Belle réussite pour ce GAEC présent pour la première fois et dans les trois couleurs pour sa cuvée Prestige ! Ce domaine de 50 ha est situé à l'extrême sud de la Corse dans un cadre magni-

La Corse

fique et verdoyant. La cave, rénovée en 1996, est une ancienne structure coopérative qui a été totalement repensée pour s'adapter à une production plus confidentielle. Jean Curallucci et Joël Rossi sont associés dans une démarche de qualité qui porte de beaux fruits. Le rouge 97 à dominante de niellucciu est sombre ; il déploie des senteurs discrètes, poivrées et réglissées, qui se retrouvent en bouche où domine la rondeur. Le **rosé 99** (30 à 49 F) issu de sciacarellu, bien construit, frais et vif, reçoit également une étoile : il exprime finesse et complexité par ses odeurs florales et son goût fruité-acidulé de type cassis. Il accompagnera très bien des coquillages ou des rougets grillés. Le **blanc 99** (30 à 49 F), pur vermentinu, un peu fermé, est cité pour sa typicité, sa rondeur et son équilibre.

🍷 GAEC de Petra Bianca, 20114 Figari,
tél. 04.95.71.01.62, fax 04.95.71.01.62 ☑ ☒ r.-v.

DOM. DE PIANA 1998★★

■	15 ha	n.c.	🍾♦	30 à 49 F

Pour la deuxième année consécutive, la famille Poli se distingue avec deux vins. Un rouge 98 remarquable grâce à une base de 60 % de niellucciu et 30 % de syrah issue d'un vignoble restructuré il y a quinze ans. D'une grande finesse, il charmera les sens les plus exigeants : complexité, richesse aromatique, équilibre gustatif et souplesse se conjuguent au goût de fruits rouges épicés et réglissés. Le **blanc 99**, très réussi, est un 100 % vermentinu. Il présente une bonne intensité odorante sur une variation de senteurs légèrement beurrées et confites, mais changera en bouche pour rappeler davantage les agrumes. Une légère pointe d'amertume en finale, fréquente sur le vermentinu, ne perturbe pas l'équilibre.

🍷 Ange Poli, Linguizzetta, 20230 San-Nicolao, tél. 04.95.38.86.38, fax 04.95.38.94.71 ☑ ☒ r.-v.

DOM. PIERETTI
Coteaux du Cap Corse 1998★★

■	2,12 ha	6 700	🍾♦	30 à 49 F

Le nom du domaine est celui de Ghjuvan (Jean) qui l'a transmis à sa fille Lina, en 1991. Figure de la viticulture du Cap Corse, il vinifiait, il y a encore dix ans, dans une cave datant du XVIIᵉs., avec des moyens rudimentaires. Aujourd'hui, la modernité s'est définitivement installée, mais la vieille cave peut toujours être visitée. Finaliste au grand jury, composé de 75 % de niellucciu et de 25 % d'« elegante », ce 98 est très typique. Rouge sombre, riche de l'odeur épicée, complexe, du niellucciu, doté d'une structure tannique charpentée, il excelle dans l'équilibre. Il va falloir attendre un an ou deux avant de pouvoir apprécier toutes ses qualités. Quant au **blanc 99**, fort réussi, il est très fruité (agrumes, pomme verte), vif et long en bouche. A boire sur une tarte aux herbes.

🍷 Lina Venturi-Pieretti, Santa-Severa, 20228 Luri, tél. 04.95.35.01.03, fax 04.95.35.01.03 ☑ ☒ r.-v.

PRESTIGE DU PRESIDENT 1998★★

■	6 ha	40 000	⬗	30 à 49 F

Le nom de cette cuvée est un hommage au président fondateur de la cave coopérative d'Alé-

ria. Elaboré à partir de 60 % de niellucciu et de 40 % de syrah, élevé dix mois en barrique, ce vin a un très belle couleur sombre, un nez de fruits rouges mûrs et de réglisse légèrement enrobés de vanille, une bonne attaque en bouche, beaucoup de volume, de rondeur, de matière, des tanins pleins de finesse et de présence... A regarder vieillir pendant au moins trois ans. Cette même cuvée en **blanc 98**, or pâle, est typique, un peu courte en bouche certes, mais ronde et équilibrée. Parfaite en accompagnement d'un loup grillé au fenouil.

🍷 Union de Vignerons de L'Ile de Beauté, Cave coop. d'Aléria, 20270 Aléria, tél. 04.95.57.02.48, fax 04.95.57.09.59 ☑ ☒ r.-v.

DOM. RENUCCI Calvi 1999

☐		n.c.	n.c.	🍾♦	30 à 49 F

Créé en 1870 par la famille Renucci, ce domaine nous invite à découvrir deux jolis vins. Ce blanc 99, or pâle, très expressif, embaume les fleurs blanches. Sa bouche est bien équilibrée, plutôt vive, agréable. Le **rouge 98**, assemblage de niellucciu, de sciacarellu et de syrah, s'épanouira dans les mois à venir. Mieux vaut donc attendre un peu pour apprécier à sa juste valeur ce vin équilibré et charpenté, dont les arômes de fruits rouges mûrs de type cassis se révèlent encore timidement.

🍷 Bernard Renucci, 20225 Feliceto, tél. 04.95.61.71.08, fax 04.95.61.71.08 ☑ ☒ t.l.j. sf dim. 10h-12h 16h-20h; f. d'oct. à avr.

RESERVE DU PRESIDENT 1999★★

◢	80 ha	500 000	🍾♦	20 à 29 F

L'équipe qui élabore les vins de la cave coopérative est très performante. Preuve en est, ce rosé 99 d'une bien belle couleur franche et claire, au nez d'une grande intensité de fruits rouges frais, de type fraise, cassis. Sa bouche enchanteresse est prometteuse par son attaque superbe, son équilibre et la persistance du fruit.

🍷 Union de Vignerons de L'Ile de Beauté, Cave coop. d'Aléria, 20270 Aléria, tél. 04.95.57.02.48, fax 04.95.57.09.59 ☑ ☒ r.-v.

DOM. SAN'ARMETTO Sartène 1998★★

■	15 ha	30 000	🍾♦	20 à 29 F

Créé en 1963 par Paul Seroin, le domaine apportait sa coopérative jusqu'en 1995. En 1998, Gilles, le fils, le replante pour l'essentiel de cépages corses et inaugure sa cave particulière. Aujourd'hui, les vins de ce jeune et talentueux œnologue entrent pour la première fois dans le Guide. Le **blanc 99**, tout en discrétion, est rond et bien équilibré ; des arômes d'agrumes et de pomme verte habillent l'ensemble. A boire sans attendre, avec un poisson cuit au four ou un fromage de chèvre. Le **rosé 99**, d'allure très élégante dans sa robe rose thé, a un nez floral discret. Bien équilibré, long et rond en bouche, il pourra être servi très frais. C'est surtout ce rouge 98 qui a séduit par le grenat intense de sa robe, la finesse et la complexité de ses arômes. La bouche savoure la qualité des tanins fondus et vanillés, enveloppés de rondeur et de notes poivrées. Un vin gourmand, à boire déjà sur un gigot d'agneau ou à attendre encore deux ans.

🍷 San' Armetto, Les Cannes, 20113 Olmeto, tél. 04.95.76.05.18, fax 04.95.76.24.47 ☑ ☒ r.-v.

DOM. DE SAN-MICHELE Sartène 1998★

■   8 ha   35 000   ▮⬇ `30 à 49 F`

Niché au cœur d'une immense propriété de 240 ha, le domaine bénéficie d'un climat très sec et d'un sol soit argileux, soit silico-granitique. Ce Sartène rouge 98 à dominante de niellucciu est bien charpenté, rond, équilibré, dominé par des arômes de type animal. A laisser vieillir un an ou deux pour accompagner une daube provençale ou des fromages corses de caractère. Le **rosé 99**, à dominante de sciacarellu, est rond, bien équilibré, avec des arômes secondaires et des notes de cassis. Sa fin de bouche est très agréable.
☛ Dom. San-Michele, 24, rue Jean-Jaurès, 20100 Sartène, tél. 04.95.77.06.38, fax 04.95.77.00.60 Ⓥ
☛ Phelip

DOM. SANTA MARIA
Coteaux de Santa Maria-Bravone 1998★★

■   90 ha   600 000   ▮⬇ `20 à 29 F`

Fait à partir de 70 % de niellucciu, ce vin remarqué par le jury est le porte-drapeau de ce vaste domaine de 470 ha. Rouge soutenu et flamboyant, il déploie des arômes intenses et puissants au caractère multiple, épicé, paré de notes de cuir, de réglisse, de maquis... Au palais, il est princier : belle attaque, belle structure. La finale encore austère conduit à garder cette bouteille au moins trois ans. Le domaine propose aux amateurs une nouvelle cuvée, **Centenaire** en **rouge 98** (30 à 49 F). Très réussie, elle est d'un rouge foncé à reflets noirs et offre une grande concentration de fruits mûrs et d'épices. La bouche est plaisante avec des tanins bien présents. A laisser vieillir un an ou deux. Plus immédiat, le **blanc 99**, vêtu d'or pâle, joue sur des arômes de type pomme verte.
☛ Dom. de Santa Maria, Coteaux de Santa Maria, 20230 Bravone, tél. 04.95.38.81.91, fax 04.95.38.81.91
☛ Famille J.-B. Casabianca

SANT'ANTONE 1998★

■   50 ha   300 000   ▮ `- de 20 F`

La Cave de Saint-Antoine propose un 98 issu de 80 % niellucciu et de 20 % syrah. Ce millésime vous ravira : une belle robe pourpre légèrement tuilée, un nez de petits fruits noirs épicés, et une bouche élégante et tout en finesse habillent une belle charpente. A ne pas manquer.
☛ Cave de Saint-Antoine, 20240 Ghisonaccia, tél. 04.95.56.61.00, fax 04.95.56.61.60 Ⓥ Ⓣ r.-v.

DOM. DE TORRACCIA
Porto-Vecchio Oriu 1998

■   10 ha   25 000   ▮ `50 à 69 F`

L'Oriu est l'expression conjuguée de 80 % de niellucciu, de 20 % de sciacarellu et d'un terroir d'arènes granitiques situé à proximité de la mer. Le millésime 98 est plus léger qu'à l'accoutumée, mais agréable par son nez épicé et végétal. La bouche ronde et aromatique est dotée d'un bon équilibre.
☛ Christian Imbert, Dom. de Torraccia, Lecci, 20137 Porto-Vecchio, tél. 04.95.71.43.50, fax 04.95.71.50.03 Ⓥ Ⓣ t.l.j. sf dim. 8h-12h 14h-18h

DOM. VICO 1999★

◪   10 ha   70 000   ▮⬇ `20 à 29 F`

A la tête du domaine, Jean-Marc Venturi. A la technique, Yves Mellerey, œnologue, et Hamed Karaz, passionné par son métier de caviste. Chaque année, ils unissent leurs talents et charment avec constance les jurys du Guide. Le rosé 99, trois quarts de sciacarellu, un quart de niellucciu, est plutôt pâle. Le nez, en revanche, est très bavard, d'un vocabulaire « floral et fruits frais » ; en bouche, le vin est franc, équilibré et persistant. Le **blanc 99**, 100 % vermentinu, est très typé. Une petite aération dévoile des senteurs florales et légères, tandis qu'en bouche son équilibre et sa rondeur s'épanouissent sur des notes citronnées. Il est cité.
☛ SCEA Dom. Vico, 20218 Ponte-Leccia, tél. 04.95.36.51.45, fax 04.95.36.50.26 Ⓥ Ⓣ t.l.j. sf dim. 9h-12h 14h30-18h30

Ajaccio

Les vignes de l'appellation ajaccio couvrent 205 ha sur les collines dans un rayon de quelques dizaines de kilomètres autour du chef-lieu de la Corse du Sud et de son illustre golfe, sur des terrains en général granitiques, avec une dominante du cépage sciacarellu. Les rouges, que l'on peut laisser vieillir, sont majoritaires avec 60,5 %, au sein d'une production moyenne d'environ 6 902 hl déclarés en 1999.

CORSE

CUVEE ANTOINE ABBATUCCI 1999★

☐   7 ha   10 000   ▮⬇ `30 à 49 F`

Le domaine Abbatucci confirme le niveau qualitatif de ses vins, sélectionnés trois fois cette année. Issu à 100 % de vermentinu planté sur un terroir d'arènes granitiques, le vin blanc de la Cuvée Antoine Abbatucci, long en bouche avec une finale fruitée, est très réussi. Parfait pour un poisson grillé. Le **rosé 99**, également très réussi, provient d'un savant assemblage de barbarossa, sciacarellu, vermentinu. Il est très pâle, fruité et harmonieux, aérien sur les papilles grâce à sa légère pointe de gaz carbonique. Le **rouge 98** (90 % sciacarellu), d'un rouge assez soutenu, est cité ; il est prêt à boire.
☛ Dom. Comte Abbatucci, Lieu-dit Chiesale, 20140 Casalabriva, tél. 04.95.74.04.55, fax 04.95.74.04.55, e-mail dom-abbatucci@infonie.fr Ⓥ Ⓣ r.-v.

CLOS D'ALZETO 1995★

■   10 ha   50 000   ▮⬛ `30 à 49 F`

Un savoir-faire spécifique assure chaque année à Pascal Albertini une place de choix dans le Guide. Ce rouge 95 typé par le sciacarellu est très réussi. D'une belle couleur brillante aux nuances tuilées et orangées, très agréable à humer par ses senteurs riches et poivrées, il offre une bonne évolution gustative pour un vin de cinq ans : il est harmonieux, rond et long en bouche. A consommer dès à présent sur un civet de lièvre ou une assiette de charcuterie corse. Le **rosé d'Alzeto 99** est cité pour sa couleur et sa vivacité ; servi bien frais, il agrémentera parfaitement un déjeuner sur l'herbe.

🔒 Pascal Albertini, Clos d'Alzeto, 20151 Sari-d'Orcino, tél. 04.95.52.24.67, fax 04.95.52.27.27
☑ ⲏ r.-v.

CLOS CAPITORO 1999★

◢ | 10 ha | 50 000 | 🍴🍷 | 30 à 49 F

Ce domaine de 50 ha sur terres argilo-siliceuses, créé en 1821 par Martin Bianchetti, exporte aujourd'hui 10 % de ses vins vers l'Angleterre, l'Allemagne, la Suisse et le Danemark. Jacques Bianchetti signe un très joli rosé : délicate tenue pétale de rose, parfum subtil, fin et floral, bouche fruitée et frissonnante. Un vin à déguster absolument les pieds dans l'eau ou la tête dans les étoiles. Le **blanc 99** est cité pour sa typicité, le **rouge 98** pour ses arômes très intéressants, malgré des tanins encore un peu sévères.

🔒 Jacques Bianchetti, Clos Capitoro, Pisciatella, 20166 Porticcio, tél. 04.95.25.19.61, fax 04.95.25.19.33, e-mail info@clos-capitoro.com ☑ ⲏ r.-v.

DOM. ALAIN COURREGES 1998

■ | 6,5 ha | 6 500 | 🍴🍷 | 50 à 69 F

Une citation pour Alain Courrèges qui vous convie à venir déguster sa petite production de vin rouge à « A cantina », sur la route qui court vert Porto Polo. Rouge rubis, offrant un nez complexe de fumé et de sous-bois, constitué d'une charpente légère, ce 98 est à boire dès à présent. Le **rosé 99** a du gras, de la longueur. A goûter après la visite du site préhistorique de Filitosa.

🔒 Alain Courrèges, A Cantina, 20123 Cognocoli, tél. 04.95.24.35.54, fax 04.95.24.38.07 ☑ ⲏ r.-v.

CLOS ORNASCA 1998★

■ | 1,78 ha | 10 785 | 🍴🍷 | 30 à 49 F

Deux vins très réussis cette année proposés par Laetitia Tola, jeune vigneronne ajaccienne, qui affirme les qualités du terroir d'Ornasca. Une petite production de 5 300 bouteilles de **blanc 99** reçoit une étoile pour ses arômes puissants ; bien équilibré et long en bouche, il est à découvrir sur des gambas grillées. Pour accompagner une belle côte de bœuf, préférez ce vin rouge 98, à la robe soutenue, qui dansera sur vos papilles au rythme d'accents ajacciens.

🔒 Laetitia Tola, Clos Ornasca, Eccica Suarella, 20117 Cauro, tél. 04.95.25.09.07, fax 04.95.25.96.05 ☑ ⲏ t.l.j. sf dim. 8h-18h; groupes sur r.-v.

DOM. COMTE PERALDI 1998★★

■ | n.c. | 128 000 | 🍾🍶🍷 | 30 à 49 F

Le domaine Peraldi est un des domaines les plus importants de l'AOC ajaccio qui exporte jusqu'aux Etats-Unis et au Japon. Sa renommée n'est plus à faire et il demeure une valeur sûre du Guide par la constance de ses sélections au fil des millésimes. Cette année, il assure une bien

belle réussite au **rosé 99** et au **rouge 98**. Le rosé saumoné très pâle est paré de parfums floraux vifs et nuancés ; il s'épanouit longuement en bouche dans un moelleux subtilement fruité. Ce rouge 98 est en habit sombre ; ses arômes déjà complexes bien qu'encore réservés laissent présager un futur prometteur. Impression confirmée par une bouche riche où s'épousent épices et fruits rouges sur une charpente solide mais arrondie. Si ce vin peut se boire dès à présent, la patience est conseillée !

🔒 Guy Tyrel de Poix, Dom. Peraldi, chem. du Stiletto, 20167 Mezzavia, tél. 04.95.22.37.30, fax 04.95.20.92.91 ☑ ⲏ r.-v.

DOM. DE PRATAVONE 1997★★

■ | 7 ha | 40 000 | 🍴🍷 | 30 à 49 F

Isabelle Courrèges enchante le jury pour la deuxième année consécutive en changeant de couleur. C'est une grande réussite pour cette œnologue talentueuse. Le rouge est mis et gagne le coup de cœur pour le millésime 97 d'une belle couleur soutenue au disque tuilé. Sa grande richesse et sa complexité aromatique s'expriment autant au nez qu'en bouche. Son équilibre où se marient rondeur et finesse est particulièrement remarquable. Le **rosé 99** a également conquis le jury en décrochant une étoile ; rose saumoné brillant, il exhale des arômes floraux discrets. Fruité et acidité s'équilibrent, suivis d'une finale très agréable.

🔒 Jean et Isabelle Courrèges, Dom. de Pratavone, 20123 Cognocoli-Monticchi, tél. 04.95.24.34.11, fax 04.95.24.34.74 ☑ ⲏ t.l.j. sf dim. 8h30-12h 15h30-19h30, hors-saison sur r.-v.

Patrimonio

La petite enclave (388 ha en 1998) de terrains calcaires, qui, depuis le golfe de Saint-Florent, se développe vers l'est et surtout vers le sud, présente vraiment les caractères d'un cru bien homogène dans lequel l'encépagement, s'il est bien adapté, permet d'obtenir des vins de très haut niveau. Ce sont le niellucciu en rouge et le malvasia en blanc qui devraient devenir, à brève échéance, les cépages uniques ; ils donnent déjà ici des produits très typés et d'excellente qualité, notamment des rouges somptueux et de bonne garde. La production atteint 14 000 hl dont 1 900 hl de blancs.

CLOS DE BERNARDI
Crème de tête 1998★★

■	4 ha	15 000	🍾 30 à 49 F

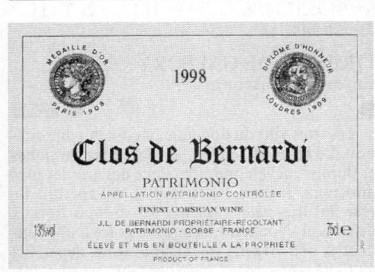

Le clos de Bernardi existe depuis 1884. Le père de Jean-Laurent fut un pionnier de l'appellation patrimonio dès l'après-guerre et malgré bien des oppositions. Aujourd'hui, son fils lui rend un très bel hommage en obtenant le coup de cœur pour une série limitée de 15 000 bouteilles de son rouge 98. Un terroir exceptionnel en pente douce vers la baie de Saint-Florent, un soin irréprochable à la vigne, des rendements bas (30 hl/ha), un savoir-faire qui s'affirme ont donné ce vin magnifique. La couleur ? Sombre, ponctuée de tons grenat et tuilés. Le nez ? Envoûtant et complexe, aux fruits rouges très mûrs avec des notes de pruneau. La bouche ? Intense, charpentée, voluptueuse, dominée par l'alliance complexe des fruits rouges et du viandé. Très beau vin, à boire dans deux à trois ans. Le **rosé d'une nuit 99** est réussi, il accompagnera volontiers vos repas entre amis.
🍷 Jean-Laurent de Bernardi, 20253 Patrimonio, tél. 04.95.37.01.09, fax 04.95.32.07.66 ☑ 🍷 t.l.j. 8h-12h 14h-19h

NAPOLÉON BRIZI 1998★

■	6 ha	13 000	🍾🍷 30 à 49 F

Rénovée depuis 1996, la cave Brizi a enfanté un beau vin rouge issu de 90 % de niellucciu et de 10 % de grenache. Un vin très sombre aux reflets violacés, aux belles fragrances de fruits rouges rappelant la fraise mûre, à la bouche capiteuse bien charpentée et complexe, qui s'accordera parfaitement sur un rôti de bœuf. Le **blanc 99**, 100 % malvoisie, est bien fait, complet et harmonieux ; ses arômes minéraux et floraux vous séduiront.
🍷 Napoléon Brizi, 20217 Saint-Florent, tél. 04.95.37.08.26 ☑ 🍷 r.-v.

DOM. DE CATARELLI 1999★★

◣	2,5 ha	10 000	🍾🍷 30 à 49 F

Cette propriété familiale revient en force dans le Guide avec trois vins ! Commençons par celui qui a davantage séduit le jury : ce rosé 99. Rose pâle à reflets violacés, il charme le nez par sa

fraîcheur et son caractère « bonbon anglais ». En bouche, il est vif, rond, fruité et promet des accords parfaits avec des poissons de roche cuisinés. Le **blanc 99**, 100 % vermentinu, a grandi sur un terroir argilo-calcaire. Il est typique, expressif, tantôt floral tantôt agrumes. Servi très frais, il glisse comme une eau de source. Il a reçu une étoile. Enfin, le **rouge 98**, cité, encore timide, réserve sa personnalité pour mieux la révéler plus tard. A attendre une année.
🍷 EARL Dom. de Catarelli, Marine de Farinole, 20253 Patrimonio, tél. 04.95.37.02.84, fax 04.95.37.18.72 ☑ 🍷 r.-v.
🍷 Laurent Le Stunff

DOM. GIUDICELLI 1999

◢	0,87 ha	3 920	🍷 30 à 49 F

Muriel Giudicelli, jeune propriétaire viticultrice, a fait son entrée au Guide l'an dernier pour sa première vinification. Elle affirme son aptitude professionnelle en décrochant une citation pour son tout premier patrimonio rosé traditionnel, d'un rose très intense, à la bouche fruitée. A servir bien frais.
🍷 Muriel Giudicelli, Hameau Paese Novu, 20213 Penta di Casinca, tél. 04.95.36.45.10, fax 04.95.36.45.10 ☑ 🍷 r.-v.

DOM. LAZZARINI 1999★

☐	4 ha	10 000	🍾🍷 20 à 29 F

Ce vin d'un excellent rapport qualité-prix vous séduira par son allure brillante doré clair, son nez intense et fin de fleurs blanches, et sa bouche équilibrée donnant en finale une sensation légèrement sucrée. A boire sur un poulet de grain rôti accompagné de pommes de terre à l'ail. Quant au **rosé de niellucciu 99**, cité par le jury, vinifié traditionnellement par saignée, il enchantera par sa typicité.
🍷 GAEC Lazzarini, 20253 Patrimonio, tél. 04.95.37.18.61 ☑ 🍷 t.l.j. 8h-19h30; f. nov.-avr.

DOM. LECCIA 1999★★

☐	n.c.	13 000	🍾🍷 50 à 69 F

L'un des domaines corses les plus constants, dans la maîtrise de la qualité et de la typicité. Yves Leccia est un homme discret et réservé qui s'exprime à travers ses vins avec un grand talent et beaucoup de modestie. Sans conteste, il confie cette année au Guide le meilleur blanc 99, toutes appellations corses confondues, qui a fait l'unanimité du grand jury ! Ce vin, qui a tout pour plaire, a épousé l'harmonie ! Habillé de jaune

pâle et parsemé de reflets dorés, il libère des senteurs si intenses que son élégance parfumée de fleurs blanches et d'une pointe de menthe séduira tous les nez ! En bouche, c'est l'apothéose des sens grâce à un très bel équilibre, à une puissance aromatique et à une persistance hors du commun. A boire dès que possible sur un poisson grillé et à découvrir plus tard sur des mets plus raffinés.

🠒GAEC Dom. Leccia, 20232 Poggio-d'Oletta, tél. 04.95.37.11.35, fax 04.95.37.17.03 ☑ Ⴁ r.-v.

DOM. LECCIA 1998★★

■ 10 ha 25 000 ■ ♦ 50 à 69 F

Quand on sait que 20 % de la production de rouge a conquis les Américains et les Japonais, on a envie de comprendre pourquoi. Eh bien ! la réponse se trouve en partie dans ce remarquable 98 dont la tenue rouge profond séduit déjà l'œil de l'amateur de patrimonio. Le festival aromatique associe mûre et cerise, entre intensité et complexité. Quant à la bouche, intense, puissante et charpentée, typée par un niellucciu bien dans son millésime, elle dévoile avec brio aux papilles impatientes les senteurs prisonnières. Et ce n'est pas fini, le **rosé 99** (30 à 49 F) est très réussi dans sa robe bien soutenue ; il déploie un nez fruité de griotte. En bouche, son équilibre est séducteur. Il accompagnera bien un fromage corse piquant.

🠒GAEC Dom. Leccia, 20232 Poggio-d'Oletta, tél. 04.95.37.11.35, fax 04.95.37.17.03 ☑ Ⴁ r.-v.

CLOS MARFISI Goccie di Sole 1998

■ 2,5 ha 12 000 ■ ♦ 50 à 69 F

Un beau rouge intense avec quelques reflets tuilés, une grande finesse aromatique animale et légèrement oxydative, une bouche équilibrée et bien structurée : voici un patrimonio typique, 100 % niellucciu, proposé par Toussaint Marfisi. A boire dès à présent sur un gibier.

🠒Toussaint Marfisi, Clos Marfisi, 20253 Patrimonio, tél. 04.95.37.01.16, fax 04.95.37.01.16 ☑ Ⴁ t.l.j. 9h-12h30 14h-19h

CLOS MONTEMAGNI 1999★

◢ 5 ha 30 000 ■ 30 à 49 F

Le domaine, créé en 1850, est aujourd'hui conduit par deux des filles de Louis Montemagni. Il est une des plus importantes propriétés de patrimonio avec 64 ha en production. Le **blanc 99** est très floral ; une pointe d'acidité supplémentaire l'aurait rendu plus séducteur, cependant il a un bel équilibre en bouche. A consommer bien frais. Ce rosé, très clair, a des arômes amyliques agréables ; en bouche il est équilibré, avec une attaque très ronde et de jolies notes de fruits. En accompagnement d'une salade au crabe, il sera parfait. La **cuvée Prestige du Menhir blanc 99** obtient également une étoile (50 à 69 F).

🠒GAEC Montemagni, 20253 Patrimonio, tél. 04.95.37.14.46, fax 04.95.37.17.15 ☑ Ⴁ t.l.j. 8h-12h 14h-18h

DOM. LOUIS MONTEMAGNI 1999★

◢ 5 ha 30 000 ■ ♦ 30 à 49 F

Entrée au Guide en force puisque cette cuvée rosée de Louis Montemagni, vinifiée dans une cave rénovée depuis 1999, franchit les portes de la réussite ! D'un joli rose légèrement orangé, très fruitée et d'une belle finesse aromatique d'ensemble, elle est équilibrée et persistante. A déguster sur une araignée de mer du cap Corse.

🠒GAEC Montemagni, 20253 Patrimonio, tél. 04.95.37.14.46, fax 04.95.37.17.15 ☑ Ⴁ t.l.j. 8h-12h 14h-18h

ORENGA DE GAFFORY
Cuvée des Gouverneurs 1998

◖◗ 5,5 ha 18 400 ◖◗ 50 à 69 F

Les trois vins du domaine ont obtenu une citation. Le **blanc 99**, ouvert sur des notes exotiques et florales, développe en bouche des arômes plus minéraux. Il est à boire frappé, à l'apéritif. Le **rosé 99**, très pâle, exprime des arômes floraux discrets et s'épanouit en bouche grâce à une rondeur et une vivacité très fleuries (tous deux 30 à 49 F). Quant à cette Cuvée des Gouverneurs, très marquée de l'élevage en fût, elle devra vieillir deux ou trois ans.

🠒Dom. Orenga de Gaffory, Lieu-dit Morta-Majo, 20253 Patrimonio, tél. 04.95.37.45.00, fax 04.95.37.14.25 ☑ Ⴁ r.-v.

DOM. PASTRICCIOLA 1999★★

☐ 2,5 ha 7 000 ■ ♦ 30 à 49 F

Trois hommes de Patrimonio, trois vins. Belle réussite pour le domaine Pastricciola qui confirme son talent. Ce 99, qui a participé au grand jury, est à découvrir. Il a belle allure dans sa robe claire et brillante. Très floral et subtil en préambule, il s'épanouit en bouche par sa rondeur, son équilibre et son élégance. Ne le manquez pas. 100 % niellucciu, le **rouge 98** (une étoile) est issu d'un terroir argilo-calcaire. Rouge foncé, il exprime des notes de fruits très mûrs un peu surmûris et d'épices. En bouche, moelleux et équilibre lui confèrent un grand charme. A boire dans les deux ans. Le **rosé 99** (cité), vinifié traditionnellement à partir de niellucciu et de malvoisie, est agréable et très présent en bouche.

🠒Dom. Pastricciola, Maestracci Giovannetti Gilormini, 20253 Patrimonio, tél. 04.95.37.18.31, fax 04.95.37.08.83 ☑ Ⴁ t.l.j. 9h30-12h 15h-19h

DOM. SAN QUILICO 1999

☐ 6,28 ha n.c. ■ ♦ 30 à 49 F

Ce blanc 99 est cité pour sa bonne harmonie générale et ses arômes très typiques de vermentinu ; il accompagnera fort bien un saumon en papillote. Le **rouge 98**, à la robe soutenue, exhale des senteurs de maquis et de fruits rouges. En bouche, une finale un peu austère le prédestine à accompagner certains fromages doux.

🠒Dom. San Quilico, Lieu-dit Morta Majo, 20253 Patrimonio, tél. 04.95.37.45.00, fax 04.95.37.14.25 ☑ Ⴁ r.-v.

LE SUD-OUEST

Groupant sous la même bannière des appellations aussi éloignées qu'irouléguy, bergerac ou gaillac, la région viticole du Sud-Ouest rassemble ce que les Bordelais appelaient « les vins du Haut-Pays » et le vignoble de l'Adour. Jusqu'à l'apparition du rail, le premier groupe, qui correspond aux vignobles de la Garonne et de la Dordogne, a vécu sous l'autorité bordelaise. Fort de sa position géographique et des privilèges royaux, le port de la Lune dictait sa loi aux vins de Duras, Buzet, Fronton, Cahors, Gaillac et Bergerac. Tous devaient attendre que la récolte bordelaise soit entièrement vendue aux amateurs d'outre-Manche et aux négociants hollandais avant d'être embarqués, quand ils n'étaient pas utilisés comme vin « médecin » pour remonter certains clarets. De leur côté, les vins du piémont pyrénéen ne dépendaient pas de Bordeaux, mais étaient soumis à une navigation hasardeuse sur l'Adour avant d'atteindre Bayonne. On peut comprendre que, dans ces conditions, leur renommée ait rarement dépassé le voisinage immédiat.

Et pourtant, ces vignobles, parmi les plus anciens de France, sont le véritable musée ampélographique des cépages d'autrefois. Nulle part ailleurs on ne trouve une telle diversité de variétés. De tout temps, les Gascons ont voulu avoir leur vin et, quand on connaît leur individualisme forcené et leur goût du particularisme, on ne s'étonne pas de la découverte de ces terroirs épars et de leur forte personnalité. Les cépages manseng, tannat, négrette, duras, len-de-l'el (loin-de-l'œil), mauzac, fer servadou, arrufiac ou baroque (cot) ainsi que le raffiat de Moncade au nom charmant sont sortis de la nuit des temps viticoles et donnent à ces vins des accents d'authenticité, de sincérité et de typicité inimitables. Loin de renier le qualificatif de vin « paysan », toutes ces appellations le revendiquent avec fierté en donnant à ce terme toute sa noblesse. La viticulture n'a pas exclu les autres activités agricoles, et les vins côtoient sur le marché les produits fermiers avec lesquels ils se marient tout naturellement. Les cuisines locales trouvent dans les vins de « leur » pays une confraternité qui fait de ce Sud-Ouest l'une des régions privilégiées de la gastronomie de tradition.

Tous ces vignobles sont aujourd'hui en plein renouveau sous l'impulsion de la coopération ou de propriétaires passionnés. Un grand effort d'amélioration de la qualité, tant par les méthodes culturales ou la recherche de clones mieux adaptés que par les techniques de vinification, conduit peu à peu ces vins vers l'un des meilleurs rapports qualité/prix de l'Hexagone.

SUD-OUEST

Cahors

D'origine gallo-romaine, le vignoble de Cahors (4 215 ha pour 244 017 hl en 1999) est l'un des plus anciens de France. Jean XXII, pape d'Avignon, fit venir des vignerons querci-nois pour cultiver le châteauneuf-du-pape, et François Ier planta à Fontainebleau un cépage cadurcien ; l'Eglise orthodoxe l'adopta comme vin de messe et la cour des tsars comme vin d'apparat... Pourtant, le vignoble de Cahors revient de loin ! Totalement anéanti par les gelées de 1956, il était retombé à 1 % de sa surface antérieure. Reconstitué dans les méandres de

781

la vallée du Lot avec des cépages nobles traditionnels, le principal étant l'auxerrois qui porte aussi les noms de cot ou malbec représentant 70 % de l'encépagement, complété par le tannat (moins de 2 %) ou le merlot (environ 20 %), le terroir de Cahors a retrouvé la place qu'il mérite parmi les terres productrices de vins de qualité. On assiste d'ailleurs à des tentatives courageuses de reconstitution sur les causses, comme dans les temps anciens.

Les cahors sont puissants, robustes, hauts en couleur (le *black wine* des Anglais) ; ce sont incontestablement des vins de garde. Un cahors peut toutefois être bu jeune : il est alors charnu et aromatique avec un bon fruité, et doit être consommé légèrement rafraîchi, sur des grillades par exemple. Après deux ou trois années où il devient fermé et austère, le cahors se reprend, pour donner toute sa harmonie au bout d'un délai égal, avec des arômes de sous-bois et d'épices. Sa rondeur, son ampleur en bouche en font le compagnon idéal des truffes sous la cendre, des cèpes et des gibiers. Les différences de terroir et d'encépagement donneront des vins plus ou moins aptes à la garde, la tendance actuelle étant de produire des vins plus légers et rapidement consommables.

CH. ARMANDIERE
Diamant rouge Vieilli en fût de chêne 1998★

| ■ | n.c. | 4 222 | ❘❙❘ | 30 à 49 F |

Bernard Bouyssou perpétue l'exploitation du domaine familial sous le nouveau nom de château Armandière, comme un hommage à son grand-père Armand. Sa cuvée Diamant rouge a passé quatorze mois en barrique. La voici, sombre et brillante, plaisante par son nez de fruits rouges subtilement vanillés, de menthol et de sève boisée. La matière concentrée se développe paisiblement en bouche jusqu'à une finale chaleureuse et complexe, étayée par des tanins fondus. On perçoit alors de jolies épices et un boisé toasté. Même s'il peut d'ores et déjà être apprécié, ce cahors supportera la garde.
➼ Bernard Bouyssou, 46140 Parnac, tél. 05.65.30.72.47, fax 05.65.36.02.23 ☑ ⵏ r.-v.

CH. DE CAIX 1998★★

| ■ | 18 ha | 80 000 | ❘❙❘ | 50 à 69 F |

Le château de Caïx, dirigé par Jean-Baptiste de Monpezat, est propriété du prince consort de Danemark. Le 98 porte haut les couleurs du cahors. Dans sa robe rouge sombre, il livre des arômes intenses : le fruit s'associe à des caractères boisés et vanillés, hérités d'un élevage en fût de douze mois ainsi qu'à une note minérale. Après une attaque franche, c'est une matière concentrée et savoureuse qui enveloppe le palais, accompagnée de violette et de réglisse. Elégance et équilibre marquent la finale de ce vin bien maîtrisé, digne d'une garde de cinq ans.
➼ SCEA Prince Henrik, Ch. de Caïx, 46140 Luzech, tél. 05.65.20.80.80, fax 05.65.20.80.81 ☑ ⵏ r.-v.

CH. DE CALASSOU 1998★

| ■ | 8 ha | 16 000 | ❘❙❘ | 30 à 49 F |

Issu d'un assemblage où le cot (75 %) est complété par le merlot, le château de Calassou propose un cahors typique, rouge cerise d'intensité moyenne. Il livre son nez de fruits rouges à l'eau-de-vie qu'un léger boisé vanillé adoucit. Puis sa bouche, chaleureuse mais assez souple, offre une finale fruitée et épicée.
➼ Michel Souveton, Ch. de Calassou, 46700 Duravel, tél. 05.65.24.62.67, fax 05.65.36.47.22 ☑ ⵏ t.l.j. 8h-21h

DOM. DE CARREYRES 1998★

| ■ | 0,83 ha | 2 500 | ❘ | 20 à 29 F |

Un soupçon de tannat a complété cette cuvée de côt (95 %). Les notes épicées agrémentent la palette délicate de fruits, de fleurs et de nuances végétales. Encore rubis chatoyant à l'œil, ce vin est assez léger mais agréablement fruité en bouche : l'équilibre entre structure et arômes est respecté à la lettre comme en témoignent les tanins fins et la finale fondante. Une réelle harmonie que deux ou trois ans de garde affineront encore.
➼ Georgette Hartmann, Carreyrés, 46700 Vire-sur-Lot, tél. 05.65.36.53.61, fax 05.65.30.89.96 ☑ ⵏ r.-v.

DOM. DE CAUSE
Notre-Dame-des-Champs Elevé en fût de chêne 1998★★

| ■ | 1,2 ha | 8 000 | ❘❙❘ | 50 à 69 F |

Serge et Martine Costes ont repris en main cette propriété familiale en 1994. Ils proposent une cuvée d'un bel aspect limpide aux nuances violettes. Celle-ci s'inspire des petits fruits rouges et des épices pour nous livrer un tableau aromatique intense. Puis elle tire d'une extraction parfaitement mesurée une matière suave et généreuse ainsi qu'une finale longue et persistante. Un vin riche et agréable.
➼ Serge Costes, Cavagnac, 46700 Soturac, tél. 05.65.36.41.96, fax 05.65.36.41.95, e-mail montalieu@infonie.fr ☑ ⵏ t.l.j. 9h30-12h 14h-18h30 ; dim. sur r.-v.

DOM. DE CAUSE
La Lande Cavagnac 1998★★

| ■ | 3,6 ha | 23 000 | ❘ ❘❙❘ | 30 à 49 F |

Voyez-vous cette couleur presque noire aux nuances violacées dans le verre ? Percevez-vous cette longue suite de fruits noirs surmûris... prune, figue, mûre..., avec une pointe d'oxydation qu'affine un léger boisé ? Sentez-vous cette matière opulente tapisser vos papilles après une attaque grasse, riche et vineuse ? Les tanins sont serrés mais enrobés ; les arômes puissants persistent longuement. De la concentration... Une présence.

•ᴛ Serge Costes, Cavagnac, 46700 Soturac,
tél. 05.65.36.41.96, fax 05.65.36.41.95,
e-mail montalieu@infonie.fr ☑ ⵣ t.l.j. 9h30-12h
14h-18h30; dim. sur r.-v.

CH. DU CEDRE Le Cèdre 1998★★★

■	7 ha	35 000	⑾	150 à 199 F

Unanime coup de cœur pour cet exceptionnel
cahors des frères Verhaeghe. C'est la parfaite
maîtrise de la vinification et d'un long élevage
de vingt-quatre mois en barrique qui est ici
récompensée. Enveloppé d'une somptueuse robe
noire aux nuances violines, le vin offre un nez
racé au boisé élégant au sein d'une palette remarquablement complexe. La bouche révèle un équilibre superbe : puissante et corpulente, suave et
harmonieuse, elle intègre des tanins très mûrs,
dont la trame de satin porte une longue finale.
Un grand vin d'avenir.
•ᴛ Verhaeghe et Fils, Bru, 46700 Vire-sur-Lot,
tél. 05.65.36.53.87, fax 05.65.24.64.36 ☑ ⵣ t.l.j.
sf dim. 9h-12h 14h-18h

CHEVALIER DE MALECROSTE
Cuvée Tradition Elevé en fût de chêne 1998★

■	2 ha	8 500	⑾	30 à 49 F

Associant côt (80 %) et tannat (20 %), le Chevalier de Malecroste dans sa version Tradition
est tout en mesure. Robe vive d'intensité
moyenne ; nez sans excès, légèrement animal
avec quelques notes de fruits rouges et une pointe
de vanille ; bouche plus aromatique, souple et
harmonieuse tant les tanins sont ronds.
•ᴛ Gérard Delbru, rte du Collège,
46220 Prayssac, tél. 05.65.22.42.40,
fax 05.65.30.67.41 ☑ ⵣ t.l.j. sf dim. 8h30-19h

DOM. CHEVALIERS D'HOMS 1998★★

■	2,35 ha	12 000	ⵑ⵿	30 à 49 F

Elevé en cuve, ce cahors, à base d'auxerrois
exclusivement, est l'un des meilleurs de la sélection. Sa robe est brillante, cerise à franges violettes, son nez embaume les fruits rouges mûrs,
les épices et le menthol. Ce caractère puissant et
chaleureux se retrouve en bouche. La matière est
en effet riche avec ses accents de surmaturité et
ses tanins serrés bien savoureux. Un remarquable
ouvrage.
•ᴛ SCEA Dom. d'Homs, Les Homs,
46800 Saux, tél. 05.65.31.92.45,
fax 05.65.31.96.21 ☑ ⵣ t.l.j. 8h30-19h30

CROIX DU MAYNE 1998★

■	13 ha	20 000	ⵑ⑾	20 à 29 F

Un bon rapport qualité-prix que ce cahors à
base d'auxerrois (90 %) et de merlot (10 %). La
robe rouge cerise soutenu dessine un disque brillant sur le bord du verre. Le nez exprime

Le Sud-Ouest

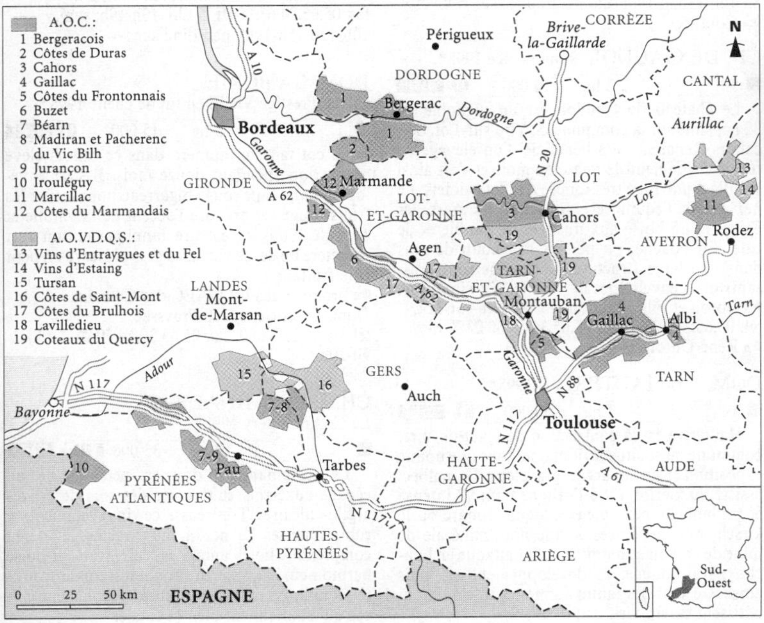

A.O.C. :
1 Bergeracois
2 Côtes de Duras
3 Cahors
4 Gaillac
5 Côtes du Frontonnais
6 Buzet
7 Béarn
8 Madiran et Pacherenc
   du Vic Bilh
9 Jurançon
10 Irouléguy
11 Marcillac
12 Côtes du Marmandais

A.O.V.D.Q.S. :
13 Vins d'Entraygues et du Fel
14 Vins d'Estaing
15 Tursan
16 Côtes de Saint-Mont
17 Côtes du Brulhois
18 Lavilledieu
19 Coteaux du Quercy

quelques arômes de fruits surmûris et un boisé intense aux accents épicés et surtout torréfiés. Plutôt souple et bien équilibrée, la bouche livre ses saveurs jusqu'à une finale renforcée par des tanins essentiellement boisés, qui commencent à se fondre.

➤ SCEV François Pélissié, 46140 Anglars-Juillac, tél. 05.65.21.45.37, fax 05.65.21.45.38 ☑ � r.-v.

CH. CROZE DE PYS 1998*

■   30 ha   180 000   **⦀** 30 à 49 F

C'est un cahors noir intense que nous propose Jean Roche dans le millésime 98. Au sein d'une palette fine, les épices se mêlent à des notes de petits fruits noirs et rouges, puis un beau volume en bouche apporte une sensation de souplesse et de gras que ne démentent pas les tanins fondus.

➤ SCEA des Dom. Roche, Ch. Croze de Pys, 46700 Vire-sur-Lot, tél. 05.65.21.30.13, fax 05.65.30.83.76 ☑ ⍟ t.l.j. sf dim. 9h-12h 15h-19h

➤ Jean Roche

CH. EUGENIE
Cuvée réservée de l'Aïeul 1998*

■   8 ha   40 000   **⦀** 30 à 49 F

Depuis cinq siècles, de père en fils, la famille Couture cultive ce vignoble d'Albas. L'aïeul était déjà vigneron du seigneur d'Albas en 1470. Une belle robe rubis aux nuances violettes annonce un nez agréable, à la fois végétal et fruité (un peu groseille). D'attaque franche, la bouche relativement concentrée reste équilibrée. Elle offre des arômes plutôt floraux (violette) et légèrement fumés. La finale s'appuie sur des tanins serrés.

➤ Ch. Eugénie, Rivière-Haute, 46140 Albas, tél. 05.65.30.73.51, fax 05.65.20.19.81 ☑ ⍟ t.l.j. 8h-12h 13h30-19h; dim. et groupes sur r.-v.

➤ Couture

CH. DE GAUDOU Renaissance 1998*

■   2,2 ha   16 000   **⦀** 70 à 99 F

Le château de Gaudou est un vignoble de 32 ha, situé sur la commune de Vire-sur-Lot. Son cahors Renaissance a bénéficié d'un élevage en fût de chêne neuf de quatorze mois et s'est ainsi habillé d'une robe très foncée à reflets violets. Le nez réussit l'équilibre entre les fruits noirs, les épices et un boisé aux nuances de vanille et de café. En bouche, on perçoit beaucoup de gras dans une large structure. Les tanins sont puissants mais enveloppés de vanille. Un vin étoffé.

➤ Durou et Fils, Gaudou, 46700 Vire-sur-Lot, tél. 05.65.36.52.93, fax 05.65.36.53.60 ☑ ⍟ r.-v.

➤ René Durou

DOM. DE HAUTERIVE 1998*

■   7 ha   50 000   ▌↓ 30 à 49 F

Hauterive est la contraction de Haut de Vire, commune où se situe le domaine, sous une bonne exposition sur leur sol argilo-graveleux. Le malbec, assisté du merlot, est à l'origine d'un 98 intense et brillant. Le nez vineux évoque le marc ou le kirsch, puis les épices et une note minérale de mine de crayon apparaissent. Si l'attaque en bouche paraît douce, le développement est plus corsé. Ce sont des tanins fermes et rustiques qui bâtissent ce vin viril.

➤ Filhol, Le Bourg, 46700 Vire-sur-Lot, tél. 05.65.36.52.84, fax 05.65.24.64.93 ☑ ⍟ t.l.j. 8h-12h30 14h-19h

CH. DE HAUTE-SERRE 1998

■   60 ha   260 000   **⦀** 50 à 69 F

Georges Vigouroux fait partie des célébrités de Cahors. Il a reconstitué ce magnifique vignoble qui avait été abandonné pendant près d'un siècle. Rubis bien vif, le Château de Haute-Serre développe des parfums de petits fruits rouges, de violette et de poivre autour d'une note dominante de vanille. L'attaque est souple, assez fraîche ; puis la bouche se développe en maintenant son fruit, malgré une dominante boisée qui emporte la finale avec une pointe d'amertume.

➤ GFA Georges Vigouroux, Ch. de Haute-Serre, 46230 Cieurac, tél. 05.65.20.80.80, fax 05.65.20.80.81, e-mail vigouroux@g-vigouroux.fr ☑ ⍟ r.-v.

CH. HAUT-MONPLAISIR Prestige 1998*

■   2,7 ha   14 400   **⦀** 50 à 69 F

Depuis novembre 1998, cette ancienne propriété familiale fait de la vente directe. Bonne initiative à en juger par ce 98 Prestige dont la robe rouge violine brille de jolis reflets vifs dans le verre. Le nez, assez vineux, s'exprime en arômes variés de fruits rouges et noirs, avec une pointe de cannelle et quelques notes toastées. Souple et douce à l'attaque, la bouche offre un beau volume aromatique et gras. Elle prolonge son équilibre jusqu'en finale, grâce à une trame de tanins fins. La **cuvée Tradition 98** mérite, quant à elle, une citation (30 à 49 F).

➤ Salinié-Fournié, Monplaisir, 49700 Lacapelle-Cabanac, tél. 05.65.24.64.78, fax 05.65.24.68.90 ☑ ⍟ t.l.j. 15h-19h; sam. 10h-12h 15h-19h; mer. dim. sur r-v

DOM. LA BORIE
Cuvée Prestige Vieilli en fût de chêne 1998*

■   3 ha   15 000   **⦀** 30 à 49 F

Le côt fait son numéro dans ce cahors élevé en barrique pendant douze mois. Il s'est enveloppé d'une cape rouge bigarreau pour réciter les fruits rouges et prendre l'accent de la vanille et du café. Sous sa carrure tannique et son fort caractère boisé, ce vin assez gras préserve un petit côté fruité.

➤ Froment et Fils, GAEC des Coteaux, Dom. La Borie, 46220 Prayssac, tél. 05.65.22.42.90, fax 05.65.30.64.70 ☑ ⍟ t.l.j. 9h-20h

CH. LA CAMINADE
La Commandery 1998*

■   10 ha   35 000   ▌**⦀**↓ 50 à 69 F

La Commandery doit sa personnalité au cépage auxerrois cultivé sur des sols de graves argilo-calcaires. Très réussi, ce vin revêt une robe rubis intense. Le nez a du caractère et de la complexité : notes animales, cuir, fruits et boisé harmonieux. La bouche ronde et grasse trouve un équilibre autour de tanins agréablement épicés qui soutiennent bien la finale.

➥ Resses et Fils, SCEA Ch. La Caminade, 46140 Parnac, tél. 05.65.30.73.05, fax 05.65.20.17.04 ☑ ☍ t.l.j. sf sam. dim. 8h-12h 14h-19h

CH. LA COUSTARELLE
Cuvée Prestige 1998

| ■ | | 15 ha | 100 000 | ❰❱ | 50 à 69 F |

Michel et Nadine Cassot s'efforcent depuis 1980 de développer la qualité. D'un grenat sombre, leur 98 libère un nez intense, porté à la fois vers les fruits (cerise) et la violette. Le boisé se traduit par des notes vanillées et fumées. Franc à l'attaque, le vin évolue puissamment en bouche. Les tanins fermes et plutôt rustiques devront encore se fondre.
➥ SCEA Michel et Nadine Cassot, Ch. La Coustarelle, 46220 Prayssac, tél. 05.65.22.40.10, fax 05.65.30.62.46 ☑ ☍ t.l.j. 8h30-12h30 14h-20h; groupes sur r.-v.; f. 20 août-8 sept.

CLOS LA COUTALE 1998★

| ■ | | 50 ha | 280 000 | ❰❱ | 30 à 49 F |

Depuis six générations, le vaste domaine du Clos La Coutale (55 ha) est aux mains de la famille Bernède. Il est à l'origine de ce cahors limpide et assez intense, aux nuances de violette. Le nez, puissant, est dominé par les fruits noirs et la vanille. La bouche apparaît ronde et ample ; les tanins, pour partie issus d'un fort boisé aux accents de torréfaction, s'installent bientôt puis s'affirment, robustes, en finale.
➥ V. Bernède et Fils, Clos La Coutale, 46700 Vire-sur-Lot, tél. 05.65.36.51.47, fax 05.65.24.63.73 ☑ ☍ t.l.j. 8h-19h

CH. LAMARTINE Expression 1998★

| ■ | | 3 ha | 14 000 | ❰❱ | 100 à 149 F |

Le château Lamartine a joué un rôle moteur dans la reconstitution du vignoble de Cahors. Situé à l'ouest de l'AOC, il bénéficie des influences atlantiques. La présentation de ce 98 est attrayante sous une robe rubis intense. Expressif

et tout en finesse, le nez allie les fruits rouges à un délicat boisé agréablement vanillé. La bouche ronde, ample et grasse, possède de la mâche et des tanins fins. Le boisé, s'il est bien présent, se fond lentement. Un vin équilibré.
➥ SCEA Ch. Lamartine, 46700 Soturac, tél. 05.65.36.54.14, fax 05.65.24.65.31 ☍ r.-v.
➥ Alain Gayraud

LES BOUYSSES 1998★

| ■ | | n.c. | 105 000 | ❰❱ | 50 à 69 F |

La cave des Côtes d'Olt élabore de bons vins en cuve comme en fût. Les cuvées **André de Monpezat 98** et **Beauvillain-Monpezat 98** méritent ainsi une citation (30 à 49 F). Quant à ce vin, il se distingue par sa belle robe rubis foncé. Le nez puissant et longuement boisé fait la part belle à la vanille, laissant le fruit en retrait. Douce à l'attaque, la bouche est assez ample. Les tanins, dominants en finale, rappellent la présence d'un boisé qui doit se fondre mais qui confère au vin une bonne persistance.
➥ Côtes-d'Olt, 46140 Parnac, tél. 05.65.30.71.86, fax 05.65.30.35.28 ☑ ☍ r.-v.

CH. LES GRAUZILS 1998★

| ■ | | 17 ha | 120 000 | ❰❱ | 30 à 49 F |

Assemblage mesuré de 80 % de côt, 15 % de merlot et 5 % de tannat, cette cuvée d'un rouge sombre presque noir paraît bien concentrée. Le nez est, lui aussi, profond, évocateur de fruits surmûris et macérés dans l'eau-de-vie avec des épices. Cette concentration se confirme dans une bouche généreuse et chaleureuse. Il y a du volume et de la mâche sur une trame tannique. A attendre au moins cinq ans.
➥ Philippe Pontié, Gamot, 46220 Prayssac, tél. 05.65.30.62.44, fax 05.65.22.46.09 ☑ ☍ t.l.j. sf dim. 9h-12h 14h-19h

CH. LES IFS 1998★

| ■ | | 8 ha | 36 000 | ■ ◆ | 30 à 49 F |

Cot (80 %) et merlot de vingt ans ont donné ce cahors de belle allure dans sa robe rouge

Cahors

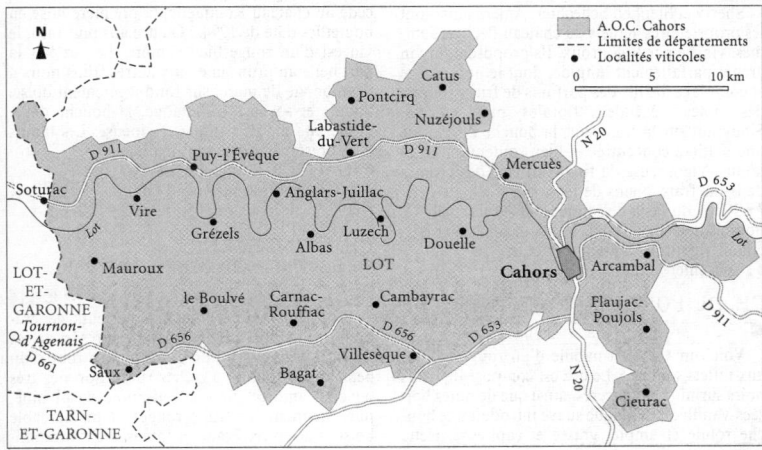

SUD-OUEST

sombre et profond. Assez puissant et complexe, le nez mélange fruits rouges et noirs, réglisse et épices, avec une note de musc. L'attaque douce annonce un beau volume plein d'une matière relativement concentrée et toujours parfumée. Les tanins restent très présents.

➥ Buri et Fils, EARL La Laurière, 46220 Pescadoires, tél. 05.65.22.44.53, fax 05.65.30.68.52 ☑ ⵃ t.l.j. sf dim. 8h-12h 14h-19h

CH. LES RIGALETS
La Quintessence 1998★★

■	2,5 ha	10 500	ⅢⅠ 70à99 F

Selon les archives départementales, le vignoble des Rigalets existait déjà en 1830. C'est donc une tradition que défend cette cuvée Quintessence, coup de cœur pour le millésime 97. Issu d'une longue extraction pratiquée sur les cépages côt (90 %) et tannat (10 %), le vin est d'un pourpre profond, presque noir. Les arômes intenses sont aujourd'hui dominés par le bois au premier nez, mais l'on sent déjà venir les fruits noirs confits et beaucoup d'épices. La bouche pleine et puissante possède du gras ; sa structure est renforcée par un boisé qui va se fondre dans les deux ans à venir.

➥ Bouloumié et Fils, Les Cambous, 46220 Prayssac, tél. 05.65.30.61.69, fax 05.65.30.60.46 ☑ ⵃ t.l.j. 8h-12h30 14h-20h; dim. sur r.-v.

CH. METAIRIE-HAUTE
Vieilli en fût de chêne 1998

■	10 ha	22 000	▮ⅢⅠ 20à29 F

Rubis foncé aux nuances violacées, ce cahors propose un nez d'intensité moyenne mais agréable par ses notes de petits fruits noirs. Un soupçon d'épices et une bouffée de fumée sont également perceptibles. Après une attaque souple, c'est une matière bien ronde qui s'affirme.

➥ EARL Ch. des Colombiers, 46140 Anglars-Juillac, tél. 05.65.36.29.44, fax 05.65.36.21.32 ☑ ⵃ r.-v.

CH. PECH DE JAMMES 1998★

■	9 ha	60 000	ⅢⅠ 30à49 F

Sherry et Stephen Schechter, Américains, sont les propriétaires actuels du château Pech de Jammes, vinifié par Vigouroux. Ils proposent un vin grenat parfaitement limpide, dont le nez intense et complexe distille des parfums de fruits rouges, des notes végétales, florales puis épicées. S'ouvrant sur la fraîcheur, la bouche développe une matière concentrée et bien soutenue par les tanins. Vigoureuse, la finale affirme des arômes de fruits frais, pleins de jeunesse.

➥ SCEA du Pech de Jammes, 46090 Flaujac-Poujols, tél. 05.65.20.80.80, fax 05.65.20.80.81, e-mail vigouroux@g-vigouroux.fr
➥ Schechter

CH. DU PORT Cuvée Prestige 1998★

■	6 ha	35 000	▮ⅢⅠ 30à49 F

Voici un vin bien habillé d'un rouge violacé aux reflets sombres. Le nez est composé de fruits noirs surmûris et macérés, ainsi que de notes boisées-vanillées. L'attaque suave introduit une bouche ronde et ample, grasse et capiteuse. Cette

matière enveloppe en finale des tanins réglissés. Un vin énergique.

➥ GAEC de Circofoul-Pelvillain, Circofoul, 46140 Albas, tél. 05.65.20.13.13, fax 05.65.30.75.67 ☑ ⵃ r.-v.

PRIEURE DE CENAC 1998★★

■	n.c.	100 000	ⅢⅠ 50à69 F

Ancien monastère détenu par les moines de Picpus jusqu'à la séparation de l'Eglise et de l'Etat en 1905, le Prieuré de Cénac est aujourd'hui géré par Franck Rigal, lequel possède d'autres fleurons en cahors, tels le château de Grézels et le château Saint-Didier-Parnac, dont les vins ont été jugés très réussis dans le millésime 98 (30 à 49 F). Le Prieuré de Cénac, couleur noir violacé soutenu, présente un nez noble qui respecte l'équilibre entre richesse et boisé élégant. L'attaque est franche, et la bouche satinée emplie d'une grosse matière aux tanins puissants. Dans une agréable texture s'inscrivent des arômes toastés et épicés persistants. Un vin bien dompté qui possède encore des ressources.

➥ SCEA Ch. Saint-Didier-Parnac, 46140 Parnac, tél. 05.65.30.70.10, fax 05.65.20.16.24 ☑ ⵃ t.l.j. 9h-12h 14h-18h

CLOS RESSEGUIER
Vieilli en fût de chêne 1998★

■	13,53 ha	3 000	ⅢⅠ 20à29 F

La maison abrite une grande salle voûtée et pavée où étaient autrefois entreposés les fûts. Le vin arbore une belle couleur pourpre à reflets rouge vif. Assez expressif, le nez mêle les fruits rouges à quelques notes épicées et même réglissées, sans omettre le caractère boisé. L'attaque en bouche semble vive, mais la matière est soyeuse et ronde, sans aspérité. Elle évolue sur des tanins bien enrobés.

➥ EARL Clos Rességuier, 46140 Sauzet, tél. 05.65.36.90.03, fax 05.65.31.92.66 ☑ ⵃ t.l.j. sf dim. 9h-12h 14h-18h

CH. ROUQUETTE
Cuvée d'honneur Vieilli en fût de chêne 1998★

■	2 ha	10 000	ⅢⅠ 30à49 F

Si quatre générations de vignerons se sont succédé au château Rouquette, la première mise en bouteilles date de 1994... Quatre ans plus tard, le vin est d'un rouge bien sombre. Le nez fait la part belle au pruneau et aux autres fruits noirs à l'eau-de-vie de marc, sur fond légèrement boisé. Souple et soyeuse à l'attaque, la bouche développe une matière ample et vineuse. Les tanins et le boisé persistent sans excès.

➥ GAEC Ch. Rouquette, Les Roques, 46140 Saint-Vincent-Rive-d'Olt, tél. 05.65.30.76.40, fax 05.65.30.52.99 ☑ ⵃ r.-v.

CH. SAINT-SERNIN
Prestige Vieilli en fût de chêne 1998★★

■	12 ha	85 000	ⅢⅠ 30à49 F

Propriété familiale depuis plusieurs générations, le vignoble a été reconstitué après les gelées de 1956. Ce vin séduit d'abord par sa robe d'un beau rouge sombre à reflets rubis. Son nez très ouvert s'amorce sur une jolie note de pivoine, puis viennent les fruits rouges et un agréable boisé tout épicé. Franc et intensément aromatique dès la mise en bouche, le vin développe une impression d'équilibre et de concentration suffisante. Il s'appuie sur des tanins fins qui ajoutent à son élégance.

⌐ SCEA Ch. Saint-Sernin, Les Landes, 46140 Parnac, tél. 05.65.20.13.26, fax 05.65.30.79.88 ☑ ⍴ t.l.j. sf dim. 8h-12h 14h-19h

DOM. DU THERON
Cuvée Prestige 1998★★

| | 2 ha | 11 000 | 📷 🕪 | 70 à 99 F |

Vic Pauwels, industriel belge qui s'est passionné pour ce vignoble, propose cette année deux belles cuvées : la cuvée **Tradition 98**, très réussie par sa souplesse et son fruité (de 30 à 49 F), et cette remarquable cuvée Prestige. Celle-ci se pare d'une magnifique robe violine d'aspect bien dense. Cette densité se retrouve dans une palette racée composée de fruits rouges et noirs mûrs, de notes animales, et d'un bel accent de torréfaction. La bouche, de la même veine, riche et puissante, repose sur une belle structure, autour d'un boisé bien maîtrisé. L'avenir est prometteur.

⌐ SCEA Dom. du Théron, rte du chemin-du-Théron, 46220 Prayssac, tél. 05.65.30.64.51, fax 05.65.30.69.20, e-mail vic.pauwels@pauwels.com ☑ ⍴ t.l.j. 9h30-19h; dim. sur r.-v.

⌐ Vic Pauwels

CLOS TRIGUEDINA 1998★★★

| ■ | 48 ha | 150 000 | 🕪 | 50 à 69 F |

C'est en 1830 qu'Etienne Baldès planta ses premières vignes au Clos Triguedina. Celui-ci produit sur les deuxièmes et troisièmes terrasses du Lot l'un des plus beaux vins de cahors. Il faudra attendre presque cinq ans pour l'apprécier, mais ce vin coup de cœur nous transporte déjà par sa robe d'un rouge profond presque noir. Le nez, intense et complexe, est comparable à ces sauces réduites d'où émanent des senteurs harmonieusement mêlées, concentrées et bien relevées. La bouche offre une belle évolution autour d'une matière riche et dense ; elle est ample et parfaitement équilibrée, encore pleine de jeunesse mais construite pour l'avenir. Une finale gourmande, très élégante, parfumée de vanille et de réglisse, parachève l'ouvrage. Superbe !

⌐ Baldès et Fils, Clos Triguedina, 46700 Puy-l'Evêque, tél. 05.65.21.30.81, fax 05.65.21.39.28, e-mail triguedina@crdi.fr ☑ ⍴ t.l.j. 9h-12h 14h-18h; dim. et groupes sur r.-v.

⌐ Jean-Luc Baldès

DOM. DE VINSSOU 1998★

| ■ | 2 ha | 12 000 | 📷 | 20 à 29 F |

Ce vin paraît dense à l'œil tant sa robe couleur aubergine, presque noire, est profonde. Le nez est retenu mais assez typé ; il libère un joli fruit et des épices avec un léger accent fumé. Douce à l'attaque, la bouche propose une matière tendre et assez grasse. Un volume agréable, malgré des tanins encore astringents qui doivent évoluer... Une bonne typicité.

⌐ Louis Delfau, Dom. de Vinssou, 46090 Mercuès, tél. 05.65.30.99.91, fax 05.65.30.99.91 ☑ ⍴ t.l.j. 10h-19h

Coteaux du Quercy AOVDQS

Située entre Cahors et Gaillac, la région viticole du Quercy s'est reconstituée assez récemment. Mais, comme dans toute l'Occitanie, la vigne y était cultivée dès avant notre ère. La vigne connut cependant plusieurs périodes de reflux : au I[er]s., à la suite de l'édit de Domitien interdisant toute nouvelle plantation hors d'Italie, au XV[e]s., en raison de la prépondérance de Bordeaux, puis au début du XX[e]s., à cause du poids du Languedoc-Roussillon. La recherche de la qualité, qui s'est mise en place à partir de 1965, avec le remplacement des hybrides, a conduit à la définition d'un vin de pays en 1976.

Peu à peu, les producteurs ont isolé les meilleurs cépages et les meilleurs sols. Ces progrès qualitatifs ont débouché sur l'accession à l'AOVDQS le 28 décembre 1999. Le territoire délimité s'étend sur trente-trois communes des départements du Lot et du Tarn-et-Garonne.

L'appellation est réservée aux vins rouges et aux vins rosés. Les vins rouges, d'une couleur pourpre soutenu, sont charnus et généreux, avec une complexité aromatique apportée par l'assemblage de cabernet franc, cépage principal pouvant atteindre 60 %, et de tannat, cot, gamay noir ou merlot (chacune de ces variétés à hauteur de 20 % maximum). Les vins rosés, fruités et vifs, sont issus du même encépagement.

SUD-OUEST

La production, environ 23 000 hl, issue de près de 500 ha, est assurée par une trentaine de producteurs, dont trois caves coopératives.

BESSEY DE BOISSY Tradition 1997★

■　　　　　6 ha　　45 000　　🍾🍷 30 à 49 F

Déjà deux ans et pourtant ce vin garde encore beaucoup de sa jeunesse. Son nez est mentholé, riche en arômes de fruits mûrs, de cuir, de sousbois. La bouche est tout aussi riche avec des tanins fondus où l'on retrouve les fruits rouges et le cassis.
☛ Vignerons du Quercy, R.N. 20,
82270 Montpezat-de-Quercy, tél. 05.63.02.03.50,
fax 05.63.02.00.60 ☑ ⲩ r.-v.

DOM. DE CERROU 1999★

■　　　　　6 ha　　53 000　　🍾🍷 20 à 29 F

Certes encore un peu jeune, ce 99 est très prometteur. Il doit s'affirmer en vieillissant. Sa robe est brillante. Son nez de cassis et de framboise, ses tanins fondus, presque soyeux lui confèrent tout le caractère d'un vrai quercy.
☛ Côtes-d'Olt, 46140 Parnac,
tél. 05.65.30.71.86, fax 05.65.30.35.28 ☑ ⲩ r.-v.

DOM. DE LA GARDE 1998★★

■　　　　　8 ha　　14 900　　🍾 30 à 49 F

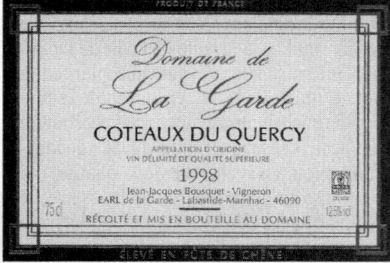

Sa robe est rouge intense, limpide. Son nez persistant, légèrement boisé, révèle des arômes de fruits rouges (dominante cerise) et de vanille. En bouche, après une attaque franche, ses tanins à la fois puissants, fondus et ronds lui donnent structure, richesse et longueur. Même s'il est prêt à boire, un peu de vieillissement lui donnera sans doute encore plus de personnalité.
☛ Jean-Jacques Bousquet, Le Mazut,
46090 Labastide-Marnhac, tél. 05.65.21.06.59,
fax 05.65.21.06.59 ☑ ⲩ r.-v.

DOM. DE MAZUC 1998★★

■　　　　　4 ha　　25 000　　🍾🍷 20 à 29 F

Le domaine de Mazuc compte depuis plus de dix ans parmi ceux qui font référence dans le Quercy. Le terroir, qui met en valeur les cépages rouges, et la vinification toujours bien conduite apportent à ce quercy un caractère qui ne peut passer inaperçu, même lors d'une dégustation à l'aveugle : il a sa signature, faite d'arômes de cassis !
☛ Erick Carles, Mazuc, 82240 Puylaroque,
tél. 05.63.64.90.91, fax 05.63.64.90.91 ☑ ⲩ r.-v.

Comme l'attestent les vestiges d'amphores fabriquées à Montels, les origines du vignoble gaillacois remontent à l'occupation romaine. Au XIIIe s., Raymond VII, comte de Toulouse, prit à son endroit un des premiers décrets d'appellation contrôlée, et le poète occitan Auger Gaillard célébrait déjà le vin pétillant de Gaillac bien avant l'invention du champagne. Le vignoble (2 500 ha) se divise entre les premières côtes, les hauts coteaux de la rive droite du Tarn, la plaine, la zone de Cunac et le pays cordais pour une production de 130 000 hl dont 60 % de vins rouges.

Les coteaux calcaires se prêtent admirablement à la culture des cépages blancs traditionnels comme le mauzac, le len-de-l'el (loin-de-l'œil), l'ondenc, le sauvignon et la muscadelle. Les zones de graves sont réservées aux cépages rouges, duras, braucol ou fer servadou, syrah, gamay, négrette, cabernet, merlot. La variété des cépages explique la palette des vins gaillacois.

Pour les blancs, on trouvera les vins secs et perlés, frais et aromatiques, et les vins moelleux des premières côtes, riches et suaves. Ce sont ces vins, très marqués par le mauzac, qui ont fait la renommée du gaillac. Le gaillac mousseux peut être élaboré soit par une méthode artisanale à partir du sucre naturel du raisin, soit par la méthode champenoise, que la législation européenne appelle désormais méthode traditionnelle ; la première donne des vins plus fruités, avec du caractère. Les rosés de saignée sont légers et faciles à boire, les vins rouges dits de garde, typés et bouquetés.

MAS D'AUREL Cuvée Alexandra 1998★

■　　　　　3 ha　　20 000　　🍾🍷 30 à 49 F

Rubis soutenu, la cuvée Alexandra est expressive et assez intense : confiture de fruits rouges sur fond épicé, notes de poivre et de réglisse composent sa palette. Douce et fruitée dès la mise en bouche, elle laisse non seulement une impression de rondeur mais aussi de grande structure ; les tanins, d'abord enrobés, apparaissent plus fermes en finale. Cette bouteille est composée à parts égales de braucol et de cabernet-sauvignon.

➥ Mas d'Aurel, 81170 Donnazac,
tél. 05.63.56.06.39, fax 05.63.56.09.21 ☑ � t.l.j.
8h-12h 14h-19h
➥ Albert Ribot

DOM. BARREAU
Doux Caprice d'Automne 1998★★

☐	5 ha	16 800	🍶	30 à 49 F

Le domaine Barreau a obtenu un triomphe
grâce à sa cuvée Caprice d'Automne, assemblage
de différents cépages locaux vendangés à parfaite
maturité. Une très belle robe ciselée d'or brillant
séduit d'emblée. Puis le nez, à la fois puissant,
concentré et raffiné, constitue une remarquable
corbeille de fruits confits. Plus impressionnante
encore, la bouche possède beaucoup d'ampleur
et un parfait équilibre. Son élégance est encore
rehaussée par des arômes riches et très persistants. Un caprice divin...
➥ Jean-Claude Barreau, Boissel, 81600 Gaillac,
tél. 05.63.57.57.51, fax 05.63.57.66.37 ☑ föö r.-v.

BRUMES Doux 1998★

☐	0,3 ha	700	🍶	70 à 99 F

Le domaine des Salesses, créé en 1959, compte
aujourd'hui 25 ha de vignes. Le cépage loin-de-
l'œil a été récolté tardivement pour produire ce
gaillac contenant 95 g/l de sucres. Or pâle d'une
bonne clarté, la cuvée Brumes arbore un nez
intense aux nuances de fruits confits et de miel.
Chaleureuse dès l'attaque, la bouche évolue sur
le gras généreux de l'alcool et prend des accents
de fruits confits (coing), puis la finale monte en
puissance.
➥ GAEC Les Salesses, Sainte-Cécile-d'Avès,
81600 Gaillac, tél. 05.63.57.26.89,
fax 05.63.57.26.89 ☑ föö t.l.j. sf dim. 8h-20h
➥ Litre

DELIRES D'AUTOMNE Doux 1998★★

☐	n.c.	1 200	🍾	150 à 199 F

Avec beaucoup de passion et un peu de folie...
c'est ainsi que Patrice Lescarret a élaboré deux
remarquables cuvées : le **gaillac blanc sec Zac-
mau 99** - c'est-à-dire mauzac en verlan ! - (30 à
49 F) et ce gaillac doux contenant 207 g/l de
sucres résiduels. D'une teinte soutenue aux nuances cuivrées, ce 98 présente un nez puissant et
séveux, plein de fruits secs ou confits. L'attaque
moelleuse annonce une bouche voluptueuse, très
grasse et concentrée. Le miel, l'abricot sec, le
sirop de raisin persistent longuement. La finale
est dominée par la douceur.
➥ Patrice Lescarret, Dom. de Causse-Marines,
81140 Vieux, tél. 05.63.33.98.30,
fax 05.63.33.96.23,
e-mail causse-marines@infonie.fr ☑ föö r.-v.

Gaillac

SUD-OUEST

CH. D'ESCABES
Prestige Vieilli en fût de chêne 1998★

■ 15 ha 100 000 ◫ 30 à 49 F

Un assemblage en quatre quarts - fer-servadou (ou braucol), duras, syrah, merlot - pour ce gaillac rouge intense et brillant, aux nuances vermeilles. Le nez développe des senteurs variées, florales, fruitées et épicées, soutenues par un boisé discret. Rond et agréable à l'attaque, le vin tapisse les papilles d'une matière chaude et soyeuse. A l'instar des tanins, le fruité et le boisé se fondent dans une finale bien soutenue.
🕯SCEA Ch. d'Escabes, 33, rte d'Albi, 81800 Rabastens, tél. 05.63.33.73.80, fax 05.63.33.85.82

DOM. D'ESCAUSSES
Doux Vendanges dorées 1998★

☐ 1 ha 8 000 ◫ 50 à 69 F

Situé à mi-chemin entre Albi et le village médiéval de Cordes, ce domaine de 20 ha propose deux jolies cuvées au nom poétique et dotées d'une étoile : le **gaillac blanc sec La Vigne de l'Oubli 98** (de 30 à 49 F) et ces Vendanges dorées. Ce gaillac doux dévoile sous sa robe d'or un nez intense, évocateur de pomme au miel et d'orange confite, avec de fortes notes grillées. A la fois douce et fraîche en attaque, la bouche devient expressive et concentrée. Le bois y est certes très présent, mais il s'allie bien aux fruits secs. Quant à la finale, elle joue sur le gras et laisse une impression suave. (bouteilles de 50 cl)
🕯EARL Denis Balaran , Dom. d'Escausses, 81150 Sainte-Croix, tél. 05.63.56.80.52, fax 05.63.56.87.62, e-mail jean-marc.balaran@wanadoo.fr
☑ ⟂ t.l.j. 9h-19h; dim. et groupes sur r.-v.

FASCINATION 1998

■ n.c. n.c. ▪♦ 30 à 49 F

La cave de Técou vinifie le raisin de 850 ha de vignes et produit une gamme de vins aux noms charmants : Séduction, Passion ou encore Fascination. Ce gaillac rouge, rubis clair et limpide, est moyennement intense au nez. La dominante épicée s'accompagne de quelques fruits rouges. Souple à l'attaque, le vin livre une matière plus fruitée et assez tendre. La structure est légère mais bien équilibrée, et les tanins lisses. Un vin facile.
🕯Cave de Técou, 81600 Gaillac, tél. 05.63.33.00.80, fax 05.63.33.06.69, e-mail passion@cave-de-tecou.fr ☑ ⟂ r.-v.

DOM. DE GINESTE
Grande Cuvée 1998★★

■ 0,5 ha 3 000 ◫ 50 à 69 F

Trois gaillac rouges de bon augure produits par le domaine de Gineste. La cuvée **Rouge fût 98** (30 à 49 F) et la **Cuvée Pourpre 98** (20 à 29 F) obtiennent toutes deux une étoile. Et la Grande Cuvée se de distinguer par son intensité et sa profondeur, à l'œil comme au nez. C'est en effet un superbe et puissant bouquet qui s'élève du verre : cuir, sous-bois, fruits rouges ou noirs, mûrs ou compotés, épices. La bouche est parfaitement homogène, pleine, ample et généreuse. Des tanins veloutés la soutiennent et portent loin la finale. Une remarquable bouteille.

🕯EARL Dom. de Gineste, 81600 Técou, tél. 05.63.33.03.18, fax 05.63.81.52.65 ☑ ⟂ r.-v.
🕯Laillier-Bellevret

CH. GRADDE Doux 1998★

☐ 2 ha 7 000 ▪♦ 20 à 29 F

Cultivé sur les coteaux caillouteux du château Graddé, le mauzac a donné naissance à un gaillac doux assez pâle, à frange verte. Le nez libère quelques notes de fruits à chair blanche (pomme et poire). La bouche attaque en souplesse, se développe en rondeur et trouve un équilibre intéressant. Des accents de fruits secs se joignent aux arômes d'abord perçus au nez. La dégustation s'achève sur une finale fraîche.
🕯SCEA Dom. de Graddé, 81140 Campagnac, tél. 05.63.33.12.61, fax 05.63.33.20.75 ☑ ⟂ t.l.j. sf dim. 9h30-12h 14h-19h

DOM. DE LABARTHE
Cuvée Guillaume 1998★★

■ 5,8 ha 37 300 ◫ 30 à 49 F

Jean Albert et son fils rendent ici hommage à leur ancêtre Guillaume Albert, vigneron au XVI[e]s. Leur cuvée, brillante et d'un rouge grenat intense, dévoile un nez puissant. Le côté boisé-fumé domine encore, mais des arômes de fruits noirs très mûrs pointent déjà, entourés d'épices douces. En bouche, la première impression est celle d'un vin charnu, ample et charpenté. Le bois et les tanins solides se fondront après quatre ou cinq ans de garde. Très réussis, le **gaillac rosé 99** (20 à 29 F) et le **gaillac doux 98** (30 à 49 F) obtiennent chacun une étoile.
🕯EARL Albert et Fils, Dom. de Labarthe, 81150 Castanet, tél. 05.63.56.80.14, fax 05.63.56.84.81, e-mail jean.albert@wanadoo.fr ☑ ⟂ r.-v.
🕯Jean-Paul Albert

CAVE DE LABASTIDE DE LEVIS
Méthode gaillacoise brut 1998★★

○ 100 ha 200 000 ▪♦ 30 à 49 F

La cave de Labastide de Lévis, créée en 1949, est à l'origine du perlé de Gaillac. Les effervescents sont indéniablement sa spécialité à en juger par ce vin. Présentation impeccable : robe jaune pâle, brillante et parcourue de fines bulles persistantes ; nez subtil et frais de pomme et d'agrumes ; bouche agréable évoluant en finesse et portée par une délicate effervescence. En outre, une bonne vivacité étaye les arômes jusqu'à une finale élégante. Le **gaillac blanc sec Perle d'Amour 99**, dont la sucrosité est très perceptible, est quant à lui cité.
🕯Cave de Labastide-de-Lévis, 81150 Marssac-sur-Tarn, tél. 05.63.53.73.73, fax 05.63.53.73.74 ☑ ⟂ r.-v.

DOM. DE LA CHANADE Sec 1999★

☐ 5,75 ha 40 500 ▪♦ 30 à 49 F

Situé sur le plateau cordais, le vignoble de La Chanade a été repris en 1997. Son propriétaire actuel, petit-fils de viticulteur gaillacois, a ainsi renoué avec ses racines. Son gaillac sec a de jolies nuances dorées, et des larmes abondantes s'écoulent sur les parois du verre. Agréable et assez intense, le nez mêle les fruits à chair blanche plus ou moins confits à une pointe de miel. La bouche a conservé une légère perle qui renforce la fraîcheur et relève les arômes, mais elle possède aussi du gras. Un vin équilibré jusqu'à sa belle finale.

☛ Dom. de La Chanade, 81170 Souel, tél. 05.63.56.31.10, fax 05.63.56.31.10 ☑ Ⴤ t.l.j. 9h-12h 14h-19h

🕭 Hollevoet

DOM. LA CROIX DES MARCHANDS
Cuvée élevée en fût de chêne 1998★

■	2 ha	10 000	ⅢD 30 à 49 F

Lieu de rencontre des potiers à l'époque gallo-romaine, ce domaine a une longue tradition viticole. Le gaillac de La Croix des Marchands a hérité d'un séjour sous bois de onze mois une teinte légèrement tuilée. Son nez puissant évoque les fruits à l'eau-de-vie, mais il est aussi intensément marqué par le bois qui prend ici des accents de fumée. La bouche surprend par sa chaleur, sa douceur et sa rondeur. Aromatique, elle évolue dans un beau volume et se structure autour d'un boisé encore un peu dominant en finale. Le **gaillac doux du domaine La Croix des Marchands 98** est quant à lui cité pour son classicisme.

☛ J.-M. et M.-J. Bezios, av. des Potiers, 81600 Montans, tél. 05.63.57.19.71, fax 05.63.57.48.56, e-mail croixdesmarchands@wanadoo.fr ☑ Ⴤ t.l.j. sf dim. 9h-12h 13h30-19h

CH. DE LACROUX 1998★

■	19 ha	130 000	▮♦ 30 à 49 F

40 % de braucol, 30 % de duras, 15 % de syrah et autant de merlot : un bon compromis pour un gaillac rouge. La robe violine intense invite à poursuivre la dégustation. C'est un nez franc, bien équilibré entre le cassis, la réglisse, le menthol et les épices qui se dévoile alors. La bouche fraîche se révèle souple et lisse, construite sur des tanins soyeux. La finale, à peine épicée, s'étire agréablement.

☛ Pierre Derrieux et Fils, Ch. de Lacroux, 81150 Cestayrols, tél. 05.63.56.88.88, fax 05.63.56.86.18, e-mail chateau.de.lacroux@libertysurf.fr ☑ Ⴤ r.-v.

DOM. DE LA RAMAYE
Doux La Quintessence 1998★

☐	1 ha	1 200	ⅢD 150 à 199 F

Michel Issaly aime dire que le vin doit ressembler au vigneron. Issu de 1 ha de mauzac, la cuvée La Quintessence revêt une robe paille à reflets dorés de bonne intensité. Le nez expressif et complexe évoque les fruits confits, le miel et la truffe blanche. De discrets accents boisés sont également perceptibles. La bouche laisse une impression de richesse et de concentration. Les notes grillées se fondent dans cette matière liquoreuse qui s'achève sur une légère pointe d'amertume.

☛ Michel Issaly, Sainte-Cécile-d'Avès, 81600 Gaillac, tél. 05.63.57.06.64, fax 05.63.57.35.34 ☑ Ⴤ r.-v.

CH. LASTOURS
Cuvée spéciale Elevé en fût de chêne 1998

■	5 ha	30 000	ⅢD 50 à 69 F

La tradition viticole du domaine remonte au XVIIᵉs., comme l'attestent les archives. Exploité aujourd'hui par deux frères, le château Lastours se distingue par deux gaillac rouges cités par le jury. La **cuvée classique 98**, élevée en cuve (30 à 49 F), fait en effet jeu égal avec la Cuvée spéciale élevée en fût de chêne. Cette dernière, rouge cerise aux nuances tuilées, livre en abondance fruits rouges mûrs et épices qu'un léger boisé soutient. La bouche se développe assez souplement et en cohérence avec les arômes du nez. Le boisé s'affirme en finale sur des tanins austères.

☛ H. et P. de Faramond, Ch. Lastours, 81310 Lisle-sur-Tarn, tél. 05.63.57.07.09, fax 05.63.41.01.95 ☑ Ⴤ r.-v.

CH. LECUSSE Cuvée spéciale 1998★

■	1,8 ha	13 000	▮♦ 30 à 49 F

Coup de cœur l'an dernier, ce domaine appartient depuis 1994 à M. Mogens N. Olesen, généticien danois. Issue à 100 % de braucol, cette Cuvée spéciale à la robe profonde offre un nez de cassis joliment souligné de cuir et d'épices. La bouche bien ronde évolue sur une structure élégante et assez souple. Si les tanins se manifestent davantage en finale, ce vin n'en reste pas moins fort agréable et sympathique.

☛ SCA du ch. Lecusse, Broze, 81600 Gaillac, tél. 05.63.33.90.09, fax 05.63.33.94.36, e-mail lecusse@poulsenroser.dk ☑ Ⴤ r.-v.

🕭 Olesen

LE PAYSSEL 1999★

◤	0,41 ha	3 600	▮♦ 30 à 49 F

Un rosé saumoné très pâle mais d'un bel éclat, parcouru de fines perles. Le nez intense évoque les bonbons aux fruits, puis la bouche, souple et encore légèrement pétillante, fait preuve d'une bonne netteté aromatique. Très plaisant.

☛ Louis Brun et Fils, Vignoble Le Payssel, 81170 Frausseilles, tél. 05.63.56.00.47, fax 05.63.56.09.16 ☑ Ⴤ t.l.j. 9h-12h 14h-18h; dim. 16h-18h

🕭 Eric Brun

CH. LES MERITZ Cuvée Prestige 1998★

■	n.c.	50 000	▮♦ 20 à 29 F

Une cuvée Prestige d'un rouge soutenu et parfaitement limpide. Encore un peu retenu, le premier nez diffuse des senteurs de cuir ; après aération montent des notes de confiture de fruits noirs et d'épices. Le fruité s'affirme dans une bouche franche à l'attaque et concentrée, solidement structurée. Les tanins sont bien présents tout au long de la dégustation et plus particulièrement en finale. A attendre deux ou trois ans.

☛ Les Dom. Philippe Gayrel, 81140 Cahuzac-sur-Vère, tél. 05.63.33.91.16, fax 05.63.33.95.76

DOM. DE LONG PECH
Cuvée Jean-Gabriel Vieilli en fût de chêne 1997

■	0,6 ha	3 600	ⅢD 50 à 69 F

Le domaine de Long Pech domine ses 14 ha de vignes du haut d'une colline argilo-calcaire et graveleuse. Son gaillac rouge est issu à majorité de braucol, complété de merlot et de cabernet. Vêtu d'une belle robe sombre, il possède un nez encore retenu mais plutôt profond, déjà réglissé et assez boisé. La bouche, bien ronde et concentrée, se développe avec chaleur et générosité jusqu'à une finale persistante.

☛ Christian Bastide, Dom. de Long-Pech, Lapeyrière, 81310 Lisle-sur-Tarn, tél. 05.63.33.37.22, fax 05.63.40.42.06 ☑ ☗ t.l.j. sf dim. 9h-12h30 14h-18h30

MANOIR DE L'EMMEILLE
Tradition 1998

■	6 ha	40 000	▐ 30 à 49 F

Dans les caves du Manoir l'Emmeillé, Charles et Janine Poussou vous feront déguster ce gaillac rouge qui a retenu l'attention du jury. Rubis à reflets vifs, il dévoile un nez franc d'une bonne intensité, fait d'épices, de réglisse, de cassis et de poivron. D'une même franchise, la bouche laisse une impression tonique, fraîche et épicée. Sa finale aromatique est appuyée par des tanins qui devront se fondre.

☛ EARL Manoir l'Emmeillé, 81140 Campagnac, tél. 05.63.33.12.80, fax 05.63.33.20.11 ☑ ☗ r.-v.
☛ Charles Poussou

DOM. DE MATENS
Cuvée Joseph Vieilli en fût de chêne 1998★

■	1 ha	3 200	▐❙❙❙ 30 à 49 F

Le domaine de Matens se situe sur la première côte de l'appellation gaillac. Ses 5 ha de vignes conduites en agriculture biologique produisent une vendange certes faible en quantité mais riche et concentrée. Il en résulte un vin d'aspect plutôt gras, à la robe violine intense. Plaisant et expressif au nez, il offre des arômes de fruits rouges et une note réglissée, soulignés par un boisé subtilement épicé. La bouche attaque en douceur et rondeur, puis évolue vers une ligne fruitée et vanillée. Le bois s'impose alors, renforçant des tanins encore jeunes qui demandent deux ans de garde.

☛ Martine Lecomte, Dom. de Matens, 81600 Gaillac, tél. 05.63.57.43.96, fax 05.63.57.43.82 ☑ ☗ r.-v.

CH. MONTELS
Doux Les Trois Chênes Elevé en fût de chêne 1998★★

☐	4 ha	3 000	❙❙❙ 50 à 69 F

Un domaine de 22 ha dont les vins ne déçoivent pas. Encore très apprécié cette année pour deux vins de sa gamme Les Trois Chênes, le château Montels confirme son savoir-faire : le **gaillac blanc sec 98** (30 à 49 F) remporte une étoile, tandis que ce gaillac doux a eu la préférence du jury. Il suffit pour le comprendre d'observer la robe d'or aux reflets éclatants, puis de s'attarder sur le nez très net, riche à la fois en fruits secs ou confits et en nuances boisées ou grillées. L'attaque bien grasse annonce douceur et rondeur en bouche. Une matière séveuse emplit le palais et libère de nombreux arômes. Le vin et le bois se fondent harmonieusement en finale.

☛ Bruno Montels, Burgal, 81170 Souel, tél. 05.63.56.01.28, fax 05.63.56.15.46 ☑ ☗ t.l.j. 9h30-19h

CH. MOUSSENS Doux 1998★

☐	1,5 ha	3 500	▐ ☗ 30 à 49 F

Exclusivement issu de mauzac, ce gaillac doux illumine le verre d'un jaune d'or très pur. Il flatte le nez par des notes de fruits blancs bien mûrs et quelques nuances florales. La bouche harmonieuse reste équilibrée entre douceur et fraîcheur, et son volume est appréciable.

☛ Alain Monestié, Moussens, 81150 Cestayrols, tél. 05.63.56.86.60, fax 05.63.56.86.60 ☑ ☗ t.l.j. sf dim. 9h-12h 15h-19h

DOM. DES PARISES
Loin de l'Œil Doux 1998★

☐	1,5 ha	4 200	▐ ☗ 30 à 49 F

Le loin de l'œil, ou len de lel en occitan, doit son nom à la position du raisin assez éloignée du bourgeon (œil) qui lui a donné naissance. Il est ici à l'origine d'un gaillac jaune paille au disque brillant et dont le nez assez intense évoque les fruits très mûrs (coing), la cire d'abeille, avec une pointe d'épices douces. On perçoit en bouche une bonne présence et de l'équilibre.

☛ SCEV Arnaud, rue de la Mairie, 81150 Lagrave, tél. 05.63.41.78.63, fax 05.63.41.78.63 ☑ ☗ t.l.j. 8h-12h 14h-18h

PERLE D'AUTAN Sec Perlé 1999★

☐	100 ha	450 000	▐ ☗ – de 20 F

Fondée il y a plus de quarante ans, la coopérative de Rabastens maîtrise aujourd'hui tous les types de vinification... en rouge, rosé, blanc sec ou doux, en méthode gaillacoise ou en perlé. Ce dernier type de vin doit sa dénomination à sa très légère effervescence. Ce 99, pâle et cristallin, propose un nez loyal et intensément parfumé. Les fruits frais font la part belle à l'exotisme. Tout aussi franc à l'attaque, ce vin laisse une sensation rafraîchissante en bouche grâce à une perle légère bien tenue jusqu'à la finale. Un vin très plaisant.

☛ Cave de Rabastens, 33, rte d'Albi, 81800 Rabastens, tél. 05.63.33.73.80, fax 05.63.33.85.82, e-mail rabastens@vins-du-sud-ouest.com ☗ t.l.j. 9h-12h30 15h-19h

PEYRES-COMBE Doux 1998★

☐	0,6 ha	2 350	▐ ☗ 30 à 49 F

Victor Brureau applique des méthodes culturales raisonnées afin de trouver la meilleure expression de l'association cépage-terroir. Il a ainsi obtenu un **gaillac rouge 97 cuvée La Combe**, cité par le jury, et ce vin doux dont la couleur paille à reflets vert pâle est pleine de fraîcheur. Le nez intense, assez fin, est ponctué de notes fruitées et florales délicates. Souple à l'attaque, la bouche parvient à un agréable équilibre sucre-acide et conserve un fruité soutenu jusqu'en finale. Un vin élégant.

☛ Victor Brureau, La Combe, 81140 Andillac, tél. 05.63.33.94.67, fax 05.63.33.94.67, e-mail peyres-combe@wanadoo.fr ☑ ☗ r.-v.
☛ Brureau-Marty

VIN DE VOILE DE ROBERT PLAGEOLES ET FILS Sec 1992★

☐   2 ha   n.c.   〔III〕 150 à 199 F

Robert et Bernard Plageoles sont les chantres et les spécialistes des cépages ancestraux du Gaillacois. A base de mauzac roux, leur vin de voile est un produit original, vieilli sans ouillage durant sept ans comme le vin jaune du Jura. Ce 92, jaune ambré, libère un nez puissant, de type oxydatif : comme il se doit, on retrouve des arômes balsamiques et des notes de noix verte. La bouche est franche, d'une belle vivacité et assez souple. Si l'alcool est perceptible, il soutient les arômes de fruits macérés et d'autres accents plus typés au sein d'une finale chaleureuse. A découvrir absolument.

☛ EARL Robert Plageoles et Fils, Dom. des Très-Cantous, 81140 Cahuzac-sur-Vère, tél. 05.63.33.90.40, fax 05.63.33.95.64 ☑ ⊻ t.l.j. 8h-12h 14h-18h; dim. sur r.-v.

DOM. RENE RIEUX
Doux Concerto Elevé en fût de chêne 1998★

☐   1,5 ha   2 200   〔III〕 70 à 99 F

Quelques variations sur le moelleux bien interprétées : le **gaillac doux Harmonie 98** (30 à 49 F), cité par le jury, laisse la vedette à la cuvée Concerto, parée de beaux reflets dorés. Les premières notes, encore retenues mais complexes, sont jouées dans la gamme du fruit confit et de l'empyreumatique. La bouche privilégie le gras et la concentration. Elle persiste sur des arômes de confiture. Un vin moelleux à apprécier pour lui-même.

☛ Dom. René Rieux, hameau de Boissel, 81600 Gaillac, tél. 05.63.57.29.29, fax 05.63.57.51.71, e-mail domaine.rene.rieux@wanadoo.fr ☑ ⊻ t.l.j. sf dim. 9h-12h 14h-19h
☛ CAT Boissel

DOM. ROTIER Doux Renaissance 1998★★

☐   4,2 ha   15 000   〔III〕 70 à 99 F

Si le **gaillac rouge cuvée Renaissance 98** est très réussi (50 à 69 F), la même cuvée en gaillac doux atteint un remarquable niveau. Doré bien soutenu, elle propose un nez très complexe et parfaitement affiné : de subtiles notes boisées se mêlent aux arômes de fruits confiturés. La bouche, d'emblée douce et intense, possède un caractère généreux et riche, tant elle est concentrée en gras et en fruits. La finale longue et savoureuse fait de ce vin un réel plaisir.

☛ Dom. Rotier, Petit Nareye, 81600 Cadalen, tél. 05.63.41.75.14, fax 05.63.41.54.56 ☑ ⊻ t.l.j. 8h-12h 14h-19h; dim. sur r.-v.
☛ Alain Rotier et Francis Marre

CH. DE SALETTES
Doux L'Aoutouno 1998★

☐   n.c.   12 000   ▣ ⬦ 30 à 49 F

Une étoile que partagent le **Château de Salettes sec 98** et le gaillac doux issu de muscadelle et de loin de l'œil. Ce dernier affiche une teinte assez soutenue, aux nuances paille. Son nez puissant et concentré trouve un équilibre entre les arômes de fruits mûrs et de miel. L'attaque est ronde, et le milieu de bouche encore riche et gras, mais la fraîcheur ne manque pas : persistante et

légèrement boisée, la finale révèle une agréable pointe d'amertume. Un bon vin.
☛ SCEV Ch. de Salettes, Salettes, 81140 Cahuzac-sur-Vère, tél. 05.63.33.60.60, fax 05.63.33.60.61, e-mail chateau-de-salettes@wanadoo.fr ☑ ⊻ r.-v.
☛ Roger Le Net

CH. DE TAUZIES Sec 1999★

☐   3 ha   9 000   ▣ ⬦ 20 à 29 F

Un assemblage de sauvignon, cépage international, et de loin de l'œil, plant bien local, est à l'origine de ce gaillac. De teinte légère à reflets vert pâle, le voici qui délivre des touches de fleurs et de fruits à chair blanche. Au palais, il attaque en douceur puis évolue dans un bon équilibre entre fraîcheur et moelleux. Le fruit s'exprime bien dans la bouche assez ample et explose en finale.

☛ Pierre et Olivier Mouly, Ch. de Tauzies, rte de Cordes, 81600 Gaillac, tél. 05.63.57.06.06, fax 05.63.41.01.92, e-mail chateau-tauzies@wanadoo.fr ☑ ⊻ t.l.j. sf dim. 8h-12h 14h-18h

DOM. DES TERRISSES
Méthode gaillacoise Cuvée Saint-Laurent★

○   1 ha   6 000   ▣ ⬦ 50 à 69 F

Alain et Brigitte Cazottes proposent une cuvée de méthode gaillacoise brut non dosé (c'est-à-dire sans ajout de liqueur). De fines perles s'inscrivent sur un fond or. Le nez s'exprime généreusement sur des senteurs de fruits mûrs et de miel. Dans une bouche onctueuse et fruitée, les bulles se fondent vite, mais le vin garde sa vivacité jusqu'en finale. On appréciera aussi le **gaillac rouge cuvée Saint-Laurent 98**, cité par le jury.

☛ Brigitte et Alain Cazottes, Dom. des Terrisses, 81600 Gaillac, tél. 05.63.57.16.80, fax 05.63.41.05.87, e-mail domaine.des.terrisses@wanadoo.fr ⊻ t.l.j. sf dim. 9h-12h 14h-18h

DOM. DE VAYSSETTE 1998★★

■   5 ha   11 000   ▣ ⬦ 30 à 49 F

Si le **gaillac doux 98** du domaine de Vayssette remporte une étoile dans ce Guide, le jury exprime son admiration pour le gaillac rouge et lui attribue un nouveau coup de cœur. D'une réelle et encourageante typicité, le 98 s'habille d'une robe cerise burlat intense aux reflets violets prononcés. Le nez s'ouvre sur des odeurs fraîches et florales, puis développe une large palette de fruits et d'épices. La bouche est d'une extrême franchise, parfaitement équilibrée. Sa chair de

qualité enveloppe une remarquable structure faite de tanins soyeux et fondus. Non élevé sous bois, c'est déjà un grand vin.
☛ Dom. de Vayssette, Laborie, 81600 Gaillac, tél. 05.63.57.31.95, fax 05.63.81.56.84 ☑ ☥ r.-v.

CH. VIGNE-LOURAC
Doux Vieilles vignes 1998★★

	n.c.	20 000	☥☖☦	30 à 49 F

Toujours aussi remarquable, le gaillac doux Vieilles vignes du château Vigne-Lourac. Le 98, doré soutenu, brille de jolis reflets dans le verre. Son nez riche et intense évoque les fruits mûrs nappés de miel. Une gourmandise que l'on déguste pleinement en bouche, tant le volume est important et parfaitement équilibré. La chair est en effet très parfumée, et les arômes persistent dans une finale bien douce.
☛ Vignobles Gayrel, B.P. 4, 81600 Gaillac, tél. 05.63.81.21.05, fax 05.63.81.21.09

Buzet

Connu depuis le Moyen Age comme partie intégrante du haut-pays bordelais, le vignoble de Buzet s'étageait entre Agen et Marmande. D'origine monastique, il a été développé par les bourgeois d'Agen. Réduit à l'état de souvenir après la crise phylloxérique, il est devenu à partir de 1956 le symbole de la renaissance du vignoble du haut-pays. Deux hommes, Jean Mermillod et Jean Combabessouse, ont présidé à ce renouveau, qui a dû aussi beaucoup à la Cave coopérative des Producteurs réunis, laquelle élève une grande partie de sa production en barriques régulièrement renouvelées. Ce vignoble s'étend aujourd'hui entre Damazan et Sainte-Colombe, sur les premiers coteaux de la Garonne ; il irrigue les villes touristiques de Nérac et Barbaste.

L'alternance de boulbènes, de sols graveleux et argilo-calcaires permet d'obtenir des vins à la fois variés et typés. Les rouges, puissants, profonds, charnus et soyeux, rivalisent avec certains de leurs voisins girondins. Ils s'accordent à merveille avec la gastronomie locale : magret, confit et lapin aux pruneaux. Le buzet est rouge par tradition (113 583 hl), mais blancs et rosés complètent une palette consacrée aux harmonies pourpres, grenat et vermillon (4 904 hl).

BARON D'ALBRET 1997★★

■	200 ha	273 040	☥☖☦	30 à 49 F

Avec le Baron d'Albret et le Marquis du Grez, ce sont plus du tiers de la production de buzet

qui sont représentés. Le nez du Baron d'Albret est complexe, alliant fruité et végétal. En bouche, l'évolution commence par le fruit, devient complexe ensuite pour finir sur des tanins ronds. Savoureux, fruité et charnu, ce vin sera à son optimum en 2001. **Le Marquis du Grez sélection vieilles vignes rouge 97** est plus discret au nez. Les tanins sont un peu plus austères avec une fraîcheur générale. Ce vin devrait trouver son équilibre d'ici deux à trois ans.
☛ Les Vignerons de Buzet, B.P. 17, 47160 Buzet-sur-Baïse, tél. 05.53.84.74.30, fax 05.53.84.74.24, e-mail buzet@vignerons-buzet.fr ☑ ☥ t.l.j. sf dim. 9h-12h 14h-18h

BARON D'ARDEUIL
Elevé en fût de chêne 1999★★

	10 ha	25 000	☥☖☦	30 à 49 F

Tout le monde connaît le Baron d'Ardeuil en rouge. Il faudra maintenant compter sur cette cuvée en blanc dont le premier millésime 99 est déjà coup de cœur. Son nez est élégant, tout en notes florales et d'amandes grillées. Le côté charnu et structuré est intéressant en bouche, accompagné de beaucoup de notes de fruits mûrs tels que la pêche. La finale distinguée et complexe amène une fraîcheur agréable. Un turbot sera à sa hauteur.
☛ Les Vignerons de Buzet, B.P. 17, 47160 Buzet-sur-Baïse, tél. 05.53.84.74.30, fax 05.53.84.74.24, e-mail buzet@vignerons-buzet.fr ☑ ☥ t.l.j. sf dim. 9h-12h 14h-18h

LES VIGNERONS DE BUZET
Grande Réserve 1997★★

	32 ha	47 416	☖☦	150 à 199 F

Une sélection rigoureuse pour une cuvée haut de gamme. Le boisé domine largement le nez mais laisse place à quelques notes de fruits cuits, de pruneau. La puissance tannique s'exprime avec densité, droiture et netteté, et l'on sent encore une certaine réserve. La finale est au contraire tout en douceur, ce qui fait de ce 97 un vin convivial prêt à boire mais aussi pouvant attendre. La **cuvée Jean-Marie Hébrard** (70 à 99 F) reçoit une étoile ; pleine de sève et de caractère, elle nécessitera un vieillissement de deux à trois ans pour être appréciée.
☛ Les Vignerons de Buzet, B.P. 17, 47160 Buzet-sur-Baïse, tél. 05.53.84.74.30, fax 05.53.84.74.24, e-mail buzet@vignerons-buzet.fr ☑ ☥ t.l.j. sf dim. 9h-12h 14h-18h

CH. DU FRANDAT
Cuvée du Majorat 1997★

■ 6 ha 34 000 ❚❙❚ 30 à 49 F

Beaucoup de fruits mûrs au nez avec des notes animales et de gibier pour cette cuvée du Majorat. Les tanins puissants offrent néanmoins une finale élégante. C'est un vin prometteur qui gagnera à vieillir. La **cuvée du Château 98** a aussi obtenu une étoile. Le nez est marqué par le bois (notes de grillé et toastées) mais les fruits sont bien présents. Le volume en bouche est intéressant, la finale un peu fraîche. Un vin sympathique.
☛ Patrice Sterlin, Ch. du Frandat, 47600 Nérac, tél. 05.53.65.23.83, fax 05.53.97.05.77 ☑ ⟟ t.l.j. sf dim. 10h-12h 15h-18h; f. janv.

CH. LARCHE 1997★★

◢ 20 ha 182 148 ❚ ⌕ 30 à 49 F

Les meilleurs terroirs sont souvent ceux qui regardent la vallée de la Garonne, et c'est le cas pour ces deux intéressants châteaux. Larché présente un peu fermé de fruits cuits et d'épices. Ample, rond et chaleureux en bouche, c'est un vin savoureux, parfaitement bien équilibré. Déjà bon à boire, il peut aussi se conserver deux à trois ans. Dans ce même millésime et très réussi, le **Château de Bougigues** (ce qui signifie friche en gascon) a un nez de laurier, de poivre avec des senteurs de cuir. La structure tannique est ample, bien équilibrée pour ce vin qui a de la mâche. 156 000 bouteilles à attendre encore quelques années.
☛ Les Vignerons de Buzet, B.P. 17, 47160 Buzet-sur-Baïse, tél. 05.53.84.74.30, fax 05.53.84.74.24, e-mail buzet@vignerons-buzet.fr ☑ ⟟ t.l.j. sf dim. 9h-12h 14h-18h
☛ M. de Tretaigne

CH. TOURNELLES Cuvée Prestige 1999★

◢ 1,5 ha 10 000 30 à 49 F

Reprise depuis 1995 par la famille Vigouroux, de Cahors, cette propriété s'est essayé avec bonheur en 1999 à la production de rosé. C'est frais au nez, avec de petits fruits rouges, de la fraise et du bonbon anglais. C'est très savoureux en bouche avec beaucoup de densité. Les fruits sont bien présents, et l'ensemble possède une belle nervosité. Un joli compagnon pour une viande blanche.
☛ EARL Bertrand Gabriel, Ch. Tournelles, 47600 Calignac, tél. 05.65.20.80.80, fax 05.65.20.80.81 ☑
☛ B. Vigouroux

CH. TOURNEMINE 1997★

■ 30 ha 149 861 ❚ ⌕ 30 à 49 F

Une belle propriété sur graves créée par M. Beaussier venu de Provence. Le vin qui en est issu est bon même s'il n'est pas passé dans une barrique. Fruits et épices dominent au nez. On trouve beaucoup de rondeur en bouche avec des tanins bien mûrs. D'un style friand et gouleyant, c'est un vin rond et soyeux, facile à boire. Le jury a aussi apprécié le **Château de Piis 98**, issu d'un vignoble situé plus au nord, en bordure de la forêt landaise. C'est vraiment du fruit rouge en bouche avec des tanins denses en grain serré. Un vin savoureux et charmeur.

☛ Les Vignerons de Buzet, B.P. 17, 47160 Buzet-sur-Baïse, tél. 05.53.84.74.30, fax 05.53.84.74.24, e-mail buzet@vignerons-buzet.fr ☑ ⟟ t.l.j. sf dim. 9h-12h 14h-18h
☛ Beaussier

Côtes du frontonnais

Vin des Toulousains, le côtes du frontonnais provient d'un très ancien vignoble, autrefois propriété des chevaliers de l'ordre de Saint-Jean-de-Jérusalem. Lors du siège de Montauban, Louis XIII et Richelieu se livrèrent à force dégustations comparatives... Reconstitué grâce à la création des coopératives de Fronton et de Villaudric, le vignoble a conservé un encépagement original avec la négrette, cépage local que l'on retrouve à Gaillac ; lui sont associés le cot, le cabernet franc et le cabernet-sauvignon, la syrah, le gamay, et le mauzac.

Le terroir occupe sur près de 2 000 ha les trois terrasses du Tarn, avec des sols de boulbènes, graves ou rougets. Les vins rouges, à forte proportion de cabernet, gamay ou syrah, sont légers, fruités et aromatiques. Les vins les plus riches en négrette sont plus puissants, tanniques, dotés d'un fort parfum de terroir. Les vins rosés sont francs, vifs, avec un agréable fruité. La production est de l'ordre de 110 000 hl.

CH. BELLEVUE LA FORET
La Cuvée Or 1998

■ 3 ha 20 000 ❚ ⌕ 30 à 49 F

Régulièrement présent dans le Guide, ce domaine s'est forgé une solide réputation grâce au produit de ses 110 ha de vignes. Sombre et profonde, la Cuvée Or libère des arômes intenses de fruits rouges nuancés d'épices. L'attaque franche introduit une bouche de bonne facture dont la chair est consistante et fruitée. Un vin bien fait.
☛ Ch. Bellevue la Forêt, 4500, av. de Grisolles, 31620 Fronton, tél. 05.34.27.91.91, fax 05.61.82.39.70, e-mail contact@chateaubellevuelaforet.com ☑ ⟟ r.-v.
☛ Patrick Germain

CH. BOUISSEL 1998★★

■ 1,5 ha 10 000 ❚ 30 à 49 F

Le vignoble de Bouissel s'étend sur l'ancienne terrasse du Tarn, à l'emplacement d'un site préhistorique de taille de pierre. La négrette, le cabernet franc, la syrah et le côt font aujourd'hui l'intérêt du lieu et offrent le meilleur des vins de cuve de notre sélection. Profond et sombre à l'œil, ce 98 compose une palette intense de fruits rouges mûrs et d'épices. Après une bonne attaque, la bouche dessine un beau volume au sein d'une structure harmonieuse. Les tanins soyeux se fondent dans une finale chaleureuse. Retenez aussi la **Cuvée Or 98 rouge**, très réussie.

☛ EARL Pierre Selle, Ch. Bouissel, 82370 Campsas, tél. 05.63.30.10.49, fax 05.63.64.01.22 ☑ ▼ t.l.j. sf dim. 9h-12h30 14h-19h30; mer 14h-19h30

CH. CAHUZAC
Fleuron de Guillaume Elevé en fût de chêne 1998*

■		6,85 ha	32 000	ⅠⅠ	30 à 49 F

En 1766, Guillaume Cahuzac acquiert au cœur du vignoble frontonnais une terre qui deviendra le domaine du château Cahuzac. Hommage lui est rendu à travers cette cuvée rubis assez intense, dont les arômes floraux et fruités se fondent sous le bois. Franche à l'attaque, la bouche reste aromatique et fraîche. L'équilibre repose sur une trame de tanins boisés. Bien fait, ce vin est prêt à boire.

☛ EARL de Cahuzac, Les Peyronnets, 82170 Fabas, tél. 05.63.64.10.18, fax 05.63.67.36.97 ☑ ▼ r.-v.

☛ Ferran Père et Fils

CH. CAZE Villaudric 1999*

◢		1 ha	4 000	■	20 à 29 F

Créé en 1776, ce domaine s'étend sur 12 ha de boulbènes sablo-caillouteuses et de rougets, sols arides qui font l'originalité du terroir. Le chai du XVIIIe s., creusé en sous-sol, abrite cuves et foudres de bois. Ce rosé 99 joliment saumoné apparaît vif et brillant. Son nez *tutti frutti* fleure bon la fraise, soutenue par une note de réglisse. La bouche fraîche et harmonieuse poursuit cette déclinaison fruitée, et sa finale vive laisse une très bonne impression. On appréciera aussi le **Villaudric rouge 98**, cité par le jury.

☛ Martine Hérail, Ch. Caze, 31620 Villaudric, tél. 05.61.82.92.70, fax 05.61.82.09.95, e-mail chateau.caze@libertysurf.fr ☑ ▼ t.l.j. sf dim. lun. 9h-12h 15h-19h

CH. CLOS MIGNON
Villaudric Tradition Elevé en fût de chêne 1998*

■		2 ha	7 000	■ ⅠⅠ ↓	30 à 49 F

Après deux siècles de polyculture et d'élevage, le château Clos Mignon s'est consacré à la seule vigne. Peut-être la médaille que lui attribua le ministre de l'Agriculture en 1893 pour le « parfait maintien des vieilles vignes » n'est-elle pas étrangère à ce choix... Judicieux, d'ailleurs, à en juger par ce Villaudric. Grenat moyennement intense, il offre des senteurs de fruits mûrs et d'épices sur un fond boisé. La bouche évolue en souplesse et en rondeur dans une ligne très aromatique et marquée par le bois. Agréable, ce vin est à boire et invite à découvrir le **Villaudric rosé 99** également très réussi (20 à 29 F).

☛ GAEC du Cap de l'Homme, Ch. Clos Mignon, 31620 Villeneuve-les-Bouloc, tél. 05.61.82.10.89, fax 05.61.82.99.14, e-mail omuzart@aol.com ☑ ▼ r.-v.

☛ Muzart Frères

COMTE DE NEGRET 1998*

■		n.c.	n.c.	■ ⅠⅠ	- de 20 F

La marque Comte de Négret est le fleuron de la cave coopérative de Fronton. Ainsi, ce ne sont pas moins de trois vins qui sont retenus : le **rosé 99** au fruité remarquable, l'**Excellence rouge 98 élevé en fût de chêne** (20 à 29 F) et ce rouge 98, qui a particulièrement séduit par sa somptueuse robe pourpre, si sombre qu'elle en est presque opaque. Le nez puissant et mûr libère des notes de fruits rouges et de violette, cependant qu'en bouche une légère fraîcheur accompagne une structure volumineuse dont les tanins persistent jusqu'en finale. Une bonne composition.

☛ Cave de Fronton, av. des Vignerons, 31620 Fronton, tél. 05.62.79.97.79, fax 05.62.79.97.70 ▼ r.-v.

CH. COUTINEL 1998

■		27 ha	200 000	■ ↓	20 à 29 F

La maison Arbeau, créée en 1878, a développé ses activités au fil des ans, devenant tour à tour producteur, négociant-éleveur, vinificateur et distillateur. C'est en 1920 qu'elle fut séduite par le château Coutinel qui donne aujourd'hui ce vin rouge soutenu à nuances violacées. Assez frais et intense, il propose des notes fruitées et discrètement boisées. Après une attaque agréable, la bouche révèle avec franchise une matière plutôt souple et équilibrée, toujours aromatique avec une légère note de vanille.

☛ Jean-Claude Arbeau, 82370 Labastide-Saint-Pierre, tél. 05.63.64.01.80, fax 05.63.30.11.42, e-mail arbeau@wanadoo.fr ☑ ▼ r.-v.

DOM. CROIX DE PEYRAT 1998*

■		8 ha	9 000	■ ↓	20 à 29 F

Voilà deux ans que Denis Dussère a repris ce domaine dont l'origine remonte à 1880. Il signe ici sa première cuvée. Rouge cerise soutenu, celle-ci offre un beau bouquet avec sa palette de fruits rouges. Sa rondeur et son équilibre en font un vin savoureux, évoquant une fondue de fruits rouges. Un côtes-du-frontonnais élégant, d'une bonne maturité.

☛ Denis Dussère, Dom. Croix de Peyrat, 82370 Campsas, tél. 05.63.30.58.50, fax 05.63.30.00.67 ☑ ▼ r.-v.

CH. DEVES 1999**

◢		1 ha	6 700	■ ↓	20 à 29 F

Propriété de la même famille depuis 1900, ce domaine de 11 ha a été restructuré en 1975 pour accéder à l'appellation d'origine. Depuis, la typicité ne fait pas défaut à la production d'André et Michel Abart. Prenez ce remarquable rosé. Clair, limpide et brillant, il offre une palette intense et complexe de fruits rouges, de fruits à chair blanche et de fleurs. La bouche, très harmonieuse, est à la fois fraîche et ronde, ample... parfaitement équilibrée. Elle laisse en finale une impression aromatique très persistante.

☛ André et Michel Abart, Ch. Devès, 31620 Castelnau-d'Estretefonds, tél. 05.61.35.14.97, fax 05.61.35.14.97 ☑ ▼ r.-v.

Côtes du frontonnais

CH. LA COLOMBIERE
Villaudric Vin gris 1999★

◢	2,55 ha	20 133	30 à 49 F

L'ancienne propriété de l'abbaye de la Daurade à Toulouse propose dans le millésime 99 un vin gris de gamay et de négrette. Rose saumon clair et brillant, il s'ouvre sur des senteurs fruitées (framboise) et florales. Si l'attaque est vive, la bouche évolue en douceur avec suffisamment de gras, de chaleur et d'arômes (fruits rouges et réglisse). Cet ensemble de bonne facture retrouve de la nervosité en finale.
⬥ Baron François de Driésen,
Ch. La Colombière, 31620 Villaudric,
tél. 05.61.82.44.05, fax 05.61.82.57.56,
e-mail françois@chateaulacolombiere.com
☑ ⊻ t.l.j. sf dim. j.f. 9h-12h 14h-18h

CH. LA PALME Privilège 1998★

■	30 ha	180 000	■ ⚍ 20 à 29 F

Si le château La Palme eut le privilège d'être exploité par le maire de Toulouse, Henri Lignières, en 1850, il connut aussi bien des tourments. Ce vignoble de 100 ha au XIXᵉs. fut en effet détruit par le phylloxéra et le gel. Fort heureusement, la vigne a retrouvé son potentiel et nous convainc par ce vin clair et brillant aux nuances aubergine. C'est un air printanier et gai que l'on découvre à l'olfaction, à travers des arômes de fruits rouges acidulés. L'attaque souple précède une matière friande dotée d'un bon support acide, fruitée, et fondante jusqu'en finale. Un vin accessible et agréable.
⬥ Ch. La Palme, 31340 Villemur-sur-Tarn,
tél. 05.61.09.02.82, fax 05.61.09.27.01 ☑ ⊻ r.-v.
⬥ Ethuin

CH. LAS PLACES 1998★

■	12 ha	80 000	■ ⚍ 20 à 29 F

La négrette, cépage confidentiel de l'appellation, a ici la vedette (50 % de l'assemblage), les gamays et cabernets jouant les seconds rôles... Le jeu est très réussi. La robe profonde aux nuances pourprées est à peine voilée, tandis que le nez franc et agréable exprime les fruits rouges à l'eau-de-vie, des notes végétales puis florales et épicées. La bouche est vive, souple et svelte. La chaleur revient dans une finale qui renouvelle les arômes de fruits rouges sur des tanins discrets. Ce vin accompagnera bien la saucisse de Toulouse et les cèpes frits.
⬥ Pierre Lescure, 82370 Labastide-Saint-Pierre,
tél. 05.63.64.01.80, fax 05.63.30.11.42

CH. LE ROC Cuvée Don Quichotte 1998★

■	n.c.	7 500	◫ 30 à 49 F

Régulièrement présent dans le Guide et souvent aux meilleures places, ce jeune et talentueux vigneron nous a habitués à des vins de caractère. Cette cuvée à la gloire de Don Quichotte est un judicieux assemblage de négrette et de syrah. Elle fleure bon la violette et la pivoine sous un boisé discrètement épicé. L'attaque est soyeuse, la matière ronde, fraîche et aromatique. La finale sur des tanins fringants présage une bonne évolution.
⬥ GAEC Ribes, Dom. Le Roc, 31620 Fronton,
tél. 05.61.82.93.90, fax 05.61.82.72.38 ☑ ⊻ r.-v.

CH. MONTAURIOL Mons Aureolus 1998

■	n.c.	n.c.	◫ 30 à 49 F

Nicolas Gélis a repris en main le château de Montauriol. L'heure du renouveau a ainsi sonné pour cette incontournable propriété du Frontonnais qui propose deux vins intéressants, le **rosé 99** et ce rouge 98. La cuvée Mons Aureolus s'habille d'une robe grenat foncé aux nuances évoluées. Le nez, assez complexe, libère d'abord des notes de fruits rouges et noirs, puis d'épices sur un fond doucement boisé. Chaleureuse, la bouche dévoile une matière plutôt dense sur des tanins encore présents. Un vin corsé qui pourra attendre un peu.
⬥ Nicolas Gélis, Ch. Montauriol,
31340 Villematier, tél. 05.61.35.30.58,
fax 05.61.35.30.59 ⊻ r.-v.

CH. PLAISANCE
Thibaut de Plaisance Vieilli en fût de chêne 1998★★

■	1,5 ha	8 000	◫ 30 à 49 F

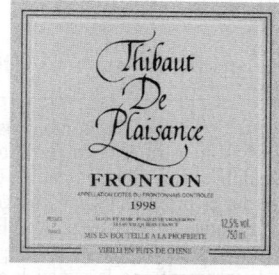

Ce coup de cœur, Marc Penavayre, ingénieur agronome et vigneron confirmé, l'a bien mérité. Il récompense les efforts engagés depuis une dizaine d'années pour faire prospérer l'exploitation familiale. Dans sa robe cerise noire, la cuvée Thibaut de Plaisance possède un nez de caractère. Longuement fruitée et bien épicée, elle a retenu de ses douze mois d'élevage en fût de belles nuances boisées. Suave dès l'attaque en bouche, elle propose une matière aromatique et parfaitement équilibrée dans un volume rond et plein. Les tanins enrobés accompagnent une finale persistante. Les côtes du frontonnais **Château Plaisance rouge 98 élevé en cuve** et **rosé 99**, ont obtenu une citation (20 à 29 F).
⬥ EARL de Plaisance, pl. de la Mairie,
31340 Vacquiers, tél. 05.61.84.97.41,
fax 05.61.84.11.26 ☑ ⊻ r.-v.
⬥ Penavayre

DOM. DE SAINT-GUILHEM
Amadeus 1998★

■	2 ha	600	◫ 50 à 69 F

Saint-Guilhem constitue l'un des plus anciens domaines du Frontonnais. Il était réputé au début du XXᵉs. pour ses vins fins et ses eaux-de-vie. Cette cuvée Amadeus se pare d'une robe violacée comme pour annoncer son nez généreux de violette, de confiture de fruits rouges et de poivre. La bouche, tout aussi riche et chaleureuse, bénéficie de beaux tanins boisés qui soutiennent une finale poivrée assez longue. Un vin complet.

SUD-OUEST

797   LE SUD-OUEST

☛ Philippe Laduguie, Dom. de Saint-Guilhem, 31620 Castelnau-d'Estretefonds, tél. 05.61.82.12.09, fax 05.61.82.65.59 ☑ ⵏ r.-v.

CH. SAINT-LOUIS
Elevé en fût de chêne 1998*

| ■ | 10 ha | 60 000 | ▮ ◪ ♦ | 30 à 49 F |

Le château Saint-Louis est situé sur les anciennes terrasses du Tarn, dont les sols de boulbènes sont typiques du Sud-Ouest. La propriété a connu de profondes transformations après son rachat en 1991 par Alain Mahmoudi. Près de dix ans plus tard, la réussite se concrétise dans ce 98 grenat presque brique. Le nez généreux évolue sur des notes de fruits noirs (cassis), de violette et d'épices, puis prend un fort accent de moka. La bouche, équilibrée et assez puissante, privilégie les arômes de torréfaction sur une trame de tanins soyeux. Un côtes du frontonnais prêt à boire.
☛ Alain Mahmoudi, 82370 Labastide-Saint-Pierre, tél. 05.63.64.01.80, fax 05.63.30.11.42, e-mail saintlouis@wanadoo.fr ☑ ⵏ r.-v.

Lavilledieu AOVDQS

Au nord du Frontonnais, sur les terrasses du Tarn et de la Garonne, le petit vignoble de Lavilledieu couvre environ 150 ha et produit des vins rouges et rosés. La production, classée en AOVDQS, est encore très confidentielle. La négrette (30 %), le cabernet franc, le gamay, la syrah et le tannat sont les cépages autorisés.

CUVEE DES CAPITOULS
Grand Capitouls 1998*

| ■ | 5 ha | 10 000 | ▮ ◪ ♦ | 20 à 29 F |

La cuvée des Capitouls est le fruit d'un partenariat entre la confrérie des Capitouls et la cave de La Ville-Dieu-du-Temple. Rubis assez dense dans le millésime 98, elle dessine dans le verre un disque brillant. Le nez s'entrouvre sur les fruits rouges et noirs, puis se prolonge sur des notes végétales et boisées, légèrement épicées. Souple, la bouche se fait suave, ronde et relativement concentrée. Les arômes fruités et vanillés sont supportés par une trame tannique fine.
☛ Cave de La Ville-Dieu-du-Temple, 82290 La Ville-Dieu-du-Temple, tél. 05.63.31.60.05, fax 05.63.31.69.11 ☑ ⵏ r.-v.

DOM. DE MAGNAC 1998*

| ■ | n.c. | 26 000 | | 20 à 29 F |

Autre vin de la cave de La Ville-Dieu-du-Temple, le Domaine de Magnac allie négrette, gamay, syrah, cabernet franc et tannat. La couleur rouge rubis est tout aussi profonde ici. Le nez libère d'intenses et complexes arômes compotés de fruits rouges, à peine réglissés, et des notes de sous-bois. La bouche évolue en souplesse et rondeur, renouvelant son fruit dans une belle amplitude aromatique, avec suffisamment de fraîcheur et des tanins fondants.

☛ Cave de La Ville-Dieu-du-Temple, 82290 La Ville-Dieu-du-Temple, tél. 05.63.31.60.05, fax 05.63.31.69.11 ☑ ⵏ r.-v.

Côtes du brulhois AOVDQS

Passés de la catégorie des vins de pays à celle des AOVDQS en novembre 1984, ces vins sont produits de part et d'autre de la Garonne, autour de la petite ville de Layrac, dans les départements du Lot-et-Garonne et du Tarn-et-Garonne sur une superficie d'environ 200 ha. Essentiellement rouges, ils sont issus des cépages bordelais et des cépages locaux tannat et cot. La majeure partie de la production est assurée par deux caves coopératives.

LA VOUTE SAINT-ROC
Elevé en fût de chêne 1998**

| ■ | 50 ha | 50 000 | ◪ | 20 à 29 F |

Voici un vin qui illustre bien le nom de « vin noir » du Brulhois que l'on donnait autrefois à la production régionale. De couleur dense en effet, il libère des arômes concentrés de fruits noirs (cassis, cerise), puis des notes chaleureuses d'épices. Soyeuse d'emblée, la bouche se développe avec ampleur sur les fruits noirs, prenant appui sur des tanins élégants et discrètement boisés. Un vin harmonieux.
☛ Vignerons du Brulhois, 82340 Dunes, tél. 05.63.39.91.92, fax 05.63.39.82.83 ⵏ t.l.j. sf dim. lun. 8h-12h 14h-18h

PARVIS DES TEMPLIERS 1998*

| ■ | 200 ha | 100 000 | ▮ ♦ | 20 à 29 F |

Parmi les divers cépages d'antan, les Vignerons du Brulhois ont retenu le tannat, le cot et le fer-servadou qu'ils ont associés aux merlot et cabernets pour élaborer ce vin rouge cerise à reflets violets. Le nez est élégant, plutôt fruité et légèrement empyreumatique. Franche en attaque, la bouche équilibre bien sa matière ronde et aromatique jusque dans sa finale de cacao amer que soutiennent des tanins fermes. On appréciera aussi le **Château Grand Chêne 98** de la cave.
☛ Vignerons du Brulhois, 82340 Dunes, tél. 05.63.39.91.92, fax 05.63.39.82.83 ⵏ t.l.j. sf dim. lun. 8h-12h 14h-18h

Côtes du marmandais

Non loin des Graves de l'Entre-deux-Mers, des vins de Duras et de Buzet, les côtes du marmandais sont produits en majorité par les coopératives de

Beaupuy et de Cocumont, sur les deux rives de la Garonne. Les vins blancs, à base de sémillon, sauvignon, muscadelle et ugni blanc, sont secs, vifs et fruités. Les vins rouges, à base de cépages bordelais et d'abouriou, syrah, cot et gamay, sont bouquetés et d'une bonne souplesse. Le vignoble occupe environ 1 500 ha qui ont produit 91 544 hl en 1999.

BARON COPESTAING
Elevé en fût de chêne 1998★★★

■　　　　　n.c.　　50 000　　**⑪** 30 à 49 F

Rive droite, rive gauche... Cette année, c'est la rive gauche de la Garonne qui a présidé à cette cuvée coup de cœur de la cave de Cocumont. Le nez, complexe, est une explosion de fruits mûrs, ponctués de très légères notes boisées. La bouche confirme les impressions olfactives. Après le fruit, les tanins apparaissent denses et enrobés, laissant en finale une touche vanillée bien agréable. Un vin charmeur, étonnant de richesse, où le raisin parvient à s'exprimer. A ne déguster qu'à partir de 2003.

☛ Cave coop. de Cocumont, La Vieille Eglise, 47250 Cocumont, tél. 05.53.94.50.21, fax 05.53.94.52.84 ☡ t.l.j. sf sam. dim. 9h-12h 14h30-17h

CH. DE BEAULIEU
Elevé en fût de chêne 1998★

■　　　20 ha　　90 000　　**⑪** 30 à 49 F

Les efforts de rénovation du chai et de restructuration du vignoble se poursuivent au château de Beaulieu et donnent déjà de beaux résultats. Le bois neuf domine encore la palette fruitée de ce vin, mais après une attaque en bouche tout en finesse, le vanillé et le bois cèdent bientôt place au fruit mûr, enveloppé de beaucoup de gras. Long en finale, ce 98 pourra attendre trois ou quatre ans.

☛ Robert et Agnès Schulte, Ch. de Beaulieu, 47180 Saint-Sauveur-de-Meilhan, tél. 05.53.94.30.40, fax 05.53.94.30.40 ☑ ☡ t.l.j. 9h-18h; sam. dim. sur r.-v.

BEROY Elevé en fût de chêne 1998★★

■　　　20 ha　　50 000　　**⑪** 30 à 49 F

Ce vin a été unanimement apprécié pour sa richesse et l'expression d'un élevage bien maîtrisé. Le nez, à la fois subtil et puissant, insiste encore sur les notes épicées et grillées mais pos-

sède du fruit. Le boisé, moins présent en bouche, se dessine derrière des tanins denses et bien mûrs. La longue finale privilégie un beau retour sur le fruit. Une promesse de plaisir.

☛ Cave coop. de Cocumont, La Vieille Eglise, 47250 Cocumont, tél. 05.53.94.50.21, fax 05.53.94.52.84 ☑ ☡ t.l.j. sf sam. dim. 9h-12h 14h30-17h

CONFIDENTIEL
Elevé en fût de chêne 1998★

■　　　15 ha　　28 500　　**⑪** 50 à 69 F

Si le vanillé et le grillé s'expriment fortement au nez, les arômes de fruits rouges sont également bien perceptibles. Puissance en attaque et élégance en milieu de bouche... ce vin est porté par un équilibre intéressant entre le fruit et la vanille, avant que le boisé ne revienne en finale. Ce côtes du marmandais d'une grande concentration aura fondu ses tanins dans quelques années.

☛ Cave de Beaupuy, Dupuy, 47200 Beaupuy, tél. 05.53.76.05.10, fax 05.53.64.63.90 ☑ ☡ t.l.j. sf dim. 8h30-12h 14h-18h30

DIGNITE-PRIEUR 1998★

■　　　30 ha　　60 000　　**⑪** 30 à 49 F

Une jolie matière première s'exprime tout au long de la dégustation. Le fruit mûr et le cassis apparaissent au nez, sur un fond boisé assez fondu. En bouche, l'attaque est souple et fruitée. Les tanins bien enrobés n'ont aucune agressivité en finale. Une garde de deux ou trois ans est à la portée de ce côtes du marmandais harmonieux.

☛ Cave coop. de Cocumont, La Vieille Eglise, 47250 Cocumont, tél. 05.53.94.50.21, fax 05.53.94.52.84 ☡ t.l.j. sf sam. dim. 9h-12h 14h30-17h

CH. LA BASTIDE 1998★

■　　　30 ha　　100 000　　■↓ 20 à 29 F

Dans le millésime **98**, la cave de Cocumont signe encore deux vins très réussis. **Le Tap de Perbos** (30 à 49 F), un côtes du marmandais élevé quinze mois en fût et dont les fruits mûrs s'inscrivent sur un boisé élégant, a un potentiel de garde de trois ans tant sa matière est concentrée. Quant à ce Château La Bastide, il possède un nez fin et concentré, aux arômes de cassis et de mûre bien agréables. On retrouve les mêmes notes en bouche sur des tanins souples et fondus. Gouleyant et fruité, c'est un vin plaisir à boire jeune.

☛ Cave coop. de Cocumont, La Vieille Eglise, 47250 Cocumont, tél. 05.53.94.50.21, fax 05.53.94.52.84 ☑ ☡ t.l.j. sf sam. dim. 9h-12h 14h30-17h

Vins d'estaing AOVDQS

Entouré par les causses de l'Aubrac, les monts du Cantal et le plateau du Lévezou, le vignoble de l'Aveyron serait plutôt à classer parmi ceux du Massif central. Ces petites appellations sont très anciennes ; leur fondation par les moines de Conques remonte au IX^{e}s.

Les vins d'estaing (7 ha) se partagent entre rouges frais et parfumés (cassis, framboise), à base de fer et de gamay, et blancs très originaux, mélangés de chenin, de mauzac et de rousselou. Ils sont vifs et rocailleux, avec des parfums de terroir.

LES VIGNERONS D'OLT
Cuvée Prestige 1999★

■	4 ha	21 500	▮	20 à 29 F

Les vignerons d'Olt proposent deux vins intéressants. Le premier, un **estaing blanc 98** de mauzac et de chenin, mérite une citation pour son équilibre ; le second, cette cuvée spéciale rouge, une étoile. Déjà séduisant à l'œil par son disque rubis irisé de violet, il a conquis le sens des dégustateurs par ses senteurs de poivron vert et de fruits rouges inscrites sur un fond de crème au beurre. De cette palette surgit une fine note de cuir. L'attaque est nerveuse, et le milieu de bouche reste vif, plutôt léger. Aucune agressivité n'est perceptible dans ce vin plaisant et aromatique.
➦SCA Les Vignerons d'Olt, Z.A. La Fage, 12190 Estaing, tél. 05.65.44.04.42, fax 05.65.44.04.42 ☑ ⊤ r.-v.

Vins d'entraygues et du fel AOVDQS

Les vins blancs d'entraygues (9 ha), cultivés sur d'étroites banquettes à flanc de coteaux abrupts, sont également issus de chenin et de mauzac, sur des sols schisteux ; ils sont frais et fruités à la fois. Ils font merveille sur les truites sauvages et le fromage de Cantal doux. Les vins rouges du fel, solides et terriens, seront bus sur l'agneau des causses et la potée auvergnate.

JEAN-MARC VIGUIER
Cuvée spéciale 1998★★

☐	2 ha	10 000	▮↓	30 à 49 F

Le vignoble de Jean-Marc Viguier domine les vallées du Lot et de la Truyère. Couvrant des coteaux de schiste et de granite, les vignes de chenin ont produit ce remarquable 98 élevé sur lies fines. Jaune lumineux à reflets verts, il distille des arômes frais et francs, d'abord dans le registre floral (genêt, acacia, tilleul) puis dans les registres fruité (agrumes) et minéral (notes de pierre à fusil). Vive et légèrement perlante à l'attaque, la bouche déploie une matière fraîche mais ample et ronde. Elle se prolonge sur les agrumes et laisse une sensation acidulée.
➦Jean-Marc Viguier, Les Buis, 12140 Entraygues, tél. 05.65.44.50.45, fax 05.65.48.62.72 ☑ ⊤ t.l.j. 9h-12h 14h-19h

Marcillac

Dans une cuvette naturelle, le « vallon », au microclimat favorable, le mansoi (fer servadou) donne aux vins rouges de marcillac une grande originalité empreinte d'une rusticité tannique et d'arômes de framboise. En 1990, cette démarche de typicité, cette volonté d'originalité ont été reconnues par l'accession à l'AOC qui recouvre aujourd'hui 140 ha et produit 8 097 hl en 1999 d'un vin reconnaissable entre tous.

FRANCIS COSTES Réserve 1998★

■	2,3 ha	10 600	❶❶	20 à 29 F

C'est un joli vin cerise aux franges violettes. Un nez fin et complexe aux accents de cassis, de poivre et de poivron vert. Une attaque franche. Une bouche équilibrée, dotée d'une solide matière que supportent des tanins présents mais nullement agressifs, mûrs et réglissés en finale. Bref, une bonne nature !
➦Francis Costes, La Baronie, 12330 Mouret, tél. 05.65.69.83.05 ☑ ⊤ r.-v.

DOM. DU CROS Lo Sang del Païs 1998★

■	15 ha	70 000	▮❶❶↓	20 à 29 F

« Le Sang du Pays ». C'est le don du fer-servadou au marcillac et, notamment, au domaine de Philippe Teulier. Rouge sang, la robe a de l'éclat. Le nez intense est empli de fruits rouges mûrs, à peine ponctués d'une note animale et d'une touche toastée. Dans la même harmonie, la matière fruitée s'appuie sur des tanins fondus jusqu'à une finale joliment acidulée. Ce vin accompagnera parfaitement la cuisine régionale, un agneau du l'Aveyron par exemple.
➦Philippe Teulier, Dom. du Cros, 12390 Goutrens, tél. 05.65.72.71.77, fax 05.65.72.68.80 ☑ ⊤ r.-v.

JEAN-LUC MATHA 1998★★

■	9 ha	60 000	▮	20 à 29 F

Un producteur qui cultive l'authenticité et qui propose des cuvées de caractère. Les deux marcillac présentés, du millésime 98, sont très réussis : l'un a été élevé en fût pendant dix-huit mois (30 à 49 F), l'autre en cuve pendant douze mois. C'est à ce dernier que cette notice est consacrée. La robe profonde laisse apparaître un disque brillant, aux nuances violines. Le nez, ouvert sur les fruits rouges (cassis et framboise), prend un agréable accent de garrigue. L'attaque vive introduit une matière concentrée mais toujours fraîche qui évolue sur le fruit. L'équilibre est atteint dans ce vin franc.
➦Jean-Luc Matha, Bruejouls, 12330 Clairvaux, tél. 05.65.72.63.29, fax 05.65.72.70.43 ☑ ⊤ r.-v.

LES VIGNERONS DU VALLON
Cuvée réservée 1998

■	25 ha	65 000	▮↓	30 à 49 F

Issu du mansoi, ou fer-servadou, planté sur un terroir de rougier dénommé le Vallon, ce 98 dévoile sous une belle couleur rouge cerise limpide un nez assez intense. Après des notes animales, le fruit s'impose, accompagné ensuite de poivre. La bouche évolue sur ces arômes en toute harmonie. Elle repose sur une trame de tanins lisses qui prolongent agréablement la finale.

➥ Les Vignerons du Vallon, RN 140, 12330 Valady, tél. 05.65.72.70.21, fax 05.65.72.68.39 ☑ ⵟ r.-v.

Côtes de millau AOVDQS

L'appellation AOVDQS côtes de millau a été reconnue le 12 avril 1994. La production atteint environ 1 500 hl. Les vins sont composés de syrah et de gamay noir et, dans une moindre proportion, de cabernet-sauvignon et de fer servadou.

PEYSIR 1999★

□	1,26 ha	8 000	▣ ⑪ ⵠ	20 à 29 F

Les Vignerons des Gorges du Tarn proposent deux vins fort réussis dans le millésime 99 : un **rosé** nommé **Seigneurs de Peyreviel**, dont les arômes de sirop de fraise et de caramel appellent à la gourmandise tout autant que la bouche fraîche et fruitée en finale ; et ce blanc, jaune clair, au nez de fruits secs et de vanille. Équilibré et souple en bouche, il propose des arômes aimablement vanillés, signe d'un bon élevage mi-cuve mi-fût (six mois), et une finale franche. Il constitue un bon ambassadeur des côtes de millau blanc. Faites vite : le nombre de bouteilles est limité.

➥ Les Vignerons des Gorges du Tarn, rue du Colombier, 12520 Aguessac, tél. 05.65.59.84.11, fax 05.65.59.17.90 ☑ ⵟ t.l.j. sf dim. 8h-12h 14h-18h30

SEIGNEURS DE PEYREVIEL 1998★★

▣	19,9 ha	n.c.	▣ ⵠ	20 à 29 F

La robe est assez intense chez ce côtes de millau rouge, au nez de mûre et de framboise. La bouche laisse une impression d'équilibre et de rondeur malgré des tanins encore jeunes mais de qualité évidente. On perçoit en rétro-olfaction des arômes de fruits sauvages qui persistent jusqu'à une finale harmonieuse. Voilà un vin remarquable qui pourra attendre un an ou deux en cave.

➥ Les Vignerons des Gorges du Tarn, rue du Colombier, 12520 Aguessac, tél. 05.65.59.84.11, fax 05.65.59.17.90 ☑ ⵟ t.l.j. sf dim. 8h-12h 14h-18h30

Béarn

Les vins du Béarn peuvent être produits sur trois aires séparées. Les deux premières coïncident avec celles du jurançon et du madiran. La zone purement béarnaise comprend les communes qui entourent Orthez et Salies-de-Béarn. C'est le béarn de Bellocq. Cette AOC couvre environ 160 ha. 4 100 hl ont été produits en 1999.

Reconstitué après la crise phylloxérique, le vignoble occupe les collines prépyrénéennes et les graves de la vallée du Gave. Les cépages rouges sont constitués par le tannat, les cabernet-sauvignon et cabernet franc (bouchy), les anciens manseng noir, courbu rouge et fer servadou. Les vins sont corsés et généreux, et accompagnent garbure (soupe régionale) et palombe grillée. Les rosés de Béarn, les meilleurs produits de l'appellation, sont vifs et délicats, avec des arômes fins de cabernet et une bonne structure en bouche.

FEBUS Bellocq 1999★★

□	10 ha	15 000	▣ ⵠ	20 à 29 F

Fébus, un tel nom ne pouvait que désigner le fleuron de la cave des Vignerons de Bellocq. Ce vin de raffiat, cristallin et illuminé de reflets verts, exhale des parfums à la fois végétaux (mentholés), floraux et fruités (citron, pamplemousse). S'il est plutôt vif lors de la mise en bouche, il s'arrondit bientôt grâce à une matière à la fois grasse et acidulée qui persiste chaleureusement sur le fruit. Et pour découvrir les rouges de Béarn-Bellocq, goûtez aussi la cuvée **Henri de Navarre 98**, très réussie (30 à 49 F).

➥ Les Vignerons de Bellocq, 64270 Bellocq, tél. 05.59.65.10.71, fax 05.59.65.12.34 ☑ ⵟ r.-v.

DOM. LAPEYRE 1998★★

▣	3 ha	15 000	⑪	50 à 69 F

Ce domaine de 11 ha, dont on apprécie régulièrement les vins dans le Guide, propose cette année encore l'un des meilleurs échantillons des appellations du piémont pyrénéen. Observez ce 98 très profond, opaque même dans sa robe pourpre. Humez sa palette prononcée et complexe qui évolue sur les fruits noirs, les épices et la réglisse. Elle est encore sauvage ! Goûtez sa matière puissante et concentrée, solidement structurée. Imaginez l'avenir de ce vin en savourant sa finale chaleureuse et épicée, soutenue par des tanins sérieux.

➥ Pascal Lapeyre, 52, av. des Pyrénées, 64270 Salies-de-Béarn, tél. 05.59.38.10.02, fax 05.59.38.03.98 ☑ ⵟ r.-v.

Irouléguy

Dernier vestige d'un grand vignoble basque dont on trouve la trace dès le XIᵉ s., l'irouléguy (le chacoli, côté espagnol) témoigne de la volonté des vignerons de perpétuer l'antique tradition des moines de Roncevaux. Le vignoble s'étage sur le piémont, dans les communes de Saint-

Etienne-de-Baïgorry, d'Irouléguy et d'Anhaux sur quelque 200 ha et produit 7 000 hl.

Les cépages d'autrefois ont à peu près disparu pour laisser place au cabernet-sauvignon, au cabernet franc et au tannat pour les vins rouges, au courbu et aux gros et petit manseng pour les blancs. La presque totalité de la production est vinifiée par la coopérative d'Irouléguy, mais de nouveaux vignobles sont en train de voir le jour. Le vin rosé est vif, bouqueté et léger, avec une couleur cerise ; il accompagnera la piperade et la charcuterie. L'irouléguy rouge est un vin parfumé, parfois assez tannique, qui conviendra aux confits.

DOM. ARRETXEA Hegoxuri 1999★★

| ☐ | 1 ha | 2 400 | ◖▮▮ | 100 à 149 F |

Cette petite exploitation en zone montagneuse possède 6 ha de vignobles. Cultivée en terrasses, la vigne est ici conduite en agriculture biologique et même en biodynamie pour la parcelle qui a donné naissance à ce coup de cœur. Tout est remarquable dans cette cuvée Hegoxuri, de la robe paille dorée à reflets verts jusqu'au nez subtil, mélange harmonieux de fleurs blanches et de fruits exotiques d'une extrême fraîcheur. La bouche est un délice. Très grasse et gourmande, elle n'en garde pas moins beaucoup de fraîcheur et d'équilibre, ses arômes se prolongeant dans une ravissante finale. C'est exquis ! Goûtez aussi l'**irouléguy 98 rouge**, pour sa part très réussi (de 30 à 49 F).
☛ Thérèse et Michel Riouspeyrous, Dom. Arretxea, 64220 Irouléguy, tél. 05.59.37.33.67, fax 05.59.37.33.67 ☑ ⊺ r.-v.

DOM. BRANA 1998★

| ▮ | 10 ha | 30 000 | ◖▮▮ | 50 à 69 F |

Tournée vers la haute Navarre, face au col de Roncevaux, une tour typique de l'architecture navarraise domine le vignoble en terrasses du domaine Brana, établi en 1985 sur la montagne Arradoy. Elle abrite désormais un cuvier souterrain dans lequel a été vinifié cet irouléguy d'un violacé intense. S'il garde de la retenue, ce 98 laisse échapper des senteurs profondes de fruits noirs confits et a hérité d'un élevage en fût de

treize mois d'un fond vanillé. La bouche est droite, puissamment structurée par des tanins encore sérieux mais qui devraient se fondre dans cette enveloppe agréablement boisée. Un vin de garde solide.
☛ Jean et Adrienne Brana, 3 bis, av. du Jaï-Alaï, 64220 Saint-Jean-Pied-de-Port, tél. 05.59.37.00.44, fax 05.59.37.14.28, e-mail brana-etienne@wanadoo.fr ☑ ⊺ r.-v.

DOM. ETXEGARAYA
Cuvée Lehengoa 1998

| ▮ | 2 ha | 8 000 | ▮⚭ | 30 à 49 F |

Le domaine Etxegaraya s'étend sur environ 7 ha plantés essentiellement en terrasses sur des sols de grès rouge ou de type argilo-siliceux. Cette cuvée est issue à 80 % de vignes de tannat centenaires et à 20 % de cabernet-sauvignon. Habillée d'une robe aux nuances violettes, elle propose un nez simple mais fin, où les senteurs végétales s'accompagnent de fruits noirs. Après une attaque vive, la bouche s'arrondit tout en gardant une ligne acidulée rappelant les bonbons aux fruits. La structure est déliée, et les tanins légèrement astringents laissent un arôme d'épices en finale.
☛ Joseph et Marianne Hillau, Dom. Etxegaraya, 64430 Saint-Etienne-de-Baïgorry, tél. 05.59.37.23.76, fax 05.59.37.23.76, e-mail etxegaraya@wanadoo.fr ☑ ⊺ r.-v.

GORRI D'ANSA 1998★

| ▮ | 17,5 ha | 93 000 | ▮⚭ | 30 à 49 F |

La cave des Vignerons du Pays basque, fondée en 1952, est à l'origine du renouveau de l'appellation irouléguy. Elle a doublé la superficie de son vignoble en vingt ans et fait évoluer la qualité de ses vins. Nous retiendrons d'abord cette surprenante cuvée rouge presque noire, dont le nez profond et chaleureux évoque la confiture de fruits noirs, avec une légère note de cacao. Riche d'une matière mûre et concentrée, bien campé sur des tanins solides, ce vin de cuve possède un bon potentiel de garde. Quant au **Comte de Leispars 98** élevé en fût de chêne, il pourra patienter quatre ans dans votre cave, mais reçoit d'ores et déjà une citation.
☛ Les Vignerons du Pays Basque, 64430 Saint-Etienne-de-Baïgorry, tél. 05.59.37.41.33, fax 05.59.37.47.76 ☑ ⊺ r.-v.

Jurançon et jurançon sec

« Je fis, adolescente, la rencontre d'un prince enflammé, impérieux, traître comme tous les grands séducteurs : le jurançon », écrit Colette. Célèbre depuis qu'il servit au baptême d'Henri IV, le jurançon est devenu le vin des cérémonies de la maison de France. On trouve ici les premières notions d'appellation protégée - car il était interdit d'importer des vins étrangers - et même des notions de cru et de classement, puisque toutes les parcelles étaient répertoriées suivant leur valeur par le parlement de Navarre. Comme les vins de Béarn, le jurançon, alors rouge ou blanc, était expédié jusqu'à Bayonne, au prix de navigations parfois hasardeuses sur les eaux du Gave. Très prisé des Hollandais et des Américains, le jurançon parvint à un vedettariat qui ne prit fin qu'avec le phylloxéra. La reconstitution du vignoble (1 000 ha aujourd'hui) fut effectuée avec les méthodes et les cépages anciens, sous l'impulsion de la cave de Gan et de quelques propriétaires fidèles.

Ici plus qu'ailleurs, le millésime revêt une importance primordiale, surtout pour les jurançon moelleux qui demandent une surmaturation tardive par passerillage sur pied. Les cépages traditionnels, uniquement blancs, sont le gros et le petit manseng, et le courbu. Les vignes sont cultivées en hautains pour échapper aux gelées. Il n'est pas rare que les vendanges se prolongent jusqu'aux premières neiges.

Le jurançon sec, 75 % de la production, est un blanc de blancs d'une belle couleur claire à reflets verdâtres, très aromatique, avec des nuances miellées. Il accompagne truites et saumons du Gave. Les jurançon moelleux ont une belle couleur dorée, des arômes complexes de fruits exotiques (ananas et goyave) et d'épices, comme la muscade et la cannelle. Leur équilibre acide-liqueur en fait des fairevaloir tout indiqués du foie gras. Ces vins peuvent vieillir très longtemps et donner de grandes bouteilles qui accompagneront un repas, de l'apéritif au dessert en passant par les poissons en sauce et le fromage pur brebis de la vallée d'Ossau. Meilleurs millésimes : 1970, 1971, 1975, 1981, 1982, 1983, 1987, 1989, 1990, 1995. La production a atteint en 1999, 29 826 hl de moelleux et 12 934 hl de jurançon sec.

Jurançon

DOM. BARTHELEMY 1998

| | 1 ha | 5 333 | 🛢♦ | 30 à 49 F |

Cette propriété de quelque 5 ha revit depuis maintenant sept ans grâce aux investissements considérables engagés par Olivier Tessier. La récompense est à portée de main ; il suffit de découvrir ce jurançon limpide à reflets or vert pour s'en convaincre. Le nez ne manque pas de fraîcheur avec ses notes de fruits exotiques et surtout d'agrumes. L'attaque franche introduit une bouche coulante, plutôt fraîche et légère, encore aromatique dans sa finale bien acidulée.
☛ Olivier Tessier, Dom. Barthélemy, 64360 Parbayse, tél. 05.59.21.42.67, fax 05.59.71.52.03 ☑ ⲧ r.-v.

DOM. BORDENAVE Cuvée Savin 1998

| | 5 ha | 10 000 | ⦀ | 70 à 99 F |

Depuis le millésime 98, les étiquettes du domaine Bordenave sont l'œuvre de peintres locaux, tel Alain Laborde qui signe celle de la cuvée Savin. L'artiste a composé avec des couleurs chaudes, dorées à cuivrées, évocatrices de la robe de ce jurançon. Encore sur la retenue, le vin est dominé par un boisé riche. Sa bouche ronde, ample et moelleuse, restitue en rétro-olfaction les arômes du nez : un boisé surprenant et perceptible, qui devra se fondre.
☛ Dom. Pierre et Gisèle Bordenave, quartier Ucha, 64360 Monein, tél. 05.59.21.34.83, fax 05.59.21.37.32 ☑ ⲧ t.l.j. 8h30-12h 14h-18h30

ETIENNE BRANA
Collection Royale Premières Neiges 1999★

| | n.c. | n.c. | 🛢♦ | 50 à 69 F |

Plus d'un siècle d'existence pour ce domaine à la fois négociant et viticulteur. Son moelleux est issu de pur gros manseng. Sous une teinte jaune pâle aux légers reflets verts apparaît un nez fin et élégant, exprimant des arômes exotiques. Souple à l'attaque, la bouche très aromatique se développe avec fraîcheur et franchise sur son axe. Un vin friand. Le **jurançon sec Collection Royale 99** (30 à 49 F) mérite lui aussi une étoile pour son agréable caractère fruité.
☛ Etienne Brana, 3 bis, av. du Jaï-Alaï, 64220 Saint-Jean-Pied-de-Port, tél. 05.59.37.00.44, fax 05.59.37.14.28, e-mail brana-etienne@wanadoo.fr ☑ ⲧ t.l.j. sf sam. 9h-12h 14h-18h

DOM. BRU-BACHE L'Eminence 1998★★

| | n.c. | n.c. | ⦀ | 200 à 249 F |

Claude Loustalot a les mains d'or de son oncle car il conduit ce domaine avec le même talent. La célèbre cuvée l'Eminence devance d'une étoile **La Quintessence 98**, elle-même très réussie (70 à 99 F). Le jury a apprécié à l'unanimité la magnifique robe d'or brillant, si intense. Le nez très concentré décline fleurs et fruits sur un boisé fort riche. Quant à la bouche, elle offre une liqueur succulente, parfaitement équilibrée. La sève persistante est soutenue par un noble boisé qui laisse s'exprimer les fruits exotiques, l'abricot sec, le citron et des notes résinées et de gingembre. Un jurançon généreux, promis à un bel avenir.

☛ Dom. Bru-Baché, rue Barada, 64360 Monein, tél. 05.59.21.36.34, fax 05.59.21.32.67 ☑ ⲧ r.-v.

☛ Claude Loustalot

DOM. DE CABARROUY
Cuvée Sainte-Catherine Elevé en fût de chêne 1998★★

☐	2 ha	5 000	ⅠⅠ	50 à 69 F

Si le **jurançon sec 99** du domaine de Cabarrouy est réussi (30 à 49 F), cette cuvée Sainte-Catherine témoigne de la parfaite maîtrise des liquoreux de Patrice Limousin et Freya Skoda qui se sont installés ici en 1988, venant du Muscadet. D'un jaune brillant tirant sur l'or, elle offre un nez complexe et d'une grande finesse, fait de fleur d'acacia, de fruits frais puis confits, accompagnés d'un léger boisé. Ronde dès l'attaque, la bouche évolue élégamment grâce à un bon équilibre sucre-acide. On gardera longtemps en mémoire sa savoureuse concentration et sa jolie expression aromatique. (bouteilles de 50 cl.)

☛ Patrice Limousin et Freya Skoda, Dom. de Cabarrouy, 64290 Lasseube, tél. 05.59.04.23.08, fax 05.59.04.21.85 ☑ ⲧ r.-v.

CANCAILLAU Gourmandise 1998★

☐	1 ha	1 800	ⅠⅠ	70 à 99 F

Un vin plaisir... un vin gourmand... Il suffit d'observer sa robe jaune intense aux reflets cuivrés pour être tenté. Le nez assez complexe évoque les agrumes, les fruits mûrs, ainsi qu'une pointe de truffe. L'attaque est ronde et fraîche ; le milieu de bouche indique la belle concentration d'une matière grasse, fruitée, bien équilibrée. La finale est plaisante.

☛ EARL Barrère, 64150 Lahourcade, tél. 05.59.60.08.15, fax 05.59.60.07.38 ☑ ⲧ t.l.j. sf dim. 8h-19h; f. 8 oct.-15 nov.

CLOS CASTET
Cuvée spéciale Vieilli en fût de chêne 1998

☐	2 ha	5 000	ⅠⅠ	70 à 99 F

Des larmes dorées s'écoulent sur les parois du verre. D'un bel éclat à l'œil, ce jurançon est aussi très franc au nez. On note une bonne présence des fruits mûrs : abricot, coing, nèfle sur un fond floral, relevés d'une pointe de cire. La bouche assez ample et garnie de fruits confits offre beaucoup de gras tandis que la fraîcheur reste modérée.

☛ Alain Labourdette, 64360 Cardesse, tél. 05.59.21.33.09, fax 05.59.21.28.22 ☑ ⲧ t.l.j. 8h-12h 14h-19h30

DOM. CAUHAPE
Quintessence du Petit-Manseng 1998★★

☐	3 ha	n.c.	ⅠⅠ	+ de 500 F

Puissant... L'abricot, les agrumes, le fruit de la passion ouvrent un festival aromatique. Impressionnant... Après une attaque déjà riche et d'une extrême concentration, la bouche ne livre pas encore tous ses atouts, mais elle est déjà si longue ! Ce monstre sacré pourra évoluer plus de vingt ans en cave... Une ambition que seuls peuvent se permettre les grands liquoreux. La cuvée **Noblesse du Temps 98** (150 à 199 F) obtient la

même note. Ces deux vins justifient la renommée internationale d'Henri Ramonteu.

☛ Henri Ramonteu, Dom. Cauhapé, quartier Castet, 64360 Monein, tél. 05.59.21.33.02, fax 05.59.21.41.82 ☑ ⲧ r.-v.

CLOS GASSIOT Mémoire 1998★★

☐	5 ha	5 000	ⅠⅠ	70 à 99 F

Deux jurançons composés de petit manseng et de gros manseng à parts égales. Le **moelleux Elégance 98** (50 à 69 F) est réussi. Il donne à un dégustateur des envies de bavarois aux fruits rouges. Cette cuvée Mémoire est remarquable dans sa robe brillante à nuances dorées. Elle livre un nez délicat, encore frais, dont les arômes francs se distinguent bien : fleurs blanches, pêche, abricot, ananas et poivre. Pleine dès la mise en bouche, sa matière ample et généreuse se prolonge harmonieusement jusqu'à une finale de pâte de fruits.

☛ Antoine Tavernier, rte de Pau, 64360 Abos, tél. 05.59.60.10.22, fax 05.59.71.58.92 ☑ ⲧ r.-v.

CLOS GUIROUILH 1998★

☐	6 ha	20 000	ⅠⅠ	50 à 69 F

Clos Guirouilh version classique ou version **Petit Cuyalàa 98** (200 à 249 F) ? Vous hésitez ? Le jury n'a pu départager ces deux jurançon liquoreux et leur a attribué une étoile chacun. Reste que l'inspiration nous est venue du premier, paré d'une robe dorée à reflets verts. Le nez ouvert exprime les fruits confits (abricot, citron) soulignés d'un léger boisé. Après une attaque ronde et moelleuse, la bouche offre une bonne liqueur, très douce. La matière est grasse, suffisamment ample, et la finale coule comme du miel.

☛ Jean Guirouilh, rte de Belair, 64290 Lasseube, tél. 05.59.04.21.45, fax 05.59.04.21.45 ☑ ⲧ r.-v.

CAVE DES PRODUCTEURS DE JURANCON Prestige d'automne 1998★★

☐	100 ha	100 000		50 à 69 F

La Cave des producteurs de Jurançon propose une gamme de vins intéressants. Ce liquoreux n'a pas connu le bois. Il se présente bien sous sa teinte paille à reflets or. Son nez puissant fait preuve de complexité et de maturité à travers des senteurs d'abricot, de coing, de miel et de fruits secs. Tout aussi puissante et d'une grande intensité aromatique, la bouche possède beaucoup de gras et un bel équilibre. Alliant concentration, fraîcheur et finesse, elle s'achève sur une finale harmonieuse.

☛ Cave des producteurs de Jurançon, 53, av. Henri-IV, 64290 Gan, tél. 05.59.21.57.03, fax 05.59.21.72.06 ☑ ⲧ t.l.j. sf dim. 8h-12h30 13h30-19h

DOM. LARREDYA Cuvée François 1998★

☐	1 ha	1 800	ⅠⅠ	100 à 149 F

Jean-Marc Grussaute élabore ses vins en cave particulière depuis douze ans. Il les réussit aussi bien en sec qu'en moelleux. Jugez-en plutôt : le **jurançon sec 99** (30 à 49 F), le **liquoreux Sélection des Terrasses 98** (70 à 99 F), et cette cuvée François obtiennent chacun une étoile. Derrière les beaux reflets dorés de ce dernier vin, se profile une palette aromatique puissante, encore dominée par un riche boisé aux nuances vanillées et résinées. Toutefois, on sent poindre le miel et la truffe. L'attaque en bouche est moelleuse, puis la matière apparaît ample et chaleureuse, le boisé ne masquant pas le fruit.

☛ Jean-Marc Grussaute, Chapelle-de-Rousse, 64110 Jurançon, tél. 05.59.21.74.42, fax 05.59.21.76.72 ☑ ⅄ r.-v.

DOM. LARROUDE
Un Jour d'Automne 1998★★

	n.c.	n.c.	◀▮▶ 100 à 149 F

Que s'est-il passé un jour d'automne 98 au domaine Larroudé ? Les grappes blanches ailées du petit manseng ont été récoltées pour élaborer ce très beau liquoreux. Eclatant dans le verre de ses nuances or ou cuivrées, ce vin livre un nez dense et profond, réminiscence de tartines de pain d'épice à la cannelle et de fruits mûrs confits. La bouche pleine, riche aussi, impose sa puissance, mais sa chaleur est justement tempérée par l'acidité. Le boisé apparaît, sans masquer l'expression du fruit mûr. Un vin riche et généreux.

☛ EARL du Dom. Larroudé, 64360 Lucq-de-Béarn, tél. 05.59.34.35.92, fax 05.59.34.35.92 ☑ ⅄ r.-v.

☛ Estoueigt

DOM. DE MALARRODE
Cuvée Prestige Vieilli en fût de chêne 1998★

	2 ha	8 000	▤ ◀▮▶ ↓ 70 à 99 F

Issu de petit manseng, ce jurançon s'habille d'une robe paille dorée assez vive. Son nez frais et intense livre des senteurs florales, des notes de fruits exotiques et d'épices sur fond boisé. La bouche est d'une belle densité. Grasse et légèrement miellée, elle ne manque cependant pas d'acidité. La finale reste d'ailleurs bien vive et s'enrichit de notes grillées.

☛ Gaston Mansanné, Dom. de Malarrode, 64360 Monein, tél. 05.59.21.44.27, fax 05.59.21.44.27 ☑ ⅄ r.-v.

DOM. DE NAYS LABASSERE 1998

	4 ha	20 000	▤ ◀▮▶ ↓ 30 à 49 F

Un jurançon classique constitué à 80 % de gros manseng et à 20 % de petit manseng. La robe d'un jaune relativement pâle laisse paraître de jolis reflets verts. Le nez délicat et aérien évoque les fruits frais ainsi que les fleurs blanches. En bouche, ce vin plutôt léger mais bien équilibré a du charme. Il laisse échapper quelques notes boisées avant de revenir sur le fruit en finale.

☛ Philippe de Nays, Chapelle-de-Rousse, 64110 Jurançon, tél. 05.59.21.70.57, fax 05.59.21.70.67 ☑ ⅄ t.l.j. sf dim. 10h-19h

CLOS THOU Suprême de Thou 1998★★

	2,5 ha	7 500	▤ ◀▮▶ ↓ 70 à 99 F

Ce clos existait déjà en 1538 et était alors propriété d'une certaine Raymonde de Thou. Cette cuvée lui rend hommage. De belles larmes se dessinent à l'agitation de vin paille doré dans le verre. Sa générosité s'affirme au nez quand s'élèvent des arômes de miel, de confiture, de fruits secs et rôtis. La bouche respecte cette ligne directrice : puissante, très ample, très moelleuse aussi.

La suavité même pour ce jurançon de pure tradition.

☛ Henri Lapouble-Laplace, chem. Larredya, 64110 Jurançon, tél. 05.59.06.08.60, fax 05.59.06.08.60 ☑ ⅄ t.l.j. sf dim. 9h-12h 14h-18h30

CLOS UROULAT 1998★

	5 ha	20 000	◀▮▶ 70 à 99 F

Sur un magnifique terroir argilo-siliceux, le petit manseng de Charles Hours ne laisse jamais indifférent. L'or habille ce jurançon. Ses parfums intenses et typés (agrumes et fleurs, fruits exotiques, abricot) sont accompagnés d'une note boisée très discrète. Ample, concentrée, mais gardant une acidité remarquable, la bouche est toute en finesse, élégante et longue.

☛ Charles Hours, Clos Uroulat, quartier Trouilh, 64360 Monein, tél. 05.59.21.46.19, fax 05.59.21.46.90 ☑ ⅄ r.-v.

Jurançon sec

DOM. CAUHAPE Noblesse 1998★★

	3 ha	9 000	◀▮▶ 100 à 149 F

Un jurançon sec d'une qualité exemplaire. Le jaune doré très soutenu de sa robe évoque le miel. Le nez même, par sa puissance et sa sève, rappelle les moelleux, quoique en plus enlevé. L'attaque est déjà riche, puis la bouche affirme sa concentration. Généreuse en chair comme en structure, elle fait preuve d'une harmonie parfaite et laisse un beau sillage aromatique.

☛ Henri Ramonteu, Dom. Cauhapé, quartier Castet, 64360 Monein, tél. 05.59.21.33.02, fax 05.59.21.41.82 ☑ ⅄ r.-v.

DOM. DU CINQUAU 1999★★

	1 ha	6 000	▤ ↓ 30 à 49 F

Familial depuis 1800, ce domaine s'est remis aux couleurs viticoles dans les années 1980. On ne peut que féliciter Pierre Saubot qui fut l'artisan de ce renouveau. Issu d'un assemblage classique de 70 % de gros manseng et 30 % de petit courbu, ce vin a été très apprécié pour son harmonie d'ensemble. Jaune clair à reflets d'or vert, il possède un nez expressif, riche de nuances florales et fruitées, sur un fond de beurre frais. L'attaque presque moelleuse participe à l'attrait d'une bouche bien construite, ronde et grasse. Joliment douce, elle est aussi aimablement acide, fruitée et d'une bonne longueur.

☛ Pierre Saubot, Dom. du Cinquau, Cidex 43, 64230 Artiguelouve, tél. 05.59.83.10.41, fax 05.59.83.12.93 ☑ ⵊ r.-v.

CHARLES HOURS Cuvée Marie 1998★

	2 ha	12 000	⫴	50 à 69 F

De couleur paille relevée d'or, la cuvée Marie, composée de 90 % de gros manseng et 10 % de courbu, décline une gamme complexe, où les notes de fleurs blanches et de fruits exotiques viennent en contrepoint d'arômes boisés. L'équilibre en bouche n'est jamais rompu, l'acidité se mariant au gras. Ce jurançon sec possède une belle matière et beaucoup de fruits. Un turbot à la crème lui conviendrait.
☛ Charles Hours, Clos Uroulat, quartier Trouilh, 64360 Monein, tél. 05.59.21.46.19, fax 05.59.21.46.90 ☑

CH. JOLYS 1999★

	n.c.	50 000	ⵣ⵼	30 à 49 F

Les coteaux pentus de Chapelle-de-Rousse fermés par les moraines des glaciers pyrénéens forment un paysage saisissant. Le vin, lui, est la douceur même et offre une jolie typicité... Paille limpide, il fleure bon la vanille et les fleurs blanches. Vive en attaque, la bouche allie cette fraîcheur à une matière relativement grasse pour constituer un ensemble bien équilibré. Les arômes perçus en rétro-olfaction, d'abord fidèles aux impressions olfactives, s'orientent vers le beurre en finale.
☛ Sté Domaines Latrille, Ch. Jolys, 64290 Gan, tél. 05.59.21.72.79, fax 05.59.21.55.61 ☑ ⵊ r.-v.

CLOS LAPEYRE
Cuvée Vitatge Vielh 1998★

	n.c.	15 000	⫴	50 à 69 F

D'un doré soutenu et limpide dans le verre, la cuvée Vitatge Vielh, ou vieille vigne, est une fois encore bien séduisante. Son nez intense fait la part belle aux fruits parfumés : abricot, litchi et autres fruits exotiques, mêlés d'une pointe d'épice et d'un joli toasté. D'abord vive, la bouche propose du gras, une matière riche et équilibrée autour d'une bonne structure. Les notes boisées se fondent dans une finale épicée. Tout aussi réussi, le **jurançon moelleux Clos Lapeyre Sélection 98** se distingue par son caractère très aromatique (de 70 à 99 F).
☛ Jean-Bernard Larrieu, Chapelle-de-Rousse, 64110 Jurançon, tél. 05.59.21.50.80, fax 05.59.21.51.83 ☑ ⵊ t.l.j. sf dim. hors saison 10h-12h 14h-18h

DOM. LASSERRE 1999★

	10 ha	26 200	ⵣ⵼	30 à 49 F

Né sur les poudingues du jurançon et assemblant 65 % de gros manseng au petit manseng, ce 99 vinifié par la coopérative de Jurançon est bien représentatif de son AOC. Eclatante, la couleur joue sur la paille et les reflets verts. Le nez allie abricot, citrus, poire et bergamote. La bouche nerveuse et grasse à la fois, équilibrée et de bonne longueur affiche des notes de pamplemousse, de citron vert, de fleurs blanches (acacia). A boire pendant deux à trois ans pour le plaisir.

☛ Cave des producteurs de Jurançon, 53, av. Henri-IV, 64290 Gan, tél. 05.59.21.57.03, fax 05.59.21.72.06 ☑ ⵊ t.l.j. sf dim. 8h-12h30 13h30-19h
☛ Lasserre

LES HAUTS DE MONTESQUIOU 1999★

	n.c.	6 000	ⵣ⵼	30 à 49 F

Au début des années 1990, Jacques Balent dirigeait le laboratoire œnologique de l'AOC jurançon. Voilà sept ans qu'il vinifie le fruit de son vignoble implanté à Monein, l'une des plus vastes communes béarnaises. Son jurançon sec 99 se présente sous une teinte pâle illuminée de nuances vertes. Le nez droit laisse une sensation fraîche et très fleurie, soulignée par un joli accent mentholé. Si l'attaque est vive, le milieu de bouche se fait plus doux. Restent une impression de sveltesse et une ligne aromatique désormais axée sur le fruit. Un vin franc et agréable.
☛ Jacques Balent, av. de la Résistance, 64360 Monein, tél. 05.59.21.49.44, fax 05.59.21.43.01 ☑ ⵊ r.-v.

DOM. NIGRI Réserve 1998★

	0,5 ha	1 800	⫴	30 à 49 F

Jean-Louis Lacoste a réussi deux belles cuvées **Réserve** dans le **millésime 98, en moelleux** (de 50 à 69 F) comme en sec. Le jurançon sec se distingue dès l'observation de sa robe dorée dans le verre. Il dévoile plus encore ses qualités à travers son nez intense, fin et complexe où se mêlent fleurs, miel, fruits, vanille et notes de brioche. Il confirme en bouche son potentiel après une attaque souple par son équilibre d'un beau volume, son gras, ses arômes nombreux et subtils qui persistent dans une finale douce.
☛ Jean-Louis Lacoste, Dom. Nigri, Candeloup, 64360 Monein, tél. 05.59.21.42.01, fax 05.59.21.42.59 ☑ ⵊ t.l.j. 8h30-12h 13h30-19h; dim. sur r.-v.

DOM. DE SOUCH 1999★

	1 ha	8 000	ⵣ⵼	50 à 69 F

Ce domaine porte le nom de Jean de Souch, syndic des éleveurs de treille au XIVᵉs. Il présente un vin d'aspect chaleureux par sa teinte or. Le nez est avenant, équilibré entre les notes florales légères et les nuances de fruits mûrs. La matière légère mais expressive conduit à une finale aromatique, où l'on perçoit une pointe d'amertume. Un saumon fumé lui conviendra.
☛ Yvonne Hegoburu, Dom. de Souch, Laroin, 64110 Jurançon, tél. 05.59.06.27.22, fax 05.59.06.51.55 ☑ ⵊ r.-v.

Madiran

D'origine gallo-romaine, le madiran fut pendant longtemps le vin des pèlerins de Saint-Jacques-de-Compostelle. La gastronomie du Gers et ses ambassadeurs dans la capitale représentent ce vin pyrénéen. Sur les 1 400 ha de l'appellation, le cépage roi est le tannat, qui donne un vin âpre dans sa jeunesse, très coloré, avec des arômes primaires de framboise ; il s'exprime après un long vieillissement. Lui sont associés cabernet-sauvignon et cabernet franc (ou bouchy), fer servadou (ou pinenc). Les vignes sont conduites en demi-hautain. La production a représenté 67 871 hl en 1999.

L e vin de Madiran est le vin viril par excellence. Quand sa vinification est adaptée, il peut être bu jeune, ce qui permet de profiter de son fruité et de sa souplesse. Il accompagne les confits d'oie et les magrets saignants de canard. Les madiran traditionnels, à forte proportion de tannat, supportent très bien le passage sous bois et doivent attendre quelques années. Les vieux madiran sont sensuels, charnus et charpentés, avec des arômes de pain grillé, et s'allient avec le gibier et les fromages de brebis des hautes vallées.

CH. D'AYDIE Odé d'Aydie 1997★

■	15 ha	80 000	◫	30 à 49 F

Présents dans le Guide dès la première édition, les vignobles Laplace ont contribué à la notoriété de l'appellation. Ils proposent cette année deux **Château d'Aydie** de bonne facture : l'un est un madiran 97, l'autre un **pacherenc du vic-bilh moelleux 98** (50 à 69 F). L'étoile est attribuée à cette cuvée Odé d'Aydie. D'un noir d'encre, celle-ci livre des arômes profonds de fruits noirs et d'épices, ainsi qu'un puissant caractère toasté. L'équilibre en bouche tient à une structure solide et bien enrobée. Les tanins sont en train de se fondre et le boisé prend des accents agréablement vanillés. Un vin élégant.

☛ GAEC vignobles Laplace, 64330 Aydie, tél. 05.59.04.08.00, fax 05.59.04.08.08 ☑ ⍳ t.l.j. 9h-13h 14h-20h

DOM. BERNET 1998★

■	1,5 ha	12 000	■ ◫	30 à 49 F

Ce madiran provient de 80 % de tannat et de 20 % de cabernet récoltés sur sol de gravette. Couleur d'encre à reflets violets, il offre un nez déjà bien évolué, évocateur de confiture de fruits et de pruneau sous un boisé épicé. La bouche est d'une rondeur séduisante et d'un fruité intéressant, bien que la finale encore épicée laisse une impression tannique que deux ou trois ans de garde amabiliseront.

☛ Yves Doussau, Bernet, 32400 Viella, tél. 05.62.69.71.99, fax 05.62.69.75.08 ⍳ r.-v.

DOM. BERTHOUMIEU
Cuvée Tradition 1998★★

■	n.c.	80 000	■ ♨	30 à 49 F

Le jury a été conquis par cette cuvée Tradition d'un grenat très profond et aux nuances violacées. Bien ouvert, le nez offre une large palette de fragrances : fraise, framboise, réglisse, poivron, ainsi qu'une note de cuir. Les dégustateurs

ne tarissent pas d'éloges lorsqu'ils portent le vin en bouche : une belle montée en puissance, une grande complexité aromatique, beaucoup d'ampleur et une finale persistante sur des tanins déjà fondus et veloutés. Quant à la **cuvée Charles de Batz élevée en fût de chêne**, elle obtient une étoile dans le millésime **97**, après avoir été saluée de deux coups de cœur consécutifs pour les millésimes 95 et 96 (50 à 69 F). Un domaine créé en 1850 et que Didier Barré mène de main de maître depuis 1983.

☛ Didier Barré, 32400 Viella, tél. 05.62.69.74.05, fax 05.62.69.80.64, e-mail barre.didier@wanadoo.fr ☑ ⍳ t.l.j. 8h-12h 14h-19h; dim. sur r.-v.

DOM. CAPMARTIN
Cuvée du Couvent Elevé en fût de chêne neuf 1997★★★

■	2 ha	11 000	■ ◫	50 à 69 F

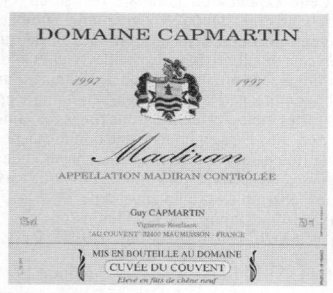

Le domaine Capmartin collectionne les étoiles et les coups de cœur dans le Guide. La cuvée du Couvent emporte ici tous les suffrages. On admire dans le verre la somptueuse robe noire, puis on hume ses arômes profonds et puissants d'où émanent des notes de cuir, de fruits noirs et d'épices. En bouche, une matière noble et séveuse enveloppe une solide charpente. Les tanins son enrobés et le boisé bien dosé. Un ensemble parfaitement articulé. Le jury a également apprécié le **pacherenc du vic-bilh moelleux cuvée du Couvent élevée en fût de chêne neuf 98** et lui a attribué une étoile.

☛ Guy Capmartin, Le Couvent, 32400 Maumusson, tél. 05.62.69.87.88, fax 05.62.69.83.07 ☑ ⍳ t.l.j. 9h-13h 14h-19h; dim. sur r.-v.

DOM. DAMIENS Tradition 1998★

■	4 ha	27 000		30 à 49 F

Ce domaine de 15 ha d'un seul tenant, adossé à l'un des cinq coteaux d'Aydie, propose un

SUD-OUEST

maladiran typique, issu de tannat et de cabernet franc. Rouge assez vif et très nuancé à l'œil, assez intense, entre fruits frais et fruits mûrs au nez, il est léger et plein d'allant en bouche, porté par une trame de tanins jeunes et vigoureux. Le **madiran cuvée vieillie en fût de chêne 97** est également très réussi (50 à 69 F). Deux vins à attendre deux à trois ans.

📞 André et Pierre-Michel Beheity, Dom. Damiens, 64330 Aydie, tél. 05.59.04.03.13, fax 05.59.04.02.74 ☑ ⏰ r.-v.

DOM. DE GRABIEOU
Cuvée Prestige 1998*

| ■ | 2 ha | 14 000 | ■ | 30 à 49 F |

Si sombre dans sa robe noire, si net et généreux dans ses arômes de fruits rouges à l'eau-de-vie et d'épices douces, ce madiran, issu de tannat, monte rapidement en puissance en bouche. On perçoit dans sa matière chaude et épicée des tanins très présents qui, s'ils sont déjà bien mûrs, se fondront encore grâce à une garde de quatre ou cinq ans. La finale est marquée par des notes de café.

📞 René et Frédéric Dessans, Dom. de Grabieou, 32400 Maumusson-Laguian, tél. 05.62.69.74.62, fax 05.62.69.73.08, e-mail dessans@wanadoo.fr ☑ ⏰ r.-v.

DOM. LABRANCHE LAFFONT
Vieilles vignes 1997**

| ■ | 1,5 ha | 9 000 | ■ ⏸ | 30 à 49 F |

Cette exploitation familiale reprise en 1993 par Christine Dupuy, vigneronne-œnologue, présente régulièrement une production de qualité. Son madiran issu de vieilles vignes, dont certaines sont préphylloxériques, s'habille d'une robe sombre, cerise burlat. Sensuel, il marie épices fortes, notes torréfiées, fruits rouges et vanille au nez, puis livre en bouche une bonne mâche et de la fraîcheur. Au-delà des fruits rouges et de la réglisse, on perçoit une trame tannique riche mais l'ensemble est bien enveloppé.

📞 Christine Dupuy, 32400 Maumusson, tél. 05.62.69.74.90, fax 05.62.69.76.03 ☑ ⏰ r.-v.

CH. LAFFITTE-TESTON Tradition 1998*

| ■ | 20 ha | 12 000 | ■ ⏺ | 30 à 49 F |

Jean-Marc Laffitte a fait construire un chai souterrain d'une capacité de huit cents barriques pour l'élevage de ses vins. Le **pacherenc du vic-bilh sec cuvée Erika 99**, qui y a séjourné dix mois durant, est un exemple très réussi. L'élevage en cuve est aussi bien maîtrisé au château, comme en témoigne ce madiran rouge vif, brillant et limpide. Le nez ouvert évoque fruits rouges, épices légères et pâtisserie. Tout aussi fraîche et fruitée, la bouche évolue en rondeur. La trame tannique se fait discrète mais savoureuse jusqu'en finale. Un vin friand.

📞 Jean-Marc Laffitte, 32400 Maumusson, tél. 05.62.69.74.58, fax 05.62.69.76.87 ☑ ⏰ r.-v.

DOM. LAFFONT Tradition 1998*

| ■ | 1,22 ha | 9 000 | ■ | 20 à 29 F |

Un assemblage éclectique mais représentatif des cépages de l'appellation : tannat en tête (40 %), cabernet franc (15 %), cabernet-sauvignon (25 %) et fer-servadou (20 %). Le résultat

est probant. Voyez la robe pourpre sombre. Humez le nez fin de fruits rouges et noirs qu'un boisé discret souligne. Goûtez la matière ample et bien équilibrée au sein de laquelle le fruit se mêle à des notes vanillées. Les tanins sont mûrs et veloutés dans ce vin distingué. Le **madiran Erigone 97** est également très réussi, mais doit encore mûrir (30 à 49 F).

📞 Pierre Speyer, Dom. Laffont, 32400 Maumusson, tél. 05.62.69.75.23, fax 05.62.69.80.27 ☑ ⏰ r.-v.

LA MOTHE PEYRAN
Elevé en fût de chêne 1997**

| ■ | 100 ha | 80 000 | ⏸ | 50 à 69 F |

Intense... Noir profond... Un vin racé et chaleureux dont les arômes d'épices et de fruits noirs se nuancent d'une pointe animale. La bouche offre une matière riche, renforcée par une vinosité généreuse et de solides tanins qui devront s'arrondir dans le temps. La cuvée **Arte Benedicte Vieilles vignes élevée en fût de chêne 97** est, quant à elle, très réussie.

📞 Producteurs Plaimont, 32400 Saint-Mont, tél. 05.62.69.62.87, fax 05.62.69.61.68 ☑ ⏰ t.l.j. sf dim. 9h-12h 14h-18h; groupe sur r.-v.

LAPERRE COMBES
Grande Réserve Vieilles vignes Elevé en fût de chêne 1997*

| ■ | 120 ha | 80 000 | ⏸ | 30 à 49 F |

À Saint-Mont, on élabore aussi du madiran, les deux appellations se côtoyant dans le paysage viticole. Deux cuvées très réussies se disputent ainsi la vedette : **La Chênaie du Tilh 98** et cette Grande Réserve. Couleur rubis très jeune, celle-ci est de prime abord marquée par un fort boisé aux accents de café torréfié, puis viennent des arômes de confiture. Après une attaque douce, le vin laisse une impression de fraîcheur et de légèreté ; un boisé empyreumatique enveloppe enfin le palais. Un madiran enjôleur.

📞 Vignoble de Gascogne, 32400 Saint-Mont, tél. 05.62.69.62.87, fax 05.62.69.61.68 ☑ ⏰ t.l.j. sf dim. 9h-12h 14h-18h; groupes sur r.-v.

DOM. DE MAOURIES
Vieilli en fût de chêne 1998

| ■ | 4 ha | 27 000 | ⏸ | 30 à 49 F |

Le domaine de Maouries, créé en 1909, recouvre un vignoble de 23 ha, partagé entre les appellations madiran et côtes de saint-mont. Son madiran pourpre très sombre offre un nez intense de fruits rouges surmûris, macérés dans l'alcool, et d'épices. Ronde en attaque, la bouche est franche, aromatique. Les tanins dominent la finale de ce vin pastoral.

📞 GAEC Dufau Père et Fils, Dom. de Maouriès, 32400 Labarthète, tél. 05.62.69.63.84, fax 05.62.69.65.49 ☑ ⏰ r.-v.

CH. MONTUS Cuvée Prestige 1998**

| ■ | n.c. | n.c. | ⏸ | 150 à 199 F |

Alain Brumont a su mettre en scène le tannat avec le terroir pyrénéen pour décor... Il présente dans le millésime 98 une pièce à succès... D'une robe de satin noir émanent des parfums de fruits noirs, de tabac, d'épices et un tendre toasté. Une matière riche emplit la bouche avec puissance, enveloppant une structure équilibrée et des tanins savoureux. Le **Château Bouscassé 98** (50 à 69 F) est une autre pièce remarquable du même scénariste.

☎ Alain Brumont, SA Domaines et Châteaux, 32400 Maumusson-Laguian, tél. 05.62.69.74.67, fax 05.62.69.70.46 ✅ ⌇ t.l.j. sf dim. 9h-12h30 14h-19h

DOM. DU MOULIE Cuvée Chiffre 1998★

■	n.c.	3 000	30 à 49 F

Un caractère d'évolution est perceptible dans cette cuvée Chiffre, tant dans sa robe rouge cerise que dans ses accents de prune à l'eau-de-vie et d'autres fruits rouges macérés. La bouche est l'expression d'une grande maturité : puissante, corsée, elle semble presque moelleuse et ses tanins sont bien enrobés. Un vin proche de l'accomplissement. On appréciera aussi le **pacherenc du vic-bilh moelleux 98**, cité par le jury (50 à 69 F).

☎ Michel Charrier, Dom. du Moulié, 32400 Cannet, tél. 05.62.69.77.73, fax 05.62.69.83.66 ✅ ⌇ t.l.j. sf dim. 8h-19h

CRU DU PARADIS Tradition 1997★

■	20 ha	50 000	▥	30 à 49 F

Animal au premier nez, ce madiran carminé s'ouvre bientôt sur les fruits rouges. Quelques notes de menthol et un boisé discret soulignent sa palette. La bouche, oblongue, attaque en souplesse puis se poursuit sans aspérité, laissant un sillage frais et épicé. La finale discrète est portée par des tanins fins. On pourra apprécier dès aujourd'hui ce vin plaisant, de même que le **pacherenc du vic-bilh moelleux Réserve Royale 98** (70 à 99 F), une étoile.

☎ Jacques Maumus, Cru du Paradis, lieu-dit Le Paradis, 65700 Saint-Lanne, tél. 05.62.31.98.23, fax 05.62.31.93.23 ✅ ⌇ r.-v.

DOM. TAILLEURGUET
Elevé en fût de chêne 1997★

■	n.c.	6 000	▮▥	30 à 49 F

Tannat à 80 %, cabernet-sauvignon à 15 % et un soupçon de cabernet franc longuement macérés ont produit ce madiran de couleur sombre aux nuances violacées. Le nez franc exprime de légères notes animales et un boisé discret aux côtés des épices et des fruits rouges. A l'impression de souplesse en attaque succède celle de gras en milieu de bouche. La structure assez lâche est cependant supportée par des tanins bien présents et de bonne texture. Le boisé est en outre bien dosé. Quant au **madiran 98 élevé en cuve**, il s'avère tout aussi réussi (20 à 29 F).

☎ EARL Dom. Tailleurguet, 32400 Maumusson, tél. 05.62.69.73.92, fax 05.62.69.83.69 ✅ ⌇ t.l.j. sf dim. 9h-12h30 14h-19h

☎ Bouby

CH. DE VIELLA
Vieilli en fût de chêne 1997★★

■	5 ha	30 000	▥	30 à 49 F

Alain Bortolussi peut être fier de ce madiran remarquable. D'un rubis profond, son vin arbore un nez très franc qui s'intensifie à l'aération : après les notes animales s'élèvent les fruits noirs, les épices et un caractère toasté aux accents de beurre. La bouche évolue, harmonieuse, grasse et soyeuse, autour d'une belle charpente. Les tanins enrobés portent loin la finale. Le **pacherenc du vic-bilh moelleux 98** mérite quant à lui une étoile.

☎ A. et C. Bortolussi, Ch. de Viella, rte de Maumusson, 32400 Viella, tél. 05.62.69.75.81, fax 05.62.69.79.18 ✅ ⌇ t.l.j. sf dim. 8h30-12h30 14h-19h

Pacherenc du vic-bilh

Sur la même aire que le madiran, ce vin blanc est issu de cépages locaux (arrufiac, manseng, courbu) et bordelais (sauvignon, sémillon) ; cet ensemble apporte une palette aromatique d'une extrême richesse. Suivant les conditions climatiques du millésime, les vins seront secs et parfumés (2 939 hl en 1999) ou moelleux et vifs (5 949 hl). Leur finesse est alors remarquable ; ils sont gras et puissants avec des arômes mariant l'amande, la noisette et les fruits exotiques. Ils feront d'excellents vins d'apéritif et, moelleux, seront parfaits sur le foie gras en terrine.

CH. BARREJAT
Moelleux Cuvée de la Passion Elevé en fût de chêne 1998★★

☐	0,8 ha	3 000	▮▥	30 à 49 F

Cette cuvée a bel et bien fait naître la passion chez les dégustateurs. Remarquable sous ses reflets dorés, elle libère une palette intense de fruits secs, dont le fond boisé est nuancé de vanille et de menthol. La bouche ample et puissante possède certes beaucoup de chaleur mais présente un réel équilibre. Les arômes de fruits secs perdurent aux côtés d'un boisé qui s'affirme plus épicé dans la jolie finale de nougatine. En AOC **madiran, la cuvée des Vieux Ceps 98 élevée en fût de chêne** obtient également deux étoiles, et la cuvée **Tradition 98** (20 à 29 F) une étoile.

☎ Denis Capmartin, Ch. Barréjat, 32400 Maumusson, tél. 05.62.69.74.92, fax 05.62.69.77.54 ✅ ⌇ t.l.j. sf dim. 8h-12h 14h-18h

DOM. BERTHOUMIEU Sec 1999★

☐	1 ha	n.c.	▮▥	50 à 69 F

Aussi talentueux en madiran qu'en pacherenc du vic-bilh, Didier Barré propose dans cette dernière appellation un vin sec d'un jaune brillant et soutenu. Le nez, un peu sur la réserve, est fort délicat : il libère des senteurs de fleurs blanches et de fruits exotiques. L'attaque presque moelleuse annonce une bouche certes grasse et ample, mais également soutenue par de la vivacité. Le fruit reste frais et persistant jusqu'à une finale savoureuse, relevée d'une pointe d'amertume.

☎ Didier Barré, 32400 Viella, tél. 05.62.69.74.05, fax 05.62.69.80.64, e-mail barre.didier@wanadoo.fr ✅ ⌇ t.l.j. 8h-12h 14h-19h; dim. sur r.-v.

SUD-OUEST

DOM. DU CRAMPILH Sec 1999★★

☐ 2 ha 3 000 ▮ `30 à 49 F`

Le plus remarqué des pacherenc du vic-bilh secs de la sélection est issu d'un assemblage de gros manseng (50 %), de petit manseng (30 %), d'arrufiac (10 %) et de courbu (10 %). Habillé d'une robe jaune paille soutenu, il arbore un nez très intense et complexe, joliment doux. Ce sont des arômes d'acacia et d'agrumes confits qui s'élèvent du verre. Après une attaque vive, le vin emplit le palais d'une matière ronde. Tout se fond harmonieusement dans un beau volume. La finale laisse une sensation acidulée très plaisante. On est agréablement surpris par la personnalité de ce vin.
☛ Alain Oulié, 64350 Aurions-Idernes, tél. 05.59.04.00.63, fax 05.59.04.04.97, e-mail crampilh@cavesparticulieres.com ☑ ⵣ t.l.j. sf sam. dim. 9h-12h 14h-19h

CAVE DE CROUSEILLES
Moelleux Hivernal 1998★★

☐ 2 ha 700 `150 à 199 F`

Coup de cœur pour le 97, la cuvée Hivernal issue de raisins surmûris récoltés aux premiers jours de l'hiver est remarquable dans le millésime 98. Sa robe ciselée d'or et de cuivre, brillant de jolis reflets, sert d'écrin aux arômes concentrés de confiserie, de fruits exotiques et de miel. L'attaque est souple, grasse, puis la bouche se développe en rondeur dans un parfait équilibre et avec ampleur. Les notes perçues au nez se déploient plus nettement encore en rétro-olfaction. Un parfum de coing s'inscrit dans la longue finale, suave. Un vin très élégant. A découvrir le **moelleux Grains de Givre 98** (50 à 69 F) qui mérite lui aussi deux étoiles.
☛ Cave de Crouseilles, 64350 Crouseilles, tél. 05.59.68.10.93, fax 05.59.68.14.33 ☑ ⵣ r.-v.

CH. DE DIUSSE Sec 1999

☐ 0,67 ha 6 200 ▮ ⵔ `30 à 49 F`

Centre d'aide par le travail, le château de Diusse fait participer ses résidents à l'élaboration de ses différentes cuvées de madiran et de pacherenc du vic-bilh. Ce 99 sec se distingue d'emblée par sa bonne limpidité. Le nez est franc, bien frais grâce à ses notes de citron ou de kiwi. Franche à l'attaque, la bouche conserve de la vivacité et du fruit. Un vin équilibré et agréable, en toute simplicité.
☛ Ch. de Diusse, 64330 Diusse, tél. 05.59.04.02.83, fax 05.59.04.05.77 ☑ ⵣ r.-v.

DOM. LAFFONT
Moelleux Elevé en fût de chêne neuf 1998★

☐ 0,23 ha 1 300 ▥ `50 à 69 F`

Petit manseng et gros manseng ont donné naissance à un vin jaune paille aux nuances dorées. S'il prend des accents grillés, le nez fleure aussi intensément la pêche, l'abricot, le miel et la fleur d'oranger. Aromatique dès la mise en bouche et d'une bonne ampleur, ce pacherenc du vic-bilh est porté par un élan de vivacité qui prolonge bien la finale encore vanillée.
☛ Pierre Speyer, Dom. Laffont, 32400 Maumusson, tél. 05.62.69.75.23, fax 05.62.69.80.27 ☑ ⵣ r.-v.

DOM. LAOUGUE
Doux Vieilli en barrique 1998★

☐ 2 ha 6 000 ▥ `50 à 69 F`

A l'œil, ce pacherenc du vic-bilh jaune doré paraît dense, impression confirmée au nez par les parfums capiteux de fleurs blanches et de miel, agrémentés de quelques notes de fruits confits. Souple en attaque, la bouche évolue vers les fruits très mûrs (figue et raisin) et les arômes torréfiés issus du bois. Le **madiran Tradition 98** du domaine Laougué (30 à 49 F) obtient lui aussi une étoile.
☛ Pierre Dabadie, rte de Madiran, 32400 Viella, tél. 05.62.69.90.05, fax 05.62.69.71.41 ☑ ⵣ t.l.j. sf dim. 8h-12h 14h-18h

L'OR DU VIEUX PAYS Moelleux 1998★

☐ 15 ha 100 000 ▥ `50 à 69 F`

Trois pacherenc du vic-bilh moelleux des Vignobles de Gascogne et de l'Union de Producteurs Plaimont ont obtenu une étoile. En vendanges tardives (novembre), ce sont les **Saint-Martin 98** et le **Saint-Albert 98** (70 à 99 F). Issu des mêmes cépages (manseng et courbu) récoltés à la fin octobre, l'Or du Vieux Pays séduit d'emblée par sa teinte or pâle aux multiples reflets. Le nez, moderne, a gardé les caractères de la jeunesse : floral, fruité et doucement boisé. Franche et moelleuse dès l'attaque, la bouche maintient une ligne cohérente dans son développement gras et harmonieux. Voilà un vin équilibré, assez ample et agréablement aromatique.
☛ Vignoble de Gascogne, 32400 Saint-Mont, tél. 05.62.69.62.87, fax 05.62.69.61.68 ☑ ⵣ t.l.j. sf dim. 9h-12h 14h-18h; groupes sur r.-v.

CH. MONTUS Sec 1999★★

☐ 4 ha 22 400 ▮ ▥ `70 à 99 F`

Un grand vin en devenir que ce pacherenc du vic-bilh issu de petit courbu. D'une belle intensité, la robe semble pailletée d'or. Le nez développe de nobles senteurs de citron, d'ananas et de nèfle, enrobées de miel et relevées de quelques notes boisées. La bouche, d'une grande ampleur, possède autant de gras que de vivacité. Les arômes sont bien soutenus dans une finale harmonieuse qui marie un fruit de bonne qualité à un joli boisé. Ce vin semble promis à un bel avenir.
☛ Alain Brumont, SA Domaines et Châteaux, 32400 Maumusson-Laguian, tél. 05.62.69.74.67, fax 05.62.69.70.46 ☑ ⵣ t.l.j. sf dim. 9h-12h30 14h-19h

DOM. SERGENT
Doux Cuvée élevée en fût de chêne neuf 1998★

☐ 1 ha 5 000 ▥ `50 à 69 F`

Gilbert Dousseau a présenté trois cuvées réussies dont deux **madiran** : le **Domaine Sergent Vieilles vignes élevée en fût de chêne 97** (30 à 49 F) et la **cuvée classique du Domaine** dans le millésime 98, élevée en cuve (20 à 29 F). Si le pacherenc du vic-bilh a ici la vedette, c'est pour sa robe attrayante, aux reflets ambrés, et son nez intense, bien évolué, aux doux accents de fruits exotiques confits. La bouche n'est pas en reste : équilibrée, assez onctueuse et toujours aromatique. De discrètes notes boisées complètent la finale.

❦ Gilbert Dousseau, Dom. Sergent,
32400 Maumusson-Laguian, tél. 05.62.69.74.93,
fax 05.62.69.75.85 ☑ ⍟ t.l.j. sf dim. 8h-12h30
14h-19h30

Côtes de saint-mont AOVDQS

Tursan AOVDQS

Autrefois vignoble d'Aliénor d'Aquitaine, le terroir de Tursan représente aujourd'hui 460 ha pour une production moyenne de 20 000 hl. Il produit des vins rouges, rosés et blancs (35 %). Les plus intéressants sont les blancs, issus d'un cépage original, le baroque. Sec et nerveux, au parfum inimitable, le tursan blanc accompagne alose, pibale et poisson grillé.

CH. DE BACHEN 1998*

| □ | 17 ha | 36 000 | ▤ ◫ ⌕ | 50 à 69 F |

En 1983, Michel Guérard, le « sorcier » d'Eugénie-les-Bains, l'inventeur de la nouvelle cuisine, entreprit la restauration du château de Bachen, puis la rénovation des anciens chais pour franchir le pas qui le séparait encore du métier de vigneron. L'expérience est désormais acquise, comme en témoignent deux tursan blancs, le **Baron de Bachen 98** que nous tenons à citer (de 70 à 99 F), et surtout ce Château de Bachen 98. Or pâle, ce vin propose de superbes arômes toastés et beurrés à souhait qui accompagnent une corbeille de fruits frais. Après la vivacité de l'attaque, la matière ample et grasse emplit la bouche de saveurs de fruits à chair blanche, d'agrumes et de fruits secs. Des notes minérales et un beau boisé concluent la dégustation.
❦ Michel Guérard SA, Cie fermière et thermale d'Eugénie-les-Bains, 40800 Duhort-Bachen, tél. 05.58.71.76.76, fax 05.58.71.77.77 ☑ ⍟ r.-v.
❦ SCA Ch. de Bachen

CH. BOURDA Elevé en fût de chêne 1998*

| ■ | 15 ha | 40 000 | ◫ | 30 à 49 F |

Les 15 ha de vignes dont ce tursan est issu se situent sur la commune de Classun. Cabernet franc, cabernet-sauvignon et tannat se côtoient sur un sol silico-argileux où les galets sont nombreux. A la dégustation, c'est un vin intensément coloré, aux jolis reflets, que l'on observe dans le verre. Le nez bien ouvert est dominé par les fruits rouges et les épices. Une touche de vanille est cependant perceptible, que l'on retrouve d'emblée en bouche, avec douceur. Là, les arômes se diffusent agréablement dans une matière ronde qui évolue autour de tanins soyeux et laisse en finale une note boisée. Goûtez aussi le tursan **Haute Carte 99**, un blanc sec tout aussi réussi des Vignerons de Tursan et à moins de 20 F.
❦ Les Vignerons de Tursan, 40320 Geaune, tél. 05.58.44.51.25, fax 05.58.44.40.22, e-mail tursan.vin@wanadoo.fr ☑ ⍟ r.-v.

Prolongement du vignoble de Madiran, les côtes de saint-mont sont la dernière-née des appellations pyrénéennes en vins de qualité supérieure (1981). Le vignoble couvre environ 1 000 ha, produisant en moyenne 60 000 hl. Le cépage rouge principal est encore ici le tannat, les cépages blancs se partageant entre la clairette, l'arrufiac, le courbu et les mansengs. L'essentiel de la production est assuré par l'union dynamique des caves coopératives Plaimont. Les vins rouges sont colorés et corsés, et deviennent vite ronds et plaisants. Ils seront bus avec des grillades et de la garbure gasconne. Les rosés sont fins et estimables par leurs arômes fruités. Les blancs ont des parfums de terroir et sont secs et nerveux.

LES HAUTS DE BERGELLE 1998*

| □ | 45 ha | 300 000 | ◫ | 30 à 49 F |

Ce vin blanc issu d'un judicieux assemblage des cépages arrufiac, courbu, gros et petit mansengs, a été élevé en barrique durant six mois. Il a séduit le jury par sa teinte or pâle à reflets verts, par son nez intense de fruits exotiques nappés de miel sur fond toasté. Sa bouche ronde et charnue a fait le reste. Toujours fraîche, elle persiste agréablement sur le fruit et laisse un sentiment d'équilibre très réussi.
❦ Plaimont Producteurs, 32400 Saint-Mont, tél. 05.62.69.62.87, fax 05.62.69.61.68 ☑ ⍟ t.l.j. sf. dim. 9h-12h 14h-18h; groupes sur r.-v.

LES HAUTS DE BERGELLE 1998*

| ■ | 150 ha | 1 000 000 | ◫ | 30 à 49 F |

La cave de Plaimont vinifie séparément le tannat, les cabernets et le pinenc avant de les assembler. Il en résulte un vin pourpre très foncé et une palette intense, composée de fruits noirs bien mûrs, de quelques notes végétales et d'arômes de café torréfié. Ronde et complète, la bouche s'équilibre autour de tanins fermes. Ce vin de belle maturité partage sa réussite avec l'**Esprit de vignes 98**, autre côtes de saint-mont rouge de la cave, élevé plus longuement en fût et ne contenant pas de cabernet franc.
❦ Plaimont Producteurs, 32400 Saint-Mont, tél. 05.62.69.62.87, fax 05.62.69.61.68 ☑ ⍟ t.l.j. sf. dim. 9h-12h 14h-18h; groupes sur r.-v.

DOM. DE MAOURIES 1999

| □ | 1 ha | 7 800 | ▤ | 30 à 49 F |

A Saint-Mont, rares sont les caves particulières. Pourtant, le domaine de Maouriès exploite depuis 1907 un vignoble de 22 ha sur des coteaux très caillouteux, exposés plein sud et produit ses propres vins, tel ce côtes de saint-mont. Jaune-vert, bien limpide, celui-ci libère de discrètes senteurs de fleurs blanches et de fruits frais. L'attaque est vive et la bouche acidulée mais non dénuée de rondeur. Un 99 prêt à boire.

☞ GAEC Dufau Père et Fils,
Dom. de Maouriès, 32400 Labarthète,
tél. 05.62.69.63.84, fax 05.62.69.65.49 ☑ ⵏ r.-v.

CH. SAINT-GO 1998★

| ■ | 38 ha | 180 000 | ◫ | 50 à 69 F |

Derrière une robe presque noire, aux nuances violettes, ce Château Saint-Go évoque intensément le bois : des effluves de fumée accompagnent les fruits noirs très mûrs. La bouche charnue et chaleureuse est solidement structurée. Les tanins sont encore très présents à ce jour mais le potentiel est réel. Le groupement de producteurs du Vignoble de Gascogne a réussi un autre côtes de saint-mont rouge en la cuvée **Thibault de Bréthous 98 élevée en fût de chêne**, d'un bon rapport qualité-prix (de 30 à 49 F).

☞ Vignoble de Gascogne, 32400 Saint-Mont,
tél. 05.62.69.62.87, fax 05.62.69.61.68 ☑ ⵏ t.l.j.
sf dim. 9h-12h 14h-18h; groupes sur r.-v.

Les vins de la Dordogne

Suite naturelle du vignoble libournais, celui de Dordogne n'en est séparé que par une frontière administrative. Avec des cépages classiques girondins, le vignoble périgourdin est caractérisé par une production très diversifiée et un grand nombre d'appellations. Il s'épanouit en coteaux sur les deux rives de la Dordogne.

L'appellation régionale bergerac comprend des blancs, des rosés et des rouges. Les côtes de bergerac sont des vins blancs moelleux, au bouquet délicat, et des rouges charpentés et ronds, à boire avec des volailles et des viandes en sauce. L'appellation saussignac désigne d'excellents vins moelleux qui possèdent un équilibre idéal entre vivacité et sucre, vins d'apéritif intermédiaires entre le bergerac et le monbazillac. Montravel, proche de Castillon, est le vignoble de Montaigne ; la production s'y divise en montravel blanc sec, très typé par le sauvignon, et en côtes de montravel et haut-montravel, moelleux, élégants et racés, excellents vins de dessert. Le pécharmant est un vin rouge récolté sur les coteaux du Bergeracois, où des sols riches en fer lui donnent un goût de terroir très typé ; vin de garde, au bouquet fin et subtil, il accompagnera les classiques de la cuisine périgourdine. Le rosette est un

blanc moelleux issu des mêmes cépages que les bordeaux et récolté dans une petite zone de la rive droite de la Dordogne autour de Bergerac.

Connu depuis le XIVᵉ s., le monbazillac est l'un des vins « liquoreux » les plus célèbres. Son vignoble est exposé au nord sur des terrains argilo-calcaires. Le microclimat qui y règne est particulièrement favorable au développement d'une forme particulière du botrytis : la pourriture noble. D'une belle couleur dorée, les monbazillac ont des arômes de fleurs sauvages et de miel. Très longs en bouche, ils peuvent être bus à l'apéritif, dégustés avec du foie gras, du roquefort et des desserts à base de chocolat. Gras et puissants, ils deviennent en vieillissant de grands liquoreux au goût de « rôti ».

Bergerac

Les vins peuvent être produits dans 90 communes de l'arrondissement de Bergerac ; le vignoble représente 12 633 ha. Le rosé, frais et fruité, est souvent issu de cabernet ; le rouge, aromatique et souple, est un assemblage des cépages traditionnels.

B DE BERGERAC 1998

| ■ | 5 ha | 20 000 | ▮ | 20 à 29 F |

On connaissait Laurent de Bosredon viticulteur, il faudra désormais compter sur lui en qualité de négociant. Ainsi la marque B de Bergerac a-t-elle été retenue. On y découvre au nez des notes mentholées et épicées, puis des arômes de fruits rouges à l'agitation. L'attaque est souple, un peu croquante, et l'équilibre tannique est appréciable. D'une structure un peu plus légère qu'un bergerac classique, ce vin pourra être apprécié sur une assiette de charcuteries.

☞ SARL Laurent de Bosredon, Belingard,
24240 Pomport, tél. 05.53.58.28.03,
fax 05.53.58.38.39,
e-mail deschard.boisredon@wanadoo.fr ⵏ r.-v.

CH. BEAUCHAMP 1999

| ■ | 11,5 ha | 40 000 | ▮ ♦ | 20 à 29 F |

Ce bergerac classique et typique plaira au plus grand nombre. Cassis, myrtille... Ce sont des notes de petits fruits que l'on apprécie au nez. D'abord grasse, la bouche évolue sur des tanins jeunes, encore un peu austères, et s'achève sur un joli retour de fruits. Un vin structuré qui laisse une bonne impression.

☞ Union Prodiffu, 17-19, rte des Vignerons,
33790 Landerrouat, tél. 05.56.61.33.73,
fax 05.56.61.40.57

BOUTEILLE NOIRE 1998*

■　　　3 ha　　10 000　　❚❙❚　30 à 49 F

Bouteille Noire est une sélection rigoureuse élevée en barrique pendant huit mois. Complexe et puissant, son nez allie la série boisée aux arômes de fruits noirs. La bouche charpentée par des tanins présents - mais aucunement agressifs - en fait un vin harmonieux et prometteur pour les cinq années à venir.

🍷 Union de viticulteurs de Port-Sainte-Foy, 78, rte de Bordeaux, 33220 Port-Sainte-Foy, tél. 05.53.27.40.70, fax 05.53.27.40.71 ☑ ⌁ t.l.j. sf dim. 9h-12h 14h-18h

CH. BRIAND Elevé en fût de chêne 1998*

■　　　7,5 ha　　3 000　❚❙❚❙⌁　50 à 69 F

Le nom du domaine est celui d'un ancien propriétaire. Le boisé s'exprime au nez de ce 98 par des arômes de vanille mais aussi des notes épicées. Le fruité n'est pas absent, avec une touche de pruneau. On apprécie la matière première grasse soutenue par le boisé. Les tanins assez souples sont encore dominés par le fût. Ce vin sera plus agréable dans deux ou trois ans. La **cuvée 1999, non boisée**, a été citée par le jury pour ses notes fraîches et fruitées (30 à 49 F).

🍷 Gilbert et Kathy Rondonnier, Les Nicots, 24240 Ribagnac, tél. 05.53.58.23.50, fax 05.53.24.94.43 ☑ ⌁ r.-v.

CH. BUISSON DE FLOGNY 1999*

■　　　n.c.　　n.c.　　❚❙❚　20 à 29 F

Ce bergerac 99, un peu évolué, est gouleyant et frais avec ses notes de cassis dominantes au nez et sa structure tannique bien équilibrée. La très légère amertume perceptible en finale relève simplement de sa jeunesse. Quant au **bergerac rouge 98**, également élevé en fût, il a sa citation dans le Guide à son nez très expressif axé sur les fruits mûrs, ainsi qu'à sa bonne impression tannique, le boisé discret s'effaçant devant le vin (30 à 49 F).

🍷 SCEA Ch. Saint-Méard, Le Buisson, 24610 Saint-Méard-de-Gurçon, tél. 05.53.81.00.87, fax 05.53.80.61.39, e-mail flogny@aol.com ☑ ⌁ r.-v.
🍷 Marc Bighetti

DUC DE CASTELLAC
Vieilles vignes 1998*

■　　　6 ha　　40 000　　❚❙❚　20 à 29 F

Du bois mais pas trop, juste ce qu'il faut pour l'élégance de cette cuvée. Après une première sensation vanillée, les fruits rouges se révèlent au nez. La bouche est ronde et charpentée, mais sans excès. Un ensemble suave, harmonieux et d'une grande finesse. Le jury cite par ailleurs le **pécharmant Noblesse du Périgord 98**, si élégant avec ses notes épicées dominantes (30 à 49 F).

🍷 Producta SA, 21, cours Xavier-Arnozan, 33082 Bordeaux Cedex, tél. 05.57.81.18.18, fax 05.56.81.22.12, e-mail producta@producta.com ⌁ r.-v.

L'ADAGIO DES EYSSARDS 1998**

■　　　1 ha　　7 000　　❚❙❚　70 à 99 F

Tantôt la Cuvée du château, tantôt l'Adagio... Il y a toujours un vin des Eyssards dans la sélection du Guide. Ici, derrière la robe pourpre intense se libèrent des notes grillées et vanillées, mêlées aux arômes de fruits noirs : un nez complexe. L'attaque, tout en puissance mais élégante, témoigne de tanins bien maîtrisés ; puis c'est une finale harmonieuse sur les fruits noirs qui conclut la dégustation. Un vin gourmand à boire dès maintenant ou à conserver quatre ou cinq ans.

🍷 GAEC des Eyssards, 24240 Monestier, tél. 05.53.24.36.36, fax 05.53.58.63.74, e-mail eyssards@aquinet-tm.fr ☑ ⌁ r.-v.

CH. GRINOU Le Grand Vin 1998**

■　　　1 ha　　5 000　　❚❙❚　50 à 69 F

Le Grand Vin du château Grinou 98 présente un nez complexe de fruits mûrs (griotte) sur fond boisé élégant. La bouche est bien charpentée grâce à des tanins ronds et souples qui se mêlent harmonieusement à ceux issus de la barrique. Puissant et concentré, ce vin mérite un vieillissement de quelques années. La **Réserve du Château Grinou 98** (de 30 à 49 F) obtient elle aussi deux étoiles, mais les tanins sont encore un peu durs et demandent à s'arrondir. Enfin, le **bergerac sec Réserve 99** (de 30 à 49 F) mérite une citation. Un dégustateur a noté qu'il avait le style des vins du Nouveau Monde ! Sachez que Guy Cuisset a reçu un coup de cœur pour le 93.

🍷 Catherine et Guy Cuisset, Ch. Grinou, 24240 Monestier, tél. 05.53.58.46.63, fax 05.53.61.05.66 ☑ ⌁ r.-v.

DOM. DU HAUT-MONTLONG
Cuvée Laurence 1998**

■　　　5 ha　　16 000　　❚⌁　30 à 49 F

Excellent rapport qualité-prix que cette cuvée Laurence. Son nez très puissant et mûr libère des arômes de fruits rouges et de fruits confits. D'une même puissance en bouche, ce bergerac conserve une grande harmonie dans sa palette aromatique jusqu'à sa finale persistante. Un vin plaisir, déjà agréable, mais qui pourra vieillir deux ou trois ans. Le **bergerac rosé 99** (de 20 à 29 F) du domaine mérite d'être cité pour ses arômes d'agrumes et son équilibre entre rondeur et vivacité.

🍷 Alain et Josy Sergenton, Dom. du Haut-Montlong, 24240 Pomport, tél. 05.53.58.81.60, fax 05.53.58.09.42, e-mail sergenton-haut-montlong@wanadoo.fr ☑ ⌁ t.l.j. 9h-12h 13h30-19h30; sam. dim. sur r.-v.

JULIEN DE SAVIGNAC 1998*

■　　　12 ha　　98 000　　❚❙❚　30 à 49 F

Patrick Montfort a présenté au jury du Guide une gamme intéressante. Son bergerac rouge 98 se distingue par un nez de fruits cuits et d'épices, agrémenté de quelques notes de pain grillé. La bouche, souple à l'attaque, évolue sur des tanins moyennement boisés jusqu'à une finale marquée par la réglisse. Le **bergerac rosé 99**, lui aussi étoilé, offre pour sa part des arômes d'agrumes et une belle vivacité en finale. Quant au **bergerac sec 99**, il mérite une citation pour son nez très complexe qui mêle banane, litchi, bonbon anglais, fleurs blanches et fruits confits.

SUD-OUEST

⊶ Julien de Savignac, av. de la Libération, 24260 Le Bugue, tél. 05.53.07.10.31, fax 05.53.07.16.41, e-mail julien.de.savignac@wanadoo.fr ☑ Ῑ t.l.j. sf dim. 9h-12h15 14h30-19h15

CH. LA BRIE

Cuvée Prestige Vinifié et élevé en fût de chêne 1998

■ 6 ha 10 000 ⅠⅠ 30 à 49 F

Le château La Brie, acquis en 1960 par le ministère de l'Agriculture, abrite un lycée viticole. Il propose dans le millésime 98 un beau produit pédagogique pour les futurs vignerons. Son bergerac, très boisé, laisse toutefois deviner des notes de fruits confits (pruneau) fort agréables. Assez souple à l'attaque, il évolue sur des tanins riches, un peu durcis par la prise de bois. On attendra donc qu'il s'assouplisse au cours de deux ou trois ans de garde.

⊶ Ch. La Brie, Lycée viticole, Dom. de La Brie, 24240 Monbazillac, tél. 05.53.74.42.46, fax 05.53.58.24.08, e-mail lpa.bergerac@educagri.fr ☑ Ῑ t.l.j. sf dim. 10h-19h; f. jan.

DOM. DE LA COMBE 1998★★

■ 1 ha 3 500 ⅠⅠ 30 à 49 F

Une forte proportion de merlot (85 %) et un élevage en fût de chêne pendant douze mois constituent les clés de ce remarquable bergerac. Si le boisé est bien présent au nez, il se fond harmonieusement dans le fruit. En bouche, les tanins riches surprennent par leur soyeux, et le boisé semble bien intégré à l'ensemble. Particulièrement persistant, c'est un vin racé et élégant, à découvrir dans quelques années.

⊶ Sylvie et Claude Sergenton, Dom. de La Combe, 24240 Razac-de-Saussignac, tél. 05.53.27.86.51, fax 05.53.27.99.87 ☑ Ῑ r.-v.

CH. DE LA JAUBERTIE

Cuvée Tradition 1999

■ 15 ha 60 000 ▮🌡 30 à 49 F

Ce domaine appartint à Gabrielle d'Estrée. Les bergerac rouge et rosé de La Jaubertie ont retenu l'attention du jury. Le rouge, marqué par le cabernet avec ses notes de fruits rouges et de framboise, possède du volume en bouche, bien soutenu par des tanins encore un peu rustiques. Il a besoin de vieillir pour s'affiner. Le **rosé 99**, lui aussi cité, propose des arômes de fraise et de framboise, et un côté acidulé plaisant.

⊶ Ch. de La Jaubertie, 24560 Colombier, tél. 05.53.58.32.11, fax 05.53.57.46.22, e-mail rymanwines@rystone.com ☑ Ῑ r.-v.

⊶ S.A. Ryman

DOM. DE L'ANCIENNE CURE

Cuvée Abbaye 1999★★

■ n.c. 15 000 ⅠⅠ 50 à 69 F

Christian Roche propose deux cuvées de bergerac rouge fort intéressantes. Cette cuvée Abbaye, remarquable en 99, a connu un élevage de douze mois en fût. Le nez est vanillé, boisé, souligné de notes de cassis très agréables. En bouche, l'attaque est souple et la rondeur domine. La structure jeune, encore marquée par le bois, devrait se fondre dans quelques années. Quant à la cuvée **L'Extase 98** (de 100 à 149 F), elle constitue un ouvrage fort réussi, comparable au précédent en termes aromatiques. En bouche, les tanins sont encore fort présents mais les promesses d'avenir sont grandes.

⊶ Christian Roche, EARL l'Ancienne Cure, 24560 Colombier, tél. 05.53.58.27.90, fax 05.53.24.83.95 ☑ Ῑ r.-v.

CH. DE LA NOBLE

La Noblesse du Château 1998★

■ 2 ha 5 000 ⅠⅠ 70 à 99 F

Du haut des murailles du château de Puyguilhem, non loin de ce domaine viticole, aurait été tiré le premier coup de canon à poudre. Pour Fabien Charron, le millésime 98 est un coup d'essai et un coup de maître. Le fruit mûr dominant de ce vin n'a pas été écrasé par le bois de la barrique, et les tanins soyeux, bien fondus, témoignent de la qualité de l'élevage de quatorze mois. C'est pour les mêmes caractéristiques de fruité et d'équilibre que le **bergerac 99** du château de La Noble, non vieilli en fût, est ici cité (de 20 à 29 F).

⊶ Fabien Charron, La Noble, 24240 Puyguilhem, tél. 05.53.58.81.93, fax 05.53.58.81.93 ☑ Ῑ r.-v.

CLOS LA SELMONIE 1998★

■ n.c. n.c. ⅠⅠ 50 à 69 F

La robe grenat intense laisse augurer une belle concentration. Certes, le nez puissant est encore dominé par le boisé, mais les notes grillées et les arômes de cassis se complètent bien. L'attaque est très souple ; si le milieu de bouche manque un peu de puissance, le retour boisé et vanillé perceptible en finale est agréable. La finesse et l'élégance de ce vin pourront être appréciées d'ici deux ou trois ans. Du même auteur, le jury a tenu à citer le **bergerac rosé 99**, rehaussé par une belle vivacité.

⊶ Christian Beigner, Les Colombes, 24240 Mescoulès, tél. 05.53.58.43.40, fax 05.53.58.49.81 ☑ Ῑ r.-v.

CH. LAULERIE

Vieilli en fût de chêne 1998★

■ 20 ha 120 000 ⅠⅠ 30 à 49 F

Une étoile pour le 98 comme pour le 97 pour une cuvée vieillie en fût de chêne qui représente la production de 20 ha de vignes, soit pas moins de 120 000 bouteilles. Le nez très expressif présente un bois bien fondu qui laisse s'exprimer les fruits rouges. La bouche ronde, sans excès de concentration, consacre une réelle complémentarité entre les tanins du vin et ceux de la barrique. Beaucoup d'élégance dans cette bouteille qui peut être bue aujourd'hui ou conservée trois petites années. Le **montravel 99** du château Laulerie est cité pour ses arômes de sauvignon et sa belle nervosité.

⊶ Vignobles Dubard, Le Gouyat, 24610 Saint-Méard-de-Gurçon, tél. 05.53.82.48.31, fax 05.53.82.47.64, e-mail vignoblesdubard@wanadoo.fr ☑ Ῑ t.l.j. 8h-12h 14h-19h

CH. LE BONDIEU 1999★

■   5 ha   30 000   🍾♦ **30 à 49 F**

Un bergerac non passé en barrique peut aussi être bon... Pour preuve, ce 99 rubis soutenu et intense, dont le nez offre de puissantes notes de cassis. Après une attaque franche, il développe un beau volume soutenu par les tanins, puis s'achève sur le fruit. Le château Le Bondieu s'illustre aussi par son **montravel 99**, cité pour sa fraîcheur fruitée.
•☛EARL d'Adrina, Le Bondieu, 24230 Saint-Antoine-de-Breuilh, tél. 05.53.58.30.83, fax 05.53.24.38.21 ☑ ⵏ r.-v.
•☛Didier Feytout

CH. LE CASTELLOT
Cuvée Prestige Vieilli en fût de chêne 1998

■   10 ha   7 000   **50 à 69 F**

Non loin de la célèbre tour où Montaigne rédigea ses *Essais*, la famille Ley exploite 55 ha. Le Château Le Castellot 98, élevé en fût, présente des notes d'épices, de boisé et un fruité intéressant. La structure en bouche est plaisante, avec des notes de vanille et une petite pointe austère en finale. A attendre.
•☛GFA M. Ley et Fils, Dom. des Templiers, 24230 Saint-Michel-de-Montaigne, tél. 05.53.58.63.29, fax 05.53.58.79.99 ☑ ⵏ r.-v.

CH. LE PAYRAL 1998★★

■   1 ha   4 000   **30 à 49 F**

Cette cuvée d'une belle concentration a passé un an en fût de chêne. Elle a hérité de ce séjour un nez finement boisé qui, à l'agitation, révèle des notes de pruneau. Rondeur et maturité sont les premières impressions en bouche. Puis les fruits cuits et le pruneau s'expriment à nouveau, de concert avec des notes boisées bien intégrées. De l'harmonie et un bon potentiel de vieillissement.
•☛Thierry Daulhial, 24240 Razac-de-Saussignac, tél. 05.53.22.38.07, fax 05.53.27.99.81, e-mail daulhial@club-internet ☑ ⵏ r.-v.

CH. LES NICOTS 1998★★

■   7,5 ha   n.c.   **30 à 49 F**

Un bergerac remarquable au nez par ses arômes de café torréfié et de chocolat et par la très grande harmonie régnant entre la puissance du vin et l'élégance de la barrique. C'est mûr, gras, riche et fondu : tous les éléments sont réunis pour faire une grande bouteille qu'il faudra attendre. Ce vin n'est pas commercialisé par le producteur mais par la SOVAC, société de négoce bergeracoise.
•☛Gilbert Rondonnier, Les Nicots, 24240 Ribagnac, tél. 05.53.57.63.61 ☑ ⵏ r.-v.

CH. LESPINASSAT Vieilles vignes 1998

■   3 ha   17 000   🍾♦ **30 à 49 F**

Au-delà de la présence de vieilles vignes, cultivées au bord d'une ancienne voie romaine, les vendanges manuelles avec un tri rigoureux sont l'un des facteurs essentiels de la qualité de ce 98. Le nez de pruneau est proche de la surmaturation. Cette sensation de rondeur, de maturité et de gras, domine en bouche. Un vin sympathique, à boire jeune.
•☛Agnès Verseau, Les Oliviers, 24230 Montcaret, tél. 05.53.58.34.23, fax 05.53.61.36.57 ☑ ⵏ r.-v.

Le Bergeracois

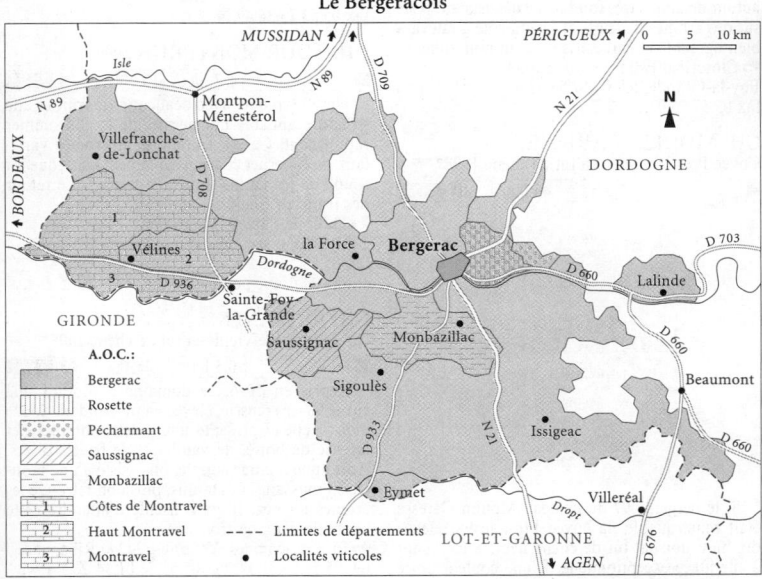

SUD-OUEST

CH. LE TOURON
Cuvée Prestige Elevé en fût 1999★

■　　　　　　 n.c.　 15 000　 ◫ 30 à 49 F

Une cuvée récurrente dans le Guide. Dans le millésime 99, son nez est encore marqué par le bois mais, en bouche, le fruité se mêle bien à la vanille. La matière est, en outre, prometteuse et s'arrondira d'ici deux ou trois ans. De la cave coopérative de Monbazillac, le jury tient à citer le **bergerac rosé 99 Marquis de Chamterac** (20 à 29 F) pour sa fraîcheur et son fruit.
☛ Cave coopérative de Monbazillac, rte de Mont-de-Marsan, 24240 Monbazillac, tél. 05.53.63.65.00, fax 05.53.63.65.09 ☑ ⏁ t.l.j. sf dim. lun. 10h-12h30 13h30-19h

MIRAGE DU JONCAL 1998★★

■　 1,25 ha　 3 000　 ◫ 70 à 99 F

Une étoile pour le millésime 97, deux étoiles pour le 98... Nous attendons la suite avec impatience. Le fuselage... pardon, la couleur est d'un rubis séduisant. Le nez très complexe affiche un joli boisé fait de notes toastées, de pain grillé, de fumée et de tabac. L'attaque est un peu masquée par le bois mais le fruité - cassis et framboise - se révèle en fin de bouche. Une remarquable concentration et un boisé bien maîtrisé sont les garants d'une belle bouteille dans quelques années.
☛ SCEA Le Joncal, Clos Le Joncal, 24500 Saint-Julien-d'Eymet, tél. 05.53.61.84.73, fax 05.53.61.84.73 ☑ ⏁ r.-v.

CH. MONDESIR 1999

■　 9 ha　 66 000　 ■ ⬇ 20 à 29 F

Voici un bergerac du groupe Univitis que l'on retrouve régulièrement dans le Guide. Dans ce 99, la robe cerise est peu soutenue, mais le nez est puissant avec des notes de fruits mûrs bien nettes. En bouche, le vin prend de la rondeur autour de tanins très fondus. Le dégustateur reste sur des arômes de fruits et sur un côté gouleyant bien agréable et caractéristique du millésime.
☛ Closerie d'Estiac, 33320 Sainte-Foy-la-Grande, tél. 05.57.56.02.02, fax 05.57.56.02.22 ☑ ⏁ r.-v.

CH. MOULIN CARESSE
Cuvée Prestige Elevé en fût de chêne 1998★★★

■　 7,5 ha　 45 000　 ◫ 70 à 99 F

Si le bergerac 97 du château Moulin Caresse était remarquable, la cuvée Prestige 98, élevée dix-huit mois en fût de chêne neuf, a été quant à elle jugée exceptionnelle. D'une couleur noire qui colle au verre, elle fait la part belle au boisé et au grillé. Cependant, le fruit mûr apparaît à l'agitation, au fil des arômes de cerise, de raisin et de cassis. La bouche monte superbement en puissance après une attaque assez souple. Faisant suite à la réglisse et à la vanille, les fruits mûrs reviennent en rétro-olfaction. Au-delà de la concentration, ce sont la finesse et l'élégance de ce bergerac qu'il faut apprécier. Un travail d'orfèvre. A attendre entre quatre et cinq ans.
☛ Sylvie et Jean-François Deffarge, Ch. Moulin Caresse, 24230 Saint-Antoine-de-Breuilh, tél. 05.53.27.55.58, fax 05.53.27.07.39 ☑ ⏁ t.l.j. 9h-12h 15h-19h; sam. dim. sur r.-v.

SEIGNEURS DE BERGERAC 1999

■　　　 n.c.　 n.c.　 20 à 29 F

Ainsi que l'annonce l'étiquette, ce bergerac célèbre une fête occitane, très périgourdine : la félibrée. Les arômes fruités et frais s'accompagnent de notes épicées et torréfiées. En bouche, on découvre une matière de puissance moyenne, au sein de laquelle le fruité persiste agréablement. Un vin plaisant, à boire dès aujourd'hui.
☛ SA Yvon Mau, B.P. 1, Gironde-sur-Dropt, 33193 La Réole Cedex, tél. 05.56.61.54.54, fax 05.56.61.54.61 ⏁ r.-v.

CH. TOUR D'ARFON
Vieilli en fût de chêne 1998

■　 0,5 ha　 3 000　 ◫ 30 à 49 F

On devine dans cette cuvée le souci de préserver un équilibre entre le vin et le bois. Aux notes de vanille succèdent des arômes de fruits intenses et complexes. En bouche, la matière est pleine, dense. Le bois est très présent mais on perçoit un beau retour des fruits en finale. A attendre deux ou trois ans.
☛ H. et F. Ferté, La Tour d'Arfon, 24240 Monestier, tél. 05.53.73.36.49, fax 05.53.73.36.49 ☑ ⏁ r.-v.

CH. TOUR MONTBRUN 1999★

■　 1,7 ha　 13 300　 ■ 20 à 29 F

Un 99 typique, avec beaucoup de fruit et une structure aimable qui permet de le consommer rapidement. Cassis, framboise et arômes variétaux de cabernet composent le nez. L'attaque est souple et les tanins sont bien fondus. Le retour des fruits en finale est agréable. A boire.
☛ Philippe Poivey, Montravel, 24230 Montcaret, tél. 05.53.58.66.93, fax 05.53.58.66.93, e-mail philippe.poivey@wanadoo.fr ☑ ⏁ r.-v.

CH. VEYRINES
Cuvée Prestige Vieilli en fût de chêne 1998★

■　 0,5 ha　 1 500　 ◫ 30 à 49 F

Repris en 1996, ce domaine a produit une cuvée 98 très réussie, élevée en fût pendant douze mois. Celle-ci présente une palette complexe et intense de boisé, de vanille et de fruits rouges. Après une attaque souple, on assiste à une montée en puissance des tanins, puis l'on retrouve les arômes du nez. Il est conseillé d'attendre cette bouteille deux ou trois ans.
☛ Eric Lascombes, Veyrines, 24240 Ribagnac, tél. 05.53.73.01.34, fax 05.53.73.01.34 ☑ ⏁ r.-v.

DOM. DU VIGNEAUD
La Boissière Vieilli en fût de chêne 1998★

■   2 ha   10 200   **▥** 30 à 49 F

Cette cuvée élevée sous bois est déjà séduisante mais elle devrait se révéler plus intéressante encore après quelques années de vieillissement. Un boisé vanillé et épicé domine le nez dans un ensemble bien fondu et sans agressivité. En bouche, la structure tannique soyeuse et harmonieuse conduit jusqu'à une finale racée d'une belle longueur. Le compagnon idéal d'une viande rouge.
☛ Serge Lagarde, Dom. du Vigneaud, 24240 Monestier, tél. 05.53.58.80.54, fax 05.53.24.88.56 ☑ ⚲ r.-v.

Bergerac rosé

DOM. DU BOIS DE POURQUIE 1999★★

◪   1,5 ha   10 700   ■ & 30 à 49 F

Selon Marlène et Alain Mayet, « rien n'est à laisser au hasard en Dordogne », quand on y séjourne. Et ce rosé n'est sûrement pas le fruit du hasard. Le nez particulièrement fruité et très complexe libère des notes de banane, de cassis, de framboise et aussi de grenadine. En bouche, le vin est souple, tendre, avec un joli retour de cassis en finale. A savourer sur un sorbet aux fruits exotiques.
☛ Marlène et Alain Mayet, Le Bois de Pourquié, 24560 Conne-de-Labarde, tél. 05.53.58.25.58, fax 05.53.61.34.59 ☑ ⚲ t.l.j. 8h-12h 14h-19h

DOM. LA TUILIERE 1999★

◪   2 ha   n.c.   ■ & 20 à 29 F

Il y a fort longtemps les ancêtres des actuels propriétaires fabriquaient des tuiles sur le domaine au nom évocateur. Le terroir est fortement argileux. Aujourd'hui, c'est un bergerac rosé très réussi qu'on élabore ici. Le nez fort agréable offre des arômes à la fois fruités et fleuris où l'on trouve la framboise et la violette. L'attaque ronde et souple laisse percevoir quelques sucres résiduels. Le fruité est élégant sans amertume. Un vin d'apéritif ou de dessert.
☛ SCEA Moulin de Sanxet, Belingard-Bas, 24240 Pomport, tél. 05.53.58.30.79, fax 05.53.61.71.84 ☑ ⚲ t.l.j. 8h30-18h30; dimanche sur r.-v.

CH. DE PERROU 1999

◪   10 ha   n.c.   **▥** 30 à 49 F

Grenadine et bonbon anglais dominent le nez de ce bergerac. La bouche agréable dévoile une pointe d'acidité en finale. Un rosé bien fait, gouleyant, à boire dès à présent.
☛ Armand Loewe, Le Vernajou, 24240 Gageac-et-Rouillac, tél. 05.53.22.92.16, fax 05.53.22.92.16 ⚲ r.-v.
☛ Albano Muller

CH. DU PRIORAT 1999★★

◪   5,75 ha   40 000   ■ & 20 à 29 F

Le nez est une explosion d'arômes de fruits rouges (fraise, framboise) et de bonbon anglais. En bouche, c'est la fraise écrasée qui s'exprime.

La structure est puissante et persistante, avec une légère acidité en finale. Un soufflé aux fruits de mer s'alliera à ce rosé. Le **bergerac sec 99** du domaine est, quant à lui, cité pour ses arômes de sauvignon bien marqués.

☛ GAEC du Priorat, Le Priorat, 24610 Saint-Martin-de-Gurson, tél. 05.53.80.76.06, fax 05.53.81.21.83 ☑ ⚲ t.l.j. sf dim. 8h-12h30 14h-19h
☛ Maury

CH. ROQUE-PEYRE 1999

◪   5 ha   30 000   ■ & 20 à 29 F

En un peu plus d'un siècle, le vignoble du château Roque-Peyre est passé de 6 à 47 ha ; la production, commercialisée en totalité en bouteilles, représente ainsi 300 000 cols. C'est un rosé à la couleur intense, aux arômes fruités et acidulés agréables, qui a été proposé. En bouche, il s'avère très équilibré, avec des notes de framboise et un retour nerveux en finale. Un vin plaisant pour le début du repas.
☛ Vallette Frères-GAEC Roque-Peyre, Ch. Roque-Peyre, 33220 Fougueyrolles, tél. 05.53.24.77.98, fax 05.53.61.36.87 ☑ ⚲ r.-v.

DOM. DU SIORAC 1999

◪   3,7 ha   10 000   ■ & 20 à 29 F

La famille Landat propose dans son nouveau magasin de vente une sélection de produits fermiers du Périgord (foie gras, confits, noix, verjus) et, bien sûr, sa gamme de vins. Très pâle, son rosé 99 se rapproche d'un vin gris. Les arômes sont à la fois floraux et épicés. La bouche témoigne d'une teneur en sucres assez élevée (9 g/l), mais n'en est pas moins équilibrée. L'ensemble est harmonieux et prêt à boire.
☛ GAEC du Dom. du Siorac, 24500 Saint-Aubin-de-Cadelech, tél. 05.53.74.52.90, fax 05.53.58.35.32 ☑ ⚲ r.-v.

Bergerac sec

La diversité des sols (calcaire, graves, argile, boulbènes) donne des expressions aromatiques variées. Jeunes, les vins sont fruités et élégants, avec une pointe de nervosité. S'ils sont vinifiés dans le bois, il faudra patienter un an ou deux pour obtenir l'expression du terroir.

CALISTA 1998★★

| | 0,25 ha | 2 100 | ⊞ | 100 à 149 F |

Sur un terroir calcaire particulier que l'on ne rencontre que dans les communes de Thénac et de Port-Sainte-Foy, Charles Martin a élaboré quelques trop rares bouteilles d'un bergerac sec remarquable. Arômes boisés, toastés, épicés révèlent un élevage en barrique. Le vin s'exprime en notes de fleurs séchées avant d'emplir la bouche d'une matière au gras bien perceptible, qui commence à prendre le dessus sur le bois. Un bel avenir s'annonce. En **bergerac rouge**, la cuvée **Carminé** - qui fut coup de cœur trois années consécutives - obtient une étoile dans le millésime **98**. Quant au **bergerac rouge Château de la Colline 99**, il est cité.
☛ Charles Martin, Ch. de la Colline, 24240 Thénac, tél. 05.53.61.87.87, fax 05.53.61.71.09, e-mail charlesm@la.colline.com ☑ ⊤ r.-v.

CH. DE FAYOLLE Elevage sur lie 1999

| | 3,95 ha | 34 000 | ⬛⬤ | 20 à 29 F |

Les établissements Ringwood Brewery, célèbre brasserie britannique, ont racheté ce vignoble en 1997, soit près de cinq cents ans après que les anglais eurent détruit le château au cours de la guerre de Cent Ans. Ils proposent dans le millésime 99 un bergerac sec qui a hérité de son élevage sur lies un nez complexe, floral et fruité. La bouche, axée dès l'attaque sur le fruit et le gras, est brève mais bien équilibrée.
☛ Ets Ringwood Brewery, Fayolle, 24240 Saussignac, tél. 05.53.74.32.02, fax 05.53.74.32.02 ☑ ⊤ t.l.j. 8h-18h
☛ SARL Marcassin

CH. DE LA GRANDE BORIE 1999

| | 3 ha | 20 000 | ⬛⬤ | 20 à 29 F |

Issue de sauvignon et d'un élevage sur lies, cette bouteille est appréciable pour sa belle maturité. Celle-ci se traduit au nez par des notes d'agrumes et de fruits. Et si la bouche surprend quelque peu par son attaque fraîche, le retour sur les fruits en finale est fort plaisant.
☛ EARL des Vignobles Lafon-Lafaye, La Grande Borie, 24520 Saint-Nexans, tél. 05.53.24.33.21, fax 05.53.24.97.74 ☑ ⊤ r.-v.
☛ Claude Lafaye

CH. LA MAURIGNE Elevé en fût 1999

| | 1 ha | 5 000 | ⊞ | 20 à 29 F |

Ce bergerac sec se distingue par la finesse de ses notes de thé et de bergamote, soulignées par une pointe vanillée. En bouche, le bonbon anglais apparaît aux côtés des arômes boisés. L'ensemble est assez vif et constitue un vin agréable, prêt à boire.
☛ Chantal et Patrick Gérardin, La Maurigne, 24240 Razac-de-Saussignac, tél. 05.53.27.25.45, fax 05.53.27.25.45 ☑ ⊤ t.l.j. 9h-19h

CH. LA RAYRE 1999

| | 10 ha | 20 000 | ⬛⬤ | 20 à 29 F |

Changeant de propriétaire, le château La Rayre est à nouveau cité dans le Guide, ce qui permet de vérifier qu'un « bon terroir ne saurait mentir ». Ce sont toujours les arômes de sauvignon qui explosent au nez, et la bouche est aussi agréablement marquée par le fruit malgré une finale un peu vive. Ce vin doit être bu dès aujourd'hui.
☛ EARL Ch. La Rayre, 24560 Colombier, tél. 05.53.58.32.17, fax 05.53.24.55.58, e-mail vincent.vesselle@wanadoo.fr ☑ ⊤ r.-v.
☛ Vesselle V.

CH. LA TOUR DE GRANGEMONT 1999★

| | 3 ha | 14 000 | ⬛⬤ | 20 à 29 F |

Tantôt un côtes de bergerac moelleux, tantôt un bergerac rouge, il y a toujours un vin du château La Tour de Grangemont dans le Guide. Cette année, c'est le bergerac sec 99 qui est récompensé d'une étoile. Net et franc, il constitue une expression très réussie de l'appellation par son nez d'agrumes et de litchi typique du sauvignon, puis par sa bouche fraîche et même vive.
☛ EARL Lavergne, Ch. La Tour de Grangemont, 24560 Saint-Aubin-de-Lanquais, tél. 05.53.24.32.89, fax 05.53.24.56.77 ☑ ⊤ t.l.j. sf dim. 8h-12h 14h-19h
☛ Christian Lavergne

CLOS DE MONESTIER 1999★

| | n.c. | 34 375 | ⬛⬤ | 30 à 49 F |

Construit au XIIIᵉ s., le château La Tour faisait autrefois partie des domaines des comtes d'Eymet et de Pellegrue. Plus tard morcelée, la propriété a été vendue et c'est aujourd'hui un vignoble de 17 ha qui est exploité. Le Clos de Monestier 99 propose un nez légèrement toasté et vanillé. Une belle puissance aromatique se dégage à travers les notes florales également perceptibles. La bouche possède tous les atouts d'un vin très réussi : du gras, du volume, une bonne matière fruitée. Une pointe d'amertume marque la finale.
☛ SCEA La Tour, 24240 Monestier, tél. 05.53.61.87.87, fax 05.53.61.71.09 ☑ ⊤ r.-v.

MOULIN DES DAMES 1998★

| | 3,5 ha | 15 000 | ⊞ | 70 à 99 F |

Luc de Conti s'est installé en 1981 dans cette ferme viticole du XIIᵉ s. Le nez complexe du Moulin des Dames se décline en notes d'agrumes et de fleurs, étayées par un boisé fin. En bouche, on apprécie l'équilibre harmonieux de ce vin tout en courbes, que l'on attendra deux ans avant de le déguster sur un poisson à la crème.
☛ SCEA de Conti, Les Gendres, 24240 Ribagnac, tél. 05.53.57.12.43, fax 05.53.58.89.49 ⊤ r.-v.

Côtes de bergerac

Cette dénomination ne définit pas un terroir mais des conditions de récolte plus restrictives qui doivent permettre d'obtenir des vins riches et charpentés. Ils sont recherchés pour leur concentration et leur durée de conservation plus longue.

DOM. DE BEAUREGARD
Vieilli en fût de chêne 1998★

■   1,5 ha   7 500   ❶❶   30 à 49 F

De nouveau une étoile pour le côtes de bergerac élevé en fût de chêne du domaine de Beauregard. Le millésime 98 est marqué par les arômes toastés et grillés au nez, mais le fruit se révèle à l'agitation du verre. La structure tannique est impressionnante en bouche et revêt un côté un peu rustique. Un beau travail d'extraction que le temps affinera. Une garde de cinq ans est d'ailleurs à la portée de ce vin.
☛ Jean-Marie Teillet, Dom. de Beauregard, 24610 Villefranche-de-Lonchat, tél. 05.53.80.76.34, fax 05.53.80.76.34 ☑ ⏀ t.l.j. sf sam. dim. 10h-12h 14h-16h

CH. BELINGARD Cuvée Prestige 1998★★

■   2 ha   7 500   ❶❶   70 à 99 F

Un cadre admirable entoure ce vignoble d'origine monastique. Après la cuvée Blanche de Bosredon 97, une étoile dans le Guide 2000, c'est la cuvée Prestige 98 qui fait l'unanimité et obtient le coup de cœur. Son nez puissant livre des notes de fruits à l'eau-de-vie et des arômes boisés très présents. En bouche, les tanins s'enrobent d'une matière soyeuse sans amertume ni acidité. Ce vin de grande maturité peut certes être apprécié dès à présent, mais il gagnera à vieillir quatre ou cinq ans. La **cuvée Comte de Bosredon 99 en AOC bergerac rouge** mérite pour sa part d'être citée pour son nez complexe et original, qui mêle poivron, noisette, cassis, prunelle et bien d'autres notes encore (20 à 29 F).
☛ SCEA Comte de Bosredon, Belingard, 24240 Pomport, tél. 05.53.58.28.03, fax 05.53.58.38.39, e-mail deschard.boisredon@wanadoo.fr ☑ ⏀ r.-v.
☛ L. de Bosredon

CH. BRUNET CHARPENTIERE 1998

■   0,58 ha   4 500   ❶❶   20 à 29 F

Deux vins du château Brunet Charpentière méritent d'être cités. Ce côtes de bergerac, dont le nez fin associe épices et cassis, propose une bouche pleine et grasse étayée par des tanins bien fondus, puis se prolonge dans une finale un peu chaude. Le **bergerac rouge 98**, élevé en cuve, se distingue par des arômes de cabernet (poivron) et des tanins présents qu'il faudra laisser vieillir un peu.
☛ Pierrette Descoins, Les Charpentières, 24230 Montazeau, tél. 05.53.27.54.71 ☑ ⏀ r.-v.

CH. COMBRILLAC 1998

■   3,41 ha   11 600   ❶❶   70 à 99 F

La recherche de la structure tannique a été menée aussi loin que possible lors de l'élaboration de ce vin, ce qui a permis un long élevage en barrique de seize mois. On découvre aujourd'hui un nez puissant et complexe, fait de vanille et de fruits mûrs. Les fruits et le boisé se marient également bien en bouche, dessinant un vin charnu et équilibré qui devra être attendu quelque temps.
☛ GFA de Combrillac, Gravillac, 24130 Prigonrieux, tél. 05.53.57.63.61, fax 05.53.58.08.12 ⏀ r.-v.

CONSTANT-HERITAGE 1998

■   1 ha   2 850   ▮❶❶   30 à 49 F

La production de vins est assez limitée sur ce terroir de Monsaguel et des calcaires d'Issigeac. Mais l'on y fait de beaux vins, tel ce côtes de bergerac. Au nez dominent les fruits rouges, ponctués de quelques notes florales de jacinthe et d'iris. Après une attaque franche, les tanins un peu enrobés construisent une structure agréable, sans excès. Un vin qui sera intéressant d'ici deux ou trois ans.
☛ Steven Atkins, Le Terme, 24560 Monsaguel, tél. 05.53.73.32.12, fax 05.53.73.32.23, e-mail leterme@club-internet.fr ☑ ⏀ r.-v.

CH. COURT-LES-MUTS 1998

■   8,73 ha   60 000   ▮❶❶ ♦   50 à 69 F

Plutôt dominé par le bois le jour de la dégustation, ce côtes de bergerac livre un nez épicé complété de notes légèrement animales. A une attaque ronde succède une structure tannique pleine. La finale un peu austère tend à masquer le beau retour de fruits. Qu'à cela ne tienne, ce vin devrait se refaire une santé en vieillissant.
☛ Vignobles Pierre Sadoux, Ch. Court-les-Mûts, 24240 Razac-de-Saussignac, tél. 05.53.27.92.17, fax 05.53.23.77.21 ☑ ⏀ t.l.j. sf dim. 9h-11h30 14h-17h30; sam. sur r.-v.

CH. DAUZAN LA VERGNE
Elevé en fût de chêne 1998★

■   4,16 ha   31 000   ❶❶   50 à 69 F

Un beau tiercé gagnant avec trois vins obtenant une étoile chacun. Ce côtes de bergerac, équilibré, témoigne d'un élevage en barrique bien maîtrisé. A la cerise et au cassis se mêlent les épices et la réglisse. La présence tannique est encore forte en bouche, mais les fruits l'emportent en finale. Le **montravel élevé en fût de chêne 98** présente un bon équilibre entre boisé et fruité, ce qui lui assure un bon potentiel de vieillissement. Enfin, le **côtes de montravel Château Pique-Sègue 98**, élevé en cuve, est tout en douceur, avec une belle montée en puissance sur des notes finales de fruits confits (de 30 à 49 F).
☛ SNC Ch. Pique-Sègue, Pique-Sègue, Ponchapt, 33220 Port-Sainte-Foy, tél. 05.53.58.52.52, fax 05.53.63.44.97 ☑ ⏀ r.-v.
☛ Philip et Marianne Mallard

SUD-OUEST

CH. FONFREDE 1998★★

| ■ | 5 ha | 10 000 | ◫ | 30 à 49 F |

Le nez est concentré, fait de fruits noirs et de tabac mêlés aux apports épicés et vanillés du bois. Les arômes de fruits restent élégamment présents d'un bout à l'autre de la dégustation. Les tanins sont concentrés mais souples, et le bois commence déjà à se fondre. Une garde de cinq ans semble être le bel avenir de ce vin. Le **pécharmant 98 du Domaine Puy de Grave**, également propriété du domaine La Métairie, obtient une étoile : le bois y est encore très présent mais le temps devrait y remédier (70 à 99 F).
☛SARL Dom. La Métairie, Fonfrède, 24610 Villefranche-de-Lonchat, tél. 05.53.80.09.85, fax 05.53.80.14.72, e-mail metairieetdomaines@wanadoo.fr
☑ ⵀ r.-v.

CH. HAUT BERNASSE 1998★★

| ■ | 6 ha | 12 600 | ◫ | 30 à 49 F |

L'utilisation d'une ancienne technique, celle des pressoirs hydrauliques verticaux, n'est sûrement pas étrangère à la qualité des vins rouges et des monbazillac de ce château. Pour preuve, ce côtes de bergerac dont le nez grillé et boisé laisse poindre les fruits confits. En bouche, le gras domine les autres sensations, mais l'on perçoit aussi une belle structure tannique, complexe et bien équilibrée entre la matière du vin et le bois. Un 98 harmonieux, aromatique et fondu.
☛Jacques Blais, Ch. Haut Bernasse, 24240 Monbazillac, tél. 05.53.58.36.22, fax 05.53.61.26.40 ☑ ⵀ r.-v.

CH. LA BARDE-LES TENDOUX
Vieilli en fût de chêne 1998★★★

| ■ | 7,5 ha | 26 000 | ◫ | 70 à 99 F |

La cuvaison a été longue et les remontages importants ont été effectués deux fois par jour afin d'assurer une extraction maximale des tanins. Il en résulte un vin intensément vanillé au nez, qui laisse cependant poindre des notes de cerise et de cassis. En bouche, la structure est de type monolithique, enrobée d'un boisé intense mais onctueux. Le vanillé se fond bien en finale, et le fruit, jusqu'alors en recul, réapparaît. Une très grande bouteille qui a beaucoup de temps devant elle pour se parfaire.
☛SARL de Labarde, Ch. de Labarde, 24560 Saint-Cernin-de-Labarde, tél. 05.53.57.63.61, fax 05.53.58.08.12 ⵀ r.-v.

CH. LE CHABRIER
Elevé en fût de chêne 1998★★

| ■ | 12,85 ha | 18 000 | ▤◫⬥ | 30 à 49 F |

Cette cuvée est issue de très faibles rendements (25 hl/ha). Il n'est donc pas étonnant qu'elle ait atteint une telle concentration. Epices et pain grillé marquent le nez, tandis que la bouche, pleine, se structure autour de tanins enrobés, ronds et plaisants. Les notes épicées et grillées dominent avant de laisser place à un beau retour sur les fruits en finale. Un vin remarquable qu'il est conseillé de laisser vieillir. Le **bergerac sec 99 du domaine** est cité pour sa complexité au nez et son gras en bouche, liés à un élevage sur lies (20 à 29 F).

☛Pierre Carle, Ch. Le Chabrier, 24240 Razac-de-Saussignac, tél. 05.53.27.92.73, fax 05.53.23.39.03, e-mail chateau.le.chabrier@wanadoo.fr
☑ ⵀ r.-v.

CH. LE RAZ Cuvée Grand Chêne 1998

| ■ | 7,07 ha | 48 500 | ◫ | 30 à 49 F |

Le nez grillé et toasté fait la part belle au fruit après agitation du verre. Il s'oriente ainsi vers des notes de cassis et de réglisse. La belle structure tannique du vin est renforcée par le bois de la barrique, mais l'ensemble ne s'est pas encore fondu. Aussi faudra-t-il attendre que le temps ait fait son œuvre pour apprécier pleinement cette bouteille.
☛Vignobles Barde, Le Raz, 24610 Saint-Méard-de-Gurçon, tél. 05.53.82.48.41, fax 05.53.80.07.47 ☑ ⵀ t.l.j. sf dim. 8h30-12h30 14h-19h; sam. sur r.-v.

CH. LES GRIMARD
Cuvée spéciale 1998★★

| ■ | 1,5 ha | 8 000 | ◫ | 30 à 49 F |

La cuvée spéciale des Grimard a connu le bois, mais celui-ci sait rester discret à la dégustation. Au nez, les fruits rouges complexes dominent, soulignés de quelques notes d'épices. Les tanins, riches et bien présents en milieu de bouche, devront se fondre avec le temps. L'ensemble est harmonieux. La **cuvée classique 98**, élevée en cuve, mérite une citation pour ses arômes de fruits et sa fraîcheur en bouche (20 à 29 F).
☛J. et P. Joyeux, GAEC des Grimard, 24230 Montazeau, tél. 05.53.63.09.83, fax 05.53.24.90.14 ☑ ⵀ r.-v.

CH. LES MARNIERES
Cuvée la Côte fleurie 1998★★

| ■ | 1,55 ha | 5 400 | ◫ | 70 à 99 F |

Après un coup de cœur dans l'édition 2000, cette cuvée obtient deux étoiles. Le bois bien présent restitue au nez ses notes grillées, toastées et épicées, mais les fruits rouges ne tardent pas à apparaître. D'attaque franche, le vin a de la chair et de la structure. L'équilibre en bouche est idéal et la persistance aromatique excellente. Il faudra patienter plus de cinq ans pour apprécier ce côtes de bergerac à son meilleur niveau. Un peu moins riche mais de bonne structure, la **cuvée Flavie 98**, très confidentielle avec 1 200 bouteilles produites, obtient une étoile (100 à 149 F).
☛Alain et Christophe Geneste, GAEC des Brandines, 24520 Saint-Nexans, tél. 05.53.58.31.65, fax 05.53.73.20.34 ☑ ⵀ r.-v.

CH. LE TAP Cuvée du Grand Chêne 1998★

| ■ | 2,55 ha | 7 730 | ◫ | 50 à 69 F |

Sur fond légèrement grillé, le nez fait la part belle aux fruits confits et au pruneau, signe d'une belle maturité. L'attaque est souple et soyeuse en bouche, puis le volume tannique impressionne le dégustateur. Le boisé reste discret, ce qui permet de mieux apprécier la richesse et la concentration de ce vin. Le jury cite par ailleurs le **bergerac sec 98 élevé en fût de chêne**, pour la finesse de ses arômes (30 à 49 F).

➥SCEA Ch. Le Tap, Le Tap,
24240 Saussignac, tél. 05.53.27.53.41,
fax 05.53.22.07.55 ☑ ⍟ r.-v.
➥ M. Proffit

CH. DE LADY MASBUREL 1998★★

| ■ | 9 ha | 23 000 | ⦀ 30 à 49 F |

Les cuvées Château de Lady Masburel et **Château Masburel 98** font jeu égal dans cette sélection. Seul l'équilibre des cépages fait la différence. La première présente en effet davantage de cabernet. Les fruits à l'alcool (cerise et pruneau) marquent le nez et se retrouvent en bouche sur une structure tannique riche quoique encore un peu austère. La seconde (70 à 99 F), contenant plus de merlot, est plus souple en bouche mais présente des notes boisées dominantes. L'amateur devrait trouver son bonheur après quelques mois de garde.
➥SARL Ch. Masburel, Fougueyrolles,
33220 Sainte-Foy-la-Grande, tél. 05.53.24.77.73,
fax 05.53.24.27.30,
e-mail chateau.masburel@accesinter.com
☑ ⍟ t.l.j. sf sam. dim. 9h-12h 14h-17h30;
f. nov.-mars
➥ Olivia Donnan

CH. PECACHARD 1998★

| ■ | 1,5 ha | 9 000 | ⦀ 50 à 69 F |

Le côtes de bergerac rouge du château Pécachard présente des notes de chocolat et de café torréfié. En bouche, autour de tanins très mûrs, gravitent des arômes de cassis et de noyau de prune dont la longueur est appréciable. Un ensemble équilibré et harmonieux. Du même producteur, le **côtes de bergerac moelleux Château Singleyrac 98** (30 à 49 F) mérite également une étoile. On apprécie la complexité de ses arômes floraux et fruités, soulignés de notes de miel, ainsi que son équilibre parfait entre le gras du palais et la fraîcheur finale.
➥SCEA Ch. Singleyrac, Le Bourg,
24500 Singleyrac, tél. 05.53.58.41.98,
fax 05.53.58.37.07 ☑ ⍟ r.-v.

L'EXCELLENCE DU CH. TOURS DES VERDOTS
Les Verdots selon David Fourtout 1998★

| ■ | 2,8 ha | 12 000 | ⦀ 100 à 149 F |

C'est une belle matière première qui se cache aujourd'hui sous le bois. La palette aromatique flatte les sens par ses notes de fruits mûrs, de cassis et ses intenses pointes vanillées. Les tanins sont certes très mûrs et puissants en bouche, mais ils ont encore du mal à s'exprimer derrière le bois de la barrique. Une structure prometteuse qui demande du temps pour se fondre. Le **bergerac rouge Clos des Verdots 99** mérite également une étoile tant il est rond et flatteur (30 à 49 F). Quant au **bergerac sec L'Excellence du Château Tours des Verdots 98**, il est cité pour sa complexité aromatique entre le fruit et le bois (70 à 99 F). On le dégustera dès à présent.
➥GAEC Fourtout et Fils, Les Verdots,
24560 Conne-de-Labarde, tél. 05.53.58.34.31,
fax 05.53.57.82.00, e-mail fourtout@terre-net.fr
☑ ⍟ t.l.j. sf dim. 9h-12h30 14h-19h

CH. DES VIGIERS
Réserve Jean Vigier 1998★

| ■ | 1,5 ha | 8 000 | ⦀ 70 à 99 F |

La cuvée Réserve Jean Vigier et la **cuvée classique 98** du château, l'une élevée en barrique, l'autre en cuve, obtiennent chacune une étoile. La palette de la Réserve Jean Vigier se développe tout en finesse sur des arômes boisés-épicés et des notes animales. En bouche, le vin attaque avec souplesse avant d'évoluer sur une structure tannique puissante et fortement boisée. Plus facile à déguster, la cuvée classique offre ses senteurs de fruits mûrs et une trame de tanins plus souples (30 à 49 F).
➥SCEA La Font du Roc, Ch. des Vigiers,
24240 Monestier, tél. 05.53.61.50.30,
fax 05.53.61.50.31 ☑ ⍟ r.-v.
➥ Petersson

CLOS D'YVIGNE Le Petit Prince 1998★

| ■ | 4,5 ha | n.c. | ⦀ 30 à 49 F |

Cette étoile sur le millésime 98 confirme la réussite du clos d'Yvigne, déjà étoilé l'an passé pour son côtes de bergerac 97. Un joli vanillé légèrement mentholé laisse deviner des arômes de cerise et de banane au nez. Les tanins puissants se font un peu austères en finale mais ce vin est prometteur et se fondra avec le temps.
➥ Patricia Atkinson, Le Bourg, 24240 Gageac-Rouillac, tél. 05.53.22.94.40, fax 05.53.23.47.67,
e-mail patricia.atkinson@wanadoo.fr ☑ ⍟ t.l.j.
sf dim. 9h-12h 14h-18h

Côtes de bergerac moelleux

Les mêmes cépages que les vins blancs secs, mais récoltés à surmaturité, permettent d'élaborer ces vins moelleux recherchés pour leurs arômes de fruits confits et leur souplesse.

CH. CAPULLE 1998★

| □ | 2 ha | 3 648 | ⦀ - de 20 F |

On peut certes apprécier le **côtes de bergerac rouge Château Capulle 98, vieilli en fût de chêne,** cité pour sa rondeur et ses arômes de fruits rouges - cerise et cassis (20 à 29 F). Mais c'est au blanc moelleux que va la préférence du jury. Aux notes miellées du nez répond une bouche ronde dès l'attaque, dont les arômes de fruits et de miel persistent agréablement. En outre, une belle vivacité laisse une sensation de fraîcheur. Un vin typique et sympathique.
➥Jean-Paul Migot, Ch. Capulle,
24240 Thénac, tél. 05.53.58.42.67,
fax 05.53.58.39.50 ☑ ⍟ r.-v.

CLOS DALMAIN 1999★★

| □ | 0,5 ha | 2 000 | ▮ 30 à 49 F |

Un producteur dont on reparlera sans doute dans les prochaines années. Pour ses premières vendanges à son compte après huit ans passés en Bergeracois, Tim Richardson décroche deux étoiles pour deux de ses vins : un **bergerac sec 99** au subtil équilibre entre fruit mûr et toasté du bois, et ce côtes de bergerac moelleux, très gras, aux notes de fruits confits. D'un équilibre généreux, ce dernier a besoin d'un certain temps de garde pour être plus agréable encore.

☞Tim Richardson, Le Bourg, 24500 Saint-Julien-d'Eymet, tél. 05.53.58.09.72, fax 05.53.58.09.72, e-mail tim.richardson@wanadoo.fr ☑ ☿ r.-v.

HAUTE TRADITION 1998★★

| ☐ | 10 ha | 18 000 | ∎♦ | 30 à 49 F |

Haute Tradition constitue une gamme de vins que le jury a appréciée en blanc moelleux comme en **bergerac rouge**, grâce à une **cuvée 98 vieillie en fût de chêne** pendant douze mois, et citée pour ses tanins particulièrement soyeux et souples. Mais revenons à ce remarquable côtes de bergerac moelleux, dont les arômes de rôti, de cire et de miel témoignent d'une surmaturation. La bouche pleine et fruitée laisse sur une belle vivacité en finale. Un vin très plaisant et harmonieux.

☞Cave coop. des producteurs de Montravel et Sigoulès, 24240 Mescoules, tél. 05.53.61.55.00, fax 05.53.61.55.10 ☑ ☿ t.l.j. sf dim. 8h30-12h30 14h-18h30

DOM. DE L'ANCIENNE CURE 1999★★

| ☐ | 4 ha | 25 000 | ∎♦ | 30 à 49 F |

Un vin bien fait et frais que ce Domaine de l'Ancienne Cure 99. Le nez particulièrement fruité fait la part belle aux agrumes. La bouche onctueuse est, de même, empreinte d'arômes de citron et de mandarine. L'ensemble est mis en valeur par la fraîcheur finale. Le **bergerac sec 99** de Christian Roche est quant à lui cité.

☞Christian Roche, EARL l'Ancienne Cure, 24560 Colombier, tél. 05.53.58.27.90, fax 05.53.24.83.95 ☑ ☿ r.-v.

CH. LE PARADIS 1999

| ☐ | 2,5 ha | 2 800 | ∎♦ | 30 à 49 F |

Si le nez affiche déjà de la fraîcheur dans ses notes de fruits mûrs, c'est en bouche que l'on apprécie pleinement une explosion de fruits aux accents exotiques. Bien équilibré et long, ce côtes de bergerac moelleux constitue un vin d'apéritif agréable.

☞EARL Tonneau de Conty, Les Mayets, 24560 Saint-Perdoux, tél. 05.53.61.92.00, fax 05.53.73.16.16 ☑ ☿ r.-v.

CH. REPENTY 1999★

| ☐ | 1 ha | 6 000 | ∎♦ | 30 à 49 F |

Après le 97, c'est au tour du millésime 99 de recevoir une étoile. La robe très pâle de ce vin brille de reflets verts. Puis le nez confère une impression de fraîcheur à travers des notes de pêche blanche. L'équilibre en bouche est très réussi pour un moelleux, sans excès d'acidité, d'alcool ou de sucres. Un joli côtes de bergerac classique et gouleyant, à boire dès aujourd'hui.

☞Jean-Pierre Roulet, Repenty, 24240 Monestier, tél. 05.53.58.41.96, fax 05.53.58.41.96 ☑ ☿ r.-v.

Monbazillac

S'étendant sur 2 500 ha, le vignoble de monbazillac produit des vins riches, issus de raisins botrytisés. Le sol argilo-calcaire apporte des arômes intenses ainsi qu'une structure complexe et puissante. En 1999, 38 536 hl ont été agréés.

CH. BELINGARD
Blanche de Bosredon 1998★

| ☐ | 5 ha | 7 000 | ▥ | 100 à 149 F |

Encore en cours d'élevage en barrique lors de la dégustation, cette cuvée n'en a pas moins été jugée très réussie. Ses arômes de fruits confits et d'abricot ont séduit, de même que la matière concentrée, ample et persistante en bouche. Une agréable surprise vous attend d'ici quelques années.

☞SARL Laurent de Bosredon, Belingard, 24240 Pomport, tél. 05.53.58.28.03, fax 05.53.58.38.39, e-mail deschard.boisredon@wanadoo.fr ☑ ☿ r.-v.

GRANDE MAISON
Cuvée Monsieur 1998★★

| ☐ | 8 ha | 12 000 | ▥ | 100 à 149 F |

La cuvée Monsieur est d'un type moins liquoreux mais plus aromatique que la cuvée du Château qui a obtenu un coup de cœur l'an passé. Les notes rôties et les fragrances de fruits confits s'inscrivent sur un fond boisé. En bouche, on retrouve la même expression aromatique, la finale s'étirant longuement sur les fruits confits. Ce vin riche et concentré, bien équilibré, pourra vieillir une dizaine d'années.

☞SARL Després et Fils, Grande Maison, 24240 Monbazillac, tél. 05.53.58.26.17, fax 05.53.24.97.36, e-mail grandemaison@aquinet.tm.fr ☑ ☿ r.-v.

CH. HAUT-THEULET 1998★

| ☐ | 8,4 ha | n.c. | ▥ | 50 à 69 F |

Un pourcentage important de sauvignon (30 %) entre dans la composition de ce vin. Aussi, la palette aromatique étonne-t-elle par ses notes de fleurs et d'agrumes, caractéristiques de ce cépage, qui précèdent les arômes surmûris. En bouche, la fraîcheur et la vivacité dominent la sucrosité du vin. Un monbazillac frais, plaisant, quelque peu atypique.

☞GAEC Ch. Caillavel, 24240 Pomport, tél. 05.53.58.43.30, fax 05.53.58.20.31 ☿ r.-v.

CH. LADESVIGNES
Automne Elevé en fût de chêne 1998★

| ☐ | 3 ha | 5 000 | ▥ | 70 à 99 F |

Encore un peu fermé, ce monbazillac livre au nez des notes de surmaturation sur fond boisé. Il surprend le dégustateur par ses arômes exotiques et sa richesse en sucres. La structure est en effet ample et longue. Il semble souhaitable d'attendre ce vin deux ou trois ans. Cité, le **côtes de bergerac Velours rouge vieilli en fût de chêne**

98 est appréciable pour son fruité, malgré des tanins encore présents en finale (30 à 49 F).
☛ Ch. Ladesvignes, 24240 Pomport, tél. 05.53.58.30.67, fax 05.53.58.22.64, e-mail chateauladesvignes@wanadoo.fr ☑ ⚑ r.-v.
☛ Monbouché

RESERVE LAJONIE
Vieilli en fût de chêne 1998

☐	10 ha	10 000		70 à 99 F

Déjà cité pour le millésime 97 dans le Guide précédent, la Réserve Lajonie propose un nez classique, rôti et grillé. Elégante, grasse et ronde en bouche, elle fait encore la part belle aux arômes rôtis en rétro-olfaction. C'est un monbazillac à boire jeune. Du même producteur, le **bergerac sec Château Pintouquet 99** (20 à 29 F), à base de sauvignon, est cité pour sa finesse et sa fraîcheur.
☛ Gérard Lajonie, Saint-Christophe, 24100 Bergerac, tél. 05.53.57.17.96, fax 05.53.58.06.46 ☑ ⚑ r.-v.

DOM. DE L'ANCIENNE CURE
Cuvée Abbaye 1998★★

☐	5 ha	8 000		70 à 99 F

La cuvée Abbaye est passée très près du coup de cœur et nous la retrouverons sûrement dans les prochaines années. Le nez de fruits surmûris, de cannelle, d'abricot et de coing est fort séduisant. En bouche, les arômes se concentrent davantage encore ; on retrouve l'abricot et le coing, associés à la figue. Persistante, une finale grillée paraphe ce vin remarquable, apte à une garde de plus de vingt ans.
☛ Christian Roche, EARL l'Ancienne Cure, 24560 Colombier, tél. 05.53.58.27.90, fax 05.53.24.83.95 ☑ ⚑ r.-v.

CH. LE FAGE Grande Réserve 1998★★

☐	n.c.	8 000		70 à 99 F

Si le bois est important, cette cuvée est heureusement supportée par une matière très concentrée. Ainsi des notes de raisin confit et d'abricot apparaissent-elles après les arômes boisés. Grasse et pleine, la bouche se développe sur des notes grillées puis fruitées avant de se prolonger sur un long et beau retour de l'abricot confit. Il est difficile de résister à la tentation de savourer ce vin dès aujourd'hui, mais votre patience sera récompensée. A noter aussi le joli **bergerac rosé 99**, issu de saignée et cité pour ses arômes de fruits rouges bien marqués (de 30 à 49 F).
☛ François Gérardin, Ch. Le Fagé, 24240 Pomport, tél. 05.53.58.32.55, fax 05.53.24.57.19 ☑ ⚑ t.l.j. 9h-12h30 14h-19h; sam. dim. sur r.-v.

CH. LE PUCH Cuvée Le Doyen 1998★

☐	15 ha	8 600		70 à 99 F

L'abricot confit se révèle pleinement au nez, accompagné de quelques touches boisées. Bien équilibrée c'est de puissance moyenne, la bouche conserve cette dominante fruitée, soutenue par un côté vanillé agréable. L'ensemble est plaisant et se laisse aisément déguster.

☛ SARL des Vignobles J.-P. Hembise, Ch. Le Puch, 24240 Monbazillac, tél. 05.53.58.85.85, fax 05.53.61.67.78, e-mail chateaulepuch@wanadoo.fr ☑ ⚑ t.l.j. 8h-12h 14h-18h; sam. dim. sur r.-v.

CH. MONBAZILLAC 1998

☐	25 ha	70 000		70 à 99 F

Emblématique de la région tout autant que de son appellation, le château de Monbazillac dresse sa haute stature et ses tours crénelées au-dessus d'un paysage superbe. Jaune pâle et brillant, ce 98 offre un nez plaisant de fruit, très aérien. La bouche fraîche et vive est agréable. Un vin de soif. Egalement cité, le **Château Septy** (50 à 69 F) aux arômes dominants de miel.
☛ Cave coopérative de Monbazillac, rte de Mont-de-Marsan, 24240 Monbazillac, tél. 05.53.63.65.00, fax 05.53.63.65.09 ☑ ⚑ t.l.j. sf dim. lun. 10h-12h30 13h30-19h

DOM. DE PECOULA
Cuvée Prestige 1998★★

☐	17 ha	7 200		70 à 99 F

Les trois meilleurs monbazillac de cette sélection se sont retrouvés dans un mouchoir de poche. Toutefois, cette cuvée a finalement conquis le cœur du grand jury, non pas tant par sa richesse que par son élégance. Le nez moyennement ouvert évoque la confiture de coings. En bouche, le vin parle avec puissance et complexité de fruits confits et de vanille. La petite pointe de fraîcheur finale est très agréable. On attendra ce vin au moins trois ans pour l'apprécier pleinement. Le **bergerac sec 99** du domaine de Pécoula, avec ses arômes floraux et minéraux typiques du sauvignon, mérite d'être cité (de 20 à 29 F).
☛ GAEC de Pécoula, 24240 Pomport, tél. 05.53.58.46.48, fax 05.53.58.82.02 ☑ ⚑ r.-v.
☛ GFA Labaye

DOM. DU PETIT MARSALET
Cuvée Tradition Elevé en fût de chêne 1998

☐	1,5 ha	1 730		50 à 69 F

Après un élevage de douze mois en fût neuf, la cuvée Tradition dévoile des notes grillées qui s'harmonisent bien aux arômes de fruits secs. En bouche, la matière riche et concentrée prend des accents d'abricot confit. Un vin de style massif, à boire dès aujourd'hui.
☛ Marie-Thérèse Cathal, Le Marsalet, 24100 Saint-Laurent-des-Vignes, tél. 05.53.57.53.36, fax 05.53.57.53.36 ☑ ⚑ t.l.j. 8h-12h 14h-19h

DOM. DU PETIT PARIS
Elevé en fût de chêne 1998★★

☐ 3 ha 6 600 ▮▮ 100 à 149 F

D'un or brillant, ce monbazillac certes encore jeune est remarquablement ouvragé. Après un nez légèrement confit, dominé par la vanille, la bouche laisse une impression de gras et de richesse, soutenue par un bon boisé. On cherche un peu le fruité à ce stade d'évolution, mais celui-ci apparaît en finale, décliné en notes de fruits secs, d'ananas et de noix de coco. Une bouteille à déguster dans deux ou trois ans.
☛ EARL Dom. du Petit Paris,
24240 Monbazillac, tél. 05.53.58.30.41,
fax 05.53.58.30.27, e-mail petit-paris@wanadoo.fr ☑ ☂ t.l.j. 8h-20h
☛ Geneste

CH. THEULET Cuvée Prestige 1998★★

☐ 2,5 ha 4 800 ▮▮ 100 à 149 F

La gamme du château Theulet est complète puisqu'au-delà du monbazillac, le **bergerac sec Prestige du Theulet 98** (30 à 49 F), finement boisé, obtient une étoile et que le **côtes de bergerac rouge cuvée Antoine Alard 98** est cité pour sa bonne structure, malgré un boisé qui doit encore se fondre. Les deux étoiles récompensent une cuvée Prestige aux arômes complexes de fleurs, d'abricot, de fruits confits, de miel et de vanille. La bouche grasse et onctueuse trouve un bel équilibre entre les sensations sucrées et acides. Ce vin typique, riche et puissant devrait atteindre son apogée d'ici une dizaine d'années.
☛ SCEA Alard, Le Theulet,
24240 Monbazillac, tél. 05.53.57.30.43,
fax 05.53.58.88.28 ☑ ☂ t.l.j. sf dim. 8h-12h 14h-18h

CH. TIRECUL LA GRAVIERE 1998★★★

☐ 9,19 ha 9 000 ▮▮ 100 à 149 F

Une valeur sûre de l'appellation et une note exceptionnelle. Le nez particulièrement complexe libère des arômes de noisette, de pain d'épice, de litchi, de réglisse et de miel, sur un léger fond boisé. La concentration en sucres est remarquable et la persistance en bouche du vin hors du commun. A attendre au moins dix ans pour un grand plaisir.
☛ Claudie et Bruno Bilancini, Ch. Tirecul la Gravière, 24240 Monbazillac,
tél. 05.53.57.44.75, fax 05.53.24.85.01 ☂ r.-v.

CH. VARI
Réserve du Château Elevé en fût de chêne 1998

☐ 3 ha 8 000 ▮▮ 70 à 99 F

Les deux cuvées du château Vari ont un air de famille et ne diffèrent que par leur concentration. La Réserve du Château, marquée au nez par des notes de miel et de cire, offre un bon équilibre sucre-alcool et une certaine fraîcheur en finale. Egalement cité, le **Château Vari 98** dans sa version classique (30 à 49 F), élevé neuf mois en fût de chêne, qui est tout aussi harmonieux et représentatif d'un certain classicisme à Monbazillac.
☛ Vignobles Jestin, Ch. Vari,
24240 Monbazillac, tél. 05.53.24.97.55,
fax 05.53.24.97.55 ☑ ☂ r.-v.

Montravel

Sur les coteaux, de Port-Sainte-Foy et Ponchapt jusqu'à Saint-Michel-de-Montaigne, le terroir de Montravel produit sur 1 200 ha 14 715 hl de vins blancs secs et de vins blancs moelleux toujours remarqués pour leur élégance. Le haut-montravel a atteint 2 224 hl tandis que le côtes-de-montravel a donné 1 887 hl en 1999.

CH. BONIERES
La Dame de Bonières 1999★

☐ 1,3 ha 6 500 ▮▮ 70 à 99 F

La Dame de Bonières obtient une étoile comme dans le millésime précédent. La robe présente une teinte jaune paille. Le bois domine encore le nez mais l'on sent poindre le fruit. Le fruit mûr se révèle un peu plus en bouche, avec beaucoup de rondeur et une bonne acidité en finale. Ce vin devrait être parfait dans un an.
☛ SCEA Vignobles André Bodin, Ch. Bonières, 33220 Fougueyrolles, tél. 05.53.24.15.16,
fax 05.53.24.17.77 ☑ ☂ r.-v.

CHEVALIER DE SAINT AVIT 1999

☐ 6,5 ha 4 000 ▮☖ 20 à 29 F

Jaune d'or brillant, le Chevalier de Saint Avit propose un nez d'intensité moyenne mais fin, dominé par des notes florales et des arômes de citron. Après une attaque vive et agréable, on apprécie le retour des fruits malgré une acidité très perceptible. Un montravel classique et bien fait.
☛ Viticulteurs réunis de Saint-Vivien-et-Bonneville, 24230 Saint-Vivien,
tél. 05.53.27.52.22, fax 05.53.22.61.12 ☑ ☂ r.-v.

DOM. DE GRIMARDY
Cuvée Marie-Juliette 1998★

☐ 0,4 ha 3 066 ▮▮ 30 à 49 F

Voici une cuvée intéressante où le fruit s'exprime et domine le bois. Des notes florales, des arômes d'agrumes et de fruits confits se mêlent agréablement au nez. La matière, bien présente en bouche, dévoile beaucoup de fraîcheur. On dégustera ce vin dès aujourd'hui sur un poisson en sauce ou des fruits de mer.
☛ Marcel et Marielle Establet, Les Grimards, 24230 Montazeau, tél. 05.53.57.96.78,
fax 05.53.61.97.16 ☑

CH. LA RESSAUDIE 1999

☐ 2 ha 15 000 ▮☖ 20 à 29 F

La couleur surprend un peu par son côté jaune paille assez inhabituel pour un blanc sec. En revanche, les arômes sont très classiques, plutôt axés sur des notes d'agrumes et de citron. Assez rond et peu acide, ce montravel offre un joli retour de notes fruitées en fin de bouche. C'est un vin bien fait.
☛ Jean Rebeyrolle, Ch. La Ressaudie,
33220 Port-Sainte-Foy, tél. 05.53.24.71.48,
fax 05.53.58.52.29 ☑ ☂ r.-v.

Côtes de montravel

CH. DU BLOY Aquitain 1998★★

| ☐ | 3 ha | 6 000 | 🍶 ♦ | 30 à 49 F |

Sans l'ombre d'un doute, la pourriture noble et la muscadelle sont les garants de la qualité de ce côtes de montravel jaune paille. Les notes de fruits secs et de *Botrytris cinerea* apparaissent nettement au nez. Puis c'est l'impression de gras et d'onctuosité qui domine en bouche. Harmonieux et persistant, ce vin est déjà prêt à boire mais peut aussi vieillir.

☛ Guillermier Frères, Bonneville, 24230 Vélines, tél. 05.53.27.50.59, fax 05.53.27.56.34 ☑ ⅄ r.-v.

DOM. DE LA ROCHE MAROT 1998★★★

| ☐ | 0,5 ha | 600 | ⑪ | 50 à 69 F |

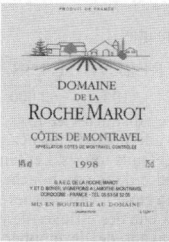

Si le **montravel du domaine de La Roche Marot 98** (20 à 29 F) est cité pour ses caractères fruités et sa souplesse, le côtes de montravel mérite incontestablement un coup de cœur. Les notes de raisin surmûri montent du verre, puissantes et élégantes. En bouche, c'est un grand liquoreux qui se révèle tant il est ample. Après des arômes de fruits confits, une finale fraîche se prolonge sur des accents d'agrumes. Un vin à découvrir, qui séduira les plus exigeants.

☛ Yves et Daniel Boyer, GAEC de La Roche Marot, 24230 Lamothe-Montravel, tél. 05.53.58.52.05 ☑ ⅄ t.l.j. 9h-19h
☛ Michel Boyer

Haut-montravel

MALLEVIEILLE
Elevé en fût de chêne 1998★★

| ☐ | 1 ha | 1000 | ⑪ | 50 à 69 F |

Les vignobles Biau signent ici leur premier millésime réalisé dans l'appellation haut-montravel. On peut apprécier la performance. Le fruit surmûri et les notes de miel dominent un boisé discret. Si celui-ci apparaît en bouche, c'est surtout une impression de rondeur et de plénitude qui satisfait le dégustateur. La finale un peu vive rend le vin plus léger et lui assurera une bonne garde. A attendre deux ou trois ans.

☛ Vignobles Biau, La Mallevieille, 24130 Monfaucon, tél. 05.53.24.64.66, fax 05.53.58.69.91, e-mail chateaudelamallevieille@wanadoo.fr
☑ ⅄ t.l.j. 9h-19h
☛ Philippe Biau

PRESTIGE DE MAYAT 1998★★

| ☐ | 0,5 ha | 5 000 | ⑪ | 50 à 69 F |

Au-delà du moelleux mais pas tout à fait liquoreux, ce haut-montravel est d'un type intermédiaire. L'élevage sous bois de dix mois marque encore ses caractères. Ainsi, la vanille et le pain grillé dominent-ils les arômes de fruits. En bouche, on perçoit une matière grasse et ample qui mériterait de répandre plus longuement ses saveurs en finale. Nul doute que cette bouteille déjà remarquable atteindra un plus haut niveau encore après deux ou trois ans de vieillissement.

☛ Francis Lagarde, Dom. de Mayat, 39220 Fougueyrolles, tél. 05.53.58.32.58, fax 05.53.58.32.58 ☑ ⅄ t.l.j. 8h-12h 14h-19h

CH. PUY-SERVAIN Terrement 1998★★★

| ☐ | 4,5 ha | 8 000 | ⑪ | 100 à 149 F |

Daniel Hecquet est œnologue mais il ne néglige pas les vignes comme le prouve à chaque édition sa parfaite maîtrise du sujet. Pas moins de trois tries ont été nécessaires pour élaborer ce vin exceptionnel. Les arômes de fruits sont si présents tout au long de la dégustation que l'on a l'impression de croquer le raisin. Les fruits mûrs et les agrumes perçus au nez sont avantageusement complétés par la vanille en bouche. Ce vin possède un potentiel de vieillissement d'au moins dix ans. Une étoile récompense la cuvée **bergerac rouge Vieilles vignes 98** (50 à 69 F) qui atteindra sa plénitude après quelques années de garde.

☛ SCEA Puy-Servain, Calabre, 33220 Port-Sainte-Foy, tél. 05.53.24.77.27, fax 05.53.58.37.43 ☑ ⅄ t.l.j. 8h-12h 14h-18h; sam. dim. sur r.-v.
☛ Hecquet

Pécharmant

Au nord-est de Bergerac, ce « Pech », colline couverte de 400 ha de vignes, donne un vin exclusivement rouge, très riche, apte à la garde. Le millésime 99 a produit 20 133 hl.

CH. BEAUPORTAIL 1998★

| ■ | 2 ha | 9 000 | ⑪ | 30 à 49 F |

Cité pour son millésime 97 l'an passé, le château Beauportail obtient une étoile dans la nouvelle sélection. Au nez, on apprécie les arômes de pruneau cuit, les notes épicées et les senteurs de pain d'épice. L'attaque est très souple, et la structure bien équilibrée encadre beaucoup de chair. Les accents de pruneau se retrouvent en finale.

🍷 EARL La Truffière Beauportail,
Pécharmant, 24100 Bergerac, tél. 05.53.24.85.16, fax 05.53.61.28.63 ☑ ⏀ r.-v.

🍷 F. Feytout

CH. DE BIRAN
Cuvée Prestige de Bacchus 1998

| ■ | 10,5 ha | 8 000 | ⏀ | 70 à 99 F |

Le nez révèle un élevage en fût par ses notes boisées et épicées auxquelles se mêlent des arômes animaux. L'attaque est souple et agréable, puis les tanins évoluent jusqu'à une finale encore un peu ferme. De structure prometteuse, ce vin demande encore à vieillir.

🍷 EARL vignobles Biran, Biran, 24520 Saint-Sauveur, tél. 05.53.22.46.29, fax 05.53.27.54.31, e-mail chbiran@aol.com ☑

DOM. BRISSEAU-BELLOC
Elevé en fût de chêne 1998★

| ■ | 5,58 ha | 20 000 | ⏀ | 30 à 49 F |

Deux pécharmant de la cave de Bergerac obtiennent une étoile dans le Guide. Ce Domaine Brisseau-Belloc, tout d'abord, offre un nez de vanille et de café, souligné de fruits rouges. Puissance et élégance caractérisent sa structure tannique. Les tanins, fondus et harmonieux, annoncent d'ailleurs un beau potentiel. Le **Château Métairie-Haute, élevé en fût de chêne 98** délivre, quant à lui, un nez grillé avec des notes de cuir plutôt animales. Les tanins, très présents en bouche, ont besoin de s'affiner, et le potentiel de vieillissement semble plus important encore que celui du vin précédent.

🍷 Union vinicole Bergerac-Le Fleix, bd de l'Entrepôt, 24100 Bergerac, tél. 05.53.57.16.27, fax 05.53.24.57.47 ☑ ⏀ t.l.j. sf lun. dim. 8h-12h 14h-18h

CH. CORBIAC 1998★★

| ■ | 13,5 ha | 85 000 | ■♦ | 50 à 69 F |

Ce vin présente une richesse tannique remarquable. Le nez, encore fermé, ne manque pas d'agrément avec ses arômes de fruits rouges. En bouche, si les tanins un peu jeunes dominent le fruit, la finale s'étire agréablement. A ouvrir dans quatre ou cinq ans, par exemple sur du gibier.

🍷 Bruno de Corbiac, Ch. de Corbiac, 24100 Bergerac, tél. 05.53.57.20.75, fax 05.53.57.89.98, e-mail corbiac@corbiac.com ☑ ⏀ r.-v.

DOM. DES COSTES
Cuvée Prestige 1998★★

| ■ | 1 ha | 3 000 | ⏀ | 70 à 99 F |

Il s'en est fallu de peu pour que cette cuvée n'obtienne un coup de cœur. Le premier nez, complexe et grillé, est très intense. Des odeurs d'épices s'élèvent du verre. En bouche, la concentration tannique s'affirme très vite, et le bois déjà fondu laisse le raisin exprimer sa richesse aromatique. La cuvée classique du **domaine des Costes 98** (de 50 à 69 F), quoique très concentrée,

présente des tanins plus fondus encore, et remporte une étoile. Ce sont deux pécharmant caractéristiques, à la fois aromatiques, structurés, souples et ronds.

🍷 Nicole Dournel, Les Costes, 24100 Bergerac, tél. 05.53.57.64.49, fax 05.53.61.69.08 ☑ ⏀ r.-v.

🍷 Lacroix

CH. LA RENAUDIE
Elevé en fût de chêne 1998

| ■ | 36,5 ha | 32 000 | ⏀ | 30 à 49 F |

Un pécharmant des plus classiques, régulièrement présent dans le Guide. Son nez grillé et torréfié se double de jolies notes de petits fruits rouges. L'attaque est ronde, grasse, et la matière bien présente. Il faudra attendre que les tanins, encore très présents en finale, se fondent.

🍷 SCEA Dom. de La Renaudie, Ch. La Renaudie, 24100 Lembras, tél. 05.53.27.05.75, fax 05.53.73.37.10 ☑ ⏀ t.l.j. 9h-19h

🍷 Yves Allamagny

CLOS PEYRELEVADE 1998

| ■ | 10 ha | 60 000 | ■♦ | 30 à 49 F |

Trois cuvées distinctes et trois citations. Ce Clos Peyrelevade possède un nez puissant, très marqué par les fruits rouges. Les tanins commencent à se fondre dans une bouche complexe et bien pleine. La **cuvée Veuve Roches 98** (50 à 69 F) libère quant à elle des effluves de pruneau et de fruits noirs, avant de développer une matière puissante, charnue et ronde. Enfin, le **Domaine du Haut-Pécharmant Prestige, vieilli en fût de chêne, 98** (50 à 69 F) décline poivron, cerise, cassis et notes torréfiées. Très tannique en bouche, il a besoin de s'assouplir.

🍷 Michel et Didier Roches, Haut-Pécharmant, 24100 Bergerac, tél. 05.53.57.29.50, fax 05.53.24.28.05 ☑ ⏀ t.l.j. sf dim. 8h-12h 14h-19h

CH. DU ROOY 1998

| ■ | 5,75 ha | 4 500 | ⏀ | 30 à 49 F |

98 constitue la première récolte de ce nouveau producteur. Gilles Gérault a en effet repris en fermage une exploitation de 12 ha, après le départ en retraite de l'ancien propriétaire. Il propose un pécharmant prometteur : si le nez est un peu fermé, il n'en exprime pas moins de beaux arômes toastés. Douceur et gras en attaque font place à des tanins bien présents mais déjà fondus, puis à un retour de fruits en finale. Ce vin bien équilibré peut être consommé jeune.

🍷 Gilles Gérault, Rosette, 24100 Bergerac, tél. 05.53.24.13.68 ☑ ⏀ r.-v.

CH. TERRE VIEILLE
Vieilli en fût de chêne 1998★★

| ■ | 7 ha | 35 000 | ⏀ | 50 à 69 F |

Un grand vin possède équilibre et harmonie. Tels sont les attributs de cette cuvée qui propose une palette aromatique complète : pain grillé, épices, notes torréfiées, fruits des bois. La bouche tient les promesses du nez. Le boisé est en effet bien fondu et le fruit perdure longuement. La concentration et la finesse de ce pécharmant lui assurent un vieillissement d'une dizaine d'années. Avec une étoile, la **cuvée Cros de La**

Sal, vieillie en fût de chêne 98 (30 à 49 F) revêt un boisé plus discret qui laisse bien parler le fruit.

🔸Gérôme et Dolorès Morand-Monteil, Ch. Terre-Vieille, 24520 Saint-Sauveur-de-Bergerac, tél. 05.53.57.35.07, fax 05.53.61.91.77, e-mail gerome-morand-monteil@wanadoo.fr ☑ ⏺ t.l.j. sf dim. 9h-19h

CH. DE TIREGAND
Grand Millésime 1998

◼	2 ha	4 000	⦀ 70 à 99 F

La recherche de la concentration du raisin et de l'expression du terroir a incité à repenser la conduite du vignoble vers des vignes à haute densité. Ce 98 en est le résultat. Son nez dense exprime bien le fruit, souligné de notes finement boisées. En bouche, le vin est franc, droit. Il laisse percevoir le fruit et des tanins issus d'un élevage de dix-huit mois en fût de chêne bien maîtrisé. Un pécharmant ciselé, idéal sur une entrecôte aux sarments.
🔸Comtesse F. de Saint-Exupéry, Ch. de Tiregand, 24100 Creysse, tél. 05.53.23.21.08, fax 05.53.22.58.49 ☑ ⏺ t.l.j. sf dim. 9h-12h 14h-18h

Rosette

Dans un amphithéâtre de collines dominant au nord la ville de Bergerac et sur un terroir argilo-graveleux, rosette est l'appellation la plus méconnue et la plus confidentielle de la région avec 607 hl produits en 1999.

DOM. DE COUTANCIE 1998

☐	3 ha	10 245	◼⬇ 30 à 49 F

Régulièrement mentionné dans le Guide, le domaine de Coutancie reste l'un des trop rares à poursuivre la production de rosette. Son 98 arbore un nez très puissant, où les notes de *Botrytis* sont bien marquées. La bouche, équilibrée, bénéficie de gras et d'un bon fruit. Un rosette à servir frais à l'apéritif.
🔸Odile Brichèse, Coutancie, 24130 Prigonrieux, tél. 05.53.58.01.85, fax 05.53.58.52.76, e-mail coutancie@wanadoo.fr ☑ ⏺ r.-v.

CH. ROMAIN 1999★

☐	2 ha	4 000	◼⬇ 30 à 49 F

Après une citation dans le Guide 2000, le château Romain obtient une étoile dans un millésime assez difficile. Son rosette exprime de fins arômes de fruits frais au nez. Souple et gras en début de bouche, il évolue avec fraîcheur et légèreté. Un 99 bien typé.
🔸Colette Bourgès, Les Costes, 24100 Bergerac, tél. 05.53.57.59.89, fax 05.53.24.20.24 ☑ ⏺ t.l.j. 10h-19h; dim. sur r.-v.; f. jan. fév.

Saussignac

Loué au XVIe s. par le Pantagruel de François Rabelais, inscrit au cœur d'un superbe paysage de plateaux et de coteaux, ce terroir donne naissance à de grands vins moelleux et liquoreux. La production a atteint 1 680 hl en 1999.

L'ADAGIO DES EYSSARDS 1998★

☐	n.c.	2 000	⦀ 100 à 149 F

Si la matière première est issue d'une belle concentration, un long élevage sous bois a marqué le vin. En effet, au-delà des fruits jaunes, ce sont les notes de torréfaction qui caractérisent le nez. Ample et gras, ce 98 devra attendre quelques années. La **cuvée Prestige du Château des Eyssards en bergerac sec** obtient aussi une étoile. Elle est à réserver aux amateurs de vins blancs boisés. Ses arômes de bouche, fruits confits et écorce d'orange, devraient donner un mariage intéressant avec un fromage à pâte molle (30 à 49 F).
🔸GAEC des Eyssards, 24240 Monestier, tél. 05.53.24.36.36, fax 05.53.58.63.74, e-mail eyssards@aquinet-tm.fr ☑ ⏺ r.-v.

CH. MIAUDOUX Réserve 1998★

☐	1,5 ha	2 400	⦀ 100 à 149 F

Gérard Cuisset reçut l'an dernier le coup de cœur pour un 97. Ce millésime 98 est d'une plus grande richesse, mais l'élevage en fût masque encore un peu le vin. Au boisé et au grillé succède au nez le fruit confit avec une dominante abricot. La bouche, particulièrement complexe, offre beaucoup de gras et de sucre et une finale très boisée. C'est un vin puissant qui deviendra grand en prenant de l'âge.
🔸Gérard Cuisset, Les Miaudoux, 24240 Saussignac, tél. 05.53.27.92.31, fax 05.53.27.96.60, e-mail chateau.miaudoux@wanadoo.fr ☑ ⏺ r.-v.

CH. PETITE BORIE 1999

☐	2,5 ha	30 000	◼⬇ 30 à 49 F

De type moelleux, cette cuvée a retenu l'attention par son élégance. Le nez exprime des notes florales très intenses, où l'on reconnaît l'aubépine et l'acacia. Très fleuri aussi en bouche, ce

99 se caractérise par sa légèreté. Le type même de vin qui fit la renommée du saussignac.

☛Vignobles Pierre Sadoux, Ch. Court-les-Mûts, 24240 Razac-de-Saussignac, tél. 05.53.27.92.17, fax 05.53.23.77.21 ☿ t.l.j. sf dim. 9h-11h30 14h-17h30; sam. sur r.-v.

CH. SEIGNORET LES TOURS
Cuvée Coup de Cœur Elevé en fût de chêne 1998

| ☐ | 1,5 ha | 3 063 | ◖◗ 70 à 99 F |

Haut de gamme du domaine, cette cuvée a été élaborée avec beaucoup de soins. Fruits confits, pêche, abricot, mais aussi vanille et miel assurent une certaine complexité au nez. L'équilibre en bouche est agréable malgré une finale encore très jeune. Attendre que le boisé soit fondu.

☛Serge Gazziola, Ch. Seignoret les Tours, 24240 Saussignac, tél. 06.08.61.58.77, fax 06.53.22.37.79 ☑ ☿ r.-v.

LES VIGNERONS DE SIGOULES
Vendanges d'autrefois 1998★

| ☐ | n.c. | 15 000 | ◖◗ 30 à 49 F |

De nouveau un liquoreux dont la vinification et l'élevage ont fait l'objet des meilleurs soins. Fruits confits et miel sont les arômes dominants. La bouche bien construite offre aussi de puissantes notes de fruits confits accompagnées de vanille et de grillé qui structurent l'ensemble. Ce vin est élégant et harmonieux. (Bouteilles de 50 cl.)

☛Cave coop. des producteurs de Montravel et Sigoulès, 24240 Mescoules, tél. 05.53.61.55.00, fax 05.53.61.55.10 ☿ t.l.j. sf dim. 8h30-12h30 14h-18h30

CH. TOURMENTINE
Vendanges tardives 1998★★

| ☐ | 1 ha | 3 800 | ◖◗ 70 à 99 F |

Arrivé second après délibération du grand jury, ce vin mérite ses deux étoiles. Le vanillé et le boisé dominent largement le nez. En bouche, la richesse en sucres est impressionnante ; le fruit et le bois s'équilibrent parfaitement. Opulence et finesse se conjuguent dans cette bouteille à attendre (bouteilles de 50 cl). Le **bergerac rouge 98 élevé en fût** a été cité : il présente des tanins charnus qui demandent deux ou trois ans de garde (30 à 49 F).

☛Jean-Marie Huré, Tourmentine, 24240 Monestier, tél. 05.53.58.41.41, fax 05.53.63.40.52 ☑ ☿ t.l.j. sf dim. 9h-12h 14h-18h

CLOS D'YVIGNE
Vendanges tardives 1998★★

| ☐ | 3 ha | 3 600 | ◖◗ 200 à 249 F |

Une lutte au finish pour le saussignac de Patricia Atkinson qui obtient une nouvelle fois - et sans contestation- un coup de cœur ! Les arômes de fruits confits sont présents tout au long de la dégustation. Une petite note grillée vient relever la finale. Mais ce sont surtout l'ampleur et la puissance de ce vin qui sont remarquables. Elégant, de très grande classe, il demande à vieillir. N'attendez pas qu'il prenne de l'âge au domaine : il y en a fort peu... et 65 % des bouteilles partent pour la Grande-Bretagne !

☛Patricia Atkinson, Le Bourg, 24240 Gageac-Rouillac, tél. 05.53.22.94.40, fax 05.53.23.47.67, e-mail patricia.atkinson@wanadoo.fr ☑ ☿ t.l.j. sf dim. 9h-12h 14h-18h

Côtes de duras

Les côtes de duras sont issus d'un vignoble de 2 000 ha qui est le prolongement naturel du plateau de l'Entre-deux-Mers. On raconte qu'après la révocation de l'édit de Nantes, les exilés huguenots gascons faisaient venir le vin de Duras jusqu'à leur retraite hollandaise et marquaient d'une tulipe les rangs de vigne qu'ils se réservaient.

Sur des coteaux découpés par la Dourdèze et ses affluents, avec des sols argilo-calcaires et des boulbènes, les côtes de duras ont accueilli tout naturellement les cépages bordelais. En blanc, sémillon, sauvignon et muscadelle ; en rouge, cabernet-franc, cabernet-sauvignon, merlot et malbec. On trouve également le chenin, l'ondenc et l'ugni-blanc. La gloire de Duras, c'est bien le vin blanc : des moelleux suaves (3 554 hl), mais surtout des blancs secs (45 678 hl) à base de sauvignon, qui sont de réelles réussites. Racés, nerveux, au bouquet spécifique, ils accompagnent à merveille fruits de mer et poissons de l'Océan. Les vins rouges (71 485 hl), souvent vinifiés en cépages séparés, sont charnus, ronds et d'une belle couleur.

DOM. DES ALLEGRETS
Moelleux Vieilli en fût de chêne 1998★★

| ☐ | 1 ha | 2 400 | ◖◗ 100 à 149 F |

Après d'âpres discussions, c'est de nouveau cette cuvée de liquoreux qui obtient le coup de cœur cette année. Déjà, à l'œil, la robe est d'un bel or brillant avec de longues jambes. Au nez une touche de grillé pour le fût, mais surtout d'intenses arômes de raisins surmûris, de miel, de cire d'abeille. En bouche, l'équilibre joue subtilement entre la douceur et l'acidité. Les arômes complexes affichent des notes de fruit confit, d'abricot, de figue. A cela s'ajoute une exceptionnelle persistance aromatique. Un vin remarquable par son élégance.

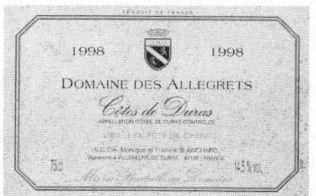

•⌐SCEA Francis et Monique Blanchard, Dom. des Allégrets, 47120 Villeneuve-de-Duras, tél. 05.53.94.74.56, fax 05.53.94.74.56 ☑ ⏚ t.l.j. 10h-12h 14h-18h

DOM. DES ALLEGRETS 1998★★

◼	2 ha	10 000	◼ 30 à 49 F

Voilà un beau doublé pour ce domaine de 15 ha créé en 1984. Le nez de ce vin est riche, puissant, marqué par des notes de fruits à l'alcool. En bouche, il est parfaitement équilibré, harmonieux et long. A attendre un an ou deux pour qu'il soit parfait.
•⌐SCEA Francis et Monique Blanchard, Dom. des Allégrets, 47120 Villeneuve-de-Duras, tél. 05.53.94.74.56, fax 05.53.94.74.56 ☑ ⏚ t.l.j. 10h-12h 14h-18h

DOM. AMBLARD Sauvignon 1999★

☐	13,4 ha	80 000	◼⏚ 20 à 29 F

Le sauvignon s'exprime ici plutôt dans la finesse et l'élégance. Le nez, ample et long, évoque les fruits exotiques et les agrumes. Après une attaque franche et généreuse, ce vin présente une bonne tenue en bouche. La finale est très fraîche.
•⌐SCEA Dom. Amblard, 47120 Saint-Sernin-de-Duras, tél. 05.53.94.77.92, fax 05.53.94.27.12 ☑ ⏚ t.l.j. sf dim. 8h-12h30 14h-19h
•⌐ Guy Pauvert

DOM. DU BOURRAN
Vendanges tardives 1998★★

☐	0,25 ha	700	◫ 30 à 49 F

Deux cuvées retenues : l'une liquoreuse, l'autre plutôt moelleuse avec un encépagement différent. Ce liquoreux - sémillon et sauvignon jouant à parts égales - présente un nez de fleurs blanches et, curieusement, de truffe. L'attaque est tout en finesse, l'équilibre s'avérant parfait entre le gras, le sucre, l'acidité et les parfums qui évoquent une salade de fruits. Le boisé est fondu : une remarquable réussite. L'autre vin, **moelleux 98**, assemblant 10 % de sauvignon, 40 % de muscadelle et 50 % de sémillon, est plus floral au nez avec une touche de fruits exotiques. Légèrement rôti au nez, il est équilibré ; la fraîcheur en finale est très appréciable. Il reçoit une étoile.
•⌐ Paul McGrane, Le Bourran, 47120 Saint-Jean-de-Duras, tél. 05.53.89.64.31, fax 05.53.89.64.31 ☑

Côtes de duras

CLOS DU CADARET 1998★★★

◼	2 ha	2 000	◫ 100 à 149 F

A nouveau, deux cuvées exceptionnelles du Clos du Cadaret obtiennent des notes maximales. Ce Clos du Cadaret a un nez expressif de fruits mûrs aux arômes grillés bien mariés. Il est très flatteur en bouche, avec un bois bien présent mais pas dominant et une belle longueur. Quant à la **cuvée Raoul Blondin en rouge 98**, elle présente un nez complexe et intense de fruits mûrs et de vanille. Sa puissance tannique, étonnante, ne masque pas les fruits. C'est un vin de garde marqué par le bois mais qui peut le supporter car il est très concentré.
•⌐Corinne et Gérard Le Jan, Clos du Cadaret, 47120 Loubès-Bernac, tél. 05.53.94.59.42, fax 05.53.64.34.60, e-mail cadaret@wanadoo.fr ☑ ⏚ r.-v.

DOM. DES COURS Sauvignon 1999★

☐	5 ha	15 000	◼⏚ 20 à 29 F

Le jury récompense à l'aveugle tous les ans cette cuvée : ceci prouve le sérieux et la rigueur avec lesquels elle est élaborée. Au nez, la fleur de genêt, le bourgeon de cassis et les fruits exotiques s'imposent : à n'en pas douter, il s'agit de sauvignon. Après une attaque franche et fruitée, la bouche se montre enrobée, avec une pointe de vivacité en finale. Un vin caractéristique du millésime 99.
•⌐Lusoli, Dom. des Cours, 47120 Sainte-Colombe-de-Duras, tél. 05.53.83.74.35, fax 05.53.83.63.18 ☑ ⏚ t.l.j. 8h-18h

DUC DE BERTICOT
Elevé en fût de chêne 1998★★★

☐	5 ha	20 000	◼◫⏚ 30 à 49 F

Voilà deux cuvées de 98 particulièrement dignes d'attention : ce Duc de Berticot, qui a participé au grand jury des coups de cœur, a un nez de petits fruits intéressant avec de légères touches de boisé. La bouche, mûre, très ronde, possède beaucoup de tanins et un retour sur le fruit mûr. C'est un mariage réussi entre terroir et élevage. Dans ce même millésime, les **Hauts de Berticot** présentent aussi un nez de fruit mûr et de grillé. La structure tannique est bien fondue avec des tanins un peu plus austères. Deux belles bouteilles.
•⌐SCA Vignerons Landerrouat-Duras, Berticot, 47120 Duras, tél. 05.53.83.75.47, fax 05.53.83.82.40 ☑ ⏚ r.-v.

DOM. DU GRAND MAYNE
Sauvignon 1999★

☐	1,1 ha	10 000	◫ 30 à 49 F

Cette année, ce sont deux cuvées de blanc sec, l'une élevée en fût, l'autre pas, qui ont d'abord retenu l'attention du jury. La première, à base de sauvignon et qui connaît la barrique, présente au nez un boisé discret. La bouche confirme la belle réussite technique : elle allie des notes de vanille et de fruits blancs. La finale longue et d'une finesse remarquable offre un retour de fruits. L'**autre cuvée** (20 à 29 F) associe 10 % de sémillon au sauvignon et est élevée en cuve inox. Une même note récompense, en rouge, la **cuvée 98 élevée en fût**. Riche, tannique et aromatique, c'est un joli vin de garde.

SUD-OUEST

➛SARL Andrew Gordon, Le Grand Mayne,
47120 Villeneuve-de-Duras, tél. 05.53.94.74.17,
fax 05.53.94.77.02, e-mail agordon@terre-net.fr
☑ ☒ t.l.j. sf sam. dim. 9h-17h

CH. LA PETITE BERTRANDE
Vendanges tardives 1998★

☐	2 ha	4 000	⦀	70 à 89 F

Un vin riche, bien construit, aujourd'hui un
peu dominé par le boisé qui masque légèrement
les arômes d'amande et de poire. En bouche,
l'équilibre est agréable malgré une finale encore
un tantinet amère : à garder en cave deux à trois
ans afin que l'ensemble se fonde.
➛Jean-François Thierry, Vignoble Les
Guignards, 47120 Saint-Astier-de-Duras,
tél. 05.53.94.74.03, fax 05.53.94.75.27,
e-mail vguignards@aol.com ☑ ☒ t.l.j. sf dim.
10h-12h 16h-20h
➛Alain Tingaud

DOM. LAS BRUGUES-MAU MICHAU
Sauvignon 1999★★

☐	4 ha	n.c.	⛴♨	20 à 29 F

Un vin original, cependant pas très typé par
le cépage. Le nez est complexe, à la fois fruité et
floral, intense. Après une attaque souple, la bouche, généreuse et puissante, joue avec du fruit
bien mûr. Un peu de gaz carbonique lui donne
un coup de fouet en finale. L'harmonie est réussie.
➛Prévot, Mau Michau, 47120 Monteton,
tél. 05.53.20.24.51, fax 05.53.20.80.57,
e-mail mprevot@wanadoo.fr ☑ ☒ t.l.j. sf dim.
9h-12h 14h-18h; groupes sur r.-v.

DOM. DE LAULAN
Duc de Laulan Vieilli en fût de chêne 1998★★

■	2 ha	14 200	⦀	30 à 49 F

L'un des incontournables du Guide : le Duc
de Laulan arbore un nez remarquable de fruits
mûrs. La bouche ronde et grasse possède des
tanins bien présents, un peu marqués par le bois.
La finale est encore un peu austère mais la belle
matière première promet un grand avenir. La
cuvée Emile Chariot en blanc sec 99 (sauvignon),
élevée sous bois, est toujours autant appréciée.
Le boisé bien maîtrisé lui confère complexité et
harmonie. Une jolie gamme.
➛EARL Geoffroy, Dom. de Laulan,
47120 Duras, tél. 05.53.83.73.69,
fax 05.53.83.81.54,
e-mail domaine.laulan@wanadoo.fr ☑ ☒ r.-v.

MARQUIS DE BERTICOT
Sauvignon 1999★★

☐	30 ha	200 000	⛴♨	30 à 49 F

Deux cuvées de blanc sec 99 ont fait le bonheur du jury. Puissant, le nez du Marquis de Ber-

ticot évoque l'acacia, le genêt et les agrumes. Vif
en attaque, le palais présente une bonne longueur
en finale sur des fruits exotiques. La **cuvée Berticot**, elle aussi exclusivement à base de sauvignon, possède un nez plus fruité. Gras et puissant
en bouche, c'est un vin aromatique et complexe.
➛SCA Vignerons Landerrouat-Duras, Berticot,
47120 Duras, tél. 05.53.83.75.47,
fax 05.53.83.82.40 ☑ ☒ r.-v.

CH. DE PERCEVAL
Vendanges tardives 1998★★

☐	1 ha	2 500	⦀	200 à 249 F

Le château fut construit en 1690 par le sieur
de Condom-Perceval, grand écuyer des rois de
France. Ce vin moelleux a été élevé en fût de
chêne et d'acacia. Le nez de fruits mûrs est très
intense avec des notes grillées. Après une attaque
fort onctueuse, le boisé est présent mais
commence à s'intégrer et laisse revenir le fruité
du raisin. Un produit élégant au remarquable
potentiel.
➛SCEA Condom, Ch. Condom Perceval,
47120 Loubes Bernac, tél. 05.53.76.05.02,
fax 05.53.76.03.79 ☑ ☒ r.-v.

DOM. DU PETIT MALROME
Cuvée Yvan 1998★★

■	0,9 ha	4 500	⦀	30 à 49 F

Le domaine est en cours de reconversion à
l'agriculture biologique depuis 1997, ce qui ne
nuit pas à la qualité de ses vins. Cette cuvée offre
un nez intense, marqué par les fruits noirs, la
fraise et quelques notes vanillées. L'attaque est
souple et bien équilibrée. En bouche, le fruit
domine un gentil boisé. Un 98 très riche.
➛Alain Lescaut, 47120 Saint-Jean-de-Duras,
tél. 05.53.89.01.44, fax 05.53.89.01.44 ☑ ☒ t.l.j.
sf dim. 10h-12h 14h-19h

DOM. DU VIEUX BOURG
Cuvée Sainte-Anne 1998★

■	3 ha	10 000	⦀	30 à 49 F

Ici, on peut voir les ruines d'un château fort.
Cette cuvée porte le nom d'une chapelle, elle
aussi disparue. Après des arômes de fruits confits
et de coing, ce sont des notes de fumé et de sous-
bois qui apparaissent. L'attaque surprend agréablement par sa souplesse et sa rondeur. Les
tanins bien marqués restent soyeux et enrobés :
le bois est déjà fondu. Agréable à boire assez tôt,
ce vin pourra aussi vieillir avec bonheur.
➛Bernard Bireaud, Dom. du Vieux Bourg,
47120 Pardaillan, tél. 05.53.83.02.18,
fax 05.53.83.02.37 ☑ ☒ t.l.j. sf sam. dim. 8h-12h
14h-19h; groupes sur r.-v.

LA VALLÉE DE LA LOIRE ET LE CENTRE

Unis par un fleuve que l'on a dit royal, et qui justifierait le qualificatif par sa seule majesté si les rois en effet n'avaient aimé résider sur ses rives, les divers pays de la vallée de la Loire sont baignés par une lumière unique, mariage subtil du ciel et de l'eau qui fait éclore ici le « jardin de la France ». Et dans ce jardin, bien sûr, la vigne est présente ; des confins du Massif central jusqu'à l'estuaire, les vignobles ponctuent le paysage au long du fleuve et d'une dizaine de ses affluents, dans un vaste ensemble que l'on désignera sous le nom de « vallée de la Loire et Centre », plus étendu que ne l'est le Val de Loire au sens strict, sa partie centrale. C'est dire combien le tourisme est ici varié, culturel, gastronomique ou œnologique ; et les routes qui suivent le fleuve sur les « levées », ou celles, un peu en retrait, qui traversent vignobles et forêts sont les axes d'inoubliables découvertes.

Jardin de la France, résidence royale, terre des Arts et des Lettres, berceau de la Renaissance, la région est vouée à l'équilibre, à l'harmonie, à l'élégance. Tantôt étroite et sinueuse, rapide et bruyante, tantôt imposante et majestueuse, calme d'apparence, la Loire en est bien le facteur d'unité ; mais il convient cependant d'être attentif aux différences, surtout lorsqu'il s'agit des vins.

Depuis Roanne ou Saint-Pourçain jusqu'à Nantes ou Saint-Nazaire, la vigne occupe les coteaux de bordure, bravant la nature des sols, les différences de climat et les traditions humaines. Sur près de 1 000 km, plus de 50 000 ha couverts de vignes produisent, avec de grandes variations. En 1999, le volume des vins d'appellation a représenté 2 743 582 hl, soit 9,63 % de la production française. Les vins de cette vaste région ont pour points communs la fraîcheur et la délicatesse de leurs arômes, essentiellement dues à la situation septentrionale de la plupart des productions.

Vouloir désigner toutes ces productions sous le même vocable est un peu audacieux malgré tout, car, bien qu'identifiés comme septentrionaux, certains vignobles sont situés à une latitude qui, dans la vallée du Rhône, subit l'influence climatique méditerranéenne... Mâcon est à la même latitude que Saint-Pourçain et Roanne que Villefranche-sur-Saône. C'est donc le relief qui influe ici sur le climat pour limiter l'action des courants : le courant d'air atlantique s'engouffre d'ouest en est dans le couloir tracé par la Loire, puis s'estompe peu à peu au fur et à mesure qu'il rencontre les collines du Saumurois et de la Touraine.

Les vignobles formant de véritables entités sont donc ceux de la région nantaise, de l'Anjou et de la Touraine. Mais on y a joint ceux du haut Poitou, du Berry, des côtes d'Auvergne et roannaises ; il faut bien les associer à une grande région, et celle-ci est la plus proche, aussi bien géographiquement que par les types de vins produits. Il paraît donc nécessaire, sur un plan général, de définir quatre grands ensembles, les trois premiers cités, plus le Centre.

Dans la basse vallée de la Loire, l'aire du muscadet et une partie de l'Anjou reposent sur le Massif armoricain, constitué de schistes, de gneiss et d'autres roches sédimentaires ou éruptives de l'ère primaire. Les sols évolués sur ces formations sont très propices à la culture de la vigne, et les vins qui y sont produits sont d'excellente qualité. Encore appelée région nantaise, cette première entité, la plus à l'ouest du Val de Loire, présente un relief peu accentué, les roches dures du Massif armoricain étant entaillées à l'abrupt par de petites rivières. Les vallées escarpées ne permettent pas la formation de coteaux cultivables, et la vigne occupe les mamelons de plateau. Le climat est océanique, assez uniforme toute l'année, l'influence maritime atténuant les variations saisonnières. Les hivers sont peu rigoureux et les étés chauds et souvent humides ; l'ensoleillement est bon. Les gelées printanières viennent cependant parfois perturber la production.

L'Anjou, pays de transition entre la région nantaise et la Touraine, englobe historiquement le Saumurois ; cette région viticole s'inscrit presque entièrement dans le département du Maine-et-Loire, mais géographiquement le Saumurois devrait plutôt être rattaché à la Touraine occidentale avec laquelle il présente davantage de similitudes, tant au point de vue des sols que du climat. Les formations sédimentaires du Bassin parisien viennent d'ailleurs recouvrir en transgression des formations primaires du Massif armoricain, de Brissac-Quincé à Doué-la-Fontaine. L'Anjou se divise en plusieurs sous-régions : les coteaux de la Loire (prolongement de la région nantaise), en pente douce d'exposition nord, où la vigne occupe la bordure du plateau ; les coteaux du Layon, schisteux et pentus, les coteaux de l'Aubance ; et la zone de transition entre l'Anjou et la Touraine, dans laquelle s'est développé le vignoble des rosés.

Le Saumurois se caractérise essentiellement par la craie tuffeau sur laquelle poussent les vignes ; au-dessous, les bouteilles rivalisent avec les champignons de Paris pour occuper galeries et caves facilement creusées. Les collines un peu plus élevées arrêtent les vents d'ouest et favorisent l'installation d'un climat qui devient semi-océanique et semi-continental. En face du Saumurois, on trouve sur la rive droite de la Loire les vignobles de Saint-Nicolas-de-Bourgueil, sur le coteau turonien. Plus à l'est, après Tours, et sur le même coteau, le vignoble de Vouvray se partage avec Chinon - prolongement du Saumurois sur les coteaux de la Vienne - la réputation des vins de Touraine. Azay-le-Rideau, Montlouis, Amboise, Mesland et les coteaux du Cher complètent la panoplie de noms à retenir dans ce riche Jardin de la France, où l'on ne sait plus si l'on doit se déplacer pour les vins, les châteaux ou les fromages de chèvre (Sainte-Maure, Selles-sur-Cher, Valençay) ; mais pourquoi pas pour tout à la fois ? Les petits vignobles des coteaux du Loir, de l'Orléanais, de Cheverny, de Valençay et des coteaux du Giennois peuvent être rattachés à la troisième entité naturelle que forme la Touraine.

La Vallée de la Loire

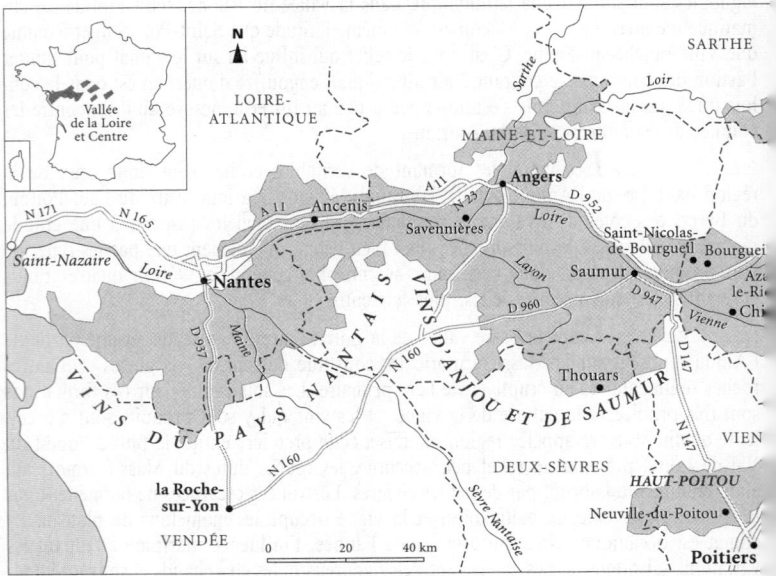

Les vignobles du Berry (ou du Centre) constituent une quatrième région, indépendante et différente des trois autres tant par les sols, essentiellement jurassiques, voisins du Chablisien pour Sancerre et Pouilly-sur-Loire, que par le climat semi-continental, aux hivers froids et aux étés chauds. Pour la commodité de la présentation, nous rattachons Saint-Pourçain, les côtes roannaises et le Forez à cette quatrième unité, bien que sols (Massif central primaire) et climats (semi-continental à continental) soient différents.

Si, pour aborder les domaines spécifiquement viticoles, on reprend la même progression géographique, le muscadet est caractérisé par un cépage unique (le melon) produisant un vin « unique », blanc sec irremplaçable. Le cépage folle blanche est également dans cette région à l'origine d'un autre vin blanc sec, de moindre classe, le gros-plant. La région d'Ancenis, elle, est « colonisée » par le gamay noir.

Dans l'Anjou, en blanc, le cépage chenin ou pineau de la Loire est le principal ; le chardonnay et le sauvignon y ont été récemment associés. Il est à l'origine des grands vins liquoreux ou moelleux, ainsi que, suivant l'évolution des goûts, d'excellents vins secs et mousseux. En cépage rouge, autrefois très répandu, citons le grolleau noir. Il donne traditionnellement des rosés demi-secs. Cabernet franc, anciennement appelé « breton », et cabernet-sauvignon produisent des vins rouges fins et corsés ayant une bonne aptitude au vieillissement. Comme les hommes, les vins reflètent, ou contribuent à constituer la « douceur angevine » : à un fond vif dû à une acidité forte vient souvent s'associer une saveur douce résultant de la présence de sucres restants. Le tout dans une production multiple, à la diversité un peu déroutante.

A l'ouest de la Touraine, le chenin en Saumurois, Vouvray et Montlouis ou dans les coteaux du Loir, et le cabernet franc à Chinon, Bourgueil et dans le Saumurois, puis le grolleau à Azay-le-Rideau, sont les principaux cépages. Le gamay noir en rouge et le sauvignon en blanc produisent, dans la région est, des vins légers, fruités et agréables. Citons enfin, pour être complet, le pineau d'Aunis des coteaux du Loir, à la nuance poivrée, et le gris meunier, dans l'Orléanais.

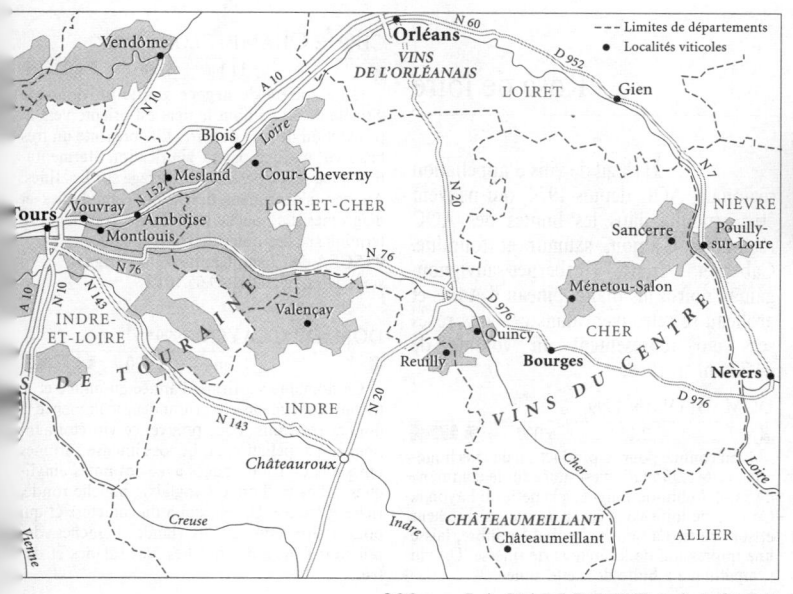

LOIRE

833   LA VALLÉE DE LA LOIRE

Dans le vignoble du Centre, le sauvignon (en blanc) est roi à Sancerre, Reuilly, Quincy et Menetou-Salon, ainsi qu'à Pouilly, où il est encore appelé blanc-fumé. Il partage là son territoire avec quelques vignobles vestiges de chasselas, donnant des blancs secs et nerveux. En rouge, on perçoit le voisinage de la Bourgogne, puisqu'à Sancerre et Menetou-Salon les vins sont produits à partir de pinot noir.

Pour être exhaustif, il convient d'ajouter quelques mots sur le vignoble du haut Poitou, réputé en blanc pour son sauvignon aux vins vifs et fruités, son chardonnay aux vins corsés, et, en rouge, pour ses vins légers et robustes issus des cépages gamay, pinot noir et cabernet. Sous un climat semi-océanique, le haut Poitou assure la transition entre le Val de Loire et le Bordelais. Entre Anjou et Poitou, la production du vignoble du Thouarsais (AOVDQS) est confidentielle. Quant au vignoble des Fiefs vendéens, terroir AOVDQS anciennement dénommé vin des Fiefs du Cardinal et implanté le long du littoral atlantique, ses vins les plus connus sont les vins rosés de Mareuil, issus de gamay noir et pinot noir ; la curiosité de la région étant constituée par le vin de « ragoûtant », issu du cépage négrette et difficile à trouver.

La Vallée de la Loire

Val de Loire

Rosé de loire

Il s'agit de vins d'appellation régionale, AOC depuis 1974, qui peuvent être produits dans les limites des AOC régionales d'anjou, saumur et touraine. Cabernet franc, cabernet-sauvignon, gamay noir à jus blanc, pineau d'Aunis et grolleau se retrouvent dans ces vins rosés secs qui représentent un volume de 64 726 hl en 1999.

DOM. BLOUIN 1999

| ◢ | 2,15 ha | 5 000 | 🍾 | 20 à 29 F |

Bien connue pour sa production de vins liquoreux, cette exploitation est située sur la commune de Saint-Aubin-de-Luigné, « la perle du Layon ». Ce rosé de loire vous étonnera par sa fraîcheur et son fruité. La bouche, au bel équilibre, laisse une impression de légèreté et de finesse. Un vin sympathique à boire dès cette année.

➦ Dom. Michel Blouin, 53, rue du Canal-de-Monsieur, 49190 Saint-Aubin-de-Luigné, tél. 02.41.78.33.53, fax 02.41.78.67.61 Ⓥ Ⓨ r.-v.

CH. DE CHAMPTELOUP 1999★

| ◢ | 11 ha | 67 000 | 🍾 | - de 20 F |

Cette société de négoce vinifie un domaine viticole de 30 ha dont le tiers est orienté vers la production de rosé de loire. Elle présente un très beau vin marqué par sa vinification : fermentation à basse température et élevage sur lies fines. Au nez, s'expriment des arômes amyliques et d'agrumes. La bouche est délicate, fraîche, et se termine sur des notes de fruits rouges.
➦ SCEA de Champteloup, 49700 Brigné-sur-Layon, tél. 02.41.59.65.10 Ⓥ

DOM. DE CLAYOU 1999★★

| ◢ | 1,5 ha | 12 000 | 🍾 | 20 à 29 F |

Ce domaine s'affirme d'année en année et le travail qu'il mène en profondeur commence à donner ses fruits. Pour preuve, ce vin étonnant pour son appellation : robe rose intense ; arômes puissants de fruits rouges avec des notes amyliques délicates (bonbon anglais) ; bouche ronde, riche et fruitée. Un vin qui a du caractère et qui pourra être servi sur des viandes blanches, des poissons froids, des quiches, des salades et des fruits.

➤SCEA Jean-Bernard Chauvin,
18 bis, rue du Pont-Barré, 49750 Saint-Lambert-du-Lattay, tél. 02.41.78.42.84, fax 02.41.78.48.52
☑ ⵏ r.-v.

DOM. DU CLOS DES GOHARDS 1999★

◢	4 ha	3 000	⮚⭙	- de 20 F

Depuis quatre générations dans la même famille, ce domaine est passé de 4 à 35 ha. Il compte quelques vieilles vignes qui donnent des vins peu connus qui méritent cependant un détour. Celui-ci est bien représentatif de son appellation. C'est un très beau vin à la robe rose pâle qui décline des arômes de petits fruits rouges (framboise, cerise) ; la bouche, légère, donne le sentiment de croquer des fruits frais. Délicat et agréable, un rosé de loire que l'on recommande.
➤EARL Michel et Mickaël Joselon,
Dom. du Clos des Gohards, Les Oisonnières, 49380 Chavagnes-les-Eaux, tél. 02.41.54.13.98, fax 02.41.54.13.98 ☑ ⵏ r.-v.

DOM. DU FRESCHE 1999★

◢	0,5 ha	4 000	⮚⭙	20 à 29 F

A. Boré est le président de l'AOC anjou coteaux de la loire, une appellation de vins liquoreux en plein renouveau. Il incarne le travail bien fait comme le montre l'ensemble de sa production et plus précisément ce rosé. La robe, rose pâle, donne une impression de légèreté caractéristique de l'appellation. Le nez étonne par sa puissance et ses arômes de fruits mûrs. Une très belle expression en bouche laisse un sentiment de fraîcheur et de délicatesse.
➤EARL Boré, Dom. du Fresche,
49620 La Pommeraye, tél. 02.41.77.74.63, fax 02.41.77.79.39 ☑ ⵏ r.-v.

DOM. GAUDARD 1999

◢	1,41 ha	5 000	⮚	20 à 29 F

Pierre Aguilas est une force de la nature : une énergie hors du commun qu'il emploie à la fois sur son domaine et au service de la viticulture angevine. Ses vins de caractère sont bien à l'image de l'homme. Son rosé porte une robe rose intense et exhale des arômes puissants de fleurs et de fruits qui se dégagent à l'aération ; la bouche, pleine, laisse une sensation de fruits rouges. A essayer sur une quiche lorraine ou sur une tarte salée en début de repas.
➤Pierre Aguilas, Dom. Gaudard, rte de Saint-Aubin, 49290 Chaudefonds-sur-Layon, tél. 02.41.78.10.68, fax 02.41.78.67.72 ☑ ⵏ t.l.j. sf dim. 8h-12h 14h-18h

DOM. DES HAUTES VIGNES 1999★

◢	4 ha	4 000	⮚⭙	20 à 29 F

Créée en 1961 avec 2,5 ha de vignes, l'exploitation en compte aujourd'hui 45. Les vins rosés sont obtenus par saignée de cuves destinées à la production de vins rouges, qui sont ensuite assemblées avec des cuves issues du pressurage direct des vendanges. Cette méthode de vinification donne un très beau vin, aux notes intenses de petits fruits rouges. La bouche séduit mais laisse cependant percer en finale une légère sensation d'amertume.

➤SCA Fourrier et Fils, 22, rue de la Chapelle, 49400 Distré, tél. 02.41.50.21.96, fax 02.41.50.12.83 ☑ ⵏ r.-v.

DOM. DE LA DOUNIERE 1999

◢	2 ha	500	⮚⭙	20 à 29 F

Cette exploitation du nord des Deux-Sèvres est située sur la commune de Bouillé-Loretz. Vous pourrez y visiter la maison des vins, une vieille bâtisse agricole remarquable par ses cours fermées. Mais c'est ce vin à la robe rose limpide et aux arômes légers de fleurs et de fruits mûrs (melon) qui a retenu l'attention du jury ; la bouche se montre fraîche et désaltérante. Un 99 qui laisse une impression de légèreté, bien représentatif de l'appellation.
➤EARL Lacroix, 107, rue Saint-Vincent, 79290 Bouillé-Loretz, tél. 05.49.67.05.13, fax 05.49.67.11.43 ☑ ⵏ r.-v.

VIGNOBLE DE L'ARCISON 1999★★

◢	2,5 ha	10 000	⮚⭙	20 à 29 F

Sur cette exploitation traditionnelle de l'Anjou, on produit la fameuse AOC bonnezeaux. Le travail de restructuration du foncier a permis de constituer année après année une vigne de 7 ha sur le lieu-dit clos du Moulin par l'achat de pas moins de soixante-dix-sept parcelles. Ce très beau rosé de loire étonne par l'impression de puissance qui s'en dégage. La robe est rose orangé soutenu et les arômes intenses de fruits mûrs et de fleurs dominent la dégustation. Un vin qui a du caractère.
➤Damien Reulier,
Le Mesnil, 49380 Thouarcé, tél. 02.41.54.16.81, fax 02.41.54.31.12 ☑ ⵏ t.l.j. 9h-12h30 14h-18h; f. oct.

LA TUILIERE 1999★

◢	n.c.	100 000	⮚⭙	- de 20 F

Cette maison de négoce, spécialisée en rosés et effervescents, présente un rosé de loire bien représentatif de son appellation : robe rose pâle, arômes délicats de fruits rouges et de fruits frais ; la bouche est rafraîchissante et laisse une impression de légèreté. Un vin friand, à boire dès cette année.
➤De Neuville, rue Léopold-Palustre, 49400 Saint-Hilaire-Saint-Florent, tél. 02.41.53.03.30, fax 02.41.53.03.39 ☑ ⵏ t.l.j. sf dim. lun. 9h30-18h30

CH. DE LA VIAUDIERE 1999

◢	2,8 ha	9 000	⮚⭙	- de 20 F

Cette entreprise viticole familiale est gérée de père en fils depuis quatre siècles. Olivier Gélineau, en amoureux des mots, écrit tous les ans un poème à ses clients, à l'occasion des nouveaux vins commercialisés aux mois de mars et d'avril. Ce 99 est agréable à l'œil comme au nez. Un même sentiment se retrouve en bouche avec une attaque souple et fruitée. Une belle harmonie d'ensemble pour ce digne représentant des vins rosés délicats du Val de Loire.
➤EARL Vignoble Gélineau,
Ch. de La Viaudière, 49380 Champ-sur-Layon, tél. 02.41.78.86.27, fax 02.41.78.60.45, e-mail gelineau@wanadoo.fr ☑ ⵏ r.-v.

LOIRE

LES TERRIADES 1999★

◢   12 ha   100 000   🍷♦ -de 20 F

Les Caves de La Loire ont été créées en 1951 et commercialisent environ 110 000 hl. Un équipement de pointe est mis au service d'une démarche qualitative tournée vers la production de vins de terroir. Ce rosé de loire laisse une impression de fraîcheur et de légèreté, et la sensation en bouche de croquer des fraises. Un très beau travail d'ensemble avec des vendanges récoltées à une bonne maturité et particulièrement bien vinifiées.
☛ Les Caves de la Loire, rte de Vauchrétien, 49320 Brissac, tél. 02.41.91.22.71, fax 02.41.54.20.36, e-mail loirewines @ vapl.fr
☑ 𝚼 r.-v.

DOM. DES MATINES 1999★★

◢   3 ha   15 000   🍷♦ 30 à 49 F

Une exploitation familiale qui doit son renom à la personnalité du patriarche. La cave creusée dans le roc et la salle des vis de pressoir sont des curiosités à découvrir parmi d'autres. Très belle expression aromatique de fruits exotiques et de fleurs, associés à des notes amyliques. La bouche offre un équilibre remarquable. Un vin printanier, typé, qui laisse une impression de fraîcheur et de finesse. Pour des viandes blanches.
☛ Michèle Etchegaray-Mallard, Dom. des Matines, 31, rue de la Mairie, 49700 Brossay, tél. 02.41.52.25.36, fax 02.41.52.25.50 ☑ 𝚼 r.-v.

DOM. ROMPILLON 1999★

◢   0,85 ha   7 500   🍷♦ 20 à 29 F

Ce domaine est situé sur la route touristique du vignoble des coteaux du Layon. Les vins rosés sont obtenus par pressurage direct des vendanges et fermentation des moûts à basse température. Vêtu de rose pâle, ce rosé de loire est flatteur. Le nez exhale des arômes de fruits rouges (fraise, cerise) et de fleurs. La bouche est souple, agréable, vive en finale, rafraîchissante.
☛ Jean-Pierre Rompillon, L'Ollulière, 49750 Saint-Lambert-du-Lattay, tél. 02.41.78.48.84, fax 02.41.78.48.84 ☑ 𝚼 r.-v.

DOM. DE SAINTE-ANNE 1999★

◢   5 ha   10 000   🍷 20 à 29 F

Ce domaine est situé sur la plus élevée des croupes argilo-calcaires de Saint-Saturnin-sur-Loire. Ce terroir particulier en Anjou donne sa pleine mesure sur les vins rouges et rosés. La très belle expression aromatique de ce 99 évoque les fleurs, les bonbons anglais et les fruits rouges. La même sensation se retrouve en bouche, laquelle laisse une impression de légèreté et de fraîcheur. Une belle réussite. A proposer sur un gâteau aux fruits.
☛ EARL Brault, Dom. de Sainte-Anne, 49320 Brissac-Quincé, tél. 02.41.91.24.58, fax 02.41.91.25.87 ☑ 𝚼 t.l.j. sf dim. 9h-12h 14h-19h; sam. 9h-12h 14h-18h

DOM. DES TROTTIERES 1999★★

◢   1,8 ha   16 000   🍷♦ 20 à 29 F

Le domaine a été créé en 1905 sur une superficie totale de 110 ha d'un seul tenant dont 79 ha sont plantés en vignes. Une macération pellicu-laire sur une partie des vendanges, une fermentation à basse température et un élevage de trois mois sur lies fines ont donné ce vin de caractère, élaboré à partir de vendanges bien mûres parfaitement vinifiées. Un rosé qui a de la matière en bouche et qui exprime toutes les nuances de petits fruits rouges. « C'est un rosé de loire de terroir », note un dégustateur. Un autre précise : « A servir à toute heure du jour et de la nuit. »

☛ SCEA Dom. des Trottières, Les Trottières, 49380 Thouarcé, tél. 02.41.54.14.10, fax 02.41.54.09.00, e-mail lestrottieres @ worldonline.fr ☑ 𝚼 t.l.j. sf sam. dim. 8h-12h30 14h-18h30
☛ Lamotte

Crémant de loire

Ici encore, l'appellation régionale peut s'appliquer à des vins effervescents produits dans les limites des appellations anjou, saumur, touraine et cheverny. La méthode traditionnelle fait ici merveille ; la production de ces vins de fêtes a atteint 38 080 hl en 1999. Les cépages sont nombreux : chenin ou pineau de Loire, cabernet-sauvignon et cabernet franc, pinot noir, chardonnay, etc. Si la plus grande part de la production est constituée de vins blancs, on trouve aussi quelques rosés.

CH. DE BELLEVUE 1997★

○   0,5 ha   3 000   🍷♦ 30 à 49 F

Situé en haut de coteau sur la commune de Saint-Aubin-de-Luigné, ce château accueille chaque année au mois de juillet la fête des vins liquoreux d'Anjou. Il propose ici un crémant de loire de caractère qui associe délicatesse et structure. Sous une teinte jaune pâle égayée par une fine effervescence, se profilent des arômes élégants et légers de fleurs blanches. La bouche, fraîche, bénéficie d'un bon équilibre. Ce vin laisse une impression d'harmonie.

☛ EARL Tijou et Fils, Ch. de Bellevue,
49190 Saint-Aubin-de-Luigné,
tél. 02.41.78.33.11, fax 02.41.78.67.84 ☑ ⲧ r.-v.
☛ Jean-Paul Tijou

BOUVET Excellence

| ○ | n.c. | 66 000 | 📖 50 à 69 F |

Bouvet-Ladubay représente une maison bien connue du Saumurois, fondée en 1851 et spécialisée dans les vins effervescents. Celui-ci est issu d'une belle matière. La mousse se montre exubérante, porteuse de quelques notes végétales à l'olfaction. En revanche, la bouche s'emplit de fruits mûrs et propose une finale tout en finesse.
☛ Bouvet-Ladubay, 1, rue de l'Abbaye,
49400 Saint-Hilaire-Saint-Florent,
tél. 02.41.83.83.83, fax 02.41.50.24.32,
e-mail bouvet-ladubay@symphonie-fai.fr
☑ ⲧ t.l.j. 9h-12h 14h-18h30

MICHEL CONTOUR★

| ○ | 1 ha | 6 600 | 30 à 49 F |

Michel Contour propose cette année un crémant à la mousse bien fine et persistante. Le nez fruité de son vin s'accompagne de notes d'amande ; l'harmonie est très réussie, de même que l'équilibre.
☛ Michel Contour, 7, rue La Boissière,
41120 Cellettes, tél. 02.54.70.43.07,
fax 02.54.70.36.68 ☑ ⲧ t.l.j. 8h30-13h 14h-19h

LES VIGNERONS DES COTEAUX ROMANAIS 1995★

| ○ | 1 ha | 7 500 | 📖 🍷 30 à 49 F |

Une petite production qui se distingue parmi les vins de cette coopérative. Une belle réussite en effet. La mousse est soutenue, le nez sent bon la brioche et la pomme. Souple et harmonieux, ce crémant constituera un apéritif de choix.
☛ Les Vignerons des Coteaux Romanais,
50, rue Principale, 41140 Saint-Romain-sur-Cher, tél. 02.54.71.70.74, fax 02.54.71.41.75 ☑ ⲧ t.l.j. sf dim. lun. 8h-12h 14h-16h

DIAMANT DE LOIRE★★

| ○ | 1,71 ha | 16 000 | 30 à 49 F |

Les Caves de la Loire ont été créées en 1951 et vinifient près de 110 000 hl. Ce crémant de loire a été élaboré avec le seul cépage de chardonnay. Le résultat est remarquable. La très belle effervescence, fine, persiste longtemps dans la robe jaune d'or si intense. Les arômes complexes déclinent les fruits blancs (coing), le miel, les fruits secs. La finale délicate fait la part belle aux notes de fruits exotiques et de brioche. Un crémant de loire généreux et de caractère, porte-drapeau du travail de qualité réalisé par les coopérateurs.
☛ Les Caves de la Loire, rte de Vauchrétien,
49320 Brissac, tél. 02.41.91.22.71,
fax 02.41.54.20.36, e-mail loirewines@vapl.fr
☑ ⲧ r.-v.

GUY DURAND★

| ○ | 0,3 ha | 2 000 | 📖 🍷 30 à 49 F |

Guy Durand est installé sur la rive gauche de la Loire. Il a assemblé le chenin (80 %) au chardonnay (20 %) pour élaborer cette cuvée jaune doré animée de bulles persistantes. Le nez, aussi intense, libère des notes de fruits frais. Voilà une cuvée très ouverte et équilibrée. Le **touraine-amboise blanc 98** de ce producteur se montre également très réussi.
☛ Guy Durand, 11, Chemin-Neuf,
37530 Mosnes, tél. 02.47.30.43.14,
fax 02.47.30.43.14 ☑ ⲧ t.l.j. 8h-20h

DOM. DUTERTRE
Cuvée Saint-Gilles 1997★

| ○ | 3 ha | 20 000 | 📖 🍷 30 à 49 F |

Ce domaine familial, bien connu dans l'appellation touraine-amboise, s'illustre aussi en crémant de loire. Pour preuve, cette cuvée dont la robe s'apparente à celle d'un blanc de noirs. Il est vrai qu'elle contient 10 % de cabernet franc et 30 % de pinot noir en complément du chenin et du chardonnay. Fleurant bon la pomme soulignée d'accents grillés, ce 97 constitue un vin frais et intéressant.
☛ Dom. Dutertre, 20-21, rue d'Enfer,
37530 Limeray, tél. 02.47.30.10.69,
fax 02.47.30.06.92 ☑ ⲧ t.l.j. 8h-12h30 14h-18h; dim. sur r.-v.

MICHEL FARDEAU 1998★

| ○ | n.c. | 13 000 | 30 à 49 F |

Le domaine est situé dans le bas Layon, tout près de la confluence de cette rivière et de la Loire, au pied de la corniche angevine. Son crémant laisse une impression d'élégance : bulles délicates sur fond jaune pâle à reflets verts, arômes fruités et épicés, bouche rafraîchissante à la finale de fruits frais. Il pourrait bien s'accorder avec des desserts au chocolat.
☛ Dom. Michel Fardeau, Les Hauts Perrays,
49290 Chaudefonds-sur-Layon,
tél. 02.41.78.67.57, fax 02.41.78.68.78 ☑ ⲧ t.l.j. 9h-12h 13h-19h; sam. dim. sur r.-v.

FOUSSY

| ○ | n.c. | 30 000 | 30 à 49 F |

Blanc Foussy est une maison de négoce spécialisée dans l'élaboration de vins effervescents. Ses grandes caves situées à Rochecorbon, en bordure de Loire, sont ouvertes à la visite et ont abrité pendant la prise de mousse un vin aujourd'hui doré, assez vif. On essaiera ce crémant de loire sur des huîtres : sa bouche désaltérante et riche en arômes fruités (pomme) ou légèrement iodés devrait bien s'y associer.
☛ SA Blanc Foussy, 95, quai de la Loire,
37210 Rochecorbon, tél. 02.47.40.40.20,
fax 02.47.52.65.82 ☑ r.-v.

XAVIER FRISSANT

| ○ | 1 ha | 4 000 | 📖 30 à 49 F |

Coup de cœur l'an passé pour sa cuvée Millénium, ce jeune producteur exporte déjà 20 % de sa production. Il propose cette année un blanc de blancs aux discrètes nuances de miel et d'amande sur fond fruité. Un brut tendre pour commencer un repas.
☛ Xavier Frissant, 1, chem. Neuf,
37530 Mosnes, tél. 02.47.57.23.18,
fax 02.47.57.23.25 ☑ ⲧ t.l.j. 8h-12h30 14h-19h30; dim. sur r.-v.

LOIRE

GRATIEN ET MEYER Cuvée Royale

○   n.c.   200 000   `30 à 49 F`

En 1864, Alfred Gratien fonde à vingt-trois ans sa maison de vins à Saumur. A sa mort, en 1885, Albert Meyer reprend la maison familiale et ce sont ses descendants, Alain et Gérard Seydoux, qui la gèrent aujourd'hui, proposant à la dégustation ce crémant de loire agréable. Une impression de fruité et de fraîcheur en émane. En effet, après les évocations discrètes de fruits et de brioche au nez, la bouche, vive, se termine sur des notes citronnées. Un vin dont l'acidité se mariera bien avec les desserts.

☛ Gratien et Meyer, rte de Montsoreau, B.P. 22, 49401 Saumur Cedex, tél. 02.41.83.13.30, fax 02.41.83.13.49, e-mail contact@gratienmeyer.com ☑ ⊻ r.-v.

☛ Alain Seydoux

CHRISTIANE GREFFE★

○   n.c.   8 000   `30 à 49 F`

Cette maison vouvrillonne propose depuis quelques années déjà du crémant de loire à côté de ses vouvray et touraine. Le succès est à la clé, à en juger par ce vin doré dans lequel évolue une bulle discrète. L'équilibre est plaisant, la longueur satisfaisante sur des nuances de brioche et de coing. Il y a du caractère dans ce crémant.

☛ Christiane Greffe, 35, rue Neuve, 37210 Vernou-sur-Brenne, tél. 02.47.52.12.24, fax 02.47.52.09.56, e-mail savardja@club-internet.fr
☑ ⊻ t.l.j. sf sam. dim. 8h-12h 13h30-17h30
☛ Jacques Savard

DOM. DE LA DESOUCHERIE 1997★

○   1,3 ha   9 000   ▮♦ `30 à 49 F`

Jaune pâle et si brillante... Abondante et si fine... Suave et si rafraîchissante... Tout, la robe, l'effervescence comme la bouche, conduit au plaisir. Christian Tessier signe là une belle réussite.

☛ Christian Tessier, Dom. de La Désoucherie, 41700 Cour-Cheverny, tél. 02.54.79.90.08, fax 02.54.79.22.48, e-mail christian.tessier@waika9.com ☑ ⊻ r.-v.

DOM. DE LA GACHERE 1997★★

○   1 ha   2 000   ▮ `30 à 49 F`

Le domaine est implanté au sud du vignoble de l'Anjou, dans le département des Deux-Sèvres. Alain et Gilles Lemoine ont pris la succession de leur père, Claude, et ont entre leurs mains une exploitation de 32 ha, forte d'une belle notoriété que n'entamera en rien cette cuvée remarquable. Car voici un crémant de loire bien vinifié, caractérisé par un élevage sur lattes long qui lui donne tout son caractère : effervescence persistante, robe jaune pâle, arômes de brioche et de petits fruits secs grillés, bouche ample, généreuse, riche en sensations fruitées. Ce vin d'une réelle présence pourra être servi sur des viandes blanches ou des gâteaux au chocolat.

☛ GAEC Lemoine, Dom. de La Gachère, 79290 Saint-Pierre-à-Champ, tél. 05.49.96.81.03, fax 05.49.96.32.38, e-mail f.lemoine@wanadoo.fr ☑ ⊻ t.l.j. sf dim. 9h-12h 14h-18h

DOM. DE L'ANGELIERE 1997★

○   1,4 ha   9 000   ▮♦ `30 à 49 F`

Exploitation familiale dirigée par la même famille depuis six générations, le domaine de l'Angelière est passé de 15 ha à plus de 40 ha aujourd'hui. Son crémant de loire millésimé s'habille d'une belle robe jaune pâle, affichant une effervescence fine, persistante. Une même sensation de fraîcheur et de délicatesse émane du nez et de la bouche.

☛ GAEC Boret, Dom. de L'Angelière, 49380 Champ-sur-Layon, tél. 02.41.78.85.09, fax 02.41.78.67.10 ☑ ⊻ r.-v.

LES DOUCINIERES Cuvée An 2000

○   4 ha   8 000   ▮♦ `30 à 49 F`

Ce vignoble situé autour de Mesland est cultivé en biodynamie. 80 % de cépages blancs constituent cette cuvée aux reflets ambrés, qui fleure bon les fruits frais (pêche) et ne manque pas de souplesse. Présentée en bouteille sérigraphiée, celle-ci permettra de célébrer encore le nouveau millénaire. Le **touraine-mesland blanc 99** se révèle agréable et mérite également une citation.

☛ Vincent Girault, Ch. Gaillard, 41150 Mesland, tél. 02.54.70.25.47, fax 02.54.70.28.70 ☑ ⊻ r.-v.

DOM. MICHAUD★

○   1,6 ha   13 000   `30 à 49 F`

Noyers-sur-Cher se trouve à l'extrémité orientale de la Touraine, sur la route Tours-Vierzon qui traverse son vignoble. C'est là que ce producteur a élaboré une cuvée composée à 80 % de cépages blancs dont la robe discrète est animée de fines bulles. De légères notes briochées sont perceptibles dans un ensemble équilibré et élégant.

☛ EARL Dom. Michaud, Les Martinières, 41140 Noyers-sur-Cher, tél. 02.54.32.47.23, fax 02.54.75.39.19 ☑ ⊻ r.-v.

MONMOUSSEAU 1997

○   n.c.   62 844   ▮ `30 à 49 F`

Issu à 90 % de raisins blancs, le cabernet franc ne venant qu'en appoint, ce crémant de loire se montre discret à l'œil comme au nez (arômes plutôt floraux). Assez souple, il se tient bien en bouche.

☛ SA Monmousseau, B.P. 25, 41400 Montrichard, tél. 02.54.71.66.66, fax 02.54.32.56.09, e-mail monmousseau@wanadoo.fr ☑ ⊻ t.l.j. 10h-18h; groupes sur r.-v.; f. sam. dim. 1er nov.-31 mars
☛ Bernard Massard

MONTCHEAUX★★

○   n.c.   15 000   `30 à 49 F`

Montcheaux est une maison de négoce dont le siège se situe à l'ouest du vignoble de l'Anjou. Sa spécialité ? Les vins effervescents. Une effervescence fine et persistante fait des arabesques dans la robe jaune pâle à reflets verts de ce crémant. Les arômes discrets rappellent délicatement la pâtisserie et les fruits secs, tandis que la bouche apporte de la fraîcheur par sa finale citronnée et fruitée. Un apéritif de haut niveau.

PRODUIT   DE FRANCE

MONTCHEAUX
CRÉMANT DE LOIRE
APPELLATION CRÉMANT DE LOIRE CONTRÔLÉE
75 d   **BRUT**   11.5% vol.
ÉLABORÉ PAR LES CAVES DE MONTCHEAUX À F 49123 INGRANDES-SUR-LOIRE

➤ Cave de La Bouvraie, 6, rue de La Verrerie, 49123 Ingrandes-sur-Loire, tél. 02.41.39.40.44, fax 02.41.39.46.01 ☑ ⟲ t.l.j. sf dim. 9h-12h 14h-18h

DOM. RICHOU 1996★

| ○ | 2 ha | 10 000 | ▮▮ | 50 à 69 F |

Le domaine Richou fait partie de ces exploitations qui comptent en Anjou. Un nom associé à la production de vins rouges et de liquoreux. Les effervescents ne sont cependant pas en reste. Ainsi, ce crémant jaune pâle, durablement animé de bulles fines. Les arômes, réminiscences de pâtisserie et de fruits secs, s'expriment avec une certaine puissance. La bouche harmonieuse laisse un sentiment de fraîcheur caractéristique de l'appellation.
➤ Dom. Richou, Chauvigné, 49610 Mozé-sur-Louet, tél. 02.41.78.72.13, fax 02.41.78.76.05 ☑ ⟲ t.l.j. sf dim. 8h30-12h 14h30-19h

CH. SOUCHERIE 1996★

| ○ | 1 ha | 9 974 | 30 à 49 F |

Le château Soucherie domine le Layon, occupant un site unique à mi-coteau. A côté de ses coteaux du layon, savennières et autres anjou, il produit un crémant élégant, typique de l'appellation. L'effervescence laisse une empreinte discrète et fine dans la robe jaune pâle. La dégustation se poursuit sur des arômes légers de fruits blancs et de pâtisserie qui s'harmonisent bien avec un palais frais, équilibré.
➤ Tijou et Fils, Ch. Soucherie, 49750 Beaulieu-sur-Layon, tél. 02.41.78.31.18, fax 02.41.78.48.29 ☑ ⟲ r.-v.

DOM. DES TROTTIERES 1997★

| ○ | 0,59 ha | 4 500 | 30 à 49 F |

Le domaine couvre 110 ha d'un seul tenant, dont 79 ha en aire d'appellation, sur des graves du secondaire. Son crémant de loire a été jugé harmonieux à toutes les étapes de la dégustation : effervescence fine, robe légèrement jaune, arômes discrets rappelant les fleurs blanches, bouche délicate et fraîche. Un bon représentant de l'appellation.
➤ SCEA Dom. des Trottières, Les Trottières, 49380 Thouarcé, tél. 02.41.54.14.10, fax 02.41.54.09.00, e-mail lestrottieres@worldonline.fr ☑ ⟲ t.l.j. sf sam. dim. 8h-12h30 14h-18h30

La région nantaise

Ce sont des légions romaines qui apportèrent la vigne il y a deux mille ans en pays nantais, carrefour de la Bretagne, de la Vendée, de la Loire et de l'Océan. Après un hiver terrible en 1709 où la mer gela le long des côtes, le vignoble fut complètement détruit, puis reconstitué principalement par des plants du cépage melon venu de Bourgogne.

L'aire de production des vins de la région nantaise occupe aujourd'hui 16 500 ha et s'étend géographiquement au sud et à l'est de Nantes, débordant légèrement des limites de la Loire-Atlantique vers la Vendée et le Maine-et-Loire. Les vignes sont plantées sur des coteaux ensoleillés exposés aux influences océaniques. Les sols plutôt légers et caillouteux se composent de terrains anciens entremêlés de roches éruptives. Le vignoble de la région nantaise produit quatre vins d'appellations d'origine contrôlée : les muscadet, muscadet des coteaux de la loire, muscadet sèvre-et-maine, et muscadet côtes de grand-lieu, ainsi que les AOVDQS gros-plant du pays nantais, coteaux d'ancenis et fiefs vendéens.

Les AOC du Muscadet et le gros-plant du pays nantais

Le muscadet est un vin blanc sec qui bénéficie de l'appellation d'origine contrôlée depuis 1936. Il est issu d'un cépage unique : le melon. La superficie du vignoble est de 13 000 ha. Quatre appellations d'origine contrôlée sont distinguées suivant la situation géographique et ont produit 727 150 hl de vin en 1999 : le muscadet sèvre-et-maine, qui représente à lui seul 11 000 ha et 529 322 hl, le muscadet côtes de grand-lieu (400 ha et 19 130 hl), le muscadet des coteaux de la loire (330 ha, 13 504 hl) et le muscadet (2 270 ha, 165 195 hl).

LOIRE

Le gros-plant du pays nantais, classé AOVDQS en 1954, est également un vin blanc sec. Issu d'un cépage différent, la folle blanche, il est produit sur 2 700 ha environ.

La mise en bouteilles sur lie est une technique traditionnelle de la région nantaise, qui fait l'objet d'une réglementation précise, renforcée en 1994. Pour bénéficier de cette mention, les vins doivent n'avoir passé qu'un hiver en cuve ou en fût, et se trouver encore sur leur lie et dans leur chai de vinification au moment de la mise en bouteilles ; celle-ci ne peut intervenir qu'à des périodes définies et en aucun cas avant le 1er mars, la commercialisation étant autorisée seulement à partir du troisième jeudi de mars. Ce procédé permet d'accentuer la fraîcheur, la finesse et le bouquet des vins. Par nature, le muscadet est un vin blanc sec, mais sans verdeur, au bouquet épanoui. C'est le vin de toutes les heures. Il accompagne parfaitement les poissons, les coquillages et les fruits de mer, et constitue également un excellent apéritif. Il doit être servi frais, mais non glacé (8 ° - 9 °C). Quant au gros-plant, c'est par excellence le vin d'accompagnement des huîtres.

Muscadet

LE MOULIN DE LA TOUCHE
Sur lie 1999★★

□	1 ha	5 500	20 à 29 F

Excentré, ce muscadet produit tout près de l'Océan développe au nez et en bouche des arômes de fruits blancs (pomme, poire) auxquels s'ajoute une note minérale. Vif en attaque, il s'avère puissant et charpenté en milieu de bouche.
☛ Joël Hérissé, Le Moulin de la Touche, 44580 Bourgneuf-en-Retz, tél. 02.40.21.47.89, fax 02.40.21.47.89 ☑ ⏁ r.-v.

DOM. DU RAFOU
Clos des Quinze Sillons 1999

□	2 ha	15 000	▮ ♦	20 à 29 F

Hasard des dégustations : le second muscadet retenu par le jury est d'origine diamétralement opposée au premier, puisqu'il vient d'Anjou. Classique lui aussi dans sa robe limpide, il se révèle vif et structuré en bouche.
☛ Marc et Jean Luneau, Dom. du Rafou, 49230 Tillières, tél. 02.41.70.68.78, fax 02.41.70.68.78 ☑ ⏁ r.-v.

Muscadet des coteaux de la loire sur lie

DOM. DU CHAMP CHAPRON
Sur lie 1999

□	10 ha	66 000	▮ ♦	– de 20 F

Comme le laisse présager le beau perlant perceptible à l'œil, ce vin se signale en bouche par une attaque vive. De caractère plutôt minéral, il est suffisamment long. Le domaine a aussi produit un **gros-plant du pays nantais 99** qui exprime bien le cépage folle blanche.
☛ SCA Suteau-Ollivier, Le Champ Chapron, 44450 Barbechat, tél. 02.40.03.65.27, fax 02.40.33.34.43 ☑ ⏁ t.l.j. sf dim. 8h-20h

DOM. DES GALLOIRES
Sur lie Cuvée de Sélection 1999★★

□	1,35 ha	9 000	▮ ♦	20 à 29 F

Ce domaine exploité par un GAEC familial a produit un vin au nez d'abricot plutôt discret. Ce 99 se révèle bien mieux en bouche ; souple et rond, fruité avec des notes de pain grillé, il s'avère très agréable. Le **coteaux d'ancenis rouge 99** du domaine (moins de 20 F) mérite quant à lui une étoile pour son nez de violette et de réglisse, et sa bouche souple à laquelle une pointe de vivacité donne un caractère de terroir.
☛ GAEC des Galloires, La Galloire, 49530 Drain, tél. 02.40.98.20.10, fax 02.40.98.22.06 ☑ ⏁ r.-v.

CH. MESLIERE Sur lie 1999

□	8,5 ha	30 000	▮ ♦	20 à 29 F

Ce château doit son nom à la station paléolithique des Pierres Meslières, où l'on peut admirer deux menhirs, vestiges d'un alignement de quarante mégalithes. Son muscadet coteaux de la loire, jaune pâle à reflets verts, laisse percevoir un léger perlant à l'examen visuel. Si son nez est quelque peu fermé, il se fait rond et long en bouche, soutenu par une bonne structure. Egalement cité, le **coteaux d'ancenis rouge 99** possède de la souplesse et du fruité.
☛ Jean-Claude Toublanc, Les Pierres Meslières, 44150 Saint-Géréon, tél. 02.40.83.23.95, fax 02.40.83.23.95 ☑ ⏁ r.-v.

DOM. DE SAINT-MEEN Sur lie 1999★★★

□	n.c.	30 000	▮	20 à 29 F

Pierre Luneau-Papin a étendu ses activités jusqu'au Cellier, sur la rive droite de la Loire. Séduisant à l'œil, avec son beau perlant et ses reflets verts, ce vin confirme ses qualités dans un nez minéral et citronné puis une bouche bien ronde, vive en attaque, longue et aromatique en finale. A servir avec un bouquet d'asperges, du saumon fumé, une mousseline au citron. En **muscadet sèvre-et-maine sur lie**, on retiendra le **Clos des Allées Vieilles vignes 99** (une étoile) qui dévoile un nez très intense et fruité, avec une note minérale. Bien structuré en bouche, il est aussi très frais grâce au perlant que lui confère la présence de gaz carbonique (de 30 à 49 F).

☙ Pierre Luneau-Papin, Dom. Pierre de La Grange, 44430 Le Landreau, tél. 02.40.06.45.27, fax 02.40.06.46.62 ☑ ⟨⟩ r.-v.
☙ Pierre Luneau

Muscadet sèvre-et-maine

CH. D'AMOUR Sur lie 1999*

| ☐ | 8 ha | 25 000 | ▤ ▨ | 20 à 29 F |

La cave de ce château de fantaisie eut jadis une utilisation galante, d'où son nom sympathique. Revenue à sa vocation viticole, elle a produit dans le millésime 99 un vin élégant, très typique, au nez complexe de fruits secs et d'agrumes. Riche en bouche, celui-ci fait preuve d'une grande longueur à travers sa finale légèrement acidulée.
☙ GAEC Brochard Père et Fils, La Grenaudière, 44690 Maisdon-sur-Sèvre, tél. 02.40.03.80.00, fax 02.40.03.85.13 ☑ ⟨⟩ t.l.j. sf dim. 8h-19h

DOM. AUDOUIN Sur lie 1999*

| ☐ | 8 ha | 50 000 | ▤ ▨ | 20 à 29 F |

Issu de sols de gabbro, ce vin conserve un nez discret, où pointe cependant une belle note minérale. Après une attaque nette, sa bouche se développe en rondeur, relevée en finale par une touche de vivacité. A citer sans étoile, le **gros-plant du pays nantais Domaine de La Momenière 99**, au caractère très minéral.
☙ EARL Audouin, Dom. de La Momenière, 44430 Le Landreau, tél. 02.40.06.43.04, fax 02.40.06.47.89 ☑ ⟨⟩ t.l.j. 9h-19h

LE MUSCADET BARRE Sur lie 1999★★

| ☐ | 4,5 ha | 30 000 | ▤ ▨ | 50 à 69 F |

Ce vin d'assemblage entend représenter un certain idéal du muscadet sèvre-et-maine. Fin et droit, il manifeste en tout cas une grande richesse d'arômes : kiwi, poire et tilleul au nez, plutôt pamplemousse en bouche. De plus, il est on ne peut plus gouleyant. Chez le même négociant, le muscadet sèvre-et-maine sur lie **Les Printanières 99**, au puissant nez de fruits exotiques, mérite une étoile, de même que le **Château de la Bretesche 99** (30 à 49 F chacun).
☙ Barré Frères, Beau-Soleil, B.P. 10, 44190 Gorges, tél. 02.40.06.90.70, fax 02.40.06.96.52 ☑ ⟨⟩ r.-v.
☙ P. Guilbaud

DOM. DE BEAU-SOLEIL Sur lie 1999★★

| ☐ | 14 ha | 96 000 | ▤ ▨ | 20 à 29 F |

De quelques vignes à l'abandon, Jean Macé a fait en une trentaine d'années un beau domaine comprenant 20 ha d'un seul tenant, ce qui n'est pas si fréquent dans cette région. Bien travaillé, son vin développe des arômes de fleurs blanches et de bonbon anglais au nez, puis des notes plus fruitées dans une bouche longue et souple.
☙ GFA J. Macé, Dom. de Beau-Soleil, 1, rue Anne-de-Goulaine, 44430 Le Loroux-Bottereau, tél. 02.40.33.82.16

le Pays nantais

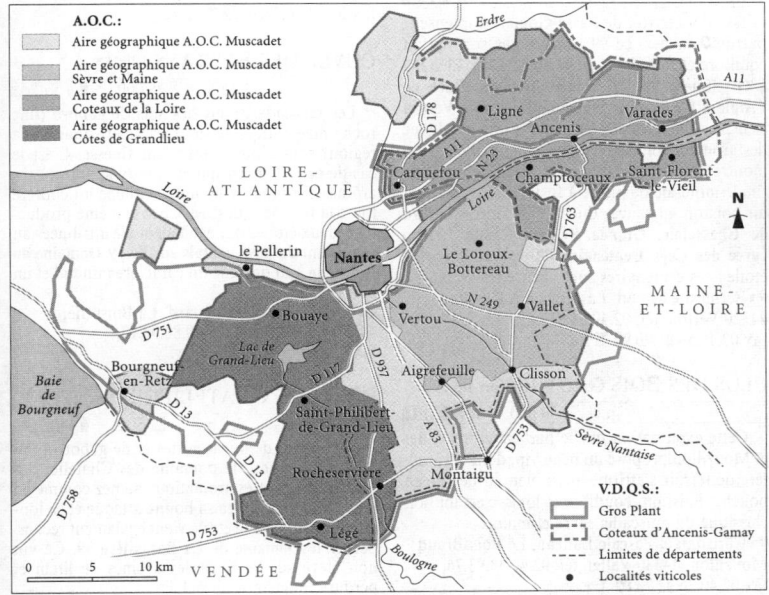

DOM. BEL AIR Sur lie 1999★

| | 23 ha | 135 000 | | 20 à 29 F |

Comme le 98, ce vin laisse une évidente impression de maturité par son nez très intense de réglisse et de grillé. Bien équilibré en bouche, il constitue néanmoins un muscadet sèvre-et-maine très typique.

☛ GAEC Jean-Luc et Emmanuel Audrain, 26, rue de la Caillaudière, 44690 La Haye-Fouassière, tél. 02.40.54.84.11, fax 02.40.36.91.36 ☑ Ⓨ t.l.j. sf dim. 8h-12h30 14h-19h30

CLOS DU BIEN-AIME Sur lie 1999★

| | 2 ha | 12 000 | | 20 à 29 F |

Si vous revenez d'une promenade dans les marais de Goulaine, après avoir débarqué au port du Millau, rendez visite à ce domaine. Le jury loue la limpidité de cristal de ce vin, son nez intense et son équilibre en bouche. Lui manque-rait-il un peu de gaieté ? Quelques mois de garde devraient y remédier.

☛ Bernard Gratas, Dom. de La Houssais, 44430 Le Landreau, tél. 02.40.06.46.27, fax 02.40.06.47.25 ☑ Ⓨ r.-v.

DOM. DU BOIS BRULE Sur lie 1999★

| | 2 ha | 12 000 | | 20 à 29 F |

Juste au nord du bourg de Vallet, ce domaine produit un vin très perlant. S'il est un peu nerveux en bouche, ce 99 sur lie est si long, gras et riche qu'il promet un agréable moment.

☛ Emmanuel Luneau, Bois Brûlé, 44330 Vallet, tél. 02.40.33.91.47 ☑ Ⓨ r.-v.

DOM. DU BOIS BRULEY Sur lie 1999★★

| | 9,55 ha | n.c. | | 30 à 49 F |

Issu d'un terroir de Basse-Goulaine, intense et parfumé au nez, ce 99 charme par son parfait équilibre et sa puissance en bouche. Le **Château L'Oiselinière de La Ramée, Grande Vinée de l'Aigle d'Or 98**, provient quant à lui de Vertou et mérite une étoile. Très expressif au nez, avec des arômes évoluant vers des notes grillées, il se montre vineux en bouche et s'achève sur une finale minérale de pierre à fusil ; on l'assortira à un poisson en sauce. Enfin, le célèbre **Château de Chasseloir, Grande Réserve Comte Leloup cuvée des Ceps Centenaires 99** est à citer sans étoile : ces centenaires sont encore très verts.

☛ Bernard Chéreau, La Mouzière-Portillon, 44120 Vertou, tél. 02.40.54.81.15, fax 02.40.54.81.70 ☑ Ⓨ r.-v.

CLOS DES BOIS GAUTIER Sur lie 1999★

| | n.c. | 50 000 | | 20 à 29 F |

Cette exploitation qui se partage entre Vallet et Mouzillon propose un beau vin, dont le caractère de terroir s'affirme aussi bien au nez qu'en bouche. Puissant, équilibré et long, c'est un bon classique du muscadet sèvre-et-maine.

☛ Christian et Pascale Luneau, Le Bois-Braud, Mouzillon, 44330 Vallet, tél. 02.40.33.93.76, fax 02.40.36.22.73 ☑ Ⓨ r.-v.

DOM. DU BOIS-JOLY
Sur lie Harmonie 1999★

| | 4,5 ha | 30 000 | | 20 à 29 F |

Bien connue des lecteurs du Guide, cette cuvée à la robe limpide séduit dans le millésime 99 par un nez droit, aux typiques arômes d'agrumes et de fruits verts. Souple et ample en bouche, elle évoque la gaieté.

☛ Henri et Laurent Bouchaud, Le Bois-Joly, 44330 Le Pallet, tél. 02.40.80.40.83, fax 02.40.80.45.85 ☑ Ⓨ t.l.j. 9h30-13h 15h-19h30

PIERRE-LUC BOUCHAUD
Sur lie Sélection Terroir Le Perd son Pain 1999★

| | 0,73 ha | 5 000 | | 20 à 29 F |

Réputée ingrate et non rentable, d'où son nom, la parcelle du Perd-son-Pain (moins d'un hectare) convient bien à la vigne. Cette cuvée au nez complexe, vert et légèrement minéral, se montre bien charpentée en bouche, avec une attaque perlante et une finale chaleureuse.

☛ Pierre-Luc Bouchaud, La Hautière, 44690 Saint-Fiacre, tél. 02.40.36.95.23, fax 02.40.36.79.56, e-mail pierre-luc.bouchaud@wanadoo.fr ☑ Ⓨ r.-v.

CH. BRAIRON Sur lie 1999★

| | 1,33 ha | 9 000 | | 20 à 29 F |

Serge Méchineau a réaménagé les chais du château pour faire revivre cette ancienne propriété viticole naguère totalement démembrée. Il y a produit un vin au nez complexe, dont le caractère minéral s'enrichit de notes de fumé. Riche en bouche, bien long, ce 99 manifeste un beau caractère de terroir.

☛ Serge et Brigitte Méchineau, Le Châtelier, 44690 Château-Thébaud, tél. 02.40.06.51.21, fax 02.40.06.57.76 ☑ Ⓨ r.-v.

CUVEE DES BUTTAYS 1999★★

| | 3,15 ha | 25 000 | | 20 à 29 F |

Les muscadets issus des sols de gabbro (une roche magmatique basique caractéristique de la région) sont réputés pour leur finesse. C'est le cas de ce vin charpenté et bien typé grâce à ses arômes citronnés. Une note acidulée lui confère toute la fraîcheur désirée. Chez le même producteur, deux étoiles ont également été attribuées au **gros-plant du pays nantais sur lie 99 Domaine du Royaume**, qui possède un caractère minéral et un bon équilibre.

☛ EARL Philippe Chénard, La Boisselière, 44330 Le Pallet, tél. 02.40.80.98.17, fax 02.40.80.44.38 ☑ Ⓨ r.-v.

DOM. DES CHATELIERES Sur lie 1999★

| | 3,5 ha | 23 500 | | 20 à 29 F |

Sur un sol de micaschistes et de gabbro typique de la région, le domaine des Chatelières a produit un vin très aromatique au nez comme en bouche. On retiendra sa bonne attaque et sa longueur notable. Une étoile vient également récompenser le **Domaine de La Bécassière 99**. Ce vin non élevé sur lie livre des arômes de litchi et perdure longtemps au palais.

➤ Louis et Denis Luneau, La Bécassière, 44430 Le Loroux-Bottereau, tél. 02.40.33.82.44, fax 02.40.03.76.73 ☑ ⟙ r.-v.

DOM. DES CHAUSSELIERES
Sur lie 1999*

☐	2 ha	14 000	📷🥄	20 à 29 F

Tout proche du musée du Vignoble de Nantes, qui mérite le détour, le domaine des Chausseliè-res présente un vin jaune pâle, au nez fin et intense. Vif et perlant en bouche, ce 99 développe des arômes surtout fruités (poire, abricot). On ne négligera pas le **muscadet sèvre-et-maine sur lie 98, élevé en fût de chêne**, qui mérite aussi une étoile. Cette petite cuvée bien marquée par le bois prend au nez des nuances exotiques, épicées et grillées avant de révéler une bouche fraîche, bien équilibrée (30 à 49 F).
➤ Jean Bosseau, Dom. des Chausselières, 12, rue des Vignes, 44330 Le Pallet, tél. 02.40.80.40.12, fax 02.40.80.46.42 ☑ ⟙ r.-v.

CH. DU COING DE SAINT FIACRE
Sur lie 1999*

☐	6 ha	26 600	📷🥄	30 à 49 F

Le plus « sèvre-et-maine » qui soit, puisque le château se dresse au confluent même de la Sèvre et de la Maine, ce muscadet est encore un peu fermé au nez, mais déjà fin et fruité. Bien structuré en bouche, assez puissant, il révèle une note de pain grillé, signe de maturité. Chez le même producteur, le **Château de La Gravelle Grande Cuvée Don Quichotte 99** (...car ce château est en réalité un moulin) mérite aussi une étoile. Limpide et bien charpenté, il se distingue par un dégagement gazeux qui lui confère une bouche nerveuse.
➤ Véronique Günther-Chéreau, Ch. du Coing de Saint-Fiacre, 44690 Saint-Fiacre-sur-Maine, tél. 02.40.54.85.24, fax 02.40.54.80.21 ☑ ⟙ r.-v.

DOM. DU COLOMBIER
Sur lie Cuvée des deux colombes 1999★★

☐	3 ha	17 000	📷🥄	20 à 29 F

Ce domaine est situé en Maine-et-Loire, à la limite orientale de l'aire du muscadet. Il a produit en 99 un beau vin perlant au subtil nez minéral et dont la bouche se développe tout en dentelle. Riche et racée, cette Cuvée des deux colombes séduit jusqu'à la dernière note de sa finale fraîche. Elle pourra attendre deux ou trois ans. Le domaine propose aussi un **gros-plant du pays nantais sur lie 99** très réussi (moins de 20 F).

➤ Jean-Yves Bretaudeau, Le Colombier, 49230 Tillières, tél. 02.41.70.45.96, fax 02.41.70.45.96, e-mail bretodo@free.fr ☑ ⟙ r.-v.

GILDAS CORMERAIS
Sur lie Prestige Vieilles vignes 1999★★

☐	2 ha	9 500	📷🥄	20 à 29 F

Né entre Saint-Fiacre et Maisdon, cette cuvée Prestige ne passe pas inaperçue en raison de son agréable nez de mangue et de sa bouche parfai-tement équilibrée, aux notes fruitées et minérales. Franche et fraîche, elle gagnera encore à attendre quelques mois.
➤ EARL Gildas Cormerais, La Bretonnière, 44690 Maisdon-sur-Sèvre, tél. 02.40.36.90.13, fax 02.40.36.99.95 ☑ ⟙ r.-v.

COUR MAJESTIERE Sur lie 1999*

☐	n.c.	n.c.	20 à 29 F

Pour majestueux qu'il soit, le nom de ce vin est une marque destinée à la grande distribution. Un bon choix, car ce muscadet très minéral mon-tre beaucoup de finesse. Franc en attaque, il est aussi agréable en finale.
➤ Félix Loizeau, chem. Vieilles Caves, 44690 Maisdon-sur-Sèvre, tél. 02.40.06.62.80

CHRISTOPHE DROUARD
Sur lie Sélection des Hauts Pémions 1999*

☐	3 ha	15 000	📷🥄	30 à 49 F

Le domaine de Christophe et Joseph Drouard se situe sur la rive gauche de la Sèvre, entre Mon-nières et Saint-Fiacre. Ces producteurs proposent un vin de terroir à la belle robe pâle et au nez assez intense de fruits à chair blanche. Une pointe de gaz et une finale acidulée lui confèrent une agréable fraîcheur en bouche.
➤ SCEA Joseph et Christophe Drouard, La Hallopière, 44690 Monnières, tél. 02.40.54.61.26, fax 02.40.54.65.32 ☑ ⟙ r.-v.

DOM. DES FEVRIES Sur lie 1999*

☐	4 ha	10 000	📷🥄	20 à 29 F

La commune de Maisdon fait le grand écart entre Sèvre et Maine. Le village de La Févrie, situé tout au nord, lui permet de se dire « sur Sèvre ». C'est là que Guy Branger s'est installé en 1974. Son muscadet sèvre-et-maine sur lie, presque blanc, respecte l'esprit du terroir. Après un nez bien ouvert, il attaque avec franchise et laisse en bouche une agréable touche d'acidité.
➤ Guy Branger, La Févrie, 44690 Maisdon-sur-Sèvre, tél. 02.40.36.90.41, fax 02.40.36.90.41 ☑ ⟙ r.-v.

ALAIN FORGET
Sur lie Pierres blanches 1999★★

☐	2,5 ha	13 000	📷🥄	20 à 29 F

Ce muscadet sèvre-et-maine sur lie, à reflets verts, provient de vignes vieilles de quarante-cinq ans, plantées sur un sous-sol de gneiss et de gra-nite à micas. Il présente un caractère de terroir marqué avec des notes olfactives florales et frui-tées. Complexe et bien structuré, il développe en bouche de frais arômes de fruits à chair blanche et s'achève sur une finale acidulée.

LOIRE

➳ Alain Forget, La Gautronnière,
44330 La Chapelle-Heulin, tél. 02.40.06.75.84,
fax 02.40.06.75.84 ☑ ⏛ t.l.j. 9h-19h; dim. sur
r.-v.

GADAIS PERE ET FILS
Sur lie La Grande Réserve du Moulin 1999★

☐	9 ha	60 000	⏛♦	30 à 49 F

Puisque les moulins abondent dans le vignoble nantais, précisons qu'il s'agit ici de celui de
La Faubretière, idéalement situé sur un coteau
orienté plein sud de la rive droite de la Sèvre. Ce
vin très fruité (agrumes, pomme verte) apparaît
rond et bien équilibré, avec une attaque fraîche
qui trouve écho dans une belle vivacité en finale.
Est cité sans étoile, le **muscadet sèvre-et-maine
Domaine de La Tourmaline 99**, dont la bouche
expressive est très typique de l'appellation (20 à
29 F).
➳ Gadais Père et Fils, 16 bis, rue du Coteau,
44690 Saint-Fiacre, tél. 02.40.54.81.23,
fax 02.40.36.70.25 ☑

CLOS DU GAUFFRIAUD Sur lie 1999★

☐	0,8 ha	5 000	⏛♦	- de 20 F

Cette petite parcelle (moins de 1 ha) appartenait autrefois au château de Beauchêne, dont on
peut voir à proximité les murs crénelés. Elle a
produit en 99 un muscadet sèvre-et-maine sur lie
de bon caractère, tendre, fruité et frais, à boire
avant la fin 2001.
➳ Jean-Luc Viaud, La Renouère, 44430 Le
Landreau, tél. 02.40.06.45.43, fax 02.40.06.45.43
☑ ⏛ t.l.j. sf dim. 9h-12h30 15h-19h; f. 15-31
août

GRANDE GARDE 1999★

☐	5 ha	10 000	⏛♦	50 à 69 F

Les Boullault sont depuis longtemps des pionniers des muscadets de garde. Avis unanime du
jury : ce vin de qualité, non élevé sur lie, mérite
d'attendre au moins deux ans. Néanmoins, il
s'avère déjà très structuré et riche, révélant en
bouche des notes de pamplemousse et un caractère de terroir.
➳ Boullault et Frères, La Touche, 44330 Vallet,
tél. 02.40.33.95.30, fax 02.40.36.26.85,
e-mail boullault-fils@wanadoo.fr ☑ ⏛ r.-v.

CH. DES GRANDES NOELLES
Sur lie 1999★

☐	4 ha	30 000	⏛◫♦	30 à 49 F

Stratégiquement située au carrefour des routes
de Saint-Fiacre à Gorges et de Monnières à Maisdon, la famille Poiron a produit un vin aux nuances fruitées (fraise). Ce 99, structuré et typique
du millésime, se caractérise par une belle attaque
et une bonne tenue en bouche. Il est à conseiller
sur un poisson en sauce. S'ils n'obtiennent pas
d'étoile, le **muscadet** et le **gros-plant du pays nantais sur lie Domaine des Quatre Routes 99** (20 à
29 F) méritent d'être cités.
➳ SA Henri Poiron et Fils, Dom. des Quatre-
Routes, 44690 Maisdon-sur-Sèvre,
tél. 02.40.54.60.58, fax 02.40.54.62.05 ☑ ⏛ r.-v.

GRAND FIEF DE LA CLAVELIERE
Sur lie Grande Réserve 1995★

☐	2 ha	2 000	⏛♦	30 à 49 F

À la limite sud de l'aire d'appellation, entre
Aigrefeuille et Saint-Lumine-de-Clisson, le
domaine de Louis Chatellier et Fils propose en
petite quantité un vin au nez frais et complexe,
légèrement anisé. Rond et souple en bouche,
rafraîchi par une pointe de gaz, ce 95 n'a pas
encore dit son dernier mot.
➳ Louis Chatellier et Fils, La Clavelière,
44190 Saint-Lumine-de-Clisson,
tél. 02.40.06.61.40, fax 02.40.06.69.02 ☑ ⏛ r.-v.

GRAND FIEF DE L'AUDIGERE
Sur lie 1999★★

☐	15 ha	80 000	⏛♦	30 à 49 F

Jean Aubron, important négociant valletais, a
réussi un beau muscadet sèvre-et-maine. La robe
jaune pâle et surtout le nez de terroir complexe
et flatteur, annoncent d'emblée un vin intéressant. Très expressif en bouche, celui-ci s'achève
sur une longue finale acidulée. On servira cette
bouteille de garde sur un poisson noble, tel un
bar au beurre blanc ou en croûte de sel. Dans la
même appellation, **La Fleurielle 99** est une réussite ; son nez de pêche, d'abricot et de fruits secs
annonce une bouche pleine et équilibrée.
➳ Jean Aubron, L'Audigère, 44330 Vallet,
tél. 02.40.33.91.91, fax 02.40.33.91.91

GREGOIRE Sur lie 1999★★

☐	4,5 ha	7 000	⏛♦	20 à 29 F

Les parcelles de cette exploitation s'étalent sur
trois communes le long des rives de la Sanguèze,
la troisième rivière du Sèvre-et-Maine. Vif à l'œil
et puissant au nez, ce muscadet sèvre-et-maine
sur lie est à la fois élégant et gouleyant. Après
une attaque souple, il développe des arômes floraux (jasmin) et fruités (citron).
➳ Pierre-Henri et Patricia Grégoire,
SCEA Les coteaux de la Sanguèze, Beauregard,
44330 Mouzillon, tél. 02.40.36.45.64 ⏛ r.-v.

GUILBAUD FRERES
Sur lie Grand Or 1999★★

☐	40 ha	250 000	⏛♦	20 à 29 F

Puissant et expressif, le nez « chlorophyllien »
annonce une bonne structure en bouche : longueur et équilibre, sans le moindre soubresaut.
Toujours chez Guilbaud Frères, deux autres muscadet sèvre-et-maine sur lie méritent une étoile :
Le Soleil nantais 99, pour son nez acidulé de
pomme verte et d'agrumes ainsi que pour sa bouche bien fraîche, et le **Château de La Pingossière
Tête de cuvée 99**, pour sa longueur et sa note
mentholée (30 à 49 F chacun).
➳ Guilbaud Frères, Les Lilas, 44330 Mouzillon,
tél. 02.40.36.30.55, fax 02.40.36.36.35,
e-mail guilbaud.muscadet@wanadoo.fr
☑ ⏛ r.-v.

HAUTE-COUR DE LA DEBAUDIERE
Sur lie 1999★★

☐	10,73 ha	74 000	⏛♦	20 à 29 F

Au-dessus des boucles de la Sanguèze, en
amont de Mouzillon, Chantal et Yves Goislot
ont produit un vin limpide et très pâle. Celui-ci

se distingue par son nez franc, fruité et minéral, puis par sa bouche vive et perlante. **Le gros-plant du pays nantais sur lie 99** mérite d'être cité pour son nez minéral et sa bonne attaque en bouche (moins de 20 F).

☞ Chantal et Yves Goislot, La Débaudière, 44330 Vallet, tél. 02.40.36.30.73, fax 02.40.36.20.23 ☑ ⵏ r.-v.

CH. DU JAUNAY Sur lie 1999★

| | 21,4 ha | 50 000 | ▮ ⬤ | - de 20 F |

Ce joli petit château néo-classique, typique des « folies » nantaises du XIXᵉs., a produit un vin au nez fruité et à la bouche ronde, d'une bonne longueur. A signaler (sans étoile) chez le même producteur, le **gros-plant du pays nantais sur lie Domaine de La Taraudière 99**, minéral et fin.

☞ GAEC Madeleineau Père et Fils, Dom. de L'Errière, 44430 Le Landreau, tél. 02.40.06.43.94, fax 02.40.06.48.82 ☑ ⵏ r.-v.

DOM. DE LA BAZILLIERE
Sur lie Prestige 1999★★

| | 1,6 ha | 10 600 | ▮ ⬤ | 20 à 29 F |

Implanté sur les coteaux sud du Landreau, le domaine de La Bazillière propose un vin limpide, d'une grande complexité aromatique au nez comme en bouche. Puissant et bien équilibré, ce muscadet sèvre-et-maine sur lie est prêt à boire, mais saura patienter encore un an ou deux.

☞ Jean-Michel Sauvêtre, La Bazillière, 44430 Le Landreau, tél. 02.40.06.40.14, fax 02.40.06.40.14 ☑ ⵏ r.-v.

DOM. DE LA BERNARDIERE
Sur lie 1999★

| | n.c. | 12 000 | ▮ ⬤ | - de 20 F |

Dévastée sous la Révolution, La Bernardière a été épargnée par la dernière guerre ; en action de grâces, elle s'est bâti de toutes pièces une grotte à l'image de celle de Lourdes. Ce qui n'empêche pas de savourer ce muscadet floral, citronné et minéral au nez, léger, flatteur et bien équilibré en bouche. On regrettera juste qu'il ne soit pas un peu plus long.

☞ Dominique Coraleau, 14, rue des Châteaux, La Bernardière, 44330 La Chapelle-Heulin, tél. 02.40.06.76.21, fax 02.40.06.76.21 ☑ ⵏ r.-v.

CH. DE LA BERRIERE
Sur lie La Cuvée des Rebelles 1997★★

| | 1 ha | 8 000 | ◖▮◗ | 30 à 49 F |

Ce muscadet sèvre-et-maine à l'étiquette blanche, élevé en fût, est dédié aux insurgés vendéens de 1793, en rébellion contre la Révolution. Très puissant, rond et minéral, ce vin manifeste un caractère de terroir prononcé. Malgré ses arômes évolués (miel, cire, mie de pain), sa forte personnalité lui permettra de vieillir encore plusieurs années.

☞ SCEA La Berrière, Ch. de La Berrière, 44450 Barbechat, tél. 02.40.06.34.22, fax 02.40.03.61.96 ☑ ⵏ r.-v.

☞ de Bascher

DOM. DE LA BIGOTIERE Sur lie 1999★

| | 4,5 ha | 28 000 | ▮ ⬤ | 20 à 29 F |

Un muscadet sèvre-et-maine sur lie typique à tous égards. Fin et floral au nez, ample, harmonieux et légèrement minéral en bouche, il devrait patienter un an ou deux aisément. Le domaine de La Bigotière produit aussi un **muscadet sèvre-et-maine élevé en fût de chêne 99** très réussi, tant il est frais et élégant.

☞ Pascal Batard, La Bigotière, 44690 Maisdon-sur-Sèvre, tél. 02.40.06.67.02, fax 02.40.33.56.79 ☑ ⵏ r.-v.

DOM. DE LA BLANCHETIERE
Sur lie Vieilles vignes 1999★★

| | 3 ha | 5 000 | ▮ ⬤ | 20 à 29 F |

Un parchemin en atteste : en 1476 déjà, la famille Luneau cultivait la vigne à la Blanchetière. Ces vignes, vieilles de vingt-cinq ans, donnent un vin limpide, au nez minéral de terroir. Un peu austère en finale, sa longue bouche n'en est pas moins très équilibrée. Le domaine a également produit un **gros-plant du pays nantais sur lie 99** gras et long, cité par le jury.

☞ Christophe Luneau, Dom. de La Blanchetière, 44430 Le Loroux-Bottereau, tél. 02.40.06.43.18, fax 02.40.06.43.18 ☑ ⵏ r.-v.

DOM. DE LA BRETONNIERE
Sur lie Cuvée Prestige Vieilles vignes 1999★

| | 2 ha | 10 000 | ▮ ⬤ | 20 à 29 F |

De vieilles vignes, certes, car elles ont passé le demi-siècle. Et leur potentiel qualitatif est réel comme en témoigne ce vin au nez bien franc, typique de son terroir, qui produit une très bonne impression en bouche. Long et charpenté, ce 99 s'achève sur une belle finale.

☞ GAEC Joël et Bertrand Cormerais, La Bretonnière, 44690 Maisdon-sur-Sèvre, tél. 02.40.54.83.91, fax 02.40.36.73.45 ☑ ⵏ t.l.j. 8h-20h; dim. 8h-12h

CH. DE LA CANTRIE Sur lie 1999

| | 15 ha | 80 000 | ▮ ⬤ | 20 à 29 F |

Les terres de La Cantrie, sur la rive gauche de la Sèvre, sont parmi les plus accidentées du vignoble nantais. Formées de micaschiste et de gneiss sur certaines parcelles en terrasses, elles donnent naissance à un muscadet sèvre-et-maine au nez de pomme verte, auquel un gras très présent confère une belle attaque et une bonne tenue en bouche.

☞ Laurent Bossis, 11, rue Beauregard, 44690 Saint-Fiacre-sur-Maine, tél. 02.40.36.94.64, fax 02.40.54.87.60 ☑ ⵏ r.-v.

LA CHATELIERE Sur lie 1999★

| | 71 ha | 500 000 | ▮ ⬤ | - de 20 F |

Proposé par un négociant implanté à la lisière de l'aire du muscadet sèvre-et-maine, ce vin de grande diffusion développe un nez puissant, à dominante de fruits exotiques. Expressif surtout en attaque, il possède une bonne structure générale. Cités sans étoile, le **muscadet sèvre-et-maine sur lie Cave de Val et Mont 99** et le **gros-plant du pays nantais sur lie Cave de La Perrière 99**, souple et gras.

LOIRE

➤Rolandeau SA, La Frémonderie, B.P. 2,
49230 Tillières, tél. 02.41.70.45.93,
fax 02.41.70.43.74

CH. DE LA CORMERAIS Sur lie 1999★

| | 17 ha | 10 000 | ■♦ –de 20 F |

Le domaine, en cours de rénovation, était au Moyen Age le siège d'une seigneurie ; des douves et un pont-levis le protégeaient alors. Il doit aujourd'hui sa renommée à un vin très aromatique. Si ce 99 est encore vif en bouche, il dévoile un bon équilibre et promet de s'affiner après quelques mois de garde.
➤Thierry Besnard, La Cormerais,
44690 Monnières, tél. 02.40.06.95.58,
fax 02.40.06.50.76 ☑ ⵏ r.-v.

L'EXCELLENCE DE LA CORNULIERE Sur lie 1999★

| | 1,5 ha | 8 000 | ■♦ 20 à 29 F |

A mi-chemin entre Gorges et Mouzillon, ce domaine a produit un vin dont le nez, d'abord un peu fermé, s'ouvre à l'aération pour révéler des arômes de terroir. Contrastant avec l'impression olfactive, la bouche est harmonieuse et subtile, ample et longue. Un muscadet sèvre-et-maine à boire dans les dix-huit mois.
➤Jean-Michel Barreau, La Cornulière,
44190 Gorges, tél. 02.40.03.95.06,
fax 02.40.54.23.13 ☑ ⵏ r.-v.

DOM. DE LA COUR DU CHATEAU DE LA POMMERAIE Sur lie 1999★

| | 14 ha | 90 000 | ■♦ 20 à 29 F |

Après un passé agité, le château de La Pommeraie est devenu un centre de formation professionnelle ; son vignoble, longtemps morcelé, renaît peu à peu sous la houlette de la famille Poilane. Le millésime 99, revêtu d'une robe très blanche, se révèle fort expressif en bouche grâce à sa longueur et à son perlant. Il accompagnera fruits de mer et crustacés. Une étoile est en outre décernée au **gros-plant du pays nantais sur lie 99** du domaine. Lui aussi presque incolore, il offre une belle bouche fruitée et grasse.
➤Albert Poilane, La Cour du château de La Pommeraie, 44330 Vallet,
tél. 02.40.33.80.63 ☑ ⵏ r.-v.

DOM. DE LA FOLIETTE Sur lie Vieilles vignes 1999★★

| | 10 ha | 60 000 | ■♦ 30 à 49 F |

Parmi les « folies » (propriétés de campagne des armateurs nantais du XVIIIᵉˢ.), certaines étaient moins grandes que d'autres ; La Foliette a presque su raison garder. Son muscadet sèvre-et-maine sur lie développe un nez assez intense de pêche et de fruits exotiques. Riche et complexe en bouche, il apparaît bien typé. Ses arômes de fruits à chair blanche charment longtemps en finale.
➤GAEC Dom. de La Foliette, La Foliette,
44690 La Haye-Fouassière, tél. 02.40.36.92.28,
fax 02.40.36.98.16 ☑ ⵏ r.-v.

DOM. DE LA FRUITIERE Sur lie 1999★★

| | 9 ha | 60 000 | ■♦ 20 à 29 F |

Cette importante propriété familiale est située à la limite ouest de l'aire du muscadet sèvre-et-maine, sur la rive gauche de la Maine. Ce 99 a suscité l'enthousiasme du grand jury. Ce vin fruité et minéral au nez laisse une indéniable impression de finesse et d'élégance, sentiment qui perdure en bouche lorsque paraissent des arômes d'amande amère. Sa bonne structure lui assure, qui plus est, un potentiel de garde certain.

➤J. Douillard et J.-M. Boussonnière,
Dom. de La Fruitière, 44690 Château-Thébaud,
tél. 02.40.06.53.05, fax 02.40.06.54.55 ☑ ⵏ t.l.j. sf sam. dim. 8h-12h30 14h-18h30; groupes sur r.-v.

CH. DE LA GALISSONNIERE Sur lie Cuvée Prestige 1999★★

| | 15 ha | 100 000 | ■♦ 20 à 29 F |

Cette grande propriété appartenait à l'amiral Roland Barin de La Galissonnière, gouverneur du Canada sous Louis XV. De son château, détruit lors des guerres de Vendée, ne restent que les communs. Sa cuvée Prestige porte bien son nom. Typique de l'appellation, elle présente beaucoup d'expression et ne manque ni de finesse ni de persistance.
➤EARL Vignobles Lusseaud,
Ch. de La Galissonnière, 44330 Le Pallet,
tél. 02.40.80.42.03, fax 02.40.80.90.27 ☑ ⵏ t.l.j. 8h-12h30 13h30-18h30

DOM. DE LA GARNIERE Sur lie Cuvée Vieilles vignes 1999★

| | 2 ha | 12 500 | ■♦ 20 à 29 F |

Si les vignes qui lui ont donné naissance sont vieilles de cinquante ans, ce vin est qualifié de « moderne » par l'un des dégustateurs. Vif, bien équilibré, il montre en bouche beaucoup de fraîcheur et d'élégance. Une fine perle l'anime agréablement.
➤Dom. de La Garnière, la Hautière,
44690 Saint-Fiacre-sur-Maine,
tél. 02.40.54.88.07, fax 02.40.54.88.07 ☑ ⵏ r.-v.
➤Patrice David

LA GOELETTE Sur lie 1999★★

| | 100 ha | 300 000 | ■♦ 20 à 29 F |

Année après année, les vignerons de La Noëlle savent faire rimer quantité et qualité. Cette Goélette, partie à l'abordage des linéaires, est à tous points de vue très agréable : nez d'une bonne puissance aromatique, bouche vive et grasse, bien équilibrée. Le **muscadet coteaux de la loire, Les Folies Siffait 99** - vin bien rond - mérite une étoile, tandis que le **muscadet côtes de grand lieu L'Aiguière 99** est à citer. En **coteaux d'ancenis, le gamay Cour de Rohan 99** (une étoile et moins de

20 F) est plus classique que le pineau de la Loire **Les Champs Jumeaux 99** vinifié en liquoreux (cité sans étoile). Ce dernier, vendu en bouteilles de 50 cl (20 à 29 F) gagnera à attendre quelques mois.
☛ Les Vignerons de La Noëlle, bd des Alliés, B.P. 155, 44154 Ancenis Cedex, tél. 02.40.98.92.72, fax 02.40.98.96.70, e-mail vavenel@cana.fr ☑ ⊺ r.-v.

DOM. DE LA GRENAUDIERE
Sur lie 1999★

☐		15 ha	100 000	🍾⬇	30 à 49 F

Issu des coteaux de la Maine, ce vin pâle aux beaux reflets verts développe un nez de fleurs et de fruits exotiques. Elégant et fin en bouche, il fait preuve d'une réelle harmonie. Le domaine a produit également un **sèvre-et-maine**, qui, s'il n'a pas bénéficié d'une mise sur lie, n'en est pas moins fort plaisant (une étoile) ; vif et flatteur, c'est un muscadet type guinguette, à boire jeune.
☛ GAEC Ollivier Père et Fils, La Grenaudière, 44690 Maisdon-sur-Sèvre, tél. 02.40.06.62.58, fax 02.40.06.66.35 ☑ ⊺ t.l.j. sf dim. 9h30-12h30 14h30-19h

DOM. DE LA HAIE TROIS SOLS
Fût de chêne 1996★

☐		1 ha	3 000	◐	30 à 49 F

Sous cette étiquette, Dominique et Vincent Richard ont produit en faibles quantités ce vin doré qui développe un nez puissant et complexe. Les arômes beurrés, grillés et vanillés s'expriment surtout après aération et se retrouvent intacts en bouche, accompagnés de tanins encore présents. Quant au **muscadet sèvre-et-maine sur lie Château du Hallay 99** (20 à 29 F) produit par Fabienne Richard, il est issu des 9 ha de vignes d'un château dont il ne reste qu'un beau parc ceint de murs. Il obtient également une étoile tant son nez parfumé, son attaque douce et sa bouche bien grasse et ample sont séduisants.
☛ SCEA Dominique et Vincent Richard, La Cognardière, 44330 Le Pallet, tél. 02.40.80.42.30, fax 02.40.80.44.37, e-mail fabienne.richard-de-tournay@wanadoo.fr ☑ ⊺ r.-v.

DOM. DE LA HAIE TROIS-SOLS
Sur lie Cuvée des Sages Sélection 2000 1998★

☐		0,75 ha	4 000	🍾⬇	30 à 49 F

Annoncée par une belle robe aux reflets verts et dorés, la bouche s'ouvre sur une attaque souple puis développe des arômes complexes, d'amande amère notamment, avant une agréable finale fruitée. Ce vin peut attendre sagement en cave.
☛ Pierrick et Pierre Lebas, La Haie Trois-sols, 44690 Maisdon-sur-Sèvre, tél. 02.40.54.81.04, fax 02.51.71.60.15 ⊺ r.-v.

DOM. DE LA HARDONNIERE
Sur lie 1999★★

☐		13 ha	30 000	🍾⬇	20 à 29 F

Cette exploitation voisine du célèbre château de Goulaine a produit un beau vin à reflets verts. Discrets au nez, les agréables arômes citronnés s'affirment davantage en bouche et s'enrichissent d'une note minérale. Une pointe de gaz confère beaucoup de fraîcheur à l'ensemble.

☛ Jean-Michel Bouyer, 19, imp. de La Hardonnière, 44115 Haute-Goulaine, tél. 02.40.54.93.16, fax 02.40.54.93.16 ☑ ⊺ r.-v.

DOM. DE LA JOCONDE Sur lie 1999★★

☐		5 ha	35 000	🍾⬇	20 à 29 F

Orienté plein sud au-dessus de la Sèvre, Le Pé est un village plein d'agréments. Ce remarquable vin perlant mérite l'intérêt. Derrière sa robe jaune pâle à reflets verts, il présente un nez très minéral, qui lui donne un caractère de terroir. En bouche, il développe une matière riche et acidulée.
☛ Yves Maillard, Le Pé-de-Sèvre, 44330 Le Pallet, tél. 06.08.27.07.64, fax 02.40.80.43.29 ☑ ⊺ r.-v.

DOM. DE LA LEVRAUDIERE
Sur lie Vieilles vignes 1999★★

☐		2 ha	12 000		20 à 29 F

Le domaine de La Levraudière appartenait au XV[e]s. à la famille Blandin dont le blason, qui orne encore la cheminée monumentale de la demeure, était « d'argent à cinq pendants de sable ». Aujourd'hui, c'est un beau muscadet sèvre-et-maine sur lie, complexe et épanoui, qui fait date. Rond, équilibré, il est déjà très agréable, mais il développera davantage encore son bouquet fruité dans quelques mois.
☛ Françoise et Alain Gripon, La Levraudière, 44330 La Chapelle-Heulin, tél. 02.40.06.76.38, fax 02.40.06.76.38 ☑ ⊺ t.l.j. 9h-19h; dim. sur r.-v.

DOM. DE LA LEVRAUDIERE
Sur lie Prestige de la Levraudière 1999★★

☐		5 ha	30 000	🍾⬇	20 à 29 F

D'une remarquable régularité (il a d'ailleurs obtenu un coup de cœur l'an dernier pour sa cuvée Prestige 98), ce domaine bâti sur les vestiges de la demeure du comte breton Hoël, fondateur de La Chapelle-Heulin, propose un vin à la robe blanche et à l'agréable nez de menthol et de griotte. Fruité en bouche, puissant et même capiteux, ce 99 s'achève sur une finale fraîche. Son équilibre lui promet un bel avenir. La cuvée **L'Héritage 96 sur lie** (30 à 49 F), qui se caractérise par une récolte à surmaturité et une vinification longue, mérite parfaitement son nom, tant elle met en évidence les origines bourguignonnes du muscadet ; une étoile rend hommage à son nez de fruits secs et à sa bouche longue et ronde.
☛ Bonnet-Huteau, Dom. de La Levraudière, 44330 La Chapelle-Heulin, tél. 02.40.06.73.87, fax 02.40.06.77.56 ☑ ⊺ t.l.j. 8h30-12h30 14h-18h; dim. sur r.-v.

DOM. DE LA LOUVETRIE
Sur lie Fief du Breil Révélation d'un terroir 1997★★

☐		2 ha	n.c.	🍾⬇	50 à 69 F

Sur le coteau du Breil, au-dessus d'une boucle de la Sèvre, Bernard et Joseph, les fils de Pierre Landron, exploitent une parcelle en taille courte, dont le rendement est limité à 38 hl/ha. Ils ont ainsi obtenu un beau vin à la couleur soutenue, qui développe au nez comme en bouche les arômes minéraux et fumés caractéristiques de ce terroir bien particulier. Gras et long, ce 97 très expressif continuera à évoluer favorablement dans les prochaines années. A retenir aussi, sans étoile, le **gros-plant du pays nantais sur lie 99** (20 à 29 F).

☛Joseph et Bernard Landron, Les Domaines Landron, Les Brandières, 44690 La Haie-Fouassière, tél. 02.40.54.83.27, fax 02.40.54.89.82 ☑ ⲫ r.-v.

L'AME DU TERROIR Sur lie 1999★★

☐		n.c.	220 000	🍴↓ 20 à 29 F

Produit par un négociant, ce vin complet, au perlant agréable, développe toute une palette de nuances aromatiques (fruits exotiques, citron vert, minéral). En bouche, il se révèle bien équilibré par sa matière minérale et longue. La **cuvée des 7 Lunes** (et une étoile...) **99** perpétue la tradition viticole locale qui veut que le muscadet reste sur ses lies pendant sept lunes ; c'est un muscadet typique, vif et gras en bouche.

☛SA Marcel Sautejeau, Dom. de L'Hyvernière, 44330 Le Pallet, tél. 02.40.06.73.83, fax 02.40.06.76.49, e-mail marcelsautejeau@marcel-sautejeau.fr

DOM. DE LA MORILLERE
Sur lie 1999★★

☐	20 ha	6 000	20 à 29 F

Derrière la célèbre butte de La Roche, La Morillère produit ce vin très équilibré, aux arômes complexes, évocateurs d'une fermentation à basse température. Moyennement long en bouche, mais fin et très frais, c'est un vin à boire entre amis.

☛EARL Lechat Fils, La Morillère, 44430 Le Loroux Bottereau, tél. 02.40.33.82.99, fax 02.40.33.82.99 ☑ ⲫ r.-v.

CH. LA MORINIERE
Sur lie 1ère cuvée du Château 1999★

☐	13,5 ha	82 000	🍴↓ 20 à 29 F

Situé à la limite orientale de l'aire de l'AOC, l'important GAEC de La Grande Ragotière a produit un vin au nez aromatique de pêche blanche et au caractère de terroir. Bien long, ce 99 a atteint l'équilibre et la finesse souhaités. Une étoile aussi pour le muscadet sèvre-et-maine **Collection privée des Frères Couillaud 97** (du nom des trois propriétaires (30 à 49 F), fin, gai et harmonieux.

☛Les Frères Couillaud, GAEC de La Grande Ragotière, 44330 Vallet-La-Regrippière, tél. 02.40.33.60.56, fax 02.40.33.61.89, e-mail frères.couillaud@wanadoo.fr ☑ ⲫ r.-v.

DOM. LANDES DES CHABOISSIERES Sur lie 1999★★

☐	14 ha	54 000	🍴↓ 20 à 29 F

Est-ce l'écho des polémiques à répétition dont les landes des Chaboissières ont fait l'objet pendant près d'un siècle jusqu'au milieu du XIXes. ? Si un dégustateur juge ce vin seulement « réussi », les autres le trouvent « remarquable » pour son nez et sa bouche complexes et complets, riches et équilibrés.

☛Georges et Guy Desfossés, Dom. Landes des Chaboissières, 44330 Vallet, tél. 02.40.33.99.54, fax 02.40.33.99.54 ☑ ⲫ r.-v.

DOM. DE LA PAPINIERE
Sur lie Sélection du Moulin 1999★★

☐	15,5 ha	9 000	🍴↓ 20 à 29 F

Sur un coteau découpé autant par la Sangèze et le ruisseau de La Braudière que par la route Nantes-Cholet, cet important domaine produit un vin bien équilibré, qui devrait être de garde. Annoncées par un nez de tilleul fin et alcooleux, la structure et la forte puissance confèrent à ce 99 une grande intensité en bouche.

☛GAEC Cousseau Frères, La Papinière, 49230 Tillières, tél. 02.41.70.46.31, fax 02.41.58.61.51 ☑ ⲫ r.-v.

DOM. DE LA PROUTIERE
Sur lie Cuvée royale 1999★

☐	4 ha	15 000	🍴↓ 20 à 29 F

Entre Gorges et Mouzillon, le domaine de La Proutière a produit un vin clair au nez floral et minéral bien net. Rond et puissant, un peu vif en fin de bouche, il présente un bon potentiel.

☛GAEC Claude Blanchard et Fils, Le Quarteron, 44190 Gorges, tél. 02.40.54.07.82, fax 02.40.36.01.76 ☑ ⲫ t.l.j. sf dim. 8h-13h 13h30-19h30

DOM. DE LA ROCHE BLANCHE
Sur lie 1999★

☐	12,4 ha	30 000	🍴↓ 20 à 29 F

Sous le même nom, ce domaine produit un **muscadet sur lie 99** et un muscadet sèvre-et-maine tout aussi réussis. Il est question ici du second : un vin typé au caractère de terroir, auquel un bon perlant confère de la vivacité en bouche. Fruité et long, il est agréable d'un bout à l'autre de la dégustation.

☛EARL Lechat et Fils, 12, av. des Roses, 44330 Vallet, tél. 02.40.33.94.77, fax 02.40.44.34.31 ☑ ⲫ r.-v.

LA SANCIVE Sur lie 1999★

☐		n.c.	143 200	🍴↓ 20 à 29 F

Drouet Frères, l'un des plus anciens négociants-éleveurs de la région nantaise, exporte dans cinquante-six pays à travers le monde. Ce vin est un bon ambassadeur. Son nez élégant révèle des notes de fruits exotiques et de noix de coco. Bien équilibré en bouche, il allie souplesse et persistance, avant de révéler une touche minérale. Une étoile récompense aussi **Le Grand Duc 99** (30 à 49 F) , un vin franc et bien équilibré, au caractère de terroir intact, qui pourra être conservé quelques années.

☛SA Drouet Frères, 8, bd du Luxembourg, 44330 Vallet, tél. 02.40.36.65.20, fax 02.40.33.99.78 ☑ ⲫ r.-v.

DOM. DE LA TOURLAUDIERE
Sur lie Cuvée Vieilles vignes 1999★★

☐	6 ha	20 000	🍴↓ 30 à 49 F

Quelques milliers de bouteilles seulement pour cette cuvée issue de vignes quadragénaires plantées sur un sol de micaschiste et de granite. Persistante et équilibrée sous une flatteuse robe blanche, elle dévoile beaucoup d'harmonie. La Tourlaudière a également produit un **gros-plant du pays nantais sur lie 99** (20 à 29 F) très réussi ; celui-ci se signale par sa bonne attaque.

•┐EARL Petiteau-Gaubert, La Tourlaudière,
44330 Vallet, tél. 02.40.36.24.86,
fax 02.40.36.29.72,
e-mail contact@tourlaudiere.com ☑ ☥ t.l.j.
9h-12h30 14h-19h
•┐ Famille Petiteau

DOM. DE L'AUBINERIE Sur lie 1999★★★

☐	2,5 ha	12 000	▮⅃ 30 à 49 F

Mouzillon, le « Versailles » du muscadet,
recèle une fontaine miraculeuse, dédiée à saint
Julien. Miraculeux, le 99 de Jean-Marc Guérin ?
Du moins exceptionnel... Petite production, mais
grande qualité : ce muscadet sèvre-et-maine sur
lie, très limpide, révèle une matière
ronde, tout en dentelle. Il est à la fois très fin et
bien équilibré. Les crustacés et poissons en sauce
les plus élégants lui iront bien.
•┐Jean-Marc Guérin, 26, La Barillère,
44330 Mouzillon, tél. 02.40.36.37.06,
fax 02.40.36.37.06 ☑ ☥ r.-v.

DOM. DE L'AULNAYE
Sur lie Cuvée Prestige 1999★

☐	6 ha	20 000	▮⅃ - de 20 F

Implanté près du confluent entre Sèvre-et-
Maine, le domaine de L'Aulnaye produit un vin
de caractère, doté d'un nez sensuel de miel et
d'orange confite. Souple et gras en bouche, ce 99
s'achève sur une note de réglisse après un bon
développement fruité.
•┐Pierre-Yves Perthuy, L'Aulnaye,
44120 Vertou, tél. 02.40.34.70.22,
fax 02.40.34.70.22 ☑

DOM. DE L'EBEAUPIN Sur lie 1999★

☐	3 ha	25 000	▮⅃ 20 à 29 F

Perché sur un promontoire granitique, 40 m
au-dessus de la Maine, le domaine de l'Ebeaupin
propose un vin de couleur claire et brillante. Bien
typique, ce 99 livre de jolis arômes mentholés
avant de développer sa rondeur dans une bouche
équilibrée.
•┐Gilles Poiron, La Bretonnière,
44690 Maisdon-sur-Sèvre, tél. 02.40.36.94.19,
fax 02.40.36.71.42 ☑ ☥ t.l.j. 8h-12h 14h-18h

LE CLOS ARMAND Sur lie 1998★

☐	1 ha	5 000	▮⅃ 20 à 29 F

Michel Delhommeau s'attache à diversifier sa
gamme et obtient des résultats souvent intéressants, régulièrement signalés dans le Guide.
Ainsi ce Clos Armand, très limpide, fin et fruité.
Souple en attaque, sa bouche prend de la vivacité
en finale. Une étoile récompense par ailleurs **Les
Vignes Saint-Vincent 99**, un muscadet sèvre-et-
maine non élevé sur lie. Plaisant par ses arômes
de pomme, il est aussi bien équilibré et représentatif de l'appellation (moins de 20 F).
•┐Michel Delhommeau, La Huperie,
44690 Monnières, tél. 02.40.54.60.37,
fax 02.40.54.64.51 ☑ ☥ r.-v.

LE FIEF COGNARD
Sur lie Clos de La Bastière Vieilles vignes 1999★

☐	16 ha	100 000	▮⅃ - de 20 F

Dominique Salmon est installé depuis 1984 à
Château-Thébaud, joli village érigé sur un promontoire rocheux. Issu de vignes de quarante ans

plantées sur sol de gneiss, sur la rive gauche de
la Maine, tout près du confluent avec la Sèvre,
son vin aux reflets verts, gras et aromatique, présente un caractère acidulé fort plaisant.
•┐Dominique Salmon, Les Landes de Vin,
44690 Château-Thébaud, tél. 02.40.06.53.66,
fax 02.40.06.55.42 ☑ ☥ r.-v.

LE GRAND R DE LA GRANGE
Sur lie 1999★

☐	3 ha	15 000	▮⅃ 30 à 49 F

Ce domaine très professionnel décline le muscadet sous différentes formes, toutes intéressantes. Sous une robe de cristal, ce Grand R très
équilibré est typique du millésime 99. Frais et
persistant en bouche, plutôt sec, il offre une
bonne expression du terroir. Une étoile est aussi
attribuée au **gros-plant du pays nantais sur lie
domaine R de La Grange 99 Vieilles vignes**, fruité
et minéral (20 à 29 F).
•┐Rémy Luneau, La Grange, 44430 Le
Landreau, tél. 02.40.06.45.65, fax 02.40.06.48.17
☑ ☥ t.l.j. sf dim. 9h-12h 14h-18h

LE MOULIN DES BOIS Sur lie 1999★★

☐	1,5 ha	9 000	▮⅃ 20 à 29 F

Incendié par la foudre au beau milieu des vendanges de 1961, le moulin a été récemment restauré pour offrir un point de vue sur le vignoble.
Ses vignes sont à l'origine d'un vin remarquable
par son équilibre et son harmonie. Sans excès de
rondeur ni d'agressivité, ce 99 charme en finesse
et avec persistance.
•┐Gilles Savary, Les Bois, 44330 La Chapelle-
Heulin, tél. 02.40.06.76.86, fax 02.40.06.76.86
☑ ☥ t.l.j. 8h-20h; dim. 8h-13h

DOM. DE L'EPINAY Sur lie 1999★★

☐	2,5 ha	10 000	▮⅃ 20 à 29 F

Cette propriété d'entre Moine et Sanguèze
appartenait au XVIᵉs. à une famille de négociants
espagnols. Elle propose aujourd'hui un muscadet
sèvre-et-maine très limpide et bien typé, à l'acidité maîtrisée. **L'Espinose 99** (30 à 49 F), un muscadet sèvre-et-maine dont le 96 avait été coup de
cœur l'an dernier, vinifié en fût de chêne, est cité
pour sa bouche élégante et riche.
•┐EARL Albert Paquereau, L'Epinay,
44190 Clisson, tél. 02.40.36.13.57,
fax 02.40.36.13.57 ☑ ☥ r.-v.

CH. LES AVENEAUX Sur lie 1999★

☐	20 ha	40 000	▮⅃ 20 à 29 F

Entre La Chapelle-Heulin et Monnières, Les
Aveneaux produisent un vin jaune d'or, au nez
puissant et agréable, floral et miellé. Franc et
rond en bouche, le 99 est indéniablement harmonieux.
•┐Charpentier Fils, Ch. Les Aveneaux, Les
Aveneaux, 44330 La Chapelle-Heulin,
tél. 02.40.06.74.40, fax 02.40.06.77.72 ☑ ☥ r.-v.

DOM. LES DEUX MOULINS
Sur lie 1999★

☐	2,35 ha	12 000	▮❿⅃ - de 20 F

Sur un coteau de la Sèvre, entre le moulin de
La Bidière et le moulin de La Justice, le vignoble
d'Olivier Crémet s'étend sur 12 ha. Il a produit
un 99 à la belle robe jaune pâle. Riche au nez

LOIRE

(fruits secs et exotiques, touche de menthol) comme en bouche, avec une finale poivrée, ce vin s'appuie sur une bonne structure.

📞 Olivier Crémet, La Hallopière, 44690 Monnières, tél. 02.40.54.66.54, fax 02.40.54.66.54 ☑ ⵢ r.-v.

DOM. LES JARDINS DE LA MENARDIERE Sur lie 1999★

| ☐ | 2 ha | 10 000 | 🍶 20 à 29 F |

Sur la commune de Vallet, mais à égale distance du Pallet et de La Chapelle-Heulin, le domaine Les Jardins de La Ménardière est né du regroupement de plusieurs parcelles autour de la cave de Benoît Grenetier. Il a produit en 99 un vin rond, à l'attaque chaleureuse et à la perle bien présente, qui prend toute sa puissance en fin de bouche. La netteté d'un bout à l'autre de la dégustation.

📞 Benoît Grenetier, La Ménardière, 44330 Vallet, tél. 02.40.33.93.30 ☑ ⵢ r.-v.

LES JARDINS DES AMIRAUX
Sur lie 1999★★

| ☐ | 25 ha | 120 000 | 🍶 20 à 29 F |

A 3 km du Pallet, sur la route de Nantes, le Pé-de-Sèvre est un village fort pittoresque. On lui attribuerait bien deux étoiles, comme à ce vin perlant aux beaux reflets verts. Celui-ci démontre un grand respect du terroir. Très équilibré, bien structuré, il développe des arômes d'agrumes avec une note minérale. Encore fermé, il gagnera à patienter quelques mois. A savourer avec un bar à l'oseille.

📞 GIE Gabare de Sèvre, Le Pé-de-Sèvre, 44330 Le Pallet, tél. 02.40.80.97.30, fax 02.40.36.29.72 ⵢ r.-v.

MICHEL LUNEAU ET FILS
Sur lie Clos des Bourguignons 1999★

| ☐ | 4,2 ha | 29 000 | 🍶 20 à 29 F |

Dès la fin du XVIIes. (avant même le désastre viticole de 1709 et l'implantation du melon), des Bourguignons auraient vécu au village du Pressoir-Bourguignon dans un bâtiment encore visible aujourd'hui. Ce vin leur rend dignement hommage. Bien typé, il s'avère souple et expressif en bouche, avec un bon équilibre et beaucoup de corps. Chez le même producteur, un autre muscadet sèvre-et-maine sur lie mérite d'être cité : **Vins de Mouzillon 99**. Harmonieux et typé, c'est le petit frère du précédent, en un peu moins charnu.

📞 GAEC Michel Luneau et Fils, 3, rte de Nantes, 44330 Mouzillon, tél. 02.40.33.95.22, fax 02.40.33.95.22 ☑ ⵢ r.-v.

MARIE-LOUISE Sur lie 1999

| ☐ | 79 ha | 537 200 | 🍶 - de 20 F |

Provenant de la récente cave de vinification de la vallée ligérienne, dont Antoine Subileau est propriétaire, ce vin au nez de fruits verts, encore très vif et carré, affirme un caractère très particulier. On l'attendra une petite année pour bien l'apprécier.

📞 SA Antoine Subileau, 6, rue Saint-Vincent, 44330 Vallet, tél. 02.40.36.69.70, fax 02.40.36.63.99, e-mail antoine-subileau@wanadoo.fr

DOM. MARTIN-LUNEAU 1999★

| ☐ | 2 ha | 10 000 | 🍶 20 à 29 F |

Un muscadet sèvre-et-maine dynamique, bien typé. Des reflets verts égayent joliment la robe jaune pâle, brillante. Puis c'est un nez d'agrumes qui se dévoile à l'olfaction, souligné d'une ligne minérale. Cette même fraîcheur est perceptible dans l'équilibre de la bouche, déclinée en arômes de citronnelle.

📞 Martin-Luneau, Le Magasin, 44190 Gorges, tél. 02.40.54.38.44, fax 02.40.54.07.23 ☑ ⵢ t.l.j. sf dim. 8h-12h30 14h-18h30; f. vendanges

MASTER DE DONATIEN Sur lie 1999★★

| ☐ | 11 ha | 80 000 | 🍶 20 à 29 F |

Le Master est le mètre-étalon de la société Donatien Bahuaud. Ses jolis reflets verts attirent l'œil et incitent à découvrir le nez très aromatique, axé sur un caractère fruité (pêche, agrumes). Puis, le palais s'emplit d'une matière ronde et gouleyante, marquée en finale par une note d'amande grillée. Ce vin est prêt à boire.

📞 Donatien Bahuaud, La Loge, B.P. 1, 44330 La Chapelle-Heulin, tél. 02.40.06.70.05, fax 02.40.06.77.11

LOUIS METAIREAU
Premier jour 25 août 1989 Sur lie 1989★★★

| ☐ | 4 ha | 27 316 | 🍶 100 à 149 F |

« Tout simplement magnifique », résume un dégustateur. Ce muscadet sèvre-et-maine de légende, issu du premier jour des vendanges 1989 (l'année du siècle, selon beaucoup) sur le terroir fameux de Grand Mouton, n'est pas une découverte. L'étonnant est qu'il progresse encore, en affirmant des arômes de fruits mûrs légèrement grillés et cirés. Souple et rond en bouche, parfaitement équilibré, il est encore loin d'avoir dit son dernier mot.

📞 GIE Louis Métaireau, La Févrie, 44690 Maisdon-sur-Sèvre, tél. 02.40.54.81.92, fax 02.40.54.87.83 ☑ ⵢ r.-v.

METAIREAU Sur lie Hermine 1999

| ☐ | 4 ha | 30 000 | 🍶 30 à 49 F |

Fin et fruité au nez, gouleyant en bouche avec un léger perlant, ce vin provient d'un village qui est presque le centre géographique du vignoble, situé entre la Sèvre et la Maine. Monnières doit par ailleurs son nom à l'ancienne activité meunière qui s'y exerçait et que rappellent encore de nombreux moulins.

☛ Hermine et Lionel Métaireau, Coursay, 44690 Monnières, tél. 02.40.54.60.08, fax 02.40.54.65.73 ☑ ☂ t.l.j. sf dim. 9h-12h 14h-18h; f. 15-30 août

DOM. DE MONTIFAULT
Sur lie Elevé en fût de chêne neuf 1997★★

| ☐ | 0,5 ha | 1 000 | ⬤⬤ 30 à 49 F |

Au centre du triangle le Pallet-La Haye Fouassière-La Chapelle-Heulin, Montifault propose en toute petite quantité (1 000 bouteilles) un vin fort original. Très complexe après aération, le nez révèle des nuances non seulement grillées et beurrées, mais aussi végétales et vanillées. Généreux en bouche, assez tannique, presque trop puissant encore, ce beau muscadet sèvre-et-maine quelque peu atypique n'en est pas moins remarquable. Il peut attendre deux ou trois ans. Beaucoup plus classique, le muscadet sèvre-et-maine sur lie **Clos des Vignes Madame 99**, floral et équilibré, est cité.
☛ Caroline Barré, Montifault, 44330 Le Pallet, tél. 02.40.80.40.62, fax 02.40.80.43.17, e-mail montifault@wanadoo.fr ☑ ☂ r.-v.

DOM. DES MORINIERES Sur lie 1999★

| ☐ | 5,7 ha | 40 000 | ⬛ 🍷 20 à 29 F |

Coup de cœur l'an passé dans le millésime 98, le Domaine des Morinières est encore très réussi en 99. Or pâle limpide, il délivre une palette bien aromatique, perceptible au nez comme en bouche. Son équilibre en fait un vin de bonne tenue de l'attaque jusqu'à la finale. Fruits de mer ou poisson au beurre blanc lui iront parfaitement.
☛ André Barré, Le Bois, 44330 Vallet, tél. 02.40.36.62.95, fax 02.40.36.31.13 ☑ ☂ r.-v.

DOM. MOULIN DE LA MINIERE
Sur lie Cuvée Prestige 1999★

| ☐ | 2 ha | 15 000 | ⬛ 🍷 20 à 29 F |

Au pied du moulin (sans ailes, mais couvert), ce domaine a produit un vin de caractère dont le nez complexe mêle l'ananas à des notes minérales et fumées. Bien perlant en attaque, encore vif en fin de bouche, c'est un produit de terroir à la belle typicité. Une étoile récompense aussi le **gros-plant du pays nantais sur lie Moulin de La Minière 99**, très bien fait et fort agréable grâce à sa bouche fraîche et souple (moins de 20 F).
☛ SC Ménard-Gaborit, La Minière, 44690 Monnières, tél. 02.40.54.61.06, fax 02.40.54.66.12 ☑ ☂ r.-v.

DOM. DES MOULINS D'ASTREE
Sur lie 1999★★

| ☐ | 3 ha | 13 000 | ⬛ 🍷 20 à 29 F |

Installé tout près de l'église Sainte-Radegonde, dont certaines parties romanes remontent au XIᵉs., ce domaine produit un muscadet très bien fait, doté d'un puissant nez de fruits verts et d'une bouche harmonieuse, à la longueur soutenue. Parfait pour accompagner les poissons.
☛ Jean-Daniel Bretaudeau, 28, rue de la Poste, 44690 Monnières, tél. 02.40.54.60.04, fax 02.40.54.66.38 ☑ ☂ r.-v.

MOUZILLON IMAGE D'UN TERROIR Sur lie 1999★

| ☐ | n.c. | 10 000 | ⬛ 🍷 20 à 29 F |

Longtemps très individualiste, le vignoble nantais voit se constituer ici et là des groupements de taille moyenne, tel celui-ci qui compte dix-sept membres. Mouzillon propose un vin au nez agréable, à dominante d'agrumes. Bien structuré, sans la moindre lourdeur, ce muscadet sèvre-et-maine sur lie présente en bouche de la finesse et une jolie longueur qui permet de bien apprécier ses notes minérales.
☛ GIE Mouzillon Image d'un Terroir, 2, rue des Rosiers, 44330 Mouzillon, tél. 02.40.33.98.88, fax 02.40.36.39.27 ☂ r.-v.
☛ Bordet

DOM. DES NOES Sur lie 1999

| ☐ | 7,68 ha | 53 200 | ⬛ 🍷 20 à 29 F |

Ce domaine du nord du Pallet produit un vin au nez expressif, minéral et fruité. Très perlant, il se révèle bien long en bouche. Cité aussi, le **muscadet Le Fief de La Tégrie 99**, intéressant pour son caractère de terroir.
☛ EARL Dom. des Noës, Bretigné, 44330 Le Pallet, tél. 02.40.80.98.90, fax 02.40.80.48.11 ☑ ☂ r.-v.
☛ Agoulon

NOUET Sur lie Excellence 1999★

| ☐ | 2,65 ha | 18 000 | ⬛ 🍷 20 à 29 F |

Cette cuvée élaborée par Jean-Claude et Pierre-Yves Nouet est toujours issue de la même parcelle depuis 1992. De nez discret mais typique par sa note de terroir, elle exprime davantage en bouche ses arômes complexes et minéraux. Le domaine a produit par ailleurs un **gros-plant du pays nantais sur lie Domaine de La Cognardière 99** très pâle, avec une belle fin de bouche réglissée, qui mérite lui aussi une étoile.
☛ Jean-Claude et Pierre-Yves Nouet, La Cognardière, imp. des Pressoirs, 44330 Le Pallet, tél. 02.40.80.41.72, fax 02.40.80.41.72 ☑ ☂ r.-v.

DOM. DES ORMIERES Sur lie 1999★★

| ☐ | 2,3 ha | 14 000 | ⬛ 🍷 - de 20 F |

Sise sur les bords de la Maine, toute proche du bourg de Maisdon, cette propriété a présenté un vin aux reflets verts et au nez complexe, typique du terroir. Si fleurs et fruits secs dominent la palette olfactive, la bouche, ample, évoque plutôt la noisette et la brioche. Une bouteille à déguster sur des coquilles Saint-Jacques à la nage ou un sandre au beurre blanc.
☛ Didier Branger, Le Gast, 44690 Maisdon-sur-Sèvre, tél. 02.40.06.68.06, fax 02.40.03.82.14 ☑ ☂ r.-v.

DOM. DU PARADIS Sur lie 1999★

| ☐ | 15 ha | 101 300 | ⬛ 🍷 20 à 29 F |

Un vin du Paradis mérite forcément l'attention. Ce Paradis-là est un hameau du nord de la commune de La Haye-Fouassière. Avec son nez de pomme verte puis sa bouche de terroir expressive et longue, ce muscadet sèvre-et-maine sur lie très typique est le compagnon naturel des poissons au beurre blanc. Il pourra même attendre

LOIRE

quelques années en cave pour parfaire son harmonie déjà grande.

➥ EARL Claude Vicet, Le Paradis, 44690 La Haye-Fouassière, tél. 02.40.36.95.71 ☑ ☂ r.-v.

LAURENT PERRAUD
Sur lie Sélection les Egards 1999★★

| ☐ | 2 ha | 7 000 | ▮▮ ▮ | 20 à 29 F |

Produite tout au sud de l'aire du muscadet sèvre-et-maine, cette Sélection issue d'un coteau renommé a été bien vinifiée. Elle conserve un bon caractère de terroir, perceptible dans un nez de pomme et de genêt, et dans une bouche aromatique soutenue par une agréable pointe de gaz. Elle peut attendre deux ou trois ans.

➥ Laurent Perraud, dom. de La Vinçonnière, 44190 Clisson, tél. 02.40.03.95.76, fax 02.40.03.96.56 ☑ ☂ t.l.j. 8h-12h 14h-19h; sam. dim. sur r.-v.; f. 1er août-15 sep.

DOM. DES PETITES COSSARDIERES
Sur lie Sélection vieilles vignes 1999★

| ☐ | 3 ha | 20 000 | ▮▮ ▮ | 20 à 29 F |

Ce petit domaine situé aux portes du Landreau applique des méthodes classiques, tel un pressurage léger du melon et l'emploi de levures indigènes. Son vin, parfaitement typé et aux élégants arômes, se montre en bouche perlant, droit, équilibré, puis assez vif en finale. Cité aussi, sans étoile, son **gros-plant du pays nantais sur lie 99** (moins de 20 F), bien acidulé et fleurant bon les fruits secs.

➥ Jean-Claude Couillaud, 17, rue de la Loire, 44430 Le Landreau, tél. 02.40.06.42.81, fax 02.40.06.49.14 ☑ ☂ r.-v.

CH. PLESSIS-BREZOT Sur lie 1999★

| ☐ | 20 ha | 145 000 | ▮ ❶ ▮ | 20 à 29 F |

Ce beau château qui propose plusieurs chambres d'hôtes domine la vallée de la Sèvre ; il a produit en 99 un vin au nez typique. La bouche, bien équilibrée et ronde, est aussi relativement complexe, une note beurrée s'ajoutant aux arômes d'agrumes. Si l'on recherche la maturité, on pourra conserver une petite année ce muscadet sèvre-et-maine.

➥ Ch. Plessis-Brézot, 44690 Monnières, tél. 02.40.54.63.24, fax 02.40.54.66.07, e-mail a.calonne@online.fr ☑ ☂ t.l.j. 8h-13h 14h-20h

DOM. PLESSIS GLAIN Sur lie 1999★

| ☐ | 5 ha | 12 000 | ▮▮ ▮ | 20 à 29 F |

Proche de la chapelle Saint-Barthélemy, construite en partie avec les matériaux des thermes romains qui l'ont précédée, ce domaine a élaboré un vin extrêmement aromatique qui laisse en bouche une impression de puissance et de vivacité fruitée. La finale s'étire agréablement.

➥ Jean-Paul Pétard, Le Plessis-Glain, 44450 Saint-Julien-de-Concelles, tél. 02.40.03.60.28, fax 02.40.33.34.81 ☂ r.-v.

DOM. POIRON
Sur lie Cuvée des Vieilles vignes 1999★

| ☐ | 20 ha | 100 000 | ▮ ❶ ▮ | 20 à 29 F |

Ce vin provient de vignes quinquagénaires plantées sur un sol de granite friable. Son nez sage mais long, son attaque fine et sa bouche de terroir en font un très joli muscadet sèvre-et-maine sur lie. Un peu atypique du fait de sa richesse et de sa rondeur, le **gros-plant du pays nantais cuvée Plaisir 99** (moins de 20 F) mérite aussi une étoile ; on peut s'écarter des accords habituels et le servir sur un poisson en sauce.

➥ Jean Poiron et Fils, L'Enclos, 44690 Château-Thébaud, tél. 02.40.06.51.43, fax 02.40.06.58.02 ☑ ☂ r.-v.

CH. DU POYET
Sur lie Terroir du Poyet 1999

| ☐ | 15 ha | 26 600 | ▮ ▮ | 30 à 49 F |

Ce château, en partie détruit lors du soulèvement royaliste fomenté par la duchesse de Berry en 1832, propose un vin typique qui exprime bien son terroir, celui du Poyet. Encore vif lors de la dégustation, ce 99 s'arrondira avec le temps.

➥ EARL famille Bonneau, Le Poyet, 44330 La Chapelle-Heulin, tél. 02.40.06.74.52, fax 02.40.06.77.57 ☑ ☂ t.l.j. sf dim. 9h-12h30 14h-18h

PRESTIGE DE L'HERMITAGE
Sur lie 1998★

| ☐ | 2,9 ha | 21 000 | ▮ ▮ | 20 à 29 F |

Situé au bord de la route de Nantes à Aigrefeuille, ce domaine présente un 98 encore plein de jeunesse et de fraîcheur. A son nez classique de citron et de pomme verte, le temps a ajouté des nuances de miel. Après une bonne attaque perlante, l'explosion des arômes lui donne en bouche un caractère de terroir. La **cuvée élevée en fût de chêne 99** (30 à 49 F), fruitée et grasse, est citée sans étoile.

➥ GAEC Moreau, La Petite Jaunaie, 44690 Château-Thébaud, tél. 02.40.06.61.42, fax 02.40.06.69.45 ☑ ☂ t.l.j. sf dim. 8h-19h

DOM. PATRICK SAILLANT
Sur lie 1999★★

| ☐ | 5,1 ha | 10 000 | ▮ | - de 20 F |

Cette étiquette vous dit quelque chose ? Rien d'étonnant, ce domaine a déjà été salué d'un coup de cœur dans le Guide 1998. Patrick Saillant est donc un excellent producteur. Voyez ce 99 : bien équilibré en bouche, élégant, il développe des notes fruitées, minérales et même doucement épicées. Il est prêt à boire pour le plaisir.

➥ EARL Saillant-Esneu, La Grenaudière, 44690 Maisdon-sur-Sèvre, tél. 02.40.03.80.10, fax 02.40.03.80.10 ☑ ☂ r.-v.

➥ Patrick Saillant

DOM. YVES SAUVETRE
Sur lie Vieilles vignes 1999

| | | 7 ha | 20 000 | 🍾🍷 | - de 20 F |

La Landelle, que signale un imposant moulin à l'ouest du Loroux, a produit un vin peu typique mais flatteur, qui plaira aux amateurs de vins très fruités. Issu d'une vinification moderne à température contrôlée, ce 99 développe un nez agréable de fruits verts et une bouche équilibrée. Le **grosplant du pays nantais sur lie 99** est lui aussi très aromatique mais plus vif en bouche. Il obtient une citation.

☛ Yves Sauvêtre et Fils, La Landelle,
30, rue de la Durandière, 44430 Le Loroux-Bottereau, tél. 02.40.33.81.48, fax 02.40.33.87.67
☑ 🍷 r.-v.

DOM. DES TROIS VERSANTS
Sur lie La Févrie 1999★

| | | 6 ha | 30 000 | 🍾🍷 | 20 à 29 F |

Les vignes de ce domaine occupent trois coteaux de la rive gauche de la Sèvre, sur sols d'ortogneiss. Le vin qui en résulte possède un caractère de terroir marqué. Chaleureux, rond, il allie au nez des notes miellées, voire animales, et s'achève en bouche par une finale de réglisse. Le **muscadet sèvre-et-maine 99** (non élevé sur lie) est cité pour ses frais arômes de pomme verte et sa bonne structure.

☛ Yves Bretonnière, La Févrie,
44690 Maisdon-sur-Sèvre, tél. 02.40.54.89.27, fax 02.40.54.86.08 ☑ 🍷 r.-v.

DOM. DU VAL-FLEURI Sur lie 1999

| | | 17 ha | n.c. | 🍾🍷 | 20 à 29 F |

Voilà sept ans que Yves et Jacqueline Delaunay se sont installés sur ce domaine de 25 ha. Sous une belle robe à reflets verts, ce vin révèle un nez de genêt bien agréable. Vif et perlant en bouche, il est aussi très aromatique et persistant. « Un vin franc et moderne », conclut un dégustateur.

☛ Yves et Jacqueline Delaunay, Le Val-Fleuri,
44430 Le Loroux-Bottereau, tél. 02.40.33.86.84, fax 02.40.33.88.99 ☑ 🍷 r.-v.

DOM. DU VIEUX FRENE Sur lie 1999★

| | | 1,1 ha | 6 000 | 🍾🍷 | 20 à 29 F |

Le domaine du Vieux Frêne se trouve à Mouzillon, village riche en vestiges préhistoriques. Arrêtez-vous sur le petit pont d'époque gallo-romaine qui franchit la Sanguèze avant de reprendre la route vers le vignoble. A l'arrivée, vous découvrirez cette petite production bien fruitée. Perlant et rond en bouche, le 99 se développe avec une longueur appréciable et une bonne expression.

☛ Daniel Baudrit, La Récivière,
44330 Mouzillon, tél. 02.40.36.47.70, fax 02.40.36.47.70 ☑ 🍷 t.l.j. sf dim. 8h-20h

DOM. DU VIGNEAU Sur lie 1999★★

| | | 10 ha | 60 000 | 🍾🍷 | 20 à 29 F |

Cette jeune coopérative avait déjà obtenu un coup de cœur voilà deux ans pour un autre de ses vins. Celui-ci, dans sa belle robe brillante, développe un nez fin et harmonieux, aux arômes complexes. Il est excellent à tous égards en bouche, rond d'abord, puis bien équilibré et fort long. Chez ces Maîtres Vignerons, on retiendra un autre muscadet sèvre-et-maine sur lie, très réussi : la **cuvée Prestige 99**, typique par son nez minéral et sa bouche bien équilibrée.

☛ Coop. Les Maîtres Vignerons Nantais,
Les Roitelières, 44330 Vallet, tél. 02.40.80.95.64, fax 02.40.80.99.81

Muscadet côtes de grand lieu

DOM. DE BEL-AIR Sur lie 1999★

| | | 1,5 ha | 11 000 | 🍾🍷 | 20 à 29 F |

Tout proche des pistes de l'aéroport Nantes-Atlantique, ce domaine a produit à partir de ses 27 ha de vignes un vin puissant et bien équilibré. Ce 99 fait preuve d'une bonne longueur et est déjà prêt à s'épanouir lors de la dégustation.
☛ EARL Bouin-Jacquet, Dom. de Bel-Air,
Bel-Air de Gauchoux, 44860 Saint-Aignan-de-Grand-Lieu, tél. 02.51.70.80.80, fax 02.51.70.80.79 ☑ 🍷 r.-v.

DOM. DU HAUT BOURG Sur lie 1999

| | | 10 ha | 30 000 | 🍾🍷 | 30 à 49 F |

Le domaine du Haut Bourg se situe dans les coteaux d'Herbauge, zone connue pour son sol de sables à galets. Il a produit un 99 un vin vert pâle, qui exprime des accents minéraux au nez. Après une attaque vive, la bouche se développe en rondeur sur une ligne aromatique assez discrète. Ce vin mérite d'être bu dès aujourd'hui.
☛ Michel et Hervé Choblet, Dom. du Haut-Bourg, 11, rue de Nantes, 44830 Bouaye, tél. 02.40.65.47.69, fax 02.40.32.64.01 ☑ 🍷 t.l.j. sf dim. 9h-12h30 14h-19h

DOM. DE LA PIERRE BLANCHE
Sur lie 1999

| | | 7,25 ha | 14 000 | 🍾🍷 | - de 20 F |

Sa robe vert pâle, son nez de pamplemousse et sa bouche légère mais équilibrée confèrent une finesse certaine à ce muscadet venu de la petite enclave vendéenne de l'aire des côtes de grand lieu. Le domaine de La Pierre Blanche mérite également d'être cité pour son **gros-plant du pays nantais sur lie 99**.
☛ Gérard Epiard, La Pierre Blanche,
85660 Saint-Philbert-de-Bouaine,
tél. 02.51.41.93.42, fax 02.51.41.91.71 ☑ 🍷 r.-v.

LOIRE

CH. DE LA ROULIÈRE Sur lie 1999★★

| | 9 ha | 8 000 | 🍷 20 à 29 F |

Château de la Roulière
Muscadet
Côtes de Grand Lieu sur lie
APPELLATION D'ORIGINE CONTRÔLÉE CÔTES DE GRAND LIEU
Mis en bouteille SUR LIE au Château
René ERRAUD à
LA ROULIÈRE - 44310 SAINT-...
Produit de France
12% vol.   e750ml

Ce château, dont il ne reste que douves et colombier, se trouve au sud-est du lac de Grand-Lieu. Il a produit un vin au nez puissant, annonciateur d'une bouche corsée et bien pleine. Ce 99 demande à mûrir encore mais sera parfait en 2001.
➥ René Erraud, Ch. de La Roulière, 44310 Saint-Colomban, tél. 02.40.05.80.24, fax 02.40.05.53.89 ☑ ⵂ r.-v.

LE DEMI BŒUF Sur lie 1999★

| | 10 ha | 30 000 | 🍷 20 à 29 F |

Moitié bœuf, moitié raisin, suggère l'étiquette de ce domaine. Voilà pourtant bien un vin 100 % muscadet avec sa robe vert pâle, son nez vif et citronné, sa bouche fine et ronde.
➥ EARL Michel Malidain, 3, Le Demi-Bœuf, 44310 La Limouzinière, tél. 02.40.05.82.29, fax 02.40.05.95.97 ☑ ⵂ t.l.j. sf dim. 8h-12h 14h-18h

DOM. LES COINS
Sur lie Vieilles vignes 1998

| | 1 ha | 5 000 | 🍷 20 à 29 F |

Ce vin des bords de Logne - l'une des rivières qui alimentent le lac de Grand-Lieu, avec la Boulogne et l'Ognon - est issu de vignes de soixante-cinq ans. Assez pâle mais très limpide, il développe un nez agréable à dominante d'agrumes et de pomme verte. Equilibrée après une bonne attaque, la bouche confirme le nez.
➥ Jean-Claude Malidain, Le Petit Coin, 44650 Corcoué-sur-Logne, tél. 02.40.05.95.95, fax 02.40.05.80.99, e-mail jean-claude.malidain@online.fr ☑ ⵂ r.-v.

Gros-plant AOVDQS

Le gros-plant du pays nantais est un vin blanc sec, AOVDQS depuis 1954. Il est issu d'un cépage unique : la folle blanche, d'origine charentaise, appelée ici gros-plant. La superficie du vignoble est de 3 000 ha et la production moyenne est de l'ordre de 150 000 hl. Comme le muscadet, le gros-plant peut être mis en bouteilles sur lie. Vin blanc sec, il convient parfaitement aux fruits de mer en général et aux coquillages en particulier ; il doit être servi lui aussi frais, mais non glacé (8 ° - 9 ° C).

DOM. BASSE VILLE Sur lie 1999★

| | 11 ha | 35 000 | 🍷 20 à 29 F |

Ce vaste domaine de 47 ha sur sol silico-argileux et schisteux est exploité par la famille Bossard depuis cinq siècles. Il a produit un vin au puissant nez fruité, beurré et brioché. Léger et frais jusqu'à la fin de bouche, celui-ci parvient à un bon équilibre entre rondeur et acidité.
➥ Gilbert Bossard, La Basse-Ville, 44330 La Chapelle-Heulin, tél. 02.40.06.74.33, fax 02.40.06.77.48 ☑ ⵂ r.-v.

CH. DE BRIACE Sur lie 1999★

| | 0,7 ha | 3 000 | 🍷 20 à 29 F |

Ce château largement reconstruit au XIXe s. dans le goût néo-gothique abrite le grand lycée viticole privé du vignoble nantais. Egalement producteur, il élabore un gros-plant très régulièrement signalé par le Guide. Le 99 développe un nez intéressant composé de notes de fruits mûrs, puis de touches végétales et légèrement empyreumatiques. Assez puissant en bouche, il évolue plutôt vers la pomme verte croquante. A noter aussi avec une étoile, un **muscadet-sèvre-et-maine sur lie 99** gentiment acidulé, légèrement minéral, encore sec, typique du millésime.
➥ AFG Ch. de Briacé, Lycée agricole de Briacé, 44430 Le Landreau, tél. 02.40.06.43.33, fax 02.40.06.46.15 ☑ ⵂ r.-v.

CLOS DES ROSIERS Sur lie 1999★

| | 1,5 ha | 3 000 | 🍷 20 à 29 F |

Jaune pâle à reflets verts, ce vin livre un bon nez typé, floral avec une pointe verte. En bouche, l'attaque bien vive introduit une matière souple, sans aspérité, qui conviendra aux amateurs de gros-plant.
➥ Philippe Laure, Les Rosiers, 44330 Vallet, tél. 02.40.33.91.83, fax 02.40.36.39.28 ☑ ⵂ r.-v.

CH. DE FROMENTEAU 1999★

| | 1 ha | 1 200 | 🍷 - de 20 F |

Cette exploitation qui s'attache à faire revivre un château jadis prestigieux, dont les origines remontent au XIIIe s., se double depuis peu d'une ferme pédagogique. Produit en petite quantité, son gros-plant n'est certes pas des plus typiques, avec son nez de fruits exotiques et confits, et sa bouche peu acide ; il n'en est pas moins très réussi.
➥ EARL Anne et Christian Braud, Fromenteau, 44330 Vallet, tél. 02.40.36.23.75, fax 02.40.36.23.75 ☑ ⵂ r.-v.

DOM. DES GRANDS-PRIMEAUX 1999★

| | 0,3 ha | 3 000 | 🍷 - de 20 F |

Ce vin équilibré et long développe des arômes de pomme qui s'enrichissent au nez de notes végétales et briochées. Il est bien typé, comme se doit de l'être un produit du village vigneron du Pé, étagé au-dessus de la Sèvre. Et qu'importe si le **muscadet sèvre-et-maine sur lie 99** de ce producteur a été baptisé **L'Original** : fruité et vif, il reste dans le ton (20 à 29 F).

☛ Michel Bedouet, Le Pé-de-Sèvre, 44330 Le Pallet, tél. 02.40.80.97.30, fax 02.40.80.40.68, ☑ ⍦ r.-v.

DOM. DE LA BRETONNIERE
Sur lie 1999★

| □ | n.c. | 23 000 | ■ ⍦ | - de 20 F |

Tout proche du grand lycée agricole de Briacé, ce domaine a produit un gros-plant minéral et fruité, qui tend même vers le bonbon anglais. Bien vif en attaque, ce 99 révèle ensuite du gras et du corps. Le **muscadet sèvre-et-maine 99** du domaine mérite lui aussi une étoile pour son caractère de terroir expressif.

☛ GAEC Charpentier-Fleurance, La Bretonnière, 44430 Le Landreau, tél. 02.40.06.43.39, fax 02.40.06.44.05 ☑ ⍦ r.-v.

DOM. DE LA CHENAIE Sur lie 1999★★

| □ | 2,8 ha | 12 000 | ■ ⍦ | - de 20 F |

Au-dessus du pont de Sanguèze, point de passage entre la Bretagne et l'Anjou, ce domaine produit un très beau gros-plant du pays nantais, à l'équilibre irréprochable. Tout en finesse, le 99 offre en attaque une fraîcheur caractéristique, puis développe une bouche expressive aux notes de pêche. Chez le même producteur, le **muscadet sèvre-et-maine sur lie cuvée Prestige 99** s'avère remarquable (deux étoiles) pour son caractère acidulé, sa longueur et ses arômes de fruits et de rose (20 à 29 F).

☛ Dominique Martin, Dom. de la Chenaie, Les Sauvionnières, 44330 Vallet, tél. 02.40.36.23.04, fax 02.40.36.23.04 ☑ ⍦ r.-v.

CH. DE LA GRANGE Sur lie 1999★

| □ | 10 ha | 60 000 | ■ ⍦ | 20 à 29 F |

De jolis communs du XVᵉs., en partie remaniés à l'italienne dans le goût clissonnais au XIXᵉs., ont vu naître ce gros-plant vin à la robe brillante, rond et fruité, suffisamment long, très agréable. Le château a aussi produit un **muscadet côtes-de-grand lieu sur lie 99** au nez bien typé et à la bouche perlante, cité.

☛ Comte Baudouin de Goulaine, Ch. de La Grange, 44650 Corcoué-sur-Logne, tél. 02.40.26.68.66, fax 02.40.26.61.89 ☑ ⍦ t.l.j. 14h-19h

DOM. DE LA GRANGE Sur lie 1999

| □ | 3 ha | 6 000 | ■ ⍦ | 20 à 29 F |

Avec sa couleur soutenue, son nez de fruits mûrs et sa bouche riche et ample, ce vin évoque la maturité. De tels caractères en font un bon compagnon des poissons en sauce.

☛ Dominique Hardy, La Grange Mouzillon, 44330 Mouzillon, tél. 02.40.33.93.60, fax 02.40.29.79 ☑ ⍦ t.l.j. sf dim. 8h-12h 14h-18h

DOM. DE LA LANDELLE Sur lie 1999★

| □ | 0,6 ha | 4 000 | ■ ⍦ | 20 à 29 F |

La Landelle occupe l'un des points culminants du vignoble nantais (d'où la présence à proximité

d'un imposant moulin à vent). Michel Libeau propose un gros-plant de belle longueur, au caractère nettement minéral (pierre à fusil), au nez comme en bouche.

☛ Michel Libeau, La Landelle, 44430 Le Loroux-Botterreau, tél. 02.40.33.81.15, fax 02.40.33.85.37 ☑ ⍦ r.-v.

DOM. LA ROCHE RENARD
Sur lie 1999★★

| □ | 2 ha | 5 000 | ■ ⍦ | - de 20 F |

Le domaine La Roche Renard, c'est plus de 26 ha de vignes implantées sur micaschistes. C'est surtout un remarquable gros-plant du pays nantais sur lie. Un vin typique à la robe brillante et au nez minéral, non dénué d'un fruité frais. Rond, il atteint un réel équilibre entre alcool et acidité.

☛ EARL Isabelle et Philippe Denis, Les Laures, 44330 Vallet, tél. 02.40.36.63.65, fax 02.40.36.23.96 ☑ ⍦ t.l.j. sf dim. 10h30-18h

DOM. DE LA ROCHERIE
Sur lie 1999★★★

| □ | 2 ha | 6 000 | ■ ⍦ | - de 20 F |

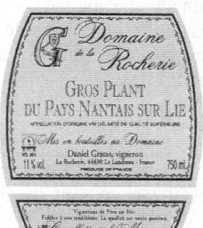

Ce domaine exploite des sols sableux, classiques du Landreau. Il a produit un vin brillant au nez droit. Long en bouche, ce 99 laisse tout le loisir d'apprécier sa richesse remarquable. On signalera aussi, en **muscadet sèvre-et-maine sur lie 98**, une cuvée **Vieilles vignes** bien fruitée (pomme verte), dont la belle attaque a pour écho une fin de bouche agréable (une étoile).

☛ Daniel Gratas, La Rocherie, 44430 Le Landreau, tél. 02.40.06.41.55, fax 02.40.06.48.92 ☑ ⍦ t.l.j. sf dim. 8h-20h

CH. DE L'OISELINIERE Sur lie 1998★

| □ | 1,5 ha | 10 000 | ■ ⍦ | 20 à 29 F |

Cette jolie demeure classée monument historique est un exemple très représentatif du style toscan à la mode lors de la reconstruction de Clisson au début du XIXᵉs. L'Oiselinière est à l'origine d'un gros-plant tout en rondeur et très expressif, qui développe des arômes marqués de pêche et de fruits exotiques. A signaler aussi, sans étoile, un **muscadet sèvre-et-maine 99** de terroir, masculin, aux légers arômes de coing.

☛ SC Aulanier, Ch. de L'Oiselinière, 44190 Gorges, tél. 02.40.06.91.59, fax 02.40.06.98.48 ☑ ⍦ r.-v.

LOIRE

Fiefs vendéens AOVDQS

Anciens fiefs du Cardinal : cette dénomination évoque le passé de ces vins, appréciés par Richelieu après avoir connu un renouveau au Moyen Age, ici, comme bien souvent, à l'instigation des moines. La dénomination AOVDQS fut accordée en 1984, confirmant les efforts qualitatifs qui ne se relâchent pas sur les 380 ha complantés.

A partir de gamay, de cabernet et de pinot noir, la région de Mareuil produit des rosés et des rouges fins, bouquetés et fruités ; les blancs sont encore confidentiels. Non loin de la mer, le vignoble de Brem, lui, donne des blancs secs à base de chenin et de grolleau gris, mais aussi du rosé et du rouge. Aux environs de Fontenay-le-Comte, blancs secs (chenin, colombard, melon, sauvignon), rosés et rouges (gamay et cabernet) proviennent des régions de Pissotte et Vix. On boira ces vins jeunes, selon les alliances classiques des mets et des vins.

XAVIER COIRIER
Pissotte Sélection 1999★★

☐	6 ha	20 000	🍴🍷	20 à 29 F

Proche du massif forestier de Mervent, ce domaine a assemblé chenin (60 %), chardonnay et melon pour produire ce vin bien représentatif. Sous une jolie robe claire, celui-ci développe un nez expressif de fruits exotiques et de fleurs blanches. Vif en attaque, il se montre ensuite bien équilibré.
☛ Xavier Coirier, La Petite Groie, 15, rue des Gélinières, 85200 Pissotte, tél. 02.51.69.40.98, fax 02.51.69.74.15,
e-mail vin.pissotte@liberty.surf.fr ✅ 🍷 r.-v.

DOM. DES DAMES
Mareuil Les Agates 1999

◩	4 ha	12 000	🍴🍷	20 à 29 F

Ce domaine transmis par les femmes de la famille depuis cinq générations a produit un rosé pâle, au nez élégant de fruits rouges et d'épices. Léger, désaltérant, fruité, c'est un vin pour les beaux jours.
☛ GAEC Vignoble Daniel Gentreau, Follet, 85320 Rosnay, tél. 02.51.30.55.39, fax 02.51.28.22.36 ✅ 🍷 t.l.j. sf dim. 9h-12h30 14h-19h30; 16 sept.-14 juin sur r.-v.

FERME DES ARDILLERS
Mareuil Collection 1999★

◩	6 ha	52 000		20 à 29 F

Cette vieille ferme vendéenne caractéristique (mais à l'équipement très contemporain) propose un rosé au nez expressif de groseille, souligné

d'une pointe mentholée. Souple en attaque, rond en finale, équilibré, ce 99 est lui aussi typique. Une étoile est également attribuée au **Mareuil rouge Collection 99**, puissant et équilibré, dont les tanins sont prometteurs. Enfin, le **Mareuil blanc Collection 99** apporte confirmation de la réussite de ce domaine dans le millésime.
☛ Mourat, Ferme des Ardillers, rte de La-Roche-sur-Yon, 85320 Mareuil-sur-Lay, tél. 02.51.97.20.10, fax 02.51.97.21.58 ✅ 🍷 t.l.j. sf dim. 8h-12h 14h-18h

DOM. DE LA VIEILLE RIBOULERIE
Mareuil Cuvée des Moulins brûlés 1999★

■	n.c.	8 000		20 à 29 F

Sur les terres les plus élevées de Rosnay se dressaient autrefois trois moulins, brûlés sous la Révolution. Ils ont fait place aux vignes d'où provient ce vin à reflets violacés et au nez expressif de cassis et d'épices. Souple, la bouche s'achève sur une finale au goût de framboise. Signalons aussi le **Mareuil rosé cuvée des Rêves de l'Yon 99** (du nom de la rivière locale), franc, aromatique et rafraîchissant.
☛ Hubert Macquigneau, Le Plessis, 85320 Rosnay, tél. 02.51.30.59.54, fax 02.51.28.21.80 ✅ 🍷 r.-v.

CH. DE ROSNAY
Mareuil Vieilles vignes 1999★★

◩	4 ha	23 000	🍴🍷	20 à 29 F

Ce château, l'un des plus importants des fiefs vendéens, a produit un beau rosé de teinte saumonée, légèrement perlant. Le nez, fin et élégant, allie fruits rouges, épices et grenadine. Rond et ample, avec une légère touche métallique, ce vin est bien typique de l'appellation. A signaler aussi, sans étoile, le **Mareuil rouge cuvée Prestige 99**, vif et rafraîchissant.
☛ EARL Ch. de Rosnay, 85320 Rosnay, tél. 02.51.30.59.06, fax 02.51.28.21.01 ✅ 🍷 t.l.j. sf dim. 8h-18h

Coteaux d'ancenis AOVDQS

Les coteaux d'ancenis sont classés AOVDQS depuis 1954. On en produit quatre types, à partir de cépages purs : gamay (80 % de la production), cabernet, chenin et malvoisie. La superficie du vignoble est de 300 ha et la production a été de l'ordre de 15 000 hl en 1999, dont environ 200 hl en blanc.

DOM. DES CLERAMBAULTS
Gamay 1999★

■	1 ha	7 000	🍴🍷	- de 20 F

Dans la partie la plus méridionale de l'aire des coteaux d'ancenis, ce domaine a produit un gamay à la robe rubis, dont le nez, d'abord fermé, révèle à l'aération des arômes complexes de cerise et de framboise. Encore sec en bouche lors de la dégustation, mais de bonne tenue, ce vin atteindra sa pleine maturité en 2001. Citons par ailleurs le **muscadet coteaux de la loire sur lie 99**, souple et vif, qui gagnera lui aussi à patienter quelques mois.

📞 EARL Pierre Terrien, 30, rue de Verdun, 49530 Bouzillé, tél. 02.40.98.15.38, fax 02.40.98.11.45 ☑ ☆ r.-v.

DOM. DES GENAUDIERES
Malvoisie 1999★

| ☐ | | n.c. | 5 000 | ⬛⬛ | 30 à 49 F |

Implanté sur un coteau sud en bord de Loire, ce domaine produit une large gamme de vins. Ce vin n'en est pas le plus représentatif en volume, mais il séduit par son nez d'agrumes et de fruits blancs, annonciateur d'une bouche puissante, ronde et pleine. Cité, le **coteaux d'ancenis gamay 99** (20 à 29 F) livre des arômes de bonbon anglais. Bien souple, il est prêt à boire. Enfin, le **muscadet coteaux de la loire sur lie 99** mérite une citation pour son côté floral.

📞 EARL Athimon et ses Enfants, Dom. des Génaudières, 44850 Le Cellier, tél. 02.40.25.40.27, fax 02.40.25.35.61 ☑ ☆ t.l.j. sf dim. 9h-12h30 14h-18h30

JACQUES GUINDON Malvoisie 1999★★

| ☐ | | 1,4 ha | 8 000 | ⬛⬛ | 30 à 49 F |

Présentée au grand jury des coups de cœur, cette malvoisie a manqué de deux voix la récompense suprême. Ceux qui avaient voté pour ce vin en étaient désolés. Car c'est une véritable curiosité gourmande. Fin, équilibré, harmonieux, ce vin développe des arômes de fruits confits, de coing mûr, de poire, de cire d'abeille. Il sera très apprécié à l'apéritif ou au dessert avec des fraises. Le **coteaux d'ancenis gamay 99**, assez rond, obtient une citation.

📞 Jacques Guindon, La Couleuverdière, 44150 Saint-Géréon, tél. 02.40.83.18.96, fax 02.40.83.29.51 ☑ ☆ t.l.j. sf dim. 9h-12h 14h-18h

DOM. DU HAUT FRESNE Gamay 1999

| ◢ | | 1 ha | 8 000 | ⬛⬛ | 20 à 29 F |

Tout proche du château de La Turmelière, où naquit Joachim du Bellay, ce domaine propose un rosé discret, mais bien rond et équilibré. Son **gamay 99** à caractère de terroir, souple et légèrement épicé, est également à citer.

📞 Renou Frères, Dom. du Haut Fresne, 49530 Drain, tél. 02.40.98.26.79, fax 02.40.98.26.79 ☑ ☆ t.l.j. sf dim. 9h-12h 14h-18h30

DOM. DE LA PLEIADE Gamay 1999★★

| ⬛ | | 3 ha | 13 000 | ⬛⬛ | - de 20 F |

En hommage au du Bellay, dont on sait combien il aimait son « petit Lyré », ce domaine a produit un vin de teinte cerise profond, qui révèle une très grande richesse aromatique. Cerise, fraise, cassis, violette se succèdent au nez, tandis qu'en bouche, une note de terroir et de réglisse apparaît. Un gamay très harmonieux. Le **muscadet coteaux de la loire sur lie 99**, vif et long, obtient une citation.

📞 Bernard Crespin, Dom. de La Pléïade, 49530 Liré, tél. 02.40.09.01.30, fax 02.40.09.07.42 ☑ ☆ t.l.j. sf dim. 9h-12h 14h-19h

Anjou-Saumur

A la limite septentrionale des zones de culture de la vigne, sous un climat atlantique, avec un relief peu accentué et de nombreux cours d'eau, les vignobles d'Anjou et de Saumur s'étendent dans le département du Maine-et-Loire, débordant un peu sur le nord de la Vienne et des Deux-Sèvres.

Les vignes ont depuis fort longtemps été cultivées sur les coteaux de la Loire, du Layon, de l'Aubance, du Loir, du Thouet... C'est à la fin du XIXe s. que les surfaces plantées sont les plus vastes. Le Dr Guyot, dans un rapport au ministre de l'Agriculture, parle alors de 31 000 ha en Maine-et-Loire. Le phylloxéra anéantira le vignoble, comme partout. Les replantations s'effectueront au début du XXe s. et se développeront un peu dans les années 1950-1960, pour régresser ensuite. Aujourd'hui, ce vignoble couvre environ 14 500 ha, qui produisent de 400 000 à un million d'hectolitres selon les années.

Les sols, bien sûr, complètent très largement le climat pour façonner la typicité des vins de la région. C'est ainsi qu'il faut faire une nette différence entre ceux qui sont produits sur « l'Anjou bleu », constitué de schistes et autres roches primaires du Massif armoricain, et ceux qui sont produits sur « l'Anjou blanc », ou Saumurois, terrains sédimentaires du Bassin parisien dans lesquels domine la craie tuffeau. Les cours d'eau ont également joué un rôle important pour le commerce : ne trouve-t-on pas encore trace aujourd'hui de petits ports d'embarquement sur le Layon ? Les plantations sont de 4 500-5 000 pieds par hectare ; la taille, qui était plus particulièrement en gobelet et en éventail, a évolué en guyot.

La réputation de l'Anjou est due aux vins blancs moelleux, dont les coteaux du layon sont les plus renommés. L'évolution conduit cependant désormais aux types demi-sec et sec, et à la production de vins rouges. Dans le Saumurois, ces derniers sont les plus estimés, avec les vins mousseux qui ont connu une forte croissance, notamment les AOC saumur-mousseux et crémant de loire.

Anjou

Constituée d'un ensemble de près de 200 communes, l'aire géographique de cette appellation régionale englobe toutes les autres. On y trouve des vins blancs (49 336 hl en 1999) et des vins rouges (108 000 hl). Pour beaucoup, le vin d'anjou est, avec raison, synonyme de vin blanc doux ou moelleux. Le cépage est le chenin, ou pineau de la Loire, mais l'évolution de la consommation vers des secs a conduit les producteurs à y associer chardonnay ou sauvignon, dans la limite maximale de 20 %. La production de vins rouges est en train de modifier l'image de la région ; ce sont les cépages cabernet franc et cabernet-sauvignon qui sont alors mis en œuvre.

CHARLES BEDUNEAU 1999★

■　　　1,5 ha　　7 000　　■　30 à 49 F

Le domaine est situé en plein cœur du village de Saint-Lambert-du-Lattay. La famille Béduneau reçoit les visiteurs dans un beau caveau et fait volontiers déguster ses crus. Cet anjou, dans sa robe brillante d'un rubis intense, offre une palette complexe de fruits rouges, pleine de jeunesse. En bouche, la structure ronde traduit une bonne extraction des composés nobles du raisin de cabernet franc. Un vin équilibré et très réussi.
➥ Dom. Charles Béduneau, 18, rue Rabelais, 49750 Saint-Lambert-du-Lattay, tél. 02.41.78.30.86, fax 02.41.74.01.46 ☑ ☂ r.-v.

CH. DE BOIS-BRINCON
Le Clos Bertin 1997★

■　　　2 ha　　10 000　■ ❶❶ ♦　50 à 69 F

Cette vaste propriété de 27 ha est l'une des plus anciennes du pays angevin. Son origine remonte en effet à 1219. Ses terroirs se répartissent sur cinq communes et produisent des vins réputés. Celui-ci s'enveloppe d'une robe grenat profond. L'intensité des arômes est impressionnante. Avec complexité, les notes de fruits noirs se marient à un côté boisé-grillé hérité d'un élevage en fût de douze mois. En bouche, grasse et volumineuse, est étayée par une bonne présence tannique qui lui donne son originalité. Cet anjou est indéniablement un vin de garde. Une réussite, compte tenu du millésime.

➥ Xavier Cailleau, Ch. de Bois-Brinçon, 49320 Blaison-Gohier, tél. 02.41.57.19.62, fax 02.41.57.10.46 ☑ ☂ r.-v.

DOM. DE BOIS MOZE 1999★★

■　　8,68 ha　35 000　■ ♦　20 à 29 F

Ancienne propriété du château de Montsabert, le domaine de Bois Mozé est géré depuis les années 1920 par la famille Boury. Il a produit en 99 un vin vêtu d'une robe très foncée. A l'olfaction, on perçoit des arômes de fruits rouges surmûris, cependant qu'en bouche la matière concentrée et complexe prolonge le plaisir. Des notes de griotte et de fraise s'inscrivent harmonieusement dans un très bel équilibre.
➥ Boury Frères, Dom. de Bois-Mozé, 49320 Coutures, tél. 02.41.57.91.28, fax 02.41.57.93.71 ☑ ☂ r.-v.

DOM. DE BRIZE 1999★★

■　　　2 ha　　8 000　　■　20 à 29 F

Cette vaste exploitation de 38 ha mérite une halte pour la saveur particulière de ses vins. Et son anjou 99 d'un beau pourpre très brillant est loin de démériter. Son nez de raisins surmûris évoque les fruits rouges confiturés. La première impression gustative est aussi fort agréable. Dans le prolongement, le velouté, le gras et la bonne longueur ne font que renforcer le plaisir.
➥ SCEA Marc et Luc Delhumeau, Dom. de Brizé, 49540 Martigné-Briand, tél. 02.41.59.43.35, fax 02.41.59.66.90 ☑ ☂ r.-v.
➥ Luc et Line Delhumeau

CH. DE BROSSAY 1999★

■　　　10 ha　　n.c.　■ ♦　20 à 29 F

Dans une cave datant du XVᵉs., les frères Deffois vinifient le fruit de 36 ha de vignes plantées en sol limoneux-graveleux sur schistes. L'intensité visuelle est attrayante dans ce vin d'un beau rubis franc. Elle laisse une impression de fraîcheur que l'on retrouve dans la suite de la dégustation. Les fruits rouges bien mûrs du nez trouvent un écho dans une bouche élégante et typée.
➥ Raymond et Hubert Deffois, Ch. de Brossay, 49560 Cléré-sur-Layon, tél. 02.41.59.59.95, fax 02.41.59.58.81,
e-mail brossay@groupesirius.com ☑ ☂ t.l.j. sf dim. 8h-13h 14h-19h

DOM. DE CLAYOU 1999

☐　　　n.c.　　n.c.　■ ♦　20 à 29 F

Saint-Lambert-du-Lattay s'enorgueillit d'être la commune la plus viticole de l'Anjou. Ce n'est pas Jean-Bernard Chauvin, jeune président de l'appellation, qui dira le contraire. Ce vin pâle possède de légers reflets verts. Le nez se montre encore discret, vif et frais sans excès. Un côté acidulé apparaît dans une bouche cependant très équilibrée. Voilà un vin intéressant qui accompagnera bien les fruits de mer.
➥ SCEA Jean-Bernard Chauvin, 18 bis, rue du Pont-Barré, 49750 Saint-Lambert-du-Lattay, tél. 02.41.78.42.84, fax 02.41.78.48.52 ☑ ☂ r.-v.

DOM. DES COQUERIES 1999★

■   1 ha   6 000   ▮🍷 20 à 29 F

Philippe Gilardeau est arrivé en 1996 sur cette exploitation qu'il a rénovée. Ses débuts sont prometteurs. La couleur rouge intense de ce 99 est nuancée de rubis. A l'olfaction, on perçoit des notes animales au premier nez, puis des arômes de fruits rouges. L'attaque est souple et tendre. Ce vin bien structuré, charnu, repose sur des tanins fondus et trouve son harmonie dans une finale réglissée.
☛EARL Philippe Gilardeau, Les Noues, 49380 Thouarcé, tél. 02.41.54.39.11, fax 02.41.54.38.84 ☑ 🍷 r.-v.

DOM. DES COTEAUX BLANCS 1999★

☐   2 ha   5 000   ▮🍷 20 à 29 F

Le domaine des Coteaux Blancs réserve une belle vue sur la rivière du Layon. François Picherit a obtenu un vin de teinte pâle au nez de genêt. Ce 99 résulte d'une vinification à température bien maîtrisée et l'apport de chardonnay lui confère des notes très florales. La bouche se révèle équilibrée et harmonieuse. C'est un vin à consommer dès maintenant.

☛François Picherit, Les Coteaux Blancs, 49290 Chalonnes-sur-Loire, tél. 02.41.78.16.83, fax 02.41.74.91.91 ☑ 🍷 r.-v.

DOM. COUSIN-LEDUC 1999★★

■   n.c.   n.c.   20 à 29 F

Revenu aux cultures authentiques depuis la reprise de ce domaine voilà déjà près de quinze ans, Olivier Cousin poursuit son beau parcours en décrochant deux étoiles pour son anjou 99. La robe très profonde s'anime de nuances mauves bien visibles. Le nez est encore de faible intensité, mais la subtilité de ses arômes est bien réelle. Après une attaque grasse, la bouche évolue en rondeur sur des tanins certes présents, mais enrobés. Ce vin se bonifiera après trois à cinq ans de garde et révélera alors tout son potentiel.
☛Olivier Cousin, 1, rue du Colonel-Panaget, 49540 Martigné-Briand, tél. 02.41.59.49.09, fax 02.41.59.69.83, e-mail ocousin@wanadoo.fr ☑ 🍷 r.-v.

DOM. DITTIERE 1999★★

■   5 ha   10 000   ▮🍷 30 à 49 F

Le domaine Dittière constitue une exploitation traditionnelle de l'Anjou. Le vignoble est

Anjou et Saumur

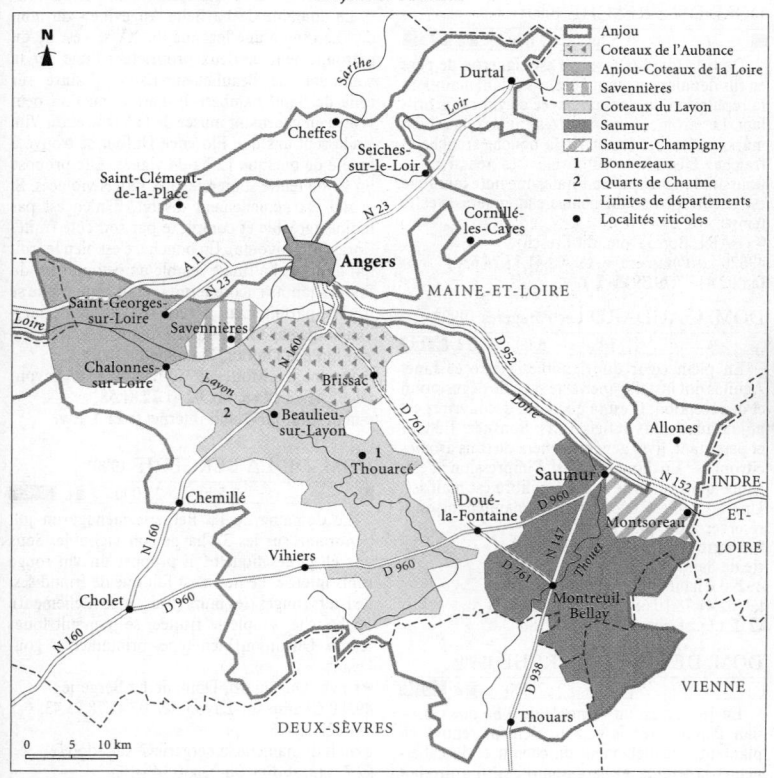

implanté sur une formation sablo-graveleuse caractéristique de la commune de Vauchrétien, qui produit régulièrement des vins expressifs. Celui-ci, grenat très brillant, possède un nez remarquable, tout en complexité par ses nuances de fruits rouges, de fleurs blanches (aubépine), voire d'épices (noix muscade et poivre blanc). La bouche, structurée, a du volume et de la puissance du fait des tanins encore très présents. Une garde en cave permettra à ce vin de se fondre.

☛ Dom. Dittière, 1, chem. de la Grouas, 49320 Vauchrétien, tél. 02.41.91.23.78, fax 02.41.54.28.00, e-mail domaine.dittiere@wanadoo.fr ☑ ⟼ r.-v.

DOM. DES EPINAUDIERES 1999★★

	5 ha	2 000	∎⫸⑂⬦ 20 à 29 F

Roger Fardeau a pris le vignoble en métayage en 1966 avant de passer au fermage en 1975. En 1991, il s'est associé à son fils Paul. Père et fils signent aujourd'hui un remarquable anjou jaune paille, élégant et printanier. Au nez apparaissent des notes de fruits secs grillés. C'est un chenin de vendanges très mûres. L'attaque se montre ainsi ronde, la bouche grasse et légèrement boisée en souvenir d'un passage sous bois de deux mois. Vif et souple à la fois, ce vin vieillira bien.

☛ SCEA Fardeau, Sainte-Foy, 49750 Saint-Lambert-du-Lattay, tél. 02.41.78.35.68, fax 02.41.78.35.50 ☑ ⟼ r.-v.

DOM. DU FRESCHE 1999★

∎	1,5 ha	9 000	⑂⬦ 20 à 29 F

Dans la famille Boré, on est vigneron de père en fils depuis cent cinquante ans. Alain maintient la réputation du domaine avec ce vin rubis brillant. Les arômes soutenus, très fruits rouges bien mûrs, invitent à découvrir la bouche franche et fraîche. L'équilibre se révèle très réussi et se poursuit longtemps. En finale, une note tannique est encore perceptible, mais s'atténuera avec le temps.

☛ EARL Boré, Dom. du Fresche, 49620 La Pommeraye, tél. 02.41.77.74.63, fax 02.41.77.79.39 ☑ ⟼ r.-v.

DOM. GAUDARD Les Paragères 1999★

	1,77 ha	6 000	∎⑂⬦ 30 à 49 F

En plein cœur du vignoble, Pierre et Janet Aguilas ont installé une vaste salle de dégustation et de réception. C'est là que vous découvrirez cet anjou aux beaux reflets verts. Son nez, flatteur et persistant, livre généreusement de frais arômes citronnés. En bouche, c'est l'impression d'élégance qui l'emporte tant l'équilibre est maîtrisé. Une bouteille à découvrir dès maintenant ou à réserver à des plaisirs futurs.

☛ Pierre Aguilas, Dom. Gaudard, rte de Saint-Aubin, 49290 Chaudefonds-sur-Layon, tél. 02.41.78.10.68, fax 02.41.78.67.72 ☑ ⟼ t.l.j. sf dim. 8h-12h 14h-18h

DOM. DE HAUTE PERCHE 1999

	2 ha	7 000	∎⑂⬦ 30 à 49 F

En 1966, c'est un vignoble de 9 ha que Christian Papin a repris et a totalement rénové en plantant essentiellement du chenin et du cabernet. A la tête de 34 ha aujourd'hui, il a produit

un 99 jaune limpide avec des reflets verts. Le nez ne se montre pas encore totalement ouvert, mais un caractère brioché apparaît, ce qui est de bon augure pour la suite de la dégustation. La bouche se révèle en effet pleine d'une matière de qualité qui ne demande qu'à s'amplifier.

☛ EARL Agnès et Christian Papin, 7, chem. de la Godelière, 49610 Saint-Melaine-sur-Aubance, tél. 02.41.57.75.65, fax 02.41.57.75.42 ☑ ⟼ r.-v.

DOM. DES HAUTES OUCHES 1999★

∎	15 ha	20 000	20 à 29 F

La couleur est limpide et intense, d'un rubis franc et net. Le caractère fruits rouges aiguise le sens olfactif. Voilà un vin élégant qui ne déçoit pas en bouche : la finesse de la matière s'allie à une bonne structure. Quelle belle suite entre les trois étapes de la dégustation ! Il faut découvrir ce vin dès à présent.

☛ EARL Joël et Jean-Louis Lhumeau, 9, rue Saint-Vincent, Linières, 49700 Brigné-sur-Layon, tél. 02.41.59.30.51, fax 02.41.59.31.75 ☑ ⟼ r.-v.

DOM. DE LA BELLE ANGEVINE 1999★

∎	4 ha	11 000	20 à 29 F

Le domaine de La Belle Angevine - du nom de l'héroïne d'une légende du XVᵉs. - est né du regroupement de deux propriétés ; l'une sur la commune de Beaulieu-sur-Layon, l'autre sur celle de Saint-Lambert-du-Lattay, où l'on peut visiter un charmant musée de la Vigne et du Vin. Voilà sept ans que Florence Dufour se trouve à la tête de quelque 12 ha de vignes. Elle propose un 99 de teinte soutenue, aux reflets violacés. Si le nez est actuellement discret, il n'en est pas moins agréable et complexe par son côté fruité-floral (iris, pivoine). En bouche, c'est bien le fruit qui domine. La finale semble un peu pointue du fait des tanins encore fermes, mais cette trame se fondra parfaitement à terme. Cité par le jury, l'**anjou-gamay 99** est un vin souple à servir frais.

☛ Florence Dufour, Dom. de La Belle Angevine, La Motte, 49750 Beaulieu-sur-Layon, tél. 02.41.78.34.86, fax 02.41.72.81.58, e-mail fldufour@club-internet.fr ☑ ⟼ r.-v.

DOM. DE LA BERGERIE 1999★

∎	3,5 ha	25 000	∎⑂⬦ 30 à 49 F

Le domaine de La Bergerie ménage un joli panorama sur les 32 ha de son vignoble. Sous une élégante étiquette, il propose un vin rouge rubis intense. Le nez n'est fait que de friandises, de fruits rouges très mûrs (fraise essentiellement). La bouche, souple et fruitée, se poursuit longtemps. Un anjou bien typé, printanier et gouleyant.

☛ Yves Guégniard, Dom. de La Bergerie, 49380 Champ-sur-Layon, tél. 02.41.78.85.43, fax 02.41.78.60.13, e-mail domainede.la.bergerie@wanadoo.fr ☑ ⟼ t.l.j. sf dim. 9h-12h30 14h-19h

DOM. DE LA COUCHETIERE
Elevé en fût de chêne 1998★

| ■ | 0,6 ha | 4 500 | 〓 | 30 à 49 F |

Si le domaine a vu se succéder quatre générations, la partie viticole n'a pris une place importante qu'à partir de 1944. Dans les années 1980, le vignoble a été agrandi. Un nouveau caveau de dégustation a été inauguré en décembre 1999 ; on pourra y découvrir cet anjou intense, aux beaux reflets violacés. Le nez puissant révèle des arômes de cassis compotés et de prunelle confite sur l'arbre. Volumineuse, la bouche repose sur des tanins encore présents mais le fruit ne manque pas. Ce vin une réussite dans ce millésime, même s'il demande un peu de temps pour prendre du soyeux.

🍷 GAEC Brault, Dom. de La Couchetière, 49380 Notre-Dame-d'Allençon, tél. 02.41.54.30.26, fax 02.41.54.40.98 ☑ ￥ t.l.j. sf dim. 8h-12h30 14h-19h

DOM. DE LA CROIX DES LOGES
1999★★

| ■ | 15 ha | 10 000 | 〓 | 20 à 29 F |

Située sur la route de Gennes, à proximité du village de Martigné, cette exploitation viticole de 40 ha propose un remarquable anjou d'une grande intensité visuelle : des reflets violacés brillent dans le verre. Après aération, les arômes de fruits rouges et notamment de griotte apparaissent. Puis la réglisse se manifeste, signe d'une vendange très mûre et d'une extraction bien maîtrisée. La bouche grasse contribue au caractère agréable de ce vin.

🍷 SCEA Bonnin et Fils, Dom. de La Croix des Loges, 49540 Martigné-Briand, tél. 02.41.59.43.58, fax 02.41.59.41.11, e-mail bonninlesloges@aol.com ☑ ￥ r.-v.

DOM. DE LA DUCQUERIE
Les Clavières 1999★★

| □ | 3 ha | 24 000 | 〓 | 20 à 29 F |

Cette exploitation viticole de style moderne couvre 50 ha. Si elle est connue pour ses fabuleux millésimes en coteaux du layon, c'est par un anjou remarquable qu'elle a séduit le grand jury. La cuvée Les Clavières attire l'œil dans sa robe jaune pâle. A l'olfaction monte une palette intense composée de fruits secs grillés et de fruits à chair blanche bien mûrs. La fraîcheur de bouche fait merveille car elle s'allie à une matière ronde et très persistante. Si ce vin procure un plaisir immédiat, il est aussi promis à un fort bel avenir.

🍷 EARL Cailleau et Fils, Dom. de la Ducquerie, 2, chem. du Grand-Clos, 49750 Saint-Lambert-du-Lattay, tél. 02.41.78.42.00, fax 02.41.78.48.17 ☑ ￥ r.-v.

CH. LA FRESNAYE 1999★★

| ■ | 6 ha | 23 000 | 〓 〓 | 30 à 49 F |

Laure et Philippe Baudin ont repris le domaine de l'Echalier en 1998 et ont fait l'acquisition du château de La Fresnaye et de ses 8 ha de vignes un an plus tard. Ils ont dû restructurer le vignoble pour ne conserver que chenin et cabernet. Leurs efforts n'ont pas été vains. Voyez plutôt la robe colorée, gaie et flamboyante de cet anjou. Vous libère un joli fruit rouge, type cassis très mûr. A l'agitation se perçoit même la minéralité du schiste. L'attaque est encore tannique, mais ce vin a tout le potentiel pour supporter une garde de trois ans et se bonifier. Saluons le travail des Coutenceau père et fils qui ont su assembler judicieusement cabernet-sauvignon et cabernet franc.

🍷 SCEA Ch. de La Fresnaye, 49190 Saint-Aubin-de-Luigné, tél. 02.41.54.78.55, fax 02.41.54.78.55 ☑ ￥ r.-v.
🍷 Laure et Philippe Baudin

DOM. DE LA GRETONNELLE 1999

| □ | 2 ha | 1000 | 20 à 29 F |

La Gretonnelle est une belle demeure de la fin du XIXe s., bâtie en pierre de tuffeau originaire de Puy-Notre-Dame. De ses vignes de chenin est né un vin brillant, jaune assez soutenu. Le nez se montre encore discret, mais l'aération révèle des notes de fleurs blanches (aubépine et tilleul). Et si la bouche n'est pas très ample, elle ne présente pas moins de la souplesse et de l'équilibre jusqu'à une longue finale.

🍷 EARL Charruault-Schmale, Les Landes, 79290 Bouillé-Loretz, tél. 05.49.67.04.49 ☑ ￥ r.-v.

VIGNOBLE DE L'ARCISON 1999★

| ■ | 4 ha | 15 000 | 〓 | 20 à 29 F |

A Thouarcé, les deux tiers de la surface plantée le sont en cabernet. Damien Reulier offre un bel exemple de production avec ce 99 attirant dans sa robe violacée aux reflets écarlates. Le nez est intense et complexe dans ses évocations de fruits frais et de fruits surmûris ponctués de notes épicées. La bouche est moelleuse et structurée. Sans doute une légère pointe tannique apparaît-elle en finale, mais elle se fondra avec le temps.

🍷 Damien Reulier, Vignoble de L'Arcison, Le Mesnil, 49380 Thouarcé, tél. 02.41.54.16.81, fax 02.41.54.31.12 ☑ ￥ t.l.j. 9h-12h30 14h-18h; f. oct.

LA ROULERIE Le Grand Clos 1999★

| □ | 3 ha | 20 000 | 〓 | 30 à 49 F |

Le château de La Roulerie a été repris successivement par Gaston Lenôtre, puis par Bernard Germain, également propriétaire de vignobles dans le Bordelais. L'anjou blanc se présente ici sous une nuance jaune doré. Sa palette traduit par des notes de surmaturité une vendange bien mûre. En bouche, la première impression est complexe, à la fois douce et fraîche. Bientôt se manifestent des touches fruitées et vanillées.

� Vignobles Germain et Associés Loire, Ch. de Fesles, 49380 Thouarcé, tél. 02.41.68.94.00, fax 02.41.68.94.01, e-mail loire@vgas.com ☑ ⵏ r.-v.

CH. DE LA VIAUDIERE
Cuvée Pierre Blanche 1999★

| ☐ | 1,3 ha | 5 000 | - de 20 F |

Le vignoble appartient à la famille Gelineau depuis quatre siècles et s'est transmis de père en fils. Une teinte jaune très clair à reflets verts caractérise la cuvée Pierre Blanche. Au nez, les sens sont flattés par une palette généreuse, mêlant les fleurs blanches et les fruits surmûris. La bouche, très aromatique, reste dans la même ligne élégante.
➤ EARL Vignoble Gélineau, Ch. de La Viaudière, 49380 Champ-sur-Layon, tél. 02.41.78.86.27, fax 02.41.78.60.45, e-mail gelineau@wanadoo.fr ☑ ⵏ r.-v.

DOM. DE LA VILLAINE 1999★★

| ■ | 2 ha | 10 000 | ⵏ ⵜ | 20 à 29 F |

Pascal Batail et Jean-Paul Carré ont structuré leur vignoble au cours des années 1970 à partir de multiples petites propriétés. Aujourd'hui forts de plus de 22 ha, ils proposent un anjou rubis profond et étincelant. Bien que le nez soit encore fermé, la note florale, très typée violette, s'exprime nettement. Après une attaque suave, on assiste à une véritable explosion aromatique au palais. À la finale s'allonge toujours davantage. Les vignerons ont privilégié l'extraction des constituants nobles, sans excès, pour obtenir ce vin très printanier.
➤ GAEC des Villains, Carré Batail, La Villaine, 49540 Martigné-Briand, tél. 02.41.59.75.21, fax 02.41.59.75.21 ☑ ⵏ r.-v.

LE LOGIS DU PRIEURE 1999★

| ■ | 1,5 ha | 6 000 | ⵏ ⵜ | 30 à 49 F |

Le Logis du Prieuré produit une grande variété de vins à Concourson-sur-Layon. Son anjou s'est distingué dans sa belle robe grenat ; il libère des senteurs fruitées parmi lesquelles la cerise confite et la mûre dominent. La bouche attaque avec finesse et se poursuit agréablement car l'extraction des tanins a été bien maîtrisée. Un beau vin représentatif de l'appellation et très réussi pour le millésime.
➤ SCEA Jousset et Fils, Le Logis du Prieuré, 49700 Concourson-sur-Layon, tél. 02.41.59.11.22, fax 02.41.59.38.18, e-mail logis-prieure@groupesirius.com ☑ ⵏ t.l.j. sf dim. 9h-12h30 14h-19h

DOM. DE MIHOUDY 1999★★

| ■ | 5 ha | 10 000 | ⵏ ⵜ | 30 à 49 F |

Toujours aussi remarquables, les anjou de la famille Cochard ! Cette année, c'est un vin rouge foncé qui satisfait le jury. A l'agitation du verre, le disque met en valeur des reflets mauves. Le nez superbe se décline tout en fruits rouges concentrés, surmûris. La bouche est souple, malgré une forte structure due à des tanins très présents qui se fondront avec le temps. Car cet anjou se montre fort prometteur.

➤ Cochard, Dom. de Mihoudy, 49540 Aubigné-sur-Layon, tél. 02.41.59.46.52, fax 02.41.59.68.77 ☑ ⵏ r.-v.

GILLES MUSSET-SERGE ROULLIER
1999★★

| ■ | 2 ha | 12 000 | ⵏ ⵜ | 20 à 29 F |

1999
Anjou
Appellation Contrôlée

Gilles Musset - Serge Roullier
Vigneron

750 ml   12% vol.

Le domaine réserve une vue remarquable sur l'église de Montjean-sur-Loire qui semble comme suspendue au-dessus du vignoble. On a tout autant de plaisir à goûter ce vin rubis soutenu au parfum de cassis compoté : le raisin était bien mûr. Après une attaque souple, ronde et fruitée, l'évolution se fait riche et chaleureuse. C'est un anjou rouge haut de gamme.
➤ Vignoble Musset-Roullier, Le Pélican, 49620 La Pommeraye, tél. 02.41.39.05.71, fax 02.41.77.75.76 ☑ ⵏ r.-v.

DOM. OGEREAU 1999★

| ■ | 4 ha | 13 000 | ⵏ ⵜ | 30 à 49 F |

Le domaine Ogereau est réputé pour ses vins liquoreux, mais devient également incontournable dans la production de vins rouges. Ce 99 en témoigne. Son nez très complexe se décompose en nuances animales (cuir), florales (iris et pivoine) et fruitées (fraise, cerise). L'élevage amplifiera tous ces caractères, car la structure est bien là. Un vin en devenir qui possède un très beau potentiel.
➤ Vincent Ogereau, 44, rue de la Belle-Angevine, 49750 Saint-Lambert-du-Lattay, tél. 02.41.78.30.53, fax 02.41.78.43.55 ☑ ⵏ r.-v.

DOM. PERCHER La Masse 1999

| ☐ | 1 ha | 4 000 | ⵏ ⵜ | 20 à 29 F |

Les vins effervescents représentent 50 % de la vente en bouteilles de cette exploitation : les frères Percher élaborent du saumur brut selon la méthode traditionnelle depuis 1961. Cet anjou blanc fait cependant bonne figure au sein de la gamme et mérite attention. Printanier dans sa robe jaune pâle à reflets verts étincelants, il livre un nez assez intense où le côté minéral du chenin ressort, associé à la note florale du chardonnay. La bouche, ample et bien équilibrée, se poursuit dans une bonne longueur.
➤ SCEA Dom. Percher, Savonnières, 49700 Les Verchers-sur-Layon, tél. 02.41.59.76.29, fax 02.41.59.90.44 ☑ ⵏ t.l.j. sf dim. 8h-12h 14h-18h

DOM. DES PIECES MADAME 1999★★

| ■ | 5 ha | 31 330 | ⵏ ⵜ | 20 à 29 F |

Cette exploitation viticole de 24 ha est située en plein cœur du village de Martigné-Briand.

Elle produit un anjou d'un beau pourpre très franc. Le nez fruité, tout en finesse, reflète la bonne maturité du raisin. Dans la même ligne, la bouche laisse une impression soyeuse tant les tanins sont enveloppés de gras. C'est un vin de matière qui ne décevra pas dans les deux prochaines années.

☛ EARL de La Gaubretière, 8, rue de La Gaubretière, 49540 Martigné-Briand, tél. 02.41.40.22.71, fax 02.41.40.22.60, e-mail j.verdier@wanadoo.fr
☛ Joseph Verdier

CH. PIERRE-BISE
Le Haut de la Garde 1998

| □ | 5,5 ha | 17 000 | ▮ | 30 à 49 F |

Le château Pierre-Bise offre un panorama exceptionnel sur les célèbres coteaux du Layon. Claude Papin aime à évoquer la diversité géologique de sa région. Son anjou 98 est né de vignes de chenin âgées de vingt-cinq ans et cultivées sur sol de grès, de schiste et de rhyolithe. Bien doré et brillant de reflets ambrés, il présente un nez caractéristique d'une vendange longuement attendue, maîtrisée et même triée ; se dévoilent en effet des arômes de fruits confits, de coing, de mirabelles très mûres. La bouche nette et opulente parachève ce vin de race qui n'en finira pas de s'épanouir.

☛ Claude Papin, Ch. Pierre-Bise, 49750 Beaulieu-sur-Layon, tél. 02.41.78.31.44, fax 02.41.78.41.24 ☑ ⵀ r.-v.

CH. DE PIMPEAN
Cuvée du Festival 1999★

| ■ | 13 ha | 28 000 | ▮↓ | 30 à 49 F |

Le château de Pimpéan a été construit en 1450 ; ses bas-reliefs représentent des grappes de raisin témoignent de sa vocation viticole, vocation que les propriétaires actuels entretiennent en investissant dans la rénovation de ce patrimoine. Rubis, la cuvée du Festival exprime ses arômes après agitation. L'attaque est attrayante, la bouche gouleyante et l'ampleur suffisante sur des tanins veloutés. Il ne manque plus à ce vin qu'à s'épanouir.

☛ SCA Dom. de Pimpéan, 49320 Grézillé, tél. 02.41.68.95.96, fax 02.41.45.51.93, e-mail maryset@pimpean.com ☑ ⵀ t.l.j. 8h-12h 13h30-17h30
☛ Gilles Tugendhat

CH. DE PUTILLE 1999

| □ | 2 ha | 5 000 | ▮↓ | 20 à 29 F |

Sur la route qui mène au château de Putille, on croise les ruines d'anciens fours à chaux. Pascal Delaunay, viticulteur résolument engagé dans la démarche qualitative, propose un anjou typique du chenin et bien réussi pour le millésime. Des reflets étincelants renforcent l'attrait de la robe d'unjaune très net. Bien que le nez soit encore timide, on perçoit une complexité naissante dans les arômes de fruits mûrs non dénués de fraîcheur. En bouche, le gras du vin s'équilibre avec la vivacité.

☛ Pascal Delaunay, EARL Ch. de Putille, 49620 La Pommeraye, tél. 02.41.39.02.91, fax 02.41.39.03.45 ☑ ⵀ t.l.j. sf dim. 8h30-12h30 14h-20h

MICHEL ROBINEAU 1999★

| ■ | 1 ha | 3 000 | ▮ | 20 à 29 F |

Michel Robineau s'est lancé dans l'aventure en 1990 en créant une exploitation de 7 ha. Il a réussi dans le millésime 99 un anjou d'un rouge attirant. Au nez, le cabernet franc transparaît à travers des notes de poivron caractéristiques. Il donne au vin un côté végétal qui s'estompera après une petite garde. La bouche fruitée et moelleuse évoque le raisin très mûr. Une aération favorisera une plus grande expression.

☛ Michel Robineau, 3, chem. du Moulin, Les Grandes Tailles, 49750 Saint-Lambert-du-Lattay, tél. 02.41.78.34.67 ☑ ⵀ r.-v.

DOM. ROBINEAU CHRISLOU 1999★★

| ■ | 4,33 ha | 5 000 | ▮↓ | 20 à 29 F |

Louis Robineau a repris le domaine familial en 1991 ; sa production figure régulièrement dans le Guide, notamment son anjou rouge qui, dans le millésime 99, se présente sous une couleur violacée très foncée. Le nez puissant, complexe, décline des arômes de fruits noirs confits, de violette et d'iris. La structure en bouche s'impose, volumineuse, et ne demande qu'à évoluer.

☛ Louis Robineau, 14, rue Rabelais, 49750 Saint-Lambert-du-Lattay, tél. 02.41.78.42.65, fax 02.41.78.42.65 ☑ ⵀ r.-v.

DOM. DE ROCHAMBEAU 1999★

| ■ | 3 ha | 5 000 | | 20 à 29 F |

Le vignoble de 17 ha est installé à flanc de coteau et domine l'Aubance. Il a donné naissance à un anjou rouge profond aux reflets brillants. La griotte surmûrie, confite, caractérise le nez avant qu'une impression veloutée n'envahisse le palais. Tendre et charpentée, la matière dévoile des arômes de réglisse soutenus qui perdurent longuement en finale. Toute la chaîne d'élaboration a été respectée, cela se sent.

☛ EARL Forest, Dom. de Rochambeau, 49610 Soulaines-sur-Aubance, tél. 02.41.57.82.26, fax 02.41.57.82.26 ☑ ⵀ t.l.j. 18h-20h; sam. 9h-19h

CH. DES ROCHETTES 1999

| □ | 2 ha | 6 000 | ❶❶ | 20 à 29 F |

Les bâtiments du château datent en majeure partie du XIXᵉ s. et les anciennes écuries abritent les chais qui ont vu naître cet anjou jaune pâle, limpide, aux reflets verts. Si le boisé apparaît au nez, il ne masque pas le beau fruit du chenin (pêche de vigne, poire) et se fait plutôt flatteur. La bouche structurée, ronde, tire de tanins fins une réelle élégance. Ce vin mérite de s'épanouir encore pour être pleinement apprécié.

☛ Jean Douet, Ch. des Rochettes, 49700 Concourson-sur-Layon, tél. 02.41.59.11.51, fax 02.41.59.37.73 ☑ ⵀ r.-v.

DOM. DU SABLON 1999★★

| ■ | 1 ha | 6 000 | ▮↓ | 20 à 29 F |

Le domaine du Sablon possède une cave traditionnelle en tuffeau, complétée d'un chai en 1999. Il intègre parfaitement le cadre troglodytique du village. Rubis intense, net, brillant de reflets violacés, voici un vin élégant. Fruité et floral au nez, rond, structuré et équilibré en bou-

LOIRE

che... Rien ne saurait ébranler l'harmonie de cet anjou tout en fruit et en fraîcheur.

☛ Jean-Pierre Hélin, Le Sablon, 49320 Grézillé, tél. 02.41.45.57.26, fax 02.41.45.57.26 ☑ ☖ r.-v.

DOM. SAINT-ARNOUL 1999★

☐	1 ha	3 000	■ ☖	- de 20 F

Depuis décembre 1999, Alain Poupard s'est associé à l'œnologue Xavier Maury. Ils réussissent à eux deux un agréable anjou. Jaune pâle brillant, celui-ci fait preuve d'une bonne intensité aromatique en associant les caractères miellés aux notes de citron. La bouche fraîche se conclut sur une pointe légèrement amère qui n'ôte cependant rien au charme de ce vin, prêt dès l'automne.

☛ EARL Poupard et Fils, Sousigné, 49540 Martigné-Briand, tél. 02.41.59.43.62, fax 02.41.59.69.23, e-mail saint-arnoul@wanadoo.fr ☑ ☖ r.-v.

COTEAU SAINT-VINCENT 1999★

■	5 ha	10 000	■ ☖	20 à 29 F

Michel et Olivier Voisine sont installés à la limite des appellations coteaux du layon, anjou et anjou-coteaux de la loire. Ils possèdent 19 ha de vignes dont 5 ha de cabernet franc qui, récolté dans les premiers jours du mois d'octobre, a produit ce 99 d'un rouge franc et brillant. Le nez est complexe et fait la part belle aux fruits rouges. Après une attaque moelleuse, une structure souple apparaît, emplie de la fraîcheur et de la vivacité du fruit persistant. Un vin très harmonieux.

☛ Michel et Olivier Voisine, Le Coteau Saint-Vincent, 49290 Chalonnes-sur-Loire, tél. 02.41.78.18.26, fax 02.41.78.18.26, e-mail licheur@infonie.fr ☑ ☖ r.-v.

SAUVEROY Cuvée Iris 1999★

■	3,32 ha	24 000	■ ☖	30 à 49 F

Le domaine Sauveroy a été créé au XIXᵉs. et racheté par Francis Cailleau en 1947, alors qu'il ne comprenait qu'un hectare de vignes. En 1985, Pascal Cailleau a repris le vignoble et porté sa superficie à 28 ha. Il propose un 99 très soutenu et étincelant, dont le nez réglissé, intense et complexe, traduit un passage en fût bien maîtrisé. La bouche déploie sa matière concentrée, bâtie sur des tanins au grain fin. C'est un vin de garde, fait pour se marier à une viande rouge ou à une matelote.

☛ Pascal Cailleau, Dom. du Sauveroy, 49750 Saint-Lambert-du-Lattay, tél. 02.41.78.30.59, fax 02.41.78.46.43, e-mail domainesauveroy@terrenet.fr ☑ ☖ r.-v.

DOM. DES VARENNES 1999★★

■	4 ha	5 000	■	30 à 49 F

Une belle robe rouge foncé habille ce remarquable vin. Le nez chaleureux décline des arômes intenses de fruits rouges confits avec une dominante de cerise. Après une attaque franche, la bouche se construit sur des tanins bien présents, autour d'une matière de qualité. Des caractères torréfiés de grand intérêt signent la dégustation.

☛ GAEC A. Richard, 11, rue des Varennes, 49750 Saint-Lambert-du-Lattay, tél. 02.41.78.32.97, fax 02.41.74.00.30 ☑ ☖ r.-v.

DOM. VERDIER 1999★

■	1 ha	5 000		20 à 29 F

Cet anjou rouge rubis fait immédiatement ressortir le caractère épicé à l'olfaction, réservant ses arômes de fruits rouges au second nez, après agitation. Franc à l'attaque, il gagne du gras en milieu de bouche et se développe sur des tanins fins dans une bonne longueur. Un vin élégant, suave, qui patientera un peu en cave.

☛ EARL Verdier Père et Fils, 7, rue des Varennes, 49750 Saint-Lambert-du-Lattay, tél. 02.41.78.35.67, fax 02.41.78.35.67 ☑ ☖ t.l.j. 8h-12h30 14h-19h; dim. sur r.-v.; f. 25 août-3 sept.

Anjou-gamay

Vin rouge produit à partir du cépage gamay noir. Sur les terrains les plus schisteux de la zone, bien vinifié, il peut donner un excellent vin de carafe. Quelques exploitations se sont spécialisées dans ce type, qui n'a d'autre ambition que de plaire au cours de l'année de sa récolte. 18 081 hl ont été produits en 1999.

DOM. DES BONNES GAGNES 1999★

■	2 ha	6 000	■ ☖	20 à 29 F

En 1020, le fief d'Orginé - dont les Bonnes Gagnes faisaient partie - fut concédé aux moines de l'abbaye de Ronceray d'Angers pour être planté en vignes. Propriété viticole à part entière depuis 1610, ce domaine bénéficie d'une terre riche, argilo-calcaire, qui assure le bon développement de la vigne. Il en résulte un 99 de couleur intense à reflets violacés. Encore timide, le nez laisse toutefois apparaître des arômes complexes de fleurs et de petits fruits rouges délicats. La bouche se prolonge, non en fruit, sur un bon équilibre. Ce vin s'épanouira davantage dans les prochains mois.

☛ Jean-Marc Héry, Orginé, 49320 Saint-Saturnin-sur-Loire, tél. 02.41.91.22.76, fax 02.41.91.21.58 ☑ ☖ t.l.j. 9h-12h30 14h-19h; dim. sur r.-v.

DOM. CHUPIN 1999

■	4,04 ha	20 000		20 à 29 F

Le domaine Chupin est une vaste propriété de quelque 70 ha plantés sur les graves de l'Anjou. Son 99 est un vin de teinte grenat, dont le nez intense et complexe révèle des notes animales et des arômes de fruits grillés, voire torréfiés. La bouche, fraîche, possède de l'ampleur et des tanins qui sauront se fondre à terme.

☛ SCEA Dom. Chupin, 8, rue de l'Eglise, 49380 Champ-sur-Layon, tél. 02.41.78.86.54, fax 02.41.78.61.73 ☑ ☖ r.-v.

DOM. DU FRESCHE 1999★★

| ■ | 0,6 ha | 4 300 | ■ ♦ | 20 à 29 F |

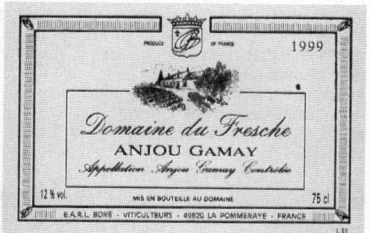

Elégamment vêtu d'une robe rouge cerise scintillante, ce 99 livre un nez intense, frais et doux, bien caractéristique du cépage. Après une bonne attaque, la bouche apparaît ronde et souple, très harmonieuse. Ce vin est l'élégance même, et la subtile persistance aromatique ne le rend que plus remarquable.
☛ EARL Boré, Dom. du Fresche, 49620 La Pommeraye, tél. 02.41.77.74.63, fax 02.41.77.79.39 ☑ ♈ r.-v.

DOM. DE HAUTE PERCHE 1999★★

| ■ | 1,5 ha | 5 000 | | 30 à 49 F |

Agnès et Christian Papin ont obtenu un remarquable anjou-gamay sur les sols de schistes argileux de leur vignoble. Vêtu d'une belle robe rubis, ce 99 dévoile des arômes de fruits tout juste compotés avant de révéler un caractère épicé. Une belle matière, ample et généreuse, emplit la bouche, puis le fruité revient, accompagné de tanins bien présents qui s'estompent au cours de la garde.
☛ EARL Agnès et Christian Papin, 7, chem. de la Godelière, 49610 Saint-Melaine-sur-Aubance, tél. 02.41.57.75.65, fax 02.41.57.75.42 ☑ ♈ r.-v.

CH. DE LA GENAISERIE 1999★★

| ■ | 3,09 ha | 19 000 | ■ ♦ | 20 à 29 F |

Le Château de La Genaiserie bénéficie d'une certaine notoriété pour sa production de vins liquoreux. Il n'en vinifie pas moins de beaux vins secs, tel cet anjou-gamay rubis assez soutenu. Très expressif, le nez traduit une vinification de type beaujolais par un fruité intense. La bouche, printanière, bénéficie d'une bonne présence de petits fruits rouges associés à des tanins fondus. C'est un vin structuré, équilibré et très long.
☛ SC Ch. de La Genaiserie, 49190 Saint-Aubin-de-Luigné, tél. 02.41.78.33.22, fax 02.41.78.67.78 ☑ ♈ r.-v.

DOM. DU LANDREAU 1999

| ■ | 2 ha | 12 000 | ■ ♦ | 30 à 49 F |

Derrière une robe limpide aux éclats rubis apparaissent des nuances florales (iris notamment) associées à des notes épicées, voire animales, très marquées. La bouche, équilibrée, est d'une belle présence. Un vin à découvrir.
☛ Raymond Morin, Dom. du Landreau, 49750 Saint-Lambert-du-Lattay, tél. 02.41.78.30.41, fax 02.41.78.45.11 ☑ ♈ r.-v.

DOM. DE LA POTERIE 1999★★

| ■ | 0,6 ha | 1 300 | ■ ♦ | 20 à 29 F |

Fils d'agriculteurs du Nord dont l'exploitation s'appelait la ferme de la Poterie, Guillaume Mordacq s'est installé en Anjou en 1996 et conduit un vignoble de 12 ha selon les méthodes de culture raisonnée. Son anjou-gamay s'habille d'une robe profonde dans les tons mauves, brillant de reflets violacés. Le caractère primeur ressort à l'olfaction. Après une attaque franche et fruitée, les tanins soyeux emplissent le palais et contribuent au bon équilibre de l'ensemble. Le fruit a été bien extrait.
☛ Guillaume Mordacq, La Chevalerie, 16, av. des Trois-Ponts, 49380 Thouarcé, tél. 02.41.54.12.29, fax 02.41.52.26.41 ☑ ♈ r.-v.

DOM. RICHOU
Les Champs de la Pierre 1999

| ■ | 3 ha | n.c. | ■ ⦀ | 30 à 49 F |

« Maurice Richou, docteur en médecine, médecin ordinaire du Roi, viticulteur. » Tels sont les termes de l'acte datant de 1550 et attestant le lignage viticole de la famille Richou. Cette cuvée de teinte soutenue, presque noire, revêt des reflets violacés. La bouche, ample et équilibrée, est bien marquée par le cépage ; elle laisse persister en rétro-olfaction un beau fruit rouge mûr. Une petite garde sera la bienvenue.
☛ Dom. Richou, Chauvigné, 49610 Mozé-sur-Louet, tél. 02.41.78.72.13, fax 02.41.78.76.05 ☑ ♈ t.l.j. sf dim. 8h30-12h 14h30-19h

DOM. VERDIER 1999★★

| ■ | 1 ha | 4 000 | ■ ♦ | 20 à 29 F |

Le domaine Verdier compte 22 ha de vignes sur les sols de schistes et d'argile de la commune de Saint-Lambert-du-Lattay. Il propose dans le millésime 99 un vin rubis intense, à reflets violets limpides. Le nez offre des notes fruitées des plus élégantes. La bouche se développe ensuite avec souplesse, marquée par le même fruité, et monte en puissance sur des tanins bien fondus. La persistance en finale est remarquable.
☛ EARL Verdier Père et Fils, 7, rue des Varennes, 49750 Saint-Lambert-du-Lattay, tél. 02.41.78.35.67, fax 02.41.78.35.67 ☑ ♈ t.l.j. 8h-12h30 14h-19h; dim. sur r.-v.; f. 25 août-3 sept.

LOIRE

Anjou-villages

Le terroir de l'AOC anjou-villages correspond à une sélection de terrains dans l'AOC anjou : seuls les sols sains, précoces et bénéficiant d'une bonne exposition ont été retenus. Ce sont essentiellement des sols développés sur schistes, altérés ou non. Les dix communes constituant l'aire géographique de l'AOC anjou-village-brissac, reconnue en 1998, sont situées sur un plateau en pente douce vers la Loire, limité au nord par ce fleuve, et au sud par les coteaux abrupts du Layon. Les sols sont profonds. La proximité de la Loire, qui limite les températures extrêmes, explique également la particularité du terroir.

CH. DE CHAMBOUREAU
Cuvée d'Avant 1998

■   1 ha   4 000   ❙❚❙   30 à 49 F

Le château de Chamboureau tire sa notoriété des savennières. Mais ses vins rouges méritent également l'intérêt. Vinifié et élevé en barrique, cet anjou-villages se montre harmonieux. La robe est rubis et les arômes de fruits rouges, de fruits secs et de fleurs (violette) se retrouvent dans une bouche agréable dont la fraîcheur est représentative du millésime.
🍷 Pierre Soulez, Ch. de Chamboureau, 49170 Savennières, tél. 02.41.77.20.04, fax 02.41.77.27.78 ☑ ㅟ r.-v.

DOM. CHUPIN 1998

■   6,24 ha   45 000   ❚   20 à 29 F

Ce vaste domaine de 75 ha pratique la vinification traditionnelle avec chapeau de marc immergé, remontage à l'air et durée de macération de vingt-huit jours. Ce 98 porte une robe rouge intense et laisse s'exprimer des senteurs soutenues de fruits rouges mûrs. Ce vin léger sera agréable à boire en fin d'année.
🍷 SCEA Dom. Chupin, 8, rue de l'Eglise, 49380 Champ-sur-Layon, tél. 02.41.78.86.54, fax 02.41.78.61.73 ☑ ㅟ r.-v.

DOM. DES EPINAUDIERES 1998

■   2 ha   6 000   ❚   20 à 29 F

Domaine qui doit beaucoup à l'engagement de Roger Fardeau. Paul, qui s'est associé en 1991 avec son père, cultive les mêmes valeurs. Il n'était pas facile d'élaborer un vin de matière en 1998. Et pourtant le résultat est là avec cet anjou-villages fidèle à l'esprit de cette cave. Structuré, puissant, il laisse des tanins encore très jeunes qui devraient se fondre vers Pâques 2001.
🍷 SCEA Fardeau, Sainte-Foy, 49750 Saint-Lambert-du-Lattay, tél. 02.41.78.35.68, fax 02.41.78.35.50 ☑ ㅟ r.-v.

DOM. DE LA CROIX DES LOGES
1998★

■   3 ha   5 000   ❚❙❚   30 à 49 F

Cet anjou-villages a été obtenu à partir d'une macération assez longue de vingt-deux jours et d'un élevage de dix mois en cuve pour 50 % du vin et pour l'autre moitié en barrique. Il est bien représentatif de son millésime par sa structure assez légère. Les arômes de fruits évolués, de noyau, de réglisse annoncent une bouche équilibrée par des tanins élégants, bien maîtrisés par la vinification. Peut être bu lors de la parution du Guide.
🍷 SCEA Bonnin et Fils, Dom. de La Croix des Loges, 49540 Martigné-Briand, tél. 02.41.59.43.58, fax 02.41.59.41.11, e-mail bonninlesloges@aol.com ☑ ㅟ r.-v.

DOM. DU LANDREAU 1996

■   6 ha   n.c.   ❚❙   30 à 49 F

Des vignes de trente ans ont donné ce vin qui attire par sa richesse aromatique aux notes de cerises bien mûres, de tabac blond et de prunelle. Après une attaque soyeuse, il laisse sa structure tannique prendre le dessus.
🍷 Raymond Morin, Dom. du Landreau, 49750 Saint-Lambert-du-Lattay, tél. 02.41.78.30.41, fax 02.41.78.45.11 ☑ ㅟ r.-v.

DOM. DE LA POTERIE 1998★

■   4 ha   2 400   ❚❙❚   30 à 49 F

Guillaume Mordacq s'est installé en Anjou avec 12 ha de vignes, en 1996. Il est partisan de la culture raisonnée. Son anjou-villages est structuré ; il s'exprimera pleinement dans quelques années : sa robe rouge sombre, ses arômes encore discrets de sous-bois et de fruits noirs compotés, sa bouche puissante, compacte, en font un vin de garde, à attendre quatre ou cinq ans.
🍷 Guillaume Mordacq, La Chevalerie, 16, av. des Trois-Ponts, 49380 Thouarcé, tél. 02.41.54.12.29, fax 02.41.52.26.41 ☑ ㅟ r.-v.

DOM. DE LA VILLAINE 1998★

■   1,7 ha   3 000   ❚❙   20 à 29 F

Ce vignoble créé en 1970 à partir de multiples petites propriétés compte aujourd'hui plus de 22 ha. Une vinification classique avec une durée de macération de vingt-quatre jours a donné ce vin à la robe rouge soutenu qui se montre bien représentatif de l'appellation. Le nez est tout en fruits rouges et en fleurs ; la bouche, riche, laisse la sensation de croquer des framboises et des cerises. Peut être bu en fin d'année, ou conservé de un à cinq ans.
🍷 GAEC des Villains, Carré Batail, La Villaine, 49540 Martigné-Briand, tél. 02.41.59.75.21, fax 02.41.59.75.21 ☑ ㅟ r.-v.

DOM. LES GRANDES VIGNES
Les Cocainnelles 1998

■   6 ha   27 000   ❚❙❚❙   30 à 49 F

Exploitation de haut niveau, toujours présente dans ce Guide. Son villages est issu de vignes enherbées et effeuillées. La macération de trente-cinq jours a été suivie d'un élevage en cuve avec bâtonnage des lies durant trois mois, puis d'un élevage en barrique sur lies fines. Si sa belle matière n'est pas encore domptée, l'intensité de la couleur et la richesse aromatique en disent long sur son potentiel.
🍷 GAEC Vaillant, Dom. Les Grandes Vignes, La Roche-Aubry, 49380 Thouarcé, tél. 02.41.54.05.06, fax 02.41.54.08.21 ☑ ㅟ r.-v.

LES SYLPHIDES 1998

■   20,21 ha   110 000   ❚❙   20 à 29 F

La cave coopérative de la Noëlle vinifie principalement des muscadets, mais elle a acquis une jolie réputation sur sa production de vins rouges d'Anjou. Les conditions météorologiques n'étaient pas très bonnes pour la vigne en 1998, et élaborer un vin de garde représentait un exercice périlleux : pari réussi. Robe rubis intense, arômes de fruits rouges et de fruits acides (gro-

seille), bouche structurée par des tanins encore jeunes, mais qui s'adouciront en fin d'année.
🔁 Les Vignerons de La Noëlle, bd des Alliés, B.P. 155, 44154 Ancenis Cedex, tél. 02.40.98.92.72, fax 02.40.98.96.70, e-mail vavenel@cana.fr ☑ ⵜ r.-v.

CH. DES NOYERS 1998★

■	8 ha	6 000	📖 ⬤ ⬥	-20 à 29 F

Cette exploitation bien connue occupe un superbe château du XVIᵉˢ. défendu par trois douves sèches et de grosses tours d'angles. Son vin peut surprendre par la légèreté de sa structure (bien représentative du millésime) ; ses notes aromatiques rappelant les fruits frais (fraise, cerise, grenade), les fruits noirs (prunelle), ou encore la menthe offrent une jolie sensation de fraîcheur en finale.
🔁 SCA Ch. des Noyers, Les Noyers, 49540 Martigné-Briand, tél. 02.41.54.03.71, fax 02.41.54.27.63 ☑ ⵜ r.-v.

DOM. OGEREAU 1998★★

■	8 ha	13 000	📖 ⬤ ⬥	30 à 49 F

Vincent Ogereau est le maître d'œuvre des remarquables cuvées de ce domaine, souvent au sommet. Eh bien, après le coup de cœur pour le 97, ce qui est le signe des très grands, il réitère l'exploit avec ce même vin, millésime 98. La robe grenat intense annonce les arômes puissants de fruits mûrs, de fruits secs et de cacao. La bouche, dense et moelleuse, laisse en finale une sensation de fruits compotés. Ce vin, élaboré à partir d'une grande matière, a été parfaitement vinifié.
🔁 Vincent Ogereau, 44, rue de la Belle-Angevine, 49750 Saint-Lambert-du-Lattay, tél. 02.41.78.30.53, fax 02.41.78.43.55 ☑ ⵜ r.-v.

CH. DE PUTILLE 1998★★

■	5 ha	15 000	■ ⬥	30 à 49 F

S'il existe une exploitation qui a progressé ces cinq dernières années en matière de vins rouges, c'est bien le château de Putille. Les rendements sont contrôlés, les récoltes effectuées à bonne maturité, les vinifications maîtrisées. Cela donne un très beau représentant de l'AOC, à la robe rubis intense et aux arômes de fruits noirs et de fruits rouges compotés. La bouche charnue, ample et riche associe matière et élégance. Cette jolie bouteille peut être bue ou conservée pendant cinq ans.
🔁 Pascal Delaunay, EARL Ch. de Putille, 49620 La Pommeraye, tél. 02.41.39.02.91, fax 02.41.39.03.45 ☑ ⵜ t.l.j. sf dim. 8h30-12h30 14h-20h

SAUVEROY Cuvée Antique 1998

■	3 ha	13 300	■ 📖	30 à 49 F

Dernier d'une famille de huit enfants, Pascal Cailleau a repris le vignoble à l'âge de dix-neuf ans, en 1985. Cette cuvée Antique a été élaborée à partir de vignes scrupuleusement sélectionnées (rendement inférieur à 40 hl/ha) et d'une vinification qui a cherché à tirer le potentiel des vendanges. Ce 98 a étonné le jury par sa structure : il doit se civiliser avec le temps. Surprenante robe sombre, presque noire, expression aromatique de sous-bois et de fruits noirs compotés. Un vin qui explosera dans quelques années.
🔁 Pascal Cailleau, Dom. du Sauveroy, 49750 Saint-Lambert-du-Lattay, tél. 02.41.78.30.59, fax 02.41.78.46.43, e-mail domainesauveroy@terrenet.fr ☑ ⵜ r.-v.

Anjou-villages-brissac

DOM. DE BABLUT 1998★

■	8 ha	20 000	■ 📖 ⬥	30 à 49 F

Ce vignoble appartient à la même famille depuis 1546, famille qui a une forte identité dans la région. Ce brissac a de la race. Son très fort potentiel s'exprimera pleinement en fin d'année. D'un rouge profond, il exprime des arômes complexes de fruits compotés (mûre, cassis, framboise). La bouche intense possède des tanins fondus, mais encore très présents en finale.
🔁 SCEA Daviau, Dom. de Bablut, 49320 Brissac-Quincé, tél. 02.41.91.22.59, fax 02.41.91.24.77 ☑ ⵜ t.l.j. 8h30-12h30 14h-18h30; dim. sur r.-v.

CH. DE BRISSAC 1998

■	10 ha	40 000	■ 📖 ⬥	30 à 49 F

Le château de Brissac est un haut-lieu de l'histoire de France. Il appartient toujours à la famille qui le fit construire au XVᵉˢ. Son vignoble, exploité par C. Daviau, a donné un 98 bien fait, habillé d'une robe rouge intense. Ses arômes de fruits rouges et sa bouche équilibrée et harmonieuse composent un vin prêt pour cette fin d'année.

LOIRE

➤SCEA Daviau, Dom. de Bablut,
49320 Brissac-Quincé, tél. 02.41.91.22.59,
fax 02.41.91.24.77 ☑ ⏻ t.l.j. 8h30-12h30
14h-18h30; dim. sur r.-v.
➤Duc de Brissac

DOM. DES CHARBOTIERES
Les Tuloires 1998

| ■ | 1 ha | 4 000 | ■ ⬦ | 50 à 69 F |

Paul-Hervé Vintrou, propriétaire du domaine
depuis 1994, issu d'une famille toulousaine de
négociants en vin, a reçu une formation de sommelier qui l'a conduit jusqu'à la finale du
concours des sommeliers en 1980. Ce vin, élaboré
à partir d'une bonne matière, a connu une forte
extraction. Aussi, les tanins sont-ils dominants
pour l'instant mais ils devraient s'atténuer au
vieillissement. Une très belle robe rouge intense
l'habille, pleine de promesse. Ses arômes puissants rappellent les fruits noirs et rouges concentrés.
➤Paul-Hervé Vintrou, Clabeau, 49320 Saint-
Jean-des-Mauvrets, tél. 02.41.91.22.87,
fax 02.41.66.23.09,
e-mail contact@domainedescharbotieres.com
☑ ⏻ r.-v.

DOM. DE HAUTE-PERCHE 1998★★

| ■ | 8,3 ha | 32 000 | ■ ⬦ | 30 à 49 F |

Christian Papin est considéré comme un « sage » de l'Aubance ; sa personnalité et son
action syndicale y sont bien sûr pour beaucoup,
mais aussi ses vins comme ce fameux anjou-villages-brissac 97 qui a obtenu un coup de cœur
l'an dernier. Ce nouveau millésime est dans le
même esprit et était à deux doigts d'être récompensé à nouveau par un coup de cœur. Tout est
remarquable, sa robe rouge sombre intense, ses
arômes complexes de bourgeon de cassis, de
cerise bien mûre, de fumé et de fruits noirs
compotés. La bouche charnue et souple conduit
à une finale qui a besoin de quelques mois de
vieillissement.
➤EARL Agnès et Christian Papin,
7, chem. de la Godelière, 49610 Saint-Melaine-
sur-Aubance, tél. 02.41.57.75.65,
fax 02.41.57.75.42 ☑ ⏻ r.-v.

CH. LA VARIERE La Chevalerie 1998

| ■ | 4 ha | 12 000 | ⬦⬦ | 70 à 99 F |

Située tout près du château de Brissac, cette
propriété comporte des bâtiments des XIIIᵉ et
XVᵉs. C'est l'un des rendez-vous des amateurs de
vins de caractère élaborés sous la haute autorité
de J. Beaujean, dit le « petit maître ». Comment
décrire ce vin étonnamment structuré et marqué
par un élevage en barrique ? Sa charpente pour
un 98 est remarquable et sa personnalité s'exprimera dans plusieurs années.
➤Ch. La Varière, 49320 Brissac,
tél. 02.41.91.22.64, fax 02.41.91.23.44,
e-mail chateau.la.variere@wanadoo.fr ☑ ⏻ r.-v.

CH. LA VARIERE 1998★★★

| ■ | 12 ha | 60 000 | ■ ⬦ | 30 à 49 F |

Cette sélection du Château La Varière a été
vinifiée de façon traditionnelle : cuvaison assez
longue de vingt jours et élevage de quinze mois
en cuve. Elle a enthousiasmé le jury de dégusta-

tion. Sa robe intense, presque noire, est splendide. Ses arômes subtils de fruits noirs et de fruits
rouges annoncent une bouche riche, charnue,
complexe. La superbe finale se termine sur des
notes de fruits frais. Une référence pour les vins
rouges du millésime 98.

➤Ch. La Varière, 49320 Brissac,
tél. 02.41.91.22.64, fax 02.41.91.23.44,
e-mail chateau.la.variere@wanadoo.fr ☑ ⏻ r.-v.

MANOIR DE VERSILLE 1998★

| ■ | 1,3 ha | 6 000 | ■ ⬦ | 30 à 49 F |

Ce manoir constitué de deux corps de logis en
équerre reliés par une tour d'escalier carrée du
XVIᵉs. a été acquis en 1998 par Francine Desmet.
Son vin, vêtu d'une robe légère, est relativement
simple, dominé par des notes de fruits frais ; il
égrène des notes de framboise et de fraise. En
bouche, il se montre agréable, délicat, harmonieux. A déguster très jeune.
➤EARL du Manoir de Versillé, Versillé,
49320 Saint-Jean-des-Mauvrets,
tél. 02.41.45.22.00, fax 02.41.45.22.00,
e-mail manoir.versille@wanadoo.fr ☑ ⏻ r.-v.
➤Francine Desmet

DOM. DE MONTGILET 1998★

| ■ | 3,76 ha | 14 677 | ■ ⬦ | 50 à 69 F |

Montgilet s'est fait un nom avec les liquoreux.
Il s'impose désormais aussi avec les vins rouges.
Né sur des schistes ardoisiers, celui-ci est élaboré
avec conviction et ne passe pas en fût. La matière
est bien présente et demande à être civilisée. Sa
robe rouge est intense, et ses arômes puissants
s'expriment à l'aération. A attendre quelques
années. La **cuvée 98, vinifiée en barrique** porte
bien son nom. Puissance et complexité sont au
rendez-vous mais le bois très marqué incite à la
faire vieillir. Une étoile (70 à 99 F).
➤Victor et Vincent Lebreton,
Dom. de Montgilet, 49610 Juigné-sur-Loire,
tél. 02.41.91.90.48, fax 02.41.54.64.25,
e-mail montgilet@terre-net.fr ☑ ⏻ r.-v.

DOM. DES ROCHELLES
La Croix de Mission 1998★

| ■ | n.c. | 20 000 | ■ ⬦ | 50 à 69 F |

Le domaine des Rochelles (53 ha) a toujours
réalisé des vins rouges de haut niveau. Celui-ci
est très réussi dans ce millésime. Intense dans sa
robe rouge presque noire, il affiche des arômes
puissants de fruits noirs et des notes empyreumatiques (fumé, réglisse...). La bouche dense est
harmonieuse. Un vin secret comme les sous-bois
et qui s'exprimera pleinement dans un ou deux
ans.

☛EARL J.-Y. A. Lebreton,
Dom. des Rochelles, 49320 Saint-
Jean-des-Mauvrets, tél. 02.41.91.92.07,
fax 02.41.54.62.63 ☑ � r.-v.

DOM. DE SAINTE-ANNE 1998

■	2 ha	10 000	■ ⚲	30 à 49 F

Domaine situé sur la croupe d'argilo-calcaire la plus élevée de Saint-Saturnin-sur-Loire, dont le terroir particulier donne un style original à ses vins rouges. Ce millésime est décrit par les mots « tendreté et légèreté », assez inhabituels pour les vins de cette appellation ; il séduit par sa robe rouge assez intense, ses arômes de fruits rouges et noirs, sa bouche charnue en attaque, presque facile. Peut-être bu en fin d'année.
☛Dom. de Sainte-Anne, EARL Brault, 49320 Brissac-Quincé, tél. 02.41.91.24.58, fax 02.41.91.25.87 ☑ ⧉ t.l.j. sf dim. 9h-12h 14h-19h; sam. 18h

Rosé d'anjou

Avec ses 140 000 à 195 000 hl selon les années, c'est l'appellation d'anjou la plus importante par le volume. Après un fort succès à l'exportation, ce vin demi-sec se commercialise difficilement aujourd'hui. Le grolleau, principal cépage, autrefois conduit en gobelet, produisait des vins rosés, légers, appelés « rougets ». Il est de plus en plus vinifié en vin rouge léger, de table ou de pays.

CH. DE CHAMPTELOUP 1999

◪	14 ha	80 000	■ ⚲	- de 20 F

Cette maison de négoce-éleveur exploite 80 ha dont 14 sont consacrés à la production de rosés d'anjou ; parmi ceux-ci, ce 99, bien dans le style de son appellation, duquel se dégage une impression de légèreté, de fruité et de douceur. A essayer sur une tarte aux fraises ou une salade de fruits rouges.
☛SCEA de Champteloup, 49700 Brigné-sur-Layon, tél. 02.41.59.65.10

DAMES DE LA VALLEE 1999★

◪	n.c.	660 000	20 à 29 F

Cette entreprise familiale fut fondée en 1855 ; elle commercialise aujourd'hui environ 100 000 hl au sein du Val de Loire. Résultat d'une fermentation à basse température, ce rosé d'anjou est plaisant et bien équilibré ; il laisse une impression de fraîcheur mise en valeur par une présence légère de gaz carbonique. En finale apparaissent d'agréables notes de fruits frais. Un vin qui accompagnera un melon rafraîchi ou une salade de fruits rouges.

☛Rémy Pannier, rue Léopold-Palustre, 49400 Saint-Hilaire-Saint-Florent, tél. 02.41.53.03.10, fax 02.41.53.03.19 ☑ ⧉ t.l.j. sf dim. lun. 9h30-18h30

FLANERIE DE LOIRE 1999★★

◪	30 ha	200 000	■ ⚲	20 à 29 F

Cette maison de négoce a vinifié en 1999 environ 18 000 hl. Elle est spécialisée dans la production de vins rosés et effervescents. Son rosé d'anjou est parfaitement représentatif de l'appellation : robe délicate saumonée, arômes légers de fruits et bouche harmonieuse mariant agréablement des impressions de fraîcheur et de douceur. Un vin qui accompagnera avec bonheur le repas d'une belle soirée d'automne.
☛SA Lacheteau, ZI La Saulaie, 49700 Douélé-Fontaine, tél. 02.41.59.26.26, fax 02.41.59.01.94, e-mail lacheteau.export@symphonie.fai.fr

DOM. DE LA DOUNIERE 1999

◪	1,8 ha	1000	■ ⚲	20 à 29 F

Ce domaine est situé au sud du vignoble angevin dans le département des Deux-Sèvres. Bien représentative de l'Anjou, l'exploitation progresse régulièrement, comme en témoigne ce rosé d'anjou tout à fait dans le style de l'appellation : robe rose pâle, arômes discrets et fins rappelant les fruits frais, bouche légère, fruitée et rafraîchissante. Un vin qui peut accompagner tout un repas.
☛EARL Lacroix, 107, rue Saint-Vincent, 79290 Bouillé-Loretz, tél. 05.49.67.05.13, fax 05.49.67.11.43 ☑ ⧉ r.-v.

DOM. DE L'ANGELIERE 1999★

◪	7 ha	4 000	■ ⚲	20 à 29 F

Ce domaine, exploité depuis six générations par la même famille, est passé de 15 à 40 ha. Son rosé d'anjou est élaboré à partir du cépage grolleau cultivé sur des graves du début du secondaire (un terroir typique des vins rosés). Il se montre agréable, léger, rafraîchissant ; on retrouve tous les traits distinctifs de l'appellation. A boire dans l'année.
☛GAEC Boret, Dom. de L'Angelière, 49380 Champ-sur-Layon, tél. 02.41.78.85.09, fax 02.41.78.67.10 ☑ ⧉ r.-v.

CH. DE MONTGUERET 1999

◪	6 ha	50 000	■ ⚲	20 à 29 F

C'est en 1987 qu'André Lacheteau, fils d'un négociant en vins, et son épouse Dominique, passionnée d'œnologie, acquièrent le château de Montguéret dans le Haut-Layon. Ils proposent aujourd'hui un vin de soif, agréable et léger : très belle robe rose orangé, arômes peu intenses de fraise et de fruits, bouche souple et équilibrée.

🍷 SCEA Ch. de Montguéret, 49560 Nueil-sur-Layon, tél. 02.41.59.26.26, fax 02.41.59.01.94, e-mail lacheteau.export@symphonie.fai.fr **V**

🍷 A. et D. Lacheteau

Cabernet d'anjou

On trouve dans cette appellation d'excellents vins rosés demi-secs, issus des cépages cabernet franc et cabernet-sauvignon. A table, on les associe assez facilement, lorsqu'ils sont parfumés et servis frais, au melon en hors-d'œuvre, ou à certains desserts pas trop sucrés. En vieillissant, ils prennent une nuance tuilée et peuvent être bus à l'apéritif. La production a atteint 164 900 hl en 1999. C'est sur les faluns de la région de Tigné et dans le Layon que ces vins sont les plus réputés.

DOM. DE CLAYOU 1999★

| | 10 ha | 55 000 | ▮ ⚭ | 20 à 29 F |

Cette propriété, dans la même famille depuis plusieurs générations, évolue au fil des années ; son cabernet d'anjou est élaboré à partir d'une vinification traditionnelle avec macération pelliculaire. Il arbore une robe rose orangé intense ; au nez dominent les petits fruits rouges accompagnés de notes anisées ; la bouche, équilibrée, laisse une sensation de fraîcheur agréable en finale. Un vin bien représentatif de son appellation.

🍷 SCEA Jean-Bernard Chauvin, 18 bis, rue du Pont-Barré, 49750 Saint-Lambert-du-Lattay, tél. 02.41.78.42.84, fax 02.41.78.48.52 **V** ⵝ r.-v.

DOM. DES CLOSSERONS 1999★

| | 4,33 ha | n.c. | ▮ ⚭ | 20 à 29 F |

Le domaine fut créé en 1956 par Yvette et Jean-Claude Leblanc, auxquels se joignirent par la suite leurs deux fils, Yannick et Dominique. La bouche de ce 99 libère des fruits mûrs, et l'ensemble procure une sensation de finesse et d'élégance.

🍷 EARL Jean-Claude Leblanc et Fils, Dom. des Closserons, 49380 Faye-d'Anjou, tél. 02.41.54.30.78, fax 02.41.54.12.02 **V** ⵝ r.-v.

DOM. DES EPINAUDIERES 1999★★★

| | 5 ha | 7 000 | ▮ ⚭ | 20 à 29 F |

Le cabernet d'anjou est une spécialité du domaine des Epinaudières ! Voici un classique de l'appellation : robe rose orangé soutenu, couleur œil-de-perdrix, arômes intenses, fruités et végétaux, bouche pleine, riche, tout en sensation

de fruits rouges. Un vin de caractère à déguster à l'apéritif ou sur des salades mixtes et des charcuteries.

🍷 SCEA Fardeau, Sainte-Foy, 49750 Saint-Lambert-du-Lattay, tél. 02.41.78.35.68, fax 02.41.78.35.50 **V** ⵝ r.-v.

DOM. DU FRESCHE 1999★

| | 1 ha | 6 000 | ▮ ⚭ | 20 à 29 F |

La Pommeraye est située à l'ouest du département du Maine-et-Loire, sur les coteaux de la Loire. Son cabernet d'anjou est à servir sous les tonnelles après une partie de tennis. Sa fraîcheur aromatique agrémentera la dégustation, et vous aurez la sensation en bouche de croquer des fruits frais.

🍷 EARL Boré, Dom. du Fresche, 49620 La Pommeraye, tél. 02.41.77.74.63, fax 02.41.77.79.39 **V** ⵝ r.-v.

DOM. DE GATINES 1999

| | 6 ha | 6 000 | ▮ ⚭ | 20 à 29 F |

Le domaine est connu entre autres pour ses cabernets d'anjou qui sont caractéristiques d'un terroir particulier de Tigné : les faluns ou sables coquilliers calcaires. Ce vin est d'une belle couleur pâle, légèrement orangée. Ses arômes encore rustiques et végétaux rappellent le poivron mais l'équilibre est atteint, et la finale donne une sensation fruitée prometteuse.

🍷 EARL Dessevre, Dom. de Gatines, 12, rue de la Boulaie, 49540 Tigné, tél. 02.41.59.41.48, fax 02.41.59.94.44 **V** ⵝ t.l.j. sf dim. 8h-12h 14h-18h30

DOM. DE LA COUCHETIERE 1999★

| | 4 ha | 29 000 | ▮ ⚭ | 20 à 29 F |

Ce domaine ancien s'est spécialisé dans la vigne à partir de 1944. Les années 1980 virent son développement et, en 1999, un nouveau caveau de dégustation a été créé. Son cabernet d'anjou, frais et très réussi, se caractérise par une belle structure. De couleur orange sanguine, il dévoile des arômes intenses de fruits ; la bouche, ample, s'affinera avec le temps. Peut être conservé de deux à cinq ans.

🍷 GAEC Brault, Dom. de La Couchetière, 49380 Notre-Dame-d'Allençon, tél. 02.41.54.30.26, fax 02.41.54.40.98 **V** ⵝ t.l.j. sf dim. 8h-12h30 14h-19h

DOM. DE LA MONTCELLIERE 1999★

| | 6 ha | 8 000 | ▮ ⚭ | - de 20 F |

L'exploitation familiale a été créée en 1879. Un cabernet d'anjou à servir, paraît-il - foi de dégustateur - en jouant à la pétanque. Pourquoi pas, mais gare à la « fanny » ! Un vin facile, qui se boit comme de l'eau et qui rafraîchit par ses notes de fruits exotiques.

🍷 SCEA Louis Guéneau et Fils, Dom. de La Montcellière, 49310 Trémont, tél. 02.41.59.60.72, fax 02.41.59.66.15 **V** ⵝ t.l.j. sf dim. 8h-12h30 14h-19h30

DOM. DE LA PETITE ROCHE 1999

| | 20 ha | 10 000 | ▮ ⚭ | 20 à 29 F |

François Regnard a le sens de la fête et des verres bien remplis. Il est toujours facile sur le domaine de La Petite Roche de commencer une dégustation. On y trouvera ce vin léger et désaltérant aux arômes fruités présents au nez et en bouche ; la finale laisse une sensation de fraîcheur très agréable.

🍷 François Regnard, Dom. de La Petite-Roche, 49310 Trémont, tél. 02.41.59.43.03 ☑ ⍨ r.-v.

DOM. LEDUC-FROUIN
La Seigneurie 1999

	6 ha	10 000	🍾 🌡	30 à 49 F

La Seigneurie fut la propriété du marquis de Becdelièvre jusqu'en 1933, date à laquelle la famille Leduc-Frouin qui l'exploitait depuis 1873 en devint propriétaire. Le vignoble conduit en production intégrée depuis quatre ans donne un cabernet d'anjou expressif et simple à la robe rose saumoné, aux arômes légers de petits fruits rouges, à la bouche fraîche. Un vin bien fait, friand, à boire dès à présent.

🍷 Mme Georges Leduc, Dom. Leduc-Frouin, Sousigné, 49540 Martigné-Briand, tél. 02.41.59.42.83, fax 02.41.59.47.90, e-mail domaine-leduc-frouin@wanadoo.fr ☑ ⍨ r.-v.

DOM. DES NOELS 1999★

	2 ha	7 500	🍾 🌡	20 à 29 F

J.-M. Garnier est le président du puissant syndicat des coteaux du layon. Il a repris ce domaine en 1994. Ce cabernet d'anjou présente un très bel équilibre avec quelques notes végétales ; la robe est rose saumoné ; le nez égrène des notes de fruits frais (groseille à maquereau) et de poivron vert ; la bouche, harmonieuse, reprend le même registre aromatique qu'à l'olfaction.

🍷 SCEA dom. des Noëls, Les Noëls, 49380 Faye-d'Anjou, tél. 02.41.54.18.01, fax 02.41.54.30.76 ☑ ⍨ r.-v.
🍷 J.-M. Garnier

DOM. OGEREAU 1999★★

	3 ha	10 000	🍾 🌡	30 à 49 F

Vincent Ogereau est un chef de file des vignerons de l'Anjou et un fidèle du Guide. Encore une fois, il présente un vin surprenant par sa richesse et son caractère : robe cerise bien mûre, arômes de fruits rouges concentrés apparaissant à l'aération, bouche ample, dense et fruitée. Une matière première de départ superbe est à l'origine de ce grand rosé !

🍷 Vincent Ogereau, 44, rue de la Belle-Angevine, 49750 Saint-Lambert-du-Lattay, tél. 02.41.78.30.53, fax 02.41.78.43.55 ☑ ⍨ r.-v.

CH. DE PASSAVANT 1999★

	2 ha	10 000	🍾 🌡	30 à 49 F

Construit par Foulques Nerra, comte cruel mais aussi grand bâtisseur d'abbayes (972-1040), le château de Passavant est une place forte destinée à protéger le sud de l'actuel Maine-et-Loire. Classés monuments historiques, ces bâtiments comportent aussi un pavillon du XVIIIᵉˢ., très intéressant comme les vins qui y sont produits. Le coup de patte du vinificateur est bien sensible dans ce cabernet d'anjou : les arômes fermentaires amyliques rappellent la fraise et la banane et sont présents au nez et en bouche. Celle-ci se montre délicatement fraîche. A servir tout au long du repas.

🍷 SCEA David Lecomte, Ch. de Passavant, 49560 Passavant-sur-Layon, tél. 02.41.59.53.96, fax 02.41.59.57.91, e-mail passavant@wanadoo.fr ☑ ⍨ t.l.j. 9h-12h 14h-19h; sam. dim. sur r.-v.

CH. DE PUTILLE 1999★

	4 ha	10 000	🍾 🌡	20 à 29 F

Pascal Delaunay mène son exploitation avec fermeté et conviction. Un cabernet d'anjou décrit comme un vin de fête : robe rose saumoné, arômes exubérants de fruits mûrs, bouche fraîche donnant la sensation de croquer des fraises et des framboises. Une très belle leçon d'harmonie.

🍷 Pascal Delaunay, EARL Ch. de Putille, 49620 La Pommeraye, tél. 02.41.39.02.91, fax 02.41.39.03.45 ☑ ⍨ t.l.j. sf dim. 8h30-12h30 14h-20h

DOM. ROMPILLON 1999★★

	1,16 ha	10 000	🍾 🌡	20 à 29 F

Le domaine est situé sur la route touristique du vignoble, au pied du célèbre coteau de Quarts de Chaume. Son rosé offre des notes de fruits mûrs (framboise, fraise) au nez comme en bouche et une finale harmonieuse et délicate ; il réussit à établir un très bon équilibre entre fraîcheur et puissance et peut être servi tout au long d'un repas.

🍷 Jean-Pierre Rompillon, L'Ollulière, 49750 Saint-Lambert-du-Lattay, tél. 02.41.78.48.84, fax 02.41.78.48.84 ☑ ⍨ r.-v.

Coteaux de l'aubance

La petite rivière Aubance est bordée de coteaux de schistes portant de vieilles vignes de chenin, dont on tire un vin blanc moelleux qui s'améliore en vieillissant. La production a atteint 5 597 hl en 1999. Cette appellation a choisi de limiter strictement ses rendements.

DOM. DE BABLUT Sélection 1998

	13 ha	20 000	🍾	50 à 69 F

Christophe Daviau symbolise le renouveau de l'appellation coteaux de l'aubance. Méconnus il y a une dizaine d'années, les vins liquoreux de cette région font aujourd'hui pleinement partie de cette famille prestigieuse de vins. Il est vrai que le travail de l'homme, notamment au domaine de Bablut est à l'origine de cette réussite : vendanges par tries, pressurage lent, fermentation et élevage en barrique ont donné une robe jaune avec des reflets or, des arômes de fruits mûrs et d'épices, une bouche équilibrée, harmonieuse, laissant une sensation de fraîcheur. A attendre de un à deux ans.

🍷 SCEA Daviau, Dom. de Bablut, 49320 Brissac-Quincé, tél. 02.41.91.22.59, fax 02.41.91.24.77 ☑ ⍨ t.l.j. 8h30-12h30 14h-18h30; dim. sur r.-v.

LOIRE

DOM. DE BABLUT Noble 1998★★

☐   13 ha   5 500   ❚❙❘ `100 à 149 F`

La sélection de grains nobles correspond à des vendanges récoltées à plus de 17,5 ° nature. Elle porte une robe or intense avec des nuances orangées. Ses arômes égrènent de jolies notes de fruits mûrs, de fruits secs (amande, noisette), d'épices et de miel. La bouche, puissante, riche, dominée par des notes d'abricot confit et de bois nobles d'ébénisterie compose un vin excellent qui fait partie des grands liquoreux du Val de Loire.
☛SCEA Daviau, Dom. de Bablut,
49320 Brissac-Quincé, tél. 02.41.91.22.59,
fax 02.41.91.24.77 ☑ ⊥ t.l.j. 8h30-12h30
14h-18h30; dim. sur r.-v.

CH. DE BOIS BRINCON 1997★★

☐   0,4 ha   100   ❚❙❘ `100 à 149 F`

Ce domaine dont l'origine remonte à 1219 obtint un coup de cœur dans le précédent Guide, récompensant le travail de Xavier Cailleau pour un coteaux du layon Faye d'Anjou. Son coteaux de l'aubance est bien représentatif de l'arrière-saison particulièrement ensoleillée de 1997 : sa robe jaune ambré presque caramel, son nez très riche avec des notes de fruits secs et de fruits confits, sa bouche ample, moelleuse et opulente révèlent un vin qui a emmagasiné toute la chaleur de ce millésime et qui la restituera pendant plusieurs dizaines d'années.
☛Xavier Cailleau, Ch. de Bois-Brinçon,
49320 Blaison-Gohier, tél. 02.41.57.19.62,
fax 02.41.57.10.46 ☑ ⊥ r.-v.

DOM. DE HAUTE PERCHE
Tête de cave 1998

☐   4 ha   6 600 ❚❙❘↓ `50 à 69 F`

Le domaine de Haute Perche fait partie des exploitations incontournables de l'Aubance. Un travail de fond est mené par les Papin (taille courte, éclaircissage, récoltes manuelles) avec des résultats particulièrement intéressants. Classique, ce vin est fruité et agréable. Il laisse une impression d'harmonie, de légèreté et procure un plaisir immédiat. A boire en fin d'année ou à conserver de un à cinq ans.
☛EARL Agnès et Christian Papin,
7, chem. de la Godelière, 49610 Saint-Melaine-sur-Aubance, tél. 02.41.57.75.65,
fax 02.41.57.75.42 ☑ ⊥ r.-v.

MANOIR DE VERSILLE
Cuvée Capucine 1998★

☐   1,8 ha   2 900 ❚❙❘↓ `30 à 49 F`

Ce coteaux de l'aubance est fait pour un plaisir immédiat. Jaune aux reflets dorés, il possède des arômes de fruits exotiques et de fruits mûrs, et une bouche ronde, équilibrée avec une pointe minérale en finale, accompagnée d'un léger goût de bergamote. A boire en fin d'année ou à conserver jusqu'à cinq ans.
☛EARL du Manoir de Versillé, Versillé,
49320 Saint-Jean-des-Mauvrets,
tél. 02.41.45.22.00, fax 02.41.45.22.00,
e-mail manoir.versille@wanadoo.fr ☑ ⊥ r.-v.
☛Francine Desmet

DOM. DE MONTGILET
Le Tertereaux 1998★★

☐   3,56 ha   3 560   ❚❙❘ `100 à 149 F`

LE TERTEREAUX

COTEAUX
DE L'AUBANCE
APPELLATION COTEAUX DE L'AUBANCE CONTROLEE

DOMAINE
DE
MONTGILET
VICTOR & VINCENT LEBRETON

Le domaine de Montgilet est de nouveau à l'honneur avec la sélection du Tertereaux. Un terroir sur schistes bleus ardoisiers, des récoltes manuelles tardives, une fermentation et un élevage en barrique, et un chef d'orchestre passionné, voilà le secret de cette réussite. Jaune ambré, ce 98 exhale des arômes intenses caractéristiques de vendanges récoltées à surmaturation (fruits confits, miel, coing). La bouche intense et opulente est haute en couleur, comme une corbeille de fruits. Une superbe bouteille. (Bouteilles de 50 cl.)
☛ Victor et Vincent Lebreton,
Dom. de Montgilet, 49610 Juigné-sur-Loire,
tél. 02.41.91.90.48, fax 02.41.54.64.25,
e-mail montgilet@terre-net.fr ☑ ⊥ r.-v.

DOM. DE MONTGILET
Clos Prieur 1998★

☐   4,5 ha   1 800   ❚❙❘ `100 à 149 F`

Le clos Prieur est constitué de schistes gréseux friables. Il a donné ici un vin très riche. Presque trop pour certains membres du jury. Il est vrai qu'il atteint 161 g/l de sucres résiduels. Ses arômes de concentration avec des notes grillées et de fruits surmûris annoncent une bouche étonnamment ample laissant une sensation de pâte de fruits. A attendre quelques années, cette sélection est destinée aux amateurs de vins puissants. (Bouteilles de 50 cl.)
☛ Victor et Vincent Lebreton,
Dom. de Montgilet, 49610 Juigné-sur-Loire,
tél. 02.41.91.90.48, fax 02.41.54.64.25,
e-mail montgilet@terre-net.fr ☑ ⊥ r.-v.

DOM. RICHOU Le Pavillon 1998★

☐   3 ha   5 000   ❚❙❘ `70 à 99 F`

Le nom de la famille est étroitement associé à l'évolution des vins rouges de l'Anjou. Mais les liquoreux lui vont aussi bien ! Ne cherchez pas la puissance mais la finesse dans cette sélection du Pavillon. Les arômes délicats de poire bien mûre, de coing et de fruits secs annoncent une bouche légère, aérienne, caractéristique des coteaux nord bordant la Loire. Tout en nuance, pour consommateur raffiné.
☛Dom. Richou, Chauvigné, 49610 Mozé-sur-Louet, tél. 02.41.78.72.13, fax 02.41.78.76.05
☑ ⊥ t.l.j. sf dim. 8h30-12h 14h30-19h

TERRES D'ALLAUME
Clos des Noëlles 1999

| | 1,12 ha | 4 800 | ▮ ◧ ▮ ⬇ | 50 à 69 F |

Domaine créé en 1992 à partir de plusieurs petites exploitations situées sur les coteaux bordant la Loire de Rochefort-sur-Loire à Mozé-sur-Louet. Le jury a constaté la qualité de la recherche de maturité sur ce difficile millésime 99 : des notes de fruits mûrs et de fruits compotés sont le signe de vendanges concentrées ; quelques touches de champignon et une légère amertume s'expriment aussi en finale. Un bel équilibre d'ensemble pour ce vin qui sera à boire en fin d'année.

🔔 Eric Blanchard, Le Perray-Chaud, 49610 Mozé-sur-Louet, tél. 02.41.45.76.15, fax 02.41.45.37.79 ☑ ⊺ r.-v.

Anjou-coteaux de la loire

L'appellation est réservée aux vins blancs issus du pinot de la Loire. Les volumes sont confidentiels (1 621 hl en 1999) par rapport à l'aire de production (une douzaine de communes), située uniquement sur les schistes et les calcaires de Montjean. Lorsqu'ils sont triés et qu'ils atteignent la surmaturité, ces vins se distinguent des coteaux du layon par une couleur plus verte. Ils sont généralement de type demi-sec. Dans cette région aussi, la reconversion du vignoble se fait peu à peu vers la production de vins rouges.

DOM. DU FRESCHE
Cuvée Vieille Sève 1999*

| | 2 ha | 8 000 | ▮ ⬇ | 30 à 49 F |

A. Boré est le président de cette appellation peu connue il y a quelques années, et qui occupe aujourd'hui une place à part entière dans la famille des vins liquoreux du Val de Loire. Celui-ci a un très joli potentiel. Dominé par la pourriture noble, il laisse s'exprimer des notes de fruits jaunes bien mûrs (compote d'abricot, pêche). La bouche délicate s'étire jusque dans une finale rappelant le miel.

🔔 EARL Boré, Dom. du Fresche, 49620 La Pommeraye, tél. 02.41.77.74.63, fax 02.41.77.79.39 ☑ ⊺ r.-v.

CH. DE PUTILLE Clos du Pirouet 1999*

| | 3,5 ha | 9 000 | ▮ ⬇ | 30 à 49 F |

Pascal Delaunay a été récompensé dans ce Guide par un coup de cœur pour l'appellation anjou-villages. Voici un vin tout en légèreté et finesse tant par sa couleur jaune or pâle, que par ses arômes délicats de fruits exotiques (litchi), de fleurs, de fruits mûrs. La bouche moelleuse laisse en finale une sensation d'abricots compotés et de miel. Peut être bu dès à présent mais prendra du

relief et du caractère après une ou deux années de garde.

🔔 Pascal Delaunay, EARL Ch. de Putille, 49620 La Pommeraye, tél. 02.41.39.02.91, fax 02.41.39.03.45 ☑ ⊺ t.l.j. sf dim. 8h30-12h30 14h-20h

DOM. DE PUTILLE 1999

| | 2 ha | 2 600 | 30 à 49 F |

Ce domaine fait partie des exploitations qui tirent vers le haut cette région des coteaux de la Loire. Pierre Sécher est malheureusement disparu pendant les vendanges de ce millésime 1999. Isabelle Sécher a pris le relais. Entourés d'une robe jaune or pâle, les arômes peu intenses et délicats de ce vin rappellent les fleurs blanches et le miel. La bouche agréable laisse une sensation de fraîcheur. Léger et harmonieux, un bon représentant de l'appellation.

🔔 Dom. de Putille, Putille, 49620 La Pommeraye, tél. 02.41.39.80.43, fax 02.41.39.81.91 ☑ ⊺ r.-v.

🔔 Isabelle Sécher

Savennières

Ce sont des vins blancs de type sec, produits à partir du chenin, essentiellement sur la commune de Savennières. Les schistes et grès pourpres leur confèrent un caractère particulier, ce qui les a fait définir longtemps comme crus des coteaux de la Loire ; mais ils méritent d'occuper une place à part entière. Cette appellation devrait s'affirmer et se développer. Pleins de sève, un peu nerveux, ses vins vont à merveille sur les poissons cuisinés. La production du savennières et de ses crus coulée-de-serrant et roche-aux-moines atteint 4 725 hl en moyenne en 1999.

DOM. DES BARRES Les Bastes 1999*

| | 1,1 ha | 4 000 | ▮ ◧ | 30 à 49 F |

Créée en 1991, cette exploitation de 25 ha reste familiale. Les vendanges de ce savennières ont été récoltées manuellement en légère surmaturité et fermentées pour partie en barrique. Ce vin très jeune a désorienté le jury. Des signes évidents d'une belle matière de départ, comme la robe jaune intense ou les arômes de fruits blancs mûrs, apparaissaient à l'aération. La bouche laissait une sensation de moelleux. Attendre l'année prochaine.

🔔 Patrice Achard, Les Barres, 49190 Saint-Aubin-de-Luigné, tél. 02.41.78.98.24, fax 02.41.78.68.37 ☑ ⊺ r.-v.

LOIRE

DOM. DES BAUMARD
Clos du Papillon 1997★★

| | 4,21 ha | 24 000 | ▌▮ ♦ | 70 à 99 F |

Vieille famille vigneronne implantée à Roche-fort-sur-Loire depuis 1634. Le clos du Papillon tire son nom de la forme des terroirs : deux ailes de part et d'autre d'un chemin. Voici un classique de l'appellation tant par sa robe or clair avec des reflets gris que par ses arômes assez intenses de fougère, d'angélique et de fruits mûrs. La bouche équilibrée, élégante et complexe compose un vin prêt à boire mais qui a aussi un long avenir.
☛ Florent Baumard,
SCEA Dom. des Baumard, 8, rue de l'Abbaye, 49190 Rochefort-sur-Loire, tél. 02.41.78.70.03, fax 02.41.78.83.82 ☑ ☗ t.l.j. sf dim. 10h-12h 14h-17h30; f. 20-30 déc.

DOM. EMILE BENON
Clos du Grand Hamé 1998★★

| | 5,5 ha | 6 000 | ▌▮ ♦ | 30 à 49 F |

Monsieur et Madame Benon ont créé en 1991 l'exploitation de 12 ha. Leur savennières se donne pleinement d'emblée. Paré d'une superbe robe ou pâle brillante, il affiche des arômes d'agrumes (pamplemousse), d'ananas, de fruits mûrs, de fleurs et des notes minérales. La bouche franche, intense et harmonieuse est tout en nuances. Peut être bu dès à présent ou conservé quelques années.
☛ Dom. Emile Benon, rte de la Lande, Epiré, 49170 Savennières, tél. 02.41.77.10.76, fax 02.41.77.10.07,
e-mail earl.benon@wanadoo.fr ☑ ☗ t.l.j. sf dim. 8h-12h 14h-19h; f. 15-31 août

CH. DE CHAMBOUREAU 1998★★

| | 11,58 ha | 20 000 | ▌ | 50 à 69 F |

Le château de Chamboureau (XVᵉs.) a été remanié au XVIIᵉs. C'est un bâtiment de caractère qui situe la richesse et l'ancienneté du vignoble de Savennières et d'une exploitation qui est une valeur sûre de l'appellation. Ce vin conjugue finesse et richesse comme le montrent sa robe or pâle aux légers reflets verts et ses arômes complexes rappelant les fruits mûrs, les agrumes (ananas grillé) avec en permanence des notes minérales. Harmonieuse, la bouche est équilibrée et délicate. Le Château de La Bizolière 98, qui n'avait pas atteint son apogée le jour de la dégustation, a été jugé très réussi et constituera une surprise en fin d'année.
☛ Pierre Soulez, Ch. de Chamboureau, 49170 Savennières, tél. 02.41.77.20.04, fax 02.41.77.27.78 ☑ ☗ r.-v.

DOM. DU CLOSEL Les Coulées 1999★

| | 6,5 ha | 21 000 | ▌▮ ♦ | 50 à 69 F |

Le domaine du Closel est une des exploitations les plus représentatives de l'appellation. Au XVᵉs., cette propriété recevait des religieux. Elle ne cessa ensuite de passer entre de grandes mains, les dernières étant les descendants du marquis de Las Cases, mémorialiste de Napoléon. Ce sont des femmes qui le gèrent avec talent. Ces Coulées et **Les Caillardières 99** ont été jugées très réussies. Elles offrent une complexité aromatique caractéristique de l'appellation avec leurs notes minérales austères et leurs nuances intenses de fleurs (acacia, aubépine) et de fruits mûrs ; une bouche opulente et délicate, riche mais aussi mystérieuse les caractérise. A attendre quatre ou cinq ans.
☛ Mesdames de Jessey, Dom. du Closel, Ch. des Vaults, 49170 Savennières, tél. 02.41.72.81.00, fax 02.41.72.86.00, e-mail domaine.du.closel@wanadoo.fr ☑ ☗ t.l.j. 9h-12h30 13h30-18h30; dim. sur r.-v.

DOM. DU CLOSEL
Clos du Papillon 1998★

| | 3 ha | n.c. | ▌❚▮ ♦ | 70 à 99 F |

Le clos du Papillon, caractéristique par ses schistes gréseux entrecoupés de filons de quartz, est la fierté de l'exploitation. Comme toujours, le premier sentiment de sévérité devient, au fil de la dégustation, celui de l'harmonie et de la plénitude : les arômes dominés par des notes minérales laissent peu à peu la place à une sensation de fruits mûrs (abricot) et d'agrumes (orange) ; la bouche discrète en attaque s'achève sur une impression d'équilibre et d'élégance.
☛ Mesdames de Jessey, Dom. du Closel, Ch. des Vaults, 49170 Savennières, tél. 02.41.72.81.00, fax 02.41.72.86.00, e-mail domaine.du.closel@wanadoo.fr ☑ ☗ t.l.j. 9h-12h30 13h30-18h30; dim. sur r.-v.

DOM. DES FORGES
Clos des Mauriers 1999★

| | 1,5 ha | 8 000 | ▌❚▮ ♦ | 50 à 69 F |

Claude Branchereau est un homme de conviction : il a su donner à son exploitation une solide notoriété. Un coup de cœur récompensait sur le précédent Guide le savennières 97. Difficile de juger à sa juste valeur celui du millésime 99 encore dans sa prime jeunesse. Sa robe jaune clair et son expression aromatique sont bien représentatives de l'appellation avec pour l'instant des notes florales et minérales. La bouche harmonieuse se montre encore sévère. A revoir dans un an ou deux avec très certainement une surprise à la clé.
☛ Vignoble Branchereau, Dom. des Forges, 49190 Saint-Aubin-de-Luigné, tél. 02.41.78.33.56, fax 02.41.78.67.51 ☑ ☗ r.-v.

NICOLAS JOLY Le Petit Clos 1998★

| | 3 ha | 7 000 | ▌❚▮ ♦ | 70 à 99 F |

Chaleureux partisan de la biodynamie, Nicolas Joly possède la célèbre coulée-de-serrant. En savennières, ce 98 semble d'abord austère, mais cette impression s'atténue, les arômes minéraux et végétaux évoluant alors vers des notes de fruits mûrs. Une sensation fraîche anime la bouche, où

l'on perçoit des nuances de citron vert. Ce vin accompagnera des poissons de rivière.
↖ Nicolas Joly, Ch. de La Roche-aux-Moines, 49170 Savennières, tél. 02.41.72.22.32, fax 02.41.72.28.68, e-mail couleedeserrant@wanadoo.fr ☑ ☎ t.l.j. sf dim. 8h30-12h 14h-18h

DOM. DE LA MONNAIE 1997

| ☐ | 2,5 ha | 10 000 | 30 à 49 F |

Domaine dont le nom « La Monnaie » vient de la première destination de la maison, ancien octroi situé sur les bords de la Loire, le long du chemin de halage. Cette exploitation sélectionne rigoureusement les vendanges par tris manuels et conduit les vinifications et l'élevage en barrique - ce qui peut plaire ou déplaire tant au jury de dégustation qu'aux consommateurs. La structure du 97 prend le pas sur les notes boisées et étonne par ses arômes de fruits mûrs et de fleurs. Sa robe jaune or est superbe.
↖ Eric Morgat, Dom. de la Monnaie, 49170 Savennières, tél. 02.41.72.22.51, fax 02.41.78.30.03 ☑ ☎ r.-v.

MOULIN DE CHAUVIGNE 1999★

| ☐ | 1,5 ha | 10 000 | ☐ ♦ 30 à 49 F |

Le moulin de Chauvigné, datant du XVIIIᵉs., fut acheté par Sylvie Termeau qui créa ce vignoble en 1992. Il compte aujourd'hui 8,5 ha. Ce savennières est bien représentatif de son appellation avec une première impression de sévérité et d'austérité laissant la place à des notes de fruits mûrs et à un sentiment de fraîcheur en bouche. Un vin qui s'épanouira avec le temps et qu'il faut attendre une ou deux années.
↖ Sylvie Termeau, Moulin de Chauvigné, 49190 Rochefort-sur-Loire, tél. 02.41.78.86.56, fax 02.41.78.86.56, e-mail lemoulindechauvigne@worldonline.fr ☑ ☎ r.-v.

DOM. DU PETIT METRIS
Clos de la Marche 1999

| ☐ | 2,06 ha | 10 000 | ☐☐ 50 à 69 F |

Familial depuis cinq générations, ce vignoble a acquis une solide réputation. Son savennières, encore très jeune, exprime de discrets arômes de fleurs blanches et de fougère, et laisse une sensation minérale et austère en bouche. Il s'épanouira d'ici un à deux ans comme le promet une finale dont la pointe d'amertume est bien représentative de l'appellation.
↖ GAEC Joseph Renou et Fils, Le Grand Beauvais, 49190 Saint-Aubin-de-Luigné, tél. 02.41.78.33.33, fax 02.41.78.67.77 ☑ ☎ r.-v.

CH. DE PLAISANCE 1999

| ☐ | 1 ha | 5 000 | ☐ 50 à 69 F |

Guy Rochais est un vigneron haut en couleur, producteur avant tout de vins liquoreux. Il réussit aussi aujourd'hui l'élaboration des savennières. Celui-ci est prometteur : jugé dans sa jeunesse, il a tous les atouts pour que sa personnalité s'affirme avec le temps. Sa robe est d'or pâle ; ses arômes discrets de fleurs blanches et de fruits sont accompagnés de notes minérales ; la bouche ronde affiche en finale une légère impression

d'amertume parfaitement classique. Un vin à attendre quelques années.
↖ Guy Rochais, Ch. de Plaisance, Chaume, 49190 Rochefort-sur-Loire, tél. 02.41.78.33.01, fax 02.41.78.67.52 ☑ ☎ r.-v.

Savennières roche-aux-moines, savennières coulée-de-serrant

Il est difficile de séparer ces deux crus qui ont pourtant reçu une codification particulière, tant ils sont proches en caractères et en qualité. La coulée de serrant, plus restreinte en surface (6,85 ha), est située de part et d'autre de la vallée du petit Serrant. La plus grande partie est en pente forte, d'exposition sud-ouest. Propriété en monopole de la famille Joly, cette appellation a atteint, tant par sa qualité que par son prix, la notoriété des grands crus de France. C'est après cinq ou dix ans que ses qualités s'épanouissent pleinement. La roche aux moines appartient à plusieurs propriétaires et couvre une surface de 19 ha déclarés (qui n'est pas totalement plantée) pour une production moyenne de 600 hl. Si elle est moins homogène que son homologue, on y trouve des cuvées qui n'ont cependant rien à lui envier.

Savennières roche-aux-moines

CH. DE CHAMBOUREAU
Cuvée d'Avant 1998★

| ☐ | 6,35 ha | 12 000 | ☐☐ 70 à 99 F |

Le coteau de la Roche-aux-Moines correspond à un éperon de roches dures surplombant la Loire. Ce château fondé au XVᵉs. et remanié au XVIIᵉs. mérite l'intérêt tant par son architecture que par son vin. Cette appellation a été vinifiée en barrique de plus de deux ans. Ce très beau 98 doit être attendu quelques années, le temps que le bois s'estompe. Il offre déjà un équilibre parfait avec en bouche des notes d'abricot, de silex, de vanille et de tilleul. Il sera digne d'un homard.

➥ Pierre Soulez, Ch. de Chamboureau,
49170 Savennières, tél. 02.41.77.20.04,
fax 02.41.77.27.78 ☑ ⵏ r.-v.

NICOLAS JOLY Clos de la Bergerie 1998★★

| ☐ | 2 ha | 6 000 | ◫ 100 à 149 F |

Une allée de cyprès conduit à la belle demeure
du XVIIIᵉs. de Nicolas Joly. Ce vin traduit parfaitement la beauté et la nature des sols qui lui
ont donné naissance. Il donne un sentiment de
sévérité avec des notes minérales que l'on ressent
également lorsque l'on parcourt ces pentes schisteuses, caillouteuses, de couleur sombre. Mais
aussi une sensation d'harmonie et de douceur
avec des arômes rappelant les fruits mûrs - cette
impression moelleuse en bouche, que l'on
éprouve devant la lumière délicate, chaleureuse
du site. Un millésime fidèle à ce que son auteur
en attendait.
➥ Nicolas Joly, Ch. de La Roche-aux-Moines,
49170 Savennières, tél. 02.41.72.22.32,
fax 02.41.72.28.68,
e-mail couleedeserrant@wanadoo.fr ☑ ⵏ t.l.j. sf
dim. 8h30-12h 14h-18h

DOM. AUX MOINES 1991★★

| ☐ | n.c. | 30 000 | ▤ ◫ ⵜ 70 à 99 F |

Ce domaine fut monastique de 1190 à la Révolution. Il fut ensuite vendu comme bien national.
Ce 91 étonne par son ampleur et son équilibre.
Une sensation de fruits mûrs est constamment
présente jusqu'à une finale racée, haute en couleur comme une corbeille de fruits. Le vin du
millésime 98 a obtenu une citation : encore fermé,
il laisse, après aération, apparaître des notes florales. Il devra attendre d'un à deux ans.
➥ SCI Mme Laroche, La Roche-aux-Moines,
49170 Savennières, tél. 02.41.72.21.33,
fax 02.41.72.86.55 ☑ ⵏ r.-v.

Savennières
coulée-de-serrant

NICOLAS JOLY 1998★

| ☐ | 7 ha | 25 000 | ◫ 200 à 249 F |

Nicolas Joly est le grand homme de la biodynamie en France. Son engagement répond à une
philosophie qu'il met en pratique en s'appuyant
sur une observation fine de la nature. Sa coulée-
de-serrant 98 offre une expression aromatique
étonnante proche de celle des vins liquoreux élaborés sur l'autre rive de la Loire (vignoble des
coteaux du layon) avec des notes de fruits mûrs
(abricot, poire, prune), de fruits secs et de pâtisserie. La bouche surprend par sa légèreté, son
apparente facilité. Un vin qui s'affirmera au
vieillissement et qu'il faut attendre au moins un
à deux ans.
➥ Nicolas Joly, Ch. de La Roche-aux-Moines,
49170 Savennières, tél. 02.41.72.22.32,
fax 02.41.72.28.68,
e-mail couleedeserrant@wanadoo.fr ☑ ⵏ t.l.j. sf
dim. 8h30-12h 14h-18h

Coteaux du layon

Sur les coteaux des vingt-
cinq communes qui bordent le Layon, de
Nueil à Chalonnes, on a produit, en 1999,
52 886 hl de vins demi-secs, moelleux ou
liquoreux. Le chenin est le seul cépage. Plusieurs villages sont réputés : le plus connu
est celui de Chaume (78 ha). Six autres
noms peuvent être ajoutés à l'appellation :
Rochefort-sur-Loire, Saint-Aubin-de-Luigné, Saint-Lambert-du-Lattay, Beaulieu-
sur-Layon, Rablay-sur-Layon, Faye-
d'Anjou. Vins subtils, or vert à
Concourson, plus jaunes et plus puissants
en aval, ils présentent des arômes de miel
et d'acacia acquis lors de la surmaturation.
Leur capacité de vieillissement est étonnante.

DOM. D'AMBINOS
Beaulieu Sélection de grains nobles 1998★★

| ☐ | 11 ha | 2 500 | ◫ 100 à 149 F |

Régulièrement retenu dans le Guide, le
domaine d'Ambinos joue pleinement la carte des
liquoreux. Cette cuvée provient de vendanges
sélectionnées lors de quatre tries, chacune ayant
un degré naturel dépassant 17,5 °. La vinification
a été effectuée dans des barriques de quatre à
cinq vins. Jaune d'or, ce 98 livre des arômes
intenses et complexes de poire, de pêche, de miel
et de cire. Riche et concentrée, avec des notes de
fruits confits, la bouche n'en possède pas moins
la fraîcheur caractéristique des grands liquoreux
du Val de Loire. Une remarquable réussite, ce
qui n'étonnera personne.
➥ Jean-Pierre Chéné, 3, imp. des Jardins,
49750 Beaulieu-sur-Layon, tél. 02.41.78.48.09,
fax 02.41.78.61.72 ☑ ⵏ r.-v.

DOM. BANCHEREAU
Chaume Cuvée Tradition 1999

| ☐ | 2,14 ha | 2 300 | ▤ 70 à 99 F |

Ce domaine traditionnel des coteaux du layon
créé en 1950 s'est beaucoup agrandi et compte
aujourd'hui 37 ha. Il jouit d'une solide réputation. Pas moins de cinq tries manuelles ont été
effectuées sur la parcelle en terrasse à l'origine
de ce 99. Le résultat ? Une robe jaune pâle et des
arômes étonnants d'eau-de-vie de prune et de
fruits macérés dans l'alcool, une bouche puissante et chaleureuse. Un vin intense qui s'affinera
au vieillissement.
➥ Dom. Banchereau, 62, rue du Canal-de-
Monsieur, 49190 Saint-Aubin-de-Luigné,
tél. 02.41.78.33.24, fax 02.41.78.66.58 ☑ ⵏ r.-v.

DOM. DES BARRES
Saint-Aubin Les Paradis 1999★★

| ☐ | 2 ha | 3 500 | ◫ 50 à 69 F |

En 1991, Patrice Achard reprend le vignoble
familial (25 ha) avec la volonté d'élaborer des

vins de haut niveau. On retrouve sa cuvée Les Paradis ; déjà étoilée dans le millésime 97, elle mérite pleinement son nom en 99 ! Les jurés y ont décelé la richesse de la vendange, dont témoignent de beaux arômes d'agrumes (citron) et de fruits frais ainsi que l'équilibre et l'harmonie en bouche. La finale, dont le léger boisé atteste un élevage en fût bien maîtrisé, laisse une impression de fraîcheur très agréable.

☛ Patrice Achard, Les Barres,
49190 Saint-Aubin-de-Luigné,
tél. 02.41.78.98.24, fax 02.41.78.68.37 ▨ ⵏ r.-v.

G. BECLAIR Rochefort 1998★

☐	1,52 ha	2 500	▣ 50 à 69 F

Cinq générations se sont succédé sur cette exploitation qui compte aujourd'hui 12 ha de vignes. Le cellier, du XVIᵉs., était probablement à l'origine un grenier (à grains ou à sel), puis fut transformé au XVIIIᵉs. en tannerie et séchoir à peau avant de trouver sa vocation au début du XIXᵉs. Jaune pâle, ce 98 possède des arômes fins de fruits frais. Sa bouche mise sur l'élégance plutôt que sur l'ampleur. D'un type assez léger, agréable et bien fait, ce vin pourra être dégusté dès la fin de l'année.

☛ G. Beclair, 4, rue Dieuzie-Martreau,
49190 Rochefort-sur-Loire, tél. 02.41.78.73.25,
fax 02.41.78.54.23 ▨ ⵏ r.-v.

M. BLOUIN Chaume 1999

☐	4,12 ha	8 000	50 à 69 F

Ce domaine traditionnel de l'Anjou compte quelque 21 ha de vignes. Il est situé à Saint-Aubin-de-Luigné, la « perle » du Layon. Jaune paille à reflets or, son Chaume est certes assez léger, mais il procure un plaisir immédiat avec ses arômes - encore discrets le jour de la dégustation - de fruits confits, et sa bouche fraîche et équilibrée. Un ensemble agréable et sincère que l'on pourra apprécier dès le dernier trimestre 2000 et pendant quelques années.

☛ Dom. Michel Blouin, 53, rue du Canal-de-Monsieur, 49190 Saint-Aubin-de-Luigné,
tél. 02.41.78.33.53, fax 02.41.78.67.61 ▨ ⵏ r.-v.

DOM. DES BOHUES 1999★★

☐	7,5 ha	5 000	▣☙ 30 à 49 F

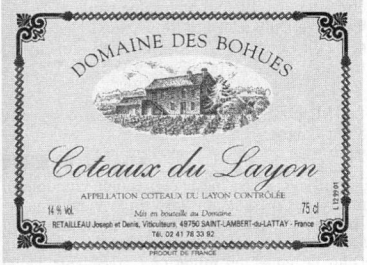

Denis Retailleau assume désormais seul la responsabilité de ce domaine d'une quinzaine d'hectares, dont la moitié est orientée vers la production de coteaux du layon. L'accueil réservé par le jury à ce 99 devrait être pour lui un bel encouragement. Ce vin, s'il n'impressionne pas par sa puissance, apparaît comme un remarquable

représentant de l'appellation. La robe est d'un jaune légèrement doré à reflets verts, la qualité aromatique est certaine, avec de délicates notes de fleurs blanches, de fruits mûrs et de coing ; la bouche harmonieuse, d'un très bel équilibre, est marquée, elle aussi, par les fruits mûrs.

☛ Denis Retailleau, Les Bohues, 49750 Saint-Lambert-du-Lattay, tél. 02.41.78.33.92,
fax 02.41.78.34.11 ▨ ⵏ r.-v.

CH. DE BOIS-BRINCON
Sélection de grains nobles 1997★★★

☐	n.c.	n.c.	⦀ 150 à 199 F

Ce domaine, l'un des plus anciens d'Anjou puisque son existence est attestée au XIIIᵉs., a su tirer tout le parti possible du beau millésime 97, puisque après le coup de cœur obtenu dans la précédente édition par un coteaux du layon Faye, voici une sélection de grains nobles qualifiée d'exceptionnelle. Ce vin a emmagasiné tout le soleil d'une arrière-saison remarquable, à en juger par l'or ambré de sa robe, ses arômes intenses de fruits confits, de miel et de cire et par sa bouche, véritable corbeille de fruits. (Bouteilles de 50 cl.)

☛ Xavier Cailleau, Ch. de Bois-Brinçon,
49320 Blaison-Gohier, tél. 02.41.57.19.62,
fax 02.41.57.10.46 ▨ ⵏ r.-v.

CH. DU BREUIL
Beaulieu Vieilles vignes 1998★

☐	8 ha	2 500	⦀ 70 à 99 F

Le château du Breuil (35 ha de vignes) est situé sur le haut du coteau de Beaulieu-sur-Layon. Son propriétaire, Marc Morgat, est très actif dans les instances professionnelles. Cette cuvée or paille a été élaborée à partir de raisins récoltés sur des vignes centenaires et vinifiée en barrique de trois à cinq ans. Ses arômes mêlent agrumes, miel, cire et notes boisées ; sa bouche intense, moelleuse, laisse en finale une impression de fraîcheur. Un vin bien équilibré qui prendra du relief au vieillissement.

☛ Ch. du Breuil, 49750 Beaulieu-sur-Layon,
tél. 02.41.78.32.54, fax 02.41.78.30.03 ▨ ⵏ r.-v.
☛ Morgat

CH. DE BROSSAY
Sélection de grains nobles 1998★★

☐	2 ha	450	⦀ 70 à 99 F

A la tête de 36 ha de vignes, Raymond et Hubert Deffois ont contribué à la notoriété des coteaux du layon grâce à une production de qualité, régulièrement retenue dans le Guide. Leurs liquoreux sont le produit de récoltes manuelles rigoureuses et d'un élevage effectué pour partie en barrique. Leur sélection de grains nobles 98 révèle un potentiel remarquable pour le millésime : une robe jaune intense, des arômes de fruits mûrs, d'abricot, de fruits secs et d'épices, une bouche puissante et concentrée, tout signale un vin de caractère qu'il faudra attendre patiemment quelques années. Quant aux **Vieilles vignes 99** (30 à 49 F), il laisse déjà percevoir sa complexité aromatique et donne en bouche une sensation de moelleux et d'équilibre. Il est cité.

LOIRE

☛ Raymond et Hubert Deffois, Ch. de Brossay,
49560 Cléré-sur-Layon, tél. 02.41.59.59.95,
fax 02.41.59.58.81,
e-mail brossay@groupesirius.com ☑ ⵉ t.l.j. sf
dim. 8h-13h 14h-19h

DOM. CADY
Saint-Aubin Les Varennes 1999★

| ☐ | 2,5 ha | 8 000 | 🍴↓ | 50 à 69 F |

Etabli dans un joli village en bordure du
Layon, le domaine Cady est une autre référence
en matière de vins liquoreux. Cette cuvée Les
Varennes naît sur un coteau où affleurent des
schistes verts superficiels du début de l'ère primaire. Un terroir qui donne chaque année des
vins de caractère. Le 97 avait obtenu un coup de
cœur. Le 99 se distingue par une très belle expression rappelant les fruits mûrs (poire, pêche) qui
accompagne toute la dégustation. L'attaque
révèle une sensation de moelleux, de délicatesse
et d'harmonie. Encore un peu court, ce vin prendra toute sa dimension après quelques années.
Un **coteaux du layon Chaume 99** (70 à 99 F) a
obtenu la même note pour ses arômes de brioche
et de fruits secs, sa bouche fraîche, fruitée, ample
et délicate comme une friandise. On peut le boire
dès la fin de l'année mais ce serait dommage !
☛ Dom. Cady, Valette, 49190 Saint-Aubin-de-
Luigné, tél. 02.41.78.33.69, fax 02.41.78.67.79
☑ ⵉ r.-v.

DOM. CHUPIN 1998

| ☐ | 15,23 ha | 60 000 | 🍴 ⵉⵉ ↓ | 30 à 49 F |

Le domaine Chupin est une vaste exploitation
(71 ha) établie à Champ-sur-Layon. Des raisins
récoltés par sélection manuelle et une fermentation
sans levurage, qui s'est déroulée jusqu'au
mois de janvier, sont à l'origine de ce 98 jaune
pâle à reflets verts, aux arômes de fruits confits,
de pomme et de noisette. Sa bouche légère laisse
l'impression de sucer des bonbons au miel et se
termine par une note de fraîcheur. A boire en fin
d'année.
☛ SCEA Dom. Chupin, 8, rue de l'Eglise,
49380 Champ-sur-Layon, tél. 02.41.78.86.54,
fax 02.41.78.61.73 ☑ ⵉ r.-v.

DOM. DU CLOS DES GOHARDS 1999★

| ☐ | n.c. | n.c. | 30 à 49 F |

Ce domaine de 35 ha possède quelques vieilles
vignes de chenin qui donnent sur un terroir graveleux de très bons résultats, témoin ce 99 jaune
pâle à reflets verts, aux arômes intenses de fleurs
assortis de notes empyreumatiques, à la bouche
fruitée, moelleuse, faisant preuve d'une légère
vivacité en finale. Un joli représentant de l'appellation.
☛ EARL Michel et Mickaël Joselon,
Dom. du Clos des Gohards, Les Oisonnières,
49380 Chavagnes-les-Eaux, tél. 02.41.54.13.98,
fax 02.41.54.13.98 ☑ ⵉ r.-v.

DOM. DES CLOSSERONS
Vieilles vignes 1999★★

| ☐ | n.c. | n.c. | 50 à 69 F |

Passionnés par le coteaux du layon, Jean-
Claude Leblanc et son fils replantent des coteaux
escarpés. Leur production a été plus d'une fois
saluée dans le Guide et ce 99 témoigne de leur

savoir-faire, avec sa robe jaune doré, ses fins arômes de fruits secs, de fruits mûrs et de cire, sa
bouche riche et pourtant fraîche, intense et
cependant délicate. D'un remarquable équilibre,
ce vin peut déjà être bu en fin d'année, mais
prendra encore du relief avec le temps.
☛ EARL Jean-Claude Leblanc et Fils,
Dom. des Closserons, 49380 Faye-d'Anjou,
tél. 02.41.54.30.78, fax 02.41.54.12.02 ☑ ⵉ r.-v.

DOM. DESMAZIERES
Beaulieu Sélection de grains nobles 1999★

| ☐ | 3 ha | 3 200 | ⵉⵉⵉ | -70 à 99 F |

Christel et Marc Godeau se sont installés en
1987 sur cette exploitation de 17 ha avec pour
objectif de produire des liquoreux de haut
niveau. Soucieux de la maîtrise des charges, ils
pratiquent des récoltes manuelles en sélectionnant rigoureusement les vendanges et élèvent
leur vin en barrique. Elaborée à partir de raisins
dont la richesse naturelle dépassait 17,5 °, cette
sélection or paille soutenu livre des arômes
encore discrets ; on perçoit, après aération, de la
réglisse, des fruits mûrs (abricot, pêche) et du
miel. La bouche est puissante et fraîche. Un vin
qui exprimera tout son potentiel une fois son
élevage achevé.
☛ Christel et Marc Godeau,
Dom. Desmazières, 27, rue Saint-Vincent,
49750 Beaulieu-sur-Layon, tél. 02.41.78.41.64,
fax 02.41.78.63.35 ☑ ⵉ r.-v.

DOM. DULOQUET
Cuvée Noblesse 1999★★

| ☐ | 6 ha | 1 200 | ⵉⵉⵉ | 100 à 149 F |

Hervé Duloquet, qui représente la troisième
génération sur l'exploitation, en a pris les rênes
en 1991. Il lui a donné une nouvelle orientation,
misant sur la production de liquoreux de grande
qualité, et étoiles ou coups de cœur saluent régulièrement ses cuvées. Celle-ci est très représentative, avec sa robe jaune d'or, ses arômes de vendange surmûrie rappelant l'abricot et les fruits
mûrs, sa bouche ample, extrêmement moelleuse,
marquée en finale par des notes de caramel,
d'agrumes et de vanille. La cuvée **Les Carbonifères 99** (70 à 99 F), dominée pour l'instant par
des arômes de jeunesse (sous-bois, varech), doit
être attendue. Elle a obtenu une étoile.
☛ Hervé Duloquet, Les Mousseaux,
4, rte du Coteau, 49700 Les Verchers-sur-Layon,
tél. 02.41.59.17.62, fax 02.41.59.37.53 ☑ ⵉ r.-v.

DOM. DES EPINAUDIERES
Saint-Lambert 1999★

| ☐ | 1 ha | 4 000 | ⵉⵉⵉ | 30 à 49 F |

En 1966, Roger Fardeau prend un vignoble en
métayage ; dix ans plus tard il le passe en fermage.
Il s'associe avec son fils en 1991. L'exploitation
(21 ha) est aujourd'hui une référence en Anjou.
Dans la lignée des millésimes précédents, ce 99
a de la matière et ne s'en cache pas, avec sa robe
paille, ses arômes de fruits concentrés, secs et
exotiques, sa bouche pleine, puissante et harmonieuse. Il prendra de l'ampleur au vieillissement.
☛ SCEA Fardeau, Sainte-Foy, 49750 Saint-
Lambert-du-Lattay, tél. 02.41.78.35.68,
fax 02.41.78.35.50 ☑ ⵉ r.-v.

DOM. FARDEAU Vieilles vignes 1999★

| ☐ | n.c. | 5 500 | 🍶↧ 50 à 69 F |

Ce domaine de 16 ha a été restructuré il y a quelques années. Les deux vins présentés, de styles différents, ont été tous les deux jugés très réussis. La cuvée Vieilles vignes, plus puissante, laisse une sensation de concentration, avec sa robe or, ses arômes de fruits confits et sa bouche onctueuse. La **cuvée Stéfy Fin de siècle 99** (70 à 99 F), plus légère, est intéressante par son expression aromatique de fruits mûrs et par son élégance. Deux vins qui se bonifieront au vieillissement et qui seront prêts à boire en fin d'année.
🕭 Dom. Michel Fardeau, Les Hauts Perrays, 49290 Chaudefonds-sur-Layon, tél. 02.41.78.67.57, fax 02.41.78.68.78 ☑ ⵣ t.l.j. 9h-12h 13h-19h; sam. dim. sur r.-v.

DOM. DES FORGES
Saint-Aubin Cuvée des Forges 1999★★

| ☐ | 4 ha | 4 000 | 🍶◧↧ 50 à 69 F |

Claude Branchereau est le président du syndicat de l'AOC coteaux du layon Chaume. Homme de conviction et de rigueur, il a contribué au renouveau étonnant du vignoble des coteaux du layon. Sa production est brillamment représentée dans le Guide. Ce 99 a séduit le jury par son potentiel. Son expression de pâte de fruits, au nez et en bouche, est caractéristique des grands liquoreux. Une sélection qui fera parler d'elle une fois son élevage achevé.
🕭 Vignoble Branchereau, Dom. des Forges, 49190 Saint-Aubin-de-Luigné, tél. 02.41.78.33.56, fax 02.41.78.67.51 ☑ ⵣ r.-v.

DOM. GAUDARD Les Varennes 1999★

| ☐ | 2,82 ha | 6 600 | 🍶↧ 30 à 49 F |

Président de la fédération viticole d'Anjou-Saumur, Pierre Aguilas s'engage avec passion dans la défense et l'illustration des vins de sa région. Encore jeune le jour de la dégustation, sa cuvée Les Varennes est étonnante de complexité avec ses arômes de fruits confits, de fruits mûrs et d'épices. La bouche élégante allie moelleux et fraîcheur. Ce coteaux du layon sera prêt à boire en fin d'année mais prendra encore du relief avec le temps.
🕭 Pierre Aguilas, Dom. Gaudard, rte de Saint-Aubin, 49290 Chaudefonds-sur-Layon, tél. 02.41.78.10.68, fax 02.41.78.67.72 ☑ ⵣ t.l.j. sf dim. 8h-12h 14h-18h

DOM. DE JUCHEPIE
Faye La Quintessence 1997★

| ☐ | 2 ha | 2 000 | ◧ 150 à 199 F |

Anciens quincaillers de nationalité belge, les propriétaires-exploitants se sont reconvertis dans la viticulture avec succès, à en juger par leurs trois sélections du millésime 97 en Faye d'Anjou, toutes retenues par le jury pour leurs beaux arômes de fruits mûrs et confits, de coing. La préférence va à cette Quintessence aux reflets or intense, dense en bouche, traduisant une vendange concentrée. La cuvée **Les Churelles** (100 à 149 F), plus légère, laisse une sensation de fraîcheur. Elle est citée, comme la **cuvée Alexander** (150 à 199 F).

🕭 Oosterlinck-Bracke, Dom. de Juchepie, 49380 Faye-d'Anjou, tél. 02.41.54.33.47
☑ ⵣ r.-v.

DOM. DE LA BELLE ANGEVINE
Saint-Lambert Bonnes Blanches 1998★

| ☐ | 1,5 ha | 4 000 | 30 à 49 F |

La Belle Angevine est l'héroïne d'une légende du XV°s. que l'on raconte à Saint-Lambert-du-Lattay. Quant à l'exploitation, issue du regroupement de deux propriétés, l'une située à Beaulieu-sur-Layon, l'autre à Saint-Lambert-du-Lattay, elle est souvent mentionnée dans le Guide. Des notes de sous-bois et d'iode, représentatives de ce difficile millésime 98, apparaissent dans cette cuvée, mais aussi des arômes liés à une bonne maturité des vendanges (coing, fruits mûrs) et un bel équilibre d'ensemble en bouche. Un vin qui doit beaucoup au travail du vigneron.
🕭 Florence Dufour, Dom. de La Belle Angevine, La Motte, 49750 Beaulieu-sur-Layon, tél. 02.41.78.34.86, fax 02.41.72.81.58, e-mail fldufour@club-internet.fr ☑ ⵣ r.-v.

DOM. DE LA BERGERIE
Cuvée Fragrance 1998★

| ☐ | 2 ha | 2 800 | ◧ 100 à 149 F |

Ce domaine réputé, en particulier pour ses vins liquoreux, porte une attention particulière à la conduite de la vigne et pratique une vinification traditionnelle en fût. Elevée dix-huit mois dans le bois, cette sélection Fragrance a souvent été jugée remarquable, et a même atteint un niveau exceptionnel dans le brillant millésime 97. Jaune paille dans le verre, ce 98 apparaît intense à l'œil comme au nez, qui mêle des arômes de fruits mûrs (pêche, coing), compotés ou confits, d'épices et de sous-bois. Harmonieuse et délicate, la bouche révèle une pointe d'amertume en finale. Un coteaux du layon qui a étonné le jury par sa persistance et qui exprimera pleinement son potentiel dans quelques années.
🕭 Yves Guégniard, Dom. de La Bergerie, 49380 Champ-sur-Layon, tél. 02.41.78.85.43, fax 02.41.78.60.13, e-mail domainede.la.bergerie@wanadoo.fr
☑ ⵣ t.l.j. sf dim. 9h-12h30 14h-19h

DOM. DE LA MOTTE
Rochefort Cuvée Cosmos 1999

| ☐ | 1 ha | 1 500 | ◧ 70 à 99 F |

Représentant la troisième génération, Gilles Sorin a repris le vignoble familial (19 ha) en 1997. Sa cuvée Cosmos a été élaborée à partir de vendanges scrupuleusement sélectionnées, vinifiées et élevées en barrique. L'élevage s'exprime en notes boisées encore envahissantes, mais on perçoit aussi des arômes de miel et d'abricot qui traduisent une belle concentration et un bon potentiel. A attendre.
🕭 Gilles Sorin, 35, av. d'Angers, 49190 Rochefort-sur-Loire, tél. 02.41.78.72.96, fax 02.41.78.75.49 ☑ ⵣ r.-v.

LOIRE

CH.DE LA MULONNIERE
Beaulieu 1998★★

| | 18 ha | 8 000 | ∎↓ 50 à 69 F |

B. Marchal-Grossat est arrivé en 1991 sur l'exploitation et a su lui rendre sa notoriété : le travail de fond effectué dans les vignes (maîtrise des charges, récoltes manuelles strictes) a permis au terroir prestigieux de La Mulonnière de s'exprimer à nouveau. Or paille, ce 98 offre des arômes intenses d'agrumes et de coing. Puissante, harmonieuse, sa bouche révèle une complexité aromatique étonnante (notes d'agrumes, de fruits exotiques et de fruits mûrs). Racé et de caractère, un grand liquoreux.
➽ B. Marchal-Grossat, Ch. de La Mulonnière, 49750 Beaulieu-sur-Layon, tél. 02.41.78.47.52, fax 02.41.78.63.63 ✓ ☒ r.-v.

DOM. DE L'ARBOUTE
Cuvée Prestige 1999

| | 5,47 ha | 6 488 | ∎↓ 30 à 49 F |

Jules Massicot s'est installé en 1955 sur ce vignoble créé au XVIII°s. Depuis 1986, l'exploitation est conduite par Yves, son fils, et sa femme. Leur cuvée Prestige a été jugée typique de l'appellation. Le jury y a noté une complexité aromatique prometteuse (notes de fleurs blanches, de fruits mûrs, de fruits secs) et une fraîcheur en bouche garante d'un bel avenir.
➽ Yves Massicot, L'Arboute, 49380 Faye-d'Anjou, tél. 02.41.54.03.38, fax 02.41.54.40.57 ✓ ☒ r.-v.

VIGNOBLE DE L'ARCISON 1999★

| | 2 ha | 5 000 | ∎↓ 30 à 49 F |

Ce domaine de 26 ha est situé sur la commune de Thouarcé sur le territoire de laquelle se trouve le célèbre cru bonnezeaux. Son coteaux du layon livre à l'aération des arômes de fruits mûrs, d'agrumes et de pain d'épice. La bouche donne une sensation de fraîcheur et de moelleux, signe des vins liquoreux de haut niveau ! A attendre quelques années et à décanter avant dégustation.
➽ Damien Reulier, Vignoble de L'Arcison, Le Mesnil, 49380 Thouarcé, tél. 02.41.54.16.81, fax 02.41.54.31.12 ✓ ☒ t.l.j. 9h-12h30 14h-18h; f. oct.

DOM. DE LA ROCHE MOREAU
Chaume 1999★

| | n.c. | 3 000 | ⫼ 50 à 69 F |

Les propriétaires de La Roche Moreau ne sont pas avares d'anecdotes sur leur domaine, dont on peut découvrir la production dans un chalet dominant les vallées de la Loire et du Layon : le chai, une ancienne demeure classée du XVII°s., la cave, ancienne mine de charbon murée durant la dernière guerre pour en cacher l'entrée aux occupants... Quant à ce 99, il n'a rien d'anecdotique : d'un jaune soutenu, il développe à l'aération des notes fermentaires (ananas, pamplemousse) assorties de nuances de fruits mûrs ; franche et ample, la bouche finit dans un bel équilibre, sur le fruit confit. Un vin délicat qui prendra de l'ampleur avec le temps.

➽ André Davy, Dom. de La Roche Moreau, La Haie-Longue, 49190 Saint-Aubin-de-Luigné, tél. 02.41.78.34.55, fax 02.41.78.34.55, e-mail davy.larochemoreau@wanadoo.fr ✓ ☒ r.-v.

CH. DE LA ROULERIE Chaume 1998

| | n.c. | n.c. | ⫼ 100 à 149 F |

Le château de la Roulerie est établi au pied du coteau de Chaume. Les vignes croissent sur des reliefs escarpés et sur des formations carbonifères. Un coup de cœur récompensait le coteaux du layon Chaume de 1997. Plus léger, le 98 est représentatif d'un millésime difficile. Mais il fait preuve d'une élégance et d'une finesse propres aux grands terroirs. La robe est jaune doré, les arômes évoquent les fruits confits, le coing et les fruits exotiques ; la bouche, équilibrée, étonne par ses notes d'épices et de miel. (Bouteilles de 50 cl.)
➽ Vignobles Germain et Associés Loire, Ch. de Fesles, 49380 Thouarcé, tél. 02.41.68.94.00, fax 02.41.68.94.01, e-mail loire@vgas.com ✓ ☒ r.-v.

CH. LA TOMAZE
Faye Sélection de grain noble 1997★★

| | 2 ha | 2 100 | ∎⫼↓ 100 à 149 F |

Le vignoble, qui compte aujourd'hui 40 ha, est dans la même famille depuis plus de deux siècles. L'îlot d'origine, de 20 ha, était situé à Rablay-sur-Layon (rive gauche) et à Faye d'Anjou (rive droite) sur des coteaux surplombant le Layon. Quant au château de La Tomaze, ses propriétaires viennent de fêter ses cent ans. Cette sélection de grain noble est remarquable par son équilibre et son élégance. Jaune or, elle offre des arômes intenses de fruits jaunes et blancs (poire), de cire et de fruits confits avec des notes boisées délicates. La très belle bouche, fort riche, reste pourtant légère et fraîche. Un vin prêt à boire en fin d'année et qui prendra de l'ampleur au vieillissement. (Bouteilles de 50 cl.)
➽ Vignoble Lecointre, Ch. La Tomaze, 49380 Champ-sur-Layon, tél. 02.41.78.86.34, fax 02.41.78.61.60 ✓ ☒ r.-v.

DOM. LEDUC-FROUIN
Le Grand Clos La Seigneurie 1999★

| | 3 ha | 2 500 | ∎↓ 50 à 69 F |

Cette cuvée résulte de l'assemblage de la deuxième trie et d'une partie de la troisième dans lesquelles entrent des vendanges botrytisées et passerillées. Jaune d'or, mêlant au nez raisin de Corinthe et fruits mûrs, onctueux et très moelleux en bouche, c'est « une douceur à déguster » selon un membre du jury qui suggère de le savourer lors d'une soirée romantique.
➽ Mme Georges Leduc, Dom. Leduc-Frouin, Sousigné, 49540 Martigné-Briand, tél. 02.41.59.42.83, fax 02.41.59.47.90, e-mail domaine-leduc-frouin@wanadoo.fr ✓ ☒ r.-v.

DOM. LEROY Vieilles vignes 1999

| | 4 ha | 7 000 | ∎ 30 à 49 F |

Ce domaine familial situé au cœur d'Aubigné-sur-Layon, en face de l'église du XI°s. propose un 99 digne d'attention. Les notes aromatiques de fruits mûrs révèlent une vendange récoltée à bonne maturité. La bouche est agréable, équilibrée, harmonieuse et longue en finale. Un vin qui peut être bu en fin d'année.

☛ Jean-Michel Leroy, rue d'Anjou,
49540 Aubigné-sur-Layon, tél. 02.41.59.61.00, fax 02.41.59.96.47 ☑ �⟩ t.l.j. sf dim. 8h30-13h 14h-20h

LES PASTOURELLES 1998

	10 ha	15 000	▮▮	30 à 49 F

Cette coopérative, qui propose principalement du muscadet, s'est aussi bâti une réputation dans la production de vins rouges d'Anjou. Des efforts ont également porté sur les vignes de chenin - maîtrise des charges, récolte par sélection manuelle - qui commencent à porter leurs fruits. Ces Pastourelles en robe jaune pâle à reflets verts offrent des arômes de fruits secs (noisette) et de fruits mûrs. Agréable, équilibrée, la bouche est représentative de l'appellation.

☛ Les Vignerons de La Noëlle, bd des Alliés,
B.P. 155, 44154 Ancenis Cedex,
tél. 02.40.98.92.72, fax 02.40.98.96.70,
e-mail vavenel@cana.fr ☑ ⟨softline⟩ r.-v.

DOM. DES MAURIERES
Saint-Lambert Sélection Rive gauche 1997★

	n.c.	n.c.	▮▯▮	100 à 149 F

Ce domaine traditionnel, connu pour la production de ses liquoreux, possède quelques arpents de terre du célèbre cru quarts-de-chaume. Le millésime 97 jouit d'une grande réputation en Anjou en raison de son arrière-saison particulièrement ensoleillée et sèche ; il a donné ici un vin jaune d'or à reflets orangés, au nez discret qui laisse percer après aération des arômes de fruits confits et de miel, à la bouche ample, moelleuse, concentrée avec des notes de noisette, de noix et de pomme caramélisée en finale. Un vin d'une grande richesse à servir en carafe.

☛ EARL Moron, Dom. des Maurières,
8, rue de Perinelle, 49750 Saint-Lambert-du-Lattay, tél. 02.41.78.30.21, fax 02.41.78.40.26 ☑ ⟨softline⟩ r.-v.

DOM. DE MIHOUDY
Les Valaises 1999★★

	2 ha	5 000	▮▯▮	30 à 49 F

Ce domaine traditionnel de 45 ha, bien représentatif de l'Anjou, a été lauréat de la « grappe de bronze » du Guide Hachette 1997. Sa cuvée Les Valaises est née de vendanges scrupuleusement sélectionnées, vinifiées et élevées en barrique de chêne neuve. Le fût a légué à ce vin jaune paille un boisé qui se fond avec délicatesse. Les arômes intenses évoquent la fleur de genêt, les épices et les fruits mûrs, la bouche est puissante et remarquablement équilibrée. Cette bouteille qui sera déjà excellente à la sortie du Guide, mériterait pourtant d'être conservée plusieurs années.

☛ Cochard et Fils, 49540 Aubigné-sur-Layon,
tél. 02.41.59.46.52, fax 02.41.59.68.77 ☑ ⟨softline⟩ r.-v.

CH. MONTBENAULT
Faye d'Anjou Vieilles vignes 1999

	3 ha	4 900	▮▮	50 à 69 F

Cette exploitation traditionnelle de l'Anjou élabore ses liquoreux avec les mêmes méthodes et objectifs qu'il y a une dizaine d'années. Sa cuvée Faye d'Anjou Vieilles vignes possède une expression aromatique simple (aubépine, tilleul, acacia) caractéristique de vendanges récoltées à bonne maturité, mais sans recherche d'une forte concentration. La bouche, harmonieuse et légère, laisse une sensation de fraîcheur en finale.

☛ Yves et Marie-Paule Leduc,
Ch. Montbenault, 49380 Faye-d'Anjou,
tél. 02.41.78.31.14, fax 02.41.78.60.29 ☑ ⟨softline⟩ t.l.j. sf dim. 9h-12h 14h-19h

DOM. OGEREAU
Saint-Lambert Cuvée Prestige 1998★★

	6 ha	5 000	▮▯▮	70 à 99 F

Il « vendange » étoiles et coups de cœur dans le Guide... Vincent Ogereau est devenu par sa rigueur une référence du vignoble d'Anjou. Et cette cuvée élaborée à partir de récoltes scrupuleusement sélectionnées et vinifiées pour partie en barrique est bien dans le style de l'exploitation. Jaune paille dans le verre, elle livre ses arômes intenses de fruits mûrs, d'agrumes, de miel, de fleurs auxquels s'associent de subtiles notes boisées (vanille, noix de coco). Moelleuse, puissante, la bouche reste délicate. Un vin de collection prêt à boire et qui pourra être gardé de nombreuses années.

☛ Vincent Ogereau, 44, rue de la Belle-Angevine, 49750 Saint-Lambert-du-Lattay,
tél. 02.41.78.30.53, fax 02.41.78.43.55 ☑ ⟨softline⟩ r.-v.

DOM. DE PAIMPARE Saint-Lambert 1999

	4 ha	n.c.	▮▮	30 à 49 F

Installé depuis 1990 dans la commune la plus viticole de l'Anjou, Michel Tessier cherche à produire des vins de caractère. Et ce 99 est une réussite pour le millésime, léger certes, mais équilibré et délicat. La robe est jaune pâle, les arômes évoquent la pomme et les fruits mûrs, la bouche harmonieuse est emportée par des notes fruitées. Un vin qui peut être bu dès la fin de l'année.

☛ SCEA Michel Tessier, 32, rue Rabelais,
49750 Saint-Lambert-du-Lattay,
tél. 02.41.78.43.18, fax 02.41.78.41.73 ☑ ⟨softline⟩ r.-v.

DOM. DU PETIT METRIS
Chaume Les Tétuères 1999★

	2 ha	2 500	▮▯▮	70 à 99 F

Un domaine familial de 32 ha, régulièrement très bien noté dans le Guide. Il réussit particulièrement ses vins blancs secs ou liquoreux. Le site des Tétuères est constitué de poudingues (graviers et galets enrobés dans une pâte solidifiée) du carbonifère. Jaune d'or, discret au nez, ce 99 développe à l'aération des notes épicées, grillées, nuancées de sous-bois. La bouche agréable s'épanouit progressivement, révélant des arômes de fruits mûrs, de fruits confits et de pâte d'amande.

☛ GAEC Joseph Renou et Fils, Le Grand Beauvais, 49190 Saint-Aubin-de-Luigné,
tél. 02.41.78.33.33, fax 02.41.78.67.77 ☑ ⟨softline⟩ r.-v.

LOIRE

DOM. DES PETITS QUARTS Faye 1999★

	2 ha	n.c.	▮ ♦	30 à 49 F

Les Godineau ont longtemps vécu au village de Bonnezeaux avant de s'installer à 800 m plus à l'ouest, à Faye d'Anjou. L'exploitation est d'ailleurs fort réputée pour ses bonnezeaux, plusieurs fois coups de cœur. Ses coteaux du layon ne démérérent pas pour autant, témoin ce 99 aux accents de sous-bois et de champignon typiques du millésime. Il se distingue par un très bon équilibre en bouche et par une expression aromatique intense (cire, tilleul) qui reflète la bonne maturité des raisins. Un vin à attendre pour lui permettre de révéler tout son potentiel.
🍷 Godineau Père et Fils, Dom. des Petits Quarts, 49380 Faye-d'Anjou, tél. 02.41.54.03.00, fax 02.41.54.25.36 ☑ ⵏ r.-v.

DOM. DU PETIT VAL 1998★

	3,2 ha	8 000	▮ ♦	30 à 49 F

Ce domaine créé en 1950 par Vincent Goizil sur une superficie de 4,5 ha de vignes a été repris en 1988 par ses enfants et compte aujourd'hui 33 ha dont la moitié est classée en AOC coteaux du layon. Il propose un 98 particulièrement agréable avec ses notes de fleurs, de fruits secs (noisette) et sa bouche fraîche et fruitée. La robe, jaune pâle à reflets verts, est également bien représentative des vins de cette appellation. Quant à la cuvée Simon 99 (50 à 69 F), encore dans sa prime jeunesse, elle a reçu une citation.
🍷 EARL Denis Goizil, Dom. du Petit Val, 49380 Chavagnes, tél. 02.41.54.31.14, fax 02.41.54.03.48 ☑ ⵏ r.-v.

CH. PIERRE-BISE
Rochefort Les Rayelles 1999★★

	3,57 ha	9 000	▮	70 à 99 F

A en juger par les notes obtenues ces dernières années dans le Guide, le château de Pierre-Bise est l'un des fleurons de l'appellation. Il n'en est pas à son premier coup de cœur, et dans ce millésime 99, trois cuvées pourraient prétendre à cette distinction. La jury l'a finalement accordée à ces Rayelles (déjà couronnées dans le millésime 97), cuvée la plus simple mais la plus prête. D'un jaune intense, ce vin possède un nez d'abricot sec, de pâte de fruits, de pain d'épice et de noisette, une bouche ample, harmonieuse et délicate : une impression de finesse et d'élégance remarquable d'un bout à l'autre. On ne manquera pas non plus la cuvée Les Rouannières, plus puissante et plus complexe, avec des notes de raisin de Corinthe au palais. Elle s'exprimera pleinement en fin d'année.
🍷 Claude Papin, Ch. Pierre-Bise, 49750 Beaulieu-sur-Layon, tél. 02.41.78.31.44, fax 02.41.78.41.24 ☑ ⵏ r.-v.

CH. PIERRE-BISE Chaume 1999★★★

	4 ha	6 000	▮	70 à 99 F

Avec ce coteaux du layon Chaume une véritable surprise attend les amateurs. Sa matière a été jugée exceptionnelle par le jury ; en bouche, ses arômes de fruits exotiques, de fruits secs (raisin de Corinthe) et de fruits confits témoignent d'un grand terroir et d'un travail hors pair. Un monument en préparation !
🍷 Claude Papin, Ch. Pierre-Bise, 49750 Beaulieu-sur-Layon, tél. 02.41.78.31.44, fax 02.41.78.41.24 ☑ ⵏ r.-v.

CH. DE PLAISANCE Chaume 1999★

	15 ha	30 000	▮	50 à 69 F

Guy Rochais exploite 25 ha de vignes en AOC coteaux du layon Chaume et coteaux du layon. Le château de Plaisance est situé en haut du coteau de Chaume. Ce site exceptionnel a donné un 99 présentant un très bel équilibre au palais. La robe est d'un or léger, les arômes agréables mêlent fruits, épices et bergamote, la bouche apparaît concentrée et fraîche. Une pointe d'amertume en finale s'estompera avec le temps. Un ensemble prometteur.
🍷 Guy Rochais, Ch. de Plaisance, Chaume, 49190 Rochefort-sur-Loire, tél. 02.41.78.33.01, fax 02.41.78.67.52 ☑ ⵏ r.-v.

DOM. DES QUATRE ROUTES
Cuvée Prestige 1999

	0,9 ha	3 500	▮	30 à 49 F

Créée en 1976, l'exploitation (14 ha) est située sur l'axe Angers-Niort, Tours-Nantes. Le fils, Antoine Poupard, a rejoint le domaine cette année après avoir effectué un stage de six mois dans un vignoble d'Australie. Cette cuvée Prestige est encore dans sa prime jeunesse avec ses nuances de sous-bois mais sera prête en fin d'année. Jaune à reflets or vert, elle livre des arômes légers de fruits secs et de brioche. Agréable, équilibrée, la bouche offre en rétronasal des notes de cire et de fleurs.
🍷 Jean Poupard, Dom. des Quatre Routes, 49540 Aubigné-sur-Layon, tél. 02.41.59.44.44, fax 02.41.59.49.70 ☑ ⵏ t.l.j. 8h-19h, sam. dim. sur r.-v.

MICHEL ROBINEAU
Saint-Lambert-du-Lattay Sélection de grains nobles 1998★★

	2 ha	n.c.	◧▮	70 à 99 F

Michel Robineau s'est engagé dans un travail qualitatif de fond (taille courte, maîtrise de la charge, récoltes manuelles strictes) et fait partie depuis un certain nombre d'années des quelques vignerons dont la production est attendue avec impatience par les lecteurs du Guide. Voici un 98 qui possède une matière remarquable et qui ne donne pas encore pleinement sa mesure. Les arômes apparaissent à l'aération, rappelant les fleurs, les fruits confits, le miel et la cire. La bouche structurée, intense, donne cette sensation de croquer des fruits surmûris, caractéristique des grands liquoreux de l'appellation. A attendre quelques années et à servir en carafe.
🍷 Michel Robineau, 3, chem. du Moulin, Les Grandes Tailles, 49750 Saint-Lambert-du-Lattay, tél. 02.41.78.34.67 ☑ ⵏ r.-v.

CH. DES ROCHETTES
Cuvée Sophie 1999★★

☐	2 ha	4 000	◫	70 à 99 F

L'exploitation conduite par Jean Douet a obtenu plusieurs coups de cœur dans l'appellation ces dernières années. C'est encore le cas avec cette cuvée Sophie qui étonne par sa robe d'un jaune d'or légèrement orangé et ses arômes de concentration, de raisins surmûris, de brioche et d'épices. La bouche puissante, impressionnante pour le millésime est dominée par des notes de miel et de fruits confits. Un ensemble remarquable, tout comme la **Sélection de Vieilles vignes 99** (50 à 69 F). Quant à la **Cuvée principale (moelleux 99)** (30 à 49 F), elle offre tout ce que l'on peut attendre de l'appellation et a obtenu une étoile.
☛ Jean Douet, Ch. des Rochettes,
49700 Concourson-sur-Layon,
tél. 02.41.59.11.51, fax 02.41.59.37.73 ☑ ⵠ r.-v.

SAUVEROY
Saint-Lambert Cuvée Nectar 1998★

☐	0,65 ha	3 900	◫	70 à 99 F

Ce domaine régulièrement récompensé dans le Guide s'est totalement investi dans une démarche de qualité. Cette cuvée Nectar a été élaborée à partir de vendanges scrupuleusement sélectionnées, titrant naturellement 20 ° et la fermentation comme l'élevage ont été menés en barrique. Jaune or dans le verre, elle offre des arômes de vanille, de fleurs et de fruits mûrs. La bouche, harmonieuse et riche, donne une sensation de fruits confits, d'agrumes et d'ananas. Une très belle harmonie d'ensemble et un vin prêt à boire mais qui pourra être attendu plusieurs années.
☛ Pascal Cailleau, Dom. du Sauveroy,
49750 Saint-Lambert-du-Lattay,
tél. 02.41.78.30.59, fax 02.41.78.46.43,
e-mail domainesauveroy@terrenet.fr ☑ ⵠ r.-v.

CH. SOUCHERIE
Beaulieu Cuvée de La Tour 1997

☐	4 ha	5 000	◫	70 à 99 F

Cette propriété, achetée en 1952 à la marquise de Brissac, a été restaurée en 1998. Une tour, construite cette même année, est à l'origine du nom de cette sélection. De couleur jaune paille, elle possède un nez de miel, de fruits frais (citron) et de cire, avec des notes légèrement boisées dues à une vinification en barrique. Agréable et fraîche, presque acidulée, la bouche laisse une impression de finesse. Un vin prêt à boire et qui prendra du relief avec le temps. Du même domaine, un **coteau du layon Chaume 99** (50 à

69 F) a été cité pour sa richesse aromatique, sa légèreté et sa délicatesse.
☛ Tijou et Fils, Ch. Soucherie, 49750 Beaulieu-sur-Layon, tél. 02.41.78.31.18, fax 02.41.78.48.29 ☑ ⵠ r.-v.

Bonnezeaux

C'est l'inimitable vin de dessert, disait le Dr Maisonneuve en 1925. A cette époque, les grands vins liquoreux étaient essentiellement consommés à ce moment du repas ou dans l'après-midi, entre amis. De nos jours, on apprécie plutôt ce grand cru à l'apéritif. Très parfumé, plein de sève, le bonnezeaux doit toutes ses qualités au terroir exceptionnel qu'il occupe : plein sud, sur trois petits coteaux de schistes abrupts au-dessus du village de Thouarcé (La Montagne, Beauregard et Fesles).

Le volume de production a atteint, en 1999, 2 319 hl. L'aire de production comprend 130 ha plantables. D'un bon rapport qualité-prix, c'est un vin de grande garde, une valeur sûre.

CH. DE FESLES 1998★★

☐	14,25 ha	n.c.	◫	150 à 199 F

Domaine viticole repris en 1996 par Bernard Germain et ses associés à Gaston Lenôtre, le célèbre pâtissier parisien. Une reprise réussie avec notamment un coup de cœur pour un coteaux du layon Chaume 97 et une même récompense pour ce bonnezeaux du millésime 98. La couleur jaune doré séduit d'emblée. Les arômes complexes rappellent le miel, les fruits exotiques, les épices et les oranges. La bouche associe la fraîcheur et la richesse. La finale laisse sur une sensation de miel, de fleurs séchées et de vanille. Délicat et raffiné, ce Château donne une juste image du formidable terroir de bonnezeaux. (Bouteilles de 50 cl.)
☛ Vignobles Germain et Associés Loire,
Ch. de Fesles, 49380 Thouarcé,
tél. 02.41.68.94.00, fax 02.41.68.94.01,
e-mail loire@vgas.com ☑ ⵠ r.-v.

LOIRE

DOM. DES GAGNERIES
Cuvée Benoît 1999

☐   2 ha   4 000 ▣ ◖▯◗ ⬇ 70 à 99 F

Propriété acquise en 1890 par la famille Rousseau et sur laquelle se sont succédé quatre générations de viticulteurs. Leur bonnezeaux est bien représentatif de son appellation et de son millésime par son élégance et sa richesse : jaune avec des reflets or, il exhale des parfums complexes de fruits mûrs. La bouche est concentrée, avec des notes de fruits mûrs, de miel et d'épices à relier à un élevage en barrique. Un vin qui peut être bu en fin d'année ou conservé jusqu'à cinq ans.
☛ EARL Christian et Anne Rousseau, Dom. des Gagneries, 49380 Thouarcé, tél. 02.41.54.00.71, fax 02.41.54.02.62 ☑ ⊺ r.-v.

DOM. DE LA PETITE CROIX
Vieilles vignes 1999

☐   3,5 ha   4 000   ◖▯◗ 70 à 99 F

Ce domaine traditionnel, régulièrement cité pour l'ensemble de sa production dans ce Guide, propose un bonnezeaux qui laisse une impression de finesse et d'équilibre : robe jaune légèrement or, arômes discrets ne se révélant qu'après une assez forte aération, bouche harmonieuse, peu intense, mais fraîche et fruitée. Un vin qui peut être bu en fin d'année.
☛ A. Denechère et F. Geffard, Dom. de La Petite Croix, 49380 Thouarcé, tél. 02.41.54.06.99, fax 02.41.54.30.05 ☑ ⊺ r.-v.

DOM. LES GRANDES VIGNES
Tradition 1998★★

☐   2,1 ha   4 800   ◖▯◗ 70 à 99 F

Exploité par trois jeunes frères et sœurs, ce domaine a acquis une solide réputation pour l'ensemble de sa production. De nombreux coups de cœur ont récompensé l'exploitation, que ce soit pour des vins rouges ou des vins blancs secs ou liquoreux. Difficile de juger à sa juste valeur ce bonnezeaux du millésime 98 car l'élevage en barrique est encore très présent. Cependant, les notes de fruits mûrs, de fruits concentrés et la sensation de richesse en bouche, voire d'opulence, sont des signes qui ne trompent pas et qui caractérisent les grands vins. A attendre de un à deux ans.
☛ GAEC Vaillant, Dom. Les Grandes Vignes, La Roche-Aubry, 49380 Thouarcé, tél. 02.41.54.05.06, fax 02.41.54.08.21 ☑ ⊺ r.-v.

DOM. DE MIHOUDY Vieilles vignes 1999

☐   1 ha   1 500   ◖▯◗ 100 à 149 F

Cette exploitation de 45 ha à la notoriété solidement établie a acheté récemment une parcelle de bonnezeaux. A noter un coup de cœur obtenu en 1995 pour un anjou rouge et une grappe de bronze pour ce même vin. Voici un bonnezeaux simple, agréable et bien vinifié. La robe jaune pâle et les arômes fins et discrets de fleurs blanches et de fruits mûrs annoncent une bouche équilibrée, assez légère et qui donne la sensation de croquer des fruits blancs.
☛ Cochard et Fils, 49540 Aubigné-sur-Layon, tél. 02.41.59.46.52, fax 02.41.59.68.77 ☑ ⊺ r.-v.

DOM. DES PETITS QUARTS
Elevé en fût de chêne 1998★★

☐   1 ha   n.c.   ◖▯◗ 50 à 69 F

Le domaine des Petits Quarts est une valeur sûre de l'appellation et présente des vins d'un niveau remarquable, témoin cette sélection élevée en fût de chêne parée d'une superbe robe jaune or. Les senteurs puissantes de miel, de raisin de Corinthe, de pain d'épice s'associent aux arômes d'évolution, d'oxydation penseront certains, rappelant la noix. La bouche est à la fois ample et délicate avec ses notes de fruits secs, de fleur d'oranger et de rancio. Un très beau vin assez peu représentatif de l'appellation par son côté évolué, mais remarquable.
☛ Godineau Père et Fils, Dom. des Petits Quarts, 49380 Faye-d'Anjou, tél. 02.41.54.03.00, fax 02.41.54.25.36 ☑ ⊺ r.-v.

DOM. DES PETITS QUARTS
Le Malabé 1999★

☐   3 ha   n.c.   ◖▯◗ 70 à 99 F

La sélection du Malabé du millésime 99 porte un ravissante robe jaune paille avec des reflets orangés. Le nez, encore fermé, révèle à l'aération des arômes de fruits confits et de miel. Riche, la bouche rappelle l'abricot mûr. La cuvée principale est citée : plus simple, plus légère, plus fraîche, elle se boit facilement et reste bien représentative de son appellation (50 à 69 F).
☛ Godineau Père et Fils, Dom. des Petits Quarts, 49380 Faye-d'Anjou, tél. 02.41.54.03.00, fax 02.41.54.25.36 ☑ ⊺ r.-v.

DOM. DU PETIT VAL La Montagne 1999

☐   2,5 ha   n.c.   ▣ ⬇ 70 à 99 F

Créé en 1950 à partir de 4,5 ha de vignes, ce domaine en compte aujourd'hui 33 et a atteint une forte notoriété pour ses vins liquoreux. Cette sélection est constituée de trois tries tardives dont la dernière se déroulait le 26 novembre. Jaune or avec des reflets orangés, ce vin offre des arômes de sous-bois, d'humus et de fruits mûrs ainsi qu'une bouche concentrée, riche, avec cette sensation d'amertume caractéristique de ce millésime 99 somme toute assez difficile. Un vin à attendre de un à deux ans.
☛ EARL Denis Goizil, Dom. du Petit Val, 49380 Chavagnes, tél. 02.41.54.31.14, fax 02.41.54.03.48 ☑ ⊺ r.-v.

DOM. RENE RENOU Cuvée Zénith 1998★

☐   7,36 ha   3 000 ▣ ◖▯◗ 300 à 499 F

René Renou est président de l'INAO depuis mars 1999. Une nomination à prendre comme une reconnaissance du vignoble de l'Anjou et de ses hommes. La cuvée Zénith correspond à des vendanges rigoureusement sélectionnées lors de six passages manuels dont le dernier se tint le 25 novembre. Le vin donne un sentiment de richesse et de finesse, de puissance et de délicatesse, associant des notes de fruits mûrs, de fruits secs et d'épices. Un bonnezeaux de caractère qui n'a pu être produit dans ce difficile millésime que par le travail rigoureux du vigneron.
☛ Dom. René Renou, pl. du Champ-de-Foire, 49380 Thouarcé, tél. 02.41.54.11.33, fax 02.41.54.11.34 ☑ ⊺ r.-v.

DOM. RENE RENOU
Cuvée Ma Dame 1998*

| ☐ | 7,36 ha | 3 000 | ∎ ⑪ 250 à 299 F |

La cuvée Ma Dame est du même niveau que celle de « Zénith ». Moins puissante mais plus expressive, moins riche mais délicatement équilibrée et aromatique (notes de fruits mûrs, de fruits blancs - pêche et poire - et de tilleul). Un bonnezeaux qui se livre immédiatement et qui peut être bu en fin d'année.
☛ Dom. René Renou, pl. du Champ-de-Foire, 49380 Thouarcé, tél. 02.41.54.11.33, fax 02.41.54.11.34 ☑ ⵏ r.-v.

Quarts de chaume

Le seigneur se réservait le quart de la production : il gardait le meilleur, c'est-à-dire le vin produit sur le meilleur terroir. L'appellation, qui couvre une quarantaine d'hectares (31 ha en 1990) pour un volume de 714 hl en 1999, est située sur le mamelon d'une colline, plein sud, autour de Chaume, à Rochefort-sur-Loire.

Les vignes sont vieilles, en général. La conjonction de l'âge des ceps, de l'exposition et des aptitudes du chenin conduit à des productions souvent faibles et de grande qualité. La récolte se fait par tries. Les vins sont du type moelleux, séveux et nerveux, et ont une bonne aptitude au vieillissement.

DOM. DES BAUMARD 1998*

| ☐ | 5,3 ha | 13 000 | ∎ 150 à 199 F |

Cette famille de viticulteurs est depuis longtemps le porte-drapeau de ce célèbre vignoble de quarts de chaume. Elle propose un vin fin laissant une impression de légèreté. La robe or blanc avec des reflets gris, les arômes agréables de noyau de cerise, d'agrumes et de fruits secs annoncent une bouche équilibrée, harmonieuse et fraîche à associer avec des plats délicats et à ne servir qu'à des connaisseurs.
☛ Florent Baumard,
SCEA Dom. des Baumard, 8, rue de l'Abbaye, 49190 Rochefort-sur-Loire, tél. 02.41.78.70.03, fax 02.41.78.83.82 ☑ ⵏ t.l.j. sf dim. 10h-12h 14h-17h30; f. 20-30 déc.

DOM. DE LA ROCHE MOREAU 1999*

| ☐ | n.c. | n.c. | ⑪ 100 à 149 F |

Domaine dans la même famille depuis cinq générations situé sur la corniche angevine. En contrebas, au bord de la rivière se trouve le chai qui occupe une demeure classée datant du XVIIᵉs. Des pans de murs ont été abattus devant l'entrée de la cave pendant la guerre de 1940 afin d'en dissimuler l'entrée aux Allemands. Un quarts de chaume élaboré à partir de vendanges bien mûres et bien vinifiées. Robe jaune or, arômes fruités (pêche) avec des notes de fruits secs, bouche agréable, suave et de caractère : un vin qui se livre immédiatement.
☛ André Davy, Dom. de La Roche Moreau, La Haie-Longue, 49190 Saint-Aubin-de-Luigné, tél. 02.41.78.34.55, fax 02.41.78.34.55, e-mail davy.larochemoreau@wanadoo.fr ☑ ⵏ r.-v.

CH. LA VARIERE Les Guerches 1998**

| ☐ | 1,5 ha | n.c. | ⑪ 100 à 149 F |

Le château La Varière est une ancienne propriété viticole dont certains bâtiments datent du XIIIᵉs. La vinification et l'élevage en barrique marquent pour l'instant ce quarts de chaume. Mais les notes de fruits mûrs compotés et la sensation de fraîcheur, de délicatesse en bouche ne trompent pas. Il s'agit d'un vin haut en couleur qui s'exprimera pleinement dans quelques années. (Bouteilles de 50 cl.)
☛ Ch. La Varière, 49320 Brissac, tél. 02.41.91.22.64, fax 02.41.91.23.44, e-mail chateau.la.variere@wanadoo.fr ☑ ⵏ r.-v.

DOM. DU PETIT METRIS 1999

| ☐ | 1,05 ha | n.c. | ⑪ 100 à 149 F |

Domaine familial depuis cinq générations qui a acquis une solide notoriété pour la production de ses vins blancs. Ce n'est pas la puissance mais la finesse qui caractérise ce vin élevé huit mois en fût. Or blanc, il présente des arômes discrets de fruits secs et de pain d'épice ; la bouche équilibrée est légèrement boisée, harmonieuse avec ses notes d'abricot, de noisette, d'agrumes et d'épices. A conserver de deux à cinq ans.
☛ GAEC Joseph Renou et Fils, Le Grand Beauvais, 49190 Saint-Aubin-de-Luigné, tél. 02.41.78.33.33, fax 02.41.78.67.77 ☑ ⵏ r.-v.

CH. PIERRE-BISE 1999

| ☐ | 2,7 ha | 6 000 | ⑪ 150 à 199 F |

Claude Papin décline ses terroirs comme un amoureux effeuille les marguerites : un peu, beaucoup... passionnément, toujours ! Ce quarts de chaume est dans sa prime jeunesse. Difficile d'évaluer ce vin à sa juste valeur même si les notes de fruits mûrs et de fruits secs sont bien présentes. Sensation en bouche de croquer des raisins secs, ce qui est le signe des grands. A suivre de près.
☛ Claude Papin, Ch. Pierre-Bise, 49750 Beaulieu-sur-Layon, tél. 02.41.78.31.44, fax 02.41.78.41.24 ☑ ⵏ r.-v.

Saumur

L'aire de production (2 735 ha) s'étend sur 36 communes. On y a produit des vins blancs secs et nerveux

LOIRE

(32 733 hl en 1999), des vins rouges (63 532 hl), et des mousseux (106 425 hl) avec les mêmes cépages que dans les AOC anjou. Leur aptitude au vieillissement est bonne.

Les vignobles s'étalent sur les coteaux de la Loire et du Thouet. Les vins blancs de Turquant et Brézé étaient autrefois les plus réputés ; les vins rouges du Puy-Notre-Dame, de Montreuil-Bellay et de Tourtenay, entre autres, ont acquis une bonne notoriété. Mais l'appellation est beaucoup plus connue par les vins mousseux dont l'évolution qualitative mérite d'être soulignée. Les élaborateurs, tous installés à Saumur, possèdent des caves creusées dans le tuffeau, qu'il faut visiter.

CH. DE BEAUREGARD★

○   4 ha   40 000   🍴 ↓ 50 à 69 F

Beauregard est une vaste exploitation qui étend ses 25 ha de vignes devant son château de style néo-Renaissance. Certaines caves sont consacrées à la culture des champignons, d'autres à l'élevage du saumur, dont deux exemples méritent l'attention. Le premier est un mousseux qui laisse une agréable impression de fruité et de légèreté. En rétro-olfaction, il exprime les fleurs blanches (acacia, aubépine) et les fruits blancs dans un bon équilibre. Le second est un **saumur blanc 99** (30 à 49 F) aux reflets verdâtres étincelants. Élégante déclinaison fleurie et mellifue, équilibre gustatif... Il mérite une citation.
☛ SCEA Alain Gourdon, Ch. de Beauregard, 4, rue Saint-Julien, 49260 Le Puy-Notre-Dame, tél. 02.41.52.25.33, fax 02.41.52.29.62 ☑ 🍷 r.-v.

CH. DE BERRYE 1999★★

☐   1,5 ha   6 000   🍴 ↓ 30 à 49 F

Forteresse médiévale entourée de douves, le château de Berrye possède de belles caves creusées dans le roc. C'est un saumur tout aussi imposant qu'il propose dans le millésime 99. Jaune limpide, celui-ci livre un nez intense et ample, révélant de subtils arômes d'agrumes et de fruits de la Passion. La bouche fruitée s'étire longuement et harmonieusement.
☛ Jacques Pareuil, Ch. de Berrye, 86120 Berrie, tél. 01.42.57.65.61, fax 01.47.32.61.14 ☑ 🍷 r.-v.

DOM. DU BOIS MIGNON 1999

■   15 ha   30 000   🍴 ◀▮▶ 20 à 29 F

Cette propriété viticole, créée vers 1890, vient d'achever l'aménagement d'une salle de réception de 250 m² dans une ancienne carrière de tuffeau. On pourra y déguster ce saumur d'un beau grenat et aux abondants reflets violacés. Le nez n'est pas encore parvenu à son optimum, mais une aération permettra de détecter le côté floral (iris) du vin. En bouche, les tanins sont bien présents, ainsi que les notes aromatiques de fruits rouges. L'harmonie apparaîtra après quelques mois de garde en bouteille.

☛ SCEA Charier Barillot, Dom. du Bois Mignon, 86120 Saix, tél. 05.49.22.94.59, fax 05.49.22.91.54 ☑ 🍷 r.-v.

BOUVET Saphir brut vintage 1998★★

○   n.c.   170 000   🍴 ↓ 50 à 69 F

Une effervescence délicate anime avec persistance la robe jaune pâle cristalline. Après des arômes légers et complexes de fleurs et de fruits mûrs, la bouche se développe, intense et fraîche. Un vin typique de l'appellation saumur, qui a la finesse et le côté aérien des vins effervescents du Val de Loire.
☛ Bouvet-Ladubay, 1, rue de l'Abbaye, 49400 Saint-Hilaire-Saint-Florent, tél. 02.41.83.83.83, fax 02.41.50.24.32, e-mail bouvet-ladubay@symphonie-fai.fr ☑ 🍷 t.l.j. 9h-12h 14h-18h30

DOM. DE BRIZE★

○   3 ha   16 000   🍴 ↓ 30 à 49 F

Le domaine de Brizé produit ses vins effervescents entièrement sur l'exploitation. Ce vin possède un caractère affirmé : robe cristalline, jaune pâle, arômes de fleurs blanches et de fruits secs, bouche bien équilibrée avec des notes de fraîcheur et de moelleux. Ce vin a été élaboré à partir de vendanges bien mûres et par un bon vinificateur. La même impression d'ensemble se retrouve dans le **saumur mousseux rosé** du domaine, qui séduit en outre par ses notes de violette et de petits fruits rouges. Le jury lui accorde une citation.
☛ SCEA Marc et Luc Delhumeau, Dom. de Brizé, 49540 Martigné-Briand, tél. 02.41.59.43.35, fax 02.41.59.66.90 ☑ 🍷 r.-v.

DOM. DU CAILLOU 1999★★

☐   n.c.   n.c.   ◀▮▶ 20 à 29 F

Vous êtes reçu avec le sourire au domaine du Caillou. Le vin est ici élevé en foudre et en barrique dans une cave typique de Turquant. Un beau jaune paille habille ce 99 dont le nez, d'intensité encore faible, révèle à l'agitation des arômes complexes et concentrés de fleurs blanches. C'est un vin riche et rond qui emplit le palais d'une matière bien travaillée.
☛ Régis Vacher, Dom. du Caillou, 1, rue des Déportés, 49730 Turquant, tél. 02.41.38.11.21, fax 02.41.38.11.21 ☑ 🍷 r.-v.

DOM. DES CLOS MAURICE 1999★

■   4 ha   20 000   🍴 ↓ 20 à 29 F

Il fait bon flâner dans Varrains et ses rues bordées de porches. Sur la commune la plus viticole du Saumurois, le domaine des Clos Maurice a produit un joli vin rouge foncé, dont les reflets étincellent dans le verre. Les petits fruits rouges caractérisent le nez. Puis une matière ronde et bien structurée investit le palais, laissant monter en rétro-olfaction des notes de cerise. Un vin sympathique, typique du cabernet franc bien maîtrisé.
☛ EARL Dom. des Clos Maurice, 10, rue du Ruau, 49400 Varrains, tél. 02.41.52.93.76, fax 02.41.52.44.32 ☑ 🍷 r.-v.

COMTE DE COLBERT Cuvée spéciale*

○   2,81 ha   16 000   🗓️♿ 50 à 69 F

Le château de Brézé, dont le corps principal est d'époque Renaissance, est bâti sur des fondations du XIᵉs. et entouré de douves sèches. Il eut des hôtes célèbres, tels Diane de Poitiers au début du XVIᵉs. et le Grand Condé au siècle suivant. Son saumur mousseux, bien fait et assez discret, s'habille d'une robe jaune pâle égayée par une effervescence délicate. Les arômes peu intenses rappellent le tilleul ainsi que les fleurs blanches, tandis que la bouche laisse sur une impression d'harmonie et de fraîcheur. Un vin à boire dès à présent.
☛ Comte Bernard de Colbert, Ch. de Brézé, 49260 Brézé, tél. 02.41.51.62.06, fax 02.41.51.63.92 ☑ ⊤ t.l.j. 8h-11h 13h30-16h30; sam. dim. sur r.-v.

YVES DROUINEAU
Les Beaumiers 1999★★

☐   5 ha   10 000   🗓️♿ 20 à 29 F

Voilà neuf ans qu'Yves Drouineau a pris la succession de son père sur ce domaine familial existant depuis cinq générations. Il propose un 99 de belle maturité, appelé à devenir de plus en plus harmonieux avec le temps. Sous une robe soutenue à reflets dorés, le nez est élégant et fin. La concentration est perceptible dans les arômes fruités avant même qu'une matière complexe et équilibrée n'emplisse le palais.
☛ Yves Drouineau, Les Beaumiers, 3, rue Morains, 49400 Dampierre-sur-Loire, tél. 02.41.51.14.02, fax 02.41.50.32.00 ☑ ⊤ t.l.j. sf dim. 8h30-12h30 14h-18h

DOM. DE FIERVAUX
Cuvée Summum 1997*

■   1,3 ha   5 000   🗓️♿ 30 à 49 F

L'alignement des tonneaux est impressionnant dans les caves du domaine de Fiervaux, sans doute creusées au XIIᵉs. Ici, c'est un saumur élevé dix-huit mois en cuve qui est retenu. Une couleur rouge violacé l'habille, tout en laissant sur les parois du verre un disque bien évolué. A l'olfaction, des arômes épicés et torréfiés surgissent, signalant que ce vin a déjà connu une évolution. L'attaque est encore faible mais la matière s'amplifie en milieu de bouche et bénéficie d'un équilibre réussi, même si les tanins sont un peu austères. En outre, les notes d'épices persistent bien en finale.
☛ SCEA Cousin-Maitreau, 235, rue des Caves, 49260 Vaudelnay, tél. 02.41.52.34.63, fax 02.41.38.89.23, e-mail scea.cousin.maitreau@wanadoo.fr ☑ ⊤ r.-v.

DOM. FILLIATREAU
Château Fouquet 1999*

■   n.c.   n.c.   🗓️♿ 30 à 49 F

Le Château Fouquet 99 livre dans le verre sa robe rubis intense. A l'agitation, apparaissent de beaux reflets violets. Le nez est encore peu intense mais laisse deviner de la complexité à l'aération, lorsque naissent des notes de fruits rouges (fraise, notamment). En bouche, structure et arômes constituent l'épine dorsale de ce vin.

☛ Paul Filliatreau, Chaintres, 49400 Dampierre-sur-Loire, tél. 02.41.52.90.84, fax 02.41.52.49.92 ☑ ⊤ t.l.j. 8h-12h 13h30-17h30; sam. dim. sur r.-v.

CH. DE FOSSE-SECHE 1999★★

☐   1,5 ha   6 700   🗓️♿ 30 à 49 F

Ce vignoble a été décrit pour la première fois en 1238. Il dépendait alors du prieuré de Montreuil-Bellay. Aujourd'hui, fort de plus de 17 ha de vignes, il est à l'origine de ce remarquable saumur qui attire l'œil par sa teinte jaune pâle à reflets dorés. Le nez très intense dévoile de d'élégants arômes de miel et de fleurs que l'on retrouve avec grand plaisir dans une bouche riche et charpentée. La matière procure par ailleurs une sensation de fraîcheur harmonieuse. Un coup de chapeau bien mérité.
☛ EARL Keller, Fosse-Sèche, 49700 Brossay, tél. 02.41.52.22.22, fax 02.41.67.02.52, e-mail fosseseche@aol.com ☑ ⊤ t.l.j. 8h-20h

DOM. DU FUT D'OR 1999*

■   8 ha   40 000   🗓️ 20 à 29 F

Implanté sur les terroirs du Puy-Notre-Dame, au cœur de l'appellation saumur, Philippe Elliau exploite un domaine de plus de 30 ha. Ce sont les anciennes prisons de la ville de Thouars (XVᵉ et XVIᵉs.) qui servent aujourd'hui de caves. Un beau violet très profond habille ce vin. Le nez révèle des notes de fruits rouges surmûris, soulignées d'une légère touche animale. La bouche, ample et charpentée, bénéficie d'une fraîcheur aromatique surprenante. Un vin déjà plaisant mais qui supportera un vieillissement modéré.
☛ Philippe Elliau, 225, rue du Château, Sanziers, 49260 Vaudelnay, tél. 02.41.52.29.75, fax 02.41.52.29.75 ☑ ⊤ r.-v.

DOM. GERON Clos de La Tronnière 1997

○   2 ha   5 000   🗓️♿ 30 à 49 F

Un vin effervescent agréable, bien fait et léger. Derrière une robe jaune pâle classique se dévoilent des arômes discrets rappelant les fleurs blanches. La bouche, fraîche et simple, invite à servir ce saumur à l'apéritif ou sur un poisson en sauce.
☛ EARL Dom. Géron, 14, rte de Thouars, 79290 Brion-près-Thouet, tél. 05.49.67.73.43, fax 05.49.67.80.89 ☑ ⊤ r.-v.
☛ Samuel Géron

LOIRE

DOM. DES HAUTES VIGNES 1999★

☐　　　1,5 ha　　6 000　■ ♦ | 30 à 49 F |

Des terres crayeuses et blanches ont porté les vignes de chenin à l'origine de ce saumur qui réjouit l'œil par sa couleur pâle à reflets verts. Les arômes intenses expriment bien les fruits et le miel ; puis la bouche prolonge la ligne harmonique grâce à une matière riche, à la fois ronde et fraîche. Un vin agréable et élégant, à découvrir dès maintenant.

☛ SCA Fourrier et Fils, 22, rue de la Chapelle, 49400 Distré, tél. 02.41.50.21.96, fax 02.41.50.12.83 ▼ ⵊ r.-v.

DOM. DES HAUTS DE SANZIERS 1999★

☐　　　n.c.　　n.c.　| 30 à 49 F |

Les Tessier frère et sœur sont à la tête du domaine depuis 1991. Ils ont réussi dans le millésime 99 un vin de teinte printanière, fraîche et vive, égayée de reflets dorés. La palette aromatique complexe présente un grand intérêt et laisse en mémoire un caractère miellé. Après une attaque puissante mais équilibrée, la matière devient fraîche, ce qui traduit un beau travail de vinification.

☛ Tessier, 14, rue Saint-Vincent, Sanziers, 49260 Le Puy-Notre-Dame, tél. 02.41.52.26.75, fax 02.41.38.89.11 ⵊ r.-v.

CH. DU HUREAU 1998★

☐　　　2,5 ha　　9 000　■ ⎮▮⎮ ♦ | 50 à 69 F |

Philippe Vatan, ingénieur agronome, a rejoint son père Georges sur l'exploitation. Il propose dans le millésime 98 un vin jaune paille brillant, au nez complexe et intense. La bouche, ample et riche, offre une même complexité et invite à une dégustation dès aujourd'hui.

☛ Philippe et Georges Vatan, Ch. du Hureau, 49400 Dampierre-sur-Loire, tél. 02.41.67.60.40, fax 02.41.50.43.35 ▼ ⵊ r.-v.

DOM. JOULIN 1999★

☐　　　1 ha　　800　⎮▮⎮ | 30 à 49 F |

La limpidité de ce chenin est attrayante. Le nez vanillé s'accompagne de notes de fruits secs, signe d'un passage sous bois. La bouche confirme cette impression et sa matière ample supporte parfaitement le boisé.

☛ Philippe Joulin, 58, rue Emile-Landais, 49400 Chacé, tél. 02.41.52.41.84, fax 02.41.52.41.84 ▼ ⵊ r.-v.

DOM. DE LA BESSIERE 1996★★

☐　　　2 ha　　2 000　■ ♦ | 20 à 29 F |

Les curiosités ne manquent pas à Souzay-Champigny, parmi lesquelles une église du XVᵉs. et des habitations troglodytiques. On y ajoutera ce vin remarquable dans sa robe jaune paille limpide. L'élégance, la subtilité, la complexité caractérisent le nez très floral. La bouche est franche, longue et fruitée. Voilà un vin de très bonne maturité.

☛ Thierry Dézé, Dom. de La Bessière, 49400 Souzay-Champigny, tél. 02.41.52.42.69, fax 02.41.38.75.41 ▼ ⵊ r.-v.

DOM. LA BONNELIERE 1999★

☐　　　0,5 ha　　1000　■ ♦ | 20 à 29 F |

L'un des deux fils Bonneau a rejoint l'exploitation en 1999 et a participé à l'élaboration de ce vin assez pâle mais limpide et brillant. Après agitation du verre se révèlent d'agréables arômes fruités. L'équilibre gustatif contribue au caractère fort plaisant de l'ensemble.

☛ EARL Bonneau et Fils, Dom. La Bonnelière, 45, rue du Bourg-Neuf, 49400 Varrains, tél. 02.41.52.92.38, fax 02.41.52.92.38 ▼

MLLE LADUBAY Eclat Jeunes Bois 1998

○　　　n.c.　　80 000　⎮▮⎮ | 50 à 69 F |

Cette maison traditionnelle spécialisée dans l'élaboration de vins effervescents a été reprise par le groupe Taittinger en 1974. Sa cuvée, dont le vin de base a été vinifié en fût de chêne, donne une bonne image de la production saumuroise. Une impression d'harmonie et de délicatesse émane de la robe jaune pâle à reflets verts et de la fine effervescence. Aux arômes de fleurs et de grillé succède une bouche franche, harmonieuse et fraîche.

☛ Bouvet-Ladubay, 1, rue de l'Abbaye, 49400 Saint-Hilaire-Saint-Florent, tél. 02.41.83.83.83, fax 02.41.50.24.32, e-mail bouvet-ladubay@symphonie-fai.fr ⵊ t.l.j. 9h-12h 14h-18h30

DOM. DE LA GIRARDRIE 1999★

☐　　　1,5 ha　　9 000　■ ♦ | 20 à 29 F |

Les foires et les marchés ont fait connaître les vins de ce domaine. Ce vin limpide, d'un beau jaune pâle, libère un nez intense, bien assorti en notes de fruits. La bouche riche, tout aussi fruitée, persiste longtemps. Une invitation à une dégustation dès l'automne.

☛ SCEA Falloux et Fils, Dom. de La Girardrie, 1 rue Fontaine-de-Cix, 49260 Le Puy-Notre-Dame, tél. 02.41.52.25.10, fax 02.41.38.83.77 ▼ ⵊ r.-v.

DOM. DE LA GUILLOTERIE 1999

☐　　　3 ha　　19 000　■ ♦ | 30 à 49 F |

Une teinte jaune paille limpide attire le regard. Le caractère floral apparaît nettement à l'olfaction, alors qu'en bouche on perçoit une fraîcheur un peu vive en attaque, bientôt relayée par un caractère fruité qui perdure jusqu'en finale.

☛ SCEA Duveau Frères, 63, rue Foucault, 49260 Saint-Cyr-en-Bourg, tél. 02.41.51.62.78, fax 02.41.51.63.14 ▼ ⵊ r.-v.

DOM. LANGLOIS-CHATEAU 1999★

■　　　10 ha　　80 000　■ ♦ | 30 à 49 F |

Cette maison à caractère familial a été créée en 1885. A l'origine spécialisée dans la production de vins de méthode traditionnelle, elle a progressivement développé son vignoble et sa production de vins tranquilles. C'est un saumur rubis intense, typique, qu'elle propose dans le millésime 99. Le nez révèle des notes de fruits rouges associées à des caractères épicés. La bouche solidement charpentée donne à ce vin de la virilité.

↬ Langlois-Château, 3, rue Léopold-Palustre,
49400 Saint-Hilaire-Saint-Florent,
tél. 02.41.40.21.40, fax 02.41.40.21.49,
e-mail langlois.chateau@wanadoo.fr ☑ ☰ t.l.j.
10h-12h30 14h30-18h30; 1ᵉʳ nov.-1ᵉʳ avr. sur r.-v.

DOM. DE LA PALEINE 1999*

| ■ | 3 ha | 16 000 | ☰⬥ | 30 à 49 F |

La robe d'un rouge prononcé se pare de beaux
reflets violacés. Une bonne intensité se révèle à
l'olfaction, au travers des arômes de fruits puis
de violette. Au palais, le fruit s'inscrit dans une
matière ample et équilibrée. C'est un vin très
réussi, dont le nez et la bouche jouent parfaitement sur le fruité.
↬ Joël Lévi, Dom. de La Paleine,
9, rue de la Paleine, 49260 Le Puy-Notre-Dame,
tél. 02.41.52.21.24, fax 02.41.52.21.66 ☑ ☰ r.-v.

DOM. DE LA PETITE CHAPELLE 1999**

| ☐ | 3 ha | 10 000 | ☰⬥ | 30 à 49 F |

Le domaine se situe à une petite dizaine de
kilomètres de l'abbaye royale de Fontevraud,
fondée à la fin du XIᵉs. et qui reste aujourd'hui
l'ensemble monastique le plus important d'Occi-
dent. La Petite Chapelle est sans doute plus
modeste, mais ses vignes n'en donnent pas moins
un saumur blanc remarquable. La robe dorée de
ce 99 laisse une impression de fraîcheur et gagne
ainsi un côté printanier. Le nez encore discret est
d'une grande finesse, libérant une gerbe de fleurs
blanches après aération. La bouche, équilibrée,
possède ampleur et harmonie jusqu'à une finale
veloutée et fruitée.
↬ Laurent Dézé, 4, rue des Vignerons,
Champigny, 49400 Souzay-Champigny,
tél. 02.41.52.41.11, fax 02.41.52.93.48 ☑ ☰ r.-v.

DOM. DE LA SEIGNEURIE DES TOURELLES 1999*

| ■ | 10 ha | 70 660 | ☰⬥ | 20 à 29 F |

Depuis deux ans, les Dubé père et fils travaillent en partenariat avec Joseph Verdier pour
mener à bien la vinification et la commercialisation de leurs vins. 40 % de la production est vendue à l'étranger. Ce saumur très réussi et solide
devrait lui aussi franchir les frontières. Dans sa
robe rubis foncé moirée de reflets pourpres, il
apparaît concentré à l'olfaction : le nez de fruits
rouges très mûrs s'oriente vers des notes d'épices.
La bouche, elle aussi concentrée, riche et suave,
bénéficie de tanins serrés qui servent de support
aux arômes.
↬ SCEA Dubé et Fils, Messemé,
49260 Le Vaudelnay, tél. 02.41.40.22.50,
fax 02.41.40.22.60, e-mail j.verdier@wanadoo.fr
↬ Joseph Verdier

CH. LA TOUR GRISE Les Vigneaux 1999*

| ■ | 5,25 ha | 36 000 | ☰⬥ | 30 à 49 F |

Le Puy-Notre-Dame se signale par sa collégiale du XIIIᵉs. qui pointe haut ses trois flèches
au sommet d'une butte de tuffeau tapissée de
vignobles. Le château de La Tour Grise y est
implanté, avec ses 23 ha de vignes dont certaines
ont produit ce saumur d'un beau rouge intense
aux reflets bleutés. Le nez décline les fruits noirs
confiturés, accompagnés de notes grillées.

L'équilibre gustatif est amplifié par une matière
concentrée. La structure tannique encore présente s'assouplira grâce à un vieillissement de
trois ans environ.
↬ Philippe Gourdon, Ch. La Tour
Grise,1, rue des Ducs-d'Aquitaine,
49260 Le Puy-Notre-Dame, tél. 02.41.38.82.42,
fax 02.41.52.39.96 ☑ ☰ r.-v.

LOUIS DE GRENELLE Grande Cuvée**

| ○ | n.c. | 58 000 | 50 à 69 F |

Les caves de Grenelle font coup double cette
année. Deux saumur effervescents Louis de Grenelle ont en effet retenu l'attention du jury.
Celui-ci est la Grande Cuvée issue exclusivement
de chenin. Elle possède un caractère marqué tant
ses arômes sont complexes : notes de foin, de
fleurs blanches, de fruits mûrs. Elle est si fraîche
et si longue en bouche qu'elle est faite pour être
dégustée seule, à l'apéritif. Quant à la **cuvée Louis
de Grenelle classique** (30 à 49 F), elle offre un
sentiment continu de délicatesse par sa teinte
jaune paille cristalline d'abord, ses arômes de
fleurs blanches (aubépine, acacia) et de brioche
ensuite, par sa souplesse et son ampleur enfin.
Une impression de fraîcheur qui conviendra à
un accord gourmand avec des salades de fruits
ou des fruits de mer. Très réussi.
↬ Caves de Grenelle, 20, rue Marceau,
B.P. 206, 49415 Saumur Cedex,
tél. 02.41.50.17.63, fax 02.41.50.83.65 ☑ ☰ t.l.j.
9h-12h 14h-17h; f. sam. dim. 1ᵉʳ oct.-14 mai

DOMINIQUE MARTIN 1999*

| ■ | 1 ha | 5 000 | ☰⬥ | 20 à 29 F |

Dominique Martin est à la tête d'un domaine
familial de 70 ha, dont les caves creusées dans le
tuffeau ont abrité ce saumur grenat limpide. Le
nez de bonne expression mérite cependant une
aération pour dévoiler tout son fruité. Agréable
et équilibrée, la bouche repose sur une trame tannique soyeuse qui assure la persistance du vin.
↬ Dominique Martin, 20, rue du Puits-Aubert,
49260 Brézé, tél. 02.41.51.60.28,
fax 02.41.51.60.28 ☑ ☰ r.-v.

DOM. DES MATINES 1999

| ☐ | n.c. | 10 000 | 30 à 49 F |

Une belle robe dorée à reflets verts transparents chatoie dans le verre. Le nez d'une intensité remarquable. Très fleuri, voire miellé, il
trouve un bel écho dans une bouche franche à
l'attaque, puis agréablement douce. Un vin attachant.
↬ Michèle Etchegaray-Mallard,
Dom. des Matines, 31, rue de la Mairie,
49700 Brossay, tél. 02.41.52.25.36,
fax 02.41.52.25.50 ☑ ☰ r.-v.

CH. DE MONTGUERET 1999*

| ☐ | 10 ha | 70 000 | ☰⬥ | 20 à 29 F |

C'est en 1987 qu'André et Dominique Lacheteau ont succombé aux charmes de l'Anjou et de
ce château de style Napoléon III qui associe le
tuffeau, le schiste et la brique. Le domaine
comprend 100 ha, dont 75 ha dans le haut Layon
et le reste en Saumurois. L'œil de son saumur 99
est vif, clair et limpide. Le nez révèle des notes
exotiques et notamment d'ananas. Très équili-

LOIRE

brée, la bouche a gardé une pointe de gaz carbonique qui donne au vin de la vivacité et une
certaine présence.
☙ SCEA Ch. de Montguéret, 49560 Nueil-sur-
Layon, tél. 02.41.59.26.26, fax 02.41.59.01.94,
e-mail lacheteau.export@symphonie.fai.fr ☑
☙ A. Lacheteau

CH. MONTREUIL-BELLAY 1999

| ■ | 6,5 ha | 30 000 | ▮ ♦ | 20 à 29 F |

Montreuil-Bellay est une charmante ville
d'aspect médiéval avec son enceinte commencée
au XIIIᵉs. et achevée deux cents ans plus tard,
ses petites rues, ses maisons anciennes et, bien
sûr, son château qui figure sur l'étiquette de ce
saumur. C'est un vin rouge profond animé de
nuances violettes qui est ici présenté. A l'olfaction, les arômes sont encore très timides, et leur
expression sera favorisée par une aération.
L'équilibre est bien présent en bouche, la finale
s'étirant assez longuement sur des notes d'épices.
☙ Brasier de Thuy, Ch. Montreuil-Bellay,
49260 Montreuil-Bellay, tél. 02.41.52.33.06,
fax 02.41.52.37.70 ☑ ⵣ r.-v.

DOM. DU MOULIN 1999

| ☐ | 1,5 ha | 10 000 | ▮ | 20 à 29 F |

Les origines du moulin qui donne son nom à
ce domaine remontent au XIVᵉs. Endommagé au
moment de la Révolution, l'édifice fut reconstruit au XIXᵉs. et restauré en 1985 pour servir de
caveau de dégustation. Vous y découvrirez un
saumur jaune paille qui délivre un nez riche et
complexe rappelant étonnamment la compote
d'agrumes. La bouche ample témoigne d'un beau
potentiel de garde et promet de trouver à terme
toute son harmonie.
☙ SCEA Marcel Biguet, 5, pl. de la Paleine,
49260 Le Puy-Notre-Dame, tél. 02.41.52.26.68,
fax 02.41.38.85.64, e-mail sbiguet@terre-net.fr
☑ ⵣ r.-v.

DOM. DU MOULIN DE L'HORIZON
Cuvée Symphonie 1999

| ■ | 1,6 ha | 9 600 | ▮ ♦ | 20 à 29 F |

La tempête de cet hiver a détruit le moulin à
vent qui, du haut de sa colline, veillait sur ce
vignoble de 30 ha. C'est encore sous ses auspices
que les vignes de cabernet franc, enracinées dans
un sol argilo-calcaire, ont produit ce saumur
rubis intense. Les fruits rouges, la groseille
notamment, marquent le nez, tandis qu'une note
épicée apparaît après aération. La bouche reste
dans la même ligne plaisante : la groseille et le
poivron se complètent bien dans ce vin prêt à
boire.
☙ Jacky Clée, 1, rue du Lys, Sanziers, 49260 Le
Puy-Notre-Dame, tél. 02.41.52.24.96,
fax 02.41.52.48.39 ☑ ⵣ r.-v.

NEMROD

| ○ | 2 ha | 5 000 | ▮ ♦ | 30 à 49 F |

La première impression à la dégustation de ce
saumur est celle de l'exubérance : dans la robe
jaune intense s'élèvent des bulles assez fines et
persistantes qui favorisent la montée des arômes
de fruits blancs, de pêche et de miel. La bouche
est plus simple avec sa finale assez brève, mais
laisse une sensation fruitée agréable.

☙ Jean Douet, Ch. des Rochettes,
49700 Concourson-sur-Layon,
tél. 02.41.59.11.51, fax 02.41.59.37.73 ☑ ⵣ r.-v.

DOM. DE NERLEUX 1999★

| ☐ | 10 ha | 16 000 | ▮ ♦ | 50 à 69 F |

Nerleux est une belle demeure du XVIIIᵉs.,
sise sur la commune de Saint-Cyr-en-Bourg
connue pour exploiter l'une des dernières carrières de tuffeau. Régis Neau propose un vin jaune
doré du plus bel effet dans le verre. Le nez, finement fleuri, est en parfaite harmonie avec une
bouche fraîche, de structure agréable.
☙ Régis Neau, 4, rue de la Paleine,
49260 Saint-Cyr-en-Bourg, tél. 02.41.51.61.04,
fax 02.41.51.65.34, e-mail rneau@terre-net.fr
☑ ⵣ t.l.j. 8h-12h 14-18h; sf sam. dim. 8h-12h

DOM. DE ROCFONTAINE 1999★★

| ☐ | 1 ha | 5 000 | ▥ | 20 à 29 F |

Les ornithologues qui viennent observer les
colonies de mouettes rieuses et de sternes de passage sur l'îlot de Parnay se laisseront-ils distraire
par une visite au domaine de Rocfontaine ? Ils
pourraient y goûter ce remarquable saumur. Derrière les beaux reflets dorés apparaît un nez
intense et ample, composé d'arômes de fruits et
de miel. La fraîcheur, l'équilibre et la persistance
de la bouche font de ce vin un plaisir automnal.
☙ Philippe Bougreau, Dom. de Rocfontaine,
7, ruelle des Bideaux, 49730 Parnay,
tél. 02.41.51.46.89, fax 02.41.38.18.61 ☑ ⵣ r.-v.

DOM. DE SAINT-JUST
La Coulée de Saint-Cyr 1999★

| ☐ | 3 ha | 10 000 | ▥ | 70 à 99 F |

Après vingt-cinq ans passés dans la finance,
Yves Lambert s'est tourné vers le vignoble saumurois en reprenant la propriété de ses beaux-
parents. A la tête de 32 ha de vignes, il a élaboré
un 99 limpide, jaune paille à reflets dorés. Encore
discret, le nez n'en est pas moins agréable et
complexe par ses tonalités florales. L'attaque
fraîche laisse place en bouche à une matière
structurée et équilibrée qui contribue à la réussite
de ce vin à découvrir.
☙ Yves Lambert, Dom. de Saint-Just,
12, rue Prée, 49260 Saint-Just-sur-Dive,
tél. 02.41.51.62.01, fax 02.41.67.94.51,
e-mail domaine-de-saint-just@wanadoo.fr
☑ ⵣ t.l.j. 9h-12h 14h-17h

DOM. DES SANZAY 1999★★

| ☐ | 0,5 ha | 3 000 | | 30 à 49 F |

Varrains a tout le charme des villages de viticulteurs, avec ses rues bordées de porches. Dans
la Grand-Rue, on peut admirer une belle fuie
carrée à toit pyramidal en tuffeau. De là, quelques pas conduiront chez Didier Sanzay. La
cuvée 99, jaune pâle limpide, bénéficie d'un nez
intense, ouvert. Sa bouche ample et élégante
garde cette même complexité aromatique jusqu'à
une remarquable finale. L'impression d'équilibre
caractérise la dégustation.
☙ Didier Sanzay, Dom. des Sanzay, 93, Grand-
Rue, 49400 Varrains, tél. 02.41.52.91.30,
fax 02.41.52.45.93 ☑ ⵣ r.-v.

CAVE DES VIGNERONS DE SAUMUR Réserve des vignerons 1999★

■ 200 ha 1 000 000 🍷⚓ 20 à 29 F

Les impressionnantes caves de cette coopérative créée en 1957 se visitent en voiture de tourisme tant elles sont vastes. Le millésime 99 est marqué par une belle réussite en saumur. Rouge cerise limpide, brillant de reflets violacés, ce vin fait la part belle aux fruits noirs au premier nez, puis prend un caractère empyreumatique. La bouche équilibrée se prolonge sur une trame de tanins fondus et soyeux, jusqu'à une finale fruitée persistante. Une cuvée très harmonieuse.
☛Cave des Vignerons de Saumur,
rte de Saumoussay, 49260 Saint-Cyr-en-Bourg, tél. 02.41.53.06.06, fax 02.41.53.06.10 ☑ ⵊ r.-v.

MICHEL SUIRE 1999★

☐ 3,5 ha 7 000 20 à 29 F

La robe jaune pâle de faible intensité apparaît entourée d'un disque vert franc et limpide. Ce saumur livre au nez une note fraîche, légèrement acidulée, puis en bouche une matière agréable. Assez intense, celle-ci peut compter sur une charpente intéressante et s'étire dans une bonne longueur.
☛Michel Suire, 12, rue des Perrières, Pouant, 86120 Berrie, tél. 05.49.22.92.61,
fax 05.49.22.57.56 ☑ ⵊ t.l.j. sf dim. 10h-19h; f. 15 août-15 sept.

VEUVE AMIOT Cuvée Haute Tradition

○ n.c. 123 000 30 à 49 F

Aujourd'hui filiale de la Compagnie française des Grands Vins, Veuve Amiot a été rachetée par le groupe Martini. Cette cuvée jaune pâle à l'effervescence tumultueuse réserve de discrets arômes de foin et de fruits blancs. En bouche, le développement agréable trouve sa conclusion dans une finale dominée par les notes de fleurs blanches. A servir bien frais à l'apéritif.
☛SAS Veuve Amiot, B.P. 67, Saint-Hilaire-Saint-Florent, 49400 Saumur Cedex,
tél. 02.41.83.14.14, fax 02.41.50.17.66 ☑ ⵊ t.l.j. 10h-18h

DOM. DU VIEUX BOURG 1999

☐ 0,92 ha 7 000 🍷⦿⚓ 30 à 49 F

De leurs vignes de chenin implantées sur sols argilo-sableux, Jean-Marie et Noël Girard ont tiré un vin jaune pâle limpide, dont le nez fin et délicat livre des notes miellées. La bonne structure laisse une impression plaisante d'équilibre en bouche, bien que l'ensemble manque encore un peu de rondeur.
☛Dom. du Vieux Bourg, 30, Grand-Rue, 49400 Varrains, tél. 02.41.52.91.89,
fax 02.41.52.42.43 ☑ ⵊ r.-v.

DOM. DU VIEUX PRESSOIR 1999

■ 9 ha 55 000 🍷⚓ 20 à 29 F

Le domaine du Vieux Pressoir est une valeur sûre du Saumurois. Il présente un saumur rouge aux multiples reflets bleutés rappelant la pivoine. Encore timide, il mérite d'être aéré pour révéler ses agréables notes de fruits rouges. La bouche attaque de belle manière, se poursuit sur des tanins encore un peu pointus avant de s'achever sur une bonne persistance fruitée.
☛Bruno Albert, 235, rue du Château-d'Oiré, Messemé-Oiré, 49260 Vaudelnay,
tél. 02.41.52.21.78, fax 02.41.38.85.83 ☑ ⵊ r.-v.

DOM. DU VIEUX TUFFEAU Coulée de la Cerisaie 1999★

■ 5,11 ha 7 500 🍷⚓ 20 à 29 F

Au Vieux Tuffeau, quelque 10 000 m² ont été creusés sous terre il y a plusieurs siècles. Le site est aujourd'hui connu et de plus en plus visité. Une bonne idée de promenade au Puy-Notre-Dame qui permettra de découvrir un saumur rubis d'une grande limpidité. Le fruité est la note dominante de ce vin encore sur la réserve au nez. Dès la mise en bouche, on perçoit une matière fraîche qui développe bien ses arômes. La finale est sans doute encore marquée par les tanins, mais ceux-ci ne demandent qu'à s'arrondir.
☛Christian Giraud, Les Caves,
212, rue de la Cerisaie,
49260 Le Puy-Notre-Dame, tél. 02.41.52.27.41, fax 02.41.52.26.07 ☑ ⵊ t.l.j. sf dim. 9h-12h30 13h30-19h; groupes sur r.-v.

CH. DE VILLENEUVE Les Cormiers 1998

☐ 3 ha 8 000 ⦿⦿ 70 à 99 F

Le château du XIXᵉs. se trouve près d'une demeure d'époque Renaissance. Avec un parc et un vignoble de 25 ha sur le plateau, il offre une vision de paix. Les vins s'inscrivent bien dans ce cadre harmonieux. Voyez ce 98 jaune paille, si franc dans ses évocations aromatiques aux accents vanillés agréables. La bouche vive présente des nuances de grillé avant de laisser au dégustateur le souvenir d'une longue finale gourmande.
☛SCA Chevallier, Ch. de Villeneuve,
49400 Souzay-Champigny, tél. 02.41.51.14.04, fax 02.41.50.58.24 ☑ ⵊ t.l.j. sf dim. 9h-12h 14h-18h

Cabernet de saumur

Bien qu'elle ne représente que de faibles volumes (5 623 hl en 1999), l'appellation cabernet de saumur tient bien sa place par la finesse de ce cépage, élaboré en rosé et cultivé sur des terrains calcaires.

DOM. DES SANZAY 1999★

◣ 0,6 ha 3 500 🍷⚓ 20 à 29 F

Cette exploitation produit principalement des saumur-champigny, mais réserve traditionnellement quelques pieds de cabernet pour ce vin rosé. C'est une chance, car cela permet de découvrir un vin tout en discrétion qui s'exprime peu à peu à l'aération. La robe rose pâle a la délicatesse et la légèreté des arômes de fruits rouges ; la bouche est agréable et harmonieuse. Un bon représentant de son appellation.

LOIRE

� Didier Sanzay, Dom. des Sanzay, 93, Grand-Rue, 49400 Varrains, tél. 02.41.52.91.30, fax 02.41.52.45.93 ☑ ⌐ r.-v.

TERRASSES DE SAUMUR 1999

◢	6 ha	35 000	🍴 🍷	20 à 29 F

Un vin simple, bien fait, rafraîchissant, à la robe rose pâle, aux arômes légers de fruits rouges, à la bouche équilibrée et discrète. A boire sur des salades.

➤ SA Lacheteau, ZI La Saulaie, 49700 Doué-la-Fontaine, tél. 02.41.59.26.26, fax 02.41.59.01.94, e-mail lacheteau.export@symphonie.fai.fr

Saumur-champigny

En circulant dans les villages aux rues étroites du Saumurois, vous accéderez au paradis dans les caves de tuffeau qui abritent de nombreuses vieilles bouteilles. Si l'expansion de ce vignoble (1 300 ha) est récente, les vins rouges de Champigny sont connus depuis plusieurs siècles. Produits sur neuf communes, à partir du cabernet franc (ou breton), ils sont légers, fruités, gouleyants. La production a été de 84 908 hl en 1999. La cave des vignerons de Saint-Cyr-en-Bourg n'a pas été étrangère au développement du vignoble.

CLOS DU BOIS MOZE
Vieilles vignes 1999

■	1 ha	4 000	🍴	30 à 49 F

Patrick Pasquier a repris en 1994 le domaine de 6 ha créé en 1955 par ses parents. Ce 99 est issu de ceps de quarante-cinq ans. La robe, d'un beau rubis franc, est attirante. Le nez, discret, joue sur le registre des petits fruits rouges bien mûrs. Si l'attaque apparaît souple et ronde, la fin de bouche se montre bien structurée. On y retrouve les fruits mûrs. Un vin harmonieux et équilibré.

➤ Patrick Pasquier, 9, rue du Bois-Mozé, 49400 Chacé, tél. 02.41.52.42.50, fax 02.41.52.59.73 ☑ ⌐ r.-v.

DOM. DES BONNEVEAUX
Vieilles vignes 1999★

■	5 ha	30 000	🍴 🍷	30 à 49 F

Camille Bourdoux est venu à la vigne depuis une dizaine d'années et, déjà, les résultats sont là. Sa cuvée Vieilles vignes se présente dans une belle robe profonde aux reflets violets étincelants. Si le nez est encore fermé, il laisse poindre des notes de fruits noirs (mûre...) que l'on retrouve en bouche, signe d'une évolution précoce. Un vin structuré, ample et plaisant.

➤ Camille Bourdoux, 79, Grand-Rue, 49400 Varrains, tél. 02.41.52.94.91, fax 02.41.52.99.24 ☑ ⌐ r.-v.

CH. DE CHAINTRES 1999★

■	17 ha	100 000	🍴 🍷	30 à 49 F

Le château, qui fut un prieuré des Oratoriens en 1675, a fière allure dans son clos planté de cabernet franc et ceint de murs blancs. Les caves, aménagées sur plusieurs étages, permettent l'élevage en fût. La qualité des vins répond au caractère imposant des lieux, à en juger par ce 99. La robe est profonde, grenat soutenu. A l'agitation, des reflets violacés tapissent les parois du verre. Le nez est très discret, mais un fruité évocateur de cerise surgit à l'aération. L'attaque apparaît souple, fraîche sans excès. La finale, légèrement tannique, s'affinera avec le temps.

➤ SA Dom. viticole de Chaintres, 49400 Dampierre-sur-Loire, tél. 02.41.52.90.54, fax 02.41.52.99.92, e-mail chaintres@wanadoo.fr ☑ ⌐ t.l.j. 8h-12h 14h-18h; f. 25 déc.-1er janv.
➤ M. de Tigny

DOM. DES CHAMPS FLEURIS 1999★★

■	22 ha	80 000	🍴 🍷	30 à 49 F

Cette coquette exploitation (25 ha) a rénové sa cave de vinification il y a cinq ans, investissement qui porte ses fruits. Voyez ce 99 : d'un pourpre vif et brillant, il offre un nez ample et intense, fait de fruits rouges et de cassis compotés. Bien équilibré, il emplit le palais de sa rondeur. Sa charpente s'accompagne d'un côté charnu fort plaisant qui laisse une très bonne impression finale. Une remarquable réussite pour le millésime.

➤ Rétiveau-Rétif, 50-54, rue des Martyrs, 49730 Turquant, tél. 02.41.38.10.92, fax 02.41.51.75.33 ☑ ⌐ r.-v.

DOM. DES COUTURES 1999★

■	9,75 ha	15 000	🍴 🍷	30 à 49 F

Dans la même famille depuis cinq générations, cette exploitation de 15 ha propose un 99 de belle facture, paré d'une robe brillante, d'un rubis intense très attirant. Le nez possède beaucoup de fruit et de fraîcheur. Après une attaque très harmonieuse, la bouche apparaît structurée, la matière bien présente et la finale tannique très fine. Un ensemble élégant à découvrir.

➤ SCA Nicolas et Fils, rue des Martyrs, 49730 Turquant, tél. 02.41.38.11.29, fax 02.41.38.11.29 ☑ ⌐ t.l.j. sf dim. 8h-13h 14h-18h; f. 10-31 août

YVES DROUINEAU Les Beaumiers 1999★

■	16 ha	60 000	🍴 🍷	30 à 49 F

Cette exploitation familiale de 21 ha, dont l'origine remonte à 1722, est régulièrement mentionnée pour ses saumur blanc et saumur-champigny, parfois aux meilleures places. Une belle robe rubis profond habille ce 99. Le nez est élégant, frais, axé sur un fruité où ressortent la fraise et la cerise. La bouche est ample, longue, et d'un équilibre qui rend ce vin très harmonieux.

🐦 Yves Drouineau, Les Beaumiers,
3, rue Morains, 49400 Dampierre-sur-Loire,
tél. 02.41.51.14.02, fax 02.41.50.32.00 ☑ Ⴤ t.l.j.
sf dim. 8h30-12h30 14h-18h

DOM. FILLIATREAU 1999★★

| | n.c. | n.c. | ▪ ⚘ | 30 à 49 F |

Viticulteurs de père en fils depuis trois générations, les Filliatreau ont souvent présenté de fort beaux saumur-champigny (le 96 avait fait sensation). Celui-ci, enveloppé d'une robe profonde, grenat à reflets violacés, fait d'emblée bonne impression. L'olfaction révèle des fruits compotés, avec des touches empyreumatiques, et l'aération fait merveille. L'attaque est ronde, ample, somptueuse. Très présents mais bien enrobés, les tanins soutiennent longuement la finale. Puissance, harmonie, velouté, les trois mots clés de ce vin de tuffeau.
🐦 Paul Filliatreau, Chaintres,
49400 Dampierre-sur-Loire, tél. 02.41.52.90.84,
fax 02.41.52.49.92 ☑ Ⴤ t.l.j. 8h-12h
13h30-17h30; sam. dim. sur r.-v.

DOM. FOUET 1999★

| | 1,5 ha | 10 000 | ▪ | 30 à 49 F |

Julien Fouet travaille depuis deux ans en collaboration avec son père Patrice qui exploite depuis vingt-cinq ans le domaine familial. Leur saumur-champigny vous accueille « à bras ouverts » avec sa robe intense, rubis à grenat et son nez expressif d'où surgit immédiatement un fruité de fraise. Après cette olfaction intéressante, la bouche apparaît légère, puis on note une belle progression de tanins mûrs enrobés de fruits, impressions qui persistent longuement dans une finale des plus harmonieuses.
🐦 Fouet, 3, rue de la Judée, 49260 Saint-Cyr-en-Bourg, tél. 02.41.51.60.52, fax 02.41.67.01.79 ☑ Ⴤ t.l.j. sf dim. 8h-12h 14h-18h

DOM. DES HAUTES VIGNES 1999

| | 2,5 ha | 20 000 | ▪ ⚘ | 30 à 49 F |

Elevé dans des caves taillées dans le calcaire, le saumur-champigny des Fourrier apparaît vif à l'œil, d'un rouge clair avenant. Le nez léger est caractéristique du cabernet franc dans ce millésime. Agréable, fine, équilibrée, sans présence tannique, la bouche fait preuve en finale d'une persistance soyeuse.
🐦 SCA Fourrier et Fils, 22, rue de la Chapelle, 49400 Distré, tél. 02.41.50.21.96,
fax 02.41.50.12.83 ☑ Ⴤ r.-v.

CH. DU HUREAU
Cuvée des Fevettes 1999★★★

| | 2 ha | 10 000 | ▪ 🍶 ⚘ | 50 à 69 F |

Les caves de Philippe et Georges Vatan s'enfoncent sous les vignes du plateau dans le calcaire turonien. Elles recèlent de superbes cuvées qui, presque tous les ans, décrochent un coup de cœur. C'est le cas de ces Fevettes 99, qui prennent dignement la suite du 96. Loin d'être à l'image du « Hureau », le vieux sanglier solitaire qui est l'emblème du domaine, ce 99, rubis profond aux éclats violacés, a séduit par l'extrême délicatesse de son nez de petits fruits rouges confiturés. La bouche offre une suite somp-

tueuse, ample, grasse, très concentrée. Un ensemble exceptionnel.

🐦 Philippe et Georges Vatan, Ch. du Hureau,
49400 Dampierre-sur-Loire, tél. 02.41.67.60.40,
fax 02.41.50.43.35 ☑ Ⴤ r.-v.

DOM. DE LA BESSIERE 1999

| | 12 ha | 25 000 | ▪ ⚘ | 30 à 49 F |

D'abord, on gravit une rue à flanc de coteau, dominée par le manoir Renaissance de Marguerite d'Anjou ; puis on pénètre dans une cave troglodytique, cathédrale de tuffeau où murissent les saumur-champigny du domaine. Ce 99 présente une robe légère, couleur cerise, et un nez fruité, caractéristique du cabernet franc, évocateur de petits fruits rouges mûrs avec quelques accents vanillés. L'attaque apparaît souple, tendre, sans tanins apparents, et le fruité ressort en rétro-olfaction. Un vin gouleyant à servir frais pour mettre en valeur ce fruité.
🐦 Thierry Dézé, Dom. de La Bessière,
49400 Souzay-Champigny, tél. 02.41.52.42.69,
fax 02.41.38.75.41 ☑ Ⴤ r.-v.

DOM. LA BONNELIERE 1999★

| | 5 ha | 20 000 | ▪ ⚘ | 30 à 49 F |

Le « caveau Saint-Vincent », créé par M. et Mme Bonneau, est devenu « domaine de La Bonnelière » en 1995 et s'est considérablement agrandi depuis sa création en 1972. En 1999, année de l'installation d'un de leurs fils, l'exploitation comptait quelque 20 ha. D'un beau rouge vif, très lumineux, ce 99 apparaît léger et frais à l'œil. Encore timide, le nez révèle des notes fruitées. La bouche est souple et équilibrée. L'élégance du raisin bien mûr transparaît dans ce vin très réussi.
🐦 EARL Bonneau et Fils, Dom. La Bonnelière,
45, rue du Bourg-Neuf, 49400 Varrains,
tél. 02.41.52.92.38, fax 02.41.52.92.38 ☑

DOM. DE LA CUNE Charl'Anne 1999★

| | 3 ha | 15 000 | ▪ ⚘ | 30 à 49 F |

Les Mary ont façonné de leurs mains ce vignoble (14 ha) dont les pentes s'étagent devant leur demeure. Ce saumur-champigny reflète le sérieux de leur travail dans les vignes. Sa robe soutenue révèle une belle extraction des composés nobles de la baie. Le nez possède la fraîcheur du fruit rouge. Des tanins jeunes mais souples procurent de belles sensations gustatives. Un ensemble équilibré et harmonieux.
🐦 Jean-Luc et Jean-Albert Mary, Chaintres,
49400 Dampierre-sur-Loire, tél. 02.41.52.91.37,
fax 02.41.52.44.13 ☑ Ⴤ t.l.j. sf dim. 8h-12h
14h-19h

DOM. DE LA GUILLOTERIE 1999★

■   25 ha   50 000   ■ ↓   30 à 49 F

J.-C. Duveau est le président du syndicat historique du Saumurois, le syndicat des Côtes de Saumur. Le saumur-champigny est le fleuron de l'exploitation. Ce 99 a revêtu une robe légère mais suffisante qui sied à son caractère gai et printanier. L'olfaction est fine, élégante, subtile, toute de petits fruits rouges des bois. En bouche ce vin est agréable, avec une structure tannique bien présente. Typique et bien vinifié, compte tenu du millésime, il laisse une finale séduisante.
☛ SCEA Duveau Frères, 63, rue Foucault, 49260 Saint-Cyr-en-Bourg, tél. 02.41.51.62.78, fax 02.41.51.63.14 ☑ ⵒ r.-v.

LA SEIGNERE Clos de la Seignère 1999★★

■   5,4 ha   25 000   ■ ↓   30 à 49 F

Yves Drouineau a acquis en 1998 La Seignère, vignoble de 7,60 ha d'un seul tenant en situation de coteau. Pratiquant de petits rendements (45 hl/ha), il a remarquablement réussi cette cuvée. La couleur est soutenue, avec des reflets brillants. Le nez s'ouvre à l'agitation, développant des nuances florales (rose). L'attaque est ronde, souple, onctueuse au palais. Un vin bien équilibré, de belle harmonie, qui doit son ampleur au terroir de tuffeau qui lui a donné naissance.
☛ EARL Yves Drouineau, La Seignère, 3, rue Morains, 49400 Dampierre-sur-Loire, tél. 02.41.51.14.02, fax 02.41.50.32.00 ☑ ⵒ t.l.j. sf dim. 8h30-12h30 14h-18h

DOM. LAVIGNE Les Aïeules 1999★

■   5 ha   40 000   ■ ↓   30 à 49 F

A la tête d'une exploitation de près de 30 ha, Gilbert Lavigne est un habitué du Guide, notamment à travers cette cuvée des Aïeules. La robe du 99 est d'un beau rubis franc avec des nuances grenat. Le nez, encore discret, libère des parfums subtils de fruits rouges et de fleurs (iris, pivoine). La bouche se montre équilibrée et fraîche ; on y sent le raisin de cabernet franc bien mûr. Sa structure tannique, sa richesse et ses arômes concourent à son harmonie. L'assemblage des vendanges de terroir a été particulièrement réussi.
☛ SCA Lavigne, 15, rue des Rogelins, 49400 Varrains, tél. 02.41.52.92.57, fax 02.41.52.40.87, e-mail domaine.lavigne@groupesirius.com ☑ ⵒ r.-v.
☛ Gilbert Lavigne

RENE-NOEL LEGRAND
Les Terrages 1999★★

■   2 ha   12 000   ◍   30 à 49 F

René-Noël Legrand est un artiste en vins qui restitue chaque année le caractère du millésime marqué par le climat. Il vinifie des saumur-champigny complexes et distingués, tout en dentelle. Celui-ci, très gai, se pare d'une robe grenat soutenu à reflets violacés. Le nez est complexe et puissant ; les notes de fruits rouges confiturés bien mûrs lui donnent un caractère concentré. L'attaque est onctueuse, sans nervosité, ample, tout en douceur. Une finale réglissée conclut la dégustation de ce remarquable vin de tuffeau.

☛ René-Noël Legrand, 13, rue des Rogelins, 49400 Varrains, tél. 02.41.52.94.11, fax 02.41.52.49.78 ⵒ r.-v.

LE PETIT SAINT VINCENT 1999★

■   2,5 ha   14 000   ■   30 à 49 F

Dominique Joseph a repris en 1990 l'exploitation familiale de 12 ha située sur un coteau dominant la vallée de la Loire. Le patronage de Saint-Vincent et un savoir-faire confirmé par des mentions régulières dans le Guide ont permis l'élaboration de cette cuvée d'une très belle couleur, grenat écarlate. L'olfaction est attirante, puissante, tout en fruits rouges confiturés. L'attaque, volumineuse, est suivie d'une progression tannique qui confie au palais un caractère un peu austère. Grâce à son volume, ce caractère devrait s'estomper au cours du vieillissement.
☛ Dominique Joseph, 10, rue des Rogelins, 49400 Varrains, tél. 02.41.52.99.95, fax 02.41.38.75.76, e-mail djoseph@terre-net.fr ☑ ⵒ t.l.j. sf dim. 9h-18h; sam. sur r.-v.

DOM. LES MERIBELLES
Cuvée Vieilles vignes 1999★

■   3 ha   20 000   ■   30 à 49 F

Créée en 1984, l'exploitation est située sur la route touristique des Vins. Le vigneron privilégie la souplesse, la gouleyance et le fruité, témoin ce 99 à la robe attrayante, grenat à reflets écarlates, complexe et riche au nez avec ses arômes de fruits mûrs compotés assortis de notes fumées. L'attaque est souple et fraîche, la structure harmonieuse. Un vin tout en fruit et une belle expression du raisin.
☛ Jean-Yves Dézé, 14, rue de la Bienboire, 49400 Souzay-Champigny, tél. 02.41.67.46.64, fax 02.41.67.73.77 ☑ ⵒ r.-v.

CH. DU MARCONNAY 1999

■   9,47 ha   37 000   ■   30 à 49 F

Hervé Goumain a repris en 1997 le vignoble de son grand-père. Il dispose de près de 10 ha de vignes, d'une cave taillée dans le roc et d'une demeure troglodytique du XVᵉs. Son saumur-champigny affiche une robe assez soutenue, à reflets violets. Le nez livre d'intenses notes de fruits noirs. La bouche est bien structurée, dotée de tanins très présents qui laissent présager une bonne évolution. Les arômes persistent longuement.
☛ Hervé Goumain, Ch. du Marconnay, 49730 Parnay, tél. 02.41.50.08.21, fax 02.41.50.23.04, e-mail marconnay@wanadoo.fr ☑ ⵒ t.l.j. 10h-12h30 14h30-18h; 15 nov.-15 mars sur r.-v.

DOM. DE NERLEUX Les Chatains 1999★

■   10 ha   30 000   ■   30 à 49 F

C'est un plaisir que de se trouver, le porche franchi, face à la belle demeure du XVIIIᵉs. commandant le domaine. Le tuffeau, qui a donné naissance à ce saumur-champigny, est encore exploité dans une carrière proche. Ce 99 est enveloppé dans une robe plaisante, rubis au disque écarlate. Le nez aux accents de cabernet franc très mûr, de violette et d'iris révèle un raisin de qualité bien travaillé. La bouche structurée dévoile une matière concentrée et des tanins bien présents, qui devraient s'enrober : le gage d'une belle longévité.

☛ Régis Neau, 4, rue de la Paleine, 49260 Saint-Cyr-en-Bourg, tél. 02.41.51.61.04, fax 02.41.51.65.34, e-mail rneau@terre-net.fr ☑ Ⴈ t.l.j. 8h-12h 14-18h; sf sam. dim. 8h-12h

DOM. LES PETITES MARIGROLLES
1999

■	6 ha	n.c.	■ ⚱ 20 à 29 F

Revenu à la vigne et au vin, Christian Joseph a installé des cuves de macération en Inox, sans négliger la cave et les fûts de ses ancêtres, pour vinifier un saumur consistant et concentré. Son 99 se pare d'une robe rubis à reflets violets. La richesse du nez, évocateur de fruits rouges à l'eau-de-vie, apporte la puissance que l'on retrouve en bouche, avec une structure tannique très présente et de la chair. Un vin à attendre pour lui permettre de gagner en fondu.

☛ Christian Joseph, 12, rue de la Mairie, 49400 Varrains, tél. 02.41.52.94.43, fax 02.41.52.94.53 ☑ Ⴈ r.-v.

DOM. DES RAYNIERES 1999

■	2 ha	14 000	■ 20 à 29 F

J.-P. Rebeilleau dispose de belles cuveries qui donnent des saumur-champigny aux arômes de cassis, framboise et autres fruits rouges, mais aussi des tonneaux et fûts en cave pour produire des vins au bouquet de fruits confits et de pruneau. Ce 99 est du premier type : la robe est vive, claire, transparente. Le nez, encore bien timide, libère après agitation d'élégants parfums de fruits rouges. La bouche fine révèle une structure légère. Un vin de printemps qui sera apprécié bien frais.

☛ Jean-Pierre Rebeilleau, SCEA Dom. des Raynières, 33, rue du Ruau, 49400 Varrains, tél. 02.41.52.95.17, fax 02.41.52.48.40 Ⴈ r.-v.

DOM. DE ROCFONTAINE
Cuvée des vieilles vignes 1999★★

■	3 ha	13 000	■ ⚱ 30 à 49 F

Philippe Bougreau, qui a repris l'exploitation familiale en 1987, est à la tête de 13 ha de vignes. Son saumur-champigny a conquis le jury, avec sa robe intense, rubis foncé, et son nez dense, complexe, très marqué par le fruit noir. Volumineux en bouche, gras, il a de la mâche et une grande persistance. Il est un peu fermé actuellement mais possède un beau potentiel.

☛ Philippe Bougreau, Dom. de Rocfontaine, 7, ruelle des Bideaux, 49730 Parnay, tél. 02.41.51.46.89, fax 02.41.38.18.61 ☑ Ⴈ r.-v.

DOM. SAINT-JEAN Vieilles vignes 1999

■	2 ha	19 000	■ ⚱ 30 à 49 F

Cette coquette exploitation familiale (24 ha) se transmet de génération en génération depuis le début du XXᵉs. Sa cuvée Vieilles vignes affiche une robe intense, profonde, d'un beau grenat franc. Le nez, encore discret, laisse poindre des notes de fruits rouges où ressort la cerise. L'attaque est légère, marquée par des tanins encore un peu astringents qui devront s'affiner.

☛ Jean-Claude Anger, 16, rue des Martyrs, 49730 Turquant, tél. 02.41.38.11.78, fax 02.41.51.79.23 ☑ Ⴈ r.-v.

DOM. DE SAINT-JUST
La montée des Roches 1999★

■	4 ha	10 000	⦀ 70 à 99 F

Cette propriété familiale (32 ha) a été reprise par Yves Lambert en 1996, après une carrière dans la finance. Le nouveau vigneron souhaite faire des vins de haut de gamme afin de valoriser l'image du Saumurois. Cet objectif est atteint avec ce 99 d'une belle intensité lumineuse, aux nuances rubis très soutenues. Le nez puissant évoque de la marmelade de fruits rouges. La bouche, équilibrée, gouleyante, révèle une structure tannique soyeuse. La finale est harmonieuse avec un boisé bien fondu. A signaler, le coup de cœur obtenu par les deux millésimes précédents.

☛ Yves Lambert, Dom. de Saint-Just, 12, rue Prée, 49260 Saint-Just-sur-Dive, tél. 02.41.51.62.01, fax 02.41.67.94.51, e-mail domaine-de-saint-just@wanadoo.fr ☑ Ⴈ t.l.j. 9h-12h 14h-17h

DOM. DES SANZAY 1999

■	3 ha	20 000	■ ⚱ 30 à 49 F

Didier Sanzay a repris en 1991 le domaine familial. Il exploite 27 ha de vignes. La robe de son 99 est grenat brillant, d'une belle vivacité. Le nez, encore timide, laisse échapper à l'agitation des parfums pleins de finesse et d'élégance. La bouche agréable, bien équilibrée, fait preuve d'une ampleur correcte pour le millésime.

☛ Didier Sanzay, Dom. des Sanzay, 93, Grand-Rue, 49400 Varrains, tél. 02.41.52.91.30, fax 02.41.52.45.93 ☑ Ⴈ r.-v.

CAVE DES VIGNERONS DE SAUMUR Lieu-dit Les Poyeux 1999★

■	14 ha	72 000	■ ⚱ 30 à 49 F

Les caves, impressionnantes, se visitent en voiture de tourisme ! Les vins y sont extrêmement soignés. Celui-ci présente une robe profonde, aux reflets rubis très attrayants. Le nez, intense, associe les fruits rouges et les fleurs douces (iris, violette...). La bouche, souple, révèle des tanins qui accrochent encore. Elle possède le potentiel pour s'épanouir très prochainement.

☛ Cave des Vignerons de Saumur, rte de Saumoussay, 49260 Saint-Cyr-en-Bourg, tél. 02.41.53.06.06, fax 02.41.53.06.10 ☑ Ⴈ r.-v.

DOM. DU VAL BRUN
Vieilles vignes Les Folies 1999★

■	3 ha	10 000	■ ⚱ 30 à 49 F

Cette belle exploitation est établie sur la commune de Parnay, village qui mérite le détour pour ses ruelles et ses maisons en tuffeau. Sa cuvée Les Folies apparaît intense à l'œil, avec des reflets légèrement violacés. Après agitation, le fruit domine à l'olfaction. L'attaque gustative confirme le caractère fruité, et les tanins présents laissent augurer un vin de garde. On espère qu'ils se fondront avec le temps.

☛ Jean-Pierre et Eric Charruau, 74, rue Valbrun, 49730 Parnay, tél. 02.41.38.11.85, fax 02.41.38.16.22 ☑ Ⴈ r.-v.

LOIRE

DOM. DU VIEUX BOURG
Vieilles vignes 1999★★

■   1,8 ha   12 000 ▌◨▶ ♣   ▓50 à 69 F

Une exploitation traditionnelle gérée par Jean-Marie et Noël Girard. Un beau rouge écarlate habille cette cuvée Vieilles vignes... Au nez, c'est le fruité qui apparaît nettement, assorti de quelques nuances végétales caractéristiques de poivron. La bouche s'exprime pleinement ; elle est ample, soyeuse avec une structure tannique enrobée de gras, de rondeur. Un ensemble très harmonieux.
☛ Dom. du Vieux Bourg, 30, Grand-Rue, 49400 Varrains, tél. 02.41.52.91.89, fax 02.41.52.42.43 ☑ ⵣ r.-v.

DOM. DU VIGNEAU Vieilli en fût 1999

■   6,55 ha   10 000   ◨▶   ▓30 à 49 F

La robe est belle, rubis avec des beaux reflets violets très purs. Encore discret, le nez révèle à l'agitation un caractère de poivron. La bouche est souple et bien structurée. Le vin emplit bien la bouche, il ne lui manque qu'une rétronasale aromatique qui doit se révéler à terme.
☛ Camille Mirambaud, 4, pl. de la Paleine, 49400 Souzay-Champigny, tél. 02.41.52.95.74, fax 02.41.52.95.74 ☑ ⵣ r.-v.

CH. DE VILLENEUVE
Vieilles vignes 1999★★

■   3 ha   10 000   ◨▶   ▓50 à 69 F

Le cadre est tout de paix et d'harmonie : un château du XIXᵉ s. près d'une demeure Renaissance, un parc et un vignoble sur le plateau. Un rubis intense habille ce 99 livrant au nez des notes de fruits secs grillés, voire torréfiés. L'attaque est riche, la structure ample, très harmonieuse, et le palais persistant. Un vin de caractère remarquable, où le terroir « turonien » ressort. Il sera de garde.
☛ SCA Chevallier, Ch. de Villeneuve, 49400 Souzay-Champigny, tél. 02.41.51.14.04, fax 02.41.50.58.24 ☑ ⵣ t.l.j. sf dim. 9h-12h 14h-18h

La Touraine

Les intéressantes collections du musée des Vins de Touraine à Tours témoignent du passé de la civilisation de la vigne et du vin dans la région ; et il n'est pas indifférent que les récits légendaires de la vie de saint Martin, évêque de Tours vers 380, émaillent la *Légende dorée* d'allusions viticoles ou vineuses... A Bourgueil, l'abbaye et son célèbre clos abritaient le « breton », ou cabernet franc, dès les environs de l'an mil, et, si l'on voulait poursuivre, la figure de Rabelais arriverait bientôt pour marquer de faconde et de bien-vivre une histoire prestigieuse. Une histoire qui

revit au long des itinéraires touristiques, de Mesland à Bourgueil sur la rive droite (par Vouvray, Tours, Luynes, Langeais), de Chaumont à Chinon sur la rive gauche (par Amboise et Chenonceaux, la vallée du Cher, Saché, Azay-le-Rideau, la forêt de Chinon).

Célèbre il y a donc fort longtemps, le vignoble tourangeau atteignit sa plus grande extension à la fin du XIXᵉ s. Sa superficie (environ 13 000 ha) demeure actuellement inférieure à celle d'avant la crise phylloxérique ; il se répartit essentiellement sur les départements de l'Indre-et-Loire et du Loir-et-Cher, empiétant au nord sur la Sarthe. Des dégustations de vins anciens, des années 1921, 1893, 1874 ou même 1858, par exemple, à Vouvray, Bourgueil ou Chinon, laissent apparaître des caractères assez proches de ceux des vins actuels. Cela montre que, malgré l'évolution des pratiques culturales et œnologiques, le « style » des vins de la Touraine reste le même ; sans doute parce que chacune des appellations n'est élaborée qu'à partir d'un seul cépage. Le climat joue aussi son rôle : le jeu des influences atlantique et continentale ressort dans l'expression des vins, les coteaux formant écran aux vents du nord. En outre, la succession de vallées orientées est-ouest, vallée du Loir, de la Loire, du Cher, de l'Indre, de la Vienne, multiplie les coteaux de tuffeau favorables à la vigne, sous un climat tout en nuances, et en entretenant une saine humidité. Ce tuffeau, pierre tendre, est creusé d'innombrables caves. Dans les sols des vallées, l'argile se mêle au calcaire et au sable, avec parfois des silex ; au bord de la Loire et de la Vienne, des graviers s'y ajoutent.

Ces différents caractères se retrouvent donc dans les vins. A chaque vallée correspond une appellation, dont les vins s'individualisent chaque année grâce aux variations climatiques ; et l'association du millésime aux données du cru est indispensable.

En 1989, année chaude et sèche, les vins étaient riches, pleins, avec une longue promesse de vie. En 1984, année de floraison tardive, de climat plus maussade, les vins blancs étaient plus secs, les rouges plus légers, et ils atteignent aujourd'hui un optimum d'expression. Ainsi est-il possible d'établir une liste des millésimes remarquables des dernières décennies : 1959, 1961, 1964, 1969, 1970, 1976, 1981, 1982, 1983, 1985, 1986, 1988, 1989, 1990, 1995, 1996. Mais classement à moduler, bien sûr, entre les rouges tanniques de Chinon ou de Bourgueil (plus souples quand ils proviennent des graviers, plus charpentés quand ils sont issus des coteaux) et ceux plus légers, et parfois diffusés en primeur, de l'appellation touraine ; entre les rosés plus ou moins secs selon l'ensoleillement, tout comme les blancs d'Azay-le-Rideau ou d'Amboise, et ceux de Vouvray et de Montlouis dont la production va des secs aux moelleux en passant par les vins effervescents. Les techniques d'élaboration des vins ont leur importance. Si les caves de tuffeau permettent un excellent vieillissement à une température constante d'environ 12 °C, les vinifications en blanc se font à température contrôlée ; les fermentations durent quelquefois plusieurs semaines, voire plusieurs mois pour les vins moelleux. Les rouges légers, de type touraine, sont issus de cuvaisons au contraire assez courtes ; en revanche, à Bourgueil et à Chinon, les cuvaisons sont longues : deux à quatre semaines. Si les rouges font leur fermentation malolactique, les blancs et les rosés doivent au contraire leur fraîcheur à la présence de l'acide malique. Globalement, la production, qui durant les bonnes années, approche en moyenne les 700 000 hl, est commercialisée à 55 % par le négoce. Les ventes directes représentent 30 % et les coopératives 15 %.

Touraine

S'étendant des portes de Montsoreau, à l'ouest, jusqu'à Blois et Selles-sur-Cher à l'est, l'appellation régionale touraine recouvre 5 250 ha. Elle est principalement localisée de part et d'autre des vallées de la Loire, de l'Indre et du Cher. Le tuffeau affleure rarement ; les sols surmontent le plus souvent l'argile à silex. Ils sont plantés surtout de gamay noir pour les vins rouges, accompagné selon les terrains

de cépages plus tanniques, comme le cabernet franc et le cot. La majorité des vins rouges, dont les vins primeurs, légers et fruités, sont issus de ce gamay noir uniquement. A base de deux ou trois cépages, ils ont une bonne tenue en bouteille. Nés du cépage sauvignon qui depuis quarante ans a détrôné les autres, les blancs sont secs (124 706 hl en 1999). Une partie de la production des blancs (29 780 hl) et des rosés (3 758 hl) est élaborée en mousseux selon la méthode traditionnelle. Enfin, les rosés toujours secs, friands et fruités, sont élaborés à partir des cépages rouges. Rouges et rosés ont atteint 190 154 hl en 1999.

Au sud de Tours, il faut noter le renouveau d'un vignoble historique donnant des rosés secs, d'appellation touraine, mais anciennement et à nouveau dénommé « Noble Joué ». Les cépages sont les trois pinots : pinot gris (dominant), pinot meunier et pinot noir.

DOM. D'ARTOIS
Sauvignon Les Buttelières 1999★

| ☐ | | 6 ha | 45 000 | ▮ ♨ | 30 à 49 F |

Un chai moderne implanté au milieu des vignes du plateau de Mesland a abrité ce vin de couleur pâle, dont le nez complexe allie arômes minéraux et végétaux (bourgeon de cassis) au fruité (pêche). La bouche, assez onctueuse mais équilibrée, reprend cette palette pour finir en fraîcheur. Le **touraine Les Buttelières gamay 99** est tout aussi réussi.
☛ Dom. d'Artois, La Morandière, 41150 Mesland, tél. 02.54.70.24.72, fax 02.54.70.24.72 ☑ ☿ r.-v.
☛ J.-L. Saget

AUGIS
Réserve des Caillouteux Elevé en fût de chêne 1998

| ▮ | | 1,5 ha | 8 500 | ❶❶ | 30 à 49 F |

La propriété est à cheval sur deux départements et sur deux appellations, touraine et le VDQS valençay. Elle réunit ici côt et cabernet franc dans une cuvée élevée en fût de chêne pendant un an. Le caractère boisé est perceptible à la dégustation mais s'harmonise bien à l'ensemble qui a suffisamment de chair pour le supporter.
☛ GAEC Jacky et Philippe Augis, rue des Vignes, Le Musa, 41130 Meusnes, tél. 02.54.71.01.89, fax 02.54.71.74.15 ☑ ☿ r.-v.

MARC BADILLER Brut

| ○ | | 0,6 ha | 4 000 | ▮ ♨ | 30 à 49 F |

Marc Badiller est installé près d'Azay-le-Rideau. Il assemble chenin et grolleau (25 %) pour élaborer un touraine effervescent au nez intense de fruit et de grillé. Equilibré, ce vin est un vrai brut, vineux, qui emplit bien la bouche.

LOIRE

⌐• Marc Badiller, 29, Le Bourg, 37190 Cheillé,
tél. 02.47.45.24.37, fax 02.47.45.29.66 ☑ ⵂ t.l.j.
sf dim. 8h30-12h30 15h-19h

CELLIER DU BEAUJARDIN
Gamay 1999

| ■ | | 6 ha | 35 000 | ⵂ♦ | 20 à 29 F |

La coopérative de la vallée du Cher œuvre
pour l'avenir du vignoble en incitant des jeunes
à s'installer dans la région. Elle propose un
gamay de ton rouge violine qui sent bon les fruits
mûrs (cerise). La matière possède suffisamment
de mâche pour bien emplir la bouche et se termine sur une touche épicée.
⌐• Cellier du Beaujardin,
32, av. du 11-Novembre, 37150 Bléré,
tél. 02.47.30.33.44, fax 02.47.23.51.27 ☑ ⵂ t.l.j.
sf dim. 8h-12h 14h-18h30

DOM. BEAUSEJOUR Les Grenettes 1999

| □ | | 10 ha | 50 000 | ⵂ♦ | 20 à 29 F |

Cette propriété familiale située à Noyers-sur-
Cher, dans l'est de la Touraine, est régulièrement
mentionnée dans le Guide. Elle propose ici un
vin de plaisir, très souple, qui développe de puissantes notes de banane et de poire.
⌐• GAEC Trotignon et Fils, Dom. Beauséjour,
10, rue des Bruyères, 41140 Noyers-sur-Cher,
tél. 02.54.75.06.73, fax 02.54.75.06.73 ☑ ⵂ t.l.j.
8h-12h 14h-19h

DOM. BELLEVUE Gamay 1999★

| ■ | | 5 ha | 30 000 | ⵂ♦ | 20 à 29 F |

Les sables sur argile à silex de Noyers-sur-
Cher conviennent bien au cépage gamay. Pour
preuve, ce 99 à la robe profonde, rouge cerise,
qui évoque avec discrétion le raisin mûr. Assez
puissant et long en bouche, il est agréable par la
rondeur de ses tanins.
⌐• EARL Patrick Vauvy, Les Martinières,
41140 Noyers-sur-Cher, tél. 02.54.75.38.71,
fax 02.54.75.21.89 ☑ ⵂ r.-v.

VIGNOBLE DE BLERE 1998★

| ■ | | 8 ha | 60 000 | ⵂ♦ | 20 à 29 F |

Cette cuvée de la coopérative de Bléré a été
mise en bouteilles par la maison de négoce Chainier. Derrière sa robe rubis brillant, elle laisse
percevoir un nez subtil de cacao et de fruits rouges. La bouche, d'abord onctueuse, évolue en
harmonie et puissance jusqu'à la finale.
⌐• Ets Pierre Chainier, ZI La Boitardière,
37400 Amboise, tél. 02.47.30.73.07,
fax 02.47.30.73.09 ⵂ r.-v.

VIGNOBLES DES BOIS VAUDONS
Côt 1998★★

| □ | | | n.c. | 9 000 | ■ | 20 à 29 F |

Cette exploitation familiale se situe sur la rive
sud du Cher. La nouvelle génération vient à
peine de s'installer en GAEC qu'elle signe déjà
un remarquable touraine. L'œil est attiré par la
teinte profonde aux reflets carminés. Puis le nez
identifie aisément le bouquet de fruits bien mûrs
que relève une pointe minérale. Une matière onctueuse soutenue par des tanins fondus emplit la
bouche. Terroir et cépage s'accordent harmonieusement pour assurer l'avenir.

⌐• GAEC Mérieau, 38, rte de Saint-Aignan,
41400 Saint-Julien-de-Chédon,
tél. 02.54.32.14.23, fax 02.54.32.14.32 ☑ ⵂ r.-v.

DOM. PAUL BUISSE Sauvignon 1999★

| □ | | | n.c. | 30 000 | ⵂ♦ | 20 à 29 F |

Afin de compléter son activité de négoce, Paul
Buisse a acquis en 1989 un domaine de 10 ha sur
la rive gauche du Cher. Dix ans après, voici un
touraine très réussi en blanc. Pâle à reflets verts,
ce sauvignon arbore une fine palette minérale et
florale. Il laisse au palais une impression de gras,
de rondeur et de fraîcheur fort agréable.
⌐• SA Paul Buisse, 69, rte de Vierzon,
41400 Montrichard, tél. 02.54.32.00.01,
fax 02.54.32.09.78 ☑ ⵂ t.l.j. sf sam. dim. 8h-12h
14h-18h

DOM. DES CAILLOTS Gamay 1999★★

| ■ | | 3 ha | 20 000 | ⵂ♦ | 20 à 29 F |

Au-dessus du Cher, sur la rive droite, le plateau viticole de Noyers s'offre au regard des
automobilistes de la route nationale Tours-Vierzon. Le domaine des Caillots y est établi depuis
longtemps ; le père de Dominique Girault a en
effet retrouvé des actes notariés datant du
XVIIIᵉs. D'importants efforts de modernisation
ont été déployés de 1983 à 1992, qui ont abouti
à un agrandissement du vignoble (18 ha
aujourd'hui) et à de remarquables résultats en
vinification. Ce 99 en apporte la preuve. D'un
rouge cerise foncé mais brillant, il séduit par son
bouquet frais et floral. Puis, ce sont les petits
fruits rouges bien mûrs qui dominent dans une
matière puissante et grasse. « Croquant », écrit
un dégustateur séduit.
⌐• EARL Dominique Girault, Le Grand Mont,
41140 Noyers-sur-Cher, tél. 02.54.32.27.07,
fax 02.54.75.27.87 ☑ ⵂ t.l.j. 8h30-12h 14h-19h;
dim. sur r.-v.

DOM. DES CAILLOTS Sauvignon 1999★★

| ■ | | 6 ha | 25 000 | ⵂ♦ | 20 à 29 F |

Quel beau doublé pour Dominique Girault !
Ce sauvignon de Touraine est tout aussi remarquable que le rouge et dans un bon rapport qualité-prix. La robe brillante à reflets citron vert
n'est en rien trahie par les nuances d'agrumes et

les notes minérales du nez. A l'agitation, se révèlent des senteurs florales (genêt). Le palais garde la même ligne, sur des tonalités de pamplemousse. L'attaque est souple, la matière fraîche et persistante dans un volume équilibré.

•➤ EARL Dominique Girault, Le Grand Mont, 41140 Noyers-sur-Cher, tél. 02.54.32.27.07, fax 02.54.75.27.87 ☑ ☒ t.l.j. 8h30-12h 14h-19h; dim. sur r.-v.

LE CLOS DES CHARTREUX Brut

○	n.c.	11 000	▮	30 à 49 F

Au sud de la Touraine, ce vignoble a été récemment planté sur une ancienne propriété de la chartreuse du Liget, fondée au XII^{e}s. A partir du chenin et du pinot noir a été élaboré un vin d'une belle effervescence. Net et fin, celui-ci plaît par ses nuances de miel, ainsi que par sa longueur.

•➤ Nouveaux Ets Maréchal et Cie, 36, Vallée Coquette, 37210 Vouvray, tél. 02.47.52.71.21, fax 02.47.52.61.05 ☑ ☒ r.-v.

CH. DE CHENONCEAU 1998★

□	4 ha	20 000	▮ ⬥	30 à 49 F

Sait-on que Chenonceau est depuis sa construction, au début du XVI^{e}s., un domaine viticole dont on peut rapporter des bouteilles en souvenir de sa visite ? Ce touraine, par exemple. Son nez puissant libère des arômes minéraux et des touches de fleurs blanches, puis sa bouche équilibrée propose une matière ronde qu'une note d'amande en finale rend plus savoureuse encore. Toujours en blanc, la cuvée **Les Dômes de Chenonceau 99** est un vin à boire plus jeune que le précédent. Très réussie dans sa robe diaphane, elle offre un bouquet intense et complexe (noisette grillée, nuances minérales), ainsi qu'un bon équilibre entre fraîcheur et souplesse.

•➤ SA Chenonceau-Expansion, Ch. de Chenonceau, 37150 Chenonceaux, tél. 02.47.23.44.07, fax 02.47.23.89.91 ☑ ☒ t.l.j. 11h-18h; f. nov.-mars

DOM. DES CHEZELLES
Sauvignon 1999★

□	10 ha	80 000	▮ ⬥	30 à 49 F

La famille Marcadet vend presque le tiers de sa production de touraine blanc en Belgique et au Royaume-Uni. Un succès mérité à en juger par ce vin de belle présentation. Les arômes complexes de fleurs et de fruits exotiques se retrouvent en bouche dans un ensemble équilibré. Plus fruitée, la finale s'étire longuement.

La Touraine

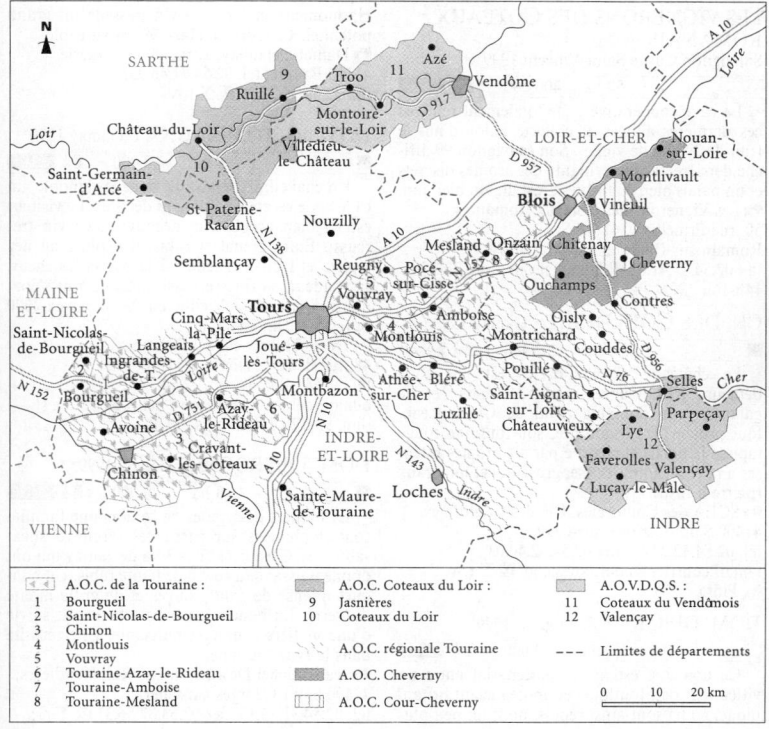

A.O.C. de la Touraine :	A.O.C. Coteaux du Loir :	A.O.V.D.Q.S. :
1 Bourgueil	9 Jasnières	11 Coteaux du Vendômois
2 Saint-Nicolas-de-Bourgueil	10 Coteaux du Loir	12 Valençay
3 Chinon		
4 Montlouis	A.O.C. régionale Touraine	Limites de départements
5 Vouvray		
6 Touraine-Azay-le-Rideau	A.O.C. Cheverny	0 10 20 km
7 Touraine-Amboise		
8 Touraine-Mesland	A.O.C. Cour-Cheverny	

LOIRE

➤ EARL Alain Marcadet, Le Grand-Mont,
41140 Noyers-sur-Cher, tél. 02.54.75.13.62,
fax 02.54.75.44.09 ☑ ⏱ t.l.j. sf dim. 8h30-12h
14h-19h

DOM. DES CORBILLIERES 1998★

■ 5 ha n.c. ▮♦ 30 à 49 F

Deux générations de Barbou ont forgé la réputation de ce domaine situé sur une croupe graveleuse du plateau de Oisly, en Sologne viticole.
D'un rouge profond, le touraine rouge 98 charme
par un subtil bouquet fruité. Il a ce qu'il faut de
mâche pour perdurer longtemps et puissamment
en bouche sur des notes de fruits noirs. Tout aussi
réussis, le **gamay 98** est un vin corsé, tandis que
le **sauvignon 99**, souple et fin, laisse en mémoire
un bouquet intense de fleurs blanches et jaunes
(genêt).
➤ EARL Barbou, Dom. des Corbillières,
41700 Oisly, tél. 02.54.79.52.75,
fax 02.54.79.64.89 ☑ ⏱ r.-v.

REMI COSSON Noble Joué 1999

◣ 2,7 ha 2 500 ▮♦ 20 à 29 F

Un coup d'essai prometteur. Il s'agit de la première production de Rémi Cosson, installé en
1998 sur des vignes de Noble Joué après une
reconversion professionnelle. De teinte saumon,
son 99 est un vin floral, relevé d'une note amylique, qui possède en bouche de l'équilibre et de
l'élégance.
➤ Rémi Cosson, La Hardellière, 37320 Esvres-
sur-Indre, tél. 02.47.65.70.63 ☑ ⏱ r.-v.

LES VIGNERONS DES COTEAUX ROMANAIS
Sauvignon Cuvée Saint-Vincent 1999

☐ 50 ha 400 000 ▮♦ 20 à 29 F

La cave coopérative a été totalement rénovée
ces dernières années et collecte aujourd'hui le
fruit de 270 ha de vignes. Son sauvignon 99 affiche derrière sa robe brillante des arômes discrets
et un palais bien équilibré. C'est un vin bien fait.
➤ Les Vignerons des Coteaux Romanais,
50, rue Principale, 41140 Saint-
Romain-sur-Cher, tél. 02.54.71.70.74,
fax 02.54.71.41.75 ☑ ⏱ t.l.j. sf dim. lun. 8h-12h
14h-16h

CH. DES COULDRAIES Gamay 1999★

■ 2,8 ha 2 400 ▮♦ 20 à 29 F

Le château des Couldraies est une jolie
demeure Renaissance, relais de chasse et de
galanterie du domaine royal de Chenonceau,
tout proche. Très équilibré, son touraine rouge
tapisse le palais et charme par ses arômes intenses à la fois fruités (cerise, groseille) et minéraux
(pierre à fusil).
➤ SCEA des Couldraies, Ch. des Couldraies,
41400 Saint-Georges-sur-Cher,
tél. 02.54.32.27.42, fax 02.54.32.40.03,
e-mail courrier@couldraies.com ☑ ⏱ r.-v.
➤ Pinta

DOM. DE CRAY Sauvignon 1999

☐ 6,2 ha 49 000 ▮♦ 20 à 29 F

Ce domaine est né du partenariat entre un
viticulteur de Montlouis et un négociant britannique. 60 ha sont ainsi réunis, dont un peu plus

de 6 ha de sauvignon qui ont donné ce blanc bien
brillant. Le vin attaque avec fraîcheur avant de
se prolonger en souplesse sur d'agréables notes
de fruits exotiques. *A good wine indeed.*
➤ Boutinot, SARL La Chapelle de Cray,
rte de l'Aquarium, 37400 Lussault-sur-Loire,
tél. 02.47.57.17.74, fax 02.47.57.11.97 ☑

DAME DE TOURAINE
Chenin Vieilles vignes 1998

☐ 4 ha 10 000 ▮♦ 30 à 49 F

Au sud de la Touraine, dans un paysage de
gâtine, ce domaine - viticole depuis la fin du
XIXᵉs. - était autrefois rattaché au château de
Ris, ancienne seigneurie de la baronnie de
Preuilly. Il propose dans le millésime 98 un vin
au nez minéral, accompagné de notes d'amande
et de beurre. La bouche, douce à l'attaque, se
termine sur des nuances fruitées de pomme.
➤ Dom. de Ris, 37290 Bossay-sur-Claise,
tél. 02.47.94.64.43, fax 02.47.94.68.46 ☑ ⏱ t.l.j.
sf dim. 17h30-19h; sam. 10h-12h
➤ Gilbert Sabadie

DANIEL DELAUNAY Cabernet 1998★★

■ 2 ha 5 000 ▮♦ 20 à 29 F

Dominant le Cher en rive gauche, La Tesnière
est le hameau le plus viticole de Pouillé. On y
découvrira cette propriété familiale qui a réussi
dans le millésime 98 un remarquable touraine
rouge carmin. L'attaque veloutée introduit une
bouche ample et fruitée (cassis, framboise), dont
le prolongement est assuré par des tanins subtils.
Harmonieux et typé, ce vin possède un grand
potentiel. Le **touraine blanc 99** est agréable.
➤ Daniel Delaunay, 2, rue de la Bergerie,
41110 Pouillé, tél. 02.54.71.46.93,
fax 02.54.71.77.34 ☑ ⏱ r.-v.

DOM. JOEL DELAUNAY Gamay 1999★

■ 8 ha 60 000 ▮♦ 30 à 49 F

Un chai climatisé installé dans le vignoble, un
caveau de réception joliment décoré... Le visiteur
est ici bien accueilli et découvrira ce vin très
réussi. Entre grenat et rubis, il explose au nez
(épices et fruits). Il séduit déjà par sa fraîcheur,
sa rondeur, sa finesse aussi, mais devrait s'épanouir d'ici à 2001. Vieillie en fût, la cuvée **2000
Saveurs** est intéressante.
➤ Dom. Thierry et Joël Delaunay,
48, rue de la Tesnière, 41110 Pouillé,
tél. 02.54.71.45.69, fax 02.54.71.55.97,
e-mail joeldelaunay@terre-net.fr ☑ ⏱ t.l.j. sf
dim. 9h-12h 14h-19h

DOM. DESROCHES Gamay 1999★★

■ 3 ha 20 000 ▮♦ 20 à 29 F

La plupart des vignes de ce domaine familial
sont implantées sur perruches (argile à silex)
sableuses. C'est le cas des 3 ha de gamay qui ont
donné naissance à ce vin de teinte rubis. Un bouquet intense de fruits rouges et de grillé monte
du verre. En bouche, la belle attaque est suivie
d'une matière souple et puissante. Une réussite
dans le type touraine.
➤ Jean-Michel Desroches, Les Raimbaudières,
41400 Saint-Georges-sur-Cher,
tél. 02.54.32.33.13, fax 02.54.32.56.31 ☑ ⏱ r.-v.

DOM. FRISSANT Sauvignon 1999★

☐ 3,5 ha 14 000 ▮▲ 30 à 49 F

Xavier Frissant est un jeune producteur dont la notoriété grandit en appellation touraine-amboise. Son vignoble se regroupe en premières côtes et produit aussi un touraine charmant. Celui-ci possède un parfait équilibre. Il décline des arômes de fruits exotiques (litchi), de fruits confits (abricot), et persiste avec beaucoup de finesse.
●┐ Xavier Frissant, 1, chem. Neuf, 37530 Mosnes, tél. 02.47.57.23.18, fax 02.47.57.23.25 ☑ ☏ t.l.j. 8h-12h30 14h-19h30; dim. sur r.-v.

DOM. GIBAULT Sauvignon 1999

☐ 10 ha 80 000 ▮▲ 20 à 29 F

Autour des Martinières, l'argile à silex porte une couverture sableuse qui réussit bien au sauvignon. Ce joli vin aromatique en a tiré bénéfice : il attaque en souplesse et finit sur des nuances de fleurs et de fruits jaunes.
●┐ EARL Pascal et Danielle Gibault, Les Martinières, 41140 Noyers-sur-Cher, tél. 02.54.75.36.52, fax 02.54.75.29.79 ☑ ☏ t.l.j. sf dim. 10h-19h

CHANTAL ET PATRICK GIBAULT 1999

◤ 2 ha 15 000 ▮▲ 20 à 29 F

Meusnes possède un intéressant musée de la Pierre à silex. Silex que l'on retrouve au vignoble dont les sols argileux sont riches. Chantal et Patrick Gibault pourront vous en parler autour d'un verre de ce touraine rose bonbon, fringant avec ses notes de fruits et de réglisse. Acidulé, ce 99 ne manque cependant pas de gras. Le **touraine blanc 99**, qui évoque bien le bourgeon de cassis, mérite lui aussi une citation.
●┐ EARL Chantal et Patrick Gibault, rue Gambetta, 41130 Meusnes, tél. 02.54.71.02.63, fax 02.54.71.58.92 ☑ ☏ t.l.j. 8h-19h; dim. 10h-12h

DOM. DU HAUT PERRON
Vignoble des Perdriettes 1999

■ 3 ha 20 000 ▮▲ 20 à 29 F

Cédric Allion a succédé à son père, Guy, en 1999. La valeur n'attend pas le nombre des années. Le 99 est en effet d'un beau rouge cerise. Son nez discret, plutôt floral, trouve un écho dans un palais équilibré et structuré. Le **touraine blanc 99** est, lui aussi, plaisant.
●┐ Guy Allion, 15, rue du Haut-Perron, 41140 Thésée, tél. 02.54.71.48.01, fax 02.54.71.48.01, e-mail guy.allion@wanadoo.fr ☑ ☏ r.-v.

DOM. DE LA BERGEONNIERE
Cuvée Olivier 1999

☐ 2 ha 10 000 ▮▲ 20 à 29 F

Jean-Claude Bodin est installé sur la rive droite du Cher ; il a investi dans un équipement tout Inox pour une vinification soignée. Son touraine blanc est ainsi un joli vin aux reflets dorés. Souple, il s'apprécie pour son nez floral axé sur l'acacia et le seringa, ainsi que pour sa longueur.

●┐ Jean-Claude Bodin, La Bergeonnière, 41140 Saint-Romain-sur-Cher, tél. 02.54.71.70.43, fax 02.54.71.72.92 ☑ ☏ r.-v.

DOM. DE LA BERGERIE
Sauvignon 1999

☐ 6 ha 30 000 ▮▲ 20 à 29 F

François Cartier compte parmi la dizaine de producteurs installés au hameau de La Tesnière à Pouillé. Il a tiré profit des perruches (argiles à silex) pour produire un sauvignon plaisant par sa fraîcheur. Les arômes discrets d'agrumes se prolongent au palais avec les mêmes nuances.
●┐ François Cartier, 13, rue de la Bergerie, 41110 Pouillé, tél. 02.54.71.51.54, fax 02.54.71.74.09 ☑ ☏ r.-v.

DOM. DE LA CHAISE Sauvignon 1999

☐ 14 ha 35 000 ▮▲ 20 à 29 F

Saint-Georges-sur-Cher, sur la rive gauche de la rivière, est la commune la plus viticole du Loir-et-Cher, avec plus de 400 ha de vignes. Ce domaine familial de 53 ha, dont un tiers se situe sur l'ancienne propriété du prieuré de La Chaise, a rénové son chai et développe la vente directe. On y trouvera ce blanc pâle à reflets verts. Doté d'arômes de cassis et de fruits exotiques, souple et gras au palais, c'est un classique du millésime. Le **gamay 99** du domaine est également cité : ses notes de fruits rouges (groseille) reviennent avec un côté acidulé dans une bouche bien équilibrée.
●┐ J.-P. et Ch. Davault, Dom. de La Chaise, 37, rue de la Liberté, 41400 Saint-Georges-sur-Cher, tél. 02.54.71.53.08, fax 02.54.71.53.08 ☑ ☏ r.-v.

DOM. DE LA CHARMOISE
Sauvignon 1999★

☐ 17 ha 100 000 ▮▲ 30 à 49 F

Henry Marionnet exporte plus du tiers de ses vins issus des sables de la Sologne viticole et a une parfaite maîtrise de la vinification des touraine. Le sauvignon 99, vêtu d'une robe pâle à reflets verts, ne laisse pas indifférent : certains y perçoivent un côté végétal (genêt), d'autres de charmantes nuances de fruits exotiques. Tous s'accordent sur son gras et sa finesse en bouche. Cité par le jury, le **gamay 99** a été vinifié à la beaujolaise ; sa belle matière ne demande qu'à s'épanouir.
●┐ Henry Marionnet, La Charmoise, 41230 Soings, tél. 02.54.98.70.73, fax 02.54.98.75.66 ☑ ☏ t.l.j. sf sam. dim. 9h-12h 14h-17h; f. août

DOM. DE LA CROIX BOUQUIE
Gamay 1999★

■ n.c. 15 000 ▮▲ 30 à 49 F

Thenay est situé en Sologne viticole. Une fois encore, le gamay a profité du terrain argilo-sableux de la région pour donner un vin grenat aux nuances florales. Assez rond, ce 99 s'achemine en bouche vers une finale encore un peu austère mais riche d'impressions minérales, voire épicées. Il a du caractère.
●┐ Christian Girard, 1, chem. de la Chaussée, Phages, 41400 Thenay, tél. 02.54.32.50.67, fax 02.54.32.74.17 ☑ ☏ r.-v.

LOIRE

DOM. DE LA GARRELIERE
Cabernet franc 1998★

■　　　　6,5 ha　　15 000　　■ ♦ 30 à 49 F

Situé sur les anciennes propriétés du cardinal de Richelieu, ce domaine de 20 ha vend 30 % de sa production hors de l'Hexagone. Son touraine rouge saura trouver une place sur les tables. Sa robe est violacée. Il a du caractère : structure et puissance, longévité certaine qui n'exclut pas des attraits immédiats, telles ses nuances de framboise et d'épices. Les sols argilo-calcaires du Richelais donnent par ailleurs une expression originale aux vins de sauvignon. Le jury a ainsi attribué une citation au **touraine blanc sauvignon 99**. Aux senteurs minérales et fruitées (coing) succède une matière d'abord fraîche, qui emplit ensuite la bouche avec rondeur.
☛ François Plouzeau, Dom. de la Garrelière, Razines, 37120 Richelieu, tél. 02.47.95.62.84, fax 02.47.95.67.17 ☑ ♈ r.-v.

DOM. DE LA GIRARDIERE
Gamay 1999★

■　　　　n.c.　　9 000　　■ ♦ 20 à 29 F

Le bourg de Saint-Aignan domine le Cher de son château et de sa collégiale romane, laquelle figure sur l'étiquette des vins de Patrick Léger. Le gamay 99 est très réussi dans sa robe soutenue. Le nez discret fait preuve de complexité par des notes grillées, puis la bouche charnue et harmonieuse s'enrichit d'arômes de fruits rouges. En blanc, le **touraine de sauvignon 99** mérite une citation pour son attaque souple et sa vivacité plaisante, des notes végétales et minérales signant la dégustation.
☛ Patrick Léger, La Girardière, 41110 Saint-Aignan, tél. 02.54.75.42.44, fax 02.54.75.21.14 ☑ ♈ r.-v.

LES MAITRES VIGNERONS DE LA GOURMANDIERE Gamay 1999★

◪　　　　30 ha　　27 000　　■ ♦ 20 à 29 F

Voici une importante coopérative qui vinifie quelque 500 ha et ne ménage pas ses efforts. Etablie à Francueil, elle se situe tout près du château de Chenonceau. Son rosé de gamay se livre sous une teinte saumon à reflets carminés. Floral et fruité (framboise), il agrée les papilles par sa fraîcheur, son équilibre et sa persistance. Tout aussi estimable, le **touraine mousseux Charlotte de Rostaing** mérite une nouvelle étoile. On ne saurait être complet sans accorder une citation au **sauvignon 99** qui révèle ses arômes minéraux et fruités (coing) dans une bouche à la fois ronde et fraîche.
☛ Les Maîtres Vignerons de La Gourmandière, 14, rue de Chenonceaux, 37150 Francueil, tél. 02.47.23.91.22, fax 02.47.23.82.50, e-mail info@vignerons-gourmandiere.com ☑ ♈ r.-v.

DOM. DE LA GRANDE FOUCAUDIERE Gamay Tradition 1999★★

■　　　　4 ha　　6 000　　■ 20 à 29 F

Ce couple venu s'installer dans la région d'Amboise en 1992 fait un beau parcours dans le millésime 99. Il obtient un coup de cœur pour ce vin entre grenat et rubis. Le nez puissant de fruits mûrs a flatté les sens des dégustateurs.

L'équilibre entre fraîcheur et structure les a enchantés. De fines nuances de fraise des bois et de groseille parachèvent cet ouvrage élégant et harmonieux.

☛ Lionel Truet, La Grande Foucaudière, 37530 Saint-Ouen-les-Vignes, tél. 02.47.30.04.82, fax 02.47.30.03.55 ☑ ♈ t.l.j. 8h-20h

LA HERPINIERE Cabernet 1998

■　　　　1,5 ha　　6 000　　■ ◫ ♦ 30 à 49 F

Les vins de La Herpinière sont élevés dans une cave creusée au XVᵉ s. dans le tuffeau et qui représente plus de 3 km de galeries. Le touraine rouge 98, de structure assez légère, s'avère plaisant par sa longue déclinaison de fruits rouges (fraise, framboise) et noirs, qu'une touche d'épices conclut.
☛ Christophe Verronneau, 16, La Vallée, 37190 Vallères, tél. 02.47.45.92.38, fax 02.47.45.92.39, e-mail laherpiniere@aol.com ☑ ♈ r.-v.

DOM. DE LA MECHINIERE
Sauvignon 1999

☐　　　　5,69 ha　　50 000　　■ ♦ 20 à 29 F

Cette propriété de la rive gauche du Cher a été reprise par la famille Forgues en 1997. Trois ans ont passé et déjà la deuxième citation dans le Guide. De teinte diaphane, ce 99 blanc libère d'intéressants arômes fruités, végétaux et floraux que l'on retrouve, plus complexes encore, au palais jusqu'à une finale pleine de fraîcheur.
☛ Valérie Forgues, La Méchinière, 22, rte de Saint-Aignan, 41110 Mareuil-sur-Cher, tél. 02.54.75.41.78, fax 02.54.75.27.61 ☑ ♈ r.-v.

DANIELLE DE L'ANSEE
Sauvignon 1999★

☐　　　　n.c.　　80 000　　■ ♦ 20 à 29 F

Danielle de L'Ansée est une petite société créée en 1998 par le viticulteur Pascal Gibault pour élargir sa gamme et exporter (50 % de la production). La robe de ce touraine brille de tous ses feux. Le bouquet charme par ses notes minérales et fruitées, tandis que la bouche émoustillée par une pointe de gaz qui prolonge bien les arômes. Un très bon ensemble.
☛ Danielle de L'Ansée, Les Martinières, 41140 Noyers-sur-Cher, tél. 02.54.71.09.95, fax 02.54.71.09.95 ☑
☛ Pascal Gibault

CH. DE LA PRESLE Sauvignon 1999

☐　　　　13,35 ha　　90 000　　■ 30 à 49 F

L'arrière-arrière-petite-fille de l'acquéreur du domaine, en 1885, s'installe cette année avec son père. La relève est assurée, comme le prouve ce 99 à la robe claire et aux senteurs de cassis et d'abricot sec. C'est un vin assez long, plaisant par sa vivacité rafraîchissante. Le **touraine rosé 99** mérite, lui aussi, d'être cité.

🐦 Dom. Jean-Marie Penet, Ch. de La Presle, 41310 Oisly, tél. 02.54.79.52.65, fax 02.54.79.08.50 ☑ ⲅ t.l.j. sf dim. 9h-12h 14h-19h

LES CAVES DE LA RAMEE
Sauvignon 1999

☐	4 ha	4 000	🍷 ⬇ 20 à 29 F

Les caves de La Ramée sont situées non loin des ruines gallo-romaines de Thésée, curiosité que l'on peut visiter à la belle saison. Le millésime 99 se traduit ici par un blanc brillant, au nez discret mais à la bouche harmonieuse et assez riche. Des nuances de fruits mûrs sont aisément perceptibles.

🐦 Gérard Gabillet, 31, rue des Charmoises, 41140 Thésée, tél. 02.54.71.45.02, fax 02.54.71.31.48 ☑ ⲅ t.l.j. sf dim. 8h-12h 14h-19h

DOM. DE LA RENAUDIE
Sauvignon 1999★

☐	8 ha	60 000	🍷 ⬇ 20 à 29 F

Patricia et Bruno Denis, un couple de jeunes vignerons bien formés, ont pour préoccupation la qualité de la vigne et du raisin. Ils obtiennent ainsi un touraine blanc très réussi. D'une teinte diaphane à l'œil, le 99 offre un bouquet intense, plutôt végétal (cassis, eucalyptus). Il se fait caressant au palais tant il est rond, presque onctueux. A citer par ailleurs, le **touraine rouge de côt 98** au bouquet de violette, de mûre et d'épices. L'attaque est encore sévère, mais la richesse de la matière assure une bonne évolution.

🐦 Patricia et Bruno Denis, Dom. de La Renaudie, 115, rte de Saint-Aignan, 41110 Mareuil-sur-Cher, tél. 02.54.75.18.72, fax 02.54.75.27.65, e-mail domaine.renaudie@wanadoo.fr ☑ ⲅ r.-v.

DOM. DE LA RENNE Gamay 1999★

■	n.c.	45 000	🍷 ⬇ 20 à 29 F

La Renne est une petite rivière qui traverse Saint-Romain avant de rejoindre le Cher. C'est sous ce nom que Guy Lévêque produit ses touraine. Le gamay 99, de couleur sombre, attaque en souplesse et se développe avec suffisamment de tanins. Il devrait bien évoluer en gagnant de la finesse.

🐦 Guy Lévêque, 1, chemin de la Forêt, 41140 Saint-Romain-sur-Cher, tél. 02.54.71.72.72, fax 02.54.71.35.07 ☑ ⲅ r.-v.

DOM. DE LA ROCHETTE
Gamay Fleur de printemps 1999

■	20 ha	120 000	🍷 ⬇ 20 à 29 F

Pouillé, en rive gauche du Cher, est un village viticole dynamique. Aucun recoin n'est perdu sur ses coteaux perrucheux (argile à silex). François Leclair propose un 99 rouge brillant qui sent bon les fruits rouges. Souple et harmonieux, ce vin est plaisant par sa jeunesse et son côté gouleyant.

🐦 François Leclair, 79, rte de Montrichard, 41110 Pouillé, tél. 02.54.71.44.02, fax 02.54.71.10.94 ☑ ⲅ t.l.j. 8h-11h30 14h-17h30; sam. dim. sur r.-v.; f. 24-31 déc.

DOM. LEVEQUE Sauvignon 1999

☐	8 ha	20 000	🍷 ⬇ 20 à 29 F

Le touraine 99 de Luc et Monique Lévêque ne renie pas son cépage d'origine - un sauvignon récolté sur des parcelles âgées d'une vingtaine d'années. La finesse est bien là, interprétée dans le registre minéral et floral.

🐦 Luc Lévêque, 41140 Noyers-sur-Cher, tél. 02.54.71.52.06, fax 02.54.75.47.65 ☑ ⲅ t.l.j. 8h30-19h

JACQUELINE LOUET
Sauvignon Cuvée 2000 1999

☐	3 ha	15 000	🍷 ⬇ 20 à 29 F

Le château de Chaumont, situé à une dizaine de kilomètres du vignoble, figure sur l'étiquette de ce touraine or vert. Des nuances fruitées, presque muscatées, se libèrent du verre, tandis qu'en bouche, l'attaque vive introduit une matière équilibrée et rafraîchissante.

🐦 Mme Jacqueline Louet, Cave Pierre Louet, Le Marchais, 41120 Monthou-sur-Bièvre, tél. 02.54.44.01.56 ☑ ⲅ r.-v.

DOM. LOUET-ARCOURT
Cuvée Réserve 1998★

■	1,2 ha	5 000	🍷 ⬇ 20 à 29 F

Monthou-sur-Bièvre se trouve au sud de Blois, aux confins des appellations touraine et cheverny. Jean-Louis et Françoise Arcourt proposent une cuvée Réserve rubis, animée de reflets violacés. Les arômes complexes se déclinent dans la gamme minérale et florale (violette). La bouche ample et fondue de ce vin trouve une conclusion harmonieuse dans une longue finale.

🐦 EARL Louet-Arcourt, 1, rue de la Paix, 41120 Monthou-sur-Bièvre, tél. 02.54.44.04.54, fax 02.54.44.15.06 ☑ ⲅ r.-v.

JEAN-CHRISTOPHE MANDARD
Sauvignon 1999

☐	3,5 ha	25 000	🍷 ⬇ 20 à 29 F

Jean-Christophe représente la quatrième génération de Mandard, vignerons sur les coteaux de la rive gauche du Cher. Il propose un touraine blanc brillant, aux agréables arômes de fruits blancs. Son vin charme par sa vivacité et son prolongement sur des notes florales.

🐦 Jean-Christophe Mandard, Le Haut-Bagneux, 41110 Mareuil-sur-Cher, tél. 02.54.75.19.73, fax 02.54.75.16.70 ☑ ⲅ r.-v.

DOM. DE MARCE Gamay 1999

■	1,5 ha	5 000	🍷 ⬇ 20 à 29 F

Installé à Oisly, entre Touraine et Sologne, Daniel Godet commercialise toute la gamme des cépages de l'appellation. C'est un gamay qui est ici retenu, un vin brillant qui dévoile des nuances végétales puis fruitées, et qui emplit bien la bouche après une attaque souple. Une pointe épicée est perceptible dans sa matière.

🐦 GAEC Godet, Dom. de Marcé, 41700 Oisly, tél. 02.54.79.54.04, fax 02.54.79.54.45 ☑ ⲅ t.l.j. sf dim. 8h-12h 14h-19h

LOIRE

GUY MARDON L'Elégante 1999★★

☐   1,8 ha   11 000   ■↓ 30 à 49 F

Oisly est le berceau du cépage sauvignon en Touraine. Le raisin a été récolté en légère surmaturité sur une sélection des plus vieilles vignes du domaine (trente ans) pour élaborer cette élégante cuvée. Jaune citron à reflets verts, celle-ci charme par une palette minérale et fumée. Sa bouche souple à l'attaque évolue avec beaucoup de gras et perdure longuement sur des évocations de fruits jaunes mûrs. On découvre avec ce 99 tout le potentiel du terroir sableux de la Sologne viticole.
☛ Guy et Jean-Luc Mardon, Dom. du Pré Baron, 41700 Oisly, tél. 02.54.79.52.87, fax 02.54.79.00.45 ☑ ⵢ t.l.j. sf dim. 8h-12h 14h-18h30

DOM. JACKY MARTEAU Gamay 1999★

■   9,5 ha   40 000   ■↓ 20 à 29 F

Jacky Marteau, valeur sûre du hameau de La Tesnière, à Pouillé, exploite 24 ha de vignes implantées en premières côtes du Cher. Son gamay revêt une robe grenat foncé et un parfum de fruits rouges. Equilibrée et structurée, sa matière tapisse bien le palais. Le domaine mérite par ailleurs d'être cité pour son **sauvignon 99** désaltérant, fin et bien typé avec ses nuances végétales (bourgeon de cassis) et fruitées (coing).
☛ Jacky Marteau, 36, rue de La Tesnière, 41110 Pouillé, tél. 02.54.71.50.00, fax 02.54.71.75.83 ☑ ⵢ r.-v.

EVELYNE ET FRANCOIS MARTINEAU Gamay 1999★

■   3,7 ha   25 000   ■ 20 à 29 F

Cette propriété viticole familiale depuis 1920 est implantée sur les sols d'argile à silex de la rive gauche du Cher. Elle a produit en 99 un vin rubis d'intensité moyenne, dont le nez s'ouvre sur les épices et les fruits rouges. Ces arômes se prolongent dans un palais rond et élégant. Un moment de plaisir.
☛ François Martineau, 31, rue de la Ferme, 41110 Couffy, tél. 02.54.75.19.71, fax 02.54.75.11.98 ☑ ⵢ t.l.j. sf dim. 8h-12h 14h-19h

DOM. MAX MEUNIER Brut★

○   2 ha   7 000   30 à 49 F

Cette cuvée est issue d'un assemblage de 80 % de cépages blancs et de 20 % de cépages noirs. Elle arbore une robe brillante, dorée, d'où s'élèvent des arômes intenses de fruits blancs et de fruits secs (amande). Pleine et ample, elle offre une matière équilibrée qui persiste bien.
☛ Max Meunier, 6, rue Saint-Gennefort, 41110 Seigy, tél. 02.54.75.04.33, fax 02.54.75.39.69, e-mail maxmeunier@aol.com ☑ ⵢ t.l.j. 8h-19h30; groupes sur r.-v.

DOM. MICHAUD Sauvignon 1999★

☐   6,5 ha   60 000   ■↓ 20 à 29 F

La famille Michaud est l'un des acteurs dynamiques du hameau des Martinières, sur le coteau viticole de Noyers-sur-Cher. Son 99 se présente sous une belle teinte or vert pâle. Il en émane une subtile composition minérale et fumée. Porté en bouche, le vin laisse une première impression de vivacité et se prolonge agréablement. La **cuvée rouge Ad Vitam 98** est, elle aussi, très réussie.
☛ EARL Dom. Michaud, Les Martinières, 41140 Noyers-sur-Cher, tél. 02.54.32.47.23, fax 02.54.75.39.19 ☑ ⵢ r.-v.

MAISON MIRAULT Brut★

○   n.c.   3 000   ■◨↓ 30 à 49 F

L'étiquette de ce touraine mousseux représente les caves creusées dans le tuffeau de la maison Mirault. Il n'y a aucun doute à avoir sur la spécialité de ce négociant : les effervescents. Il propose un vrai brut, digne de rester sur la table pendant tout un repas. De teinte paille brillant, ce vin libère des arômes confits discrets, attaque en mousse et finit en fruit.
☛ Maison Mirault, 15, av. Brûlé, 37210 Vouvray, tél. 02.47.52.71.62, fax 02.47.52.60.90, e-mail maison.mirault@wanadoo.fr ☑ ⵢ t.l.j. 8h-12h 14h-18h30; dim. sur r.-v.

DOM. DE MONTIGNY Côt 1998★

■   1 ha   6 000   ■↓ 20 à 29 F

Le vignoble a été repris par une nouvelle génération de vignerons depuis les vendanges de 1998. Mais le maître de chai n'a pas changé : il maîtrise parfaitement la vinification, comme le prouve ce touraine rubis, marqué par les fruits noirs (cerise, cassis). La bouche attaque en rondeur et se poursuit sur des tanins bien présents qui assurent une bonne évolution sur trois ou quatre ans.
☛ Annabelle Michaud, Dom. de Montigny, 41700 Sassay, tél. 02.54.79.60.82, fax 02.54.79.07.51 ☑ ⵢ r.-v.

CH. DE NITRAY Brut 1998

○   5 ha   15 000   ■↓ 30 à 49 F

Le château de Nitray, d'époque Renaissance, propose au visiteur un musée de la Vigne et du Vin et lui prête volontiers une bicyclette pour une promenade sur les bords du Cher. Le goût est aussi privilégié : ce touraine mousseux, de teinte paille, décline des bulles fines porteuses de notes fruitées (poire, amande). Plus sec que brut, il n'en est pas moins fort agréable.
☛ de L'Espinay, Ch. de Nitray, 37270 Athée-sur-Cher, tél. 02.47.50.29.74, fax 02.47.50.29.61 ☑ ⵢ r.-v.

DOM. OCTAVIE Sauvignon 1999

☐ 10,37 ha 55 000 🏭⬇ 30 à 49 F

Le domaine Octavie, exploitation familiale depuis 1885, accueille les visiteurs dans un caveau installé dans un bâtiment du XVII⁰s., au style bien conservé. Il propose en 99 un vin très brillant, dont le nez assez fin s'inscrit dans les registres floral et minéral. On perçoit un bon développement au palais. Egalement citée, la cuvée **Fragrance 98** est un touraine équilibré qui pourra attendre 2001.
☛ Noë Rouballay, Dom. Octavie, Marcé, 41700 Oisly, tél. 02.54.79.54.57, fax 02.54.79.65.20, e-mail octavie@caves-particulieres.com ☑ ⋎ t.l.j. 8h30-12h30 14h-18h30; dim. sur r.-v.

DOM. JAMES PAGET
Cuvée Tradition 1998★

■ 1,5 ha 7 500 🏭⬇ 30 à 49 F

Le village de Rivarennes est situé à proximité d'Azay-le-Rideau et de son château. C'est là que James Paget a produit un vin de teinte soutenue et au nez fruité. La bonne attaque invite à découvrir une matière souple et riche, dont le fondu traduit sans doute la bonne maturité des raisins de cet assemblage harmonieux.
☛ EARL James Paget, 13, rue d'Armentières, 37190 Rivarennes, tél. 02.47.95.54.02, fax 02.47.95.45.90 ☑ ⋎ r.-v.

CAVES DU PÈRE AUGUSTE Côt 1998

■ 6,8 ha 20 000 20 à 29 F

La plupart des vignes se situent en coteau orienté plein sud, à côté de celles du château de Chenonceau. Cette propriété familiale, où le visiteur est toujours bien accueilli, propose un vin de côt encore un peu austère mais déjà plaisant par sa robe intense, ses notes de fruits rouges et sa longueur. Une garde d'au moins quatre ans est à la portée de ce 98.
☛ Famille Godeau, GAEC Caves du Père Auguste, 14, rue des Caves, 37150 Civray-de-Touraine, tél. 02.47.23.93.04, fax 02.47.23.99.58 ☑ ⋎ t.l.j. 8h30-19h; dim. 10h-12h

CH. DE POCE Sauvignon 1999

☐ 15 ha 66 000 🏭⬇ 20 à 29 F

Au-dessus du château Renaissance, le vignoble est exploité par la maison Chainier et le raisin vinifié dans des chais d'Amboise. Le sauvignon a ici produit un 99 de couleur pâle à reflets verts. Des arômes subtils s'harmonisent bien à la matière équilibrée, ronde et onctueuse.
☛ SCA Dom. Chainier, Ch. de La Roche, 37530 Chargé, tél. 02.47.30.73.07, fax 02.47.30.73.09 ⋎ r.-v.

PRESTIGE DE LA VALLEE DES ROIS
Sauvignon 1999★

☐ n.c. 100 000 🏭⬇ 30 à 49 F

En 1961, sept vignerons ont décidé de s'unir pour valoriser leur production. La cave coopérative s'est très tôt dotée des équipements modernes. Mis en bouteilles dès février 2000, son touraine, vêtu d'une robe or vert, offre un bouquet

fin aux notes d'agrumes. L'harmonie et la longueur en bouche en font un vin de plaisir.
☛ Confrérie-Vignerons Oisly-Thésée, Le Bourg, 41700 Oisly, tél. 02.54.79.75.20, fax 02.54.79.75.29 ☑ ⋎ t.l.j. 9h-12h 14h-18h

DOM. CHARLY RAVENELLE
Sauvignon 1999★

☐ 3 ha 20 000 20 à 29 F

Soings-en-Sologne était autrefois connue pour sa production de fraises. Les sols sableux conviennent également bien aux vignes de sauvignon. Rond et gras, ce 99 charme par sa palette d'agrumes et d'abricot, puis par sa finale fruitée. On le servira sur un poulet à la crème.
☛ Charly Ravenelle, Champdilly, 41230 Soings-en-Sologne, tél. 02.54.98.70.44, fax 02.54.98.70.44 ☑ ⋎ r.-v.

DOM. DU RIN DU BOIS Gamay 1999★

■ 11 ha 80 000 🏭⬇ 30 à 49 F

Le rin, c'est l'orée du bois. Nous sommes ici en Sologne viticole où une partie du vignoble se trouve en clairière. Les terroirs de sable sur argile profitent au cépage gamay. En témoigne ce vin rubis, intense au nez (fraise, cerise, touche poivrée). C'est un touraine souple, gouleyant et harmonieux, dont on ne se lasse pas.
☛ Pascal Jousselin, Dom. du Rin du Bois, 41230 Soings-en-Sologne, tél. 02.54.98.71.87, fax 02.54.98.75.09, e-mail rin-du-bois@caves-particulieres.com ☑ ⋎ r.-v.

ROBERT DE SCHLUMBERGER Brut★

○ n.c. 25 000 30 à 49 F

Robert de Schlumberger est le nom de l'ancêtre autrichien des actuels propriétaires. C'est aussi la marque haut de gamme de la maison Blanc Foussy. Vieillie cinq ans sur lattes, cette cuvée revêt une robe or pâle brodée de bulles fines. Elle dévoile un nez intense, évolué (fruits exotiques, miel d'acacia), et compose en bouche un ensemble puissant mais toujours harmonieux.
☛ SA Blanc Foussy, 95, quai de la Loire, 37210 Rochecorbon, tél. 02.47.40.40.20, fax 02.47.52.65.82 ☑ ⋎ r.-v.

CLOS ROCHE BLANCHE Gamay 1999★

■ 8 ha 40 000 🏭⬇ 30 à 49 F

La cave du domaine est creusée dans le tuffeau, sous les vignes. La vendange peut ainsi être descendue directement par un puits. Le vignoble est conduit en agrobiologie et le rendement maîtrisé. Ces principes ont permis d'obtenir un 99 rubis, évocateur d'épices et de fruits rouges. Structuré, long, ce vin finit en puissance et se tiendra bien à table.
☛ GAEC du Clos Roche Blanche, 19, rte de Montrichard, 41110 Mareuil-sur-Cher, tél. 02.54.75.17.03, fax 02.54.75.17.02 ☑ ⋎ r.-v.

ROUSSEAU FRERES Noble Joué 1999★★

◢ 11 ha 47 000 🏭⬇ 20 à 29 F

Une famille de cinq personnes unies autour de ses produits, un vignoble sur argile à silex et meulière, un encépagement à base de meunier. Un credo pour le Noble Joué qui devrait bientôt obtenir son appellation. Il n'en fallait pas moins

LOIRE

pour un coup de cœur. Ce rosé de teinte saumon à reflets vifs a fait l'unanimité. Au nez floral (violette) succède une bouche charnue, fruitée, qui se développe avec souplesse et finesse. Ce vin « fait saliver », écrit un dégustateur.

🍷 Rousseau Frères, Le Vau, 37320 Esvres-sur-Indre, tél. 02.47.26.44.45, fax 02.47.26.53.12 ☑ 🍸 t.l.j. sf dim. 8h-12h30 14h-19h

DOM. DES SABLONS Cabernet 1998

■	3,6 ha	30 000	🍶 30 à 49 F

Jacques Delaunay est un vigneron expérimenté. Il a compté sur un chai fonctionnel et des vignes bien sélectionnées pour élaborer un vin brillant, qui s'inscrit dans le registre animal agrémenté d'une note de réglisse. Dès l'attaque, l'ampleur caractérise la bouche dont les tanins devront encore se fondre.
🍷 Jacques Delaunay, Dom. des Sablons, 40, rue de la Liberté, 41110 Pouillé, tél. 02.54.71.44.25, fax 02.54.71.09.25 ☑ 🍸 t.l.j. 8h-19h; dim. sur r.-v.

ALAIN ET PHILIPPE SALLE
Sauvignon 1999

☐	11 ha	40 000	🍶 20 à 29 F

C'est un vin très souple que proposent ces vignerons du hameau des Martinières, dont la famille est installée de longue date sur ces terres. Le développement fruité, sur la pomme et la poire, s'accompagne de notes végétales et minérales.
🍷 EARL Sallé, Les Martinières, 41140 Noyers-sur-Cher, tél. 02.54.75.48.10, fax 02.54.75.39.80 ☑ 🍸 r.-v.

JEAN-JACQUES SARD Noble Joué 1999★

◢	3,8 ha	18 000	🍶 20 à 29 F

Jean-Jacques Sard maintient son vignoble en situation péri-urbaine, au sud de l'agglomération tourangelle. Issu à plus de 50 % du cépage meunier, son rosé se pare d'une teinte saumon clair. Ce Noble Joué est équilibré, typique du millésime 99 par sa souplesse. Le bouquet frais et fruité ne fait qu'ajouter au plaisir.
🍷 Jean-Jacques Sard, La Chambrière, 37320 Esvres-sur-Indre, tél. 02.47.26.42.89, fax 02.47.26.57.59 ☑

DOM. SAUVETE Privilège 1998

■	2 ha	10 000	🍶 50 à 69 F

Avantageusement situé en coteaux exposés plein sud, ce vignoble est spécialisé dans la production de vins rouges charpentés. Ce touraine ne dérogera pas à la règle. Presque noir, puissant au nez, il s'inscrit dans le style de la maison par

sa concentration. Il s'ouvrira après quelques années d'évolution en bouteille.
🍷 Dom. Sauvète, La Bocagerie, 41400 Monthou-sur-Cher, tél. 02.54.71.48.68, fax 02.54.71.75.31 ☑ 🍸 t.l.j. sf dim. 9h-12h 14h-19h; f. 15-31 août

ANTOINE SIMONEAU
Brut Cuvée Millénium

○	6,23 ha	9 000	30 à 49 F

On découvrira le domaine familial d'Antoine Simoneau sur la route du château de Monpoupon. Ce producteur qui s'est lancé depuis six ans dans la vente directe a produit un touraine jaune d'or, au nez agréable de brioche et de figue sèche. Cet effervescent se prolonge avec souplesse au palais, sur des nuances d'ananas.
🍷 Antoine Simoneau, La Poterie, 41400 Saint-Georges-sur-Cher, tél. 02.54.71.36.14, fax 02.54.32.59.32 ☑ 🍸 r.-v.

DOM. DES SOUTERRAINS
Gamay 1999★

■	5 ha	30 000	🍶 20 à 29 F

Le plateau viticole de Châtillon, à l'extrémité orientale de la Touraine, possède des terroirs intéressants. Vinifié en chai climatisé, ce vin rouge lumineux offre un bouquet de fruits rouges. Sa belle matière possède une structure suffisante pour bien évoluer dans le temps.
🍷 Jacky Goumin, Dom. des Souterrains, 37, rue des Souterrains, 41130 Châtillon-sur-Cher, tél. 02.54.71.02.94, fax 02.54.71.76.26 ☑ 🍸 t.l.j. sf dim. 8h30-12h 14h-19h; f. 15 août-1er sept.

DOM. THOMAS Gamay 1999

■	n.c.	8 000	🍶 20 à 29 F

La propriété se trouve aux portes du zoo-parc de Beauval, dans la partie haute de Saint-Aignan. En dessous du vignoble, la cave est installée sur 2 km de longueur. Ce 99, d'un beau rouge rubis, laisse apparaître ses arômes plutôt épicés et minéraux en bouche. Il se déploie en souplesse jusqu'à une agréable finale.
🍷 EARL Thomas, Les Ormeaux, 41110 Saint-Aignan, tél. 02.54.75.17.00, fax 02.54.75.16.49 ☑ 🍸 t.l.j. 8h-12h 14h-19h30

FRANCK VERRONNEAU
Cabernet 1998★

■	2 ha	4 000	🍶 20 à 29 F

Depuis dix ans, Franck Verronneau tient les rênes de cette propriété familiale créée en 1935 par son grand-père. Son touraine 98 propose, derrière une robe rouge profond, une palette de fruits rouges au sein de laquelle s'inscrit une nuance de noyau. Les tanins sont présents mais souples, et la finale laisse une impression harmonieuse.
🍷 Franck Verronneau, Beaulieu, Cheillé, 37190 Azay-le-Rideau, tél. 02.47.45.40.86, fax 02.47.45.94.82 ☑ 🍸 t.l.j. 9h-12h 14h-18h

DOM. DU VIEUX PRESSOIR
Sauvignon 1999

☐	6 ha	10 000	🍶 20 à 29 F

Le domaine du Vieux Pressoir est bien situé à Rilly-sur-Loire, entre les châteaux très visités de

Chaumont et Amboise. Un pressoir du début du XIXᵉs. en signale l'entrée. Son touraine offre une palette originale où la pierre à fusil se mêle aux agrumes puis à la rose. C'est un joli vin prêt à boire.

🔖 Joël Lecoffre, 27, rte de Vallières, 41150 Rilly-sur-Loire, tél. 02.54.20.90.84, fax 02.54.20.99.66, e-mail joel.lecoffre@wanadoo.fr ☑ ⲯ r.-v.

Touraine-amboise

De part et d'autre de la Loire sur laquelle veille le château des XVᵉ et XVIᵉ s., non loin du manoir du Clos-Lucé où vécut et mourut Léonard de Vinci, le vignoble de l'appellation touraine-amboise (dont 150 à 200 ha pour le touraine-amboise) produit surtout des vins rouges (12 418 hl) à partir du gamay, du côt et du cabernet franc. Ce sont des vins pleins, avec des tanins légers ; lorsque côt et cabernet dominent, les vins ont une certaine aptitude au vieillissement. Les mêmes cépages donnent des rosés secs et tendres, fruités et bien typés. Secs à demi-secs selon les années, avec une certaine aptitude au vieillissement, les blancs ont représenté 1 031 hl en 1999.

DOM. DES BESSONS 1999

| | n.c. | 2 000 | 🔲⬇ 20 à 29 F |

Limeray est un village viticole où chaque habitant possède une cave. Des randonnées sont organisées à partir du bourg, qui permettent notamment de découvrir le château d'Avizé sur le coteau. François Péquin propose à la dégustation un rosé de saignée de couleur franche. S'il est discret au nez, ce vin emplit bien la bouche et rafraîchit par sa vivacité.

🔖 François Péquin, Dom. des Bessons, 113, rue de Blois, 37530 Limeray, tél. 02.47.30.09.10, fax 02.47.30.02.25 ☑ ⲯ t.l.j. sf dim. 9h-19h

DOM. DUTERTRE Cuvée Prestige 1998★

| ■ | 4 ha | 20 000 | ⦀ 30 à 49 F |

Cet important domaine familial est spécialisé depuis deux générations dans la vente directe ; un quart de sa production traverse les frontières et les océans. La cuvée Prestige, dans sa robe grenat à reflets violacés, a de quoi séduire. Ses arômes de griotte et de cassis explosent au nez comme en bouche, soutenus par une bonne trame tannique et une ligne boisée héritée d'un élevage en fût de dix mois. Un bel équilibre.

🔖 Dom. Dutertre, 20-21, rue d'Enfer, 37530 Limeray, tél. 02.47.30.10.69, fax 02.47.30.06.92 ☑ ⲯ t.l.j. 8h-12h30 14h-18h; dim. sur r.-v.

XAVIER FRISSANT
Cuvée François Iᵉʳ 1998★

| ■ | 5 ha | 15 000 | 🔲⬇ 30 à 49 F |

Xavier Frissant est un jeune vigneron dont la famille cultive depuis longtemps la vigne. Il sélectionne les meilleures situations pour ses plantations. Sa réputation s'élargit, et ce 99 joue en sa faveur. Pourpre intense, celui-ci présente des tanins sans agressivité. Encore tout en puissance, il fera un bon vin de garde.

🔖 Xavier Frissant, 1, chem. Neuf, 37530 Mosnes, tél. 02.47.57.23.18, fax 02.47.57.23.25 ☑ ⲯ t.l.j. 8h-12h30 14h-19h30; dim. sur r.-v.

DOM. DE LA GABILLIERE
Moelleux 1998★

| ☐ | 2 ha | n.c. | 🔲⬇ 30 à 49 F |

La Gabillière est le domaine expérimental du lycée viticole d'Amboise. Situé sur les hauteurs de la ville, il ménage une belle vue sur le château et la pagode de Chanteloup, précieux témoignage de l'architecture du Siècle des lumières. Son 98 moelleux, bouton d'or, sent bon le miel d'acacia et l'abricot. Jusqu'en finale, il tapisse le palais par sa douceur. Un vin de trie, rare dans ce millésime, que l'on gardera de cinq à dix ans au moins.

🔖 Dom. de La Gabillière, 46, av. Emile-Gounin, 37400 Amboise, tél. 02.47.23.35.51, fax 02.47.57.01.76 ☑ ⲯ t.l.j. sf sam. dim. 8h-12h 13h30-17h30

DOM. DE LA GRANDE
FOUCAUDIERE Clos du Vau 1998

| ■ | 0,3 ha | 2 500 | ⦀ 30 à 49 F |

Ancien cheminot en région parisienne, Lionel Truet est revenu à la terre en 1992 ; il a créé le domaine de toutes pièces en reprenant les vignes d'un viticulteur du village et en plantant sur les terres de la propriété familiale de son épouse. Son 98 livre sous une belle robe soutenue de jolis arômes de griotte et de cassis. L'élevage en fût de douze mois a laissé son empreinte au palais.

🔖 Lionel Truet, La Grande Foucaudière, 37530 Saint-Ouen-les-Vignes, tél. 02.47.30.04.82, fax 02.47.30.03.55 ☑ ⲯ t.l.j. 8h-20h

DOM. LA GRANGE TIPHAINE
Demi-sec 1999★

| | 1 ha | 4 000 | 🔲⬇ 20 à 29 F |

Cette exploitation entourée de 30 ha de vignes sur les hauteurs d'Amboise se situe près du parc des Mini-Châteaux et ménage une jolie vue sur le véritable château d'Amboise. Son rosé de teinte légère dévoile un nez légèrement poivré. La douceur est perceptible dans ce vin flatteur, plein de finesse.

🔖 Jackie Delecheneau, 1353, rue du Clos-Chauffour, 37400 Amboise, tél. 02.47.57.64.17, fax 02.47.57.39.49 ☑ ⲯ r.-v.

DOM. DE LA PERDRIELLE
Cuvée François Iᵉʳ 1998

| ■ | 2,7 ha | 20 000 | 🔲⬇ 20 à 29 F |

Jacques et Vincent Gandon proposent cette année un touraine-amboise rouge au riche bouquet fruité. Encore tannique mais bien pleine,

LOIRE

cette cuvée François Ier évoluera favorablement au cours de quelques années de garde.

☛ EARL Gandon, Dom. de La Perdrielle, 24, Vauriflé, 37530 Nazelles-Négron, tél. 02.47.57.31.19, fax 02.47.57.77.28 ☑ ⊥ t.l.j. sf dim. 9h-12h30 14h-19h

DOM. DE LA PREVOTE
Cuvée François Ier 1998

■	10 ha	15 000	■ ↓	20 à 29 F

Le domaine tire son nom d'une maison de prévôt (ancien palais de justice) du XI^{e}s., acquise il y a dix ans et qui devrait être restaurée. On y dégustera ce rouge très foncé que ses arômes agréables invitent à porter en bouche. Là, solide comme la justice, le vin dévoile des tanins très présents. Quelques années lui permettront de rendre son verdict.

☛ Dom. de La Prévôté, GAEC Bonnigal, 17, rue d'Enfer, 37530 Limeray, tél. 02.47.30.11.02, fax 02.47.30.11.09 ☑ ⊥ t.l.j. 9h-19h; dim. 9h-13h

DOM. DE LA RIVAUDIERE 1998★★

■	2 ha	14 000	■ ↓	30 à 49 F

DOMAINE DE LA RIVAUDIÈRE

TOURAINE-AMBOISE
APPELLATION TOURAINE-AMBOISE CONTRÔLÉE

11,5% VOL.   *1998*   750 ML

Mis en bouteille au Domaine
Pr. PS. PERDRIAUX SARL - Viticulteur 37210 Vernou/brenne, France.

Le principal vignoble de ce producteur se situe à Vouvray, mais celui-ci n'ignore rien des secrets du vin rouge. Pour preuve, ce remarquable 98 issu à 80 % de gamay, qui charme d'emblée par ses évocations de fruits mûrs. La bouche attaque franchement. Souple et même friande, elle n'en est pas moins charpentée. Equilibre, finesse, voilà tout ce que l'on attend de l'appellation, et le plaisir dure longtemps. Les **touraine rouge et rosé 99** sont quant à eux très réussis.

☛ EARL Perdriaux, Les Glandiers, 37210 Vernou-sur-Brenne, tél. 02.47.52.02.26, fax 02.47.52.04.81 ☑ ⊥ r.-v.

CELLIER LEONARD DE VINCI
Cuvée François Ier 1998★

■	8 ha	12 000	■ ↓	20 à 29 F

Cette cave, récemment modernisée, est l'une des plus petites coopératives du département de l'Indre-et-Loire. Une affaire de famille en quelque sorte (115 ha vinifiés) créée en 1941 par un groupe d'amis viticulteurs. L'histoire se poursuit avec succès, comme en témoigne ce 98 rouge soutenu qui a bénéficié d'un élevage en cave de neuf mois. Des nuances animales et un bel équilibre sont les points forts de la dégustation. A servir sur un coq au vin... de touraine-amboise.

☛ Cellier Léonard de Vinci, 11, rte de Saint-Ouen-les-Vignes, 37530 Limeray, tél. 02.47.30.10.31, fax 02.47.30.06.31 ☑ ⊥ t.l.j. sf dim. 8h15-12h 14h-18h

ROLAND PLOU ET SES FILS 1999★

◩	3 ha	10 000	■ ↓	20 à 29 F

Cette ancienne famille de vignerons installée depuis le XVI^{e}s. à Chargé, sur la rive gauche de la Loire, possède aujourd'hui 65 ha de vignes et deux caves ouvertes à la visite. Elle se distingue dans le millésime 99 par un rosé brillant, au nez plaisant. Rond et long, ce vin ne manque pas de finesse.

☛ EARL Plou et Fils, 26, rue du Gal-de-Gaulle, 37530 Chargé, tél. 02.47.30.55.17, fax 02.47.23.17.02 ☑ ⊥ t.l.j. 9h-13h 15h-19h30

VIGNOBLE DES QUATRE ROUES
Cuvée François Ier 1998★★

■	1 ha	4 000	■	20 à 29 F

La Salamandre de François Ier crache du feu sur l'étiquette. Assemblage de cépages comme le veut le nom de cette cuvée, ce 98 offre un nez discret, agréable et un peu animal. La matière équilibrée se structure autour de tanins souples et emplit bien la bouche, avec une belle persistance.

☛ Vignoble des Quatre Roues, 27, Fourchette, 37530 Pocé-sur-Cisse, tél. 02.47.57.26.96, fax 02.47.57.26.96 ☑ ⊥ r.-v.

☛ C. et F. Catroux

Touraine-azay-le-rideau

Produits sur 150 ha, répartis sur les deux rives de l'Indre, les vins ont ici l'élégance du château qui se reflète dans la rivière et dont ils ont pris le nom. La moitié sont des blancs (1 044 hl en 1999) ; secs à tendres, particulièrement fins, vieillissant bien, ils sont issus du cépage chenin blanc (ou pineau de la Loire). Les cépages grolleau (60 % minimum de l'assemblage), gamay, côt (avec au maximum 10 % de cabernets) donnent des rosés secs et très friands (1 920 hl).

Les vins rouges ont l'appellation touraine.

DOM. DU HAY 1999★

◩	3 ha	7 000	■ ↓	30 à 49 F

Le domaine du Hay possède 15 ha de vignes entre Azay-le-Rideau et Villandry, sites ô combien prestigieux par leurs châteaux. Britanniques et Belges sont nombreux à visiter les caves de la famille Gallais. Dans le millésime 99, le touraine-azay-le-rideau rosé se présente sous une teinte saumon. Il offre un bouquet de violette, dévoilant même une pointe minérale. L'attaque est fine et la vivacité n'exclut pas ampleur et persistance. Le **touraine rouge 98** est quant à lui agréable.

Touraine-mesland

•┑EARL Gallais Père et Fils, 5, Le Hay, 37190 Vallères, tél. 02.47.45.39.55, fax 02.47.45.31.27 ☑ ⵝ r.-v.

CH. DE LA ROCHE 1998

☐	1,74 ha	6 500	▮↓ 30 à 49 F

Au Moyen Age, La Roche était l'un des quatre gardiens fieffés de la forêt de Chinon. Le château actuel date des XVIe et XVIIes. Il se trouve non loin du site où a été découvert un pressoir gallo-romain du IIes. C'est un vin blanc brillant qui a retenu l'attention des dégustateurs. Les fleurs blanches s'expriment au nez. Ce demi-sec de belle structure est à servir sur un ris de veau ou un poisson à la crème.

•┑Ch. de La Roche, La Roche, 37190 Cheillé, tél. 02.47.45.46.05, fax 02.47.45.29.60, e-mail gentil.la-roche@wanadoo.fr ☑ ⵝ t.l.j. 9h-12h30 14h-19h
•┑B. Gentil

DOM. JAMES PAGET 1999★★

◢	1 ha	7 500	▮↓ 30 à 49 F

James Paget est installé à Rivarennes, commune où l'on peut visiter un petit musée de la Poire tapée (poire trempée dans du vin puis cuite dans un sirop) et procéder à une dégustation de cette spécialité autrefois exportée jusqu'en Angleterre. Des caves de ce producteur on appréciera ce remarquable rosé à la teinte discrète mais brillante. Le nez floral et minéral précède un palais fin qui se développe avec ampleur et équilibre. La finale, rafraîchissante, se prolonge bien. Le **blanc 98** mérite lui aussi d'être goûté.

•┑EARL James Paget, 13, rue d'Armentières, 37190 Rivarennes, tél. 02.47.95.54.02, fax 02.47.95.45.90 ☑ ⵝ r.-v.

PASCAL PIBALEAU Demi-sec 1998★

☐	5 ha	6 000	ⵊⵊ 30 à 49 F

Pascal Pibaleau est l'un des jeunes vignerons d'Azay-le-Rideau. Vinifié puis élevé huit mois en demi-muid, son 98 de teinte citron propose un nez de fleurs blanches, puis une bouche grasse et tendre, empreinte de notes de miel. Ce bel ensemble se bonifiera encore grâce à une garde de deux à cinq ans.

•┑EARL Pascal Pibaleau, 68, rte de Langeais, Luré, 37190 Azay-le-Rideau, tél. 02.47.45.27.58, fax 02.47.45.26.18 ☑ ⵝ t.l.j. sf dim. 8h-12h30 13h30-19h

LA CAVE DES VALLEES 1999★

◢	3 ha	6 000	▮↓ 20 à 29 F

La cave des Vallées se situe dans le bourg de Cheillé, presque en lisière de la forêt de Chinon. La famille Badiller cultive ici la vigne depuis 1789. A deux pas, le village mérite une visite pour son église romane. Le touraine-azay-le-rideau proposé à la dégustation affiche un joli rose bonbon. Vineux, floral et minéral, il est plaisant par sa fraîcheur et sa longueur.

•┑Marc Badiller, 29, Le Bourg, 37190 Cheillé, tél. 02.47.45.24.37, fax 02.47.45.29.66 ☑ ⵝ t.l.j. sf dim. 8h30-12h30 15h-19h

Sur la rive droite de la Loire, au nord de Chaumont et en aval de Blois, le vignoble d'appellation couvre 200 ha. 6 204 hl ont été produits en 1999 dont 815 en blanc ; les sols sont perruchaux (argile à silex à couverture localement sableuse - miocène - ou limono-sableuse). La production de vins rouges est abondante ; issus du gamay assemblé avec du cabernet et du côt, ceux-ci sont bien structurés et typés. Comme les rosés, les blancs (issus surtout du chenin) sont secs.

DOM. D'ARTOIS 1999★

▮	8,5 ha	60 000	▮ 30 à 49 F

C'est d'un chai bien équipé, installé au milieu du plateau viticole de Mesland, qu'est issu ce vin au bouquet de griotte et de notes torréfiées. Ses tanins servent bien ce 99 harmonieux et prometteur. Et puisque vous passez à Mesland pour découvrir ce producteur, arrêtez-vous à l'église du village et admirez, entre autres, les mascarons qui ornent le portail occidental.

•┑Dom. d'Artois, La Morandière, 41150 Mesland, tél. 02.54.70.24.72, fax 02.54.70.24.72 ☑ ⵝ r.-v.

BOIS D'ASNIERES 1999★★

▮	5 ha	25 000	▮ⵊⵊ 30 à 49 F

Onzain est situé sur la rive nord de la Loire. Sur l'autre rive, le château de Chaumont n'est qu'à une vingtaine de kilomètres. Mêlant au gothique une influence Renaissance, il a belle allure avec son parc planté d'essences rares qui accueille chaque été de nombreux visiteurs à l'occasion du festival des Jardins. Le 99 du domaine des Cailloux est à l'image de cet édifice harmonieux. Rubis violacé, il dévoile un nez complexe de fruits très mûrs. Sa bouche vanillée se prolonge sur un bel équilibre, soulignée par un boisé discret. Le **touraine-mesland blanc 99** du domaine est tout aussi estimable.

•┑Saunier, Dom. des Cailloux, 7, rue des Fontenelles, 41150 Onzain, tél. 02.54.20.78.77, fax 02.54.33.79.63 ☑ ⵝ r.-v.

DOM. DE LA BESNERIE 1999

☐	n.c.	3 300	▮↓ 20 à 29 F

Dans cette propriété tourangelle caractéristique, les vignes sont implantées sur le coteau, les caves sous le coteau et les bâtiments devant les caves. C'est dans cet environnement qu'est né ce 99 clair et brillant, disert en arômes de miel et de fleurs. Gras, il emplit bien la bouche.

•┑François Pironneau, Dom. de La Besnerie, rte de Mesland, 41150 Monteaux, tél. 02.54.70.23.75, fax 02.54.70.21.89 ☑ ⵝ r.-v.

LOIRE

CLOS DE LA BRIDERIE 1999★★

■   6,1 ha   n.c.   ■ ♦ `30 à 49 F`

Ce domaine, qui vend un quart de sa production à l'export, est bien situé sur le plateau viticole, entre Monteaux et Mesland. Son vignoble est cultivé en biodynamie. Vêtu d'une robe rubis à nuances violettes, le 99 possède du fruit et des tanins serrés, élégants. L'avenir est à lui. Quelle matière ! Un vrai pur-sang. Le **touraine-mesland blanc 99** est tout aussi remarquable.

☛ J. et F. Girault, Clos de La Briderie, 41150 Monteaux, tél. 02.47.57.07.71, fax 02.47.57.65.70 ☑ ☥ r.-v.

LES VAUCORNEILLES 1999★

◢   0,6 ha   4 000   ■ ♦ `20 à 29 F`

Gilles Chelin et Jean-Etienne Pigache signent leur deuxième millésime au domaine Les Vaucorneilles et remportent un nouveau succès avec ce rosé. Voyez les jolis reflets saumon de ce vin qui s'inscrit dans la tradition du touraine-mesland. Au nez floral répond une bouche tendre, équilibrée et persistante. Le **rouge 99** est tout aussi réussi.

☛ GAEC Les Vaucorneilles, 10, rue de l'Egalité, 41150 Onzain, tél. 02.54.20.72.91, fax 02.54.20.74.26 ☑ ☥ r.-v.

☛ Chelin-Pigache

DOM. DE LUSQUENEAU 1999★★

◢   n.c.   13 600   ■ ♦ `20 à 29 F`

Le chai du domaine de Lusqueneau se trouve en plein cœur de Mesland. On y découvre un 99 rosé soutenu. Après une palette complexe de fruits très mûrs, le vin attaque en souplesse puis se développe longuement : un vin plaisant, à boire pour lui-même.

☛ SCEA Dom. de Lusqueneau, rue du Foyer, 41150 Mesland, tél. 02.54.70.25.51, fax 02.54.70.27.49 ☑ ☥ r.-v.

DOM. DU CHEMIN DE RABELAIS 1999★

☐   0,9 ha   2 000   ■ ♦ `20 à 29 F`

José Chollet travaille depuis 1999 avec son fils. De cette collaboration est né ce blanc de teinte paille, au nez discret de fruits blancs. L'équilibre tend vers la souplesse et le gras, si bien que le vin caresse le palais.

☛ Chollet, 23, chem. de Rabelais, 41150 Onzain, tél. 02.54.20.79.50, fax 02.54.20.79.50 ☑ ☥ r.-v.

DOM. DES TERRES NOIRES 1999★

■   1,2 ha   300   ■ ♦ `20 à 29 F`

Les trois frères Rediguère travaillent de concert depuis 1993. Ils exploitent 12 ha de vignes, les cépages rouges poussant sur argile sableuse. Rubis, leur 99 se caractérise au nez par des nuances de poivron. Encore tannique car jeune, il promet un agréable moment dans un proche avenir. Le **rosé** du même millésime obtient une citation.

☛ GAEC des Terres Noires, 81, rue de Meuves, 41150 Onzain, tél. 02.54.20.72.87, fax 02.54.20.85.12 ☑ ☥ t.l.j. 9h-19h

JACQUES VEUX 1999

◢   1 ha   5 000   ■ `20 à 29 F`

Le vignoble exploité par Jacques Veux depuis 1974 a été créé dans les années vingt sur un plateau argilo-sableux. Le gamay a donné naissance dans le millésime 99 à un rosé de teinte saumon pâle, plaisant par son équilibre et son caractère floral. On l'appréciera sur un plateau de charcuteries.

☛ Jacques Veux, 3 *bis*, Château-Gaillard, 41150 Mesland, tél. 02.54.70.26.27 ☑

Bourgueil

A partir du cépage cabernet-franc ou breton, 62 604 hl de vins rouges ont été produits en 1999 sur les 1 250 ha du vignoble d'appellation contrôlée bourgueil, à l'ouest de la Touraine et aux frontières de l'Anjou, sur la rive droite de la Loire. Racés, dotés de tanins élégants, ils ont une très bonne aptitude au vieillissement, après une cuvaison longue, s'ils proviennent des sols sur tuffeau jaune des coteaux. Leur évolution en cave peut alors durer plusieurs dizaines d'années pour les meilleurs millésimes (1976, 1989, 1990 par exemple). Ils sont plus gouleyants et fruités s'ils proviennent des terrasses aux sols graveleux à sableux. Quelques centaines d'hectolitres sont vinifiés en rosés secs. Il est à noter que les viticulteurs membres de la coopérative de Restigné (un quart du bourgueil) reprennent leurs vins et les élèvent souvent dans leur propre cave.

YANNICK AMIRAULT
La Petite Cave 1998★

■   1,5 ha   9 000   ❙❚❙ `70 à 99 F`

Yannick Amirault possède un domaine de 16 ha à la limite de Bourgueil et de Saint-Nicolas et réussit fort bien dans chacune de ces deux appellations. Il présente un bourgueil de semi-garde à l'attaque franche et ronde, au corps puissant et aux tanins marqués. Le fruit ne manque pas, il s'y ajoute une note de café. La finale est longue, avec un léger boisé. L'exploitation accueillera désormais ses clients au pavillon du Grand Clos, près du Moulin bleu.

➤ Yannick Amirault, 5, pavillon du Grand Clos, 37140 Bourgueil, tél. 02.47.97.78.07, fax 02.47.97.94.78 ☑ ⌙ r.-v.

HUBERT AUDEBERT
Vieilles vignes 1998★

| ■ | 2 ha | 10 000 | ▮⌙ | 30 à 49 F |

Chez les Audebert, on vinifie vraiment à l'ancienne, dans des cuves en bois, en enfonçant le chapeau aux pieds et en remontant le vin deux fois par jour. L'extraction est maximale, et cela donne un vin aux tanins puissants. Heureusement, dans ce 98, ils sont accompagnés d'une bonne matière qui rend la bouche agréable. Un vin d'avenir qui se découvrira dans plusieurs années.

➤ Hubert Audebert, 5, rue Croix-des-Pierres, 37140 Restigné, tél. 02.47.97.42.10, fax 02.47.97.77.53 ☑ ⌙ r.-v.

DOM. AUDEBERT ET FILS
Vignoble Les Marquises 1998★

| ■ | 1,5 ha | 10 000 | ▮⊞⌙ | 30 à 49 F |

François Audebert a repris à son installation, en 1996, la majeure partie des vignes (20 ha) exploitées par la maison de négoce du même nom. Il présente un beau vin, rond, équilibré, aux tanins puissants mais sans agressivité, d'un bon prolongement, et qui évoque les fruits rouges du verger. Une bouteille qui pourra attendre.

➤ EARL Dom. Audebert et Fils, av. Jean-Causeret, 37140 Bourgueil, tél. 02.47.97.70.06, fax 02.47.97.72.07, e-mail audebert@micro-vidéo.fr
☑ ⌙ t.l.j. 8h-12h 14h-18h; sam. dim. sur r.-v.

DOM. AUGER 1998

| ■ | 6 ha | 35 000 | ▮⌙ | 20 à 29 F |

Le domaine Auger est une maison de négoce disposant de plus de 23 ha de vignes. Il propose un 98 souple, léger, élégant, très fruité au nez comme en bouche. Il faudra le boire rapidement pour ne pas perdre ses évocations de framboise et de fraise si plaisantes.

➤ Christophe Auger, 58, rte de Bourgueil, Fougerolles, 37140 Restigné, tél. 02.41.40.22.50, fax 02.41.40.22.60

➤ Joseph Verdier

CHRISTOPHE CHASLE Rochecot 1998★

| ■ | 1 ha | 6 000 | ▮ | 50 à 69 F |

Saint-Patrice est la première commune de l'appellation que l'on rencontre en venant de Tours, avant que ne s'élargisse la terrasse qui porte le vignoble. La pente y est douce, et les rangs de vigne bien alignés qui vont jusqu'au coteau s'éclairent de nombreux hameaux bâtis en pierre de tuffeau. C'est dans ce cadre que Christophe Chasle a produit et élevé ce vin puissant, doté d'un bon support tannique et à l'avenir prometteur. Encore fermé, ce 98 devrait s'épanouir dans quelques années.

➤ Christophe Chasle, 28, rue Dorothée-de-Dino, 37130 Saint-Patrice, tél. 02.47.96.95.95, fax 02.47.96.95.95 ☑ ⌙ r.-v.

DOM. DU CHENE ARRAULT
Cuvée Vieilles vignes 1998★

| ■ | 1,33 ha | 8 000 | ▮⌙ | 30 à 49 F |

Un regroupement, en 1990, des propriétés des grands-parents maternels et paternels de Christophe Deschamps, est à l'origine du domaine du Chêne Arrault, qui couvre près de 13 ha. Produits sur les terres argilo-calcaires de Benais, les vins sont généralement charpentés et de garde. C'est le cas de ce 98 à la forte constitution. La bouche est pleine, ronde et les tanins présents mais disposés à évoluer. Une bouteille encore sur la défensive mais que le temps amadouera. Citée par le jury, la **cuvée des Valinières**, plus souple et plus légère, permettra de l'attendre.

➤ Christophe Deschamps, 4, Le Chêne-Arrault, 37140 Benais, tél. 02.47.97.46.71, fax 02.47.97.82.90, e-mail domaine.du.chene.arrault@wanadoo.fr
☑ ⌙ r.-v.

DOM. DES CHESNAIES
Cuvée Lucien Lamé 1998★

| ■ | 4,2 ha | 31 000 | ▮⌙ | 30 à 49 F |

La jeune génération des Boucard - Philippe, technicien supérieur, et Stéphanie, œnologue - collabore étroitement avec le père, René, qui lui-même avait longtemps travaillé avec son beau-père, Lucien Lamé. C'est à ce dernier qu'ils doivent les méthodes de vinification et d'élevage bien particulières qui ont fait la renommée des vins du domaine. Ils lui ont d'ailleurs dédié cette cuvée. C'est un bel exemple de fraîcheur, de rondeur et de longueur, avec des tanins bien fondus qui donnent une impression d'équilibre. Ce 98 semble fait pour être bu dès maintenant.

➤ EARL Lamé-Delisle-Boucard, 21, rue de la Galotière, Les Chesnaies, 37140 Ingrandes-de-Touraine, tél. 02.47.96.98.54, fax 02.47.96.92.31 ☑ ⌙ r.-v.

LYDIE ET MAX COGNARD
Les Tuffes 1998

| ■ | 0,6 ha | 4 100 | ▮⌙ | 30 à 49 F |

Près de la cave touristique que tout amateur de bourgueil se doit d'avoir visitée, les vignes de Max Cognard croissent au pied du coteau sur des sols argilo-calcaires. Sa cuvée Les Tuffes se distingue dans ce millésime par son équilibre et sa rondeur. Les arômes, qui font penser au cassis et au cuir, sont plaisants. Un vin léger, agréable, facile à boire.

➤ Cognard, Chevrette, 37140 Saint-Nicolas-de-Bourgueil, tél. 02.47.97.76.88, fax 02.47.97.97.83
☑ ⌙ r.-v.

DOM. BRUNO DUFEU 1998★

| ■ | 1,5 ha | 6 000 | ▮⊞ | 20 à 29 F |

Bruno Dufeu s'est installé en 1995 sur l'exploitation familiale de 4 ha ; il l'a rapidement portée à 9 ha, ce qui lui a permis de se spécialiser. Son 98, plutôt évolué, est prêt à boire. Les tanins sont bien fondus, et le fruit est à son maximum. Il est plaisant, rond, et se boit tout seul...

LOIRE

➤ Dufeu, Les Neusaies, 37140 Benais,
tél. 02.47.97.76.53, fax 02.47.97.76.53 ☑ Ⓨ r.-v.

LAURENT FAUVY 1998★

■　　　　3 ha　　2 500　　▤ 20à29F

Un vin de très belle facture, dense, riche et
puissant. On y trouve de la rondeur et du potentiel. Ses arômes, déjà présents, ne demandent
qu'à se développer. Une bouteille déjà d'un bon
niveau, mais qui gagnera en élégance et en subtilité si on l'oublie quelque temps en cave. Citée
par le jury, la cuvée **Vieilles vignes 98** du même
producteur (30 à 49 F) est intéressante par sa
belle expression de fruits mûrs.
➤ Laurent Fauvy, 14, rte de Saint-Gilles,
37140 Benais, tél. 02.47.97.46.67,
fax 02.47.97.95.45 ☑ Ⓨ r.-v.

DOM. DES GALLUCHES 1998★

■　　　　4 ha　　12 000　　⬧⬧ 30à49F

Malgré ses responsabilités professionnelles et
municipales, Jean Gambier a dirigé avec brio le
domaine des Galluches. Son neveu James Petit,
qui a pris sa suite en 1997, propose une belle
cuvée fruitée, équilibrée et élégante. Un « vin
plaisir » qui devrait évoluer favorablement.
➤ James Petit, 37140 Restigné,
tél. 02.47.97.30.13 ☑
➤ Jean Gambier

DOM. DES GELERIES
Cuvée Prestige 1998★

■　　　　1 ha　　6 000　　▤⬧⬧ 30à49F

Jeannine Rouzier-Meslet, aidée aujourd'hui
par son fils, a pris la direction du domaine en
1992, à la retraite de son mari. Sa cuvée Prestige
est de très belle facture : les arômes de cassis et
de fleurs sont persistants, la bouche à l'attaque
souple devient plus ferme mais sans excès, les
tanins s'estompant progressivement. Un vin prêt
à boire mais qui peut attendre.
➤ Jeannine Rouzier-Meslet, 2, rue des Géléries,
37140 Bourgueil, tél. 02.47.97.72.83,
fax 02.47.97.48.73 ☑ Ⓨ r.-v.

DOM. DU GRAND CLOS 1998

■　　　　9 ha　　55 000　　30à49F

Une entreprise qui a pignon sur rue à Bourgueil. Bien distribuée dans la restauration,
offrant des vins de qualité, elle a beaucoup fait
pour la notoriété de l'appellation. Elle propose
un joli vin de graviers, léger, rond et bien équilibré. Son fruit où domine la framboise est exceptionnel. Le vin « plaisir » par excellence.
➤ Maison Audebert et Fils,
av. Jean-Causeret, 37140 Bourgueil,
tél. 02.47.97.70.06, fax 02.47.97.72.07,
e-mail audebert@micro-video.fr
☑ Ⓨ t.l.j. 8h-12h 14h-18h; sam. dim. sur r.-v.

ALAIN ET ARNAUD HOUX
Cuvée de La Chopinière 1998★

■　　　　2 ha　　5 000　　⬧⬧ 30à49F

Quatre générations de vignerons se sont succédé sur ce vignoble de 13 ha au sol argilo-calcaire. La cuvée de La Chopinière se présente
dans une jolie robe rouge vif. Le nez, un peu
évolué, rappelle le poivron et les épices, avec une
note de café. La bouche surprend par sa légère

vivacité et sa touche mentholée. Elle reste pleine
et ronde, ce qui donne à ce vin une certaine aptitude à la garde.
➤ Alain et Arnaud Houx, 21, le Clos Barbin,
37140 Restigné, tél. 02.47.97.30.95,
fax 02.47.97.30.95 ☑ Ⓨ r.-v.

DOM. HUBERT 1998

■　　　　8 ha　　60 000　　⬧⬧ 30à49F

Le domaine Hubert, dans la même famille
depuis 1730, est situé entièrement sur le territoire
de Benais où les terres (tuffeau et argilo-calcaires) ont la réputation de produire des vins solides
qui défient le temps. Ce n'est pas le cas de ce 98
dont l'attaque tendre, la rondeur et la richesse
lui confèrent un caractère aimable et plaisant.
Les tanins restent modérés dans leur expression.
Le fruit intense qui se dégage au nez comme en
bouche confirme que l'on est bien dans un type
très représentatif de l'appellation et du millésime.
➤ Caslot-Galbrun, La Hurolaie, 37140 Benais,
tél. 02.47.97.30.59, fax 02.47.97.45.46 ☑ Ⓨ t.l.j.
9h30-11h30 14h30-19h30; dim. sur r.-v.

DOM. DE LA BUTTE 1998★

■　　　　5 ha　　8 148　　▤⬧⬧ 30à49F

Le domaine de La Butte, on s'en doutera it,
domine le vignoble de Bourgueil. Cette situation
de choix, alliée au savoir-faire de deux vignerons
de talent, ont donné un vin de belle constitution,
fruité, équilibré, soutenu par des tanins assez présents. Harmonieux et de bonne longueur, il fera
une carrière honorable. Tout aussi bien notée, la
cuvée **Vieilles vignes** de ces mêmes producteurs,
a un avenir également prometteur.
➤ GAEC Gilbert et Didier Griffon,
Dom. de La Butte, 37140 Bourgueil,
tél. 02.47.97.81.30, fax 02.47.97.99.45 ☑ Ⓨ r.-v.

DOM. DE LA CHANTELEUSERIE
Cuvée Beauvais 1998★

■　　　　2 ha　　10 000　　▤⬧⬧⬇ 30à49F

Thierry Boucard représente la septième génération sur ce domaine de 20 ha. Sélectionnés
rigoureusement, les raisins qui ont donné sa
cuvée Beauvais proviennent d'un sol de tuffeau.
Le vin résulte d'une cuvaison longue et d'un élevage de huit mois dans le bois. Les fruits rouges
sont très présents, au nez comme en bouche.
Cette dernière, ronde et pleine à souhait, révèle
des tanins harmonieux. La finale est suffisamment longue. Un beau vin très représentatif de
l'appellation et du millésime, à consommer
maintenant.
➤ Thierry Boucard, La Chanteleuserie,
37140 Benais, tél. 02.47.97.30.20,
fax 02.47.97.46.73, e-mail tboucard@terre-net.fr
☑ Ⓨ t.l.j. sf dim. 8h-12h 14h-18h

LA CHARPENTERIE
Vieilles vignes Vieilli en fût de chêne 1998★

■　　　　3 ha　　7 000　　▤⬧⬧⬇ 30à49F

A deux pas de la Loire se trouve une coquette
maison tourangelle construite en tuffeau blanc.
Loin du fleuve et de ses caprices, 13 ha de vignes
croissent sur des sols siliceux. Les ceps, âgés de
quarante ans, ont donné une cuvée Vieilles
vignes au très beau fruité, ronde et équilibrée. La
petite touche boisée en finale n'entame pas l'élé-

gance et la finesse de ce vin qui peut faire son office dès maintenant. Quant à la **cuvée du même millésime**, elle a obtenu une citation.

☛ EARL Alain-Cyprien Caslot-Bourdin, 21, rue Brûlée, 37140 La Chapelle-sur-Loire, tél. 02.47.97.34.45, fax 02.47.97.44.80 ☑ ☥ r.-v.

DOM. DE LA CHEVALERIE
Cuvée des Galichets 1998★★

■   4,2 ha   22 000 ■❶❷ 30 à 49 F

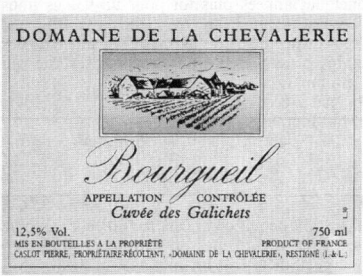

DOMAINE DE LA CHEVALERIE

Bourgueil

APPELLATION CONTRÔLÉE
Cuvée des Galichets

12,5% Vol.   750 ml
MIS EN BOUTEILLES À LA PROPRIÉTÉ   PRODUCT OF FRANCE
CASLOT PIERRE, PROPRIÉTAIRE RÉCOLTANT, «DOMAINE DE LA CHEVALERIE», RESTIGNÉ (I.-&-L.)

Descendants d'une lignée de vignerons remontant à 1640, les Caslot bénéficient d'une expérience qui a certainement contribué à la qualité de ce superbe bourgueil (après un 95 qui avait aussi obtenu un coup de cœur). La robe carmin profond donne le ton. Le nez est puissant, ouvert, et la bouche révèle une très belle maturité avec des tanins arrondis enveloppés de gras. L'équilibre est remarquable. Un vin riche, qui peut aller assez loin mais qui joue dès maintenant, grâce à sa générosité, son rôle avec talent.

☛ Pierre Caslot, Dom. de La Chevalerie, 37140 Restigné, tél. 02.47.97.37.18, fax 02.47.97.45.87 ☑ ☥ t.l.j. 8h-12h 14h-19h30; dim. sur r.-v.

DOM. DE LA GAUCHERIE 1998

■   2 ha   7 500   ■❗ 30 à 49 F

Avec ses bâtiments impressionnants dotés d'un équipement complet, le domaine de La Gaucherie ne passe pas inaperçu quand on pénètre dans le vignoble de Bourgueil en venant de Tours. On peut y voir encore les poteaux de vignes en ardoise qui étaient de tradition dans le pays. Couvrant les premières terrasses chaudes de l'appellation, les vignes de Régis Mureau ont donné un beau vin, très équilibré, fruité, rond, d'un type léger, qui mettra en valeur un repas simple pour des amis de toujours. Une autre cuvée **Domaine Régis Mureau 98**, a également obtenu une citation pour sa fraîcheur et son fruité.

☛ Régis Mureau, La Gaucherie, 37140 Ingrandes-de-Touraine, tél. 02.47.96.97.60, fax 02.47.96.93.43 ☑ ☥ t.l.j. sf dim. 9h-12h 14h-18h

DOM. DE LA LANDE Cuvée Prestige 1998

■   2 ha   12 000 ■❶❷ 30 à 49 F

Une équipe père-fils déjà bien rodée et qui présente une cuvée Prestige issue de vignes de plus de quarante ans. L'attaque est fraîche, et le corps puissant. Les tanins apparaissent encore un peu serrés. Tous ces caractères montrent le sérieux de la production et de l'élevage mais inci-

tent à oublier ce vin en cave pour lui permettre de s'arrondir.

☛ Delaunay Père et Fils, Dom. de La Lande, 20, rte du Vignoble, 37140 Bourgueil, tél. 02.47.97.80.73, fax 02.47.97.95.65 ☑ ☥ r.-v.

DOM. DE LA NOIRAIE
Cuvée Prestige 1998★

■   4 ha   25 000   ■❗ 30 à 49 F

C'est une équipe bien soudée composée des deux frères et d'une épouse qui conduit ce beau vignoble de 18 ha. Chacun a son rôle et travaille dans la tradition. Le cheval y a encore sa place pour les petits travaux et le plaisir ! Cette cuvée Prestige est pleine d'agréments avec un nez très ouvert et une bouche bien équilibrée et souple. Le fond tannique, assez présent, devrait se fondre au cours du temps.

☛ GAEC Delanoue Frères, 19, rue du Fort Hudeau, L'Ereau, 37140 Benais, tél. 02.47.97.30.40, fax 02.47.97.46.95 ☑ ☥ t.l.j. 9h-12h 14h-19h; dim. 9h-12h

VIGNOBLE DE LA RENAISSANCE
Cuvée Vieilles vignes 1998★

■   0,7 ha   2 000   ■❶ 20 à 29 F

Jean-Paul Verneau n'est installé que depuis cinq ans sur ce petit domaine (moins de 3 ha) qu'il a créé de toutes pièces. Comme l'année dernière, il propose une cuvée très réussie, tendre et charnue. Les tanins, domestiqués, n'empiètent pas sur le fruit qui se révèle dans une belle finale, d'une longueur peu commune. Une bouteille harmonieuse et riche, qui devrait plaire aux amateurs de vins très boisés.

☛ Jean-Paul Verneau, 7, rue des Brossays, 37340 Cléré-les-Pins, tél. 02.47.24.95.05, fax 02.47.24.95.05 ☑ ☥ r.-v.

VIGNOBLE DE LA ROSERAIE 1998

■   23 ha   10 000 ■❶❷ 30 à 49 F

Joël et Ginette Vallée et leurs deux fils, Eric et Patrick, exploitent en société agricole ce domaine de 9,5 ha. Leur bourgueil reflète les soins qu'on lui a portés. La bouche est fraîche avec un fruité de groseille. La rondeur vient après, et les tanins un peu évolués ne se font pas oublier. On peut profiter de sa jeunesse ou lui laisser faire son chemin.

☛ Vignoble de La Roseraie, 46, rue Basse, 37140 Restigné, tél. 02.47.97.32.97, fax 02.47.97.44.24 ☑ ☥ r.-v.

☛ Vallée

DOM. LES PINS Vieilles vignes 1998

■   1,5 ha   8 000   ■❗ 30 à 49 F

Une bâtisse du XVIᵉ s. entourée de la majeure partie du domaine de 18 ha, c'est un bien inestimable qu'une même famille cultive depuis cinq générations. La cuvée Vieilles vignes a plu par son fruité, son élégance et son harmonie d'ensemble. C'est un vin d'un type léger qui saura réjouir le cœur.

☛ Pitault-Landry et Fils, Dom. Les Pins, 37140 Bourgueil, tél. 02.47.97.47.91, fax 02.47.97.98.69 ☑ ☥ r.-v.

LOIRE

MICHEL ET JOELLE LORIEUX
Chevrette 1998★

■   2 ha   5 000   ▮◫♨ 30 à 49 F

Michel et Joëlle Lorieux mettent en valeur un domaine de 10 ha situé au pied du coteau et né du regroupement des exploitations des deux familles. « Voilà du bourgueil ! » a dit de cette cuvée un membre du jury. Une authenticité que lui confèrent sa souplesse, son fruité et sa longueur. Les tanins, encore très présents, y sont aussi pour quelque chose.
☛ Michel et Joëlle Lorieux, Chevrette, 37140 Bourgueil, tél. 02.47.97.85.86, fax 02.47.97.85.86 ☑ ⵊ t.l.j. sf dim. 9h-12h30 14h-19h

DOM. LAURENT MABILEAU 1998★★

■   3,3 ha   25 000   ▮♨ 30 à 49 F

Au domaine Laurent Mabileau, on n'a pas hésité, après les gelées désastreuses de 1991, à équiper une partie du vignoble d'un système de lutte contre le gel par aspersion (qui permet d'envelopper les bourgeons d'une couche de glace protectrice), à l'instar de ce qui se pratique dans le Chablisien. Une méthode efficace mais onéreuse, justifiée sans doute par la qualité des vins du domaine. Il aurait été dommage de perdre cette récolte, superbe par son équilibre, sa puissance et sa longueur. Un vin de très belle tenue qu'il serait préférable de mettre à l'abri des convoitises un certain temps.
☛ Dom. Laurent Mabileau, La Croix du Moulin-Neuf, 37140 Saint-Nicolas-de-Bourgueil, tél. 02.47.97.74.75, fax 02.47.97.99.81, e-mail laurent.mabileau1@libertysurf.fr ☑ ⵊ t.l.j. 9h-12h30 14h-19h

DOM. DES MAILLOCHES
Vieilles vignes sur graviers Cuvée Sophie 1998★

■   2,5 ha   15 000   30 à 49 F

Le domaine des Mailloches est un habitué des distinctions : expositions universelles de la fin du XIXᵉ s., classement hors concours à Chicago en 1893, présence à la table de l'Elysée lors d'un dîner officiel, sans parler des nombreuses mentions dans le Guide. Issue de vieilles vignes (plus de cinquante ans), la cuvée Sophie possède une attaque souple, une bouche puissante mais ronde et des tanins fondus. L'ensemble, équilibré et persistant, développe des arômes intenses de fruits mûrs. Un vin qui peut patienter mais qui saura s'exprimer dès maintenant. La **cuvée Vieilles vignes sur tuffeau 98** provenant de ceps de quatre-vingts ans est typique et réussie.
☛ Jean-François Demont, Les Mailloches, 37140 Restigné, tél. 02.47.97.33.10, fax 02.47.97.43.43, e-mail infos@domaine-mailloches.fr ☑ ⵊ r.-v.

DOMINIQUE MOREAU 1998★

■   1 ha   3 000   30 à 49 F

Dominique Moreau est un fidèle du Guide. Son 98 est un vin prometteur par son gras, son équilibre et ses tanins étoffés, pas encore tout à fait domestiqués. Mais ses arômes de fruits rouges et de fruits à noyau et son attaque tendre donnent envie de le servir dès maintenant.

☛ EARL Dominique Moreau, L'Ouche-Saint-André, 37140 Restigné, tél. 06.61.80.65.85, fax 02.47.96.83.30 ☑

NAU FRERES Les Blottières 1998★

■   4 ha   23 000   ▮♨ 30 à 49 F

Les frères Nau appartiennent à la sixième génération de vignerons installés aux Blottières sur une vingtaine d'hectares. Coup de cœur l'année dernière pour des Vieilles vignes 97 et quelques années plus tôt pour un 93, ils nous livrent cette année une très belle cuvée fruitée et bien construite, qu'il s'agisse de la matière ou des tanins. Elle présente une certaine sévérité qui s'estompera avec un peu de garde.
☛ Nau Frères, 52, rue de Touraine, 37140 Ingrandes-de-Touraine, tél. 02.47.96.98.57, fax 02.47.96.90.34 ☑

ALAIN OMASSON 1998

■   1 ha   1 500   ▮◫♨ 20 à 29 F

Installé depuis quatre ans sur un petit vignoble de 3,5 ha, Alain Omasson réussit cette année un bourgueil de type printanier aux très beaux arômes persistant en bouche. Souple et équilibré, c'est un vin simple mais plaisant, qui saura se placer avec succès sur des mets de tous les jours.
☛ Alain Omasson, 21, rue du Port-Véron, 37130 Saint-Patrice, tél. 02.47.96.90.26 ☑ ⵊ r.-v.

BERNARD OMASSON 1998★

■   2 ha   3 000   ▮◫♨ 30 à 49 F

Très traditionnel dans sa culture, dans sa vinification et même... dans ses étiquettes, Bernard Omasson, installé depuis trente ans sur un petit domaine aux terres argilo-calcaires, présente toujours des vins solidement structurés. Celui-ci n'échappe pas à la règle. Sa bonne attaque souple et franche, sa bouche ample, marquée par les tanins à la finale encore boisée, en font un joli vin de garde qui gagnera en harmonie avec le temps.
☛ Bernard Omasson, La Perrée, 54, rue de Touraine, 37140 Ingrandes-de-Touraine, tél. 02.47.96.98.20 ⵊ r.-v.

DOM. DES OUCHES Clos Princé 1998★

■   3,5 ha   18 000   ◫ 30 à 49 F

Paul Gambier, rejoint par son fils Thomas en 1997, conduit ce domaine de 14 ha, tout en coteaux, situé sur les hauts d'Ingrandes et doté d'un chai fonctionnel qui jouxte une cave creusée dans le tuffeau. Leur cuvée Clos Princé, élevée dix mois en foudre, est boisée. On y trouve de la matière, du potentiel, mais aussi une certaine rusticité due à sa jeunesse. Même remarque - et même note - pour la **Sélection Vieilles vignes 98**, élevée douze mois en fût, dont le millésime précédent avait obtenu un coup de cœur.
☛ Paul et Thomas Gambier, 3, rue des Ouches, 37140 Ingrandes-de-Touraine, tél. 02.47.96.98.77, fax 02.47.96.93.08 ☑ ⵊ t.l.j. sf dim. 8h-12h 14h-19h

DOM. DU PETIT BONDIEU
Cuvée des Brunetières 1998★★

■   1 ha   5 000   ◫ 30 à 49 F

Jean-Marc Pichet pratique la lutte raisonnée, ce qui l'amène à n'opérer sur la vigne que les traitements indispensables. Il fait fi des désherbants et n'utilise que la charrue. Un retour aux sources bénéfique si l'on en juge par la qualité de ce 98, qui possède une attaque douce, du corps, du gras et de la longueur. Les tanins, austères, sont prêts à se fondre avec le temps. Une bouteille à acquérir en toute confiance et à laisser mûrir.

🐦 EARL Jean-Marc Pichet, Le Petit Bondieu, 30, rte de Tours, 37140 Restigné, tél. 02.47.97.33.18, fax 02.47.97.46.57 ☑ ⏇ t.l.j. sf dim. 9h-12h 14h-19h

DOM. DES RAGUENIERES
Clos de La Cure 1998★

■	1,1 ha	5 250	⦿	30 à 49 F

Marqués par leur terroir argilo-calcaire, les vins du domaine des Raguenières sont bien construits et demandent un peu de garde pour s'arrondir. Celui-ci, déjà bien évolué, révèle une attaque douce et une bouche ronde et fraîche, accompagnée d'arômes de framboise, de cacao et de tabac. Il laisse en finale une impression de fermeté qui disparaîtra avec le temps.

🐦 Robert Viemont-D. Maître-Gadaix, 11, rue du Machet-Benais, 37140 Bourgueil, tél. 02.47.97.30.16 ☑ ⏇ t.l.j. 8h-12h 14h-19h

VIGNOBLE DES ROBINIERES 1998★

■	3 ha	8 000	▮⧫	30 à 49 F

Cette exploitation qui s'est agrandie au fil du temps compte aujourd'hui 14 ha. Elle est devenue une véritable affaire de famille, les parents et les deux fils y travaillant en bonne intelligence. Une ambiance pour un vin rond, chaleureux et tendre, dont l'expression de fruits cuits est relevée d'une petite vivacité. Un bourgueil, classique, prêt à boire.

🐦 EARL Marchesseau Fils, 16, rue de l'Humelaye, Les Robinières, 37140 Bourgueil, tél. 02.47.97.82.09 ☑ ⏇ t.l.j. sf dim. 9h-12h30 14h-19h

DOM. DU ROCHOUARD 1998★

■	2 ha	5 000	▮	30 à 49 F

Dominique Duveau, le fils de la maison, a rejoint en 1995 l'exploitation de ses parents, apportant sa science fraîchement acquise au lycée viticole. C'est à cette date que le domaine a pris le nom de Rochouard, pour un nouveau départ qui a été très remarqué ici. Ce 98 est également bien parti avec ses qualités aromatiques et son support tannique prometteur. Mais il a besoin de se faire : il faut l'oublier quelque temps.

🐦 GAEC Duveau-Coulon et Fils, 1, rue des Géléries, 37140 Bourgueil, tél. 02.47.97.85.91, fax 02.47.97.99.13 ☑ ⏇ t.l.j. 8h30-19h30

🐦 Guy Duveau

JEAN-MARIE ROUZIER
Cuvée Tradition 1998★★

■	2 ha	6 000	⦿	30 à 49 F

Jean-Marie Rouzier exploite 10 ha en chinon et en bourgueil. Sa cuvée Tradition s'est attiré une avalanche de compliments : sa robe rubis brillante, son nez intense aux arômes délicats où percent le cassis et la violette, son attaque ronde qui laisse vite la place à une ampleur persistante,

ses tanins solides mais fondus en font un très beau vin de garde. Il a suffisamment de matière pour évoluer et devrait développer des arômes qui surprendront.

🐦 Jean-Marie Rouzier, Les Géléries, 37140 Bourgueil, tél. 02.47.97.74.83, fax 02.47.97.48.73 ☑ ⏇ t.l.j. sf dim. 9h-12h30 14h30-19h

DOM. DES VALLETTES
Vieilles vignes Cuvée An 2000 1998★★

■	1,5 ha	11 000	▮⦿⧫	30 à 49 F

Avant tout producteur de saint-nicolas régulièrement mentionnés dans le Guide, Francis Jamet propose aussi des bourgueil du domaine des Vallettes. Le nez légèrement vanillé et boisé de cette cuvée surprend de manière agréable. L'attaque ronde est suivie d'une évolution tannique très mesurée où le boisé se fond harmonieusement avec le fruit. Une bonne persistance flatte cette association aromatique complexe. Une grande bouteille à mettre sur la table dès maintenant.

🐦 Francis Jamet, Dom. des Vallettes, 37140 Saint-Nicolas-de-Bourgueil, tél. 02.41.52.05.99, fax 02.41.52.87.52 ☑ ⏇ r.-v.

DOM. DES VIENAIS Cuvée Prestige 1998★

■	2 ha	15 000	▮⧫	30 à 49 F

Les terres de Benais, assez tenaces, ont la réputation de donner des vins structurés. Celui-ci, issu d'un terroir tout en argilo-calcaire, ne peut renier son origine. Ses tanins sont solides, gardant une attaque souple. La matière est de qualité sur un léger fond boisé. Un vin de belle garde qui s'affinera avec le temps.

🐦 Gérard Poupineau, 3, rue des Lavandières, 37140 Benais, tél. 02.47.97.35.19, fax 02.47.97.46.91 ☑ ⏇ r.-v.

Saint-nicolas-de-bourgueil

Si les vignobles ont les mêmes caractéristiques que ceux de l'aire contiguë de Bourgueil, la commune de Saint-Nicolas-de-Bourgueil (simple paroisse détachée de Bourgueil au XVIIIᵉs.) possède son appellation particulière.

Son vignoble croît, pour les deux tiers, sur les sols sablo-graveleux des terrasses de Loire. Au-dessus, le coteau est protégé des vents du nord par la forêt ; le tuffeau y est surmonté d'une couverture sableuse. Bien que ce ne soit pas le cas des vins provenant exclusivement du coteau, les saint-nicolas-de-bourgueil, souvent issus d'assemblages, ont la réputation d'être plus légers que les bourgueil. Ils ont produit 58 291 hl en 1999.

YANNICK AMIRAULT
Les Malgagnes 1998

■   1,3 ha   6 500   ❙❙❙ 70 à 99 F

Yannick Amirault travaille toujours ses vins de la même façon : il les conduit à maturité lentement. Celui-ci, d'une belle richesse tannique et aromatique, est plein de promesses, mais apparaît cependant encore brut ; il est loin d'avoir atteint son apogée. Il faut lui faire confiance et le considérer comme un bon placement pour une échéance à trois ou quatre ans.
➥ Yannick Amirault, 5, pavillon du Grand Clos, 37140 Bourgueil, tél. 02.47.97.78.07, fax 02.47.97.94.78 ☑ ⏷ r.-v.

DOM. DES BERGEONNIERES 1998

■   14 ha   40 000   ■⬦ 30 à 49 F

Sur les 14 ha de son domaine qui en comprend 16 au total, André Delagouttière a réussi une cuvée homogène et de bon niveau. Equilibrée, souple, harmonieuse et friande, elle ne manque pas d'atouts. Un saint-nicolas flatteur, « bien dans le type », conclut le jury. A boire tout de suite.
➥ André Delagouttière, Les Bergeonnières, 37140 Saint-Nicolas-de-Bourgueil, tél. 02.47.97.75.87, fax 02.47.97.48.47 ☑ ⏷ r.-v.

LYDIE ET MAX COGNARD-TALUAU
Cuvée Les Malgagnes 1998

■   2 ha   6 200   ■⬦ 30 à 49 F

Situé mi-pente, le domaine de Lydie et Max Cognard couvre une partie du lieu-dit les Malgagnes, terroir de qualité que les amateurs de saint-nicolas connaissent bien. On ne pouvait pas en 1998 atteindre de très hauts sommets, mais cette cuvée ne démérite pas : un nez simple au fruité dominant, une attaque agréable suivie d'une bonne rondeur et à nouveau d'un fruité plaisant en font une bouteille sympathique qui donnera bien des satisfactions dans l'immédiat.
➥ Cognard, Chevrette, 37140 Saint-Nicolas-de-Bourgueil, tél. 02.47.97.76.88, fax 02.47.97.97.83 ☑ ⏷ r.-v.

LE VIGNOBLE DU FRESNE 1998★

■   1,1 ha   7 500   ■❙❙❙⬦ 30 à 49 F

Au Fresne, les fleurs ne manquent pas. Le chai traditionnel reflète l'ordre et la méthode, et le vignoble est bien entretenu. Tout cela montre un goût et un sérieux qui se retrouvent dans cette belle cuvée au nez de poivron et de fruits rouges mêlés d'épices. La bouche est ronde, avec du gras et une persistance moyenne. Un ensemble équilibré, à boire ou à attendre un peu.
➥ Patrick Guenescheau, 1, Le Fresne, 37140 Saint-Nicolas-de-Bourgueil, tél. 02.47.97.86.60, fax 02.47.97.42.53 ☑ ⏷ t.l.j. 9h-19h30; dim. 9h-12h

DOM. DES GESLETS 1998★

■   3,75 ha   15 000   ■❙❙❙⬦ 30 à 49 F

Vincent Grégoire exploite 15 ha dans les deux appellations du Bourgueillois. Il a fort bien réussi son saint-nicolas. La robe est soutenue, presque noire avec des nuances violettes, le nez fait d'épices et de fruits très mûrs laisse percer une note de café. La bouche charpentée tout en montrant une certaine rondeur est d'une belle longueur. Une très belle bouteille de garde.
➥ Vincent Grégoire, Dom. des Geslets, 37140 Bourgueil, tél. 02.47.97.97.06, fax 02.47.97.73.95 ☑ ⏷ t.l.j. 9h-18h30

GERARD ET MARIE-CLAIRE GODEFROY Vieilles vignes 1998

■   1,5 ha   10 000   ■❙❙❙⬦ 30 à 49 F

Un beau nez de fruits rouges avec une touche animale incite à poursuivre la dégustation. L'attaque, un peu vive, donne une impression de légèreté mais la plénitude n'est pas loin. Des tanins fondus, une persistance aromatique flatteuse font de ce 98 un vin facile qui s'adaptera à beaucoup de circonstances.
➥ Gérard et Marie-Claire Godefroy, 37, rue de la Taille, 37140 Saint-Nicolas-de-Bourgueil, tél. 02.47.97.77.43, fax 02.47.97.48.23 ☑ ⏷ r.-v.

DOM. GUY HERSARD
Vieilles vignes 1998

■   5,5 ha   20 000   ■ 30 à 49 F

Situé au cœur de l'appellation, le vignoble de Philippe et Annie Hersard couvre 10 ha sur un sol argilo-calcaire et graviers. Plus de la moitié de cette superficie est consacrée à cette cuvée Vieilles vignes. Le nez, intense et vineux, évoque les fruits mûrs et les épices. Après une attaque un peu vive, on découvre une présence tannique, gage d'un bon potentiel. Une persistance appréciable et un équilibre rassurant donnent du sérieux à ce vin qui pourra patienter.
➥ Guy Hersard, Le Fondis, 37140 Saint-Nicolas-de-Bourgueil, tél. 02.47.97.76.13, fax 02.47.97.92.06 ☑ ⏷ r.-v.

DOM. DE LA CONTRIE 1998

■   5,61 ha   40 000   ■❙❙❙ 30 à 49 F

De son vignoble de près de 10 ha, situé au cœur du vignoble de Saint-Nicolas, Alain Taluau a tiré de ce 98 un type léger. Un vin équilibré pour un repas sans façons.
➥ Alain Taluau, 14, dom. de La Contrie, 37140 Saint-Nicolas-de-Bourgueil, tél. 02.47.97.82.26, fax 02.47.97.82.26 ☑ ⏷ t.l.j. sf dim. 9h-12h 14h-18h

DOM. DE LA COTELLERAIE-VALLEE
Les Mauguerets 1998★★

■   2,3 ha   8 000   ■⬦ 30 à 49 F

Claude Vallée, aujourd'hui à la tête de 17 ha à La Cotelleraie, vous y accueillera chaleureusement et ne tarira pas sur les saint-nicolas. Sa cuvée Les Mauguerets mérite que l'on s'y attarde. La robe est presque noire, avec des nuances violacées. Le nez évoque les fruits rouges très mûrs. L'attaque souple s'ouvre sur une ampleur peu commune. Les tanins, jeunes, sont discrets mais donnent à l'ensemble un prolongement intéressant. Un vin prometteur qu'il faut se garder de consommer trop tôt. Un coup de cœur unanime du jury.

•⌐Claude Vallée, La Cotelleraie, 37140 Saint-Nicolas-de-Bourgueil, tél. 02.47.97.75.53, fax 02.47.97.85.90 ☑ Ⴤ t.l.j. 9h-12h30 13h30-19h

VIGNOBLE DE LA GARDIERE 1998

| ■ | 3 ha | 12 000 | 🔲♦ 30 à 49 F |

Avec une petite touche un peu boisée sur fond tannique, c'est un vin qui, en s'assouplissant, deviendra de plus en plus intéressant. Il a pour lui une belle présentation colorée, des arômes développés de fruits rouges bien mûrs, relevés d'une note de café.
•⌐Bernard David, La Gardière, 37140 Saint-Nicolas-de-Bourgueil, tél. 02.47.97.81.51, fax 02.47.97.95.05 ☑ Ⴤ r.-v.

VIGNOBLE DE LA JARNOTERIE 1998

| ■ | 18 ha | 90 000 | 🔲⑪♦ 30 à 49 F |

Jean-Claude Mabileau et ses enfants ont continué le travail des anciens et accru le potentiel de La Jarnoterie : un accueil fleuri, 21 ha de vignes alignées et superbement entretenues, un chai bien équipé, une cave de vieillissement creusée dans le roc, autant d'atouts pour l'exploitation qui propose un 98 bien sympathique. Une première impression de vivacité et de fraîcheur, puis des tanins souples, fondus, très peu présents, en font un représentant typique du millésime.
•⌐EARL Jean-Claude Mabileau et Didier Rezé, La Jarnoterie, 37140 Saint-Nicolas-de-Bourgueil, tél. 02.47.97.75.49, fax 02.47.97.79.98 ☑ Ⴤ r.-v.

LES HAUTS-CLOS CASLOT 1998★

| ■ | 6 ha | n.c. | 30 à 49 F |

Une robe grenat foncé avec de légères nuances tuilées, voilà une bonne entrée en matière qui annonce un vin solide. Cette première impression n'est pas démentie par l'attaque franche. Elle est suivie d'une présence tannique marquée où perce un peu le bois. Les arômes de fruits cuits et d'épices se mêlent au nez comme en bouche. A laisser mûrir sagement quelques années.
•⌐EARL Alain-Cyprien Caslot-Bourdin, 21, rue Brûlée, 37140 La Chapelle-sur-Loire, tél. 02.47.97.34.45, fax 02.47.97.44.80 ☑ Ⴤ r.-v.

DOM. LES PINS 1998

| ■ | n.c. | n.c. | 🔲♦ 30 à 49 F |

Un côté fruité, une attaque franche, de la souplesse, des tanins fondus, un palais plein de fraîcheur et d'équilibre : autant de qualités qui font les 98 réussis. Prêt à l'emploi, celui-ci jouera pleinement son rôle dans un déjeuner entre amis.
•⌐Pitault-Landry et Fils, Dom. Les Pins, 37140 Bourgueil, tél. 02.47.97.47.91, fax 02.47.97.98.69 ☑ Ⴤ r.-v.

LES QUARTERONS 1998★★

| ■ | 11 ha | 54 000 | 🔲⑪♦ 30 à 49 F |

Thierry Amirault a succédé à son père sur cette belle propriété de Saint-Nicolas au début des années 1980. Il en a porté la superficie à 25 ha et amélioré l'équipement de la cave. Il présente un très beau vin qui est son cheval de bataille. (Ses Quarterons avaient obtenu un coup de cœur dans le millésime 95.) Riche de matière avec des tanins soyeux et puissants, le 98 évoque les fruits noirs et la vanille. Dans un an ou deux, il sera à son apogée. La cuvée **Vieilles vignes 98**, citée par le jury, est pleine de promesses.
•⌐Clos des Quarterons-Amirault, 37140 Saint-Nicolas-de-Bourgueil, tél. 02.47.97.75.25, fax 02.47.97.97.97 ☑ Ⴤ r.-v.
•⌐Thierry Amirault

PASCAL LORIEUX
Les Mauguerets La Contrie 1998★

| ■ | 3 ha | 15 000 | 🔲 30 à 49 F |

Pascal et Alain Lorieux exploitent des vignes dans deux AOC : chinon et saint-nicolas-de-bourgueil. Les deux domaines mettent en commun matériel et moyens de commercialisation mais vinifient séparément. Pascal, qui a créé et entretient le vignoble de saint-nicolas, présente un 98 bien équilibré, enrobé, souple, avec une note évoquant le boisé. Une belle bouteille de garde que l'on peut déjà apprécier.
•⌐EARL Pascal et Alain Lorieux, Le Bourg, 37140 Saint-Nicolas-de-Bourgueil, tél. 02.47.97.92.93, fax 02.47.97.47.88 ☑ Ⴤ r.-v.

FREDERIC MABILEAU
Les Rouillères 1998

| ■ | 6 ha | 50 000 | 🔲♦ 30 à 49 F |

Six hectares sur les huit du domaine ont produit ce 98 assez typé, riche en tanins et aux arômes puissants de fruits rouges. A réserver à des mets solides ou à laisser évoluer quelque temps. Le 93 avait obtenu le coup de cœur.
•⌐Frédéric Mabileau, 17, rue de la Treille, 37140 Saint-Nicolas-de-Bourgueil, tél. 02.47.97.79.58, fax 02.47.97.45.19, e-mail mabileau-frederic@wanadoo.fr ☑ Ⴤ r.-v.

JACQUES ET VINCENT MABILEAU
Cuvée Vieilles vignes 1998

| ■ | 2 ha | 8 000 | 🔲 30 à 49 F |

Avec ce 98, Jacques et Vincent Mabileau proposent un vin tannique et montrant une forte personnalité (toutes proportions gardées, compte tenu du millésime). Il faut avoir la sagesse de le laisser évoluer car il se révélera peu à peu.
•⌐EARL Jacques et Vincent Mabileau, La Gardière, 37140 Saint-Nicolas-de-Bourgueil, tél. 02.47.97.75.85, fax 02.47.97.98.03 ☑ Ⴤ r.-v.

LYSIANE ET GUY MABILEAU
Vieilles vignes 1998

| ■ | 0,63 ha | 5 000 | 🔲♦ 30 à 49 F |

Partis de 2,5 ha de vignes, ce couple de viticulteurs s'est constitué en dix ans un joli domaine d'une dizaine d'hectares. Leur fils vient de les rejoindre. Une équipe déterminée qui propose deux vins sélectionnés par le jury dans le millésime 98 : une **cuvée classique** et cette cuvée Vieilles vignes. Equilibrées, fruitées et de bonne persistance, elles feront leur chemin.

☛ GAEC Lysiane et Guy Mabileau,
17, rue du Vieux-Chêne, 37140 Saint-Nicolas-de-Bourgueil, tél. 02.47.97.70.43,
fax 02.47.97.70.43 ☑ ⵣ r.-v.

DOM. OLIVIER 1998★

■   20 ha   150 000   ■ ◖◗ ♦   30 à 49 F

Les Olivier ont commencé en 1959 avec 1,5 ha. La famille en possède 28 aujourd'hui. Elle propose une cuvée excellente au nez comme en bouche. Les arômes évoquent les fruits rouges bien mûrs avec une touche de fumée et de vanille. L'attaque agréable est suivie d'une bouche grasse, dotée de tanins fins et d'une finale persistante. Un ensemble harmonieux et qui peut être mis en réserve.

☛ Dom. Olivier, La Forcine, 37140 Saint-Nicolas-de-Bourgueil, tél. 02.47.97.75.32,
fax 02.47.97.48.18 ☑ ⵣ r.-v.

LES CAVES DU PLESSIS
Sélection Vieilles vignes 1998

■   2 ha   16 000   ■   30 à 49 F

Un vignoble de 24 ha équipé d'un chai fonctionnel et d'une cave taillée dans le roc, voilà un outil à la mesure des ambitions et du sérieux de Chantal et Claude Renou. Leur sélection Vieilles vignes, solidement charpentée, exprime des arômes de fruits cuits et ne demande qu'à s'arrondir.

☛ Claude Renou, 17, La Martellière,
37140 Saint-Nicolas-de-Bourgueil,
tél. 02.47.97.85.67, fax 02.47.97.45.55 ☑ ⵣ r.-v.

DOM. PONTONNIER
Cuvée Prestige 1998★

■   3 ha   15 000   ■ ◖◗ ♦   30 à 49 F

Adossées au coteau, les vignes du domaine Pontonnier (une quinzaine d'hectares) reposent sur des argilo-calcaires, que l'on appelle « tuf » dans la région, et sur des sables et graviers. Les premiers donnent de la fermeté aux vins ; les seconds leur confèrent ce fruit si caractéristique des saint-nicolas. Cette cuvée Prestige se montre riche, charnue avec des tanins bien présents qui commencent à évoluer favorablement. C'est un joli vin de garde, prometteur, qui mérite d'être attendu.

☛ Dom. Pontonnier, 4, chem. de L'Epaisse,
37140 Saint-Nicolas-de-Bourgueil,
tél. 02.47.97.84.69, fax 02.47.97.48.55 ☑ ⵣ r.-v.

JOEL TALUAU Vieilles vignes 1998

■   4 ha   18 000   ■   50 à 69 F

Le nez, d'intensité moyenne, mêle cerise, griotte, groseille et sous-bois. La bouche souple, un peu vive, est équilibrée, avec ce qu'il faut de tanins. L'harmonie entre la force et la rondeur laisse une bonne impression. Un vin prêt à boire mais qui procurera d'autres plaisirs avec l'âge.

☛ EARL Taluau-Foltzenlogel, Chevrette,
37140 Saint-Nicolas-de-Bourgueil,
tél. 02.47.97.78.79, fax 02.47.97.95.60 ☑ ⵣ t.l.j.
sf sam. dim. 9h-12h 14h-18h

DOM. GERALD VALLEE
Le Vau Jaumier 1998

■   3 ha   15 000   ◖◗   30 à 49 F

Gérald Vallée, fils de Claude Vallée, a voulu prendre son envol et s'est installé en 1997 sur les 3 ha du Vau Jaumier. Il propose une cuvée équilibrée et riche, marquée par son élevage en fût de chêne qui a laissé un soupçon de vanille - un style qui a ses amateurs. Il faut le laisser évoluer pour une bonne harmonisation.

☛ Gérald Vallée, La Cotelleraie, 37140 Saint-Nicolas-de-Bourgueil, tél. 02.47.97.75.53,
fax 02.47.97.85.90 ☑ ⵣ r.-v.

DOM. DES VALLETTES 1998

■   14 ha   100 000   ■ ♦   30 à 49 F

Saint-Nicolas faisait partie autrefois de Bourgueil. C'est au cours du XIXᵉs. que le bourg prit son indépendance et construisit son église et sa mairie. La vigne suivit la même voie et l'appellation fut l'une des premières reconnue en France, en 1937. C'est de cette époque que date le vignoble de Francis Jamet, 18 ha sur sols graveleux sains et profonds. Il présente une jolie bouteille tout en légèreté et finesse, délicieusement aromatique. Il faut l'apprécier tout de suite.

☛ Francis Jamet, Dom. des Vallettes,
37140 Saint-Nicolas-de-Bourgueil,
tél. 02.41.52.05.99, fax 02.41.52.87.52 ☑ ⵣ r.-v.

Chinon

Autour de la vieille cité médiévale qui lui a donné son nom et son cœur, au pays de Gargantua et de Pantagruel, l'AOC chinon (2 000 ha) est produite sur les terrasses anciennes et graveleuses du Véron (triangle formé par le confluent de la Vienne et de la Loire), sur les basses terrasses sableuses du val de Vienne (Cravant), sur les coteaux de part et d'autre de ce val (Sazilly) et sur les terrains calcaires, les « aubuis » (Chinon). Le cabernet franc, dit breton, y donne en moyenne 120 712 hl de beaux vins rouges (avec cependant quelques milliers d'hectolitres de rosé sec), qui égalent en qualité les bourgueil : race, élégance des tanins, longue garde - certains millésimes exceptionnels pouvant dépasser plusieurs décennies ! Confidentiel mais très original, le chinon blanc (1 215 hl en 1999) est un vin plutôt sec, mais qui peut devenir tendre certaines années.

DOM. DES BEGUINERIES
Vieilles vignes 1998

■   4,5 ha   15 000 ▮❚❶▯ ⬙ | 30 à 49 F |

Jean-Christophe Pelletier s'est installé en 1995 sur un petit domaine des coteaux des bords de Vienne. Toutefois, il a fait ses premières armes dès 1987 au chai du château de Saint-Louand. Aujourd'hui, il a gardé la responsabilité de ce chai tout en menant son vignoble qui couvre près de 10 ha. Dans sa cuvée Vieilles vignes, le boisé ne l'emporte pas sur les fruits rouges et le pruneau. La bouche est légère et vive. Les tanins un peu remuants sont le signe d'une nécessaire évolution.
☛ Jean-Christophe Pelletier, Clos de la Rue Saint-Louand, 37500 Chinon,
tél. 06.08.92.88.17, fax 06.47.93.37.16 ☑ ⲯ r.-v.

DOM. DE BEL-AIR
La Fosse aux Loups 1998★

■   5 ha   26 000 ▮❚ | 50 à 69 F |

Des vignes de quarante ans au rendement limité et des sols de cailloux et de graviers ont donné cette cuvée d'une belle teinte rubis. Le bouquet est marqué par les fruits rouges. On y trouve même une évocation de cacao avec une note épicée. L'attaque laisse place à une structure harmonieuse et fine. L'évolution est déjà réussie et n'impose pas de garde. Une bouteille plaisante, prête à boire.
☛ Jean-Louis Loup, Dom. de Bel-Air,
37500 Cravant-les-Coteaux, tél. 02.47.98.42.75, fax 02.47.93.98.30 ☑ ⲯ r.-v.

VINCENT BELLIVIER 1998

■   0,5 ha   2 000 ▮❚⬙ | 30 à 49 F |

Une robe très intense, brillante, habille ce chinon issu de l'une des communes du nord-est de l'appellation. La bouche a du gras, lequel enrobe des tanins assez fins et fondus. Bien équilibré, ce vin est prêt à boire mais pourra rester en cave. Une seconde cuvée rouge, **Noune 98**, a obtenu la même appréciation du jury.
☛ Vincent Bellivier, La Tourette
12, rue de la Tourette, 37420 Huismes,
tél. 02.47.95.54.26, fax 02.47.95.54.26 ☑ ⲯ r.-v.

DOM. DES BOUQUERRIES
Cuvée royale 1998★

■   2,5 ha   14 000 ▮❚❶▯⬙ | 30 à 49 F |

Selon la tradition locale, ce lieu-dit a pris le nom de « Bouquerrie » parce qu'autrefois un boucher y pratiquait l'abattage des boucs. Guillaume et Jérôme Sourdais préfèrent pour leur part la culture de ce beau domaine de 27 ha créé en 1935 par leur grand-père et développé par leur père. Une couleur nette, profonde, un nez ouvert à l'impression de fruits mûrs et de confiture, une bouche pleine, ronde, portée par une puissante structure solide : tout contribue à composer un joli vin bien engageant. Il reste en finale un léger débordement tannique qui se maîtrisera après une maturation en cave.
☛ GAEC des Bouquerries, 4, Les Bouquerries, 37500 Cravant-les-Coteaux, tél. 02.47.93.10.50, fax 02.47.93.41.94 ☑ ⲯ r.-v.

PHILIPPE BROCOURT
Cuvée Terroir les Coteaux 1998★

■   5 ha   20 000 ▮❚⬙ | 30 à 49 F |

Issue d'un beau vignoble de 17 ha implanté sur les terrasses de la Vienne, cette cuvée se caractérise par une couleur très soutenue, brillante, et des arômes de fruits rouges, fruits cuits aussi, avec un léger côté empyreumatique. Elle s'affirme par une bouche puissante, concentrée et longue, dont les tanins encore un peu sévères sont garants d'un avenir prometteur.
☛ Philippe Brocourt, 3, chem. des Caves, 37500 Rivière, tél. 02.47.93.34.49,
fax 02.47.93.97.40 ☑ ⲯ r.-v.

DOM. PASCAL BRUNET
Vieilles vignes Elevé en fût de chêne 1998★

■   1,5 ha   5 000 ❶▯ | 30 à 49 F |

Ce vigneron a débuté en 1980 sur 1 ha de vignes. Grâce à de nouvelles plantations et à des locations, il est aujourd'hui à la tête de 10 ha sur sol argilo-calcaire. Il propose une cuvée Vieilles vignes à la robe rubis soutenu et au nez intense de fruits rouges, de grillé et de pivoine où se mêle une note boisée. L'attaque est franche, suivie d'une structure équilibrée. La finale est pleine de fraîcheur, et il reste en fin de dégustation une agréable impression de raisin. Une étoile également pour le **rosé 99**, à la fois fruité et floral, élégant.
☛ Pascal Brunet, 11, Etilly, 37220 Panzoult, tél. 02.47.58.62.80, fax 02.47.58.62.80 ☑ ⲯ r.-v.

DOM. DES CHAMPS VIGNONS
Cuvée La Jolirie 1998★

■   4 ha   12 000 ▮❚⬙ | 30 à 49 F |

Ces deux vignerons exploitent 12 ha de vignes que se sont transmises mères et filles depuis des générations. Situé sur la commune de Ligré, où les terres argilo-calcaires ont la réputation de produire des vins puissants, ce vignoble a donné naissance à un 98 bien construit où les tanins ne l'emportent pas sur la matière. L'attaque est vive avec une impression fruitée marquée, et le corps reste souple bien que se terminant sur un rappel tannique qui ne fait pas oublier l'origine du vin. Un chinon de garde, mais déjà plaisant.
☛ M. Thivel et Richard, 2, rue Saint-Martin, 37500 Ligré, tél. 02.47.93.18.48,
fax 02.47.98.41.64 ☑ ⲯ r.-v.

DOM. DANIEL CHAUVEAU 1998★

■   2,6 ha   11 000 ▮❶▯ | 30 à 49 F |

Ce vin de très belle expression un peu animale possède une telle structure et une telle intensité qu'un vieillissement s'impose. Le fruité est puissant et se retrouve tout au long de la dégustation. Ces deux vignerons, père et fils, ont créé une cuvée qui fera son chemin. A tout amateur de tire-bouchons en tous genres ils seront enchantés de montrer leur impressionnante collection.
☛ Dom. Daniel Chauveau, Pallus,
37500 Cravant-les-Coteaux, tél. 02.47.93.06.12, fax 02.47.93.93.06,
e-mail domaine.daniel.chauveau@wanadoo.fr
☑ ⲯ r.-v.

LOIRE

DOM. DES CLOSIERS DE SAINT HILAIRE Vieilles vignes 1998

■ 2,3 ha 10 000 🔲 📖 30 à 49 F

Un vin de garde indiscutablement. Le nez, où l'on devine la framboise et la cerise, est dominé par le bois neuf. La matière est structurée par des tanins qui s'affirment en fin de bouche. Cet ensemble a besoin de temps pour s'harmoniser. Rendez-vous dans deux ou trois ans pour déguster ce chinon sur les bords de Vienne.
🍷 François Médard, 10, rue des Lavandières, 37500 Rivière, tél. 02.47.98.42.92, fax 02.47.93.03.01 ☑ 🍴 r.-v.

DOM. DU COLOMBIER
Cuvée de La Roche Bobreau 1998★

■ 1,6 ha 7 000 ■ 🍷 30 à 49 F

Les vignerons du Chinonais prennent désormais l'habitude d'installer des tables de tris au moment des vendanges. Celles-ci permettent, avant la mise en cuve, d'éliminer les raisins qui se ne sont pas bien mûrs. Chez Yves Loiseau, cette pratique est déjà bien instituée et permet d'atteindre un bon niveau de qualité, notamment dans la cuvée de La Roche Bobreau. Le nez est discret mais évoque sans conteste les fruits rouges avec un peu de boisé et de grillé. La bouche charnue, ample, pleine à souhaits, laisse penser que ce vin est prêt à boire, mais la finale un peu tannique incite à la conservation. La cuvée **rouge Vieilles vignes 98** du domaine mérite une citation.
🍷 EARL Loiseau-Jouvault, Dom. du Colombier, 37420 Beaumont-en-Véron, tél. 02.47.58.43.07, fax 02.47.58.93.99 ☑ 🍴 t.l.j. sf dim. 8h-12h 14h-19h

CH. DE COULAINE
Clos de Turpenay 1998★★

■ 1,1 ha 5 000 📖 50 à 69 F

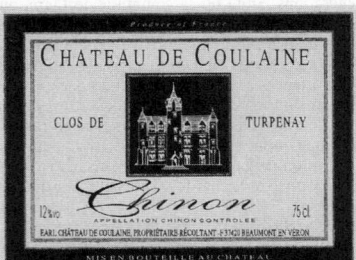

Situé sur le territoire du Véron, entre Vienne et Loire, le château de Coulaine une très ancienne exploitation familiale dont la tradition viticole ne s'est jamais interrompue depuis 1300. De tout temps, les vignes se sont plu sur les sols calcaires qui ceignent cette impressionnante bâtisse dont la structure médiévale est fortement marquée par l'influence italienne. En 1988, Etienne de Bonnaventure a entrepris l'agrandissement du vignoble qui compte aujourd'hui 12 ha conduits en culture biologique. La cuvée Clos de Turpenay s'ouvre sur un ampleur remarquable. Elle est pleine, très bien équilibrée et aromatique à souhait. On retrouve les fruits rouges et le soupçon de vanille que l'on percevait

au nez. Il s'y ajoute une note de réglisse. La finale est nerveuse mais reste agréable. L'élevage a été conduit de façon intelligente. L'évolution en bouteille devrait être remarquable. Deux autres cuvées rouges du même domaine obtiennent une étoile : **la Diablesse** et **Château de Coulaine 98** dans sa version classique élevée en cuve (30 à 49 F).
🍷 Etienne et Pascale de Bonnaventure, EARL Ch. de Coulaine, 37420 Beaumont-en-Véron, tél. 02.47.98.44.51, fax 02.47.93.49.15 ☑ 🍴 r.-v.

COULY-DUTHEIL Clos de l'Echo 1998★

■ 30 ha 75 000 📖 30 à 49 F

Cette importante exploitation familiale associe deux frères et leurs fils respectifs : Arnaud, dont le père Jacques Couly-Dutheil, s'est orienté vers la partie commerciale ; Bertrand, fils de Pierre, est œnologue et a la responsabilité de la partie technique. On lui doit cette cuvée Clos de l'Echo, du nom du vignoble situé derrière le château dont les murs renvoient l'écho. Une cuvée chaude, fruits rouges et réglisse à la fois, où le bois domine. Elle vient de passer douze mois en fût et est très marquée par le chêne. Accordons lui une longue période d'évolution et elle se révélera. Le **blanc 99** mérite aussi une citation.
🍷 Couly-Dutheil, 12, rue Diderot, 37500 Chinon, tél. 02.47.97.20.20, fax 02.47.97.20.25, e-mail webmaster@coulydutheil-chinon.com ☑ 🍴 r.-v.

FRANCIS ET FRANCOISE DESBOURDES L'Arpenty 1998★★

■ 4,5 ha 5 000 30 à 49 F

C'est le grand-père de Francis Desbourdes qui a créé le domaine de l'Arpenty. La cave vient d'être rénovée, et c'est un bel ensemble que Francis gère pour la production de chinon de qualité. Celui-ci présente une bouche pleine, régulière avec des tanins fondants. Les arômes ne manquent pas : poire, pâte d'amandes et pêche avec une nuance de fraise des bois. C'est un vin très équilibré et gourmand.
🍷 Francis Desbourdes, Arpenty, 37220 Panzoult, tél. 02.47.95.22.86, fax 02.47.95.22.86 ☑ 🍴 r.-v.

VIGNOBLE GASNIER
Cuvée Prestige 1998★

■ 1,5 ha 8 000 📖 30 à 49 F

Fabrice Gasnier est le représentant de la quatrième génération de vignerons qui se succèdent sur ce domaine. De nombreux investissements ont été réalisés. Le dernier en date est un système de lutte contre les gelées par aspersion. Le premier nez de ce chinon évoque le poivron, le deuxième les fruits rouges confits et le troisième le bois. En bouche, la rondeur exceptionnelle tempère cet aspect boisé assez marqué, tandis que la finale souple et fondue laisse l'impression d'une heureuse harmonie. Une bouteille à ouvrir dès maintenant.
🍷 Fabrice Gasnier, Chézelet, 37500 Cravant-les-Coteaux, tél. 02.47.93.11.60, fax 02.47.93.44.83 ☑ 🍴 r.-v.

DOM. DES GELERIES
Cuvée Prestige 1998★

■ 1,5 ha 6 000 ▬ ◖▮ ↓ [30 à 49 F]

Principalement productrice de bourgueil, Jeannine Rouzier-Meslet exploite aussi un petit bien sur Chinon qu'elle tient de son mari : 1,50 ha de vignes sur sol argilo-calcaire. Des ceps qui ont donné un vin aux arômes de fruits mûrs, rond et bien pourvu en matière. La finale est plaisante, légère mais laisse une petite impression de chaleur.

☛ Jeannine Rouzier-Meslet, 2, rue des Géléries, 37140 Bourgueil, tél. 02.47.97.72.83, fax 02.47.97.48.73 ☑ ⟁ r.-v.

DOM. FRANCIS HAERTY 1998

■ 1,5 ha 10 000 [30 à 49 F]

Les sables et graviers de la Vienne alliés au savoir-faire du vigneron font souvent merveille. C'est le cas avec ce chinon du domaine Haerty. Le nez est assez développé, fruité avec une évocation de grillé et de poivron bien typique du cabernet franc. La bouche plaisante, équilibrée, finit sans cassure. C'est un vin honnête, d'une simplicité qui lui permettra de s'adapter à bien des accords.

☛ Francis Haerty, 2, rue des Pêcheurs, 37420 Savigny-en-Véron, tél. 02.47.58.42.74 ☑

DOM. DES HARDONNIERES 1998★

■ 3,1 ha 25 000 ▬ ↓ [20 à 29 F]

Des vignerons se sont groupés en 1989 sous le nom de « Caves des Vins de Rabelais » afin d'acquérir une dimension commerciale compétitive. Le but est atteint puisque leurs produits sont largement diffusés, notamment à l'étranger où il s'en écoule plus d'un tiers. Ils proposent ce Domaine des Hardonnières à la robe rubis et au très joli nez de fruits cuits. La bouche est pleine, les tanins ronds, soyeux, et la longueur intéressante. Beaucoup d'élégance et de tenue pour ce vin qui peut se boire tout de suite mais qui vieillira sans problème. Le **Chinon rouge Pierre Chanau 99** destiné à la grande distribution mérite lui aussi une étoile pour son harmonie.

☛ SICA des Caves des Vins de Rabelais, Les Aubuis, Saint-Louand, 37500 Chinon, tél. 02.47.93.42.70, fax 02.47.98.35.40 ☑ ⟁ r.-v.

DOM. CHARLES JOGUET
Clos du Chêne Vert 1998★★★

■ n.c. 13 000 ◖▮ [70 à 99 F]

Charles Joguet a pris sa retraite en 1997, mais l'esprit demeure : privilégier l'expression des terroirs. Les grappes sont transportées en caissettes entières jusqu'au chai, et chaque parcelle est vinifiée séparément. Le Clos du Chêne Vert bénéficie d'une exposition exceptionnelle. Derrière le grenat profond de la robe de ce vin, tout un cortège de fruits cuits apparaît auxquels se mêlent le sous-bois et cette touche caractéristique du cabernet, le poivron. L'attaque est franche et le fruit à nouveau présent. Rondeur et plénitude suivent ensuite qui s'achever comme à regret dans une finale soyeuse. Cette cuvée reçoit la note maximale à l'unanimité du jury. Dans l'émotion on ne sait plus s'il faut la servir maintenant ou la réserver pour plus tard.

☛ Dom. Charles Joguet, La Dioterie, 37220 Sazilly, tél. 02.47.58.55.53, fax 02.47.58.52.22 ☑ ⟁ r.-v.

DOM. DE L'ABBAYE 1999

□ 1 ha 6 000 ▬ ↓ [30 à 49 F]

Michel Fontaine a créé le domaine de l'Abbaye en 1975 en réunissant de petites exploitations. A 5 km de la cave, on pourra visiter La Devinière, ancienne métairie où naquit François Rabelais vers 1495. Le 99 est un vin bien équilibré, rond et fruité sous sa robe jaune doré éclatante. Les arômes se déclinent dans une dominante d'agrumes agréable et se prolongent bien en bouche.

☛ Michel Fontaine, Le Repos-Saint-Martin, 37500 Chinon, tél. 02.47.93.35.96, fax 02.47.98.36.76 ☑ ⟁ r.-v.

CH. DE LA BONNELIERE 1998★

■ 6 ha 20 000 [30 à 49 F]

Appartenant à la famille Plouzeau depuis 1846, ce vignoble de 15 ha est situé sur la rive gauche de la Vienne en terres argilo-calcaires. Il est conduit par le plus jeune fils de la famille, Jacques. Son 98 est puissant en bouche mais la trame tannique est mesurée de sorte qu'il reste souple et donne même une impression de légèreté. La finale assez vive et le fruité intense situent bien ce vin dans le millésime. Quant au **chinon rosé 99 Rive gauche**, il mérite une citation.

☛ Maison Plouzeau, 54, fg Saint-Jacques, 37500 Chinon, tél. 02.47.93.16.34, fax 02.47.98.48.23 ☑ ⟁ r.-v.

DOM. DE LA CHAPELLE
Vieilles vignes 1998★★

■ 6 ha 15 000 ▬ ↓ [30 à 49 F]

Philippe Pichard tient de ses grands-parents ce domaine de 16 ha où était édifiée autrefois une chapelle dont il ne reste plus que les vestiges. Le chai bénéficie d'un équipement moderne, et une cave attenante, creusée dans le roc, se révèle précieuse pour l'élevage des bouteilles. De bons outils pour la production de ce vin superbe, long, rond, puissant, sans agressivité. L'équilibre est déjà assuré mais une évolution sera bienvenue.

☛ Philippe Pichard, 9, rue Malvault, 37500 Cravant-les-Coteaux, tél. 02.47.93.42.35, fax 02.47.98.33.76 ☑ ⟁ r.-v.

DOM. DE LA DOZONNERIE 1998★

■ 4 ha 20 000 ▬ ◖▮ [30 à 49 F]

Les premières vignes du domaine ont été plantées en 1936, et leur récolte a sans doute été parmi les premières à bénéficier de l'appellation d'origine contrôlée accordée à Chinon l'année suivante. En 1990, Jean-François Delalay a hérité de ce bien. Adossé au coteau et dominant la plaine, celui-ci couvre maintenant 12 ha. Cette cuvée principale du domaine est restée six mois en fût. La structure a déjà sensiblement évolué mais il lui reste un peu de mordant. La bouche est ample et enveloppe bien les tanins. C'est donc un vin à fort potentiel d'évolution qu'il ne faut pas juger sur sa mine actuelle. La **cuvée Vieilles vignes 98** du même producteur, citée, est à attendre également.

LOIRE

☙ Jean-François Delalay, Les Vallées de Basses, 37500 Chinon, tél. 02.47.93.16.72, fax 02.47.93.23.37 ☑ ⟁ r.-v.

CLOS DE LA GALVAUDERIE
Cuvée des Loges de Vigne 1998★

■	n.c.	6 000	■ ⦂⦂	30 à 49 F

Trois mois d'élevage en cuve et un passage de huit mois en fût : on est dans la norme à La Galvauderie. Un vin qui n'est point à galvauder tant ses qualités sont grandes. Robe rubis clair, limpide, nez développé de fruits rouges et de caramel, bouche fruitée, souple, équilibrée, il est difficile d'en demander plus. Très réussi, ce chinon comblera son acquéreur.

☙ EARL Barc, Clos de La Croix Marie, 37500 Rivière, tél. 02.47.93.02.24, fax 02.47.93.99.45 ☑ ⟁ r.-v.

CH. DE LA GRILLE 1998★

■	27 ha	160 000	⦂⦂	70 à 99 F

Edifié sur un site romain, le château de La Grille date du XVIᵉˢ. mais a connu des extensions plus récentes ; il est impressionnant par son architecture et ses dimensions. Propriété de la famille Gosset, originaire de Champagne, il est entouré de 58 ha de vignes. Le chai bénéficie d'un équipement moderne avec une partie enterrée réservée aux barriques où le vin séjourne au minimum quinze mois. Ce chinon associe fruits rouges et confiture de fraises au nez. Sa bouche ronde, bien construite, laisse le souvenir d'un ensemble harmonieux. Voilà une cuvée de grande classe.

☙ Laurent et Sylvie Gosset, Ch. de La Grille, rte de Huismes et Ussé, 37500 Chinon, tél. 02.47.93.01.95, fax 02.47.93.45.91 ☑ ⟁ r.-v.

CLOS DE LA LYSARDIERE 1998

■	7 ha	30 000	■ ⦂	20 à 29 F

Ce vignoble a été créé en 1989 pour favoriser l'intégration des handicapés. D'une superficie de 7 ha, il est situé sur les sols argilo-calcaires de Beaumont, réputés produire des vins charpentés. Ce 98 n'échappe pas à la règle, mais toutes proportions gardées compte tenu du millésime. Le nez de fruits très mûrs est assez expressif. La bouche charnue, pleine d'une matière consistante et élégante, présente un bon équilibre. Ce vin déjà plaisant vieillira bien.

☙ Vignoble du Paradis, 2, impasse du Grand-Bréviande, 37500 La Roche-Clermault, tél. 02.47.95.81.57, fax 02.47.95.86.78 ☑ ⟁ r.-v.

☙ CAT Les Cheveaux Blancs

BEATRICE ET PASCAL LAMBERT
Cuvée Marie 1998

■	1,8 ha	7 200	⦂⦂	50 à 69 F

Béatrice et Pascal Lambert, établis sur un vignoble de plus de 9 ha au pied du coteau de Cravant, bénéficient d'une bonne installation vinicole. Dans le chai de vieillissement s'alignent de nombreux fûts dont certains sont neufs. Le passage sous bois dure près d'un an et laisse son empreinte sur le vin. La cuvée Marie en est un exemple. Si le fond est bien fait, onctueux, charnu, l'influence du chêne domine. Pour qui recherche l'harmonie dans les arômes, une évolution s'impose.

☙ Pascal Lambert, Les Chesnaies, 37500 Cravant-les-Coteaux, tél. 02.47.93.13.79, fax 02.47.93.40.97 ☑ ⟁ r.-v.

PATRICK LAMBERT
Vieilles vignes 1998★

■	2,5 ha	11 000	■ ⦂⦂	30 à 49 F

Patrick Lambert a créé son domaine en 1990, à la succession de ses parents. Il l'a agrandi quelques années plus tard pour le porter à près de 8 ha. C'est un travailleur méthodique qui se réfère toujours à la tradition. Ses vins font un long séjour sous bois et en sortent généralement dotés d'une structure harmonieuse. Sa cuvée Vieilles vignes est ainsi fondue, longue, bien que quelques tanins dissipés apparaissent. C'est signe qu'elle a encore besoin d'évoluer. Rendez-vous bientôt pour une très belle bouteille.

☙ Patrick Lambert, 6, coteau de Sonnay, 37500 Cravant-les-Coteaux, tél. 02.47.93.92.39 ☑ ⟁ r.-v.

DOM. DE LA NOBLAIE 1998★★

■	11,3 ha	30 000	■ ⦂	30 à 49 F

Pierre Manzagol qui a pratiquement créé le domaine de La Noblaie sur une superficie de 12,5 ha, pourrait être fier de ce vin que son gendre Pierre Billard vient de présenter. Au nez, les arômes abondent : raisin, cassis, myrtille. La bouche est pleine, dense, équilibrée. Parmi les notes complexes de fruits perçus en rétro-olfaction perce l'amande grillée. La finale laisse entrevoir quelques tanins fins qui donnent un peu de relief constituant un bon présage pour une évolution future. Néanmoins, ce chinon se placerait bien dès maintenant sur un chapon, par exemple. Très réussi, le **chinon rosé 99** est un vin fruité et tendre. Quant au **blanc 99**, il mérite une citation pour son équilibre.

☙ SCEA Manzagol-Billard, Dom. de La Noblaie, Le Vau Breton, 37500 Ligré, tél. 02.47.93.10.96, fax 02.47.93.26.13 ☑ ⟁ r.-v.

DOM. DE LA PERRIERE
Vieilles vignes 1998★★★

■	7,5 ha	40 000	⦂⦂	30 à 49 F

Le vignoble de La Perrière est dans la famille Baudry depuis 1398, un record ! Planté sur les terrasses graveleuses de la Vienne, il produit des vins très bouquetés et souvent finement structurés. Celui-ci est issu d'une sélection de vieilles vignes dont quelques-unes ont plus de soixante ans. Un séjour sous bois de huit mois lui a permis d'atteindre une certaine plénitude. Le nez légèrement poivré est dominé par les fruits rouges et la vanille avec, en fond, une petite touche de bois. Le corps est rond, plein et structuré avec élégance par des tanins discrets. Un vin qui fera carrière. Le coup de cœur n'est pas passé loin. Retenez aussi le **chinon blanc Confidentiel 98**, très réussi (50 à 69 F).

☙ Christophe Baudry, Dom. de La Perrière, 37500 Cravant-les-Coteaux, tél. 02.47.93.15.99, fax 02.47.98.34.57 ☑ ⟁ r.-v.

DOM. DE LA POTERNE 1998

■	7 ha	7 000	⦂⦂	30 à 49 F

C'est une jolie cuvée, fraîche, fruitée et ronde qui masque bien ses tanins. La robe rubis clair s'accorde aux notes de fruits rouges et de banane perçues au nez comme au palais. Gouleyant, tendre et aromatique, ce chinon a tout d'une cuvée de Pâques. Prenons-le comme tel, et marions-le vite à des viandes blanches.

🡒 EARL Christian et Robert Delalande, Montet, 37220 L'Ile-Bouchard, tél. 02.47.58.52.54, fax 02.47.58.67.99 ☑ ⏁ r.-v.

DOM. DE LA ROCHE HONNEUR
Diamant Prestige 1998★

■   3 ha   9 000   ⫴   30 à 49 F

Le domaine de La Roche Honneur, situé entre Loire et Vienne sur les terres siliceuses, graveleuses ou argilo-calcaires du Véron, produit des vins d'expressions variées. De savants assemblages permettent d'élaborer trois cuvées. Celle-ci appelée Diamant Prestige est l'enfant chéri de Stéphane Mureau : fort bien construite, elle est équilibrée entre la matière et le bois. Un brin de rondeur la rend prête à la consommation, mais elle peut supporter une petite garde. La **cuvée Rubis 98**, déjà bien épanouie, a également été notée très réussie par le jury.

🡒 Dom. de La Roche Honneur, 1, rue de la Berthelonnière, 37420 Savigny-en-Véron, tél. 02.47.58.42.10, fax 02.47.58.45.36 ☑ ⏁ r.-v.

🡒 Stéphane Mureau

CAVES DE LA SALLE
Vieilles vignes 1998★★

■   4 ha   22 000   ▮⫴   30 à 49 F

La maison et ses dépendances datent du XVIIIᵉs., mais les bâtiments de ferme ainsi que le chai ont été édifiés récemment, en 1988. Le vignoble couvre 12 ha. La cuvée Vieilles vignes, sous une robe brillante, grenat soutenu, livre un nez d'une rare puissance avec un éventail de senteurs qui vont de la pêche au cuir. En bouche, on découvre une attaque douce suivie d'une structure équilibrée où gras et tanins font bon ménage. La finale ronde et longue laisse une nette impression empyreumatique. C'est un vin plein de promesses qu'il faudrait mettre en attente pour des plaisirs futurs. Du même vigneron, la cuvée du **Fief de la Rougellerie 98** mérite d'être citée.

🡒 Rémi Desbourdes, La Salle, 37220 Avon-les-Roches, tél. 02.47.95.24.30, fax 02.47.95.24.83 ☑ ⏁ r.-v.

LE CHAMP MARTIN 1998

■   2,57 ha   11 000   ⫴   20 à 29 F

Si vos pas vous mènent à Tavant et si vous êtes porté vers les nourritures spirituelles, vous pourrez visiter la petite église du village et admirer ses peintures murales du XIIᵉs. Les nourritures terrestres viendront avec la dégustation de ce 98 au nez développé de pêche, d'abricot, de grenade et de pruneau. La bouche, solide et ronde, présente un bel équilibre et dégage des évocations de fruits rouges et de grillé. Ce vin sera apprécié dès à présent sur une côte de bœuf par exemple.

🡒 Jean-Pierre Crespin, 12, rue Grande, 37220 Tavant, tél. 02.47.97.01.48 ☑ ⏁ r.-v.

JACQUELINE LÉON 1998

■   0,8 ha   5 000   ▮⫴   30 à 49 F

Jacqueline Léon travaille de manière traditionnelle un petit vignoble de 3,75 ha. Les sols sableux des bords de Vienne produisent des vins légers qui développent généralement un bouquet riche, à base de framboise, de cassis et de groseille... Celui-ci, à la robe brillante, révèle un nez flatteur de fruits mûrs. La bouche soyeuse, longue, pourrait évoluer encore pour arrondir quelques tanins récalcitrants. Cependant, ce vin peut dès maintenant s'inviter sur une grillade ou un fromage frais de Sainte-Maure.

🡒 Jacqueline Léon, 2, rue des Capelets, 37420 Savigny-en-Véron, tél. 02.47.58.93.37 ☑ ⏁ r.-v.

LE PARADIS 1998★

■   n.c.   30 000   ▮⧰   20 à 29 F

Le nez floral évolue vite vers le poivron si caractéristique du cabernet franc. Harmonieux est le qualificatif qui s'impose d'emblée. Viennent ensuite rondeur, plénitude et longueur. Une réussite qui sera complète après une année de garde.

🡒 Vignoble du Paradis, 2, impasse du Grand-Bréviande, 37500 La Roche-Clermault, tél. 02.47.95.81.57, fax 02.47.95.86.78 ☑ ⏁ r.-v.

🡒 CAT Les Cheveaux Blancs

LES CORNUELLES Vieilles vignes 1998★

■   6 ha   16 000   ⫴   30 à 49 F

« Avoir été et pouvoir être encore », telle est la motivation de Serge et Bruno Sourdais pour conduire ce domaine de 40 ha créé par leur famille au siècle dernier. Depuis, six générations sont passées et la tradition demeure. La cuvée des Cornuelles provient des coteaux calcaires les mieux exposés. Après un long séjour sous bois, elle commence à s'épanouir pour constituer un ensemble puissant, chaud, aux tanins solides. L'attendre deux ou trois ans.

🡒 Serge et Bruno Sourdais, La Bouchardière, 37500 Cravant-les-Coteaux, tél. 02.47.93.04.27, fax 02.47.93.38.52 ☑ ⏁ r.-v.

CH. DE LIGRE
La Roche Saint-Paul 1998★★

■   5 ha   20 000   ▮⫴⧰   30 à 49 F

« Soyez dans le secret des terroirs et des cuvées », dit Pierre Ferrand. Un secret qu'il livre volontiers et avec passion en présentant sa production. La cuvée La Roche Saint-Paul, un terroir de Ligré, est de bonne constitution. Son bouquet est partagé entre le cassis, la pêche et le sous-bois. Après une attaque régulière, apparaît une solide concentration de matière soutenue par une charpente tannique qui reste agréable. On sent le coup de patte du vinificateur : de l'art et de la science à la fois. Ce vin a un potentiel de garde de dix ans, mais peut déjà être dégusté.

☛ Pierre Ferrand, Ch. de Ligré, 37500 Ligré, tél. 02.47.93.16.70, fax 02.47.93.43.29, e-mail pierre.ferrand4@wanadoo.fr ☑ ⵣ t.l.j. 8h30-12h 14h-18h; sam. dim. sur r.-v.

ALAIN LORIEUX 1998★★

■	6 ha	35 000	▮ 30 à 49 F

Pascal et Alain Lorieux sont à la fois sur saint-nicolas-de-bourgueil et sur chinon. C'est Alain qui a créé le vignoble de chinon sur une superficie de 5 ha et qui l'entretient. Les deux domaines vinifient séparément mais mettent en commun matériel et moyens de commercialisation. Ce 98 fait bonne impression par son ampleur et sa rondeur. Une structure tannique soyeuse confère à l'ensemble une harmonie assez rare. Quant aux arômes, les fruits rouges confits envahissent le nez comme la bouche. Ce vin, après une garde de deux ou trois ans, sera capable de se marier à une poule faisane.

☛ Pascal et Alain Lorieux, Malvault, 37500 Cravant-les-Coteaux, tél. 02.47.98.35.11, fax 02.47.98.36.11 ☑ ⵣ r.-v.

DOM. DES MILLARGES
Cuvée de Printemps 1998

■	2 ha	9 950	▮ ♦ 30 à 49 F

Le Centre viti-vinicole de Chinon a été créé en 1973 par le conseil général d'Indre-et-Loire et est rattaché au lycée agricole de Tours-Fondettes. Il forme des techniciens supérieurs et expérimente les techniques culturales. Sa visite commentée est riche d'enseignements pour l'amateur de vin. Le domaine du lycée présente une cuvée de Printemps faite de fruits mûrs, de poivron et d'une évocation de fougère. L'attaque est souple, la bouche bien équilibrée et la finale assez longue sur une impression vanillée. Un joli vin qui jouera son rôle en toutes occasions. Le chinon rouge élevé en fût 98 est également cité par le jury.

☛ Centre viti-vinicole de Chinon, Dom. des Millarges, Les Fontenils, 37500 Chinon, tél. 02.47.93.36.89, fax 02.47.93.96.20 ☑ ⵣ r.-v.

☛ Lycée agricole

CLOS DE NEUILLY 1998

■	3 ha	15 000	ⵙ 30 à 49 F

Ce Clos de Neuilly, c'est 3 ha de vieilles vignes et dix-huit mois d'élevage en foudre. Johann Spelty continue d'appliquer les méthodes qu'avait instituées avec succès son père. Bien lui en prend car voici un joli vin aux arômes de fruits rouges et de violette, souple et persistant. Est-il à boire sur des grillades. Le laisser vieillir un peu ? Pourquoi pas, il en a l'aptitude.

☛ Johann Spelty, Le Carroi Portier, 37500 Cravant-les-Coteaux, tél. 02.47.93.08.38, fax 02.47.93.93.50 ☑ ⵣ r.-v.

DOM. JAMES PAGET
Vieilles vignes 1998★

■	1,5 ha	6 000	30 à 49 F

James Paget a des responsabilités professionnelles dans l'appellation touraine-azay-le-rideau où il a le principal de son exploitation. Mais il cultive sur l'aire de chinon un petit bien de 1,5 ha où les ceps ont souvent plus de quarante-cinq ans. Il propose ainsi un vin de belle longueur, tout en harmonie et aux senteurs qui rappellent les fruits rouges du verger. C'est un vin de plaisir qui sera très apprécié dès à présent.

☛ EARL James Paget, 13, rue d'Armentières, 37190 Rivarennes, tél. 02.47.95.54.02, fax 02.47.95.45.90 ☑ ⵣ r.-v.

DOM. CHARLES PAIN
Cuvée Prestige 1998★★

■	11 ha	30 000	▮ ⵙ ♦ 30 à 49 F

Le vignoble de Charles Pain couvre 20 ha et s'étend sur les trois communes les plus orientales de l'appellation. La cuvée Prestige, particulièrement choyée par son propriétaire, libère un nez discret mais complexe et prometteur. En bouche, on sent dans la rondeur et le soyeux des tanins un long élevage en bois réussi. Ce vin de belle prestance est une image flatteuse du millésime, a dit le jury. Il a une bonne capacité à vieillir. La cuvée rouge 98 classique du domaine, ronde et fruitée, a été jugée très réussie.

☛ Dom. Charles Pain, Chézelet, 37220 Panzoult, tél. 02.47.93.06.14, fax 02.47.93.04.43 ☑ ⵣ r.-v.

PIERRE PRIEUR 1998★

■	2 ha	10 000	▮ ⵙ 30 à 49 F

Un beau vignoble de 13 ha sur les sables et graviers des bords de Loire, que complète au pied du coteau une très belle cave dans le roc, c'est le domaine de Pierre Prieur qui propose un vin de bon potentiel. Les tanins puissants mais ronds, sans amertume, conduisent à une finale assez longue. Le nez s'appuie sur des arômes de poivron, de fruits cuits, de grillé et même de café. Ce chinon atteindra sa plénitude dans deux ans.

☛ Pierre Prieur, 1, rue des Mariniers, Bertignolles, 37420 Savigny-en-Véron, tél. 02.47.58.45.08, fax 02.47.58.94.56 ☑ ⵣ r.-v.

DOM. DU PUY RIGAULT 1998

■	5 ha	33 000	ⵙ 30 à 49 F

Une robe pourpre, des arômes de framboise écrasée et de griotte, un bon équilibre en bouche entre le bois et la matière et des tanins un peu fermes, c'est un joli vin élaboré par Michel Page sur son domaine des bords de Vienne. Sa pointe d'acidité lui donne une fraîcheur qui le rend plaisant dès maintenant.

☛ EARL Dom. du Puy Rigault, 6, rue de la Fontaine-Rigault, 37420 Savigny-en-Véron, tél. 02.47.58.44.46, fax 02.47.58.99.50 ☑ ⵣ r.-v.

☛ Michel Page

DOM. DES QUATRE VENTS
Cuvée Domaine 1998

| ■ | | n.c. | 10 000 | ■ | 30 à 49 F |

Située au sommet d'une butte, le domaine est balayé par les vents. Si la situation n'est pas très confortable, du moins épargne-t-elle les vignes des gelées printanières ! Le 98 présente un nez moyennement intense où dominent le cassis, la groseille et la framboise avec un soupçon de poivron. La bouche est souple, la matière suffisante et la finale fraîche et fruitée. Un vin bouqueté qui accompagnera parfaitement des grillades.
•┑ Philippe Pion, La Bâtisse, 37500 Cravant-les-Coteaux, tél. 02.47.93.46.79, fax 02.47.93.99.59
☑ ⟂ r.-v.

JEAN-MAURICE RAFFAULT
Clos d'Isoré Elevé en fût 1998★

| ■ | | 5 ha | n.c. | ◖▮◗ | 30 à 49 F |

Jean-Maurice Raffault est une des figures de la viticulture chinonaise. Il a beaucoup milité dans les organisations professionnelles, tout en constituant son vignoble de 35 ha au cœur du Véron. Il est maintenant bien secondé par son fils Rodolphe et présente une cuvée Clos d'Isoré très expressive au nez, où la framboise fait la loi. Le corps est puissant, impressionnant même, avec des tanins déjà assagis : le passage sous bois a été bien maîtrisé. On peut tout à loisir boire ce chinon maintenant ou le faire patienter quelques années. Une autre cuvée **rouge Les Picasses 98** reçoit la même note pour son équilibre et sa longueur.
•┑ EARL Jean-Maurice Raffault,
31, rue du Bourg, 37420 Savigny-en-Véron,
tél. 02.47.58.42.50, fax 02.47.58.83.73,
e-mail rodolphe.raffault@wanadoo.fr ☑ ⟂ r.-v.

OLGA RAFFAULT 1999★★

| ☐ | | n.c. | n.c. | | 30 à 49 F |

Sous une robe dorée intense, c'est un chinon bien marqué par le chenin qui se découvre : arômes de coing et d'abricot, complexes et soutenus. La bouche possède une matière fruitée de qualité. La finale laisse une impression de fraîcheur fort agréable. Le **rosé 99** obtient une citation.
•┑ SARL Dom. Olga Raffault,
1, rue des Caillis, 37420 Savigny-en-Véron,
tél. 02.47.58.42.16, fax 02.47.58.83.61 ☑ ⟂ r.-v.
•┑ Jean Raffault

DOM. DU RAIFAULT 1998★

| ■ | | 6 ha | 32 000 | ■◖▮◗▮ | 30 à 49 F |

Julien Raffault qui a pris en 1997 la direction de ce beau domaine de 28 ha, après la disparition de son père, semble avoir les choses bien en mains. Sa cuvée Domaine du Raifault, du nom de la gentilhommière qui domine le vignoble, en est la preuve. Le nez est légèrement cacaoté avec un développement ultérieur de myrtille. La bouche est pleine, fougueuse. La réserve de tanins en dit long sur les possibilités d'évolution. C'est un très joli vin de garde qui se révélera avec le temps.
•┑ Julien Raffault, 23-25, rte de Candes,
37420 Savigny-en-Véron, tél. 02.47.58.44.01,
fax 02.47.58.92.02 ☑ ⟂ t.l.j. 8h-19h; dim. sur r.-v.

DOM. DU RONCEE
Clos des Marronniers 1998★

| ■ | | 7,05 ha | 22 000 | ◖▮◗ | 30 à 49 F |

Un clos est une parcelle ceinte de murs. Les vignobles étaient souvent ainsi délimités au XVᵉs. en Touraine. Le domaine du Roncée se rappelle au travers de ses différentes cuvées. Celle du Clos des Marronniers évoque les fruits exotiques et la pivoine. Sa bouche, ample et souple, s'agrémente d'accents empyreumatiques. C'est une jolie bouteille apte à une garde d'une dizaine d'années. La **cuvée rouge 98** classique du domaine est elle aussi très réussie par sa souplesse et son équilibre.
•┑ Dom. du Roncée, La Morandière,
37220 Panzoult, tél. 02.47.58.53.01,
fax 02.47.58.64.06,
e-mail roncee@club-internet.fr
☑ ⟂ t.l.j. sf sam. dim. 9h-12h 14h -18h

DOM. DES ROUET
Cuvée des Battereaux Vieilles vignes 1998★

| ■ | | 3 ha | 9 000 | ■▮ | 30 à 49 F |

Des sols de graves et des ceps d'âge respectable, telles sont les origines de ce plein 98, plein de charme et harmonieusement équilibré. Le nez subtil est chargé de fruits rouges bien mûrs. La réserve de tanins donne à ce vin une bonne aptitude au vieillissement. On en tiendra compte.
•┑ Dom. des Rouet, Chézelet,
37500 Cravant-les-Coteaux, tél. 02.47.93.19.41,
fax 02.47.93.96.58 ☑ ⟂ r.-v.

DOM. WILFRID ROUSSE
Vieilles vignes 1998★★

| ■ | | 1 ha | 6 000 | ◖▮◗ | 30 à 49 F |

Le domaine de Wilfrid Rousse comprend 11 ha de vignes, dont des ceps de cabernet franc de quatre-vingt-dix ans. La robe de ce 98 est d'un rouge profond et l'expression du nez nettement marquée par les fruits rouges et la prunelle. L'attaque est fine, élégante, et la matière typique du millésime. Les tanins sont encore un peu rudes mais ne demandent qu'à s'affiner. Plaisant aujourd'hui, ce chinon possède aussi un bon potentiel de vieillissement.
•┑ Wilfrid Rousse, La Halbardière,
21, rte de Candes, 37420 Savigny-en-Véron,
tél. 02.47.58.84.02, fax 02.47.58.92.66 ☑ ⟂ r.-v.

GUY SAGET Marie de Beauregard 1998

| ■ | | 1,2 ha | 6 078 | ◖▮◗ | 30 à 49 F |

Spécialiste des blancs, la société Saget produit maintenant des rouges, notamment de chinon. Celui-ci, très boisé au nez, surprend par son attaque souple suivie d'une bouche friande, à la structure légère. Un vin pour ceux qui aiment les choses simples et que n'effraient pas les arômes de chêne.
•┑ SA Guy Saget, La Castille, 58150 Pouilly-sur-Loire, tél. 03.86.39.57.75, fax 03.86.39.08.30
☑ ⟂ t.l.j. sf dim. 8h-12h 14h-18h

CH. DE SAINT-LOUAND
Réserve de Trompegueux 1998★

| ■ | | 5,7 ha | 25 000 | ◖▮◗ | 30 à 49 F |

La propriété qui compte aujourd'hui 6,50 ha de vignes a été achetée en 1935 par Charles Walther, président à cette époque de l'Académie de

LOIRE

médecine. Ce sont ses petits enfants qui l'exploitent aujourd'hui. Le terme de « trompegueux » qui s'attache à la vigne dispensatrice de cette cuvée viendrait de « trompes », lourdes chaussures que portaient les gueux qui gravissaient le coteau. Vêtu d'une robe rouge cerise intense, le 98 livre un nez fruité, légèrement épicé et boisé. A la dégustation, on a une bonne impression de rondeur et de longueur due à une matière soyeuse. Le bois fait une petite réapparition en finale. Un vin qui doit rester en cave encore quelque temps.

🖝 Bonnet-Walther, Saint-Louand,
37500 Chinon, tél. 02.47.93.48.60,
fax 02.47.98.48.54 ☑ ⍬ r.-v.

PIERRE SOURDAIS 1999

◢	n.c.	7 000	30 à 49 F

Pierre Sourdais propose cette année un joli chinon rosé très pâle mais très net. Des reflets brillants sont perceptibles à la lumière. Après un nez assez complexe, on découvre en bouche une bonne structure et des arômes floraux bien persistants.

🖝 Pierre Sourdais, Le Moulin à Tan,
37500 Cravant-les-Coteaux, tél. 02.47.93.31.13,
fax 02.47.98.30.48 ☑ ⍬ r.-v.

FRANCIS SUARD
Cuvée Prestige Elevé en fût de chêne Vieilles vignes 1998

■	1,2 ha	5 200	30 à 49 F

Disposer d'une grande cave dans le roc où la température et l'humidité sont constantes est un atout pour conduire l'élevage des vins dans le Chinonais. Francis Suard y met en pratique des méthodes classiques qui semblent lui réussir. Son 98 donne une impression de moelleux et d'équilibre. Les arômes de fruits sont discrets mais il se dégage une note empyreumatique dominante. La finale un peu sévère incite à une maturation en bouteille de quelques années.

🖝 Francis Suard, 74, rte de Candes,
37420 Savigny-en-Véron, tél. 02.47.58.91.45
☑ ⍬ r.-v.

CH. DE VAUGAUDRY 1998*

■	11 ha	40 000	■ ⬤	30 à 49 F

Le château de Vaugaudry fait face à la ville de Chinon et à sa vieille forteresse située sur l'autre rive. Tout entouré de murs, le vignoble, d'une superficie de 12 ha, bénéficie d'un climat privilégié sur une terrasse à flanc du coteau de la rive gauche de la Vienne. Cette cuvée, issue de la majeure partie du domaine, possède une robe rubis à nuances orangées. Elle dégage un bouquet typé chinon qui laisse en mémoire une odeur de prunelle. L'équilibre est de mise dans une bouche très ronde, où des tanins bien fondus finissent sur une note de fumée. Quant au **Clos du Plessis Gerbault 98**, il est cité par le jury.

🖝 SCEA Ch. de Vaugaudry, Vaugaudry,
37500 Chinon, tél. 02.47.93.13.51,
fax 02.47.93.23.08 ☑ ⍬ r.-v.

DOM. DE VILLEGRON 1998*

■	9 ha	3 500	20 à 29 F

Un vin très réussi, à la robe limpide brillante qui jette mille feux. Le bouquet est typique du chinon par ses senteurs florales d'iris, de violette ou ses évocations de fruits rouges et de poivron. Le palais laisse une impression soyeuse et persistante. En finale, les notes fruitées se manifestent à nouveau. Voilà un chinon bien bâti, plaisant, mais qui peut faire mieux après un séjour en cave.

🖝 Vincent Bodin, 17, rue de Villegron,
37500 La Roche-Clermault, tél. 02.47.93.24.13,
fax 02.47.93.13.75 ☑ ⍬ r.-v.

Coteaux du loir

Avec le jasnières, voici le seul vignoble de la Sarthe, sur les coteaux de la vallée du Loir. Il renaît après avoir failli disparaître il y a vingt-cinq ans. Les vignes sont plantées sur l'argile à silex qui recouvre le tuffeau. Une production intéressante avec près de 1 980 hl d'un rouge léger et fruité (pineau d'Aunis, assemblé aux cabernet, gamay ou côt) et de rosé, et 1 184 hl de blanc sec (chenin ou pineau blanc de la Loire).

DOM. DE CEZIN Pineau d'Aunis 1999*

◢	1,5 ha	5 000	■ ⬤	20 à 29 F

François Fresneau nous propose cette fois encore un joli pineau d'Aunis récolté sur sol d'argile à silex. De teinte saumon clair, son rosé présente une intéressante palette aromatique faite de cire d'abeille et de fruits blancs. La bouche, délicatement épicée, possède suffisamment de gras et de rondeur. Un beau représentant du type, à l'instar du **jasnières 99** du même producteur, plein de finesse.

🖝 François Fresneau, rue de Cézin,
72340 Marçon, tél. 02.43.44.13.70,
fax 02.43.44.13.70 ☑ ⍬ r.-v.

BERNARD CROISARD 1999

☐	1,5 ha	7 000	■	30 à 49 F

Ce viticulteur a su mettre à niveau son équipement de cave. Il a ainsi produit un coteaux du loir blanc pâle, très rond, dont certains dégustateurs ont apprécié les nuances flatteuses de fruits exotiques.

🖝 Bernard Croisard, La Pommeraie,
72340 Chahaignes, tél. 02.43.44.47.12 ☑ ⍬ r.-v.

DOM. DE LA GAUDINIERE 1998

■	1,1 ha	5 000	ⅠⅠⅠ	20 à 29 F

Le domaine de La Gaudinière se situe non loin d'un dolmen. Vêtu de grenat, son 98 plutôt souple plaît par son bouquet de petits fruits rouges, souligné d'une touche de girofle et de pivoine.

●┐EARL C. et D. Cartereau, La Gaudinière,
72340 Lhomme, tél. 02.43.44.55.38,
fax 02.43.44.55.38 ☑ ▼ r.-v.

LES MAISONS ROUGES 1998★

■	1,5 ha	4 000	■ ◫ ♨	20 à 29 F

Elisabeth et Benoît Jardin forment un couple
sympathique, reconverti à la viticulture voilà
cinq ans, et qui vient d'ouvrir une boutique de
produits du terroir. Leur coteau du loir 98, entre
tuile et rubis, libère un nez intense, fruité et grillé.
Des tanins fins et une bonne persistance en bouche font de ce vin une réussite dans l'esprit de
l'appellation. Le **jasnières 99** est lui aussi prometteur.
●┐Elisabeth et Benoît Jardin, Les Maisons
rouges, Les Chaudières, 72340 Ruillé-sur-Loir,
tél. 02.43.79.50.09, fax 02.43.79.13.95,
e-mail benoit.jardin@bull.net ☑ ▼ r.-v.

JEAN-MARIE RENVOISE
Pineau d'Aunis 1998★

■	1,4 ha	6 000	■	20 à 29 F

Jean-Marie Renvoisé s'est installé en 1992 au
nord de la vallée du Loir. Son 98 est un vin fort
sympathique par sa palette de fruits noirs, de
poivre et de coriandre. Gouleyant à souhait, il
est le parfait compagnon des plateaux de charcuteries.
●┐Jean-Marie Renvoisé, 5, rue Bel-Air,
72340 Chahaignes, tél. 02.43.44.89.37 ☑ ▼ r.-v.

Jasnières

C'est le cru des coteaux du
Loir, bien délimité sur un unique versant
plein sud de 4 km de long et de quelques
centaines de mètres de large seulement.
Une production en 1999 de 2 471 hl de vin
blanc, issu du seul cépage chenin ou pineau
de la Loire, qui peut donner des produits
sublimes les grandes années. Curnonsky
n'a-t-il pas écrit : « Trois fois par siècle, le
jasnières est le meilleur vin blanc du
monde » ? Il accompagne élégamment, dit-
on, la « marmite sarthoise », spécialité
locale, où il rejoint d'autres produits du
terroir : poulets et lapins finement découpés, légumes cuits à la vapeur. Vin rare, à
découvrir.

DOM. AUBERT LA CHAPELLE
Cuvée Anne-Mathilde 1999

□	1,5 ha	n.c.	◫	30 à 49 F

La Chapelle est une maison de vignes située
sur la plus grande des parcelles viticoles et
construite en 1850 par le curé de Marçon. Elle a
donné son nom à ce domaine de 12 ha qui a
produit dans le millésime 99 un jasnières de couleur jaune intense, élevé six mois en fût. Le palais

se montre équilibré, doté d'une certaine douceur
et d'arômes discrets plutôt floraux. Une bonne
garde est à sa portée.
●┐Aubert La Chapelle, La Roche,
72340 Marçon, tél. 02.43.79.17.82,
fax 02.43.79.17.82, e-mail j.aubert@lemet.fr
☑ ▼ r.-v.

PASCAL JANVIER 1999

□	1 ha	6 500	■	30 à 49 F

Pascal Janvier possède une exploitation traditionnelle d'un peu plus de 5 ha dans la vallée du
Loir. Il a produit un jasnières de teinte soutenue,
aux arômes de fruits blancs nuancés de fumé. A
la fois vif et gras, ce vin aura une bonne tenue
sur un poisson... du Loir.
●┐Pascal Janvier, La Minée, 72340 Ruillé-sur-
Loir, tél. 02.43.44.29.65, fax 02.43.79.25.25
☑ ▼ r.-v.

JEAN-JACQUES MAILLET 1999★

□	3 ha	13 000	■	30 à 49 F

En s'installant à Ruillé-sur-Loir en 1972,
Jean-Jacques Maillet avait envisagé de se lancer
dans l'élevage porcin (Sarthe oblige...), mais il a
finalement opté pour la replantation des vignes
de son grand-père. Bien lui en a pris. Brillant,
très floral, son jasnières 99 offre un équilibre
intéressant. Des nuances exotiques sont perceptibles en bouche jusqu'à la belle finale.
●┐Jean-Jacques Maillet, La Paquerie,
72340 Ruillé-sur-Loir, tél. 02.43.44.47.45,
fax 02.43.44.35.30 ☑ ▼ r.-v.

Montlouis

La Loire au nord, la forêt
d'Amboise à l'est, le Cher au sud limitent
l'aire d'appellation (1 000 ha de vignes
dont 400 en AOC montlouis). Les sols « perrucheux » (argile à silex), localement
recouverts de sable, sont plantés de chenin
blanc (ou pineau de la Loire) et produisent
des vins blancs vifs et pleins de finesse, secs
ou doux, tranquilles ou effervescents
(16 103 hl en 1999 dont 8 209 en mousseux).
Les premiers gagnent à évoluer longuement en bouteille dans les caves de tuffeau.
Ils ont un potentiel de garde d'une dizaine
d'années.

DOM. AURORE DE BEAUFORT Brut

○	3 ha	15 000	■	30 à 49 F

Les Moyer sont les descendants d'une vieille
famille de la noblesse tourangelle, les Scourion
de Beaufort. Aurore, leur fille, a donné son prénom au domaine qui couvre près de 7 ha sur les
hauts de Saint-Martin-le-Beau. Cette méthode
traditionnelle mettra en appétit les touristes des-
cendus dans les chambres d'hôtes que propose

Marie-Claude Moyer. La bulle est légère, l'attaque ronde et les arômes de brioche et de fleurs bien présents. Un vin d'après-midi pour se remettre d'un voyage fatigant, par exemple.

☛Jean-Marie Moyer, 23, rue des Caves, 37270 Saint-Martin-le-Beau, tél. 02.47.50.61.51, fax 02.47.50.27.56,
e-mail aurore.de.beaufort@wanadoo.fr
☑ ⵊ t.l.j. sf dim. 8h-20h

PATRICE BENOIT Sec 1998

| ☐ | 1 ha | 2 000 | ◖▮▶ 20 à 29 F |

Patrice Benoît, qui a créé ce petit vignoble en 1985 en regroupant plusieurs parcelles de propriétaires différents, ne jure que par les méthodes traditionnelles. Il propose ce joli vin, riche en matière et qui s'inscrit bien dans le type. Le nez est un peu fermé mais on perçoit une très belle expression de jeunesse en bouche avec des notes miellées. Un beau mariage en vue avec une charcuterie tourangelle.

☛Patrice Benoît, 3, rue des Jardins, Nouy, 37270 Saint-Martin-le-Beau, tél. 02.47.50.62.46
☑ ⵊ r.-v.

DOM. DES CHARDONNERETS
Moelleux 1998

| ☐ | 3 ha | 5 000 | ▮ 30 à 49 F |

Daniel Mosny est installé sur son domaine des Chardonnerets depuis près de trente ans. Mais la nouvelle génération est impliquée et prend en charge les 14 ha de vignes situés sur les côtes du Cher. Une citation pour ce moelleux, et ce n'était pas facile pour le millésime. Une attaque douce, suivie d'une matière qui couvre parfaitement les sucres, de la délicatesse et une finale longue et rafraîchissante, voilà de quoi porter ce vin assez loin.

☛GAEC Daniel et Thierry Mosny,
6, rue des Vignes, 37270 Saint-Martin-le-Beau, tél. 02.47.50.61.84, fax 02.47.50.61.84 ☑ ⵊ t.l.j. 8h-19h30

LAURENT CHATENAY Sec 1998

| ☐ | 1,3 ha | 7 000 | ◖▮▶ 30 à 49 F |

En 1996, Laurent Chatenay a opéré à trente-sept ans une reconversion complète en s'installant sur le domaine de 7 ha de ses parents. Muni d'un BTA viti-œnologie, il n'a pas pris cette décision à la légère, la preuve en est ce joli montlouis sec avec des notes de fruits secs et de pain grillé, frais, équilibré et de longue finale, ainsi que le **montlouis demi-sec 98**, agréablement citronné, qui est également cité.

☛Laurent Chatenay, 41, rte de Montlouis, Nouy, 37270 Saint-Martin-le-Beau,
tél. 02.47.50.65.58, fax 02.47.50.29.90,
e-mail laurent.chatenay@wanadoo.fr ☑ ⵊ r.-v.

YVES CHIDAINE Demi-sec 1998

| ☐ | 2 ha | 10 000 | ◖▮▶ 30 à 49 F |

Créé en 1936, ce domaine repose sur les sols argilo-calcaires du coteau nord de la Loire. Attaque vive, corps en équilibre et bonne fin de bouche, tels sont les attraits de ce demi-sec qu'il faudra laisser évoluer pour une complète harmonie.

☛Yves Chidaine, 2, Grande-Rue, Husseau, 37270 Montlouis-sur-Loire, tél. 02.47.50.83.72, fax 02.47.45.02.16 ☑ ⵊ t.l.j. 8h-12h 14h-19h

FREDERIC COURTEMANCHE
Sec 1998

| ☐ | 1 ha | 2 000 | ▮ 30 à 49 F |

Installé depuis 1990 sur un petit vignoble de 5 ha des côtes du Cher, Frédéric Courtemanche est un habitué du Guide ; c'est la preuve de sa régularité dans la production de vins de qualité. Ce montlouis sec, souple et long, a juste ce qu'il faut de vivacité pour offrir une fraîcheur plaisante. Des arômes de miel et de fruits secs viennent en complément et lui donnent un caractère élégant. Une citation aussi pour une **méthode traditionnelle : le montlouis 97**, bien dans le profil des vins de l'appellation.

☛Frédéric Courtemanche, 12, rue d'Amboise, 37270 Saint-Martin-le-Beau, tél. 02.47.50.60.89
☑ ⵊ r.-v.

DELETANG 1997★★

| ◯ | 2 ha | 19 000 | ▮ 30 à 49 F |

Quatre générations de Deletang ont constitué ce domaine de plus de 22 ha de vignes, couvrant les pentes siliceuses qui descendent doucement vers le Cher. Orientés au sud, les ceps bénéficient d'un ensoleillement généreux. Cette méthode traditionnelle en a largement profité. Le nez intense fait montre de finesse et d'élégance. La bouche souple, avec une bonne effervescence, a un petit côté pointu qui l'équilibre et lui donne de la fraîcheur. Un vin qu'il faut réserver à l'apéritif, sans accompagnement pour préserver son expression. Au repas suivra un **montlouis sec 98** pour lequel le domaine Deletang a obtenu la mention « remarquable » : une ampleur tout enrobée de fruits mûrs qui fera son effet sur un poisson grillé, par exemple.

☛EARL Deletang, 19, rue d'Amboise, 37270 Saint-Martin-le-Beau, tél. 02.47.50.67.25, fax 02.47.50.26.46,
e-mail deletang.olivier@wanadoo.fr ☑ ⵊ r.-v.

JEAN ET CHRISTOPHE GUESTAULT
Pigeonnier de Fombêche Sec 1998★

| ☐ | 3 ha | 10 000 | ▮ 30 à 49 F |

Jean Guestault n'a pas peur de citer Léon Daudet qui clame, en parlant des vins que Ronsard a connus : « Des vins blancs, le roi est celui de Saint-Martin-le-Beau, dont la saveur est unique... » Tout aussi uniques sont les vins que Jean et Christophe produisent sur un domaine de près de 12 ha, sis entre Loire et Cher sur sols argilo-calcaires. Celui-ci - un sec -, à forte dominante florale, est un vin bien typé, d'une harmonie parfaite pour un millésime difficile à travailler. La finale est longue et laisse sur des notes intenses de fruits mûrs. Ce 98 gagnera encore à rester en cave quelque temps.

🍷 GAEC Jean et Christophe Guestault, Fombèche, 37270 Saint-Martin-le-Beau, tél. 02.47.50.25.52, fax 02.47.50.28.23 ☑ ⊤ t.l.j. 8h30-12h 14h-20h

JEAN-PAUL HABERT Demi-sec 1998★

| ☐ | 0,4 ha | 1 800 | ⓘ 20 à 29 F |

Les caves de Jean-Paul Habert appartenaient avant la Révolution à la famille de Beaufort qui comptait parmi ses membres Gabrielle d'Estrées. Mais les caves et ses alignements de demi-muids ne font pas tout : le vignoble de 12 ha très bien orienté sur les coteaux du Cher a sa part dans la réussite des vins. Celui-ci, un demi-sec, est séduisant par sa robe aux nombreux reflets dorés et son nez plein de finesse et d'élégance. Une séduction que confirme le palais grâce à sa générosité, son fondu et son évocation de fruits mûrs. Un avenir prometteur.

🍷 Jean-Paul Habert, 3, imp. des Noyers, Le Gros Buisson, 37270 Saint-Martin-le-Beau, tél. 02.47.50.26.47, fax 02.47.50.26.47 ☑ ⊤ r.-v.

ALAIN JOULIN Demi-sec 1998

| ☐ | 1 ha | 5 000 | ⓘ 30 à 49 F |

Un joli vin venant des vignes de ce coteau du Cher bien orienté qui fait la réputation des vins de Saint-Martin-le-Beau. Le savoir-faire du vigneron, inspiré de la tradition, a donné un demi-sec réussi. On sent au nez les raisins menés à bonne maturité et bien sélectionnés. La bouche est typée mais dans un style léger. C'est un vin de plaisir qu'il faut boire dès à présent.

🍷 Alain Joulin, 58, rue de Chenonceaux, 37270 Saint-Martin-le-Beau, tél. 02.47.50.28.49, fax 02.47.50.69.73 ☑ ⊤ t.l.j. sf dim. 8h-12h 14h-20h

DOM. DE LA MILLETIERE
Les Haies Berthereau Liquoreux 1998★

| ☐ | 3 ha | 5 000 | ⓘ 70 à 99 F |

Quinze générations de vignerons de la même famille se sont succédé en plus de quatre siècles sur ce domaine de La Milletière ! Une tradition de la vigne et du vin respectée à la lettre : travail du sol, vendanges manuelles par tries successives, fermentation et élevage en fût de chêne dans des caves profondes. Rien n'a changé depuis François Iᵉʳ. La bouche de ce montlouis est longue, équilibrée et d'une typicité exemplaire. Tout autour gravitent des arômes de fruits confits et de miel. C'est un liquoreux exceptionnel pour une année qui ne s'y prêtait guère.

🍷 Jean-Christophe Dardeau, 14, rue de la Miltière, 37270 Montlouis-sur-Loire, tél. 02.47.50.81.71, fax 02.47.50.85.25, e-mail la-milletière@epicuria.fr ☑ ⊤ t.l.j. sf dim. 9h-12h30 14h30-19h

DOM. DE LA ROCHEPINAL
Demi-sec 1998★

| ☐ | 0,8 ha | 3 500 | ▮ 30 à 49 F |

Hervé Denis, qui a enseigné au lycée viticole, s'est lancé dans la viticulture en 1989. Après des débuts difficiles dus aux gelées de 1991 et de 1994, le voilà maintenant en vitesse de croisière

sur 15 ha de vignes plantées en terre caillouteuse, riche en silex, et bien orientées face au sud. D'une jolie couleur jaune, brillante, ce demi-sec offre une très belle gamme aromatique de fleurs et de fruits mûrs. Même expression dans une bouche pleine, longue, dotée d'un parfait équilibre sucre-acide. Un vin qui prendra encore de l'ampleur et du caractère avec les années.

🍷 Hervé Denis, 4, rue de la Barre, 37270 Montlouis-sur-Loire, tél. 02.47.45.16.65, fax 02.47.50.71.70 ☑ ⊤ r.-v.

DOM. DE LA TAILLE AUX LOUPS
Cuvée Rémus Sec 1998

| ☐ | n.c. | 8 000 | ⓘ 50 à 69 F |

Coup de cœur l'an dernier pour sa cuvée des Loups 97, Jacky Blot est attentif à la qualité de ses vendanges. Il propose un sec 98, millésime qui se prêtait peu aux liquoreux. Encore dominé par la barrique où il a séjourné douze mois, le vin s'exprime peu : le boisé domine le nez puissant ; en bouche, on perçoit une belle matière, promesse d'avenir, mais là aussi le boisé l'emporte sur le fruit (poire, ananas). Attendre sagement qu'il gagne ses étoiles.

🍷 Dom. de La Taille aux Loups, 8, rue des Aitres, 37270 Montlouis-sur-Loire, tél. 02.47.45.11.11, fax 02.47.45.11.14 ☑ ⊤ t.l.j. 9h-19h; f. dim. nov. à fév.

🍷 Jacky Blot

DOM. DE L'ENTRE-CŒURS Demi-sec★

| ○ | 1 ha | 6 000 | ▮ 30 à 49 F |

Alain Lelarge a élaboré ce demi-sec dans la tradition de l'appellation. Résultat : un vin droit, déjà un peu évolué, dont les arômes de fruits confits et exotiques forment un bouquet complexe et riche que l'on retrouve dans une longue finale.

🍷 Alain Lelarge, 10, rue d'Amboise, 37270 Saint-Martin-le-Beau, tél. 02.47.50.61.70, fax 02.47.50.68.92 ☑ ⊤ r.-v.

LES ROCHES BLANCHES
Demi-sec 1998

| ☐ | n.c. | 12 000 | 20 à 29 F |

Cette société, créée en 1997 pour la vinification, l'élevage et la commercialisation des vins de Loire, ne traite aujourd'hui pratiquement que des vins de montlouis. Elle présente un demi-sec d'une bonne tenue en bouche par son attaque tendre et sa structure légère, où s'équilibrent rondeur et acidité. La finale offre des arômes de pomme et d'agrumes. Une amabilité dont il faut profiter aujourd'hui.

🍷 SARL Les Roches Blanches, 21, rue des Rocheroux, 37270 Montlouis-sur-Loire, tél. 02.47.50.80.70, fax 02.47.50.71.46 ☑ ⊤ r.-v.

CLAUDE LEVASSEUR Brut 1996★

| ○ | 2,9 ha | 23 000 | ▮ 30 à 49 F |

Coup de cœur l'an dernier pour son montlouis sec 97, Claude Levasseur présente aujourd'hui, une méthode traditionnelle très élégante. Fraîche et vive, au bouquet de raisins bien mûrs, elle est faite pour aiguiser l'appétit. Remarqué par le jury, le **montlouis demi-sec 98** obtient une citation pour son onctuosité.

LOIRE

☛ Claude Levasseur, 38, rue des Bouvineries, 37270 Montlouis-sur-Loire, tél. 02.47.50.84.53, fax 02.47.45.14.85 ☑ ⏀ r.-v.

DOM. DES LIARDS Brut 1997★★

○ | 10 ha | 55 000 | 30 à 49 F

Une maison très ancienne créée par deux frères en 1959 et que la jeune génération prend en main petit à petit. Elle dispose d'un très bel équipement et de caves superbes. Les vignes, plus de 19 ha, bien soignées, couvrent la pente sud de la commune, qui descend doucement vers le Cher. Très expérimenté dans l'élaboration des effervescents, le domaine des Liards peut être fier de cette méthode traditionnelle remarquable en tous points. Beau volume en bouche avec fraîcheur, densité et équilibre, que soulignent des arômes de fruits secs, de fruits exotiques et de coing dans une ligne élégante rare.
☛ Berger Frères, 70, rue de Chenonceaux, 37270 Saint-Martin-le-Beau, tél. 02.47.50.67.36, fax 02.47.50.21.13 ☑ ⏀ r.-v.

DOM. DE L'OUCHE GAILLARD
Demi-sec 1998★

☐ | 1 ha | 2 800 | ▮⏀⬙ 30 à 49 F

Ce demi-sec contenant 17 g/l de sucres résiduels est de très belle constitution : beaucoup de gras, de rondeur et d'harmonie. Il se termine sur une impression de fraîcheur plaisante. Une autre étoile est attribuée au **montlouis méthode traditionnelle 97**, aussi brioché au nez qu'en bouche.
☛ SCEA Dansault-Baudeau, 94, av. George-Sand, 37700 La Ville-aux-Dames, tél. 02.47.44.36.23, fax 02.47.44.95.30 ☑ ⏀ r.-v.

DOM. MARNE Demi-sec★

○ | n.c. | 2 300 | ▮⏀ 30 à 49 F

Chaque génération a participé au développement de ce vignoble de 8 ha sis sur les hauts de Montlouis. La dernière, représentée par Patrick Marné, a rénové les installations de vinification créées en 1979. De bons outils sont ainsi à l'origine de cette méthode traditionnelle demi-sec, très ronde, qui s'adaptera parfaitement à un dessert sucré pourvu que l'on veille au bon équilibre des sucres du mets et du vin. Pour des palais gourmands.
☛ Patrick Marné, 14, rte du Chapitre, 37270 Montlouis-sur-Loire, tél. 02.47.45.11.32, fax 02.47.45.07.49 ☑ ⏀ t.l.j. sf dim. 9h-12h 16h-20h; f. août

CAVE DE MONTLOUIS-SUR-LOIRE
Cuvée réservée★

■ | n.c. | n.c. | 30 à 49 F

Voici un bel établissement coopératif doté de moyens techniques et commerciaux efficaces. Il joue un rôle important au sein de l'appellation. Piloté par des techniciens et œnologues compétents, il est souvent à l'honneur. Aujourd'hui, il se fait remarquer par deux méthodes traditionnelles : la première présente une très jolie robe d'or parsemée de bulles fines, dégageant des senteurs de réglisse et d'agrumes. A son attaque fraîche, acidulée, succède une structure ronde et solide, puis une longue finale. La seconde, également très réussie - c'est la **cuvée classique** de la cave -, exprime davantage le terroir.

☛ Cave Coop. des Prod. de vin de Montlouis-sur-Loire, 2, rte de Saint-Aignan, 37270 Montlouis-sur-Loire, tél. 02.47.50.80.98, fax 02.47.50.81.34, e-mail cave-montlouis@france-vin.com ☑ ⏀ t.l.j. 8h-12h 14h-18h

CH. DE PINTRAY
Cuvée Tradition Demi-sec 1998

☐ | 5,3 ha | 2 200 | ▮ 30 à 49 F

Une élégante demeure des XVIIᵉ et XIXᵉs. ceinte d'un parc d'où émane la sérénité : c'est le château de Pintray. Le vignoble qui l'entoure (6,5 ha) est implanté sur les argiles à silex des côtes de Lussault, proches de la Loire. On se laissera charmer par ce demi-sec qui constitue un ensemble plaisant, équilibré et bien typé. La finale légère laisse sur une impression harmonieuse.
☛ Marius Rault, Ch. de Pintray, 37400 Lussault-sur-Loire, tél. 02.47.23.22.84, fax 02.47.57.64.27 ☑ ⏀ r.-v.

DOM. DES SABLONS Demi-sec 1996★★

○ | 0,5 ha | 2 500 | 30 à 49 F

Pour être un homme du Nord, Gilles Verley n'en a pas moins une foi vigneronne indéfectible. On la retrouve dans cette méthode traditionnelle demi-sec dont la bouche pleine et ronde fait impression. Les arômes qui tardent à se manifester au nez sont compensés par une finale longue et élégante. Une bouteille de qualité qui a sa place au dessert. Le jury a également cité une **méthode traditionnelle brut 96** pour sa structure bien faite dans un style léger.
☛ Gilles Verley, Les Sablons, 37270 Saint-Martin-le-Beau, tél. 02.47.50.66.35, fax 02.47.50.60.50 ☑ ⏀ r.-v.

DOM. DES TOURTERELLES
Demi-sec 1998

☐ | 1 ha | 2 000 | ▮⏀ 30 à 49 F

Ce 98 surprend par l'intensité de ses arômes floraux. En bouche, le gras et l'onctuosité alliés à une finale un peu fraîche lui donnent un caractère original qui peut plaire dès à présent, mais ce vin acceptera aussi une petite garde.
☛ Jean-Pierre Trouvé, 1, rue de la Gare, 37270 Saint-Martin-le-Beau, tél. 02.47.50.63.62, fax 02.47.50.63.62 ☑ ⏀ r.-v.

Vouvray

Un long vieillissement en cave et en bouteille révèle toutes les qualités des vouvray, blancs nés au nord de la Loire, sur un vignoble de 2 000 ha qu'écorne au nord l'autoroute A10 (le TGV passe en tunnel) et que traverse la large vallée de la Brenne. Le cépage des blancs de Touraine, chenin blanc (ou pineau de la Loire), donne ici des vins tranquilles de haut niveau (49 797 hl), colorés, très racés, secs ou moelleux selon les années, et des vins mousseux ou pétillants (76 919 hl), très vineux. Si ces derniers sont bus assez jeunes, les vins tranquilles sont parfaitement aptes à une longue garde, qui leur donne de la complexité aromatique. Poissons, fromages (de chèvre) iront bien avec les uns, plats fins ou desserts légers avec les autres, qui feront aussi d'excellents apéritifs.

ALLIAS PERE ET FILS
Brut Pétillant 1997★

| ○ | 6 ha | 18 000 | ■ ↓ | 30 à 49 F |

Un domaine clos de murs, où dit-on, Balzac faisait halte pour y puiser l'inspiration. Mené aujourd'hui par Daniel Allias et son fils Dominique qui représente la cinquième génération, il comprend une douzaine d'hectares sis sur les hauts de la vallée Coquette. Ce 97 est un pétillant aux bulles fines et aux senteurs de pêche et de nectarine qui persistent tout au long de la dégustation. La bouche est ronde, équilibrée et longue. Dénué d'agressivité, ce vin fera un excellent apéritif.
🍷 GAEC Allias Père et Fils,
106, rue de la Vallée-Coquette, 37210 Vouvray, tél. 02.47.52.74.95, fax 02.47.52.66.38 ☑ ⏋ t.l.j. sf dim. 8h30-12h 14h-19h

CH. DES ARMUSERIES
Demi-sec Seigneur de Sècheval 1998

| □ | 2,15 ha | 5 250 | ⫘ | 30 à 49 F |

Le château des Armuseries est la propriété de la même famille depuis le XVIIᵉ. Un des ancêtres, Legras de Sècheval, fut maire de Tours sous la Restauration et, à ce titre, fit percer un canal reliant le Cher à la Loire : ce qui faisait économiser près de vingt lieues aux bateliers qui transportaient les vins à Paris. La cuvée Seigneur de Sècheval 98 possède une bonne attaque, un caractère onctueux et équilibré, caractéristiques qui dénotent un vin de qualité. S'y ajoute une impression aromatique très puissante. Cette bouteille accompagnera avec succès une terrine de crustacés ou une flamiche.
🍷 SCEA Ch. des Armuseries,
Ch. des Armuseries, D. 77, 37210 Rochecorbon, tél. 02.47.52.57.38, fax 02.47.52.86.06 ☑ ⏋ r.-v.

JEAN-CLAUDE ET DIDIER AUBERT
Sec 1998★★

| □ | 4 ha | 18 000 | ⫘ ⫘ ↓ | 30 à 49 F |

Situés à deux pas de la Loire, la maison d'habitation et le chai ont vu passer six générations de la même famille. Le vignoble - plus de 20 ha - s'étend sur les coteaux de la vallée Coquette, loin des caprices du fleuve. Il a donné naissance à un vin qui s'offre immédiatement au nez, libérant des senteurs de fleurs des champs et de fruits mûrs. En bouche, la puissance aromatique persiste avec des nuances d'agrumes, de pêche blanche et de coing. La finale tient un long moment dans une impression de fraîcheur. L'ensemble, fort élégant, mettra en valeur un poisson grillé ou en sauce. Du même domaine,

on retiendra également une **méthode traditionnelle brut** citée par le jury.
🍷 Jean-Claude et Didier Aubert,
10, rue de la Vallée-Coquette, 37210 Vouvray, tél. 02.47.52.71.03, fax 02.47.52.68.38 ☑ ⏋ t.l.j. 8h30-12h30 14h-19h; groupes sur r.-v.

DOM. DES AUBUISIERES Brut★★

| ○ | 7 ha | 50 000 | ⫘ ↓ | 30 à 49 F |

Bernard Fouquet a obtenu un coup de cœur il y a deux ans, et trois étoiles l'an dernier pour des moelleux. Il figure à nouveau dans le Guide avec trois belles bouteilles, dont cette remarquable méthode traditionnelle. Elle n'a pas fini de faire parler d'elle à l'apéritif, chacun louant son équilibre, son élégance, sa fraîcheur ou sa finesse aromatique. Le jury a attribué une étoile au **Marigny 98** (50 à 69 F), un **sec** rond, souple, au bouquet de vanille, de pomme verte et d'amande, et une citation à la **cuvée de Silex 98** (30 à 40 F), un sec tendre et flatteur, d'une bonne intensité aromatique.
🍷 Bernard Fouquet, Dom. des Aubuisières,
37210 Vouvray, tél. 02.47.52.67.82,
fax 02.47.52.67.81 ☑ ⏋ r.-v.

AUTHENTICITE TERROIR
Demi-sec 1998

| □ | 1,8 ha | 6 500 | ⫘ | 50 à 69 F |

Thierry Nérisson vient de monter un petit négoce de vin. Vendanges, vinification et élevage se font chez le vigneron ; de plus, il suit toutes ces opérations de très près et y participe même. Voici un premier vin réussi. Au nez, des évocations végétales originales évoluent vers le grillé. On retrouve cette impression empyreumatique dans une bouche très dense, équilibrée, où domine vite un boisé marqué. Un style plutôt atypique, qui trouvera ses amateurs.
🍷 Thierry Nérisson, 1, rue des Hautes-Gâtinières, 37210 Rochecorbon,
tél. 02.47.52.53.46, fax 02.47.52.53.46 ☑ ⏋ r.-v.

PASCAL BERTEAU ET VINCENT MABILLE Sec 1998

| □ | 1 ha | n.c. | ⫘ ↓ | 30 à 49 F |

Deux jeunes vignerons qui ont regroupé les exploitations de leurs parents et sont associés en 1990. Ils ont bénéficié du départ à la retraite d'un de leurs voisins et les voilà maintenant à la tête d'un domaine de près de 20 ha. Leur savoir-faire s'exprime dans ce sec puissant, rond, bien équilibré, issu d'une belle matière et apte à la garde. Deux autres vins du domaine ont obtenu la même note : un **demi-sec 98** mûr, long, et une **méthode traditionnelle brut** rafraîchissante.
🍷 GAEC BM, Vaugondy, 37210 Vernou-sur-Brenne, tél. 02.47.52.03.43,
fax 02.47.52.03.43 ☑ ⏋ r.-v.

JEAN-PIERRE BOISTARD Sec 1998★★

| □ | 0,5 ha | 3 000 | ⫘ | 30 à 49 F |

D'une superficie de 10 ha, le vignoble de Jean-Pierre Boistard s'étend sur les coteaux qui dominent le lit majeur de la Loire, bénéficiant ainsi d'un ensoleillement incomparable. Des conditions de rêve pour l'obtention de vins de qualité. Celui-ci est remarquable par ses arômes de réglisse, de pain grillé et de fruits secs. La bouche, avec son attaque souple, sa matière, son élégance marquée par beaucoup de fraîcheur, confirme sa classe. La finale laisse une impression de noisette et d'abricot. Un vin de caractère qui tiendrait tête à un fromage de même tempérament. Du domaine aussi, une **méthode traditionnelle cuvée Prestige 96 brut**, fine et élégante, a été citée par le jury.

☙ Jean-Pierre Boistard, 216, rue Neuve, 37210 Vernou-sur-Brenne, tél. 02.47.52.18.73, fax 02.47.52.19.95 ☑ Ⓨ r.-v.

BONGARS Demi-sec 1998

| ☐ | 1,2 ha | 8 000 | 🍷 🎴 ♨ | 30 à 49 F |

Bernard Bongars étant à la retraite, ce sont son épouse et sa fille qui gèrent ce domaine de 12 ha constitué au fil des ans sur les coteaux de la vallée de la Brenne. Leur 98 est un vin assez minéral où perce une évocation de prune. Par sa puissance, sa rondeur et son équilibre, c'est un moelleux tout à fait honnête compte tenu du millésime. On pourra le servir sur une tarte aux prunes.

☙ EARL Bongars, 232, coteau de Venise, 37210 Noizay, tél. 02.47.52.11.64, fax 02.47.52.05.73 ☑ Ⓨ r.-v.

DOM. BOURILLON-DORLEANS
Moelleux 1998

| ☐ | 2 ha | 13 000 | 🍷 ♨ | 30 à 49 F |

A la tête de 20 ha de vignes, Frédéric Bourillon est un jeune viticulteur entreprenant qui a beaucoup développé ses ventes à l'export. La majorité de ses vins sont écoulés dans le Royaume-Uni, aux Etats-Unis et en Allemagne. Ce moelleux plairait sûrement à un palais anglo-saxon par son fruit aux accents de verveine, de citron et de réglisse, et son équilibre sucre et acidité. Sa belle matière lui donne une finale charnue. Le domaine propose également une **méthode traditionnelle 96 cuvée Hélène Dorléans** qui ouvrira fort bien les appétits. Cette bouteille a été citée.

☙ Frédéric Bourillon, 30 bis, rue de Vaufoynard, 37210 Rochecorbon, tél. 02.47.52.83.07, fax 02.47.52.82.19 Ⓨ r.-v.

MARC BREDIF Brut★

| ○ | n.c. | 60 000 | 🍷 ♨ | 50 à 69 F |

Les établissements Marc Brédif élaborent des effervescents depuis 1893. Ce sont même eux qui furent en 1920 les initiateurs du pétillant, un vouvray mousseux, où la surpression dans la bouteille est deux fois moins importante que dans la méthode traditionnelle. C'est pourtant un vin de cette dernière catégorie qu'il a présenté. Ce brut séduit par la finesse de son approche, avec ses bulles légères et régulières, et son nez floral qui offre une petite tendance minérale. En bouche, l'équilibre est parfait entre la vivacité, qui lui donne un côté frais, et la vinosité. La finale évoque les fleurs blanches. On en redemande... Un **sec** intense et structuré au palais, **Vigne Blanche 98**, a obtenu la même note.

☙ Marc Brédif, 87, quai de la Loire, 37210 Rochecorbon, tél. 02.47.52.50.07, fax 02.47.52.53.41, e-mail bredif.loire@wanadoo.fr ☑ Ⓨ t.l.j. sf dim. 9h-12h30 14h-18h

☙ de Ladoucette

YVES BREUSSIN Brut★

| ○ | 3 ha | 15 000 | 🍷 ♨ | 30 à 49 F |

C'est un tandem père-fils qui conduit ce domaine de 11 ha au bord de la vallée de Vaugondy. C'est à nouveau une méthode traditionnelle qui le met en avant. D'un jaune tendre, elle évoque le tilleul et le lilas. Très peu de bulles dans le verre, mais une attaque douce qui se prolonge en une suite de notes fines et élégantes. Ce brut est un tendre.

☙ GAEC Yves et Denis Breussin, Vaugondy, 37210 Vernou-sur-Brenne, tél. 02.47.52.18.75, fax 02.47.52.13.66 ☑ Ⓨ r.-v.

VIGNOBLES BRISEBARRE Brut★

| ○ | 8 ha | 10 000 | 🍷 🎴 ♨ | 30 à 49 F |

Un vignoble important sur les premières côtes de Vouvray et des responsabilités professionnelles très prenantes, voilà de quoi occuper un vigneron du tempérament de Philippe Brisebarre. Cela ne l'empêche pas de soigner ses vinifications, témoin cette méthode traditionnelle brut d'un jaune soutenu, au nez fruité intense, à l'attaque souple, où le caractère fruité revient avec insistance. Un bouchon que l'on fera sauter avec plaisir.

☙ Philippe Brisebarre, la Vallée-Chartier, 37210 Vouvray, tél. 02.47.52.63.07, fax 02.47.52.65.59 ☑ Ⓨ t.l.j. sf dim. 8h-12h30 14h-19h30; groupes sur r.-v.

DOM. GEORGES BRUNET Sec 1998★★

| ☐ | 1 ha | 3 000 | 🎴 ♨ | 30 à 49 F |

Georges Brunet exploite 11 ha sur les coteaux bordant la vallée Coquette. « Vif, fruité, plein de vigueur, tout d'or vêtu et d'une formidable fraîcheur », voilà comment il définit le vouvray. Celui qu'il propose correspond à cette présentation : un nez expressif de tilleul et de vanille, et une bouche ronde, structurée et souple à la fois, qui laisse une longue impression de pomme verte fraîchement cueillie. Un vouvray sec à marier avec un poisson grillé.

☙ Georges Brunet, 12, rue de la Croix-Mariotte, 37210 Vouvray, tél. 02.47.52.60.36, fax 02.47.52.75.38 ☑ Ⓨ r.-v.

CHAMPALOU Brut 1998★

| ○ | 4 ha | 24 000 | ♨ | 30 à 49 F |

Voici Didier Champalou encore présent dans le Guide et en bonne position avec trois vins. Mais celui qui se met en avant cette année est une méthode traditionnelle. La bulle est fine et se détache bien sur une robe jaune soutenu. Le nez parle de fruits mûrs, de coing et d'abricot. A l'attaque souple, fait suite une bonne évolution où se retrouve un caractère fruité prononcé. Un accent de terroir donne à cette bouteille de la personnalité. La **cuvée des Fondraux 98 en demi-sec** obtient une étoile (50 à 69 F). Quant au **Champalou sec 98**, il est cité pour sa bouche qui concilie fraîcheur et rondeur.

☙ Champalou, 7, rue du Grand-Ormeau, 37210 Vouvray, tél. 02.47.52.64.49, fax 02.47.52.67.99 ☑ Ⓨ r.-v.

DOM. CHAMPION Sec 1998

| | n.c. | 3 500 | ⫴ | 30 à 49 F |

Voici une équipe père-fils bien soudée à la tête d'un domaine de 13 ha doté de caves profondes où les levures travaillent lentement, à basse température, pour obtenir des vins d'une grande finesse. Celui-ci, très expressif au nez par ses notes de pain grillé, de fleurs et de vanille, révèle au palais une belle fraîcheur en attaque, suivie d'une structure solide. On y retrouve des impressions de grillé, voire de café. Une bouteille pour des fruits de mer. Le jury a également attribué une citation à une **méthode traditionnelle 96, Réserve de l'an 2000**, pour son équilibre et sa légèreté.

•⌐ GAEC Champion, 57, Vallée-de-Cousse, 37210 Vernou-sur-Brenne, tél. 02.47.52.02.38, fax 02.47.52.05.69 ☑ ⵣ t.l.j. sf dim. 8h-12h30 14h-19h

DOM. DU CLOS DES AUMONES
Demi-Sec 1998

| | 2 ha | 12 000 | ⫴ | 30 à 49 F |

Ce domaine de 15 ha est situé sur les premières côtes de Rochecorbon, premier village de l'appellation que l'on rencontre en venant de Tours. Le terrain argilo-calcaire donne en général du caractère au vin. Celui-ci n'en montre pas de façon excessive, millésime oblige, mais mêle harmonieusement fraîcheur et rondeur agrémentées de nuances grillées et briochées. Pour se faire le palais avant le repas.

•⌐ Philippe Gaultier, 10, rue Vaufoynard, 37210 Rochecorbon, tél. 02.47.54.69.82, fax 02.47.42.62.01 ☑ ⵣ r.-v.

MAISON DARRAGON
Demi-sec Le Haut des Ruettes 1998

| | 2 ha | 5 000 | ⫴ | 30 à 49 F |

La maison Darragon est un bel exemple de continuité familiale. « Sérieux et tradition » pourrait être sa devise. Son attaque est fraîche, et sa matière lui donne une certaine rondeur. Son bouquet évoque les fruits confits, l'abricot et la pomme. Un vin réussi qui donnera la réplique à une blanquette de veau.

•⌐ Maison Darragon, 34, rue de Sanzelle, 37210 Vouvray, tél. 02.47.52.74.49, fax 02.47.52.64.96 ☑ ⵣ r.-v.

JEAN-FRANCOIS DELALEU
Sec Clos de Chaillemont 1998

| | 1,5 ha | 6 000 | ⫴ | 30 à 49 F |

Jean-François et Sylvie Delaleu organisent une reconstitution de vendanges à l'ancienne avec seilles en bois, hottes en osier, poinçons, charrettes, chevaux et costumes d'époque. Un spectacle qui amuse les jeunes et fait battre le cœur des aînés. Ce 98 séduira les amateurs de vouvray à l'ancienne par ses arômes de vanille et de coing, sa bouche pleine de saveurs exotiques soutenues par une bonne matière et son empreinte de vieux bois : la tradition jusqu'au bout !

•⌐ Jean-François et Sylvie Delaleu, la Vallée-Chartier, 37210 Vouvray, tél. 02.47.52.63.23, fax 02.47.52.69.27 ☑ ⵣ r.-v.

MICHEL DUBRAY Brut 1998★

| ○ | 1 ha | 6 000 | ▮ | 30 à 49 F |

La commune de Vernou est la plus importante de l'aire du vouvray. Une partie du vignoble domine le lit majeur de la Loire. L'autre couvre les pentes des vallées qui débouchent sur la Brenne, affluent du fleuve. C'est dans cette dernière partie qu'est établi le vignoble de Michel Dubray, sur un beau plateau baigné par le soleil. Cette situation se retrouve dans cette méthode traditionnelle associant au nez le coing et les fruits secs. Bien équilibré, le palais montre une attaque très souple, avec un retour des mêmes senteurs. La finale, tout en longueur, est marquée par une petite vivacité plaisante. Un vin que sa fraîcheur et sa densité aromatique destinent à l'apéritif.

•⌐ Michel Dubray, 18, La Rauderie, 37210 Vernou-sur-Brenne, tél. 02.47.52.04.22 ☑ ⵣ t.l.j. sf dim. 8h-12h 14h-20h; f. août

LUC DUMANGE
Brut Cuvée pour l'an 2000   1997

| ○ | 1 ha | 8 000 | ▮ ⬇ | 50 à 69 F |

La « vignerie du clos de l'Epinay », encore entourée de murs, a peut-être appartenu au duc de Choiseul. L'habitation possède des lucarnes du XVᵉˢ. où figure la coquille de saint Jacques. Vouvray était en effet une étape sur la route de Compostelle. Le vignoble de 17 ha situé sur les premières côtes de la Loire a donné cette cuvée pour l'an 2000. Elle s'annonce par une robe jaune paille assez dense et un nez léger qui rappelle la poire. Une légèreté que l'on retrouve en bouche avec du fruit et une nuance sucrée qui évolue vers une finale un peu vive. Un **sec 98**, plutôt tendre, a obtenu la même note.

•⌐ Luc Dumange, Dom. du Clos de L'Epinay, L'Epinay, 37210 Vouvray, tél. 02.47.52.61.90, fax 02.47.52.71.31, e-mail ldumange@terre-net.fr ☑ ⵣ r.-v.

REGIS FORTINEAU
Demi-sec Pétillant 1998

| ○ | 1 ha | 5 000 | ▮ | 30 à 49 F |

Régis Fortineau présente un vouvray pétillant. C'est de moins en moins courant et c'est dommage, car le pétillant, avec une surpression en bouteille de moitié de celle d'une méthode traditionnelle, permet de mieux mettre en valeur le fruit du vin quelquefois écrasé par une présence importante de gaz carbonique. Mais c'est ainsi, le consommateur aime faire sauter le bouchon ! Ce vin est bien dans le type par son bouquet fruité. Plein et rond, il donne une impression de jeunesse qui lui confère un côté désaltérant agréable.

•⌐ Régis Fortineau, 4, rue de la Croix-Mariotte, 37210 Vouvray, tél. 02.47.52.63.62, fax 02.47.52.69.97 ☑ ⵣ t.l.j. sf dim. 9h-19h

JEAN-PIERRE FRESLIER
Brut Réserve★★

| « | 5 ha | 15 000 | ⫴ | 30 à 49 F |

« Enfin une vraie méthode traditionnelle de terroir ! » écrit le jury. Il faut dire que rien n'y manque : robe jaune doré, brillante, nez développé de fruits mûrs presque confits, mousse intense et surtout bouche onctueuse et souple qui

LOIRE

se prolonge presque à l'infini. Le terroir vous emporte sur un nuage de bulles fines au septième ciel des inconditionnels du vouvray. Deux étoiles également pour un **sec** d'une très belle tenue. Fait de coing et de poire mûre, ce **98** représente sans conteste le millésime.

J.-P. FRESLIER - VITICULTEUR - 90-92, VALLÉE COQUETTE - 37210 VOUVRAY - FRANCE

Jean-Pierre Freslier, 92, rue de la Vallée-Coquette, 37210 Vouvray, tél. 02.47.52.76.61, fax 02.47.52.78.65 ☑ ⏃ t.l.j. 8h30-12h30 14h-20h

DOM. GANGNEUX★

| ○ | 7 ha | 50 000 | 🗎 🍴 | 30 à 49 F |

Chez Gérard Gangneux, qui cultive la tradition, « on ne force pas la nature, on l'aide et on l'oriente ». Il voit ses efforts récompensés avec cette méthode traditionnelle aux bulles légères et à la mousse fine et élégante. Une impression de brioche et de pomme cuite donne à son bouquet une distinction que l'on retrouve au palais. Une bouteille qui honorera les invités à l'heure de l'apéritif. L'exploitation a également obtenu une étoile pour un **sec** frais, dominé par le citron et le pamplemousse.

Gérard Gangneux, 1, rte de Monnaie, 37210 Vouvray, tél. 02.47.52.60.93, fax 02.47.52.67.66 ☑ ⏃ t.l.j. sf dim. 8h-12h 14h-19h

DOM. SYLVAIN GAUDRON
Demi-sec 1998★★

| □ | 0,5 ha | 3 000 | 🍴🌐🍴 | 30 à 49 F |

La rue Neuve de Vernou aurait été empruntée jadis par Jeanne d'Arc. Elle suit une vallée bordée de caves aménagées dans d'anciennes carrières qui ont fourni les pierres pour la construction de châteaux de la Loire. Celles de Gilles Gaudron, le fils de Sylvain, qui dirige le domaine depuis 1993, datent du XIIIe s. et sont impressionnantes. C'est là qu'a été élevé ce demi-sec, miel et brioche au nez, dont la bouche bien éveillée n'est pas avare d'arômes d'abricot et de raisin surmûri. Un vin qui mettra en valeur des tartes aux fruits. Le même vigneron a obtenu une étoile pour un **sec 98** aux notes d'amande et de praline, et une citation pour une **méthode traditionnelle 97 brut** fraîche en bouche.

EARL Dom. Sylvain Gaudron, 59, rue Neuve, 37210 Vernou-sur-Brenne, tél. 02.47.52.12.27, fax 02.47.52.05.05 ☑ ⏃ r.-v.
Gilles Gaudron

JEAN-PIERRE GILET Pétillant★★

| ○ | 2 ha | 10 000 | 🗎 | 30 à 49 F |

L'abbaye de Marmoutier, qui entretenait un important vignoble, détenait la seigneurie de Parçay. Les moines y étendirent leur plantation, connaissant l'aptitude viticole de ses sols. Jean-Pierre Gilet met à profit cette vocation plus que millénaire pour élaborer des vins de qualité. Son pétillant demi-sec est remarquable. Paré d'une robe jaune brillante, au cordon persistant, il diffuse une série de notes de grillé, de fruits exotiques et de raisins secs. Ses bulles fines et son développement fruité en bouche ont enchanté le jury. Un vin bien travaillé, dans un type demi-sec équilibré, à servir sur une tarte aux fruits. Quant à la **méthode traditionnelle brut** de Jean-Pierre Gilet (une étoile), elle se placera avant le repas.
Jean-Pierre Gilet, 5, rue de Parçay, 37210 Parçay-Meslay, tél. 02.47.29.12.99, fax 02.47.29.07.96 ☑ ⏃ r.-v.

DOM. GUERTIN BRUNET Sec 1998★

| □ | 1,5 ha | 4 000 | 🗎 | 30 à 49 F |

Des levures naturelles, une fermentation en cuve Inox, tout est fait pour le mieux sur ce domaine de 12 ha. Le vin pâle et brillant est assez expressif mais sa rondeur a étonné le jury des vouvray secs. Il n'en est pas moins agréable, équilibré, très facile à boire.
Gérard Guertin, 24, rue de la Croix-Mariotte, 37210 Vouvray, tél. 02.47.52.77.77, fax 02.47.52.65.13 ☑ ⏃ t.l.j. 9h45-19h30

DANIEL JARRY Sec 1998

| □ | 0,4 ha | 2 400 | 🌐 | 20 à 29 F |

Un vignoble de 10 ha sis sur les hauts de la vallée Coquette, un des meilleurs terroirs du Vouvrillon, ne peut que donner de bonnes choses. C'est le cas de ce sec, souple, rond et fruité, qui fera les beaux jours de la charcuterie tourangelle.
Daniel Jarry, 99, rue de la Vallée-Coquette, 37210 Vouvray, tél. 02.47.52.78.75, fax 02.47.52.67.36 ☑ ⏃ t.l.j. 8h-19h; groupes sur r.-v.

DOM. DE LA CROIX DES VAINQUEURS Brut 1998★

| ○ | 7 ha | 24 000 | 🗎 🍴 | 30 à 49 F |

La Croix des Vainqueurs ou des « Vingt Cœurs », si l'on suit la légende qui en faisait un rendez-vous de chasse galant, comprend 12 ha de vignes. L'accueil se fait dans la maison troglodytique des ancêtres, aménagée en 1740. On pourra y découvrir cette méthode traditionnelle d'un jaune pâle brillant, aux reflets verts et aux bulles fines. Les senteurs du nez rappellent les fruits secs tandis qu'en bouche le bouquet se rapproche des fruits mûrs. L'attaque est vive, la nervosité s'équilibre ensuite avec le sucre ; le palais finit longuement sur une note de fraîcheur. Un joli vin dans une bouteille sérigraphiée représentant un petit Bacchus.
Francis Denis, 6, rue de la Bergeonnerie, 37210 Chançay, tél. 02.47.52.23.31, fax 02.47.52.23.31 ☑ ⏃ r.-v.

DOM. DE LA GALINIERE
Brut Cuvée Clément 1997★

| ○ | 5 ha | 37 000 | 🗎 | 30 à 49 F |

16 ha de vignes entourant des bâtiments rénovés dans le respect de l'architecture traditionnelle et un chai fonctionnel, voilà un ensemble qui ne

manque pas d'allure. Prendre son temps, c'est s'assurer une certaine qualité. Pascal Delaleu opère des fermentations lentes et laisse ses effervescents plus de deux ans sur lattes. On retrouve cette pratique dans cette méthode traditionnelle, équilibrée, ronde et qui finit bien. Son dosage sensible décevra les amateurs de vrai brut mais ravira les autres.

➥ EARL Dom. de La Galinière, Vallée-de-Cousse, 37210 Vernou-sur-Brenne, tél. 02.47.52.15.92, fax 02.47.52.19.50 ☑ ⌥ r.-v.

DOM. DE LA GAVERIE Brut

○	1,2 ha	6 000	⬛⬤ 30 à 49 F

Le vignoble de La Gaverie est dans la famille depuis 1850. Il couvre aujourd'hui 17 ha, dont une partie est située au bord de la Loire, sur les toutes premières côtes de Rochecorbon. Les parcelles sont vendangées séparément, chacune d'elles ayant vocation à produire des vins secs, demi-secs ou moelleux. Les vins de base pour les effervescents sont pris sur l'ensemble du domaine, choisis pour leur légèreté et leur finesse aromatique. Cette méthode traditionnelle se pare d'une belle robe citronnée aux reflets verts. Des arômes de pain et de fleurs rendent le nez plaisant. Si l'attaque est vive, avec une sensation gazeuse importante, la souplesse prend le relais et donne une impression d'harmonie. La petite note citronnée est toujours là.

➥ GAEC de La Pinsonnière, 13, rue de la Pinsonnière, 37210 Parçay-Meslay, tél. 02.47.29.14.43, fax 02.47.29.14.43 ☑ ⌥ r.-v.

➥ Philippe et Vincent Gasnier

JEAN-PIERRE LAISEMENT
Demi-sec 1998

▢	2,1 ha	9 820	⬛⬤ 30 à 49 F

Jean-Pierre Laisement dispose d'une salle de dégustation où les amateurs découvrent sa production sous le regard bienveillant d'un saint Vincent représenté au centre d'un vitrail. Ils pourront y boire un vin authentique par sa richesse et sa capacité à bien évoluer. Mais sa fraîcheur incite à apprécier ce 98 dès maintenant, pour ne rien perdre de ses arômes de fruits exotiques. Du même domaine, une **méthode traditionnelle 97 brut** a obtenu également une citation.

➥ Jean-Pierre Laisement, 15 et 22, Vallée-Coquette, 37210 Vouvray, tél. 02.47.52.74.47, fax 02.47.52.65.03 ☑ ⌥ t.l.j. 8h-12h30 13h30-19h; sam. dim. sur r.-v.

CLOS LA LANTERNE
Sec Cuvée Hadrien 1998★★

▢	2 ha	8 000	⬤ 30 à 49 F

Il y avait déjà des vignes à La Châtaigneraie en 1669. Les Gautier s'y sont installés par la suite, et ce sont huit générations de vignerons qui se sont succédé sur ce domaine qui couvre aujourd'hui près de 16 ha. Le clos de La Lanterne, pratiquement installé sur le tuf, domine la Loire. Pas un rayon de soleil ne lui échappe. Il a donné un vin élevé douze mois dont le nez, finement vanillé, associe la pêche blanche et la praline. Après une attaque fraîche, puis ronde, apparaissent des arômes de poire, de tilleul et, à nouveau, la vanille. D'une belle persistance, la finale révèle une touche boisée. De la même

exploitation, le jury a cité une **méthode traditionnelle**, au caractère vineux, le **Domaine de La Châtaigneraie 97**.

➥ Benoît Gautier, Dom. de La Châtaigneraie, 37210 Rochecorbon, tél. 02.47.52.84.63, fax 02.47.52.84.65, e-mail info@vouvraygautier.com ☑ ⌥ r.-v.

DOM DE LA MABILLIERE
Sec Les Hautbois 1998★★★

▢		n.c.	900	⬤ 70 à 99 F

A La Mabillière, on a toujours été partisan des méthodes de culture et des produits traditionnels : bouillie bordelaise, soufre, et travaux mécaniques des sols. Bien entendu, pesticides et herbicides sont proscrits. C'est peut-être à ce retour aux sources que l'on doit ce vin sec d'exception. La robe, brillante, tire sur le jaune citron ; le nez libère des senteurs de vanille et de fruits mûrs. Après une attaque souple, la dégustation se poursuit sur une fraîcheur plaisante et un bel équilibre. On retrouve en bouche une sensation de coing et de poire, qui se prolonge dans une finale tendre. Un superbe vouvray en dépit d'un millésime difficile. Il accompagnera un poisson fin en sauce.

➥ GAEC Dom. de La Mabillière, 16, rue Anatole-France, 37210 Vernou-sur-Brenne, tél. 02.47.52.10.03, fax 02.47.52.14.98, e-mail domaine-de-la-mabilliere@wanadoo.fr ☑ ⌥ r.-v.

DOM. DE LA POULTIERE Brut 1997★

○	1,5 ha	14 000	⬛ 30 à 49 F

Avec trente ans d'expérience et un vignoble de 17 ha installé sur les meilleures côtes de Vernou, Michel Pinon n'a pas de mal à réussir ses méthodes traditionnelles, qu'il les élève près de deux ans sur lattes. Celle-ci présente des bulles abondantes, fines et élégantes, qui libèrent des senteurs de miel et de fruits. La première impression en bouche est vive mais une bonne rondeur prend vite le relais et rend l'ensemble harmonieux. Un brut assez dosé qui plaira à des palais délicats.

➥ Michel Pinon, 29, rte de Châteaurenault, 37210 Vernou-sur-Brenne, tél. 02.47.52.15.16, fax 02.47.52.07.07 ☑ ⌥ t.l.j. sf dim. 8h-12h30 14h-19h30

DOM. DE LA ROULETIERE Brut

○	9 ha	55 000	⬛⬤ 30 à 49 F

Le domaine de La Rouletière est situé entre l'abbaye de Marmoutier, fondée en 372, et la ferme fortifiée de Meslay, construite en 1220. Un lieu chargé d'histoire où la vigne et le vin ont leur place. Les superbes caves de plus de 350 m de long, creusées dans le roc sur deux niveaux ont un rôle indiscutable dans l'obtention de la qualité. Le vin y séjourne vingt-quatre mois sur lattes. Cette méthode traditionnelle possède une robe jaune tendre à reflets verts, un nez très expressif de fleurs blanches et de feuilles séchées. L'attaque souple, fraîche, se prolonge en un bel équilibre. Un brut typé, bien agréable. Cité également, un **sec 98** qui a aussi été élaboré dans ces caves profondes.

LOIRE

◗┓SCEA Gilet, 20, rue de la Mairie,
37210 Parçay-Meslay, tél. 02.47.29.14.88,
fax 02.47.29.08.50,
e-mail scea.gilet@wanadoo.fr ☑ ⅄ t.l.j. sf dim.
10h-12h 14h-19h

DOM. DES LAURIERS Brut 1998

| ○ | 0,9 ha | 5 500 | ▮ | 30 à 49 F |

A trois ans, Laurent Kraft suivait son grand-père dans les vignes ! Parti d'un quart d'hectare en 1992, il en cultive maintenant 14 ha, bien situés sur les coteaux ensoleillés du bord de Loire à Vouvray. Il a présenté une méthode traditionnelle assez expressive, complexe et souple, qui donne l'impression d'être déjà évoluée. Un brut qui trouvera ses amateurs.
◗┓Laurent Kraft, 29, rue du Petit-Coteau,
37210 Vouvray, tél. 02.47.52.61.82,
fax 02.47.52.61.82 ☑ ⅄ t.l.j. 8h-19h

CAVE DES PRODUCTEURS DE LA VALLÉE COQUETTE Brut Tête de Cuvée★

| ○ | n.c. | 200 000 | ▮↓ | 30 à 49 F |

Etablie au cœur de la vallée Coquette, cette coopérative est un des fleurons de l'AOC. Avec son équipement des plus complets, ses techniciens très au fait de l'élaboration des vins de qualité et une bonne organisation de l'accueil, elle contribue à la renommée du vouvray. Son point fort est la production de méthodes traditionnelles, témoin cette Tête de Cuvée. La robe jaune pâle à reflets verts est parsemée de bulles fines. Le nez, avec ses évocations de fruits frais, de fleurs et de miel, reste très classique de l'appellation. Une bouche vive, élégante et harmonieuse, complète ce tableau d'un vouvray très réussi.
◗┓Cave des producteurs de Vouvray,
38, Vallée-Coquette, 37210 Vouvray,
tél. 02.47.52.75.03, fax 02.47.52.66.41,
e-mail cp.vouvray@wanadoo.fr ☑ ⅄ t.l.j.
9h-12h 14h-18h30

DOM. LE CAPITAINE
Demi-sec Cuvée Millenium 1998

| ☐ | 2 ha | 10 000 | ▮↓ | 30 à 49 F |

Les deux frères Le Capitaine s'entendent parfaitement pour piloter ce « navire » de 18 ha de belles vignes situées pour la plupart sur les toutes premières côtes. Partis de rien en 1989, c'est par un travail acharné qu'ils ont constitué leur exploitation. Leur cuvée Millenium est un joli vin, bien dans le type de l'année, où le manque de matière est compensé par une légèreté de bon aloi qui le rend élégant et subtil. Une finale de tabac blond lui donne un rien de distinction.
◗┓Alain et Christophe Le Capitaine,
23, rue du Cdt-Mathieu, 37210 Rochecorbon,
tél. 02.47.52.53.86, fax 02.47.52.85.23 ☑ ⅄ r.-v.

DOM. LE PEU DE LA MORIETTE
Demi-sec 1998★★

| ☐ | 12 ha | 40 000 | ▮↓ | 50 à 69 F |

Jean-Claude Pichot et son fils Christophe mènent un beau domaine de 27 ha bien situé sur les premières côtes de Vouvray, non loin de la Loire. Le chai comprend de curieuses caves creusées sur trois niveaux dans le roc, qui abritent un pressoir du XVᵉs. C'est dans ce cadre qu'est né

ce vin de garde. Sa robe jaune paille soutenu donne le ton. Le nez puissant, de sous-bois et d'agrumes, et la bouche à l'attaque forte, surprenante, se prolongeant dans une impression de densité inhabituelle, sont de bon augure pour l'avenir. Le moelleux est caractéristique d'une matière riche où le sucre est bien fondu. Un très beau vin pour un millésime difficile. La **méthode traditionnelle brut Domaine Coteau de La Biche 98** (30 à 40 F), où les composants s'équilibrent bien, a par ailleurs été citée par le jury.
◗┓EARL Jean-Claude et Christophe Pichot,
32, rue de la Bonne-Dame, 37210 Vouvray,
tél. 02.47.52.62.55, fax 02.47.52.66.59 ☑ ⅄ r.-v.

BERNARD MABILLE Pétillant 1993

| ○ | 2 ha | n.c. | ▮ | 30 à 49 F |

Installé depuis plus de quarante ans, Bernard Mabille est un homme d'expérience. Travailler un vin, le conduire en deuxième fermentation en le laissant mûrir sur lattes de longs mois, n'a plus de secret pour lui. Avec sa robe jaune soutenu, son pétillant révèle déjà une certaine évolution. La bouche confirme cette première impression. Ce n'est pas désagréable, c'est même flatteur. La palette d'arômes va de la girofflée au miel, en passant par la pêche et les agrumes. La petite note de fraîcheur en finale fait du bien. Une bouteille inattendue qu'il ne faut pas tarder à boire.
◗┓Bernard Mabille, 7, Vallée-de-Vaugondy,
37210 Vernou-sur-Brenne, tél. 02.47.52.10.94,
fax 02.47.52.07.32 ☑ ⅄ r.-v.

DANIEL MABILLE Brut

| ○ | n.c. | n.c. | 30 à 49 F |

Une méthode traditionnelle déjà bien évoluée, issue sans doute d'un vin de réserve. Le résultat est intéressant : robe brillante, d'un jaune soutenu, arômes de fruits secs, et bouche à l'attaque souple accompagnée d'une bonne rondeur qui se prolonge agréablement.
◗┓Daniel Mabille, 25, rue de la Vallée-Chartier,
37210 Vouvray, tél. 02.47.52.75.22 ☑ ⅄ r.-v.

FRANCIS MABILLE Sec 1998

| ☐ | 0,5 ha | 3 492 | ▮❶↓ | 30 à 49 F |

Francis Mabille représente la quatrième génération installée sur cette petite structure familiale d'une douzaine d'hectares. Le respect de la tradition, le terrain argilo-calcaire aussi, font de ce 98 un vin assez charpenté, marqué par le terroir. Son bouquet caractéristique du chenin constitue un atout supplémentaire. Une bouteille puissante et de garde.
◗┓Francis Mabille, 17, Vallée-de-Vaugondy,
37210 Vernou-sur-Brenne, tél. 02.47.52.01.87,
fax 02.47.52.19.41 ☑ ⅄ r.-v.

DOM. DU MARGALLEAU Brut 1997

| ○ | 2 ha | 6 000 | ▮↓ | 30 à 49 F |

Bruno et Jean-Michel Pieaux sont deux frères installés depuis 1995 sur un domaine familial de 25 ha, dont les vignes sont réparties sur les pentes des vallées qui débouchent sur la Brenne, affluent de la Loire. Ils présentent une méthode traditionnelle brut, très élégante au nez avec ses parfums de fruits mûrs. Souple dès l'attaque, la bouche se montre ronde et d'un bon équilibre général. A boire en fin d'après-midi d'une belle journée. Une **méthode traditionnelle 97 demi-sec**, de la même facture, a obtenu également une citation.

☛GAEC Bruno et Jean-Michel Pieaux, Vallée de Vaux, rue du Clos-Baglin, 37210 Chançay, tél. 02.47.52.97.27, fax 02.47.52.25.51 ☑ ⵑ r.-v.

MÉTIVIER Sec 1998

☐	0,5 ha	2 500	ⅠⅡⅠ	30 à 49 F

C'est Vincent Métivier qui prend peu à peu les rênes du domaine, après que sa mère en a assumé seule la charge pendant plus de dix ans. 13 ha sur les coteaux de Vernou qui dominent le lit majeur de la Loire, c'est un atout dont cette équipe familiale tire parti avec succès. Jaune pâle à reflets verts, son vin sec séduit par ses belles nuances de pomme, d'amande et de noisette. Des sensations aromatiques qui, après une attaque franche, évoluent vers la pêche blanche, la poire et les agrumes. Un peu de gaz carbonique taquine le palais. Une bouteille pour les fruits de mer.

☛GAEC Eliane et Vincent Métivier, 51, rue Neuve, 37210 Vernou-sur-Brenne, tél. 02.47.52.01.95, fax 02.47.52.06.01 ☑ ⵑ r.-v.

MAISON MIRAULT Brut

○	n.c.	20 000	Ⅰ ⅠⅡⅠ ⵑ	30 à 49 F

Disposant de caves dans le roc, immenses et bien aménagées, la maison Mirault s'est fait une spécialité de l'élaboration des effervescents. Elle attache beaucoup d'importance à la sélection des moûts et des vins ; une rigueur qui lui vaut certainement ces deux citations. La première va à un brut, au nez floral mêlé d'une touche minérale, vif et impressionnant par sa mousse abondante ; la seconde, à un **demi-sec** expressif au nez, qui se bonifiera en cave. Il accompagnera volontiers une tarte aux fruits.

☛Maison Mirault, 15, av. Brûlé, 37210 Vouvray, tél. 02.47.52.71.62, fax 02.47.52.60.90, e-mail maison.mirault@wanadoo.fr ☑ ⵑ t.l.j. 8h-12h 14h-18h30; dim. sur r.-v.

CH. MONCONTOUR
Brut Cuvée Prédilection 1995★

○	13 ha	100 000	Ⅰ ⵑ	30 à 49 F

Construit au XVᵉs. et remanié au XVIIIᵉs., ce domaine ne vit pas que de souvenirs littéraires (Balzac en fit le cadre de *La Femme de trente ans*). Il travaille la vigne, près de 140 ha, et élabore des vins de bon niveau. Cette cuvée Prédilection, méthode traditionnelle issue de la récolte 95, est intéressante par sa rondeur et son équilibre. Dotée d'un fin bouquet, elle laissera à l'apéritif une bouche fraîche pour une suite plus élaborée. Sa consœur **cuvée Prédilection** également, mais provenant de la récolte **98**, brille par sa bouche onctueuse et par sa jeunesse.

☛Ch. Moncontour, 37210 Vouvray, tél. 02.47.52.60.77, fax 02.47.52.65.50, e-mail info@moncontour.com ☑ ⵑ r.-v.

☛ Feray

DOM. D'ORFEUILLES Brut 1996★

○	2,5 ha	15 000	Ⅰ ⵑ	30 à 49 F

Situé sur l'ancienne dépendance d'un château médiéval, le domaine d'Orfeuilles regroupe près de 17 ha de vignes. Les sols, de nature argilo-

calcaire, possèdent une forte densité de silex, ce qui donne souvent un côté minéral aux vins - on dit qu'ils terroitent ou qu'ils ont un goût de pierre à fusil. Dans le millésime 98, ce phénomène est moins marqué. Cette méthode traditionnelle, un brut, est d'une bonne tenue. Vive, bien équilibrée, elle laisse une sensation de finesse et d'élégance. Deux autres vins du même producteur ont été cités : une **méthode traditionnelle demi-sec** bien fruitée et un **sec** joliment bouqueté également, qui évoque les agrumes.

☛EARL Bernard Hérivault, La Croix-Blanche, 37380 Reugny, tél. 02.47.52.91.85, fax 02.47.52.25.01, e-mail earl.herivault@france-vin.com ☑ ⵑ r.-v.

VINCENT PELTIER Pétillant brut 1996★

○	1 ha	6 000	Ⅰ ⵑ	30 à 49 F

Le grand-père qui a commencé sur un demi-hectare avec une modeste cave et, aujourd'hui, le petit-fils qui en cultive onze et s'est doté d'un chai performant : voilà une belle aventure familiale. Vincent Peltier a élaboré un pétillant - ce qui malheureusement est de moins en moins fréquent en vouvray - doté d'une robe jaune paille, limpide et brillante, et d'un nez très expressif mêlant cire, miel et coing. L'attaque nerveuse est suivie d'une bouche légère qui développe des évocations florales avec en finale un petit rappel du coing. Une bouteille harmonieuse et plaisante. Le domaine a par ailleurs obtenu une citation pour un **sec 98** (20 à 29 F) puissant, doté d'une belle matière, qui sera à déguster dans quelques années.

☛Vincent Peltier, 41 bis, rue de la Mairie, 37210 Chançay, tél. 02.47.52.93.34, fax 02.47.52.96.98 ☑ ⵑ t.l.j. sf dim. 8h-12h30 14h-19h30

FRANÇOIS PINON
Demi-sec Cuvée Tradition 1998★

☐	3 ha	7 000	ⅠⅡⅠ	50 à 69 F

Coup de cœur dans la précédente édition du Guide, pour un liquoreux d'une grande générosité, François Pinon se distingue cette année par un demi-sec. Les millésimes se suivent et ne se ressemblent pas certes, mais il n'a pas à rougir de ce vin, au contraire. Franc, authentique, ce 98 équilibre sucre et matière, coule sur des notes de miel et de coing et quitte la scène avec élégance. A retenir encore, citée par le jury, **une méthode traditionnelle demi-sec**, un vin agréable et qui peut attendre.

☛François Pinon, 55, Vallée-de-Cousse, 37210 Vernou-sur-Brenne, tél. 02.47.52.16.59, fax 02.47.52.10.63 ☑ ⵑ r.-v.

DOM. DE POUVRAY Brut 1996★

○	2 ha	3 000	Ⅰ ⵑ	30 à 49 F

Le domaine de Pouvray étend ses rangs de vignes sur plus de 20 ha, de la vallée de Cousse à celle de Vaugondy. C'est l'arrière-grand-père qui l'a acheté en 1884. Un savoir-faire ancestral en somme, à l'origine de cette méthode traditionnelle au bouquet élégamment fruité. A une attaque souple succède une structure bien équilibrée, tout en rondeur, où pointe un petit accent de terroir. Une bouteille qui saura mettre de l'ambiance à l'apéritif. De même facture, une

LOIRE

autre **méthode traditionnelle demi-sec 96** a obtenu
également une étoile.

☛ Gilbert Vincendeau, Dom. de Pouvray ,
37210 Vernou-sur-Brenne, tél. 02.47.52.02.36,
fax 02.47.52.09.82 ☑ ▼ r.-v.

J. G. RAIMBAULT Sec 1998

| ☐ | 1 ha | 1 700 | 📖 | 30 à 49 F |

Géré par un frère et une sœur, ce domaine est
doté de très belles caves creusées dans le roc.
Celles-ci débouchent sur un escalier en colima-
çon sur le coteau d'où l'on peut découvrir un
charmant paysage de Loire. Revenu dans le
caveau de dégustation, on pourra goûter ce sec
d'une très grande fraîcheur, plaisant par son évolution aromatique, où les fruits cuits le disputent
à la noisette et à la praline. De la même exploitation, deux **méthodes traditionnelles**, l'une **brut**,
l'autre **demi-sec**, ont également été citées pour
leur légèreté.

☛ GAEC Raimbault, 186, coteau des Vérons,
37210 Noizay, tél. 02.47.52.00.10,
fax 02.47.52.05.29 ☑ ▼ t.l.j. 9h-20h; dim. sur
r.-v.

DOM. DE VAUGONDY Sec 1998★

| ☐ | 3 ha | 1000 | 📖 🍷 | 30 à 49 F |

Les coteaux qui bordent la vallée de Vaugondy
sont assez pentus et profitent au mieux du soleil.
Philippe Perdriaux qui y conduit près de 20 ha
de vignes, en tire des vins très expressifs souvent
sélectionnés dans le Guide. Celui-ci, un sec très
citronné au nez, offre une bouche souple et puissante qui se développe tout en rondeur dans une
belle harmonie, en laissant une impression
d'agrumes fort plaisante. Un joli vin avec des
senteurs caractéristiques du terroir.

☛ Perdriaux, Les Glandiers, 37210 Vernou-sur-
Brenne, tél. 02.47.52.02.26, fax 02.47.52.04.81
☑ ▼ r.-v.

DOM. VIGNEAU-CHEVREAU
Demi-sec 1998★★

| ☐ | 4 ha | 15 000 | 📖 🍶 | 30 à 49 F |

Jean-Michel Vigneau conduit en biodynamie
ce domaine de 23 ha établi sur les pentes de la
Brenne, affluent de la Loire. Les influences océaniques, si importantes pour la maturité du chenin, cépage tardif, parviennent ainsi jusqu'à son
vignoble. Ce demi-sec (étiquette verte) en a profité pleinement. Le nez n'est que fruits mûrs et
miel. Au palais, on découvre une attaque plaisante et une structure légère enrobée d'une
matière issue de raisins bien mûris avec toujours
en fond un fruité de coing. Un vin bien construit,
de grande classe. Du même producteur, on
retiendra aussi un **sec 98** (étiquette blanche) et
une **méthode traditionnelle brut Prestige** qui ont
obtenu chacun une étoile.

☛ EARL Vigneau-Chevreau, 4, rue du Clos-
Baglin, 37210 Chançay, tél. 02.47.52.93.22,
fax 02.47.52.23.04 ☑ ▼ t.l.j. sf dim. 8h-19h

DOM. DU VIKING 1997★

| ○ | 2 ha | 4 000 | 📖 | 50 à 69 F |

Lionel Gauthier n'est pas tourangeau. Il nous
est venu un jour de Nantes, comme tout Viking,
et excelle désormais dans les méthodes traditionnelles. Il était à bonne école avec son beau-père

qui lui a cédé son exploitation. Le domaine
compte aujourd'hui plus de 12 ha. Le chenin
parle joliment dans cette bouteille. Les senteurs
de menthol, de thé vert et de raisins très mûrs,
s'ouvrent sur une attaque fraîche, élégante, à
laquelle succède un palais d'un équilibre parfait
dans une profusion d'arômes de pêche blanche.
Un vin « à boire jusqu'au bout de la nuit » a dit
un membre du jury, oubliant un bref instant les
consignes de modération !

☛ Lionel Gauthier, Melotin, 37380 Reugny,
tél. 02.47.52.96.41, fax 02.47.52.24.84,
e-mail viking@france-vin.com ☑ ▼ r.-v.

Cheverny

Consacré AOC en 1993, cheverny était né VDQS en 1973. Dans cette
appellation (plus de 2 000 ha délimités,
400 ha en production), dont le terroir à
dominante sableuse (des sables sur argile
de Sologne aux terrasses de Loire) s'étend
le long de la rive gauche du fleuve depuis
la Sologne blésoise jusqu'aux portes de
l'Orléanais, les cépages sont nombreux.
Les producteurs ont réussi à les assembler,
en proportions variant légèrement selon les
terroirs, pour trouver le « style » cheverny.
Les vins rouges (13 292 hl), à base de
gamay et de pinot noir, sont fruités dans
leur jeunesse et acquièrent, en évoluant,
des arômes animaux... en harmonie avec
l'image cynégétique de cette région. Les
rosés, à base de gamay, sont secs et parfumés. Les blancs (10 620 hl), où le sauvignon
est assemblé avec un peu de chardonnay,
sont floraux et fins.

Le décret du 26 mars 1993 a
reconnu l'AOC cheverny rouge, rosé,
blanc.

PASCAL BELLIER 1999★

| ☐ | 9 ha | 52 000 | 📖 | 30 à 49 F |

Un joli vin, ce cheverny jaune pâle brillant.
Des reflets verts chatoient dans le verre. Au nez
floral, assez intense, répond une bouche d'une
grande souplesse et d'un bon équilibre, au sein
de laquelle s'inscrivent des arômes de fruits exotiques ou de cassis. Tout aussi réussi et fruité, le
cheverny rosé 99 allie fraîcheur et rondeur jusqu'à
une finale élégante.

☛ Les Caves Bellier, 3, rue Reculée,
41350 Vineuil, tél. 02.54.20.64.31,
fax 02.54.20.58.19 ☑ ▼ t.l.j. sf mar. jeu. dim.
9h-12h 14h-19h

ERIC CHAPUZET 1999★

■   5 ha   25 000   ▮ ♦ 20 à 29 F

Le domaine d'Eric Chapuzet - La Gardette - porte le nom d'une ancienne closerie dépendante du château féodal de Fougères-sur-Bièvre, précieux spécimen de l'architecture militaire du XVᵉs. Deux kilomètres le séparent de ce bourg accueillant. Ses vignes ont donné naissance à un vin rouge presque cerise. On est séduit par les arômes fruités, par l'élégance de la bouche et la finesse des tanins. Le **cheverny blanc 99** mérite par ailleurs d'être cité. C'est un vin gracieux et bien équilibré.

☛ Eric Chapuzet, La Gardette, 41120 Fougères-sur-Bièvre, tél. 02.54.20.27.21,
fax 02.54.20.28.34,
e-mail e.chapuzet@wanadoo.fr ☑ ⵏ r.-v.

CHESNEAU ET FILS 1999

■   2 ha   15 000   ▮ 20 à 29 F

Etabli sur une quinzaine d'hectares de sols argilo-siliceux, le domaine des Chesneau propose dans le millésime 99 un agréable vin rouge de teinte brillante. Celui-ci tire son originalité d'une pointe de poivre perceptible en rétro-olfaction. La bouche s'avère bien équilibrée.

☛ EARL Chesneau et Fils, Le Bourg,
41120 Sambin, tél. 02.54.20.20.15,
fax 02.54.33.21.91 ☑ ⵏ r.-v.

JEAN-MICHEL COURTIOUX 1999

◢   2 ha   2 500   ▮ 20 à 29 F

Constitué à parts égales de pineau d'Aunis et de pinot noir, ce rosé arbore une robe limpide de teinte saumon. Sa rondeur en bouche laisse place en finale à une fraîcheur plaisante, propice aux alliances avec des crudités ou des charcuteries. Egalement cité, le **cheverny blanc 99** est un vin plein de jeunesse.

☛ Jean-Michel Courtioux, Caves à Chitenay,
41120 Les Montils, tél. 02.54.70.42.18 ☑ ⵏ r.-v.

DOM. DU CROC DU MERLE 1999★

■   4 ha   15 000   ▮ ♦ 30 à 49 F

Le domaine du Croc du Merle est un habitué de la sélection. Son cheverny rouge 98 avait même obtenu un coup de cœur l'an passé. En 99, c'est de nouveau un vin très réussi que le jury a dégusté. Le nez puissant libère des arômes de fruits rouges et d'épices, tandis qu'un bon équilibre est perceptible en bouche après une attaque franche et nette. Si le cabernet ne représente que 5 % de l'assemblage, il ressort de manière typique à la dégustation. Une étoile vient également récompenser le **cheverny rosé 99**, délicatement parfumé dans sa robe orangée, tandis qu'une citation est attribuée au **blanc 99** qui tire sa révérence par un bouquet de fleurs blanches et de cassis.

☛ Patrice Hahusseau, Dom. du Croc du Merle,
38, rue de La Chaumette, 41500 Muides-sur-Loire, tél. 02.54.87.58.65, fax 02.54.87.02.85
☑ ⵏ t.l.j. 9h-19h; dim. 9h-12h; groupes sur r.-v.

DOM. DES HUARDS 1999

▢   6 ha   30 000   ▮ ♦ 30 à 49 F

Ce cheverny jaune pâle révèle une bonne intensité aromatique. Le bourgeon de cassis signe la forte présence du sauvignon dans l'assemblage (85 %), aux côtés du chardonnay. L'équilibre et la longueur en bouche sont appréciables dès aujourd'hui. A retenir en **rouge, le domaine du Vivier 99**, propriété de Jean-François Deniau et Fils élaboré par les mêmes producteurs et cité par le jury.

☛ Jocelyne et Michel Gendrier, Les Huards,
41700 Cour-Cheverny, tél. 02.54.79.97.90,
fax 02.54.79.26.82 ☑ ⵏ r.-v.

PATRICK HUGUET 1999

■   4 ha   14 000   ▮ 20 à 29 F

La propriété a été constituée en 1873 par le grand-père de Patrick Huguet, qui se lança dans la viticulture en louant 2 ha de vignes de Romorantin à Tours. La parcelle appartenait alors au château de Villesavin. Les **cheverny rouge et blanc 99** sont aujourd'hui cités par le jury. Le premier séduit par ses arômes de fruits rouges et sa bouche friande. Le second se distingue par une bonne intensité aromatique, à dominante de bourgeon de cassis.

☛ GAEC Francis et Patrick Huguet,
12, rue de la Franchetière, 41350 Saint-Claude-de-Diray, tél. 02.54.20.57.36, fax 02.54.20.58.57
☑ ⵏ r.-v.

DOM. DE LA DESOUCHERIE 1999★

■   9 ha   60 000   ▮ ♦ 30 à 49 F

Christian Tessier a retenu l'attention du jury par deux de ses vins. Cité, le **cheverny rouge 99** porte son nom. Sa robe jaune pâle à reflets verts dénote une vinification soignée. Très réussi, le rouge affiche une belle couleur rubis brillant. Son nez fin offre des senteurs de fruits rouges (framboise, notamment), tandis que la bouche, équilibrée, propose des tanins bien présents en finale, qui permettront à ce cheverny d'attendre une année en cave pour atteindre sa plénitude.

☛ Christian Tessier, Dom. de La Désoucherie,
41700 Cour-Cheverny, tél. 02.54.79.90.08,
fax 02.54.79.22.48,
e-mail christian.tessier@waika9.com ☑ ⵏ r.-v.

DOM. DE LA GAUDRONNIERE
Cuvée Laëtitia 1999★

▢   5 ha   20 000   ▮ ♦ 30 à 49 F

Des reflets dorés égaient la robe de ce cheverny et traduisent la parfaite maturité du raisin récolté vers le 20 septembre sur des sols calcaires. Le nez est exotique et la bouche onctueuse, d'une bonne longueur. Cité, le **cheverny rouge cuvée Elégance** 99 est un vin équilibré et plaisant par ses arômes de fruits rouges soulignés d'une note minérale.

☛ EARL Christian Dorléans,
Dom. de La Gaudronnière, 41120 Cellettes,
tél. 02.54.70.40.41, fax 02.54.70.38.83 ☑ ⵏ r.-v.

LE PETIT CHAMBORD 1999★

■   4 ha   25 000   ▮ 30 à 49 F

De jolis reflets brillent dans la robe rouge soutenu. Si le nez semble encore timide, des arômes de fruits rouges mûrs se distinguent. Les tanins très souples confèrent à ce vin présence et équilibre en bouche. Quant au **cheverny blanc 99**, il est cité pour ses évocations de raisins mûrs gorgés de soleil.

LOIRE

☛ François Cazin, Le Petit Chambord,
41700 Cheverny, tél. 02.54.79.93.75,
fax 02.54.79.27.89 ☑ ⵣ r.-v.

JEROME MARCADET
Cuvée de l'Orme 1999

| | 1,5 ha | 10 000 | ⓘ⬇ | 20 à 29 F |

Jérôme Marcadet représente la troisième génération de vignerons à commercialiser les vins de
ce domaine en direct ; ses ancêtres plus lointains
travaillaient autrefois la vigne à façon, pour
d'autres propriétaires. Ce jeune viticulteur présente un cheverny jaune pâle aux arômes floraux.
La bouche bien équilibrée évolue vers une finale
rafraîchissante de citron et de mûre.
☛ Jérôme Marcadet, L'Orme Favras,
41120 Feings, tél. 02.54.20.28.42,
fax 02.54.20.28.42 ☑ ⵣ t.l.j. 8h-12h30 14h-18h

MARQUIS DE LA PLANTE D'OR
1999★

| ■ | 4 ha | 1 400 | 30 à 49 F |

Ce cheverny rouge soutenu aux nuances violettes offre au nez des senteurs de groseille et de
mûre. En bouche, il est rond et bien équilibré.
Déjà plaisant, il peut être bu dès à présent mais
aussi attendre quelques années.
☛ Philippe Loquineau, La Demalerie,
41700 Cheverny, tél. 02.54.44.23.09,
fax 02.54.44.22.16 ☑ ⵣ r.-v.

DOM. DE MONTCY
Cuvée Clos des Cendres 1999

| | 2,7 ha | 16 000 | ⓘ⬇ | 30 à 49 F |

Il y a cent ans, le vignoble de l'actuel domaine
de Montcy appartenait au château de Troussay,
jolie gentilhommière Renaissance construite au
XV°s. pour Robert Bugy, contrôleur des greniers
à sel. Aujourd'hui, il est à l'origine de deux cheverny
intéressants. Celui-ci, d'une couleur pâle
caractéristique du millésime, propose un bel
équilibre en bouche et une longueur appréciable.
En **rouge, la cuvée Louis de La Saussaye 99** mérite
également d'être citée pour son intensité aromatique et sa fraîcheur.
☛ R. et S. Simon, 32, rte de Fougères, La Porte
dorée, 41700 Cheverny, tél. 02.54.44.20.00,
fax 02.54.44.21.00 ☑ ⵣ r.-v.

LES VIGNERONS DE
MONT-PRES-CHAMBORD 1999★

| | 30 ha | 200 000 | ⓘ⬇ | 30 à 49 F |

Le jury a apprécié ce vin jaune pâle à reflets
verts, dont le nez intense est marqué par les fleurs
blanches et le bourgeon de cassis. Bien équilibré
en bouche, il évolue avec grâce jusqu'à une longue et généreuse finale. Tout aussi réussi et élégant malgré une certaine timidité, le **cheverny
rouge Terroir et Tradition 99** charme par ses arômes de fruits rouges des bois.
☛ Les Vignerons de Mont-près-Chambord, 816,
la Petite-Rue, 41250 Mont-près-Chambord,
tél. 02.54.70.71.15, fax 02.54.70.70.65,
e-mail cavemont@club-internet.fr ☑ ⵣ t.l.j. sf
lun. dim. 9h-12h 14h-18h

DOM. DU MOULIN Les Ardilles 1999★

| ■ | 1 ha | 3 900 | ⓘ⬙⬇ | 30 à 49 F |

Soutenu, intense, équilibré : tous les qualificatifs sont réunis pour définir ce vin très réussi et
représentatif de l'appellation. Les Ardilles sauront allier leurs jolis arômes de fruits des bois
aux saveurs de fines tranches de jambon fumé.
En **blanc**, le choix est ouvert entre deux cuvées
citées : **La Bodice 99** et la **cuvée principale 99** (20 à
29 F) du domaine.
☛ Hervé Villemade, Le Moulin Neuf,
41120 Cellettes, tél. 02.54.70.41.76,
fax 02.54.70.37.41 ☑ ⵣ t.l.j. 9h-12h 14h-18h

JACQUES ROBERT 1999★

| ◢ | 0,5 ha | 2 000 | ⓘ⬇ | – de 20 F |

Récolté sur des terrasses de sable et de graviers
le long de la Loire, le pinot noir compose seul
ce vin rose pâle. De délicates notes de fruits exotiques frais s'élèvent du verre, puis une matière
soyeuse caresse le palais tout en laissant une
agréable impression de fraîcheur. Un cheverny
distingué.
☛ Jacques Robert, 2, rue de l'Aubergeon,
41350 Saint-Claude-de-Diray,
tél. 02.54.20.65.11, fax 02.54.20.65.11 ☑ ⵣ r.-v.

DOM. SAUGER ET FILS 1999

| ■ | n.c. | 30 000 | ⓘ | 20 à 29 F |

D'un rouge soutenu, ce cheverny offre au nez
une bonne intensité aromatique. En bouche, ses
tanins semblent encore jeunes mais promettent
de s'assouplir dans l'année. En attendant, on
pourra déjà déguster le **cheverny blanc 99**, également cité, dont les arômes de fruits exotiques
s'associent harmonieusement avec ceux du buis.
☛ Dom. Sauger et Fils, Les Touches,
41700 Fresnes, tél. 02.54.79.58.45,
fax 02.54.79.03.35 ☑ ⵣ r.-v.

DOM. PHILIPPE TESSIER
Le Point du Jour 1999★★

| ■ | 2,5 ha | 10 000 | ⓘ⬇ | 30 à 49 F |

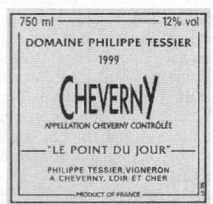

Philippe Tessier défend remarquablement la
réputation de la Sologne viticole dans le millésime 99. Son cheverny rouge a été salué à l'unanimité par le jury, qui lui attribue un coup de
cœur. D'une présentation nette et limpide dans
sa robe rouge soutenu, il livre de fins arômes de
fruits rouges. Son attaque douce et onctueuse
trouve un bel écho dans une trame tannique
soyeuse. Voilà un vin magnifique qui devrait
même se bonifier en vieillissant. Et si vous souhaitez accompagner un fromage de chèvre de la
région, vous opterez sans regret pour le cheverny
blanc **La Charbonnerie 99**, dont la teinte or pâle,

les senteurs florales raffinées, la souplesse et l'équilibre méritent bien deux étoiles.
☛ EARL Philippe Tessier, 3, voie de la rue Colin, 41700 Cheverny, tél. 02.54.44.23.82, fax 02.54.44.21.71 ☑ ⊤ r.-v.

DANIEL TEVENOT 1999

☐	1 ha	5 000	🍾🥄 20 à 29 F

Une randonnée dans la vallée du Beuvron, au nord de la Sologne, vous conduira sans doute chez Daniel Tévenot. Le chai de ce domaine de 10 ha, construit à l'emplacement d'un ancien moulin, a accueilli pendant sept mois ce vin jaune pâle, un peu timide au nez, mais typique du millésime 99 par sa fraîcheur en bouche.
☛ Daniel Tévenot, 4, rue du Moulin-à-Vent, Madon, 41120 Candé-sur-Beuvron, tél. 02.54.79.44.24, fax 02.54.79.44.24 ☑ ⊤ r.-v.

Cour-cheverny

Le décret du 24 mars 1993 a reconnu l'AOC cour-cheverny. Celle-ci est réservée aux vins blancs de cépage romorantin, produits dans l'aire de l'ancienne AOS cour-cheverny mont-près-chambord et quelques communes des alentours où ce cépage s'est maintenu. Le terroir est typique de la Sologne (sable sur argile). La vendange de 1999 a représenté 2 005 hl.

DOM. DE LA DESOUCHERIE 1999★

☐	3,5 ha	23 000	🍾🥄 30 à 49 F

La production de Christian Tessier est régulièrement présente dans le Guide. Ce vin blanc à la robe dorée répond parfaitement à ce que l'on attend d'un cour-cheverny. D'une part, son nez discret mais élégant dévoile de notes florales ; d'autre part, sa bouche fraîche et bien équilibrée se développe longuement sur des saveurs de fruits exotiques (pamplemousse, citron ou mangue). Un 99 que l'on pourra garder en cave.
☛ Christian Tessier, Dom. de La Désoucherie, 41700 Cour-Cheverny, tél. 02.54.79.90.08, fax 02.54.79.22.48, e-mail christian.tessier@waika9.com ☑ ⊤ r.-v.

DOM. DE LA GAUDRONNIERE
Mûr Mûr de La Gaudronnière 1999★

☐	1 ha	6 400	🍾🥄 30 à 49 F

Le domaine de La Gaudronnière a été acheté en 1921 par Marie Dorléans. Aujourd'hui, Christian cultive 20 ha et a obtenu d'une de ses parcelles un vin doré brillant qui surprend par ses accents de raisins secs et de figue fraîche. Souple et équilibré en bouche, ce cour-cheverny développe un côté miellé, accompagné de notes d'amande qui traduisent bien la date tardive des vendanges (fin octobre). Un 99 séduisant.
☛ EARL Christian Dorléans, Dom. de La Gaudronnière, 41120 Cellettes, tél. 02.54.70.40.41, fax 02.54.70.38.83 ☑ ⊤ r.-v.

DOM. DE L'AUMONIERE 1999★

☐	3,5 ha	10 000	🍾🥄 30 à 49 F

Les circuits pédestres de Cour-Cheverny vous conduiront peut-être chez Gérard Givierge qui a réussi dans le millésime 99 un vin jaune très clair, à reflets verts. Une personnalité que ce cour-cheverny. Après un nez discret mais élégant, il dévoile son équilibre minéral-fruité puis se poursuit en souplesse jusqu'à une finale flatteuse.
☛ Gérard Givierge, Dom. de l'Aumonière, 41700 Cour-Cheverny, tél. 02.54.79.25.49, fax 02.54.79.27.06 ☑ ⊤ t.l.j. 8h-12h30 14h-20h; groupes sur r.-v.

LE PETIT CHAMBORD 1999★

☐	4,3 ha	25 000	🍾🥄 30 à 49 F

Des vignes de trente-cinq ans ont donné naissance à un cour-cheverny bien limpide, qui développe au nez des arômes de fleurs blanches et de miel. L'attaque souple invite à apprécier le bon développement en bouche, où l'on perçoit une dominante minérale. Un vin élégant.
☛ François Cazin, Le Petit Chambord, 41700 Cheverny, tél. 02.54.79.93.75, fax 02.54.79.27.89 ☑ ⊤ r.-v.

DOM. DE MONTCY 1999

☐	1,7 ha	11 500	🍾🥄 30 à 49 F

Coup de cœur l'an passé pour le millésime 98, le domaine de Montcy propose en 99 un vin jaune pâle à reflets verts, bien limpide mais encore un peu timide à l'analyse olfactive et gustative. On décèle cependant de délicates notes d'amande, de noisette et de miel au nez, d'aubépine en bouche. Il faudra attendre deux ou trois ans pour que ce cour-cheverny dévoile tout son potentiel.
☛ R. et S. Simon, 32, rte de Fougères, La Porte dorée, 41700 Cheverny, tél. 02.54.44.20.00, fax 02.54.44.21.00 ☑ ⊤ r.-v.

LES VIGNERONS DE MONT-PRES-CHAMBORD 1999★

☐	7 ha	50 000	🍾🥄 30 à 49 F

Jaune doré, ce vin offre les senteurs caractéristiques du romorantin, mélange de fleur d'acacia et de miel. Déjà plaisant en bouche par son attaque minérale et son gras, il devrait perdre son austérité et s'épanouir pleinement après trois ans de garde.
☛ Les Vignerons de Mont-près-Chambord, 816, la Petite-Rue, 41250 Mont-près-Chambord, tél. 02.54.70.71.15, fax 02.54.70.70.65, e-mail cavemont@club-internet.fr ☑ ⊤ t.l.j. sf lun. dim. 9h-12h 14h-18h

Coteaux du vendômois AOVDQS

La particularité, unique en France, de cette appellation produite entre Vendôme et Montoire, est constituée par le

LOIRE

vin gris de pineau d'Aunis, dont la robe doit rester très pâle et les arômes exprimer des nuances poivrées. On y apprécie également un blanc de chenin, comme dans les AOC coteaux de loir et jasnières voisines, au terroir similaire.

Depuis quelques années, à la demande des consommateurs, les rouges tendent à se développer. La nervosité légèrement épicée du pineau d'Aunis est tempérée par le calme gamay et rehaussée soit en finesse par le pinot noir, soit en tanin par le cabernet.

La production atteint une moyenne de 10 000 hl. Le touriste pourra apprécier les bords du Loir, les coteaux truffés d'habitations troglodytiques et de caves taillées dans le tuffeau.

DOM. DU CARROIR Tradition 1999★

| ■ | 4,35 ha | 8 000 | ▤ | 20 à 29 F |

Thoré-la-Rochette réserve quelques belles surprises au visiteur du Vendômois, telle l'harmonieuse allée de platanes qui longe le Loir sur 3 km ou encore une chapelle troglodytique. Jean et Benoît Brazilier proposent dans cette commune une gamme intéressante de vins, dont un rouge très réussi. Paré de nuances violettes, ce 99 offre une palette complexe où dominent les arômes épicés associés aux senteurs aux senteurs de cerise bien mûr. La bouche est enveloppante jusqu'à sa finale élégante marquée par la réglisse. Cité, le **vin gris 99** du domaine séduit par sa couleur œil-de-perdrix, puis par sa matière agréable, légèrement poivrée en rétro-olfaction.

☛ GAEC Jean et Benoît Brazilier,
17, rue des Ecoles, 41100 Thoré-la-Rochette,
tél. 02.54.72.81.72, fax 02.54.72.77.13 ☑ ☒ r.-v.

PATRICE COLIN Silex 1999★

| ☐ | 2 ha | 4 000 | ▤ | 20 à 29 F |

Le Silex est un pur chenin issu de 2 ha de vignes plantées sur un sol à silex. Il possède une belle couleur jaune d'or. Au nez, les senteurs de miel et de tilleul composent une palette très fine et complexe. L'équilibre en bouche est séduisant, soutenu par une bonne persistance sur de fraîches notes minérales. Un plaisir pour cet automne et pour quelques années encore.

☛ Patrice Colin, La Gaudetterie,
41100 Thoré-la-Rochette, tél. 02.54.72.80.73,
fax 02.54.72.75.54 ☑ ☒ r.-v.

DOM. DU FOUR A CHAUX
Cuvée Tradition 1999★

| ■ | 3 ha | 7 000 | ▤ | 20 à 29 F |

Très réussi, ce coteaux du vendômois rouge sombre livre un nez complexe d'épices, de griotte et de cassis. Attaquant en souplesse, il évolue en bouche sur une ligne toujours fruitée et ample. Claude Norguet a par ailleurs proposé un **coteaux du vendômois blanc 99** bien équilibré et dont les notes mentholées soulignent l'agréable

fraîcheur, ainsi qu'un **vin gris 99** harmonieux, au nez encore timide mais déjà typique du pineau d'Aunis. Ces deux vins méritent une citation.

☛ GAEC Norguet, Berger,
41100 Thoré-la-Rochette, tél. 02.54.77.12.52,
fax 02.54.77.86.18 ☑ ☒ r.-v.

CHARLES JUMERT Tradition 1999

| ■ | 4 ha | 5 000 | ▤ ⊞ ☖ | 20 à 29 F |

Elevé trois mois en cuve et trois mois en fût dans des caves creusées à même la roche, ce vin s'habille d'une élégante robe limpide. Il garde cette distinction grâce à la fraîcheur de ses arômes et à sa structure harmonieuse en bouche. A la rondeur de l'attaque répond en contraste une note minérale dans une finale honorable.

☛ Charles Jumert, 4, rue de la Berthelotière,
41100 Villiers-sur-Loir, tél. 02.54.72.94.09,
fax 02.54.72.94.09 ☑ ☒ t.l.j. sf dim. 9h-19h

DOM. DE LA CHARLOTTERIE
Tradition 1999★

| ■ | 1,61 ha | 10 000 | ▤ ☖ | 20 à 29 F |

Sous une teinte limpide, rouge grenat aux légers reflets violets, apparaissent des arômes de fruits rouges, certes mûrs, mais qui restent frais. En bouche, l'attaque franche laisse place à une matière souple et fondue, elle aussi riche en fruits rouges. Ce vin harmonieux et représentatif de l'appellation accompagnera bien les viandes rouges.

☛ Dominique Houdebert,
Cave de la Charlotterie, 2, rue du Bas-Bourg,
41100 Villiersfaux, tél. 02.54.80.29.79,
fax 02.54.73.10.01 ☑ ☒ r.-v.

LES VIGNERONS DU VENDOMOIS
Gris 1999★

| ◢ | n.c. | 120 000 | ▤ ☖ | – de 20 F |

Un joli travail des Vignerons du Vendômois dans le millésime 99. Ce vin gris offre une robe nette et des arômes intenses, à la fois fruités et floraux. En bouche, on perçoit un réel équilibre et une bonne longueur. Tout aussi réussi, le **rouge 99** se déploie en souplesse après un nez généreux de fruits rouges. Enfin, le **blanc 99** est cité (20 à 29 F).

☛ Cave coop. du Vendômois, 60, av. du Petit-Thouars, 41100 Villiers-sur-Loir,
tél. 02.54.72.90.69, fax 02.54.72.75.09 ☑ ☒ t.l.j.
sf dim. lun. 9h-12h 14h-18h

DOM. J. MARTELLIERE
Cuvée Balzac 1999★

| ■ | 0,7 ha | 2 000 | ▤ | 20 à 29 F |

Balzac ou Jean Vivien ? Le choix vous est offert entre ces deux cuvées très réussies du domaine J. Martellière. Sous une étiquette blanche, la cuvée Balzac est tout en délicatesse. Des arômes de fruits rouges se mêlent à ceux de bonbon anglais, puis le vin offre sa tendresse dès la mise en bouche et se développe avec onctuosité. Sous une étiquette noire, la **Réserve Jean Vivien 99** (30 à 49 F) est tout en puissance. D'un beau rouge soutenu, ce vin élevé en cuve et en fût livre des notes de bois et de fruits rouges très mûrs. Si les tanins sont présents en bouche et assurent une bonne garde, ils sont déjà fondus.

➤ SCEA Dom. J. Martellière, 46, rue de Fosse, 41800 Montoire, tél. 02.54.85.16.91, fax 02.54.85.16.91 ☑ ⊺ r.-v.

CLAUDE MINIER 1999★

| ☐ | n.c. | n.c. | ☐ ↓ 20 à 29 F |

Au pays de Ronsard, Lunay est une séduisante étape qui permet de découvrir les maisons des XVᵉ et XVIᵉs., ainsi qu'une chapelle troglodytique dont les fresques des XIIᵉ et XIIIᵉs. évoquent les pèlerins de Saint-Jacques-de-Compostelle. Un cadre idéal pour découvrir ce coteaux du vendômois blanc. Des arômes délicats de bergamote et de tilleul s'échappent du verre. En bouche, dans une matière ample et soyeuse s'inscrivent des notes bien fruitées et légèrement acidulées qui contribuent à l'équilibre général de ce beau vin.

➤ GAEC Claude Minier, Les Monts, 41360 Lunay, tél. 02.54.72.02.36, fax 02.54.72.18.52 ☑ ⊺ r.-v.

DOM. JACQUES NOURY 1999★

| ☐ | 0,8 ha | 6 000 | ☐ 20 à 29 F |

Jacques Noury propose une triade vendômoise dans le même millésime et la même gamme de prix. Ce blanc très réussi présente une bonne intensité aromatique et de la finesse. A la fois frais et ample en bouche, il s'achève sur des notes de miel. Le **rouge 99**, léger à l'œil, attire la sympathie par sa fraîcheur puis sa tendresse finale. Quant au **vin gris 99**, il joue sur la vivacité et sa bonne longueur en bouche. Ces deux vins méritent une citation.

➤ Dom. Jacques Noury, Montpot, 41800 Houssay, tél. 02.54.85.36.04, fax 02.54.85.19.30 ☑ ⊺ r.-v.

Valençay AOVDQS

Aux confins du Berry, de la Sologne et de la Touraine, la vigne alterne avec les forêts, la grande culture et l'élevage de chèvres. Les sols sont à dominante argilo-siliceuse ou argilo-limoneuse. Le vignoble s'étend sur plus de 300 ha, dont la moitié déclarée en valençay. L'encépagement y est classique de la moyenne vallée de la Loire et les vins sont à boire jeunes le plus souvent. Le sauvignon fournit des vins aromatiques aux touches de cassis ou de genêt, avec un complément apporté par le chardonnay. Les vins rouges assemblent gamay, cabernets, cot et pinot noir. La production atteint une moyenne de 10 000 hl.

Dans cette région marquée par le passage de Talleyrand, la même appellation désigne un fromage de chèvre, qui a obtenu l'AOC en 1998. Ces pyramides s'accordent, selon leur degré d'affinage, avec les vins rouges ou les vins blancs.

JACKY ET PHILIPPE AUGIS 1999★

| ■ | 2 ha | 12 000 | ☐ - de 20 F |

Toujours aussi réussie, la production de Jacky et Philippe Augis... Leur valençay rouge, grenat à reflets orangés, livre des arômes de fruits rouges très mûrs avant de se développer en bouche sur des tanins fondus et soyeux. En **blanc 99** (20 à 29 F), c'est un vin jaune pâle aux nuances vertes qui agrée les sens par des arômes frais et délicats, puis par la fraîcheur d'un palais raffiné.

➤ GAEC Jacky et Philippe Augis, rue des Vignes, Le Musa, 41130 Meusnes, tél. 02.54.71.01.89, fax 02.54.71.74.15 ☑ ⊺ r.-v.

DOM. BARDON 1999★

| ☐ | 3 ha | 5 000 | ❙❙❙ 30 à 49 F |

Ce valençay jaune paille aux reflets dorés a séjourné six mois en fût avant d'être livré à la dégustation. Il présente une bonne expression de la maturité du raisin. Au nez apparaissent des arômes de vanille, mais aussi d'agrumes. Après un développement en rondeur et souplesse, une note de gaz carbonique finale apporte de la fraîcheur à la bouche.

➤ Denis Bardon, Le Bourg, 41130 Meusnes, tél. 02.54.71.01.10, fax 02.54.71.75.20 ☑ ⊺ r.-v.

CLOS DU CHATEAU DE VALENCAY 1999★

| ☐ | 1,5 ha | 10 000 | ☐ ↓ 20 à 29 F |

Ce valençay est discret au nez mais offre déjà tous les arômes typiques des vins blancs de l'appellation. Il s'avère rafraîchissant tant il est frais et coulant. Cité, le **rouge 99**, après une attaque ferme révèle des tanins présents, mais l'harmonie générale est respectée.

➤ SCEV Clos du Château de Valençay, Le Musa, 41130 Meusnes, tél. 02.54.71.00.26, fax 02.54.71.50.93 ☑

CHANTAL ET PATRICK GIBAULT 1999

| ■ | 2,5 ha | 15 000 | ☐ 20 à 29 F |

Si le nez est encore fermé derrière la robe rouge grenat très soutenu, ce valençay peut se targuer d'une bonne structure au palais. En effet, l'attaque est franche, la matière ronde sur des tanins assez présents et la finale bonne.

➤ EARL Chantal et Patrick Gibault, rue Gambetta, 41130 Meusnes, tél. 02.54.71.02.63, fax 02.54.71.58.92 ☑ ⊺ t.l.j. 8h-19h; dim. 10h-12h

LOIRE

FRANCIS JOURDAIN
Cuvée Chèvrefeuille 1999★★

| | | 1,5 ha | 5 000 | ▮ ♦ 20 à 29 F |

Francis Jourdain présente un assemblage sauvignon-chardonnay jaune pâle, franc et lumineux. Cette cuvée Chèvrefeuille est tout en finesse et délicatesse, ce que traduisent bien ses arômes intenses de fleurs et de cassis. L'attaque est souple, la bouche harmonieuse, et l'on appréciera la bonne longueur.

☞ Francis Jourdain, Les Moreaux, 36600 Lye, tél. 02.54.41.01.45, fax 02.54.41.07.56 ☑ ☖ r.-v.

MONTBAIL 1999

| | | 1 ha | 8 000 | ▮ ♦ 20 à 29 F |

Cité l'an passé pour son Montbail rouge 97, le domaine Garnier propose cette année un valençay blanc. Brillant à l'œil, jaune pâle, celui-ci s'exprime bien en bouche par des arômes de fruits et de cassis et révèle une bonne longueur en finale.

☞ Dom. Garnier, Chamberlin, 41130 Meusnes, tél. 02.54.00.10.06, fax 02.54.05.13.36 ☑ ☖ r.-v.

JEAN-FRANCOIS ROY 1999★

| ▮ | | 6 ha | 40 000 | ▮ ♦ 20 à 29 F |

Jean-François Roy affiche trois réussites dans le millésime 99. En rouge, les arômes de fruits très mûrs indiquent que la vendange était mûre. La maîtrise de la vinification a permis d'extraire des tanins soyeux qui se bonifieront encore avec le temps. Une étoile est attribuée à la **cuvée des Pinotes 99**, puissante et complexe, mêlant fruits rouges et épices au nez. Sa charpente solide en fait un vin de garde (jusqu'à trois ans). Enfin, le **valençay blanc 99** séduit par son équilibre en bouche et sa finale rafraîchissante. Il est cité.

☞ Jean-François Roy, 3, rue des Acacias, 36600 Lye, tél. 02.54.41.00.39, fax 02.54.41.06.89 ☖ r.-v.

HUBERT SINSON ET FILS
Closerie de la Maison Blanche 1999★

| | | 3 ha | 20 000 | ▮ ♦ 20 à 29 F |

Une alliance à succès que celle d'Hubert Sinson et de ses fils. Il n'est qu'à goûter leurs trois cuvées de sauvignon. Celle-ci, dans sa séduisante robe jaune pâle à reflets verts, livre des senteurs élégantes ; son attaque est souple et sa bouche harmonieuse. Le **rouge 99**, encore timide mais très réussi, demande un peu de patience, car il promet des arômes de fruits rouges très mûrs. En bouche, les tanins sont présents et demandent deux ans de garde ; il obtient une étoile. Autre cuvée rouge, la **cuvée Denisot Sinson 99**, est citée.

☞ GAEC Hubert Sinson et Fils, Le Musa, 41130 Meusnes, tél. 02.54.71.00.26, fax 02.54.71.50.93, e-mail sinson@cavesparticulieres.com ☑ ☖ r.-v.

GERARD TOYER 1999

| | | 2,5 ha | 12 000 | ▮ ♦ – de 20 F |

La note de cassis s'associe harmonieusement aux senteurs de fleurs blanches dans ce valençay jaune brillant. D'un bon équilibre, la bouche finit comme elle débute, avec vivacité et sur une note citronnée. Egalement cité, le valençay rouge

cuvée du Prince 99 se caractérise par de jolis reflets orangés et sa souplesse en bouche.

☞ Gérard Toyer, 63, Grande-Rue, Champcol, 41130 Selles-sur-Cher, tél. 02.54.97.49.23, fax 02.54.97.46.25 ☖ t.l.j. 10h-12h 15h-18h; dim. 10h-12h

Le Poitou

Haut-poitou AOVDQS

Le docteur Guyot rapporte, en 1865, que le vignoble de la Vienne représente 33 560 ha. De nos jours, outre le vignoble du nord du département, rattaché au Saumurois, le seul intérêt porté à la vigne se situe autour des cantons de Neuville et Mirebeau ! Marigny-Brizay est la commune la plus riche en viticulteurs indépendants. Les autres se sont regroupés pour former la cave de Neuville-de-Poitou. Les vins du haut-Poitou ont produit 33 346 hl en 1998 dont 17 081 en blanc.

Les sols du plateau du Neuvillois, évolués sur calcaires durs et craie de Marigny ainsi que sur marnes, sont propices aux différents cépages de l'appellation ; le plus connu d'entre eux est le sauvignon (blanc).

DOM. DU CENTAURE Sauvignon 1999★

| | | 1,4 ha | 9 000 | ▮ ♦ – de 20 F |

Une belle robe jaune pâle à reflets verts habille ce vin. A l'olfaction, on perçoit l'expression aromatique florale, très marquée sauvignon. Puis la bouche, à la fois souple et vive, développe beaucoup d'arômes et confère à ce vin une belle harmonie d'ensemble. Tout aussi réussis sont les **rouges 99 pinot noir** et **cabernet franc**. Le premier se révèle encore discret au nez, mais dévoile après aération d'agréables notes florales et fruitées, accompagnées d'une légère touche de fumé. La bouche est ronde et rafraîchissante, très longue sur des tanins bien présents. Le second, franc et complexe par ses effluves de petits fruits rouges (griotte, mûre), fait montre de structure.

☞ Gérard Marsault, 4, rue du Poirier, 86380 Chabournay, tél. 05.49.51.19.39, fax 05.49.51.14.25 ☑ sam. 10h-12h 14h-19h

CAVE DU HAUT-POITOU
Sauvignon 1999

| | | 158 ha | 539 000 | ▮ ♦ 20 à 29 F |

La robe de ce 99 est d'un jaune très pâle. Au nez, c'est le sauvignon qui se distingue nettement. L'attaque en bouche se montre franche, à la fois vive et ronde, et le volume satisfaisant laisse une impression harmonieuse.

➤ SA Cave du Haut-Poitou, 32, rue Alphonse-Plault, 86170 Neuville-de-Poitou, tél. 05.49.51.21.65, fax 05.49.51.16.07, e-mail cave.haut.poitou@gofornet.com
☑ ☖ r.-v.

DOM. DE LA ROTISSERIE
Cabernet 1999★★★

| ■ | | 3,5 ha | 10 000 | 🖥 ♣ | 20 à 29 F |

La route qui mène au domaine, à Marigny-Brizay, sine entre des cultures céréalières et des vignobles. Jacques Baudon possède ici un peu plus de 13 ha de vignes qui ont produit en 99 ce beau vin rouge foncé à reflets violacés. Le nez intense et très expressif libère des arômes fruités rappelant la confiture de griottes. La bouche ample et chaleureuse s'égaye de notes de cassis. Elle ressort bien équilibrée par des tanins certes présents mais fondus et soyeux.
➤ Jacques Baudon, 35, rue de l'Habit-d'Or, 86380 Marigny-Brizay, tél. 05.49.52.09.02, fax 05.49.37.11.44 ☑ ☖ t.l.j. 8h-12h 13h30-19h; sam. dim. sur r.-v.

DOM. LA TOUR BEAUMONT
Chardonnay 1999★★

| ☐ | | 1,62 ha | 13 500 | 🖥 ♣ | 20 à 29 F |

Ce domaine est une propriété familiale que Gilles et Brigitte Morgeau dirigent depuis 1991. La robe de ce 99 est d'un beau jaune limpide. Le nez est encore timide, mais révèle peu à peu des notes florales, légèrement épicées et réglissées. Agréable, équilibrée, aromatique, la bouche offre une persistance très intéressante. C'est le vin plaisir par excellence.
➤ Gilles et Brigitte Morgeau, 2, av. de Bordeaux, 86490 Beaumont, tél. 05.49.85.50.37, fax 05.49.85.58.13 ☑ ☖ t.l.j. sf dim. 14h-18h

DOM. DE LA TOUR SIGNY
Cuvée Poitevine 1999★★

| ■ | | n.c. | 15 000 | 🖥 ♣ | 20 à 29 F |

Christophe Croux se trouve à la tête de la propriété depuis 1983. Les vins sont entreposés dans des caves de tuffeau où sont réalisées toutes les étapes de vinification. Un beau rubis violacé très soutenu habille celui-ci. On apprécie les arômes délicats qui rappellent la fraise et le cassis, puis la bouche structurée et d'une persistance aromatique surprenante. La **cuvée Cabernet 99** se révèle très réussie par ses arômes discrets, floraux et fruités. La matière se développe, ample et généreuse, sur des tanins soyeux, tout en conservant de la vivacité. La longueur aromatique lui confère une bonne harmonie générale. Et l'on citera enfin le **haut-poitou chardonnay 99**, élevé six mois en fût. Aux arômes miellés soulignés de boisé répond une bouche souple et longue.
➤ Christophe Croux, La Tour Signy, rue de Tue-Loup, 86380 Marigny-Brizay, tél. 05.49.55.31.21, fax 05.49.62.36.82 ☑ ☖ r.-v.

DOM. DES LISES Sauvignon 1999

| ☐ | | 0,94 ha | 3 000 | 🖥 ♣ | 20 à 29 F |

Fille de vigneron et œnologue de formation, Pascale Bonneau a repris les vignes en 1995, puis créé l'atelier de vinification et de vente au détail l'année suivante sous le nom de Domaine des Lises. Elle propose en 99 un sauvignon limpide, jaune d'or à reflets verts. D'intensité encore moyenne, le nez dégage de suaves arômes fruités et floraux. La bouche ample, ronde et souple, laisse une bonne impression d'ensemble. Le **chardonnay 99** n'est pas en reste et mérite lui aussi d'être cité.
➤ Pascale Bonneau-Charrais, 21, rue Nationale, 86110 Mirebeau, tél. 05.49.50.53.66, fax 05.49.50.90.50, e-mail pascale.bonneau@libertysurf.fr ☑ ☖ r.-v.

Les vignobles du Centre

Des côtes du Forez à l'Orléanais, les principaux secteurs viticoles du Centre occupent les endroits les mieux exposés des coteaux ou plateaux modelés au cours des âges géologiques par la Loire et ses affluents, l'Allier et le Cher. Ceux qui, sur les côtes d'Auvergne, à Saint-Pourçain en partie ou à Châteaumeillant, sont implantés sur les flancs est et nord du Massif central restent cependant ouverts sur le bassin de la Loire.

Siliceux ou calcaires, toujours bien situés et exposés, les sols viticoles de ces régions portent un nombre restreint de cépages, parmi lesquels ressortent surtout le gamay pour les vins rouges et rosés, et le sauvignon pour les vins blancs. Quelques spécialités émergent çà et là : tressallier à Saint-Pourçain et chasselas à Pouilly-sur-Loire pour les blancs ; pinot noir à Sancerre, Menetou-Salon et Reuilly pour les rouges et rosés, avec encore le délicat pinot gris dans ce dernier vignoble ; et enfin le meunier qui, près d'Orléans, fournit l'original « gris meunier ». Somme toute, un encépagement sélectif.

Tous les vins obtenus dans ces terroirs et avec ces cépages ont en commun légèreté, fraîcheur et fruité, qui les rendent particulièrement attrayants, agréables et digestes. Et combien en harmonie avec les spécialités gastronomiques de la cuisine régionale ! Qu'ils soient d'Auvergne, du Bourbonnais, du Nivernais, du Berry ou de l'Orléanais, pays verts et calmes, aux horizons larges, aux paysages variés, les vignerons savent faire apprécier des vins méritants, issus de vignobles souvent familiaux et artisanaux.

Châteaumeillant AOVDQS

Le gamay retrouve ici les terroirs qu'il affectionne, dans un site très anciennement viticole et dont l'histoire est retracée par un musée intéressant.

La réputation de Châteaumeillant s'est établie grâce à son célèbre « gris », vin issu du pressurage immédiat des raisins de gamay et présentant un grain, une fraîcheur et un fruité remarquables. Les rouges (à boire jeunes et frais), produits de sols d'origine éruptive, rappellent un grand frère célèbre et allient légèreté, bouquet et gouleyance.

DOM. DU CHAILLOT 1999*

◢   0,4 ha   2 100   ■↓ 30 à 49 F

Depuis son installation en 1993, Pierre Picot collectionne les récompenses. Habillé d'une robe d'un saumoné profond, voilà un rosé qui ne manque pas d'éloquence : arômes floraux (violette) et fruités (agrumes, cerise). Il emplit bien la bouche, alliant fraîcheur et longueur, souplesse et complexité. Une belle œuvre.
☛ Dom. du Chaillot, pl. de la Tournoise, 18130 Dun-sur-Auron, tél. 02.48.59.57.69, fax 02.48.59.58.78,
e-mail pierre.picot@wanadoo.fr ☑ ⵏ r.-v.
☛ Pierre Picot

CAVE DES VINS DE CHATEAUMEILLANT Vin gris 1999*

◢   2 ha   17 000   20 à 29 F

Ce 99 se présente sous une teinte saumonée pâle. Le nez est élégant et fin, égayé de nuances florales. La souplesse et le gras sont au rendez-vous, accompagnés d'une vivacité légère. Belle réussite, bien dans le type du gris de Châteaumeillant.
☛ Cave du Tivoli, rte de Culan, 18370 Châteaumeillant, tél. 02.48.61.33.55, fax 02.48.61.44.92 ☑ ⵏ r.-v.

VALERIE ET FREDERIC DALLOT 1998

■   3 ha   4 000   ■↓ 20 à 29 F

Valérie et Frédéric Dallot ont commencé à commercialiser leur production sous leur propre nom à partir de 1991. Leur châteaumeillant 98 a conservé une teinte jeune : grenat à reflets violacés. Les premières impressions sont séduisantes mais la fin de bouche est encore sur le tanin. Une aération sera bénéfique à ce vin qui démontrera alors une certaine richesse.
☛ Frédéric et Valérie Dallot, 42, rue Genèst, 18370 Châteaumeillant, tél. 02.48.56.31.84
☑ ⵏ r.-v.

DOM. LANOIX
Cuvée du Chêne Combeau 1999*

■   8,74 ha   12 000   ■↓ 30 à 49 F

Patrick Lanoix a bien mis sa devise « de la vigne à la bouteille » en application dans ce vin. Les notes caractéristiques du raisin sont clairement perceptibles dans la palette, également composée de fruits rouges, délicatement relevées d'une pointe de poivre. La bouche est ample, avec beaucoup de gras et de consistance. Les années ne devraient pas faire peur à ce 99.
☛ EARL Dom. Lanoix, Beaumerle, 18370 Châteaumeillant, tél. 02.48.61.39.59, fax 02.48.61.42.19 ☑ ⵏ r.-v.

Côtes d'auvergne AOVDQS

Qu'ils soient issus de vignobles des puys, en Limagne, ou des vignobles des monts (dômes) en bordure orientale du Massif central, les bons vins d'Auvergne proviennent tous du gamay, très anciennement cultivé. Ils ont droit à la dénomination AOVDQS depuis 1977 et naissent d'environ 400 ha de vignes. Ces rosés malicieux et ces rouges agréables (les deux tiers de la production) sont particulièrement indiqués sur les fameuses charcuteries locales ou les plats régionaux réputés. Dans les crus, ils peuvent prendre un caractère, une ampleur et une personnalité surprenants.

JACQUES ABONNAT Boudes 1999

| ◢ | 1 ha | 5 000 | ▮ | 20 à 29 F |

Des nuances violettes sont perceptibles dans la robe rose. Généreux au nez (fleurs et fruits de la passion), ce vin présente en bouche une agréable fraîcheur qui se prolonge en finale. Il est à boire sur un plateau de charcuteries.
☛ Jacques Abonnat, 63340 Chalus, tél. 04.73.96.45.95, fax 04.73.96.45.95 ☑ ⟙ r.-v.

MICHEL BELLARD Corent 1999

| ◢ | 4 ha | 12 000 | ▮ | 20 à 29 F |

Les quelque 25 ha de vignes de Michel Bellard reposent sur un sol de pouzdzolane et de cendres volcaniques. Encore timide au nez, le Corent 99, rosé brillant, livre toute sa tendresse en bouche. Il constitue un ensemble rafraîchissant, que l'on appréciera dès aujourd'hui.
☛ Michel Bellard, B.P. 317, 63109 Romagnat Cedex, tél. 04.73.62.66.69, fax 04.73.62.09.22 ☑

HENRI BOURCHEIX 1999

| ■ | 3,23 ha | 20 000 | ▮ ♦ | 20 à 29 F |

Belle couleur rouge violacé. Arômes surprenants de fruits rouges acidulés que l'on retrouve tout au long de la dégustation. Bouche tendre et de bonne longueur. Les éléments sont réunis pour un moment de plaisir.
☛ Henri Bourcheix, 4, rue Saint-Marc, 63170 Aubière, tél. 04.73.26.04.52, fax 04.73.27.96.46 ☑ ⟙ r.-v.

CHARMENSAT Boudes 1999

| ■ | 7,5 ha | 50 000 | ▮ ♦ | 20 à 29 F |

Annie Charmensat a repris les rênes de l'exploitation avec l'aide de son mari, œnologue.

Deux de ses vins méritent une citation dans le millésime 99. Celui-ci, issu de vieilles vignes plantées en terrasses sur un coteau plein sud, est encore réservé au nez mais ne tardera pas à s'épanouir. Son équilibre et sa longueur le rendent d'ores et déjà plaisant en bouche. Le **côtes d'auvergne Boudes cuvée des Grandes Vignes Elevée en fût de chêne 99** (30 à 49 F) est intéressant par l'harmonie qu'il développe en bouche.
☛ GAEC Charmensat, rue du Coufin, 63340 Boudes, tél. 04.73.96.44.75, fax 04.73.96.58.04, e-mail charmensat@lokace-online.com ☑ ⟙ r.-v.

PIERRE GOIGOUX Châteaugay 1999★

| ☐ | 0,7 ha | 4 800 | ▮ ♦ | 30 à 49 F |

Le millésime 99 marque le dixième anniversaire de cette propriété créée à Châteaugay, régulièrement présente dans le Guide ces dernières années. Ce vin est d'un joli jaune doré. En humant le verre, on se souvient des fruits très mûrs et des fleurs blanches. La bouche parfaitement équilibrée reprend les arômes floraux en finale. Un vin élégant, rond et sage.
☛ GAEC Pierre Goigoux, 22, rue des Caves, 63119 Châteaugay, tél. 04.73.87.67.51, fax 04.73.78.02.70 ☑ ⟙ r.-v.

ODETTE ET GILLES MIOLANNE
Volcane 1999★

| ◢ | 1,4 ha | 7 800 | ▮ ♦ | 20 à 29 F |

Volcane ? Parce que la vigne pousse ici sur un sol d'alluvions volcaniques. En rosé, ce vin de teinte soutenue, nuancée de reflets violets, livre des accents de fruits bien mûrs. Puissant en bouche, il repose sur une bonne structure qui le rend digne d'accompagner des plats relevés - grillades ou charcuteries d'Auvergne. En **rouge**, la **cuvée Volcane 99** est un vin rond et bien équilibré, qui mérite une citation.
☛ EARL de La Sardissère, 17, rte de Coudes, 63320 Neschers, tél. 04.73.96.72.45, fax 04.73.96.25.79 ☑ ⟙ r.-v.
☛ Gilles Miolanne

LOIRE

Les vins du Centre

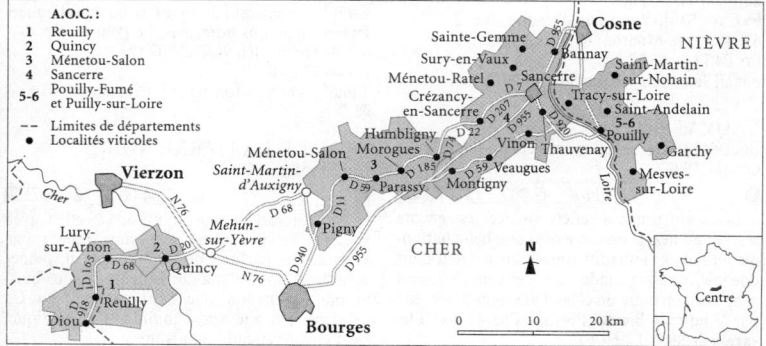

A.O.C. :
1 Reuilly
2 Quincy
3 Ménetou-Salon
4 Sancerre
5-6 Pouilly-Fumé et Puilly-sur-Loire

– – Limites de départements
●   Localités viticoles

JEAN-PIERRE ET MARC PRADIER
Corent 1999★

| ◢ | | 4,5 ha | 26 000 | ■ ♦ | 20 à 29 F |

Des nuances orangées égayent la robe de ce joli rosé. Après un nez intense, la bouche attaque avec franchise et prend de l'ampleur. La légère pointe tannique en finale respecte la personnalité de ce vin. Egalement très réussi, le **rouge Tradition 99** offre une palette de fruits rouges très mûrs et libère en bouche une touche de gaz carbonique qui signe sa jeunesse.
☛ GAEC Jean-Pierre et Marc Pradier, 9, rue Saint-Jean-Baptiste, 63730 Les Martres-de-Veyre, tél. 04.73.39.86.41, fax 04.73.39.88.17
☑ ⵐ sam. 8h30-12h 14h-18h30

CHRISTOPHE ROMEUF 1999

| ◢ | | 3,5 ha | n.c. | ■ ♦ | 20 à 29 F |

Rosé soutenu aux nuances violacées, ce vin est intéressant par ses senteurs poivrées de bonne intensité. S'il est tendre en attaque, une note de gaz carbonique renforce sa fraîcheur en finale.
☛ Christophe Romeuf, 1 bis, rue du Couvent, 63670 Orcet, tél. 06.08.85.01.69, fax 06.73.84.07.83 ☑ ⵐ r.-v.

DOM. ROUGEYRON
Châteaugay Cuvée Bousset d'or 1999★

| ■ | | 12,03 ha | 90 000 | ■ | 30 à 49 F |

Vêtue d'une robe cerise noire, la cuvée Bousset d'or présente un nez assez intense où dominent les fruits rouges très mûrs. Franc, droit et équilibré en bouche, c'est un joli vin d'Auvergne. Le **Châteaugay cuvée Bousset d'or rosé 99** mérite quant à lui une citation.
☛ Michel et Roland Rougeyron, 27, rue de La Crouzette, 63119 Châteaugay, tél. 04.73.87.24.45, fax 04.73.87.23.55 ☑ ⵐ r.-v.

CAVE SAINT-VERNY Corent 1999★

| ◢ | | 20 ha | 30 000 | ■ ♦ | 30 à 49 F |

La robe rose pâle et limpide annonce le caractère très tendre de ce 99. Les senteurs d'épices et de fruits mûrs l'emportent au nez tandis qu'au palais la matière est douceur. Une note légèrement tannique en finale se mariera fort bien aux charcuteries. Quant à la **Première Cuvée rouge 99**, elle est citée pour son attaque souple et son ampleur en bouche.
☛ Cave Saint-Verny, rte d'Issoire, B.P. 2, 63960 Veyre-Monton, tél. 04.73.69.60.11, fax 04.73.69.65.22, e-mail saint.verny@wanadoo.fr ☑ ⵐ r.-v.

SAUVAT
Boudes Les Demoiselles oubliées du Donazat Gamay 1999

| ■ | | 6,5 ha | 47 000 | ■ ♦ | 30 à 49 F |

Si ce vin rouge à reflets violacés est encore réservé au nez, il présente déjà une belle harmonie au palais : les fruits rouges s'inscrivent dans une matière assez ronde. Annie et Claude Sauvat proposent en outre un **côtes d'auvergne blanc**, cité par le jury : le **Boudes Prestige Chardonnay Elevage bois 99** (50 à 69 F).

☛ Claude et Annie Sauvat, 63340 Boudes, tél. 04.73.96.41.42, fax 04.73.96.58.34, e-mail sauvat@terre-net.fr ☑ ⵐ r.-v.
☛ Annie Blot

Côtes du forez

C'est à une somme d'efforts intelligents et tenaces que l'on doit le maintien d'un bel et bon vignoble (193 ha) sur 21 communes autour de Boën-sur-Lignon (Loire).

La quasi-totalité des excellents vins rosés et rouges, secs et vifs, exclusivement à base de gamay, est issue de terrains du tertiaire au nord et du primaire, au sud. Ils proviennent en majorité d'une belle cave coopérative. On consomme jeunes ces vins qui ont été reconnus en AOC en 2000.

LES VIGNERONS FOREZIENS
Richesse du Forez 1999

| ■ | | 28 ha | 150 000 | | 30 à 49 F |

Des vignes implantées sur des sols volcaniques ont produit un vin rubis moyen fleurant bon le raisin bien mûr. Agréablement structuré, aromatique et d'une belle franchise, ce 99 est à boire dans l'année.
☛ Les Vignerons Foréziens, Le Pont-Rompu, 42130 Trelins, tél. 04.77.24.00.12, fax 04.77.24.01.76, e-mail vignerons.foreziens@wanadoo.fr ☑ ⵐ r.-v.

LES VIGNERONS FOREZIENS
Cuvée Tradition 1999

| ■ | | 28 ha | 150 000 | | 20 à 29 F |

La cave des Vignerons Foréziens, qui vinifie 90 % des vins de l'appellation, a élaboré un 99 rouge léger et franc, au fruité plein de fraîcheur. Equilibré, harmonieusement aromatique et persistant, son vin est fait pour être bu dans l'année.
☛ Les Vignerons Foréziens, Le Pont-Rompu, 42130 Trelins, tél. 04.77.24.00.12, fax 04.77.24.01.76, e-mail vignerons.foreziens@wanadoo.fr ☑ ⵐ r.-v.

DOM. DE LA PIERRE NOIRE
Cuvée spéciale 1998★

| ■ | | 1 ha | 4 000 | ■ ♦ | 20 à 29 F |

Neuf mois d'élevage ont présidé à cette Cuvée spéciale habillée d'une séduisante robe rouge violacé. Des parfums de fruits rouges moyennement intenses, mêlés à des senteurs de sous-bois, accompagnent une bouche structurée et nette. Ce 98 riche, parfaitement équilibré et aromatique, peut encore attendre une année.

➺ Christian Gachet, chem. de l'Abreuvoir,
42610 Saint-Georges-Hauteville,
tél. 04.77.76.08.54 ☑ ⵣ t.l.j. 9h-12h 14h-18h

DOM. DE LA PIERRE NOIRE 1999

■		2 ha	8 000	ⓘ ⸙ 20 à 29 F

Déclarée en AOC, la production de cette exploitation trouve un porte-drapeau dans le 99 rouge grenat qui libère de discrets parfums fruités, soulignés de notes florales et végétales. Bien en chair, structuré par des tanins marqués et aromatiques, ce vin sera à point en 2001.
➺ Christian Gachet, chem. de l'Abreuvoir,
42610 Saint-Georges-Hauteville,
tél. 04.77.76.08.54 ☑ ⵣ t.l.j. 9h-12h 14h-18h

DOM. DU POYET 1999★

■		3,5 ha	25 000	ⓘ 20 à 29 F

À 1 km du château Sainte-Anne où une volerie de rapaces est installée, l'exploitation, créée en 1995, a élevé un vin intensément pourpre. Des parfums volupteux de fruits rouges, de pivoine et de sous-bois émanent de ce 99 plein de chair. Sa jeune structure tannique laisse apparaître une légère amertume, mais elle se sera assouplie dans quelques mois.
➺ Jean-François Arnaud, Dom. du Poyet,
au Bourg, 42130 Marcilly-le-Châtel,
tél. 04.77.97.48.54, fax 04.77.97.48.71 ☑ ⵣ t.l.j.
8h-20h; groupes sur r.-v.

DOM. DU POYET 1999★

◪		0,5 ha	4 500	ⓘ 20 à 29 F

La robe rose saumon pâle est d'une belle limpidité. De délicates senteurs d'abricot, d'ananas et de pamplemousse se développent progressivement. En bouche, l'attaque fruitée est associée à une agréable fraîcheur. Restant souple et fin, cet excellent représentant des côtes du forez est à déguster dans l'année.
➺ Jean-François Arnaud, Dom. du Poyet,
au Bourg, 42130 Marcilly-le-Châtel,
tél. 04.77.97.48.54, fax 04.77.97.48.71 ☑ ⵣ t.l.j.
8h-20h; groupes sur r.-v.

Coteaux du giennois

Sur les coteaux de Loire réputés depuis longtemps, tant dans la Nièvre que dans le Loiret, s'étendent des sols siliceux ou calcaires. Trois cépages traditionnels, le gamay, le pinot et le sauvignon ont donné en 1999, 8 220 hl, dont 2 926 hl en vins blancs, légers et fruités, peu tanniques, authentique expression d'un terroir original. On pourra les boire jusqu'à cinq ans d'âge, sur toutes les viandes.

Les plantations progressent toujours nettement dans la Nièvre, elles reprennent aussi dans le Loiret, attestant la bonne santé du vignoble, qui atteint 140 ha. Les coteaux du giennois ont accédé à l'AOC en 1998.

JOSEPH BALLAND-CHAPUIS 1999

■		3,5 ha	25 000	ⓘ 30 à 49 F

La robe cerise laisse apparaître quelques reflets violets. Au nez, les arômes sont dominés par les fruits rouges mûrs (confiture de fraises).Présenté trop jeune, ce vin possède une structure très intéressante qui devra mieux s'affirmer dans les mois à venir. Le **rosé 99** doit également être cité pour la pureté de sa ligne.
➺ SCEA Dom. Balland-Chapuis, 6, allée des Soupirs, 45420 Bonny-sur-Loire,
tél. 02.38.31.55.12, fax 02.48.54.07.97 ☑

DOM. DES BEAUROIS 1999★

☐		2 ha	15 000	ⓘ 30 à 49 F

Le vignoble d'Anne-Marie et Bernard Marty se situe sur la commune de Beaulieu-sur-Loire, dans le Loiret. Le coteaux du giennois qui en est issu séduit l'œil par sa teinte or à reflets argentés. Le nez, encore fermé, est tout en finesse. La fraîcheur et même, en fin de bouche, la vivacité, marquent le palais sans le gêner aucunement. Un vin parfait pour des coquillages.
➺ Anne-Marie Marty, Dom. des Beaurois,
89170 Lavau, tél. 03.86.74.16.09,
fax 03.86.74.16.09 ☑ ⵣ t.l.j. 10h-12h 14h-19h

DOM. COUET 1998

■		2 ha	9 600	ⓘ 20 à 29 F

Cinquième génération des Couet à Saint-Père, Emmanuel est venu rejoindre son père Bernard en 1998. Il propose dans le millésime 98 un vin pourpre soutenu. Au-delà du fruité, le nez joue dans une gamme particulière, celle des notes toastées, à tendance animale, souple avec une pointe d'amertume que le temps atténuera. Ce coteaux du giennois sera prêt à boire à la fin de l'année.
➺ Dom. Couet, Croquant, 58200 Saint-Père,
tél. 03.86.28.14.80, fax 03.86.28.14.80 ☑ ⵣ t.l.j.
8h-20h

DOM. DE LA GRANGE ARTHUIS
Les Daguettes 1999

☐		1,73 ha	11 000	ⓘ 30 à 49 F

Maître de chai au domaine de la Grange Arthuis, Jean-Luc Pitot a obtenu un coteaux du giennois blanc particulièrement pâle. Les arômes citronnés complètent heureusement les notes amyliques. Au palais, la douceur et la rondeur se prolongent de façon équilibrée. Le **rosé 99** mérite également une citation (de 20 à 29 F).
➺ Dom. de La Grange Arthuis, 89170 Lavau,
tél. 03.86.74.06.20, fax 03.86.74.18.01 ☑ ⵣ t.l.j.
10h-12h 14h-19h
➺ François Reynaud

MICHEL LANGLOIS
Champ de la Croix 1998

■		2,5 ha	20 000	ⓘ ⅱ ⸙ 30 à 49 F

Les reflets orangés de la robe augurent une maturité avancée. Aussi est-ce sans surprise que l'on relève des arômes de bonne intensité, rappelant le marc de raisin au décuvage. La légèreté

LOIRE

Saint-pourçain AOVDQS

et le grain tanniques de la finale caractérisent la bouche. A servir sur une grillade.

➤ Michel Langlois, Le Bourg, 58200 Pougny, tél. 03.86.28.06.52, fax 03.86.28.59.29 ☑ ⵣ t.l.j. sf dim. 9h-13h 15h-19h

JOSEPH MELLOT
Les Champs de Chaume 1998

| ■ | n.c. | 15 000 | ■ ♦ | 30 à 49 F |

Sous une robe rubis clair, légèrement orangé, les Champs de Chaume 98 proposent un nez dominé par la griotte à l'eau-de-vie. Sa structure est sobre et équilibrée. De longueur convenable, c'est le type de vin idéal pour accompagner des charcuteries.

➤ SA Joseph Mellot, rte de Ménétréol, B.P. 13, 18300 Sancerre, tél. 02.48.78.54.54, fax 02.48.78.54.55, e-mail alexandre@joseph-mellot.fr ☑ ⵣ r.-v.

ALAIN PAULAT Les Belles Fornasses 1998

| ■ | 3,8 ha | 20 000 | ■ ⧈ ♦ | 30 à 49 F |

Depuis 1982, Alain Paulat cultive ses vignes selon les méthodes de la viticulture biologique. Voilà un 98 habillé de pourpre, dont le nez commence à évoluer, associant le sous-bois aux fruits rouges. Il y a de la concentration dans cette matière ; les tanins demandent quelques mois de plus pour s'apaiser. Un bon potentiel.

➤ Alain Paulat, Villemoison, 58200 Saint-Père, tél. 03.86.26.75.57, fax 03.86.28.06.78 ☑ ⵣ t.l.j. 8h-12h 14h-19h

PHILIPPE POUPAT Rivotte 1999★

| ■ | 1,75 ha | 14 000 | ■ ♦ | 30 à 49 F |

Le rouge grenat de la cuvée Rivotte est profond. Quelques notes grillées viennent apporter de la complexité aux arômes de fruits rouges (cassis et framboise). L'équilibre est atteint en bouche grâce à une chair que dissimulent encore des tanins de bonne qualité, mais qui restent à dompter. Egalement très réussi avec une étoile, le **Trocadéro rosé 99** offre un fruité intense.

➤ Poupat et Fils, Rivotte, 45250 Briare, tél. 02.38.31.39.76, fax 02.38.31.39.76 ☑ ⵣ r.-v.

DOM. DE VILLARGEAU 1999★★

| ☐ | 3 ha | 23 000 | ■ | 30 à 49 F |

François et Jean-Fernand Thibault proposent cette cuvée au nez de qualité, intense et flatteur, « fin comme une fleur blanche le matin sous la rosée ». La bouche riche laisse monter en rétro-olfaction des arômes de fruit de la Passion. Du gras lui communique une belle longueur. Un très beau vin.

➤ GAEC Thibault, Villargeau, 58200 Pougny, tél. 03.86.28.23.24, fax 03.86.28.47.00, e-mail fthibault@wanadoo.fr ☑ ⵣ r.-v.

> Les vins mentionnés en caractère gras dans les notices sont également recommandés par les jurys.

Le paisible et plantureux Bourbonnais possède aussi, sur dix-neuf communes, un beau vignoble de 500 ha au sud-ouest de Moulins.

Les coteaux et les plateaux calcaires ou graveleux bordent la charmante Sioule ou sont proches d'elle. C'est surtout l'assemblage des vins issus de gamay et de pinot noir qui confère aux vins rouges et rosés leur charme fruité.

Les blancs, remarquables, ont fait autrefois la réputation de ce vignoble ; un cépage original, le tressallier, est assemblé avec le chardonnay et le sauvignon. L'originalité aromatique de cet assemblage sur les terroirs de Saint-Pourçain mérite plus qu'une mention.

ATLANTIS 1999

| ☐ | n.c. | 40 000 | ■ ♦ | 20 à 29 F |

Ce saint-pourçain a retenu l'attention des dégustateurs. Au nez, on percevra des arômes de buis, associés à des notes grillées, tandis qu'en bouche on retiendra la bonne attaque et la puissance.

➤ Union des vignerons de Saint-Pourçain, rue de la Ronde, 03500 Saint-Pourçain-sur-Sioule, tél. 04.70.45.42.82, fax 04.70.45.99.34 ☑ ⵣ t.l.j. sf dim. 8h30-12h30 13h30-18h30; groupes sur r.-v.

DOM. DE BELLEVUE
Grande Réserve 1999★

| ☐ | 4,8 ha | 40 000 | ■ ♦ | 20 à 29 F |

Un bien joli vin que ce 99 jaune pâle limpide, dont le nez floral décline fleurs blanches et roses avec puissance. Gras et souple, il offre une bonne structure fondue et de l'équilibre. Une curiosité : le **blanc Cuvée spéciale 94** (30 à 49 F) a été jugé réussi. Il est issu de chardonnay à 100 %, récolté sur sols granitiques et cailloutoux, ce qui explique sans doute cette longévité rare dans l'appellation. Vêtu d'une robe dorée, ce vin livre un nez complexe aux arômes de miel et de cire d'abeille. D'une bonne évolution en bouche, il peut se boire en apéritif.

➤ Jean-Louis Pétillat, Dom. de Bellevue, 03500 Meillard, tél. 04.70.42.05.56, fax 04.70.42.09.75 ☑ ⵣ r.-v.

DOM. DE CHINIERE 1999

| ☐ | 5,3 ha | 30 000 | ■ ♦ | 20 à 29 F |

Déjà deux siècles que ce vignoble de plus de 14 ha à ce jour appartient à la même famille. Il a produit ce vin jaune pâle dont la fraîcheur se retrouve en bouche. Un 99 qui accompagnera aisément les fruits de mer. (Vin vendu à la cave coopérative de Saint-Pourçain.)

▶ Philippe Chérillat, Chinière, 03500 Saulcet,
tél. 04.70.45.45.66

CAVE COURTINAT 1999★★

□	1,2 ha	7 200	📖 🍷	20 à 29 F

Les dégustateurs ont particulièrement apprécié l'intensité aromatique de ce vin où dominent
les notes de buis typiques du sauvignon. Glycé-
riné et frais en finale, ce 99 possède un équilibre
remarquable. Le **gamay 99** est très réussi. Si le
nez est encore timide, il laisse déjà poindre des
fruits rouges très mûrs. L'attaque est franche et
la finale assez longue sur les épices.
▶ Cave Courtinat, Venteuil, 03500 Saulcet,
tél. 04.70.45.44.84, fax 04.70.45.80.13 ☑ 🍷 r.-v.

BERNARD GARDIEN ET FILS
Nectar des Fées 1999★★

□	5 ha	30 000	📖 🍷	20 à 29 F

Une promenade à bicyclette dans le bois de
Villemort et le bourg de Chassignolles vous
mènera sans doute au domaine Gardien. Là, Bernard Gardien et ses fils, Olivier et Christophe,
ont élaboré le Nectar des Fées, un saint-pourçain
jaune pâle à reflets verts dont la magie a indéniablement opéré. Au mélange intense et délicat
d'arômes de fleurs blanches succède une bouche
harmonieuse, très longue. Fait rare, le domaine
réitère son exploit dans le même millésime : la
cuvée du Terroir rouge 99 est aussi proposée en
coup de cœur. Rubis soutenu, ce vin a été jugé
remarquable à l'unanimité, tant ses arômes de
fruits rouges très mûrs se révèlent amples et la
bouche parfaitement équilibrée.
▶ Dom. Gardien, Chassignolles, 03210 Besson,
tél. 04.70.42.80.11, fax 04.70.42.80.93 ☑ 🍷 t.l.j.
sf dim. 8h-12h 14h-19h

ELIE GROSBOT ET DENIS
BARBARA Grande Réserve 1999

■	1,5 ha	8 000	📖	20 à 29 F

C'est en 1996 qu'Elie Grosbot et Denis Barbara se sont associés en appellation saint-pourçain, et cette association a donné de bons résultats. Pour preuve, cette Grande Réserve citée par
le jury, qui développe des senteurs de fruits noirs
et séduit en bouche par le bel équilibre de ses
tanins très présents en finale.
▶ Dom. Grosbot-Barbara, Maupertuis,
03500 Bransat, tél. 04.70.45.26.66,
fax 04.70.45.54.95 ☑ 🍷 t.l.j. 9h-12h 14h-19h

DOM. DE LA CROIX D'OR 1999★

□	3,5 ha	n.c.	📖 🍷	20 à 29 F

Ce domaine s'illustre par un blanc jaune léger
aux nuances vertes. Le nez d'une bonne intensité
se trouve marqué par les fleurs blanches. Gracieux et équilibré en bouche, ce vin fait preuve
d'une bonne longueur.
▶ Jean-François Colas, La Croix d'Or,
03210 Chemilly, tél. 04.70.42.86.22 ☑

NEBOUT 1999★

■	8 ha	35 000	📖 🍷	20 à 29 F

Voilà un vin séduisant dans sa robe rouge
léger. Il offre une palette de fruits rouges et de
fleurs. Très rafraîchissant au palais, il est à boire
dès aujourd'hui. Le **blanc Tradition 99**, cité, propose à qui sait attendre quelques minutes un nez
de fleurs blanches et de miel. Il possède un bon
équilibre et de la longueur.
▶ EARL Nebout, Les Champins, 03500 Saint-
Pourçain-sur-Sioule, tél. 04.70.45.31.70,
fax 04.70.45.12.54 ☑ 🍷 t.l.j. 8h-12h 14h-19h

FRANCOIS RAY 1999★

◣	1,5 ha	11 000	📖 🍷	20 à 29 F

Cette propriété qui compte aujourd'hui plus
de 11 ha a été acquise en 1929 par la famille Ray.
Représentant la quatrième génération, François
Ray compose avec succès dans les trois couleurs
du saint-pourçain. Celui-ci, très réussi, est un
rosé tendre et brillant. S'il délivre des senteurs
florales au nez, il se montre plus puissant en
bouche et suffisamment long. Le **blanc 99** mérite
une citation : ses arômes délicats rappellent les
fleurs blanches et la petite amertume perçue en
fin de bouche s'atténuera avec le temps. Autre
vin cité, le **rouge 99** est surprenant d'intensité
aromatique, les petits fruits rouges s'associant à
une note de réglisse. Les tanins sont présents et
soyeux en finale.
▶ Cave François Ray, Venteuil, 03500 Saulcet,
tél. 04.70.45.35.46, fax 04.70.45.64.96 ☑ 🍷 t.l.j.
sf dim. 9h-12h 14h-19h; groupes sur r.-v.

LES VIGNERONS DE
SAINT-POURÇAIN Réserve spéciale 1999★

◣	n.c.	100 000	📖 🍷	20 à 29 F

Un sympathique rosé de couleur soutenue et
à reflets violacés. Il affiche une bonne intensité
aromatique au nez, de la fraîcheur et une réelle
présence en bouche. Le jury cite par ailleurs le
saint-pourçain rouge Réserve spéciale 99 pour son
bon équilibre.
▶ Union des vignerons de Saint-Pourçain,
rue de la Ronde, 03500 Saint-Pourçain-
sur-Sioule, tél. 04.70.45.42.82, fax 04.70.45.99.34
☑ 🍷 t.l.j. sf dim. 8h30-12h30 13h30-18h30;
groupes sur r.-v.

Côte roannaise

Des sols d'origine éruptive
face à l'est, au sud et au sud-ouest, sur les
pentes d'une vallée creusée par une Loire

LOIRE

encore adolescente : voilà un milieu naturel qui appelle aussi le gamay.

Quatorze communes (176 ha) situées sur la rive gauche du fleuve produisent d'excellents vins rouges et de frais rosés, plus rares. Des vignerons particuliers soignent attentivement leur vinification (8 891 hl en 1998) ; ils obtiennent des vins originaux et de caractère, auxquels s'intéressent les chefs les plus prestigieux de la région. On évoque les traditions viticoles de la région au Musée forézien d'Ambierle.

Lentement mais sûrement, le vignoble progresse... Cependant, le fait le plus notable réside dans l'intérêt que le négoce et la distribution attachent aux vins de la côte roannaise, confirmant ainsi l'originalité et la qualité du cru.

Quoique très timidement, le chardonnay s'implante localement et fournit des produits non dépourvus de valeur dans la catégorie vin de pays d'Urfé.

ALAIN BAILLON Montplaisir 1999★★

| ■ | 1 ha | 6 000 | ■ ↓ | 30 à 49 F |

Des vignes de quatre-vingts ans sont à l'origine de cette cuvée rubis intense qui livre des parfums assez soutenus de fruits rouges, de cassis, puis de rose fanée, de pivoine et de grillé. Sa matière riche et aromatique envahit le palais, associée à une trame de tanins doux. Ce beau vin équilibré est à consommer dans les trois prochaines années. Alain Baillon a également élaboré un **rosé 99** rond et fin, aux notes de fruits rouges mûrs, qui mérite bien une citation. A boire dans l'année.
🍷 Alain Baillon, Montplaisir, 42820 Ambierle, tél. 04.77.65.65.51, fax 04.77.65.65.65 ☑ 🍷 r.-v.

CH. DE CHAMPAGNY 1999

| ■ | 4 ha | 30 000 | ■ ↓ | 20 à 29 F |

Ce domaine, qui connut une grande prospérité, produisait jusqu'à 4 000 hl au XIXᵉs., mais la crise phylloxérique fut dévastatrice. Il fallut attendre 1968 et l'arrivée d'André Villeneuve pour assister à un nouvel élan. En 99, le côte roannaise du château de Champagny arbore une robe rubis soutenu et un nez assez intense de cerise, de cassis, de violette ou de pivoine. La bouche, marquée par des tanins encore jeunes, est pleine et persistante. Ce vin, d'une belle puissance, doit s'assouplir un an de plus pour révéler tout son potentiel.
🍷 André et Frédéric Villeneuve, Champagny, 42370 Saint-Haon-le-Vieux, tél. 04.77.64.42.88, fax 04.77.62.12.55 ☑ 🍷 r.-v.

DOM. DU FONTENAY 1999

| ■ | 3 ha | 30 000 | ■ ↓ | 20 à 29 F |

Ce vin d'un rouge intense présente des parfums moyennement développés de poivre et de cassis, puis évolue vers le végétal. Après une attaque aromatique et ronde, les tanins apparaissent, légers mais encore rugueux. Quelques mois suffiront à les arrondir pour une dégustation dans l'année.
🍷 Dom. du Fontenay, 42155 Villemontais, tél. 04.77.63.12.22, fax 04.77.63.15.95, e-mail hawkins@netsysteme.net ☑ 🍷 r.-v.
🍷 Simon Hawkins

DOM. DE LA PAROISSE
Cuvée à l'ancienne 1999★

| | n.c. | 5 000 | ⬛⬛ | 20 à 29 F |

Depuis 1610, treize générations de la même famille se sont succédé à la tête de l'exploitation. En cette fin de siècle, c'est une cuvée rouge sombre que propose Jean-Claude Chaucesse. Vive mais sans agressivité, celle-ci s'ouvre sur des notes poivrées, des arômes de fumée et des touches végétales. En bouche, elle s'avère aromatique et sa structure équilibrée supporterait bien un peu plus de chair. A boire dans les deux ans.
🍷 Jean-Claude Chaucesse, 121, rue des Allouës, 42370 Renaison, tél. 04.77.64.26.10, fax 04.77.62.13.84 ☑ 🍷 r.-v.

DOM. DU PAVILLON 1999

| ◢ | 1 ha | 5 000 | ■ ↓ | 20 à 29 F |

Rose saumon, limpide et brillant, ce vin livre des arômes très intenses de fraise, de pêche, d'abricot et de pomme. D'abord vive, la bouche prend de la rondeur et une jolie ligne aromatique. Les puissantes notes du nez reviennent renforcées en rétro-olfaction. Un rosé à boire dans l'année.
🍷 Maurice Lutz, GAEC Dom. du Pavillon, 42820 Ambierle, tél. 04.77.65.64.35, fax 04.77.65.69.69 ☑ 🍷 r.-v.

ROBERT SEROL Les Originelles 1999★★

| | 6 ha | 45 000 | ■ ↓ | 20 à 29 F |

Coup de cœur, ce côte roannaise livre des parfums bien développés de rose et de pivoine avant d'évoluer sur la framboise. Emplissant très vite et pleinement la bouche de sa chair veloutée, il n'en est pas moins charpenté. Une pointe végétale en finale, enrobée d'arômes fruités, complète l'harmonie de ce 99 à boire dans les deux prochaines années.
🍷 Robert Sérol et Fils, Les Estinaudes, 42370 Renaison, tél. 04.77.64.44.04, fax 04.77.62.10.87 ☑ 🍷 t.l.j. 9h-12h 14h-18h

PHILIPPE ET JEAN-MARIE VIAL
Découverte 1999

■   3,5 ha   30 000   ■ ♦ 30 à 49 F

Sur des sols de sable granitique, le gamay a produit un vin rubis violacé, dont le nez mêle framboise, kirsch, cassis et pivoine. L'agréable fruité s'épanouit en bouche avec fraîcheur. Bien structuré, fin et agréable, ce vin est à boire dans l'année. Du même producteur, le **rosé 99** mérite d'être cité, ainsi que la cuvée **rouge Boutheran 99** qui porte le nom d'un coteau défriché et mis en valeur en 1994.
☛ GAEC Vial, Bel-Air, 42370 Saint-André-d'Apchon, tél. 04.77.65.81.04, fax 04.77.65.91.99 ☑ ⵕ r.-v.

L'Orléanais AOVDQS

Parmi les « vins françois », ceux d'Orléans eurent leur heure de gloire à l'époque médiévale. A côté des jardins, des pépinières et des vergers renommés, la vigne prospère (150 ha environ). La tradition s'est surtout maintenue sur les terrasses sablo-graveleuses de la rive sud de la Loire entre Olivet et Cléry, dont la basilique abrite le tombeau de Louis XI.

Les vins rouges et rosés tirent leur originalité du pinot meunier, utilisé surtout... en Champagne. Les vins rosés, dits parfois « gris », sont souples.

Les vignerons ont su adapter des cépages cités depuis le Xe s. comme venus d'Auvergne, mais identiques à ceux de Bourgogne : auvernat rouge (pinot noir), auvernat blanc (chardonnay) et gris meunier, auxquels est venu s'ajouter le cabernet (ou breton) au bouquet de groseille et de cassis. Il faut les boire sur des perdreaux et des faisans rôtis, des pâtés de gibier de la Sologne voisine et des fromages cendrés du Gâtinais. La production en rouge a atteint 4 593 hl en 1998 pour un vignoble de 150 ha environ ; les vins blancs restent confidentiels (934 hl).

VIGNOBLE DU CHANT D'OISEAUX
Gris meunier 1999

■   2,68 ha   10 000   ■ ♦ 20 à 29 F

Jacky Legroux a présenté un orléanais au nez bien agréable par ses senteurs de griotte. Les tanins encore un peu jeunes demandent un an ou deux pour se fondre totalement. Egalement cité, le **rosé gris meunier 99** laisse sur une impression de fraîcheur.

☛ Jacky Legroux, 315, rue des Muids, 45370 Mareau-aux-Prés, tél. 02.38.45.60.31, fax 02.38.45.62.35 ☑ ⵕ r.-v.

LES VIGNERONS DE LA GRAND'MAISON 1999

☐   19 ha   n.c.   ■ ♦ 20 à 29 F

Blanc ou rouge, trois vins sympathiques ont été présentés par les Vignerons de la Grand'Maison et sont cités par le jury. Celui-ci, un blanc à la jolie couleur paille dorée, tout rond, accompagnera un poisson en sauce. Quant au **rouge gris meunier 99**, il offre une palette intense qui domine la griotte, puis une bouche fraîche et fluide. Le **rouge cabernet 99** surprend par sa douceur et son harmonie gustative.
☛ Les Vignerons de La Grand'Maison, 550, rte des Muids, 45370 Mareau-aux-Prés, tél. 02.38.45.61.08, fax 02.38.45.65.70 ☑ ⵕ r.-v.

SAINT AVIT 1999★★

■   2,63 ha   5 000   ■ ♦ 20 à 29 F

Le moins que l'on puisse dire est que l'on a réussi son millésime 99 chez Javoy Père et Fils. Pourpre à l'œil, celui-ci offre des senteurs de fruits rouges parfaitement mûrs, puis une bouche onctueuse, soutenue par des tanins fondus. Une autre étoile vient récompenser le **Saint Avit cabernet 99** aux arômes de fruits noirs (mûre). Les tanins très présents lui assurent une bonne longévité. En **blanc 99**, une même note est attribuée à un orléanais jaune pâle à reflets dorés, dont les arômes floraux sont certes timides, mais prometteurs. Le palais se montre rond et bien équilibré, la note de gaz carbonique apportant de la fraîcheur.
☛ Javoy Père et Fils, 450, rue du Buisson, 45370 Mézières-lez-Cléry, tél. 02.38.45.66.95, fax 02.38.45.69.77 ☑ ⵕ t.l.j. sf dim. 8h15-12h 14h-19h

CLOS SAINT-FIACRE 1999★★★

■   5,74 ha   65 000   ■ ♦ 30 à 49 F

Un fleuron de l'appellation. Cet orléanais rouge représente le raffinement même dans sa robe rubis parfaitement limpide. Au nez, les arômes de griotte se rehaussent d'une pointe épicée. L'attaque franche, ferme et droite introduit une matière équilibrée, bâtie sur des tanins soyeux. Une très bonne longueur... un régal !
☛ GAEC Clos Saint-Fiacre, 560, rue Saint-Fiacre, 45370 Mareau-aux-Prés, tél. 02.38.45.61.55, fax 02.38.45.66.58 ☑ ⵕ r.-v.
☛ Daniel Montigny

LOIRE

CLOS SAINT-FIACRE 1999★★

☐ 4,92 ha 30 000 ▮♦ 30 à 49 F

Au travers de la robe jaune pâle, on perçoit la très belle maturité du raisin. Au nez, tout est délicatesse. En bouche, tout est souplesse et onctuosité. Un remarquable ouvrage qui ne doit cependant pas faire oublier le **cabernet franc 99 du clos Saint-Fiacre**, noté une étoile. Grenat, celui-ci présente une bonne intensité aromatique : les fruits rouges se trouvent associés aux notes épicées. Les tanins soyeux étayent l'équilibre de ce vin prêt à boire. Quant au **rosé 99**, il est cité pour sa fraîcheur et la jeunesse de ses arômes. Un vin friand et de bonne longueur.
☛ GAEC Clos Saint-Fiacre, 560, rue Saint-Fiacre, 45370 Mareau-aux-Prés, tél. 02.38.45.61.55, fax 02.38.45.66.58 ☑ � r.-v.

Menetou-salon

Menetou-Salon doit son origine viticole à la proximité de la métropole médiévale qu'était Bourges ; Jacques Cœur y eut des vignes. A l'encontre de nombreux vignobles jadis célèbres, la région est demeurée viticole, et son vignoble de 336 ha est de qualité.

Sur ses coteaux bien adaptés, Menetou-Salon partage, avec son prestigieux voisin Sancerre, sols favorables et cépages nobles : sauvignon blanc et pinot noir. D'où ces vins blancs frais, épicés, ces rosés délicats et fruités, ces rouges harmonieux et bouquetés, à boire jeunes. Fierté du Berry viticole, ils accompagnent à ravir une cuisine classique mais savoureuse (apéritif, entrées chaudes pour les blancs ; poisson, lapin, charcuterie pour les rouges, à servir frais). La production a atteint 23 572 hl en 1999, dont 15 046 hl en vin blanc.

DOM. DE BEAUREPAIRE 1999

☐ 6 ha 45 000 ▮♦ 30 à 49 F

La discrétion et la rigueur caractérisent ce domaine de Beaurepaire 99. Le nez livre quelques évocations exotiques et végétales (ajonc). L'équilibre gustatif évolue de la rondeur vers la vivacité. C'est un timide qui a besoin de temps pour s'exprimer.
☛ Dom. de Beaurepaire, 18220 Soulangis, tél. 02.48.64.41.09, fax 02.48.64.39.89 ☑ � t.l.j. sf dim. 9h-12h 14h-18h30

DOM. DE CHATENOY 1999★

☐ 37 ha 315 000 ▮♦ 50 à 69 F

« Or-argent : une robe de bijoutier », écrit l'un des dégustateurs. Bourgeon de cassis et fleur de pêcher ; un nez de sauvignon typé, pourrait-on ajouter. Si l'attaque paraît un peu vive, l'équilibre est vite rétabli par une bonne rondeur. Et si ce vin vous agrée, vous pourrez en profiter tout de suite ou le garder quelques années. Le **rouge 98**, élevé en fût de chêne, mérite une citation.
☛ SCEA Caves Clément, Dom. de Chatenoy, B.P. 12, 18510 Menetou-Salon, tél. 02.48.66.68.70, fax 02.48.66.68.71 ☑ � t.l.j. sf dim. 8h-12h 13h30-17h30

G. CHAVET ET FILS 1999★

◪ 2,17 ha 18 000 ▮♦ 30 à 49 F

La couleur chez les rosés est un critère important de l'analyse ; celui-ci apparaît saumoné soutenu. Les arômes sont agréables et s'inscrivent à la fois dans la gamme du fruité (cerisé) et du floral. La souplesse et le fond sont un bon support pour la persistance. Un vin de plaisir. Le **blanc 99** obtient une citation.
☛ SARL Chavet et Fils, Les Brangers, 18510 Menetou-Salon, tél. 02.48.64.80.87, fax 02.48.64.84.78, e-mail philippe.chavet @ wanadoo.fr ☑ � t.l.j. sf dim. 8h-12h 14h-18h

DOM. DE COQUIN 1999★★

☐ 5 ha 40 000 ▮♦ 30 à 49 F

Il y a un siècle et demi, Jean-Baptiste Audiot manifestait une grande passion pour la vigne et le vin. Aujourd'hui, Francis prouve que l'héritage n'est pas perdu. Ce 99, à l'attaque superbe dans l'équilibre et dans la matière, montre déjà sa concentration par sa teinte et soutenu. Le nez est fait de jolies notes de fleurs et d'agrumes. Il faudra avoir la sagesse d'attendre pour savourer pleinement ce beau vin prometteur. Le **rouge 99** reçoit une étoile.
☛ Francis Audiot, Dom. de Coquin, 18510 Menetou-Salon, tél. 02.48.64.80.46, fax 02.48.64.84.51 ☑ � t.l.j. 9h-12h 14h-18h30; dim. sur r.-v.

DOM. GILBERT 1999★

■ 13,56 ha 109 000 ▮♦ 30 à 49 F

Vignerons de père en fils depuis 1768, les Gilbert se sont installés aux Faucards près de Menetou-Salon, il y a un siècle. Les nuances épicées et de fruits rouges frais dominent le paysage olfactif de leur 99. La charpente tannique est de qualité, alliant la solidité et le soyeux. Ce vin peut affronter l'avenir avec assurance. Le **blanc 99** reçoit une étoile pour sa typicité aromatique et sa texture.

➤ Dom. Gilbert, Les Faucards, 18510 Menetou-Salon, tél. 02.48.64.80.77, fax 02.48.64.82.55
☑ ⟙ r.-v.

LA TOUR SAINT-MARTIN
Morogues 1999★★

☐	6,5 ha	n.c.	🍾🥂 30 à 49 F

Des reflets argentés donnent de l'éclat à la robe dorée. De petites touches miellées rehaussent la riche palette olfactive, tandis que la bouche fait preuve de beaucoup d'avenant par son gras et sa rondeur. Un très beau monument par la puissance de sa structure et la délicatesse de ses arômes. Le **rouge 99 Morogues** est également retenu, avec une étoile (50 à 69 F).

➤ Albane et Bertrand Minchin, EARL La tour Saint-Martin, 18340 Crosses, tél. 02.48.25.02.95, fax 02.48.25.05.03,
e-mail tour.saint.martin@wanadoo.fr ☑ ⟙ r.-v.

LE PRIEURE DE SAINT-CEOLS
Cuvée des Bénédictins 1998★

☐	1 ha	8 000	🍾🥂 30 à 49 F

A travers les notes de cire et d'asperge, on perçoit la maturité de la palette aromatique. Le côté fleurs blanches et pêche-cassis, ainsi que la fraîcheur citronnée du palais, indiquent cependant que ce vin peut encore bien se tenir. Il fera honneur à un poisson en sauce. Du millésime **99**, le **blanc** et le **rouge** méritent chacun une citation.

➤ Pierre Jacolin, Le prieuré de Saint-Céols, 18220 Saint-Céols, tél. 02.48.64.40.75, fax 02.48.64.41.15, e-mail sarl-jacolin@libertysurf.fr ☑ ⟙ t.l.j. sf dim. 8h-19h

DOM. DE LOYE 1999

■	2,47 ha	14 900	🍾🥂 30 à 49 F

Ce menetou-salon évoque très nettement au premier nez les fruits rouges à l'eau-de-vie. L'aération révèle la facette végétale (graphite) de la palette. Les tanins doivent subir l'épreuve du temps pour s'attendrir et flatter nos papilles.

➤ Dom. de Loye, 18220 Morogues, tél. 02.48.64.35.17, fax 02.48.64.41.29 ☑ ⟙ t.l.j. sf dim. 9h30-12h 14h30-18h30
➤ Moindrot et Fils

DOM. HENRY PELLE Morogues 1999

☐	15 ha	130 000	🍾🥂 30 à 49 F

Charmant comme un bouquet d'été, ce menetou-salon manifeste avec conviction son origine variétale : agrumes (citron et pamplemousse), genêt. Il s'annonce bien équilibré. La fermeté se traduit en bouche par des arômes de citron et de pierre à fusil. Un vin typique.

➤ Dom. Henry Pellé, rte d'Aubinges, 18220 Morogues, tél. 02.48.64.42.48, fax 02.48.64.36.88,
e-mail domaine.henry.pelle@wanadoo.fr
☑ ⟙ t.l.j. sf sam. dim. 8h-12h 13h30-18h
➤ Anne Pellé

DOM. JEAN TEILLER 1999★★

☐	6 ha	45 000	🍾🥂 30 à 49 F

Belle séquence de nuances aromatiques : d'abord, on découvre les senteurs florales et citronnées, puis de discrètes touches grillées, enfin les fragrances végétales du genêt. L'ensemble est en harmonie avec le volume et la minéralité de la bouche. Très élégant, ce vin se mariera à une gastronomie raffinée. Le domaine Teiller affiche une réussite totale pour le millésime **99**, puisque le **rouge** et le **rosé** obtiennent respectivement une étoile et une citation.

➤ Dom. Jean Teiller, 13, rte de la Gare, 18510 Menetou-Salon, tél. 02.48.64.80.71, fax 02.48.64.86.92,
e-mail domaine-teiller@wanadoo.fr
☑ ⟙ t.l.j. sf dim. 8h-12h 14h-18h30
➤ J.-J. Teiller

CHRISTOPHE ET GUY TURPIN
Morogues 1999

☐	6 ha	40 000	🍾🥂 30 à 49 F

Ce vin s'apparente à une œuvre en cours de création. Les arômes s'expriment intensément, rappelant la fin de fermentation alcoolique (brioche, mie de pain). La bouche est souple avec une pointe d'amertume en finale. Quelques mois de patience devraient suffire à l'affiner.

➤ GAEC Turpin Père et Fils, 11, pl. de l'Eglise, 18220 Morogues, tél. 02.48.64.32.24, fax 02.48.64.32.24 ☑ ⟙ r.-v.

Pouilly-fumé et pouilly-sur-loire

Œuvre de moines, et qui plus est de bénédictins, voilà l'heureux vignoble des vins blancs secs de Pouilly-sur-Loire ! La Loire s'y heurte à un promontoire calcaire qui la rejette vers le nord-ouest, mais dont le sol, moins calcaire cependant qu'à Sancerre, sert de support privilégié au vignoble exposé sud-sud-est. C'est là que l'on retrouve les vignes de sauvignon « blanc fumé », lequel aura bientôt entièrement supplanté le chasselas, pourtant historiquement lié à Pouilly et producteur d'un vin non dénué de charme lorsqu'il est cultivé sur sols siliceux. Le pouilly-sur-loire est produit sur 50 ha alors que le pouilly-fumé représente 950 ha. L'ensemble a donné 69 478 hl d'un vin qui traduit bien les qualités enfouies en terres calcaires : une fraîcheur qui n'exclut pas une certaine fermeté, un assortiment d'arômes spécifiques du cépage, affinés par le

LOIRE

milieu de culture et les conditions de fermentation du moût.

Ici encore la vigne s'intègre harmonieusement aux paysages de Loire où le charme des lieux-dits (les Cornets, les Loges, le calvaire de Saint-Andelain...) fait pressentir la qualité des vins. Fromages secs et fruits de mer leur conviendront, mais ils seront séduisants aussi en apéritif, servis bien frais.

Pouilly-fumé

CEDRICK BARDIN 1999

☐	4,7 ha	25 000	🍾⚱	30 à 49 F

Cédrick Bardin s'est installé en 1991. Il exploite une dizaine d'hectares en sancerre et en pouilly. Il propose un pouilly-fumé au nez fin et élégant, rappelant l'orange bien mûre, le citron et les fleurs blanches. Pétillant de fraîcheur, ne manquant ni de souplesse ni de vivacité, voilà un vin facile, tout en fruit, à boire pour les prochaines fêtes.
☛Cédrick Bardin, 12, rue Waldeck-Rousseau, 58150 Pouilly-sur-Loire, tél. 03.86.39.11.24, fax 03.86.39.16.50 ☑ 🍷 t.l.j. 9h-18h; dim. sur r.-v.

DOM. BARILLOT 1999★

☐	1,6 ha	12 000	🍾⚱	30 à 49 F

Le nez, d'une bonne intensité aromatique, livre quelques notes de grillé. Le palais possède du gras et un bel équilibre. Long en bouche, c'est un pouilly-fumé bien élaboré, tout à fait dans le type traditionnel.
☛SCEA Barillot Père et Fils, Le Bouchot, 58150 Pouilly-sur-Loire, tél. 03.86.39.15.29, fax 03.86.39.09.52 ☑ 🍷 t.l.j. sf dim. 9h-12h30 13h30-19h; groupes sur r.-v.

DOM. DES BERTHIERS
Cuvée d'Eve Vieilles vignes 1998★

☐	2,5 ha	15 000	🍾⚱	50 à 69 F

Le vignoble des Berthiers, situé près de Pouilly sur les coteaux de la Loire, a été repris en 1995 par la famille Fournier, de Sancerre. Sa cuvée d'Eve révèle des nuances minérales de pierre à fusil, données par l'un des deux terroirs qui l'ont engendrée : l'argile à silex. Elle possède aussi le fruité et le floral légués par l'autre terroir : l'argilo-calcaire. Un vin complet qui ne déçoit pas en bouche. De la même exploitation, le **Domaine des Berthiers 99** (30 à 49 F) a été cité pour son équilibre et son potentiel.
☛SCEA Dom. des Berthiers, B.P. 30, 58150 Saint-Andelain, tél. 03.86.39.12.85, fax 03.86.39.12.94, e-mail claude@fournier-père-fils.fr
☑ 🍷 t.l.j. 9h30-17h; sam. dim. sur r.-v.
☛J.-C. Dagueneau

GILLES BLANCHET
Les Champs des Plantes 1999★

☐	0,7 ha	5 000	🍾⚱	30 à 49 F

A la tête d'une exploitation de 6 ha depuis 1991, Gilles Blanchet est devenu un habitué du Guide et on retrouve cette année sa cuvée Les Champs des Plantes. Même si son nez, à dominante florale avec une légère pointe végétale, est éloquent, sa bouche retient davantage l'attention par son côté ample, avec des notes de fruits confits et de citron. Un vin plaisant.
☛Gilles Blanchet, Les Berthiers, 58150 Saint-Andelain, tél. 03.86.39.14.03, fax 03.86.39.00.54 ☑ 🍷 r.-v.

BOUCHIE-CHATELLIER
Premier millésimé 1999★

☐	1,3 ha	5 200	🍾⚱	70 à 99 F

Du domaine Bouchié-Chatellier, vous ne retiendrez pas que le superbe panorama dominant tout le vignoble ligérien. Cette cuvée Premier millésimé, issue de parcelles bien exposées au soleil, est d'évidence issue des raisins les plus mûrs, avec son fruité intense de poire, de coing et d'agrumes. En bouche, tout est dans la mesure avec de la fraîcheur et une bonne longueur. Le classicisme dans le pouilly-fumé.
☛EARL Bouchié-Chatellier, La Renardière, 58150 Saint-Andelain, tél. 03.86.39.14.01, fax 03.86.39.05.18 ☑ 🍷 r.-v.

DOM. DU BOUCHOT 1999★★

☐	8,5 ha	55 000	🍾⚱	30 à 49 F

Les Kerbiquet Père et Fils, associés au sein du domaine du Bouchot, savent trouver le juste équilibre entre l'expérience et la nouveauté. Cet équilibre est également réalisé dans leurs vins, comme le montre leur cuvée 99. Sa subtile fraîcheur aromatique faite de buis, de mousse et de bourgeon de cassis, l'élégance et la plénitude de sa bouche, beau mariage entre vivacité et richesse, en font le type de pouilly-fumé que l'on recherche.
☛Dom. du Bouchot, B.P. 31, Saint-Andelain, 58150 Pouilly-sur-Loire, tél. 03.86.39.13.95, fax 03.86.39.05.92 ☑ 🍷 r.-v.
☛Kerbiquet

HENRI BOURGEOIS
La Demoiselle de Bourgeois 1999★

☐	3,8 ha	28 000	🍾⚱	70 à 99 F

Cette vaste exploitation (60 ha) propose un pouilly-fumé au nez complexe, où le minéral dispute au floral et au fruité, avec une touche de végétal. La bouche, bien structurée, possède du corps, de la souplesse et de la vivacité. Enfin la longueur confirme tout le potentiel contenu dans cette cuvée.
☛Dom. Henri Bourgeois, Chavignol, 18300 Sancerre, tél. 02.48.78.53.20, fax 02.48.54.14.24, e-mail domaine@bourgeois.sancerre.com
☑ 🍷 r.-v.

DOMINIQUE BRISSET 1999

☐	8 ha	40 000	🍾⚱	30 à 49 F

Il a juste ce qu'il faut pour plaire. Dès le premier nez, le sauvignon jaillit et, après aération,

il s'enrichit d'un léger grillé. L'attaque est douce et le relief (la vivacité) monte sans excès jusqu'à la finale.
🍷 Dominique Brisset, 18, rue des Levées, Bois Fleury, 58150 Tracy-sur-Loire, tél. 03.86.26.16.72, fax 03.86.26.19.87 ☑ ⊤ r.-v.

HENRY BROCHARD Sélection 1998

	n.c.	30 000	🍷	50 à 69 F

Cette maison de négoce présente un pouilly-fumé d'un bel or pâle où l'on remarque quelques fines bulles de gaz. Le nez ouvert, d'une bonne complexité, libère des notes de fruits et de fumé. La bouche, pleine et équilibrée, révèle une bouteille prête à déguster.
🍷 Henry Brochard, Chavignol, 18300 Sancerre, tél. 02.48.78.20.10, fax 02.48.78.20.19 ☑

DOM. A. CAILBOURDIN
Les Cris 1999★★

	3 ha	20 000	🍷	50 à 69 F

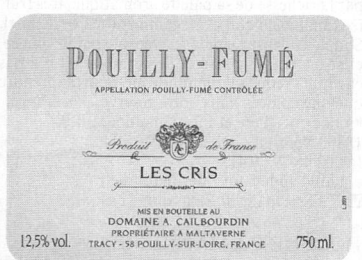

Si l'expression aromatique de ce 99 est encore discrète, on n'en perçoit pas moins toutes les promesses. Les nuances sont plutôt inhabituelles, faites de miel, de fruits secs, de grillé. L'attaque est franche, la matière dense et ample. Bref, un très beau vin, et un coup de cœur qui arrive juste à point pour fêter le vingtième anniversaire de l'installation d'Alain Cailbourdin. La **cuvée de Boisfleury 99** mérite d'être citée.
🍷 Dom. Alain Cailbourdin, R.N. 7, Maltaverne, 58150 Pouilly-sur-Loire, tél. 03.86.26.17.73, fax 03.86.26.14.73 ☑ ⊤ r.-v.

JEAN-PIERRE CHAMOUX
Les Chantalouettes 1999

	1 ha	6 000	🍷	50 à 69 F

D'approche discrète avec des nuances florales suivies de notes de poivre et de poivron, ce vin est bien équilibré. À apprécier en toute simplicité pour sa fraîcheur, par exemple sur une friture de Loire.
🍷 Jean-Pierre Chamoux, 2, pl. de la République, 58150 Pouilly-sur-Loire, tél. 03.86.39.15.58, fax 03.86.39.10.45 ☑ ⊤ r.-v.

DOM. CHAMPEAU 1999★

	15 ha	80 000	🍷	30 à 49 F

Franck et Guy Champeau ont repris cette belle propriété familiale (près de 17 ha) en 1989. Issu d'un assemblage d'argilo-calcaire et de silex, leur pouilly-fumé plaît par la vivacité de ses arômes de fleurs blanches mêlés d'un soupçon de fougère et de buis. Il emplit bien la bouche grâce à une structure consistante et persiste longuement.
🍷 SCEA Dom. Champeau, Le Bourg, 58150 Saint-Andelain, tél. 03.86.39.15.61, fax 03.86.39.19.44 ☑ ⊤ t.l.j. 9h-12h 14h-18h; dim. sur r.-v.
🍷 Franck et Guy Champeau

JEAN-CLAUDE CHATELAIN
Les Charmes Chatelain 1999★

	3 ha	24 000	🍷 ⊪	50 à 69 F

Vigneron et négociant, Jean-Claude Chatelain est l'héritier d'une lignée de viticulteurs qui remonte à 1630. Fruit d'un élevage pour moitié en cuve et pour moitié en fût, sa cuvée Les Charmes Chatelain séduit par sa finesse. Le boisé du fût ne masque pas la pêche blanche du vin. La bouche, nettement marquée par le tanin, n'en est pas moins ample et tout en dentelle. Un vin déjà plaisant, mais que l'on appréciera pleinement dans deux ou trois ans. Du même producteur, la cuvée **Chatelain 99** reçoit une citation.
🍷 SA Dom. Châtelain, Les Berthiers, 58150 Saint-Andelain, tél. 03.86.39.17.46, fax 03.86.39.01.13 ☑ ⊤ r.-v.

DOM. CHAUVEAU Les Croqloups 1999★

	0,8 ha	6 500	🍷	30 à 49 F

Benoît Chauveau n'a repris l'exploitation familiale qu'en 1998 et le voici dans le Guide pour la deuxième année, avec les deux mêmes cuvées. Cette cuvée Croqloups a été remarquée pour l'intensité de ses parfums. Sa palette aromatique mêle des notes d'agrumes (zeste d'orange, citron) et de mangue. Souple et agréable avec, encore aujourd'hui, une malicieuse amertume, elle saura vous réjouir. La cuvée **La Charmette 99** (50 à 69 F), a obtenu une citation.
🍷 Benoît Chauveau, Les Cassiers, 58150 Saint-Andelain, tél. 03.86.39.15.42, fax 03.86.39.19.46 ☑ ⊤ t.l.j. 9h-20h

GILLES CHOLLET 1999

	1,5 ha	13 000	🍷	30 à 49 F

Gilles Chollet exploite un domaine d'une dizaine d'hectares depuis 1989. Son pouilly-fumé révèle avec intensité l'une des multiples expressions du sauvignon par ses senteurs végétales (asperge, poivron). Gouleyant, ce vin passe bien en bouche, se faisant à peine remarquer par une sympathique fraîcheur.
🍷 EARL Gilles Chollet, 6 bis, rue Joseph-Renaud, Le Bouchot, 58150 Pouilly-sur-Loire, tél. 03.86.39.02.19, fax 03.86.39.06.13 ☑ ⊤ t.l.j. 9h-12h 14h30-18h30

DOM. PAUL CORNEAU
Cuvée Sélection 1999

	7 ha	40 000	🍷	30 à 49 F

Paul Corneau a su faire la bonne sélection. Ce 99 porte la marque du raisin, avec des nuances de buis propres au sauvignon, et celle de la vinification avec des notes de banane très mûre. Le palais prolonge bien ces sensations, laissant une impression de douce plénitude, agrémentée en finale d'une fraîcheur citronnée.
🍷 Paul Corneau, Le Bouchot, 58150 Pouilly-sur-Loire, tél. 03.86.39.17.95, fax 03.86.39.16.32 ☑ ⊤ t.l.j. 8h-12h 14h-19h; dim. sur r.-v.

LOIRE

PATRICK COULBOIS Les Cocques 1999

☐   7,4 ha   30 000   ▮⬤ 30 à 49 F

La cuvée Les Cocques de Patrick Coulbois est régulièrement sélectionnée dans le Guide, parfois aux meilleures places (voir le millésime 94). Le buis et le bourgeon de cassis dominent dans ce 99 : le sauvignon est ici bien typé dans sa variante végétale. Les nuances florales sont surtout présentes en rétro-olfaction. L'acidité est équilibrée. Un bon représentant de l'appellation.
☛ Patrick Coulbois, Les Berthiers, 58150 Saint-Andelain, tél. 03.86.39.15.69, fax 03.86.39.12.14
Ⓥ Ⓣ r.-v.

CAVE DES CRIOTS 1999★

☐   10 ha   60 000   ▮ 30 à 49 F

Bruno Blondelet exploite plus de 10 ha de vignes depuis 1979. Caractérisé par des arômes tout en finesse, son pouilly-fumé retient l'attention par sa charpente faite de gras et de rondeur. Encore sur sa réserve, il devrait peu à peu se livrer, et être suffisamment expressif à la sortie du Guide.
☛ Bruno Blondelet, Cave des Criots, Le Bouchot, 58150 Pouilly-sur-Loire, tél. 03.86.39.18.75, fax 03.86.39.06.65 Ⓥ Ⓣ r.-v.

DIDIER DAGUENEAU
En Chailloux 1998★★

☐   7 ha   40 000   ▮◨ 100 à 149 F

Didier Dagueneau a présenté deux très beaux vins dont sa célèbre **cuvée Silex 98** (200 à 249 F) récompensée par **deux étoiles** (complexité rehaussée par un boisé bien maîtrisé). Quant à ces Chailloux, parés d'une très belle robe jaune pâle aux nuances vertes, ils sont remarquables par leurs arômes de mangue, de litchi, accompagnés de notes de cassis. Souple, enveloppant, d'une très bonne longueur, c'est un vin charmeur.
☛ Didier Dagueneau, Le Bourg, 58150 Saint-Andelain, tél. 03.86.39.15.62, fax 03.86.39.07.61, e-mail Silex@wanadoo.fr Ⓥ Ⓣ r.-v.

JEAN DUMONT Les Charmilles 1999

☐   7,5 ha   65 000   ▮⬤ 30 à 49 F

A elle seule, la finale justifie la sélection de cette cuvée Les Charmilles. La robe or est teintée de reflets bruns. Si le nez n'est reste discret, jouant sur les agrumes, la bouche plaît beaucoup grâce à son équilibre général entre rondeur et fraîcheur.
☛ Jean Dumont, R.N. 7, La Castille, 68150 Pouilly-sur-Loire, tél. 03.86.39.56.60

ANDRE ET EDMOND FIGEAT
Les Chaumiennes 1999★

☐   3 ha   20 000   ▮⬤ 50 à 69 F

Les Chaumiennes ? Un vin tout en finesse, aux arômes d'agrumes et de fleurs d'acacia. Une belle élégance qui retiendra l'attention. La cuvée **Côte du Nozet 99** obtient elle aussi une étoile. Elle possède un caractère de sauvignon très prononcé.
☛ André et Edmond Figeat, Côte du Nozet, 58150 Pouilly-sur-Loire, tél. 03.86.39.19.39, fax 03.86.39.19.00 Ⓥ Ⓣ r.-v.

DOM. DES FINES CAILLOTTES
Prestige 1999

☐   2 ha   17 000   ▮⬤ 70 à 99 F

Les caillottes sont des pierres blanches souvent abondantes dans les terroirs argilo-calcaires. Cette cuvée élaborée par Alain Pabiot révèle avant tout la très grande maturité du raisin. Le fruité (prune) l'emporte sur tous les autres arômes. L'ensemble est très rond, ample, chaleureux en finale et d'une agréable persistance.
☛ Jean Pabiot et Fils, 9, rue de la Treille, Les Loges, 58150 Pouilly-sur-Loire, tél. 03.86.39.10.25, fax 03.86.39.10.12 Ⓥ Ⓣ t.l.j. 8h-12h 14h-18h

FOURNIER PERE ET FILS
Grande Cuvée Fournier Vieilles vignes 1998★

☐   n.c.   15 000   ▮⬤ 50 à 69 F

Cette exploitation familiale fondée en 1850 compte maintenant 30 ha répartis sur trois aires d'appellation du centre. Sa Grande Cuvée séduit par la richesse de sa palette aromatique, très fruitée (ananas, litchi) et élégamment mêlée de miel. Souple et dense au palais, avec une pointe épicée, c'est un vin de classe et de caractère. Il n'a pas encore atteint sa plénitude et pourra prendre quelques places dans votre réserve.
☛ Fournier Père et Fils, Chaudoux, B.P. 7, 18300 Verdigny, tél. 02.48.79.35.24, fax 02.48.79.30.41, e-mail claude@fournier-père-fils.fr
Ⓥ Ⓣ t.l.j. 8h-18h30; sam. dim. sur r.-v.

DOM. DE LA MARNIERE 1999★

☐   4,65 ha   40 000   ▮⬤ 30 à 49 F

Il entreprend la conversation agréablement et en toute simplicité, sur des nuances typiques du cépage (buis, bourgeon de cassis). Il continue sur le ton de la rondeur et de la souplesse, glissant sur une petite amertume, sans que la fin du propos en soit le moins du monde gênée.
☛ Loiret Frères, 44330 Le Pallet, tél. 02.40.80.40.27
☛ Redde-Parisot

LA MOYNERIE 1999

☐   26 ha   250 000   ▮⬤ 50 à 69 F

Cette exploitation familiale ne compte pas moins de 35 ha. Son 99 exhale des senteurs de brioche et de miel d'acacia curieuses mais agréables. L'équilibre est réussi avec de la rondeur en attaque, soulignée par une certaine nervosité en finale. A déguster sur des viandes blanches.
☛ SA Michel Redde et Fils, La Moynerie, 58150 Pouilly-sur-Loire, tél. 03.86.39.14.72, fax 03.86.39.04.36, e-mail thierry-redde@michel-redde.fr Ⓥ Ⓣ r.-v.

DOM. LANDRAT-GUYOLLOT
La Rambarde 1999

☐   12 ha   55 000   ▮⬤ 50 à 69 F

Cette cuvée libère d'agréables senteurs de fleur d'acacia teintées d'une touche de réglisse et de menthe. Un vin flatteur par son gras très marqué - qui serait proche de la lourdeur s'il n'était heureusement revigoré en finale par une pointe de mandarine.

🔑 Dom. Landrat-Guyollot, Les Berthiers, 58150 Saint-Andelain, tél. 03.86.39.11.83, fax 03.86.39.11.65 ☑ 🍷 t.l.j. 9h-19h; groupes sur r.-v.

LES MOULINS A VENT 1999★★

☐ 6 ha 40 000 ▮🌡 50 à 69 F

Ces Moulins à vent sont une des productions de la coopérative de Pouilly-sur-Loire, fondée en 1948. Le 99 est remarquable pour le millésime. La puissance et la finesse sont réunies dans un nez d'une belle complexité, aux accents de bourgeon de cassis, d'agrumes, de menthe fraîche avec une touche de minéralité. Le palais est tout en rondeur, volumineux et persistant. Le potentiel est là. La cuvée **Tonelum 98** élaborée en fût a obtenu une étoile.

🔑 Caves de Pouilly-sur-Loire, Les Moulins à vent, B.P. 9, 58150 Pouilly-sur-Loire, tél. 03.86.39.10.99, fax 03.86.39.02.28, e-mail caves.pouilly.loire@wanadoo.fr ☑ 🍷 r.-v.

DOM. MASSON-BLONDELET
Villa Paulus 1999

☐ 5 ha 40 000 ▮🌡 50 à 69 F

En 1975, Michelle Blondelet s'est mariée avec un juriste, Jean-Michel Masson. Le jeune couple a pris alors la direction de l'exploitation qui compte aujourd'hui 19 ha de vignes. La cuvée Villa Paulus a obtenu un coup de cœur dans le millésime précédent. Le 99 est plus modeste. Des arômes fermentaires (banane) et variétaux (pamplemousse) se partagent classiquement le nez, dont l'originalité réside dans la nuance de fruits confits. Le palais est gras avec un fruité d'une bonne complexité. Issu de marnes kimméridgiennes, ce vin mérite d'attendre.

🔑 Jean-Michel Masson, 1, rue de Paris, 58150 Pouilly-sur-Loire, tél. 03.86.39.00.34, fax 03.86.39.04.61 ☑ 🍷 r.-v.

JOSEPH MELLOT Le Troncsec 1999

☐ 10 ha 84 000 ▮🌡 50 à 69 F

Cette cuvée tire son nom d'une légende : à l'époque des croisades, un tronc sec aurait repris vie grâce aux reliques de saint Martin qui y avaient été déposées. Le millésime 99 laissera le souvenir d'arômes discrets et fins et, au palais, de beaucoup d'onctuosité et de gras. Un brochet au beurre blanc lui donnera la réplique.

🔑 Vignobles Joseph Mellot Père et Fils, rte de Ménétréol, B.P. 13, 18300 Sancerre, tél. 02.48.78.54.54, fax 02.48.78.54.55, e-mail alexandre@joseph-mellot.fr ☑ 🍷 t.l.j. sf sam. dim. 8h-12h15 13h30-17h30

GUY ET ODILE MICHOT 1999

☐ 3 ha 15 000 ▮🌡 30 à 49 F

Le vignoble de Guy et Odile Michot est situé pour partie sur argilo-calcaire et pour partie sur silex. L'assemblage qui en est issu est d'une belle qualité olfactive. Sculptés avec finesse dans le floral et le mentholé, les arômes sont particulièrement délicats. Un vin harmonieux dans le style léger.

🔑 Guy et Odile Michot, Soumard, 58150 Saint-Andelain, tél. 03.86.39.13.23, fax 03.86.39.09.25 ☑ 🍷 t.l.j. 9h-12h 14h-19h

DOMINIQUE PABIOT
Cuvée Plaisir 1999★

☐ 2,05 ha 10 000 ▮ 50 à 69 F

Viticulteur depuis 1981, Dominique Pabiot a créé son propre domaine en 1997, à la retraite de son père Jean Pabiot. Sa cuvée Plaisir mérite bien son nom. On est frappé d'emblée par l'intensité des arômes, dominés par les évocations de fleurs blanches et mêlés d'une pointe de pêche et de grillé. Pleine et ronde, d'une bonne longueur, la bouche se termine sans aspérité. La cuvée **Les Vieilles Terres 99** (30 à 49 F) a obtenu également une étoile.

🔑 Dominique Pabiot, Les Loges, place des Mariniers, 58150 Pouilly-sur-Loire, tél. 03.86.39.19.09, fax 03.86.39.09.91 ☑ 🍷 t.l.j. 8h-12h 14h-18h

DOM. ROGER PABIOT ET SES FILS
Coteau des Girarmes 1999

☐ 12 ha 80 000 ▮🌡 30 à 49 F

Roger Pabiot et ses fils exploitent un coquet domaine de 21 ha. Rond et agréable, non dénué d'un certain gras, leur cuvée Coteau des Girarmes présente, en finale, une vivacité de bon aloi. Les arômes mêlent des notes florales, végétales (genêt) et fruitées (cassis). On servira ce vin sur un poisson de rivière, sandre ou brochet.

🔑 Dom. Roger Pabiot et ses Fils, 13, rte de Pouilly, Boisgibault, 58150 Tracy-sur-Loire, tél. 03.86.26.18.41, fax 03.86.26.19.89 ☑ 🍷 r.-v.

DOM. RAIMBAULT-PINEAU
La Montée des Lumeaux 1999

☐ 1,64 ha 13 000 ▮🌡 50 à 69 F

Cette cuvée, issue d'un terroir argilo-calcaire riche en caillottes, possède une expression puissante, dans un style intéressant mais qui demande encore à s'affirmer. L'équilibre est bon, avec du fondant. A servir sur un poisson en sauce.

🔑 Dom. Raimbault-Pineau, rte de Sancerre, 18300 Sury-en-Vaux, tél. 02.48.79.33.04, fax 02.48.79.36.25 ☑ 🍷 t.l.j. 9h-12h 13h30-18h; dim. sur r.-v.; f. 1er-15 août et 8-23 janv.

🔑 J.-M. Raimbault

DOM. DE RIAUX 1999★

☐ 8 ha 40 000 ▮🌡 30 à 49 F

Après être passés tout près du coup de cœur avec leur 98, Bertrand et Alexis Jeannot présentent une cuvée 99 prometteuse, bien dans le style du domaine de Riaux. Le nez s'avère intense, à dominante encore fermentaire. Une nervosité juvénile, typique des vins d'argiles à silex, laisse tout juste transparaître une ampleur qui ne manquera pas de s'exprimer plus franchement après quelques mois de mûrissement.

🔑 GAEC Jeannot Père et Fils, Dom. de Riaux, 58150 Saint-Andelain, tél. 03.86.39.11.37, fax 03.86.39.06.21 ☑ 🍷 r.-v.

GUY SAGET Les Logères 1999★★

☐ 8 ha 70 000 ▮🌡 30 à 49 F

Tous les éléments de la qualité sont réunis dans cette cuvée : les arômes, qui devraient progressivement s'ouvrir, mais où percent déjà les

LOIRE

fleurs blanches et la pêche ; le gras, en harmonie avec la nervosité. Un vin charpenté et complet, qui doit attendre pour se révéler pleinement. Il méritera alors d'être servi sur une viande blanche ou un homard grillé.

➥SA Guy Saget, La Castille, 58150 Pouilly-sur-Loire, tél. 03.86.39.57.75, fax 03.86.39.08.30 ☑ ⟙ t.l.j. sf dim. 8h-12h 14h-18h

OLIVIER SCHLATTER 1999★

□	0,72 ha	3 200	30 à 49 F

Olivier Schlatter, chef de culture dans une propriété pouillyssoise, a créé son propre domaine en 1994. Il propose une cuvée surprenante par ses évocations de fruits rouges, originales mais plaisantes. La structure concilie la souplesse et la fraîcheur. Un vin bien équilibré.

➥Olivier Schlatter, 41, rue des Mardrelles, Boisgibault, 58150 Tracy-sur-Loire, tél. 03.86.26.19.31 ☑ ⟙ r.-v.

DOM. HERVE SEGUIN
Cuvée Prestige 1998

□	1 ha	6 500	🍾 ♨	50 à 69 F

Typique et « nature », ce vin, encore discret, n'en « sauvignonne » pas moins. Ses accents de fruits mûrs forcent l'adhésion. On pourrait attendre un peu plus de la bouche qui exprime des notes de pierre à fusil et de champignon. La teinte, restée fort pâle, laisse espérer une bonne évolution.

➥Dom. Hervé Seguin, Le Bouchot, 58150 Pouilly-sur-Loire, tél. 03.86.39.10.75, fax 03.86.39.10.26 ☑ ⟙ r.-v.

DOM. TABORDET 1999

□	5,9 ha	50 000	🍾 ♨	30 à 49 F

Les frères Tabordet ont repris il y a une vingtaine d'années l'exploitation familiale qui compte près de 10 ha. Vinifiant avec un équipement de cave moderne et beaucoup de soin, ils ont réussi cette cuvée 99. D'un or très pâle avec de légers reflets verts, elle possède un nez discret, plutôt fermentaire. La bouche est gouleyante. Ce vin se cherche encore et sera à revoir après quelques mois de bouteille.

➥Yvon et Pascal Tabordet, Chaudoux, 18300 Verdigny, tél. 02.48.79.34.01, fax 02.48.79.32.69 ☑ ⟙ r.-v.

DOM. THIBAULT 1999

□	12,51 ha	85 000	🍾 ♨	30 à 49 F

Cette importante exploitation (près de 35 ha) propose un 99 dont les arômes évoluent tout au long de la dégustation, passant avec subtilité du végétal au floral. La structure est équilibrée, avec une finale quelque peu citronnée. Ce pouilly-fumé sera prêt pour les fêtes de fin d'année.

➥SCEV André Dezat et Fils, Chaudoux, 18300 Verdigny, tél. 02.48.79.38.82, fax 02.48.79.38.24 ☑ ⟙ r.-v.

F. TINEL-BLONDELET
L'Arrêt Buffatte 1999★★

□	3,5 ha	28 000	🍾 ♨	50 à 69 F

« Faire un bon vin n'est pas difficile... pourvu qu'on récolte un raisin mûr et qu'on le vinifie avec soin », semble nous dire ce pouilly-fumé Arrêt Buffatte. Fruité très marqué, remarquable

fraîcheur, il montre à la fois de l'élégance et de la finesse, de la légèreté et un beau volume.

➥Dom. Tinel-Blondelet, La Croix-Canat, 58150 Pouilly-sur-Loire, tél. 03.86.39.13.83, fax 03.86.39.02.94 ☑ ⟙ r.-v.
➥Annick Tinel-Blondelet

HUBERT VENEAU 1998

□	8 ha	30 000	🍾 ♨	50 à 69 F

Encore jeune par son aspect or pâle, ce vin présente pourtant un nez évolué qui tend vers le miel et les fruits mûrs. La bouche est légère et procure beaucoup de plaisir. Il est prêt à boire.

➥SCEA Hubert Veneau, Les Ormousseaux, 58200 Saint-Père, tél. 03.86.28.01.17, fax 03.86.28.44.71, e-mail hubert.veneau@wanadoo.fr ☑ ⟙ r.-v.

Pouilly-sur-loire

DOM. DE BEL AIR 1999★

□	0,6 ha	3 000	🍾	20 à 29 F

Pour la famille Mauroy-Gauliez, le pouilly-sur-loire fait partie du patrimoine et mérite le plus grand soin. Une pointe végétale marque le nez de ce 99 qui présente par ailleurs un bon volume en bouche. La finale est vive, sur des notes de pamplemousse et de réglisse. Quelques mois de bouteille dompteront ce vin très réussi.

➥EARL Mauroy-Gauliez, 6, rue Waldeck-Rousseau, Le Bouchot, 58150 Pouilly-sur-Loire, tél. 03.86.39.15.85, fax 03.86.39.19.52 ☑ ⟙ t.l.j. 8h-12h 13h30-19h

GILLES BLANCHET 1999★

□	0,7 ha	5 000	🍾 ♨	30 à 49 F

Le type chasselas se retrouve bien au premier nez, à travers les discrets arômes de noisette et de pistache. Rond et gras, presque vineux, ce pouilly-sur-loire évolue agréablement et laisse en finale des impressions végétales et fruitées (abricot). Pour un apéritif de plaisir.

➥Gilles Blanchet, Les Berthiers, 58150 Saint-Andelain, tél. 03.86.39.14.03, fax 03.86.39.00.54 ☑ ⟙ r.-v.

DOM. CHAMPEAU 1999★

□	1,8 ha	12 000	🍾	30 à 49 F

Un pouilly-sur-loire original dans sa livrée or vert soutenu. Les arômes évoquent le beurre frais accompagné de légères touches florales. La bouche, souple avec une pointe de gras, se termine tout en douceur. Les notes de brioche se fondent dans un ensemble homogène.

➥SCEA Dom. Champeau, Le Bourg, 58150 Saint-Andelain, tél. 03.86.39.15.61, fax 03.86.39.19.44 ☑ ⟙ t.l.j. 9h-12h 14h-18h; dim. sur r.-v.

LA MOYNERIE 1999★★

□	1 ha	6 500	🍾	30 à 49 F

Michel Redde fait partie de ceux qui se passionnent pour ce cépage difficile et quelquefois ingrat qu'est le chasselas. Les arômes du 99 attirent par leur finesse. Ils rappellent la noisette fraîche et la mousse des bois. La structure enchante davantage encore par sa fraîcheur vive en parfait équilibre avec une étonnante rondeur. Un pouilly-sur-loire vraiment bien fait.

📞 SA Michel Redde et Fils, La Moynerie, 58150 Pouilly-sur-Loire, tél. 03.86.39.14.72, fax 03.86.39.04.36, e-mail thierry-redde@michel-redde.fr ☑ �X r.-v.

📞 Thierry Redde

DOM. LANDRAT-GUYOLLOT
La Roselière 1999

☐	1,01 ha	8 000	🍷🔔 30 à 49 F

Entre l'orange et la fleur d'oranger, le nez s'ouvre après aération. C'est un vin facile, parce que sans aspérité, qui satisfera le dégustateur et pourra parfaitement accompagner une charcuterie.

📞 Dom. Landrat-Guyollot, Les Berthiers, 58150 Saint-Andelain, tél. 03.86.39.11.83, fax 03.86.39.11.65 ☑ �X t.l.j. 9h-19h; groupes sur r.-v.

DOM. ROGER PABIOT ET SES FILS
1999★

☐	0,4 ha	3 000	🍷🔔 30 à 49 F

Ce pouilly-sur-loire a besoin de s'oxygéner un peu pour se détendre et s'ouvrir sur un beau fruité rappelant la mirabelle. En bouche, il attaque en fanfare, puis, fort des premières impressions procurées, il se prolonge gentiment avec une bonne tenue. Ce vin devrait être très agréable sur les crudités.

📞 Dom. Roger Pabiot et ses Fils, 13, rte de Pouilly, Boisgibault, 58150 Tracy-sur-Loire, tél. 03.86.26.18.41, fax 03.86.26.19.89 ☑ �X r.-v.

GUY SAGET 1999★★

☐	n.c.	n.c.	30 à 49 F

Bruno Mineur, œnologue de la maison Guy Saget, peut être satisfait de ce brillant pouilly-sur-loire. Avec une plaisante élégance et une bonne intensité, les arômes évoquent les fruits mûrs et la fraîcheur des sous-bois. La bouche confirme sans retenue les bonnes dispositions de ce vin : tendre, ample et très longue, voilà une remarquable bouteille.

📞 SA Guy Saget, La Castille, 58150 Pouilly-sur-Loire, tél. 03.86.39.57.75, fax 03.86.39.08.30 ☑ �X t.l.j. sf dim. 8h-12h 14h-18h

Quincy

C'est sur les bords du Cher, non loin de Bourges et près de Mehun-sur-Yèvre, lieux riches en souvenirs historiques du XVIe s., que les vignobles de Quincy et de Brinay s'étendent sur 180 ha, sur des plateaux recouverts de sable et de graviers anciens.

Le seul cépage sauvignon blanc fournit les quincy (9 603 hl en 1999), qui présentent une grande légèreté, une certaine finesse et de la distinction dans le type frais et fruité.

Si, comme l'écrivait le Dr Guyot au siècle dernier, le cépage domine le cru, quincy apporte aussi la démonstration que, dans une même région, la même variété peut s'exprimer en vins différents selon la nature des sols ; et c'est tant mieux pour l'amateur, qui trouvera ici l'un des plus élégants vins de Loire, à déguster avec les poissons et les fruits de mer aussi bien qu'avec les fromages de chèvre.

DOM. DES BALLANDORS
Cuvée Chaumoux-Ballandors 1999

☐	2 ha	45 000	🍷🔔 30 à 49 F

Chantal Wilk et Jean Tatin proposent un quincy issu à parts égales de vignes de trente ans et de ceps de huit ans. Jaune pâle à reflets verts, ce 99 livre une fraîcheur citronnée avec une vivacité soutenue jusqu'à la fin de bouche. Un beau fruité souligne l'ensemble. A servir sur un poulet au quincy.

📞 Chantal Wilk et Jean Tatin, Le Tremblay, 18120 Brinay, tél. 02.48.75.20.09, fax 02.48.75.70.50 ☑ �X r.-v.

DOM. DES BRUNIERS Vin noble 1999★

☐	9 ha	45 000	🍷🔔 30 à 49 F

Jérôme de La Chaise offre dans le millésime 99 une cuvée de caractère. Le fruité est intense : pêche jaune et fruits exotiques, litchi, mangue, ananas. L'attaque est souple et soyeuse. L'ensemble revêt beaucoup de gras et d'harmonie.

📞 Jérôme de La Chaise, Les Bruniers, 18120 Quincy, tél. 02.48.51.34.10, fax 02.48.51.34.10 ☑ �X r.-v.

DOM. DES CAVES 1998

☐	4,36 ha	15 350	🍷🔔 30 à 49 F

Passionné par la vigne et le vin, Bruno Lecomte a pu réaliser son rêve en 1994 en acquérant sa première parcelle de vigne en AOC quincy. La robe de sa cuvée 98 est restée d'un remarquable or vert pâle. L'expression aromatique est intense dans un style floral agrémenté de fruits confits. Encore nerveux, ce vin retient aussi l'intérêt par sa bonne tenue en bouche.

📞 Bruno Lecomte, 105, rue Saint-Exupéry, 18520 Avord, tél. 02.48.69.27.14, fax 02.48.69.16.42, e-mail Bruno.Lecomte@wanadoo.fr ☑ �X r.-v.

DOM. DE CHEVILLY 1999★★

☐	5 ha	42 000	🍷🔔 30 à 49 F

Que de chemin parcouru depuis 1993, année où Yves et Antoine Lestourgie se sont lancés dans la viticulture. Pour leur septième millésime, ils obtiennent le coup de cœur. Leur quincy exprime des arômes puissants de fleurs blanches

LOIRE

(muguet) soulignés d'une touche minérale. La bouche est expressive : attaque vive suivie de gras et de rondeur. Une grande persistance aromatique, ce vin reste longtemps en mémoire.

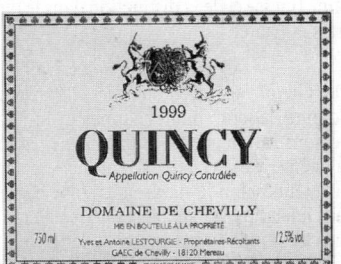

↸ Yves et Antoine Lestourgie,
52, rte de Chevilly, 18120 Mereau,
tél. 02.48.52.80.45, fax 02.48.52.80.45 ☑ ⟁ r.-v.

DOM. DES COUDEREAUX 1999

| | 8 ha | 60 000 | 🍴🛏 | 30 à 49 F |

Quelle bonne intensité aromatique ! Quelle belle expression de sauvignon ! Le palais semble un peu en retrait après cette déclinaison de notes d'agrumes, de fruits de la passion, d'abricot. Il ne devrait pas manquer de s'affirmer dans les mois qui viennent.
↸ SCEA Les Coudereaux, 34, rte de Bourges, 18510 Menetou-Salon, tél. 02.48.64.88.88, fax 02.48.64.87.97 ☑ ⟁ r.-v.

DOM. CROIX SAINT-URSIN
Beaucharme 1999

| | 3,9 ha | 30 000 | 🍴🛏 | 30 à 49 F |

Viticulteurs en Sancerrois, Sylvain et Jacques Bailly s'intéressent également au quincy ; leur cuvée Beaucharme recueille l'avis favorable du jury pour son nez particulièrement complexe, fruité et floral, avec une pointe végétale. La bouche, plaisante dès le premier abord, est équilibrée.
↸ Sylvain Bailly, 71, rue de Venoize, 18300 Bué, tél. 02.48.54.02.75, fax 02.48.54.28.41 ☑ ⟁ t.l.j. 8h-12h 14h-18h30; dim. sur r.-v.
↸ Jacques Bailly

LES VIGNERONS DU DUC DE BERRY 1999★

| | 8 ha | 60 000 | 🍴🛏 | 30 à 49 F |

Ce vin respire la maturité : intensité et finesse aromatiques dans des nuances contrastées de pamplemousse ainsi que - arômes plus étonnants en quincy - de fruits confits et de miel. La bouche complète l'harmonie d'ensemble par sa rondeur et sa persistance.
↸ SICA Vignerons du Duc de Berry, 34, rte de Bourges, 18510 Menetou-Salon, tél. 02.48.64.88.88, fax 02.48.64.87.97 ☑ ⟁ r.-v.

JEAN-PAUL GODINAT 1999

| | 8 ha | 60 000 | 🍴🛏 | 30 à 49 F |

C'est en 1996 que Jean-Paul Godinat a repris ce vignoble. Sa cuvée 99 présente des arômes de nature fermentaire, marqués par les agrumes et le bonbon anglais. La structure d'ensemble est

bien équilibrée jusqu'à une finale citronnée. Ce vin devrait s'accommoder avec des fruits de mer.
↸ Jean-Paul Godinat, 34, rte de Bourges, 18510 Menetou-Salon, tél. 02.48.64.88.88, fax 02.48.64.87.97 ☑ ⟁ r.-v.

DOM. DU GRAND ROSIERES 1999

| | 3,8 ha | 15 000 | 🍴🛏 | 30 à 49 F |

Le domaine du Grand Rosières séduit plus par la typicité de ses arômes que par leur intensité. Le nez reste en effet fermé, avec de discrètes notes minérales et des nuances de buis. Il n'en faut pas moins poursuivre la dégustation pour découvrir, après une attaque vive, une fin de bouche fort agréable.
↸ Jacques Siret, Dom. du Grand Rosières, 18400 Lunery, tél. 02.48.68.90.34, fax 02.48.68.03.71 ☑ ⟁ r.-v.

DOM. DE MAISON BLANCHE
Vin noble 1999

| | 6 ha | 50 000 | 🍴🛏 | 30 à 49 F |

Voici le premier millésime des nouveaux propriétaires du domaine de Maison Blanche, un groupe de vignerons de Quincy. La transition est ainsi assurée. Si la bouche est encore un peu timide et demande à s'affirmer, le nez réjouira par sa fraîcheur aromatique tout en nuances.
↸ SCA Dom. de Maison Blanche, 6, chem. des Vignes, 18120 Quincy, tél. 02.48.51.09.45, fax 02.48.51.08.89 ⟁ r.-v.

DOM. MARDON 1999

| | 11 ha | 80 000 | 🍴🛏 | 30 à 49 F |

Les archives du domaine Mardon permettent de dater la création du vignoble vers 1870. La fermeté caractérise ce 99, au nez comme en bouche : un vin jeune, sans doute, même trop jeune au moment où il a été dégusté. Une vigueur appuyée et les arômes minéraux laissent à penser que le temps doit faire son œuvre.
↸ Dom. Mardon, 40, rte de Reuilly, 18120 Quincy, tél. 02.48.51.31.60, fax 02.48.51.35.55 ☑ ⟁ t.l.j. 9h-12h 14h-19h; dim. sur r.-v.

JOSEPH MELLOT Le Rimonet 1998★

| | n.c. | n.c. | 🍴🛏 | 30 à 49 F |

Des vignes âgées de vingt à quarante ans sont à l'origine de cette cuvée. Une réussite ! Les arômes trouvent leur originalité dans des notes évoluées de beurre et de noisette. L'équilibre gustatif est nettement orienté vers la rondeur, le gras, la puissance. Les amateurs du style « vieux quincy » apprécieront ce vin.
↸ SA Joseph Mellot, rte de Ménétréol, B.P. 13, 18300 Sancerre, tél. 02.48.78.54.54, fax 02.48.78.54.55, e-mail alexandre@joseph-mellot.fr ☑ ⟁ r.-v.

PHILIPPE PORTIER
Cuvée Jean Maxime 1998★

| | 0,8 ha | 3 000 | 🍴 | 50 à 69 F |

Philippe Portier a dédié à ses aïeux cette cuvée confidentielle, élevée en fût. Le nez dominé par les fleurs blanches, la bouche alliant beaucoup de gras et de fruité en font un vin plaisant, pour ne pas dire séducteur. Citée, la **Cuvée principale**

99 n'a pas connu le bois et est à boire sans attendre (30 à 49 F).

☞ EARL Philippe Portier, Bois-Gy-Moreau, 18120 Brinay, tél. 02.48.51.09.02, fax 02.48.51.00.96 ☑ ⅄ r.-v.

DOM. VALERY RENAUDAT
Vieilli en fût de chêne 1999★

☐	0,18 ha	1 200	**◖▮**	30 à 49 F

Avec le millésime 99, Valéry Renaudat fait son entrée dans le métier de vigneron et dans le Guide Hachette des Vins. Des arômes très puissants de sauvignon, nuancés de pain grillé, de noisette et de vanille (héritage d'un élevage en fût de chêne de six mois), une attaque franche, une bonne rondeur... bref, un vin bien fait dans son style.

☞ Valéry Renaudat, Seresnes, 36260 Diou, tél. 02.54.49.21.44, fax 02.54.49.30.42 ☑ ⅄ t.l.j. 8h-12h30 13h30-19h30

DOM. JACQUES ROUZE 1999

☐	9 ha	50 000		30 à 49 F

Les évocations d'agrumes (citron, pamplemousse) constituent les premières impressions olfactives. L'attaque est marquée par un certain gras. La finale, même si elle laisse percer une pointe d'amertume - gage de longévité, dit-on - est fort agréable.

☞ Dom. Jacques Rouzé, chem. des Vignes, 18120 Quincy, tél. 02.48.51.35.61, fax 02.48.51.05.00 ☑ ⅄ t.l.j. 9h-12h 14h-18h

DOM. JEAN-MICHEL SORBE 1999

☐	n.c.	n.c.	30 à 49 F

Puissance et générosité semblent encore réservées dans ce quincy sans doute trop jeune pour être apprécié. Les senteurs florales et végétales (buis), la bouche ferme et de bonne longueur, beaucoup de matière, en font cependant un vin prometteur.

☞ Dom. Jean-Michel Sorbe, 9, rte de Boisgisson, 18120 Preuilly, tél. 02.48.51.30.17, fax 02.48.51.35.47 ⅄ r.-v.

DOM. DU TREMBLAY
Gatebourse Vin noble 1999

☐	1,5 ha	50 000	▮ ⚲	30 à 49 F

Les nuances de fleurs et d'agrumes complètent agréablement la dominante végétale. L'élevage sur lies fines avec bâtonnage a apporté du relief à cette cuvée Gatebourse. Pourvue d'une bonne nervosité pour l'année, elle apparaît plutôt ronde et longue. La cuvée **Assemblage Domaine** en **quincy blanc 99** est également citée.

☞ Jean Tatin, Le Tremblay, 18120 Brinay, tél. 02.48.75.20.09, fax 02.48.75.70.50 ☑ ⅄ r.-v.

DOM. TROTEREAU 1999

☐	n.c.	40 000	▮ ⚲	30 à 49 F

Le quincy de Pierre Ragon s'exprime ici dans la pure tradition. La teinte est d'un or franc. La fermentation sait préserver les qualités naturelles du raisin, d'où cette bonne intensité aromatique, cette vinosité et cette rondeur au palais. L'ensemble paraît équilibré et harmonieux.

☞ Pierre Ragon, rte de Lury, 18120 Quincy, tél. 02.48.51.37.37, fax 02.48.26.82.58 ☑ ⅄ r.-v.

Reuilly

Par ses coteaux accentués et bien ensoleillés, ses sols remarquables, Reuilly était prédestiné à la plantation de la vigne.

L'appellation recouvre sept communes situées dans l'Indre et le Cher, dans une région charmante traversée par les vertes vallées du Cher, de l'Arnon et du Théols. Elle a produit 7 991 hl de vin en 1999.

Le sauvignon blanc produit l'essentiel des reuilly (4 528 hl en 1999) dans la gamme des blancs secs et fruités, qui prennent ici une ampleur remarquable. Le pinot gris fournit localement un rosé de pressoir tendre, délicat, distingué à souhait, mais qui risque de disparaître, supplanté par le pinot noir dont on tire également d'excellents rosés, plus colorés, frais et gouleyants, mais surtout des rouges pleins, enveloppés, toujours légers, au fruité affirmé.

BERNARD AUJARD 1999★★

◩	0,68 ha	5 000	▮ ⚲	30 à 49 F

Le pinot gris est une spécialité de reuilly, encore méconnue parce que trop confidentielle. En voici un bel exemple. Couleur rosé léger, saumoné de type gris. Le premier nez est intense, très fruité (pêche, fraise et framboise). Le bonbon anglais et la minéralité se révèlent après une aération. A la fois fraîche et souple, la bouche présente une belle structure, avec du gras. Un vin gourmand, suave.

☞ Bernard Aujard, 2, rue du Bas-Bourg, 18120 Lazenay, tél. 02.48.51.73.69, fax 02.48.51.79.74 ☑ ⅄ r.-v.

ANDRE BARBIER 1999★★

◩	0,43 ha	3 500	▮ ⚲	30 à 49 F

André Barbier a créé cette exploitation viticole en 1991. Il nous propose un remarquable rosé 99. La couleur est d'un rose qui pourrait troubler certains amateurs. Ce serait dommage car le nez est fin et flatteur, à tendance minérale. La bouche vive est plaisante avec un fruité persistant. Grande harmonie d'une bouteille qu'on pourra conserver au moins trois ans.

➡ André Barbier, Le Crot-au-Loup, 18120 Chéry, tél. 02.48.51.75.81, fax 02.48.51.72.47 ☑ ⏱ r.-v.

LES BERRYCURIENS
Les Chatillons 1999

| ◢ | 0,5 ha | 4 000 | 🍷 🍴 | 30 à 49 F |

Des passionnés du vin et du Berry ont créé un groupe des BerryCuriens, propriétaire de vignes sur les aires de quincy et de reuilly. Leur reuilly rosé 99 se caractérise par des notes amyliques et mentholées au nez, une vivacité équilibrée en bouche. Un vin de fraîcheur.

➡ SCEV des BerryCuriens, 9, rte de Boisgisson, 18120 Preuilly, tél. 02.48.51.30.17, fax 02.48.51.35.47 ☑ ⏱ r.-v.

DOM. HENRI BEURDIN ET FILS
1999★★

| ☐ | 7,25 ha | 60 000 | 🍷 🍴 | 30 à 49 F |

Le terroir, la tradition familiale, la rigueur professionnelle : Henri Beurdin et son fils ont su mettre tous les atouts viticoles de leur côté. Le résultat : un 99 floral et fruité avec un soupçon de végétal. L'équilibre est atteint grâce à l'alliance rare du gras, du volume et de la fraîcheur. Un reuilly blanc complexe, fin et harmonieux.

➡ H. Beurdin et Fils, 14, Le Carroir, 18120 Preuilly, tél. 02.48.51.30.78, fax 02.48.51.34.81 ☑ ⏱ r.-v.

GERARD BIGONNEAU
Les Bouchauds 1999★

| ◢ | 1 ha | 6 000 | 🍷 🍴 | 30 à 49 F |

Saumoné pâle à l'œil, ce rosé exprime des arômes de bonbon anglais que la fraise et la framboise viennent compléter. Souple en attaque, il développe ensuite du gras et une finale chaleureuse. Bel ensemble. A découvrir aussi chez Gérard Bigonneau, le **blanc Les Bouchauds 99** qui obtient une citation.

➡ Gérard Bigonneau, La Chagnat, 18120 Brinay, tél. 02.48.52.80.22, fax 02.48.52.83.41 ☑ ⏱ r.-v.

CHANTAL ET MICHEL CORDAILLAT 1999

| ☐ | 1,7 ha | 12 000 | 🍷 🍴 | 30 à 49 F |

L'expression aromatique est ici déjà très ouverte : une véritable coupe de fruits composée de poire, pêche, litchi et bergamote. Les impressions gustatives évoquent souplesse et tendreté. Voilà un reuilly bien dans le style du millésime. Le **rosé 99** doit également être cité.

➡ Chantal et Michel Cordaillat, Le Montet, 18120 Méreau, tél. 02.48.52.83.48, fax 02.48.52.83.09 ☑ ⏱ r.-v.

GERARD CORDIER 1999

| ■ | 1,2 ha | 5 000 | 🍷 🍴 | 30 à 49 F |

Gérard Cordier représente la neuvième génération de vignerons sur la propriété qui compte aujourd'hui plus de 7 ha. Dans ce reuilly, les notes de fruits rouges sont tout naturellement à leur place. Les nuances de cuir et de torréfaction sont plus originales, et les tanins sans excès. A consommer après un an de garde.

➡ Gérard Cordier, 6, imp. de l'Ile-Camus, La Ferté, 36260 Reuilly, tél. 02.54.49.25.47, fax 02.54.49.29.34 ☑ ⏱ r.-v.

PASCAL DESROCHES
Clos des Lignis 1999★★

| ◢ | 0,65 ha | 5 300 | 🍷 🍴 | 30 à 49 F |

Un reuilly gris-groseille pâle aux premières impressions olfactives lactées, puis le nez s'ouvre sur de discrètes notes de fraises des bois. La vivacité s'estompe devant le côté charnu agréable qui marque la finale. L'ensemble présente beaucoup de caractère et de finesse d'un bout à l'autre de la dégustation. Félicitations à Pascal Desroches qui a aussi bien réussi en **99** son **Clos des Varennes blanc** (une étoile) et son **Clos de la Sablière rouge** (cité).

➡ Pascal Desroches, 13, rte de Charost, 18120 Lazenay, tél. 02.48.51.71.60, fax 02.48.51.71.60 ☑ ⏱ r.-v.

JEAN-SYLVAIN GUILLEMAIN 1999★

| ■ | 0,86 ha | n.c. | 🍷 🍴 | 30 à 49 F |

Même si le fruité du raisin est quelque peu masqué, les qualités aromatiques de ce reuilly impressionnent. Les odeurs de torréfaction (café, cacao), les notes animales (cuir) et végétales (sous-bois) l'emportent à ce stade de son évolution. L'entrée en bouche est tonique et ample. La finale reste sur un tanin qui a grand besoin de calmer ses ardeurs. A attendre.

➡ Jean-Sylvain Guillemain, Palleau, 18120 Lury-sur-Arnon, tél. 02.48.52.99.01, fax 02.48.52.99.09 ☑ ⏱ r.-v.

CLAUDE LAFOND La Raie 1999★

| ☐ | 6 ha | 40 000 | 🍷 🍴 | 30 à 49 F |

Selon sa devise, Claude Lafond a fait en 1999 « ce qu'il faut, suffisamment, ni plus ni moins, mais juste au bon moment ». Trois vins proposés, trois vins sélectionnés : en **rosé**, la cuvée **La Grande Pièce 99** et, en **rouge**, **Les Grandes Vignes 99** obtiennent une citation. Le vin le mieux noté est ce blanc au nez exotique et anisé. Après une attaque franche, les arômes de citron vert disparaissent progressivement au profit de plus de gras et d'une bonne longueur en bouche. Bien dans le type du reuilly.

❧ Claude Lafond, Bois-Saint-Denis,
36260 Reuilly, tél. 02.54.49.22.17,
fax 02.54.49.26.64,
e-mail claude.lafond@wanadoo.fr ☑ ☎ t.l.j.
8h30-12h30 13h30-18h30; sam. dim. sur r.-v.

ALAIN MABILLOT 1999★★

| ■ | 1 ha | 4 000 | ■ ♦ | 30 à 49 F |

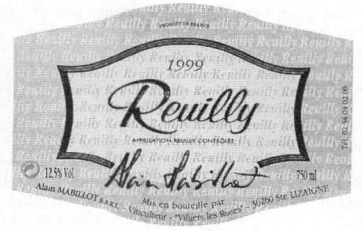

La robe rouge violacé intense est le premier
indice d'une bonne concentration. Les arômes de
réglisse et les notes de lacté se retirent avec subtilité après aération pour laisser place aux fruits
rouges (fraise, cassis). La structure tannique puissante confère beaucoup de mâche et un excellent
potentiel de garde à ce vin.
❧ Alain Mabillot, Villiers-les-Roses,
36260 Sainte-Lizaigne, tél. 02.54.04.02.09,
fax 02.54.04.01.33 ☑ ☎ r.-v.

GUY MALBETE 1999★★

| ☐ | 3 ha | 25 000 | ■ ♦ | 30 à 49 F |

La couleur et les arômes marquent un style
particulier dans l'appellation. Un raisin très mûr
est à la source des senteurs de fruits confits, de
miel et d'amande. La bouche ample et riche est
en parfaite harmonie avec le nez. Un très bon
vin qu'on pourra boire sans attendre. Le **rouge
99** reçoit une étoile.
❧ EARL Guy Malbète,
16, chem. du Boulanger, Bois-Saint-Denis,
36260 Reuilly, tél. 02.54.49.25.09,
fax 02.54.49.27.49 ☑ ☎ r.-v.

DOM. DE REUILLY
Les Pierres Plates 1999★

| ☐ | 1,5 ha | 9 500 | ■ ♦ | 30 à 49 F |

Deuxième année de production et deuxième
année dans le Guide pour Denis Jamain. La
cuvée Les Pierres Plates issue d'un sol calcaire
kimméridgien est d'un or très pâle, cristallin.
Encore peu loquace, dans un style minéral, elle
est plaisante par son harmonie d'ensemble et sa
typicité. Les **reuilly rouge** et **blanc 99** du domaine
reçoivent respectivement une étoile et une citation.
❧ SCE Dom. de Reuilly, chem. des Petites-
Fontaines, 36260 Reuilly, tél. 02.38.66.16.74,
fax 02.38.66.74.69,
e-mail denis.jamain@wanadoo.fr ☑ ☎ r.-v.
❧ Denis Jamain

DOM. DE SERESNES 1999★

| ◢ | 2,18 ha | n.c. | ■ | 30 à 49 F |

Sur fond pourpre nuancé de violacé, ce vin
libère des effluves de fruits rouges avec des poin-

tes de grillé et de fumé. La maturité du raisin
transparaît à travers le gras et les arômes de bouche confiturés. Avec des tanins aussi souples, ce
reuilly pourra être consommé assez tôt.
❧ Jacques Renaudat, Seresnes, 36260 Diou,
tél. 02.54.49.21.44, fax 02.54.49.30.42 ☑ ☎ r.-v.

JEAN-MICHEL SORBE 1999

| ◢ | 3 ha | 4 000 | ■ ♦ | 30 à 49 F |

La teinte saumonée est ici soutenue et fortement orangée. On perçoit une bonne complexité
entre les arômes lactés et vanillés du nez. Franc
et ferme au palais, animé d'un joli perlant, équilibré, c'est un vin d'agrément pour les moments
de détente.
❧ Dom. Jean-Michel Sorbe,
9, rte de Boisgisson, 18120 Preuilly,
tél. 02.48.51.30.17, fax 02.48.51.35.47 ☑ ☎ r.-v.

JACQUES VINCENT 1999

| ◢ | 2 ha | 12 000 | ■ ♦ | 30 à 49 F |

Produit sur un sol argilo-limoneux, ce rosé
offre une jolie teinte pelure d'oignon. Toutefois,
il a besoin d'une bonne oxygénation pour valoriser son fruité fait de pêche et d'abricot. La bouche est souple et fraîche. Dans la lignée Jacques
Vincent !
❧ Jacques Vincent, 11, chem. des Caves,
18120 Lazenay, tél. 02.48.51.73.55,
fax 02.48.51.14.96 ☑ ☎ t.l.j. 9h-12h 14h-19h;
dim. sur r.-v.

Sancerre

Sancerre, c'est avant tout un
lieu prédestiné dominant la Loire. Sur onze
communes, s'étend un magnifique réseau
de collines parfaitement adaptées à la viticulture, bien orientées, exposées et protégées, et dont les sols calcaires ou siliceux
conviennent à la vigne et contribuent à la
qualité des vins ; environ 2 400 ha sont
plantés et ont produit 161 505 hl en 1999
dont 128 995 hl de vin blanc.

Deux cépages règnent à San-
cerre : le sauvignon blanc et le pinot noir,
deux raisins éminemment nobles, capables
de traduire l'esprit du milieu et du terroir,
d'exprimer au mieux les dons des sols qui
s'épanouissent dans des blancs (les plus
nombreux) frais, jeunes, fruités ; dans des
rosés tendres et subtils ; dans des rouges
légers, parfumés, enveloppés.

Mais Sancerre, c'est aussi
un milieu humain particulièrement attachant. Il n'est pas facile, en effet, de produire un grand vin avec le sauvignon,

LOIRE

cépage de deuxième époque de maturité, non loin de la limite nord de la culture de la vigne, à des altitudes de 200 à 300 m qui influencent encore le climat local et sur des sols qui comptent parmi les plus pentus de notre pays, d'autant plus que les fermentations se déroulent dans une conjoncture délicate de fin de saison tardive !

On appréciera particulièrement le sancerre blanc sur les fromages de chèvre secs, comme l'illustre « crottin » de Chavignol, village lui-même producteur de vin, mais aussi sur les poissons ou les entrées chaudes peu épicées ; les rouges iront sur les volailles et les préparations locales de viandes.

DOM. JEAN-PAUL BALLAND 1999*

| | | 15 ha | 100 000 | 🍾🍷 50 à 69 F |

Récompensé de deux étoiles en 2000 pour sa Grande Cuvée 97, Jean-Paul Balland est une valeur sûre du Sancerrois et de son terroir. Ce 99 à l'original nez de girofflée a de la rondeur et du relief. Son côté citronné très mûr et sa persistance aromatique ont enchanté le jury. Quant au **sancerre rouge 98**, il est cité. Très expressif sur le cépage, c'est un vin agréable qui accompagnera une viande blanche ou une assiette de charcuteries lyonnaises.
☛ SA Dom. Jean-Paul Balland, chem. de Marloup, 18300 Bué, tél. 02.48.54.07.29, fax 02.48.54.20.94, e-mail balland.jean.paul@wanadoo.fr ☑ ⬭ r.-v.

JOSEPH BALLAND-CHAPUIS
Le Chatillet 1999★★

| | | 8,75 ha | 60 000 | 🍾🍷 30 à 49 F |

Le domaine Joseph Balland-Chapuis a réussi un joli 99 atypique par sa couleur jaune paille et ses arômes très fins de pamplemousse, rehaussés d'un soupçon de muscat. Ce vin explose en bouche de fruits mûrs (orange) et laisse le dégustateur dans un état de bien-être durable, tant son ampleur est persistante. N'hésitez pas à le marier avec une poularde à la crème par exemple.
☛ SARL Joseph Balland-Chapuis, La Croix-Saint-Laurent, B.P. 24, 18300 Bué, tél. 02.48.54.06.67, fax 02.48.54.07.97 ☑ ⬭ t.l.j. sf sam. dim. 8h30-12h30 13h30-17h30

CEDRICK BARDIN 1999*

| | | 3,2 ha | 18 000 | 🍾🍷 30 à 49 F |

Vigneron installé à Pouilly-sur-Loire, Cédrick Bardin exploite quelques vignes dans le Sancerrois. Ce 99 se distingue du millésime par sa puissance. La bouche grasse, ronde, développe des notes de fruits blancs très mûrs jusqu'à une longue finale. Pour amateurs de vins riches et puissants.
☛ Cédrick Bardin, 12, rue Waldeck-Rousseau, 58150 Pouilly-sur-Loire, tél. 03.86.39.11.24, fax 03.86.39.16.50 ☑ ⬭ t.l.j. 9h-18h; dim. sur r.-v.

CLOS DE BEAUJEU 1998*

| | n.c. | 5 000 | 🍾🍷 50 à 69 F |

En 1380, un certain Jehan Boulay était vigneron à Chavignol. La tradition a été soigneusement entretenue au clos de Beaujeu que dirige Gérard Boulay aujourd'hui. On perçoit beaucoup de fraîcheur dans le blanc 98 où la pierre à fusil est douillettement entourée de notes de miel. Bien équilibré, bien dans le type sancerrois, ce vin pourra être conservé quelques années.
☛ Gérard Boulay, Chavignol, 18300 Sancerre, tél. 02.48.54.36.37 ☑

HENRI BOURGEOIS
La Côte des Monts Damnés 1999★★

| | | 2 ha | 17 640 | 🍾🍷 70 à 99 F |

La Côte des Monts Damnés est un site privilégié des coteaux de Chavignol, au cœur du vignoble sancerrois. Ce terroir est merveilleusement révélé par le travail du vigneron du domaine Bourgeois. Avec son nez intense, à la maturité affirmée, ce vin élégant crée des émotions que l'on souhaiterait ressentir plus souvent. La bouche est puissante tout en restant fraîche grâce à des arômes d'agrumes intenses. La finale est harmonieuse et longue à souhait.
☛ Dom. Henri Bourgeois, Chavignol, 18300 Sancerre, tél. 02.48.78.53.20, fax 02.48.54.14.24, e-mail domaine@bourgeois.sancerre.com ☑ ⬭ r.-v.

DOM. DES BUISSONNES 1999

| | | 10,62 ha | 79 000 | 🍾🍷 50 à 69 F |

Voici dix ans que Dominique Naudet et son beau-père Régis Jouan se sont associés sur ce domaine de quelque 15 ha. Le premier s'occupe plus particulièrement des vignes et le second de la vinification. Ils proposent ici un sancerre de « terres blanches » au nez d'agrumes très mûrs alliés à un soupçon de tabac. Une belle attaque sur des parfums de fruits méditerranéens puis une fraîcheur qui ne se dément pas en font un bon vin pour découvrir les terroirs sancerrois.
☛ SCEA des Buissonnes, Cave Roger Naudet, Maison Sallé, 18300 Sury-en-Vaux, tél. 02.48.79.35.41, fax 02.48.79.34.68 ☑ ⬭ t.l.j. 9h-12h 15h-19h

DOM. DU CARROIR PERRIN 1999

| | | 8 ha | 50 000 | 🍾🍷 50 à 69 F |

Chaudoux est l'un des trois villages qui constituent la commune de Verdigny. Ici, le dynamisme et l'esprit communautaire sont connus pour prêter les clés du succès viticole. Pierre Riffault a présenté une bouteille typique de l'appellation. Le nez fin dévoile des arômes de fleurs blanches (acacia) et de confiture de coings. En bouche, la vivacité du millésime est plaisante et fait de ce sancerre un vin attachant.
☛ Pierre Riffault, Chaudoux, 18300 Verdigny, tél. 02.48.79.31.03, fax 02.48.79.35.68 ☑ ⬭ t.l.j. 8h-12h30 14h-19h

DOM. DU CARROU 1999*

| | | 2 ha | 13 000 | 🍾⬤⬤🍷 30 à 49 F |

Le domaine du Carrou est planté à 40 % de pinot noir, contre 25 % en moyenne dans le reste du Sancerrois. Du bigarreau, du cassis, du cuir et une pointe de grillé sont perceptibles à l'olfaction de ce 99. Un tanin bien structuré et une pointe de chêne soutiennent l'ensemble. Une jolie réussite dans ce millésime particulièrement délicat pour les rouges.

🍷 Dominique Roger, 7, pl. du Carrou, 18300 Bué, tél. 02.48.54.10.65, fax 02.48.54.38.77 ☑ ⊤ t.l.j. 8h30-12h 13h30-19h; dim. sur r.-v.

DANIEL CHOTARD 1999★

□	7 ha	40 000	▮	50 à 69 F

Daniel Chotard est installé au hameau de Reigny, sur la jolie commune fleurie de Crézancy-en-Sancerre. Ce vigneron a mis beaucoup de conscience dans l'élaboration de ce vin aux senteurs d'abricot frais. C'est un bon ensemble, franc et attaque puis d'une vivacité intéressante. Il ne manque pas d'un certain gras, ce qui est rare pour ce millésime. A recommander à des amis.

🍷 Daniel Chotard, Hameau de Reigny, 18300 Crézancy-en-Sancerre, tél. 02.48.79.08.12, fax 02.48.79.09.21 ☑ ⊤ t.l.j. 9h-12h 14h-19h; dim. sur r.-v.

DOMINIQUE CROCHET 1998

▮	0,5 ha	4 000	◀▮▶	30 à 49 F

Bué-en-Sancerre se situe au fond d'un vallon couvert de vignes. Dominique et Janine Crochet y cultivent 9 ha de vignes et ont produit un vin sympathique qui permet de découvrir l'appellation sancerre. A la finesse des arômes répondent de la légèreté et des tanins bien intégrés dans une finale qui laisse remonter les fruits rouges.

🍷 Dom. Dominique et Janine Crochet, 64, rue de Venoize, 18300 Bué-en-Sancerre, tél. 02.48.54.19.56, fax 02.48.54.12.61 ☑ ⊤ r.-v.

ROBERT ET MARIE-SOLANGE
CROCHET Le Chêne Marchand 1999★

□	1,25 ha	5 000	▮◀▮▶	50 à 69 F

Le Chêne Marchand est un lieu-dit célèbre en Sancerrois. Ce vin de vieilles vignes (quarante ans), au premier nez de pain frais s'épanouit sur les fleurs blanches. Gai, avec une finale sans aspérités, il satisfera les amateurs de vins vrais.

🍷 Dom. Robert et Marie-Solange Crochet, Marcigoué, 18300 Bué-en-Sancerre, tél. 02.48.54.21.77, fax 02.48.54.25.10 ☑ ⊤ t.l.j. 9h-19h; dim. sur r.-v.

DOM. CROIX SAINT URSIN
Prestige 1997★

▮	0,4 ha	2 000	◀▮▶	70 à 89 F

Le vignoble remonte au début du XVIIIᵉs. Planté sur les flancs du vallon de Bué, il a donné bien des satisfactions à Sylvain Bailly, régulièrement mentionné dans le Guide. Ce sancerre 97 mérite l'attention. De couleur sombre, il dévoile des nuances de fruits rouges et de grillé sur un fond animal. Peu tannique, il se prolonge longuement, sans artifice et avec élégance.

🍷 Sylvain Bailly, 71, rue de Venoize, 18300 Bué, tél. 02.48.54.02.75, fax 02.48.54.28.41 ☑ ⊤ t.l.j. 8h-12h 14h-18h30; dim. sur r.-v.
🍷 Jacques Bailly

DOM. DAULNY 1998

□	11 ha	80 000	▮	30 à 49 F

D'aspect or soutenu, ce 98 livre un nez de surmaturation persistant (fruits confits, coing) et s'ouvre volontiers dès qu'on le laisse s'aérer quelque peu. Rond en bouche, il reprend longuement les arômes perçus à l'olfaction. Il sera apprécié des amateurs de vins issus de raisins bien mûrs récoltés dans les derniers jours de vendanges en Sancerrois.

🍷 Etienne Daulny, Chaudenay, 18300 Verdigny, tél. 02.48.79.33.96, fax 02.48.79.33.39 ☑ ⊤ r.-v.

DOM. VINCENT DELAPORTE ET FILS 1999★

□	15 ha	120 000	▮	30 à 49 F

Imaginez les coteaux abrupts du Sancerrois baignés du soleil automnal. D'une couleur or à reflets verts marqués, ce vin évoque le raisin lentement mûri dans lequel on a envie de croquer. Un beau sancerre alliant fraîcheur et longueur qui accompagnera parfaitement un brochet au beurre blanc. Quant à la cuvée **Maxime 99** (50 à 69 F), citée, elle libère sous sa robe or jaune des arômes de torréfaction marqués, hérités d'un élevage en fût de huit mois.

🍷 SCEV Vincent Delaporte et Fils, Chavignol, 18300 Sancerre, tél. 02.48.78.03.32, fax 02.48.78.02.62 ☑ ⊤ r.-v.

GÉRARD FIOU 1999★

□	5,25 ha	30 000	▮	30 à 49 F

Gérard Fiou, c'est l'authenticité du vigneron sancerrois où la sympathie de l'accueil n'est pas un vain mot. Ce 99 possède un nez intense de fleurs qui finit sur le pamplemousse et se marie ainsi parfaitement aux impressions gustatives, davantage axées sur les agrumes. La finale vanillée est agréable.

🍷 Gérard Fiou, 13-15, rue Hilaire-Amagat, 18300 Saint-Satur, tél. 02.48.54.16.17, fax 02.48.54.36.89 ☑ ⊤ t.l.j. 9h-18h

DOM. FOUASSIER Les Chasseignes 1999

□	5,99 ha	30 000	▮	50 à 69 F

Les trois cuvées classiques de Pierre et Jean-Michel Fouassier ont été citées par le jury dans le millésime 99. Depuis les Chasseignes jusqu'aux Romains en passant par le Clos Paradis, vous découvrirez les terroirs sancerrois et leurs spécificités. Du menthol et de la citronnelle dans les Chasseignes, de la rondeur et des agrumes dans **Le Clos Paradis**, de la pierre à fusil dans **Les Romains**. Belle diversité, et toujours la qualité et l'originalité.

🍷 SA Fouassier Père et Fils, 180, av. de Verdun, 18300 Sancerre, tél. 02.48.54.02.34, fax 02.48.54.35.61, e-mail fouassier@terre-net.fr ☑ ⊤ t.l.j. 9h-12h 14h-18h

DOM. MICHEL GIRARD ET FILS 1999★

□	9,8 ha	60 000	▮	50 à 69 F

Des nuances originales pour l'appellation rappelant la mirabelle se révèlent dans la palette aromatique. Rond et plein en attaque, axé sur

LOIRE

des notes de rose, ce vin offre un agréable divertissement à ne pas seulement regarder.
🗪 Dom. Michel Girard et Fils, Chaudoux, 18300 Verdigny, tél. 02.48.79.33.36, fax 02.48.79.33.66 ☑ ⏇ r.-v.

DOM. DES GRANDES PERRIERES
1999

| ☐ | | 2 ha | 17 000 | 🍷⬇ | 30 à 49 F |

Depuis la route, le panorama sur le bourg pittoresque de Sury-en-Vaux est enchanteur. La nature y est tout à son avantage. C'est dans ce cadre que Jérôme Gueneau s'est installé en 1991. Si vous aimez le citron, vous le retrouverez dans cette bouteille, tantôt alliée aux fleurs blanches, tantôt à la vanille. Un vin bien dans ce millésime à l'automne délicat.
🗪 Jérôme Gueneau, Les Grandes-Perrières, 18300 Sury-en-Vaux, tél. 02.48.79.39.31, fax 02.48.79.40.27 ☑ ⏇ t.l.j. 8h-12h 13h30-20h

ALAIN GUENEAU 1999

| ☐ | | 2 ha | 15 000 | 🍷⬇ | 30 à 49 F |

Vêtu d'une robe jaune pâle, ce sancerre offre bien des satisfactions, tant olfactives (minéral) que gustatives. La bouche bénéficie d'un équilibre plaisant finissant sur une pointe citronnée.
🗪 Alain Gueneau, Maison-Sallé, 18300 Sury-en-Vaux, tél. 02.48.79.30.51, fax 02.48.79.36.89 ☑ ⏇ r.-v.

PASCAL JOLIVET
Le Chêne Marchand 1998★★

| ☐ | | 1 ha | 6 000 | 🍷⬇ | 70 à 99 F |

Le jury a plébiscité ce blanc 98 d'un or pâle limpide et dont la palette d'agrumes est représentative de l'originalité des sancerre. Extrêmement équilibré, brillant par la finesse des arômes et leur complexité, ce vin traduit une maîtrise et un respect de la vendange sans concessions. Quelle harmonie et quelle longueur ! Coup de cœur assurément. En **blanc, Les Caillottes 99** obtient une étoile. C'est un vin complet, aux arômes d'orange mûre qui se prolongent en bouche accompagnés d'une nuance vanillée agréable.
🗪 Pascal Jolivet, rte de Chavignol, 18300 Sancerre, tél. 02.48.27.28.29, fax 02.48.27.28.20, e-mail info@pascal-jolivet.com ☑ ⏇ r.-v.

DOM. DE LA JOLIVE 1999

| ☐ | | 1,4 ha | 11 000 | 🍷 | 30 à 49 F |

Les expositions estivales à Buranlure sont l'occasion de visiter ce château construit aux XIVᵉ et XVᵉˢ. dans la verdure, au creux d'une vallée. Le domaine de La Jolive n'est qu'à une petite dizaine de kilomètres. Il propose en 99 un vin harmonieux, au nez puissant mais légèrement végétal. Rond, souple, ce sancerre est plaisant et bien dans le millésime. Le **sancerre rouge 99**, élevé quinze mois en fût, est cité pour son bon équilibre et sa finale très « pinotante ».
🗪 Gérard Terrier, Les Giraults, 18300 Sury-en-Vaux, tél. 02.48.79.35.10, fax 02.48.79.39.98 ☑ ⏇ r.-v.

SERGE LALOUE Silex Cuvée réservée 1999

| ☐ | | 2 ha | 14 000 | 🍷⬇ | 50 à 69 F |

Sur un sol argilo-siliceux à 80 % et calcaire à 20 %, Serge et Franck Laloue produisent leur cuvée Silex. Dans le millésime 99, celle-ci présente un nez discret d'où émanent une note lactique et des arômes d'ananas bien mûr. Ferme, elle devra être attendue pour donner le meilleur de son expression. En **rouge**, il convient de citer le **98**, un vin puissant qui libère des senteurs boisées et animales.
🗪 Serge Laloue, Thauvenay, 18300 Sancerre, tél. 02.48.79.94.10, fax 02.48.79.92.48, e-mail laloue@terre-net.fr ☑ ⏇ r.-v.

DOM. SERGE LAPORTE 1998

| ☐ | | 1,8 ha | 7 500 | 🍷⬇ | 50 à 69 F |

A Chavignol, le sancerre se marie tout naturellement avec les fameux crottins (du nom d'une ancienne lampe à huile en terre cuite de forme ronde). Celui-ci, animé de reflets dorés, livre des senteurs de miel et fruits confits. De bonne structure, il évolue harmonieusement jusqu'à une finale réglissée.
🗪 Dom. Serge Laporte, Chavignol, 18300 Sancerre, tél. 02.48.54.30.10, fax 02.48.54.28.91 ☑ ⏇ r.-v.

DOM. DE LA ROSSIGNOLE 1999

| ☐ | | 6 ha | 40 000 | 🍷⬇ | 50 à 69 F |

François et Jean-Marie Cherrier, les deux fils de Pierre, partie prenante au domaine depuis 1984, privilégient de plus en plus les méthodes de lutte raisonnée sur les 15 ha de vignes à Verdigny. Ils ont obtenu un sancerre bien dans le millésime 99. Le nez rappelle le cépage sauvignon sur des notes vanillées et des arômes de fleurs blanches. Voilà un vin complet avec une fin de bouche agréable.
🗪 Pierre Cherrier et Fils, Chaudoux, 18300 Verdigny-en-Sancerre, tél. 02.48.79.34.93, fax 02.48.79.33.41 ☑ ⏇ r.-v.

DOM. RENE MALLERON 1999

| ■ | | 1,59 ha | 12 900 | 🍷⬇ | 50 à 69 F |

Les troupeaux de chèvres sont assez nombreux dans les hameaux de Crézancy-en-Sancerre, dont Champtin fait partie. Leurs fromages trouveront à s'accorder avec ce sancerre pourpre sombre. Le nez, de forte intensité, évoque le marc de raisin frais agrémenté de notes poivrées. Ce vin avait encore lors de la dégustation du tanin en finale qui le rendait un peu nerveux. Un élevage lui sera sûrement profitable.
🗪 Dom. René Malleron, Champtin, 18300 Crézancy-en-Sancerre, tél. 02.48.79.06.90, fax 02.48.79.42.18 ☑ ⏇ r.-v.

JOSEPH MELLOT La Châtellenie 1999

☐ 20 ha 210 000 ▮♦ 50 à 69 F

La famille Mellot est un nom du vignoble sancerrois depuis 1513. Aujourd'hui dirigée par Alexandre Mellot, la maison exporte sa production dans près de vingt-cinq pays. Son 99 est un vin plaisant à déguster dès à présent, car très en fruits. Aux premières notes végétales se substituent un arôme de pamplemousse frais et une senteur de citron qui s'associeront parfaitement avec un plat de crustacés.
☛ SA Joseph Mellot, rte de Ménétréol, B.P. 13, 18300 Sancerre, tél. 02.48.78.54.54, fax 02.48.78.54.55, e-mail alexandre@joseph-mellot.fr ☑ ⊺ r.-v.

DOM. FRANCK MILLET 1999★

☐ 9 ha 60 000 ▮♦ 50 à 69 F

Franck Millet avait obtenu un coup de cœur dans le millésime 95, ce qui lui avait valu la visite des caméras de France 2. En 99, c'est un sancerre très réussi qu'il propose. D'emblée, on sent le raisin - le sauvignon -, puis apparaissent des nuances plus végétales de buis. Ce vin présente l'intérêt de laisser apparaître à la fois de la tendresse et de la vivacité. S'il finit de manière quelque peu austère, il s'arrondira en mûrissant.
☛ Franck Millet, L'Estérille, rue Saint-Vincent, 18300 Bué, tél. 02.48.54.25.26, fax 02.48.54.39.85, e-mail millet-sancerre.com ☑ ⊺ r.-v.

DOM. GERARD MILLET 1999

☐ 11,9 ha 104 000 ▮♦ 50 à 69 F

Gérard Millet avait obtenu un coup de cœur l'an passé pour son sancerre rouge 99. Depuis 1979, date à laquelle il a repris les quelques vignes de ses grands-parents, il a fait évoluer son vignoble en plantant sur les sols de caillottes. D'une limpidité cristalline, son 99 de bonne intensité aromatique sera apprécié par les amateurs de ce terroir spécifique. Doté de beaucoup de fruit en bouche, il a séduit par sa finesse.
☛ Gérard Millet, rte de Bourges, 18300 Bué, tél. 02.48.54.38.62, fax 02.48.54.13.50, e-mail gmillet@terre-net.fr ☑ ⊺ r.-v.

ROGER MOREUX 1998

■ 2 ha n.c. ▮⫯♦ 50 à 69 F

Une robe rubis à peine ambré habille ce sancerre rouge dont les parfums rappellent agréablement la cerise mûre. En bouche, on perçoit un corps un peu massif et une finale encore austère. Mais le temps fera son œuvre.
☛ Roger Moreux, Chavignol, 18300 Sancerre, tél. 02.48.54.05.79, e-mail moreux912@aol.com ☑ ⊺ t.l.j. sf dim. 8h-19h

DOM. DES CAVES DU PRIEURE 1999

☐ 4,5 ha 20 000 ▮♦ 30 à 49 F

Avec leur fils, titulaire d'un BTS viti-œno, qui les a rejoints en 1995, Geneviève et Jacques Guillerault cultivent leurs 15 ha de vignes en pratiquant la lutte raisonnée. Leur sancerre 99 est un vin discret à la bonne harmonie sur des notes lactées et des touches d'agrumes (orange). On

perçoit une bonne longueur en bouche bien que la finale soit un peu austère.
☛ Jacques Guillerault, Dom. des Caves du Prieuré, Reigny, 18300 Crézancy-en-Sancerre, tél. 02.48.79.02.84, fax 02.48.79.01.02 ☑ ⊺ r.-v.

PAUL PRIEUR ET FILS 1999

☐ 9,28 ha 80 000 ▮♦ 50 à 69 F

Il fait bon se promener par les sentiers de vignes et les petites routes champêtres pour découvrir les paysages des collines du Sancerrois. Les Prieur possèdent ici un vignoble de plus de 14 ha. Ils ont élaboré un joli vin traditionnel du Sancerrois. Le nez intense, mentholé, est agrémenté d'une note beurrée. Après une attaque assez vive, le fruité lié aux agrumes et la longueur en bouche invite à un accord gastronomique avec les fruits de mer.
☛ Dom. Paul Prieur et Fils, rte des Monts-Damnés, 18300 Verdigny, tél. 02.48.79.35.86, fax 02.48.79.36.85 ☑ ⊺ t.l.j. 9h-12h 14h-18h; dim. sur r.-v.

DOM. DU P'TIT ROY 1999

■ 2 ha 10 000 ▮ 30 à 49 F

D'un pourpre violacé, la robe est le signe d'une excellente concentration. Cette impression se confirme au nez, à travers des arômes d'épices et de viande. Ce vin étonnant à l'olfaction allie en bouche des tanins veloutés à une pointe d'astringence. Il mérite d'être attendu pour être dégusté en 2001.
☛ Pierre et Alain Dezat, Maimbray, 18300 Sury-en-Vaux, tél. 02.48.79.34.16, fax 02.48.79.35.81 ☑ ⊺ r.-v.

PHILIPPE RAIMBAULT
Apud Sariacum 1999

☐ 4,75 ha 38 000 ▮♦ 50 à 69 F

Un fossile figure sur l'étiquette de ce sancerre, clin d'œil à la collection que Philippe Raimbault présente dans sa cave. Le nom de cette cuvée rappelle par ailleurs l'histoire de la commune de Sury-en-Vaux d'origine gallo-romaine. D'intensité moyenne, ce 99 fait la part belle aux fleurs blanches et allie finesse et rondeur. On le dégustera dès à présent. Citons également en **blanc** la cuvée des **Godons 99** issue d'un très beau terroir pentu en forme d'amphithéâtre.
☛ Philippe Raimbault, rte de Maimbray, 18300 Sury-en-Vaux, tél. 02.48.79.29.54, fax 02.48.79.29.51 ☑ ⊺ r.-v.

ROGER ET DIDIER RAIMBAULT 1999

☐ 10 ha 40 000 ▮♦ 30 à 49 F

Jaune pâle à reflets dorés, ce vin à dominante florale fait ressortir quelques notes minérales dans un bon volume. La finale évoque la banane mûre et laisse une impression un peu chaleureuse. Mérité aussi en **rouge**, le 99 de Roger et Didier Raimbault mérite aussi une citation. Son nez intense de bigarreau séduira les amateurs de vins rouges légers.
☛ Roger et Didier Raimbault, Chaudenay, 18300 Verdigny, tél. 02.48.79.32.87, fax 02.48.79.39.08 ☑ ⊺ t.l.j. 9h-12h 13h30-18h

DOM. RAIMBAULT-PINEAU 1999

☐   8 ha   60 000   ■♦ 50 à 69 F

On ne compte plus les générations de vignerons au domaine Raimbault-Pineau. Sous des arômes intenses typés du cépage sauvignon, mêlés à une pointe de fruit de la Passion, ce sancerre est un vin frais qui développe du gras tout au long de la dégustation. A servir sur des viandes blanches.
🍷 Dom. Raimbault-Pineau, rte de Sancerre, 18300 Sury-en-Vaux, tél. 02.48.79.33.04, fax 02.48.79.36.25 ☑ ⊥ t.l.j. 9h-12h 13h30-18h; dim. sur r.-v.; f. 1ᵉʳ-15 août et 8-23 janv.

PASCAL ET NICOLAS REVERDY 1999★

☐   6 ha   48 000   ■♦ 30 à 49 F

Deux vins très réussis signés Nicolas et Pascal Reverdy, producteurs souvent présents dans le Guide. Celui-ci présente un nez élégant et frais où dominent les agrumes. Après une attaque franche, il développe du fruité. La finale est encore quelque peu austère. En **rouge, le 99** livre un nez de framboise écrasée. Sa bouche franche et rigoureuse est bâtie sur des tanins soyeux qui permettent de l'apprécier pleinement dès maintenant.
🍷 Pascal et Nicolas Reverdy, Maimbray, 18300 Sury-en-Vaux, tél. 02.48.79.37.31, fax 02.48.79.41.48 ⊥ t.l.j. sf dim. 14h30-19h

DOM. REVERDY-DUCROUX
Louys Marie Vieilles vignes 1998

■   0,65 ha   3 500   ❙❙❙ 70 à 99 F

De vieilles vignes de quarante ans plantées sur argilo-calcaire ont produit cette cuvée Louys Marie. Très puissant, ce sancerre rouge était encore sous l'emprise du fût au moment de la dégustation, mais il n'en est pas moins équilibré. Un vieillissement de quelques années permettra d'en découvrir toutes les subtilités.
🍷 Dom. Reverdy-Ducroux, Chaudoux, 18300 Verdigny, tél. 02.48.79.31.33, fax 02.48.79.36.19 ⊥ r.-v.

DOM. BERNARD REVERDY ET FILS 1999

☐   8,6 ha   64 000   ■♦ 50 à 69 F

Un blanc attachant par sa palette aromatique complexe mêlant fleurs blanches et pamplemousse. Beaucoup de fruité et une touche d'acidité en feront un compagnon des fruits de mer de Noël. Egalement cité, le **rosé 99**, d'une teinte claire, possède une attrayante fraîcheur tirant sur des tonalités citronnées. Il s'accordera à des entrées froides de poisson ou de charcuteries.
🍷 Bernard Reverdy et Fils, Chaudoux, rte des Petites-Perrières, 18300 Verdigny, tél. 02.48.79.33.08, fax 02.48.79.37.93 ☑ ⊥ r.-v.

JEAN REVERDY ET FILS
La Reine Blanche 1999★★

☐   9 ha   70 000   ■♦ 50 à 69 F

Voici une Reine Blanche qui a été élue au suffrage universel et qui a réuni tous les membres du jury autour du même constat : superbe ! Jean Reverdy et Fils, c'est la tradition familiale sancerroise et l'amour du travail bien fait. Une belle bouteille que ce 99 harmonieux et toujours vif sans austérité ; il livre des notes mentholées autour du cassis et du citron mûr. Coup de cœur !

🍷 Jean Reverdy et Fils, 18300 Verdigny, tél. 02.48.79.31.48, fax 02.48.79.32.44 ☑ ⊥ r.-v.

CLAUDE RIFFAULT Les Boucauds 1999

☐   n.c.   38 000   ■ 30 à 49 F

Un vin de découverte de l'appellation, expressif et complexe. Les notes de buis puis d'orange mûre sont confirmées en bouche avec une légère nuance d'acacia fendu. Un sancerre intéressant pour le millésime. Egalement cité, le **sancerre rouge 99** est un vin de plaisir, « très raisin », très progressif en tanins, ce qui assure une bonne persistance aromatique. La finale laisse sur une note d'eau-de-vie.
🍷 SCEV Claude Riffault, Maison-Sallé, 18300 Sury-en-Vaux, tél. 02.48.79.38.22, fax 02.48.79.36.22 ☑ ⊥ t.l.j. 8h-12h 14h-19h; dim. sur r.-v.

DOM. DE SAINT-PIERRE 1999★★

☐   12 ha   95 000   ■♦ 50 à 69 F

Une étoile l'an passé pour le millésime 98, deux étoiles cette année pour le 99. De la belle ouvrage encore dans cette exploitation familiale. Le nez fort riche mêlant citron mûr et orange annonce une bouche très pure évoquant l'orange confite. Un vin que l'on voudrait rencontrer souvent au détour des chemins sancerrois.
🍷 SA Pierre Prieur et Fils, Dom. de Saint-Pierre, 18300 Verdigny, tél. 02.48.79.31.70, fax 02.48.79.38.87 ☑ ⊥ t.l.j. sf dim. 8h30-12h 14h-18h30

DOM. DE SAINT-PIERRE 1999★★

■   n.c.   25 000   ■❙❙♦ 50 à 69 F

Coup double pour Pierre Prieur et Fils puisque ce sancerre rouge est tout aussi remarquable que le blanc. D'une belle robe grenat, le dessus du verre sent bon le marc frais et le pain grillé. Le fond, lui, n'est que puissance et persistance, tout en conservant un fruité qui fera votre bonheur à Noël. On appréciera aussi, en **rouge,** la cuvée **Maréchal Prieur 98**, très réussie (70 à 99 F). D'un rouge profond, celle-ci livre timidement des arômes de fruits rouges caractéristiques du cépage. En bouche, la puissance dépasse la finesse mais n'ôte en rien l'élégance de ce vin. Une garde permettra une bonne évolution.

•⌐ SA Pierre Prieur et Fils, Dom. de Saint-Pierre, 18300 Verdigny, tél. 02.48.79.31.70, fax 02.48.79.38.87 ☑ ⍊ t.l.j. sf dim. 8h30-12h 14h-18h30

LES CELLIERS SAINT-ROMBLE 1999

| ■ | 5,01 ha | 35 000 | ❚❙❚ | 30 à 49 F |

Un sancerre sans artifice qui sera prêt avant beaucoup de vins élevés sous bois. Le nez laisse percevoir des notes de cerise à l'eau-de-vie. Les tanins, jamais excessifs, tapissent bien la bouche, et l'on a l'impression de croquer du raisin ! La finale est souple, avec un certain gras.
•⌐ SCEV André Dezat et Fils, Chaudoux, 18300 Verdigny, tél. 02.48.79.38.82, fax 02.48.79.38.24 ☑ ⍊ r.-v.

DOM. DE SAINT-ROMBLE 1998★★

| ■ | 1,8 ha | 14 000 | ⬛⬛ | 30 à 49 F |

Les notes du jury ont été unanimes pour ce joli vin rouge cerise. Le pinot noir s'exprime fortement dans ces terres blanches du Sancerrois. En témoignant les arômes de fruits rouges perceptibles au nez et le corps solide mais souple. L'équilibre est excellent et la finale agréable. Très réussi, le **blanc Grande Cuvée Vieilles vignes 98** est également fort plaisant avec ses notes muscatées.
•⌐ SARL Paul Vattan, Dom. de Saint-Romble, Maimbray, B.P. 45, 18300 Sury-en-Vaux, tél. 02.48.79.30.36, fax 02.48.79.30.41, e-mail claude@fournier-pere-fils.fr ☑ ⍊ t.l.j. 9h-12h 14h-18h; sam. dim. sur r.-v.

DOM. DE SARRY 1999★

| ☐ | 11 ha | 64 000 | ⬛⬛ | 50 à 69 F |

Michel Brock a créé ce domaine en 1968 et cultive ses vignes sur les fameuses terres blanches de Sancerre. D'une belle couleur or pâle, son 99 est expressif ; les fruits confits sur une note de violette agrémentent avec finesse le caractère gustatif où le citrus tonifie le gras. A découvrir à la sortie du Guide. Tout aussi réussi, le **sancerre rouge 99**, rubis foncé, est empreint d'un boisé agréable au nez. La bouche dévoile un certain gras et une expression tannique forte mais de qualité. Ce vin mérite d'être attendu de trois à dix ans.
•⌐ Dom. Brock, Le Briou-de-Veaugues, rte de Bourges, 18300 Sancerre, tél. 02.48.79.07.92, fax 02.48.79.05.28 ☑ ⍊ r.-v.

DOM. TABORDET 1999★

| ☐ | 1,54 ha | 13 000 | ⬛⬛ | 30 à 49 F |

En 1980, les deux frères Yvon et Pascal Tabordet ont repris le domaine familial qui compte à ce jour une dizaine d'hectares sur sol argilo-calcaire. Ils réussissent ici un sancerre blanc aux arômes frais et intenses, à dominante florale. La structure est rendue très agréable par le respect du fruit et une belle finale persistante. Un vin accessible dès maintenant. Cité, le **rouge 99** exprime nettement le cépage, avec une curieuse note anisée. Rond et chaleureux, il propose une bonne remontée aromatique sur le fruit en finale. Une petite garde lui sera bénéfique.
•⌐ Yvon et Pascal Tabordet, Chaudoux, 18300 Verdigny, tél. 02.48.79.34.01, fax 02.48.79.32.69 ☑ ⍊ r.-v.

CH. DE THAUVENAY 1999

| ☐ | 11,5 ha | 66 000 | ⬛⬛ | 50 à 69 F |

Propriété familiale depuis 1810, le château de Thauvenay doit notamment son vignoble au comte de Montalivet, ministre de l'Intérieur de Napoléon et ancêtre de l'actuel propriétaire, Georges de Choulot. Ce dernier propose un joli vin à la robe jaune brillant et aux notes de fruits mûrs. En bouche ce 99 s'achemine vers une finale honorable et équilibrée.
•⌐ Georges de Choulot, Le Château, 18300 Thauvenay, tél. 02.48.79.90.33, fax 02.48.79.95.67, e-mail chateau-de-thauvenay@terre-net.fr ☑ ⍊ t.l.j. sf dim. 8h30-12h 14h30-18h

ANDRE THEVENEAU 1998★

| ■ | 11 ha | 100 000 | ⬛⬛ | 30 à 49 F |

Les tanins sont bien présents mais fondus dans cette bouteille à la robe rubis profond. Les notes de boisé se marient agréablement avec le fruit rouge. En bouche, la griotte dispute la vedette au cassis. La jeunesse et la fougue de ce vin devront s'assigir au cours de quelques années de cave.
•⌐ André Théveneau, Les Chailloux-de-Veaugues, 18300 Sancerre, tél. 02.48.79.09.92, fax 02.48.79.05.28 ☑ ⍊ r.-v.

DOM. THOMAS 1999★

| ◣ | 0,8 ha | 6 500 | ⬛⬛ | 50 à 69 F |

Sur sol kimméridgien, le domaine Thomas a obtenu deux réussites dans le millésime 99. Ce rosé d'abord, dans sa robe soutenue, qui livre un nez intense de fruits et de rose ; il s'affirme en bouche en faisant croquer sous la dent de la pêche et de l'abricot. On en redemande ! Quant au **sancerre blanc 99**, il fait preuve d'équilibre tant au palais que dans sa palette flatteuse et bien développée. Une finale fraîche traduit une belle expression du terroir sancerrois et du millésime.
•⌐ Dom. Thomas et Fils, Chaudoux-Verdigny, 18300 Sancerre, tél. 02.48.79.38.71, fax 02.48.79.38.14 ☑ ⍊ t.l.j. 8h-12h 13h30-18h

DOM. MICHEL THOMAS 1999★

| ☐ | 10 ha | 80 000 | ⬛⬛ | 50 à 69 F |

D'un or vert franc et limpide, ce vin fera le bonheur des amateurs. Marqués par les agrumes, dont le pamplemousse, les arômes sont persistants. En bouche, la vivacité s'allie aux nuances de tubéreuses dans un équilibre parfait. L'ensemble est complet et harmonieux.
•⌐ SCEV Michel Thomas et Fils, Les Egrots, 18300 Sury-en-Vaux, tél. 02.48.79.35.46, fax 02.48.79.37.60 ☑ ⍊ t.l.j. sf dim. 8h-12h 14h30-19h30

CLAUDE ET FLORENCE THOMAS-LABAILLE
Les Aristides Vieilles vignes 1999

| ☐ | 1,5 ha | 8 000 | ❚❙❚ | 50 à 69 F |

Claude et Florence Thomas-Labaille sont à la tête de cette propriété de 6 ha depuis 1994. Leur cuvée Les Aristides est issue de vignes de quarante-cinq ans d'âge et a bénéficié d'un élevage mi-cuve mi-fût. Au nez, le fumé rehaussé de notes boisées est tout en finesse, tandis qu'en bouche les arômes discrets sont masqués par le bois. Un vin à attendre.

•➔ EARL Thomas-Labaille, Chavignol, 18300 Sancerre, tél. 02.48.54.06.95, fax 02.48.54.07.80 ☑ ⏦ r.-v.

DOM. TINET-BLONDELET
La Croix Canat 1999

☐   2,2 ha   16 000   ▮♦ 50 à 69 F

Légèrement végétal au premier abord, ce sancerre dégage des arômes suaves de cassis après aération. L'attaque est souple, à peine marquée par une pointe de vivacité citronnée. Un vin cohérent.

•➔ Dom. Tinel-Blondelet, La Croix-Canat, 58150 Pouilly-sur-Loire, tél. 03.86.39.13.83, fax 03.86.39.02.94 ☑ ⏦ r.-v.

DOM. DES TROIS NOYERS 1999★

☐   n.c.   n.c.   ▮♦ 50 à 69 F

Le domaine des Trois Noyers décline la gamme des sancerre avec succès dans le millésime 99. Un beau blanc à reflets dorés, tout d'abord. Le nez livre des arômes d'orange sanguine et de menthe fraîche. L'attaque ronde introduit une bouche ample, mais la finale un peu courte invite à une dégustation dès à présent. En **rouge 99**, le vin s'ouvre sur un délice de fruits rouges. La trame tannique est encore un peu austère mais s'arrondira sûrement avec le temps. Une citation s'impose. Enfin, le **rosé 99**, également cité, rappelle étonnamment la barbe à papa et l'écorce d'orange. C'est un sancerre « croustillant » et agréable.

•➔ Reverdy-Cadet et Fils, rte de la Perrière, Chaudoux, 18300 Verdigny, tél. 02.48.79.38.54, fax 02.48.79.35.25 ☑ ⏦ t.l.j. 10h-12h 14h-18h; dim. sur r.-v.

DOM. VACHERON 1998

▪   11 ha   5 000   ⏚ 50 à 69 F

Les caves de ce domaine sont situées sous le « Pitou de Sancerre ». Elles avaient abrité le coup de cœur pour le millésime 95. Dans cette même couleur, voici, le 98 d'un joli rouge cerise dont la couleur s'harmonise parfaitement avec les arômes de fruits rouges évoluant sur le kirsch. Il faudra attendre que les tanins évoluent pour amadouer la finale encore un peu austère.

•➔ J.-L. et J.-D. Vacheron, rue du Puits-Poulton, 18300 Sancerre, tél. 02.48.54.09.93, fax 02.48.54.01.74 ☑ ⏦ t.l.j.10h-12h 14h30-18h

DOM. ANDRE VATAN Les Charmes 1999

☐   7,64 ha   67 000   ▮♦ 50 à 69 F

Ce vin aux notes de fleurs d'acacia commence humblement, puis monte progressivement grâce à sa concentration. On perçoit ainsi une bonne persistance en fin de bouche. Sans se départir de son humilité, ce sancerre a du caractère.

•➔ André Vatan, Chaudoux, 18300 Verdigny, tél. 02.48.79.33.07, fax 02.48.79.36.30 ☑ ⏦ r.-v.

DOM. DES VIEUX PRUNIERS 1999

☐   5,45 ha   45 000   ▮ 30 à 49 F

Christian Thirot-Fournier s'est installé en 1984 avec son épouse sur un petit vignoble. Le domaine compte aujourd'hui 9 ha sur sol de caillottes. Le 99 est un vin sympathique doté de beaucoup de matière. Les arômes du sauvignon s'expriment largement. Une longue finale agréable sur une fraîcheur de nuit d'été en fait un sancerre convivial.

•➔ Christian Thirot-Fournier, 1, chem. de Marcigoi, 18300 Bué, tél. 02.48.54.09.40, fax 02.48.78.02.72 ☑ ⏦ t.l.j. sf dim. 8h-12h 13h30-19h

LA VALLEE DU RHONE

Viril et fougueux, le Rhône file vers le Midi, vers le soleil. Sur ses rives, le long des pays qu'il unit plus qu'il ne les divise, s'étendent des vignobles parmi les plus anciens de France, ici prestigieux, plus loin méconnus. La vallée du Rhône est, en production de vins fins, la seconde région viticole de l'Hexagone après le Bordelais. En qualité aussi, elle peut rivaliser sans honte avec certains de ses crus, suscitant l'intérêt des connaisseurs autant que quelques-uns des bordeaux ou des bourgognes les plus réputés.

Longtemps, pourtant, le côtes du rhône fut mésestimé : gentil vin de comptoir un peu populaire, il n'apparaissait que trop rarement aux tables élégantes. « Vin d'une nuit » qu'une si brève cuvaison rendait léger, fruité et peu tannique, il voisinait avec le beaujolais dans les « bouchons » lyonnais ; mais les vrais amateurs appréciaient pourtant les grands crus et goûtaient un hermitage avec tout le respect dû aux plus grandes bouteilles. Aujourd'hui, grâce aux efforts de 12 000 vignerons et de leurs organismes professionnels, en vue d'une constante amélioration de la qualité, l'image des côtes du rhône s'est redressée. S'ils continuent à couler allègrement sur le zinc des bistrots, ils prennent une place de plus en plus grande sur les meilleures tables, et, tandis que leur diversité fait leur richesse, ils ont regagné désormais le succès que l'histoire, déjà, leur avait accordé.

Peu de vignobles sont en effet capables de se prévaloir d'un passé aussi glorieux que ceux-ci, et, de Vienne jusqu'à Avignon, il n'est pas un village qui ne puisse retracer quelques pages parmi les plus mémorables de l'histoire de France. On revendique en outre, aux abords de Vienne, l'un des plus anciens vignobles du pays, développé par les Romains, après avoir été créé par des Phocéens « montés » depuis Marseille. Vers le IV[e]s. avant notre ère, des vignobles étaient attestés dans les secteurs des actuels hermitage et côte rôtie, tandis que ceux de la région de Die apparaissaient dès le début de l'ère chrétienne. Les Templiers, au XII[e]s., ont planté les premières vignes de Châteauneuf-du-Pape, œuvre poursuivie par le pape Jean XXII deux siècles plus tard. Quant aux vins de la Côte du Rhône gardoise, ils connurent une grande vogue aux XVIIe et XVIII[e]s.

Aujourd'hui, dans le secteur méridional, sur la rive gauche du fleuve, le château médiéval de Suze-la-Rousse s'est reconverti au service du vin : l'université du Vin y siège et y organise stages, formation professionnelle et manifestations diverses.

Tout le long de la vallée, les vins sont produits sur les deux rives, certains experts séparant cependant les vins de la rive gauche, plus lourds et capiteux, de ceux de la rive droite, plus légers. Mais on distingue plus généralement deux grands secteurs nettement différenciés : celui des Côtes du Rhône septentrionales, au nord de Valence, et celui des Côtes du Rhône méridionales, au sud de Montélimar, coupés l'un de l'autre par une zone d'environ cinquante kilomètres où la vigne est absente.

Il ne faut pas oublier non plus les appellations voisines de la vallée du Rhône, qui, si elles sont moins connues du grand public, produisent pourtant des vins originaux et de qualité. Ce sont le coteaux du tricastin au nord, le côtes du ventoux et le côtes du lubéron à l'est, le côtes du vivarais au nord-ouest. Il existe trois autres appellations que leur situation géographique éloigne davantage de la vallée proprement dite : la clairette de die et le châtillon-en-diois, dans la vallée de la Drôme, en bordure du Vercors, et les coteaux de pierrevert, produits dans le département des Alpes-de-Haute-Provence. Il convient enfin de citer les deux appellations de vins doux naturels du Vaucluse : muscat de beaumes-de-venise et rasteau (voir le chapitre consacré aux vins doux naturels).

_____ **S**elon les variations de sol et de climat, il est encore possible de repérer trois sous-ensembles dans cette vaste région de la vallée du Rhône. Au nord de Valence, le climat est tempéré à influence continentale, les sols sont le plus souvent granitiques ou schisteux, disposés en coteaux à très forte pente ; les vins sont issus du seul cépage syrah pour les rouges, des cépages marsanne et roussanne pour les blancs, et le cépage viognier est à l'origine du château-grillet et du condrieu. Dans le Diois, le climat est influencé par le relief montagneux, et les sols calcaires sont constitués par des éboulis de bas de pente ; les cépages clairette et muscat se sont bien adaptés à ces conditions naturelles. Au sud de Montélimar, le climat est méditerranéen, les sols très variés sont répartis sur un substrat calcaire (terrasses à galets roulés, sols rouges argilo-sableux, molasses et sables) ; le cépage principal est alors le grenache, mais les excès climatiques obligent les viticulteurs à utiliser plusieurs cépages pour obtenir des vins parfaitement équilibrés : la syrah, le mourvèdre, le cinsault, la clairette, le bourboulenc, la roussanne.

_____ **A**près une nette diminution des superficies plantées au XIX^{e}s., le vignoble de la vallée du Rhône s'est à nouveau étendu, et il demeure aujourd'hui en expansion. Dans son ensemble, il couvre 59 000 ha, pour une production de 2,9 millions d'hectolitres en année moyenne ; près de 50 % de cette production sont commercialisés par le négoce dans le secteur septentrional et 70 % par des coopératives dans la zone méridionale.

Côtes du rhône

L'appellation régionale côtes du rhône a été définie par décret en 1937. En 1996, un nouveau décret a fixé les conditions d'encépagement qui devront être appliquées dès l'an 2004 : en rouge, le grenache devra représenter 40 % minimum, syrah et mourvèdre devant tenir leur place. Cette disposition n'est bien sûr valable que pour les vignobles méridionaux situés au sud de Montélimar. La possibilité d'incorporer des cépages blancs n'existera plus que pour les rosés. L'AOC s'étend sur six départements : Gard, Ardèche, Drôme, Vaucluse, Loire et Rhône. Produits sur quelques 41 000 ha situés en quasi-totalité dans la partie méridionale, ces vins représentent une production de 2 200 000 hl, les vins rouges se taillant la part du lion avec 96 % de la production, rosés et blancs étant à égalité avec 2 %. 10 000 vignerons sont répartis entre 1 610 caves particulières (35 % des volumes) et 70 caves coopératives (65 % des volumes). Sur les trois cents millions de bouteilles commercialisées chaque année, 45 % sont consommées à domicile, 30 % dans la restauration et 25 % sont exportées.

Grâce aux variations des microclimats, à la diversité des sols et des cépages, ces vignobles produisent des vins qui pourront réjouir tous les palais : vins rouges de garde, riches, tanniques et généreux, à servir sur la viande rouge, produits dans les zones les plus chaudes et sur des sols de diluvium alpin (Domazan, Estezargues, Courthézon, Orange...) ; vins rouges plus légers, fruités et plus nerveux, nés sur des sols eux-mêmes plus légers (Puymeras, Nyons, Sabran, Bourg-Saint-Andéol...) ; vins « primeurs » enfin (environ 15 millions de cols), fruités et gouleyants, à boire très jeunes, à partir du 3e jeudi de novembre, et qui connaissent un succès sans cesse grandissant.

La chaleur estivale prédispose les vins blancs et les vins rosés à une structure caractérisée par leur équilibre et leur rondeur. L'attention des producteurs et le soin des œnologues permettent d'extraire le maximum d'arômes et d'obtenir des vins frais et délicats, dont la demande augmente continuellement. On les servira respectivement sur les poissons de mer, sur les salades ou la charcuterie.

La Vallée du Rhône (partie septentrionale)

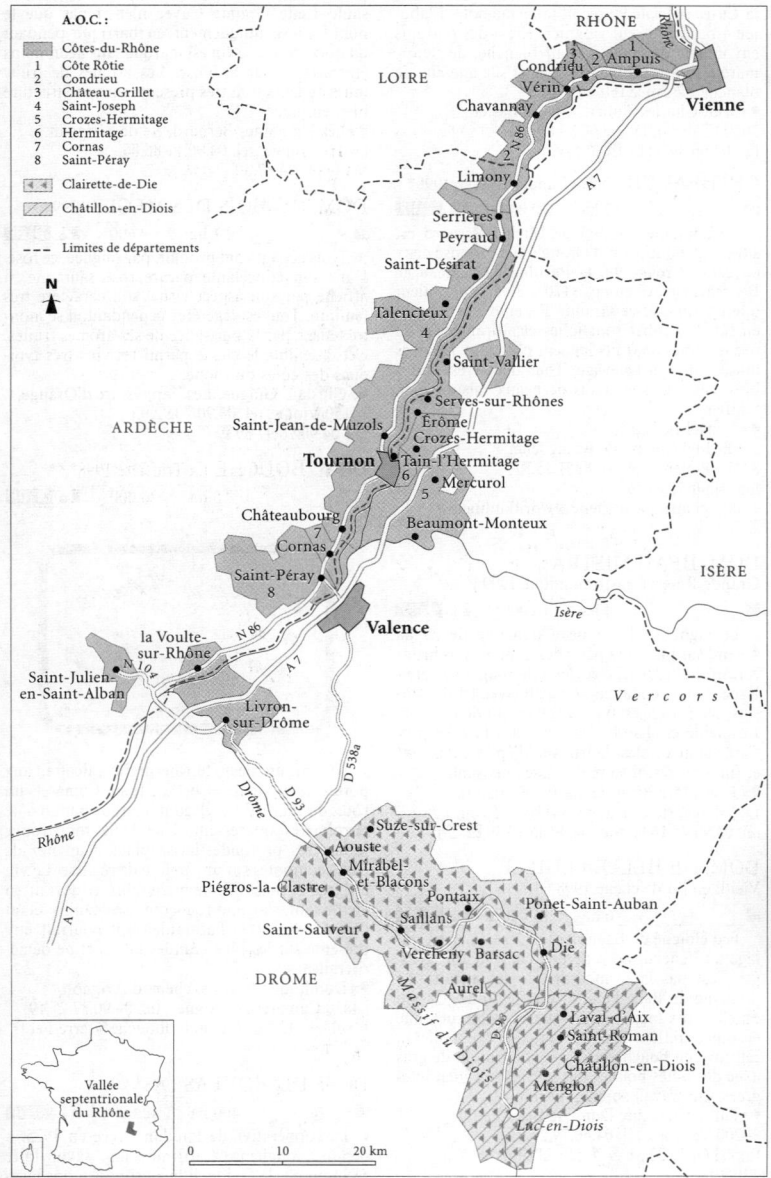

A.O.C. :
- Côtes-du-Rhône
- 1 Côte Rôtie
- 2 Condrieu
- 3 Château-Grillet
- 4 Saint-Joseph
- 5 Crozes-Hermitage
- 6 Hermitage
- 7 Cornas
- 8 Saint-Péray

◁◁ Clairette-de-Die

Châtillon-en-Diois

--- Limites de départements

N

RHÔNE

LOIRE

Condrieu
Vérin
Ampuis
Chavannay
Vienne

Limony

Serrières
Peyraud

Saint-Désirat

Talencieux

Saint-Vallier

Serves-sur-Rhônes
Érôme
Crozes-Hermitage
Saint-Jean-de-Muzols
Tournon
Tain-l'Hermitage
Mercurol

ARDÈCHE

Châteaubourg
Cornas
Saint-Péray

Beaumont-Monteux

ISÈRE

la Voulte-sur-Rhône

Valence

Isère

Saint-Julien-en-Saint-Alban

Livron-sur-Drôme

Vercors

Rhône

Suze-sur-Crest
Aouste
Mirabel-et-Blacons
Piégros-la-Clastre
Pontaix
Ponet-Saint-Auban
Saint-Sauveur
Saillans
Vercheny
Barsac
Die
Aurel
Laval-d'Aix
Saint-Roman
DRÔME
Châtillon-en-Diois
Menglon
Luc-en-Diois

Massif du Diois

Drôme

Vallée septentrionale du Rhône

0   10   20 km

RHONE

CH. DE BASTET Cuvée spéciale 1998★

■   n.c.   100 000   🍴👤 20 à 29 F

Ancienne magnanerie, ce domaine exploitait aussi la vigne dès le XVIIes. Cultivés en biodynamie sur argile et sables, les grenache et syrah à parts égales ont donné ce vin qui sera prêt dès cet automne mais qui pourra aussi attendre. Il a dès aujourd'hui une très bonne appréciation : bien que puissant et racé, il est facile à consommer. Il fera l'unanimité des convives. En **blanc**, **la Cuvée spéciale 99** reçoit la même note. Elaborée à partir du seul viognier, elle a des parfums envoûtants d'iris à chair blanche, de fleurs, marqués par l'exotisme. A servir sur une viande blanche en sauce (50 à 69 F).
☛ Jean-Charles Aubert, Ch. de Bastet, 30200 Sabran, tél. 04.66.89.69.14, fax 04.66.39.92.01 ☑ ☂ r.-v.

CH. BEAUCHENE Grande Réserve 1998★

■   12 ha   70 000   ◖◗ 30 à 49 F

Le domaine familial de Michel Bernard est situé à quelque 5 km d'Orange. Il a proposé deux cuvées, en **rouge 98, le Pavillon du château de Beauchêne** élevé en cuve (20 à 29 F) qui obtient une citation, et ce Grande Réserve élevé un an en fût. Les robes sont jolies et attirantes, et au nez de fruits laissent place aux nuances boisées dues à l'élevage. Tous deux très équilibrés, ces vins sont issus de beaux raisins, bien vinifiés.
☛ Michel Bernard, ch. Beauchêne, rte de Beauchêne, 84420 Piolenc, tél. 04.90.51.75.87, fax 04.90.51.73.36, e-mail chateaubeauchene@worldonline.fr ☑ ☂ r.-v.

DOM. BEAU MISTRAL
Grande Réserve gastronomique 1999

■   4 ha   10 000   🍴👤 30 à 49 F

Le vignoble de ce beau domaine de 25 ha s'étend sur plusieurs parcelles dont les sols bruns calcaires alternent avec des sols rouges sur grès. Issue d'une vendange manuelle avec tri des raisins, cette cuvée est typique du terroir de Rasteau. Ensoleillé et chaud, c'est un vin à la robe profonde et aux notes de fruits et d'épices. Puissant et fin à la fois, il se révèle assez plaisant.
☛ Jean-Marc Brun, Dom. Beau Mistral, Le Village, rte d'Orange, 84110 Rasteau, tél. 04.90.46.16.90, fax 04.90.46.17.30 ☑ ☂ r.-v.

DOM. DE BELLE-FEUILLE
Vieilli en fût de chêne 1998★

■   6 ha   15 000   🍴◖◗ 👤 30 à 49 F

Peu éloigné de Bagnols-sur-Cèze, le vieux village de Vénéjan possède une chapelle du XIIes. Ce n'est pas là le moindre de ses attraits. Le domaine de Belle-Feuille compte 56 ha. Ce vin est élevé dix mois en barrique. Sa robe soutenue et sombre reflète bien son caractère expressif. On retrouve en bouche beaucoup de fruit et de gras avec des notes boisées qui se sont très bien intégrées. Du travail soigné, dit le jury.
☛ Gilbert Louche, Dom. de Belle-Feuille, 30200 Vénéjan, tél. 04.66.79.27.33, fax 04.66.79.22.82 ☑ ☂ t.l.j. sf dim. 8h-12h 13h-19h

LOUIS BERNARD Grande Cuvée 1998★★

■   n.c.   n.c.   ◖◗ 30 à 49 F

Quatre vins **rouges** proposés par ce négociant d'Orange et appréciés par les jurys. A moins de 30 F, la cuvée **Louis Bernard 99** et la **Réserve du domaine Bruthel 98** reçoivent une étoile. La première devra être attendue jusqu'au printemps 2001, la seconde est prête. **Les Pontificales**, mi-cuve, mi-fût, reçoivent deux étoiles. Enfin, celui-ci, assemblant grenache, syrah, mourvèdre, cinsault. Cette Grande Cuvée n'en a pas que le nom ! Elevé uniquement en barrique pendant quatorze mois, ce vin est marqué sans néanmoins être affecté par le boisé. Les arômes de fruits mûrs ou cuits sont très présents sur une structure bien en place.
☛ Les Domaines Bernard, rte de Sérignan, 84100 Orange, tél. 04.90.11.86.86, fax 04.90.34.87.30

DOM. DU BOIS DES MEGES 1999

◣   0,1 ha   600   🍴👤 20 à 29 F

Trois cépages ont produit, par saignée, ce rosé. Dans son étincelante parure rose saumoné, il affiche par son aspect visuel son caractère très féminin. Tout est légèreté ; cependant, il se montre tenace par la puissance de ses arômes fruités. Cet ensemble le classe parmi les vins très typiques des côtes du rhône.
☛ Ghislain Guigue, Les Tappys, rte d'Orange, 84150 Violès, tél. 04.90.70.92.95, fax 04.90.70.97.39 ☑ ☂ r.-v.

DOM. BOUCHE La Truffière 1998★★★

■   5 ha   26 000   🍴◖◗ 👤 30 à 49 F

Né sur un beau terroir argilo-calcaire, aux portes de la vieille et belle cité de Camaret, un côtes du rhône fin et élégant, marqué par un côté terroir très intéressant. Une belle robe rouge rubis, très profonde, laisse place à un nez de fruits compotés sur une pointe de réglisse. Le vin est gras et puissant, bien équilibré et devrait en vieillissant s'arrondir encore, ses tanins étant déjà fondus. Très harmonieux, il pourrait être présenté sur les plus grandes tables et ne démériterait pas !
☛ Dominique Bouche, chem. d'Avignon, 84850 Camaret-sur-Aigues, tél. 04.90.37.27.19, fax 04.90.37.74.17, e-mail dbouche@terre-net.fr ☑ ☂ r.-v.

DOM. DU BOULAS 1998★

■   400 ha   42 000   🍴👤 20 à 29 F

La coopérative de Laudun, créée en 1925, a depuis longtemps affirmé un savoir-faire reconnu par le Guide. Elle a proposé à nos jurys des vins de qualité. Présenté dans une jolie robe rouge profond, celui-ci offre un nez assez complexe avec des notes fruitées plutôt persistantes. Sa bouche est puissante, ample avec beaucoup d'arômes et une dominante épicée. Ce même **Domaine du Boulas en blanc 99** est un vrai vin de coquillages (coques au vin blanc, suggère un dégustateur). Il obtient une citation tout comme, **en rouge 98, le Manoir de Figon**, issu de l'agriculture raisonnée. A boire dès aujourd'hui, sur son fruit. Enfin, le **Domaine Saint-Léger rouge 98** reçoit une étoile. Il accompagnera les dîners légers entre amis.

☛ Les Vignerons de Laudun, 105, rte de l'Ardoise, 30290 Laudun, tél. 04.66.90.55.20, fax 04.66.90.55.21 ☑ ⵜ r.-v.

DOM. BOULETIN ET FILS 1998★

■	2 ha	6 000	■ ♦	20 à 29 F

En visite dans la région, ne manquez pas de vous arrêter au caveau de ce domaine. L'accueil est chaleureux, à l'image de ces côtes du rhône souple et riche, aux tanins bien maîtrisés et aux notes animales qui succèdent aux fruits.

☛ EARL Bouletin et Fils, quartier les Plantades, 84190 Beaumes-de-Venise, tél. 04.90.62.95.10, fax 04.90.62.98.23 ☑ ⵜ t.l.j. 9h30-12h30 14h-20h

DOM. DES BOUMIANES 1998★

■	3,5 ha	5 000	■ ♦	20 à 29 F

Etape sur le chemin du pèlerinage des Saintes-Marie-de-la-Mer, ce domaine compte une trentaine d'hectares. La vinification séparée de la syrah, du grenache et du mourvèdre est un choix judicieux dans la confection de cette cuvée très réussie, de bonne intensité, aromatique. La tendance animale se révèle à l'agitation. L'attaque tannique, compensée par une belle rondeur, rend ce vin complexe fort intéressant. A boire en 2002 en accompagnement de gibier.

☛ GAEC des Boumianes, Domazan, 30390 Aramon, tél. 04.66.57.02.35, fax 04.66.57.09.48 ☑ ⵜ t.l.j. sf dim. 9h30-12h 14h-18h

☛ Philippe Meger

CH. DE BOUSSARGUES 1999★

☐	1,5 ha	12 000	■ ♦	20 à 29 F

Ancienne commanderie des Templiers, Boussargues règne sur un vaste domaine. Outre son cadre admirable, on peut y découvrir un **rosé 99** obtenu par saignée, cité pour sa fraîcheur, compagnon de la cuisine provençale ou italienne ; ainsi que ce vin blanc, rare production des côtes du rhône méridionales. A la fois frais, puissant et chaleureux, il se montre équilibré, doté d'une acidité idéale : il pourra se distinguer lors d'un apéritif tout aussi bien que sur des fruits de mer ou des viandes blanches.

☛ Chantal Malabre, Ch. de Boussargues, 30200 Sabran, tél. 04.66.89.32.20, fax 04.66.79.81.64 ☑ ⵜ t.l.j. 9h-18h

LAURENT BRUSSET
Vendange Clavelle 1999★

☐	2 ha	4 000	■ ⵖ ♦	50 à 69 F

Le domaine fut créé en 1947 par André Brusset, disparu en 1999. Issu de viognier, ce vin a

été élevé partiellement (30 %) en fût pendant six mois. D'emblée les dégustateurs ont noté : « vin intéressant par ses arômes réglissés, de tabac blond et de fruits, le tout sur un très bon équilibre alcool-acide ». Le cépage viognier a semblé atypique, mais sa qualité est reconnue par tous. Le jury suggère de servir cette bouteille avec une poularde demi-deuil ou des coquilles Saint-Jacques.

☛ SA Dom. Brusset, 84290 Cairanne, tél. 04.90.30.82.16, fax 04.90.30.73.31, e-mail domaine-brusset.fr ☑ ⵜ r.-v.

CH. CADILLAC DE MADIERES 1998★

■	n.c.	60 000	■	20 à 29 F

Didier et Vincent Cupissol possèdent ce domaine situé à Saint-Gervais, dans le Gard, et sont distribués par la maison Salavert. Ce vin enchante les papilles par ses notes de fruits rouges et de caramel. Sa rondeur et ses tanins bien fondus lui confèrent une matière dense et harmonieuse. A découvrir sur un lièvre aux champignons ou des fromages de chèvre chauds.

☛ Caves Salavert, rte de Saint-Montan, 07700 Bourg-Saint-Andéol, tél. 04.75.54.77.22, fax 04.75.54.47.91, e-mail caves.salavert@wanadoo.fr

☛ GAEC Cupissol

DOM. DE CANTABRIL
Elevé en fût de chêne 1998★★

■	1 ha	4 000	ⵖⵖ	30 à 49 F

Ce domaine s'est installé ici au XIXᵉs. Il compte 42 ha. Outre le **Domaine Castan rouge 98** (20 à 29 F), qui obtient une étoile dans cette AOC, le jury a apprécié cette cuvée spéciale fruit d'un élevage de neuf mois en foudre, précédé de vingt et un jours de cuvaison. Le résultat est proche de l'exceptionnel. La couleur profonde cerise bigarreau annonce un nez primaire animal et secondaire épicé, avec les notes légèrement boisées. Le vin tapisse la bouche de saveurs élégantes. L'équilibre et la persistance en font un grand parmi les grands ! Celui-ci est à attendre deux à trois ans, alors que le premier séduit dès maintenant.

☛ GAEC Chantecler, mas Chantecler, 30390 Domazan, tél. 04.66.57.00.56, fax 04.66.57.07.57 ☑ ⵜ t.l.j. 8h-12h 13h-19h

LES VIGNERONS DU CASTELAS 1999

☐	30 ha	n.c.	■	20 à 29 F

Les vignerons du Castelas, qui vinifient 600 ha, ont su encore cette année produire un millésime de qualité, notamment, ce blanc très classique aux reflets verts. Vif et agréable, très friand en bouche, il devrait être parfait à la sortie du Guide. Très jolie étiquette.

☛ Les Vignerons du Castelas, 30650 Rochefort-du-Gard, tél. 04.90.31.72.10, fax 04.90.26.62.64 ☑

DOM. DE CHAMP-LONG
Cuvée élevée en fût de chêne 1998

■	2 ha	10 000	ⵖⵖ	30 à 49 F

C'est dans un caveau typiquement provençal, au pied du mont Ventoux, que vous pourrez découvrir toute la gamme du domaine ; et, notamment, ce côtes du rhône légèrement boisé

où les tanins sont très présents. Les notes de fruits rouges et de vanille associées à une bonne structure le rendent agréable.
- Christian Gély, Dom. de Champ-Long, 84340 Entrechaux, tél. 04.90.46.01.58, fax 04.90.46.04.40, e-mail christian.gely@wanadoo.fr 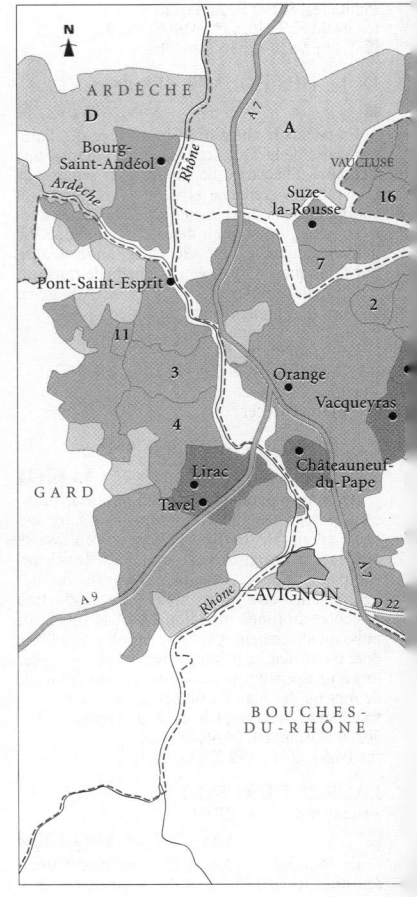 ☑ ⍨ t.l.j. sf dim. 9h-12h30 14h-19h

CHANTECOTES 1999★★

| ◢ | 50 ha | 30 000 | ▮ | 20 à 29 F |

Située à 3 km de Suze-la-Rousse, cette coopérative créée en 1972 a proposé un **blanc 99 Chantecôtes** (une étoile), frais et fleuri, et ce rosé à la robe délicate avec de légers reflets violets. Le nez de bonbon anglais et de petits fruits rouges est intense. La bouche forme un ensemble charmeur dont la persistance joue avec la réglisse.
- Caveau Chantecôtes, cours Maurice-Trintignant, 84290 Sainte-Cécile-les-Vignes, tél. 04.90.30.83.25, fax 04.90.30.74.53 ⍨ t.l.j. 8h30-12h15 14h-19h

CHARLES DE VALOIS 1998★

| ▮ | 4 ha | 20 000 | ▮ | 30 à 49 F |

Un bon civet de lapin permettra d'apprécier le remarquable équilibre de ce vin. Producteur de Châteauneuf, Patrick Jaume connaît les crus corsés, mais il sait donner de l'élégance et de la profondeur à son côtes du rhône qui enchante les papilles.
- Patrick Jaume, Dom. des Chanssaud, quartier Cabrières, 84100 Orange, tél. 04.90.34.23.51, fax 04.90.34.50.20 ☑ ⍨ t.l.j. 9h-12h 14h-19h; sam. dim. sur r.-v.

CHARTREUSE DE VALBONNE
Cuvée de La Font des Dames 1998★★

| ▮ | 2 ha | 12 000 | ▮ | 30 à 49 F |

Les pères chartreux ont créé ce domaine en 1203 et planté jusqu'à 17 ha de coteaux en vigne. Ils durent quitter Valbonne en 1901. Aujourd'hui, le vignoble est en cours de reconstitution et la chartreuse, classée Monument historique, est un centre d'aide par le travail. Cette cuvée élaborée par J.-P. Burine est somptueuse. C'est un vin complet et riche qui, bien que de couleur assez légère, s'exprime remarquablement par des parfums de cerise et de prune sur un corps bien constitué. La finale est longue et agréable.
- ASVMT, Dom. de la Chartreuse de Valbonne, 30130 Saint-Paulet-de-Caisson, tél. 04.66.90.41.24, fax 04.66.81.76.10 ☑ r.-v.

CELLIER DES CHARTREUX 1999★

| ▯ | n.c. | 16 000 | ▮ | 30 à 49 F |

Le Cellier des Chartreux est une structure coopérative créée en 1929 qui propose des vins de grande qualité. A côté d'un **côtes du rhône rouge 98** cité, véritable vin de grillade (20 à 29 F), ce blanc issu des trois cépages rhodaniens honore son appellation. Beaucoup de soin a été apporté, dès l'apport de la vendange sélectionnée avec rigueur. Ajoutez à cela une technique maîtrisée

et un élevage choyé, vous obtenez une bouche ronde et pleine, puissante, et des arômes floraux très agréables.
- SCA Cellier des Chartreux, 216, chem. des Vignerons, 30150 Sauverterre, tél. 04.66.82.53.53, fax 04.66.82.89.07 ☑ ⍨ r.-v.

CH. CHEVALIER BRIGAND 1998

| ▮ | n.c. | 5 000 | | 30 à 49 F |

Situé au bord de la N 580 qui va d'Avignon à Bagnols-sur-Cèze, ce caveau vous frappera par l'accueil que vous y recevrez. Jean-Marie Saut vous parlera avec l'accent chaleureux de la région, de ses vins, comme le bon Provençal qu'il est. Vous trouverez que le nez de ce Chevalier Brigand est profond, avec des notes animales, et vous en discuterez ensemble.
- Jean-Marie Saut, 30200 Codolet, tél. 04.66.90.18.64 ⍨ t.l.j. 8h-12h 14h-18h

CLOS DES MIRAN
Cuvée des Proxumes 1998★

■ 14 ha 19 000 ■ 30 à 49 F

Le premier millésime de Romain Flésia a été salué par la découverte d'un site archéologique proche du domaine. Cela a donné naissance à cette cuvée. Issu d'un travail soigné, c'est un vin puissant dont les arômes de fraise des bois persistent. Il est sauvage mais bien dompté...
🍷 Romain Flésia, clos des Miran, plaine de mas Conil, 30130 Pont-Saint-Esprit, tél. 06.83.23.11.42, fax 04.90.30.86.15 ☑ ⟁ r.-v.

CLOS HERMITAGE 1998★

■ 3,5 ha 15 000 ❙❙❙ 50 à 69 F

Propriété située dans le périmètre de la chartreuse de Villeneuve-lès-Avignon. Syrah, grenache et mourvèdre à parts égales sont ici vinifiés traditionnellement. Ce millésime porte une robe grenat à reflets pourpres. Complexe, ce vin présente à la fois une note animale élégante et des fruits rouges bien mûrs apportés par la syrah. Le grenache enrobe le tout. Le bois se montre, apportant une légère note d'astringence qu'une année de garde gommera.
🍷 Henri de Lanzac, rue de la Fontaine, 30126 Tavel, tél. 04.66.50.07.93, fax 04.66.50.17.02 ☑ ⟁ r.-v.

DOM. DE COSTE CHAUDE 1998

■ 1 ha 6 000 ■ 30 à 49 F

Visan, commune de l'Enclave des Papes d'Avignon, a conservé des vestiges des XIIe et XIVes. Très viticole, cette région produit cette bouteille à la robe légère. Tout en finesse, ce 98 est friand. Charmeur et agréable, il accompagnera très bien un repas convivial. Un vin harmonieux, assemblage de grenache et de syrah. A noter également, la cuvée l'Argentière 98, citée (50 à 69 F).

La Vallée du Rhône (partie méridionale)

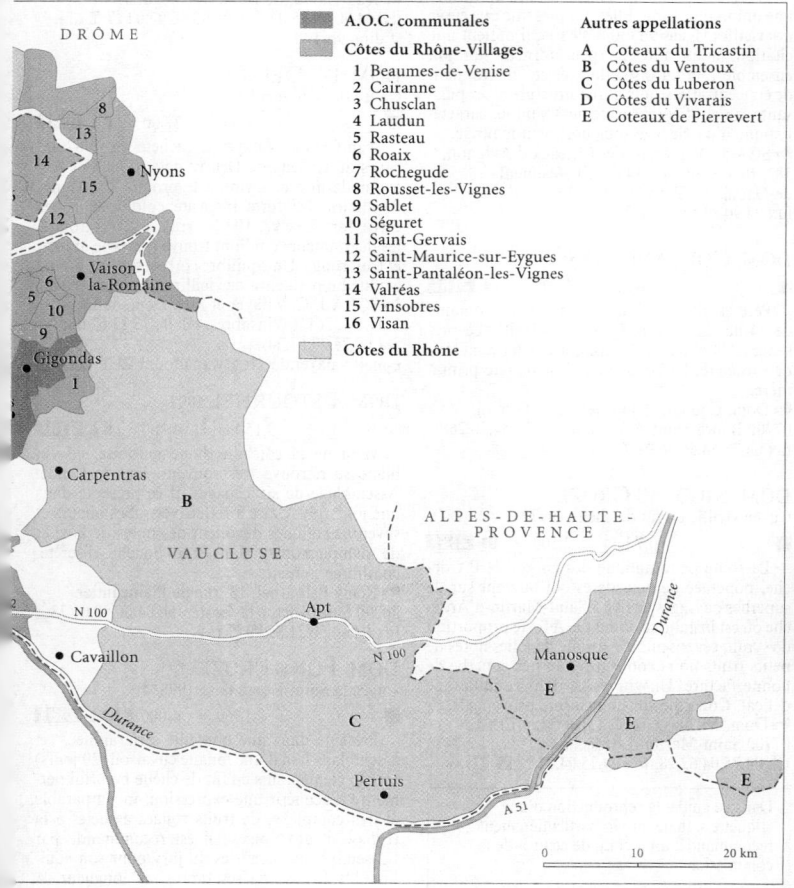

Côtes du rhône

❦⇥SCA Dom. de Coste Chaude, rte de Saint-Maurice, 84820 Visan, tél. 04.90.41.91.04, fax 04.90.41.96.52 ☑ ⟂ r.-v.
❦⇥Marianne Fues

CAVE COSTES ROUSSES
Lieu-dit Hautes Vouleuyes 1998

■⇥50 ha⇥8 000⇥■♦ 20 à 29 F

Entre Valréas et Orange, Tulette abrite cette coopérative. Grenache (75 %) et syrah composent cette cuvée à la fois gouleyante, fruitée et tannique. Le caractère de ce vin réside dans son harmonie simple et agréable. Egalement citée, la **cuvée Guy de Claromane 98 sélection vieilles vignes** (34 F départ cave) est un classique des côtes du rhône.
❦⇥SCA Cave Costes Rousses, 2, av. des Alpes, 26790 Tulette, tél. 04.75.97.23.18, fax 04.75.98.38.61 ☑ ⟂ r.-v.

LES VIGNERONS DES COTEAUX D'AVIGNON Elevé en fûts de chêne 1998

■⇥20 ha⇥130 000⇥◗◗ 20 à 29 F

Trois caves se sont regroupées pour former une union plus forte. Elles ont présenté une **cuvée des vieilles vignes 98** (30 à 49 F) qui obtient une citation, à attendre un peu, formant un joli ensemble tout en discrétion, et ce vin étonnant de concentration, doté d'une structure assez puissante, au goût épicé légèrement vanillé, caractéristique d'un élevage sous bois bien maîtrisé.
❦⇥SCA les Vignerons des Coteaux d'Avignon, 583, rte de la Gare, 84470 Châteauneuf-de-Gadagne, tél. 04.90.33.55.20, fax 04.90.33.55.22 ☑ ⟂ r.-v.

DOM. COULANGE 1998

■⇥10 ha⇥3 800⇥■ 30 à 49 F

Père et fille tiennent les rênes de ce domaine de 34 ha. Leur 98 rouge est très fruité. La présence de 80 % de syrah explique ce charmant trait de caractère. La bouche a un air de fête printanière.
❦⇥Dom. Coulange, quartier Saint-Ferréol, 07700 Bourg-Saint-Andéol, tél. 04.75.54.56.26, fax 04.75.54.56.26 ☑ ⟂ r.-v.

DOM. NICOLAS CROZE
Cuvée vieillie en fût de chêne 1997★

■⇥0,7 ha⇥2 500⇥◗◗ 30 à 49 F

La route panoramique des gorges de l'Ardèche, ponctuée de belvédères qui ouvrent sur de superbes paysages, arrive à Saint-Martin-d'Ardèche où est installé ce domaine. A forte proportion de syrah, cet ensemble exprime de jolies notes de petits fruits noirs confiturés : un nez superbe de bonne facture. Un vin réussi dans ce millésime délicat. Conseillé sur une cuisine provençale.
❦⇥Dom. Nicolas Croze, 1, rue Max-Ernst, 07700 Saint-Martin-d'Ardèche, tél. 04.75.04.62.28, fax 04.75.04.62.28 ☑ ⟂ r.-v.

Dans ce guide, la reproduction d'une étiquette signale un vin particulièrement recommandé, un « coup de cœur » de la commission.

CELLIER DES DAUPHINS
Grand millésime 1998

■⇥140 ha⇥900 000⇥■♦ 20 à 29 F

Entre Sainte-Cécile-les-Vignes et Visan, Tulette abrite la plus grosse union de coopératives de la région. Cette cuvée peut être servie lors du repas quotidien : c'est le côtes du rhône souple et riche en arômes, expression du grenache et de la syrah qui le composent.
❦⇥Cellier des Dauphins, B.P. 16, 26790 Tulette, tél. 04.75.96.20.47, fax 04.75.96.20.12, e-mail cellier.des.dauphins@wanadoo.fr

DOM. JEAN DAVID 1999★

◢⇥0,5 ha⇥3 000⇥■ 30 à 49 F

Village d'artistes, Séguret est riche de monuments, portes, fontaines, églises, dont l'intérêt est à la hauteur du splendide paysage qui l'entoure. Jean David vous proposera ce vin très réussi. Une robe rosé soutenu avec quelques nuances violacées présage une dégustation agréable où la rondeur n'enlève rien à la fraîcheur. D'un caractère fruité, ce 99 est issu d'une production de l'agriculture biologique parfaitement maîtrisée.
❦⇥Jean David, Le Jas, 84110 Séguret, tél. 04.90.46.95.02, fax 04.90.46.95.02 ☑ ⟂ t.l.j. sf dim. 9h-19h

DOM. DE DEURRE
Cuvée des Oliviers 1998

■⇥1 ha⇥2 000⇥■♦ 30 à 49 F

Jean-Claude Valayer a racheté en 1987 les caves du château de Deurre datant du XVIᵉs. Il les modernise et y vinifie le produit des vignes familiales. De forte intensité colorante, rouge cerise foncé, ce 98, 100 % syrah, n'a pas trompé les dégustateurs qui l'ont trouvé très typé animal et fruit rouge. Un équilibre correct sur une bonne acidité lui permettra de vieillir trois à quatre ans.
❦⇥SCEA J.-C. Valayer et Fils, Dom. de Deurre, R.D. 94, 26110 Vinsobres, tél. 04.75.27.62.66, fax 04.75.27.67.24, e-mail valayer.deurre@wanadoo.fr ☑ ⟂ r.-v.

DOM. ESTOURNEL 1999

□⇥3,15 ha⇥4 200⇥■♦ 30 à 49 F

Venu de la côte du rhône gardoise, ce vin blanc se retrouve très souvent dans le Guide. Assemblage de six cépages, il se présente dans une jolie robe claire à reflets verts. Ses odeurs et saveurs exotiques dévoilent des notes de kiwi et de pamplemousse dans une bouche discrète, équilibrée, réussie.
❦⇥Rémy Estournel, 13, rue de Plaineautier, 30290 Saint-Victor-la-Coste, tél. 04.66.50.01.73, fax 04.66.50.21.85 ☑ ⟂ r.-v.

DOM. FOND CROZE
Cuvée la Saint-Romanaise 1998★★

■⇥1 ha⇥4 000⇥■◗◗♦ 50 à 69 F

Présenté dans une bouteille sérigraphiée, cet assemblage issu d'une longue cuvaison (20 jours) est directement mis en fût de chêne pour lui permettre d'acquérir une expression, incomparable et très complexe, de fruits rouges associés à la réglisse et aux épices ; il est recommandé par l'ensemble des membres du jury pour son équilibre, la finesse de ses tanins, sa longueur. A noter également, la **cuvée classique 98 en rouge**, élevée en cuve uniquement, tout en rondeur, qui obtient une étoile (20 à 29 F).

🕿 Dom. Fond Croze, Le Village, 84290 Saint-Roman-de-Malegarde, tél. 04.90.28.97.07, fax 04.90.28.94.30 ☑ Ⴑ r.-v.

DOM. DE FONTAVIN 1999★★

◢		0,8 ha	4 000	🍷 ♨	30 à 49 F

Après des études d'œnologie à Montpellier, Hélène Chouvet s'installe sur le domaine familial en 1998. Fontavin était déjà régulièrement sélectionné dans ce Guide. La nouvelle génération fait aussi bien ! Voyez ce remarquable rosé habillé de sa robe superbe à reflets violets. Le nez puissant offre des senteurs florales avec une dominante de violette. Complet et riche en bouche, le vin achève son parcours sur une longue note de fruits rouges. Le **côtes du rhône rouge 99 du domaine** obtient une citation. Il est franc et tendre, bien fruité.

🕿 EARL Hélène et Michel Chouvet, Dom. de Fontavin, 1468, rte de la Plaine, 84350 Courthézon, tél. 04.90.70.72.14, fax 04.90.70.79.39 ☑ Ⴑ t.l.j. sf dim. 9h-12h30 13h30-19h

DOM. F DE FONT DE MICHELLE 1999★★

■		n.c.	2 000	🍷 🍷 ♨	30 à 49 F

Bédarrides mérite bien son étoile au Guide Bleu Provence-Côte-d'Azur. Ses maisons ocre ont du charme. Le village est situé sur le chemin des vignes, riche en grands domaines, dont celui-ci. Deux vins présentés en côtes du rhône, ces vins retenus. Ce rouge, pour moitié grenache et syrah, fait la part belle aux fruits rouges mûrs. Assez complexe, il est puissant en bouche où l'on perçoit des notes animales et de cuir toujours dominées par des fruits noirs. C'est l'alliance de l'intensité, de la longueur et de la persistance que salue le jury. Cette même **Cuvée F en blanc 99** (50 à 69 F) assemble 80 % de viognier à la clairette. Elle obtient une étoile : pensez à elle pour des coquilles Saint-Jacques.

🕿 EARL Les Fils d'Etienne Gonnet, 14, imp. des Vignerons, 84370 Bédarrides, tél. 04.90.33.00.22, fax 04.90.33.20.27, e-mail egonnet@terre-net.fr ☑ Ⴑ r.-v.

GALLIFFET
Collection privée René Aubert 1999★

□		n.c.	n.c.	🍷 ♨	70 à 99 F

Ce domaine de 178 ha propose régulièrement de grandes cuvées ; c'est le cas avec ce vin haut de gamme issu d'un assemblage de 20 % de grenache et 80 % de viognier dont la macération pelliculaire a su extraire des arômes complexes de pêche blanche et de miel sans altérer une matière grasse et pleine, au très bel équilibre.

🕿 Vignobles Max Aubert, Dom. de La Présidente, 84290 Sainte-Cécile-les-Vignes, tél. 04.90.30.80.34, fax 04.90.30.72.93 ☑ Ⴑ r.-v.

🕿 René Aubert

CH. GIGOGNAN Vigne du Prieuré 1999★

□		2,5 ha	12 500	🍷 ♨	30 à 49 F

Ce jeune domaine - il a été créé en 1996 - est à nouveau sélectionné par notre jury pour cette

cuvée très réussie constituée par 50 % de viognier, 25 % de roussanne et 25 % de clairette. Ce 99 séduit par sa jolie couleur ou à reflets verts. Fin et élégant en bouche, il laisse un heureux souvenir de pêche, de tilleul, de miel. Une réelle harmonie.

🕿 Ch. Gigognan, chem. du Castillon, 84700 Sorgues, tél. 04.90.39.57.46, fax 04.90.39.15.28, e-mail info@chateau-gigognan.fr ☑ Ⴑ t.l.j. 10h-12h30 14h30-18h; dim. sur r.-v.

🕿 Callet

DOM. DU GRAND TINEL 1998

■		10 ha	60 000	🍷 ♨	30 à 49 F

Le grenache s'exprime ici de toutes ses senteurs dans une robe légère. Quelques notes épicées viennent renforcer la sensation gustative qui allie les tanins, l'acidité et le gras. A boire sur des plats légers et relevés.

🕿 Les Vignobles Elie Jeune, rte de Bédarrides, 84230 Châteauneuf-du-Pape, tél. 04.90.83.70.28, fax 04.90.83.78.07 ☑ Ⴑ r.-v.

DOM. DU GROS PATA
Cuvée impériale Elevée en fût de chêne 1998★

■		1,54 ha	10 666	🍷 🍷 ♨	30 à 49 F

Tout proche de Vaison-la-Romaine et de ses fouilles archéologiques, ce domaine rappelle par son nom qu'au Moyen Age on devait verser des « patas » (monnaie provençale) pour passer d'une commune à l'autre. Le vin de la propriété familiale est à la fois rustique et élégant. La belle bouche, ronde et corpulente, est due à la syrah, présente à 60 % dans cette cuvée.

🕿 Gérald Garagnon, Dom. du Gros-Pata, rte de Villedieu, 84110 Vaison-la-Romaine, tél. 04.90.36.23.75, fax 04.90.28.77.05 ☑ Ⴑ r.-v.

GUYOT Cuvée Médaille d'Or 1998

■		n.c.	30 000	🍷 ♨	20 à 29 F

Cette bouteille est un assemblage des meilleures cuvées de la foire d'Orange. Elle se montre bien équilibrée. Souple et gouleyante, avec de jolies notes vanillées et confiturées, elle est représentative des côtes du rhône.

🕿 Guyot, montée de l'Eglise, 69440 Taluyers, tél. 04.78.48.70.54, fax 04.78.48.77.31, e-mail guyotvin@easynet.fr ☑ Ⴑ jeu. ven. sam. 8h-12h 13h30-17h30; f. 15-21 août

CH. D'HUGUES Grande réserve 1998★

■		5,68 ha	26 000	🍷	30 à 49 F

Les Chorégies d'Orange attirent un public de mélomanes qui sont souvent amateurs de bons vins. On ne peut que leur conseiller de parcourir les 5 km qui les séparent de ce château, dont les fondations remontent au XVIIᵉ s., pour découvrir des vins dont l'un reçut un coup de cœur du Guide. Le vigneron est « artiste peintre à ses heures ». Son art réside aussi dans l'élaboration de ce 98 tout en fruits rouges. La puissance marque le palais de ce vin de caractère, long en bouche. Un civet de lièvre peut lui convenir.

🕿 Bernard Pradier, Ch. d'Hugues, 84100 Uchaux, tél. 04.90.70.06.27, fax 04.90.70.10.28 ☑ Ⴑ t.l.j. 9h-12h 14h-19h; dim. sur r.-v.

CH. JOANNY Cuvée prestige 1998★

■   15 ha   50 000   ■ ⚭   20 à 29 F

Sur le terroir du massif d'Uchaux, tout proche du village médiéval de Sérignan, vous trouverez sans peine ce vaste domaine. Les techniques de délestage grâce à des cuves superposées, puis du pigeage, sont utilisées pour cette cuvée très bien maîtrisée. A la fois fin et discret, ce vin apparaît très fruité, et sa structure élégante lui procure une très belle harmonie. Du même producteur, les **Château Carbonel rouge 98** et **rosé 99** obtiennent une citation. Le second se révèle très provençal, le premier est complexe et franc à la fois.
☛ Famille Dupond, Ch. Joanny, rte de Piolenc, 84830 Sérignan-du-Comtat,
tél. 04.90.70.00.10, fax 04.90.70.09.21
☑ ⟁ t.l.j. sf mar. 8h-12h 14h-18h

LA BASTIDE SAINT-VINCENT 1999

■   3 ha   14 000   ■ ⚭   20 à 29 F

Le grenache (70 %) est accompagné de mourvèdre et de syrah. Un œil flatteur à reflets rouge cerise légèrement bleutés annonce un nez discret mais complexe aux jolies notes de sous-bois et de fruits à l'alcool. L'équilibre en bouche est simple sur une agréable chaleur. C'est un vin « cohérent ».
☛ Guy Daniel, Bastide Saint-Vincent, rte de Vaison-la-Romaine, 84150 Violès,
tél. 04.90.70.94.13, fax 04.90.70.96.13
☑ ⟁ t.l.j. 8h-19h; dim. sur r.-v.; f. 1er-20 jan.

DOM. LA BOUVAUDE 1998

■   1 ha   4 000   ⬤⬤   30 à 49 F

Après la visite du Pègue où les amateurs de préhistoire découvriront un intéressant petit musée, vous atteindrez Rousset-les-Vignes, la bien nommée, et ce domaine de 15 ha où vous attend ce vin à la robe foncée et violacée. Ses arômes de fruits mûrs sont très agréables. C'est un vin léger et harmonieux ; bien qu'issu à 100 % du cépage syrah et d'un passage en fût de chêne de douze mois, il reste bien typé de l'appellation côtes du rhône.
☛ Stéphane Barnaud, Dom. La Bouvaude, 26770 Rousset-les-Vignes, tél. 04.75.27.90.32, fax 04.75.27.98.72 ☑ ⟁ t.l.j. 10h-19h

DOM. LA CHARADE 1999★

◢   2 ha   n.c.   ■ ⚭   20 à 29 F

Créé à la fin du XIXe s., ce beau domaine de 50 ha a proposé un rosé, fruit d'une longue tradition familiale. Surprenant, il présente des reflets orangés et des parfums où se mêlent notes confiturées et pâte de coing. Celles-ci se développent en bouche sur une dominante de miel entouré de caramel et de marmelade d'oranges. L'ensemble est très plaisant.
☛ M. et L. Jullien, Dom. La Charade, 30760 Saint-Julien-de-Peyrolas,
tél. 04.66.82.18.21, fax 04.66.82.33.03 ☑ ⟁ t.l.j. sf dim. 9h-12h 14h-19h

DOM. DE LA CHARITE 1998

■   20 ha   80 000   ■ ⚭   20 à 29 F

Situé dans un joli village gardois, ce domaine offre un bon accueil aux amateurs. Un sol argilocalcaire, grenache (50 %), syrah (30 %) et mourvèdre vinifiés en macération carbonique ont donné ce vin typé, ample et assez charpenté.
☛ EARL Valentin et Coste, Dom. de La Charité, 5, chem. des Issarts, 30650 Saze, tél. 04.90.31.73.55, fax 04.90.26.92.50 ☑ ⟁ t.l.j. sf dim. 17h-19h30; sam. 14h-19h30

DOM. DE LA CROIX-BLANCHE 1999

☐   n.c.   2 000   ■ ⚭   20 à 29 F

Max Ernst, grand peintre surréaliste, vécut non loin de ce domaine. Viognier et marsanne, implantés sur les coteaux calcaires de l'Ardèche, ont donné ce joli vin. On sent que les raisins étaient bien mûrs. Agrumes et fleurs au nez, fruits en bouche, un 99 agréable et frais qui séduit le regard.
☛ Daniel Archambault, Dom. de La Croix-Blanche, 07700 Saint-Martin-d'Ardèche, tél. 04.75.04.60.41, fax 04.75.98.77.25 ☑ ⟁ r.-v.

CH. LA FRANCE 1998

■   6 ha   40 000   ■ ⬤⬤ ⚭   20 à 29 F

Cet ancien relais de chasse du XVIIIe s. possède aujourd'hui un domaine viticole. La robe rouge à reflets rubis de ce 98 est de bonne intensité. Alors que l'olfaction fait apparaître des notes de grillé et de fruits cuits, l'attaque en bouche reste plutôt sur des fruits rouges. D'une bonne longueur, la rétro-olfaction s'avère agréable. Les tanins vont se fondre et assureront une petite garde.
☛ Les Grandes Serres, rte de l'Islon, 84230 Châteauneuf-du-Pape, tél. 04.90.83.72.22, fax 04.90.83.78.77 ☑ ⟁ r.-v.

DOM. LA GARRIGUE
Cuvée romaine 1998

■   2 ha   n.c.   ■ ⚭   30 à 49 F

La famille d'Albert Bernard s'est installée dans les vignes de Vacqueyras il y a cent cinquante ans. Sa devise est à appliquer avec modération : « Le vin de garrigue jamais ne fatigue ! » Celui-ci est charpenté et possède un côté animal qu'aimeront les amateurs de vins solides, un peu rustiques. Un salmis de pintade est conseillé pour l'apprécier à sa juste valeur.
☛ EARL A. Bernard et Fils, Dom. La Garrigue, 84190 Vacqueyras, tél. 04.90.65.84.60, fax 04.90.65.80.79
☑ ⟁ t.l.j. 8h-12h 14h-19h30; dim. sur r.-v.

DOM. DE LA GRAND'RIBE
Les Garrigues d'Eric Beaumard et Christophe Lambert 1998

☐   1,5 ha   9 000   ■ ⬤⬤ ⚭   30 à 49 F

Un assemblage de plusieurs cépages assorti d'un léger passage en bois de quelques mois font de ce blanc un produit réussi et typique. Ses notes évoluées sont agrémentées d'un équilibre assez gras. Sa longueur joue sur des notes de miel. A goûter avec un picodon ou à boire pour luimême.

➥ Abel Sahuc,
SCEA Dom. De La Grand'Ribe, rte de Bollène,
84290 Sainte-Cécile-les-Vignes,
tél. 04.90.30.83.75, fax 04.90.30.76.12
☑ ▼ t.l.j. sf sam. dim. 10h-12h 14h-18h

DOM. DE LA JEROME 1998

| ■ | | 1,77 ha | 12 000 | ■ ♣ | 30 à 49 F |

Ce vin vinifié avec soin est splendide dans sa robe d'un beau rouge soutenu. Son nez aux premières senteurs animales laisse s'exprimer le grenache et ses arômes de fruits mûrs. Equilibré et charnu, prêt à boire, il pourra vieillir deux à trois ans au fond de votre cave.

➥ Sylvette Bréchet,
Dom. des Bosquets, rte de Vacqueyras,
84190 Gigondas, tél. 04.90.83.70.31,
fax 04.90.83.51.97 ☑ ▼ r.-v.

DOM. LA MONARDIERE
Lou Peyrau 1999★★

| ■ | | 2 ha | 6 500 | ■ | 30 à 49 F |

La famille Vache a acquis ce domaine au XIXᵉs. et l'a pratiquement reconstitué grâce aux récents efforts de Christian et Martine Vache qui le dirigent depuis 1987. Lou Peyrau est un vin superbe à la robe prune brillante et au nez encore légèrement fermé qui ne demande qu'à s'ouvrir sur des notes de fruits mûrs. En bouche, les arômes rappellent le sous-bois et les épices. Remarquable, il possède un grand potentiel de vieillissement.

➥ Dom. La Monardière, Les Grès,
84190 Vacqueyras, tél. 04.90.65.87.20,
fax 04.90.65.82.01,
e-mail monardiere@wanadoo.fr ☑ ▼ t.l.j. sf
dim. 10h-19h
➥ Christian Vache

DOM. DE LA MORDOREE 1999★

| ■ | | 10 ha | 40 000 | ■ ♣ | 30 à 49 F |

Régulièrement présent dans le Guide, le domaine nous présente cette année son 99 de belle harmonie dans laquelle 5 % de counoise viennent compléter grenache, cinsault, syrah et carignan ; la robe est soutenue, et les arômes associent des senteurs florales de violette aux notes de cassis. Les tanins sont fins et fondus. Bonne longueur en bouche.

➥ Dom. de La Mordorée, chem. des Oliviers,
30126 Tavel, tél. 04.66.50.00.75,
fax 04.66.50.47.39 ☑ ▼ t.l.j. sf dim. 8h-12h
13h30-17h30
➥ Delorme

DOM. DE LA PIGEADE 1998★

| ■ | | 1,7 ha | 12 000 | ■ ♣ | 30 à 49 F |

« Unité de vinification » créée en 1996. Issu de grenache à 100 % - les dégustateurs ne s'y sont pas trompés -, vendangé manuellement puis trié sur tapis roulant, ce côtes de rhône 98 peut aisément être qualifié de très réussi. Equilibré par des tanins fondus, il laisse le souvenir de très jolies notes de cassis.

➥ Thierry Vaute, Dom. de La Pigeade,
rte de Caromb, 84190 Beaumes-de-Venise,
tél. 04.90.62.90.00, fax 04.90.62.90.90,
e-mail th.vaute@lapigeade.fr ☑ ▼ r.-v.

DOM. LA REMEJEANNE
Les Chèvrefeuilles 1999★

| ■ | | 10 ha | 40 000 | ■ ♣ | 30 à 49 F |

En 1988, Rémy Klein a repris le domaine familial de 30 ha, situé à 5 km du village de Sabran. Bien que très jeune, cette cuvée conjugue élégance et puissance. Promis à un bel avenir grâce à ses tanins présents mais soyeux, ce vin saura convaincre lors de sa dégustation : typé fruits rouges, il affiche également quelques épices en rétro-olfaction.

➥ EARL Ouahi et Rémy Klein,
Dom. La Réméjeanne, Cadignac, 30200 Sabran,
tél. 04.66.89.44.51, fax 04.66.89.64.22 ☑ ▼ r.-v.

DOM. DE LASCAMP
Cuvée de l'An 2000 Vieilli en fût 1998★★

| ■ | | 15 ha | | ▥ | 30 à 49 F |

Tout proche du coup de cœur, c'est un grand millésime pour M. Imbert dont le domaine est perché sur les hauteurs de Sabran où sa famille cultive la vigne depuis 1767. Un vin marqué par le fruit, complexe et intense. Très structuré mais pourtant souple, il dévoile une finale assez longue.

➥ EARL Clos de Lascamp, Cadignac,
30200 Sabran, tél. 04.66.89.69.28,
fax 04.66.89.62.44 ☑ ▼ r.-v.
➥ Imbert

DOM. DE LA VALERIANE 1998★

| ■ | | 4 ha | 15 000 | ■ ♣ | 20 à 29 F |

Valérie Castan est œnologue. Vinifiant dans le domaine familial, elle peut se targuer d'avoir obtenu un beau succès avec la sélection des trois vins qu'elle avait présentés. Le rosé 99 - qui pourra vivre deux ans -, le blanc 99, qui offre une symphonie aromatique florale et fruitée et répond à une juste conception des côtes du rhône, ont obtenu la même note que celui-ci. De surprenantes notes florales agrémentent ses arômes. Les fruits rouges se retrouvent en bouche sur un vin ample et chaud où les tanins encore très présents lui assurent un bel avenir. Trois cuvées élégantes.

➥ Mesmin Castan, rte d'Estézargues,
30390 Domazan, tél. 04.66.57.04.84,
fax 04.66.57.00.07 ☑ ▼ r.-v.

LA VINSOBRAISE 1999★

| ◢ | | n.c. | 13 000 | ■ ♣ | - de 20 F |

Près de 2 000 ha de vignes sont vinifiés par la coopérative de Vinsobres. Son rosé de saignée se présente tout en fruits rouges, de sa couleur cerise griotte jusqu'à la finale. Rond et gras, il est à boire avant Pâques 2001.

➥ Cave La Vinsobraise, 26110 Vinsobres,
tél. 04.75.27.64.22, fax 04.75.27.66.59 ☑ ▼ r.-v.

DOM. LE CLOS DU BAILLY 1999★★

| ■ | | n.c. | 12 000 | ■ ♣ | 20 à 29 F |

Tout près du pont du Gard, n'hésitez pas à faire halte au domaine. Au cœur même du village de Remoulins, vous découvrirez une gamme importante de vins et d'apéritifs élaborés par la maîtresse de maison. C'est cette cuvée rouge 99 qui a retenu l'attention du jury. Déjà au sommet de son appellation, elle réjouit l'œil et le nez par

ses arômes complexes que l'on retrouve dans une bouche fruitée, structurée par des tanins fins. « Il se réveille bien en bouche », note un dégustateur heureux.
☛Soulier Père et Fils, 17, rue d'Avignon, 30210 Remoulins, tél. 04.66.37.12.23, fax 04.66.37.38.44 ☑ ⟁ r.-v.

LE CLOS DU CAILLOU 1998★

| ■ | | n.c. | 20 000 | ⫴ 30 à 49 F |

Depuis l'installation de J.-D. Vacheron sur la propriété familiale, la notoriété et la qualité déjà bien établies du domaine se sont accentuées. Ce côtes du rhône se montre puissant et généreux, avec des parfums épicés et vanillés dus à l'élevage sous bois de six mois. Typique elle aussi, complexe, florale, la **cuvée Bouquet des Garrigues** en **blanc 99** reçoit la même note. Deux vins très élégants, déjà prêts, mais pouvant attendre.
☛J.-D. Vacheron, Clos du Caillou, 84350 Courthézon, tél. 04.90.70.73.05, fax 04.90.70.76.47 ☑ ⟁ t.l.j. sf dim. 9h-12h 14h-18h

DOM. LE COUROULOU 1998

| ■ | | 2 ha | 12 000 | ▤⫴⚲ 20 à 29 F |

Conseillé pour une langue de bœuf, un vin à la robe profonde et violacée. Ses nuances de fruits mûrs, de cannelle, ses notes animales présentes au nez, se retrouvent en bouche où le boisé se révèle de bonne finesse.
☛Guy Ricard, Dom. Le Couroulou, 84190 Vacqueyras, tél. 04.90.65.84.83, fax 04.90.65.81.25 ☑ ⟁ t.l.j. sf dim. 9h30-12h 14h-18h

LE GRAVILLAS 1999★

| ■ | | 8,7 ha | 51 000 | ▤⚲ 20 à 29 F |

La Cave Le Gravillas fêtera cette année ses soixante-cinq ans. Située dans le magnifique village de Sablet, elle vinifie aujourd'hui 555 ha de vignes. Deux fois une étoile pour la cuvée-titre : un **blanc 99**, velouté et charnu, prêt à dialoguer avec un loup grillé au fenouil, et ce vin rouge très bien structuré. Il ne demande qu'à évoluer. Auréolée d'anneaux violacés, sa robe en dit long sur ses qualités organoleptiques. Le nez est riche de senteurs de fruits rouges que l'on retrouve en bouche où règne une harmonie très plaisante.
☛Cave Le Gravillas, 84110 Sablet, tél. 04.90.46.90.20, fax 04.90.46.96.71 ☑ ⟁ r.-v.

DOM. LE PUY DU MAUPAS 1998★

| ■ | | 20 ha | 5 000 | ▤⚲ 30 à 49 F |

En 1983, Christian Sauvayre décide de rénover ses chais totalement abandonnés depuis plusieurs années. Le résultat prouve aujourd'hui qu'il a fait le bon choix. Ce côtes du rhône à la couleur rubis sombre se classe parmi les grands. Épicé, animal, tannique et ample, il offre une structure encore sévère mais qu'une année de garde assouplira.
☛Christian Sauvayre, Dom. Le Puy du Maupas, quartier Maupas, 84110 Puymeras, tél. 04.90.46.47.43, fax 04.90.46.48.51 ☑ ⟁ t.l.j. 9h-12h30 14h-20h

CH. LES AMOUREUSES
Cuvée spéciale 1998★★

| ■ | | n.c. | 15 000 | ⫴ 30 à 49 F |

L'Ardèche se distingue avec ce vin remarquable. Un coup de cœur très mérité pour saluer le travail accompli par ce viticulteur. La description des sensations éprouvées par le jury est impressionnante ; pour n'en citer que quelques-unes : intense, complexe, fruit mûr, réglisse profonde, etc. Beaucoup de rigueur et un léger passage en bois pour ce fantastique résultat. A noter également, la **cuvée principale rouge 98**, citée par un autre jury.
☛Alain Grangaud, chem. de Vinsas, 07700 Bourg-Saint-Andéol, tél. 04.75.54.51.85, fax 04.75.54.66.38 ☑ ⟁ r.-v.

LES ANTIQUES 1998

| ■ | | n.c. | n.c. | ▤ 20 à 29 F |

Sa richesse aromatique et son équilibre souple le classent directement parmi les vins traditionnels de la vallée du Rhône. Simple mais très franc, il accompagnera très bien les repas de tous les jours.
☛Maison Thorin, Le Pont des Samsons, 69430 Quincié-en-Beaujolais, tél. 04.74.69.09.10, fax 04.74.69.09.28, e-mail information@maisonthorin.com

LES BROTTIERS 1999★

| ☐ | | 4 ha | 20 000 | ▤ 30 à 49 F |

Châteauneuf-du-Pape possède un intéressant musée des Outils du vigneron. Laurent-Charles Brotte est un négociant éleveur dont on peut découvrir les vins dans le musée et déguster cette cuvée issue à 100 % de roussanne mûrie sur le terroir gardois de Sabran. Ce vin rond aux arômes fruités séduit par sa très bonne longueur en bouche. A noter également, la **cuvée Les Charmilles 99** qui assemble grenache (90 %) et marsanne.
☛Laurent-Charles Brotte, rte d'Avignon, 84230 Châteauneuf-du-Pape, tél. 04.90.83.70.07, fax 04.90.83.74.34 ☑ ⟁ t.l.j. 9h-12h 14h-18h

LES COUDRIERS 1999★★

| ◣ | | 10 ha | 60 000 | ▤⚲ - de 20 F |

Un rosé de saignée issu du classique assemblage grenache-cinsault. D'un équilibre parfait, il se montre rond et souple ; son acidité parfaitement dosée le rend vif et frais. Son caractère fruité séduira facilement.

◆┓Cellier de L'Enclave des Papes, rte d'Orange, 84600 Valréas, tél. 04.90.41.91.42, fax 04.90.41.90.21

LES MENINES 1998

■   n.c.   70 000   ❚❙❚   30 à 49 F

Maison de négoce fondée en 1859. Les Ménines et l'**Héritage des Caves des Papes rouge 98** sont deux cuvées réussies. Toutes deux sont issues essentiellement de grenache et de syrah élevées dans le bois, ce qui a permis de développer des qualités gustatives intéressantes avec des notes épicées sur une pointe de réglisse. Ronds et gras, ces deux vins sont prêts.

◆┓Ogier-Caves des Papes, 10, bd Pasteur, 84230 Châteauneuf-du-Pape, tél. 04.90.39.32.32, fax 04.90.83.72.51 ☑ ⟑ t.l.j. sf dim. 8h30-18h30

DOM. DE MAGALANNE 1998

■   8 ha   6 000   ▤♨   20 à 29 F

Sur ce terroir précoce de la vallée du Rhône, le raisin atteint sa maturité très tôt. C'est une des raisons pour lesquelles ce vin est toujours très expressif. Des notes animales épicées et poivrées renforcent, dans cette cuvée, une structure bien en place.

◆┓SCEA Dom. de Magalanne, rte de Signargues, 30390 Domazan, tél. 04.66.57.02.72, fax 04.66.57.21.58 ☑ ⟑ t.l.j. 9h-12h 14h-19h
◆┓Betton et Crouzet

CH. DE MARJOLET 1998

■   12 ha   65 000   ▤   20 à 29 F

Une semi-macération carbonique donne un vin très gouleyant et friand. Bernard Pontaud cultive l'élégance dans cette cuvée abordable par tout public. Fruitée et souple, elle est à boire très vite avec des côtes d'agneau grillées.

◆┓Bernard Pontaud, Vignobles de Marjolet, B.P. 3, 30330 Gaujac, tél. 04.66.82.00.93, fax 04.66.82.92.58 ☑ ⟑ t.l.j. sf sam. dim. 9h-12h 14h-18h

DOM. MARTIN 1998

■   25 ha   30 000   ❚❙❚   30 à 49 F

Situé à 1 km de l'église romane du vieux Travaillan (XIIᵉs.), ce vaste domaine de 52 ha a été créé en 1905. Issu de vinification traditionnelle mais de cuvaison longue et élevé douze mois sous bois, ce vin possède une grande profondeur. Souples et charnus, les tanins sont très présents mais déjà bien fondus.

◆┓SCEA Dom. Martin, Plan de Dieu, 84850 Travaillan, tél. 04.90.37.23.20, fax 04.90.37.23.20 ☑ ⟑ t.l.j. sf dim. 8h-12h 14h-19h

MAS DE LIBIAN 1998

■   10 ha   10 000   ❚❙❚   30 à 49 F

Une étiquette manuscrite pour un vin à la robe rouge foncé, limpide et brillant. Le nez est à la hauteur de la robe, intense, fruité. La bouche joue sur le même registre avec l'appui de notes épicées, sur une structure puissante et des tanins qui devraient se fondre à Pâques 2001.

◆┓Thibon, Mas de Libian, 07700 Saint-Marcel-d'Ardèche, tél. 04.75.04.66.22, fax 04.75.98.66.38 ☑ ⟑ r.-v.

DOM. MIREILLE ET VINCENT
Elevé en fût de chêne 1997★

■   2,3 ha   8 000   ❚❙❚   30 à 49 F

Valréas et son marché, Valréas et le château Simian, Valréas et son église romane provençale au très bel orgue du XVIIᵉs... Bien des raisons pour venir dans ce pays superbe, pays de lavande et de vignes. En voici l'un des domaines. Le caractère du millésime ressort de toute évidence dans ce 97 légèrement boisé et chaleureux. Les notes d'épices présentes au nez se retrouvent en bouche pour laisser sur une bonne harmonie finale.

◆┓Bernard et Marie-Thérèse Bizard, rte de Taulignan, 84600 Valréas, tél. 04.90.35.00.77, fax 04.90.35.06.06 ☑ ⟑ t.l.j. 9h-12h 14h-19h; dim. sur r.-v.

CH. MONGIN 1998★

■   6 ha   20 000   ▤   20 à 29 F

Issue d'un travail collectif dirigé par José Carballar, directeur et œnologue, cette cuvée pourrait être le fer de lance de ce domaine un peu particulier, car il est rattaché au lycée agricole d'Orange. Le fruit du travail des élèves est récompensé par ce vin ample et frais où les épices sont bien présentes.

◆┓Ch. Mongin, 2260, rte du Grès, 84100 Orange, tél. 04.90.51.48.04, fax 04.90.51.48.20 ☑ ⟑ r.-v.

CH. DE MONTFAUCON
Baron Louis 1998★

■   5 ha   30 000   ▤❚❙❚♨   50 à 69 F

Reconstruit par le baron Louis au XIXᵉs., le château de Montfaucon apparaît dans une boucle du Rhône, forteresse impressionnante, dressée sur un piton. Son propriétaire élabore de beaux vins, tel celui-ci, élevé douze mois en barrique. C'est un grand côtes du rhône, dont les tanins fins et élégants supportent des arômes de fruits mûrs. Attendre 2001 pour l'associer à des plats en sauce. Prête dès aujourd'hui, mais promise à deux ou trois années de vie, la **cuvée principale rouge 98**, qui ne connaît pas le bois, reçoit également une étoile (30 à 49 F).

◆┓Rodolphe de Pins, 22, rue du Château, 30150 Montfaucon, tél. 04.66.50.37.19, fax 04.66.50.37.19 ☑ ⟑ t.l.j. sf sam. dim. 14h-18h; groupes sur r.-v.

CH. MONT-REDON Viognier 1999★★

☐   1,5 ha   5 000   ▤♨   50 à 69 F

Déjà très réputé pour ses châteauneuf-du-dupe, ce domaine confirme la qualité et le soin apportés à ses autres vins. Le jury apprécie fortement celui-ci aux arômes puissants, issu à 100 % de viognier et d'une vinification traditionnelle à basse température. C'est une réussite totale.

◆┓Familles Abeille-Fabre, Ch. Mont-Redon, 84230 Châteauneuf-du-Pape, tél. 04.90.83.72.75, fax 04.90.83.77.20, e-mail chateaumontredon@wanadoo.fr ☑ ⟑ r.-v.
◆┓Abeille Fabre

RHONE

DOM. DU MOULIN 1999★★

☐   2 ha   5 000   ∎ ⚲ 30 à 49 F

Depuis 1984, Denis Vinson ne cesse d'améliorer ses outils de production ; il vient de terminer en avril 2000 la construction d'une cave souterraine voûtée, parfaite pour les conditions thermiques de l'élevage des vins. Celui-ci est déjà remarquable, tant par sa robe jaune paille brillant que par ses arômes de fruits à chair blanche et de fleurs. D'un fort bel équilibre en bouche, il allie vivacité et fraîcheur. Un très joli vin.
🕿 Denis Vinson, Dom. du Moulin,
26110 Vinsobres, tél. 04.75.27.65.59,
fax 04.75.27.63.92 ☑ ⏀ r.-v.

DOM. GUY MOUSSET
Cuvée des Garrigues 1998

∎   7 ha   15 000 ∎ ⬛ ⚲ 30 à 49 F

Un vin intense et racé, équilibré, assez rond : ses tanins sont bien fondus. Il s'habille de rubis foncé presque noir et tient ses belles qualités de son passage dans le bois. Il pourrait accompagner une côte de bœuf.
🕿 EARL Vignobles Guy Mousset et Fils,
Le Clos Saint-Michel, rte de Châteauneuf,
84700 Sorgues, tél. 04.90.85.56.05,
fax 04.90.83.56.06 ☑ ⏀ r.-v.

ORSAN Les Hautes Planes 1999★

∎   6 ha   6 000   ∎ ⚲ 30 à 49 F

Les caves coopératives du Rhône ont fait un progrès qualitatif considérable ces dernières années, sélectionnant parcelles et raisins, vinifiant à bon escient. Celle-ci, située à 2 km du site archéologique du Camp de César, propose cette cuvée très réussie. Son nez est complexe, fruité et empyreumatique. On retrouve ces mêmes saveurs dans une bouche charnue et élégante. La **cuvée principale rouge 99** obtient une citation (20 à 29 F).
🕿 Cave des vignerons d'Orsan, 30200 Orsan, tél. 04.66.90.10.05, fax 04.66.90.00.93 ☑ ⏀ t.l.j. sf dim. 8h-12h 14h-18h

DOM. DU PETIT-BARBARAS 1999

☐   1 ha   6 000   ∎ 30 à 49 F

Créé en 1929, ce domaine est géré par deux frères. Roussanne (60 %) et marsanne nées sur un sol argilo-calcaire ont donné ce vin. Dans sa jolie robe brillante à reflets verts, cette bouteille a sa jeunesse comme principal atout. Assez fin, ce 99 vif et complexe pourra se montrer à la hauteur pour accompagner tout poisson en sauce.
🕿 SCEA Feschet Père et Fils, Dom. du Petit-Barbaras, 26790 Bouchet, tél. 04.75.04.80.02, fax 04.75.04.84.70 ⏀ r.-v.

DOM. PIED GIROD 1999

∎   n.c.   n.c.   ∎ ⚲ - de 20 F

Tout à fait honorable pour l'appellation, agréable, il offre ce que l'on attend dans un côtes du rhône régional. Bien équilibré, doté de parfums discrets mais présents, il se consommera sur des grillades.
🕿 La Compagnie rhodanienne, chemin Neuf, 30210 Castillon-du-Gard, tél. 04.66.37.49.50, fax 04.66.37.49.51 ⏀ r.-v.

DOM. DES QUAYRADES 1998

∎   11 ha   80 000   ∎ ⚲ 20 à 29 F

Issu de l'assemblage des cépages traditionnels des côtes du rhône, ce vin est de belle texture, avec un nez caractéristique de fruit cuit. Simple mais bien fait, il est prêt.
🕿 Dom. des Quayrades, La Grand Comtadine, 84190 Vacqueyras, tél. 04.90.65.85.91, fax 04.90.65.89.23 ☑ ⏀ r.-v.
🕿 Patrick Latour

CH. REDORTIER 1998

∎   1 ha   5 000   ∎ ⚲ 30 à 49 F

Les crêtes calcaires des Dentelles de Montmirail, ciselées par l'érosion, forment un décor spectaculaire. Suzette est située à 419 m. Ce beau côtes du rhône porte une robe rouge rubis étincelante. Puissant et généreux, il évolue sur des tanins fondus et des notes de garrigue. La finale est assez longue. Un dégustateur l'aimerait sur un lapin à la moutarde, mais il peut accompagner tout un repas.
🕿 EARL Ch. Redortier, 84190 Suzette, tél. 04.90.62.96.43, fax 04.90.65.03.38 ☑ ⏀ t.l.j. 10h-12h 14h-19h
🕿 de Menthon

DOM. RIGOT Prestige des Garrigues 1998★

∎   14,5 ha   49 000   ∎ ⚲ 30 à 49 F

Jonquières est riche de vestiges préhistoriques et de la période romaine. Ce domaine mérite d'être découvert. Fin et délicat au nez, ce vin est très aromatique. Elaboré à partir de vieilles vignes de soixante ans de grenache (80 %) et de syrah (20 %), il se mariera très bien avec les viandes rouges ou du gibier, car sa corpulence et ses tanins notes poivrées en font un candidat solide. La **cuvée Jean-Baptiste Rigot rouge 98**, mi-syrah, mi-grenache, obtient une citation.
🕿 Camille Rigot, Les Hauts Débats, 84150 Jonquières, tél. 04.90.37.25.19, fax 04.90.37.29.19, e-mail domaine.rigot@wanadoo.fr ☑ ⏀ t.l.j. 8h-12h 15h-20h; dim. j. fér. sur r.-v.

CH. ROCHECOLOMBE 1998★

∎   9,5 ha   40 000   ∎ ⚲ 30 à 49 F

Auteur-compositeur belge, Robert Herberigs est venu s'installer ici. La propriété produisait des abricots. Ses petits-enfants l'ont reconvertie en vignes. Le fruité ardéchois des côtes du rhône s'exprime dans le vin de façon intéressante. Charmeur, ce 98 se bonifiera encore avec les ans. A vous de découvrir toute la subtilité de cette bouteille.
🕿 EARL Herberigs, Ch. Rochecolombe, 07700 Bourg-Saint-Andéol, tél. 04.75.34.52.51, fax 04.75.34.35.47 ☑ ⏀ t.l.j. 8h30-12h 13h-19h

CAVE DES VIGNERONS DE ROCHEGUDE Cuvée réservée 1999★

◢   30 ha   16 000 ∎ ⬛ ⚲ 20 à 29 F

Un rosé de saignée proposé par cette jeune coopérative - jeune, car elle n'a que quarante ans ! Ce vin aux arômes primaires est déjà très agréable et fruité ; il pourra développer la deuxième année des arômes secondaires intéressants grâce à sa nature riche et complexe. D'une bonne longueur, il est à la fois doux et puissant. Accompagnera toutes les charcuteries.

☛ Cave des Vignerons de Rochegude, 26790 Rochegude, tél. 04.75.04.81.84, fax 04.75.04.84.80 ☑ ⊺ t.l.j. 9h-12h 14h-18h

DOM. DE ROCHEMOND
Fût de chêne 1998★★

■	n.c.	5 000	❘❙❙	30 à 49 F

Dans sa robe sombre à reflets acajou, cette cuvée remarquable, 100 % syrah, offre un nez riche et complexe. L'ensemble est animal sur des notes poivrées, puis de truffe et de sous-bois. La bouche volumineuse et pleine se révèle bien abordable, et sa finale chaleureuse sur un boisé fondu s'étend sur un lit de pruneaux.

☛ EARL Eric Philip-Ladet, Cadignac-Sud, 30200 Sabran, tél. 04.66.79.04.42, fax 04.66.79.04.42 ☑ ⊺ r.-v.

DOM. DE ROQUEBRUNE
Grande Cuvée 1998

■	2 ha	12 000	❘▮▮ 30 à 49 F

Un domaine familial remontant au XVIIIᵉs., reposant sur un sol silico-calcaire, et un vin qui a de la personnalité, nous dit le jury. Une forte intensité dans sa couleur, des parfums de fruits cuits, un bon équilibre le caractérisent. Une note de terroir bien marquée laisse une finale légèrement chocolatée persistante.

☛ Pierre Rique, Dom. de Roquebrune, 30130 Saint-Alexandre, tél. 04.66.39.33.30, fax 04.66.39.23.85 ☑ ⊺ r.-v.

DOM. ROUGE GARANCE
Garances 1999★

■	3 ha	16 000	❘▮ 30 à 49 F

Jean-Louis Trintignant, acteur de théâtre et de cinéma, n'est pas étranger au choix du nom de ce domaine, qui fait référence au rôle d'Arletty, dans *Les Enfants du Paradis* (Garance) tout autant qu'à la garance, plante cultivée ici. Ce 99 est un bel ambassadeur des côtes du rhône dans le monde du cinéma. B. Cortellini a su tirer du cépage carignan des qualités insoupçonnables. Présent à 55 % et associé à la syrah, il produit ce vin puissant et harmonieux, aux arômes persistants, équilibré et élégant.

☛ SCEA Dom. Rouge Garance, chem. de Massacan, 30210 Saint-Hilaire-d'Ozilhan, tél. 04.66.37.06.92, fax 04.66.37.06.92 ☑ ⊺ r.-v.

DOM. DU ROURE 1998

■	2,5 ha	8 500	❘▮ 20 à 29 F

C'est avec brio qu'Yves Terrasse a su reprendre en 1980 cette propriété familiale. Ce 98 est issu d'une vinification traditionnelle. Son harmonie est enrichie de quelques arômes de torréfaction qui le rendent assez original. A attendre un an.

☛ Yves Terrasse, Dom. du Roure, 07700 Saint-Marcel-d'Ardèche, tél. 04.75.04.67.67, fax 04.75.98.75.48 ☑ ⊺ r.-v.

CH. DE RUTH 1998★

■	90 ha	400 000	❘▮▮ 30 à 49 F

Ce vaste domaine (110 ha) fut, au début du XXᵉs., la propriété de Nicolas de Beauharnais,

descendant de Joséphine de Beauharnais. Habitué du Guide, il voit deux de ses vins retenus avec une étoile. Cette cuvée attire l'attention par sa robe soutenue à reflets francs, son nez puissant et épicé, avec des notes de fruits mûrs qui se retrouvent en bouche. Un vin complexe, très bon représentant de l'AOC régionale. La **cuvée Nicolas de Beauharnais** en **blanc 99**, assemblage assez rare par l'importance de la clairette (50 %), a pour atouts son gras et son équilibre, sa fraîcheur et sa longueur, ainsi qu'un nez d'agrumes assorti d'une touche cacaotée.

☛ Christian Meffre, Ch. de Ruth, 84290 Sainte-Cécile-les-Vignes, tél. 04.90.65.88.93, fax 04.90.65.88.96, e-mail château.raspail@wanadoo.fr ☑ ⊺ t.l.j. sf sam. dim. 8h-12h 13h30-17h30; f. 15-31 août

DOM. SAINT-AMANT Les Clapas 1998★★

■	1,5 ha	10 000	❘▮ 30 à 49 F

Un domaine créé par un chef d'entreprise parisien qui s'est passionné pour la vigne. Il a choisi la culture raisonnée, respectueux de l'environnement qui, ici, est de toute beauté avec ses terrasses en coteaux. Il se dit artisan, le vin le récompense : très prometteur ! C'est la mention que l'on retiendra parmi les nombreux qualificatifs du jury qui a su l'apprécier pour son avenir. Aujourd'hui, il se montre encore rustique. Cependant, sa richesse et son gras, ses arômes et ses tanins le placent parmi les grands des côtes du rhône.

☛ Dom. Saint-Amant, 84190 Suzette, tél. 04.90.62.99.25, fax 04.90.65.03.56 ☑ ⊺ r.-v.

DOM. SAINT-CLAUDE
Prestige Vieilli en fût de chêne 1998

■	1,5 ha	6 000	❘❙❙ 30 à 49 F

Vaison fut une importante ville romaine dont on peut admirer les vestiges. On peut aussi y goûter de fort bons vins. Sans exploser réellement au nez, cette cuvée révèle une belle robe rubis franc, avec des reflets tuilés. Les tanins très discrets laissent place aux arômes de fruits rouges légèrement épicés grâce à un élevage en fût de neuf mois.

☛ Frédéric Armand, Dom. Saint-Claude, Le Palis, 84110 Vaison-la-Romaine, tél. 04.90.36.23.68, fax 04.90.36.09.16 ☑ ⊺ r.-v.

SAINT-COSME 1999★

■	15 ha	80 000	❘▮ 30 à 49 F

Une chapelle du XIIᵉs., vouée à saint Cosme, patron des médecins, située au cœur du vignoble, a donné son nom au domaine des Barruol qui exercent une activité de négoce-éleveur. Leur côtes du rhône est parfaitement réussi : 100 % syrah, il offre un nez de cassis et de violette, et se montre plein en bouche et charnu. On peut prédire une très bonne évolution dans le temps (deux ou trois ans). Egalement très réussie, la **cuvée Saint-Cosme en blanc 99** assemble justement roussanne, marsanne et bourboulenc. Un peu de fût neuf n'a rien gâché à l'harmonie des saveurs. Gras et long, surprenant par une note de Zan en rétro-olfaction, ce vin devrait être délicieux avec une salade de pommes de terre aux truffes.

RHONE

•➡ Louis et Cherry Barruol, Ch. de Saint-Cosme, 84190 Gigondas, tél. 04.90.65.80.80, fax 04.90.65.81.05 ☑ ⵏ r.-v.

CAVE DES VIGNERONS DE SAINTE-CECILE-LES-VIGNES
Réserve 1999★

| | 0,7 ha | 5 000 | ⵏ⬦ | - de 20 F |

Créée en 1936, cette coopérative a son siège dans une plaine caillouteuse dont la vigne fit la richesse. Le village possède de belles maisons du XVIᵉs. L'église, du XIIᵉs., remaniée au XVIIIᵉs., porte le nom de la patronne des musiciens, sainte Cécile. On pourra servir ce vin après un concert réussi. D'un joli jaune limpide et brillant, il offre un nez floral très fin. Agréable en bouche, il possède un bel équilibre et une élégante persistance aromatique. Très bon rapport qualité-prix.
•➡ Cave des vignerons réunis de Sainte-Cécile-les-Vignes, 35, rte de Valréas, 84290 Sainte-Cécile-les-Vignes, tél. 04.90.30.79.30, fax 04.90.30.79.39 ☑ ⵏ t.l.j. 8h-12h30 14h-19h

CH. SAINT-ESTEVE D'UCHAUX 1999

| | 2,8 ha | 18 000 | ⵏ⬦ | 30 à 49 F |

Thérèse Français organise chaque année en août un festival de piano « Liszt en Provence », qui se déroule sur les terrasses du château. Le vin fait aussi partie des beaux-arts, et la régularité de la production de ce domaine ne peut que le confirmer. Voici un 99 bien réussi. Un blanc franc aux arômes d'abricot et de confiture de coings. Sa faible acidité le classe dans la catégorie des vins blancs gras, charnus et ronds, qui accompagneront volontiers les poissons à la crème.
•➡ Ch. Saint-Estève d'Uchaux, 84100 Uchaux, tél. 04.90.40.62.38, fax 04.90.40.63.49 ☑ ⵏ t.l.j. sf dim. 9h-12h 14h-18h
•➡ Gérard et Marc Français

DOM. SAINT-ETIENNE
Les Albizzias 1999★

| ■ | 15 ha | 100 000 | ⵏ⬦ | 20 à 29 F |

Depuis dix ans à la tête de sa propriété, et de plus en plus maître de son art. Une volonté tenace d'être dans ses vignes pour maîtriser la matière première. Le résultat est là. De la concentration, et surtout un côtes du rhône qui a besoin de temps pour s'épanouir. Un vin de connaisseurs.
•➡ Michel Coullomb, Dom. Saint-Etienne, fg du Pont, 30490 Montfrin, tél. 04.66.57.50.20, fax 04.66.57.22.78 ☑ ⵏ r.-v.

SAINT-MARTIN DE JOCUNDAZ
1999★

| | 0,25 ha | 1 300 | ⵏ⬦ | 70 à 99 F |

La sélection d'une parcelle de viognier pour l'élaboration de cette cuvée est judicieuse : elle donne naissance à ce grand vin aux arômes surprenants, légèrement mentholés. Le gras en bouche lui confère un caractère charnu et plein. Des pâtes aux truffes ou toute viande blanche conviendront.
•➡ Jean-Pierre Serguier, Ch. Simian, 84420 Piolenc, tél. 04.90.29.50.67, fax 04.90.29.62.33 ☑ ⵏ t.l.j. sf dim. 8h30-12h 14h-19h

CH. SAINT-MAURICE
Sélection Parcellaire 1998★

| | 1 ha | 6 000 | ⵏ⬦ | 20 à 29 F |

Ce vaste domaine de 100 ha propose cette sélection parcellaire de 1 ha. Grenache (40 %), clairette et roussanne à parts égales composent ce vin blanc très intéressant par ses arômes de fleurs blanches et d'acacia. Dans sa robe pâle à reflets dorés, il se montre assez complexe pour qu'on ose l'associer à des truffes : son caractère épicé, sa très bonne longueur, son gras bien équilibré par une excellente acidité lui permettront de résister au temps.
•➡ SCA Ch. Saint-Maurice, R.N. 580, L'Ardoise, 30290 Laudun, tél. 04.66.50.29.31, fax 04.66.50.40.91, e-mail chateau.saint.maurice@wanadoo.fr ☑ ⵏ t.l.j. sf dim. 8h-12h 13h30-18h
•➡ Valat

DOM. DE SERVANS
Cuvée Tradition Elevé en fût de chêne 1998★

| ■ | 1,6 ha | 3 000 | ⵏⵏⵏ | 50 à 69 F |

Des vignes de cinquante ans, un assemblage de 70 % de grenache avec la syrah, douze mois de fût : ce domaine de 20 ha est à nouveau sélectionné pour cette cuvée dont le vigneron maîtrise tous les paramètres. C'est un rouge racé à dominante boisée. Equilibré et gras, il plaira aux amateurs d'épices : aux senteurs de vanille se mêlent des notes mentholées. La bouche ajoute la réglisse, la cannelle, puis les fruits confiturés. Si le fût prend encore le dessus le 21 mars 2000, le vin devrait être prêt pour un filet de bœuf ou un gibier des champs, durant quelques mois encore. Le **côtes du rhône blanc 99** obtient une citation (30 à 49 F). Il aimera une alliance avec des coquillages.
•➡ Pierre Granier, av. de Provence, 26790 Tulette, tél. 04.75.98.31.47, fax 04.75.98.31.47 ☑ ⵏ t.l.j. 9h-20h

CH. DU TRIGNON 1999★

| ■ | 15 ha | 65 000 | ⵏ⬦ | 30 à 49 F |

Au pied des Dentelles de Montmirail, ce domaine détenu par la famille Roux depuis 1895 abrite un équipement haut de gamme. La vendange est manuelle et passe par une table de tri. D'une belle couleur rubis, ce vin offre un nez intense marqué par les fruits rouges, tout comme la bouche, bien structurée et agréable. A servir jusqu'à la sortie du Guide 2002 !
•➡ Ch. du Trignon, 84190 Gigondas, tél. 04.90.46.90.27, fax 04.90.46.98.63 ☑ ⵏ t.l.j. sf dim. 9h-12h 14h-19h
•➡ Pascal Roux

CUVEE DU VATICAN 1999

| ■ | 5,7 ha | 40 000 | ⵏⵏⵏ⬦ | 30 à 49 F |

Vaste domaine de Châteauneuf-du-Pape, possédant 53 ha. Très représentative du millésime, la Cuvée du Vatican est puissante et élégante. Assez concentré et chaud, le bouquet révèle des arômes de fruits rouges mêlés à des odeurs de vanille dues à un léger passage en foudre de chêne.

📍SCEA Félicien Diffonty et Fils,
10, rte de Courthézon, B.P. 33,
84231 Châteauneuf-du-Pape Cedex,
tél. 04.90.83.70.51, fax 04.90.83.50.36,
e-mail cuvéeduvatican@wanadoo.fr ☑ ▼ t.l.j.
9h-12h 14h-18h sf sam. et dim. 10h-12h 14h-18h

J. VIDAL-FLEURY 1999★

☐	2,5 ha	15 000	30 à 49 F

Cette maison de négoce, créée en 1787, appartient aujourd'hui à Marcel Guigal. On se souvient que Thomas Jefferson y passa avant la Révolution, au cours de son périple dans les vignobles de France. Voici un vin digne de ce prestigieux visiteur. Issu de viognier, il est d'une couleur jaune brillant. Le nez d'agrumes et de fleurs blanches est assez intense. La bouche fraîche offre une bonne acidité qui lui confère un excellent équilibre. A déguster dans l'année sur des coquilles Saint-Jacques.
📍J. Vidal-Fleury, 19, rte de la Roche, 69420 Ampuis, tél. 04.74.56.10.18, fax 04.74.56.19.19 ☑ ▼ r.-v.

DOM. DU VIEUX CHENE
Cuvée des Capucines 1998★★

■	7 ha	26 000	🍾	30 à 49 F

Jean-Claude et Béatrice Bouche ont déjà reçu des coups de cœur et ont été lauréats des Grappes du Guide. Lui est œnologue et parle merveilleusement de son terroir. La bouteille est habillée d'une étiquette très élégante. Ses Capucines ? Une bien belle cuvée aux reflets rouges vifs ; ses arômes de fruits mûrs sont tout en finesse et complexité. En bouche, les tanins, très fondus, associés à une chair pleine et fruitée font de ce vin une véritable friandise. A attendre au moins un an, mais sa voie pourrait aller au-delà des cinq ans à venir. Parfait sur les viandes rouges.
📍Jean-Claude et Béatrice Bouche, rte de Vaison-la-Romaine, 84850 Camaret-sur-Aigues, tél. 04.90.37.25.07, fax 04.90.37.76.84, e-mail contact@bouche-duvieuxchene.com ☑ ▼ t.l.j. sf dim. 9h-12h 14h-18h

DOM. DU VIEUX COLOMBIER 1997

■	6,5 ha	10 000	🍾🍷	30 à 49 F

La vigne est présente ici depuis plus de cinq cents ans. Cet ancien domaine royal légué aux chapelains de Bagnols est aujourd'hui dirigé par Jacques Barrière et son fils. Ils vinifient ce côtes du rhône très traditionnel, à base de grenache pour 60 %. Il faut en profiter dès aujourd'hui au cours d'un repas familial.
📍Jacques Barrière et Fils, Dom. du Vieux Colombier, 30200 Sabran, tél. 04.66.89.98.94, fax 04.66.89.98.94 ☑ ▼ r.-v.

Côtes du rhône-villages

A l'intérieur de l'aire des côtes du rhône, quelques communes ont acquis une notoriété certaine grâce à des terroirs qui produisent des vins (environ 184 000 hl) dont la typicité et les qualités sont unanimement reconnues et appréciées. Les conditions de production de ces vins sont soumises à des critères plus restrictifs en matière notamment de délimitation, de rendement et de degré alcoolique par rapport à ceux des côtes du rhône.

Il y a d'une part les côtes du rhône-villages pouvant mentionner un nom de commune, seize noms historiquement reconnus et qui sont : Chusclan, Laudun et Saint-Gervais dans le Gard ; Beaumes-de-Venise, Cairanne, Sablet, Séguret, Rasteau, Roaix, Valréas et Visan dans le Vaucluse ; Rochegude, Rousset-les-Vignes, Saint-Maurice, Saint-Pantaléon-les-Vignes et Vinsobres dans la Drôme, et qui recouvrent vingt-cinq communes pour une superficie déclarée de 4 400 ha.

Il y a d'autre part les côtes du rhône-villages sans nom de communes, dont la délimitation vient de s'achever sur le reste de l'ensemble des communes du Gard, du Vaucluse et de la Drôme dans l'aire côtes du rhône.

Soixante-dix communes ont été retenues. Cette délimitation avait pour premier objectif de permettre l'élaboration de vins de semi-garde. Il s'en déclare actuellement 3 342 ha.

DOM. D'AERIA
Cairanne Cuvée Prestige 1998★

■	2 ha	6 000	🍾	50 à 69 F

La belle maturité des cépages grenache (60 %) et mourvèdre, nés sur un terroir argilo-calcaire, donne un vin puissant au nez de cerise et de cassis. La bouche évolue sur des notes épicées accompagnant une bonne structure.
📍EARL Dom. d'Aéria, rte de Rasteau, 84290 Cairanne, tél. 04.90.30.88.78, fax 04.90.30.78.38 ☑ ▼ r.-v.
📍Gap

DOM. DANIEL ET DENIS ALARY
Cairanne La Font d'Estévenas 1998★

■	2 ha	8 000	🍾🍷	50 à 69 F

Cuvée phare de ce domaine familial créé en 1692, La Font d'Estévenas 98 est typée par la syrah très mûre qui représente 60 % de l'assemblage. Très structurée, elle offre de riches arômes de fruits, d'épices, des notes animales et de cuir. Ses tanins fort présents demandent un à deux ans de garde.
📍Dom. Daniel et Denis Alary, La Font d'Estévenas, 84290 Cairanne, tél. 04.90.30.82.32, fax 04.90.30.74.71 ☑ ▼ r.-v.

DOM. DES AMADIEU Cairanne 1998★

■　　　　　1,8 ha　　8 000　　■ ♠ 30 à 49 F

Un domaine de 7,5 ha, déjà bien connu aux Etats-Unis. Le vieux continent et le Nouveau Monde pourront se partager cette cuvée à mettre en réserve deux ans. Elle a un très grand potentiel aromatique, du corps, des tanins bien présents. Epices, cacao, fruits noirs très mûrs déroulent leur gamme.

↜ Marylène et Michel Achiary,
Dom. des Amadieu, quartier Beauregard,
84290 Cairanne, tél. 04.90.66.17.41,
fax 04.90.66.01.28,
e-mail cairanne2000@yahoo.fr ☑ ⏧ r.-v.

DOM. D'ANDEZON 1998★★★

■　　　　　3 ha　　14 000　　⦀ 30 à 49 F

La syrah, accompagnée de 10 % de grenache nés sur un très beau terroir à galets roulés nous donne de magnifique *villages* à la robe profonde, violacée. La palette de fruits rouges mûrs exhale le cassis. Un remarquable équilibre s'accomplit en bouche où la puissance ne gêne en rien l'expression aromatique. Longue finale sur des notes animales de cuir et de cacao. Jolie garde de trois ans annoncée par le jury.

↜ Cave des Vignerons d'Estézargues, rte des Grès, 30390 Estézargues, tél. 04.66.57.03.64, fax 04.66.57.04.83,
e-mail les.vignerons.estezargues@wanadoo.fr
☑ ⏧ t.l.j. sf dim. 8h-12h 14h-18h
↜ Daniel Lamouroux

CH. BEAUCHENE
Vignoble de La Vialle 1998★

■　　　　　7 ha　　45 000　　⦀ 30 à 49 F

Ce domaine familial repris par Michel Bernard en 1971 comporte 70 ha dont 7 ha ont été consacrés à cette cuvée. Grenache (60 %) et syrah (30 %), après six mois d'élevage en barrique, donnent un vin prêt à boire. Robe cerise, nez floral, bonne attaque, bouche fruitée aux tanins bien présents.

↜ Michel Bernard, ch. Beauchêne,
rte de Beauchêne, 84420 Piolenc,
tél. 04.90.51.75.87, fax 04.90.51.73.36,
e-mail chateaubeauchene@worldonline.fr
☑ ⏧ r.-v.

DOM. DE BELLE-FEUILLE 1999★

☐　　　　　1,2 ha　　4 400　　⦀ 50 à 69 F

Vénéjan, dans le Gard, un joli village dont l'église remonte au XIIᵉs. Gilbert Louche a effectué sa première vinification en 1992. Son 99, issu à 100 % de viognier vendangé à la main, porte des couleurs jaune citron à reflets verts. Le vieillissement en fût de quelques mois donne cette touche vanillée en bouche que complètent des arômes de banane et de pain grillé. Elégant en bouche, ce joli vin est tout en fraîcheur et en équilibre.

↜ Gilbert Louche, Dom. de Belle-Feuille,
30200 Vénéjan, tél. 04.66.79.27.33,
fax 04.66.79.22.82 ☑ ⏧ t.l.j. sf dim. 8h-12h 13h-19h

LOUIS BERNARD Grande Cuvée 1998★★

■　　　　　n.c.　　n.c.　　⦀ 50 à 69 F

Annonçant qu'il a passé un contrat de qualité avec les apporteurs de vendange, ce négociant sélectionne les parcelles de raisins récoltés à maturité. Cela donne un *villages* qui a obtenu une très bonne note. La robe est tout simplement belle, d'une couleur soutenue à reflets violets. Le nez mêle fruits et boisé. Elégant, équilibré, doté de tanins fondus, ce 98 de bonne garde offre une jolie persistance réglissée.

↜ Les domaines Bernard, rte de Sérignan,
84100 Orange, tél. 04.90.11.86.86,
fax 04.90.34.87.30

DOM. BERTHET-RAYNE
Cairanne Tradition 1999★

■　　　　　8 ha　　45 000　　■ ♠ 30 à 49 F

Régulièrement retenue par nos jurys, cette cuvée porte haut son nom et les ambitions des deux frères qui lui donnent naissance. Dès la première impression, le jury note la franchise de ce vin, la maturité des raisins et la qualité du travail. La robe grenat intense ne trompe pas. Les notes fruitées accompagnent toute la dégustation. Le corps rond et gras, agrémenté d'arômes de groseille de grande longueur, donnera du plaisir dès maintenant.

↜ Dom. Michel et André Berthet-Rayne,
rte d'Orange, 84290 Cairanne,
tél. 04.90.30.88.15, fax 04.90.30.83.17 ☑ ⏧ r.-v.

DOM. DE BOISSAN
Sablet Cuvée Clémence 1998★

■　　　　　14 ha　　8 000　　■ ⦀ 30 à 49 F

La dégustation de ce 98 composé à 60 % de grenache et à 40 % de syrah, élevé dix mois en fût, laisse une impression de raisins très mûrs et bien vinifiés. Les arômes de torréfaction (café et cacao), la puissance de la structure aux tanins présents sans agressivité, le gras et l'onctuosité de la bouche promettent une vieillesse heureuse, mais aussi un plaisir immédiat.

↜ Christian Bonfils, Dom. de Boissan,
84110 Sablet, tél. 04.90.46.93.30,
fax 04.90.46.99.46 ☑ ⏧ r.-v.

DOM. BOUCHE Les Garrigues 1998★

■　　　　　5 ha　　10 000　　■ ♠ 30 à 49 F

Un très bon domaine de 38 ha et deux très beaux vins. D'abord, le **blanc 99 La Grappe d'Or**, avec son nez floral et exotique, jugé très réussi. Puis, ce vin rouge issu d'une vinification en grains entiers. Si une impression domine l'ensemble, c'est bien celle d'élégance. Voyez cette robe rubis. Humez ce nez de fruits rouges et de cassis. Appréciez l'équilibre de la bouche aux tanins fins.

•┐Dominique Bouche, chem. d'Avignon,
84850 Camaret-sur-Aigues, tél. 04.90.37.27.19,
fax 04.90.37.74.17, e-mail dbouche@terre-net.fr
☑ ꔰ r.-v.

DOM. DES BOUMIANES 1998*

| ■ | 8 ha | 4 000 | ⬛⬤ | 30 à 49 F |

Un domaine de 30 ha créé en 1920 par le grand-père de Philippe Méger qui le dirige depuis 1990. Issus des cépages traditionnels, les raisins mûris sur une terrasse de galets roulés donnent un vin riche en fruits rouges avec une dominante de cerise bien mûre. Une bouteille équilibrée, ensoleillée.
•┐GAEC des Boumianes, Domazan,
30390 Aramon, tél. 04.66.57.02.35,
fax 04.66.57.09.48 ☑ ꔰ t.l.j. sf dim. 9h30-12h 14h-18h
•┐Philippe Méger

DOM. ANDRE BREMOND Laudun 1999

| ■ | 6,28 ha | 32 000 | ⬛ | 20 à 29 F |

Présenté par un négociant, et mis en bouteille par CVVR, un vin à attendre une paire d'années afin qu'il atteigne sa plénitude. Pour l'instant, il est structuré par des tanins puissants. Si le nez est fermé, les arômes de bouche sont plus bavards : thym, romarin, notes animales promettent un certain plaisir.
•┐La Compagnie rhodanienne, chemin Neuf,
30210 Castillon-du-Gard, tél. 04.66.37.49.50,
fax 04.66.37.49.51 ꔰ r.-v.

LAURENT BRUSSET
Cairanne Vendange Chabrille 1998**

| ■ | 3 ha | 14 000 | ⬛⬤ | 30 à 49 F |

Coup de cœur l'an dernier pour cette cuvée millésime 97, ce domaine propose le 98, un vin d'une très grande harmonie, qui a bénéficié de soins exceptionnels. Même si une légère note tuilée anime la robe d'un pourpre profond, c'est une bouteille de garde. Cerise et fruits mûrs se conjuguent au nez, alors que la bouche joue davantage sur le cassis. Construite sur des tanins fins, celle-ci est parfaitement équilibrée dans son appellation. Assemblant six cépages blancs de l'AOC, la cuvée des **Coteaux de Travers 99** reçoit une étoile. Elle est destinée aux poissons de mer en sauce.
•┐SA Dom. Brusset, 84290 Cairanne,
tél. 04.90.30.82.16, fax 04.90.30.73.31,
e-mail domaine-brusset.fr ☑ ꔰ r.-v.

DOM. DU CABANON 1998

| ■ | 1 ha | 6 000 | ⬛⬤ | 30 à 49 F |

Une macération carbonique très agréable qui donne un vin déjà prêt à boire, tout en finesse et construit sur des tanins doux. L'attaque est fraîche, tout entière sur du fruit rouge. Très aromatique et friand, un 98 facile à boire.
•┐Yves Payan, 5, pl. de La Fontaine,
30650 Saze, tél. 04.90.31.70.74,
fax 04.90.26.94.62,
e-mail domainecabanon@wanadoo.fr ☑ ꔰ t.l.j. sf dim. 10h-12h 14h-18h

DOM. DE CABASSE
Séguret Cuvée de la Casa Bassa 1998*

| ■ | | 3 ha | 12 000 | ⬛⬛⬛ | 50 à 69 F |

Deux étiquettes très différentes : l'une « design », l'autre, habillant la **cuvée Garnacho**, bucolique pour un vin assemblant counoise (6 %), cinsault (7 %), carignan (6 %) et syrah (6 %) au grenache. Ses arômes de fruits à l'eau-de-vie et de boisé ont séduit le jury pour cette étoile, tout comme à cette Casa Bassa, composée des seuls grenache (55 %) et syrah, et qui est à son apogée. Robe rouge cerise, franche et nette, joli nez évolué (épices, tabac, pruneau), que nous retrouvons en bouche où règne un bel équilibre.
•┐Dom. de Cabasse, 84110 Séguret,
tél. 04.90.46.91.12, fax 04.90.46.94.01,
e-mail cabasse@avignon. pacwan.net ☑ ꔰ r.-v.
•┐Alfred Haeni

CAVE DE CAIRANNE
Temptation 1998**

| ■ | n.c. | n.c. | ⬛⬤ | 30 à 49 F |

Un musée du Vin est installé dans l'ancien donjon de Cairanne qui fut seigneurie des Templiers. La coopérative a proposé deux cuvées. Celle-ci porte une belle robe d'un rouge soutenu. Son nez dégage des arômes puissants de fruits rouges. Élégance et équilibre vont de pair en bouche sur des tanins joliment fondus. La **cuvée Antique 98** est aussi très agréable, mais son prix est plus élevé (50 à 69 F).
•┐Cave de Cairanne, 84290 Cairanne,
tél. 04.90.30.82.05, fax 04.90.30.74.03 ☑ ꔰ r.-v.

DOM. DIDIER CHARAVIN
Rasteau 1998*

| ■ | | 3 ha | 15 000 | ⬛ | 30 à 49 F |

Connu pour sa **cuvée des Parpaïouns** (les papillons) dont le 98 est cité pour ses arômes typés et sa structure pleine de charme (50 à 69 F), ce domaine a proposé ici sa cuvée principale, une vin d'une robe rubis à reflets violets. Au nez, la cerise l'emporte. En bouche, les tanins présents mais fondus s'expriment sur une concentration de fruits. Veloutée, une bouteille prête.
•┐Didier Charavin, rte de Vaison,
84110 Rasteau, tél. 04.90.46.15.63,
fax 04.90.46.16.22 ☑ ꔰ t.l.j. 9h-12h 14h-18h

DOM. CHAUME-ARNAUD
Cuvée Granges Rouges 1998*

| ■ | 1,5 ha | 8 800 | ⬛ | 30 à 49 F |

20 % de vieux carignan complètent le grenache, tous deux nés sur sols sablo-argileux. Plaisant à l'œil, ce vin offre des senteurs florales. Franc en bouche, s'appuyant sur des tanins fondus et harmonieux, il est prêt à accompagner un rôti de veau.
•┐Dom. Chaume-Arnaud, Les Paluds,
26110 Vinsobres, tél. 04.75.27.66.85,
fax 04.75.27.69.66 ☑ ꔰ r.-v.

DOM. CLAVEL Saint-Gervais 1999*

| ◢ | 0,72 ha | 4 000 | ⬛⬤ | 30 à 49 F |

Élaboré par saignée et à basse température, ce joli rosé serait également dû à un « secret du chef » qui semble bien gardé. Le résultat est en revanche connu de tous, le jury étant séduit par

RHONE

la couleur aux reflets mauves et par le bouquet floral. La bouche est vive, équilibrée, fraîche. Charcuterie et brochettes la.1 conviendront après une partie de tennis ou de volley-ball.

☛ Denis Clavel, rue du Pigeonnier, 30200 Saint-Gervais, tél. 04.66.82.78.90, fax 04.66.82.74.30 ☑ ⵏ r.-v.

DOM. DU CORIANÇON
Vinsobres Le Haut des Côtes 1998★

| ◼ | | n.c. | 3 000 | ◫ | 70 à 99 F |

François Vallot, dont le domaine représente 55 ha, a conçu une petite cuvée spéciale issue de vignes de quarante-cinq ans (70 % grenache, 20 % syrah et 10 % mourvèdre) plantées sur un terroir argilo-calcaire. Après une macération longue et un vieillissement en fût, nous trouvons des arômes évoluant vers le cacao, la truffe, le pruneau, et d'une belle persistance. La robe est grenat soutenu. Un joli vin de garde (deux à trois ans) à mettre en valeur sur un rôti de bœuf saignant.

☛ François Vallot, Dom. du Coriançon, 26110 Vinsobres, tél. 04.75.26.03.24, fax 04.75.26.44.67, e-mail françois.vallot@wanadoo.fr ☑ ⵏ t.l.j. sf dim. 9h-12h 14h-19h

COSTEBELLE
Cuvée Guillaume Magnan 1998

| ◼ | | 50 ha | 16 000 | ◼ ⵏ | 30 à 49 F |

Après une promenade à Vaison-la-Romaine, vous pouvez vous diriger vers la cave de Costebelle à Tulette pour y déguster ce côtes du rhône-villages prêt à boire, très frais et agréable en bouche où le fruit rouge s'harmonise avec les tanins. Le nez est marqué par des notes de cuir et de fleurs.

☛ Cave Costebelle, 26790 Tulette, tél. 04.75.98.32.53, fax 04.75.98.38.70 ☑ ⵏ r.-v.

DOM. DES COTEAUX DES TRAVERS
Cairanne 1998

| ◼ | | 2 ha | 5 000 | ◼ ⵏ | 50 à 69 F |

Egrappés, les raisins sont issus de grenache (60 %), de syrah (10 %) et de mourvèdre. La robe est dense, animée d'un reflet grenat. Bien fait, ce vin se montre généreux, prêt pour cet automne.

☛ Robert Charavin, Dom. des Coteaux des Travers, 84110 Rasteau, tél. 04.90.46.13.69, fax 04.90.46.15.81, e-mail robert.charavin@wanadoo.fr ☑ ⵏ r.-v.

CH. COURAC Laudun 1998★★

| ◼ | | 10 ha | 54 000 | ◼ | 30 à 49 F |

Du sérieux chez ce propriétaire abonné aux récompenses : ses efforts ne se relâchent pas. Un fruité dominé par la syrah et une structure tannique fine, qui apporte tout ce qu'il faut pour un vieillissement sans problème, caractérisent ce 98.

☛ SCEA Frédéric Arnaud, Ch. Courac, 30330 Tresques, tél. 04.66.82.90.51, fax 04.66.82.94.27 ☑ ⵏ r.-v.

DOM. DELUBAC
Cairanne Les Bruneau 1997★

| ◼ | | 3,5 ha | 14 000 | ◼ ⵏ | 30 à 49 F |

Grenache, syrah, mourvèdre, cépages rois de l'AOC, cuvaison longue et deux ans d'élevage ont donné ce vin d'une belle tenue au nez de

thym, de romarin et de pruneau. La bouche concentrée, structurée, en un mot virile, signe un vin de garde. La cuvée **L'Authentique 98** élevée en barrique (70 à 99 F) a obtenu la même note. A mettre en cave au moins deux ans.

☛ GAEC dom. Bruno et Vincent Delubac, Les Charoussans, rte de Carpentras, 84290 Cairanne, tél. 04.90.30.82.40, fax 04.90.30.71.18, e-mail vincent.delubac@libertysurf.fr ☑ ⵏ r.-v.

DOM. DE DURBAN
Beaumes-de-Venise 1999

| ◼ | | 17,74 ha | 67 000 | ◼ ⵏ | 30 à 49 F |

Spécialiste du muscat de beaumes-de-venise, ce domaine de près de 58 ha n'en néglige pas pour autant sa production de vins secs. 75 % de grenache assemblés à 24 % de syrah et 1 % de mourvèdre donnent ce 99 encore très jeune, d'une grande fraîcheur dans une robe rubis brillante. Fruits rouges au nez, il offre un bel équilibre en bouche avec une bonne persistance aromatique.

☛ SCEA Leydier et Fils, Dom. de Durban, 84190 Beaumes-de-Venise, tél. 04.90.62.94.26, fax 04.90.65.01.85 ☑ ⵏ t.l.j. sf dim. 9h-12h 14h-18h

DOM. DE FENOUILLET
Beaumes-de-Venise Cuvée Yvon Soard 1998★

| ◼ | | 1,9 ha | 10 000 | ◼ ◫ ⵏ | 50 à 69 F |

Depuis cent cinquante ans, les Soard cultivent ici la vigne. Cette cuvée porte une très belle robe soutenue à reflets violets. Ses arômes mêlent fruits cuits et notes boisées. Gras en bouche, et doté d'une constitution de beaux tanins denses très bien élevés, ce 98 devrait d'ici quelques mois séduire vos amis.

☛ GAEC Patrick et Vincent Soard, Dom. de Fenouillet, allée Saint-Roch, 84190 Beaumes-de-Venise, tél. 04.90.62.95.61, fax 04.90.62.90.67 ☑ ⵏ r.-v.

DOM. GALEVAN 1997★

| ◼ | | 3 ha | 3 354 | ◫ | 30 à 49 F |

Une entrée très remarquée dans le Guide pour Coralie Goumarre qui a rejoint son père en 1995 après des études de viti-œnologie. Voici un vin de caractère, à la robe profonde, au parfum soutenu ; puissante, une bouteille de garde.

☛ Coralie Goumarre, 127, rte de Vaison, 84350 Courthezon, tél. 04.90.70.84.26, fax 04.90.70.28.70 ☑ ⵏ t.l.j. sf dim. 8h-12h 14h-19h

CH. GIGOGNAN Bois des Moines 1998

| ◼ | | 23 ha | 27 000 | ◼ ⵏ | 30 à 49 F |

Vaste domaine de 70 ha, Gigognan propose ici sa cuvée Bois des Moines à la robe rubis d'une bonne intensité. Le nez s'épanouit sur des notes de confit, de cannelle, de réglisse. Friand en bouche, ce vin offre une belle longueur aromatique. Il ne sera pas indigne d'une épaule d'agneau braisée.

☛ Ch. Gigognan, chem. du Castillon, 84700 Sorgues, tél. 04.90.39.57.46, fax 04.90.39.15.28, e-mail info@chateau-gigognan.fr ☑ ⵏ t.l.j. 10h-12h30 14h30-18h; dim. sur r.-v.

CH. DU GRAND MOULAS
Cuvée de l'Ecu Grande Réserve 1998

■   1 ha   4 000   ▬ ⚲   30 à 49 F

Mornas abrite les ruines de la forteresse construite au XIIᵉˢ. par le comte de Toulouse. Marc Ryckwaert a élaboré cette cuvée à partir de 95 % de syrah. Elle porte une robe profonde à reflets violets qui trahit sa jeunesse. Le nez intense de garrigue et de sous-bois, qu'agrémente la violette, est prometteur. Ce vin doit vieillir afin d'arrondir ses tanins présents sur un fond d'arômes aux notes animales et de cuir.
☛ Marc Ryckwaert, Ch. du Grand Moulas, 84550 Mornas, tél. 04.90.37.00.13, fax 04.90.37.05.89 ☑ ⵉ r.-v.

DOM. GRAND NICOLET Rasteau 1998★

■   3 ha   10 000   ▬   30 à 49 F

Elaboré au domaine dans le plus vieux chai du village, ce Rasteau arbore une belle robe rouge cerise soutenu. Le nez puissant offre des arômes évolués de fruits confits et d'épices. Ample, la bouche joue sur les fruits rouges et le cacao qui s'harmonise avec les tanins fondus.
☛ Nicolet-Leyraud, quartier les Esqueyrons, 84110 Rasteau, tél. 04.90.46.11.37, fax 04.90.46.11.37 ☑ ⵉ t.l.j. sf dim. 9h-12h 14h-18h

DOM. GRAND-PERE JULES
Vieilli en fût de chêne 1997

■   2 ha   4 000   ◖▌   30 à 49 F

Un 97 resté jeune après un vieillissement de cinq mois en barrique. La bouche demeure tannique, marquée par le fût (vanille). La robe d'un rouge profond est nuancée d'une note tuilée légère. Mieux vaut servir ce vin sur une daube.
☛ Gérard et Xavier Henry, Dom. de La Tuilerie, 84150 Violes, tél. 04.90.70.92.89, fax 04.90.70.97.79 ☑ ⵉ r.-v.

DOM. GRAND VENEUR
Les Vieilles vignes 1998★

■   5 ha   27 400   ▬◖▌⚲   30 à 49 F

Ce vaste domaine (38 ha) propose une belle cuvée issue de vieilles vignes. Le jury trouve ce 98 très agréable ; ses tanins bien présents n'en sont pas moins équilibrés. Il est à boire tout au long du repas.
☛ EARL Alain Jaume, Dom. Grand Veneur, rte de Châteauneuf-du-Pape, 84100 Orange, tél. 04.90.34.68.70, fax 04.90.34.43.71 ☑ ⵉ t.l.j. 8h-12h30 13h30-18h30

DOM. JAUME Vinsobres 1998

■   4 ha   20 000   ▬◖▌⚲   30 à 49 F

Un domaine de 50 ha qui exporte 60 % de sa production tant au Japon qu'aux Etats-Unis, ainsi que dans les pays de l'Union européenne. Régulièrement « étoilé » dans ce Guide, il a présenté cette année un vin assemblant 50 % de syrah à 35 % de grenache et 15 % de mourvèdre, élevé douze mois en fût. Il faudra attendre pour mieux apprécier ses qualités réelles. Nous voici face à un vin riche, généreux, chaud, tannique, boisé, complexe, qu'accompagnent les fruits rouges macérés. Si le bois se fond, ce 98 gagnera une étoile dans un an ou deux.

☛ Dom. Jaume, 24, rue Reynarde, 26110 Vinsobres, tél. 04.75.27.61.01, fax 04.75.27.68.40 ☑ ⵉ t.l.j. sf dim. 8h-12h 13h30-19h

DOM. DE LA BICARELLE
Vinsobres 1997

■   6 ha   n.c.   ▬ ⚲   30 à 49 F

« Lou bicarelo », en provençal, ce sont les terres du haut, celles qui dominent le village. Il reste encore très jeune, ce 97, marqué par le fruit rouge au nez comme en bouche où les tanins très fins ne sont pas dénués d'élégance. Prêt à boire.
☛ Bouchard de La Bicarelle, La Bicarelle, 26110 Vinsobres, tél. 04.75.27.61.89, fax 04.75.27.67.63 ☑ ⵉ r.-v.

LA CHAPELLE NOTRE-DAME D'AUBUNE Beaumes-de-Venise 1998

☐   5,71 ha   20 000   ▬ ⚲   30 à 49 F

Cette cave moderne, située près des Dentelles de Montmirail, présente une cuvée portant le nom d'une chapelle du XIᵉˢ. Ce vin blanc issu de grenache (85 %), de viognier et de clairette, est clair et limpide à reflets jaunes. Miel, amandes grillées et abricot se disputent le nez, alors que la bouche affiche finesse et équilibre.
☛ Cave des Vignerons de Beaumes-de-Venise, 84190 Beaumes-de-Venise, tél. 04.90.12.41.00, fax 04.90.65.02.05 ☑ ⵉ t.l.j. sf sam. dim. 8h30-12h 14h-18h

DOM. DE LA CHARTREUSE DE VALBONNE
Cuvée Terrasses de Montalivet 1999

☐   1,3 ha   6 000   ▬ ⚲   50 à 69 F

Monument classé, la chartreuse de Valbonne fut occupée par les pères chartreux jusqu'en 1901. Le vignoble, en cours de reconstitution représente l'une des activités du CAT. Après une visite de cette magnifique chartreuse située au milieu des forêts, il faut passer par les caves où M. Burine, maître de chai, fait déguster ce joli vin blanc à la teinte jaune-vert. Le nez est floral, vif, et la bouche égrène des notes de fruits à chair blanche et exotiques. 80 % de viognier entrent dans cette cuvée.
☛ ASVMT, Dom. de la Chartreuse de Valbonne, 30130 Saint-Paulet-de-Caisson, tél. 04.66.90.41.24, fax 04.66.81.76.10 ☑ ⵉ r.-v.

LA COMTADINE
Cuvée Le Chasseur 1998★

■   92 ha   18 673   ▬◖▌   30 à 49 F

Cuvée Le Chasseur, la bien nommée : notes de sous-bois, d'animal, de truffe, cassis et mûre se partagent la belle palette d'arômes. Sa robe est d'un rouge intense tirant sur le violet. Ample et structurée, la bouche n'est pas dénuée d'alcool ! Un lièvre aux airelles lui conviendra.
☛ Cave La Comtadine, 84110 Puyméras, tél. 04.90.46.40.78, fax 04.90.46.43.32 ☑ ⵉ r.-v.

DOM. DE LA FERME SAINT-MARTIN
Beaumes-de-Venise Cuvée Saint-Martin 1997

| ■ | 4 ha | 15 000 | ▣ 50 à 69 F |

Structure et force de caractère pour ce 97 à la robe rouge sombre. Fruits très mûrs et épices au nez, assez complexe. Un caractère terroité en bouche avec la garrigue, la truffe. Un vin plein.
☛ EARL Guy Jullien, Dom. de la Ferme Saint-Martin, 84190 Suzette, tél. 04.90.62.96.40, fax 04.90.62.90.84 ☑ ⵏ r.-v.

DOM. LA FLORANE Visan 1999★

| ■ | 6,8 ha | 33 000 | ▣ ↓ 30 à 49 F |

Un vignoble situé à 250 m d'altitude, aux produits commercialisés par Gabriel Meffre. Rubis foncé, ce Visan est encore très jeune. Notes animales et de sous-bois, réglisse et fruits rouges ne sont pas ses moindres qualités. Proche de cette cuvée, sous la marque **Gabriel Meffre Réserve Clément V un 99 rouge** encore fermé, puissant et équilibré, qui sera apprécié lorsqu'il aura pris un an ou deux.
☛ Gabriel Meffre, Le Village, 84190 Beaumes-de-Venise, tél. 04.90.12.32.32, fax 04.90.12.32.49

DOM. LA JOUVE Les Mourizards 1999★

| ◢ | 1 ha | 5 600 | ▣ ↓ 30 à 49 F |

Cet ancien relais de bateliers situé en bordure du Rhône présente cette cuvée très agréable par ses arômes de petits fruits rouges. Frais et vif, le nez est amylique, et sa robe violette est belle.
☛ Richard Gontier, Dom. La Jouve, 84700 Sorgues, tél. 04.90.83.35.57, fax 04.90.39.25.33, e-mail rgontier@terre-net.fr ☑ ⵏ t.l.j. sf sam. dim. 8h-12h 14h-18h

DOM. DE L'AMEILLAUD Cairanne 1999

| ■ | 8,6 ha | 40 000 | ▣ ↓ 30 à 49 F |

Il offre déjà des fruits macérés à l'eau-de-vie, ce qui donne un nez intense et une touche chaleureuse soutenue par une belle structure. Un vin à attendre un an ou deux.
☛ SCEA de L'Ameillaud, rte de Rasteau, 84290 Cairanne, tél. 04.90.12.32.42, fax 04.90.12.32.49

DOM. LA SOUMADE
Rasteau Cuvée Prestige 1998★★

| ■ | 8 ha | 25 000 | ◗◗ 70 à 99 F |

André Roméro fait partie des valeurs sûres du Rhône et de Rasteau, très beau village dont les vestiges d'un château du XIIᵉs. et de l'église Saint-Didier valent le détour, tout autant que ce 98, remarquable par son équilibre, et l'harmonie qu'il dégage. Le nez de cassis s'accorde avec le cacao. La bouche est riche d'une matière parfaite, accompagnée de fruits noirs, de vanille sur des tanins présents et élégants. Une cuvée qui présente un joli potentiel.
☛ André Romero, 84110 Rasteau, tél. 04.90.46.11.26, fax 04.90.46.11.69 ☑ ⵏ t.l.j. sf dim. 8h30-11h30 14h-18h

LES VIGNERONS DE LAUDUN
Laudun 1999★

| ☐ | 16 ha | 17 000 | ▣ ↓ 30 à 49 F |

Présenté par la coopérative de Laudun (770 ha vinifiés), un blanc de garde. Grenache blanc complété par 30 % de clairette donnent un vin franc et vif dont les arômes d'abricot et de mangue sont de bonne longueur.
☛ Les Vignerons de Laudun, 105, rte de l'Ardoise, 30290 Laudun, tél. 04.66.90.55.20, fax 04.66.90.55.21 ☑ ⵏ r.-v.

DOM. CATHERINE LE GŒUIL
Cairanne Cuvée les Beauchières 1998★

| ■ | n.c. | n.c. | ▣ 50 à 69 F |

Une belle cuvée à la couleur presque noire à reflets violets. Le nez très expressif offre des notes amyliques au premier nez, puis le fruité domine après aération. Équilibre et rondeur s'affirment ensuite sur des tanins présents dont le grain se fond.
☛ Dom. Catherine Le Gœuil, Les Sablières, 84290 Cairanne, tél. 04.90.30.82.38, fax 04.90.30.76.56, e-mail cplegoeuil@wanadoo.fr ☑ ⵏ r.-v.

DOM. LE PUY DU MAUPAS 1998★

| ■ | 3,76 ha | 5 000 | ▣ ↓ 30 à 49 F |

A quelques kilomètres de Vaison-la-Romaine se situe le village de Puymeras où se trouve le domaine du Puy du Maupas qui ne cesse de s'agrandir depuis 1979. Cette cuvée séduit par ses arômes de fruits rouges, tant au nez qu'en bouche. Bien structurée, c'est une bouteille que vous pourrez garder quelques années.
☛ Christian Sauvayre, Dom. Le Puy du Maupas, quartier Maupas, 84110 Puymeras, tél. 04.90.46.47.43, fax 04.90.46.48.51 ☑ ⵏ t.l.j. 9h-12h30 14h-20h

DOM. LES GRANDS BOIS
Cairanne Cuvée Maximilien 1998

| ■ | 3,3 ha | 10 000 | ▣ ↓ 30 à 49 F |

Mireille et Marc Besnardeau ont élaboré cette cuvée issue de très vieilles vignes, au nez de fruits rouges fort charmeur. Charpenté, puissant, chaleureux, le vin donne la sensation de grande maturité du fruit. Les épices l'emportent en finale.
☛ SCEA dom. Les Grands Bois, 55, av. Jean-Jaurès, 84290 Sainte-Cécile-les-Vignes, tél. 04.90.30.81.86, fax 04.90.30.81.86 ☑ ⵏ t.l.j. 8h-12h
☛ Besnardeau

LES GRANGES Chusclan 1998★

| ■ | 15 ha | 55 000 | ▣ ↓ 30 à 49 F |

Chusclan est situé sur la rive droite du Rhône et ses coteaux sont bien exposés. Sa cave coopérative, moderne, a présenté ce vin rouge à la robe rubis profond et au nez de compote, de cire et de noisette. Puissante en bouche avec du fruit noir très mûr et des tanins fondus, élégants, cette cuvée séduit. Autre Chusclan **rouge 98, Les Ribières**, élevées six mois en fût. C'est la vanille, les épices et le cacao qui l'emportent sur le fruit ; mais les tanins soyeux sont déjà agréables et justifient une citation.

☛ Cave des vignerons de Chusclan,
rte d'Orsan, 30200 Chusclan, tél. 04.66.90.11.03,
fax 04.66.90.16.52,
e-mail cave.chusclan@wanadoo.fr ☑ ⵏ r.-v.

LES PARTIDES Cairanne 1998★★

■	3,75 ha	15 000	🔲⓫♨	50 à 69 F

Equilibre et harmonie sont les maîtres mots de
cette cuvée. La robe brille ; le nez floral enchante,
puis la bouche annonce le fût : vanille, réglisse
se marient très bien avec les tanins presque fondus. Durée de vie ? trois ans.

☛ Vignobles Max Aubert, Dom. de La
Présidente, 84290 Sainte-Cécile-les-Vignes,
tél. 04.90.30.80.34, fax 04.90.30.72.93 ☑ ⵏ r.-v.
☛ Max René Aubert

CH. LES QUATRE FILLES
Elevé en fût de chêne 1998

■	5 ha	4 500	⓫	50 à 69 F

Ce château fut construit avec les pierres de
l'ancienne église du village. Est-ce pour cela que
le vin apparaît austère au jury ? De la rudesse et
de la rusticité. « On entend tinter le bois dans ce
vin », écrit un dégustateur imaginatif. Un vin à
attendre et destiné aux viandes en sauce.

☛ Roger Flesia, Ch. Les Quatre-Filles,
rte de Lagarde-Pareol, 84290 Sainte-Cécile-les-
Vignes,
tél. 04.90.30.84.12, fax 04.90.30.86.15 ☑ ⵏ t.l.j.
8h-20h

DOM. DE LINDAS
Chusclan Cuvée Royale Elevé en fût de chêne
1998

■	1 ha	5 000	⓫	70 à 99 F

Elevé dix-huit mois en fût, un 98 encore trop
jeune lors de la dégustation du 21 mars 2000. Ses
tanins puissants et le boisé affirmé l'emportent
sur le fruit. Une pointe de cerise paraît cependant
au nez, entourée de notes épicées et de cacao.
Engagez les paris : s'ouvrira-t-il après deux ans
de garde ?

☛ Jean-Claude Chinieu, rte de Pont-
Saint-Esprit, B.P. 25, 30201 Bagnols-sur-Cèze,
tél. 04.66.89.88.83, fax 04.66.89.65.70 ☑ ⵏ r.-v.

DOM. DE L'OLIVIER 1998★★

■	2 ha	7 200	⓫	30 à 49 F

Sa première cuvée élevée en fût couronnée par
le jury ? Eric Bastide a remarquablement réussi
cette bouteille, assemblant à parts égales syrah et
grenache. Rouge soutenu à reflets violacés, la
robe est jeune. Le nez, aujourd'hui porté sur la

vanille, ne cache pas le fût ; tout comme la bouche où l'on retrouve la vanille accompagnée
d'autres épices. Cette touche boisée se révèle très
élégante, car les tanins fondus et soyeux sont de
qualité. Un 98 à attendre deux ou trois ans.

☛ Eric Bastide, EARL Dom. de L'Olivier,
1, rue de la Clastre, 30210 Saint-Hilaire-
d'Ozilhan, tél. 04.66.37.08.04, fax 04.66.37.00.46
☑ ⵏ r.-v.

DOM. DE L'ORATOIRE
SAINT-MARTIN
Cairanne Réserve des Seigneurs 1998★★

■	8 ha	35 000	■♨	50 à 69 F

Un vin tel qu'en lui-même, sans fard, où terroir et vieilles vignes s'expriment remarquablement : un grenat brillant l'habille. Epices et myrtille se côtoient dans un nez intense et complexe
relayé par une bouche ample et riche, tout en
fruits mûrs et de grande longueur.

☛ Frédéric et François Alary, Dom. l'Oratoire
St-Martin, rte de Saint-Roman-de-Malegarde,
84290 Cairanne, tél. 04.90.30.82.07,
fax 04.90.30.74.27 ☑ ⵏ t.l.j. sf mer. dim. 8h-12h
14h-19h

DOM. DE L'ORATOIRE
SAINT-MARTIN
Cairanne Cuvée Prestige 1998★★

■	6 ha	17 000	■♨	70 à 99 F

Mieux encore que la cuvée précédente ? Ici,
les éloges sont proches : « Grande cuvée par son
charme, son équilibre, son harmonie. » La robe
rubis à reflets violets, les arômes intenses de
fruits rouges et d'épices, les tanins soyeux sont
l'expression même d'un remarquable travail sur
un très bon terroir, à partir de vieilles vignes de
grenache et de mourvèdre. Cher ? Oui, mais
quand on aime...

☛ Frédéric et François Alary, Dom. l'Oratoire
St-Martin, rte de Saint-Roman-de-Malegarde,
84290 Cairanne, tél. 04.90.30.82.07,
fax 04.90.30.74.27 ☑ ⵏ t.l.j. sf mer. dim. 8h-12h
14h-19h

LOU CALIN Visan 1998★

■	n.c.	50 000	■♨	30 à 49 F

Cinquante mille bouteilles très réussies et
recommandées par les dégustateurs qui ont
trouvé cette cuvée prête à boire. Sa fraîcheur en
bouche (notes de fruits rouges), agrémentée de
tanins fins, lui confère un bel équilibre.

☛ Cave Les Coteaux, B.P. 22, 84820 Visan,
tél. 04.90.28.50.80, fax 04.90.28.50.81,
e-mail cave@coteaux-de-visan.fr ☑ ⵏ r.-v.

DOM. MARIE-BLANCHE
Cuvée Crépin Delorme 1998★

■   10 ha   10 000 ■ ⚲ `20 à 29 F`

Grenache, syrah, mourvèdre jouent à parts égales dans ce 98 à la robe soutenue d'un rouge grenat brillant. Le nez mêlant fruits cuits, violette, garrigue et sous-bois, se montre fort agréable, tout comme l'est la bouche équilibrée où l'on retrouve le fruit agrémenté d'épices. Bonne longueur.

☛ Jean-Jacques Delorme, Dom. Marie-Blanche, 30650 Saze, tél. 04.90.31.77.26, fax 04.90.26.94.48 ✅ ⵿ t.l.j. 10h30-12h 16h-19h

CH. MONGIN 1998★

■   4 ha   15 000 ⑪ `30 à 49 F`

Le lycée viticole d'Orange est situé au cœur des vignes dans un paysage qui ne peut qu'engager ses étudiants à l'étude. Pour les travaux pratiques, jugez de la qualité des maîtres et des élèves avec ce 98 à la robe soutenue, au nez encore très jeune, marqué par la violette et une note animale. Après une bonne attaque, les tanins s'affirment ainsi qu'une certaine chaleur due à une belle maturité des raisins. Il faudra attendre que le boisé se fonde (une bonne année), afin que son bouquet s'éveille.

☛ Lycée viticole d'Orange, 2260, rte du Grès, 84100 Orange, tél. 04.90.51.48.04, fax 04.90.51.48.20 ✅ ⵿ r.-v.

DOM. DU MOULIN Vinsobres 1999★★

☐   1,5 ha   8 000 ■ ⚲ `50 à 69 F`

Denis Vinson investit dans la construction d'une deuxième cave souterraine en 2000. Il a un réel talent pour vinifier les blancs en macération pelliculaire, puisqu'il reçoit à nouveau deux étoiles pour un 98, associant 65 % de viognier à la clairette. Remarquable robe jaune citron, nez vif, exotique, où la mangue côtoie des nuances citronnées et abricotées. Le jury applaudit la bouche pour sa finesse, son élégance, son équilibre et ses notes florales très marquées. Le **rouge 98**, dans ce même *villages* (30 à 49 F) se montre puissant, équilibré. Il est cité.

☛ Denis Vinson, Dom. du Moulin, 26110 Vinsobres, tél. 04.75.27.65.59, fax 04.75.27.63.92 ✅ ⵿ r.-v.

DOM. DU PARANDOU Sablet 1998★★

■   6 ha   6 000 ■ ⚲ `30 à 49 F`

Des terrasses bien exposées, un terroir argilocalcaire donnent un vin typé de l'AOC, charpenté et généreux, aux arômes mêlant épices, fruits rouges, violette, cuir, réglisse. Ses tanins fondus et sa longue persistance en font un vin épanoui, déjà prêt, mais qui saura attendre.

☛ Denis Grangeon, Le Parandou, 84110 Sablet, tél. 04.90.46.90.52, fax 04.90.46.99.05 ✅ ⵿ r.-v.

PASCAL Vinsobres 1998

■   1,5 ha   7 500 ■ ⚲ `30 à 49 F`

Maison de négoce située à Vacqueyras. Ce *villages* rouge brillant, limpide, offre un nez floral. Mâche et chaleur sont les supports de ce vin rond et prêt à boire.

☛ Pascal, rte de Gigondas, 84190 Vacqueyras, tél. 04.90.65.85.91, fax 04.90.65.89.23 ✅ ⵿ r.-v.

DOM. DU PETIT BARBARAS
Sélection 1998★

■   5 ha   6 000 ⑪ `30 à 49 F`

Daniel et Robert sont frères. Ils conduisent ce domaine familial de 48 ha et proposent une sélection assemblant 75 % de syrah au grenache. Douze mois de fût ont donné un vin à la robe d'un rouge soutenu à reflets tuilés et au nez étonnant, associant le sous-bois, la violette, les épices, le cassis et une pointe de boisé. L'élégance de sa structure aux tanins bien fondus a séduit le jury : « Déjà agréable, ce 98 pourra grandir en majesté avec quelques années de garde. »

☛ SCEA Feschet Père et Fils, Dom. du Petit-Barbaras, 26790 Bouchet, tél. 04.75.04.80.02, fax 04.75.04.84.70 ✅ ⵿ r.-v.

CLOS PETITE BELLANE
Vieilles vignes 1999★★

■   3 ha   10 000 ⑪ `50 à 69 F`

Les jurys ont fort apprécié les deux cuvées présentées par le clos Petite Bellane. La **cuvée principale**, 60 % grenache et 40 % syrah (30 à 49 F), structurée, puissante, digne d'un bon vin de garde obtient deux étoiles, tout comme cette cuvée Vieilles vignes, 100 % grenache, parfaitement vinifiée, élevée en foudre. Sa robe est d'un rouge très dense annonçant la somptuosité du nez (fruits mûrs et cuir). En bouche, on retrouve ces mêmes arômes, accompagnés de notes de grillé, de sous-bois et d'une légère pointe vanillée. Bien équilibrée, c'est une bouteille à ouvrir à l'automne 2001.

☛ SARL sté nouvelle Petite Bellane, rte de Vinsobres, 84600 Valréas, tél. 04.90.35.22.64, fax 04.90.35.19.27 ✅ ⵿ r.-v.

☛ Olivier Peuchot

DOM. DE PIAUGIER Sablet 1999★★

☐   n.c.   8 000 ⑪ `50 à 69 F`

Très beau domaine à ne pas manquer lorsque vous visiterez le charmant village provençal de Sablet et son église des XIIᵉˢ. et XIVᵉˢ. Il a proposé deux jolis vins : un **rouge 98, Les Briguières**, 80 % grenache et 20 % mourvèdre, élevé dix-huit mois en fût. Ses tanins sont veloutés et ses parfums de framboise à l'eau-de-vie ont séduit, tout comme ce vin blanc vinifié en macération pelliculaire et élevé en barrique : jaune citron, il arbore un nez grillé fumé qui ne cache pas les notes d'églantine et de citron. La bouche ronde, pleine, ample, offre de superbes notes de fruits blancs, d'épices, d'agrumes. Déjà très beau, ce 99 saura atteindre 2005.

☛ Jean-Marc Autran, Dom. de Piaugier, 3, rte de Gigondas, 84110 Sablet, tél. 04.90.46.96.49, fax 04.90.46.99.48, e-mail piaugier@wanadoo.fr ✅ ⵿ r.-v.

CAVE DES QUATRE-CHEMINS
Laudun Elevé en barrique de chêne 1997★★

■   10 ha   10 000 ■⑪ ⚲ `50 à 69 F`

La cave des Quatre-Chemins, située sur la RN 86, a la particularité d'avoir 180 vignerons producteurs sur 22 villages alentour. Elle propose ce rouge à la robe soutenue, au nez complexe d'épices, de fruits rouges et de muscade. Après dix mois de fût, la réglisse apparaît, mais les tanins sont déjà de velours. Fin et distingué, un vin à goûter pendant trois ans.

🍷 Cave des Quatre-Chemins, 30290 Laudun, tél. 04.66.82.00.22, fax 04.66.82.44.26 ☑ 𝚼 t.l.j. sf dim. 8h-12h 14h-18h

CAVE DE RASTEAU
Rasteau Prestige 1998★★

■		8 ha	40 000	📖 ⬇	30 à 49 F

750 ha sont vinifiés par la cave de Rasteau, tant en vin doux naturel qu'en vin sec. Cette cuvée Prestige constitue un vin remarquable par sa finesse, son harmonie et sa structure. Le nez expressif de fruits rouges à l'eau-de-vie, les tanins présents mais fondus, la richesse alcoolique et les arômes de bouche font bon ménage. C'est très bien fait et à garder de deux à trois ans.

🍷 Cave de Rasteau, rte des Princes-d'Orange, 84110 Rasteau, tél. 04.90.10.90.10, fax 04.90.46.16.65, e-mail rasteau@rasteau.com 𝚼 t.l.j. 8h-12h 14h-18h

CH. REDORTIER
Beaumes-de-Venise 1999★

◢		1 ha	3 000	📖 ⬇	30 à 49 F

Suzette, située à 419 m d'altitude, est un petit village d'où l'on a une très belle vue sur les Dentelles de Montmirail. Le château de Redortier (35 ha) présente ce vin rosé aux saveurs de Provence : fleurs des champs, miel, petits fruits. Fraîcheur et équilibre en font une belle bouteille à savourer autour d'une brochette.

🍷 EARL Ch. Redortier, 84190 Suzette, tél. 04.90.62.96.43, fax 04.90.65.03.38 ☑ 𝚼 t.l.j. 10h-12h 14h-19h
🍷 E. et S. de Menthon

DOM. DES ROMARINS 1998★

■		10 ha	12 000	📖 ⬇	30 à 49 F

Des vendanges totalement égrappées, assemblant 55 % de grenache à la syrah, ont donné ce fort joli vin à la robe violette. Le nez très jeune est encore fermé, mais la bouche confirme par son équilibre et sa longueur (épices, réglisse et fruits rouges) la richesse et l'avenir de ce 98.

🍷 SARL Dom. des Romarins, rte Estezargues, 30390 Domazan, tél. 04.66.57.05.84, fax 04.66.57.14.87, e-mail domromarin@aol.com ☑ 𝚼 mer. ven. sam. 15h-19h; f. 15 jan.-15 fév.

CH. DE ROUANNE Vinsobres 1998★

■		1,25 ha	6 700	📖 ⬇	30 à 49 F

Première mise en bouteille de Marc Ferrentino : pas mal du tout, la robe rubis, le nez concentré, les tanins équilibrés... Déjà prêt.

🍷 SCEA Ch. de Rouanne, 26110 Vinsobres, tél. 06.83.57.26.61, fax 06.90.46.90.07 𝚼 r.-v.
🍷 Georges Lambert

DOM. SAINTE-ANNE
Cuvée Notre-Dame-des-Cellettes 1999★

■		4,5 ha	24 000	📖 ⬇	50 à 69 F

Jeune, beaucoup trop jeune encore, cette cuvée née sur des grès calcaires doit attendre de deux à trois ans au fond de votre cave. Sa robe profonde apparaît prometteuse, comme l'est son nez où se conjuguent violette, fruits noirs et note de réglisse. Des tanins puissants ne masquent pas l'équilibre ni les fruits qui s'exprimeront davantage lorsque ce 99 sera à son apogée. Une caille aux raisins lui tiendra alors compagnie. Cette cuvée a obtenu de nombreux coups de cœur (96, 95, 94, 92, 88...)

🍷 EARL Dom. Sainte-Anne, Les Cellettes, 30200 Saint-Gervais, tél. 04.66.82.77.41, fax 04.66.82.74.57 ☑ 𝚼 t.l.j. sf sam. dim. 14h-18h; 9h-11h sur r.-v.

CAVE DES VIGNERONS DE SAINTE-CECILE-LES-VIGNES 1999★

◢		0,6 ha	4 000	📖 ⬇	20 à 29 F

Créée en 1936, cette coopérative a vinifié par saignée ce joli rosé 99, très printanier dans ses arômes de petits fruits rouges. A boire dès cet automne sur la cuisine chinoise.

🍷 Cave des vignerons réunis de Sainte-Cécile-les-Vignes, 35, rte de Valréas, 84290 Sainte-Cécile-les-Vignes, tél. 04.90.30.79.30, fax 04.90.30.79.39 ☑ 𝚼 t.l.j. 8h-12h30 14h-19h

DOM. SAINT-ETIENNE
Les Galets 1998★★

■		2 ha	10 000	📖 ⬇	30 à F

Grenache et syrah mûrissent sur un terroir à galets roulés surplombant le Rhône. Cette cuvée ensoleillée, riche, porte une robe d'un rouge intense. Le nez, lui aussi intense, laisse les notes de cuir dominer. Après une bonne attaque, la bouche affiche des tanins qui demandent encore à se fondre et des arômes de fruits rouges. Son équilibre promet une belle bouteille dans quelques mois.

🍷 Michel Coullomb, Dom. Saint-Etienne, fg du Pont, 30490 Montfrin, tél. 04.66.57.50.20, fax 04.66.57.22.78 ☑ 𝚼 r.-v.

LES VIGNERONS DE SAINT-GELY CORNILLON 1998★

■		0,9 ha	3 500	◫	30 à 49 F

Après une promenade en vallée de Cèze, ne manquez pas la cave de Saint-Gely Cornillon qui a élevé douze mois en barrique ce vin assemblant 78 % de syrah au grenache. Ce villages, à la robe profonde rubis, offre un nez grillé et épicé. Sa belle structure en bouche repose sur des tanins bien présents. La finale très vanillée demande une bonne année de garde.

🍷 SCA les vignerons de Saint-Gely, Saint-Gely, 30630 Cornillon, tél. 04.66.82.21.03, fax 04.66.82.32.94, e-mail contact.st-gely@wanadoo.fr ☑ 𝚼 r.-v.

DOM. DE SAINT-GEORGES 1998

■		12 ha	30 000	📖 ⬇	30 à 49 F

Un domaine de 30 ha conduit depuis 1960 par André Vignal. Issu de vignes vieilles d'un demi-siècle, ce 98 se révèle très jeune par les reflets violets de la robe et les arômes puissants de fruits macérés et d'épices. Attendre deux ans que les tanins soient davantage enrobés.

🍷 André Vignal, Dom. de Saint-Georges, 30200 Vénéjan, tél. 04.66.79.23.14, fax 04.66.79.20.26 𝚼 r.-v.

RHONE

CAVE DES VIGNERONS DE SAINT-GERVAIS
Saint-Gervais Prestige 1998★

■   5 ha   20 000   🍷 `30 à 49 F`

Cette coopérative vinifie 493 ha de vignes. Comme l'an dernier, sa cuvée Prestige en Saint-Gervais 98 est prête à boire. Nous sommes sur des arômes de fruits à l'eau-de-vie et de café. La structure en bouche traduit maturité, équilibre et corps bien fait. De beaux arguments à faire valoir. De ce même village, la **cuvée de l'An 2000 en blanc 98** (20 à 29 F) reçoit la même note. C'est un excellent rapport qualité-prix. D'une grande fraîcheur, ce vin est complexe avec des notes de fruits à chair blanche et de cire d'abeille. Cette même cuvée de l'An 2000 en **rosé 99** reçoit aussi une étoile. Techniquement bien fait, ce vin est destiné aux charcuteries de l'automne.
☛Cave des Vignerons de Saint-Gervais, 30200 Saint-Gervais, tél. 04.66.82.77.05, fax 04.66.82.78.85 ☑ 🍷 r.-v.

LES VIGNERONS DE SAINT-HILAIRE-D'OZILHAN 1999★

■   25 ha   130 000   🍷 `30 à 49 F`

Pas très loin du pont du Gard se trouve cette grande cave des vignerons, vinifiant 700 ha de vignes. Vous y serez bien reçus pour y déguster ce *villages* à la robe profonde, au nez de cassis. Il montre un joli potentiel en bouche où framboise et cassis dominent.
☛Les Vignerons producteurs de Saint-Hilaire-d'Ozilhan, av. Paul-Blisson, 30210 Saint-Hilaire-d'Ozilhan, tél. 04.66.37.16.47, fax 04.66.37.35.12, e-mail contact@cotes-du-rhone-wine.com ☑ 🍷 t.l.j. sf dim. 9h-12h30 14h-18h30

DOM. SAINT-LAURENT
Cuvée de la Tamardière 1997★

■   9 ha   15 000   🍷 `30 à 49 F`

« Ici, nous sommes des terriens », nous écrit le producteur. Pas étonnant que le jury - à l'aveugle, bien sûr - ait trouvé un vin « très terroir ». Sa robe est foncée, son nez rappelle la garrigue, les épices, les fruits sauvages. La bouche apparaît structurée, et même virile, avec de beaux tanins évoluant sur le fruit et la vanille du fût. L'attendre un peu.
☛Robert Henri Sinard, 1375, chem. Saint-Laurent, 84350 Courthézon, tél. 04.90.70.87.92, fax 04.90.70.78.49, e-mail saint-laurent@interlog.fr ☑ 🍷 t.l.j. sf dim. 9h-12h30 14h-19h

CH. SAINT-NABOR Clos de Roman 1997★

■   2 ha   9 000   🍷 `30 à 49 F`

Une note balsamique à l'attaque qui se décline dans toute la dégustation. Voici, dans un millésime difficile, un vin bien structuré qui démontre un grand savoir-faire passant aussi par la présentation irréprochable du contenant. Une belle bouteille dans tous les sens du terme.
☛Gérard Castor, Vignobles Saint-Nabor, 30630 Cornillon, tél. 04.66.82.24.26, fax 04.66.82.31.40 ☑ 🍷 t.l.j. 9h-12h 14h-18h

CAVE DE SAINT-PANTALEON-LES-VIGNES 1999★

◢   n.c.   16 000   🍷 `20 à 29 F`

Équilibre et fraîcheur, maîtres mots pour ce joli rosé qu'il faudra boire au plus tôt. Sa robe est pâle à reflets mauves. Le nez amylique et très floral est fin. Rondeur et petits fruits rouges s'affirment en bouche.
☛Cave coop. de Saint-Pantaléon-les-Vignes, rte de Nyons, 26770 Saint-Pantaléon-les-Vignes, tél. 04.75.27.90.44, fax 04.75.27.96.43 ☑ 🍷 r.-v.

CAVE DES VIGNERONS DE SAINT-VICTOR-LA-COSTE
Laudun Cuvée Vitrail de Saint-Victor 1999★★

◢   8 ha   12 000   🍷 `20 à 29 F`

Village médiéval à fleur de colline, Saint-Victor-la-Coste est le siège de cette coopérative qui a proposé, sous ce même nom de cuvée **Vitrail,** un **laudun rouge 98** cité par le jury, et ce remarquable rosé issu de saignée, élégant, fin, au bouquet floral. Vif et frais en bouche, il a des arômes de petits fruits rouges plaisants.
☛Cave des Vignerons de Saint-Victor-la-Coste, 30290 Saint-Victor-la-Coste, tél. 04.66.50.02.07, fax 04.66.50.43.92 ☑ 🍷 t.l.j. sf dim. 9h-12h 14h-18h; sam. 9h-12h

ANDEOL SALAVERT Rochegude 1998★

■   n.c.   n.c.   🍷 `20 à 29 F`

Maison de négoce familiale, les caves Salavert, fondées en 1840, ont fait le bon choix avec ce côtes du rhône-villages d'une belle tenue : robe rubis soutenu, nez tout en subtilité, panoplie de fruits rouges et d'épices en bouche sur une note réglissée. Harmonie très réussie et très bon rapport qualité-prix.
☛Caves Salavert, rte de Saint-Montan, 07700 Bourg-Saint-Andéol, tél. 04.75.54.77.22, fax 04.75.54.47.91, e-mail caves.salavert@wanadoo.fr

DOM. DU SERRE-BIAU Laudun 1998

■   3 ha   16 600   🍷 `30 à 49 F`

« C'est rustique, ça a du corps, des tanins, de la maturité. » Voilà une bouteille très riche où fruits rouges, notes animales et de sous-bois se taillent la part du lion.
☛Faraud et Fils, 4, chem. des Cadinières, 30290 Saint-Victor-la-Coste, tél. 04.66.50.04.20, fax 04.66.50.04.20 ☑ 🍷 t.l.j. 9h-12h 14h-19h; dim. sur r.-v.

DOM. DU TERME Sablet 1999★

☐   1 ha   3 000   🍷 `30 à 49 F`

Un caveau situé dans les anciens remparts vous permettra de goûter ce très joli 99 or vif à reflets verts brillants. Le nez est floral avec des nuances d'agrumes, alors que la bouche affiche une note minérale et citronnée de belle persistance que complète en finale une touche exotique.
☛Rolland Gaudin, Dom. du Terme, 84190 Gigondas, tél. 04.90.65.86.75, fax 04.90.65.80.29 ☑ 🍷 r.-v.

CH. DU TRIGNON Sablet 1998★

■　　　　15 ha　　60 000　　■ ⚬　50 à 69 F

Né sur des molasses argilo-sableuses, ce vin issu d'une vendange triée porte une robe rubis de belle intensité. Le cassis l'emporte au nez sur les notes animales. Celles-ci sont davantage présentes en bouche, accompagnées de nuances subtiles. Ce 98 est équilibré par des tanins de qualité qui demandent encore quelques mois de garde.
☞ Ch. du Trignon, 84190 Gigondas, tél. 04.90.46.90.27, fax 04.90.46.98.63 ☑ ⬆ t.l.j. sf dim. 9h-12h 14h-19h
☞ Pascal Roux

DOM. DU VAL DES ROIS
Valréas Cuvée Signature 1997

■　　　　4 ha　　15 000　　■　30 à 49 F

Ce Val des Rois aurait pu s'appeler Val des Papes puisqu'il appartient, comme toute cette « enclave », aux papes d'Avignon, au XIVᵉs. Romain Bouchard habite la jolie région de Valréas - ne pas manquer l'église Notre-Dame de Nazareth, fondée au XIᵉs., et ses orgues du XVIIᵉs. Cette année, nous avons dégusté la cuvée Signature. Ce vin à la robe rubis, aux arômes agréables de fruits cuits et d'épices est prêt à boire : ses tanins fondus plairont à un agneau.
☞ Emmanuel Bouchard, Dom. du Val-des-Rois, 84600 Valréas, tél. 04.90.35.04.35, fax 04.90.35.24.14, e-mail info@valdesrois.com ☑ ⬆ t.l.j. sf dim. 9h-12h30 16h-19h

Côte rôtie

Situé à Vienne, sur la rive droite du fleuve, c'est le plus ancien vignoble de la vallée du Rhône. Il représente 200 ha de production, répartis entre les communes d'Ampuis, de Saint-Cyr-sur-Rhône et de Tupins-Sémons. La vigne est cultivée sur des coteaux très abrupts, presque vertigineux. Et si l'on peut distinguer la Côte Blonde et la Côte Brune, c'est en souvenir d'un certain seigneur de Maugiron, qui aurait, par testament, partagé ses terres entre ses deux filles, l'une blonde, l'autre brune. Notons que les vins de la Côte Brune sont les plus corsés, ceux de la Côte Blonde les plus fins.

Le sol est le plus schisteux de la région. Les vins sont uniquement des rouges, obtenus à partir du cépage syrah, mais aussi du viognier, dans une proportion maximale de 20 %. Le vin de côte rôtie est d'un rouge profond, et offre un bouquet délicat, fin, à dominante de framboise et d'épices, avec une touche de violette. D'une

bonne structure, tannique et très long en bouche, il a indéniablement sa place au sommet de la gamme des vins du Rhône et s'allie parfaitement aux mets convenant aux grands vins rouges.

CH. D'AMPUIS 1996★

■　　　　7 ha　　23 000　　◖▮▮◗　200 à 249 F

Marcel Guigal, nouveau propriétaire du château d'Ampuis, a élaboré sous cette marque son premier millésime en 95. Voici donc le second, assemblant des vignes de la Côte Brune et de la Côte Blonde, la syrah étant complétée par 7 % de viognier. Ce vin est à l'image du château. Après trente-huit mois de fût, il a acquis une structure intéressante qui lui permettra de devenir grand. Mais il faudra de la patience, car il est concentré, fermé et ne s'éveillera pas avant trois à cinq ans.
☞ E. Guigal, Ch. d'Ampuis, 69420 Ampuis, tél. 04.74.56.10.22, fax 04.74.56.18.76 ☑ ⬆ r.-v.

GILLES BARGE Cuvée du Plessy 1997★

■　　　　4 ha　　20 000　　◖▮▮◗　100 à 149 F

Déjà goûté l'an dernier, ce vin a du caractère. On disait qu'il avait tout ce qu'il fallait pour bien évoluer : en effet, il s'est ouvert sur le cassis, les épices, la réglisse, le cuir, la truffe. De l'éclectisme sur un fond de tanins nobles. L'attendre un an ou deux.
☞ Gilles Barge, 8, bd des Allées, 69420 Ampuis, tél. 04.74.56.13.90, fax 04.74.50.10.80 ☑ ⬆ t.l.j. sf dim. 9h-12h 14h-18h

PATRICK ET CHRISTOPHE BONNEFOND Les Rochains 1998★

■　　　　1 ha　　n.c.　　◖▮▮◗　150 à 199 F

Deux frères, Christophe et Patrick, ont repris en 1990 le domaine familial et l'ont fait grandir. Cette cuvée Les Rochains est issue d'une seule parcelle de vieilles vignes de cinquante ans. Le lecteur appréciera le côté grillé, torréfié de ce vin qui passe dix-huit mois en fût. Les tanins sont soyeux, bien que le palais se révèle robuste plutôt que concentré. Harmonieux, un 98 très plaisant qui reflète bien l'appellation et qui sera à ouvrir dans trois à quatre ans.
☞ Patrick et Christophe Bonnefond, Mornas, 69420 Ampuis, tél. 04.74.56.12.30, fax 04.74.56.17.93 ☑ ⬆ t.l.j. sf dim. 9h-12h 14h-19h; f. 1ᵉʳ -15 août

DOM. DE BONSERINE La Garde 1998★★

■　　　　0,22 ha　　600　　◖▮▮◗　250 à 299 F

5 % de viognier entrent dans ce vin qui a séduit le jury par son bouquet intense où les fruits cuits, le pain grillé et la griotte ont rendez-vous avec un boisé élégant. Les tanins fondus mais bien présents donnent une bouche réglissée et longue, gourmande. A attendre cinq ans ou à aimer dans sa jeunesse, selon le goût du lecteur. La cuvée **Les Moutonnes**, du même millésime, 100 % syrah, reçoit une étoile. Proche de sa grande sœur dans sa constitution, elle s'en distingue par des arômes encore fermés. Garde de dix ans assurée.
☞ Dom. de Bonserine, 2, chem. de la Viallière, 69420 Ampuis, tél. 04.74.56.14.27, fax 04.74.56.18.13 ☑ ⬆ t.l.j. sf sam. dim. 9h-18h

RHONE

DOM. DE BONSERINE
Côte Brune 1998★★

■　　　　　1,5 ha　　8 000　　◫ 100 à 149 F

Cette Côte Brune est constituée de micaschistes qui ont donné aux sols une couleur sombre. Le lecteur sera émerveillé de découvrir ces pentes abruptes que l'homme travaille avec passion. Ce vin d'une couleur profonde est encore si jeune que le nez se montre riche de notes de torréfaction. Franc, droit, bien fait, il devra attendre deux à trois ans que le bois se fonde.
☛ Dom. de Bonserine, 2, chem. de la Viallière, 69420 Ampuis, tél. 04.74.56.14.27, fax 04.74.56.18.13 ☑ ⏻ t.l.j. sf sam. dim. 9h-18h

LAURENT CHARLES BROTTE 1998★

■　　　　　n.c.　　2 600　　◫ 100 à 149 F

Un négociant châteauneuvois dans ses œuvres septentrionales ! Un dégustateur bénit ce côte rôtie comme un vin prometteur, original ; tous apprécient sa robe vive, sa personnalité, son potentiel. Il suffit d'attendre que le boisé s'estompe et que les notes torréfiées s'enrichissent de nuances venues du raisin. Dans trois à cinq ans.
☛ Laurent-Charles Brotte, rte d'Avignon, 84230 Châteauneuf-du-Pape, tél. 04.90.83.70.07, fax 04.90.83.74.34 ☑ ⏻ t.l.j. 9h-12h 14h-18h

M. CHAPOUTIER La Mordorée 1998★

■　　　　　3 ha　　7 000　　◫ + de 500 F

Les points saillants que vous sentez sur les étiquettes de ce viticulteur sont du braille. Cela se fait si rarement que l'on ne peut qu'encourager les autres producteurs à suivre son exemple. Le braille ne dénature en rien l'esthétique de l'image. Revenons à ce vin dont la robe soutenue annonce la matière concentrée et ample aux tanins déjà soyeux. Le bouquet mêle les épices, le grillé à de la cerise à l'eau-de-vie. Grasse et volumineuse, la bouche montre que le boisé se marie bien avec le vin. Un 98 très intéressant, à attendre cinq ans, et à boire pendant quinze ans. Pourquoi pas un soir de Noël avec une dinde aux marrons ?
☛ M. Chapoutier, 18, av. du Dr-Paul-Durand, 26600 Tain-l'Hermitage, tél. 04.75.08.28.65, fax 04.75.08.81.70, e-mail chapoutier@chapoutier.com ☑ ⏻ r.-v.

EDMOND ET DAVID DUCLAUX
1998★★

■　　　　　4 ha　　18 000　　◫ 100 à 149 F

Un vin qui va monter en puissance et qui répond aux canons d'un côte rôtie : violette,

cacao, réglisse et cerise occupent la part odorante, alors que les fruits mûrs apparaissent en bouche. Celle-ci est épaulée par de beaux tanins déjà soyeux, d'une extrême élégance, garants d'une longue garde.
☛ Edmond et David Duclaux, RN 86, 69420 Tupin-Semons, tél. 04.74.59.56.30, fax 04.74.56.64.09 ☑ ⏻ r.-v.

PHILIPPE FAURY 1998

■　　　　　0,7 ha　　4 000　　◫ 100 à 149 F

Philippe Faury est producteur de condrieu. Il s'est installé en Côte Rôtie en 1996. On ressent dans ce vin la jeunesse des vignes, car on n'y retrouve pas le relief des grands côte rôtie. Mais le fruité (cerise, framboise) et la cannelle lui donnent déjà du charme.
☛ EARL Philippe Faury, La Ribaudy, 42410 Chavanay, tél. 04.74.87.26.00, fax 04.74.87.05.01 ☑ ⏻ r.-v.

J.-M. GERIN Champin le Seigneur 1998★★

■　　　　　5 ha　　20 000　　◫ 100 à 149 F

On aime dire ici que la Côte Rôtie serait le site originel de la culture de la vigne en Gaule, lorsque les Romains ont sculpté les coteaux pour y planter les ceps. Le vin était sûrement différent de celui-ci, noir, sauvage, animal. En bouche, les arômes de fruits rouges très mûrs et de pain d'épice accompagnent un développement agréable avec juste ce qu'il faut d'acidité pour soutenir une longue vie. À attendre cinq ans.
☛ Jean-Michel Gerin, 19, rue de Montmain, Vérenay, 69420 Ampuis, tél. 04.74.56.16.56, fax 04.74.56.11.37 ☑ ⏻ r.-v.

LAURUS 1998

■　　　　　1 ha　　3 000　　◫ 150 à 199 F

Ce vin est élevé dans des barriques neuves fabriquées à l'ancienne. Le boisé est bien sûr très marqué et les tanins font leurs griffes ! On décèle cependant déjà des notes de fruits mûrs. Laissons le temps au temps.
☛ Gabriel Meffre, Le Village, 84190 Gigondas, tél. 04.90.12.32.42, fax 04.90.12.32.49, e-mail gabriel-meffre@meffre.com

SAINT-COSME Montsalier 1998★

■　　　　　1 ha　　4 500　　◫ 100 à 149 F

Coup de cœur l'an dernier, ce négociant a proposé la même cuvée en millésime 98. C'est certainement le seul côte rôtie de la dégustation qui est presque prêt à boire, car le boisé est déjà fondu et les tanins fins sont bien arrondis - même si les arômes sont encore dominés par le bois vanillé. Tout cela plaira dans un an aux amateurs de vins très boisés.
☛ Louis et Cherry Barruol, Ch. de Saint-Cosme, 84190 Gigondas, tél. 04.90.65.80.80, fax 04.90.65.81.05 ☑ ⏻ r.-v.

DOM. GEORGES VERNAY
Maison rouge 1997★★

■　　　　　0,5 ha　　4 000　　◫ 150 à 199 F

Ce domaine a bâti sa renommée sur le condrieu, mais il s'illustre aussi en côte rôtie. 10 % de viognier accompagnent la syrah dans ce 97 riche et complexe où l'on retrouve autour du cassis des notes d'épices, de cuir, de truffe, de fumé ; la violette se cache encore derrière un joli boisé. Des tanins nobles, de la concentration, un élevage parfait ont donné un vin équilibré, puissant en même temps que flatteur. Pas loin du coup de cœur.

🍷 Dom. Georges Vernay, 1, rte Nationale, 69420 Condrieu, tél. 04.74.56.81.81, fax 04.74.56.60.98 ☑ ⏳ r.-v.

Condrieu

Le vignoble est situé à 11 km au sud de Vienne, sur la rive droite du Rhône, sur des sols granitiques. Seuls les vins provenant uniquement du cépage viognier peuvent bénéficier de l'appellation. L'aire d'appellation, répartie sur sept communes et trois départements, n'a qu'une superficie de 102 ha. Ces caractéristiques contribuent à donner au condrieu une image de vin très rare. Blanc, il est riche en alcool, gras, souple, mais avec de la fraîcheur. Très parfumé, il exhale des arômes floraux - où domine la violette - et des notes d'abricot. Un vin unique, exceptionnel et inoubliable, à boire jeune (sur toutes les préparations à base de poisson), mais pouvant se développer en vieillissant. Il apparaît depuis peu une production de vendanges tardives avec des tries successives des raisins (allant parfois jusqu'à huit passages par récolte).

DOM. DU CHENE 1998★

	3,5 ha	3 000	🍷 🎵 ❄	100 à 149 F

Le Chêne est un domaine de 14 ha situé à la fois sur Saint-Joseph et sur Condrieu. Il a élevé cette cuvée en fût. C'est logique, direz-vous, avec un tel nom. On s'attend aussi à retrouver les mêmes impressions au nez et en bouche, quand le vinificateur a bien maîtrisé l'élevage. C'est le cas, puisque ce sont l'abricot cuit et l'amande qui l'emportent dans une palette très réussie où le gras et la longueur jouent leur partition. Une jeune sommelière écrit avoir envie de goûter ce 98 sur des asperges. Un œnologue note : « Vin de gâteaux secs. » Un autre conseille un poisson en sauce. Voilà un menu pour accompagner un vin unique !

🍷 Marc et Dominique Rouvière, Le Pêcher, 42410 Chavanay, tél. 04.74.87.27.34, fax 04.74.87.02.70 ⏳ r.-v.

GILBERT CHIRAT 1999★

	0,6 ha	3 500	🍷 🎵 ❄	70 à 99 F

D'une couleur limpide, ce vin est déjà très floral avec une présence fruitée bien fraîche. Le bon équilibre donne une bouche grasse et minérale,

légèrement boisée, longue. Devrait donner une belle bouteille.

🍷 Gilbert Chirat, Le Piaton, 42410 Saint-Michel-sur-Rhône, tél. 04.74.56.68.92, fax 04.74.56.85.28 ☑ ⏳ r.-v.

DELAS La Galopine 1998

	n.c.	n.c.	🍷 ❄	100 à 149 F

La Galopine provient du coteau de Verin au sol granitique et siliceux. Fermentée à 16 °C et élevée sur lies fines, elle a une présentation irréprochable. Les arômes de pêche dominent actuellement, associés à l'amande. Après une attaque vive, la bouche se montre très chaleureuse, équilibrée, assez onctueuse.

🍷 Delas Frères, ZA de l'Olivet, B.P. 4, 07300 Saint-Jean-de-Muzols, tél. 04.75.08.60.30, fax 04.75.08.53.67 ⏳ r.-v.

🍷 Champagne Deutz

DOM. FARJON Les Graines dorées 1998★

	0,36 ha	250	🎵	150 à 199 F

90 g/l de sucres résiduels : il n'est pas étonnant que le jury ait reconnu la surmaturité des vendanges. Un dégustateur note, après avoir décrit les arômes de tisane, d'abricot mûr et sec, qu'il a « goûté un condrieu 47 fait un peu de la même manière en surmaturation, et c'était fabuleux ». Celui-ci vivra-t-il aussi plus de cinquante ans ? C'est ce qu'on voudrait pouvoir lui souhaiter.

🍷 Thierry Farjon, Morzelas, 42520 Malleval, tél. 04.74.87.16.84, fax 04.74.87.95.30 ☑ ⏳ r.-v.

PHILIPPE FAURY La Berne 1999★★

	0,5 ha	2 500	🍷 🎵 ❄	150 à 199 F

Une sélection des parcelles les plus anciennes compose cette superbe cuvée, déjà remarquée l'an dernier pour le millésime 97. Ce 99 est un vin de haute gastronomie. La finesse prédomine. Fleurs blanches, aubépine, pamplemousse, litchi sont accompagnés d'une touche de genêt et de miel. Une très belle aquarelle qui ne se lasse pas de plaire : quelle longueur ! Plus simple, la **cuvée principale** (100 à 149 F) ne démérite pas. Florale, elle devra encore se faire (une étoile).

🍷 EARL Philippe Faury, La Ribaudy, 42410 Chavanay, tél. 04.74.87.26.00, fax 04.74.87.05.01 ☑ ⏳ r.-v.

PIERRE GAILLARD 1999★★★

	1 ha	4 000	🎵	100 à 149 F

Est-ce que l'étiquette est annonciatrice des qualités du vin ? Parfaite coïncidence pour ce millésime, elle représente un bouquet de fleurs blanches, fleurs que le jury salue pour leur inten-

RHONE

sité au nez. En bouche, le gras et la rondeur sont remarquables, caractéristiques du viognier né sur les sols de Condrieu. Persistant, onctueux, le vin laisse encore parler un boisé élégant et fin que le temps va estomper. Superbe !
☛ Pierre Gaillard, Chez Favier, 42520 Malleval, tél. 04.74.87.13.10, fax 04.74.87.17.66 ☑ ☖ r.-v.

DOM. DU MONTEILLET 1998★

| | 1,6 ha | 3 800 | ⦀ 100 à 149 F |

Un domaine qui s'adonne aussi à l'élevage des chèvres pour élaborer la rigotte de Condrieu. Cela lui réussit très bien. Voyez ce vin, brillant, et aux éclats d'abricot et de pêche. La bouche est ample et grasse, la finale plus discrète, mais toujours sur le fruit.
☛ Vignobles Antoine et Stéphane Montez, Dom. du Monteillet, 42410 Chavanay, tél. 04.74.87.24.57, fax 04.74.87.06.89 ☖ r.-v.

ANDRE ET JEAN-CLAUDE MOUTON 1998

| | 1,6 ha | 2 600 | ☖⦀☖ 100 à 149 F |

André et Jean-Claude Mouton reçurent un coup de cœur pour leur 97. Le 98 est trop jeune. La bouche est encore peu expressive. Mais quel nez ! Digne de la tirade de Cyrano de Bergerac. Tout en pêche blanche.
☛ André et Jean-Claude Mouton, Le Rozay, 69420 Condrieu, tél. 04.74.87.82.36, fax 04.74.87.84.55 ☑ ☖ t.l.j. 9h-12h 14h-18h; f. fév.

ANDRE PERRET Coteau de Chery 1998★★

| | 3 ha | 8 000 | ☖⦀☖ 100 à 149 F |

André Perret a repris l'exploitation familiale en 1986. A la tête de 10 ha, il bénéficie de vignes quinquagénaires. Ce vin a été vinifié en barrique et en cuve inox, avec bâtonnage mais sans levurage. Il est splendide. De sa robe limpide à reflets d'or à la finale, tout séduit : le viognier s'exprime par des notes florales et d'abricot intenses ; amande et litchi les accompagnent. L'équilibre est remarquable.
☛ André Perret, Verlieu, 42410 Chavanay, tél. 04.74.87.24.74, fax 04.74.87.05.26 ☖ r.-v.

ANDRE PERRET Clos Chanson 1998★

| | 0,5 ha | 2 000 | ⦀ 100 à 149 F |

Des chais climatisés, rénovés en 1995, une vinification et un élevage en fût : ce Clos Chanson a bénéficié des meilleurs soins. Vanille et litchi donnent un côté exotique, pêche blanche et fruits secs révèlent le côté sérieux du condrieu. A servir sur un foie gras un jour de fête.
☛ André Perret, Verlieu, 42410 Chavanay, tél. 04.74.87.24.74, fax 04.74.87.05.26 ☖ r.-v.

CHRISTOPHE PICHON Moelleux 1998★

| | 2 ha | 8 500 | ☖⦀☖ 100 à 149 F |

Récolté le 17 octobre 1998, ce moelleux franc et or possède 34 g/l de sucres résiduels. Il maintient l'équilibre entre ses arômes de confiture d'abricot, de fruits cuits et le moelleux. Le jury le recommande sur des pâtisseries.
☛ Christophe Pichon, Le Grand Val, Verlieu, 42410 Chavanay, tél. 04.74.87.06.78, fax 04.74.87.07.27 ☑ ☖ r.-v.

HERVE ET MARIE-THERESE RICHARD Le Moelleux 1999★

| | 0,3 ha | 2 000 | ☖ 100 à 149 F |

Des vendanges le 18 octobre, 30 g/l de sucres résiduels : un vin marqué « vendanges tardives » qui porte bien son nom. Bien sûr, les particularités du terroir sont gommées par le moelleux, un peu lourdes, mais le gras et les arômes de miel, de genêt et de raisins secs sont fort séduisants et longs. Un vin de très bonne garde que ne dédaignera pas un foie gras frais aux raisins secs.
☛ Hervé et Marie-Thérèse Richard, Verlieu, 42410 Chavanay, tél. 04.74.87.07.75, fax 04.74.87.05.09 ☑ ☖ r.-v.

DOM. GEORGES VERNAY Les Chaillées de l'Enfer 1998★

| | 1 ha | 4 000 | ⦀ 150 à 199 F |

Les Terrasses de l'Empire 98 et le **Coteau de Vernon 98** ont été tout aussi appréciés que ces Chaillées de l'Enfer qui brillent par leur or pâle très limpide. Douze mois en fût (dont 20 % en bois neuf) sont à peine perceptibles, tant on sent un raisin mûr de grande qualité. La bouche onctueuse et équilibrée est riche d'arômes de fruits compotés qui persistent longuement.
☛ Dom. Georges Vernay, 1, rte Nationale, 69420 Condrieu, tél. 04.74.56.81.81, fax 04.74.56.60.98 ☑ ☖ r.-v.

Château-grillet

Cas presque unique dans la viticulture française, cette appellation n'est produite que par un seul domaine ! Avec ses 3,5 ha sur deux communes, c'est l'une des plus petites appellations d'origine contrôlée. Le vignoble est implanté sur des terrasses granitiques bien exposées, abritées du vent, isolées dans un cirque dominant la vallée du Rhône. Ce terroir bien particulier apporte toute son originalité au vin (90 hl), un blanc issu, tout comme le condrieu, du cépage viognier. Riche en alcool, gras, faible en acidité, très parfumé et d'une finesse étonnante, il se boit jeune, mais acquiert en vieillissant une classe et des arômes qui en font un vin rare, idéal sur le poisson.

CHATEAU-GRILLET 1998★

| | n.c. | 10 000 | ☖⦀☖ 200 à 249 F |

81 82 85 ⑧⑥ 88 |89| |90| 92 |93| |94| |95| 98

Un domaine qui fait, avec quelques rares autres crus monopoles, figure d'exception dans le tableau des AOC françaises. Une appellation, une demeure. Dans sa robe pâle, ce vin diffère des millésimes précédents. Encore jeune, il devra attendre pour exprimer plus ouvertement ses arômes. Pourtant, on y décèle déjà de l'élégance à travers les arômes de litchi frais et délicats qui se mêlent à la camomille. La bouche volumineuse pourrait être qualifiée de tannique, mais elle présente un bel équilibre acide-gras, présage du bon devenir de ce 98.

☛ Neyret-Gachet, Château-Grillet,
42410 Vérin, tél. 04.74.59.51.56,
fax 04.78.92.96.10 ☑ ⵏ r.-v.
☛ Famille Canet

Saint-joseph

Sur la rive droite du Rhône, dans le département de l'Ardèche, l'appellation saint-joseph s'étend sur vingt-six communes de l'Ardèche et de la Loire et totalise environ 900 ha. Les coteaux sont constitués de pentes granitiques rudes, qui offrent de belles vues sur les Alpes, le mont Pilat et les gorges du Doux. Rouges, issus de syrah, les saint-joseph sont élégants, fins, relativement légers et tendres, avec des arômes subtils de framboise, de poivre et de cassis, qui se révéleront sur les volailles grillées ou sur certains fromages. Les vins blancs, issus des cépages roussanne et marsanne, rappellent ceux de l'hermitage. Ils sont gras, avec un parfum délicat de fleurs, de fruits et de miel. Il est conseillé de les boire assez jeunes.

DOM. DES AMPHORES 1998

| ■ | 3 ha | 8 000 | ▤ ◫ ◕ | 30 à 49 F |

Créé en 1992 sur moins de 1 ha, ce domaine en compte aujourd'hui 6. La cuvée principale est caractérisée par sa légèreté en bouche alors que le nez est marqué par des notes de cassis et de mûre sur fond d'épices et de cuir. La robe cerise noire à reflets bleutés est engageante. A ne pas attendre plus de deux ans.

☛ Véronique et Philippe Grenier,
Dom. des Amphores, Richagnieux,
42410 Chavanay, tél. 04.74.87.65.32,
fax 04.74.87.65.32 ☑ ⵏ r.-v.

DOM. BOISSONNET
Cuvée de la Belive 1998★

| ■ | 1 ha | 2 000 | ◫ | 70 à 99 F |

La maison, édifiée au XVIIᵉs., cache ses caves restaurées. L'une d'elles, découverte récemment, permet à une statue de saint Joseph de veiller sur les tonneaux où ce vin a séjourné quatorze mois. S'il est encore fermé, c'est un beau 98, complet, à attendre trois ou quatre ans. Signalons que les Boissonnet ont reconstitué leur vignoble en remontant les terrasses sur les coteaux escarpés.

☛ Dom. Boissonnet, rue de la Voûte,
07340 Serrières, tél. 04.75.34.07.99,
fax 04.75.34.04.55 ☑ ⵏ r.-v.

BONSERINE Cuvée Petit Pierre 1998★

| ■ | n.c. | 2 000 | ▤ ◕ | 50 à 69 F |

On ne sait pas de quelle parcelle il vient, mais il est fort beau. Le négociant sait où acheter : il n'y a pas de temps mort dans la dégustation. Dès l'attaque, puissance, concentration et complexité se dégagent. Un vin en évolution à chaque instant - noisette, raisin surmûri, fruits rouges confits, note minérale... A chaque gorgée, un nouveau visage se dessine.

☛ Dom. de Bonserine, 2, chem. de la Viallière,
69420 Ampuis, tél. 04.74.56.14.27,
fax 04.74.56.18.13 ☑ ⵏ t.l.j. sf sam. dim. 9h-18h

BOUCHER Cuvée Panoramique 1998

| ■ | 0,7 ha | 2 500 | ◫ | 50 à 69 F |

Des études viticoles et œnologiques ont réuni le père et le fils sur le domaine de Chavanay, village dont on peut encore voir les vestiges médiévaux. Leur saint-joseph est simple et austère. Il ressemble à la roche granitique qui lui a donné naissance. Sa robe est dense, ses parfums de fruits noirs, de grillé et de vanille (le boisé) se retrouvent dans une bouche solide qui a besoin de se fondre.

☛ GAEC Boucher M.-G.-S., Vintabrin,
42410 Chavanay, tél. 04.74.87.23.38,
fax 04.74.87.08.36 ☑ ⵏ r.-v.

M. CHAPOUTIER Les Granits 1998★★★

| ■ | 2 ha | 5 000 | ◫ | 250 à 299 F |

Récolte 1998

"LES GRANITS"
SAINT-JOSEPH
APPELLATION SAINT-JOSEPH CONTRÔLÉE

mis en bouteille par
M. CHAPOUTIER
26600 TAIN (FRANCE)

750ml
RED WINE
VIN ROUGE
75cl
13% alc./vol.

« Les Granits », ce sont bien sûr les roches sur lesquelles poussent les meilleures vignes du saint-joseph. C'est là que la syrah peut donner le meilleur d'elle-même, comme le montre ce grand vin de garde : une belle matière et une vinification bien maîtrisée, « bien pensée », note un juré. Un autre écrit : « Il y a de la spiritualité dans ce vin à l'harmonie magnifique. » Que dire de plus ? Deux à cinq ans de garde pour laisser les tanins se fondre. La **cuvée Deschant 98 rouge** (70 à 99 F) reçoit une étoile.

☛ M. Chapoutier, 18, av. du Dr-Paul-Durand,
26600 Tain-l'Hermitage, tél. 04.75.08.28.65,
fax 04.75.08.81.70,
e-mail chapoutier@chapoutier.com ☑ ⵏ r.-v.

DOM. DU CHATEAU VIEUX 1998★

| ■ | 0,6 ha | 2 400 | ◫ | 50 à 69 F |

Triors possède un château construit au XVIIIᵉs., occupé aujourd'hui par des bénédic-

RHONE

tins. Ce Château Vieux de Fabrice Rousset évolue tout au long de la dégustation sur un même ton, cassis et violette, note de garrigue sur tanins soyeux. Une dégustatrice qualifie ce vin de « féminin avec du caractère ». A boire dans sa fraîcheur ou à attendre six ans.

🌿 Fabrice Rousset, Le Château Vieux, 26750 Triors, tél. 04.75.45.31.65, fax 04.75.45.31.65 ☑ ⏳ r.-v.

DOM. COURBIS Les Royes 1998★★

| ■ | 5 ha | 13 000 | ⦅⦆ | 70 à 99 F |

Ce vaste domaine (23 ha aujourd'hui) est exploité depuis le XVIᵉs. par la même famille attachée à la beauté des coteaux abrupts qui supportent les ceps. A côté d'un blanc 99 du domaine (50 à 69 F) obtenant une étoile pour l'élégance de ses arômes et de sa bouche, cette cuvée enthousiaste le jury qui la décrit dans les termes les plus élogieux : « Extraordinaire... » Superbe robe, superbe nez où le boisé n'efface pas le fruit (cassis, mûre) et où une note minérale relève encore l'élégance. Gourmande et fraîche, ample, équilibrée, la bouche offre toute la complexité d'un vrai saint-joseph. A servir sur un lapereau au thym dans quatre ou cinq ans.

🌿 Dom. Courbis, Les Ravières, 07130 Châteaubourg, tél. 04.75.81.81.60, fax 04.75.40.25.39 ☑ ⏳ r.-v.

PIERRE COURSODON L'Olivaie 1998★★

| ■ | n.c. | 6 000 | ⦅⦆ | 70 à 99 F |

Le 1ᵉʳ février 2000, Pierre Coursodon, le père, et Jérôme, le fils, se sont associés en EARL. Depuis longtemps, le Guide sélectionne les vins du domaine. Mais le millésime 98, pourtant malmené ici par le gel, donne lieu à une véritable distribution de prix. En rouge comme en blanc, le Paradis Saint-Pierre (100 à 149 F en rouge, 70 à 99 F en blanc) obtient une étoile pour son harmonie et son élégance. Cette cuvée L'Olivaie a, quant à elle, suscité l'enthousiasme du jury. C'est un vin à la fois moderne et typé : franc, « vinifié et élevé avec rigueur » (note d'un dégustateur), il offre une extrême complexité, mêlant notes de cassis, de mûre, de réglisse, de torréfaction... Gras, puissant, très long, il associe parfaitement un boisé fondu et un raisin superbe.

🌿 EARL Pierre Coursodon, pl. du Marché, 07300 Mauves, tél. 04.75.08.18.29, fax 04.75.08.75.72 ☑ ⏳ r.-v.

DOM. COURSODON 1998★★

| □ | 1,8 ha | 5 000 | ■ 🍷 | 70 à 99 F |

La distribution des prix se poursuit avec les cuvées principales du domaine : le rouge 98, Domaine Coursodon (15 000 bouteilles à 70 à 99 F) obtient une étoile. Encore très tannique, ce vin devra dormir en cave pendant au moins deux ans. En revanche, ce saint-joseph en blanc est déjà prêt. Il associe les notes minérales aux fleurs et à un fruité typé ; une bonne acidité bien fondue assure son équilibre. Une bouteille fort élégante.

🌿 EARL Pierre Coursodon, pl. du Marché, 07300 Mauves, tél. 04.75.08.18.29, fax 04.75.08.75.72 ☑ ⏳ r.-v.

DELAS FRERES Sainte-Epine 1997★★

| ■ | n.c. | 3 000 | ■ ⦅⦆ | 100 à 149 F |

La maison Delas, dont le siège est situé à Saint-Jean-de-Muzols, ancien port fluvial grec puis romain, a proposé plusieurs saint-joseph du millésime 97. Pas un vin n'a été jugé en deçà de une étoile : aussi bien Les Challeys en blanc (50 à 69 F) qui reçoivent une étoile, que la cuvée François de Tournon en rouge, notée à l'égal de ce Sainte-Epine. Superbe robe, nez typé encore en devenir, bouche pleine et grasse prête à accompagner agneau et tapenade ou à attendre deux ou trois ans. Bel ambassadeur de l'AOC.

🌿 Delas Frères, ZA de l'Olivet, B.P. 4, 07300 Saint-Jean-de-Muzols, tél. 04.75.08.60.30, fax 04.75.08.53.67 ☑ ⏳ r.-v.
🌿 Champagne Deutz

ERIC ET JOEL DURAND
Les Coteaux 1998★★

| ■ | 4,5 ha | 10 000 | ⦅⦆ | 70 à 99 F |

« Il tient très bien la route », note un dégustateur ravi qui le propose même en coup de cœur. Tous lui accordent deux étoiles et sont unanimes sur ses qualités. Un vin très bien fait, où le bois joue élégamment sa partition sur des tanins fins et un fond de fruits rouges.

🌿 Eric et Joël Durand, imp. de la Fontaine, 07130 Châteaubourg, tél. 04.75.40.46.78, fax 04.75.40.29.77 ☑ ⏳ r.-v.

DOM. FARJON 1998★

| □ | 0,26 ha | 1 300 | ⦅⦆ | 50 à 69 F |

Cuisinier pendant quatre ans, Thierry Farjon s'est converti au beau métier de vigneron en 1989. Ce vin prouve qu'il sait ce que vinifier veut dire : deux tiers de roussanne, un tiers de marsanne, sont vinifiées en barrique et élevées sur lies ; d'un jaune soutenu et brillant, ce 98 révèle un nez de fruits mûrs, d'agrumes et de boisé fin. La bouche, bien constituée, est de bonne longueur.

🌿 Thierry Farjon, Morzelas, 42520 Malleval, tél. 04.74.87.16.84, fax 04.74.87.95.30 ☑ ⏳ r.-v.

PHILIPPE FAURY
La Gloriette Vieilles vignes 1998★★

| ■ | 0,7 ha | 1 500 | ⦅⦆ | 70 à 99 F |

Maisonnette au milieu des vignes, la « Gloriette » servait de pavillon de chasse ou de lieu de rendez-vous galant. Depuis 1997, ce nom est réservé à la cuvée élaborée avec les vignes les plus anciennes (trente ans) du domaine. Tout en finesse, ce vin n'en est pas moins saint-joseph : les arômes intenses mêlent cassis, réglisse, notes de grillé, fruits à noyau aussi. Equilibré par de superbes tanins, ample et long, il est d'une grande fraîcheur. Le jury l'aime déjà, mais il saura aussi être de bonne garde. La cuvée blanc 99, qui fait dix mois de fût, obtient une étoile. Floral, long et élégant, ce 98 peut accompagner volaille ou poisson.

🌿 EARL Philippe Faury, La Ribaudy, 42410 Chavanay, tél. 04.74.87.26.00, fax 04.74.87.05.01 ☑ ⏳ r.-v.

PIERRE FINON 1998*

■　　　　　　1,7 ha　　7 000 ▮◫♨ 50 à 69 F

Un vignoble familial de 9 ha, dont cinq en saint-joseph. Si **Les Rocailles en rouge 98** sont citées (70 à 99 F) et à attendre deux ou trois ans, le vin du domaine a eu la préférence du jury pour l'intensité de son fruité. Certains le trouvent chaleureux, d'autres rond, bien que tannique, construit sur une matière concentrée. Et s'il était les deux à la fois ?
☛ Pierre Finon, Picardel, 07340 Charnas, tél. 04.75.34.08.75, fax 04.75.34.06.78 ☑ ⵏ r.-v.

GILLES FLACHER Cuvée Prestige 1998**

■　　　　　　1,5 ha　　5 000 ◫ 70 à 99 F

Un domaine familial de 7 ha installé depuis 1806 sur les coteaux de l'AOC. Quatorze mois de fût sont à l'origine des notes grillées que le jury décrit à chaque étape de la dégustation. Cependant, ce vin ne masque rien ; cannelle et fruits mûrs s'expriment aussi bien au nez qu'en bouche, où les tanins assez fins donnent une impression d'élégante rondeur. Une volaille grillée devrait être satisfaite, dans un an ou deux.
☛ Gilles Flacher, 07340 Charnas, tél. 04.75.34.09.97, fax 04.75.34.09.96 ☑ ⵏ r.-v.

PIERRE GONON 1998*

■　　　　　　5 ha　　18 000 ◫ 70 à 99 F

Régulièrement retenu par nos jurys, Pierre Gonon élève ses vins en foudres et demi-muids. Sa notoriété atteint déjà plusieurs continents. Ce 98 montre sa bonne maîtrise de la vinification. Le bois apporte des notes grillées sur un fond de fruits rouges bien marqué. Plein de rondeur et de charme, équilibré et harmonieux, ce vin devra être dégusté dans les deux ans avec un gigot d'agneau.
☛ Pierre Gonon, 11, rue des Launays, 07300 Mauves, tél. 04.75.08.07.95, fax 04.75.08.65.21 ☑ ⵏ r.-v.
☛

BERNARD GRIPA 1998**

■　　　　　　6 ha　　25 000 ◫ 50 à 69 F

Coup de cœur l'an dernier pour un blanc 97, Bernard Gripa est un habitué du Guide. Le **blanc 98** n'obtient qu'une étoile (néanmoins bien peu de blancs exportés à cette dégustation sortent autant du lot), mais vous pouvez l'offrir à vos meilleurs amis. Le rouge se distingue et pourrait, selon un dégustateur, accompagner dans trois ans un pavé de biche aux myrtilles. La robe a ce reflet mauve de jeunesse prometteuse. Le nez joue sur l'animal, le café, les épices. La bouche est structurée par une matière dense qui a besoin de se fondre.
☛ Bernard Gripa, 5, av. Ozier, 07300 Mauves, tél. 04.75.08.14.96, fax 04.75.07.06.81 ☑ ⵏ r.-v.

DOM. J.-L. GRIPPAT 1998*

☐　　　　　　1,38 ha　　6 200 ▮◫ 50 à 69 F

Jean-Louis Grippat a déjà conquis le monde, puisqu'il exporte ses vins vers de nombreux pays. Mais il en reste fort heureusement pour ceux qui ne le connaissent pas encore et désirent découvrir un rare saint-joseph blanc. Celui-ci promet d'être grand dans quelques années. Sa complexité

devrait encore s'enrichir. Déjà les arômes de fleurs blanches (acacia) et d'agrumes (pamplemousse) dégagent une belle harmonie.
☛ Jean-Louis Grippat, La Sauva, 07300 Tournon, tél. 04.75.08.15.51, fax 04.75.07.00.97 ☑ ⵏ r.-v.

J. MARSANNE ET FILS 1998

☐　　　　　　0,4 ha　　1 400 ▮♨ 50 à 69 F

Un blanc dont le nez est dominé par la finesse et la douceur florale ; la bouche est chaleureuse.
☛ Jean Marsanne et Fils, 25, av. Ozier, 07300 Mauves, tél. 04.75.08.86.26, fax 04.75.08.49.37 ☑ ⵏ r.-v.

DOM. DU MONTEILLET
Cuvée du Papy 1998**

■　　　　　　2 ha　　5 000 ◫ 70 à 99 F

Ne vous laissez pas influencer par le nom de cette cuvée, car il s'agit d'un vrai grand vin digne d'une bécasse. Offrez-le à votre grand-père, même si vous le vouvoyez ! Un éraflage total, une macération de trois semaines avec pigeage et élevage en fût ont donné un vin au fruité intense et aux tanins magnifiques laissant une impression soyeuse en bouche. La **cuvée principale en blanc 98** (50 à 69 F) obtient une étoile. Elle est très élégante, et une rigotte de Condrieu - également produite par ce domaine - sera le fromage idéal pour l'accompagner.
☛ Vignobles Antoine et Stéphane Montez, Dom. du Monteillet, 42410 Chavanay, tél. 04.74.87.24.57, fax 04.74.87.06.89 ☑ ⵏ r.-v.

DIDIER MORION Les Echets 1998**

■　　　　　　0,8 ha　　2 000 ◫ 50 à 69 F

Installé depuis 1993 dans le parc régional du Pilat, à 20 km de Vienne, ce viticulteur possède 7,5 ha. Il a proposé une cuvée **« D.M. » 98** (citée par le jury), typée, presque sauvage derrière une ébauche de fruits noirs, tannique, un peu plus « rustique » que cette cuvée des Echets dont un dégustateur résume les qualités par : « Il y a tout. Voilà un saint-joseph. » Que dire de plus ? Qu'il est très boisé, mais que sa matière, qu'annonçait une très belle robe profonde, lui assurera une remarquable vie. Attendre de trois à cinq ans avant de le servir sur des cailles farcies.
☛ Didier Morion, Epitaillon, 42410 Chavanay, tél. 04.74.87.26.33, fax 04.74.87.26.33 ☑ ⵏ r.-v.

ALAIN PARET 420 Nuits 1998**

■　　　　　　2 ha　　10 000 ◫ 70 à 99 F

Les nuits se suivent et se ressemblent, puisque cette cuvée reçoit un coup de cœur alors que le millésime précédent l'avait déjà obtenu l'an dernier ! Savez-vous d'où vient le secret d'un tel succès ? C'est dans les écrits de son grand-père qu'Alain Paret a trouvé cette méthode de vinification : 420 jours et nuits en fût de chêne neuf d'origines diverses. La dégustation se déroule dans un complexe aromatique animal, avec des notes de sous-bois, fruits rouges cuits, épices, cèdre et tabac blond, accompagnées d'un magnifique boisé. Une grande matière à attendre deux ou trois ans, puis à goûter pendant dix ans.

●┓Alain Paret, pl. de l'Eglise,
42520 Saint-Pierre-de-Bœuf, tél. 04.74.87.12.09,
fax 04.74.87.17.34 ☑ ⫪ r.-v.

ANDRE PERRET Les Grisières 1998★

| ■ | 1 ha | 4 000 | ⫯⫯ | 70 à 99 F |

Alors que vous parcourerez le circuit du Pélussinois - l'un de ceux qui permettent de traverser le parc régional du Pilat -, vous ne devrez pas manquer de découvrir cet excellent homme devenu excellent vigneron. Le deuxième week-end de décembre, à l'occasion du marché aux vins de Chavanay, vous pourrez goûter - entre autres cuvées sélectionnées par le Guide - ce très intéressant saint-joseph, paré d'une robe violet sombre prometteuse. Après un fort joli nez où le boisé n'écrase pas les fruits, la bouche affiche un bel équilibre entre l'acidité et le gras. On pourra servir ce 98 sur un gibier à plume.
●┓André Perret, Verlieu, 42410 Chavanay,
tél. 04.74.87.24.74, fax 04.74.87.05.26 ☑ ⫪ r.-v.

PHILIPPE PICHON 1998

| ■ | 1 ha | 4 500 | | 50 à 69 F |

C'est un vin facile à boire qui ne traîne pas en longueur. Le fruité est élégant, fin, mais éphémère. Sa structure légère lui permet d'accompagner les viandes blanches dès maintenant.
●┓Philippe Pichon, Le Grandval,
42410 Chavanay, tél. 04.74.87.23.61,
fax 04.74.87.07.27 ☑ ⫪ t.l.j. sf dim. 10h-18h

DOM. DE PIERRE BLANCHE 1998

| ■ | 1,5 ha | 7 000 | ⫯⫯ | 50 à 69 F |

Michel et Xavier Mourier ont entièrement créé, depuis 1990, ce vignoble sur des coteaux alors en friche. Ce sont donc de jeunes vignes qui ont donné naissance à ce vin pas encore bien typé par son terroir. En revanche, le vinificateur a cherché une extraction maximum. C'est à la mode ! Mais est-ce la voie qui permet d'exprimer l'âme du vin ? Seul un vieillissement de deux ou trois ans permettra de répondre à cette question d'un dégustateur.
●┓Xavier Mourier, RN 86, Chanson,
42410 Chavanay, tél. 04.74.87.08.39,
fax 04.74.87.04.07 ☑ ⫪ r.-v.

DOM. DES REMIZIERES 1998★★

| ■ | 1,2 ha | 5 000 | ⫯⫯ | 70 à 99 F |

Les Guides se suivent et ne se ressemblent pas... mais ce domaine demeure coup de cœur (l'an dernier pour un crozes-hermitage, cette année pour un saint-joseph). Blanc l'an dernier, rouge cette fois. Quel équilibre dans ce vin !

Quelle robe profonde, presque noire à reflets bleutés ! Quelle matière ! Ronde et concentrée, celle-ci évolue sur des tanins élégants accompagnés d'épices, de notes animales, de grillé, de fruits mûrs. Une bouteille noble au caractère d'un grand saint-joseph. Supportera une longue garde.

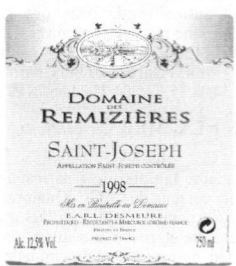

●┓Cave Philippe Desmeure, rte de Romans,
26600 Mercurol, tél. 04.75.07.44.28,
fax 04.75.07.45.87 ☑ ⫪ r.-v.

LEON REVOL 1998★

| ■ | 2 ha | 8 000 | ▮ ⫯⫯ | 50 à 69 F |

Ce négociant de Givors - souvenez-vous qu'à la fin des années 1970 c'est là qu'est né le groupe Factory, rockers des banlieues - mais ce n'est pas là le sujet, ce négociant du Rhône, donc, a su acheter de bons vins à saint-joseph comme le montre celui-ci, solide, dont on dit qu'« il ne fait pas dans la dentelle ». La matière très concentrée est omniprésente. Il faudra attendre que la chair l'emporte sur les tanins au vieillissement.
●┓Léon Revol, 6, rue Yves-Farges,
69700 Givors, tél. 04.72.49.50.29,
fax 04.78.73.16.97 ☑

CAVE DES VIGNERONS RHODANIENS 1998★

| ☐ | 2 ha | 8 000 | ⫯⫯ | 50 à 69 F |

Certains dégustateurs ont pensé qu'il s'agissait d'une roussanne. Eh bien, non : c'est une marsanne 100 %, d'une bonne intensité florale mâtinée de pêche, élégante dans sa robe dorée brillante, bien faite.
●┓Cave des Vignerons Rhodaniens,
35, rue du Port-Vieux,
38550 Le Péage-de-Roussillon,
tél. 04.74.86.37.87, fax 04.74.86.57.95
☑ ⫪ t.l.j. sf dim. lun. 8h-12h 14h-18h

DOM. HERVE ET MARIE-THERESE RICHARD 1998★

| ☐ | 0,7 ha | 2 500 | ▮ ♠ | 50 à 69 F |

Créée dans les années 1950, cette exploitation alors en polyculture (fruits et vignes) s'est spécialisée en 1989. Un **98 rouge** assez classique à marier avec une daube et, un cran au-dessus, ce blanc tout en fraîcheur et vivacité. Le nez très floral et bien développé annonce les caractéristiques que l'on trouvera en bouche.
●┓Hervé et Marie-Thérèse Richard, Verlieu,
42410 Chavanay, tél. 04.74.87.07.75,
fax 04.74.87.05.09 ☑ ⫪ r.-v.

CAVE DE SAINT-DESIRAT
Cuvée Côte-Diane Elevé en fût de chêne 1998

■ 20 ha 60 000 ❚❚▶ 50 à 69 F

On ne dira jamais assez combien l'homme a su façonner les paysages en implantant la vigne, combien celle-ci préserve les coteaux. C'est le rôle premier de cette cave coopérative qui a mis en valeur les îlots de l'AOC. Ce vin est bien la vitrine de l'appellation, révélant à la fois la sévérité et la sérénité des lieux : fermé aujourd'hui, marqué par le fût, il s'exprimera dans deux ans. Cette cave, située à quelques centaines de mètres de l'abbaye romane, a ouvert un beau caveau de dégustation.
☛Cave de Saint-Désirat, 07340 Saint-Désirat, tél. 04.75.34.22.05, fax 04.75.34.30.10 ☑ ⲉ r.-v.

CAVE DE SARRAS
Cuvée Champtenaud Elevé en fût de chêne 1997★

■ 7 ha 26 500 ❚❚▶ 50 à 69 F

Réunissant 180 vignerons, la cave de Sarras a proposé ici un 97 élevé douze mois en fût. Encore très jeune, un peu fermé, il devra être oublié deux ou trois ans en cave - mais pas davantage. Les fruits noirs macérés à l'alcool l'emportent sur le bois, mais la bouche est encore tannique, assez volumineuse et concentrée.
☛Cave de Sarras, Le Village, 07370 Sarras, tél. 04.75.23.14.81, fax 04.75.23.38.36 ☑ ⲉ r.-v.

CAVE DE TAIN L'HERMITAGE
Les Nobles Rives 1998★

■ n.c. n.c. ❚❚▶ 50 à 69 F

Créée en 1933, la cave de Tain-l'Hermitage a fait les preuves de son savoir-faire. Cette cuvée se présente dans une très jolie robe bien typée ; si le nez est encore dans ses secrets, la bouche impressionne par sa structure solide.
☛Cave de Tain-l'Hermitage, 22, rte de Larnage, B.P. 3, 26601 Tain-l'Hermitage Cedex, tél. 04.75.08.20.87, fax 04.75.07.15.16 ☑ ⲉ r.-v.

DOM. DU TUNNEL 1998★

■ 0,6 ha 945 ❚❚▶ 50 à 69 F

Stéphane Robert travaille seul sur ce vignoble de 3,5 ha qu'il a constitué depuis 1994. Déjà représenté sur les plus grandes tables régionales et nationales, il exporte 50 % de sa production. Son 98 séduira dans d'un amateur, tant le fruit est présent et l'emporte sur le bois. Les tanins sont fondus et longs. On peut boire ce vin jeune sur une grillade ou l'attendre de un à deux ans.
☛Stéphane Robert, Dom. du Tunnel, 07130 Saint-Péray, tél. 04.75.80.04.66, fax 04.75.80.06.50 ☑ ⲉ t.l.j. 14h-20h

Crozes-hermitage

Cette appellation, couvrant des terrains moins difficiles à cultiver que ceux de l'hermitage, s'étend sur onze communes environnant Tain-l'Hermitage. C'est le plus grand vignoble des appellations septentrionales : la superficie de production est de 1 238 ha pour 61 000 hl. Les sols, plus riches que ceux de l'hermitage, donnent des vins moins puissants, fruités et à boire jeunes. Rouges, ils sont assez souples et aromatiques ; blancs, ils sont secs et frais, légers en couleur, à l'arôme floral, et, comme les hermitage blancs, ils iront parfaitement sur les poissons d'eau douce.

DOM. BERNARD ANGE
Rêve d'Ange 1997★★★

■ 0,8 ha 3 000 ❚❚▶ 70 à 99 F

Quel peut bien être le rêve d'un ange si ce n'est d'avoir un coup de cœur ? L'ange n ° 97 a eu une bonne conduite, sans effet de masque : le bois, dans lequel il a été élevé pendant douze mois est à sa juste place, laissant le fruit - la matière - s'exprimer pleinement. Riche et concentrée, avec des tanins présents et équilibrés, cette bouteille est d'une grande typicité. En restera-t-il pour vous ? La **cuvée principale 98** (50 à 69 F), moins expressive et moins structurée, a obtenu une citation. Demandez à Bernard Ange de vous faire visiter ses chais creusés au pied d'une colline. Vous ne le regretterez pas.
☛Bernard Ange, Pont-de-l'Herbasse, 26260 Clérieux, tél. 04.75.71.62.42, fax 04.75.71.62.42 ☑ ⲉ t.l.j. sf dim. 9h-12h 13h30-19h

BOIS FARDEAU 1998★★

■ 4 ha 20 000 ◼ ⌗ 30 à 49 F

Le Bois Fardeau est issu de la parcelle portant ce nom constituée de micaschistes : la syrah y trouve la meilleure expression : tout en rondeur, ce vin possède une grande structure accompagnée d'une complexité aromatique très caractéristique. A une voix du coup de cœur ! Cette maison a fait la preuve de son sérieux avec bien des vins sélectionnés par nos jurys. La cuvée **Laurus dans cette AOC en rouge 98** (70 à 99 F) est puissante et reçoit une étoile. A attendre un an. Propriété du GAEC Michelas, **La Combe du Puy rouge 98** est distribué par la maison Meffre. Joliment structuré, ce vin obtient une étoile (30 à 49 F).

RHONE

🔍 Gabriel Meffre, Le Village, 84190 Gigondas, tél. 04.90.12.32.42, fax 04.90.12.32.49, e-mail gabriel-meffre@meffre.com

CUVEE J.-M. CALVET 1998

■ | | n.c. | 18 000 | ⅲ 30 à 49 F

Cette cuvée Jean-Marie Calvet est née, avec ce millésime, de la volonté de la grande maison bordelaise de rendre hommage à son fondateur né à Tain-l'Hermitage. C'est là, en 1818, qu'il créa sa maison de négoce. Elevé en fût de chêne de l'Allier, ce vin offre des notes de cassis, de vanille, de cannelle, qui le rendent charmant. La sensation tactile est bonne, pas tout à fait fondue mais elle devrait l'être en janvier 2001.
🔍 Calvet, 75, cours du Médoc, B.P. 11, 33028 Bordeaux Cedex, tél. 05.56.43.59.00, fax 05.56.43.17.78

M. CHAPOUTIER Les Meysonniers 1998★

■ | | n.c. | 180 000 | ⅲ 50 à 69 F

Ce négociant réputé a choisi de nous offrir un vin plein de franchise, souple et rond. Le nez de fruits noirs, de réglisse et de Zan, continue dans une bouche enveloppée par des tanins ronds et présents à la fois. La finale est tout aussi sympathique. La cuvée **Les Varonniers 98 rouge** (250 F), de grande ampleur et à attendre un peu, obtient une étoile. **Les Meysonniers en blanc 99** sont cités (50 à 69 F). Tout en fruits exotiques et finement boisés, ils sont « très bons ».
🔍 M. Chapoutier, 18, av. du Dr-Paul-Durand, 26600 Tain-l'Hermitage, tél. 04.75.08.28.65, fax 04.75.08.81.70, e-mail chapoutier@chapoutier.com ☑ 🍸 r.-v.

DOM. BERNARD CHAVE 1998★

☐ | | 1,44 ha | 5 500 | ▤ⅲ⚭ 50 à 69 F

Bernard Chave et son fils Yann ont élevé ce 98 né sur argilo-calcaire, assemblant 80 % de marsanne à la roussanne dont 10 % passés en fût. L'œil est séduit, tout comme le nez où l'amande accompagne le fruit de la Passion. En bouche, le vin évolue sur le bel équilibre et persiste agréablement. En **rouge**, la **Tête de cuvée 98** dont 80 % sont élevés en fût devra faire ses preuves en vieillissant. Empyreumatique, marquée par le bois, elle obtient une citation.
🔍 Yann Chave, La Burge, 26600 Mercurol, tél. 04.75.07.42.11, fax 04.75.07.47.34 ☑ 🍸 r.-v.

DOM. LES CHENETS 1998★

■ | | 6,8 ha | 36 000 | ⅲ 30 à 49 F

Marsanne l'an dernier, syrah cette année : ce domaine réussit ses vins d'AOC. Le jury n'écrit-il pas : « bon travail d'élevage » ? En effet, ce crozes a été élevé douze mois dans des fûts dont 12 % sont neufs. Le boisé est juste ce qu'il faut pour accompagner une belle matière : le fruit « sous-jacent » dès le premier nez éclate en bouche même si les rênes du fût ne sont pas totalement lâchées. Sera prêt à l'automne 2001.
🔍 Dom. Les Chenêts, Cave Fonfrède et Berthoin, 26600 Mercurol, tél. 04.75.07.48.28, fax 04.75.07.45.60 ☑ 🍸 t.l.j. sf dim. 8h-12h 14h-18h

MAXIME CHOMEL Cuvée Sassenas 1997

■ | | 1,2 ha | 6 000 | ⅲ 70 à 99 F

Petite propriété constituée à partir de 2,5 ha de vignes AOC familiales. Depuis, elle s'est agrandie et a atteint 10,5 ha. Sa première apparition dans le Guide lui vaut une citation avec un 97 bientôt prêt à boire où la réglisse et les fruits rouges débouchent sur un boisé qui demande encore à se fondre.
🔍 Maxime Chomel, Les Blancs Chemins des Roches, 26600 Gervans, tél. 04.75.03.32.70, fax 04.75.03.37.58 ☑ 🍸 r.-v.

DOM. COLLONGE 1999★

☐ | | n.c. | n.c. | ▤⚭ 30 à 49 F

Né du seul cépage marsanne planté sur un sol mêlant argilo-calcaire et galets, ce vin offre une couleur « loyale » - c'est bien la première fois que nous voyons ce terme sur une fiche de dégustation mais il est parfait (NDLR). Le nez intense, très floral - on nous dit « fleur de lys » - a un côté royal, en somme. La bouche possède le gras, l'acidité et la longueur qui la rendent agréable. Le **blanc 99** obtient une citation.
🔍 GAEC Collonge, La Négociale, 26600 Mercurol, tél. 04.75.07.44.32, fax 04.75.07.44.06 ☑ 🍸 t.l.j. 8h30-12h 13h30-18h30; dim. 9h30-12h; groupes sur r.-v.

DOM. DU COLOMBIER
Cuvée Gaby 1998★

■ | | n.c. | 15 000 | ⅲ 70 à 99 F

Ce domaine a proposé sa **cuvée principale en rouge 98** (50 à 69 F), déjà souple et harmonieuse, qui obtient une citation, et cette cuvée spéciale dont la robe semble provenir du granit tant elle est sombre, presque noire. Le nez, de bonne noblesse, mêle le bourgeon de cassis, les épices ; la soie des tanins semble revenir de Samarkand. Les fruits, toujours présents, rendent ce vin déjà plaisant.
🔍 Dom. du Colombier, 2, rte de Chantemerle-les-Blés, 26600 Tain-l'Hermitage, tél. 04.75.07.44.07, fax 04.75.07.41.43 ☑ 🍸 r.-v.

DOM. COMBIER Clos des Grives 1998

■ | | 9 ha | 15 000 | ⅲ 70 à 99 F

Ce domaine produit ses vins à partir de vignes cultivées en agriculture biologique depuis trente ans. On aurait aimé moins de bois afin que puissent éclater les fruits rouges que l'on sent en retrait. Il faudra donc être patient car la matière est riche, ample, trop puissante aujourd'hui mais prometteuse pour demain.
🔍 Dom. Combier, R.N. 7, 26600 Pont-de-l'Isère, tél. 04.75.84.61.56, fax 04.75.84.53.43 ☑ 🍸 r.-v.

CH. CURSON 1999

☐ | | 2 ha | 11 000 | ⅲ 70 à 99 F

La macération pelliculaire pour la marsanne représentant 60 % de l'assemblage, effectuée en fût (neuf à 70 %), a peut-être perturbé les dégustateurs. Ils ont aimé sa couleur cristalline, son nez de fleurs blanches, mais sa bouche est restée muette. Trop jeune certes le 31 mars 2000, cette bouteille sera prête à l'automne pour accompagner les poissons en sauce.

🔹Dom. Pochon, Ch. de Curson,
26600 Chanos-Curson, tél. 04.75.07.34.60,
fax 04.75.07.30.27 ☑ ⟙ r.-v.

DELAS FRERES Les Launes 1997★

■	n.c.	n.c.	📑◐ 50 à 69 F

Ce négociant a su élaborer de belles bouteilles
en rouge 97. Le **Clos Saint-Georges** (70 à 99 F)
obtient la même note que ces Launes qui offrent
une dégustation gourmande, même si les puristes
attendaient une finale plus longue. Mais ne bou-
dez pas votre plaisir avec ce vin. Tout y est. Une
couleur intéressante, voisine de l'encre ; des
fruits très mûrs ; de la présence ; des tanins fins,
charnus ; de l'équilibre. A attendre deux ou trois
ans.

🔹Delas Frères, ZA de l'Olivet, B.P. 4,
07300 Saint-Jean-de-Muzols, tél. 04.75.08.60.30,
fax 04.75.08.53.67 ⟙ r.-v.

🔹Champagne Deutz

DOM. DES ENTREFAUX
Les Machonnières 1998★★

■		3 ha	9 000	◐ 70 à 99 F

Un domaine de 24 ha fondé en 1960 et dont
les Tardy ont créé la marque en 1979. C'est à
partir de vignes de trente ans plantées sur un sol
d'argilo-calcaire et de diluvium alpin qu'est élaborée cette cuvée Les Machonnières, élevée en
fût. Ce vin a de la finesse et de la matière, de
l'élégance et de la réserve. Le côté boisé et mentholé donne la touche finale à ce dithyrambe. Par
ailleurs, la cuvée **Les Pends en blanc 98**, vinifiée
en fût de 22 hl avec bâtonnage, reçoit une étoile.
Un vin délicieux en apéritif.

🔹Dom. des Entrefaux, quartier de la Beaume,
26600 Chanos-Curson, tél. 04.75.07.33.38,
fax 04.75.07.35.27 ☑ ⟙ r.-v.

🔹Tardy

GUYOT Le Millepertuis 1998

■		n.c.	50 000	◐ 30 à 49 F

Un portrait-robot du crozes souple et facile à
boire. Ce négociant a cherché la simplicité et a
privilégié le fruit, même si les notes de vanille et
de torréfaction accompagnent l'ensemble.

🔹Guyot, montée de l'Eglise, 69440 Taluyers,
tél. 04.78.48.70.54, fax 04.78.48.77.31,
e-mail guyotvin@easynet.fr ☑ ⟙ jeu. ven. sam.
8h-12h 13h30-17h30; f. 15-21 août

LES EDILES 1998★

■	n.c.	n.c.	📑⚬ 30 à 49 F

Les édiles sont les magistrats chargés de la cité.
Etonnant nom de cuvée pour les vins proposés
par ce négociant-distributeur d'Ampuis. Mis en
bouteille dans la Drôme, ce vin est réussi. Brillant par sa robe, mûr par son fruit, équilibré et
flatteur, il saura enrôler plus d'un convive.

🔹Dom. de Bonserine, 2, chem. de la Viallière,
69420 Ampuis, tél. 04.74.56.14.27,
fax 04.74.56.18.13 ☑ ⟙ t.l.j. sf sam. dim. 9h-18h

MOILLARD 1998★

■	n.c.	20 000	📑⚬ 30 à 49 F

Négociant en Côte-d'Or, Moillard a su choisir
ses achats dans cette AOC car ce 98 a séduit notre
sévère jury : une robe profonde et brillante enveloppe un vin de belle ampleur. Les fruits noirs

légèrement confits s'expriment jusque dans une
bouche d'une grande richesse. On peut lui faire
confiance.

🔹Moillard, 2, rue François-Mignotte,
21700 Nuits-Saint-Georges, tél. 03.80.62.42.22,
fax 03.80.61.28.13 ⟙ t.l.j. 10h-18h; f. janv.

MOMMESSIN Les Epices 1998

■	n.c.	n.c.	📑 30 à 49 F

Proposé par le groupe de Jean-Claude Boisset,
un crozes bien typique qui offre un plaisir fruité
d'une belle intensité et complexité. Equilibré et
chaleureux en finale, il demande à être servi légèrement frais.

🔹Mommessin, Le Pont-des-Samsons,
69430 Quincié-en-Beaujolais, tél. 04.74.69.09.30,
fax 04.74.69.09.28,
e-mail information@mommessin.com ⟙ r.-v.

DOM. DU MURINAIS 1998★★

■	2,5 ha	10 000	◐ 30 à 49 F

Il s'installe et crée sa cave en 1998 dans la
vieille maison familiale du XVIIᵉs. Premier millésime vinifié, et immédiatement un score
incroyable dans le Guide ! Les dégustateurs
saluent une réelle maîtrise de l'élevage en fût.
Tous les éléments semblent bien fondus : les
tanins ronds et la complexité aromatique sont au
rendez-vous. On espère retrouver Luc Tardy
dans les prochains Guides.

🔹Luc Tardy, quartier Champ-Bernard,
26600 Beaumont-Monteux, tél. 04.75.07.34.76,
fax 04.75.07.35.91 ☑ ⟙ t.l.j. 8h-12h 14h-19h

LES ALLEGORIES D'ANTOINE
OGIER 1998★

■	2,3 ha	12 000	◐ 70 à 99 F

Elevé en demi-muids pendant seize mois, ce
vin n'a pas encore assimilé le bois. Pourtant il
possède une matière prête à s'exprimer : on sent
des notes de fruits s'appuyant sur une belle structure charnue. Prometteur, il devra être attendu
une bonne année.

🔹Ogier-Caves des Papes, 10, bd Pasteur,
84230 Châteauneuf-du-Pape, tél. 04.90.39.32.32,
fax 04.90.83.72.51 ☑ ⟙ t.l.j. sf dim. 8h30-18h30

PASCAL 1998★

■	3 ha	16 000	◐ 30 à 49 F

Négociant du Rhône méridional sachant acheter des vins septentrionaux ! Un an d'élevage
sous bois sans que cela domine à la dégustation.
Voilà qui traduit une bonne vinification et le respect de la matière première. Un vin élégant et fin
qui a de l'expression et à petit prix. Que demander de plus ?

🔹Pascal, rte de Gigondas, 84190 Vacqueyras,
tél. 04.90.65.85.91, fax 04.90.65.89.23 ☑ ⟙ r.-v.

CUVEE DES PIONNIERS 1998

■	n.c.	26 000	📑◐⚬ 50 à 69 F

La cave des Clairmonts, qui vinifie 102 ha de
vignes, tire une fois de plus son épingle du jeu
avec ce vin à la robe assez dense, dont les parfums sont épices et boisés. En bouche, cassis et
fruits cuits s'annoncent sur une matière qui
demande un an de garde.

➤ SCA Cave des Clairmonts, Vignes vieilles, 26600 Beaumont-Monteux, tél. 04.75.84.61.91, fax 04.75.84.56.98 ☑ ♈ t.l.j. sf dim. 9h-12h 14h-18h; groupes sur r.-v.

DOM. PRADELLE 1998

■   12 ha   50 000   ❚❚❚ `50 à 69 F`

Eraflée à 100 %, la vendange subit une macération de quatorze jours et effectue sa fermentation malolactique. Six mois sous bois ont donné ce vin léger mais équilibré et harmonieux ; dominés par le cassis, les arômes grillés accompagnent toute la dégustation qui s'achève sur une note chaleureuse. A boire avec les viandes rouges.
➤ GAEC Pradelle, 26600 Chanos-Curson, tél. 04.75.07.31.00, fax 04.75.07.35.34 ☑ ♈ t.l.j. sf dim. 8h-12h 14h-18h

DOM. DES REMIZIERES
Cuvée Christophe 1998★★

■   2 ha   12 000   ❚❚❚ `50 à 69 F`

Tout a été mis en œuvre pour faire de ce crozes-hermitage un vin de garde. Même si le fût masque encore les arômes en bouche, on sent une matière de qualité et des tanins puissants. Un pur-sang qui piaffe et qui finira dans les premiers après une course sur longue distance.
➤ Cave Philippe Desmeure, rte de Romans, 26600 Mercurol, tél. 04.75.07.44.28, fax 04.75.07.45.87 ☑ ♈ r.-v.

MESSIRE LOUIS REVOL 1998

■   2 ha   10 000   ❚ `30 à 49 F`

Un nom de cuvée remontant au XIIᵉs. pour un vin du XXIᵉs. L'idée peut étonner mais le vin est tendre et typé par le fruit, d'une parfaite franchise. Il a ce qu'il faut de tanin et de gras pour être équilibré. A servir sans plus tarder.
➤ Léon Revol, 6, rue Yves-Farges, 69700 Givors, tél. 04.72.49.50.29, fax 04.78.73.16.97 ☑

DOM. GILLES ROBIN
Cuvée Albéric Bouvet 1998★

■   7 ha   30 000   ❚❚❚ `70 à 99 F`

Arrière-petit-fils de vigneron, Gilles Robin reprend ce domaine en 1996. Déjà sélectionné l'an dernier, il gravit une marche supplémentaire. Ce 98 réussit à donner l'impression de croquer le grain de raisin. Puissant, complexe et très fin à la fois, il offre une grande impression de fraîcheur.
➤ Gilles Robin, Les Chassis Sud, 26600 Mercurol, tél. 04.75.08.43.28, fax 04.75.08.43.64 ☑ ♈ r.-v.

DOM. DES SEPT-CHEMINS 1998

■   7 ha   25 000   ❚❚❚ `30 à 49 F`

Ce vaste domaine a été détruit par la crise phylloxérique du XIXᵉs. Partiellement reconstitué, il conserve une surface importante en arbres fruitiers. Est-ce une coïncidence ? Le jury a aimé le côté confituré et fruits cuits de ce vin dont la bouche est pleine et le fond très agréable.
➤ Jean-Louis Buffière, Dom. des Sept-Chemins, 26600 Pont-de-l'Isère, tél. 04.75.84.75.55, fax 04.75.84.62.94 ☑ ♈ r.-v.

DOM. DE THALABERT 1998★★

■   40 ha   214 800   ❚❚❚ `100 à 149 F`

De très jolis vins proposés par ce grand négociant rhodanien : un **blanc 98 Mule blanche** (70 à 99 F) cité pour le plaisir qu'il donne déjà avec un fromage à pâte molle ; un **Domaine Raymond Roure rouge 98** (100 à 149 F), issu des coteaux granitiques, qui obtient deux étoiles, à attendre dix-huit à vingt-quatre mois, comme cette cuvée réputée : tout est servi par des notes de fruits rouges mûrs et confits, concentrés, accompagnés d'une présence boisée élégante.
➤ Paul Jaboulet Aîné, Les Jalets, R.N. 7, 26600 La Roche-de-Glun, tél. 04.75.84.68.93, fax 04.75.84.56.14, e-mail info@jaboulet.com ☑ ♈ r.-v.

THOMAS LA CHEVALIERE 1998★

■   2 ha   10 000   ❚ ❚❚❚ `30 à 49 F`

Un vin agréable et réussi. Ce négociant du Beaujolais a recherché les fruits rouges bien mûrs, la fraîcheur, la vivacité, la franchise. Agréable pour un repas entre amis dès maintenant et jusqu'en 2002.
➤ Thomas La Chevalière, 69430 Beaujeu, tél. 04.74.04.84.94, fax 04.74.69.29.87 ☑ ♈ t.l.j. sf sam. dim. 8h-12h 14h-17h

Hermitage

Le coteau de l'Hermitage, très bien exposé au sud, est situé au nord-est de Tain-l'Hermitage. La culture de la vigne y remonte au IVᵉs. av. J.-C., mais on attribue l'origine du nom de l'appellation au chevalier Gaspard de Sterimberg qui, revenant de la croisade contre les Albigeois en 1224, décida de se retirer du monde. Il édifia un ermitage, défricha et planta de la vigne.

L'appellation couvre environ 131 ha. Le massif de Tain est constitué à l'ouest d'arènes granitiques, terrain idéal pour la production de vins rouges (les Bessards). Dans les parties est et sud-est, formées de cailloutis et de lœss, se trouvent les zones ayant vocation à produire des vins blancs (les Rocoules, les Murets).

L'hermitage rouge est un très grand vin tannique, extrêmement aromatique, qui demande un vieillissement de cinq à dix ans, voire vingt ans, avant de développer un bouquet d'une richesse et d'une qualité rares. C'est donc un grand vin de garde, que l'on servira entre 16 °C et 18 °C, sur le gibier ou les viandes rouges goûteuses. L'hermitage blanc (cépage roussanne, et surtout marsanne) est un vin très fin, peu acide, souple, gras et très parfumé. Il peut être apprécié dès la première année, mais atteindra son plein épanouissement après un vieillissement de cinq à dix ans. Cependant les grandes années, en blanc comme en rouge, peuvent supporter un vieillissement de trente ou quarante ans.

M. CHAPOUTIER Le Méal 1998★

■	1,5 ha	4 000	◗◖	+ de 500 F

Une présence forte dans notre dégustation. M. Chapoutier, dont on sait qu'il travaille en biodynamie depuis dix ans, a proposé plusieurs vins venus de terroirs différents. A plus de 500 F, vous trouverez, avec une étoile chacun, les cuvées **L'Ermite rouge 98** né sur lœss, le **Pavillon rouge 98** né d'un sol granitique, et ce Méal très puissant, qui, comme ses frères, a besoin d'une longue garde avant d'être servi sur les meilleurs mets. Cet hermitage est tout en fruits rouges macérés, épices, santal... sur une matière ample dont les tanins, marqués par le boisé, devront se fondre. Autre cuvée **rouge 98, La Sizeranne** (200 à 249 F) est également très réussie et d'une belle tenue, déjà ouverte avec un boisé discret que les amateurs pourront apprécier dès maintenant, mais qui saura vivre six à huit ans.
☛ M. Chapoutier, 18, av. du Dr-Paul-Durand, 26600 Tain-l'Hermitage, tél. 04.75.08.28.65, fax 04.75.08.81.70,
e-mail chapoutier@chapoutier.com ☑ ⍭ r.-v.

M. CHAPOUTIER De l'Orée 1999★

☐	2,2 ha	9 000	▤◗◖↧	+ de 500 F

La marsanne âgée de plus de soixante ans est issue pour cette cuvée d'un sol d'alluvions fluvio-glaciaires. Ce vin blanc a dérouté le jury qui n'a pas retrouvé de notes florales mais qui a apprécié les parfums de fruits exotiques, d'agrumes, d'épices, de tabac, de réglisse... La bouche est ample, équilibrée et longue. Une bouteille très bien élevée... même si elle a semblé atypique.
☛ M. Chapoutier, 18, av. du Dr-Paul-Durand, 26600 Tain-l'Hermitage, tél. 04.75.08.28.65, fax 04.75.08.81.70,
e-mail chapoutier@chapoutier.com ☑ ⍭ r.-v.

DOM. BERNARD CHAVE 1998★★

■	1,14 ha	6 000	▤↧	150 à 199 F

« Véritable vin de terroir », écrit un membre du jury. N'est-ce pas le plus beau compliment pour un vin d'appellation ? La quintessence du milieu obtenue par le travail de l'homme. Depuis 1996, Yann, le fils de Bernard, est arrivé sur la propriété. Il a réussi à allier finesse et élégance à la concentration de la matière première. Le fruit domine toute la dégustation. C'est très beau et à attendre trois à cinq ans puis à « boire sur de grands plats ».
☛ Yann Chave, La Burge, 26600 Mercurol, tél. 04.75.07.42.11, fax 04.75.07.47.34 ☑ ⍭ r.-v.
☛ SCEA Chave Père et Fils

DOM. JEAN-LOUIS CHAVE 1997★★

☐	5 ha	n.c.	◗◖	300 à 499 F

Une pluie d'éloges de la part des dégustateurs mais il faudra patienter avant d'ouvrir cette bouteille qui grandira encore. D'une belle couleur, ce 97 offre un nez très frais, menthol tout d'abord, qui laisse après aération paraître fleurs et fruits mûrs, puis amande. Si le bouquet est aérien - moins miellé que ses aînés -, la bouche montre une grande richesse sur un boisé discret.
☛ Jean-Louis Chave, 37, av. du Saint-Joseph, 07300 Mauves, tél. 04.75.08.24.63, fax 04.75.07.14.21

DOM. JEAN-LOUIS CHAVE 1997★★★

■	10 ha	n.c.	◗◖	300 à 499 F

« Si la perfection n'est pas de ce monde, c'est que je suis déjà dans l'au-delà ! » conclut un dégustateur enthousiasmé par le charme de ce vin limpide et profond. Le jury unanime salue la belle maturité des raisins dont la vinification a su garder toute la finesse. Tous les accents sont à leur place. Un équilibre classique et enchanteur.
☛ Jean-Louis Chave, 37, av. du Saint-Joseph, 07300 Mauves, tél. 04.75.08.24.63, fax 04.75.07.14.21

DELAS FRERES Les Bessards 1997★★

■	n.c.	n.c.	◗◖	300 à 499 F

Les Bessards viennent d'un coteau constitué de granit décomposé, situé au sud-ouest de la colline de l'hermitage. Issue de très vieilles vignes (quatre-vingts ans), cette cuvée dotée d'une robe profonde est splendide. De la menthe pour un vin rouge et un hermitage peut paraître surprenant, mais cela n'a pas perturbé le jury qui a en même temps trouvé tous les arômes classiques de l'AOC. Concentration et matière sont au rendez-vous. Une bouteille de caractère, pleine de charme, à déguster dans deux ou trois ans.

☛ Delas Frères, ZA de l'Olivet, B.P. 4, 07300 Saint-Jean-de-Muzols, tél. 04.75.08.60.30, fax 04.75.08.53.67 ⊤ r.-v.
☛ Champagne Deutz

PAUL JABOULET AINE
La Chapelle 1998★

| ■ | 21 ha | 95 900 | ⦀ | 300 à 499 F |

Jaboulet fait partie du gotha des négociants-éleveurs du vignoble français. Entreprise familiale, elle possède les lieux emblématiques de l'AOC hermitage, dont cette chapelle Saint-Christophe située au sommet du vignoble et datant du XIIIᵉs. Le vin qui porte son nom reste un monument. Une architecture solide que le temps ne perturbera pas. Le jury est unanime pour lui reconnaître une très belle matière, dense, ample et racée. Mais encore tout en retenue, ce 98 garde le secret de ses arômes derrière un boisé qui saura se fondre.

☛ Paul Jaboulet Aîné, Les Jalets, R.N. 7, 26600 La Roche-de-Glun, tél. 04.75.84.68.93, fax 04.75.84.56.14, e-mail info@jaboulet.com
☑ ⊤ r.-v.
☛ Famille Jaboulet

PAUL JABOULET AINE
Le Chevalier de Stérimberg 1998★

| ☐ | 5 ha | 61 500 | ⦀ | 250 à 299 F |

La légende raconte que le chevalier de Sterimberg, revenant des croisades en 1224, choisit, avec l'autorisation de Blanche de Castille, de se retirer près d'une petite chapelle. Il se consacra à la vie contemplative ainsi qu'à la culture de la vigne sur ces terres composées d'alluvions glaciaires. Que dire de ce 98 ? Qu'il est beaucoup trop jeune pour être pleinement apprécié. Mais il a déjà tout d'un grand, ampleur, profondeur, équilibre, complexité, richesse, longueur. Quant au boisé, il est parfaitement mesuré. Un dégustateur propose de l'aérer et de le servir sur une volaille à la truffe dans quelques années... mais n'attendez pas le retour d'une impossible croisade.

☛ Paul Jaboulet Aîné, Les Jalets, R.N. 7, 26600 La Roche-de-Glun, tél. 04.75.84.68.93, fax 04.75.84.56.14, e-mail info@jaboulet.com
☑ ⊤ r.-v.

LES DIONNIERES 1998★★

| ■ | 2 ha | 8 400 | ⦀ | 300 à 499 F |

La qualité n'a pas de prix. Ce vin semble confirmer cet adage car le jury le compare à une œuvre d'art. Une touche de grenat (la robe) entoure les fruits rouges, les épices (poivre rose), des notes de camphre ; comme dans un Seurat, une technique pointilliste donne une forte présence aux sensations où volume et matière sont étroitement liés.

☛ Ferraton Père et Fils, 13, rue de la Sizeranne, 26600 Tain-l'Hermitage, tél. 04.75.08.59.51, fax 04.75.08.81.59 ☑ ⊤ r.-v.

ORATORIO 1998★

| ■ | 0,5 ha | 2 400 | ⦀ | 150 à 199 F |

Ogier, Caves des Papes et Bessac ont fusionné pour donner naissance à un très important négociant-éleveur du Rhône. Cet Oratorio n'appartient pas à l'école d'Haendel, tant il répond à des canons modernes en matière de vinification. Cependant l'élaborateur n'a pas cherché à affirmer à tout prix une structure massive mais a joué la finesse et le fruit.

☛ Ogier-Caves des Papes, 10, bd Pasteur, 84230 Châteauneuf-du-Pape, tél. 04.90.39.32.32, fax 04.90.83.72.51 ☑ t.l.j. sf dim. 8h30-18h30

DOM. DES REMIZIERES
Cuvée Emilie 1998★

| ■ | 2 ha | 10 000 | ⦀ | 100 à 149 F |

Le jury considère que pour l'instant le boisé de cet hermitage est trop présent pour donner envie de le boire et qu'il faudra l'attendre longtemps. Il aura alors des amateurs. Les tanins actuels sont fins et bien enveloppés, la rondeur viendra, car la bouche est déjà expressive et laisse apparaître des arômes de fruits rouges mûrs assez complexes. Le domaine obtient par ailleurs une citation pour son **blanc 98** issu d'une macération pelliculaire en barriques dont 50 % sont neuves. Il n'est pas étonnant de trouver sur ce vin jeune un boisé important. Cependant la finesse est au rendez-vous sur des sensations de noisette et de fumée. « Je le goûterais bien volontiers avec des escargots », note un dégustateur.

☛ Cave Philippe Desmeure, rte de Romans, 26600 Mercurol, tél. 04.75.07.44.28, fax 04.75.07.45.87 ☑ ⊤ r.-v.

CAVE DE TAIN-L'HERMITAGE
Les Nobles Rives 1997★

| ■ | 25,28 ha | n.c. | ⦀ | 100 à 149 F |

Coup de cœur l'an dernier pour cette cuvée mais en blanc 97, l'excellente cave de Tain, créée en 1933, a proposé dans le même millésime un hermitage rouge fort réussi. Sur un parfum floral et de jolies notes épicées, l'attaque en bouche est très franche, puis la structure se révèle intéressante. Une bouteille digne de son appellation.

☛ Cave de Tain-l'Hermitage, 22, rte de Larnage, B.P. 3, 26601 Tain-l'Hermitage Cedex, tél. 04.75.08.20.87, fax 04.75.07.15.16 ☑ ⊤ r.-v.

Cornas

En face de Valence, l'appellation (93 ha) s'étend sur la seule commune de Cornas. Les sols, en pente assez forte, sont composés d'arènes granitiques, maintenues en place par des murets. Le cornas est un vin rouge viril, charpenté, qu'il faut faire vieillir au moins trois années (mais il peut attendre parfois beaucoup plus) afin qu'il puisse exprimer ses arômes fruités et épicés sur viandes rouges et gibier.

LOUIS BERNARD

La réserve des Pontifes Elevé en fût de chêne
1998

| ■ | n.c. | n.c. | ▥▮ | 100 à 149 F |

Elevé en barrique neuve, ce vin est encore dominé par le bois : vanille, épices rythment toute la dégustation. Cependant les tanins sont de qualité et de bonne longueur, traduisant une matière première qui devrait se réveiller.
☛ Les domaines Bernard, rte de Sérignan, 84100 Orange, tél. 04.90.11.86.86, fax 04.90.34.87.30

BIGUET 1998

| ■ | 1 ha | 1 500 | ▮▥◐ | 70 à 99 F |

Avec ce nez animal, on attendait la rusticité d'un cornas traditionnel. Or c'est plutôt la souplesse et l'équilibre que l'on trouve dans ce vin où se mêlent des notes d'épices, de cacao, de fruits cuits et la vanille du fût. Bien fait, à servir fin 2001.
☛ Jean-Louis Thiers, EARL du Biguet, Cave Thiers, 07130 Toulaud, tél. 04.75.40.49.44, fax 04.75.40.33.03 ☑ ⵙ r.-v.

M. CHAPOUTIER 1998

| ■ | n.c. | 16 000 | ▥▮ | 100 à 149 F |

Le boisé domine ce vin qui aurait mérité d'attendre un an avant de se présenter à nous ! Car le nez n'est pas encore épanoui malgré quelques notes fruitées et florales. Le jury aime l'équilibre de ce 98 et sa longueur, gage de belle vie future. Aujourd'hui, ce vin charme les amateurs de fût et il en reste encore, même si cette mode est en train de vieillir... et donc de se démoder, partout dans le monde.
☛ M. Chapoutier, 18, av. du Dr-Paul-Durand, 26600 Tain-l'Hermitage, tél. 04.75.08.28.65, fax 04.75.08.81.70, e-mail chapoutier@chapoutier.com ☑ ⵙ r.-v.

DOM. CLAPE 1998★★★

| ■ | 4 ha | 17 000 | ▥▮ | 150 à 199 F |

Il est dommage que ce 98 soit épuisé à la propriété. Nous ne pouvons que vous inciter à courir le chercher chez les cavistes car le jury s'est enthousiasmé pour ce millésime. Quel envoûtement ! Une attaque où se mêlent mûre confite et notes animales. Une grande richesse et de la concentration. La bouche très présente repose sur des tanins serrés et fins qui expriment bien la rudesse du sol. Quelle jeunesse aussi ! Ce vin prendra de la hauteur et deviendra un grand sei-

gneur. Ce domaine familial a toujours porté haut et loin la renommée des vins de France.
☛ SCEA Auguste Clape, 146, rte Nationale, 07130 Cornas, tél. 04.75.40.33.64, fax 04.75.81.01.98 ⵙ r.-v.

DUMIEN-SERRETTE Vieilles vignes 1998

| ■ | 1,8 ha | 3 000 | ▥▮ | 70 à 99 F |

La matière est juste là pour accompagner un nez intense de fraise, de café, de notes grillées et de feuille de cassis. La trame est assez légère pour qu'on ait envie de profiter de la jeunesse de ce vin.
☛ Gilbert Dumien-Serrette, 18, rue du Ruisseau, 07130 Cornas, tél. 04.75.40.41.91, fax 04.75.40.41.91, e-mail dumien.serrette@wanadoo.fr ☑ ⵙ r.-v.

ERIC ET JOEL DURAND 1998★

| ■ | 3 ha | 11 000 | ▥▮ |

Un beau vin plein d'élégance : ses auteurs ont cherché le raffinement, ils l'ont obtenu, comme en témoignent l'équilibre de cette bouteille ainsi que le subtil mélange des arômes de fruits rouges, de chocolat, d'épices et de vanille. C'est le cornas nouvelle génération.
☛ Eric et Joël Durand, imp. de la Fontaine, 07130 Châteaubourg, tél. 04.75.40.46.78, fax 04.75.40.29.77 ☑ ⵙ r.-v.

LA SABAROTTE 1998★★

| ■ | 0,9 ha | 4 500 | ▥▮ | 150 à 199 F |

Le domaine Courbis remonte au XVIᵉˢ. Aujourd'hui, disposant de 23 ha sur des coteaux abrupts et granitiques, il réussit à occuper les meilleures places du Guide. Voyez ce cornas somptueux dans sa robe dense. Le nez réjouit le jury dont l'un des membres note : « c'est un vrai petit déjeuner ! » Cacao, café, pain grillé... on retrouve ces notes dans une bouche composée d'une matière équilibrée et puissante, accompagnée d'épices, de notes animales, de truffe. Coup de cœur plébiscité par tous.
☛ EARL Dominique et Laurent Courbis, Les Ravières, 07130 Châteaubourg, tél. 04.75.81.81.60, fax 04.75.40.25.39 ☑ ⵙ r.-v.

LES EYGATS 1998★★

| ■ | 1,1 ha | 4 200 | ▥▮ | 100 à 149 F |

Si vous nous demandez ce qui différencie La Sabarotte des Eygats, nous vous dirons : les parcelles dont la syrah est issue, mais aussi l'âge de cette dernière. Ici quatre-vingts ans, là cinquante. Mais les deux vins sont remarquables, élégants. Peut-être, ici, une note de Zan non perçue sur la Sabarotte. Mais ici et là, tout est concentré,

construit, merveilleusement aromatique. Un seul regret : il y en a si peu ! La cuvée **Champelrose 98** est moins persistante. Elle reçoit une étoile.
➡ EARL Dominique et Laurent Courbis, Les Ravières, 07130 Châteaubourg, tél. 04.75.81.81.60, fax 04.75.40.25.39 ☑ ⊤ r.-v.

LES VIGNERONS REUNIS A TAIN-L'HERMITAGE 1997

| ■ | 3 ha | n.c. | ◫ | 70 à 99 F |

Cassis et poivre, voilà pour les arômes. La structure n'est pas exceptionnelle, mais elle réussit à s'imposer. Le jury pense que dans deux ans ce vin sera prêt... et bon. Les paris ne sont pas que pascaliens.
➡ Les Vignerons de Rasteau et de Tain-l'Hermitage, rte des Princes-d'Orange, 84110 Rasteau, tél. 04.90.10.90.10, fax 04.90.46.16.65, e-mail vrt@rasteau.com ☑

DOM. DU TUNNEL 1998★★

| ■ | 1 ha | 2 738 | ◫ | 70 à 99 F |

Une **cuvée Prestige 98** (100 à 149 F) dont les vignes sont âgées de quatre-vingts ans s'est aussi bien distinguée que celle-ci, élaborée à partir de vignes de cinquante ans. C'est un beau vin expressif ; cassis, cuir, épices et chocolat y sont à la fois puissants et fins. Une note vanillée venue de l'élevage couronne l'impression générale. Une structure harmonieuse qui sera parfaite dans deux ans. Mais les amateurs de vins jeunes ne seront pas déçus.
➡ Stéphane Robert, Dom. du Tunnel, 07130 Saint-Péray, tél. 04.75.80.04.66, fax 04.75.80.06.50 ☑ ⊤ t.l.j. 14h-20h

Saint-péray

Situé face à Valence, le vignoble de Saint-Péray (62 ha) est dominé par les ruines du château de Crussol. Un microclimat relativement plus froid et des sols plus riches que dans le reste de la région sont favorables à la production de vins plus acides, secs et moins riches en alcool, remarquablement bien adaptés à l'élaboration de blanc de blancs par la méthode traditionnelle. C'est d'ailleurs la principale production de l'appellation, et l'un des meilleurs vins effervescents de France.

DOM. CHABOUD 1997

| ▢ | 6 ha | 25 000 | | 30 à 49 F |

Un domaine créé en 1798. Depuis 1997, c'est la sixième génération qui vinifie les 12 ha. Le côté minéral de ce saint-péray a retenu l'attention du jury. Il est associé à l'aubépine. Beaucoup de fraîcheur dans ce vin à la jolie robe pâle à reflets verts.

➡ Dom. Chaboud, 21, rue F.-Malet, 07130 Saint-Péray, tél. 04.75.40.31.63, fax 04.75.40.59.43 ☑ ⊤ t.l.j. sf dim. 9h-12h 14h-18h30

BERNARD GRIPA 1998★

| ▢ | 1 ha | 2 500 | ■ ◫ ⚏ | 50 à 69 F |

De tous les saint-péray présentés, c'est celui-ci qui comporte un pourcentage de marsanne élevé (80 %). Des notes de brioche et d'abricot apparaissent sur un support floral. Beaucoup de souplesse et de gras caractérisent une bouche longue. « Enchanteur », écrit un juré.
➡ Bernard Gripa, 5, av. Ozier, 07300 Mauves, tél. 04.75.08.14.96, fax 04.75.07.06.81 ☑ ⊤ r.-v.

CAVE DE TAIN-L'HERMITAGE 1998

| ▢ | 5 ha | 25 000 | ⚏ | 20 à 29 F |

Le nez est si discret qu'on a peine à juger ce vin. Pourtant sa couleur est tout simplement belle, et la bouche - n'est-ce pas là le plus important ? - est assez typée et fine, fruits blancs et amande.
➡ Les Vignerons de Rasteau et de Tain-l'Hermitage, rte des Princes-d'Orange, 84110 Rasteau, tél. 04.90.10.90.10, fax 04.90.46.16.65, e-mail vrt@rasteau.com

JEAN-LOUIS ET FRANCOISE THIERS 1998

| ▢ | 1 ha | 7 000 | ■ ⚏ | 30 à 49 F |

« Pour une raie grenobloise », nous dit une jeune sommelière. Cette bouteille offre une réelle harmonie entre le nez et la bouche, une continuité dans la complexité aromatique : tilleul, aubépine, pêche, poire jouent avec une note minérale très caractéristique de l'AOC ! Ce qu'on appelle un vin bien typé. Le **brut 97 effervescent** est également cité par le jury pour sa finesse.
➡ Jean-Louis Thiers, EARL du Biguet, Cave Thiers, 07130 Toulaud, tél. 04.75.40.49.44, fax 04.75.40.33.03 ☑ ⊤ r.-v.

DOM. DU TUNNEL 1998

| ▢ | 0,8 ha | 2 293 | ■ ◫ | 50 à 69 F |

Une exploitation de 3,50 ha créée en 1994 et où le vigneron travaille seul. Tout au long de la dégustation on retrouve le mélange minéral et floral caractéristique de cette appellation. Un saint-péray classique, vif et frais.
➡ Stéphane Robert, Dom. du Tunnel, 07130 Saint-Péray, tél. 04.75.80.04.66, fax 04.75.80.06.50 ⊤ t.l.j. 14h-20h

Gigondas

Au pied des étonnantes Dentelles de Montmirail, le célèbre vignoble de Gigondas ne couvre que la commune de Gigondas et est constitué d'une série de coteaux et de vallonnements. La vocation viticole de l'endroit est très ancienne, mais son réel développement date du XIVe s. (vignobles du Colombier et des Bosquets), sous l'impulsion d'Eugène Raspail. D'abord côtes du rhône, puis, en 1966, côtes du rhône-villages, gigondas obtient ses lettres de noblesse en tant qu'appellation spécifique en 1971. L'AOC couvre aujourd'hui environ 1 260 ha.

Les caractéristiques du sol et son climat font que les vins de gigondas (44 000 hl) sont, dans une très grande proportion, des vins rouges à forte teneur en alcool, puissants, charpentés et bien équilibrés, tout en présentant une finesse aromatique où se mêlent réglisse, épices et fruits à noyau. Bien adaptés au gibier, ils mûrissent lentement et peuvent garder leurs qualités pendant de nombreuses années. Il existe également quelques vins rosés, puissants et capiteux.

LOUIS BERNARD 1998★

■   n.c.   n.c.   `50 à 69 F`

Que de rondeur dans ce gigondas fin et élégant, « aérien », disent certains. Une bonne intensité d'arômes de fruits rouges, de cuir et d'épices ajoutée à une pointe de fenouil vous poursuit en un bouquet chaleureux. La jolie trame dure longtemps et est appréciable dès maintenant.

☛ Les domaines Bernard, rte de Sérignan, 84100 Orange, tél. 04.90.11.86.86, fax 04.90.34.87.30

DOM. DES BOSQUETS 1998★★

■   28 ha   n.c.   `50 à 69 F`

Constitué en 1644, ce domaine compte aujourd'hui 32 ha. Une robe profonde (cerise burlat mûre) attirante, puis un nez sauvage. Quelques instants encore et un flot de nuances vous assaille : fruits macérés, grain de café torréfié... Enfin en bouche, une chaleur communicative vous envahit. L'équilibre, l'harmonie... vous êtes conquis : vous n'avez plus qu'à partager ce plaisir avec vos meilleurs amis pendant trois ans sans vous lasser.

☛ Sylvette Bréchet, Dom. des Bosquets, rte de Vacqueyras, 84190 Gigondas, tél. 04.90.83.70.31, fax 04.90.83.51.97 ☑ ⟁ r.-v.

DOM. DE CASSAN 1998★★★

■   7,5 ha   33 000   `50 à 69 F`

Déjà un habitué du Guide, ce domaine familial apparaît au millésime en millésime, et pour ce 98 habillé d'une robe sombre, c'est la consécration. Les perceptions olfactives sont riches de fruits rouges et noirs, de cuir, agrémentés de notes minérales et vanillées... La superbe harmonie complétée par une structure typique, le tout avec élégance, font de ce vin un plaisir de l'œil, du nez et de la bouche.

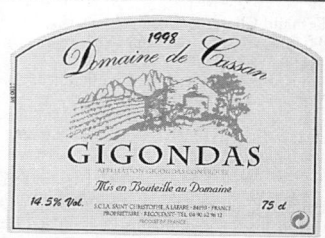

☛ SCIA Saint-Christophe, Dom. de Cassan, 84190 Lafare, tél. 04.90.62.96.12, fax 04.90.65.05.47, e-mail domainedecassan@wanadoo.fr ☑ ⟁ r.-v.

PIERRE CHANAU 1998

■   43 ha   200 000   `30 à 49 F`

Une dégustation qui coule avec limpidité. Le nez fin offre des épices légères et des notes de pruneau. Il est prolongé par des fruits rouges dans une bouche suave. Le bon équilibre et l'élégance des tanins rendent ce gigondas agréable dès aujourd'hui et à proposer sur une viande rouge grillée.

☛ Sefivin-H. Bouachon, rte de Châteauneuf, 84230 Châteauneuf-du-Pape, tél. 04.90.83.58.35, fax 04.90.83.77.23, e-mail informatique@caves.saint-pierre.com ⟁ r.-v.

DOM. CECILE CHASSAGNE 1998★

■   n.c.   n.c.   `70 à 99 F`

Une robe aux reflets violacés encore très jeunes, tout comme les arômes, marqués par le passage en fût de chêne neuf. Mais la puissance des fruits rouges (cassis) prend vite le relais. De beaux tanins intéresseront les consommateurs aimant les vins charpentés. A boire dans un an ou deux.

☛ Dom. Cécile Chassagne, rte de Vaison, 84110 Sablet, tél. 04.90.46.85.33, fax 04.90.46.85.33

CLOS DU BOIS DE MENGE 1999

■   15 ha   80 000   `30 à 49 F`

Une couleur franche et un fumet de fruits rouges s'appuient sur une structure bien travaillée. Certes, ce vin de pêche actuellement par sa jeunesse, mais, après un élevage approprié, il s'exprimera de façon très sympathique.

☛ La Compagnie rhodanienne, chemin Neuf, 30210 Castillon-du-Gard, tél. 04.66.37.49.50, fax 04.66.37.49.51 ⟁ r.-v.

CLOS DU JONCUAS 1998★

■   11 ha   n.c.   `70 à 99 F`

Un enchaînement d'un style parfait : le nez est complexe et fin (laurier, fruits rouges, mûre, réglisse, cacao) ; la bouche d'une grande noblesse possède de la maturité, de la générosité, de l'équilibre sur des tanins bien fondus mais présents qui lui assureront une bonne garde. Un vrai gigondas. Signalons que ce domaine est cultivé en agrobiologie.

RHONE

Fernand Chastan, Clos du Joncuas,
84190 Gigondas, tél. 04.90.65.86.86,
fax 04.90.65.83.68,
e-mail closjoncuas@cavesparticulieres.com
☑ ⵏ r.-v.

DOM. DES ESPIERS
Cuvée Tradition 1998*

■	2,2 ha	11 000	▮ 50 à 69 F

Philippe Cartoux a acheté des vignes en 1989
pour constituer son domaine. Le résultat ? Cette
cuvée Tradition, où de jeunes fruits rouges épousent de longs arômes épicés. Le jury se poète
mais aussi unanime sur ce sujet. Intense et tannique, le vin est cependant aussi charnu, d'où de
longues discussions... c'est cela, déguster.
Philippe Cartoux, Dom. des Espiers,
84190 Vacqueyras, tél. 04.90.65.81.16,
fax 04.90.65.81.16 ☑ ⵏ t.l.j. sf dim. 8h-12h
14h-18h

DOM. DE FONT-SANE 1998**

■	10 ha	40 000	▮▮ 50 à 69 F

Si le domaine est géré par des femmes, ce vin
n'a rien de « féminin » car finesse et élégance
n'appartiennent pas qu'au beau sexe ! Ce gigondas n'a pas à redouter les mets les plus relevés,
gibier en particulier. Le nez floral puis plus classique (épices) est complexe, tout comme la bouche est remarquable. La finesse particulière des
tanins au grain serré n'enlève rien à la puissance
qui constitue l'essence de ce vin.
Gilbert Peysson et Fille,
EARL Dom. de Font-Sane, 84190 Gigondas,
tél. 04.90.65.86.36, fax 04.90.65.81.71 ☑ ⵏ r.-v.

DOM. GONDRAN 1998

■	1,4 ha	7 500	▮ 50 à 69 F

Epices et arômes de torréfaction se mêlent
agréablement aux fruits noirs (myrtille, mûre).
Légèreté mais aussi ampleur sont ici conjuguées
savamment, et l'harmonie est au présent.
Cellier de L'Enclave des Papes, rte d'Orange,
84600 Valréas, tél. 04.90.41.91.42,
fax 04.90.41.90.21

DOM. DU GRAND MONTMIRAIL
Le Coteau de Mon Rêve 1998**

■	5 ha	20 000	▮ ♦ 50 à 69 F

Bâti pour durer longtemps et prolonger le
« Rêve ». Si la syrah pourtant minoritaire ressort
davantage dans les arômes actuellement, une
paire d'années de vieillissement devrait fondre
l'ensemble, et vous posséderez alors un remarquable gigondas. La robe violine intense
annonce la structure puissante de ce vin typé.
Dom. du Grand-Montmirail,
ferme du Grand-Montmirail, 84190 Gigondas,
tél. 04.90.65.00.22 ☑ ⵏ r.-v.

DOM. GRAND ROMANE
Sélection de vieilles vignes Elevé en fût de
chêne 1998***

■	40 ha	40 000	▮▮ 50 à 69 F

Ce domaine a été restructuré lorsque son propriétaire actuel en hérita : il replanta la vigne en
suivant les courbes de niveau sur les coteaux. Sur
un superbe terroir argilo-calcaire, des vignes de
quarante ans. Quelle beauté dans le contraste :

des reflets jeunes dans la robe de ce 98, pourtant
sombre et mature. Un nez fruité comme aux prémices de la vie du vin mais corsé en même temps.
Puissant mais élégant. Une synergie exceptionnelle entre le vin et le bois (barrique et foudre)
où le mourvèdre joue pleinement son rôle. En
l'attendant quatre ou cinq ans, goûtez **Les Espa-
lines 98 Vieilles vignes, élevé en fût**, une cuvée
citée, assemblage grenache-syrah où simplicité
rime avec réussite.

SCEA de Gigondas, Dom. Grand-Romane,
84190 Gigondas, tél. 04.90.65.85.90,
fax 04.90.65.82.14,
e-mail grand.romane@pierre-amadieu.com
☑ ⵏ r.-v.
Claude Amadieu

DOM. DU GRAPILLON D'OR 1998*

■	14 ha	48 000	▮▮▮ 50 à 69 F

Constitué en 1890, ce domaine compte 28 ha
et propose un vin très prometteur issu d'une
matière première de belle facture et de bonne
maturité. Le nez n'a pas encore tout révélé. S'il
est actuellement animal et fruité, l'élevage lui
permettra d'exprimer d'autres nuances.
L'ampleur de la bouche aux jolies notes truffées
traduit le potentiel de garde. Une réussite indéniable de ce domaine familial.
Bernard Chauvet, Le Péage, 84190 Gigondas,
tél. 04.90.65.86.37, fax 04.90.65.82.99 ☑ ⵏ t.l.j.
sf dim. 9h-12h 13h30-18h

DOM. LA BOUSCATIERE 1998**

■	7 ha	32 000	▮▮▮ 50 à 69 F

On devine une complexité naissante dans ce
bouquet de fruits rouges, d'épices, de notes animales. De toute évidence, ce 98 n'est pas encore
prêt ; et pourtant quel gras, quel fondu des
tanins ! Ce très beau vin, bien dans la lignée des
grands gigondas, laisse une bouche des plus
agréables, sur un air mi-poivre, mi-animal.
Saurel-Chauvet, Dom. La Bouscatière,
84190 Gigondas, tél. 04.90.70.96.80,
fax 04.90.70.96.80 ☑ ⵏ r.-v.

DOM. DE LA MAVETTE
Cuvée Prestige 1996*

■	6 ha	4 000	▮▮▮ 70 à 99 F

Un siècle de présence sur ces terres a permis
à la famille Lambert d'acquérir un réel savoir-
faire. L'empreinte du temps a buriné un visage
expressif à ce vin marqué comme le cuir. De
belles senteurs d'épices s'ouvrent en bouche,

accompagnées d'une note minérale. Les tanins soyeux sont du meilleur effet.

☛EARL Lambert et Fils, Dom. de La Mavette, 84190 Gigondas, tél. 04.90.65.85.29, fax 04.90.65.87.41 ☑ ☕ t.l.j. 9h-12h 14h-18h

LAURUS 1998★★

■   6,5 ha   20 000 ☷⦿↕ 70à99F

Une imposante liste de vins sélectionnés parmi ceux présentés par les vignobles de Gabriel Meffre. La faveur va cette année à la cuvée Laurus. Il faudra attendre que le bois se fonde mais déjà un beau moelleux se développe. Tout aussi remarquable, le **Domaine de la Chapelle 98**, d'un style aujourd'hui plus harmonieux. A noter **La Font Boissière 98**, coup de cœur l'an dernier, puissant et charnu, bien structuré, une étoile.

☛Gabriel Meffre, Le Village, 84190 Gigondas, tél. 04.90.12.32.42, fax 04.90.12.32.49, e-mail gabriel-meffre@meffre.com

L'ECHANDOLE 1998

■   n.c.   35 000 ☷ 50à69F

Créée en 1840, cette maison de négoce est contrôlée par la famille d'Avout. Gigondas ? Les épices dominent la dégustation, du premier nez à la finale. Ajoutez à cela quelques notes de fruits secs et de fumée ou de cuir, et vous aurez un bouquet déjà bien réussi. La bouche est plus légère, ce qui permet de servir cette bouteille dès aujourd'hui.

☛Caves Salavert, rte de Saint-Montan, 07700 Bourg-Saint-Andéol, tél. 04.75.54.77.22, fax 04.75.54.47.91, e-mail caves.salavert@wanadoo.fr

DOM. LE CLOS DES CAZAUX
Cuvée de la Tour Sarrazine 1997★★

■   15 ha   30 000 ☷ 50à69F

Une proportion importante de mourvèdre confère sans doute à cette cuvée le nez si particulier de fumée, lié à des épices et à des fruits cuits habituels dans cette appellation. Les arômes se prolongent. La matière est celle d'un athlète, et pourtant l'esthétique est sauve. Une belle performance pour le millésime. Accompagnera sans nul doute gibier, truffes, et d'autres produits du terroir.

☛EARL Archimbaud-Vache, Dom. Le Clos des Cazaux, 84190 Vacqueyras, tél. 04.90.65.85.83, fax 04.90.65.83.94 ☑ ☕ t.l.j. sf sam. dim. 9h-11h 14h-18h
☛Maurice Vache

LE DEDUIT DES CHASSES
Grande Réserve 1998

■   7 ha   30 000 ⦿↕ 50à69F

Une étiquette réservée aux chasseurs. Mais il n'y a eu aucune « réserve » sur la richesse aromatique de cette bouteille : épices, café, truffe, cuir, pruneau... Agréable en bouche et classique des gigondas, elle devra attendre un an ou deux.

☛Cave des Vignerons de Gigondas, rte de Sablet, 84190 Gigondas, tél. 04.90.65.86.27, fax 04.90.65.80.13, e-mail gigondas.lacave@wanadoo.fr ☑ ☕ r.-v.

LE GRAND MONTMIRAIL 1998★★

■   12 ha   35 000 ☷⦿↕ 50à69F

Il s'affiche « grand » et la dégustation le confirme : grand et beau à la fois ! Les fruits rouges sont rehaussés par un boisé délicat. L'ampleur et la structure en font un vin taillé pour la garde. Densité et velouté cohabitent agréablement. Citée par le jury, la cuvée des **Hauts de Montmirail 98** exhale des parfums plus épicés (poivrés) ; le style est moins flatteur mais avec le temps les connaisseurs s'y retrouveront (100 à 149 F).

☛SA Dom. Brusset, 84290 Cairanne, tél. 04.90.30.82.16, fax 04.90.30.73.31, e-mail domaine-brusset.fr ☑ ☕ r.-v.

LES CHERS 1998★

■   n.c.   6 000 ☷ 70à99F

Petite production bien soignée qui révèle de jolis arômes de fruits (cassis, myrtille), d'épices, et même une pointe minérale. Bel équilibre fondé sur des tanins soyeux et puissants prolongés par des arômes déjà perçus au nez. Une certaine élégance.

☛SA AVF, Les Chers, 69840 Juliénas, tél. 04.74.06.78.00, fax 04.71.06.78.01 ☕ r.-v.

DOM. LES TEYSSONNIERES 1998

■   9 ha   40 000 ☷⦿↕ 50à69F

Ses arômes épicés accompagnés de notes empyreumatiques et balsamiques l'ont fait remarquer, puis sa finesse en bouche a confirmé le choix d'une bouteille à servir dès à présent. La robe rouge soutenu est agréable, et ce vin laisse une bouche soyeuse. A conseiller sur une viande rôtie.

☛EARL Franck Alexandre, Dom. Les Teyssonnières, 84190 Gigondas, tél. 04.90.12.31.31, fax 04.90.12.31.32 ☑ ☕ r.-v.

CH. DE MONTMIRAIL
Cuvée de Beauchamp 1998★

■   27 ha   100 000 ☷↕ 50à69F

Une tradition familiale qui fait encore ses preuves. La finesse d'un nez aux notes fruitées, anisées, où se mêlent également laurier et cuir, rend ce vin particulièrement expressif. L'attaque puis la structure de vin de garde font le reste.

☛Archimbaud-Bouteiller, cours Stassart, B.P. 12, 84190 Vacqueyras, tél. 04.90.65.86.72, fax 04.90.65.81.31 ☑ ☕ t.l.j. sf dim. 9h-12h 14h-18h30

MOULIN DE LA GARDETTE
Cuvée Tradition 1998★

■   5 ha   20 000 ☷⦿↕ 50à69F

La fraîcheur d'arômes anisés sur fond de fruits rouges est relayée en bouche par l'originalité du bois de rose. Concentration et élégance se disputent les faveurs du dégustateur. Une cuvée Tradition à ne pas ouvrir avant trois ou quatre ans. En attendant, dégustez la **cuvée Ventabren 97** plus tournée vers les griottes et les épices, qui obtient également une étoile (70 à 99 F).

☛Jean-Baptiste Meunier, moulin de la Gardette, pl. de la Mairie, 84190 Gigondas, tél. 04.90.65.81.51, fax 04.90.65.86.80 ☑ ☕ r.-v.

RHONE

DOM. NOTRE-DAME-DES-PALLIERES
Cuvée bois neuf 1998**

| | 0,5 ha | 1 200 | | 70 à 99 F |

Ici, un oratoire était fréquenté au Moyen Age, au temps des grandes pestes. Voici un excellent vin peu conventionnel et à offrir plutôt aux amateurs de bois. La belle puissance de cette cuvée s'appuie sur des tanins fins et déjà très liés. Le **rosé 99**, à boire maintenant, présente un nez de fruits rouges intense. Sa réussite tient à sa très belle harmonie. Chaleureux, rond et gras, il possède la vivacité nécessaire. Un assemblage où la présence de cinsault et de mourvèdre en proportion importante est gage de plaisir (50 à 69 F).
☛ GAEC Dom. de Notre-Dame-des-Pallières, rte de Lencieux, 84190 Gigondas, tél. 04.90.65.83.03, fax 04.90.65.83.03 ☑ ⊤ r.-v.
☛ Jean-Pierre et Claude Roux

DOM. PAILLERE ET PIED GU 1998*

| | n.c. | 26 000 | | 50 à 69 F |

Distribué par la maison Mousset, ce domaine élabore un gigondas qui mérite quatre à cinq ans de patience afin de lui laisser le temps d'ouvrir pleinement son bouquet fruité, épicé, et d'atteindre son apogée. La bouche puissante et chaleureuse est déjà harmonieuse. Sa grande réussite vient en outre d'une belle rémanence sur des notes de cuir et de garrigue.
☛ SA Louis Mousset, Les Fines-Roches, 84230 Châteauneuf-du-Pape, tél. 04.90.83.59.37, fax 04.90.83.74.79

DOM. DU PARANDOU 1998*

| | 2 ha | 8 000 | | 50 à 69 F |

Les ceps de grenache représentent 80 % de l'assemblage ont quarante ans alors que ceux de syrah n'ont eu que huit. La densité de la robe annonce déjà le côté sauvage de ce vin : quelques notes carnées au nez puis des épices, pour revenir ensuite sur le cuir. La dégustation se poursuit sur d'agréables impressions de rondeur. Il serait préférable de conserver encore cette bouteille en cave, bien qu'elle ait déjà une belle typicité.
☛ Dom. du Parandou, 84110 Sablet, tél. 04.90.46.90.52, fax 04.90.46.99.05 ☑ ⊤ r.-v.

DOM. DU PESQUIER 1997

| | 16 ha | 40 000 | | 50 à 69 F |

Le joli rubis soutenu est de bon augure. Complexité et personnalité marquent un nez animal et épicé, puissant et expressif. La bouche complète ces notes aromatiques avec des touches fumées, confites, qui durent longtemps... Recommandé sur un civet de lièvre.
☛ Boutière et Fils, Dom. du Pesquier, 84190 Gigondas, tél. 04.90.65.86.16, fax 04.90.65.88.48 ☑ ⊤ r.-v.

DOM. DU PRADAS 1998**

| | n.c. | n.c. | | 30 à 49 F |

Une belle alliance de la matière concentrée et de la rondeur marque essentiellement ce vin. Un duo fruité-floral s'étire sur une longueur aromatique digne des « grands ». Déjà appréciable sur un lapin chasseur, il devrait cependant gagner en complexité d'ici un à deux ans.

☛ Dom. du Pradas, 84190 Gigondas, tél. 04.90.62.94.28 ☑ ⊤ r.-v.
☛ Cottet

CH. RASPAIL 1998

| | 42 ha | 80 000 | | 50 à 69 F |

Eugène Raspail découvrit une statue grecque à Vaison-la-Romaine, la vendit au British Museum... pour construire en 1866 le château Raspail ! Est-ce pour cela que la façade comporte deux caryatides ? Un domaine historique, propriété de Christian Meffre. Déjà un séduisant bouquet (fruits rouges, réglisse et épices...) se dégage de ce 98. Pourtant ce vin n'a pas encore atteint son apogée. La structure un peu ferme va s'affiner pour laisser la place à un harmonieux ensemble à consommer sur viande rouge ou gibier.
☛ Christian Meffre, Ch. Raspail, 84190 Gigondas, tél. 04.90.65.88.93, fax 04.90.65.88.96,
e-mail château.raspail@wanadoo.fr ☑ ⊤ t.l.j. sf sam. dim. 8h-12h30 13h30-17h30

CH. REDORTIER 1998**

| | 5 ha | 20 000 | | 50 à 69 F |

Etienne de Menthon, ingénieur agricole, a reconstitué le vignoble de cet ancien château fortifié, détruit au XVIIIe s. et remplacé par une bastide située dans un lieu admirable. Si l'assemblage et la vinification sont très traditionnels, ce vin prend de la hauteur et domine par sa classe autant que par ses tanins très fins. Le nez complexe est délicatement truffé ; la bouche est riche, persistante, d'une grande harmonie. Ce qu'il a en plus ? une chaleur communicative. A goûter sur un civet de sanglier.
☛ EARL Ch. Redortier, 84190 Suzette, tél. 04.90.62.96.43, fax 04.90.65.03.38 ☑ ⊤ t.l.j. 10h-12h 14h-19h
☛ Etienne de Menthon

DOM. SAINT-DAMIEN 1998

| | 12 ha | 6 000 | | 30 à 48 F |

D'originales notes mentholées relaient les fruits mûrs. Bien qu'assez souple, ce vin montre sa qualité de gigondas, bien marquée dans son profil. Il est déjà prêt.
☛ SCEA Joël Saurel, Dom. Saint-Damien, 84190 Gigondas, tél. 04.90.70.96.42, fax 04.90.70.96.42 ☑ ⊤ r.-v.

DOM. SAINT-GAYAN 1998*

| | 16 ha | 70 000 | | 50 à 69 F |

Jolie alliance de fruits rouges et d'épices (garrigue) pour ce nez à la douce impression. Une matière puissante et charnue constitue un gigondas à la personnalité affirmée et néanmoins conviviale. De l'attaque à la finale (très longue), tout est soyeux. Les amateurs de vins plus boisés préféreront sans doute la cuvée **Fontmaria 98**, également jugée très réussie (100 à 149 F).
☛ EARL Jean-Pierre et Martine Meffre, Dom. Saint-Gayan, 84190 Gigondas, tél. 04.90.65.86.33, fax 04.90.65.85.10 ☑ ⊤ t.l.j. sf dim. 9h-11h45 14h-18h30

DOM. DU TERME 1999

◢   n.c.   3 000   ▮ ⬡ `50 à 69 F`

Ce domaine possède un caveau dans les remparts du village où l'on peut déguster ses vins mais aussi découvrir un petit musée des outils du vigneron. Ce 99 ? Il se présente dans une robe claire mais vive comme l'attaque de ses arômes puissants de petits fruits rouges. L'équilibre alcool-acidité est particulièrement bien respecté. Cette production en marge de cuvées plus imposantes trouvera vite dégustateurs à son pied.
☛ Rolland Gaudin, Dom. du Terme, 84190 Gigondas, tél. 04.90.65.86.75, fax 04.90.65.80.29 ✉ ⓨ r.-v.

DOM. DES TOURELLES 1998*

▮   n.c.   n.c.   ⬠⬠ `50 à 69 F`

Ancien monastère fortifié dont les premières pierres remontent au XVIIᵉ s., ce domaine a gardé fière allure. L'harmonie domine la dégustation de son 98, aucun heurt ne vient troubler la fraîcheur des notes aromatiques arpégées avec souplesse. Ce gigondas bien typé accompagnera fromage ou gibier selon les circonstances.
☛ Roger Cuillerat, Dom. des Tourelles, 84190 Gigondas, tél. 04.90.65.86.98, fax 04.90.65.89.47 ✉ ⓨ r.-v.

DOM. VARENNE 1998

▮   5 ha   18 000   ▮⬠⬡ `50 à 69 F`

Si la vinification et l'assemblage sont des plus « classiques », l'intensité du nez l'est moins : un bouquet de garrigue (thym, genévrier...), de réglisse, de fruité... et un soupçon de bois. Franc et agréable en bouche grâce à de beaux tanins, ce 98 a encore de l'avenir devant lui.
☛ Dom. Alain Varenne et Fils, Le village, 84190 Gigondas, tél. 04.90.65.86.55, fax 04.90.12.39.28 ✉ ⓨ t.l.j. 10h-12h 14h-18h

Vacqueyras

L'appellation d'origine contrôlée vacqueyras, dont les conditions de production ont été définies par décret du 9 août 1990, est la treizième et dernière-née des AOC locales des côtes du rhône.

Elle rejoint gigondas et châteauneuf-du-pape à ce niveau hiérarchique dans le département du Vaucluse. Situé entre Gigondas au nord et Beaumes-de-Venise au sud-est, son territoire s'étend sur les deux communes de Vacqueyras et de Sarrians. Les 1 220 ha de vignes produisent un peu plus de 46 000 hl.

Vingt-trois embouteilleurs, une cave coopérative ainsi que trois négo-ciants-éleveurs commercialisent 1,5 million de cols en vacqueyras.

Les vins rouges (95 %), élaborés à base de grenache, syrah, mourvèdre et cinsaut, sont aptes au vieillissement (trois à dix ans). Les rosés (4 %) sont issus d'un encépagement similaire. Les blancs restent confidentiels (cépages : clairette, grenache blanc, bourboulenc, roussanne).

BOISERAIE 1998**

▮   6 ha   24 000   ▮⬠⬡ `50 à 69 F`

La robe et le nez sont à la hauteur mais la bouche a davantage retenu l'attention du jury. Sa matière ronde laisse apparaître, après une phase d'aération, un léger boisé. Ce beau vin se présente comme un vacqueyras typique et traditionnel.
☛ Ogier-Caves des Papes, 10, bd Pasteur, 84230 Châteauneuf-du-Pape, tél. 04.90.39.32.32, fax 04.90.83.72.51 ✉ ⓨ t.l.j. sf dim. 8h30-18h30

DOM. CHAMFORT 1998

▮   9,5 ha   40 000   ▮⬠⬡ `50 à 69 F`

Le « vin de garde » par définition, à conserver environ cinq à sept ans. L'évolution sera bénéfique. La complexité et l'harmonie du nez (épicé, boisé...) sont de bon augure. Ne vous laissez pas rebuter par l'agressivité actuelle des tanins : le mourvèdre (20 %) va évoluer. Une fois les tanins fondus, vous aurez là un vrai vacqueyras traditionnel.
☛ Denis Chamfort, La Pause, 84110 Sablet, tél. 04.90.46.94.75, fax 04.90.46.99.84, e-mail denis.chamfort@wanadoo.fr ✉ ⓨ r.-v.

LA BASTIDE SAINT-VINCENT 1998*

▮   5 ha   12 500   ▮⬡ `30 à 49 F`

Riche de nombreux villages ravissants et de grands paysages, cette région attire les touristes du monde entier mais aussi, par ses vignobles de qualité, de nombreux amateurs de belles bouteilles. Guy Daniel fait partie des vignerons que vous ne devez pas ignorer. Voyez ce vin : son nez semble déjà prêt et très attrayant par ses notes de fruits rouges. Encore du fruit, mais plutôt confit ou au kirsch en bouche, le tout harmonieusement dosé. Ne remettez pas à demain cette dégustation déjà agréable ; cueillez dès aujourd'hui la vitalité de ce 98.
☛ Guy Daniel, Bastide Saint-Vincent, rte de Vaison-la-Romaine, 84150 Violès, tél. 04.90.70.94.13, fax 04.90.70.96.13 ✉ ⓨ t.l.j. 8h-19h; dim. sur r.-v.; f. 1er-20 jan.

DOM. DE LA CHARBONNIERE 1998**

▮   4,3 ha   20 000   ▮⬡ `50 à 69 F`

« Superbe », « génial », le jury fut dithyrambique pour qualifier ce vin. La complexité du nez séduit. L'harmonie et la finesse sont présentes ; l'association de la matière, de la longueur, de la vivacité est époustouflante. Comme les grands, on l'apprécie déjà et pourtant le boire maintenant serait se priver de toutes les nouvelles sensations qu'une garde ne manquera pas de développer.

➤ Michel Maret, Dom. de La Charbonnière, 84230 Châteauneuf-du-Pape, tél. 04.90.83.74.59, fax 04.90.83.53.46 ☑ ⵏ r.-v.

LA FONT DE PAPIER 1998★★

■	5 ha	n.c.	ⵏ ⵜ	50 à 69 F

Fernand Chastan est un habitué du Guide. Partisan de l'agriculture biologique, il propose à nouveau un remarquable vacqueyras, plaisant par son nez de fleurs, de fruits écrasés, de cuir, et par sa complexité en bouche. Celle-ci, de belle facture, riche d'une grande matière, se révèle complète, prête à s'offrir mais pouvant aussi se conserver encore.

➤ Fernand Chastan, Clos du Joncuas, 84190 Gigondas, tél. 04.90.65.86.86, fax 04.90.65.83.68, e-mail closjoncuas@cavesparticulieres.com ☑ ⵏ r.-v.

DOM. LA FOURMONE
Sélection Maître de Chais 1998★

■	7 ha	18 000	ⵏ ⵜ	50 à 69 F

Riche en festivals, aussi bien de théâtre (Avignon) que de musique (Orange, Aix ou encore Vaison-la-Romaine), cette région réjouit les yeux par les architectures et les paysages. Le vin participe de son charme. Un joli nez très fin a mis l'eau à la bouche des dégustateurs. La rondeur et le gras sont au rendez-vous. Cette sélection Maître de Chais a indéniablement la structure d'un très beau vacqueyras. Patientez deux à trois ans avant de lui offrir un rôti de bœuf en croûte.

➤ Roger Combe et Filles, Dom. La Fourmone, rte de Bollène, 84190 Vacqueyras, tél. 04.90.65.86.05, fax 04.90.65.87.84 ☑ ⵏ t.l.j. 9h30-12h 14h-18h; f. fév.

DOM. DES LAMBERTINS 1998★

■	14 ha	50 000	ⵏⵏⵏ ⵜ	30 à 49 F

Des vignes de trente-cinq ans et un élevage en foudre de chêne pendant six mois ont donné ce 98 au nez déjà ouvert, présentant des notes de fruits rouges dans des tons de griotte. Pour l'apprécier pleinement, il conviendra d'attendre encore un peu, le temps que certaines aspérités se soient arrondies et que ce vin soit mûr pour un mariage avec un bon gibier.

➤ EARL Dom. des Lambertins, La Grande Fontaine, 84190 Vacqueyras, tél. 04.90.65.85.54, fax 04.90.65.83.38 ☑ ⵏ t.l.j. sf dim. 9h-18h30; groupes sur r.-v.

➤ Gilles Lambert

DOM. LA MONARDIERE
Cuvée Les Calades 1998★★

■	2 ha	8 000	ⵏ	30 à 49 F

Acquis au siècle dernier par la famille Vache, ce domaine compte aujourd'hui 20 ha. L'âge vénérable des vignes explique en partie le succès des trois cuvées sélectionnées. L'art du vinificateur tient également une part importante dans ces résultats. C'est la cuvée des Calades, à très nette dominante grenache, qui emporte le coup de cœur. Le terroir et la maturité sont là ; le nez très animal et sauvage, le grain, le gras, la structure parfaite, la rondeur, l'équilibre... tout est en

place. La **cuvée Vieilles vignes 98** (50 à 69 F) reçoit une étoile pour ses tanins soyeux. Les **Deux Monardes 98** obtiennent la même note. Toutes deux ont un avenir superbe.

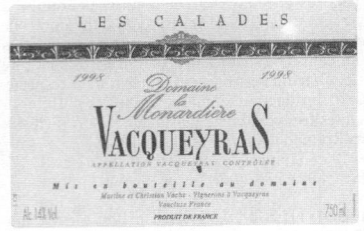

➤ Dom. La Monardière, Les Grès, 84190 Vacqueyras, tél. 04.90.65.87.20, fax 04.90.65.82.01, e-mail monardiere@wanadoo.fr ☑ ⵏ t.l.j. sf dim. 10h-19h

➤ C. Vache

DOM. DE LA TOURADE 1998

■	6 ha	13 000	ⵏⵏ	30 à 49 F

Déjà prêt à se mettre à table si l'on en juge par son bouquet très ouvert. La bouche est tout en finesse avec une structure bien polie par une rondeur attrayante. A remarquer, de belles notes de fruits confits.

➤ EARL André Richard, Dom. de La Tourade, 84190 Gigondas, tél. 04.90.70.91.09, fax 04.90.70.96.31 ☑ ⵏ t.l.j. 9h-19h

DOM. LE CLOS DE CAVEAU 1998★

■	11,8 ha	30 000	ⵏ ⵜ	30 à 49 F

Quelle curieuse alchimie s'opère à l'abri de ce clos ? Un concentré de fruits macérés où se mêlent notes animales et, plus étonnant, de miel et de noisette. Une alliance particulièrement réussie de tradition et d'innovation (pigeage et délestage), cimentée par un état d'esprit : l'agriculture biologique. Densité, rondeur et puissance surfent sur un bel équilibre.

➤ SCA Dom. Le Clos de Caveau, 84190 Vacqueyras, tél. 04.90.65.85.33, fax 04.90.65.83.17 ☑ ⵏ r.-v.

➤ H. Bungener

DOM LE CLOS DES CAZAUX
Réserve 1998★★

■	4 ha	15 000	ⵏ ⵜ	30 à 49 F

Coup de cœur l'an dernier pour la cuvée des Templiers 97, ce domaine familial exporte 65 % de sa production. Cette Réserve - étiquette jaune - est remarquable et ne ternira pas l'image de ses auteurs. Le nez bien ouvert sur fond de griotte est fin. La structure puissante est d'une rondeur très agréable. Le vacqueyras par excellence, qu'il faudra de préférence attendre trois à quatre ans afin qu'il exprime sa plénitude. La **cuvée principale en blanc 98** - étiquette blanche - obtient une étoile. Elevée en fût, elle assemble clairette, grenache et 25 % de roussanne. Elle est à la fois vive et ronde (70 à 99 F).

➥EARL Archimbaud-Vache, Dom. Le Clos
des Cazaux, 84190 Vacqueyras,
tél. 04.90.65.85.83, fax 04.90.65.83.94 ☑ ☨ t.l.j.
sf sam. dim. 9h-11h 14h-18h

DOM. LE COUROULU
Cuvée classique 1998★

| ■ | 10 ha | 40 000 | ■❙❙◗ | 30 à 49 F |

Les vignobles paternels et maternels regroupés
ont donné naissance à ce domaine dont deux
cuvées sont également très réussies. Celle-ci est
certainement issue de vendanges à bonne maturité qui ont permis une extraction aromatique
déjà opulente sur fond de fruits mûrs et de violette. La cuvaison longue ne donne pas droit à
l'erreur : la matière première doit être de qualité ;
l'ampleur et l'équilibre confirment sa richesse. A
noter également, la cuvée **Vieilles vignes 98** (50 à
69 F) qui obtient une étoile et doit être attendue
trois ans.
➥Guy Ricard, Dom. Le Couroulou,
84190 Vacqueyras, tél. 04.90.65.84.83,
fax 04.90.65.81.25 ☑ ☨ t.l.j. sf dim. 9h30-12h
14h-18h

DOM. LE PONT DU RIEU 1998★★

| ■ | 4,5 ha | 22 100 | ■◗ | 30 à 49 F |

Un petit torrent enjambé par le pont de Rieu
a donné son nom au domaine distribué par
Gabriel Meffre. Voici l'un des plus beaux représentants de l'appellation. Quelles senteurs évocatrices d'épices et de garrigue ! Puissance et élégance riment dans ce vacqueyras d'une excellente
persistance en bouche. La cuisine méridionale le
mettra à l'honneur.
➥Jean-Pierre Faraud, 84190 Vacqueyras,
tél. 04.90.12.32.42, fax 04.90.12.32.49

LES MAGNANS 1998★

| ■ | 12 ha | 20 000 | ■◗ | 50 à 69 F |

Epices, fruits rouges dominent dans cette
cuvée Les Magnans de la coopérative de Valréas.
Ce nez classique est suivi d'une bouche particulièrement bien équilibrée. Des tanins présents
mais très enrobés, une longueur aromatique de
la même veine : ce 98 n'a pas encore découvert
tout son jeu. Distribué par la même cave, le
Domaine de La Cyprière 98 (30 à 49 F) est cité
pour son fruité. Ce vin peut offrir une bonne
prise de contact avec l'AOC vacqueyras.
➥Cellier de L'Enclave des Papes, rte d'Orange,
84600 Valréas, tél. 04.90.41.91.42,
fax 04.90.41.90.21

DOM. MAS DU SUD 1998★

| ■ | 5 ha | 25 000 | ■◗ | 30 à 49 F |

Les très grands soins apportés à la sélection
des raisins destinés à la cuvée **Laurus 98** (70 à
99 F) produisent leurs effets. Le bois neuf et son
vanillé dominent encore un peu mais on devine
sous ce manteau de tanins déjà fondus, à l'harmonie proche du remarquable. Plus traditionnel,
ce Domaine Mas du Sud offre de l'AOC une
image pleine de chaleur et, à la dégustation, des
notes de fruits mûrs du meilleur effet.
➥Gabriel Meffre, Le Village, 84190 Gigondas,
tél. 04.90.12.32.42, fax 04.90.12.32.49,
e-mail gabriel-meffre@meffre.com

CLOS MONTIRIUS 1998★★

| ■ | 8,5 ha | 45 000 | ■◗ | 70 à 99 F |

Montirius, c'est le nom issu de la contraction
savante des prénoms des trois enfants des Saurel
qui, depuis 1996, appliquent les théories de la
biodynamie, tant dans leurs vignes que dans
leurs chais. Cela leur a réussi sur ce millésime 98.
Deux cuvées, deux fois deux étoiles ! Une légère
préférence s'est exprimée pour cette cuvée plus
marquée par la syrah qui sera de grande garde :
animale, complexe, dotée d'une très belle
matière, ample et longue... En attendant, on peut
apprécier le nez plus floral bien qu'également
animal du **Montirius 98** (50 à 69 F) dans lequel
le grenache l'emporte. Sa rondeur et sa très belle
expression finale ont été remarquables.
➥Christine et Eric Saurel, Le Deves,
84260 Sarrians, tél. 04.90.65.38.28,
fax 04.90.65.38.28,
e-mail montirius@wanadoo.fr ☑ ☨ r.-v.

CH. DE MONTMIRAIL
Cuvée de l'Ermite 1998★

| ■ | 17 ha | 9 000 | ■◗ | 50 à 69 F |

Maurice Archimbaud et sa fille Monique perpétuent une longue tradition viticole sur ce
domaine de 50 ha. Saurez-vous patienter pour
apprécier pleinement ce vin puissant, assemblant
à parts égales syrah et grenache, énigmatique et
de longue garde ? Le nez est fin et complexe,
alliant des notes animales et de cuir, en particulier, aux épices et à la réglisse. La rareté est souvent synonyme de qualité exceptionnelle : la
matière de cette cuvée est vraiment remarquable.
La cuvée des Deux Frères 98 (30 à 49 F), élaborée
à partir de quatre cépages mais à dominante de
grenache (70 %), obtient une citation. Elle
exprime toute la puissance du terroir et est prête
à être servie sur des viandes rouges.
➥Archimbaud-Bouteiller, cours Stassart,
B.P. 12, 84190 Vacqueyras, tél. 04.90.65.86.72,
fax 04.90.65.81.31 ☑ ☨ t.l.j. sf dim. 9h-12h
14h-18h30

DOM. DE MONTVAC 1999

| ☐ | 0,7 ha | 3 000 | ◗ | 50 à 69 F |

Très expressif au nez où se mêlent notes animales et pierre à fusil, **la cuvée rouge 98**, citée,
devra être attendue trois à quatre ans. D'ici là,
vous pourrez apprécier ce joli vin blanc légèrement boisé et aux senteurs de miel, rond et frais,
capable d'accompagner les poissons en sauce.
➥Cécile Dusserre, Dom. de Montvac,
84190 Vacqueyras, tél. 04.90.65.85.51,
fax 04.90.65.82.38 ☑ ☨ r.-v.

PASCAL 1998★★

| ■ | 15 ha | 70 000 | ■◗ | 30 à 49 F |

Négociant-éleveur à Vacqueyras, la maison
Pascal excelle dans le vin porte-drapeau. Ce 98
développe des arômes riches, bien sûr, mais aussi
une finesse et une élégance qui sont celles des
grands. Il paraît déjà prêt à accompagner canard,
pintade ou autres volatiles. Cependant, sa persistance aromatique et sa structure laissent sup-
poser une dégustation encore plus agréable dans
un an ou deux.
➥Pascal, rte de Gigondas, 84190 Vacqueyras,
tél. 04.90.65.85.91, fax 04.90.65.89.23 ☑ ☨ r.-v.

RHONE

CH. DES ROQUES 1998

■ | 24 ha | 70 000 | ⬛ ♦ | 30 à 49 F

Ce vacqueyras franc et harmonieux est un classique du genre. Le nez fin et fruité mêle des notes de noyau à d'autres plus animales. L'expression du corps, déjà fort agréable, est tout en équilibre.

☛ SCEA Ch. des Roques, B.P. 9, 84190 Vacqueyras, tél. 04.90.65.85.16, fax 04.90.65.88.18 ☑ ⦚ r.-v.

☛ Seroul

VIEUX CLOCHER
Vieilli en fût de chêne 1998★

■ | n.c. | 65 000 | ⬛ ♦ | 30 à 49 F

Jean-Marie Arnoux et ses fils Jean-François et Marc dirigent l'entreprise qui propose cette étiquette. Fruits rouges, fruits mûrs : les fruits sont déclinés à volonté, du nez à la bouche. L'assemblage classique grenache-syrah s'exprime ici de très belle façon. Une chaleur intense se dégage de ce vin à la plastique bien construite.

☛ Arnoux et Fils, Portail Neuf, 84190 Vacqueyras, tél. 04.90.65.84.18, fax 04.90.65.80.07 ☑ ⦚ t.l.j. sf dim. 8h-12h 14h-18h

Châteauneuf-du-pape

Le territoire de production de l'appellation, la première à avoir défini légalement ses conditions de production en 1931, s'étend sur la quasi-totalité de la commune qui lui a donné son nom et sur certains terrains de même nature des communes limitrophes d'Orange, Courthézon, Bédarrides, Sorgues (3 084 ha). Ce vignoble est situé sur la rive gauche du Rhône, à une quinzaine de kilomètres au nord d'Avignon. Son originalité provient de son sol, formé notamment de vastes terrasses de hauteurs différentes, recouvertes d'argile rouge mêlée à de nombreux cailloux roulés. Les cépages sont très divers, avec prédominance du grenache, de la syrah, du mourvèdre et du cinsault. Le rendement ne dépasse pas 35 hl/ha.

Les châteauneuf-du-pape ont toujours une couleur très intense. Ils seront mieux appréciés après un vieillissement qui varie en fonction des millésimes. Amples, corsés et charpentés, ce sont des vins au bouquet puissant et complexe, qui accompagnent avec succès les viandes rouges, le gibier et les fromages à pâte fermen-

tée. Les blancs, produits en petite quantité, savent cacher leur puissance par leur saveur et la finesse de leurs arômes. La production globale atteint les 105 000 hl.

ANCIEN DOMAINE DES PONTIFES
1999★

☐ | 0,3 ha | 1000 | ⬛ ♦ | 70 à 99 F

Un domaine fondé au début du XXᵉs. ! Vivifiant, ce vin ne se prend pas au sérieux. Son nez est puissant, tout en senteurs exotiques : pamplemousse et fruit de la passion. La bouche est originale avec son alliance de fruits et de menthol. A boire avec des crustacés ou à l'apéritif.

☛ Françoise Granier, 13, rue de l'Escatillon, 30150 Roquemaure, tél. 04.66.82.56.73, fax 04.66.90.23.90 ☑ ⦚ r.-v.

DOM. PAUL AUTARD 1998★★

☐ | 12 ha | n.c. | ⬛❙❙♦ | 100 à 149 F

Une longue tradition familiale est toujours un atout dans la conduite de la vigne : la transmission de la mémoire des millésimes successifs dont jamais aucun ne se ressemble ! C'est sûrement l'un des secrets de Jean-Paul Autard dont les trois vins présentés ont été sélectionnés par nos sévères dégustateurs. Ce 98 est le premier : il s'agit d'un assemblage de grenache blanc, clairette et roussanne vinifiés pour moitié en fût neuf. La robe or soutenu habille un nez exubérant de fruits et de thym. L'attaque en bouche est franche et le boisé fondu. Il y a beaucoup de finesse dans ce vin qui demande encore à s'affiner deux ans. « Avec une poularde en demi-deuil », conseille un dégustateur. En **rouge, la cuvée principale 98** est citée (70 à 99 F), alors que la **cuvée La Côte Ronde 98** (150 à 199 F) reçoit une étoile pour ses grandes qualités structurales et aromatiques ; son boisé demande encore à se fondre.

☛ Dom. Paul Autard, rte de Châteauneuf-du-Pape, 84350 Courthézon, tél. 04.90.70.73.15, fax 04.90.70.29.59 ☑ ⦚ t.l.j. sf dim. 9h-12h30 15h-18h30

DOM. JULIETTE AVRIL 1998★

■ | 21 ha | n.c. | ⬛❙❙♦ | 50 à 69 F

Un ancêtre de Juliette Avril fut premier consul de Châteauneuf-du-Pape au temps de la papauté d'Avignon. Ce domaine de 35 ha a hérité d'un long savoir-faire. **Blanc** et rouge 98 arrivent au même rang dans cette dégustation. Le premier (70 à 99 F), fleurs blanches et amande, aimera les écrevisses à l'américaine ou les viandes blanches. Le second se caractérise par sa finesse et une alliance réussie du boisé et du vin. La vanille se retrouve en bouche, soutenue par une puissante structure. A réserver pour un gigot et à boire dans les trois ans.

☛ Dom. Juliette Avril, 8, av. Pasteur, 84230 Châteauneuf-du-Pape, tél. 04.90.83.72.69, fax 04.90.83.53.08, e-mail julietteavril@enprovence.com ☑ ⦚ t.l.j. 8h30-19h; dim. 10h30-19h

☛ GFA du Majoral

DOM. DE BABAN 1998*

	9 ha	30 000	70 à 99 F

Distribué par Gabriel Meffre, un vin à la robe sombre et qui nous promène dans les profondeurs d'un sous-bois humide et frais. La bouche, bien équilibrée et harmonieuse, cache de solides tanins. Attendre au moins deux ans avant de le servir sur des fromages de caractère.
SCEA Dom. Riche, 84230 Châteauneuf-du-Pape, tél. 04.90.12.32.42, fax 04.90.12.32.49

DOM. DU BANNERET 1998

	1,77 ha	6 000	70 à 99 F

La robe aux reflets orangés nous introduit dans un domaine fleurant bon la compote de pomme, le caramel et la pâte de coing. La bouche reste légère et équilibrée. A servir avec toutes les viandes rouges dans les deux ans.
Jean-Claude Vidal, 35, rue Porte-Rouge, 84230 Châteauneuf-du-Pape, tél. 04.90.83.72.04, fax 04.62.24.44.09 ☑ ⵏ t.l.j. 9h-12h 15h-19h
J.-C. et M.-F. Vidal

LOUIS BERNARD 1998

	n.c.	n.c.	100 à 149 F

Sa robe est très profonde et mate. Le nez boisé est agrémenté de notes de petits fruits noirs. C'est en bouche qu'il exprime toute sa puissance avec des tanins qui demandent à se fondre. Attendre au moins deux ans. Il donnera la réplique sans faillir à une viande en sauce ou à un fromage fort.
Les domaines Bernard, rte de Sérignan, 84100 Orange, tél. 04.90.11.86.86, fax 04.90.34.87.30

DOM. DE BOIS DAUPHIN 1999*

	2 ha	8 000	70 à 99 F

Une belle harmonie émane de cette bouteille qui cache son jeu ! Une entrée en matière facile qui laisse place à des notes de miel et de vanille. Le fondu du boisé est délicat, traduisant la grande réussite du vinificateur. A boire dans les trois ans avec un poisson en sauce.
EARL Jean Marchand, 21, rte d'Orange, 84230 Châteauneuf-du-Pape, tél. 04.90.83.70.34, fax 04.90.83.50.83, e-mail jean.marchand4@wanadoo.fr ☑ ⵏ r.-v.

MAS DE BOISLAUZON 1998*

	8 ha	15 000	70 à 99 F

C'est un vin riche et fin qui demande encore du temps pour s'arrondir. Vous l'apprécierez pour ses notes de fruits rouges et d'épices qui parfument délicatement le palais. Il peut attendre trois ans sans crainte, et il accompagnera toutes les viandes rouges.
Monique et Daniel Chaussy, quartier Boislauzon, 84100 Orange, tél. 04.90.34.46.49, fax 04.90.34.46.61 ☑ ⵏ t.l.j. sf dim. 10h-12h 13h-18h; f. 15-30 sept.

BOISRENARD 1998**

	2,5 ha	8 000	150 à 199 F

Le domaine de Beaurenard, entré dans la famille Coulon il y a... sept générations, fait partie des plus réputés de l'AOC car il a toujours été très attentif à la conduite de la vigne. Et l'on sait que sans bon raisin il n'y a pas de grand vin. Ici, tout a été bon dans le millésime 98. La **cuvée principale** rouge reçoit une étoile (70 à 99 F). On peut lui faire confiance. Cette cuvée Boisrenard, malheureusement confidentielle, obtient les félicitations du jury. L'absence de filtration offre une garantie de respect des arômes (myrtille et chocolat) et donne à la bouche une longueur flatteuse. On peut déjà déguster ce vin mais il atteindra sa plénitude dans cinq ans. A réserver à du gibier ou à une belle viande. Signalons aussi le **Domaine de Beaurenard en blanc 99** (70 à 99 F). Il obtient une étoile pour sa puissance et l'élégance de ses arômes. Buvez-le à l'apéritif avant de servir à table le coup de cœur !

SCEA Paul Coulon et Fils, Dom. de Beaurenard, av. Pierre-de-Luxembourg, 84231 Châteauneuf-du-Pape, tél. 04.90.83.71.79, fax 04.90.83.78.06, e-mail paul.coulon@beaurenard.fr ☑ ⵏ t.l.j. sf dim. 9h-12h 13h30-17h30; groupes sur r.-v.

BOSQUET DES PAPES
Cuvée traditionnelle 1998*

	9 ha	40 000	70 à 99 F

Une cave située à 300 m du château, construite dans le quartier du Bosquet qui a donné son nom à ce vin élaboré à partir d'une cuvaison longue (trois semaines) et élevé dix-huit mois en fût de chêne. Un seul adjectif le qualifie : robuste, même si l'attaque est souple car elle laisse apparaître une belle structure avec des arômes de bonne vendange, de pruneau, d'épices, d'herbes de Provence... finement boisés. A attendre sans souci quatre à cinq ans. Peut accompagner une côte de bœuf au thym.
M. Maurice Boiron, Dom. Bosquet des Papes, rte d'Orange, 84230 Châteauneuf-du-Pape, tél. 04.90.83.72.33, fax 04.90.83.50.52 ☑ ⵏ t.l.j. sf dim. 9h-12h 13h30-19h30

LAURENT-CHARLES BROTTE
Vieilles vignes 1998**

	1 ha	4 000	100 à 149 F

Une bonne action en échange d'une bonne bouteille : une **cuvée des Hospices, rouge 99** qui obtient une étoile pour sa subtilité et l'excellent mariage du bois et du vin ; elle provient des dons des producteurs pour les Hospices. Cette cuvée issue de vieilles vignes - quatre-vingt-huit ans, nous dit-on - met à la fois en valeur la qualité du raisin et le savoir-faire de l'œnologue. Celui-ci a su en exprimer tout le potentiel. Très beau, riche, harmonieux, tels sont les qualificatifs enthousiastes des dégustateurs. A découvrir

RHONE

absolument dès aujourd'hui, mais il sera dans la force de l'âge d'ici quatre à cinq ans environ.

🍷 Laurent-Charles Brotte, rte d'Avignon, 84230 Châteauneuf-du-Pape, tél. 04.90.83.70.07, fax 04.90.83.74.34 ☑ ⊺ t.l.j. 9h-12h 14h-18h

CH. CABRIERES 1998

| ■ | 30 ha | 60 000 | ▤ ▥ ⚬ | 70 à 99 F |

Un joli château qui, avant de donner du vin, fournissait au XIVᵉs. le pain aux fermes environnantes. Ce 98 finement boisé réjouira les amateurs : vanille et grillé se disputent la préséance. La longueur en bouche s'exprime par un réglissé sans fin. Bien structuré, très typé au palais, ce vin est à boire dans les trois ans sur une entrecôte grillée dont la concordance des arômes.

🍷 SCEA Ch. Cabrières, rte d'Orange, CD 68, 84230 Châteauneuf-du-Pape, tél. 04.90.83.73.58, fax 04.90.83.75.55 ☑ ⊺ r.-v.

DOM. CHANTE CIGALE 1998★★

| ■ | 30 ha | 20 000 | ▥ | 70 à 99 F |

Oubliez votre côté fourmi et laissez-vous séduire par les notes veloutées de fruits rouges de ce 98. La bouche est ronde et élégante et demande plusieurs verres pour découvrir ses multiples facettes. Après quoi vous chanterez ses louanges, pendant au moins cinq ans.

🍷 Sabon-Favier, av. Louis-Pasteur, 84230 Châteauneuf-du-Pape, tél. 04.90.83.70.57, fax 04.90.83.58.70 ☑ ⊺ t.l.j. sf dim. 10h-18h

MAS CHANTE MISTRAL 1998

| ■ | 2 ha | 9 000 | ▤ | 50 à 69 F |

Aujourd'hui, ce vin est dans sa jeunesse fougueuse, caractérisée par des notes animales et épicées. Les tanins bien présents sont soutenus par un alcool capiteux. A attendre deux ou trois ans avant de le servir sur une côte de bœuf.

🍷 Mas Chante Mistral, 1880, rte de Caderousse, 84350 Courthezon, tél. 04.90.70.72.65, fax 04.90.70.78.10 ☑ ⊺ t.l.j. 9h-12h 14h-18h

🍷 M. et C. Henri

DOM. CHARVIN 1998★

| ■ | 7,5 ha | 20 000 | ▥ | 70 à 99 F |

Un domaine de 22 ha créé en 1851. La vinification traditionnelle sans éraflage impose un élevage plus long. Mais les amateurs qui auront la patience d'attendre au moins cinq ans ne seront pas déçus. C'est un vin riche de senteurs de thym, de cassis et de fruits à l'alcool. Sa longueur en bouche rivalise avec les meilleurs. A servir sur des viandes en sauce.

🍷 EARL Gérard Charvin et Fils, chem. de Maucoil, 84100 Orange, tél. 04.90.34.41.10, fax 04.90.51.65.59 ☑ ⊺ r.-v.

DOM. CHEMIN VIEUX 1998★

| ■ | 10,5 ha | 35 000 | ▤ ▥ | 50 à 69 F |

Très apprécié pour son intensité et sa fraîcheur, ce vin du négoce offre un bon rapport qualité-prix qui autorise sa découverte sans arrière-pensée. Son équilibre et sa longueur le mettront en valeur sur une viande grillée. A boire dès aujourd'hui.

🍷 Les Grandes Serres, rte de l'Islon, 84230 Châteauneuf-du-Pape, tél. 04.90.83.72.22, fax 04.90.83.78.77 ☑ ⊺ r.-v.

CLEFS DES PRELATS 1998★

| ■ | 4 ha | 13 000 | ▥ | 70 à 99 F |

Un vin de négoce qui possède une grande finesse olfactive tout en étant capiteux, avec des notes de fruits confits. Les tanins rudes demandent un peu de temps pour s'assouplir (trois ans).

🍷 Sefivin-H. Bouachon, rte de Châteauneuf, 84230 Châteauneuf-du-Pape, tél. 04.90.83.58.35, fax 04.90.83.77.23, e-mail informatique@caves.saint-pierre.com ☑ ⊺ r.-v.

CLOS SAINT-MICHEL 1998

| ■ | n.c. | 50 000 | ▤ | 70 à 99 F |

Une très belle couleur qui accompagne un nez animal, marqué de cuir. En bouche, les tanins bien présents demanderont un peu de temps pour se fondre. Compter cinq ans avant de déguster ce Clos sur une viande en sauce.

🍷 EARL Vignobles Guy Mousset et Fils, Le Clos Saint-Michel, rte de Châteauneuf, 84700 Sorgues, tél. 04.90.85.56.05, fax 04.90.83.56.06 ☑ ⊺ r.-v.

CH. DES FINES ROCHES 1999★

| ☐ | 4,5 ha | 18 000 | ▤ ⚬ | 70 à 99 F |

Louis Mousset a acheté avant guerre cette forteresse impressionnante qui appartint au manadier félibre Folco de Baroncelli. Un or, pâle à pâlir de plaisir, définit la robe de ce 99. Le nez est fin et élégant avec des notes d'abricot et de fruits exotiques acquises par une vinification « à froid ». Une belle prestance qui destine naturellement ce vin à accompagner un poisson grillé ou un fromage de chèvre.

🍷 SCEA Ch. des Fines Roches, 1, av. du Baron-Leroy, 84230 Châteauneuf-du-Pape, tél. 04.90.83.51.73, fax 04.90.83.52.77 ☑ ⊺ r.-v.

DOM. DE FONTAVIN 1998★

| ■ | 3 ha | 14 000 | ▤ ▥ | 50 à 69 F |

Hélène Chouvet est le maître de chai depuis 1998. Elle a élaboré là un millésime très réussi, facile à aborder, qui se caractérise par sa douceur. Le nez est un complexe de fruits, de thym et d'épices. La bouche est chaleureuse ; ses tanins se fondront au fil du temps (compter au moins trois ans). C'est un beau spécimen à déguster avec un sanglier.

🍷 EARL Hélène et Michel Chouvet, Dom. de Fontavin, 1468, rte de la Plaine, 84350 Courthézon, tél. 04.90.70.72.14, fax 04.90.70.79.39 ☑ ⊺ t.l.j. sf dim. 9h-12h30 13h30-19h

DOM. FONT DE MICHELLE
Cuvée Etienne Gonnet 1998★★

| | 4 ha | 16 000 | ▥ | 150 à 199 F |

« Font » veut dire source. Etabli sur un site gallo-romain, Font de Michelle célèbre la mémoire du père des propriétaires actuels avec cette belle cuvée. Un boisé léger apporte les notes de cuir et de chocolat qui rivalisent avec celles de violette. En bouche, les tanins bien présents ne demandent qu'à se fondre. Pour cela, attendre cinq ans pour jouir de la puissance de ce grand vin. Son caractère s'accordera alors avec un civet de lièvre. En **blanc 99**, le domaine reçoit une étoile (70 à 99 F). Plein de promesses lui aussi, ce vin réalise l'équilibre parfait entre la fraîcheur et la puissance.

☛ EARL Les Fils d'Etienne Gonnet, 14, imp. des Vignerons, 84370 Bédarrides, tél. 04.90.33.00.22, fax 04.90.33.20.27, e-mail egonnet@terre-net.fr ☑ ⟙ r.-v.

DOM. DU GALET DES PAPES
Tradition 1998★★

■	n.c.	20 000	ⅢⅠ 70 à 99 F

Conduit par la famille Mayard depuis le Second Empire, ce domaine s'étend sur 13 ha. La robe de ce 98 est déjà évoluée grâce au vieillissement en foudre de chêne. On y distingue des notes de fruits, d'épices et de cuir. En bouche, il offre une grande légèreté et beaucoup d'élégance. A servir dès aujourd'hui sur de petits gibiers ou des fromages délicats. Notez que la **cuvée Vieilles vignes 98**, plus puissante, aux tanins bien enrobés, obtient une étoile.

☛ Jean-Luc Mayard, Dom. du Galet des Papes, 15, rte de Bédarrides, 84230 Châteauneuf-du-Pape, tél. 04.90.83.73.67, fax 04.90.83.50.22, e-mail galet.des.papes@terre-net.fr ☑ ⟙ t.l.j. sf dim. 9h-12h 14h30-18h30

DOM. GRAND VENEUR 1999★★

☐	1,9 ha	8 760	■ ♦ 70 à 99 F

Voici un vin qui convient parfaitement à celui qui veut découvrir les vins blancs de châteauneuf-du-pape. Typique de son appellation et facile d'abord, il présente une belle robe or à reflets verts. Le nez est riche de fruits mûrs, de coing, de miel et d'épices. La bouche, dans la suite, emplit le palais d'arômes puissants en respectant un parfait équilibre. A garder deux ans avant de le servir sur un poisson en sauce. En **rouge, la cuvée Les Origines 98** (100 à 149 F) a séduit par la présence d'un beau fruité que ne domine pas le fût. Une étoile qui grandira encore.

☛ EARL Alain Jaume, Dom. Grand Veneur, rte de Châteauneuf-du-Pape, 84100 Orange, tél. 04.90.34.68.70, fax 04.90.34.43.71 ☑ ⟙ t.l.j. 8h-12h30 13h30-18h30

LA BASTIDE-SAINT-DOMINIQUE
1999★★

☐	1,5 ha	5 000	■ ♦ 70 à 99 F

Acheté en 1976, ce domaine constitué de 25 ha sur sable, argile et galets a proposé une cuvée spéciale baptisée **Secrets de Pignan en rouge 98** (100 à 149 F) qui obtient une étoile : elle nous conduit à une belle évocation de la garrigue (thym et notes résinées) ; bien structurée, elle est très intéressante. Voici aussi un blanc riche et puissant, déjà plaisant par ses notes de fleurs blanches et d'amande grillée. Promis à un bel avenir, si on a la patience d'attendre, il sera à déguster sur un poisson ou une viande blanche dans les cinq ans.

☛ SCEA Gérard et Marie-Claude Bonnet, La Bastide-Saint-Dominique, 84350 Courthézon, tél. 04.90.70.85.32, fax 04.90.70.76.64 ☑ ⟙ t.l.j. 8h-12h 15h-19h

DOM. LA BEGUDE DES PAPES 1998

■	8 ha	30 000	■ Ⅲ ♦ 50 à 69 F

La robe de ce 98 est légère ; son petit nez, plaisant, présente des notes de fruits rouges et de coing. Cependant il ne faut pas conclure trop rapidement à une absence de caractère. En effet la bouche est charnue et chaleureuse, voire fougueuse. Laissez-le s'assagir deux ou trois ans avant de le livrer à un gibier à plume.

☛ Alain Jacumin, 9, chem. du Clos, B.P. 14, 84231 Châteauneuf-du-Pape, tél. 04.90.83.78.55, fax 04.90.83.78.55 ☑ ⟙ t.l.j. sf sam. dim. 9h-18h

DOM. DE LA CHARBONNIERE
Les Hautes Brusquières Cuvée spéciale 1998★

■	2,5 ha	10 000	Ⅲ 100 à 149 F

Assemblage de grenache (60 %) et de syrah, ce vin a été mis en bouteille sans filtration. Cette cuvée des Hautes Brusquières est vraiment de bonne naissance. Parée d'une robe soutenue, elle offre des senteurs élégantes et denses d'amande et de vanille. Les tanins fondus offrent un bon potentiel de vieillissement : dix ans sans doute. Pour les moins patients, notons la **cuvée principale 98**, plus facile et tout à fait réjouissante (70 à 99 F).

☛ Michel Maret, Dom. de La Charbonnière, 84230 Châteauneuf-du-Pape, tél. 04.90.83.74.59, fax 04.90.83.53.46 ☑ ⟙ r.-v.

CH. DE LA GARDINE 1998★★

■	48 ha	200 000	■ Ⅲ ♦ 100 à 149 F

Tout aussi célèbre hors de France que dans l'Hexagone, La Gardine propose de remarquables vins, tel celui-ci. De longue garde, il demande à se bonifier. Le nez riche d'épices, de réglisse et de violette va s'ouvrir peu à peu. La puissance en bouche associe des tanins ronds avec un fruité réussi. Un grand châteauneuf qui exprime son terroir d'exception. A attendre cinq ans. A noter, la **cuvée des Générations 98** tout aussi remarquable, issue de vignes plus âgées ; elle est aussi beaucoup plus chère (300 à 499 F).

☛ Brunel, Ch. de La Gardine, rte de Roquemaure, 84230 Châteauneuf-du-Pape, tél. 04.90.83.73.20, fax 04.90.83.77.24, e-mail brunel@chateau-de-la-gardine.fr ☑ ⟙ r.-v.

DOM. DE LA JANASSE
Vieilles vignes 1998★★

■	2 ha	8 000	Ⅲ 200 à 249 F

Dans tous les domaines ce vin atteint vraiment des sommets. Des vendanges éraflées à 70 %, une macération de vingt-six jours, un élevage à 60 % en foudres et à 40 % en barriques dont une moitié de neuves. Après douze mois de fût, le boisé est bien présent mais laisse entrevoir des notes d'épices et de garrigue. La bouche est ronde, ample et capiteuse. Une garde d'au moins cinq ans est à envisager. Ce 98 se mariera à la perfection avec un gibier. Si vous aimez la poularde, le jury vous conseille la **cuvée Prestige en blanc 98**. Très boisée elle aussi, mais la bouche ronde et profonde est un enchantement. Une étoile pour un prix aussi élevé que les Vieilles vignes.

RHONE

☛ EARL Aimé Sabon, 27, chem. du Moulin, 84350 Courthézon, tél. 04.90.70.86.29, fax 04.90.70.75.93 ☑ ⊺ t.l.j. 8h-12h 14h-19h; sam. dim. sur r.-v.

DOM. DE LA MORDORÉE
Cuvée de la Reine des Bois 1998★★

| ■ | 3,5 ha | 14 000 | 🍾🍷⚥ | 150 à 199 F |

Partisan des petits rendements afin de tirer la quintessence du terroir, habitué aux plus hautes récompenses (coup de cœur l'an dernier pour le 97), ce domaine met à nouveau son vin en haut de l'affiche, maîtrisant la matière première et l'usage de la barrique. Il donne un vin plein et élégant, d'une robe pourpre foncé. Laurier, romarin, marinade, fruits rouges et notes torréfiées se marient merveilleusement. Sa structure tannique est digne du millésime. Il faut savoir l'attendre quatre ans et plus pour savourer un grand plaisir.

☛ Dom. de La Mordorée, chem. des Oliviers, 30126 Tavel, tél. 04.66.50.00.75, fax 04.66.50.47.39 ☑ ⊺ t.l.j. sf dim. 8h-12h 13h30-17h30
☛ Delorme

CH. LA NERTHE 1998★★

| ■ | 70 ha | 230 000 | 🍾🍷⚥ | 100 à 149 F |

Ce magnifique château vaut à lui seul la visite. Il est daté du XVIᵉˢ. - sans doute existait-il auparavant, mais ses archives ne remontent qu'à... 1560 ! Ses caves sont exceptionnelles. Le vin n'est jamais en reste puisqu'il fait partie du gotha de France. La même réussite dans les deux couleurs consacre une fois encore ce domaine. Unanimement apprécié par le jury pour ses notes de fruits mûrs et de cerise à l'alcool, c'est en bouche que ce rouge exprime toute sa noblesse et sa superbe. On peut le déguster aujourd'hui, ou attendre facilement dix ans. A noter la belle réalisation de la **cuvée des Cadettes 97**, une étoile (150 à 199 F), encore très boisée.

☛ SCA Ch. La Nerthe, rte de Sorgues, 84230 Châteauneuf-du-Pape, tél. 04.90.83.70.11, fax 04.90.83.79.69, e-mail la.nerthe@wanadoo.fr ☑ ⊺ t.l.j. 9h-12h 14h-18h
☛ M. Richard

CH. LA NERTHE
Clos de Beauvenir 1998★★

| □ | 1 ha | 4 000 | 🍷⚥ | 150 à 199 F |

Si le château La Nerthe est une valeur sûre de l'appellation, son clos de Beauvenir en est le phare. On trouvera rarement blanc si lumineux, nez si riche de fleurs et de fruits. La structure puissante et fine est soutenue par un boisé vanillé superbe. Ce vin accompagnera bien un poisson grillé au fenouil. Notons aussi que la **cuvée principale Château La Nerthe blanc millésime 99** est très réussie et mérite votre attention (100 à 149 F).

☛ SCA Ch. La Nerthe, rte de Sorgues, 84230 Châteauneuf-du-Pape, tél. 04.90.83.70.11, fax 04.90.83.79.69, e-mail la.nerthe@wanadoo.fr ☑ ⊺ t.l.j. 9h-12h 14h-18h

LA NONCIATURE Grande Réserve 1998★

| □ | 1 ha | 3 000 | 🍾🍷⚥ | 100 à 149 F |

Après un investissement d'un million de francs pour moderniser les chais en 1999, un effort important a été réalisé au vignoble pour favoriser l'éclaircissage et les vendanges par tris successifs. Puis un processus de traçabilité de la vigne à la bouteille a été mis en place. Ce vin est puissant et gras. Le bois très présent ravira les amateurs : les arômes d'abricot, de fleurs blanches et un vanillé discret lui donnent une longueur exceptionnelle. A boire dans les cinq ans sur des poissons en sauce relevée.

☛ Vignobles Max Aubert, Dom. de La Présidente, 84290 Sainte-Cécile-les-Vignes, tél. 04.90.30.80.34, fax 04.90.30.72.93 ☑ ⊺ r.-v.
☛ Max et René Aubert

LA PONTIFICALE 1998

| ■ | n.c. | 20 000 | 🍷⚥ | 70 à 99 F |

Il se caractérise par sa finesse et sa légèreté : on est séduit par la douceur de la vanille. A boire sans complexe dès aujourd'hui sur des côtes d'agneau grillées.

☛ Cellier de L'Enclave des Papes, rte d'Orange, 84600 Valréas, tél. 04.90.41.91.42, fax 04.90.41.90.21
☛ Elie Jeune SA

LAURUS 1998★

| ■ | 3,5 ha | 15 000 | 🍾🍷⚥ | 100 à 149 F |

Deux cuvées jugées aussi réussies l'une que l'autre chez ce négociant-éleveur. La cuvée Laurus, animale et grillée, est appréciée pour son bon équilibre. La **cuvée du Concordat 98** est plus fruitée avec davantage de finesse (70 à 99 F). Associer la première avec des viandes relevées et garder la seconde pour des mets plus délicats. A attendre trois à cinq ans.

☛ Gabriel Meffre, Le Village, 84190 Gigondas, tél. 04.90.12.32.42, fax 04.90.12.32.49, e-mail gabriel-meffre@meffre.com

COMTE DE LAUZE 1998★

| ■ | 16 ha | 71 200 | 🍷⚥ | 70 à 99 F |

Un long élevage de dix-huit mois en foudre et pièce a conféré à ce 98 quelques reflets bruns et des notes de vanille et de tabac. Un second nez de pain d'épice et de miel se développe ensuite. La bouche tout en rondeur reste fidèle au nez. Un vin plein qui ravira les amateurs de foudre. A boire dès à présent sur une viande rouge grillée.

☛ SCEA Jean Comte de Lauze, 7, av. des Bosquets, 84230 Châteauneuf-du-Pape, tél. 04.90.83.72.87, fax 04.90.83.50.93 ☑ ⊺ t.l.j. 8h-18h; sam. dim. r.-v.

DOM. DE LA VIEILLE JULIENNE
Vieilles vignes 1998★

| ■ | 1,2 ha | 3 600 | 🍷⚥ | 150 à 199 F |

Douze mois de barrique pour cet assemblage très réussi (80 % de grenache, 10 % de syrah et 10 % de mourvèdre). La robe est sombre avec des reflets violacés. Le nez est, bien sûr, boisé. En bouche, le bois demande quelques années pour s'estomper et mettre en valeur le gras et les arômes de fruits. A attendre cinq ans pour servir sur une viande en sauce.

•⌐EARL Daumen Père et Fils, Dom. de La Vieille Julienne, Le Grès, 84100 Orange, tél. 04.90.34.20.10, fax 04.90.34.10.20, e-mail jpdaumen@club-internet.fr ☑ ☨ t.l.j. 9h-12h 14h-19h; sam. dim. sur r.-v.

LE CLOS DU CAILLOU Réserve 1998★★

| ■ | n.c. | 7 000 | ⪽ | 150 à 199 F |

Oui, la réserve du Clos du Caillou vous laissera sous le charme par sa puissance étourdissante. Les tanins demandent à se fondre. Comptez au moins cinq ans pour les dompter car le corps est constitué d'une matière dense et riche qui l'emportera sur le fût aujourd'hui dominant. A savourer sur un gibier en sauce, par exemple.
•⌐J.-D. Vacheron, Clos du Caillou, 84350 Courthézon, tél. 04.90.70.73.05, fax 04.90.70.76.47 ☑ ☨ t.l.j. sf dim. 9h-12h 14h-18h

CH. MAUCOIL 1998★

| ■ | 17 ha | 70 000 | ⪽ | 70 à 99 F |

La via Agrippa passait à la limite de Maucoil, cantonnement d'une légion romaine. L'histoire est aussi présente sur ce domaine de 45 ha. Deux mille ans plus tard, les vignes donnent un joli vin dont la robe présente des signes d'évolution dus à l'élevage en bois. Au nez, les fruits confits s'associent au grillé et au vanillé. La bouche, puissante, invite à le marier avec un grand gibier en sauce. Mais sachez attendre deux à trois ans.
•⌐Ch. Maucoil, B.P. 07, 84231 Châteauneuf-du-Pape, tél. 04.90.34.14.86, fax 04.90.34.71.88 ☑ ☨ r.-v.
•⌐Arnaud

DOM. MONPERTUIS 1999★

| ☐ | 3 ha | 10 000 | ⪽ | 50 à 69 F |

Un domaine qui réalise un travail de qualité : notons en particulier le sérieux du tri des vendanges. Ce vin se laisse découvrir peu à peu et apparaît dans toute son élégance après quelques minutes. La pêche blanche est sa caractéristique dominante. Son équilibre flatteur embellira un saumon ou une viande blanche. A boire dans les trois ans.
•⌐Vignobles Paul Jeune, 14, chem. des Garrigues, 84232 Châteauneuf-du-Pape, tél. 04.90.83.73.87, fax 04.90.83.51.13, e-mail vignoblespauljeune@wanadoo.fr ☑ ☨ r.-v.

CH. MONT-REDON 1998★

| ■ | 78 ha | 370 000 | ⪽ | 100 à 149 F |

100 ha de vignes en châteauneuf-du-pape, 20 ha en côtes du rhône, Mont-Redon appartient au club assez fermé des grands crus du Rhône. Vignoble ancestral, ceps de plus de quarante ans, exportation vers trente-quatre pays... Un élevage bien conduit avec une partie en cuve et l'autre partie en fût. Ce 98 se distingue par sa robe sombre et brillante. Le nez allie la vanille et le café au cassis. La bouche est pleine, d'une belle longueur, tirant sur la truffe. A attendre trois ans pour apprécier sa plénitude.

•⌐Familles Abeille-Fabre, Ch. Mont-Redon, 84230 Châteauneuf-du-Pape, tél. 04.90.83.72.75, fax 04.90.83.77.20, e-mail chateaumontredon@wanadoo.fr ☑ ☨ r.-v.

DOM. MOULIN-TACUSSEL 1998★

| ■ | 8,5 ha | 12 000 | ⪽ | 70 à 99 F |

On est rapidement séduit par l'ampleur de l'attaque et l'explosion de fruits mûrs : myrtille, poire, cerise. Un vin flatteur et équilibré à déguster dès aujourd'hui mais qui peut attendre trois ans. A servir sur toutes les viandes rouges.
•⌐Dom. Moulin-Tacussel, 10, av. des Bosquets, 84230 Châteauneuf-du-Pape, tél. 04.90.83.70.09, fax 04.90.83.50.92 ☑ ☨ t.l.j. 9h-19h; f. 21 déc.-3 janv.

DOM. DE NALYS 1998★

| ■ | 38 ha | 150 000 | ⪽ | 50 à 69 F |

Un très beau mas provençal portant le nom de Jacques Nalys qui fut fermier général des papes en Avignon. Ce domaine perpétue la tradition de l'élevage en foudre (35 hl), très répandu au début du XXᵉs. C'est cet élevage qui donne à ce 98 son caractère épicé, allié aux fruits rouges et à la violette. Bien structuré et gras, il demande à s'affiner au moins deux ans et pourra attendre encore quatre ans. A servir sur du gibier ou une viande en sauce relevée.
•⌐SCI Dom. de Nalys, rte de Courthézon, 84230 Châteauneuf-du-Pape, tél. 04.90.83.72.52, fax 04.90.83.51.15 ☑ ☨ t.l.j. sf dim. 8h-12h 13h30-18h; sam. sur r.-v.
•⌐Groupama

OGIER Cuvée de la Reine Jeanne 1998★★

| ■ | n.c. | 30 000 | ⪽ | 70 à 99 F |

Une grande noblesse se dégage de cette cuvée de la Reine Jeanne. La douceur de la vanille prédomine. Les tanins présents mais de bonne qualité sont d'une grande longueur. Ce vin demande encore trois à quatre ans pour s'affirmer. L'amateur patient le réservera à des plats relevés.
•⌐Ogier-Caves des Papes, 10, bd Pasteur, 84230 Châteauneuf-du-Pape, tél. 04.90.39.32.32, fax 04.90.83.72.51 ☑ ☨ t.l.j. sf dim. 8h30-18h30

DOM. DU PEGAU Cuvée réservée 1998★★

| ■ | 17 ha | 65 000 | ⪽ | 100 à 149 F |

Un vin intense et capiteux exhalant des arômes d'épices, de cuir et de confiture de fruits noirs. La bouche est ronde et puissante, avec un boisé présent mais bien maîtrisé. Une belle typicité en somme. A réserver pour une viande rouge, d'ici trois ou quatre ans.
•⌐Dom. du Pegau, av. Impériale, 84230 Châteauneuf-du-Pape, tél. 04.90.83.72.70, fax 04.90.83.53.02, e-mail pegau@pegau.com ☑ ☨ r.-v.
•⌐Feraud

DOM. SAINT-GAYAN 1998

| ■ | 0,77 ha | 3 500 | ⪽ | 70 à 99 F |

Très honnête, ce domaine Saint-Gayan ! C'est l'élevage en fût pendant un an qui donne à ce 98 toutes ses caractéristiques : un nez animal qui

RHONE

s'ouvre ensuite, des tanins présents qu'une garde de quatre ans dans une bonne cave adouciront.
☛ EARL Jean-Pierre et Martine Meffre, Dom. Saint-Gayan, 84190 Gigondas, tél. 04.90.65.86.33, fax 04.90.65.85.10 ☑ ▼ t.l.j. sf dim. 9h-11h45 14h-18h30

DOM. DES SENECHAUX 1998★

■	20 ha	75 000	▤ ◫ ⚭	70 à 99 F

Acquis en 1993 par Pascal Roux (Château du Trignon à Gigondas), les Sénéchaux sont élevés en partie en bois. Ce 98 est un vin plaisir par excellence, fruité, équilibré, avec une puissance bien maîtrisée. Il sera le compagnon idéal de vos gibiers ou de viandes rouges, aujourd'hui et demain, dans les trois ans.
☛ Pascal Roux, Dom. des Sénéchaux, 3, rue de la Nouvelle-Poste, 84231 Châteauneuf-du-Pape, tél. 04.90.83.73.52, fax 04.90.83.52.88 ☑ ▼ r.-v.

CH. SIMIAN 1998★

■	3 ha	14 000	▤ ◫ ⚭	70 à 99 F

Grenache (70 %), syrah (25 %) et cinsault quinquagénaires égrappés à 100 %, ont donné ce très beau vin limpide qui garde toute l'intensité de ses fruits rouges. Les tanins présents, confortés par un élevage de douze mois en foudre, sont de qualité et ne gâchent en rien la richesse du vin. Equilibré, celui-ci possède un bon potentiel (de trois à cinq ans).
☛ Jean-Pierre Serguier, Ch. Simian, 84420 Piolenc, tél. 04.90.29.50.67, fax 04.90.29.62.33 ☑ ▼ t.l.j. sf dim. 8h30-12h 14h-19h

DOM. RAYMOND USSEGLIO 1998★★★

■	15 ha	10 000	◫ ⚭	70 à 99 F

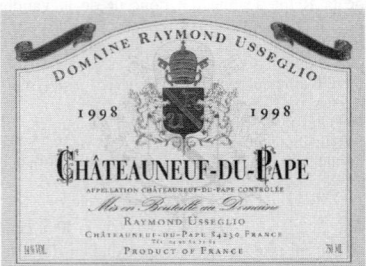

Il est assez rare d'obtenir unanimement la meilleure note, mais l'obtenir pour deux vins, voilà un événement suffisamment exceptionnel pour être souligné. Egalité donc entre le domaine Raymond Usseglio, cuvée principale, et la **cuvée Impériale 98** (100 à 149 F). La première se distingue par son fruité et sa franchise, la seconde par sa bouche capiteuse et charnue. L'une assemble trois cépages de soixante ans d'âge en moyenne, l'autre réunit des cépages presque centenaires. A garder au moins cinq ans (dix ans seraient mieux) par respect de cette qualité rare.
☛ Dom. Raymond Usseglio, rte de Courthézon, B.P. 29, 84230 Châteauneuf-du-Pape, tél. 04.90.83.71.85, fax 04.90.83.50.42 ☑ ▼ r.-v.

DOM. PIERRE USSEGLIO ET FILS
1998★★

■	5 ha	20 000	◫ ⚭	50 à 69 F

Un vin à la robe dense et profonde, puissant et complexe, qui rivalise avec les plus grands. Il tiendra ses promesses. Ses tanins très présents, sa concentration, des notes empyreumatiques, d'épices et de fruits rouges accompagnent une très belle charpente. A attendre cinq à dix ans, pour le servir sur du gibier ou une belle viande rouge.
☛ EARL Dom. Pierre Usseglio et Fils, rte d'Orange, 84230 Châteauneuf-du-Pape, tél. 04.90.83.72.98, fax 04.90.83.72.98 ☑ ▼ r.-v.

CH. DE VAUDIEU 1999★

☐	10 ha	12 000	▤ ⚭	100 à 149 F

Vaste propriété construite au XVIIIᵉs. par un lieutenant de l'Amirauté de Marseille, Vaudieu compte aujourd'hui 70 ha ; le domaine est dirigé par la fille et le petit-fils de Gabriel Meffre qui l'acheta après la Seconde Guerre mondiale. A côté d'un **rouge 98** (85 000 bouteilles) tout en légèreté et en petits fruits rouges, à servir dès maintenant et cité par le jury, ce blanc, très réussi, couronne les efforts du vinificateur. A dominante de grenache, il exhale des senteurs de garrigue qui se prolongent en bouche. L'équilibre vif et élégant lui confère une grande harmonie. A boire dans les deux ans avec des fruits de mer.
☛ Ch. de Vaudieu, 84230 Châteauneuf-du-Pape, tél. 04.90.83.70.31, fax 04.90.83.51.97 ☑ ▼ r.-v.
☛ Brechet

DOM. DU VIEUX LAZARET 1998★★

☐	10 ha	40 000	◫ ⚭	70 à 99 F

Un lazaret (hospice) du XVIIIᵉs. donna son nom à ce domaine, propriété de l'ancien président de l'INAO. Deux vins dégustés, deux vins d'un très grand intérêt. Ce Domaine du Vieux Lazaret surprend par sa finesse et sa richesse aromatique. Une évolution vers le miel et le cuir se fait déjà sentir, rehaussée par un boisé harmonieux. Ce vin est à boire dans les trois ans avec un poisson à la vapeur. Citons aussi du même producteur le **Domaine Duclaux 98**, plus gras et plus boisé, qui accompagnera merveilleusement un poisson en sauce.
☛ Vignobles Jérôme Quiot, av. Baron-Leroy, 84230 Châteauneuf-du-Pape, tél. 04.90.83.73.55, fax 04.90.83.78.48, e-mail quiot-vignobles@wanadoo.fr ▼ t.l.j. sf sam. dim. 8h30-18h, groupes sur r.-v.

DOM. DU VIEUX TELEGRAPHE
La Crau 1998★

■	50 ha	200 000	▤ ◫ ⚭	100 à 149 F

Un élevage long et soigné a permis d'exprimer tout le potentiel de la matière première. Le nez est très fruits rouges, relayés en bouche par la vanille et la réglisse. La concentration est digne des plus belles cuvées de l'appellation. A attendre au moins cinq ans. Citons du même propriétaire le **Domaine de la Roquette 98**, autant apprécié, et qui présente plus de légèreté et de fraîcheur (70 à 99 F).

⊶ Frédéric et Daniel
Brunier, rte de Châteauneuf-du-Pape,
64370 Bédarrides, tél. 04.90.33.00.31,
fax 04.90.33.18.47, e-mail vignobles@brunier.fr
☑ Y r.-v.

Lirac

Dès le XVIe s., Lirac produisait des vins de qualité que les magistrats de Roquemaure authentifiaient en apposant sur les fûts, au fer rouge, les lettres « C d R ». Nous y trouvons à peu près le même climat et le même terroir qu'à Tavel, au nord, sur une aire répartie entre Lirac, Saint-Laurent-des-Arbres, Saint-Geniès-de-Comolas et Roquemaure. Depuis l'accession de vacqueyras à l'AOC, ce n'est plus le seul cru méridional qui offre les trois couleurs. Il produit 25 600 hl, sur 615 ha. L'appellation offre trois sortes de vins : les rosés et les blancs, tout de grâce et de parfums, qui se marient agréablement avec les fruits de la Méditerranée toute proche et se boivent jeunes et frais ; les rouges, puissants, au goût de terroir prononcé, généreux, et qui accompagnent parfaitement les viandes rouges.

DOM. AMIDO 1998*

■ 6 ha 20 000 ▮ ⓘ ♁ 30 à 49 F

Beau domaine de 25 ha dirigé par Christian Amido depuis 1962. La richesse du grenache (70 % de l'assemblage), l'intensité de la syrah (20 %) complétés par le mourvèdre ont donné un joli vin dont l'élevage de douze mois en foudre a développé les arômes d'épices (cannelle, cardamome et vanille). Les tanins fondus, la bonne structure, le fruit très mûr donnent une réelle impression de plénitude. Déjà prêt, ce 98 peut aussi se garder deux ans. On se souvient du coup de cœur du millésime 95.

⊶ Christian Amido, rue des Carrières,
30126 Tavel, tél. 04.66.50.04.41,
fax 04.66.50.04.41 ☑ Y r.-v.

CH. D'AQUERIA 1998

■ 13,35 ha 68 000 ▮ ⓘ ♁ 50 à 69 F

Contemporain des premières règles instituant une inspection des vignes, édictées par les consuls de Lirac avant d'autoriser les vendanges - nous sommes au XVIII[e]s. -, ce château a proposé un 98 à la robe grenat. Les fruits rouges et les notes animales se donnent rendez-vous au nez, alors que la bouche bien aromatique s'équilibre autour d'une belle matière. Un vin dont il faut profiter dès maintenant.

⊶ SCA Jean Olivier, Ch. d'Aquéria,
30126 Tavel, tél. 04.66.50.04.56,
fax 04.66.50.18.46, e-mail contact@aqueria.com
☑ Y t.l.j. sf sam. dim. 8h-12h 14h-18h

BALAZU DES VAUSSIERES 1998*

■ 1,3 ha 2 500 ⓘ 30 à 49 F

Argile, sable et galets complantés de carignan (25 %), de syrah (20 %) et de grenache ont donné ce lirac très réussi dont les tanins soyeux sont enrobés de notes de fruits mûrs avec une pointe d'eau-de-vie. Rond et gras, il rendra heureux les amateurs de vins subtilement boisés.

⊶ Dom. Christian et Nadia Charmasson,
chem. de la Vaussière, 30126 Tavel,
tél. 04.66.50.44.22, fax 04.66.50.44.22 ☑ Y mer. sam. et dim. 9h-19h

CH. DE BOUCHASSY 1999**

◪ 2 ha 6 500 ▮ ♁ 30 à 49 F

Le jury a été séduit par le **blanc 99** au nez subtil et fleuri. En bouche, ce sont la pêche et l'abricot qui se marient ; il obtient une étoile alors que ce rosé en reçoit deux. Remarquable par sa fraîcheur et la complexité de ses arômes amyliques et fruités, il affiche un bel équilibre et une grande finesse, en heureux compromis avec le gras sur un léger parfum de cassis.

⊶ Gérard Degoul, Ch. de Bouchassy, rte de Nîmes, 30150 Roquemaure, tél. 04.66.82.82.49,
fax 04.66.82.87.80 ☑ Y t.l.j. sf dim. 9h-12h 14h-19h

PIERRE CHANAU 1998

■ n.c. 100 000 ▮ 20 à 29 F

Pierre Chanau est une marque d'Antonin Rodet destinée à la grande distribution ; la société productrice, Sefivin, est aujourd'hui située à Châteauneuf-du-Pape. Cette maison de négoce a fait le bon choix et présente ce lirac à la robe rubis brillant. Le nez animal offre aussi des notes de fruits rouges très mûrs, presque confits. Les tanins affirment leur présence.

⊶ Sefivin-H. Bouachon, rte de Châteauneuf,
84230 Châteauneuf-du-Pape, tél. 04.90.83.58.35,
fax 04.90.83.77.23,
e-mail informatique@caves.saint-pierre.com
Y r.-v.

DOM. LAFOND ROC-EPINE 1998*

■ 4 ha 20 000 ▮ ⓘ 30 à 49 F

Ce vaste domaine de 75 ha conduit depuis 1990 par Pascal Lafond propose un lirac élaboré à partir de 70 % de grenache et de 30 % de syrah, cépages nés sur un sol argilo-calcaire. Ce 98 porte une belle robe rouge foncé soutenu. C'est un vin de garde : le nez est empyreumatique, les tanins sont très présents et doivent s'arrondir en vieillissant.

⊶ Dom. Lafond Roc-Epine, rte des Vignobles,
30126 Tavel, tél. 04.66.50.24.59,
fax 04.66.50.12.42,
e-mail lafond.roc-epine@wanadoo.fr ☑ Y r.-v.
⊶ Pascal Lafond

DOM. LA GENESTIERE 1998

■ 20 ha 100 000 ⓘ 50 à 69 F

Avec un plan d'eau en façade d'une bastide du XVI[e]s., ce domaine, acquis en 1994 par Jean-

RHONE

Lirac

Claude et Raphaël Garcin, offre une jolie halte. Il présente un vin charpenté et équilibré, encore marqué par le bois, mais qui devrait bien évoluer car le fruit est là. Déjà l'œil et le nez sont satisfaits : groseille et épices sont bien présents sous la vanille.

☛ Jean-Claude Garcin, Dom. La Genestière, 30126 Tavel, tél. 04.66.50.07.03, fax 04.66.50.27.03, e-mail genestiere@paewan.fr
☑ Ⅰ t.l.j. sf dim. 8h-18h

DOM. DE LA MORDORÉE
Cuvée de la Reine des Bois 1998★★

| ■ | 5 ha | 25 000 | ■ Ⅲ ⅃ | 50 à 69 F |

Grenache, mourvèdre et syrah, à parts égales, sont élevés par tiers - ou presque - en fût de chêne, en foudre et en cuve. Cela donne un vin élégant, paré d'une robe grenat à reflets violets d'une belle intensité. Epices, cannelle, cacao composent une palette aromatique expressive. La bouche ample, bien structurée, offre une grande persistance sur les fruits mûrs et les épices. Le **lirac blanc 99** reçoit une étoile ; il pourrait plaire à un fromage de chèvre.

☛ Dom. de La Mordorée, chem. des Oliviers, 30126 Tavel, tél. 04.66.50.00.75, fax 04.66.50.47.39 ☑ Ⅰ t.l.j. sf dim. 8h-12h 13h30-17h30
☛ Delorme

LAURUS 1998★

| ■ | 3 ha | 10 000 | ■ Ⅲ | 70 à 99 F |

Elevé en barrique de 275 l fabriquée à l'ancienne et identique à la demi-queue du Vaucluse, ce vin de négociant-éleveur est très réussi dans sa robe grenat soutenu à reflets pourpres. Fruits rouges et pruneaux cuits se retrouvent au nez et en bouche. Le vieillissement en fût est bien dosé, donnant des tanins fins et un bon équilibre.

☛ Gabriel Meffre, Le Village, 84190 Gigondas, tél. 04.90.12.32.42, fax 04.90.12.32.49, e-mail gabriel-meffre@meffre.com

LES LAUZERAIES
Elevé en fût de chêne 1998

| ■ | 10 ha | 50 000 | Ⅲ | 30 à 49 F |

Sept mois de barrique pour ce vin dont la robe cassis à reflets violets est intense. Au nez comme en bouche, on trouve vanille et réglisse. Il mettra du temps à s'émanciper, mais il est bâti pour la garde.

☛ Les Vignerons de Tavel, 30126 Tavel, tél. 04.66.50.03.57, fax 04.66.50.46.57, e-mail tavel.cave@wanadoo.fr ☑ Ⅰ t.l.j. 9h-12h 14h-18h

LES QUEYRADES 1997★

| ■ | 4,5 ha | 24 000 | ■ ⅃ | 30 à 49 F |

Franck Popek, le maître de chai, et Noël Rabot, l'œnologue-conseil, ont élaboré un 97 de bonne garde. Les arômes évoluent du fruit rouge au fruit confit avec des notes de cassis et de myrtille. La bouche complexe mêle cuir et sous-bois. Ce vin est prêt à boire.

☛ SCEA Mejan-Taulier, pl. du Pt-Le-Roy, 30126 Tavel, tél. 04.66.50.04.02, fax 04.66.50.21.72 ☑ Ⅰ r.-v.
☛ André Mejan

DOM. MABY La Fermade 1998★

| ■ | 25 ha | 60 000 | ■ Ⅲ | 30 à 49 F |

Cette vieille propriété familiale a été restructurée en 1995. Né sur galets roulés et sables, ce vin assemble grenache et mourvèdre en majorité. D'excellente facture, couleur grenat, il présente un côté animal au nez. Ample autour d'une belle matière et du fruit rouge, très expressif, il est bien typé.

☛ Dom. Maby, rue Saint-Vincent, B.P. 8, 30126 Tavel, tél. 04.66.50.03.40, fax 04.66.50.43.12 ☑ Ⅰ t.l.j. sf sam. dim. 8h-12h 14h-18h
☛ Roger Maby

CH. MONT-REDON 1999★★★

| ◿ | 1 ha | 5 600 | ■ ⅃ | 30 à 49 F |

Mont-Redon a traversé le Rhône pour compléter sa gamme de vins. Personne ne s'en plaindra car son rosé a obtenu tous les suffrages des dégustateurs. La robe est assez légère, mais les arômes sont exceptionnels : genêt, tilleul, pêche... Quelle longueur ! du fruit, toujours du fruit... Un grand rosé tout en harmonie.

☛ Familles Abeille-Fabre, Ch. Mont-Redon, 84230 Châteauneuf-du-Pape, tél. 04.90.83.72.75, fax 04.90.83.77.20, e-mail chateaumontredon@wanadoo.fr
☑ Ⅰ r.-v.

CH. SAINT-ROCH 1999★★

| ◿ | 2 ha | 10 000 | ■ | 50 à 69 F |

Acquis en 1998 par la famille Brunel, qui, du château de la Gardine, de l'autre côté du Rhône, le convoitait depuis quelque temps, le château Saint-Roch a commencé à augmenter la densité de plantation en doublant les rangs de vigne. Ce 99 est à la hauteur de ses espoirs : sa robe pétale de rose brille. Groseille, cassis et pêche se partagent le nez. Une agréable fraîcheur s'établit en bouche même si celle-ci montre du gras et du moelleux. La finale sur une touche exotique participe à la très belle harmonie de ce rosé. Le **blanc 99**, fort élégant, est cité par le jury.

☛ Maxime et Patrick Brunel, Ch. Saint-Roch, chem. de Lirac, 30150 Roquemaure, tél. 04.66.82.82.59, fax 04.66.82.83.00, e-mail brunel@chateau.saint-roch.com
☑ Ⅰ t.l.j. sf sam. dim. 8h-12h 14h-17h

CH. DE SEGRIES 1998★★

| ■ | 20 ha | 80 000 | ■ | 30 à 49 F |

Il faudra patienter deux ou trois ans avant d'applaudir ce remarquable vin qui séduit dès le premier regard par sa somptueuse robe pourpre cardinalice ; le nez ne se dévoile pas encore totalement mais on perçoit la violette qui signe la présence de la syrah. Ample, construite sur une belle matière, la bouche très fruitée laisse parler le cassis.

☛ Henri de Lanzac, rue de la Fontaine, 30126 Tavel, tél. 04.66.50.07.93, fax 04.66.50.17.02 ☑ ☗ r.-v.

TOUR DES CHENES
Etiquette Fernando Arrabal 1998★★

■	1 ha	5 000	■ ☗	50 à 69 F

Une série limitée à 5000 exemplaires sur laquelle tous les admirateurs d'Arrabal devraient se précipiter... En effet, cette bouteille de collection porte un texte de cet écrivain consacré au lirac. Mais le vin à lui seul justifie un tel achat - nos dégustateurs dégustent à l'aveugle et n'ont pas vu la belle étiquette. « Elégant de bout en bout », note l'un d'entre eux. Une robe profonde, un nez de fruits mûrs très distingué, des tanins fondus, une puissance retenue, tout semble être l'expression d'un grand terroir.

☛ SCEA Tour des Chênes, 30126 Saint-Laurent-des-Arbres, tél. 04.66.50.01.19, fax 04.66.50.34.69, e-mail tour-des-chenes@wanadoo.fr ☑ ☗ r.-v.

Tavel

Considéré par beaucoup comme le meilleur rosé de France, ce grand vin des Côtes du Rhône provient d'un vignoble situé dans le département du Gard, sur la rive droite du fleuve. Sur des sols de sable, d'alluvions argileuses ou de cailloux roulés, c'est la seule appellation rhodanienne à ne produire que du rosé, sur le territoire de Tavel et sur quelques parcelles de la commune de Roquemaure, soit 938 ha ; la production est de 42 800 hl. Le tavel est un vin généreux, au bouquet floral puis fruité, qui accompagnera au poisson en sauce, la charcuterie et les viandes blanches.

CH. D'AQUERIA 1999★★★

◢	44,23 ha	200 000	■ ☗	50 à 69 F

Un des fleurons de l'appellation, le château d'Aquéria présente une nouvelle fois un vin exceptionnel, à la robe rose soutenu avec des reflets bleutés. Le nez intense de fruits rouges a une dominante de groseille. La puissance, la structure et la grande persistance aromatique révèlent la parfaite maîtrise technologique de cette cave au matériel moderne. Voulez-vous rêver ? Mariez-le avec une bourride aux poissons de la Méditerranée...

☛ SCA Jean Olivier, Ch. d'Aquéria, 30126 Tavel, tél. 04.66.50.04.56, fax 04.66.50.18.46, e-mail contact@aqueria.com ☑ ☗ t.l.j. sf sam. dim. 8h-12h 14h-18h

DOM. DES CARABINIERS 1999

◢	5 ha	25 000		50 à 69 F

Ce domaine est en train de se reconvertir : il a fait voici deux ans le choix d'une agriculture biologique. Son tavel porte une robe saumonée à reflets cerise. Le nez mêle épices et fruits rouges avec beaucoup de fraîcheur ; la bouche suit le même rythme, dans un bel équilibre.

☛ Christian Leperchois, Dom. des Carabiniers, 30150 Roquemaure, tél. 04.66.82.62.94, fax 04.66.82.82.15 ☑ ☗ r.-v.

DOM. LAFOND ROC-EPINE
Cuvée Jean-Baptiste 1999★★

◢	2 ha	10 000	■ ☗	50 à 69 F

Toasts en tapenade ou poulet aux écrevisses, sont, selon les dégustateurs, les meilleurs accords pour ce vin remarquable. La robe framboise s'accompagne de reflets violets très brillants. Le nez étonne en mettant en présence d'une corbeille de fruits rouges, de notes de pain d'épice et de fleurs. La bouche se montre généreuse, élégante et suave.

☛ Dom. Lafond Roc-Epine, rte des Vignobles, 30126 Tavel, tél. 04.66.50.24.59, fax 04.66.50.12.42, e-mail lafond.roc-epine@wanadoo.fr ☑ ☗ r.-v.
☛ Pascal Lafond

DOM. LA ROCALIERE 1999★

◢	23 ha	138 000	■ ☗	30 à 49 F

Vaste domaine de 55 ha, La Rocalière propose ce 99 à la robe brillante et vive, couleur groseille. Le nez est ample, marqué par le fruit rouge légèrement confit ; la bouche offre un bel équilibre alcool-acide, avec beaucoup d'ampleur, de fruit et de fraîcheur.

RHONE

🍷 Dom. La Rocalière, Le Palai-Nord, B.P. 21, 30126 Tavel, tél. 04.66.50.12.60, fax 04.66.50.23.45 ☑ ⚑ t.l.j. 8h-12h 14h-18h; sam. dim. sur r.-v.

🍷 Borrelly-Maby

LES EGLANTIERS 1999*

◪	6 ha	33 000	▮ 30 à 49 F

Un rosé d'une grande finesse avec un joli nez aux notes florales et réglissées. La bouche ample et structurée en fait un vin agréable à boire sur toutes les viandes blanches.

🍷 Laurent-Charles Brotte, rte d'Avignon, 84230 Châteauneuf-du-Pape, tél. 04.90.83.70.07, fax 04.90.83.74.34 ☑ ⚑ r.-v.

DOM. MIREILLE PETIT 1999**

◪	n.c.	n.c.	30 à 49 F

Distribué par un négociant d'Orange, un domaine dont le tavel est remarquable. La robe vive et soutenue, le nez de fruits rouges macérés avec un soupçon de kirsch annoncent une belle structure, longue et fruitée, complétée d'une pointe d'amande.

🍷 Les domaines Bernard, rte de Sérignan, 84100 Orange, tél. 04.90.11.86.86, fax 04.90.34.87.30

🍷 Mireille Petit

PRIEURE DE MONTEZARGUES 1999*

◪	34 ha	100 000	▮ ⬇ 50 à 69 F

Au pied de la Montagne Noire, ce prieuré date du XIIes. Macération pelliculaire de 24 h puis saignée ont donné ce magnifique vin à la teinte pétale de rose aux reflets framboise. Le nez élégant et fin mêle des notes épicées et minérales sur fond de framboise évoluée. La bouche fraîche tourne autour de la groseille.

🍷 GAFF du Prieuré de Montézargues, 30126 Tavel, tél. 04.66.50.04.48, fax 04.66.50.30.41 ☑ ⚑ t.l.j. 10h-12h 15h-18h; groupes et sam. dim. sur r.-v.

🍷 Allauzen et Lucenet

DOM. ROC DE L'OLIVET 1999

◪	2 ha	8 400	▮ ⬇ 30 à 49 F

Ce domaine familial aux vieilles vignes travaillées avec respect offre un rosé agréable et ensoleillé. En robe légère, il parle d'une même voix au nez et en bouche (fleurs et fruits). Avec du gras et une certaine ampleur, se terminant sur des notes de fruits confiturés, il est réussi.

🍷 Thierry Valente, chem. de la Vaussière, 30126 Tavel, tél. 04.66.50.37.87, fax 04.66.50.37.87 ☑ ⚑ r.-v.

LES VIGNERONS DE TAVEL
Cuvée Tableau 1999**

◪	50 ha	300 000	▮ ⬇ 30 à 49 F

Bravo aux vignerons de Tavel qui ont élaboré un remarquable rosé à la couleur nuancée de violet et de griotte. Le nez est intense (fruits rouges, amande, agrumes). La bouche, ample et ronde, puissante et généreuse, offre des notes de fruits rouges, de frangipane et de guimauve. A proposer avec une terrine de légumes froids ou avec du veau aux champignons.

🍷 Les Vignerons de Tavel, 30126 Tavel, tél. 04.66.50.03.57, fax 04.66.50.46.57, e-mail tavel.cave@wanadoo.fr ☑ ⚑ t.l.j. 9h-12h 14h-18h

DOM. DU VIEUX RELAIS 1999

◪	9,05 ha	9 600	▮ 30 à 49 F

Situé dans le village de Tavel, ce domaine propose un vin rosé foncé à reflets bleutés vifs et soutenus. Le nez très primeur offre des fruits rouges et des épices. La bouche est vineuse à souhait et d'une belle longueur aromatique.

🍷 GAEC Dom. du Vieux Relais, rte de La Commanderie, 30126 Tavel, tél. 04.66.50.36.52 ☑ ⚑ r.-v.

Clairette de die

La clairette de die est l'un des vins les plus anciennement connus au monde. Le vignoble occupe les versants de la moyenne vallée de la Drôme, entre Luc-en-Diois et Aouste-sur-Sye. On produit ce vin mousseux essentiellement à partir du cépage muscat (75 % minimum). La fermentation se termine naturellement en bouteille. Il n'y a pas adjonction de liqueur de tirage. C'est la méthode dioise ancestrale. La production a atteint 72 926 hl en 1999.

CLAIRDIE Tradition***

○	230 ha	1 500 000	30 à 49 F

La coopérative de Die a proposé deux clairettes qui ont enthousiasmé le jury : une **cuvée Jadissane**, élaborée à partir de raisins nés de l'agriculture biologique, 100 % muscat, qui obtient deux étoiles et ce Clairdie tout en harmonie, 20 % de clairette complétant le muscat. Or à reflets verts, ce vin offre une explosion de sensations (fleurs blanches, pêche, ananas, litchi) qui durent, durent...

🍷 Cave coop. de Die, Union de Producteurs, 26150 Die, tél. 04.75.22.30.00, fax 04.75.22.21.06 ⚑ r.-v.

ALAIN POULET Tradition 1998

○　　9 ha　　50 000　　⊞ 👃 30 à 49 F

Alain Poulet exploite 15 ha de vignes au pied du parc du Vercors. Sa clairette paille claire explose dans une belle mousse fine. Les fruits blancs confits accompagnent une bouche franche et légère. Une charlotte aux abricots fera son affaire.

➼ Alain Poulet, la Chapelle, 26150 Pontaix, tél. 04.75.21.22.59, fax 04.75.21.20.95 ☑ ⟙ r.-v.

JEAN-CLAUDE RASPAIL
Grande Tradition 1998★★

○　　2,55 ha　　17 604　　⊞ 👃 30 à 49 F

Entre Saillans et Die, le caveau de dégustation Raspail, tout fleuri entre mars et décembre, propose cette clairette à la mousse fine et abondante dans une robe pâle à reflets verts. Une palette riche d'agrumes et de fleurs accompagne la belle ampleur de ce vin. Si vous passez à Saillans, ne manquez pas d'acheter quelques croquants aux amandes, spécialité locale qui sera en plein accord avec cette clairette.

➼ Jean-Claude Raspail, Dom. de la Mûre, 26340 Saillans, tél. 04.75.21.55.99, fax 04.75.21.57.57 ☑ ⟙ t.l.j. 9h-12h 14h-18h; f. janv.

RASPAIL Tradition 1998★

○　　3 ha　　23 000　　⊞ 👃 30 à 49 F

Artisan du vin, c'est ainsi que se définit le maître de cette clairette bien faite et déjà bien éclose comme la rose qui caractérise le nez. Une bouche longue et puissante engage à la boire dès maintenant sur des biscuits secs.

➼ EARL Georges Raspail, rte du Camping municipal, La Roche, 26340 Aurel, tél. 04.75.21.71.89, fax 04.75.21.71.89 ☑ ⟙ r.-v.

Crémant de die

Le décret du 26 mars 1993 a reconnu l'AOC crémant de die, produite uniquement à partir du cépage clairette selon la méthode dite traditionnelle de seconde fermentation en bouteille.

CAROD 1997★

○　　3,32 ha　　27 040　　⊞ 👃 30 à 49 F

En 1993 a été créé ici un petit musée de la clairette. Ce crémant, d'une teinte pâle, avec un fin et léger chapelet de bulles, a un nez de fruits blancs mûrs ou en compote. Riche et puissant, dosé, c'est un vin de repas.

➼ Carod Frères, R.D. 93, 26340 Vercheny, tél. 04.75.21.73.77, fax 04.75.21.75.22, e-mail info@caves-carod.com ☑ ⟙ t.l.j. 9h-12h 14h-18h30

CHAMBERAN 1995★

○　　9,4 ha　　56 000　　30 à 49 F

Neuf exploitants se sont regroupés en 1962 pour produire un vin de qualité. Celui-ci récompense leurs efforts. Bien fait et typique de l'AOC, paré d'une robe jaune pâle agrémentée d'une mousse fine, un vin élégant et charmeur, tout en fleurs blanches, assez long pour être servi en apéritif mais aussi pour accompagner quelque gibier à plume ou volaille grillée.

➼ Union des Jeunes Viticulteurs Récoltants, rte de Die, 26340 Vercheny, tél. 04.75.21.70.88, fax 04.75.21.73.73, e-mail ujvr@terre-net.fr ☑ ⟙ t.l.j. 8h30-12h 14h-18h30

DIDIER CORNILLON
Brut absolu 1997★★

○　　0,5 ha　　4 500　　30 à 49 F

Ce que l'on appelle un brut zéro, non dosé. Le citron et le pamplemousse assurent la première partie. Puis la bouche entre en scène, dans un parfait équilibre, avec juste ce qu'il faut de vivacité. « Je l'achète sans hésitation », note un membre du jury. Un autre ajoute : « Quelle ampleur ! » Une excellente bouteille.

➼ Didier Cornillon, 26410 Saint-Roman, tél. 04.75.21.81.79, fax 04.75.21.84.44 ☑ ⟙ t.l.j. 10h-12h30 14h-19h; oct.-mars sur r.-v.

FONTAILLY Blanc de blancs★

○　　30 ha　　200 000　　30 à 49 F

Amandes grillées, brioche, fleurs blanches composent une palette qui s'attire immédiatement des compliments. L'équilibre et la longueur sont là pour un bel instant de plaisir.

➼ Cave coop. de Die, Union de Producteurs, 26150 Die, tél. 04.75.22.30.00, fax 04.75.22.21.06 ⟙ r.-v.

JADISSANE Blanc de blancs

○　　5 ha　　25 000　　30 à 49 F

Pline l'Ancien, dès 77, louait la pétillance naturelle du vin des Voconces, tribu gauloise qui peuplait l'actuelle région de Die. Est-ce pour retrouver ces saveurs anciennes que la cuvée Jadissane est produite à partir de raisins issus de l'agriculture biologique ? Complexe, elle est marquée par les fruits blancs mûrs (pomme et coing).

➼ Cave coop. de Die, Union de Producteurs, 26150 Die, tél. 04.75.22.30.00, fax 04.75.22.21.06 ⟙ r.-v.

RHONE

Châtillon-en-diois

Le vignoble du châtillon-en-diois occupe 50 ha, sur les versants de la haute vallée de la Drôme, entre Luc-en-Diois (550 m d'alt.) et Pont-de-Quart (465 m). L'appellation produit des rouges (cépage gamay), légers et fruités, à consommer jeunes, ou des blancs (cépages aligoté et chardonnay), agréables et nerveux. Production totale : 3 361 hl en 1999.

CLOS DE BEYLIERE 1998

☐ 0,4 ha 4 000 | III | 30 à 49 F

Le jury a goûté douze vins de cette AOC dont Didier Cornillon, installé en 1989, est l'un des représentants les plus réputés. Elevé en fût pendant un an, ce 98, vêtu d'une jolie couleur jaune pâle, est vanillé à souhait. La rondeur est agréable, et la finale assez vive permet de prolonger le tout assez longuement sur de douces épices. C'est bon !

☞ Didier Cornillon, 26410 Saint-Roman, tél. 04.75.21.81.79, fax 04.75.21.84.44 ☑ ⵣ t.l.j. 10h-12h30 14h-19h; oct.-mars sur r.-v.

COOPERATIVE DE DIE
Cuvée Prestige 1998

■ 1,5 ha 10 000 | ■ ⵣ | 20 à 29 F

Entre les Préalpes drômoises et la Provence, un ensemble de petites parcelles forme l'un des vignobles les plus en altitude (500 à 700 m). La coopérative de Die joue un rôle fondamental et offre ici un 98 réussi. De très belles épices vous flattent les narines tandis que la robe sombre et mystérieuse aiguise votre curiosité. L'attaque est souple et contraste avec la finale plus virile. Cet assemblage gamay-pinot noir s'accordera volontiers avec un agneau de la Drôme.

☞ Cave coop. de Die, Union de Producteurs, 26150 Die, tél. 04.75.22.30.00, fax 04.75.22.21.06 ☑ ⵣ r.-v.

Coteaux du tricastin

Cette appellation couvre 2 000 ha répartis sur vingt-deux communes de la rive gauche du Rhône, depuis La Baume-de-Transit au sud, en passant par Saint-Paul-Trois-Châteaux, jusqu'aux Granges-Gontardes, au nord. Les terrains d'alluvions anciennes très caillouteuses et les coteaux sableux, situés à la limite du climat méditerranéen, ont produit environ 125 000 hl de vin en 1999. Cette appellation vient d'être redélimitée.

LOUIS BERNARD 1999

■ n.c. n.c. | ■ ⵣ | 20 à 29 F

La marque des domaines Bernard, comme on dit la patte d'un artiste... Ce vin est fruité et épicé. Sa robe est avenante mais ses tanins sont un brin anguleux : cela permettra à cette bouteille de mieux tenir dans le temps. A ouvrir en 2001.

☞ Les domaines Bernard, rte de Sérignan, 84100 Orange, tél. 04.90.11.86.86, fax 04.90.34.87.30

CELLIER DES DAUPHINS
Hautes Terres 1998

■ 50 ha 300 000 | ■ ⵣ | 20 à 29 F

D'agréables petits fruits rouges en préambule de la dégustation. Et pourtant, c'est la bouche que les dégustateurs ont préférée. Une nette proportion de grenache assez concentré, des tanins bien présents malgré une apparente souplesse et surtout une note de réglisse *fortissimo* qui porte toute l'œuvre.

☞ Cellier des Dauphins, B.P. 16, 26790 Tulette, tél. 04.75.96.20.47, fax 04.75.96.20.12, e-mail cellier.des.dauphins@wanadoo.fr

DELAS FRERES Escarlate 1998★

■ n.c. n.c. | 20 à 29 F

Cerise pour la robe, cassis-mûre pour le nez, des fruits rouges qui durent bien au-delà de la dégustation. Le nez est agrémenté d'épices et de notes de garrigue drômoise. Quant à la bouche, quelle harmonie ! Des tanins veloutés à souhait, une pointe de vivacité qui la rehausse en finale.

☞ Delas Frères, ZA de l'Olivet, B.P. 4, 07300 Saint-Jean-de-Muzols, tél. 04.75.08.60.30, fax 04.75.08.53.67 ⵣ r.-v.
☞ Champagne Deutz

DOM. DE GRANGENEUVE
Grande Cuvée Elevée en fût de chêne 1998★

■ 4 ha 10 000 | III | 50 à 69 F

De douces épices apparaissent tout d'abord. L'enrobage des tanins est des plus agréables. Une proportion égale de grenache et syrah entre dans cette cuvée où l'on sent la maîtrise d'un joli boisé et, plus particulièrement, du fût neuf. Ce vin rouge contient tous les ingrédients d'un beau tricastin d'ici un an ou deux. La **cuvée Vieilles vignes** est de la même veine, plus fruitée mais structurée pour durer. Si vous êtes un inconditionnel de l'élevage en barrique, goûtez également la **cuvée de la Truffière 98** au nez particulièrement puissant et complexe.

☞ Domaines Bour, Dom. de Grangeneuve, 26230 Roussas, tél. 04.75.98.50.22, fax 04.75.98.51.09, e-mail domaines.bour@wanadoo.fr ☑ ⵣ r.-v.

DOM. DE HAUTE CHALERNE 1999

■ 7 ha 45 000 | ■ ⵣ | - de 20 F

Un concentré de marc de cassis prolongé par du fruit : agréable et longue, la sélection **Charte de qualité 98** est prometteuse. Attendre quelques mois que l'ensemble soit fondu. Prêt dès l'automne, le Domaine de Haute Chalerne, lui, offre un bouquet de framboise, d'épices jusque dans une bonne finale.

☞ Cellier de L'Enclave des Papes, rte d'Orange, 84600 Valréas, tél. 04.90.41.91.42, fax 04.90.41.90.21

CH. LA CROIX CHABRIERE
Fruit de l'ivresse d'un soir 1997

■ n.c. 1 600 | ■ III ⵣ | 30 à 49 F

Un très bel ensemble de bâtiments regroupant le « château », la cave, les écuries et une orangerie, une devise irréprochable, « Faire son devoir », caractérisent ce domaine de 20 ha en fermage qui a obtenu deux citations. Cette cuvée

(bouteille de 50 cl sérigraphiée), aux arômes de fruits, d'épices et de vanille, est destinée sans nul doute à de gentils tête-à-tête. Un soin tout particulier a été apporté à l'élevage en bois. C'est aussi le cas pour le **blanc issu de viognier** (50 à 68 F), qui allie fruits exotiques et notes muscatées.
🔾 Ch. La Croix Chabrière, rte de Saint-Restitut, 84500 Bollène, tél. 04.90.40.00.89, fax 04.90.40.19.93 ☑ ⵏ t.l.j. 9h-18h; dim. 9h-12h; groupes sur r.-v.
🔾 Patrick Daniel

DOM. DE MONTINE Prestige 1998★

■	5 ha	10 000	⑪ 30 à 49 F

Deux cuvées, deux styles très différents, mais qui ont su s'attirer les faveurs du jury. Le Prestige l'a emporté grâce à de beaux arômes où se mêlent épices, notes animales et à une structure solidement bâtie; un boisé discret et de bon aloi l'accompagne. La **sélection Terroirs 98 en rouge** est tout en fruits, plus souple et vive en bouche. Un tricastin type qui, de ce fait, porte bien son nom.
🔾 Jean-Luc et Claudy Monteillet, Dom. de Montine, 26230 Grignan, tél. 04.75.46.54.21, fax 04.75.46.93.26 ☑ ⵏ t.l.j. 9h-12h 14h-19h

DOM. SAINT-LUC 1998

■	25 ha	40 000	■ 🍷 30 à 49 F

Créé de toutes pièces en 1984, ce domaine a proposé cette cuvée dont le nez est difficile à décrypter. En revanche, la bouche est un régal de fruits écrasés et de réglisse, qui dure longtemps. De la rondeur pour ce coteaux du tricastin classique où la syrah est présente en bonnes proportions.
🔾 Ludovic Cornillon, Dom. Saint-Luc, 26790 La Baume-de-Transit, tél. 04.75.98.11.51, fax 04.75.98.19.22 ☑ ⵏ r.-v.

DOM. DU VIEUX MICOCOULIER 1998★

■	104 ha	180 000	■ 🍷 30 à 49 F

Un ancêtre cévenol créa en 1877 un vignoble en Algérie. En 1962, le retour ici d'un de ses descendants a permis de défricher et de constituer un vaste domaine viticole. Son 98 est un beau vin dont l'élégance de la robe sombre invite à le déguster d'un pas tranquille pour humer ses arômes de fruits et d'épices si caractéristiques. La bouche est franche et laisse une douce sensation réglissée.
🔾 SCGEA Cave Vergobbi, Le Logis de Berre, 26290 Les Granges-Gontardes, tél. 04.75.04.02.72, fax 04.75.04.41.81 ☑ ⵏ t.l.j. 9h30-12h 14h30-18h30; dim. sur r.-v.

Côtes du ventoux

A la base du massif calcaire du Ventoux, « le géant du Vaucluse » (1 912 m), des sédiments tertiaires portent ce vignoble qui s'étend sur cinquante et une communes (6 888 ha), entre Vaison-la-Romaine au nord et Apt au sud. Les vins produits sont essentiellement des rouges et des rosés. Le climat, plus froid que celui des Côtes du Rhône, entraîne une maturité plus tardive. Les vins rouges sont de moindre degré alcoolique, mais frais et élégants dans leur jeunesse; ils sont cependant davantage charpentés dans les communes situées le plus à l'ouest (Caromb, Bédoin, Mormoiron). Les vins rosés sont agréables et demandent à être bus jeunes. La production totale a atteint 283 000 hl en 1999.

DOM. DES ANGES 1998

■	4,5 ha	20 000	■ 🍷 30 à 49 F

Un jeune Irlandais, Ciaran Rooney, a acheté ce domaine en 1998 après avoir travaillé en Afrique du Sud et en Australie. 35 % de cinsault donnent à cette cuvée un air léger, aérien. Souple, elle laisse une impression de rondeur et de fruité.
🔾 SCA Dom. des Anges, Dom. des Anges, 84570 Mormoiron, tél. 04.90.61.88.78, fax 04.90.61.98.05, e-mail ciaranr@club-internet.fr ☑ ⵏ t.l.j. 8h-12h 14h-18h

DOM. AYMARD Prestige 1998★

■	1 ha	3 000	⑪ 30 à 49 F

Exploitation familiale remontant à 1860, le domaine Aymard est situé au cœur de l'appellation. Cette cuvée Prestige possède un nez agréable mais discret, une bouche structurée avec des tanins soyeux. Bref, c'est un vin très plaisant que l'on appréciera dès cet hiver sur une viande en sauce.
🔾 Dom. Aymard, Les Galères, Serres, 84200 Carpentras, tél. 04.90.63.35.32, fax 04.90.67.02.79 ☑ ⵏ r.-v.

DOM. DE BEAUMALRIC 1999

■	6 ha	30 000	30 à 49 F

Plaisant et fruité, ce vin doit séduire dans sa jeunesse. Frais et onctueux à la fois, cerise, fraise et framboise dans son panier, une touche poivrée et doucement épicée derrière l'oreille, rond et équilibré, un 99 de bonne longueur.
🔾 EARL Begouauussel, Dom. de Beaumalric, B.P. 15, 84190 Beaumes-de-Venise, tél. 04.90.65.01.77, fax 04.90.62.97.28 ☑ ⵏ r.-v.

CAVE DE BEAUMONT-DU-VENTOUX
Les Ambrosis 1998

■	115 ha	n.c.	■ 20 à 29 F

Vinifié traditionnellement à partir de grenache (85 %) et de syrah (15 %), ce 98 très fruité est un peu léger mais facile à boire. Il est typique de l'appellation et conviendra tout au long d'un repas.
🔾 Cave de Beaumont-du-Ventoux, rte de Carpentras, 84340 Beaumont-du-Ventoux, tél. 04.90.65.11.78, fax 04.90.12.69.88, e-mail jacod.michel@wanadoo.fr ☑

RHONE

DOM. DU BON REMEDE
Cuvée Vincent Vieilli en fût de chêne 1998★

| | 1,5 ha | 3 200 | 🔳 🍷 👓 | 30 à 49 F |

Le vignoble du domaine a été créé en 1991, puis restructuré afin d'offrir un harmonieux mélange de cépages. Cette cuvée Vincent issue de vieilles vignes a de la personnalité. Le nez très intense est dominé par les fruits rouges bien mûrs (cassis, fraise des bois). En bouche, on retrouve le côté fruité accompagné de notes épicées, vanillées. Cette bouteille est à boire, mais peut également attendre de un à deux ans.
🔖 Frédéric Delay, 1248, rte de Malemort, 84380 Mazan, tél. 04.90.69.69.76, fax 04.90.69.69.76 ☑ 🍸 r.-v.

CANTEPERDRIX 1999★

| ☐ | n.c. | n.c. | 🔳 | - de 20 F |

Peut-être un peu trop « techno », cette cuvée Canteperdrix, à la couleur jaune pâle et aux reflets verts, au nez intense et frais, aux arômes essentiellement d'agrumes avec des notes florales. C'est pourtant un vin très plaisant qui doit être dégusté dans l'année avec des coquillages, un poisson grillé, ou nature, à l'apéritif.
🔖 Les Vignerons de Canteperdrix, rte de Caromb, B.P. 15, 84380 Mazan, tél. 04.90.69.70.31, fax 04.90.69.87.41 ☑ 🍸 r.-v.

DOM. DE CHAMP-LONG 1998

| | 4 ha | 25 000 | 🔳 👓 | 30 à 49 F |

D'un beau rubis foncé, ce vin a un côté austère qui engage à l'attendre. Fermé, minéral, il est équilibré malgré des tanins très présents. Il faudra un an de patience pour lui permettre de se découvrir.
🔖 Christian Gély, Dom. de Champ-Long, 84340 Entrechaux, tél. 04.90.46.01.58, fax 04.90.46.04.40, e-mail christian.gely@wanadoo.fr ☑ 🍸 t.l.j. sf dim. 9h-12h30 14h-19h

DOM. DE CHANTEGRILLET
Cuvée de l'an 2000 1997★

| | 10,99 ha | 2 000 | 👓 | 100 à 149 F |

Une cuvée de l'an 2000 chère mais de belle tenue, prometteuse malgré son nez discret évoquant le caramel et les fruits blancs ; en bouche, des arômes boisés l'emportent encore sur le fruit. C'est un vin de garde qui doit attendre impérativement deux à trois ans. Peut être dégusté avec un plat cuisiné aux truffes. Ce sera alors une étiquette du souvenir car 2000 sera loin et l'étiquette est si discrète et élégante...
🔖 SCEA Dom. de Chantegrillet, Gourgoumelle, B.P. 6, 84220 Roussillon, tél. 04.90.05.74.83, fax 04.90.06.09.28 ☑ 🍸 r.-v.
🔖 Guiton

DOM. CHAUMARD 1999★

| ☐ | 1,5 ha | 5 500 | 🔳 👓 👓 | 20 à 29 F |

A la tête de la propriété depuis 1991, Christine Chaumard, œnologue, a mis toute sa compétence dans l'élaboration de cette cuvée couleur jaune pâle à reflets verts, au nez intense, à la fois floral et fruité. C'est un vin expressif qui a du caractère, « idéal pour accompagner un repas léger ». Il est à boire dans l'année. Obtenant également une

étoile, le **rouge 98** (30 à 49 F) devra attendre une année.
🔖 Gilles Chaumard, rte d'Aubignan, 84330 Caromb, tél. 04.90.62.43.38, fax 04.90.62.35.84 ☑ 🍸 r.-v.

ETIENNE DE VESC
Elevé en barrique 1998★★

| | 3,8 ha | 14 600 | 👓 | 30 à 49 F |

A l'occasion des soixante-dix ans de la cave, un concours international de composition de musique de chambre a été lancé sur le thème des sons de la cave. Des notes de boisé, un nez assez discret d'épices, de pain grillé, une bouche « ayant du corps » permettant de supporter les tanins du bois promis à un bel avenir : ce 98 a séduit l'ensemble du jury, notamment pour son côté harmonieux et la complexité de ses arômes. La **cuvée principale 98 en rouge**, élevée en cuve, reçoit une étoile pour sa belle matière (20 à 29 F).
🔖 Cave coopérative Saint-Marc, 84330 Caromb, tél. 04.90.62.40.24, fax 04.90.62.48.83, e-mail cave@saint-marc.com ☑ 🍸 r.-v.

DOM. DE FONDRECHE
Cuvée Persia 1999★★

| ☐ | 1 ha | 2 000 | 👓 | 50 à 69 F |

Déjà retenue avec deux étoiles pour le millésime 98, cette cuvée Persia couleur citron à reflets verts possède un élégant bouquet floral accompagné de notes boisées. Elle est bien équilibrée, très fondue, et se caractérise par des arômes de vanille et de fruits blancs d'une grande finesse. On l'appréciera sur un poisson en sauce à la crème. En **rouge 98**, cette **cuvée Persia** (30 à 49 F) obtient une étoile. A essayer dans quelques mois avec un canard aux truffes.
🔖 Dom. de Fondrèche, quartier Fondrèche, 84380 Mazan, tél. 04.90.69.61.42, fax 04.90.69.61.18 ☑ 🍸 r.-v.
🔖 N. Barthélemy et S. Vincenti

DOM. DE FONDRECHE
Cuvée Nadal 1998★★

| | 3 ha | 16 000 | 👓 | 30 à 49 F |

Cette cuvée Nadal, grenat foncé à reflets violacés, offre un nez complexe et puissant, mêlant des notes de garrigue, de réglisse avec un fond de confiture de fraises ; les arômes de pruneau, de caramel que des tanins très onctueux s'avèrent remarquables ; c'est un « joli compromis d'élevage et de maturité ». A recommander sur une viande en sauce, du gibier. Peut attendre trois à

cinq ans. La cuvée **Fayard rouge 98** obtient une étoile. C'est un vin plus facile, déjà agréable.
☛ Dom. de Fondrèche, quartier Fondrèche, 84380 Mazan, tél. 04.90.69.61.42, fax 04.90.69.61.18 ☑ ⵢ r.-v.

DOM. DE LA BASTIDONNE 1998★

■	3 ha	15 000	ⵏ 30 à 49 F

Le domaine de La Bastidonne est une vieille ferme du XIV^{e}s. située sur le versant sud des monts de Vaucluse. « Un vin simple, mais bien fait et gouleyant. » Cette remarque d'un membre du jury résume bien les commentaires des dégustateurs à propos de ce 98 dont la présentation agréable, le bouquet aux notes de fruits rouges, la souplesse en bouche, ont fait l'unanimité.
☛ SCEA Dom. de La Bastidonne, 84220 Cabrières-d'Avignon, tél. 04.90.76.70.00, fax 04.90.76.74.34 ☑ ⵢ t.l.j. sf dim. 9h-12h 14h-18h
☛ Gérard Marreau

LA GARANCE Saumane 1997★★

■	2,5 ha	5 300	ⵏ 30 à 49 F

Caviste dans un domaine, Stéphanie Sors a pris en fermage des vignes et élabore son propre vin sous une étiquette très réussie. Cette cuvée est remarquable et possède une robe violet sombre, un nez expressif et ouvert de fruits noirs et d'épices. C'est un vin très harmonieux, intéressant parce que doté de beaucoup de fruit. A attendre deux à trois ans compte tenu de sa structure pour l'apprécier sur un civet de lièvre ou une gigue de chevreuil.
☛ Stéphanie Sors, Dom. de La Royère, 84580 Oppède-le-Vieux, tél. 04.90.76.87.76, fax 04.90.20.85.37 ☑ ⵢ t.l.j. sf dim. 9h-12h 14h30-18h30
☛ Guenoun

LA GARENNE 1998

■	n.c.	n.c.	ⵏ 20 à 29 F

Mommessin, c'est aujourd'hui Jean-Claude Boisset qui développe ses activités hors de Bourgogne. Il propose un ventoux tel qu'on les aime. Le fruité associé à la violette, la fraîcheur, la rondeur... le destinent aux repas en terrasse.
☛ Mommessin, Le Pont-des-Samsons, 69430 Quincié-en-Beaujolais, tél. 04.74.69.09.30, fax 04.74.69.09.28, e-mail information@mommessin.com ⵢ r.-v.

DOM. LA TUILIERE
Sélection Vieilles vignes 1997★

■	3,5 ha	13 000	ⵏ 30 à 49 F

Autrefois, le domaine La Tuilière était une ferme où l'on fabriquait les tuiles destinées aux toitures de Provence, d'où son nom. Grenache noir (50 %), syrah (50 %) sont à l'origine de cette cuvée Vieilles vignes d'un violet sombre, au bouquet complexe d'épices agrémenté de notes grillées. La bouche ample, bien équilibrée, présente des tanins soyeux, très fins. Cette bouteille est à boire et fera merveille avec une daube ou un carré d'agneau au thym.

☛ André Ravoire, Dom. La Tuilière, R.D. 60, 84220 Murs, tél. 04.90.05.73.03, fax 04.90.05.78.07, e-mail domaine@la-tuiliere.com ☑ ⵢ t.l.j. sf dim. 9h-12h 14h-20h

DOM. DE LA VERRIERE
Le Haut de la Jacotte Elevé en fût de chêne 1998

■	1,45 ha	7 666	◫ 30 à 49 F

Le roi René, comte de Provence, installa ici des verriers transalpins, d'où le nom du domaine. Elevé en fût de chêne, ce 98 porte une robe vive à reflets violets et libère des parfums de fruits rouges et d'épices. Tout cela signe une jeunesse confirmée par la bouche qui devra attendre un an. Le **blanc 99**, également cité, est un joli vin fruité (20 à 29 F).
☛ Jacques Maubert, Dom. de La Verrière, 84220 Goult, tél. 04.90.72.20.88, fax 04.90.72.40.33 ☑ ⵢ t.l.j. sf dim. 9h-12h 14h-18h

LA VIEILLE FERME 1998★

■	10 ha	600 000	ⵏ 30 à 49 F

Un vin soyeux et élégant qui décline délicatement des arômes d'épices et de fruits rouges dans un fondu enchaîné du plus bel effet. Il ne joue jamais sur la puissance tout en étant toujours présent.
☛ Domaines Perrin, quartier La Ferrière, 84100 Orange, tél. 04.90.11.12.00, fax 04.90.11.12.19, e-mail perrin@beaucastel.com ☑ ⵢ t.l.j. sf sam. dim. 8h-12h 14h-18h; f. août

DOM. LE MURMURIUM 1998★

■	3 ha	10 000	ⵏ 30 à 49 F

Ce 98 à la couleur rubis et aux reflets violets est dominé par les fruits rouges (cassis). C'est un vin expressif qui donne une impression de moelleux, de rondeur. Il accompagnera favorablement un lapin rôti au thym.
☛ Jean Marot, rte de Flassan, 84570 Mormoiron, tél. 04.90.61.73.74, fax 04.90.61.74.51 ☑ ⵢ r.-v.

DOM. LES TERRASSES D'EOLE 1999★

◩	0,8 ha	5 300	30 à 49 F

Installation du fils Stéphane sur l'exploitation familiale de Claude Saurel en 1998. La première vinification au domaine a été réalisée en 1999. Une robe claire à reflets roses, un nez discret et élégant, une bouche bien équilibrée : un vin tout en dentelle qui sera apprécié bien frais, dès cet automne.
☛ Dom. Les Terrasses d'Eole, 468, chem. de Banay, 84380 Mazan, tél. 04.90.69.78.63, fax 04.90.69.78.63, e-mail terrasses.eole@online.fr ☑ ⵢ t.l.j. 9h-12h 14h-18h; f. 1er sep.-15 oct.
☛ M. Saurel

LUMIERES 1998★

■	3 ha	8 000	ⵏ◖ 20 à 29 F

Le grenache est à l'honneur dans cette cuvée Lumières qui se caractérise par une certaine fraîcheur au nez avec des notes de framboise. La structure est légère et les arômes très francs ; ce vin procurera un « plaisir d'accès facile », notamment avec de la charcuterie ou une grillade. Il est à boire. Une même distinction est attribuée au **blanc 99 Les Quatres Vents** (moins de 20 F) pour son élégance et sa persistance aromatique.

☛Cave de Lumières, 84220 Goult,
tél. 04.90.72.20.04, fax 04.90.72.42.52 ☑ ⊤ r.-v.

DOM. DE MAROTTE
Cuvée Prestige 1997★

■	5,7 ha	7 000	⦀	30 à 49 F

Très ouvert, marqué par les fruits rouges et les épices, ce 97 est élégant, bien équilibré, et possède beaucoup de gras. Il est à boire assez rapidement avec un gibier à plume ou une grillade.

☛EARL La Reynarde, Dom. de Marotte, 84200 Carpentras, tél. 04.90.63.43.27, fax 04.90.67.15.28, e-mail marotte@wanadoo.fr
☑ ⊤ t.l.j. sf lun. 10h-13h 15h-19h

LES VIGNERONS DU MONT VENTOUX
Carte Noire Elevé en fût de chêne 1997★

■	5 ha	20 000	⦀	30 à 49 F

La Cave des vignerons du mont Ventoux, située au pied du « Géant de Provence », est un lieu privilégié pour la vente de produits de qualité. Le caveau permet à certains peintres amateurs d'exposer leurs toiles. Grenache et syrah entrent à parts égales dans cette cuvée Carte Noire de couleur rubis intense, au nez discret et élégant de fruits rouges cuits avec des notes de boisé. Elle est équilibrée, ample, charpentée et peut être consommée actuellement. A noter aussi, l'étoile obtenue par le **Domaine Balaquère rouge 98** (20 à 29 F), souple et charnu.

☛SCA Les Vignerons du Mont Ventoux, quartier de la Salle, 84410 Bédoin, tél. 04.90.12.88.00, fax 04.90.65.64.43 ☑ ⊤ r.-v.

DOM. PELISSON 1999

■	3,2 ha	n.c.	■ ⚭	30 à 49 F

Issu de l'agriculture biologique et de petits rendements, le vin de ce domaine, d'une belle couleur intense, plein de jeunesse et de fougue, devra s'assagir. Il a tout le temps de devenir sérieux. A n'acheter que dans un an ou deux.

☛ Patrick Pelisson, 84220 Gordes, tél. 04.90.72.28.49, fax 04.90.72.23.91 ☑ ⊤ r.-v.

CH. PESQUIE La Quintessence 1998★

■	n.c.	n.c.	⦀ 50 à 69 F

Une architecture du XVIIIᵉs., un cadre exceptionnel, cette bastide séduit le visiteur. Et le vin le retient. Ce sont les rouges qui ont fait la notoriété du domaine. Et, en particulier, cette cuvée où la syrah est en situation de quasi-monopole (80 %). Les senteurs évoquent les fruits rouges très mûrs, les saveurs sont équilibrées dans une bouche bien présente, marquée par quatorze mois de barrique neuve. Attendre deux ans. La **cuvée Prestige** n'a fait que douze mois de fût. Elle reçoit la même note.

☛GAEC Ch. Pesquié, rte de Flassan, B.P. 6, 84570 Mormoiron, tél. 04.90.61.94.08, fax 04.90.61.94.13 ☑ ⊤ t.l.j. 9h-12h 14h-18h; groupes sur r.-v.
☛ Chaudière et Bastide

DOM. DE TARA 1998★

■	2 ha	1000	■	30 à 49 F

Le domaine a été cédé en mai 1999, et il est désormais la propriété de deux femmes (mère et fille), Françoise et Frédérique Droux. Ce 98 a une couleur soutenue, un nez agréable avec des notes de fruits, une bouche aux tanins bien présents mais non agressifs. L'ensemble s'avère harmonieux, bien fait et possède beaucoup de matière. Déjà agréable, ce vin s'épanouira vraiment dans un an environ. A recommander sur un carpaccio de bœuf aux copeaux de parmesan.

☛ Dom. de Tara, Les Rossignols, 84220 Roussillon, tél. 04.90.05.74.87, fax 04.90.05.71.35 ☑ ⊤ t.l.j. sf dim. 14h-18h
☛ Droux

DOM. TROUSSEL 1998★

■	15 ha	20 000	■	20 à 29 F

Une robe vive avec de jolis reflets pourpres, un nez discret mais franc, des arômes de fruits rouges (framboise) pour ce vin d'une belle harmonie ayant un caractère jeune très plaisant. Il est à boire cette année si l'on veut bénéficier pleinement de sa fraîcheur.

☛ Dom. Troussel, 2059, rte de Serres, 84200 Carpentras, tél. 04.90.67.28.35, fax 04.90.60.68.99 ☑ ⊤ r.-v.

CH. VALCOMBE La Sereine 1998★★

■	4 ha	9 000	⦀	100 à 149 F

Cette cuvée La Sereine affiche une robe très intense, presque noire, un nez de fruits mûrs tout en finesse. Beaucoup de matière et de « l'enrobage à souhait », de la douceur dans les arômes aux notes vanillées bien fondues dans le vin, bref un travail soigné. Un 98 racé.

☛ Ch. Valcombe, 84330 Saint-Pierre-de-Vassols, tél. 04.90.62.51.29, fax 04.90.62.51.47 ☑ ⊤ r.-v.

PAUL VENDRAN E.V. 1998★★

■	1 ha	2 400	■ ⦀	70 à 99 F

Etrange nom de cuvée, mais superbe 98 ! Très belle couleur soutenue ; nez complexe de fruits noirs, de bois et de vanille ; beaucoup d'ampleur et de gras pour ce vin à l'équilibre remarquable qui se termine sur un boisé de qualité. Il faudra attendre quatre à cinq ans pour l'apprécier pleinement sur une viande en sauce ou du gibier.

☛ Paul Vendran, La ferme Saint-Pierre, 84410 Flassan, tél. 04.90.61.90.88, fax 04.90.61.89.96 ☑ ⊤ r.-v.

Côtes du luberon

L'appellation côtes du lubéron a été promue AOC par décret du 26 février 1988. Le vignoble des 36 communes que compte cette appellation, s'étendant sur les versants nord et sud du massif calcaire du Lubéron, représente près de 3 000 ha et a produit, en 1999, 182 000 hl. L'appellation donne de bons vins rouges marqués par un encépagement de qualité (grenache, syrah) et un terroir original. Le climat, plus frais qu'en vallée du Rhône, et les vendanges plus tardives expliquent la part importante des vins blancs (25 %) ainsi que leur qualité, reconnue et recherchée.

CAVE COOPERATIVE DE
BONNIEUX Elevé en fût de chêne 1998*

■   20 ha   10 000   ▪ ❶ ♨   30 à 49 F

Vinifiée traditionnellement et issue d'un terroir argilo-calcaire, cette cuvée possède un nez épicé, boisé, avec des nuances de sous-bois. Les arômes de fruits cuits (cerise) s'avèrent élégants. Un vin représentatif de l'appellation qui peut attendre deux à trois ans.
☛ Cave vinicole de Bonnieux, quartier de la Gare, 84480 Bonnieux, tél. 04.90.75.80.03, fax 04.90.75.92.73,
e-mail les.vignerons.de.bonnieux@wanadoo.fr
☑ ⵝ r.-v.

DOM. CHATEAU D'AIGUES 1999**

■   10 ha   22 500   ▪ ♨   20 à 29 F

Belle présentation pour ce vin rouge sombre, au nez très intense, végétal et fruité avec des nuances odorantes de réglisse et d'épices ; en bouche, on retrouve les mêmes impressions qu'à l'olfaction, une belle longueur et des tanins soyeux. Il faudra encore attendre deux à trois ans pour apprécier cette cuvée sur une viande rouge ou un fromage à pâte molle.
☛ Cellier Val de Durance, Le Grand Jardin, 84360 Lauris, tél. 04.90.08.26.36, fax 04.90.08.28.27

CH. DE CLAPIER 1999

☐   1,8 ha   12 000   ▪ ♨   30 à 49 F

Ce domaine viticole appartint autrefois à la famille de Mirabeau. Il fut acheté en 1880 par les ancêtres de Thomas Montagne. Entre les deux côtes du luberon blancs 99, la préférence du jury semble se porter davantage sur celui-ci qui traduit la belle maîtrise technique du vinificateur. D'une grande jeunesse, ce 99 se montre vif et floral. Les amateurs d'élevage sur lies en barrique neuve préféreront la **Cuvée Réservée**, également citée.
☛ Thomas Montagne, Ch. de Clapier, 84120 Mirabeau, tél. 04.90.77.01.03, fax 04.90.77.03.26,
e-mail thomas.montagne@chateau-de-clapier.com ☑ ⵝ lun. mer. sam. 9h-12h 14h-17h

CH. CONSTANTIN-CHEVALIER
Cuvée des Fondateurs 1998***

■   12 ha   25 000   ❶   30 à 49 F

Citée lors de la dernière parution pour le millésime 97, la cuvée des Fondateurs a fait l'unanimité du jury. Sa robe est très intense et profonde ; son bouquet fort élégant présente des

notes de sous-bois et de fruits confits alors qu'en bouche ses arômes d'une grande finesse évoquent la confiture, les épices sur un support boisé parfait. Les superlatifs ne manquent pas : tanins splendides, vin friand, superbe, magnifique, etc... Il faut attendre ce 98 trois à cinq ans. A recommander sur du gibier. Cette même **Cuvée des Fondateurs en blanc 99** reçoit une étoile : fermentation en fût neuf, bâtonnages sur lies pendant quatre mois ont donné un bien joli vin au boisé élégant qui sera en plein accord avec poissons et crustacés.

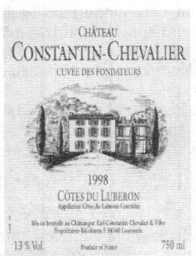

☛ Ch. Constantin-Chevalier et Filles,
Ch. de Constantin, 84160 Lourmarin,
tél. 04.90.68.38.99, fax 04.90.68.37.37 ☑ ⵝ r.-v.

CLAUDE DIEUDONNE 1998*

■   15 ha   20 000   ❶   20 à 29 F

Claude Dieudonné a proposé une jolie cuvée assemblant grenache et syrah. Belle robe rubis soutenu à reflets violets pour ce 98 qui « manque un peu de corps pour être parfait », selon un membre du jury. Ce côtes du lubéron se caractérise par un nez intense de framboise, de la rondeur et de la souplesse en bouche. Un vin bien élevé qui accompagnera un gigot d'agneau et un gratin dauphinois.
☛ Claude Dieudonné, Dom. de Régusse, rte de Bastide-des-Jourdans, 04860 Pierrevert, tél. 04.92.72.30.44, fax 04.92.72.69.08 ☑ ⵝ t.l.j. 8h-12h 14h-19h

DOM. DE FONTENILLE 1999*

◢   18 ha   13 000   ▪   30 à 49 F

Acheté en 1949 par les grands-parents de l'actuel propriétaire, Fontenille occupe 21 ha. Ce rosé de saignée porte une jolie robe intense à reflets bleutés et possède un nez fruité ; la bouche, aromatique, est à dominante de bonbon anglais et aux nuances fruitées : c'est un vin « assez techno », élégant, bien équilibré, qui présente beaucoup de finesse. Cité par le jury, le **blanc 99**, or à reflets verts, est tout en rondeur.
☛ EARL Lévêque et Fils, Dom. de Fontenille, 84360 Lauris, tél. 04.90.08.23.36, fax 04.90.08.45.05,
e-mail fontenille@caves-particulieres.com
☑ ⵝ t.l.j. sf dim. 9h-12h30 14h-19h30

DOM. DE FONTPOURQUIERE
Cuvée Noël du Villaret 1998*

■   1 ha   2 000   ❶   30 à 49 F

Ce 98 à la robe pourpre et aux reflets violacés est dominé par la syrah. Il possède un nez puissant de petits fruits rouges, d'épices et de boisé.

RHONE

Franc, fruité, ample, structuré et très harmonieux, il est prêt à boire, mais pourra également attendre.

☛ Yves Ronchi, rte de Lumières,
84480 Lacoste, tél. 04.90.75.80.02,
fax 04.90.75.80.02 ☑ ⏱ t.l.j. sf lun. 9h-12h
14h-18h

CH. LA CANORGUE 1999★

◢   5 ha   20 000   ▪ ♟ 30 à 49 F

Un rosé très fruité, au nez comme en bouche, une robe rose bonbon pâle, un corps bien équilibré avec un bon support acide, bref, un vin flatteur qui sera apprécié par les amateurs. Jean-Pierre Margan n'est-il pas l'un des fidèles du Guide ? A déguster avec une pissaladière ou des petits farcis.

☛ EARL J.-P. et M. Margan, Ch. La Canorgue,
84480 Bonnieux, tél. 04.90.75.81.01,
fax 04.90.75.82.98 ☑ ⏱ r.-v.

DOM. DE LA CAVALE 1998★

▪   2 ha   11 870   ◫ 30 à 49 F

Cette cuvée 98 a été vinifiée d'une façon traditionnelle avec trois semaines de cuvaison, puis un passage en barrique de chêne pendant huit mois environ. La robe couleur cerise laisse apparaître des reflets orangés ; le nez, boisé, assez intense, présente des notes de fruits cuits ; la bouche bien équilibrée termine sur des nuances poivrées. A déguster sur un civet de lièvre ou de sanglier dans deux à trois ans.

☛ Paul Dubrule, rte de Lourmarin,
84160 Cucuron, tél. 04.90.77.22.96,
fax 04.90.77.25.64 ☑ ⏱ t.l.j. sf dim. 9h-12h30
14h30-18h

DOM. DE LA CITADELLE 1997★★

▪   5 ha   30 000 ▪ ◫ ♟ 30 à 49 F

Yves Rousset-Rouard acheta un vieux mas et quelques vignes en 1989 et en fit, avec les conseils de l'œnologue Noël Rabot, un joli domaine de 40 ha auquel il donna le nom de la Citadelle qui appartenait déjà à la famille. Il y créa un musée du Tire-bouchon aux riches collections. Rouge sombre, très limpide, le 97 a un bouquet de fruits cuits et de confiture assez puissant. On retrouve les mêmes sensations en bouche et des tanins bien présents mais non agressifs. A recommander sur du gibier, un plat en sauce. Autres cuvées, en **rouge**, recevant chacune une étoile : la **Cuvée du Gouverneur 97** (70 à 99 F), passant également douze mois en fût, au nez complexe et puissant, aux tanins bien enrobés ; et **Le Châtaignier 99**, (30 à 49 F), qui ne connaît pas le fût, fruité et épicé, équilibré, à décanter. Cette même **cuvée du Gouverneur en blanc 99**, citée, est bien dans l'AOC.

☛ Rousset-Rouard, Dom. de La Citadelle,
84560 Ménerbes, tél. 04.90.72.41.58,
fax 04.90.72.41.59, e-mail citadelle@pacwan.fr
☑ ⏱ r.-v.

DOM. DE LA GARELLE
Cuvée spéciale 1999

▢   0,5 ha   4 000   ◫ 30 à 49 F

Une dominante de vermentino dans cette cuvée spéciale à la robe jaune citron, au nez fruité légèrement boisé. La bouche subtile et pleine de caractère demande à être aérée. Ce vin sera apprécié dans un an, notamment avec une coquille Saint-Jacques sauce ciboulette.

☛ Dom. de La Garelle, quartier des Vallats,
84560 Ménerbes, tél. 04.90.72.31.20,
fax 04.90.72.47.81 ☑ ⏱ r.-v.

☛ Vlasman

DOM. DE LA ROYERE
Cuvée spéciale 1999★

▢   2,9 ha   4 000   30 à 49 F

Le domaine de La Royère est situé dans un lieu touristique privilégié, à proximité d'Oppède-le-Vieux (2 km). Un bouquet subtil plutôt fleuri (lilas), une longueur en bouche intéressante, une acidité bien présente, beaucoup de gras dans cette cuvée spéciale plaisante et agréablement équilibrée : elle sera appréciée à l'apéritif. Egalement retenue avec une étoile, la **cuvée spéciale rouge 98**, syrah et grenache à parts égales, est très typée : à essayer avec un gratin d'aubergines.

☛ Anne Hugues, Dom. de La Royère,
84580 Oppède, tél. 04.90.76.87.76,
fax 04.90.20.85.37 ☑ ⏱ t.l.j. sf dim. 9h-12h
14h30-18h30; f. déc.-mars

LA VIEILLE FERME 1999

▢   5 ha   300 000   ▪ 30 à 49 F

La zone de production de vins blancs de la Vieille Ferme en AOC côtes du luberon est située en grande partie dans le parc régional du Luberon, à égale distance d'Avignon, d'Aix-en-Provence et de Manosque. Une très belle présentation dans le verre, un nez fruité tout en finesse, une harmonie générale correcte pour ce blanc qui demande encore à évoluer. Il devra attendre environ deux ans pour être apprécié.

☛ Domaines Perrin, quartier La Ferrière,
84100 Orange, tél. 04.90.11.12.00,
fax 04.90.11.12.19,
e-mail perrin@beaucastel.com ☑ ⏱ t.l.j. sf sam.
dim. 8h-12h 14h-18h; f. août

DOM. LES VADONS 1999★★

▪   5 ha   7 000 ▪ ◫ ♟ 20 à 29 F

Née d'un terroir argilo-caillouteux et vinifiée traditionnellement, cette cuvée remarquable possède un nez puissant de fruits rouges, de réglisse et d'épices ; elle se distingue par une charpente tannique élégante et soyeuse et une très belle longueur en bouche. A attendre trois à cinq ans. Ce vin s'accordera fort bien avec une daube ou un civet de lièvre. Autre **99 rouge, la cuvée La Melchiorte** reçoit une étoile. Elle est élevée neuf mois en fût mais le vin domine ; les notes typiques de la syrah (30 % de l'assemblage) et les tanins soyeux forment un ensemble élégant.

☛ EARL Dom. Les Vadons, La Resparine,
Saint-Estève, 84160 Cucuron, tél. 04.90.77.13.40,
fax 04.90.77.13.40,
e-mail vadonbreba@terre-net.fr ☑ ⏱ r.-v.

☛ Louis-Michel Bremond

CH. DE L'ISOLETTE
Cuvée Prestige Vieilles vignes 1998★★

▪   20 ha   50 000   ◫ 50 à 69 F

Le domaine de l'Isolette est situé sur la commune d'Apt, célèbre par sa cathédrale. Les communes environnantes présentent aussi un intérêt touristique : Roussillon pour ses anciennes carrières d'ocre, Gordes pour le musée Vasarely et l'abbaye de Sénanque, Lacoste pour le château du marquis de Sade... Et il ne faut pas oublier ce château au vaste domaine de 120 ha où l'on peut goûter cette cuvée Prestige d'un rouge grenat foncé à reflets violets. La paroi du verre laisse apparaître « des jambes nombreuses » témoignant d'une richesse en glycérol. Le nez de bonne intensité, bien franc, complexe, s'avère plutôt animal. En bouche, c'est la rondeur qui domine, le côté velouté, les notes très agréables de fruits mûrs. « J'aime bien ce vin typé et harmonieux », conclut un membre du jury.

☛ Ch. de L'Isolette, rte de Bonnieux, 84400 Apt, tél. 04.90.74.16.70, fax 04.90.04.70.73 ☑ ⊥ t.l.j. sf dim. 8h-12h 14h-17h45

☛ EARL Luc Pinatel

CELLIER DE MARRENON 1999★

◢ 375 ha 2 000 000 ▮↧ 20 à 29 F

Issu de syrah (30 %) et de grenache (70 %), ce 99 se présente dans une robe rose soutenu à reflets groseille. Il possède un bouquet très marqué par les fruits rouges (groseille, fraise) et des arômes de fruits frais particulièrement agréables. C'est un rosé assez représentatif de l'appellation. Il est à boire.

☛ Cellier de Marrenon, rue Amédé-Ginies, B.P. 13, 84240 La Tour-d'Aigues, tél. 04.90.07.40.65, fax 04.90.07.30.77, e-mail marrenon@wanadoo.fr ☑ ⊥ t.l.j. 8h-12h 14h-18h; dim. 8h-12h

DOM. DE MAYOL 1999★★

☐ 1,5 ha 6 000 30 à 49 F

Bernard Viguier possède 30 ha sur un terroir que sa famille travaille depuis le XVᵉs. Il présente son 99 à la robe jaune pâle et aux reflets dorés, au bouquet intense, grillé, très agréable, à la bouche souple et ample ; c'est un vin remarquable, bien équilibré, que l'on peut conseiller sur un émincé de Saint-Jacques à la truffe.

☛ Bernard Viguier, Dom. de Mayol, 84400 Apt, tél. 04.90.74.12.80, fax 04.90.04.85.64, e-mail mayol@wordonline.fr ☑ ⊥ t.l.j. sf dim. 9h-12h 14h30-19h

CH. DE MILLE Blanc de blancs 1999★

☐ 6 ha 12 000 ▮ 30 à 49 F

Ancienne demeure estivale des papes d'Avignon, Mille est l'un des plus vieux et authentiques châteaux viticoles des Côtes du Luberon. Clairette, roussanne, bourboulenc à parts égales sont à l'origine de ce 99 présentant un bouquet de belle intensité, aux nuances amyliques et fruitées. Les arômes subtils, l'équilibre des constituants, la rondeur donnent une très bonne harmonie générale. A recommander à l'apéritif ou sur un poisson. En rosé 99 (également une étoile), Mille incarne toute l'élégance d'un côtes du luberon délicat, floral et fruité à la fois, persistant.

☛ Conrad Pinatel, Ch. de Mille, 84400 Apt, tél. 04.90.74.11.94, fax 04.90.74.56.82 ☑ ⊥ t.l.j. 8h-12h 14h-18h30

PAROLE DE TERRE 1998★

■ 8 ha 30 000 ▮↧ 20 à 29 F

C'est un « vin issu de raisins de l'agriculture biologique » (mention indiquée sur l'étiquette) que nous propose M. Pialat, le maître de chai. Ce 98 est agréable, équilibré et présente des arômes de cuir et de pruneau. Une bonne harmonie générale, beaucoup de caractère pour cette cuvée qui pourra êre servie avec un faisan en cocotte.

☛ SCA Cave Lourmarin-Cadenet, montée du Galinier, 84160 Lourmarin, tél. 04.90.68.06.21, fax 04.90.68.25.84 ☑ ⊥ t.l.j. sf dim. 8h-12h 14h-18h

CH. SAINT-PIERRE DE MEJANS 1998★★

■ 3,5 ha 14 000 ▮↧ 30 à 49 F

Le château Saint-Pierre de Mejans est un ancien prieuré bénédictin du XIIᵉs. qui a toujours possédé des vignes. On raconte qu'au XVᵉs., les moines ont été rappelés à l'ordre par l'évêque car ils gardaient leurs vins dans l'église ! Brice Doan, le directeur du domaine, a élaboré deux belles cuvées en rouge 98. Celle-ci, d'un beau rouge rubis intense, offre un nez complexe de sous-bois, de cire d'abeille, de truffe, de girofle. Sa bouche bien équilibrée confirme les impressions olfactives. Elle peut attendre deux à trois ans avant d'accompagner une viande en sauce. La cuvée Vieilles vignes 98 (également deux étoiles) est tout aussi intéressante : bouquet de sous-bois, de cuir, de fruits cuits ; bouche élégante marquée par les épices. Elle peut être mise en cave pendant trois à cinq ans. Quant au rosé 99, vinifié par saignée, il doit être bu dès maintenant. Son originalité lui permet d'obtenir une citation.

☛ Ch. Saint-Pierre de Mejans, 84160 Puyvert, tél. 04.90.08.40.51, fax 04.90.08.41.96, e-mail tianed@aol.com ☑ ⊥ t.l.j. 9h30-12h 14h30-19h; f. le mar. en hiver

☛ Laurence Doan de Champassak

CH. VAL JOANIS 1998★

■ 50 ha 160 000 ▮↧ 30 à 49 F

Une bastide où l'on peut admirer, outre les vins, un jardin sur trois terrasses dont l'un, potager, comporte des plantes médicinales et dont d'autres merveilles. Syrah (70 %), grenache (30 %) sont à l'origine de cette cuvée harmonieuse dont le nez expressif et intense est dominé par les fruits rouges (cassis). En bouche, le côté épicé s'avère plutôt flatteur. Une pointe d'acidité en finale paraît encore un peu vive. Un vin de caractère à attendre une petite année et recommandé avec une viande rouge ou un fromage. Egalement couronné d'une étoile, le blanc 99, issu de macération pelliculaire, est très plaisant : ses arômes élégants et harmonieux de fruits secs accompagneront une viande blanche.

☛ SC du Ch. Val Joanis, 84120 Pertuis, tél. 04.90.79.20.77, fax 04.90.09.69.52, e-mail val-joanis@luberon.com ☑ ⊥ t.l.j. 10h-12h 14h-18h

RHONE

DOM. DES VAUDOIS 1999★

◢   6 ha   5 000   🍶 🍷 `20 à 29 F`

Le domaine, installé sur un site vaudois, dispose de caves situées dans une maison datant du XVIIᵉ s. Une cave voûtée troglodytique a été trouvée en ce lieu. Une robe intense à reflets bleutés pour ce 99 au bouquet floral subtil, aux arômes de fruits rouges très présents. Bien équilibré, agréable, ce vin peut être apprécié dès maintenant avec de la charcuterie ou une volaille.

☛ Aurouze, Dom. des Vaudois,
84240 Cabrières-d'Aigues, tél. 04.90.77.60.87,
fax 04.90.77.69.44 ☑ 🍷 r.-v.

Coteaux de pierrevert

Dans le département des Alpes-de-Haute-Provence, la majeure partie des vignes se trouve sur les versants de la rive droite de la Durance (Corbières, Sainte-Tulle, Pierrevert, Manosque...), couvrant environ 210 ha. Les conditions climatiques, déjà rigoureuses, cantonnent la culture de la vigne dans une dizaine de communes sur les quarante-deux que compte légalement l'aire d'appellation. Les vins rouges, rosés et blancs (14 000 hl), d'assez faible degré alcoolique et d'une bonne nervosité, sont appréciés par ceux qui traversent cette région touristique. Les coteaux de pierrevert ont été reconnus en appellation d'origine contrôlée par le Comité national de l'INAO en 1998.

DOM. LA BLAQUE 1999★★

☐   6 ha   28 000   🍶 🍷 `30 à 49 F`

Ce beau domaine couvre 60 ha. Vermentino, grenache blanc, roussanne à parts égales, son 99 blanc a beaucoup d'éclat ; sa robe laisse apparaître des reflets vert amande. Le bouquet est assez développé. Bonne attaque, bonne acidité, bon équilibre, malgré une pointe d'alcool. Ce pierrevert sera apprécié avec un poisson cuisiné de type lotte, ou en apéritif. Le **rosé de saignée 99** reçoit une étoile. Gilles Delsuc, l'œnologue maître d'œuvre, lui a donné un bouquet floral (violette).

☛ Dom. Châteauneuf, rte de la Bastide-des-Jourdans, 04860 Pierrevert, tél. 04.92.72.39.71, fax 04.92.72.81.26 ☑ 🍷 t.l.j. sf dim. 8h-12h 14h-18h

DOM. LA BLAQUE Réserve 1997★★

■   6 ha   23 000   🎵 `50 à 69 F`

Issu à la fois de macération carbonique et de vinification traditionnelle, ce 97 a conquis l'ensemble du jury. Sa robe rouge profond à reflets noirs, son nez complexe de truffe, d'épices, de poivron et de sous-bois, sa bouche boisée

vanillée, ses tanins non encore fondus font de cette cuvée un vin prometteur qui s'épanouira vraiment dans trois ans environ. Il faudra le déguster avec du gibier ou une dinde rôtie aux marrons. En rouge 97, la **cuvée Collection III** (70 à 99 F), 90 % syrah, 10 % grenache, également élevée en fût, est tout en fruits mûrs, en notes de cuir et de sous-bois. Elle reçoit deux étoiles.

☛ Dom. Châteauneuf, rte de la Bastide-des-Jourdans, 04860 Pierrevert, tél. 04.92.72.39.71, fax 04.92.72.81.26 ☑ 🍷 t.l.j. sf dim. 8h-12h 14h-18h

CAVE DES VIGNERONS DE PIERREVERT Cuvée du Village d'or 1999★

☐   n.c.   30 000   🍶 🍷 `20 à 29 F`

Monsieur Silvestre, le directeur de la cave, a bien réussi son blanc 99 aux arômes très agréables de fleurs blanches, de miel, d'acacia. C'est un vin chaleureux, équilibré, de bonne longueur, qui devrait être servi sur des coquillages ou des poissons accommodés selon des recettes exotiques et épicées.

☛ Cave des vignerons de Pierrevert,
1, av. Auguste-Bastide, 04860 Pierrevert, tél. 04.92.72.19.06, fax 04.92.72.85.36 ☑ 🍷 t.l.j. sf dim. 8h-12h 14h-18h

CH. DE ROUSSET 1999★

◢   10 ha   35 000   🍶 🍷 `20 à 29 F`

Les fidèles lecteurs connaissent ce grand domaine provençal alliant culture de la vigne et de l'olivier. Ici les méthodes culturales sont respectueuses de l'environnement. Issu à la fois de pressurage et de saignée, ce 99 de belle présentation demeure un peu fermé actuellement mais il sera excellent à l'automne. En bouche, les arômes développés de fraise mûre sont flatteurs. Rond et gras, bien équilibré, ce pierrevert conviendra à la cuisine provençale.

☛ H. et R. Emery, Ch. de Rousset,
04800 Gréoux-les-Bains, tél. 04.92.72.62.49
☑ 🍷 r.-v.

Côtes du vivarais

A la limite nord-ouest des Côtes du Rhône méridionales, les Côtes du Vivarais chevauchent les départements de l'Ardèche et du Gard, sur 577 ha. Les communes d'Orgnac (célèbre par son aven), Saint-Remèze et Saint-Montan peuvent ajouter leur nom à celui de l'appellation. Les vins, produits sur des terrains calcaires, sont essentiellement des rouges à base de grenache (30 % minimum), de syrah (30 % minimum), et des rosés, caractérisés par leur fraîcheur et à boire jeunes. Notez que cet ancien VDQS a été reconnu en AOC lors du comité national de l'INAO de mai 1999.

BEAUMONT DES GRAS 1998

■	n.c.	100 000	🔲 – de 20 F

Village construit au Moyen Age autour d'une abbaye clunisienne, Ruoms offre de beaux vestiges aux visiteurs. La coopérative y a établi son siège. Voici un vin particulièrement intéressant par ses arômes : les senteurs de garrigue auxquelles on peut s'attendre sur ce plateau ingrat se mêlent à des nuances florales puis à des notes d'agrumes (pamplemousse) beaucoup plus surprenantes. La bouche légère et facile est classique. Le **Domaine des Bois du Garn rouge 98** est également cité par le jury.
☛ Les Vignerons ardéchois, B.P. 8, 07120 Ruoms, tél. 04.75.39.98.00, fax 04.75.39.69.48 ☑ Ⲧ t.l.j. sf dim. 8h-12h 14h-19h

DOM. DU BELVEZET 1998

■	7 ha	5 000	🔲 20 à 29 F

Le **blanc 99** de ce domaine constitué en 1955 a été cité pour son élégance, tout comme ce rouge pour sa franchise. Un dégustateur a relevé que la syrah donnait sa personnalité à ce vin, et c'est exact : 60 % de ce cépage apportent le fruit sur des tanins souples qui sont plutôt dus aux 40 % de grenache. Un vin de plaisir.
☛ René Brunel, rte de Vallon-Pont-d'Arc, 07700 Saint-Remèze, tél. 04.75.04.05.87, fax 04.75.04.05.87, e-mail belvezet.brunel@wanadoo.fr ☑ Ⲧ r.-v.

DOM. DE COMBELONGE
Cuvée spéciale 1998

■	3,5 ha	19 300	🔲🍷 20 à 29 F

Vinezac : le village tire son nom... de la vigne qui occupe les terres de ce bourg traversé par l'histoire des hommes (grottes préhistoriques, église romane...). Une belle couleur profonde pour cette cuvée spéciale marquée par la syrah. Le nez fruité et floral annonce une bouche assez classique, ronde, agréable et bien équilibrée. Un joli vin à apprécier dès maintenant.
☛ Denis Manent, Dom. de Combelonge, 07110 Vinezac, tél. 04.75.36.92.54, fax 04.75.36.99.59 ☑ Ⲧ t.l.j. sf dim. 9h-12h 14h30-18h30

ALAIN GALLETY Haute Vigne 1998★

■	6 ha	30 000	🔲🍷 30 à 49 F

Un nouveau venu dans le Guide, qui a mis des atouts de son côté pour sortir une belle cuvée (mais de bonne taille), déjà digne de l'AOC : ven-

danges manuelles en caisse, tri sur table. Le nez complexe de fleurs et de miel sur fond de garrigue se montre puissant, de même que l'attaque, qui est cependant dénuée d'agressivité ; la bouche reprend le thème de la garrigue. Un vin à découvrir par exemple sur du gibier.
☛ Dom. Alain Gallety, La Montagne, 07220 Saint-Montan, tél. 04.75.52.63.18, fax 04.75.52.56.18 ☑ Ⲧ r.-v.

CLOS DE L'ABBE DUBOIS
Saint-Remèze 1998★

■	3 ha	4 000	🔲 20 à 29 F

La soutane est encore jeune et brillante. Une invitation à la promenade dans ce « clos » parfumé et fleuri dans la violette. La bouche a de la vivacité ; l'attaque joyeuse est un gage de convivialité.
☛ Claude Dumarcher, Clos de l'Abbé Dubois, 07700 Saint-Remèze, tél. 04.75.98.98.44, fax 04.75.98.98.44 ☑ Ⲧ r.-v.

DOM. DE LA BOISSERELLE 1998

■	4 ha	18 000	🔲 20 à 29 F

Saint-Remèze et ses lavandes, autrefois célèbre pour ses amandiers et son gibier : c'est là qu'est installé ce domaine de 17 ha qui a élaboré un vin où la syrah, quasi impériale (elle représente 80 %) se décline dans des notes de sous-bois et d'humus. C'est un vin de terroir avec une petite touche de rusticité.
☛ Richard Vigne, Dom. de La Boisserelle, 07700 Saint-Remèze, tél. 04.75.04.24.37, fax 04.75.04.24.37 ☑ Ⲧ r.-v.

UNION DES PRODUCTEURS D'ORGNAC-L'AVEN Réserve 1998★

■	120 ha	60 000	🔲🍷 20 à 29 F

Orgnac est réputée pour sa grotte souterraine, un aven gigantesque auquel on accède par un petit escalier de 780 marches. Après une heure de visite intéressante, il faut se rendre à la coopérative (1,5 km) pour reprendre des forces avec les trois beaux vins sélectionnés. Voici leur dernier VDQS. La profondeur de la robe est digne de l'aven. La qualité du nez tient à sa concentration autour de notes florales (violette) mêlées de miel, lesquelles s'expriment également en bouche. Ce vivarais rouge doit cependant sa réussite au soyeux de ses tanins et à la plénitude de la bouche.
☛ Union des Producteurs d'Orgnac-l'Aven, 07150 Orgnac-l'Aven, tél. 04.75.38.60.08, fax 04.75.38.65.90 ☑ Ⲧ r.-v.

UNION DES PRODUCTEURS D'ORGNAC-L'AVEN 1999★★

□	10 ha	25 000	🔲🍷 20 à 29 F

Le premier millésime de l'appellation d'origine contrôlée. C'est donc la fête en Vivarais. Voyez ce vin qui a suscité des commentaires élogieux. Le nez intense, complexe, expressif offre une palette de parfums suivis par des saveurs de tilleul, de jasmin, de pêche, d'abricot, de pamplemousse. Tout est élégant jusqu'à la longue finale due à ce cépage de 80 % de grenache blanc. Le **rosé 99** obtient une étoile pour ses effluves de cassis, de groseille et de pamplemousse et parce qu'il peut accompagner tout un repas.

RHONE

➥ Union des Producteurs d'Orgnac-l'Aven, 07150 Orgnac-l'Aven, tél. 04.75.38.60.08, fax 04.75.38.65.90 ☑ ⵑ r.-v.

CAVE DE SAINT-MONTAN
Saint-Montan 1998

| ■ | | 20 ha | 10 600 | ■ ⵑ | 20 à 29 F |

Etiquette historique puisque ce 98 est encore en AOVDQS et que l'an prochain le vin appartiendra à l'AOC. La tradition est maintenue dans l'assemblage grenache-syrah accompagné par 10 % de carignan. Tout est typé dans les arômes (floraux, une note épicée) et dans la bouche agréable tout en étant un peu puissante. Voici un joli vin bien fait qui offrira sa gaieté sur un hors-d'œuvre, mais qui peut aussi soutenir l'accompagnement d'un repas.

➥ SCA les Vignerons la Cave de Saint-Montan, 07220 Saint-Montan, tél. 04.75.52.61.75, fax 04.75.52.56.51 ☑ ⵑ r.-v.

DOM. DE VIGIER 1999★★★

| ◢ | | 3,5 ha | 23 000 | ■ | 20 à 29 F |

Sur la route touristique de la vallée de l'Ibie, non loin de Vallon-Pont-d'Arc, Lagorce est un joli village. Ce vaste domaine du Vigier a enthousiasmé le jury avec son rosé. A toutes les qualités des grands vins, ce 99 ajoute une touche d'originalité avec un nez de groseille voilant d'autres arômes plus subtils. Sa fraîcheur, marque de spontanéité, ne laisse rien paraître de la grande expérience du vigneron, laquelle se perçoit dans l'élégance et la finesse de ce vin.

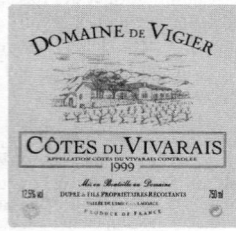

➥ Dupré et Fils, Dom. de Vigier, 07150 Lagorce, tél. 04.75.88.01.18, fax 04.75.37.18.79 ☑ ⵑ r.-v.

LES VINS DOUX NATURELS

Dès l'Antiquité, les vignerons du Roussillon ont élaboré des vins liquoreux de haute renommée. Au XIIIᵉ s., Arnaud de Villeneuve découvrit le mariage miraculeux de la « liqueur de raisin et de son eau-de-vie » : c'est le principe du mutage qui, appliqué en pleine fermentation sur des vins rouges ou blancs, arrête celle-ci en préservant ainsi une certaine quantité de sucre naturel.

Les AOC des vins doux naturels se répartissent dans la France méridionale : Pyrénées-Orientales, Aude, Hérault, Vaucluse, et la Corse, jamais bien loin de la Méditerranée. Les cépages utilisés sont les grenaches (blanc, gris, noir), le macabeu, la malvoisie du Roussillon, dite tourbat, le muscat à petits grains et le muscat d'Alexandrie. La taille courte est obligatoire.

Les rendements sont faibles, et les raisins doivent, à la récolte, avoir une richesse en sucre de 252 g minimum par litre de moût. La libération à la récolte se fait après un certain temps d'élevage, variable selon les appellations. L'agrément des vins est obtenu après un contrôle analytique. Ils doivent présenter un taux d'alcool acquis de 15 à 18 °, une richesse en sucre de 45 g minimum à plus de 100 g pour certains muscats, et un taux d'alcool total (alcool acquis plus alcool en puissance) de 21,5 ° minimum. Certains sont commercialisés tôt (muscats), d'autres le sont après trente mois d'élevage. Vieillis sous bois de manière traditionnelle, c'est-à-dire dans des fûts, ils acquièrent parfois après un long élevage des notes très appréciées de rancio. Il a été produit 367 543 hl de vins doux naturels en 1999.

Les vins doux naturels

Banyuls et banyuls grand cru

Voici un terroir exceptionnel, comme il en existe peu dans le monde viticole : à l'extrémité orientale des Pyrénées, avec des coteaux en pente abrupte sur la Méditerranée. Seules les quatre communes de Collioure, Port-Vendres, Banyuls-sur-Mer et Cerbère bénéficient de l'appellation. Le vignoble (1 400 ha environ) s'accroche le long des terrasses installées sur des schistes dont le substrat rocheux est, sinon apparent, tout au plus recouvert d'une mince couche de terre. Le sol est donc pauvre, souvent acide, ne permettant que des cépages très rustiques, comme le grenache, avec des rendements extrêmement faibles, souvent moins d'une vingtaine d'hectolitres à l'hectare : la production de banyuls a atteint 24 210 hl en 1999.

En revanche, l'ensoleillement optimisé par la culture en terrasses (culture difficile où le vigneron entretient manuellement les terrasses, en protégeant la terre qui ne demande qu'à être ravinée par le moindre orage) et le microclimat qui bénéficie de la proximité de la Méditerranée sont sans doute la cause de la noblesse des raisins gorgés de sucre et d'éléments aromatiques.

L'encépagement est à base de grenache ; ce sont surtout de vieilles vignes qui occupent le terroir. La vinification se fait par macération des grappes ; le mutage intervient parfois sur le raisin, permettant ainsi une large macération de plus d'une dizaine de jours ; c'est la pratique de la macération sous alcool, ou mutage sur grains.

L'élevage joue un rôle essentiel. En général, il tend à favoriser une évolution oxydative du produit, dans le bois (foudres, demi-muids) ou en bonbonnes exposées au soleil sur les toits des caves. Les différentes cuvées ainsi élevées sont assemblées avec le plus grand soin par le maître de chai pour créer les nombreux types que nous connaissons. Dans certains cas, l'élevage cherche à préserver au contraire tout le fruit du vin jeune en empêchant toute oxydation ; on obtient alors des produits différents aux caractéristiques organoleptiques bien précises : ce sont les rimages. Il est à noter que, pour l'appellation grand cru, l'élevage sous bois est obligatoire pendant trente mois.

Les vins sont de couleur rubis à acajou, avec un bouquet de raisins secs, de fruits cuits, d'amandes grillées, de café, d'eau-de-vie de pruneau. Les rimages gardent des arômes de fruits rouges, cerise et kirsch. Les banyuls se dégustent à une température de 12 ° à 17 °C selon leur âge ; on les boit à l'apéritif, au dessert (certains banyuls sont les seuls vins à pouvoir accompagner un dessert au chocolat), avec un café et un cigare, mais également avec du foie gras, un canard aux cerises ou aux figues, et certains fromages.

Banyuls

CORNET Rimage 1995

■ n.c. 3 100 70 à 99 F

Une longue macération à partir d'une vendange très riche, puis une mise précoce pour emprisonner le raisin, tel est le secret de ce Cornet de l'Abbé Rous. Le tuilé est agréable, puis le nez surprend par ses notes très fruitées de kirsch, avec une touche de bourgeon de cassis très proche de la vendange. Sur un équilibre très doux où règne la cerise mûre, le vin, ample et généreux, se laisse surprendre en finale par une note grillée.

⊷ La Cave de L'Abbé Rous, 56, av. Charles-de-Gaulle, 66650 Banyuls-sur-Mer, tél. 04.68.88.72.72, fax 04.68.88.30.57, e-mail contact@banyuls.com

DOM. DE LA CASA BLANCA Tradition 1997***

■ 3 ha 8 000 ⅡⅠ 50 à 69 F

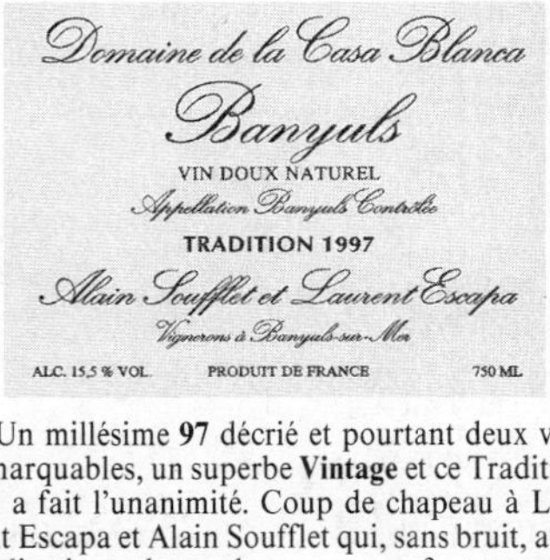

Domaine de la Casa Blanca
Banyuls
VIN DOUX NATUREL
Appellation Banyuls Contrôlée
TRADITION 1997
Alain Soufflet et Laurent Escapa
Vignerons à Banyuls-sur-Mer
ALC. 15,5 % VOL.
PRODUIT DE FRANCE
750 ML

Un millésime **97** décrié et pourtant deux vins remarquables, un superbe **Vintage** et ce Tradition qui a fait l'unanimité. Coup de chapeau à Laurent Escapa et Alain Soufflet qui, sans bruit, avec application et bonne humeur, nous font partager leur passion pour le vin plaisir. La robe de celui-ci est encore soutenue. Le nez intense allie les fruits rouges, les épices et le confit dans un excellent mariage très typique. La bouche ensuite se donne, charnue, d'une douce puissance ; le soyeux des tanins, le grillé harmonieux du fût, et une légère touche de cacao en finale appellent le chocolat noir, aujourd'hui, mais aussi pour quelques années.

🍷 Dom. de La Casa Blanca, rte des Mas, 66650 Banyuls-sur-Mer, tél. 04.68.88.12.85, fax 04.68.88.04.08 ✓ � r.-v.

🍷 Soufflet et Escapa

DOM. DE LA MARQUISE Vintage 1998

■	n.c.	11 000	❚❙❚	50 à 69 F

Splendide terroir où la nature sculptée par l'homme devient protection contre les incendies et aujourd'hui spectacle, avec un extraordinaire entrelacement de murettes et de *peu de gall*. Le vieux grenache s'accroche sur les pentes abruptes pour nous offrir ce vin de couleur pourpre, très fruité, dont le nez libère déjà des notes de cuir et de pruneau. Un vin accueillant bien qu'encore un peu jeune, en devenir, où le tanin reste présent, accompagné par le kirsch et l'eau-de-vie de noyau.

🍷 SA Destavel, 7*bis*, av. du Canigou, 66000 Perpignan, tél. 04.68.68.36.00, fax 04.68.54.03.54 ✓

🍷 Jacques Py

DOM. LA TOUR VIEILLE
Cuvée Francis Cantié★★

■	1,1 ha	4 533	❚❙❚❘	70 à 99 F

Un homme de la terre et une femme de la communication conjuguent ici leurs talents. Bonbonnes au soleil, cuve, fût, ce vin a tout vu. Il garde cependant encore l'habit rouge orné de tuilé. La cerise « près du noyau » s'approche du pruneau, puis la bouche parle : riche, complexe, elle s'exprime avec douceur et force entre le fruit et le grillé, laissant percer un début de rancio.

🍷 Dom. La Tour Vieille, 3, av. du Mirador, 66190 Collioure, tél. 04.68.82.44.82, fax 04.68.82.38.42 ✓ ⍗ r.-v.

🍷 Cantié et Campadieu

LE DOMINICAIN
Tuilé 6 ans d'âge Vieilli en fût de chêne

■	80 ha	30 000	❚❙❚	50 à 69 F

Enchâssé tel un joyau dans l'anse de Collioure, le couvent des dominicains est, avec ses poutres peintes et ses vieux banyuls, un véritable trésor. Six ans d'âge ou **90 élevé en fût** ? Le choix fut difficile entre ces deux vins d'égale valeur. Prime à la jeunesse : le rouge tuilé a séduit, autant par son nez d'épices et de grillé que par sa bouche fondue veloutée ; cerise confite et torréfaction marquent ce vin équilibré prêt à boire.

🍷 Cave coopérative Le Dominicain, pl. Orfila, 66190 Collioure, tél. 04.68.82.05.63, fax 04.68.82.43.06, e-mail le.dominicain@wanadoo.fr ✓ ⍗ r.-v.

L'ETOILE Extra Vieux 1988★★★

■	n.c.	20 000	❚❙❚❘	100 à 149 F

Jean-Paul Ramio dirige cette coopérative créée en 1921. Il propose de superbes banyuls,

dont une **cuvée du 75ᵉ anniversaire** tout aussi réussie que cet extra vieux 88, à la robe fauve, aux senteurs de fruits surmûris, de pruneau imprégné de foudre. La bouche est fondue, ample et pleine ; le fruit confit cède le pas à une note de noyau très fraîche avant une finale remarquable, tout en torréfaction et cacao.

🍷 Sté coopérative L'Etoile, 26, av. du Puig-del-Mas, 66650 Banyuls-sur-Mer, tél. 04.68.88.00.10, fax 04.68.88.15.10 ✓ ⍗ t.l.j. sf sam. dim. 8h-12h 14h-18h

LES CLOS DE PAULILLES
Rimage mise tardive 1995★★

■	2 ha	6 000	❚❙❚❘	70 à 99 F

Passé Port-Vendres, l'anse de Paulilles se déroule, dans un site à la fois sauvage et accueillant où la vigne se berce au murmure marin. Entre **Rimage 98** et Mise tardive 95, l'égalité est parfaite. Prime est donnée à l'ancien, fort de ses habits grenat, de ses petits fruits rouges accompagnés de bourgeon de cassis. Remarquable d'équilibre, il est en pleine force ; fruit et boisé s'épaulent pour préparer un bel avenir.

🍷 Les Clos de Paulilles, Baie de Paulilles, 66660 Port-Vendres, tél. 04.68.38.90.10, fax 04.68.38.91.33, e-mail jau66@aol.com ✓ ⍗ r.-v.

🍷 Famille Dauré

DOM. PIETRI-GERAUD
Cuvée du Soleil 1994★

□	0,5 ha	1 500	❚❙❚❘	100 à 149 F

Tradition au vignoble, modernité au chai, conjugués au savoir-faire de Laetitia et Maguy Piétri-Géraud, aidées par Hélène : il n'est pas étonnant que, malgré un passage de quatre ans en bonbonnes, ce vin garde encore toute sa sensibilité. L'ambré est accueillant, et d'entrée les fruits secs, la cire, le miel accompagnent les notes de rancio. Assez gras en attaque, le vin égrène ensuite de nouveau des notes de fruits secs évoluant vers une finale où l'on retrouve le rancio. Un gâteau aux noix, voire au chocolat, sera heureux avec cette cuvée du Soleil.

🍷 Maguy et Laetitia Piétri-Géraud, 22, rue Pasteur, 66190 Collioure, tél. 04.68.82.07.42, fax 04.68.98.02.58 ✓ ⍗ t.l.j. 10h-12h30 15h30-18h30

CAVE SAINT-LOUIS 1998★

■	10 ha	5 000	❚❙❚❘	50 à 69 F

Ce domaine appartient depuis 1873 à la famille du sculpteur Maillol. Il s'affiche dans le Guide, avec ce 98 prometteur, muté sur grains. D'une belle couleur profonde, il fleure bon la cerise et le cuir. L'évolution perce en bouche où le vin ample et généreux laisse exprimer les épices sur un boisé discret.

🍷 Yvon et Jean-Louis Berta-Maillol, mas Paroutet, 66650 Banyuls-sur-Mer, tél. 04.68.88.00.54, fax 04.68.88.36.96 ✓ ⍗ r.-v.

CELLIER DES TEMPLIERS
Rimatge 1998★★

■	n.c.	90 000	▮	70 à 99 F

Rimatge, traduction catalane de Vintage ou Millésime, s'applique au mieux à ce produit de l'incontournable cellier des Templiers, tout en

VDN

finesse et jeunesse. Le pourpre est profond, intense, chaleureux. Dès l'approche, la cerise dans la chair s'exprime sur fond de sous-bois typique d'un bon Rimatge. La cerise se croque, enrobée d'un tanin fin et soyeux.

🍷 Cellier des Templiers, rte du Mas-Reig, 66650 Banyuls-sur-Mer, tél. 04.68.98.36.70, fax 04.68.98.36.91 ☑ ⓘ r.-v.

VIAL-MAGNÈRES Rivage 1996★★

☐   2 ha   8 000   🍷 ⓘ ♨   `70 à 99 F`

Sous des abords affables et chaleureux se cache un homme opiniâtre sans qui le banyuls blanc n'aurait pu naître et passionner les plus grands chefs de l'Hexagone. Il devra aujourd'hui - et avec l'appui de ce Guide - conquérir d'autres marchés. L'or pâle est teinte d'un reflet grisé, signature du grenache gris. Fruit exotique, litchi épousent en finesse les notes de ciste et de genêt du maquis. Ample, enveloppée, la bouche offre un excellent fondu relevé en finale par une touche tannique surprenante qui lui confère encore plus de longueur.

🍷 Dom. Vial-Magnères, Clos Saint-André, 66650 Banyuls-sur-Mer, tél. 04.68.88.31.04, fax 04.68.55.01.06, e-mail al.tragou@wanadoo.fr ☑ ⓘ r.-v.
🍷 Monique et Bernard Sapéras

Banyuls grand cru

CASTELL DES HOSPICES 1985★★★

■   n.c.   4 300   ⓘ `150 à 199 F`

Afin de restaurer l'église de Banyuls, l'abbé Rous décida de vendre du vin. Le résultat fut largement à la hauteur de ses espérances. Cela peut expliquer le nom de cette cuvée dont les vins ne sont pas disponibles sur place, mais que le lecteur trouvera chez les cavistes, dans les épiceries fines et sur la carte des restaurants. Dès l'approche, il sera séduit par les arômes où se mêlent un doux boisé, du cuir, du pruneau confit et un envoûtante touche marine rappelant la tourbe. La bouche se montre ample, puissante, à la fois vive et fondue, dotée de notes de fruits confits, d'épices et de cacao. Havane, café et chocolat l'attendent. Egalement retenue, la cuvée **Reynal 90**.

🍷 La Cave de L'Abbé Rous, 56, av. Charles-de-Gaulle, 66650 Banyuls-sur-Mer, tél. 04.68.88.72.72, fax 04.68.88.30.57, e-mail contact@banyuls.com

CLOS CHATART 1993★★

■   1,9 ha   3 000 🍷 ⓘ ♨   `150 à 199 F`

La vallée de la Baillaury offre à qui sait se perdre depuis la plage de Banyuls, dans l'arrière-pays, un spectacle grandiose d'architecture viticole. Là, à l'écart du tumulte estival, le mas du XIIᵉˢ. semble défier le temps. L'élevage perce dès l'approche de ce 93 avec des reflets brun-roux, confirmé par ses notes caractéristiques de cuir, de grillé, de tabac puis de cacao. Le meilleur reste à venir. Dès la prise en bouche, l'ampleur surprend. Le fruit confit se fond sur le chocolat, le tanin se fait velours, la finale de torréfaction cubaine appelle le havane.

🍷 Clos Chatart, 66650 Banyuls-sur-Mer, tél. 04.68.88.12.58, fax 04.68.88.51.51 ☑ ⓘ r.-v.
🍷 Laverrière

L'ETOILE Doux paillé Hors d'âge★★★

■   5 ha   10 000   🍷 ⓘ   `150 à 199 F`

Le fameux doux paillé du Président est encore une merveille. Comme la madeleine de Proust, il ne quittera plus votre mémoire lorsque vous l'aurez goûté à Banyuls, sur un foie gras aux figues... Le rouge profond initial s'est, à l'élevage, mué en ambré roux très pâle. Au nez se mêlent miel, pain d'épice, tabac blond, foin coupé, amande grillée... Gras, onctueux, savoureux, le vin est harmonieux, figue puis noisette et fruits secs se disputant la fin de bouche à l'infini.

🍷 Sté coopérative L'Etoile, 26, av. du Puig-del-Mas, 66650 Banyuls-sur-Mer, tél. 04.68.88.00.10, fax 04.68.88.15.10 ☑ ⓘ t.l.j. sf sam. dim. 8h-12h 14h-18h

CELLIER DES TEMPLIERS
Cuvée Henri Caris 1988★★

■   n.c.   10 150   🍷 ⓘ   `150 à 199 F`

Dans le site remarquable du Mas Reig, le Cellier poursuit sa politique d'élevage de produits à haute expression. Ainsi, avec un **Mas de la Serre 91** actuellement en pleine vie, la cuvée Henri Caris 88 a retenu l'attention du jury. Force de l'élevage, l'ambré rejoint l'acajou. On est envoûté par les senteurs des vieilles caves où le foudre restitue des arômes de fruits, de cuir, et de torréfaction. La bouche est soyeuse ; pruneau, eau-de-vie de prune et tabac s'estompent pour une finale de cacao et de noix de cajou. Tous les chocolats adoreront ce mariage.

🍷 Cellier des Templiers, rte du Mas-Reig, 66650 Banyuls-sur-Mer, tél. 04.68.98.36.70, fax 04.68.98.36.91 ☑ ⓘ r.-v.

DOM. DU TRAGINER Hors d'âge★★

■   4 ha   3 000   ⓘ `200 à 249 F`

Labourer les vignes à Banyuls n'est très souvent possible qu'avec un mulet. C'est cette pratique culturale que maintient J.-F. Deu, le dernier à travailler avec un muletier (*traginer*). La robe de ce banyuls grand cru a supporté l'âge, la nuance rouge persiste au travers du tuilé mais, déjà, les arômes intenses se bousculent (boisé, torréfaction, figue et cacao). Ce festival aromatique se poursuit en bouche, renforcé par le grillé des tanins et leur touche épicée sur une finale chocolatée.

☛ J.-F. Deu, Dom. du Traginer, 56, av. du Puig-del-Mas, 66650 Banyuls-sur-Mer, tél. 04.68.88.15.11, fax 04.68.88.31.48 ☑ Ⴤ r.-v.

Rivesaltes

Quantitativement, c'est la plus importante des appellations des vins doux naturels : elle atteignait 14 000 ha et 264 000 hl en 1995. Le Plan rivesaltes a prévu une restructuration de ce vignoble qui connaît des difficultés économiques : en 1996, près de 4 000 ha ont été gelés et la production est tombée en dessous de 200 000 hl. En 1999, celle-ci n'a atteint que 101 532 hl. Le terroir du rivesaltes est situé en Roussillon et dans une toute petite partie des Corbières, sur des sols pauvres, secs, chauds, favorisant une excellente maturation. Quatre cépages sont autorisés : grenache, macabeu, malvoisie et muscat. Cependant, malvoisie et muscat n'interviennent que très peu dans l'élaboration de ces produits. La vinification se fait en général en blanc, mais aussi, pour des grenaches noirs, avec une macération, afin d'avoir le maximum de couleur et de tanin.

L'élevage des rivesaltes est fondamental pour la détermination de la qualité. En cuve ou dans le bois, ils développent des bouquets bien différents. Il existe une possibilité de repli dans l'appellation « grand roussillon ».

Les couleurs varient de l'ambre au tuilé. Le bouquet rappelle la torréfaction, les fruits secs et le rancio dans les cas les plus évolués. Les rivesaltes rouges ont, dans leur phase de jeunesse, des arômes de fruits rouges : cerise, cassis, mûre. A boire à l'apéritif ou au dessert, à une température de 11 ° à 15 °C, selon leur âge.

CH. DONA BAISSAS Ambré Hors d'âge

	n.c.	15 000	❚❙	50 à 69 F

Estagel est le poumon de la vallée de l'Agly. Affecté par les tragiques inondations de novembre, le village a pansé ses plaies et les vignerons celles du vignoble. Voici un ambré hors d'âge, très pâle, où l'or surprend ainsi qu'une note de

marc de raisin se mêlant au fruit sec. Souple, chaleureux, le vin évolue sur un équilibre sec, le grillé de l'amande se disputant avec un cœur plus citronné.

☛ SA Destavel, 7bis, av. du Canigou, 66000 Perpignan, tél. 04.68.68.36.00, fax 04.68.54.03.54 ☑

☛ G. Baissas

DOM. BERTRAND-BERGE
Ambré Grande Réserve★

	2 ha	n.c.	❚❙	50 à 69 F

Retenez bien cette adresse en AOC fitou et désormais en rivesaltes. Avec cet ambré grisé aux notes grillées accompagnées d'une pointe de fruits surmûris, ce domaine a séduit le jury. Le palais se montre gras, ample, liquoreux ; le fruit mûr, l'agrume confit s'estompent doucement en finale devant la noix, agrémentée d'une touche chaleureuse de belle longueur.

☛ Jérôme Bertrand, av. du Roussillon, 11350 Paziols, tél. 04.68.45.41.73, fax 04.68.45.41.73 ☑ Ⴤ r.-v.

DOM. DE BESOMBES SINGLA
Tuilé Hors d'âge 1991

	20 ha	5 000	▮	70 à 99 F

Comme il est écrit sur l'étiquette, ce vin est le résultat de l'alliance plusieurs fois séculaire d'une famille et du terroir de Salses avec pour complices toutes les déclinaisons du grenache. Raison pour laquelle le vin hésite entre ambré et tuilé dès l'approche (robe d'ambre roux et senteurs miellées et lactées). Plus solide en bouche, il se révèle ample, savoureux, avec des notes de pain d'épice qui précèdent l'évocation du fruit sec ; celui-ci lui conférant une touche rancio.

☛ Damien et Laurent de Besombes-Singla, 4, rue de Rivoli, 66250 Saint-Laurent-de-la-Salanque, tél. 04.68.28.30.68, fax 04.68.28.30.68 ☑ Ⴤ r.-v.

DOM. JOSEPH BORY
Ambré 25 ans en 2000 1975★★★

	10,19 ha	3 000	▮	100 à 149 F

Encore une merveille, cette cuvée Joseph Bory dont la nouvelle étiquette évoque les vieux ceps noueux qui ont donné naissance à cet ambré dont la robe très soutenue se rapproche du roux à reflets rancio. Après vingt-cinq ans, le vin se livre, doucement partagé entre figue, pruneau, cuir et torréfaction. Remarqué pour son équilibre, ce 75 est très présent mais sait être souple, centré autour du fruité de l'abricot, du raisin de Corinthe, puis de notes plus évoluées de noisette grillée et de tabac miellé.

☛ Andrée Verdeille, 6, av. Jean-Jaurès, 66670 Bages, tél. 04.68.21.71.07, fax 04.68.21.71.07 ☑ Ⴤ t.l.j. sf dim. 15h-19h

LES VIGNERONS DE CABESTANY ET D'ALENYA
Cuvée du Cinquantenaire Ambré Elevé en fût de chêne 1995

	60 ha	3 300	❚❙	100 à 149 F

Etymologiquement « tête d'étang », le village de Cabestany, agréable banlieue de Perpignan, domine de ses terrasses d'anciens étangs aujourd'hui asséchés. Limpide, le vieil or de ce

VDN

95 est avenant et dévoile des senteurs d'abricot et de coing sur fond de fruits à l'eau-de-vie et de banane flambée. La bouche est très douce dès l'attaque. Le fruit confit et le raisin à l'eau-de-vie se disputent la finale.

⚓ Les vignerons de Cabestany et d'Alenya, 1, av. du Roussillon, 66330 Cabestany, tél. 04.68.50.48.59, fax 04.68.50.97.80 ☑ ⓘ r.-v.

VIGNERONS CATALANS Ambré 1995★

	50 ha	n.c.	ⓘⓘ	30 à 49 F

Les Vignerons Catalans, groupement emblématique des Pyrénées-Orientales, étaient jusqu'à présent plus connus sur le marché des vins secs. Mais dans les caves adhérentes se cachent des trésors, tel un **vieil ambré 74**, ou ce jeune 95, vieil or, tout en miel et orange confite. Encore très fruité grâce à une touche de muscat, il évolue sur un équilibre dynamique et très frais d'orange amère. Seule la finale « paillée » souligne les trois ans de fût.

⚓ Vignerons Catalans, 1870, av. Julien-Panchot, 66011 Perpignan Cedex, tél. 04.68.85.04.51, fax 04.68.55.25.62, e-mail vignerons.catalans@wanadoo.fr ⓘ r.-v.

DOM. CAZES Ambré 1991★★★

	9,07 ha	15 000	ⓘⓘ	70 à 99 F

Les vins des frères Cazes se déclinent dans une gamme remarquable où types vintage, ambré ou tuilé ne cessent de se surpasser pour donner toujours plus de plaisir. Un esprit hérité d'Aimé et honoré pour un **Aimé Cazes 75** des plus sublimes. Quant à ce 91 ambré roux, fondu, doux, suave, il offre des notes patinées de vieux foudre, entre agrumes et senteurs de garrigue estivale ; orange amère, pain d'épice, foin coupé et touche de verveine cèdent le pas à une finale de fruit sec. Une belle complexité à offrir à un fromage persillé.

⚓ Sté Cazes Frères, 4, rue Francisco-Ferrer, B.P. 61, 66602 Rivesaltes, tél. 04.68.64.08.26, fax 04.68.64.69.79, e-mail info@cazes-rivesaltes.com ☑ ⓘ r.-v.

DOM. DES CHENES 1992

◼		n.c.	2 800	ⓘⓘ	50 à 69 F

L'homme de Tautavel avait du goût en s'installant dans cette vallée qui se termine dans le site grandiose et sauvage du cirque de Vingrau, là où les Razungles, vigneron et œnologue, conjuguent leurs talents. Après cinq ans de bois, le tuilé est dépouillé et, déjà, perce le rancio tout en fruits secs et grillé fondu. La bouche confirme cette belle évolution, offrant un réel équilibre entre la douceur du fruit et l'amertume du cacao qui pointe en finale.

⚓ Razungles, Dom. des Chênes, 7, rue Mal-Joffre, 66600 Vingrau, tél. 04.68.29.40.21, fax 04.68.29.10.91 ☑ ⓘ r.-v.

CROIX-MILHAS Grains pourpres★

◼		n.c.	30 000	ⓘⓘ	30 à 49 F

La maison Cusenier, dont le siège est à Thuir, c'est toute l'histoire du Byrrh inventé en 1860 par les frères Violet. C'est aussi un lieu exceptionnel constitué d'une gare intérieure construite par Eiffel, de huit cents foudres mais aussi de la plus grande cuve en bois du monde. A côté d'un excellent **ambré**, le jury a apprécié ce rivesaltes jeune,

vif, très fruité, marqué par la cerise avec une douce évolution sur le cuir. Le type parfait de vin jeune d'expression fruitée.

⚓ Cusenier, 6, bd Violet, 66300 Thuir, tél. 04.68.53.05.42, fax 04.68.53.31.00 ☑ ⓘ t.l.j. 9h-11h45 14h30-17h45; f. jan.

DOM BRIAL Tuilé 1995★★

◼		n.c.	20 000	ⓘⓘ	30 à 49 F

Baixas, capitale du muscat, a une cave dynamique qui voue un culte à dom Brial, ecclésiastique éclairé, un brin déluré et facétieux, grand amateur de vin. Rares sont les tuilés aussi fins et fondus si jeunes ! Soyeuse mais présente, avec des senteurs et des arômes de pruneau et de noisette grillée, la bouche est fort belle jusqu'à sa finale torréfiée. Aussi agréable à l'apéritif qu'au dessert. A également été remarqué l'**ambré 95**.

⚓ Cave des Vignerons de Baixas, 14, av. Mal-Joffre, 66390 Baixas, tél. 04.68.64.22.37, fax 04.68.64.26.70, e-mail baixas@smi-telecom.fr ☑ ⓘ r.-v.

CELLIER DE LA BARNEDE
Tuilé Hors d'âge Rancio 1981★★★

	15 ha	4 000	◼ⓘⓘ◦	70 à 99 F

Village vigneron, Bages affiche sa vocation viticole tout au long de la rue principale. Manière dynamique d'exorciser un passé viticole facile pour présenter une actualité axée sur la mise en valeur de ses meilleurs terroirs. Pour ses vingt ans, la parure tuilée de ce 81, même si elle n'est pas des plus brillantes, s'estompe devant ce nez de grand vin où se mêlent fondu du boisé, cire, torréfaction, chocolat et pointe de noix. Puis le palais est conquis par l'ampleur, la générosité tout en doigté du fruit confit et de l'épice avant que la cannelle passe le relais à la noisette sur fond de chocolat. Superbe !

⚓ SCV Les Producteurs de La Barnède, 5, av. du 8-Mai-1945, 66670 Bages, tél. 04.68.21.60.30, fax 04.68.37.50.13 ☑ ⓘ r.-v.

DOM. LAPORTE Ambré 1985

	2 ha	5 000	◼	100 à 149 F

Les anciennes terrasses de la Têt se prêtent à merveille à la production de VDN. A deux pas de la mer, sur le site de Ruscino chargé d'histoire, ce sont les vieux ambrés qui défient le temps. L'ambré, au fil des ans, s'est fait acajou et délivre des senteurs de figue, de ciste chaud, puis de noisette. Un vin ample, gras, soyeux, où le fruit confit s'allie aux notes grillées avant une finale de tabac blond miellé.

➊ Dom. Laporte, Château-Roussillon, 66000 Perpignan, tél. 04.68.50.06.53, fax 04.68.66.77.52, e-mail domaine-laporte@wanadoo.fr ☑ 𝚼 r.-v.

HENRI LHERITIER Millésime 1998★

■	1 ha	2 000	70 à 99 F

Homme de culture, curieux et passionné, Henri Lhéritier met tout son art dans la sélection de ce grenache dont il sait parfaitement exprimer le fruit. L'approche est intense, jeune et vive. Surpris de se trouver enfin libre, le vin s'exprime en senteurs de violette, de griotte et de myrtille. Ample et riche, le tanin très présent est fort bien équilibré par la douceur de la cerise. Ce vin se croque jeune mais se prépare aussi un bel avenir.
➊ Henri Lhéritier, av. Gambetta, 66600 Rivesaltes, tél. 04.68.38.56.53, fax 04.68.38.56.52, e-mail domainelheritier@wanadoo.fr ☑ 𝚼 t.l.j. sf dim. 8h-12h 14h-19h

DOM. MALER Tuilé Hors d'âge 1992

☐	13 ha	1 400	◖◗ 70 à 99 F

Tresserre est un village connu en Roussillon, tant pour le sérieux et l'efficacité de la station technique du Comité interprofessionnel dirigée par P. Torrès que pour la fête païenne des *bruixes* (sorcières). C'est aussi un village uniquement vigneron où l'émulation est forte. Ce 92 tuilé est bien travaillé. Ses notes de pruneau présentent une touche de clou de girofle. Sur un équilibre sec, avec une belle présence tannique, le vin évolue vers des arômes de cacao et n'attend que le chocolat noir.
➊ Pierre et Yolande Maler, 1, rue du Canigou, 66300 Tresserre, tél. 04.68.38.82.61, fax 04.68.38.81.27 ☑ 𝚼 r.-v.

MAS CRISTINE Ambré 1996★

☐	3,1 ha	10 000	◖◗ 70 à 99 F

Dès les premiers tournants de la côte rocheuse, la route étroite serpente jusqu'au mas que l'on découvre avec surprise, telle une oasis dans le maquis de chênes-lièges. L'or est dans le verre, brillant, lumineux. Le boisé fin de ce 96 entoure des notes miellées, de cire et de coing. La bouche, à l'avenant, sur un équilibre doux et fondu, laisse percer en finale une évolution vers le fruit sec très agréable.
➊ Mas Cristine, Au ch. de Jau, 66600 Cases-de-Pène, tél. 04.68.38.90.10, fax 04.68.38.91.33, e-mail jau66@aol.com ☑
➊ Famille Daure

MAS DE LA GARRIGUE
Vieux Récolte 1978★★

■	19 ha	5 000	▮ 50 à 69 F

Lorsque l'on commercialise encore d'authentiques 1950, ce 78 prend des allures de gamin, objet de toutes les attentions de la part de Mme Vila, toujours soucieuse de perfection. Après vingt-trois ans le tuilé résiste bien. Le vin, lui, se déguste après aération. Alors, cuir, vieux foudre, notes d'eucalyptus, réglisse, brûlé s'échappent lentement. Puis vient la bouche, mature, solide, où le pruneau dans la chair se fait confit avant que la réglisse n'emporte la finale sur des notes de sucre brûlé. A noter un très bon **vintage 89**.

➊ Mme Marcel Vila, Mas de la Garrigue, 17, av. Gal-de-Gaulle, 66240 Saint-Esteve, tél. 04.68.92.06.56 ☑ 𝚼 t.l.j. sf dim. 8h-12h 15h-18h

CH. MONTNER Ambré 1995★★★

☐	25 ha	50 000	▮◖◗ 30 à 49 F

Sur fond de Canigou, le vieux village de Montner se dresse au milieu du vignoble, semblant l'encourager à partir à l'assaut du terroir de schistes bruns de Força Real. L'accueil d'ambre roux est chaleureux, avenant. Puis, avec ce rivesaltes 95, commence le plaisir, des senteurs miellées de vieilles caves de vin doux où le grillé du foudre se mêle au fruit confit. Ample, présent, fondu, harmonieux, équilibré, le palais est parfait. L'abricot confit se fait plus grillé, puis apparaissent l'amande, le tabac miellé... Superbe !
➊ Les Vignerons des Côtes d'Agly, Cave coopérative, 66310 Estagel, tél. 04.68.29.00.45, fax 04.68.29.19.80, e-mail agly@little-france.com ☑ 𝚼 t.l.j. sf sam. dim. 8h-12h 14h-18h

CH. MOSSE
Vignes des Causses Vieilli en fût de chêne 1995★

■	10 ha	8 000	◖◗ 50 à 69 F

Village dont l'architecture catalane a été merveilleusement restaurée, Sainte-Colombe est un joyau des Aspres sur fond de Canigou. Le calcaire des causses donne à ce grenache rouge tuilé, après un court passage en fût, des notes de miel, de cuir, de fruits confits et d'eau-de-vie de prune. La bouche se montre à la fois grasse, ample et fine. La cerise confite s'entoure de cannelle avant une finale douce et fraîche à la fois. A noter un bon **rubis 96**.
➊ Jacques Mossé, Ch. Mossé, 66300 Ste-Colombe-de-la-Commanderie, tél. 04.68.53.08.89, fax 04.68.53.35.13 ☑ 𝚼 r.-v.

DOM. MOUNIE Roc de l'Amor 1986★★

■	4 ha	3 500	▮◖◗ 70 à 99 F

Tautavel, traduction de « tout je le veux », est célèbre pour son musée de la Préhistoire et pour son terroir réputé, tant en côtes du roussillon-villages qu'en vins doux naturels. Six ans de cuve et sept de fût ont patiné ce vin rouge en un tuilé avenant. La cerise évolue vers le fruit confit, la figue et le cuir. Puis la bouche surprend, ample et riche ; s'y retrouve la figue accompagnée d'amande grillée avant une finale très longue tout en épices.

•➤ Dom. Mounié, av. du Verdouble,
66720 Tautavel, tél. 04.68.29.12.31,
fax 04.68.29.05.59 ☑ ☧ t.l.j. 11h-12h 15h-18h
•➤ Hélène Rigaill

CH. DU PARC
Ancestral Cuvée Henri Jonquères 1969★

	30 ha	5 000	■	70 à 99 F

Quelle AOC viticole française peut
aujourd'hui avec autant d'aisance proposer des
vins de dix, vingt, voire trente ans comme ce
Château du Parc ? Méconnus rivesaltes qui se
déclinent avec autant de bonheur en ambré qu'en
tuilé et s'embellissent avec le temps. L'approche
de ce 69 est « brou de noix » et le reflet rancio.
Le nez à l'avenant est intense : les senteurs de
garrigue sont couvertes par des notes plus sourdes de suie, de vieux cuir et de noix. Pour le reste,
nous sommes en pays rancio avec cette sensation
huileuse, ce gras masquant à peine une touche
d'acidité et surtout le café, le caramel, le tabac
brun et enfin la noix. A noter un **Ave Maria 95**
de belle facture.
•➤ GAEC Maria-Jonquères, 1, av. Henri-
Jonquères, 66300 Ponteilla, tél. 04.68.35.33.32,
fax 04.68.35.55.17 ☑ ☧ r.-v.
•➤ X.-L. Maria

LES VIGNERONS DE PEZILLA
Tuilé 1994★

	48 ha	10 000	■	30 à 49 F

Le Ribéral (bord de la Têt) pour l'arborici-
ture et le maraîchage, les terrasses et les schistes
pour la vigne, à chacun ses fonctions. Un grand
président à la cave, un directeur marathonien,
pas étonnant que les vins tiennent la distance, tel
ce 94 à la robe encore profonde, très marqué par
la cerise et le pruneau, après un premier nez de
cuir et de tabac. Un vin bien équilibré, à partir
d'une excellente matière première ; le tanin final
lui laisse encore de la vie. A l'image de son frère
ambré de 94, également remarqué par le jury.
•➤ SCV Les Vignerons de Pézilla, 66370 Pézilla-
la-Rivière, tél. 04.68.92.00.09, fax 04.68.92.49.91
☑ ☧ t.l.j. sf dim. 8h30-12h30 14h-18h30

CH. PRADAL Elevé en fût de chêne 1997★★

	3 ha	3 000	◖▮▯	30 à 49 F

Cerné par la ville de Perpignan, le mas Pradal
résiste à l'assaut de l'urbanisme depuis 1810, pratiquant avec humour le vieil adage catalan :
mieux vaut une vigne de malvoisie qu'un mauvais voisin... Car rares sont les vignerons à posséder ce vieux cépage. Ici à 25 %, il marque de
sa touche ce jeune ambré aux senteurs fraîches
d'orange amère et de raisin à l'eau-de-vie. Fin,
élégant, l'agrume persiste. Le vin est frais, souple, agréablement accompagné en finale par une
touche de tabac miellé.
•➤ André Coll-Escluse, Ch. Pradal,
58, rue Pépinière-Robin, 66000 Perpignan,
tél. 04.68.85.04.73, fax 04.68.56.80.49 ☑ ☧ r.-v.

DOM. DE RANCY Hors d'âge 1974★★★

	n.c.	1000	◖▮▯	200 à 249 F

C'est l'adresse des vieux rivesaltes rancio !
D'ailleurs ici on ne travaille que le vin doux dans
un profond respect de la tradition. Après vingt-
cinq ans d'élevage sous bois, l'ambré est désor-

mais très sombre, brou de noix à reflets verts
caractéristiques. Les senteurs aériennes de noix
et de foudre ne sont pas à mettre dans toutes les
bouches ! Seuls les amateurs de rancio y trouveront plaisir ! Les notes sont enveloppées dès
l'attaque ; il est intéressant de connaître la sensation de gras, de présence huileuse relevée par
une touche d'acidité avant que le vin ne bascule
vers la torréfaction, les sucres brûlés, les fruits
secs, le cacao, puis la noix sans fin...
•➤ Jean-Hubert Verdaguer, Dom. de Rancy,
11, rue Jean-Jaurès, 66720 Latour-de-France,
tél. 04.68.29.03.47, fax 04.68.29.06.13 ☑ ☧ r.-v.

ROC DU GOUVERNEUR
Vintage 1995★★

▨	n.c.	6 000	◖▮▯	50 à 69 F

Cette coopérative allie tradition et modernité
puisqu'elle est certifiée ISO 9002 alors qu'elle
élève ses vins dans un château du XVᵉs. Cet
atout, la cave de Salses en use avec succès comme
le montre ce rivesaltes encore plein de jeunesse,
rubis et fruité, partagé entre cassis, fraise des bois
et venaison. Plaisir de la bouche, ample et équilibrée : le fruit sauvage se caresse d'épices avant
de reprendre vie sur une finale solide et longue.
•➤ Les Vignobles du Rivesaltais,
1, rue de la Roussillonnaise, 66602 Rivesaltes-
Salses, tél. 04.68.64.06.63, fax 04.68.64.64.69,
e-mail vignobles.rivesaltais@wanadoo.fr
☑ ☧ r.-v.

CH. ROMBEAU
Grande réserve Hors d'âge 1980★★★

▨	n.c.	2 500	◖▮▯	50 à 69 F

Tout en rondeurs, toujours en mouvement,
débordant d'idées, Pierre-Henri de La Fabrègue
est une figure en Roussillon. Sa cave-auberge est
un « piège » car, y aller, c'est tomber sous le
charme du lieu, du personnage et des vins. Le
tuilé de ce 80 est soutenu, les senteurs de garrigue
se mêlent au foin coupé, à la patine des vieux
foudres. Puis le vin surprend par son fondu, la
douceur du fruit confit, la finesse du grillé de la
noisette, la note de café torréfié et surtout par sa
longueur.
•➤ SCEA Dom. de Rombeau, 66600 Rivesaltes,
tél. 04.68.64.35.35, fax 04.68.64.64.66 ☑ ☧ t.l.j.
8h-23h
•➤ de La Fabrègue

SAINT-PAUL
Cuvée Prince de Conti 1984★★★

	n.c.	3 000	■ ◖▮▯	100 à 149 F

Capitale des Fenouillèdes, Saint-Paul est
réputé pour ses croquants (biscuit aux amandes),
la beauté sauvage du paysage et ses collines de
marnes noires, terres propices aux VDN de qualité. Le Prince porte haut l'habit d'un ambré pâle
surprenant de fraîcheur. Il semble revenir du
maquis et est imprégné de senteurs de cistes, de
fruits secs. Elégant, fin, il apparaît suave, d'un
bel équilibre, alliant la fraîcheur amère de la gentiane au grillé des vieux foudres.
•➤ SCV Les Vignerons de Saint-Paul,
17, av. Jean-Moulin, 66220 Saint-Paul-
de-Fenouillet, tél. 04.68.59.02.39,
fax 04.68.59.07.97 ☑ ☧ r.-v.

DOM. SARDA-MALET Le Serrat 1995

☐ 10 ha 6 500 ▪ 30 à 49 F

Aux portes de Perpignan, dans le site ondulé des collines du Serrat d'en Vaquer, Suzy Malet perpétue la tradition familiale avec bonheur et application comme le montre ce 95. L'ambre est soutenu ; miel, pain d'épice, orange confite annoncent une bouche ample, douce, d'agrumes, de fruits confits. La finale légèrement épicée permet de conseiller un mariage avec les fromages bleus.

☛ Dom. Sarda-Malet, mas Saint-Michel, chem. de Sainte-Barbe, 66000 Perpignan, tél. 04.68.56.72.38, fax 04.68.56.47.60 ☑ Ⅰ r.-v.
☛ Suzy Malet

CH. DE SAU Ambré Hors d'âge★★★

☐ 3,5 ha 5 000 ◍ 70 à 99 F

Hervé Passama est très attaché à la terre et est passionné par la notion de terroir. Cet ambré sans âge assemble plusieurs vieux millésimes ; il se pare d'acajou, de notes de tourbe et de banane flambée. Présents, très fondus, l'abricot sec, la banane mûre cèdent le pas à une finale relevée par la douce amertume du cacao.

☛ Hervé Passama, Ch. de Saü, 66300 Thuir, tél. 04.68.53.21.74, fax 04.68.53.29.07, e-mail chateaudesau@aol.com ☑ Ⅰ r.-v.

DOM. DES SCHISTES Solera★★★

☐ 5 ha 5 000 ◍ 70 à 99 F

Jamais totalement satisfait, toujours à la recherche de la qualité, Jacques Sire décline le mot passion dans la langue vigneronne. Ce qui le conduit avec Nadine à offrir table ouverte pour parler de solera ou déguster ses vins nés sur schistes. Tabac, paille, fleurs miellées et cire s'échappent d'un ambré soutenu aux reflets rancio. Après, le solera se love, fondu, emplissant l'espace de ses notes d'agrumes, de raisin de Corinthe, de miel de maquis. Puis, en fin, la noisette se laisse griller et les senteurs de tabac appellent le havane.

☛ Jacques Sire, 1, av. Jean-Lurçat, 66310 Estagel, tél. 04.68.29.11.25, fax 04.68.29.47.17 ☑ Ⅰ r.-v.

TERRASSOUS Ambré Hors d'âge 1986★

☐ 20 ha 6 000 ▪ 30 à 49 F

Sur cette vaste terrasse viticole qui lui a donné son nom, le village de Terrats, au cœur des Aspres, semble veiller jalousement sur son terroir que seuls osent attaquer les méandres profonds de la Canterrane. Il a fallu à ce 86 dix ans d'élevage en cuve pour atteindre cet ambré roux limpide, ces senteurs intenses de pain d'épice, de miel et de noisette. L'attente crée le plaisir de bouche, la douceur, le fondu, la note d'orange amère. La finale est plus sèche, évoquant la noisette et le foin séché.

☛ SCV Les Vignerons de Terrats, B.P. 32, 66302 Terrats, tél. 04.68.53.02.50, fax 04.68.53.23.06 ☑ Ⅰ t.l.j. sf dim. 8h-12h 14h-18h

TORRE DEL FAR 1998★

▪ 45 ha 26 000 ▪◍⬇ 30 à 49 F

La réputation des Maîtres Vignerons n'est plus à faire quant à leur maîtrise du mutage sur grain du grenache noir. La longue macération de l'alcool et du raisin permet d'obtenir un vin jeune à la robe soutenue, à l'approche charnue, tout en fruits rouges où domine la cerise griotte sur des airs de guignolet. Les tanins toujours présents apportent alors leur support d'épices et de sous-bois. Un vin à prendre sur une coupe de fruits des bois.

☛ Les Maîtres Vignerons de Tautavel, 24, av. Jean-Badia, 66720 Tautavel, tél. 04.68.29.12.03, fax 04.68.29.41.81, e-mail vignerons.tautavel@wanadoo.fr ☑ Ⅰ r.-v.

CELLIER TROUILLAS
Ambré Elevé en fût de chêne 1986

☐ 80 ha 25 000 ◍ 30 à 49 F

Les vieux ceps de grenache blanc et de macabeu offrent une matière première qui peut se plier à bien des pratiques en matière d'élevage. Ainsi ce 86 resté en milieu oxydatif, à savoir en récipient de bois durant treize ans ! Rien de surprenant à découvrir cet ambré, pelure d'orange, très marqué aromatiquement par ce même fruit complété d'épices et de miel. La patine du temps se retrouve dans une bouche souple, fondue, où perce le pain d'épice, l'arôme miellé de tabac blond sur une finale de citron très frais.

☛ SCV Le Cellier de Trouillas, 1, av. du Mas-Deu, 66300 Trouillas, tél. 04.68.53.47.08, fax 04.68.53.24.56 ☑ Ⅰ r.-v.

DOM. DU VIEUX CHENE
Tuilé Excellence de Haut-Valoir 1977★★

▪ 20 ha 2 000 ▪◍⬇ 200 à 249 F

Une des plus belles vues du Roussillon, un cadre splendide, un heureux mariage de terroirs et une cave superbe : vous êtes au Vieux Chêne, à dix minutes de Perpignan où vous attend ce rivesaltes 77. L'acajou trahit l'élevage, ce que confirment les senteurs intenses de figue sèche, de grillé, de pruneau avant que naisse le rancio. Le palais est très enrobé, souple ; le chocolat ne tarde pas à se marier aux notes de café et de tabac dans un contexte très harmonieux qui appelle robusta ou havane. A noter un très bon **vintage 96**.

☛ Dom. du Vieux Chêne, Mas Kilo, 66600 Espira-de-l'Agly, tél. 04.68.38.92.01, fax 04.68.38.95.79 ☑ Ⅰ r.-v.
☛ Sarda Bobo

Maury

Le terroir (1 700 ha) recouvre la commune de Maury, au nord de l'Agly, et une partie des communes limitrophes. Ce sont des collines escarpées couvertes de schistes aptiens plus ou moins décomposés, où l'on a produit 24 125 hl en 1999, à partir du grenache noir. La vinification se fait souvent par de longues macérations, et l'élevage permet d'affiner des cuvées remarquables.

Grenat lorsqu'ils sont jeunes, les vins prennent par la suite une teinte acajou. Le bouquet est d'abord très aromatique, à base de petits fruits rouges. Celui des vins plus évolués rappelle le cacao, les fruits cuits et le café. Ils sont appréciés à l'apéritif et au dessert, et peuvent également se prêter à des accompagnements sur des mets à base d'épices et de sucre.

CHABERT DE BARBERA 1983★★★

■	1,65 ha	5 000	❙❙❙	150 à 199 F

Il faut saluer ici le splendide travail d'élevage conduit sous la houlette de Th. Ferra. Nous voilà dans ces superbes vieux maury à l'approche très dépouillée, tuilé pâle aux airs de rancio ; ces vins qui éclatent dès l'ouverture, créant une atmosphère de torréfaction, de noix et de cire mêlées. Un vin superbe, gras, ample, riche, où l'épice, le cacao, la noix s'unissent. A essayer sur un grand havane, après le café !
☞SCAV Les Vignerons de Maury, 128, av. Jean-Jaurès, 66460 Maury, tél. 04.68.59.00.95, fax 04.68.59.02.88 ☑ ❤ r.-v.

DOM. DE LA COUME DU ROY
Vieilli en foudre de chêne 1995

■	n.c.	7 000	❙❙❙	70 à 99 F

Avec Paule, voici désormais Agnès qui prend les rênes de ce domaine si particulier, empreint d'histoire. Il a fallu cinq ans d'élevage pour que le rouge profond de ce maury se dépouille et s'orne de tuilé. Très intense, le nez vous pousse dans la cave noble aux senteurs de foudre et de grillé. La bouche, très souple et fine, est impré-

gnée de notes d'abricot sec qui cèdent la place à une finale grillée de fruits secs.
☞ Paule de Volontat et Agnès Bachelet, 5, rue Emile-Zola, 66460 Maury, tél. 04.68.27.08.14, fax 04.68.59.67.58 ☑ ❤ r.-v.
☞ GFA de la Coume du Roy

CAVE JEAN-LOUIS LAFAGE
Tradition Vieilli en cuve de chêne 1995★★

■	1,25 ha	2 650		30 à 49 F

Après un 86 coup de cœur l'an dernier, Jean-Louis Lafage nous plonge dans un autre univers avec ce 95, fruit d'un grand savoir-faire et de la tradition. Le tuilé est brillant. L'évolution est sage et de belle expression avec le fruit confit qui s'habille de cuir. Après, c'est le plaisir qui l'emporte, les arômes hésitant entre l'épice, la chair de pruneau et le grillé du fruit sec. D'une remarquable harmonie, ce maury est prêt à boire.
☞ Jean-Louis Lafage, 13, rue Dr-Pougault, 66460 Maury, tél. 04.68.59.12.66, fax 04.68.59.13.14 ☑ ❤ r.-v.

DOM. MAS AMIEL Vintage 1998★★★

■	55 ha	200 000	❙♦	70 à 99 F

A la suite de la disparition de Charles Dupuy, le Mas change de mains. Pari audacieux pour le repreneur de ce domaine, véritable institution en maury. Son vintage est toujours remarquable. Celui-ci, un rouge profond, se révèle jeune. Discret, il s'exprime lentement sur des notes de griotte à l'eau-de-vie finement épicées. Intense, ample et généreux, le tanin au grain très fin épouse le fruit que l'on se surprend à croquer. Un vin idéal sur une « soupe » de fruits rouges.
☞ SC Charles Dupuy, Dom. Mas Amiel, 66460 Maury, tél. 04.68.29.01.02, fax 04.68.29.17.82 ☑ ❤ r.-v.

LES VIGNERONS DE MAURY
Sélection Devèze 1998★

■	8 ha	3 000	❙♦	50 à 69 F

Au pied de Quéribus, le terroir de la Devèze est la fierté des vignerons de Maury. Objet d'attentions, il peut offrir de très beaux vins, tel ce 98 d'un rouge profond légèrement tuilé. Il est, selon l'expression du jury, très « kirsché » avec la cerise qui s'invite sur un équilibre doux. L'évolution perce, comme le révèle la saveur du pruneau qui prend le pas sur la cerise charnue. Puis, surprenant, le cacao se montre discrètement, appelant le dessert.
☞ SCAV Les Vignerons de Maury, 128, av. Jean-Jaurès, 66460 Maury, tél. 04.68.59.00.95, fax 04.68.59.02.88 ☑ ❤ r.-v.

DOM. POUDEROUX 1998★

■	1,4 ha	6 000	❙❙❙	70 à 99 F

Vigneron à Corneilla-de-la-Rivière et à Maury, R. Pouderoux est particulièrement sensible à la notion de terroir et s'attache à rechercher sa meilleure expression. Ainsi, ce maury rouge travaillé à l'image des vintages, avec macération sous alcool, court passage sous bois et élevage en bouteilles. Très soutenu, profond, il joue sur le cassis et le pruneau vanillé. Le corps est chaleureux, structuré : de très beaux tanins accompagnent le fruit rouge. L'avenir est ouvert.

🛒 Dom. Pouderoux, 2, rue Emile-Zola,
66460 Maury, tél. 04.68.57.22.02,
fax 04.68.57.11.63 ☑ ⵂ r.-v.

Muscat de rivesaltes

Sur l'ensemble du terroir des rivesaltes, maury et banyuls, le vigneron peut élaborer du muscat de rivesaltes, lorsque l'encépagement est complanté de 100 % de cépages muscat. La superficie de ce vignoble représente plus de 4 000 ha, produisant près de 140 000 hl. Les deux cépages autorisés sont le muscat à petits grains et le muscat d'Alexandrie. Le premier, souvent appelé muscat blanc ou muscat de Rivesaltes, est précoce et se plaît dans des terrains relativement frais et si possible calcaires. Le second, appelé aussi muscat romain, est plus tardif et très résistant à la sécheresse.

La vinification s'opère soit par pressurage direct, soit avec une macération plus ou moins longue. La conservation se fait obligatoirement en milieu réducteur, pour éviter l'oxydation des arômes primaires.

Les vins sont liquoreux, avec 100 g minimum de sucre par litre. Ils sont à boire jeunes, à une température de 9 ° à 10 °C. Ils accompagnent parfaitement les desserts, tartes au citron, aux pommes ou aux fraises, sorbets, glaces, fruits, touron, pâte d'amandes... ainsi que le roquefort.

ARNAUD DE VILLENEUVE 1999★

| ☐ | n.c. | 15 000 | 🍴 ♦ 50 à 69 F |

Cette vaste coopérative du Rivesaltais - elle vinifie la récolte de 3 000 ha - est très présente dans le Guide au travers de ses marques Arnaud de Villeneuve et Roc du Gouverneur. Une fois encore, Arnaud de Villeneuve a revêtu son habit de lumière pour le plus grand plaisir de nos sens. Déjà intense au nez, il explose en bouche, en arômes de pêche, de violette, de mangue confite et de cassis. Harmonie et longueur sont également au rendez-vous.
🛒 Les Vignobles du Rivesaltais,
1, rue de la Roussillonnaise, 66602 Rivesaltes-Salses, tél. 04.68.64.06.63, fax 04.68.64.64.69,
e-mail vignobles.rivesaltais@wanadoo.fr
☑ ⵂ r.-v.

DOM. D'AUBERMESNIL 1999★

| ☐ | 15 ha | 30 000 | 30 à 49 F |

Ce vin provient des alentours de Leucate, site remarquable par sa falaise calcaire surplombant la mer. La robe d'or pâle présente des reflets nacrés. Les arômes sont frais, végétaux, floraux et miellés. La bouche, acidulée, révèle des notes d'anis et de citron. Un ensemble fin et bien fondu.
🛒 Vignerons de la Méditerranée,
12, rue du Rec-de-Veyret, ZI Plaisance,
11100 Narbonne, tél. 04.68.42.75.00,
fax 04.68.42.75.01 ☑ ⵂ r.-v.
🛒 Vignerons du Cap Leucate

CH. AYMERICH 1999★

| ☐ | 2,15 ha | 6 000 | 🍴 ♦ 50 à 69 F |

Ce domaine est situé sur les schistes noirs de la vallée de l'Agly. Le muscat s'y exprime en notes de fruits exotiques, de pêche et de fleurs blanches (églantine). L'attaque est très plaisante, la bouche fondue, et la finale finement amère.
🛒 Jean-Pierre et Catherine Grau-Aymerich,
Ch. Aymerich, 52, av. Dr-Torreilles,
66310 Estagel, tél. 04.68.29.45.45,
fax 04.68.29.10.35 ☑ ⵂ r.-v.

CH. BELLOCH 1998★★

| ☐ | 7 ha | 3 000 | 50 à 69 F |

Le domaine, dédié à sainte Germaine, signe un muscat 98 remarquable dans le millésime. La robe est d'un vieil or brillant. Les arômes apparaissent à la fois frais et évolués. On y sent le cassis, la rose, l'abricot et, dominante, la pâte de coings. La bouche, riche et harmonieuse, s'achève sur des notes de fruits secs.
🛒 SA Cibaud-Ch. Miraflors et Belloch,
7, rue Béranger, 66000 Perpignan,
tél. 04.68.34.03.05, fax 04.68.51.31.70,
e-mail vins.cibaud@wanadoo.fr ☑ ⵂ t.l.j. sf dim. 9h30-12h30 15h-19h; f. jan.

DOM. BOUDAU 1999

| ☐ | 20 ha | 15 000 | 30 à 49 F |

Installé au cœur de Rivesaltes, le nouveau caveau de dégustation du domaine Boudau est particulièrement esthétique. On pourra y découvrir ce muscat d'une belle fraîcheur, aux arômes d'agrumes et de menthe, extrêmement onctueux et bien équilibré.
🛒 Dom. Véronique et Pierre Boudau,
6, rue Marceau, B.P. 60, 66600 Rivesaltes,
tél. 04.68.64.45.37, fax 04.68.64.46.26 ☑ ⵂ t.l.j. sf dim. 10h-12h 15h-19h de juin à sept.

DOM. CAZES 1999★

| ☐ | 38,06 ha | 70 000 | 🍴 ♦ 50 à 69 F |

Si Rivesaltes est le terroir du muscat, c'est aussi le territoire de la famille Cazes. Le savoir-faire de plusieurs générations nous vaut ce nectar à la robe d'or jaune brillant. Ses arômes denses évoquent les fleurs jaunes, les fruits exotiques et la verveine. Beaucoup de corps, de gras et de fraîcheur confèrent au palais un très bel équilibre.

☛ Sté Cazes Frères, 4, rue Francisco-Ferrer, B.P. 61, 66602 Rivesaltes, tél. 04.68.64.08.26, fax 04.68.64.69.79, e-mail info@cazes-rivesaltes.com ☑ ⊺ r.-v.

DOM. DES CHENES 1998★★★

| | 3,5 ha | 10 000 | ▤↓ | 30 à 49 F |

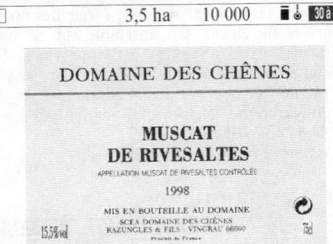

DOMAINE DES CHÊNES

MUSCAT
DE RIVESALTES

APPELLATION MUSCAT DE RIVESALTES CONTRÔLÉE

1998

MIS EN BOUTEILLE AU DOMAINE
SCEA DOMAINE DES CHÊNES
RAZUNGLES & FILS - VINGRAU 66600

15,5% vol.

Le vignoble est enchâssé dans le site admirable du cirque de Vingrau. Le vigneron est un œnologue réputé. Le vin est, quant à lui, tout bonnement exceptionnel. Sa robe d'or pur montre de légers reflets verts. La puissance éclate en arômes de pâte de fruits, de mimosa, d'ananas confit et d'agrumes. La bouche est concentrée et superbe de longueur. Magnifique.
☛ Razungles, Dom. des Chênes, 7, rue Mal-Joffre, 66600 Vingrau, tél. 04.68.29.40.21, fax 04.68.29.10.91 ☑ ⊺ r.-v.

CLOS SAINT GEORGES
Cuvée Alexia 1999

| | 5,14 ha | 10 000 | ▤↓ | 50 à 69 F |

La robe est doré clair, d'une très belle brillance, le nez fin, exotique, avec des nuances d'amande douce et de miel. D'un équilibre classique, un muscat d'une bonne ampleur.
☛ Ortal, Clos Saint-Georges, 66300 Trouillas, tél. 04.68.21.61.46, fax 04.68.37.52.31, e-mail clortal@wanadoo.fr ☑ ⊺ t.l.j. 9h-12h30 14h-19h

HENRI DESBŒUFS 1999★

| | 10 ha | 10 000 | ▤↓ | 50 à 69 F |

Les muscats d'Henri Desbœufs sont toujours un régal (le 96 avait obtenu un coup de cœur). Le muscat à petits grains s'y exprime dans toute sa finesse avec des notes de fruits à chair blanche, des nuances exotiques et florales. La bouche, très élégante, allie fraîcheur et délicate liqueur.
☛ Henri Desbœufs, 39, rue du Quatre-Septembre, 66600 Espira-de-l'Agly, tél. 04.68.64.11.73, fax 04.68.38.56.34 ☑ ⊺ r.-v.

DOM. FONTANEL L'Age de Pierre 1999

| | 4 ha | 8 000 | ▤↓ | 30 à 49 F |

Etabli à Tautavel, le domaine Fontanel a naturellement baptisé une de ses cuvées « L'âge de pierre », mais son étiquette est résolument moderne. La robe de son muscat 99 est très pâle, avec des reflets d'or vert. Si le nez se montre discret, le vin s'exprime en bouche, révélant des arômes de miel, de menthol et d'agrumes confits. L'équilibre est liquoreux et la persistance aromatique satisfaisante.

☛ Dom. Fontanel, 25, av. Jean-Jaurès, 66720 Tautavel, tél. 04.68.29.04.71, fax 04.68.29.19.44 ☑ ⊺ r.-v.
☛ Fontaneil

LES VIGNERONS DE FORÇA REAL 1999★

| | n.c. | 10 600 | | 30 à 49 F |

La couleur est dorée avec de légers reflets argent. Le nez, intense et complexe, délivre des arômes de fruits exotiques, de pêche blanche et de muguet. La bouche est d'une élégance gourmande et d'une belle longueur.
☛ SCV les Vignerons de Força Réal, rue Léo-Lagrange, 66170 Millas, tél. 04.68.57.35.02, fax 04.68.57.28.09 ☑ ⊺ t.l.j. sf dim. lun. 15h-18h30

LES VIGNERONS DE FOURQUES 1999★

| | 4 ha | 4 000 | | 50 à 69 F |

La coopérative de Fourques, qui vinifie la récolte de 430 ha, propose un muscat dont la robe est d'or très pâle, brillante et limpide. Le nez puissant exhale des fragrances de fruits exotiques (mangue, litchi, papaye), de pêche blanche et de miel d'acacia. La bouche, très équilibrée, s'achève sur une note de fraîcheur.
☛ SCV les Vignerons de Fourques, 1, rue des Taste-Vin, 66300 Fourques, tél. 04.68.38.80.51, fax 04.68.38.89.65 ☑ ⊺ t.l.j. sf dim. 9h-12h 14h-18h

DOM. GARDIES Flor 1999★★

| | 8 ha | 12 000 | ▤↓ | 50 à 69 F |

A la tête d'une propriété de 45 ha depuis 1990, Jean Gardiés est un vigneron d'un réel talent. Son muscat jaune pâle brillant est d'une grande finesse. Très frais au nez, le vin s'exprime par des arômes de fruits, de fleurs blanches et de menthe. En bouche, on croque le raisin. On apprécie l'équilibre onctueux et la finale remarquable.
☛ Dom. Gardiés, 66600 Vingrau, tél. 04.68.64.61.16, fax 04.68.64.69.36 ☑ ⊺ r.-v.

CH. DE JAU 1999★★

| | 25 ha | 40 000 | | 50 à 69 F |

Avec son musée d'art contemporain et son grill qui permet une halte gourmande, le château de Jau constitue une étape de choix au sein du vignoble roussillonnais. On pourra y déguster un muscat tout en fraîcheur. Sa robe d'or pâle, son nez de fleurs blanches, d'abricot et de pêche préludent à une bouche ample aux arômes de miel et de fruits acidulés.
☛ Ch. de Jau, 66600 Cases-de-Pène, tél. 04.68.38.90.10, fax 04.68.38.91.33, e-mail jau66@aol.com ☑ ⊺ t.l.j. sf sam. dim. 8h-16h ou 10h-19 h du 15 juin au 1er oct.
☛ Famille Dauré

JEAN D'ESTAVEL Prestige 1998★

| | n.c. | 30 000 | ▤↓ | 30 à 49 F |

Ce négociant présente une très jolie sélection en robe d'or jaune clair. Les arômes marquent une évolution plaisante et très traditionnelle, avec des notes de fruits confits. La bouche est bien équilibrée et harmonieuse, la finale légèrement épicée.

☛SA Destavel, 7*bis*, av. du Canigou,
66000 Perpignan, tél. 04.68.68.36.00,
fax 04.68.54.03.54 ☑
☛G. Baissas

DOM. JONQUERES D'ORIOLA 1999

| | n.c. | 25 000 | 🍷♨ 50 à 69 F |

La famille Jonquères d'Oriola est établie depuis 1485 à Corneilla, dans un château bâti par les Templiers à la fin du XII^{e}s. A une époque plus récente, elle s'est illustrée en escrime et en équitation aux Jeux olympiques. Revêtu d'or pâle brillant, son muscat offre des arômes de fruits frais (poire-raisin) et d'agrumes. Une note d'orange confite apparaît en bouche, conférant à la finale une amertume savoureuse. Autant de qualités qui lui valent de passer la barre...

☛Jonquères d'Oriola, Ch. de Corneilla,
66200 Corneilla-del-Vercol, tél. 04.68.22.73.22,
fax 04.68.22.43.99 ☑ 🍴 r.-v.
☛Philippe Jonquères d'Oriola

LA CASANOVA 1997★

| | 10 ha | 5 000 | 🍷♨ 50 à 69 F |

La robe est d'un doré très lumineux. Les arômes, frais et fins, évoquent le tilleul, la garrigue, le menthol et les agrumes. La bouche révèle un bel équilibre entre la chair et la fraîcheur, et la finale persiste sur des nuances d'agrumes et de menthe.

☛Ch. La Casenove, 66300 Trouillas,
tél. 04.68.21.66.33, fax 04.68.21.77.81 ☑ 🍴 t.l.j.
sf dim. 10h-12h 16h-20h
☛Montes

DOM. LAFAGE 1999

| | 20,27 ha | 60 000 | 🍷♨ 50 à 69 F |

Une robe brillante, dorée à reflets verts, des arômes floraux et fruités, accompagnés d'une note de pain d'épice, une bouche fine et équilibrée composent un joli muscat, digne représentant de son appellation.

☛GAEC Dom. Lafage, mas Llaro,
66100 Perpignan, tél. 04.68.67.12.47,
fax 04.68.62.10.99, e-mail enofool@aol.com
☑ 🍴 r.-v.

CH. MONTNER 1999★★

| | 16 ha | 50 000 | 🍷♨ 30 à 49 F |

Les vignerons des Côtes d'Agly constituent une importante coopérative qui traite la vendange de 1 300 ha. Aussi, leur muscat n'a rien de confidentiel, ce dont on se réjouira, car il est d'une qualité remarquable. D'un joli doré brillant, il possède une palette aromatique complexe, alliant la fraîcheur des fruits exotiques et de la menthe, et des notes de maturité (fruits surmûris, orange confite). En bouche, on trouve beaucoup de volume, des accents intenses de fruits confits et une très bonne persistance.

☛Les Vignerons des Côtes d'Agly, Cave coopérative, 66310 Estagel, tél. 04.68.29.00.45,
fax 04.68.29.19.80,
e-mail agly@little-france.com
☑ 🍴 t.l.j. sf sam. dim. 8h-12h 14h-18h

DOM. MOUNIE 1999

| | 2 ha | 6 000 | 🍷♨ 50 à 69 F |

Tautavel n'est pas seulement un site préhistorique connu dans le monde entier, c'est aussi un terroir remarquable, tant pour ses vins doux que pour ses côtes du roussillon-villages. C'est là qu'est né ce muscat plein de jeunesse par sa robe et ses arômes. Le nez mêle raisin frais, citronnelle, agrumes et miel. La bouche, ample, est relevée par une pointe de mordant. Un très bon équilibre.

☛Dom. Mounié, av. du Verdouble,
66720 Tautavel, tél. 04.68.29.12.31,
fax 04.68.29.05.59 ☑ 🍴 t.l.j. 11h-12h 15h-18h
☛Hélène Rigaill

DOM. DE NIDOLERES 1998★

| | 2,5 ha | 3 000 | 🍷♨ 50 à 69 F |

Cette très ancienne propriété familiale comporte une auberge où l'on peut déguster une cuisine typiquement catalane. Son muscat, d'une belle couleur or soutenu, présente un nez complexe et original avec ses notes surmûries (miel, écorce d'orange, caramel). Il surprend également en bouche par son côté liquoreux. Un vin gras et persistant.

☛Pierre Escudié, Dom. de Nidolères,
66300 Tresserre, tél. 04.68.83.15.14,
fax 04.68.83.31.26 ☑ 🍴 r.-v.

CH. DE NOUVELLES 1998★

| | 12 ha | 12 000 | 🍷♨ 50 à 69 F |

Dans ce très ancien domaine, l'abbé de Lagrasse produisait déjà au XIII^{e}s. des vins doux de grande renommée. La famille Daurat-Fort perpétue la tradition avec ce muscat à la robe d'or pâle et aux arômes intenses de fleurs blanches et de citron. Le millésime 98 est demeuré très frais en bouche, avec une note finement mentholée.

☛EARL R. Daurat-Fort, Ch. de Nouvelles,
11350 Tuchan, tél. 04.68.45.40.03,
fax 04.68.45.49.21 ☑ 🍴 r.-v.

DOM. PAGES HURE 1999

| | 10 ha | 4 000 | 🍷♨ 30 à 49 F |

En 1991, Jean-Louis Pages abandonne la pharmacie pour se consacrer à la propriété familiale. Le domaine est situé dans le terroir des Albères, dont la silhouette se profile sur les étiquettes. Le muscat 99, d'un doré brillant à reflets verts, livre des arômes de fruits exotiques (mangue) d'une bonne intensité. Il est souple, gras et frais en bouche.

☛SCEA Pages Huré, 2, allée des Moines,
66740 Saint-Génis-des-Fontaines,
tél. 04.68.89.82.62, fax 04.68.89.82.62 ☑ 🍴 r.-v.
☛Jean-Louis Pages

LES VIGNERONS DE PEZILLA 1999★

| | 138,4 ha | 30 000 | 30 à 49 F |

La coopérative de Pézilla vinifie les vendanges de 790 ha. Son muscat fait d'emblée bonne impression avec sa couleur doré soutenu à reflets argentés, et son nez intense aux arômes de fruits frais (raisin, poire) et de rose. Après une attaque fraîche, gras et puissance aromatique se développent pour donner un vin d'un bel équilibre.

VDN

➤ SCV Les Vignerons de Pézilla, 66370 Pézilla-la-Rivière, tél. 04.68.92.00.09, fax 04.68.92.49.91
☑ ⵌ t.l.j. sf dim. 8h30-12h30 14h-18h30

DOM. PIQUEMAL 1999

☐	8 ha	33 000	ⵌ 50 à 69 F

La production de Pierre et Franck Piquemal est régulièrement mentionnée dans le Guide, qu'il s'agisse de vins secs ou de vins doux naturels. Leur muscat, jaune pâle à reflets argentés, apparaît fin et floral au nez. Les arômes se développent en bouche, dominés par les fruits blancs (poire, pêche), le miel et le grain de muscat. Le palais révèle un bel équilibre entre fraîcheur et rondeur.
➤ Pierre et Franck Piquemal, 1, rue Pierre-Lefranc, 66600 Espira-de-l'Agly, tél. 04.68.64.09.14, fax 04.68.38.52.94 ☑ ⵌ r.-v.

CH. PRADAL
La cuvée Centre du Monde 1998★

☐	8 ha	3 000	ⵔ 100 à 149 F

Inclus dans l'agglomération perpignanaise, le château Pradal est situé à quelques pas de la gare, « centre du monde » selon Salvador Dali ; ce bâtiment figure sur l'étiquette de cette cuvée. D'un vieil or soutenu, ce muscat présente un nez intense et très original, marqué par des notes de noix de coco, de confiture d'abricots et de vanille. La bouche est charnue et d'une bonne longueur. Un vin qui sort de l'ordinaire.
➤ André Coll-Escluse, Ch. Pradal, 58, rue Pépinière-Robin, 66000 Perpignan, tél. 04.68.85.04.73, fax 04.68.56.80.49 ☑ ⵌ r.-v.

CH. PRADAL 1999

☐	8 ha	30 000	ⵌ 30 à 49 F

La cuvée traditionnelle du domaine est d'une couleur dorée brillante à reflets verts. Les arômes intenses sont dominés par les fruits frais exotiques et les fleurs blanches. L'attaque est souple et la finale d'une bonne fraîcheur.
➤ André Coll-Escluse, Ch. Pradal, 58, rue Pépinière-Robin, 66000 Perpignan, tél. 04.68.85.04.73, fax 04.68.56.80.49 ☑ ⵌ r.-v.

ROC DU GOUVERNEUR 1999

☐	n.c.	15 000	ⵌ 50 à 69 F

D'un bel or brillant, ce muscat présente un nez fin de fruits mûrs, légèrement végétal. L'équilibre en bouche est liquoreux, avec des notes d'évolution aromatique. La finale est d'une bonne fraîcheur.
➤ Les Vignobles du Rivesaltais, 1, rue de la Roussillonnaise, 66602 Rivesaltes-Salses, tél. 04.68.64.06.63, fax 04.68.64.64.69, e-mail vignobles.rivesaltais@wanadoo.fr
☑ ⵌ r.-v.

CH. ROMBEAU 1999★

☐	7,33 ha	15 000	ⵌ 30 à 49 F

Fondé en 1750, le domaine de Rombeau (50 ha) est l'un des plus anciens du Roussillon. Le grand-père de Pierre-Henri de La Fabrègue, médecin, fit des recherches sur les vins doux naturels. Il a légué sa passion du vin à son petit-fils qui signe un muscat à la robe d'or jaune brillant et au nez intense de fleurs, de fruits exotiques et d'agrumes. La bouche, vive et aromati-

que, donne l'impression de croquer un grain de raisin. Une bouteille que l'on pourra découvrir dans le restaurant du château.
➤ SCEA Dom. de Rombeau, 66600 Rivesaltes, tél. 04.68.64.35.35, fax 04.68.64.64.66 ☑ ⵌ t.l.j. 8h-23h
➤ Pierre-Henri de La Fabrègue

DOM. SALVAT 1999

☐	8 ha	12 000	ⵌ 50 à 69 F

La jeunesse de la robe d'or vert pâle s'accorde avec la fraîcheur des arômes de fruits exotiques, de pamplemousse et de tilleul. La bouche est toute en harmonie avec sa pointe d'acidité savoureuse.
➤ Dom. Salvat, Pont-Neuf, 66610 Villeneuve-la-Rivière, tél. 04.68.92.17.96, fax 04.68.38.00.50
☑ ⵌ t.l.j. 10h-18h; f. jan.-fév.

DOM. SARDA-MALET 1999★

☐	n.c.	5 000	ⵌ 50 à 69 F

Cette propriété familiale est située sur la commune de Perpignan. Les vins nés sur ce terroir étaient déjà appréciés par les comtes de Barcelone. Or clair dans le verre, ce muscat présente de lumineux reflets verts. Placé sous le signe de l'élégance, il développe des arômes de citrus, de pétale de rose et de fruits exotiques. La finale est fraîche, fine et persistante.
➤ Dom. Sarda-Malet, mas Saint-Michel, chem. de Sainte-Barbe, 66000 Perpignan, tél. 04.68.56.72.38, fax 04.68.56.47.60 ☑ ⵌ r.-v.
➤ Suzy Malet

TOUR DE TREMOINE 1999

☐	60 ha	40 000	ⵌ 50 à 69 F

La tour de Trémoine veille sur le vignoble de Planèzes-Rasiguères. La coopérative regroupe cent vignerons de trois communes (600 ha de vignes). Le nez, d'abord discret, s'ouvre sur des notes de rose, de miel et d'agrumes. En bouche, l'équilibre est liquoreux et laisse une impression de chair.
➤ Les Vignerons de Planèzes-Rasiguères, 5, rte de Caramany, 66720 Rasiguères, tél. 04.68.29.11.82, fax 04.68.29.16.45, e-mail rasigueres@little.france.com ☑ ⵌ t.l.j. sf dim. 8h-12h 14h-18h

DOM. DU VIEUX CHENE 1999★★★

☐	28 ha	8 000	ⵌ 50 à 69 F

Le domaine du Vieux Chêne est situé dans un cadre superbe, d'où la vue embrasse la plaine du Roussillon, et où se mêlent les couleurs des différents terroirs d'Espira-de-l'Agly. Né sur un terroir calcaire, ce muscat 99 fait l'unanimité du jury. Ses arômes explosent en un bouquet de fruits exotiques, d'abricot frais, d'agrumes et de menthe fraîche. La bouche est somptueuse de liqueur et de fraîcheur.

🔺 Dom. du Vieux Chêne, Mas Kilo,
66600 Espira-de-l'Agly, tél. 04.68.38.92.01,
fax 04.68.38.95.79 ☑ ⟡ r.-v.
🔺 Sarda-Bobo

DOM. DU VIEUX CHENE
Haut Valoir 1996★★

☐	6 ha	6 000	� 70 à 99 F

Issu d'un terroir schisteux et fermenté dans des barriques de chêne neuf, le muscat Haut Valoir du domaine du Vieux Chêne a été lui aussi très remarqué. Il présente une couleur dorée soutenue et des fragrances de miel, de tilleul et d'orange confite. Puissant en bouche, avec beaucoup de gras et des arômes de fruits confits, c'est un « vieux » muscat très original et d'une belle complexité.

🔺 Dom. du Vieux Chêne, Mas Kilo,
66600 Espira-de-l'Agly, tél. 04.68.38.92.01,
fax 04.68.38.95.79 ☑ ⟡ r.-v.
🔺 Sarda-Bobo

Muscat de frontignan

En ce qui concerne l'appellation frontignan, il faut noter qu'elle autorise l'élaboration de vins de liqueur, avec mutage sur le moût avant fermentation, ce qui donne des produits beaucoup plus riches en sucre (125 g environ). Dans certains cas, un élevage des muscats dans de vieux foudres provoque une légère oxydation donnant au vin un goût particulier de raisins secs.

CAVE DE FRONTIGNAN
12 ans d'âge Vieilli en fût de chêne★★

☐	2,5 ha	15 000	� 100 à 149 F

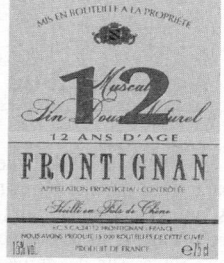

La cave de Frontignan présente, comme l'an dernier, une rare cuvée mûrie de longues années dans des fûts de chêne. Après les deux étoiles obtenues par le 20 ans d'âge, ce 12 ans fait l'una-

nimité. La robe est d'un bel ambré brillant. Les arômes explosent, tant au nez qu'en bouche, mêlant liqueur d'orange, verveine, raisin sec, réglisse, tilleul, noix et sucre brûlé. La finale est d'une longueur remarquable. Un vin à essayer sur des orangettes au chocolat.

🔺 SCA Coop. de Frontignan,
14, av. du Muscat, 34110 Frontignan,
tél. 04.67.48.12.26, fax 04.67.43.07.17 ☑ ⟡ t.l.j.
9h30-13h 15h30-19h; groupes sur r.-v.

CAVE DE FRONTIGNAN Premier 1998

☐	506 ha	1 780 000	▮ 30 à 49 F

Après la cuvée rare de la coopérative, la cuvée classique, dans sa bouteille torsadée. Mais pour pléthorique que soit la production, ce muscat ne saurait être classé dans la « grosse cavalerie ». La couleur est doré intense. Le nez, puissant et légèrement évolué, est dominé par la rose fanée et la pêche cuite. En bouche, on trouve des notes de garrigue, d'alcool de verveine, de zeste d'agrumes et de fruits confits. La finale est finement acidulée.

🔺 SCA Coop. de Frontignan,
14, av. du Muscat, 34110 Frontignan,
tél. 04.67.48.12.26, fax 04.67.43.07.17 ☑ ⟡ t.l.j.
9h30-13h 15h30-19h; groupes sur r.-v.

CH. DE LA PEYRADE 1999★

☐	25 ha	40 000	▮ 50 à 69 F

Les vins de ce domaine sont toujours d'une remarquable finesse. Celui-ci ne déroge pas à la règle avec sa robe d'or pâle, son nez floral et sa bouche citronnée, miellée en finale. Il laisse derrière lui une agréable impression de fraîcheur.

🔺 Yves Pastourel et Fils, Ch. de La Peyrade,
34110 Frontignan, tél. 04.67.48.61.19,
fax 04.67.43.03.31 ☑ ⟡ r.-v.

CH. DE MEREVILLE 1998

☐	15 ha	30 000	▮ 50 à 69 F

Le millésime 98 de ce domaine, vinifié par la cave coopérative, est revêtu d'or pâle, avec des reflets verts. Le nez s'ouvre progressivement sur des arômes de raisin confit. La bouche charnue révèle des nuances de fruits surmûris et confits (raisin, abricot).

🔺 SCA Coop. de Frontignan,
14, av. du Muscat, 34110 Frontignan,
tél. 04.67.48.12.26, fax 04.67.43.07.17 ☑ ⟡ t.l.j.
9h30-13h 15h30-19h; groupes sur r.-v.

Muscat de beaumes-de-venise

Au nord de Carpentras, sous les impressionnantes Dentelles de Montmirail, le paysage doit son aspect à des calcaires grisâtres et à des marnes rouges. Une partie des sols est formée de sables, de marnes et de grès, une autre de terrains tourmentés avec des failles datant du trias et du jurassique. Ici encore, le seul cépage est le muscat à petits grains ; mais dans certaines parcelles, une mutation donne des raisins roses ou rouges. Les vins (13 518 hl en 1999) doivent avoir au moins 110 g de sucre par litre de moût ; ils sont aromatiques, fruités et fins, et conviennent parfaitement à l'apéritif ou sur certains fromages.

DOM. DE BEAUMALRIC 1999

☐ 8 ha 30 000 ▮ ♦ 50 à 69 F

La robe est d'or pâle à reflets verts. Les arômes sont légers. Ils évoquent les fruits à chair blanche (poire-pêche) et le raisin frais. L'équilibre en bouche est particulièrement heureux entre liqueur et vivacité. La finale, légèrement amère, s'épanouit sur une note d'eau-de-vie de marc.
☛ EARL Begouaussel, Dom. de Beaumalric, B.P. 15, 84190 Beaumes-de-Venise, tél. 04.90.65.01.77, fax 04.90.62.97.28 ☑ ⵏ r.-v.

VIGNERONS DE BEAUMES-DE-VENISE Carte Or 1999

☐ 100 ha 200 000 ▮ ♦ 50 à 69 F

Dans sa robe brillante, la Carte Or mérite bien son nom. Cette sélection de la cave coopérative offre des arômes particulièrement originaux à dominante végétale (pousse de cassis et groseillier sanguin). La bouche est classique, fruitée (abricot confit) et d'un équilibre onctueux.
☛ Cave des Vignerons de Beaumes-de-Venise, 84190 Beaumes-de-Venise, tél. 04.90.12.41.00, fax 04.90.65.02.05 ☑ ⵏ t.l.j. sf sam. dim. 8h30-12h 14h-18h

DOM. BOULETIN 1999

☐ 4,8 ha 20 000 ▮ ♦ 50 à 69 F

Présenté dans une robe très pâle, ce muscat dégage à l'attaque des notes citronnées. En bouche on trouve tout d'abord de la fraîcheur puis une approche suave où le muscat cisèle la finale. Un VDN très aérien.
☛ EARL Bouletin et Fils, quartier les Plantades, 84190 Beaumes-de-Venise, tél. 04.90.62.95.10, fax 04.90.62.98.23 ⵏ t.l.j. 9h30-12h30 14h-20h

DOM. DE FENOUILLET 1999★

☐ 7,36 ha 30 000 ▮ ♦ 50 à 69 F

La famille Soard exploite ce domaine depuis plusieurs générations. Or brillant à reflets roses, ce muscat développe des arômes légèrement floraux et finement citronnés. Les agrumes se retrouvent en bouche où l'équilibre est à la fois vif et chaleureux.
☛ GAEC Patrick et Vincent Soard, Dom. de Fenouillet, allée Saint-Roch, 84190 Beaumes-de-Venise, tél. 04.90.62.95.61, fax 04.90.62.90.67 ☑ ⵏ r.-v.

DOM. DE FONTAVIN 1999★★

☐ 1,69 ha 6 000 ▮ ♦ 50 à 69 F

Un terroir exceptionnel, le talent d'une jeune viticultrice-œnologue... tels sont les secrets de la réussite du domaine. Le coup de cœur va cette

année à ce muscat qui sait allier puissance et finesse. Les arômes sont intenses, floraux, fruités et exotiques. La bouche est ample, relevée par une pointe de fraîcheur. Le tout est d'un superbe équilibre.

☛ EARL Hélène et Michel Chouvet, Dom. de Fontavin, 1468, rte de la Plaine, 84350 Courthézon, tél. 04.90.70.72.14, fax 04.90.70.79.39 ☑ ⵏ t.l.j. sf dim. 9h-12h30 13h30-19h

GABRIEL MEFFRE Laurus 1999

☐ 5 ha 10 000 ▮ ♦ 70 à 99 F

Cette cuvée de prestige a été construite par le négociant à partir de lots sélectionnés. Elle est revêtue d'or pâle à reflets verts et embaume la rose séchée et les agrumes. La bouche est intense et chaleureuse ; les accents de fleurs blanches et de zeste d'agrumes sont intéressants. Une fine amertume soutient la finale.
☛ Gabriel Meffre, Le Village, 84190 Gigondas, tél. 04.90.12.32.42, fax 04.90.12.32.49, e-mail gabriel-meffre@meffre.com

RESERVE J. VIDAL-FLEURY 1999★

☐ 3 ha 12 000 70 à 99 F

Créée en 1781, la maison J. Vidal-Fleury est la plus ancienne de la vallée du Rhône ; elle est la propriété de Marcel Guigal depuis 1986. La tradition se ressent dans ce millésime 99 à la robe d'or brillant. Les arômes sont bien typés et légèrement évolués : fruits confits, pâte de coings, pêche cuite et tilleul. La bouche est ample et concentrée avec des notes d'abricot sec et de sucre brûlé.
☛ J. Vidal-Fleury, 19, rte de la Roche, 69420 Ampuis, tél. 04.74.56.10.18, fax 04.74.56.19.19 ☑ ⵏ r.-v.

Muscat de lunel

Situé autour de Lunel, le terroir se caractérise par des terres rouges à cailloutis qui s'étendent sur des nappes alluviales. Il s'agit d'un paysage classique de cailloux roulés sur des terres d'argile rouge avec une localisation du vignoble sur les sommets des coteaux. Ici encore, seul le muscat à petits grains est utilisé ; les vins doivent avoir au minimum 125 g de sucre. 10 125 hl ont été agréés dans le millésime 99.

CLOS BELLEVUE
Cuvée Vieilles vignes 1999★★

	4 ha	9 600	🗌 ♨	50 à 69 F

Situé à deux pas de l'antique Via Domitia, le Clos Bellevue est produit par les plus vieilles vignes du domaine. La qualité du raisin et l'art du vinificateur se conjuguent pour donner un muscat d'une grande fraîcheur. Les arômes de fruits blancs évoquent la poire, la pêche et les fruits exotiques. La bouche est légèrement mentholée, parfaitement équilibrée, et d'une longueur savoureuse. Le jury a été séduit.
🍷 Francis Lacoste,
Dom. de Bellevue, rte de Sommières,
34400 Lunel, tél. 04.67.83.24.83,
fax 04.67.71.48.23,
e-mail muscatlacoste@dr.com ☑ ⌶ t.l.j. sf dim. 9h-19h; groupes sur r.-v.

CH. GRES SAINT-PAUL 1998★

	7,15 ha	21 632	🗌	30 à 49 F

Appartenant à la même famille depuis 1831, cette propriété compte 26 ha. Le millésime 98 possède une robe d'or brillant à reflets verts. Ses arômes intenses évoquent l'eucalyptus, la verveine et les herbes de la garrigue. La finale révèle une bonne fraîcheur.
🍷 Ch. Grès Saint-Paul, rte de Restinclières,
34400 Lunel, tél. 04.67.71.27.90,
fax 04.67.71.73.76 ☑ ⌶ r.-v.

LACOSTE 1999★

	8 ha	26 000	🗌	50 à 69 F

Le mas de Bellevue est situé non loin de la Via Domitia, à 3 km du site d'Ambrussum. Dans cette cuvée 99, on reconnaît la « patte » de Francis Lacoste. La jeunesse de la robe d'or pâle à reflets verts se conjugue à la fraîcheur des arômes de fruits frais. L'équilibre des saveurs est à l'avenant, à la fois vif et moelleux.
🍷 Francis Lacoste,
Dom. de Bellevue, rte de Sommières,
34400 Lunel, tél. 04.67.71.48.23,
fax 04.67.71.48.23,
e-mail muscatlacoste@dr.com ☑ ⌶ t.l.j. sf dim. 9h-19h; groupes sur r.-v.

CH. DE LA DEVEZE 1998★

	15,12 ha	50 000	🗌 ♨	30 à 49 F

Le domaine est vinifié par la cave coopérative de Lunel. L'aspect est doré intense à reflets verts.

Le nez, d'une jolie finesse, offre des notes d'agrumes. La bouche est elle aussi d'une grande fraîcheur : un zeste d'agrumes accompagne une légère et savoureuse amertume qui confère à ce muscat un bel équilibre.
🍷 Les Vignerons du Muscat de Lunel,
rte de Lunel-Viel, 34400 Vérargues,
tél. 04.67.86.00.09, fax 04.67.86.07.52 ☑ ⌶ r.-v.

LES VIGNERONS DU MUSCAT DE LUNEL Cuvée Prestige 1998★★

	n.c.	26 600	🗌 ♨	30 à 49 F

Dans sa robe d'or brillant à reflets verts, ce muscat exprime une belle intensité aromatique aux accents méditerranéens. On y trouve des fragrances de cyprès et d'abricot confit. La bouche est ample, fraîche, équilibrée par le moelleux. Un beau classique de l'appellation.
🍷 Les Vignerons du Muscat de Lunel,
rte de Lunel-Viel, 34400 Vérargues,
tél. 04.67.86.00.09, fax 04.67.86.07.52 ☑ ⌶ r.-v.

DOM. DE SAINT-PIERRE DE PARADIS Vendanges d'Automne 1998★★

	n.c.	22 000	🗌 ♨	50 à 69 F

La couleur est intense, dorée, brillante. Le nez complexe et évolué offre des arômes mêlant fruits confits, pâte de coings, abricot et fruits secs. L'évolution se confirme en bouche avec des notes d'eucalyptus et une finale rappelant la confiture de lait.
🍷 Les Vignerons du Muscat de Lunel, rte de Lunel-Viel, 34400 Vérargues, tél. 04.67.86.00.09, fax 04.67.86.07.52 ☑ ⌶ r.-v.

Muscat de mireval

Ce vignoble s'étend entre Sète et Montpellier, sur le versant sud du massif de la Gardiole, et est limité par l'étang de Vic. Les sols sont d'origine jurassique et se présentent sous forme d'alluvions anciennes de cailloux roulés, avec une dominante calcaire. Le cépage est uniquement le muscat à petits grains ; il a donné, en 1999, 7 190 hl de vins doux naturels.

Le mutage est effectué assez tôt, car les vins doivent avoir un minimum de 125 g de sucre ; ils sont moelleux, fruités et liquoreux.

DOM. DELTOUR-GROUSSET 1999★★

	16 ha	60 000	🗌 ♨	50 à 69 F

Rabelais aimait, dit-on, se reposer à Mireval. Le chantre des plaisirs de la vie n'aurait pu qu'apprécier ce millésime 99 : un muscat à l'habit d'or pâle qui fleure bon la pousse fraîche de cassis et dont la bouche, moelleuse et vive à la fois, finit sur des accents d'agrumes frais. Un vin gourmand, coup de cœur à mettre à l'actif de la cave des vignerons.

●▬ Cave de Rabelais, R.N. 112, B.P. 514, 34114 Mireval Cedex, tél. 04.67.78.15.79, fax 04.67.78.11.71, e-mail cave.rabelais@wanadoo.fr ☑ ♈ t.l.j. sf sam. dim. 8h-12h 14h-18h

DOM. DE LA CAPELLE Parcelle 8 1998

☐	5 ha	10 000	🛢♦ 100 à 149 F

Situé à quelques kilomètres de l'abbaye de Maguelonne, ce domaine familial s'est étendu au cours des ans sur les garrigues environnantes. Il produit un muscat à la robe d'or brillant ; le nez finement fruité révèle des nuances de raisin surmûri. La maturité s'exprime également en bouche par des notes de pêche cuite et de sucre brûlé, relevées par une pointe de vivacité.
●▬ Jean-Pierre Maraval, Dom. de La Capelle, 34110 Mireval, tél. 04.67.78.15.14, fax 04.67.78.58.96 ☑ ♈ r.-v.

Muscat de saint-jean de minervois

Ce muscat est produit par un vignoble perché à 200 m d'altitude et dont les parcelles s'imbriquent dans un paysage classique de garrigue. Il s'ensuit une récolte tardive, près de trois semaines environ après les autres appellations de muscat. Quelques vignes se trouvent sur des terrains primaires schisteux, mais la majorité est implantée sur des sols calcaires où apparaît parfois la coloration rouge de l'argile. Là encore, seul le muscat à petits grains est autorisé ; les vins obtenus doivent avoir un minimum de 125 g de sucre. Ils sont très aromatiques, avec beaucoup de finesse et des notes florales caractéristiques. C'est la plus petite AOC de muscat sur le continent avec une production de 4 781 hl en 1999.

DOM. DE BARROUBIO
Cuvée bleue 1998★

☐	17 ha	5 000	🛢♦ 30 à 49 F

Ce domaine peut être considéré comme une des valeurs sûres du Guide. Son muscat est d'or jaune brillant. Le nez, tout d'abord discret, s'ouvre progressivement sur des notes florales et d'amande. La noisette fraîche et l'orange confite s'expriment en bouche. La finale, tout en ampleur, offre une pointe d'amertume savoureuse.
●▬ Marie-Thérèse Miquel, Dom. de Barroubio, 34360 Saint-Jean-de-Minervois, tél. 04.67.38.14.06, fax 04.67.38.14.06 ☑ ♈ t.l.j. 9h-12h 15h-19h

DOM. DU SACRE-CŒUR 1998★

☐	2 ha	6 500	🛢♦ 50 à 69 F

Créé en 1991, ce jeune domaine joue depuis quelques années « dans la cave des grands ». Son muscat a une couleur d'or brillant aux légers reflets verts. Ses arômes sont fins, floraux, miellés, accompagnés d'une note de verveine. Ce 98 laisse en bouche une impression de puissance et de fraîcheur.
●▬ GAEC du Sacré-Cœur, Dom. du Sacré-Cœur, 34360 Assignan, tél. 04.67.38.17.97, fax 04.67.38.24.52 ☑ ♈ r.-v.
●▬ Marc et Luc Cabaret

LES VIGNERONS DE SEPTIMANIE
1999

☐	130 ha	130 000	🛢♦ 30 à 49 F

Le muscat 99 de la cave des Vignerons possède une belle couleur or brillant. Son nez est intense, typé par des arômes de poire bien mûre. En bouche, il révèle la puissance de son terroir et persiste sur des nuances d'eau-de-vie.
●▬ SCA Le Muscat de Saint-Jean-de-Minervois, 34360 Saint-Jean-de-Minervois, tél. 04.67.38.03.24, fax 04.67.38.23.38 ☑ ♈ r.-v.

Rasteau

Tout à fait au nord du département du Vaucluse, ce vignoble s'étale sur deux formations distinctes : sols de sables, marnes et galets au nord ; terrasses d'alluvions anciennes du Rhône (quaternaire), avec des galets roulés, au sud. Partout, le cépage utilisé est le grenache.

DOM. BEAU MISTRAL
Vieilli en fût de chêne 1998★★

	5 ha	4 000	⬛⬛	30 à 49 F

Une récolte « fille du vent et du soleil ». Il est vrai qu'ici l'un va rarement sans l'autre. Ce 98 est un hommage au vent médecin des rosées matinales et des automnes humides. L'ambre soutenu s'accompagne de reflets roux. Le bois a fait son œuvre. Le fruit sec où perce déjà l'écale de noix prend le pas sur le fruit confit et la noisette. La bouche est très fondue, souple et veloutée ; le vieux foudre apporte le grillé, l'épice autour d'une note de fruit confit de belle longueur.
🍷 Jean-Marc Brun, Dom. Beau Mistral, Le Village, rte d'Orange, 84110 Rasteau, tél. 04.90.46.16.90; fax 04.90.46.17.30 ✓ ⵌ r.-v.

DOM. BRESSY MASSON Rancio★

	3 ha	3 000	⬛⬛	50 à 69 F

Remarqué également en VDN rouge, ce domaine confirme son savoir-faire en rasteau blanc d'élevage et sa maîtrise de la typicité rancio. Cette année encore, ce vin brun clair à reflets cuivrés interpelle ! Timide, il demande à s'ouvrir, puis s'exprime alors en notes d'amande grillée, sur fond de cire d'abeille. Bien équilibré, le long mariage du vin et du bois se poursuit sur le rancio avec des notes caractéristiques de noix.
🍷 Marie-France Masson, Dom. Bressy-Masson, rte d'Orange, 84110 Rasteau, tél. 04.90.46.10.45, fax 04.90.46.17.78 ✓ ⵌ t.l.j. 9h-12h30 14h-19h

DOM. DES COTEAUX DES TRAVERS
1998★

	1 ha	n.c.		50 à 69 F

Très longtemps confinée aux blancs, l'AOC rasteau s'affirme aujourd'hui en rouge avec ce grenache noir au rubis avenant, très marqué par les fruits rouges et le bourgeon de cassis. Le corps au tanin encore présent est bien fruité, le guignolet charmeur. Le fondu est à venir. Un an ou deux de bouteille en feront un allié de choix pour une forêt-noire.
🍷 Robert Charavin, Dom. des Coteaux des Travers, 84110 Rasteau, tél. 04.90.46.13.69, fax 04.90.46.15.81, e-mail robert.charavin@wanadoo.fr ✓ ⵌ r.-v.

DOM. LA SOUMADE Vintage 1998★★

	5 ha	8 000	⬛⬛	70 à 99 F

Pionnier des rasteau rouges avec, à l'époque, un remarquable 88, André Romero continue le pigeage traditionnel et propose ce remarquable vin muté sur grains d'un très beau rouge profond. Discret à l'approche, le nez de sous-bois et de violette couvre le fruit rouge. Au palais, la cerise se mêle au grain de la fraise dans un bel équilibre. Le vin est solide, charpenté. Idéal sur une coupe de fruits des bois.
🍷 André Romero, 84110 Rasteau, tél. 04.90.46.11.26, fax 04.90.46.11.69 ✓ ⵌ t.l.j. sf dim. 8h30-11h30 14h-18h

CAVE DE RASTEAU 1997

	n.c.	n.c.	⬛⬛⬛	30 à 49 F

Merveilleux grenache qui sait apporter force et structure aux côtes du rhône, ainsi que douceur et finesse à ce rasteau gourmand. L'ambré hésite entre doré et grisé ; le nez allie la mandarine et la note suave de l'amande douce. Fin, moelleux, l'équilibre est tout en fondu sur des notes d'orange amère. Parfait sur une tarte aux agrumes.
🍷 Cave de Rasteau, rte des Princes-d'Orange, 84110 Rasteau, tél. 04.90.10.90.10, fax 04.90.46.16.65, e-mail rasteau@rasteau.com ✓ ⵌ r.-v.

Muscat du cap corse

L'appellation muscat du cap corse a été reconnue par décret en date du 26 mars 1993. C'est l'aboutissement des longs efforts d'une poignée de vignerons regroupés sur les terroirs calcaires de Patrimonio et ceux, schisteux de l'AOC vin de corse-coteaux du cap corse, soit 17 communes de l'extrême nord de l'île qui ont représenté 84 ha en 1998.

Désormais, seuls les vins élaborés à partir de muscat blanc à petits grains, répondant aux conditions de production des vins doux naturels et titrant au moins 95 g/l de sucres résiduels pourront prétendre à l'appellation.

Une reconnaissance bien méritée pour cette production confidentielle (1 983 hl en 1999).

NAPOLÉON BRIZI 1999

	3 ha	10 000	⬛⬤	50 à 69 F

Napoléon Brizi exploite une petite propriété familiale de 13 ha depuis 1960, et la relève est assurée par une présence féminine qui lui est chère : sa fille. Première entrée au Guide cette année grâce à un muscat très liquoreux, de couleur doré très clair, au nez floral et muscaté. A consommer très frais.
🍷 Napoléon Brizi, 20217 Saint-Florent, tél. 04.95.37.08.26 ✓ ⵌ r.-v.

DOM. DE CATARELLI 1999

	2 ha	6 000	⬛⬤	50 à 69 F

Le domaine de Catarelli s'épanouit sur 11 ha d'un terroir argilo-calcaire, dont seulement deux produisent du muscat. Ce 99 est un vin typique à l'allure moderne, aux arômes de fleurs blanches encore réservés. Sa bouche très équilibrée offre de jolies notes d'amande et de miel.
🍷 EARL Dom. de Catarelli, Marine de Farinole, 20253 Patrimonio, tél. 04.95.37.02.84, fax 04.95.37.18.72 ✓ ⵌ r.-v.
🍷 Laurent Le Stunff

VDN

DOM. GENTILE 1999

| | 2,25 ha | 9 500 | 70 à 99 F |

Le domaine Gentile commercialise 5 % de ses vins à l'étranger, jusqu'en Afrique. Imaginons un instant que nous dégustons ce muscat bien frais en contemplant les chutes Victoria ! Quel voyage ! Fermez les yeux, tentez l'expérience de ce joli vin or pâle, peu expansif pour le moment, à la saveur sucrée du miel.
🍷 Dom. Gentile, Olzo, 20217 Saint-Florent, tél. 04.95.37.01.54, fax 04.95.37.16.69 ☑ 🍷 t.l.j. sf dim. 8h-12h 14h-18h; r.v. hors saison

DOM. GIUDICELLI 1999★★

| | 5,17 ha | 16 000 | 50 à 69 F |

L'an dernier Muriel Giudicelli avait déjà pointé le bout de son nez dans le Guide pour ses premières vendanges. Si vous n'avez pas découvert son vin à cette occasion, courez acquérir ce petit bijou, vendu seulement à 16 000 exemplaires ! Etre finaliste au grand jury dès sa deuxième vendange mérite un beau coup de chapeau pour ce 99 jaune doré aux arômes intenses de miel de maquis et de fleur d'oranger. En bouche, le très bel équilibre sucre-alcool réussit à conserver une fraîcheur participant à une bonne persistance aromatique. Vin très élégant.
🍷 Muriel Giudicelli, Hameau Paese Novu, 20213 Penta di Casinca, tél. 04.95.36.45.10, fax 04.95.36.45.10 ☑ 🍷 r.-v.

DOM. LAZZARINI 1999

| | 8 ha | 15 000 | 50 à 69 F |

En arrivant à Patrimonio vous ne pouvez pas manquer la cave Lazzarini, qui vous fait de l'œil pour que vous vous arrêtiez ! Elle vous propose (entre autres) un sympathique muscat, typique par sa couleur dorée et ses arômes miellés très présents. Vous serez très bien accueilli par cette famille chaleureuse et souriante.
🍷 GAEC Lazzarini, 20253 Patrimonio, tél. 04.95.37.18.61 ☑ 🍷 t.l.j. 9h-19h30; f. nov. à avr.

DOM. LECCIA 1999★★

| | 1,7 ha | 6 500 | 70 à 99 F |

Il s'en est fallu de peu que ce vin superbe obtienne le coup de cœur ! Finaliste au grand jury, il a séduit les dégustateurs par sa typicité et sa complexité aromatique. Sa couleur dorée, très traditionnelle, évoque la couleur des raisins qui rôtissent au soleil d'automne. Au nez une farandole d'arômes de sous-bois, de miel, de fruits secs se disputent et embrouillent les sens. Lorsqu'il déferle sur les papilles c'est un slow harmonieux des sucres et de l'alcool au rythme des arômes puissants et complexes de raisins confits. A boire, mais peut vieillir, assurément !
🍷 GAEC Dom. Leccia, 20232 Poggio-d'Oletta, tél. 04.95.37.11.35, fax 04.95.37.17.03 ☑ 🍷 r.-v.

CLOS MARFISI 1999★

| | n.c. | 12 000 | 50 à 69 F |

Lorsque vous découvrirez ce muscat, partagez les souvenirs de la famille Marfisi soudée autour de son vignoble et qui aime à rappeler l'époque pas si lointaine où petits et grands foulaient le raisin aux pieds... Le muscat 99 est très réussi ;

son nez est encore timide, mais il va se révéler dans les mois à venir. Son excellent équilibre gustatif, où s'harmonisent saveurs de miel et arômes de fleurs blanches aux accents muscatés, offre un réel plaisir. A boire dès l'automne.
🍷 Toussaint Marfisi, Clos Marfisi, 20253 Patrimonio, tél. 04.95.37.01.16, fax 04.95.37.01.16 ☑ 🍷 t.l.j. 9h-12h30 14h-19h

CLOS NICROSI 1999★

| | 3,5 ha | 6 000 | 70 à 99 F |

Au bout du cap Corse, là où le libecciu libère toute sa violence, il y a un vigneron très sympathique, Jean-Noël Luigi, qui défie Dame Nature, comme l'ont fait avant lui ses aïeuls. La propriété dont certaines limites sont la Méditerranée a presque les pieds dans la mer. Sans doute est-ce là le secret de ce muscat très réussi qui vous séduira par son allure très élégante, ses tonalités jaune citron doré et ses senteurs intenses de pain de mie beurré, d'amande et de fleurs blanches. Et le goût ? Sa complexité est à découvrir sans attendre.
🍷 Jean-Noël Luigi, Clos Nicrosi, 20247 Rogliano, tél. 04.95.35.41.17, fax 04.95.35.47.94 ☑ 🍷 t.l.j. sf dim. 9h30-12h 15h30-18h30; f. oct.-avr.

ORENGA DE GAFFORY 1999★★

| | 3,53 ha | 11 400 | 50 à 69 F |

MUSCAT du CAP CORSE
APPELLATION MUSCAT DU CAP CORSE CONTRÔLÉE

Orenga de Gaffory

G.F.A. Pierre et Henri Orenga de Gaffory
Propriétaires Récoltants – PATRIMONIO (CORSE)

MIS EN BOUTEILLE A LA PROPRIÉTÉ

De faibles rendements et une maîtrise parfaite de la maturité pour le dernier-né des muscats d'Henri Orenga de Gaffory. Le 99 fait l'unanimité du grand jury. A l'évidence, ce vin jaune clair à reflets brillants, au nez expansif et intense de fleurs blanches, à la bouche équilibrée, minérale et très fleurie, est un vin très moderne qui peut déjà être dégusté mais qui gagnera à se faire un peu attendre. Il accompagnera magnifiquement un dessert au chocolat noir amer.
🍷 Dom. Orenga de Gaffory, Lieu-dit Morta-Majo, 20253 Patrimonio, tél. 04.95.37.45.00, fax 04.95.37.14.25 ☑ 🍷 r.-v.

DOM. PASTRICCIOLA 1999

| | 1 ha | 3 500 | 50 à 69 F |

Trois fils de viticulteurs décident un jour de reprendre un vieux domaine familial et de créer un GAEC... Les voici lancés avec passion, depuis 1989, dans l'aventure vigneronne de leur village. Cette année le muscat, d'un beau doré perle clair, est peu expressif pour l'heure ; il réserve notes minérales et saveurs de pain d'épice pour les beaux jours.

●┐ Dom. Pastricciola, Maestracci Giovannetti
Gilormini, 20253 Patrimonio,
tél. 04.95.37.18.31, fax 04.95.37.08.83 ☑ ⏀ t.l.j.
9h30-12h 15h-19h

DOM. PIERETTI 1999

☐	0,75 ha	3 300	🗮 ⬥ 50 à 69 F

Et voici un deuxième millésime réussi ! Le
muscat n'est pas un vin facile à élaborer, la maîtrise de la maturité des raisins et du mutage à
l'alcool étant indispensable pour faire bon !
Objectif atteint par Lina Venturi qui livre un
muscat légèrement doré, d'une finesse aromatique florale qui s'exprime en bouche en surfant
sur un bel équilibre.

●┐ Lina Venturi-Pieretti, Santa-Severa,
20228 Luri, tél. 04.95.35.01.03,
fax 04.95.35.01.03 ☑ ⏀ r.-v.

DOM. SAN QUILICO 1999

☐		3 ha	12 600	🗮 ⬥ 50 à 69 F

Joli vin très clair et cristallin qui fleure le
maquis et le miel de printemps. L'équilibre penche vers une douceur qui séduira les amateurs de
friandises. A boire frappé sur un foie gras poêlé
accompagné de petites pommes de terre sautées.
●┐ Dom. San Quilico, Lieu-dit Morta Majo,
20253 Patrimonio, tél. 04.95.37.45.00,
fax 04.95.37.14.25 ☑ ⏀ r.-v.

LES VINS DE LIQUEUR

L'appellation contrôlée ne s'appliquait qu'au pineau des charentes pour la dénomination « vin de liqueur » (désignation communautaire VLQPRD), à l'exception très rare de quelques frontignans ; le 27 novembre 1990, le floc de gascogne et le 14 novembre 1991, le macvin du jura ont rejoint l'appellation contrôlée « vin de liqueur ». Ce produit est le fruit d'un assemblage de moût en fermentation avec une eau-de-vie d'origine vinique. En tout état de cause, les produits « vins de liqueur » auront un titre alcoométrique compris entre 16 et 22 % vol. L'addition de l'eau-de-vie sur le moût est appelée « mutage » ; dans les deux cas, l'eau-de-vie et le moût sont originaires de la même exploitation.

Pineau des charentes

Le pineau des charentes est produit dans la région de Cognac qui forme un vaste plan incliné d'est en ouest d'une altitude maximum de 180 m, et qui s'abaisse progressivement vers l'océan Atlantique. Le relief est peu accentué. Le climat, de type océanique, est caractérisé par un ensoleillement remarquable, avec de faibles écarts de température qui favorisent une lente maturation des raisins.

Le vignoble, traversé par la Charente, est implanté sur des coteaux au sol essentiellement calcaire et couvre plus de 83 000 ha, dont la destination principale est la production du cognac. Celui-ci va être « l'esprit » du pineau des charentes : ce vin de liqueur est en effet le résultat du mélange des moûts des raisins charentais partiellement fermentés avec du cognac.

Selon la légende, c'est par hasard qu'au XVIe s. un vigneron un peu distrait commit l'erreur de remplir de moût de raisin une barrique qui contenait encore du cognac. Constatant que ce fût ne fermentait pas, il l'abandonna au fond du chai. Quelques années plus tard, alors qu'il s'apprêtait à vider la barrique, il découvrit un liquide limpide, délicat, à la saveur douce et fruitée : ainsi serait né le pineau des charentes. Le recours à cet assemblage se poursuit aujourd'hui encore, de la même façon artisanale à chaque vendange, car le pineau des charentes ne peut être élaboré que par les viticulteurs. Restée locale pendant longtemps, sa renommée s'étendit peu à peu à toute la France, puis au-delà de nos frontières.

Les moûts de raisins proviennent essentiellement, pour le pineau des charentes blanc, des cépages ugni blanc, colombard, montils et sémillon auxquels peuvent être adjoints les merlot et cabernet franc ou sauvignon, et, pour le rosé, des cabernet franc, cabernet-sauvignon et merlot. Les ceps doivent être conduits en taille courte et cultivés sans engrais azotés. Les raisins devront donner un moût dépassant les 10° en puissance. Le pineau des charentes vieillit en fût de chêne pendant au minimum une année.

Il ne peut sortir de la région que mis en bouteilles. Comme en matière de cognac, il n'est pas d'usage d'indiquer le millésime. En revanche, un qualificatif d'âge est souvent spécifié. Le terme « vieux pineau » est réservé au pineau de plus de cinq ans et celui de « très vieux pineau » au pineau de plus de dix ans.

Dans ces deux cas, il doit passer son temps de vieillissement exclusivement en barrique et la qualité de ce vieillissement doit être reconnue par une commission de dégustation. Le degré alcoolique doit être compris entre 17° et 18° et la teneur en sucre non fermenté de 125 à 150 g ; le rosé est par essence généralement plus doux et plus fruité que le blanc, lequel est plus nerveux et plus sec. La production annuelle dépasse 100 000 hl : 55 % de blanc et 45 % de rosé. Cinq cents producteurs-récoltants et sept coopératives élaborent et commercialisent le pineau des charentes. Cent négociants représentent plus de 40 % du marché de détail.

Nectar de miel et de feu, dont la merveilleuse douceur dissimule une certaine traîtrise, le pineau des charentes peut être consommé jeune (à partir de deux ans) ; il donne alors tous ses arômes de fruits, encore plus abondants dans le rosé. Avec l'âge, il prend des parfums de rancio très caractéristiques. Par tradition, il se consomme à l'apéritif ou au dessert ; cependant, de nombreux gastronomes ont noté que sa rondeur accompagne le foie gras et le roquefort, que son moelleux intensifie le goût et la douceur de certains fruits, principalement le melon (charentais), les fraises et les framboises. Il est utilisé également en cuisine pour la confection de plats régionaux (mouclades).

ANDRE ARDOUIN Vieux★★

| | 1 ha | n.c. | ◗◗ | 70 à 99 F |

Au nord-est de la région délimitée cognac, ce vignoble traditionnel se situe dans un environnement architectural intéressant, l'église romane d'Aulnay dont le portail central et le portail sud suscitent l'admiration. Jaune paille à reflets cuivrés, brillant et cristallin, ce vieux pineau blanc offre un nez très complexe où les arômes multiples se succèdent avec finesse : notes de noix, de figue, de banane, de datte, de miel, d'épices, de tabac avec un peu de vanille. La bouche souple et puissante révèle une grande persistance aromatique et une onctuosité équilibrée par une vivacité de bon ton. Les arômes de fruits secs et de miel envahissent le palais. Un très haut niveau qualitatif pour un prix particulièrement intéressant.
☛ André Ardouin, 6, rue des Anges, 17470 Villemorin, tél. 05.46.33.12.52, fax 05.46.33.14.47 ☑ ♈ r.-v.

JEAN AUBINEAU★

| | 1,37 ha | 9 000 | ◗◗ | 50 à 69 F |

Viticulteurs de père en fils depuis 1834, les Aubineau exploitent un petit vignoble situé sur des terroirs remarquables. De couleur jaune vieil or à reflets ambrés, limpide, ce pineau se révèle très aromatique, avec des arômes de fruits secs - abricot en particulier. Très rond en même temps que d'une grande vivacité en fin de bouche, il laisse un souvenir bien agréable.
☛ Jean Aubineau, 16120 Malaville, tél. 05.45.97.08.30 ☑ ♈ r.-v.

CLAUDE AUDEBERT Vieux

| | 6 ha | 5 600 | ◗◗ | 70 à 99 F |

Colombard et ugni blanc en majorité, cultivés sur des groies légères de Fins-Bois, offrent un vieux pineau blanc à la robe ambrée, pailletée d'or. Riche et intense, il a acquis, lors du vieillissement sous bois de chêne, des notes de fruits secs et confits, avec des arômes de fruits frais (abricot et pamplemousse). L'attaque en bouche est ample, et la légère acidité maintient le sucre. Jolie persistance d'arômes de fruits secs (noix notamment) et de bois vanillé.
☛ Claude Audebert, Les Villairs, 16170 Rouillac, tél. 05.45.21.76.86, fax 05.45.96.81.36, e-mail erclaude@wanadoo.fr ☑ ♈ t.l.j. 8h-20h; groupes sur r.-v.

MICHEL BARON Logis de Brissac★★★

| | 3 ha | 20 000 | ◗◗ | 50 à 69 F |

Un pavillon de chasse datant de François Ier domine une grande partie de ce vignoble des Borderies. Le domaine fut acquis en 1780 par Léon Alexis de Brémond, vicomte d'Ars, avant d'être transmis à la famille Baron en 1851. D'une très belle couleur or paille à multiples reflets, doté d'un nez riche en arômes de fruits secs, de fleurs champêtres et de notes de grillé, ce pineau puissant en bouche se montre très rond et d'une grande longueur. On apprécie un début de rancio prometteur. Exceptionnel, ce pineau est élu par le grand jury.
☛ SCEA vignobles Baron, Logis du Coudret, 16370 Cherves-Richemont, tél. 05.45.83.16.27, fax 05.45.83.18.67, e-mail veuvebaron@wanadoo.fr ☑ ♈ t.l.j. sf dim. 14h-18h30

HENRI BEGEY★★

| | 3 ha | 20 000 | ◗◗ | 50 à 69 F |

Viticulteurs depuis plusieurs générations, les Begey proposent leur propre production depuis 1970. D'une couleur jaune vieil or avec de multiples reflets orangés, ce pineau est très aromatique : on apprécie ses arômes d'épices et d'orange confite. La bouche, où ressortent des notes d'agrumes très complexes, offre une grande longueur.

☛ Begey et Fils, 17770 Villars-les-Bois, tél. 05.46.94.91.76, fax 05.46.94.55.00, e-mail info@begey.com ☑ ⏀ t.l.j. sf dim. 8h-20h

RAYMOND BOSSIS★★★

◢	4 ha	6 000	⦀	50 à 69 F

La famille Bossis, qu'il n'est plus nécessaire de présenter dans ce Guide, est installée sur les coteaux de l'estuaire de la Gironde depuis 1924. Cet exceptionnel pineau rosé, où le merlot domine largement le cabernet franc, étincelle dans sa robe rubis foncé. Remarquablement fruité, il offre au nez une large gamme d'arômes (raisins frais, cassis, griotte, groseille, framboise). Ceux-ci se retrouvent dans sa bouche riche et longue dont l'équilibre complexe entre sucre et acidité est réussi. Des notes grillées, torréfiées, sont perceptibles, ce qui laisse présager des harmonies nombreuses de dégustation, en apéritif mais aussi sur des desserts chocolatés.

☛ SCEA Les Groies, Les Groies, 17150 Saint-Bonnet-sur-Gironde, tél. 05.46.86.02.19, fax 05.46.70.66.85 ☑ ⏀ t.l.j. 9h-12h30 14h-19h30; f. du 25 déc. au 01 janv.

☛ Raymond Bossis

JOAN BRISSON★

◢	1 ha	2 500	⦀	50 à 69 F

Joan Brisson est installé à Matha, petite cité où les vestiges de deux églises du XII°s. sont à découvrir, ainsi que les deux pavillons Renaissance de l'ancien château. Il a réuni trente variétés de bambous qui intéresseront les botanistes. A découvrir aussi, son pineau rosé à la robe attirante, vive et très soutenue. Le merlot, très largement présent, lui confère ses arômes de fruits rouges et noirs (cassis, cerise), qui évoluent agréablement vers le kirsch. Il est bien équilibré en bouche. La cerise est toujours là, laissant la place en finale au cassis et à la fraise.

☛ Joan Brisson, 7, rue Saint-Hérie, 17160 Matha, tél. 05.46.58.25.07, fax 05.46.58.26.40, e-mail jbrisson@cer17.cernet.fr ☑ ⏀ r.-v.

CALISINAC Extra vieux

☐	50 ha	2 500	⦀	50 à 69 F

La cave du Liboreau, créée en 1953, regroupe aujourd'hui une centaine de viticulteurs qui cultivent 230 ha de vignes. Jaune doré, aux reflets de blé mûr et de cuivre, ce très vieux pineau blanc

développe un nez intense, plaisant et souple. Les arômes de fruits confits, de pêche, de raisin et de miel sont fondus et agréablement associés à un rancio léger et à un bois bien dosé.

☛ Cave du Liboreau, 18, rue de l'Océan, 17490 Siecq, tél. 05.46.26.61.86, fax 05.46.26.68.01, e-mail cave.du.liboreau@wanadoo.fr ☑ ⏀ r.-v.

DOM. DU CHENE★

☐	n.c.	25 000	⦀	50 à 69 F

« Vie de passion, vie de patience », aiment dire Jean Doussoux et Jean-Marie Baillif, deux viticulteurs de générations différentes, animés par la même flamme. Sous la robe jaune paille à reflets dorés de leur pineau, on apprécie les arômes de fleurs blanches et de vanille, résultat d'un vieillissement bien maîtrisé. Bien en bouche, après une attaque franche, il se montre très puissant, fruité ; harmonieux, il laisse une excellente impression.

☛ SCEA Doussoux-Baillif, Phiolin, 17800 Saint-Palais-de-Phiolin, tél. 05.46.70.92.29, fax 05.46.70.91.70 ☑ ⏀ t.l.j. 8h30-12h 14h-19h; dim. sur r.-v.

DHIERSAT★

◢	5 ha	23 000	⦀	50 à 69 F

Cette vieille famille de viticulteurs installée dans le terroir argilo-calcaire des Fins-Bois. Un assemblage de merlot noir et de cabernet a donné ce pineau de couleur intense aux reflets évolués, et très fruité (pruneau, cerise et coing bien mûr). La bouche présente un équilibre plaisant du sucré et de l'acidité. Les tanins sont largement développés : ils laissent une faible âpreté en fin de bouche mais traduisent une bonne aptitude au vieillissement.

☛ Jean-Claude Dhiersat, Le Breuil, 16170 Rouillac, tél. 05.45.21.75.75, fax 05.45.96.52.74 ☑ ⏀ t.l.j. sf dim. 9h-12h30 14h-18h

DROUET ET FILS X'Cep★

☐	3 ha	1000	⦀	100 à 149 F

Le domaine Drouet et Fils a une activité de bouilleur de cru depuis 1968. Il est aujourd'hui dirigé par un jeune couple qui commercialise sa production depuis 1991. Leur pineau est de couleur vieil or à multiples reflets. Ses arômes de fruits secs avec une note de léger rancio laissent une belle impression. En bouche, on apprécie sa fraîcheur et le parfait équilibre des différents arômes.

☛ Patrick et Stéphanie Drouet, 1, rte du Maine-Neuf, 16130 Salles-d'Angles, tél. 05.45.83.63.13, fax 05.45.83.65.48 ☑ ⏀ t.l.j. 9h-12h 14h-19h; dim. sur r.-v.

GUILLON-PAINTURAUD★

☐	3 ha	7 000	⦀	70 à 99 F

Vouée à la viticulture depuis 1610, la famille Guillon-Painturaud possède 18 ha. De couleur jaune or, très brillant, ce pineau offre un nez très fin où se développent des arômes de fruits secs et de rancio. Sa bouche agréable, vanillée, onctueuse et de belle longueur a été appréciée par le jury.

⌖ Guillon-Painturaud, Biard, 16130 Ségonzac, tél. 05.45.83.41.95, fax 05.45.83.34.42, e-mail guillon-painturaudepicuria@wanadoo.fr ☑ ⊺ t.l.j. sf dim. 9h-12h 14h-18h

DOM. DE JEREMIE*

	5 ha	8 000	⦀	30 à 49 F

Deux exploitations se sont réunies en 1994 pour former ce domaine. La robe attirante de ce pineau jaune doré, brillante et intense, annonce un nez élégant, fruité et floral, aux notes de miel. Généreux, avec un début de rancio très prometteur, il est agréable au palais. Le **rosé issu de vieilles vignes** à 80 % merlot offre un magnifique bouquet de fruits mûrs, groseille, cassis, myrtille, et des nuances de fruits secs et de boisé. Tout cela est associé à un cognac de qualité. Une étoile (50 à 69 F).

⌖ GAEC Lardière, Jérémie, 17130 Courpignac, tél. 05.46.49.20.14, fax 05.46.49.76.88 ☑ ⊺ r.-v.

JULES GAUTRET Vieux

	n.c.	n.c.	⦀	70 à 99 F

La marque Jules Gautret a été créée en 1847. Depuis, cette coopérative, dont le siège se situe à Jonzac, commercialise des produits du terroir charentais. Jaune doré à reflets vieil or, ce vieux pineau blanc, riche en arômes de fruits secs (noix, amande) et de fruits exotiques, offre aussi des notes florales d'acacia et des parfums de miel. Le bois est bien présent. La grande persistance en bouche s'appuie sur un bon équilibre. Très typé, ce pineau est toutefois peut-être un peu vif pour un vieux pineau blanc.

⌖ Unicognac, 30, av. Foch, 17503 Jonzac Cedex, tél. 05.46.48.10.99, fax 05.46.48.47.70, e-mail rfort@jules-gautret.com ☑ ⊺ r.-v.

DOM. DE LA RAMBAUDERIE*

	2,5 ha	8 000	⦀	50 à 69 F

Ce domaine repris en 1931 par la famille Boucher est constitué d'un vignoble situé sur des coteaux dominant la Gironde. Dans sa robe de couleur or très limpide, ce pineau exhale des odeurs intenses de fruits secs et un rancio naissant. Long en bouche, il est d'une grande intensité aromatique ; son élégance et sa puissance se complètent harmonieusement.

⌖ Suzette Boucher, Dom. de La Rambauderie, 78, rue des Ajoncs, 17150 Saint-Sorlin-de-Conac, tél. 05.46.86.00.72, fax 05.46.49.06.58 ☑ ⊺ r.-v.

MAURICE LASCAUX**

	4 ha	15 000	⦀	50 à 69 F

Ce logis du XVII^{e}s., acheté en ruine en 1900 par la famille Lascaux, a été restauré et aménagé en gîte de France, où l'on peut goûter aux produits de la vigne. De la robe jaune paille à reflets vieil or de ce pineau s'élèvent des arômes de miel et de pêche de vigne. Bien en bouche, très rond, élégant, il offre un parfait équilibre des saveurs, et sa persistance est intense.

⌖ Maurice Lascaux, Logis du Renfermis, 16720 Saint-Même-les-Carrières, tél. 05.45.81.90.48, fax 05.45.81.98.34 ☑ ⊺ t.l.j. 8h-20h

L'ENCLOUSE DES VIGNES**

	6 ha	12 000	⦀	50 à 69 F

Situé sur la route touristique D 145 reliant Royan à Bordeaux, ce domaine propose un pineau très limpide, de couleur vieil or à reflets orangés et aux arômes intenses de fruits secs. Très rond et onctueux, il confirme en bouche un grand équilibre de diverses saveurs, avec en finale une note légèrement boisée.

⌖ L'Enclouse des Vignes, Mageloup, 17120 Floirac, tél. 05.46.90.63.29, fax 05.46.90.60.68 ☑ ⊺ r.-v.
⌖ Bourreau

LEYRAT Vieille Réserve

	n.c.	n.c.	⦀	100 à 149 F

La robe est claire et brillante, nuancée de jaune doré. Simple et fin, ce pineau développe des arômes de fruits secs et de vanille, de pain d'épice et de fleurs blanches, assortis d'une pointe boisée bien équilibrée. Encore vif, avec un rancio très réservé, il présente en bouche des notes d'abricot sec et de miel. La matière est présente, mais il doit encore vieillir pour atteindre les qualités organoleptiques des vieux pineaux blancs.

⌖ Leyrat, Dom. de chez Maillard, 16440 Claix, tél. 05.45.66.35.72, fax 05.45.66.48.34, e-mail cognac-leyrat.com ☑ ⊺ r.-v.

CH. DE L'OISELLERIE Pineau rubis

	5 ha	n.c.	⦀	50 à 69 F

Elevé et dressé pour la chasse au XV^{e}s., le faucon, symbole de puissance et de majesté, est devenu l'emblème du domaine de l'Oisellerie. Ce pineau porte une robe de couleur rubis soutenu et soigné. Le nez, délicat, légèrement floral et fruité, est dominé par la framboise. Consistant, il développe en bouche une attaque vive, puissante avec des notes fruitées de raisin et une longue rémanence.

⌖ Lycée agricole Oisellerie, 16400 La Couronne, tél. 05.45.67.36.89, fax 05.45.67.16.51, e-mail expl.legta.angouleme@educagri.fr ☑ ⊺ r.-v.

MAINE LAURE*

	10 ha	4 000	⦀	50 à 69 F

Olivier Sauvaître a choisi, en prenant la succession de son père, de rebaptiser le domaine ; ainsi « Destrailles » est devenu « Maine Laure ». D'une couleur jaune paille intense à multiples reflets, ce pineau offre un nez agréable où l'on retrouve les arômes de fruits secs et de coing. D'une belle longueur en bouche, il se révèle très onctueux et possède une élégante souplesse en finale.

⌖ SARL Maine Laure, Le Maine Laure, 16360 Le Tatre, tél. 05.45.78.54.14, fax 05.45.78.53.66, e-mail sca.r.sauvaitre@wanadoo.fr ☑ ⊺ r.-v.
⌖ Olivier Sauvaître

S. MARCADIER ET A. BARBOT*

	3 ha	6 000	▮⦀	50 à 69 F

Cette propriété viticole exploitée depuis quatre générations est située au cœur de la Grande

VDL

Champagne. Brillante, la robe de ce pineau est de couleur vieil or à reflets orangés. Le nez très agréable se compose de notes de raisins secs et de vanille. La bouche est onctueuse ; sa fraîcheur et son rancio en font un produit harmonieux.

☛ GAEC La Combe de Bussac, Le Pible, 16130 Ségonzac, tél. 05.45.83.41.18, fax 05.45.83.43.21 ☑ ⊺ t.l.j. 9h-21h
☛ S. Marcadier-A. Barbot

MARQUIS DE DIDONNE★★

◢	10 ha	80 000	⦀	30 à 49 F

Marque de la coopérative de Saint-Sulpice-de-Royan, ce petit marquis sait bien se tenir. Le costume d'apparat, rubis intense légèrement évolué. Il est parfumé de fruits rouges (fraise, cerise, groseille). Son discours est enveloppé, bien construit, prononcé avec mesure. Il parle de fruits rouges, toujours, et surprend par une note d'écorce d'orange. Long en bouche, il est agréable à boire dès maintenant.

☛ Vignerons des Côtes de Saintonge, B.P. 5, Fontbedeau, 17200 Saint-Sulpice-de-Royan, tél. 05.46.06.01.01, fax 05.46.06.91.72, e-mail info@didonne.com ☑ ⊺ t.l.j. sf dim. 9h-12h30 14h30-18h30

MÉNARD Très vieux★

□		n.c.	5 000	⦀	100 à 149 F

Ce très vieux pineau blanc est paré d'une jolie robe jaune doré aux reflets cuivrés. Le nez d'abord réservé développe progressivement et avec finesse une large palette d'arômes : fruits jaunes cuits, abricot bien mûr et un rancio modéré mais fin. De belle facture, c'est un produit très réussi qui pourra encore vieillir, si vous savez attendre.

☛ J.-P. Ménard et Fils, 2, rue de la Cure, 16720 Saint-Même-les-Carrières, tél. 05.45.81.90.26, fax 05.45.81.98.22, e-mail menard@cognac-menard.com ☑ ⊺ t.l.j. sf sam. dim. 8h-12h 14h-18h

ANDRÉ PETIT Sélection★★

□	2,5 ha	13 500	⦀	50 à 69 F

De sa couleur vieil or à multiples reflets, on ne dit que du bien. On apprécie aussi ses arômes de fruits secs (figue et noix, en particulier) ; sa bouche très ample offre une certaine fraîcheur et confirme un vieillissement parfaitement maîtrisé.

☛ André Petit et Fils, Au Bourg, 16480 Berneuil, tél. 05.45.78.55.44, fax 05.45.78.59.30 ☑ ⊺ r.-v.
☛ Jacques Petit

ALAIN PILLET★

□	12 ha	10 000	▮⦀	50 à 69 F

Représentant la cinquième génération sur ce vieux domaine, ce viticulteur a restructuré entièrement son vignoble sur des coteaux argilo-calcaires et commercialise sa production depuis plus de vingt ans. Couleur vieil or, très brillant avec de multiples reflets, ce pineau possède un nez délicat tout en fruits secs. Après une bonne attaque en bouche, il se montre rond et harmonieux. Son léger rancio en finale est le gage d'un vieillissement bien maîtrisé.

☛ Alain Pillet, Chez Bruneau, 17130 Rouffignac, tél. 05.46.49.04.82, fax 05.46.49.04.82 ☑ ⊺ r.-v.

REMY-MARTIN★★

□	50 ha	n.c.	⦀	50 à 69 F

Fondée en 1724 par un vigneron charentais, Remy-Martin est l'une des grandes marques du pays du cognac, présidée par Mme Hériard-Dubreuil. L'assemblage réussi de plusieurs cépages donne un pineau de couleur vieil or. Sa riche palette aromatique aux nuances de fleurs et de fruits se retrouve au nez comme en bouche. Celle-ci est ample, marquée par un beau rancio qui donne une remarquable harmonie à l'ensemble.

☛ Remy-Martin, 20, rue de la Société-Vinicole, B.P. 37, 16100 Cognac, tél. 05.45.35.76.00, fax 05.45.35.02.85 ⊺ r.-v.

RENIER Extra vieux★

◢	2 ha	3 500	⦀	100 à 149 F

Domaine viticole où il est de tradition de trouver de vieux et très vieux pineaux rosés de haut niveau qualitatif, comme celui-ci dont la robe est rose pâle, limpide et cuivrée avec des paillettes brunâtres. Les nuances odorantes sont complexes : le rancio présent s'accorde avec succès aux notes de noix, de noisette, aux arômes de fruits cuits macérés et à une pointe de bois bien dosée. Gras en bouche, ce pineau se montre équilibré et souple ; les arômes dominants sont les fruits rouges cuits et les fruits secs avec une finale rancio.

☛ SCA du Clos de Mérienne, B.P. 87, 16200 Gondeville, tél. 05.45.81.13.27, fax 05.45.81.74.30 ☑ ⊺ r.-v.
☛ Charpentron

PAUL VIGIE

	2 ha	3 000	⦀	30 à 49 F

Vignoble situé sur des sols argilo-siliceux, à proximité de la côte de Beauté et de la Gironde. Des vieilles vignes de plus de vingt ans de merlot et de cabernet également répartis donnent un rosé sombre, évolué (rouge tuilé). La couleur accroche le regard et traduit un fruit très mûr et soutenu de cassis, mûre et myrtille. Le cassis reste très présent en bouche avec une acidité et un fruité rafraîchissants.

☛ Dominique Vigié, Roumignac, 17120 Cozes, tél. 05.46.90.94.66, fax 05.46.90.83.69, e-mail d.vigie@libertysurf.fr ☑ ⊺ r.-v.

Floc de gascogne

L e floc de gascogne est produit dans l'aire géographique d'appellation bas armagnac, ténarèze et haut armagnac, ainsi que dans toutes les communes répondant aux dispositions du décret du 6 août 1936, définissant l'aire géographique d'appellation armagnac. Cette région viticole fait partie du piémont pyrénéen et se répartit sur trois départements : le Gers, les Landes et le Lot-et-Garonne. Afin de donner une force supplémentaire à l'antériorité de leur production, les vignerons du floc de gascogne ont mis en place un principe nouveau qui n'est ni une délimitation parcellaire telle qu'on la rencontre pour les vins, ni une simple aire géographique telle qu'on la rencontre pour les eaux-de-vie. C'est le principe des listes parcellaires approuvées annuellement par l'INAO.

Les blancs sont issus des cépages colombard, gros manseng et ugni blanc, qui doivent ensemble représenter au moins 70 % de l'encépagement, et ne peuvent dépasser seuls 50 % depuis 1996, avec pour cépages complémentaires le baroque, la folle blanche, le petit manseng, le mauzac, le sauvignon, le sémillon ; pour les rosés, les cépages sont le cabernet franc et le cabernet-sauvignon, le cot, le fer servadou, le merlot et le tannat, ce dernier ne pouvant dépasser 50 % de l'encépagement.

Les règles de production mises en place par les producteurs sont contraignantes : 3 300 pieds/ha taillés en guyot ou en cordon, nombre d'yeux à l'hectare toujours inférieur à 60 000, irrigation des vignes strictement interdite en toute saison, rendement de base des parcelles inférieur ou égal à 60 hl/ha.

Chaque viticulteur doit, chaque année, souscrire la déclaration d'intention d'élaboration destinée à l'INAO, afin que ce dernier puisse aller vérifier réellement sur le terrain les conditions de production. Les moûts récoltés ne peuvent avoir moins de 170 g/l de sucres de moût. La vendange, une fois égrappée et débourbée, est mise dans un récipient où le moût peut subir un début de fermentation. Aucune adjonction de produits extérieurs n'est autorisée. Le mutage du moût se fait avec une eau-de-vie d'armagnac d'un compte d'âge minimum 0 et d'un degré minimum de 52 % vol. Le mélange ainsi réalisé sera laissé au repos pendant neuf mois au moins. Il ne peut sortir des chais avant le 1er septembre de l'année qui suit la récolte. Tous les lots de vins sont dégustés et analysés. En raison de l'hétérogénéité toujours à craindre de ce type de produit, l'agrément se fait en bouteilles.

CH. DU BASCOU★★

3,5 ha — 6 000 — 80 à 49 F

Produit sur des boulbènes graveleuses, ce floc rosé à la robe rouge intense aux reflets violets procure un grand plaisir olfactif et gustatif : au nez, on trouve une corbeille de fruits rouges (cerise, prune, cassis) intense et complexe ; en bouche, les mêmes qualités sont perçues, démultipliées par l'ampleur, sans que cela nuise à la finesse et à l'élégance. Excellent rapport qualité-prix.

☛ Robert Rouchon, EARL Ch. du Bascou, 32290 Bouzon-Gellenave, tél. 05.62.09.07.80, fax 05.62.09.08.94 ☑ ☨ t.l.j. 9h-12h30 15h-19h30; f. 1er -15 sept.

BORDENEUVE-ENTRAS★

1,04 ha — 13 500 — 50 à 69 F

Ce vaste domaine de 36,5 ha a présenté deux flocs de qualité. Ce rosé, très réussi, est d'un rouge brillant soutenu. Le nez offre des notes intenses de fruits mûrs (griotte, cassis, mûre). La bouche est équilibrée, suave, avec une finale un peu vive due à l'armagnac. Le **blanc** à la robe jaune pâle, aux arômes de fruits confits, se montre bien équilibré et agréable à déguster. Il est cité pour sa typicité.

☛ GAEC Bordeneuve-Entras, 32410 Ayguetinte, tél. 05.62.68.11.41, fax 05.62.68.15.32 ☑ ☨ r.-v.

☛ Maestrojuan

DOM. DE CACHELARDIT★

0,4 ha — 3 000 — 30 à 49 F

Représentant la sixième génération sur la propriété, ce producteur offre à notre plaisir un floc blanc de belle facture. Jaune paille, puissant avec des nuances miellées, celui-ci procure en bouche une heureuse impression d'équilibre et de fraîcheur. A déguster les yeux fermés.

☛ Pierre Philip, Cachelardit, 32100 Cassaigne, tél. 05.62.28.04.04, fax 05.62.68.24.20 ☑ ☨ t.l.j. 9h-12h 14h-18h

DOM. DE CASSAGNAOUS

3,5 ha — 1 494 — 50 à 69 F

Etablie au cœur d'une région très touristique aux multiples vestiges gallo-romains, la famille Zago a produit deux flocs : ce rosé, d'un rouge profond, possède un nez de cerise assez complexe mais un peu lourd. La bouche connaît une bonne évolution jusqu'à la finale riche en fruits confits. Le **blanc**, jaune paille, offre un nez fin ; il procure une bonne sucrosité en bouche avec une finale marquée par l'armagnac. Deux produits simples et justement cités.

☛ EARL de Cassagnaous, Au Cassagnaous, 32250 Montréal-du-Gers, tél. 05.62.29.44.81, fax 05.62.29.44.81 ☑ ☨ r.-v.

☛ G. Zago

DOM. DE CAUMONT

1 ha — 3 010 — 50 à 69 F

Propriété familiale depuis 1825, le domaine de Caumont, un habitué du Guide, propose un rosé sympathique, d'un rouge pâle légèrement tuilé, très fruité tant au nez qu'en bouche ; c'est une bouteille à boire entre amis.

VDL

• SCEA de Badiole, 32240 Lias-d'Armagnac, tél. 05.62.09.63.95, fax 05.62.08.70.14 ☑ ⏀ r.-v.
• Bourdens

DOM. DE CAZEAUX★

	8,51 ha	3 000	▮ 70 à 99 F

Eric Kauffer, à la barre depuis 1999, présente ici la dernière fabrication de son père Michel qui créa le domaine de Cazeaux (« jardin », en gascon) et qui fut à l'origine avec quelques autres de l'AOC floc de gascogne. Celui-ci, paré d'une belle robe jaune doré, offre un nez un peu fermé et possède une bouche fruitée, grasse et ronde, avec des notes boisées très expressives. Un produit très réussi se mariant parfaitement avec un foie gras, du Gers évidemment. Pour son bon équilibre et sa qualité d'ensemble, le **rosé** est cité.
• Eric Kauffer, Dom. de Cazeaux, 47170 Lannes, tél. 05.53.65.73.03, fax 05.53.65.88.95, e-mail domaine.de.cazeaux@wanadoo.fr ☑ ⏀ t.l.j. 9h-18h; groupes sur r.-v.

LES PRODUCTEURS DE LA CAVE DE CONDOM EN ARMAGNAC

	n.c.	20 000	▮ 🍷 30 à 49 F

Coup de cœur l'an dernier avec un rosé superbe, la cave de Condom, créée en 1950, a présenté un blanc jaune pâle au joli nez fruité et fleuri. Rond sans être lourd, il procure un vrai plaisir.
• Les producteurs de la Cave de Condom-en-Armagnac, 59, av. des Mousquetaires, 32100 Condom, tél. 05.62.28.12.16, fax 05.62.28.23.94

DOM. D'EYSSAC★★

	0,5 ha	4 000	▮ 🍷 50 à 69 F

Gilles Lhoste a considérablement augmenté le domaine familial : depuis sa prise de direction, il est passé de 5 ha à 33 ha. Son floc blanc, avec une couleur dorée très brillante, un nez particulièrement puissant et complexe à dominante de fruits secs, une bouche ronde, longue, très fruitée a fait l'unanimité. Le **rosé** a été cité pour sa robe d'un rouge brun profond et ses arômes de fruits noirs (cassis).
• Gilles Lhoste, Dom. d'Eyssac, 32290 Averon-Bergelle, tél. 05.62.08.52.27, fax 05.62.61.84.86 ☑ ⏀ r.-v.

DOM. DE FARON

◩	1 ha	7 000	30 à 49 F

Christian Montelieu est à la tête de ce domaine familial de 52 ha depuis 1982. Son floc rosé est paré d'une robe rouge rubis agrémentée d'un nez floral (violette) et fruité (cassis) moyennement intense. Si l'attaque est un peu sucrée, la bouche se révèle longue et très agréable. Un floc à déguster en toute tranquillité.
• Christian Montelieu, Faron, 32800 Bretagne-d'Armagnac, tél. 05.62.09.93.84, fax 05.62.09.93.84 ☑

FERME DE GAGNET★

◩	0,6 ha	7 200	▮ ⏀ 50 à 69 F

Gîte rural, la ferme de Gagnet, outre ses conserves de canards gras, vous invite à déguster

un floc à la robe rouge pâle, brillante et limpide. Son nez de fruits rouges (cassis et griotte) est fin et élégant. On retrouve ces mêmes qualités au palais qui se montre équilibré et persistant. A consommer avec une salade de fruits.
• Ferme de Gagnet, Gagnet, 47170 Mézin, tél. 06.82.36.19.82, fax 06.53.97.22.04 ☑ ⏀ t.l.j. sf dim. 8h-13h 14h-21h
• Tadieu

MICHEL FEZAS Chiroulet★★

◩	5 ha	16 000	⫼ 50 à 69 F

Sur des terres argilo-calcaires en Ténarèze, au cœur d'une région touristique pour amateurs de vieilles pierres - ne pas manquer l'église de Heux, du XIIIᵉˢ., située à 200 m du domaine - et de bien vivre, la famille Fezas a produit un rosé d'un rouge cerise, au nez intense rappelant les fruits rouges confits. La bouche, de l'attaque fruitée, équilibrée, à la finale persistante, procure un réel plaisir. Le **floc blanc** a été cité pour sa couleur jaune pâle, son nez fruité, sa bouche où le gras accompagne la fraîcheur et des notes épicées.
• Famille Fezas, Dom. de Chiroulet, Heux, 32100 Larroque-sur-l'Osse, tél. 05.62.28.02.21, fax 05.62.28.41.56 ☑ ⏀ r.-v.
• Michel Fezas

CH. GARREAU Cuvée Royale

	12 ha	20 000	⫼ 50 à 69 F

Après avoir été l'un des fondateurs du floc de gascogne, M. Garreau est devenu président du Syndicat de défense de l'armagnac. Deux flocs sont proposés : celui-ci, jaune paille, au nez de fruits secs et confits, à la bouche sucrée et ronde avec un côté surmûri un peu évolué, reçoit une citation, tout comme la **cuvée Royale en rosé**. Un peu tuilée, avec des notes de fruits rouges au nez comme en bouche, marquée par l'armagnac, elle est souple, sans agressivité.
• Ch. Garreau, Côtes de la Jeunesse, 40240 Labastide-d'Armagnac, tél. 05.58.44.84.35, fax 05.58.44.87.07, e-mail chateau.garreau@wanadoo.fr ☑ ⏀ r.-v.

HAUT BARON

	0,36 ha	4 550	▮ 🍷 50 à 69 F

Située en Bas-Armagnac à la limite des Landes et du Gers, sur des sables fauves, la cave a présenté un floc blanc réussi, issu du parfait mariage entre ugni blanc, gros manseng et armagnac. D'un blanc un peu pâle, il offre un nez floral expressif. En bouche, les arômes sont persistants. Un floc typé et typique.
• Cave coopérative de Cazaubon, 32150 Cazaubon, tél. 05.62.08.34.00, fax 05.62.69.50.98 ☑ ⏀ r.-v.

DOM. DE LAGUILLE

	n.c.	2 400	▮ 70 à 99 F

Nouveau producteur de floc, Guy Vignoli entre dans le troisième millénaire avec deux flocs cités l'un et l'autre. Dans le Sud-Ouest, on appelle cela un essai transformé ! Le blanc, jaune pâle cristallin, offre un nez d'agrumes assez intense et un palais fleuri, bien équilibré. Rouge grenadine à reflets acajou, le **floc rosé** est marqué par la qualité de son armagnac qui équilibre la petite concentration du raisin.

•┐SCEA La Treille, Laguille Saint-Amand, 32800 Eauze, tél. 05.62.09.77.05, fax 05.62.09.84.77 ☑ Ⴀ r.-v.

DOM. DE LAUROUX★★

| □ | 0,5 ha | 3 600 | ☷ ♠ 50 à 69 F |

Pour ce nouveau millénaire, Rémy Fraisse présente deux flocs de grande qualité. Ce blanc se montre remarquable par sa couleur jaune clair à reflets verts, son nez fin à notes fruitées et florales avec une pointe d'armagnac. Sa bouche, souple à l'attaque, est équilibrée et fruitée, ronde et longue. Le **rosé**, rouge vif, au nez fleuri et fruité, procure une impression de fraîcheur. Sa longueur fruitée en bouche en fait un floc très réussi (une étoile).

•┐Rémy Fraisse, EARL du Dom. de Lauroux, 32370 Manciet, tél. 05.62.08.56.76, fax 05.62.08.57.44 Ⴀ r.-v.

CH. DE MONS

| ◢ | 1 ha | 13 000 | ☷ 50 à 69 F |

Propriété de la Chambre d'agriculture du Gers depuis 1963, ce château construit en 1285 a parfaitement résisté à de belles pages d'histoire. Le domaine de Mons fait découvrir deux flocs, tous deux cités : ce rosé d'un rouge léger et brillant, au nez intense, à la bouche fruitée de bonne tenue. Jaune pâle à reflets verts, le **floc blanc** aux notes de vanille et de fruits secs est d'un bon équilibre. Deux produits à boire sans se poser de question.

•┐Dom. de Mons, Chambre d'agriculture du Gers, 32100 Caussens, tél. 05.62.68.30.30, fax 05.62.68.30.35, e-mail chateau.mons.cda.32@wanadoo.fr ☑ Ⴀ r.-v.

CAVE DES PRODUCTEURS DE NOGARO★

| ◢ | n.c. | 50 000 | ☷ 30 à 49 F |

Plus grosse productrice de floc de gascogne, la cave coopérative de Nogaro propose un rosé de belle couleur rubis. Le nez encore marqué par l'alcool n'en est pas moins agréable et fin. D'attaque fraîche, le palais est fruité (pruneau) avec une finale légèrement acidulée. Un produit typique de l'appellation.

•┐Cave des Producteurs réunis, 32110 Nogaro, tél. 05.62.09.01.79 Ⴀ r.-v.

DOM. DE POLIGNAC★

| ◢ | 3 ha | 10 000 | ☷ ♠ 50 à 69 F |

Les Gratian ont considérablement agrandi leur propriété, passant de 8 ha en 1981 à 45 ha aujourd'hui. Sur des sols argilo-calcaires et caillouteux, ils ont élaboré un floc rosé qui a retenu l'attention des dégustateurs par sa robe rouge cerise brillante, son nez intense de fruits rouges (fraise) et de cassis. Sa bouche équilibrée, fraîche et fruitée, est d'une grande finesse. Marié à un melon, ce floc ne peut que procurer du plaisir.

•┐EARL Gratian, Dom. de Polignac, 32330 Gondrin, tél. 05.62.28.54.74, fax 05.62.28.54.86 ☑ Ⴀ r.-v.

DOM. SAN DE GUILHEM

| ◢ | 1,74 ha | 11 000 | ☷ ♠ 50 à 69 F |

A la tête de ce domaine de 54,61 ha depuis 1974, Alain Lalanne propose un rosé rubis aux nuances tuilées, au nez de fruits rouges mûrs, présentant un bon équilibre au palais. Un floc cité pour son côté aérien, léger, gouleyant ; à servir en apéritif.

•┐Alain Lalanne, Dom. San de Guilhem, 32800 Ramouzens, tél. 05.62.06.57.02, fax 05.62.06.44.99 ☑ Ⴀ t.l.j. 8h-12h 13h30-18h30

CAPITAINE SANSOT

| ◢ | 0,5 ha | 1 489 | ☷ 30 à 49 F |

La Baïse se trouve à 500 m du domaine. Après une descente en canoë, rendez visite à ce producteur dont les deux flocs ont été sélectionnés par le jury. Ce rosé porte une très belle robe rouge cerise. Son nez est vif mais fruité. Après une attaque fraîche, la bouche évolue agréablement sur des notes cacaotées. Egalement cité, le **blanc**, d'une couleur jaune pâle, offre un nez légèrement fruité et une bouche souple, équilibrée, à nuances de fruits secs.

•┐Christophe Mendousse, EARL du Capitaine, 32410 Beaucaire-sur-Baïse, tél. 05.62.68.15.16, fax 05.62.68.14.65 ☑ Ⴀ t.l.j. 9h-12h30 14h-19h; f. jan.

CH. DU TARIQUET

| □ | 5 ha | n.c. | ☷ 50 à 69 F |

Dans la plus pure tradition de la famille Grassa, ce floc blanc ambré doré, au nez de fruits cuits et de miel possède un caractère certain en bouche, dû à la qualité de l'armagnac issu du cépage folle blanche.

•┐Ch. du Tariquet, 32800 Eauze, tél. 05.62.09.87.82 Ⴀ r.-v.

•┐Famille Grassa

Macvin du jura

Il aurait aussi bien pu s'appeler galant, car c'est le nom qui lui était donné au XIV⁰s. alors que Marguerite de France, duchesse de Bourgogne, femme de Philippe le Hardi, en faisait son préféré.

Tirant probablement son origine d'une recette des abbesses de l'abbaye de Château-Chalon, le macvin - anciennement maquevin ou marc-vin - a été reconnu en AOC sous le nom de macvin du jura par décret du 14 novembre 1991. C'est en 1976 que la Société de Viticulture engagea pour la première fois une démarche de reconnaissance en AOC pour ce produit très original. L'enquête fut longue car il fallait trouver un accord sur l'utilisa-

VDL

tion d'un procédé unique d'élaboration. En effet, au cours du temps, le macvin, d'abord vin cuit additionné d'aromates ou d'épices, est devenu mistelle, élaboré à partir du moût concentré par la chaleur (cuit), puis vin de liqueur muté soit au marc, soit à l'eau-de-vie de vin de Franche-Comté. La méthode la plus courante a été finalement retenue ; il s'agit pour l'AOC d'un vin de liqueur mettant en œuvre du moût ayant subi un tout léger départ en fermentation, muté avec l'eau-de-vie de marc de Franche-Comté à appellation d'origine, provenant de la même exploitation que les moûts. Le moût doit provenir des cépages et de l'aire de production ouvrant droit à l'AOC. L'eau-de-vie doit être « rassise », c'est-à-dire vieillie en fût de chêne pendant 18 mois au moins.

Après cette ultime association qui se fait sans filtration, le macvin doit se « reposer » pendant un an en fût de chêne, puisque sa commercialisation ne peut se faire avant le 1er octobre de l'année suivant la récolte.

La production, en évolution, se situe à 1 700 hl environ (sur 36 ha). Le macvin du jura connaît un bon développement, car il est très apprécié, notamment localement. C'est un apéritif d'amateur qui, lorsqu'il est bien réussi, rappelle les produits jurassiens à forte influence du terroir. Il complète la gamme des appellations comtoises et s'associe parfaitement à la gastronomie régionale.

FRUITIERE VINICOLE D'ARBOIS★★

| ☐ | 5 ha | 25 000 | ⓤ | 70 à 99 F |

Une robe ambrée très soutenue et des reflets acajou pour ce macvin coopératif ! Le nez est intéressant : marc et moût se sont intimement liés, et les odeurs de pomme et de miel qui en résultent sont très avenantes. La finale en bouche est un peu chaude, mais les arômes d'amande sont bien agréables. Un beau produit à la fois féminin et masculin. Assez consensuel sans doute. A attendre en tout cas.
☛ Fruitière vinicole d'Arbois, 2, rue des Fossés, 39600 Arbois, tél. 03.84.66.11.67, fax 03.84.37.48.80 ☑ ⵞ r.-v.

CH. D'ARLAY★★

| ☐ | 1 ha | 4 000 | ∎ ⓤ | 100 à 149 F |

Le château d'Arlay est un monument historique classé. Parc et château sont ouverts à la visite. De style et de classe, le macvin du domaine en est également pourvu. L'eau-de-vie de marc s'est parfaitement mariée au moût de chardonnay et de savagnin. Le nez est plutôt marqué par le

marc, tandis que la bouche révèle avec subtilité le fruité du raisin. De la matière, de l'équilibre, une belle longueur... avec un tel macvin au dessert, c'est la vie de château assurée.
☛ Ch. d'Arlay, rte de Saint-Germain, 39140 Arlay, tél. 03.84.85.04.22, fax 03.84.48.17.96, e-mail chateau@arlay.com ☑ ⵞ t.l.j. sf dim. 8h-12h 14h-18h
☛ de Laguiche

BADOZ★

| ☐ | n.c. | 1 500 | ⓤ | 70 à 99 F |

La robe est jaune pâle et le nez expressif : on touche à la fois au floral et au fruité. Le marc ne s'impose pas en bouche. Au contraire, le raisin s'exprime même avec aisance. L'équilibre et la finesse sont au rendez-vous.
☛ Bernard Badoz, 15, rue du Collège, 39800 Poligny, tél. 03.84.37.11.85, fax 03.84.37.11.18 ☑ ⵞ t.l.j. 8h-20h

PHILIPPE BUTIN★

| ☐ | 0,2 ha | 1 300 | ⓤ | 70 à 99 F |

Le moût qui a été muté ici est issu du cépage chardonnay. C'est sous une belle robe d'or clair que se présente ce macvin. Le nez est tout en discrétion, mais fort agréable. Les fruits secs (figue, raisins de corinthe) s'allient harmonieusement avec le marc. En bouche, le mariage est tout aussi réussi.
☛ Philippe Butin, 21, rue de la Combe, 39210 Lavigny, tél. 03.84.25.36.26, fax 03.84.25.39.18 ☑ ⵞ t.l.j. 8h-19h

CAVEAU DES BYARDS★★★

| ☐ | 0,35 ha | 3 000 | ⓤ | 70 à 99 F |

La robe est brillante, limpide. « Ce jaune clair et ses reflets verts sont une sacrée invitation », note l'un des membres du jury. Le nez vif et fruité évoque l'eau-de-vie de fruit. La belle attaque en bouche se montre virile mais subtile ; la progression est parfaite : rondeur, fluidité, richesse, fruits frais, fruits mûrs. C'est l'apothéose du fruité, dans l'harmonie totale avec l'eau-de-vie de marc. Tout y est, et dans le plus juste équilibre, s'il vous plaît.
☛ Caveau des Byards, 39210 Le Vernois, tél. 03.84.25.33.52, fax 03.84.25.38.02 ☑ ⵞ r.-v.

D. ET P. CHALANDARD

| ∎ | 0,5 ha | 800 | ⓤ | 70 à 99 F |

La robe rouge pâle, légèrement tuilée mais brillante, peut surprendre. Le nez, d'intensité moyenne, révèle des notes de petits fruits rouges et de raisins secs : une approche bien agréable. La bouche est complexe et étonnante sur le plan aromatique. Aux arômes déjà perçus au nez, il faut ajouter l'orange sanguine. Un macvin qui ne passe pas inaperçu.

☞ GAEC du Vieux Pressoir, rte de Voiteur, 39210 Le Vernois, tél. 03.84.25.31.15, fax 03.84.25.37.62 ☑ ⵏ r.-v.

MARIE ET DENIS CHEVASSU★

☐	n.c.	1000	ⅠⅠⅠ 70 à 99 F

Une ferme fleurie qui ouvre ses portes le dimanche en août pour un échange autour du vin. Ce macvin paré d'une belle robe d'or est globalement bien équilibré ; l'alcool se fait juste un peu sentir en finale. Un ensemble agréable, fin et plaisant.

☞ Denis Chevassu, Granges Bernard, 39210 Menétru-le-Vignoble, tél. 03.84.85.23.67, fax 03.84.85.23.67 ☑ ⵏ r.-v.

DOM. VICTOR CREDOZ

◤	0,3 ha	2 400	ⅠⅠⅠ 70 à 99 F

Fondé en 1859 par Victor Credoz, ce domaine est maintenant exploité par Daniel et Jean-Claude Credoz. Leur macvin se présente dans une robe rose pâle. La bouche est équilibrée et intense, dotée d'une finale longue et harmonieuse. Avec un sorbet framboise, c'est la vie en rose assurée.

☞ Dom. Victor Credoz, 39210 Menétru-le-Vignoble, tél. 06.80.43.17.44, fax 06.84.44.62.41 ☑ ⵏ t.l.j. 8h-12h 13h-19h

RICHARD DELAY★

☐	0,1 ha	1 200	ⅠⅠⅠ 70 à 99 F

La robe est mordorée, le nez assez riche et un peu confit. La bouche se montre ample, souple, équilibrée. Une belle cohérence donnant une impression intense d'harmonie.

☞ Richard Delay, 37, rue du Château, 39570 Gevingey, tél. 03.84.47.46.78, fax 03.84.43.26.75 ☑ ⵏ r.-v.

DANIEL DUGOIS★

☐	0,3 ha	2 000	ⅠⅠⅠ 70 à 99 F

Ce viticulteur a déjà été mis plusieurs fois à l'honneur dans le Guide pour son vin jaune d'Arbois. Il sait aussi élaborer un macvin au nez bien fondu. En harmonie avec le nez, la bouche est souple et ronde sans être molle ; des arômes confits et des notes de chocolat se développent. Un dégustateur qualifie ce macvin de « moderne ». Une modernité qui a su puiser dans la tradition ce qu'il y avait de meilleur.

☞ Daniel Dugois, 4, rue de la Mirode, 39600 Les Arsures, tél. 03.84.66.03.41, fax 03.84.37.44.59 ☑ ⵏ r.-v.

DOM. FORET★★★

☐	n.c.	2 000	ⅠⅠⅠ 100 à 149 F

Quelques bouteilles de cette cave partent au pays du Soleil-Levant : ce macvin est prêt pour l'aventure dans sa superbe robe vieil or. Le nez est bien marié avec de beaux arômes de vieillissement : noix et caramel. La bouche est enveloppante, bien fondue ; sucre et alcool sont en parfait équilibre. Et quelle persistance ! Un gâteau au chocolat, vite !

☞ Dom. Foret, 13, rue de la Faïencerie, 39600 Arbois, tél. 03.84.66.23.01, fax 03.84.66.10.98 ☑ ⵏ r.-v.

CH. GREA

☐	40 ha	1 400	ⅠⅠⅠ 70 à 99 F

Il n'y a que du savagnin dans le moût qui a servi à élaborer ce macvin. La robe est ambrée, avec des reflets de bronze. Superbe, le nez est confit, à peine caramel. La bouche présente un caractère un peu rustique, mais certains dégustateurs ont aimé. A boire l'hiver avec du pain d'épice, des noix et du miel.

☞ Nicolas Caire, Ch. Gréa, 39190 Rotalier, tél. 06.81.83.67.80, fax 06.84.25.05.47 ☑ ⵏ r.-v.

CAVEAU DES JACOBINS★

☐	1 ha	6 000	ⅠⅠⅠ 70 à 99 F

Le marc est bien présent au nez. La bouche fondue offre une bonne persistance sur des arômes de fruits confits et de pomme chaude. Un macvin à la hauteur d'Othon III de Poméranie qui fit construire l'église des Jacobins en 1248.

☞ Caveau des Jacobins, rue Nicolas-Appert, 39800 Poligny, tél. 03.84.37.01.37, fax 03.84.37.30.47 ☑ ⵏ r.-v.

CLAUDE JOLY★★

☐	n.c.	3 500	ⅠⅠⅠ 70 à 99 F

Claude Joly est à la tête de la propriété depuis 1965. A Rotalier, le macvin, on connaît ! Celui-ci est bien sympathique à l'œil avec sa robe jaune clair et ses reflets verts. Le nez est frais, sans dominante particulière. Tout y est bien fondu, si bien que le marc sait être présent sans trop se faire remarquer. La bouche est également très équilibrée, d'une remarquable persistance sur des notes fruitées, telles que figue, raisin sec et pomme.

☞ Claude Joly, chem. des Patarattes, 39190 Rotalier, tél. 03.84.25.04.14, fax 03.84.25.14.48 ☑ ⵏ r.-v.

LIGIER PERE ET FILS

☐	1 ha	2 000	ⅠⅠⅠ 70 à 99 F

Le savagnin est le cépage utilisé dans le Jura pour élaborer les vins jaunes. Chez les Ligier, on a choisi aussi de le valoriser dans le macvin. Le nez est intense, floral puis fruité. On trouve beaucoup de matière en bouche où le marc sait faire sa place en jouant des coudes. La finale est agréable. Pensez à un gâteau au chocolat et aux noix.

☞ Ligier Père et Fils, 7, rte de Poligny, 39380 Mont-sous-Vaudrey, tél. 03.84.71.74.75, fax 03.84.81.59.82 ☑ ⵏ r.-v.

VDL

DESIRE PETIT ET FILS★

| | 0,5 ha | 3 700 |  70 à 99 F |

C'est en 1932 que Désiré Petit s'est mis à son compte avec un hectare de vignes. Marcel et Gérard poursuivent depuis 1970 l'œuvre de leur père. Avec un prénom pareil, on ne peut faire que des envieux. Ce macvin aussi sait se faire désirer dans sa robe vieil or. Il a de la puissance tant au nez qu'en bouche et un bel équilibre sucre-alcool. Le marc est bien fondu, ce qui laisse une bonne impression finale.
➤ Désiré Petit, rue du Ploussard, 39600 Pupillin, tél. 03.84.66.01.20, fax 03.84.66.26.59 ☑ ♈ t.l.j. 8h30-12h 14h-19h
➤ Gérard et Marcel Petit

DOM. DE SAVAGNY

| | n.c. | 5 000 | 70 à 99 F |

Il a la couleur de certains ocres jaunes du Roussillon. Une robe de terre pour un produit issu des marnes du Jura. L'alcool domine au nez alors que la bouche ronde offre une note de raisin à l'eau-de-vie et de fruits secs. La finale est agréable, dans un bon équilibre.
➤ Claude Rousselot-Pailley, 140, rue Neuve, 39210 Lavigny, tél. 03.84.25.38.38, fax 03.84.25.31.25 ☑ ♈ r.-v.

ANDRE ET MIREILLE TISSOT

| | 1 ha | 5 000 | 70 à 99 F |

Le « bio » est en marche dans cette exploitation dont la reconversion a commencé en 1999. Paré d'une robe vieil or et de reflets cuivrés, ce macvin nous convertit lui aussi. Le marc est dominant au nez. A l'attaque en bouche, l'eau-de-vie prend le pas sur le moût, mais des arômes fruités assez fins arrivent en finale. Une bonne longueur.
➤ André et Mireille Tissot, 39600 Montigny-lès-Arsures, tél. 03.84.66.08.27, fax 03.84.66.25.08 ☑ ♈ r.-v.

JEAN-LOUIS TISSOT

| | 0,5 ha | 1000 | 70 à 99 F |

Une belle robe dorée et un nez de fruits secs et d'amande : comment résister à la tentation de goûter ! De l'équilibre et de la puissance s'affirment d'emblée au palais. Si le bois marque un peu la fin de bouche, l'ensemble est réussi et typique. Une tranche de jambon cru, quelques dés de melon, et votre entrée sera remarquée.
➤ Jean-Louis Tissot, Vauxelles, 39600 Montigny-lès-Arsures, tél. 03.84.66.13.08, fax 03.84.66.08.09 ☑ ♈ t.l.j. 9h-12h 14h-18h; dim. et groupes sur r.-v.

JEAN TRESY ET FILS

| | 0,3 ha | 2 900 | 70 à 99 F |

Jean Trésy et son fils ont élaboré un macvin au ton harmonieux. Le nez est le reflet de l'assemblage : des notes de marc mais aussi une palette aromatique fruitée : noisette, figue, abricot, raisins secs. La bouche, ronde et puissante à l'attaque, s'affirme ensuite dans un même registre ; riche et d'une bonne longueur, elle offre une finale sur le fruit assez agréable.
➤ Jean Trésy et Fils, rte des Longevernes, 39230 Passenans, tél. 03.84.85.22.40, fax 03.84.44.99.73, e-mail tresy.vin@wanadoo.fr ☑ ♈ r.-v.

LES VINS DE PAYS

_____ **S**i l'expression « vins de pays » est employée depuis 1930, ce n'est que récemment qu'elle est devenue familière pour désigner officiellement certains « vins de table portant l'indication géographique du secteur, de la région ou du département d'où ils proviennent ». C'est en effet par le décret général du 4 septembre 1979 modifié, qu'une réglementation spécifique a déterminé leurs conditions particulières de production, recommandant notamment l'utilisation de certains cépages et fixant des rendements plafonds. Des normes analytiques, tels la teneur en alcool, l'acidité volatile ou les dosages de certains additifs autorisés, ont été établies, permettant de contrôler et de garantir au consommateur un niveau de qualité qui place les vins de pays parmi les meilleurs vins de table français. Comme les vins d'appellations, les vins de pays sont soumis à une procédure d'agrément rigoureuse complétée par une dégustation spécifique ; mais, alors que les vins d'AOC sont placés sous la tutelle de l'INAO, c'est l'Office national interprofessionnel des vins (ONIVINS) qui assure celle des vins de pays. Avec les organismes professionnels agréés et les syndicats de défense de chaque vin de pays, l'ONIVINS participe en outre à leur promotion, tant en France que sur les marchés extérieurs, où ils ont pu conquérir une place relativement importante.

_____ **I**l existe trois catégories de vins de pays, selon l'extension de la zone géographique dans laquelle ils sont produits et qui compose leur dénomination. Les premiers sont désignés sous le nom du département de production, à l'exclusion bien sûr des départements dont le nom est aussi celui d'une AOC (Jura, Savoie ou Corse) ; les seconds, vins de pays de zone ; les troisièmes sont dits « régionaux », issus de quatre grandes zones regroupant plusieurs départements et pour lesquels des assemblages sont autorisés afin de garantir une expression constante. Il s'agit du vin de pays du Jardin de la France (Val de Loire), du vin de pays du Comté tolosan, du vin de pays d'Oc, et du vin de pays des Comtés rhodaniens. Chaque catégorie de vin de pays est soumise aux conditions générales de production dictées par le décret de 1979. Mais pour chaque vin de pays de zone et chaque vin de pays régional, il existe en plus un décret spécifique mentionnant les conditions de production plus restrictives auxquelles ces vins sont soumis.

_____ **L**es vins de pays, dont 7,8 millions d'hectolitres font l'objet d'un agrément, sont essentiellement vinifiés par des coopératives. Entre 1980 et 1992, les volumes agréés en vin de pays ont pratiquement doublé (4 à 7,8 millions hl). Les vins de pays agréés en « vin primeur ou nouveau » représentent aujourd'hui 200 à 250 000 hl. Les vinifications en vin de cépage prennent également beaucoup d'importance. La plus grande part (85 %) est issue des vignobles du Midi. Vins simples mais de caractère, ils n'ont d'autre prétention que d'accompagner agréablement les repas quotidiens, ou de participer, dans les étapes des voyages, à la découverte des régions dont ils sont issus, accompagnant les mets selon les usages habituels de leurs types. L'ensemble des zones de production est présenté ci-dessous selon le découpage régional de la législation spécifique des dénominations de vins de pays, qui ne correspond pas à celui des régions viticoles d'AOC ou AOVDQS. Notez que le décret du 4 mai 1995 exclut des zones autorisées à produire des vins de pays les départements du Rhône, du Bas-Rhin, du Haut-Rhin, de la Gironde, de la Côte-d'Or et de la Marne.

Calvados

ARPENTS DU SOLEIL 1999★★

| ☐ | 0,15 ha | 1 300 | ■ | 30 à 49 F |

Un vin de pays portant le nom d'une AOC ? Calvados est, comme vous le savez, une eau-de-vie de pomme. Que le consommateur ne s'y trompe pas : il s'agit bien ici du produit de la vigne, de pinot gris planté à Saint-Pierre-sur-Dives. Une robe jaune pâle à reflet or habille ce 99 au nez intense de fruits blancs (pêche, poire). La bouche, fraîche et fine, arbore une structure parfaitement équilibrée. On retrouve en finale les notes de fruits blancs du nez. Joli vin, à boire sur des poissons en sauce.

🔻 Gérard Samson, 3, rue d'Harmonville, 14170 Saint-Pierre-sur-Dives, tél. 02.31.20.80.41, fax 02.31.20.29.70 ☑

Vallée de la Loire

Les vins de pays du Jardin de la France, dénomination régionale, représentent, à l'heure actuelle, 95 % de l'ensemble des vins de pays produits en vallée de la Loire ; une vaste région qui regroupe treize départements : Maine-et-Loire, Indre-et-Loire, Loiret, Loire-Atlantique, Loir-et-Cher, Indre, Allier, Deux-Sèvres, Sarthe, Vendée, Vienne, Cher, Nièvre. A ces vins s'ajoutent les vins de pays de départements et les vins de pays à dénominations locales qui sont ici : les vins de pays de Retz (au sud de l'estuaire de la Loire), des Marches de Bretagne (au sud-est de Nantes) et des Coteaux charitois (aux alentours de la Charité-sur-Loire).

La production globale s'établit aujourd'hui à 600 000 hl et repose sur les cépages traditionnels de la région. Les vins blancs qui représentent 45 % de la production sont secs, frais et fruités, et principalement issus des cépages chardonnay, sauvignon et grolleau gris. Les vins rouges et rosés proviennent, quant à eux, des cépages gamay, cabernets et grolleau noir.

Ces vins de pays sont, en général, à boire jeunes. Cependant, dans certains millésimes, le cabernet peut se bonifier en vieillissant.

Jardin de la France

DOM. DE BEL-AIR
Pays de Retz Grolleau gris 1999★★

| ☐ | 1 ha | 6 000 | ■ | - de 20 F |

Le domaine est situé au cœur du pays de Retz à quelques kilomètres du lac de Grand-Lieu. Sur les 27 ha qui composent le vignoble, 1 ha est réservé à la culture du grolleau gris. Le millésime 99 est remarquable. Au nez, il développe une sensation de fraîcheur grâce à des notes intenses de fruits blancs (pêche blanche) et d'agrumes. On retrouve en bouche les notes aromatiques du nez et un léger perlant qui donne à ce vin un côté désaltérant. Le **gamay rouge 99** obtient une étoile.

🔻 EARL Bouin-Jacquet, Dom. de Bel-Air, Bel-Air de Gauchoux, 44860 Saint-Aignan-de-Grand-Lieu, tél. 02.51.70.80.80, fax 02.51.70.80.79 ☑ ⵏ r.-v.
🔻 Dominique Jacquet

BRUNO BIGOT Chardonnay 1999★

| ☐ | 0,8 ha | 1000 | 20 à 29 F |

Ce chardonnay est apte à une dégustation dès l'automne. Son nez fruité fait preuve de finesse et même de subtilité (nuance un peu beurrée). La bouche se distingue par un bel équilibre entre la fraîcheur et le gras. Un 99 aromatique, de bonne persistance.

🔻 Bruno Bigot, 1, rue du Châtelet, 41120 Monthou-sur-Bièvre, tél. 02.54.44.05.82, fax 02.54.44.05.82 ☑ ⵏ r.-v.

DOM. DES BONNES GAGNES
Grolleau 1999★★★

| ■ | 5 ha | 10 000 | ■ | 20 à 29 F |

Magnifique ! Telle est la conclusion du jury après la dégustation de ce vin. La robe très intense à reflets violacés, le nez aux notes épicées précèdent une bouche ronde, souple et pleine de volume. Cette exploitation est régulièrement citée dans le Guide.

☛Jean-Marc Héry, Orgigné, 49320 Saint-Saturnin-sur-Loire, tél. 02.41.91.22.76, fax 02.41.91.21.58 ☑ ⊤ t.l.j. 9h-12h30 14h-19h; dim. sur r.-v.

CHRISTELLE ET THIERRY BRANGEON Gamay 1999★

| ■ | 2 ha | 4 000 | ▌▐ | - de 20 F |

Derrière ses reflets violacés, ce gamay offre un nez très agréable de griotte et de framboise. On retrouve ces arômes en bouche, mêlés à des tanins souples. Chez le même producteur, on peut également citer le **rouge cabernet 99** de bonne tenue.

☛ EARL Brangeon-Guinard, La Cour de Blois, 49270 Saint-Christophe-la-Couperie, tél. 02.40.83.77.04, fax 02.40.83.77.05 ⊤ ven. sam. 8h-12h 14h-19h

DOM. DU CELLIER DE LA COCHE Chardonnay 1999★★

| □ | 4,2 ha | 5 000 | ▌▐ | - de 20 F |

Le nez plutôt végétal (buis, genêt) précède une bouche souple et harmonieuse développant des arômes floraux. C'est un chardonnay flatteur et bien équilibré, facile à boire. Le **grolleau rosé 99** et le **gamay rouge 99** très réussis obtiennent une étoile.

☛ Emmanuel Guitteny, 19, La Coche, 44680 Sainte-Pazanne, tél. 02.40.02.44.43, fax 02.40.02.44.43, e-mail Eguitteny@hotmail.com ☑ ⊤ r.-v.

CHARDELON 1999★

| □ | 1,05 ha | 8 000 | ▌▐ | 30 à 49 F |

Issu des cépages chardonnay et melon, ce vin blanc sec à la robe jaune clair, au nez intense et floral, développe en bouche à la fois fraîcheur et onctuosité. D'une très bonne harmonie, il accompagnera avantageusement de bons plats de poissons.

☛ SA Henri Poiron et Fils, Dom. des Quatre-Routes, 44690 Maisdon-sur-Sèvre, tél. 02.40.54.60.58, fax 02.40.54.62.05 ☑ ⊤ r.-v.

CHARDET 1999★★

| □ | 3,5 ha | 30 000 | ▌▐▌ | 30 à 49 F |

Issu de l'assemblage des cépages chardonnay et melon de Bourgogne, ce vin à la robe jaune or, au nez intense d'agrumes confits et de fleurs présente une bouche ample et bien équilibrée, avec des notes légèrement beurrées (beurre frais). Deux autres vins méritent d'être cités : le **Domaine Couillaud chardonnay 99** et le **Domaine Morinière chardonnay 99**.

☛ Les Frères Couillaud, GAEC de La Grande Ragotière, 44330 Vallet-La-Regrippière, tél. 02.40.33.60.56, fax 02.40.33.61.89, e-mail frères.couillaud@wanadoo.fr ☑ ⊤ r.-v.

CŒUR DE CRAY Chardonnay 1999★

| □ | 2,5 ha | 28 800 | ▌▐ | - de 20 F |

Cœur de Cray est un vin issu du cépage chardonnay en tout point réussi. De sa robe jaune paille en passant par son nez floral et intense, il vous fera découvrir un millésime équilibré qui doit vieillir pour parfaire son expression. Le **chardonnay Domaine de Cray 99** est cité (20 à 29 F).

☛Boutinot, SARL La Chapelle de Cray, rte de l'Aquarium, 37400 Lussault-sur-Loire, tél. 02.47.57.17.74, fax 02.47.57.11.97

PRIVILEGE DE DROUET Sauvignon 1999★

| □ | 9 ha | 92 000 | ▌▐ | 20 à 29 F |

Voici un vin blanc de sauvignon bien vinifié. Ses arômes intenses et tout en finesse à l'olfaction se prolongent en bouche d'une façon agréable. A servir sur des crudités, des crustacés ou des poissons.

☛ SA Drouet Frères, 8, bd du Luxembourg, 44330 Vallet, tél. 02.40.36.65.20, fax 02.40.33.99.78 ☑ ⊤ r.-v.

DOM. DU FOUR A CHAUX Sauvignon 1999★★

| □ | 1,2 ha | 5 000 | ▌▐ | - de 20 F |

Ce vin jaune pâle aux légers reflets gris est très typé sauvignon par ses notes florales. Il éclate en bouche avec une grande persistance aromatique sur le genêt et beaucoup de gras. C'est peut-être avec les fruits de mer qu'il s'associera le mieux. En rouge, le **cot 99** a été cité.

☛ GAEC Norguet, Berger, 41100 Thoré-la-Rochette, tél. 02.54.77.12.52, fax 02.54.77.86.18 ☑ ⊤ r.-v.

DOM. DE GATINES Sauvignon 1999★

| □ | 1,1 ha | 3 500 | ▌▐ | - de 20 F |

Ce domaine de 34 ha exploité par deux jeunes frères a su proposer une belle cuvée de sauvignon dont la couleur jaune clair brillante séduit. Le nez étonne par sa complexité et sa finesse. Après une attaque nerveuse, la bouche développe des arômes puissants et soutenus. Le **grolleau gris 99** mérite d'être cité.

☛ Vignoble Desserve, Dom. de Gatines, 12, rue de la Boulaie, 49540 Tigné, tél. 02.41.59.41.48, fax 02.41.59.94.44 ☑ ⊤ t.l.j. sf dim. 8h-12h 14h-18h30

DOM. DES GILLIERES Marches de Bretagne Melon Cuvée Prestige 1999★

| □ | 11 ha | 120 000 | ▌▐ | - de 20 F |

Habillé d'une belle robe jaune clair, ce vin de cépage melon, au nez citronné, est frais, élégant et fin. Ses arômes de fruits blancs et d'agrumes persistent bien en finale.

☛ Dominique Régnier, Ch. des Gillières, 44690 La Haie-Fouassière, tél. 02.40.54.80.05, fax 02.40.54.89.56 ☑ ⊤ r.-v.

DOMINIQUE GUERIN Chardonnay Cuvée Prestige 1999★

| □ | 3,2 ha | 5 000 | ▌▐ | 20 à 29 F |

Une courbe de température parfaitement maîtrisée pendant les fermentations et le savoir-faire du vigneron sont à l'origine de ce chardonnay fort réussi. Jaune pâle, celui-ci libère des arômes intenses de fleurs blanches que l'on retrouve en bouche. Un léger perlant lui confère une certaine fraîcheur.

☛ EARL Dominique Guérin, Les Corbeillères, 44330 Vallet, tél. 02.40.36.27.37, fax 02.40.36.27.16 ☑ ⊤ t.l.j. sf dim. 8h-20h

VDP

Les vins de pays

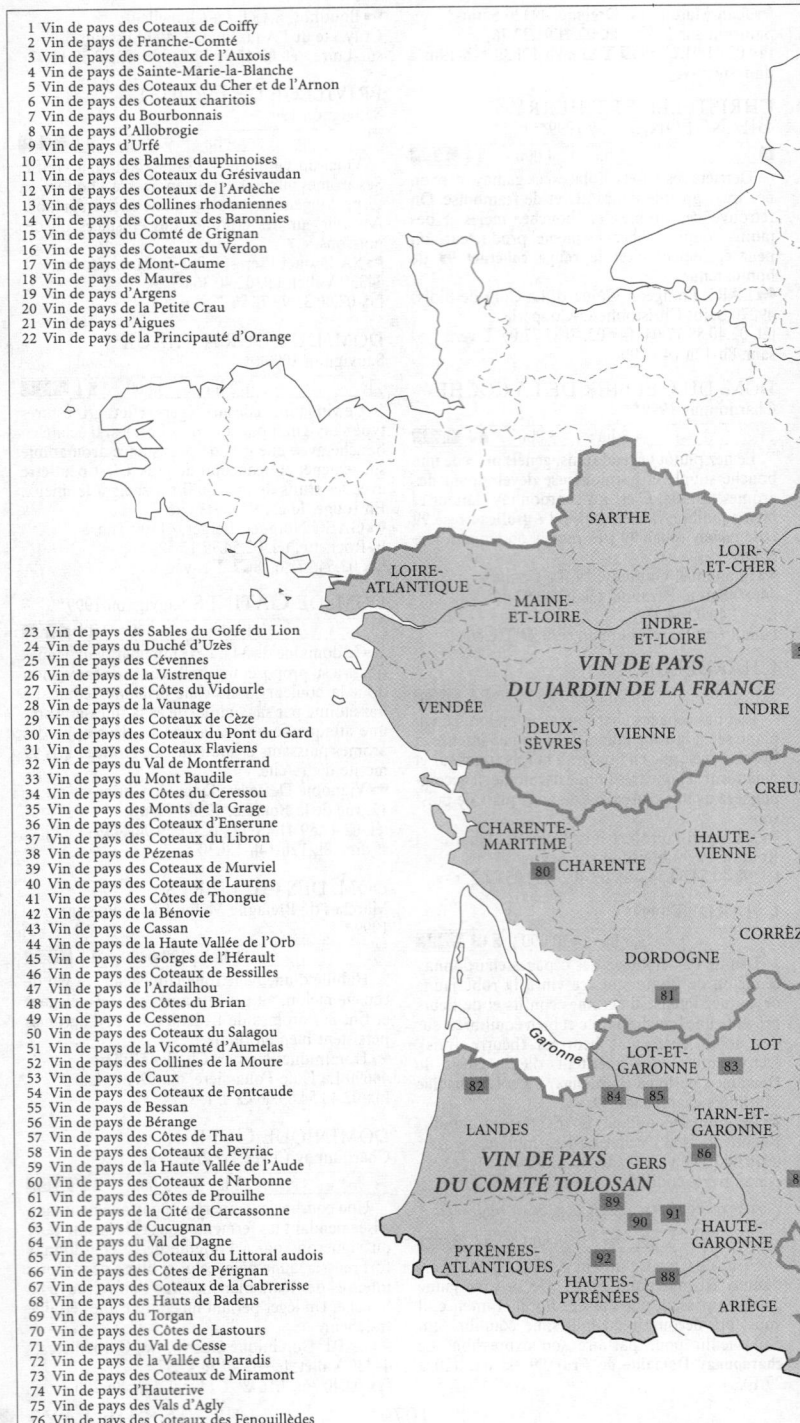

1 Vin de pays des Coteaux de Coiffy
2 Vin de pays de Franche-Comté
3 Vin de pays des Coteaux de l'Auxois
4 Vin de pays de Sainte-Marie-la-Blanche
5 Vin de pays des Coteaux du Cher et de l'Arnon
6 Vin de pays des Coteaux charitois
7 Vin de pays du Bourbonnais
8 Vin de pays d'Allobrogie
9 Vin de pays d'Urfé
10 Vin de pays des Balmes dauphinoises
11 Vin de pays des Coteaux du Grésivaudan
12 Vin de pays des Coteaux de l'Ardèche
13 Vin de pays des Collines rhodaniennes
14 Vin de pays des Coteaux des Baronnies
15 Vin de pays du Comté de Grignan
16 Vin de pays des Coteaux du Verdon
17 Vin de pays de Mont-Caume
18 Vin de pays des Maures
19 Vin de pays d'Argens
20 Vin de pays de la Petite Crau
21 Vin de pays d'Aigues
22 Vin de pays de la Principauté d'Orange

23 Vin de pays des Sables du Golfe du Lion
24 Vin de pays du Duché d'Uzès
25 Vin de pays des Cévennes
26 Vin de pays de la Vistrenque
27 Vin de pays des Côtes du Vidourle
28 Vin de pays de la Vaunage
29 Vin de pays des Coteaux de Cèze
30 Vin de pays des Coteaux du Pont du Gard
31 Vin de pays des Coteaux Flaviens
32 Vin de pays du Val de Montferrand
33 Vin de pays du Mont Baudile
34 Vin de pays des Côtes du Ceressou
35 Vin de pays des Monts de la Grage
36 Vin de pays des Coteaux d'Enserune
37 Vin de pays des Coteaux du Libron
38 Vin de pays de Pézenas
39 Vin de pays des Coteaux de Murviel
40 Vin de pays des Coteaux de Laurens
41 Vin de pays des Côtes de Thongue
42 Vin de pays de la Bénovie
43 Vin de pays de Cassan
44 Vin de pays de la Haute Vallée de l'Orb
45 Vin de pays des Gorges de l'Hérault
46 Vin de pays des Coteaux de Bessilles
47 Vin de pays de l'Ardailhou
48 Vin de pays des Côtes du Brian
49 Vin de pays de Cessenon
50 Vin de pays des Coteaux du Salagou
51 Vin de pays de la Vicomté d'Aumelas
52 Vin de pays des Collines de la Moure
53 Vin de pays de Caux
54 Vin de pays des Coteaux de Fontcaude
55 Vin de pays de Bessan
56 Vin de pays de Bérange
57 Vin de pays des Côtes de Thau
58 Vin de pays des Coteaux de Peyriac
59 Vin de pays de la Haute Vallée de l'Aude
60 Vin de pays des Coteaux de Narbonne
61 Vin de pays des Côtes de Prouilhe
62 Vin de pays de la Cité de Carcassonne
63 Vin de pays de Cucugnan
64 Vin de pays du Val de Dagne
65 Vin de pays des Coteaux du Littoral audois
66 Vin de pays des Côtes de Pérignan
67 Vin de pays des Coteaux de la Cabrerisse
68 Vin de pays des Hauts de Badens
69 Vin de pays du Torgan
70 Vin de pays des Côtes de Lastours
71 Vin de pays du Val de Cesse
72 Vin de pays de la Vallée du Paradis
73 Vin de pays des Coteaux de Miramont
74 Vin de pays d'Hauterive
75 Vin de pays des Vals d'Agly
76 Vin de pays des Coteaux des Fenouillèdes

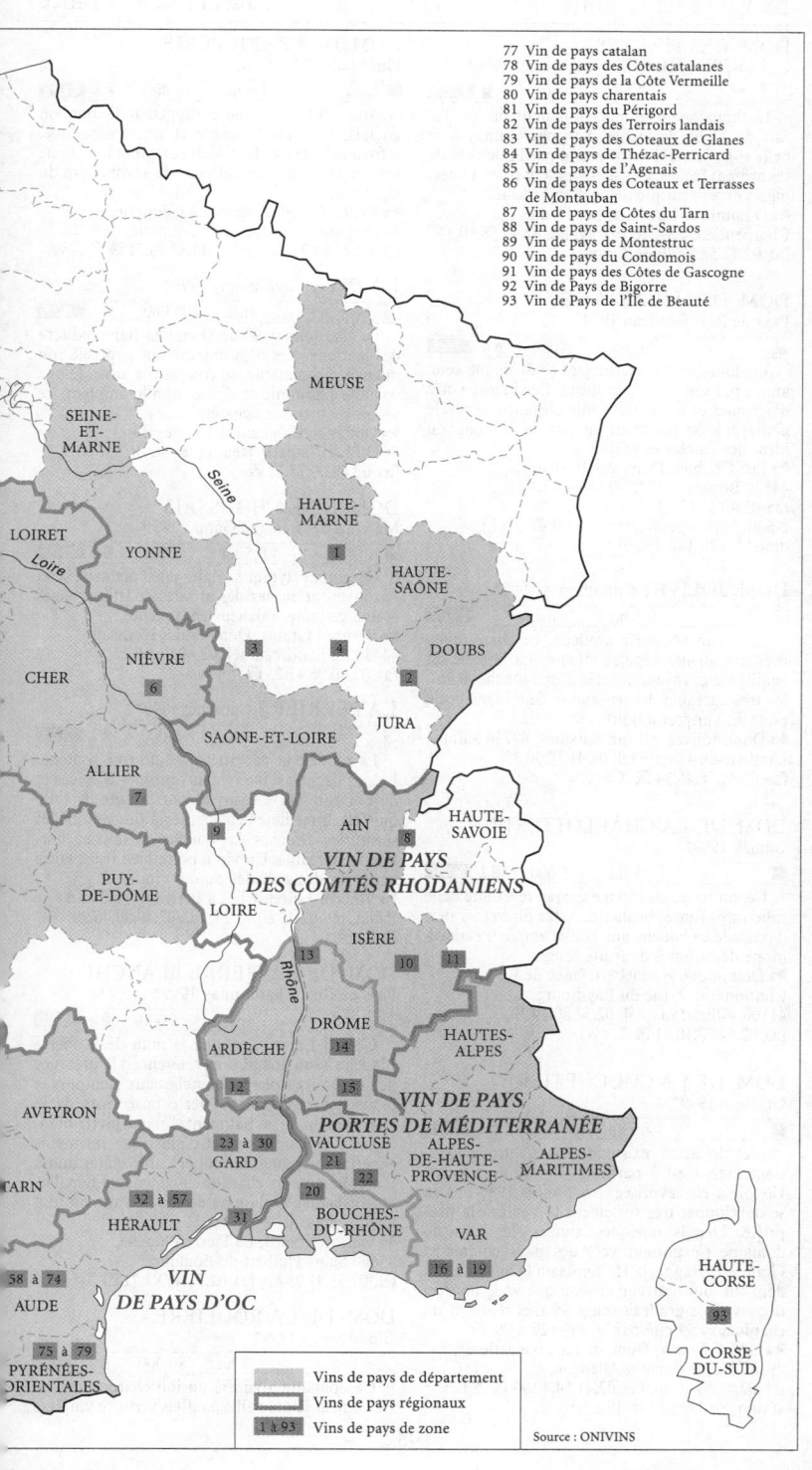

77 Vin de pays catalan
78 Vin de pays des Côtes catalanes
79 Vin de pays de la Côte Vermeille
80 Vin de pays charentais
81 Vin de pays du Périgord
82 Vin de pays des Terroirs landais
83 Vin de pays des Coteaux de Glanes
84 Vin de pays de Thézac-Perricard
85 Vin de pays de l'Agenais
86 Vin de pays des Coteaux et Terrasses de Montauban
87 Vin de pays de Côtes du Tarn
88 Vin de pays de Saint-Sardos
89 Vin de pays de Montestruc
90 Vin de pays du Condomois
91 Vin de pays des Côtes de Gascogne
92 Vin de Pays de Bigorre
93 Vin de Pays de l'Île de Beauté

Vins de pays de département
Vins de pays régionaux
Vins de pays de zone

Source : ONIVINS

DOM. DES HAUTES CHARPENTIERES Chardonnay 1999★

| | 2 ha | 2 000 | ■ | 20 à 29 F |

Le domaine est un ancien manoir du XVIIᵉs. fort de 27 ha de vignes. Son chardonnay à la belle robe jaune d'or surprend par l'intensité de ses arômes fruités. Ces senteurs sont fines au nez, puis s'expriment pleinement en bouche.
☛ Dominique Chevalet, Les Hautes Charpentières, 37220 Brizay, tél. 02.47.58.30.34, fax 02.47.58.39.79 ☑ ☍ r.-v.

DOM. DES HERBAUGES
Pays de Retz Grolleau 1999★

| ◢ | 2,6 ha | 6 000 | ■ ♦ | - de 20 F |

Le domaine des Herbauges se distingue cette année par son rosé de grolleau. Ce vin aux notes d'agrumes et d'une très belle élégance se révèle gouleyant. Sa fraîcheur en fait un compagnon idéal des entrées et grillades.
☛ Luc Choblet, Dom. des Herbauges, 44830 Bouaye, tél. 02.40.65.44.92, fax 02.40.32.62.93, e-mail herbauges@libertysurf.fr ☑ ☍ t.l.j. sf dim. 9h-12h 14h-18h30

DOM. JOLIVET Chardonnay 1999★

| | 0,5 ha | n.c. | 20 à 29 F |

Issu d'un sol silico-argileux, ce chardonnay présente un nez végétal intense. La bouche est équilibrée et soyeuse, dotée d'une touche acidulée très agréable. Un ensemble déjà bien fondu pour un vin prêt à boire.
☛ Dom. Jolivet, 31, rue Rabelais, 49750 Saint-Lambert-du-Lattay, tél. 02.41.78.30.35, fax 02.41.78.45.34 ☑ ☍ r.-v.

DOM. DE LA CHARLOTTERIE
Gamay 1999★

| ■ | 1 ha | 5 000 | ■ ♦ | 20 à 29 F |

Ce vin rouge de cépage gamay revêt une belle robe rubis foncé, brillante. Assez discret au nez, il possède en bouche une bonne ampleur et développe des arômes de fruits rouges.
☛ Dominique Houdebert, Cave de La Charlotterie, Lieu du Bas-Bourg, 41100 Villiersfaux, tél. 02.54.80.29.79, fax 02.54.73.10.01 ☑ ☍ r.-v.

DOM. DE LA COUCHETIERE
Grolleau 1999★

| ■ | 4,5 ha | 37 000 | ■ ♦ | - de 20 F |

L'exploitation existe depuis quatre générations mais c'est à partir de 1944 que la partie viticole a été favorisée. Les années 1980 ont vu se développer très fortement la vente à la propriété. Depuis quelques années, les vins du domaine s'exportent vers des pays comme la Grande-Bretagne, la Hollande ou la Suisse. C'est dans un tout nouveau caveau que vous pourrez découvrir ce **grolleau rouge 99** très réussi et un **chardonnay 99** cité par le jury (20 à 29 F)
☛ GAEC Brault, Dom. de La Couchetière, 49380 Notre-Dame-d'Allençon, tél. 02.41.54.30.26, fax 02.41.54.40.98 ☑ ☍ t.l.j. sf dim. 8h-12h30 14h-19h

DOM. DE LA COUPERIE
Pinot noir 1999★★

| ■ | 1,6 ha | 12 000 | ■ ♦ | 20 à 29 F |

Après un nez intense rappelant le bonbon anglais, la bouche, souple et très aromatique, offre une belle ampleur. Voilà un pinot issu d'une vendange de qualité, reflétant le savoir-faire du vigneron.
☛ EARL Claude Cogné, La Couperie, 49270 Saint-Christophe-la-Couperie, tél. 02.40.83.73.16, fax 02.40.83.76.71 ☑ ☍ r.-v.

LA DIVA Chardonnay 1999★★

| | n.c. | 400 000 | - de 20 F |

Le chardonnay 99 de Donatien Bahuaud fera des heureux. Les dégustateurs ont apprécié son intensité aromatique, sa complexité aussi. D'une parfaite harmonie et d'une grande ampleur, ce vin porte bien ses deux étoiles.
☛ Donatien Bahuaud, La Loge, B.P. 1, 44330 La Chapelle-Heulin, tél. 02.40.06.70.05, fax 02.40.06.77.11 ☑

DOM. DE LA HOUSSAIS
Marches de Bretagne Gamay 1999

| ◢ | 0,5 ha | 5 000 | ■ ♦ | 20 à 29 F |

Ce gamay typique plaira aux amateurs qui retrouveront au nez des arômes de fruits rouges et une certaine fraîcheur en bouche.
☛ Bernard Gratas, Dom. de La Houssais, 44330 Le Landreau, tél. 02.40.06.46.27, fax 02.40.06.47.25 ☑ ☍ r.-v.

LA PERRIERE Cabernet 1999★

| ◢ | 1 ha | 6 000 | ■ ♦ | 20 à 29 F |

La robe de ce cabernet est d'un rosé soutenu. Le nez décline d'intéressants arômes d'épices et de poivron. On est surpris par la note de rafle qui fait immédiatement penser à des vendanges surmûries, fraîches. La bouche est tout en harmonie, agréable. Un vin à boire bien frais, entre amis, sur des grillades ou des crudités.
☛ Vincent Loiret, Ch. La Perrière, 44330 Le Pallet, tél. 02.40.80.43.24, fax 02.40.80.46.99 ☑ ☍ r.-v.

DOM. DE LA PIERRE BLANCHE
Pays de Retz Chardonnay 1999★

| | n.c. | 6 000 | ■ ♦ | - de 20 F |

Gérard Epiard a donné le nom de la Pierre Blanche à son domaine en référence à la présence de nombreuses pierres blanches aux alentours et parce que la première pierre posée lors de la construction de ses bâtiments fut une pierre blanche. Ce terroir caillouteux ainsi que les mains expertes du vigneron donnent un résultat tout à fait étonnant. Ce chardonnay enchante le palais et le **cabernet 99 du pays de Retz** est un vin tout aussi séduisant.
☛ Gérard Epiard, La Pierre Blanche, 85660 Saint-Philbert-de-Bouaine, tél. 02.51.41.93.42, fax 02.51.41.91.71 ☑ ☍ r.-v.

DOM. DE LA ROULIERE
Chardonnay 1999★

| | 7 ha | 80 000 | ■ ♦ | - de 20 F |

Ce domaine a vinifié un joli chardonnay 99. De couleur jaune paille à reflets verts, ce vin livre un nez fin et intense dans le registre floral. En bouche, il se montre frais, vif et bien équilibré. La fermentation malolactique a apporté du gras et de la longueur. Les **rouges 99 de gamay et cabernet** ont été par ailleurs cités par le jury.

☛ René Erraud, Ch. de La Roulière, 44310 Saint-Colomban, tél. 02.40.05.80.24, fax 02.40.05.53.89 ▼ ▼ r.-v.

DOM. DE LA VIAUDIERE
Chardonnay 1999★

☐		2 ha	10 000	- de 20 F

Joli chardonnay à la robe claire et vive, au nez complexe et harmonieux. Rondeur et souplesse définissent la bouche. Un vin typé à boire dès maintenant.

☛ EARL Vignoble Gélineau, Ch. de La Viaudière, 49380 Champ-sur-Layon, tél. 02.41.78.86.27, e-mail gelineau@wanadoo.fr ▼ ▼ r.-v.

LE FIEF DES TOUCHES
Chardonnay 1999★

☐		4 ha	3 000	⑪ 20 à 29 F

Sur la commune du Pallet, ce domaine cultive plus de 17 ha. Son chardonnay a séjourné en fût pendant six mois. Il se présente aujourd'hui avec des reflets vifs et laisse poindre au nez de subtiles notes d'amande grillée. Agréablement boisé, il fait preuve d'harmonie en bouche.

☛ EARL Dom. des Noës, Bretigné, 44330 Le Pallet, tél. 02.40.80.98.90, fax 02.40.80.48.11 ▼ ▼ r.-v.
☛ Agoulon

LE MOULIN DE LA TOUCHE
Pays de Retz Chardonnay 1999★

☐		2 ha	12 000	▮ ♣ 20 à 29 F

Les vins de Joël Herrissé constituent une valeur sûre. Cette année, le jury a apprécié son chardonnay, un vin au nez intense, fruité (ananas, banane, vanille). Le fruité est confirmé en bouche, accompagné d'un léger perlant qui donne de la fraîcheur à l'ensemble. Ce 99 possède du gras et de la longueur. Bien équilibré en tous points, il est flatteur. Le **grolleau gris 99** a été également retenu avec une citation.

☛ Joël Hérissé, Le Moulin de la Touche, 44580 Bourgneuf-en-Retz, tél. 02.40.21.47.89, fax 02.40.21.47.89 ▼ ▼ r.-v.

DOM. DE L'ERRIERE Chardonnay 1999★

☐		0,5 ha	3 000	▮ ♣ - de 20 F

Le domaine de l'Errière, en activité depuis les années 1930 au Landreau, propose un chardonnay jaune pâle à reflets verts. Au nez intense de fleurs blanches et d'agrumes succède une bouche ronde qui fait de ce vin une bouteille harmonieuse, à boire dès maintenant.

☛ GAEC Madeleineau Père et Fils, Dom. de L'Errière, 44430 Le Landreau, tél. 02.40.06.43.94, fax 02.40.06.48.82 ▼ ▼ r.-v.

DOM. LES HAUTES NOELLES
Gamay 1999★

■		3,5 ha	30 000	▮ 20 à 29 F

Avec ses arômes de fruits rouges et une certaine fraîcheur en bouche, ce gamay plaira aux amateurs. Il est si friand et agréable qu'il pourra être consommé sur de nombreux plats.

☛ Serge Batard, La Haute Galerie, 44710 Saint-Léger-les-Vignes, tél. 02.40.31.53.49, fax 02.40.04.87.80 ▼ ▼ r.-v.

LES ROCHERS
Marches de Bretagne Cabernet 1999★★

■	n.c.	n.c.	▮ ♣ - de 20 F

Depuis 1973, Michel Luneau cultive les cabernets franc et sauvignon en complément d'un encépagement typique du Muscadet. Il en obtient des vins de pays aussi intéressants que ce 99. Derrière une belle robe rouge brillant, le dégustateur découvre un nez de fruits mûrs. Ces arômes, mêlés harmonieusement aux tanins caractéristiques du cabernet, persistent bien en bouche.

☛ GAEC Michel Luneau et Fils, 3, rte de Nantes, 44330 Mouzillon, tél. 02.40.33.95.22, fax 02.40.33.95.22 ▼ ▼ r.-v.

L'IMAGINAIRE Sauvignon 1999

☐		n.c.	500 000	- de 20 F

Parmi les différentes cuvées de vins de pays vinifiées par la société Pierre Guéry, celle de sauvignon a retenu l'attention du jury. Ce vin d'une bonne intensité aromatique, plutôt de type fruité (pêche et abricot), est nuancé de notes florales. L'attaque en bouche est franche, fraîche. La présence de gras, étonnante pour ce type de vin, rend l'ensemble fort agréable. Les **chardonnay** et **pinot noir 99 de la cuvée de l'Imaginaire** ont obtenu chacun une citation.

☛ Pierre Guéry, La Loge, B.P. 1, 44330 La Chapelle-Heulin, tél. 02.40.06.70.05, fax 02.40.06.77.11

DOM. DU MOULIN Grolleau gris 1999★

☐		0,53 ha	1000	20 à 29 F

L'ancien moulin qui a donné son nom à ce domaine de 21 ha a été construit en 1814, l'activité n'ayant débuté ici qu'en 1960. Ce grolleau gris plaira aux amateurs de vins fruités. On retrouve en effet des arômes de fruits jaunes aussi bien au nez qu'en bouche, accompagnés d'une certaine fraîcheur.

☛ Michel Figureau, Dom. du Moulin, 5, rue du Plessis, 44860 Pont-Saint-Martin, tél. 02.40.32.70.56, fax 02.40.32.70.56 ▼ ▼ t.l.j. 9h-19h; dim. 9h30-11h30

DIANA ET ALAIN OLIVIER
Cabernet 1997★★★

■		3 ha	1 400	▮ ⑪ ♣ 30 à 49 F

Ce vin très expressif, issu du cépage cabernet, est habillé d'une robe intense. Il possède des

nuances olfactives de fruits rouges bien mûrs et de vanille. Ample et rond, ce très beau produit du terroir, aux notes boisées, est apte au vieillissement.
➥ EARL Alain Olivier, La Moucletière, 44330 Vallet, tél. 02.40.36.24.69, fax 02.40.36.24.69 ☑ ☥ t.l.j. 8h-12h30 14h-19h

DOM. DU PARC Chardonnay 1999★

| ☐ | 5 ha | 20 000 | ■ ♨ | 20 à 29 F |

Voici un chardonnay tout en finesse, au nez plutôt floral, faisant ressortir des notes de verveine et de tilleul que l'on retrouve en bouche. C'est un vin agréable et bien équilibré qui formera un accord réussi avec les poissons.
➥ Pierre Dahéron, Le Parc, 44650 Corcoué-sur-Logne, tél. 02.40.05.86.11, fax 02.40.05.94.98 ☑ ☥ r.-v.

ANTOINE PICHON
Chardonnay Cuvée Laetitia 1999★

| ☐ | 2,8 ha | 1 333 | ■ ♨ | 20 à 29 F |

Ce chardonnay aux nuances pâles, vertes et jaunes, possède un nez puissant et intense. L'attaque franche et souple invite à apprécier un vin très réussi qui pourra cependant attendre quelque temps pour s'épanouir.
➥ Antoine Pichon, 4, rue Nationale, 41700 Chemery, tél. 02.54.71.80.34, fax 02.54.71.06.15 ☑ ☥ r.-v.

DOM. DES PRIES
Pays de Retz Grolleau 1999★★

| ◪ | 2,3 ha | 8 000 | ■ ♨ | 20 à 29 F |

Voici un vin de grolleau rosé séduisant par son nez de framboise, sa bouche ronde et souple où l'on retrouve des arômes de fruits rouges. Ce 99 est harmonieux et laisse une impression agréable. Deux vins blancs du pays de Retz, frais et vifs, ont été cités par le jury : le **grolleau gris 99** typique de la région et le **chardonnay 99**.
➥ Gérard Padiou, Les Priés, 44580 Bourgneuf-en-Retz, tél. 02.40.21.45.16, fax 02.40.21.47.48 ☥ r.-v.

CHRISTOPHE RETHORE
Cabernet 1999★★

| ■ | 6 ha | 9 000 | ■ ♨ | 20 à 29 F |

D'une couleur rouge rubis intense, ce vin bien typé du cépage possède des nuances de fruits rouges évoluant vers des notes épicées. Très bien structuré autour de tanins soyeux, il est agréable, ample et rond.
➥ Christophe Réthoré, Les Vignes, 49110 Saint-Rémy-en-Mauges, tél. 02.41.30.12.58, fax 02.41.46.35.44 ☑ ☥ ven. sam. 8h-12h 13h30-19h; f. 2ᵉ-3ᵉ sem. août

MICHEL ROBINEAU Sauvignon 1999★

| ☐ | 0,36 ha | n.c. | ■ | 20 à 29 F |

Nouvelle distinction pour le sauvignon de Michel Robineau qui avait obtenu un coup de cœur dans le millésime 98. Cette année, ce vin livre un nez de citron vert, rappelé en bouche par une première impression fraîche et équilibrée. Une expression typique, fort agréable.
➥ Michel Robineau, 3, chem. du Moulin, Les Grandes Tailles, 49750 Saint-Lambert-du-Lattay, tél. 02.41.78.34.67 ☑ ☥ r.-v.

DOM. DE SAINTE-ANNE
Sauvignon 1999★

| ☐ | 2 ha | 8 000 | ■ | 20 à 29 F |

Le domaine de 55 ha est exploité depuis six générations par la famille Brault. Le domaine de Sainte-Anne signe un sauvignon 99 très réussi, d'un beau jaune pâle brillant à reflets verdâtres. Le nez d'agrumes et de fleurs est puissant. Après une attaque ample, la bouche laisse s'exprimer les arômes avec ce qu'il faut de vivacité en finale.
➥ Dom. de Sainte-Anne, EARL Brault, 49320 Brissac-Quincé, tél. 02.41.91.24.58, fax 02.41.91.25.87 ☑ ☥ t.l.j. sf dim. 9h-12h 14h-19h; sam. 18h

CLOS SAINT-VINCENT DES RONGERES
Marches de Bretagne Gamay 1999★

| ■ | 1 ha | 7 000 | ■ ◫ ♨ | 20 à 29 F |

C'est un rouge à reflets violacés que ce gamay des Marches de Bretagne. Il dévoile au nez des arômes complexes, alliant fruits rouges (mûre, cassis), épices et cacao. La bouche est légère, fraîche et tout en finesse. Un vin équilibré et gouleyant, à consommer en toute circonstance mais avec modération, bien sûr.
➥ EARL Yves Provost et Fils, Le Pigeon Blanc, 44430 Le Landreau, tél. 02.40.06.43.54, fax 02.40.06.43.54 ☥ t.l.j. 9h-20h

DOM. TROIS FRERES Chardonnay 1999★

| ☐ | n.c. | 32 000 | ■ ◫ | 20 à 29 F |

Vendu exclusivement à l'export et plus spécifiquement aux Etats-Unis, ce chardonnay est un assemblage de raisins provenant des différents terroirs du Val de Loire. Il présente ainsi un équilibre agréable et complexe, prometteur.
➥ SARL Chardet Vineyard, La Grande Ragotière, 44330 La Regrippière, tél. 02.40.33.60.56, fax 02.40.33.61.89

MANOIR DE VERSILLE
Cadet de Versillé 1999★★

| ■ | 1,5 ha | 5 000 | ■ ♨ | – de 20 F |

Le Manoir de Versillé a réussi un remarquable vin de pays rouge. La robe profonde à reflets rubis, le nez complexe de fruits rouges et d'épices annoncent un vin soyeux, ample, d'une charpente assez solide pour permettre à ce vin de se bonifier avec le temps.
➥ Francine Desmet, EARL du Manoir de Versillé, Versillé, 49320 Saint-Jean-des-Mauvrets, tél. 02.41.45.22.00, fax 02.41.45.22.00, e-mail manoir.versille@wanadoo.fr ☑ ☥ r.-v.

Vendée

DOM. DES DEUX LAY 1999★

| ☐ | 1,7 ha | 3 000 | ■ ♨ | 30 à 49 F |

Le domaine des Deux Lay propose un vin de pays blanc frais, bien structuré et élégant grâce à ses arômes floraux et à sa souplesse. On peut

également y déguster un **pinot noir 99** typique, cité par le jury.
☛ EARL Les Deux Lay, 16, rue Marceau, B.P. 41618, 44016 Nantes Cedex 1, tél. 02.40.47.58.75, fax 02.40.89.34.33 ☑ ⵊ r.-v.

Cher

ARIELLE VATAN
La Roncière Pinot noir 1999★

■	1 ha	9 000	◗◖ 30 à 49 F

Le nez complexe laisse s'exprimer des arômes de cerise et de cassis typiques du cépage. On retrouve en bouche ces notes fruitées après une attaque souple. Voici un pinot noir très réussi, gouleyant et soyeux, qui peut être consommé dès à présent mais peut aussi attendre pour parfaire ses qualités.
☛ Arielle Vatan, Chaudoux, 18300 Verdigny, tél. 02.48.79.33.07, fax 02.48.79.36.30 ☑ ⵊ r.-v.

Vienne

AMPELIDAE Le K 1998★

■	2 ha	7 000	◗◖ 70 à 99 F

Ce vin d'une couleur rubis intense possède des arômes très flatteurs de fruits rouges bien mûrs, complétés par des notes grillées et vanillées qui contribuent à sa complexité. La bouche est souple, ample, structurée et les tanins soyeux sont bien présents. Ce cabernet possède un fort potentiel ; il méritera de vieillir de deux à cinq ans.
☛ Brochet, Ampelidae, Lavauguyot, 86380 Marigny-Brizay, tél. 05.49.88.18.18, fax 05.49.88.18.85, e-mail ampelidae@ampelidae.com ☑ ⵊ t.l.j. 9h-19h

Coteaux charitois

DOM. DES HAUTS DE SEYR
Le Montaillant Chardonnay 1999★

▢	12,5 ha	100 000	▮⌀ 30 à 49 F

Située à une dizaine de kilomètres de La Charité-sur-Loire, dont l'église est classée au patrimoine mondial de l'Unesco, la cave des Hauts de Seyr exploite 17 ha. Le domaine est un habitué du Guide. Ce chardonnay est un vin de grande intensité aromatique où le côté beurré lactique s'exprime pleinement. Quant au **Montaillant pinot noir Sélection 98**, élevé en fût pendant un an, il obtient une étoile.
☛ SA Cave des Hauts de Seyr, Le Bourg, 58350 Chasnay, tél. 03.86.69.20.93, fax 03.86.69.28.57 ☑ ⵊ t.l.j. sf sam. dim. 14h-18h

Aquitaine et Charentes

Entourant largement le Bordelais, c'est la région formée par les départements de Charente et Charente-Maritime, Gironde, Landes, Dordogne et Lot-et-Garonne. La production y atteint 60 000 hl, avec une majorité de vins rouges souples et parfumés dans le secteur aquitain, issus des cépages bordelais que complètent quelques cépages locaux plus rustiques (tannat, abouriou, bouchalès, fer). Charentes et Dordogne donnent surtout des vins de pays blancs, légers et fins (ugni blanc, colombard), ronds (sémillon, en assemblage avec d'autres cépages) ou corsés (baroque). Charentais, Agenais, Terroirs landais et Thézac-Perricard sont les dénominations sous-régionales ; Dordogne, Gironde et Landes constituent les dénominations départementales.

Charentais

JACQUES BRARD BLANCHARD
1999★

▢	1,76 ha	17 700	▮⌀ 20 à 29 F

Sous une teinte pâle à reflet vert, ce vin livre un nez fruité, composé de notes de poire et d'autres fruits à chair blanche. L'attaque agréable, nerveuse, introduit une bouche équilibrée et élégante. Un accord avec des produits de la mer est tout indiqué.
☛ GAEC Brard-Blanchard, 1, chem. de Routreau, Boutiers, 16100 Cognac, tél. 05.45.32.19.58, fax 05.45.36.53.21 ☑ ⵊ t.l.j. sf dim. 9h-12h 14h-18h; f. 15 août-1er sept.

DOM. DU BREUIL
La Côte de Tartillac 1999★

■	2 ha	10 000	▮⌀ - de 20 F

Un assemblage merlot-cabernet qui emplit le verre d'une couleur rouge presque pourpre. On apprécie le nez qui mêle avec finesse notes de cuir et arômes de fruits rouges. Puis on découvre une bouche légère et souple, d'une bonne longueur en finale.
☛ Famille Morandière, 12, rue du Pineau, Le Breuil, 17150 Saint-Georges-des-Agouts, tél. 05.46.86.02.76, fax 05.46.70.63.11 ☑ ⵊ t.l.j. 9h-19h

DOM. BRUNEAU Merlot 1999★

■	4 ha	10 000	▮⌀ 20 à 29 F

Alain Pillet produit des vins de pays de merlot depuis 1985. Le nouveau millésime est très réussi dans sa robe d'un rouge profond et intense. Les fruits rouges perçus au nez se précisent en rétro-olfaction : mûre et griotte. Après une attaque

VDP

franche, la bouche s'avère charnue et bien équilibrée jusqu'à une longue finale.
☛ Alain Pillet, Chez Bruneau,
17130 Rouffignac, tél. 05.46.49.04.82 ☑ ⏀ r.-v.

DOM. GARDRAT Colombard 1999★★

| ☐ | 4 ha | 45 000 | 🍶🥄 - de 20 F |

1894. La date de création du domaine apparaît
en filigrane sur l'étiquette de ce colombard. Jean-
Pierre Gardrat a élaboré un vin d'une belle couleur,
dont le nez assez équilibré s'inscrit dans le
registre des fleurs blanches. Le développement
gustatif s'amorce avec franchise avant de reprendre les arômes floraux mêlés à des flaveurs
d'agrumes. La finale est intense et longue. Un
filet de bar à l'estragon serait un savoureux
compagnon de cette bouteille.
☛ Jean-Pierre Gardrat, La Touche,
17120 Cozes, tél. 05.46.90.86.94,
fax 05.46.90.95.22, e-mail jean-
pierre.gardrat@wanadoo.fr ☑ ⏀ t.l.j. sf dim.
9h-12h 14h-19h

HENRI DE BLAINVILLE
Cabernet-sauvignon 1999★

| ■ | 5 ha | 30 000 | 🍶🥄 - de 20 F |

Dans sa robe rubis, ce cabernet-sauvignon
libère une palette intense marquée par une note
de cuir. Sa bouche légère en fait un vin friand
qui se boit comme un rosé. On l'appréciera sur
une viande grillée.
☛ SCA Cave du Liboreau, 18, rue de l'Océan,
17490 Siecq, tél. 05.46.26.61.86,
fax 05.46.26.68.01,
e-mail cave.du.liboreau@wanadoo.fr ☑ ⏀ r.-v.

DOM. DE LA CHAUVILLIERE
Chardonnay Cuvée spéciale 1999★

| ☐ | 1,5 ha | 9 000 | 🍶🥄 30 à 49 F |

Des notes dorées illuminent la robe vert pâle
de ce vin qui s'avère puissant et intense dans sa
palette : arôme animal, notes de fruits secs, de
pain grillé. Grasse et ronde, la bouche prend un
accent légèrement fumé et se prolonge bien en
finale.
☛ EARL Hauselmann et Fils, Dom. de La
Chauvilliere, 17600 Sablonceaux,
tél. 05.46.94.44.40, fax 05.46.94.44.63 ☑ ⏀ r.-v.

LE GOUVERNEUR
Ile de Ré Elevé en fût de chêne 1998★★

| ■ | 50 ha | 150 000 | ⏸ 20 à 29 F |

Les Rhétais signent avec cette cuvée l'un des
vins de pays charentais les plus réussis de cette
sélection. Légèrement tuilé et de couleur assez
intense, celui-ci égrène des notes de vanille, de
cuir et de poivron complexes. Plutôt ronde, sa
matière est empreinte d'arômes de fruits noirs
mûrs et persiste bien.
☛ Coop. des Vignerons de L'île de Ré,
17580 Le Bois-Plage-en-Ré, tél. 05.46.09.23.09,
fax 05.46.09.09.26 ☑ ⏀ r.-v.

PANORAMIC Colombard 1999★

| ☐ | 3 ha | 30 000 | 🍶🥄 - de 20 F |

Analyse panoramique d'un colombard très
réussi. Belle couleur vert-jaune clair animée de
perles très fines. Nez fruité évocateur de pêche,
voire d'ananas. Bouche perlante qui laisse une

impression de fraîcheur à l'attaque, puis d'équilibre jusqu'à une finale souple.
☛ La Fiée des Lois, rue Mongolfier,
79230 Prahecq, tél. 05.49.32.15.15,
fax 05.49.32.16.05

DOM. PIERRIERE GONTHIER 1999★

| ■ | 2,1 ha | 15 000 | 🍶🥄 20 à 29 F |

Pascal Gonthier a parié sur les vins de pays
en 1993, quelques années après avoir repris ce
domaine d'une vingtaine d'hectares. Ce 99 offre
une couleur intense, déjà évoluée. Son nez puissant propose des notes chaleureuses de fruits rouges, puis sa bouche, souple à l'attaque, progresse
en rondeur et dans le même registre aromatique
jusqu'à une bonne finale.
☛ Pascal Gonthier, Nigronde, 16170 Saint-
Amand-de-Nouère, tél. 05.45.96.42.79,
fax 05.45.96.42.79 ☑ ⏀ r.-v.

SORNIN Cabernet 1999★

| ■ | 17 ha | 40 000 | 🍶🥄 - de 20 F |

De jolis reflets brillants sont perceptibles dans
la robe rouge foncé de ce cabernet. Le nez est
tout aussi réussi par ses arômes beurrés, épicés,
riches et racés. Quant à la bouche, souple et équilibrée, elle fait la part belle aux fruits rouges et
invite à une dégustation sur des grillades.
☛ SCA Cave de Saint-Sornin, Les Combes,
16220 Saint-Sornin, tél. 05.45.23.92.22,
fax 05.45.23.11.61 ☑ ⏀ t.l.j. sf sam. dim. 8h-12h
14h-18h

Agenais

COTES DES OLIVIERS
Elevé en fût de chêne 1998★

| ■ | 0,6 ha | 6 000 | ⏸ 20 à 29 F |

Jean-Pierre Richarte produit non seulement
des vins mais aussi des pruneaux d'Agen. En
matière vinicole, il a bien réussi le millésime 99.
Rubis soutenu, son vin laisse une agréable sensation de fruits rouges mûrs. Le boisé et la vanille
ne sont pas absents de la gamme aromatique
mais se fondent dans une bouche souple à l'attaque, équilibrée et de bonne longueur. (Bouteille
de 50 cl.)
☛ Jean-Pierre Richarte, Les Oliviers,
47140 Auradou, tél. 05.53.41.28.59,
fax 05.53.49.38.89 ☑ ⏀ t.l.j. 9h-19h

LOU GAILLOT
Cuvée Réserve Vieilli en fût de chêne 1998★

| ■ | 1 ha | 3 000 | ⏸ 30 à 49 F |

Au XIXᵉs., Casseneuil, où est installé Gilles
Pons, était une étape du commerce des vins vers
Bordeaux par voie navigable. Aujourd'hui, le
domaine Lou Gaillot cultive ses 25 ha de vignes
sur l'une des rares terrasses de la vallée du Lot
et élabore ce vin de merlot rubis brillant et limpide. Fin, boisé (arômes de vanille) après un élevage en fût de dix mois, son 98 attaque en souplesse puis se développe avec gras et rondeur sur
des notes vanillées. On perçoit une bonne har-

monie entre le bouquet et le boisé. En **blanc demi-sec, la cuvée Elégance 99** (20 à 29 F) reçoit également une étoile. Elle possède la finesse aromatique du sauvignon, dont les arômes se mêlent aux notes de fruits à chair blanche, et la rondeur du sémillon, le tout souligné par un boisé bien équilibré (vanille, pain grillé).

☛ Gilles Pons, As Gaillots, 47440 Casseneuil, tél. 05.53.41.04.66, fax 05.53.01.13.89, e-mail lougaillot@wanadoo.fr ☑ ⵏ t.l.j. 9h-12h 14h-19h30

CAVE DES COTEAUX DU MEZINAIS 1999⋆

□	1 ha	6 500	∎ ⵏ	30 à 49 F

Trente-six producteurs se regroupent à la cave des coteaux du Mézinais. Outre le floc-de-gascogne et l'armagnac, ils y produisent des vins de pays, tel ce 99 issu du gros manseng. Jaune clair brillant, celui-ci apparaît floral et fruité (fruits à chair blanche), avec une touche de miel. Moyennement gras, il se présente un bon équilibre alcool-acide-sucre et se prolonge bien sur des notes de poire mûre.

☛ Cave des coteaux du Mézinais, 1, bd Colome, 47170 Mézin, tél. 05.53.65.53.55, fax 05.53.97.16.73 ☑ ⵏ r.-v.

CAVE DES SEPT MONTS
Instant choisi 1998⋆

∎	10 ha	n.c.	∎ ⵏ	20 à 29 F

Une étoile vient à nouveau récompenser un vin de cette cave coopérative. L'Instant choisi s'affiche sous une teinte rubis légèrement tuilé et animé de reflets brillants. Le nez fin invite à découvrir une bouche souple et ronde, harmonieuse.

☛ Cave des Sept Monts, ZAC de Mondésir, 47150 Monflanquin, tél. 05.53.36.33.40, fax 05.53.36.44.11 ☑ ⵏ t.l.j. 9h-12h30 15h-18h30

Thézac-Perricard

VIN DU TSAR Cuvée du Millénaire 1997⋆

∎	4,5 ha	34 000	⦀	30 à 49 F

Cette cuvée du Millénaire, qui a été lancée en 1988, ne célèbre pas l'an 2000, mais la christianisation de la Russie par le grand prince Vladimir. Elevée six mois en fût, elle offre derrière sa robe rubis soutenu un nez fin aux arômes de bois et de vanille. Souple et d'une bonne rondeur, elle se poursuit assez longuement en bouche jusqu'à une finale vanillée.

☛ Les Vignerons de Thézac-Perricard, Plaisance, 47370 Thézac, tél. 05.53.40.72.76, fax 05.53.40.78.76, e-mail info@vin-du-tsar.tm.fr ⵏ t.l.j. 8h15-12h15 14h-18h; dim. 14h-18h

Terroirs landais

BERTRAND ABADIE 1999⋆

∎	n.c.	n.c.	- de 20 F

Viticulteur indépendant aux porte de Dax, Bertrand Abadie a élaboré un vin rubis brillant, dont la palette décline joliment épices, boisé et petits fruits rouges. D'attaque souple, la bouche possède du gras et fait preuve d'harmonie.

☛ Bertrand Abadie, Pribat, 40180 Benesse-les-Dax, tél. 05.58.98.71.67

HAUT BARON Sables fauves 1999⋆⋆

∎	3 ha	4 110	∎ ⵏ	- de 20 F

Sombres à reflet rubis, ces Sables fauves, 100 % tannat, ont un nez boisé qui ne cache pas les arômes de fruits rouges, confits et mûrs. Le jury a fort apprécié l'équilibre de ce vin qui se montre rond, ample, tannique sans excès.

☛ Cave coop. deŒ vinification de Cazaubon, rte de Mont-de-Marsan, 32150 Cazaubon, tél. 05.62.08.34.00, fax 05.62.69.50.98 ☑ ⵏ t.l.j. 8h-12h 14h-18h

DOM. DE LABAIGT
Coteaux de Chalosse Moelleux 1999⋆⋆

□	1 ha	10 000	∎ ⵏ	20 à 29 F

Jaune pâle brillant, ce vin de pays moelleux issu du gros manseng livre un nez complexe mêlant fruit de la Passion, pamplemousse et fruits blancs. Doté d'un bon équilibre entre sucrosité et acidité, il se développe longuement en bouche et constitue un remarquable ensemble.

☛ Dominique Lanot, Dom. de Labaigt, 40290 Mouscardès, tél. 05.58.98.02.42, fax 05.58.98.80.75 ☑ ⵏ t.l.j. sf dim. 8h30-12h 14h-18h30

DOM. DU TASTET
Coteaux de Chalosse Tannat Elevé en fût de chêne 1999⋆⋆

∎	0,6 ha	4 000	⦀	20 à 29 F

Un élevage de six mois en fût a présidé à la naissance de ce tannat rubis foncé et brillant. Le nez fin décline les fruits des bois sur fond boisé. Ronde et ample, bien structurée, la bouche garde cette même ligne aromatique en y ajoutant de la réglisse.

☛ Jean-Claude Romain, Dom. du Tastet, 40350 Pouillon, tél. 05.58.98.28.27, fax 05.58.98.27.63 ☑ ⵏ t.l.j. 8h-19h; dim. 8h-12h

Landes

ARC EN CIEL 1999⋆

∎	1 ha	7 000	∎ ⵏ	20 à 29 F

C'est un arc-en-ciel très réussi que forme cet assemblage tannat-cabernet après sept mois d'élevage en cuve. Tout de pourpre brillant vêtu, il offre un nez intense et complexe de fruits macérés et de cuir, puis une bouche ronde et persistante.

•━ EARL Dulucq, Château de Perlhade, 40320 Payros-Cazautets, tél. 05.58.44.50.68, fax 05.58.44.57.75 ☑ ☒ t.l.j. sf dim. 8h-13h 14h30-19h

DOM. D'ESPÉRANCE Cuvée d'Or 1999★

| | 8 ha | 5 000 | ▮ ♨ | 20 à 29 F |

Ce domaine viticole du XVIIIᵉs. produisait de l'armagnac jusqu'à l'arrivée de Jean-Louis et Claire de Montesquiou en 1990. Les nouveaux propriétaires exportent aujourd'hui 80 % de leur production. Ils proposent ici une cuvée jaune soutenu à reflets dorés. Au nez fin et discret répond une bouche vive, longue, équilibrée qui finit sur une pointe végétale. Il s'agit d'un assemblage gros manseng-colombard.
•━ J.-L. de Montesquiou, Dom. d'Espérance, 40240 Mauvezin-d'Armagnac, tél. 05.58.44.85.93, fax 05.58.44.85.93, e-mail espérance@terne.net.fr ☑ ☒ r.-v.

FLEUR DES LANDES
Coteaux de Chalosse Arriloba et baroque 1999★★

| | 60 ha | 150 000 | ▮ ♨ | - de 20 F |

Arriloba ? Mais quel est donc ce cépage ? Il s'agit d'un croisement de raffiat de Moncade et de sauvignon réalisé dans les années soixante à l'Inra de Bordeaux. Il est ici associé au baroque pour produire un vin de teinte jaune soutenu, au nez de fruits mûrs. Des notes muscatées et miellées apparaissent également dans la palette aromatique. Gras et rond en bouche, ce 99 se montre harmonieux et équilibré.
•━ Les vignerons des Coteaux de Chalosse, av. René-Bats, 40250 Mugron, tél. 05.58.97.70.75, fax 05.58.97.93.23, e-mail vignerons.chalosse@wanadoo.fr ☑ ☒ r.-v.

GERLAND 1998★

| ▪ | 3 ha | 18 000 | ▮ ♨ | 30 à 49 F |

Ce vin est une sélection des Vignerons du pays des Landes associant tannat et cabernets. Sous une robe rubis à reflets grenat soutenu, on découvre un nez discret aux notes de poivron et de fruits rouges. L'attaque souple introduit une bouche ronde et de bonne longueur, bien que la finale soit légèrement chaleureuse et encore austère.
•━ Armadis, rte d'Eauze, 40190 Villeneuve-de-Marsans, tél. 05.58.45.21.76, fax 05.58.45.81.92 ☑ ☒ r.-v.

DOM. DE HAUBET
Colombard et ugni blanc 1999★

| | 14 ha | n.c. | ▮ ♨ | - de 20 F |

Cette exploitation familiale de plus de 20 ha a élaboré un vin mi-colombard mi-ugni blanc de bon équilibre. Certes, il est frais et vif au nez (notes citronnées) comme en bouche, mais il dévoile aussi du gras et de la rondeur sous une robe jaune pâle brillant, ponctuée de reflets verts.
•━ Philippe Gudolle, EARL de Haubet, 40310 Parleboscq, tél. 05.58.44.35.39, fax 05.58.44.95.99 ☑ ☒ r.-v.

Pays de la Garonne

Avec Toulouse en son cœur, cette région regroupe dans la dénomination « vin de pays du Comté tolosan » les départements suivants : l'Ariège, l'Aveyron, la Haute-Garonne, le Gers, le Lot, le Lot-et-Garonne, les Pyrénées-Atlantiques, les Hautes-Pyrénées, le Tarn et le Tarn-et-Garonne. Les dénominations sous-régionales ou locales sont : les côtes du Tarn ; les coteaux de Glanes (Haut-Quercy, au nord du Lot ; rouges pouvant vieillir) ; les coteaux du Quercy (sud de Cahors ; rouges charpentés) ; Saint-Sardos (rive gauche de la Garonne) ; les coteaux et terrasses de Montauban (rouges légers) ; les côtes de Gascogne, les côtes du Condomois et les côtes de Montestruc (zone de production de l'armagnac dans le Gers ; majorité de blancs) ; et la Bigorre. Haute-Garonne, Tarn-et-Garonne, Pyrénées-Atlantiques, Lot, Aveyron et Gers sont les dénominations départementales.

L'ensemble de la région, d'une extrême variété, produit environ 200 000 hl de vins rouges et rosés et 400 000 hl de blancs dans le Gers et le Tarn. La diversité des sols et des climats, des rivages atlantiques au sud du Massif central, alliée à une gamme particulièrement étendue de cépages, incite à l'élaboration d'un vin d'assemblage de caractère constant, ce que s'efforce d'être, depuis 1982, le vin de pays du Comté tolosan ; mais sa production est encore réduite : 40 000 hl dans un ensemble produisant environ quinze fois plus.

Comté tolosan

ARMAND DE TOLOSE
Cabernet franc 1998★

| ▪ | 30 ha | 35 000 | ▮ ♨ | 20 à 29 F |

La cave de Lavilledieu, déjà appréciée pour son VDQS du même nom, vinifie également un vin de pays du Comté tolosan. Robe rubis, nez long et puissant, bouche souple aux arômes de poivron si caractéristiques du cabernet : voilà le résultat d'une vinification bien menée. Très jolie étiquette.
•━ Cave de Lavilledieu-du-Temple, 82290 Lavilledieu-du-Temple, tél. 05.63.31.60.05, fax 05.63.31.69.11 ☑ ☒ r.-v.

Côtes du Tarn

LES RIALS 1999★★

☐   3,3 ha   28 000   🍷🍸 20 à 29 F

Parfait équilibre entre deux des principaux cépages blancs du Tarn : les arômes et le gras du mauzac, le nerf et la vigueur du len de l'el. L'ensemble donne une belle robe limpide, jaune paille, un nez intense et complexe aux arômes de fruits et de fleurs, une bouche ample, avec du volume et du gras, d'une bonne longueur. Un très bon exemple de vin de pays des Côtes du Tarn. Dans le même chai, le **rosé de syrah 99** peut prétendre aux mêmes éloges.

🍷 Dom. de La Chanade, 81170 Souel, tél. 05.63.56.31.10, fax 05.63.56.31.10 ✅ 🍸 t.l.j. 9h-12h 14h-19h30

DOM. SARRABELLE
Syrah Elevé en fût de chêne 1998★★★

■   0,5 ha   3 000   ◫ 30 à 49 F

Le vignoble des Côtes du Tarn offre une grande variété de cépages. Le domaine de Sarrabelle a su tirer le meilleur parti de la syrah avec un passage en fût bien mené. La bouche souple et ronde, presque soyeuse, est bien structurée et se termine par une longue finale.

🍷 Laurent et Fabien Causse, Les Fortis, 81310 Lisle-sur-Tarn, tél. 05.63.40.47.78, fax 05.63.40.47.78 ✅ 🍸 r.-v.

Saint-Sardos

GILLES DE MORBAN 1997★

■   93,5 ha   68 000   🍷 20 à 29 F

La cave de Saint-Sardos sélectionne ses meilleures cuvées et propose ainsi le Gilles de Morban. Le millésime 97 présente un nez discret, légèrement évolué, avec une note animale. Les tanins fondus lui donnent rondeur et souplesse.

🍷 Cave des vignerons de Saint-Sardos, Le Bourg, 82600 Saint-Sardos, tél. 05.63.02.52.44, fax 05.63.02.62.19 ✅ 🍸 r.-v.

Côtes de Gascogne

BORDENEUVE-ENTRAS 1999★

◹   1 ha   8 000   🍷🍸 20 à 29 F

Sa belle robe rose excite d'emblée les papilles ; elle donne déjà une note de fraîcheur. Les mêmes sensations apparaissent dans un nez amylique et sont relayées par la fraîcheur de la bouche, à la fois fruitée, ronde, souple. On perçoit ce qu'il faut de gras et de volume.

🍷 GAEC Bordeneuve-Entras, 32410 Ayguetinte, tél. 05.62.68.11.41, fax 05.62.68.15.32 ✅ 🍸 r.-v.

🍷 Maestrojuan

DOM. CHIROULET 1998★★

■   5 ha   25 000   ◫ 30 à 49 F

Si la Gascogne est connue pour ses vins blancs, elle offre également des terroirs qui mettent en valeur les rouges. Ainsi le domaine de Chiroulet a-t-il élaboré à partir de cabernet, merlot et tannat un 98 à la robe grenat, foncée, limpide, aux reflets rubis. Cet assemblage donne un nez complexe et riche où l'on retrouve tous les arômes de fruits confits, de grillé, de pruneau. Les tanins, bien fondus, épicés, accompagnés d'un passage en fût bien mené pendant douze mois apportent de l'ampleur et du volume.

🍷 Famille Fezas, Dom. Chiroulet, Heux, 32100 Larroque-sur-l'Osse, tél. 05.62.28.02.21, fax 05.62.28.41.56 ✅ 🍸 r.-v.

DOM. DE JOY Classique 1999★

☐   25 ha   150 000   🍷🍸 - de 20 F

Le domaine de Joÿ présente un vin issu des trois principaux cépages du Gers : colombard, ugni blanc et gros manseng. Avec un nez fin et fruité, une bouche ronde et grasse, ce 99 met ainsi en valeur tous les arômes d'agrumes qui caractérisent ces cépages.

🍷 GAEC Gessler et Fils, Dom. de Joÿ, 32110 Panjas, tél. 05.62.09.03.20, fax 05.62.69.04.46, e-mail contact@domaine-joy.com ✅ 🍸 t.l.j. sf dim. 9h-19h

DOM. DE LARTIGUE 1998★★

■   6 ha   10 000   🍷 20 à 29 F

La finesse du nez ne lui enlève rien de sa puissance ni de sa complexité : fruits rouges (mûre, cassis), notes grillées, épicées, végétales (foin) et enfin poivron. Après une attaque en douceur, la bouche est ample, du volume bien que les tanins, encore un peu verts, demandent à vieillir.

🍷 Francis Lacave, Au Village, 32800 Bretagne-d'Armagnac, tél. 05.62.09.90.09, fax 05.62.09.79.60 ✅ 🍸 r.-v.

DOM. SAN DE GUILHEM 1999★

☐   31 ha   250 000   🍷🍸 - de 20 F

C'est le type même du vin de pays des Côtes de Gascogne, issu d'une vinification bien menée de colombard, ugni blanc et gros manseng. La puissance des arômes tant au nez qu'en bouche ne laisse pas indifférent. Complexe, souple et équilibrée, une bouteille destinée aux connaisseurs.

🍷 Alain Lalanne, Dom. San de Guilhem, 32800 Ramouzens, tél. 05.62.06.57.02, fax 05.62.06.44.99, e-mail sandeguilhem@sandeguilhem.com ✅ 🍸 t.l.j. 8h-12h 13h30-18h30

COTE TARIQUET
Chardonnay et sauvignon 1999★★★

☐   10 ha   50 000   🍷🍸 30 à 49 F

Le domaine du Tariquet est connu depuis longtemps pour ses vins de cépages. Cette cuvée marie le sauvignon et le chardonnay assemblés avant fermentation. Le sauvignon apporte au nez comme en bouche ses arômes particulièrement puissants de lierre, tandis que le chardonnay, discret, donne du gras et du volume dans un ensemble parfaitement équilibré où chaque cépage apporte sa personnalité tout en respectant celle de l'autre. C'est réellement une très belle réussite.

●━ Ch. du Tariquet,
32800 Eauze,
tél. 05.62.09.87.82,
fax 05.62.09.89.49 ☑
●━ Famille Grassa

Lot

DOM. DE CAUSE
Bouquet de Cavagnac 1999★★

◢ | 0,5 ha | 5 400 | ▮ 30 à 49 F

Le Lot est surtout connu pour l'AOC cahors. Il s'y vinifie également d'excellents vins de pays rosés ou blancs. Ainsi ce cot vinifié en rosé offre toute la jeunesse et la vigueur de ses arômes de fruits rouges.
●━ Serge et Martine Costes, Cavagnac,
46700 Soturac, tél. 05.65.36.41.96,
fax 05.65.36.41.95, e-mail montalieu@infonie.fr
☑ ⵧ t.l.j. 9h30-12h 14h-19h; dim. sur r.-v.

Corrèze

MILLE ET UNE PIERRES
Elevé en fût de chêne 1998★

▮ | 11 ha | 74 000 | ◫ 30 à 49 F

La cave viticole de Branceilles propose un assemblage cabernet franc - merlot de bonne tenue. Vêtu d'une robe rubis intense et brillant, le vin dévoile un nez légèrement boisé, une bouche ronde et bien structurée qui s'étire assez longuement sur des arômes vanillés.
●━ Cave viticole de Branceilles, Le Bourg,
19500 Branceilles, tél. 05.55.84.09.01,
fax 05.55.25.33.01 ☑ ⵧ t.l.j. sf dim. 10h-12h
15h-18h

Coteaux et terrasses de Montauban

DOM. DE MONTELS 1999★★

▮ | 4 ha | 20 000 | ▮⚲ 20 à 29 F

Philippe et Thierry Romain ont repris, après leur mère, cette propriété, poursuivant les efforts entrepris sur l'encépagement et les modes de vinification. Ils obtiennent un beau résultat avec ce millésime 99 issu de cabernet, merlot, tannat et gamay : nez épicé, bouche aux tanins fondus et harmonieux. Le **blanc moelleux 99**, essentiellement à base de sauvignon, ne manquera pas non plus de séduire.
●━ Philippe et Thierry Romain,
Dom. de Montels, 82350 Albias,
tél. 05.63.31.02.82, fax 05.63.31.07.94 ☑ ⵧ t.l.j.
sf dim. 9h-12h 14h-19h

Pyrénées-Atlantiques

DOM. BORDES-LUBAT 1999

☐ | 0,84 ha | 3 000 | ◫ 20 à 29 F

Il faut connaître ce cépage particulier des Pyrénées-Atlantiques qu'est le baroque. Même si sa bouche florale peut paraître un peu dure, il n'en a pas moins un charme certain. Sa robe brillante d'un joli jaune citron invite d'ailleurs à la dégustation.
●━ Francis Lubat, 64330 Taron,
tél. 06.11.99.87.48 ☑ ⵧ r.-v.

Languedoc et Roussillon

Vaste amphithéâtre ouvert sur la Méditerranée, la région Languedoc-Roussillon décline ses vignobles du Rhône aux Pyrénées catalanes.

Premier ensemble viticole français, la région produit près de 80 % des vins de pays. Les départements de l'Aude, du Gard, de l'Hérault et des Pyrénées-Orientales représentent les quatre dénominations départementales. A l'intérieur, les vins faisant référence à une zone plus restreinte sont très nombreux. Ces deux premières catégories représentent près de 5,5 millions d'hectolitres. Enfin, la dénomination régionale « Vin de Pays d'Oc » continue sa progression. La production atteint 2,6 millions d'hectolitres en 1996/1997 (rouges 60 %, rosés 16 %, blancs 24 %).

Obtenus par la vinification séparée de vendanges sélectionnées, les vins de pays de la région Languedoc-Roussillon sont issus non seulement de cépages traditionnels (carignan, cinsaut et grenache, syrah pour les rouges, clairette, grenache blanc, macabeu pour les blancs) mais aussi de cépages non méridionaux : cabernet-sauvignon, merlot ou pinot noir pour les vins rouges ; chardonnay, sauvignon et viognier dans les cépages blancs.

Oc

DOM. D'ANTUGNAC
Les Grands Penchants 1999★

	8 ha	15 000	🔲📶♨ 30 à 49 F

Christian Collovrat et Jean-Luc Terrier mènent ce domaine de 50 ha. Cette cuvée porte une belle robe éclatante ; le nez aux arômes de miel et aux notes beurrées est tout en finesse. La bouche ne dépare pas dans le paysage, ronde, équilibrée, de bonne persistance aromatique.
🔷 Dom. d'Antugnac, 11190 Antugnac, tél. 04.68.74.00.89, fax 04.68.74.22.60

ARNAUD DE VILLENEUVE
Chardonnay Elevé en barrique de chêne 1999★★

	3 ha	20 000	📶 30 à 49 F

Des vignes de vingt-cinq ans et cinq mois d'élevage en fût ont donné ce remarquable chardonnay à la robe jaune paille nuancée de reflets verts. Le nez offre une belle palette aromatique. La suite de la dégustation maintient l'harmonie entre notes boisées et florales. En bouche, on retrouve le boisé fin et discret avec du gras et de la rondeur. Une harmonie d'ensemble que l'on peut découvrir sans plus attendre.
🔷 Les Vignobles du Rivesaltais,
1, rue de la Roussillonnaise, 66602 Rivesaltes-Salses, tél. 04.68.64.06.63, fax 04.68.64.64.69, e-mail vignobles.rivesaltais@wanadoo.fr
☑ ⵙ r.-v.

DOM. DES ASPES Merlot 1998★

⬛	5 ha	25 000	🔲📶♨ 30 à 49 F

Sa robe profonde aux reflets violets charme dès l'abord ; puis le nez, de bonne intensité, dévoile des notes de fruits rouges surmûris, annonçant la bouche équilibrée qui reprend en écho les fruits rouges des bois. Une belle harmonie pour aujourd'hui.
🔷 Vignobles Marcel Roger, Ch. du Prieuré des Mourgues, 34360 Pierrerue, tél. 04.67.38.18.19, fax 04.67.38.27.29,
e-mail prieuredesmourgues@wanadoo.fr
☑ ⵙ r.-v.

DOM. DE BARANDON Merlot 1998★

⬛	5 ha	n.c.	📶 30 à 49 F

Un merlot pleinement réussi. D'un beau pourpre foncé, ce 98 séduit par la finesse et la complexité de son nez de fruits mûrs. En bouche, équilibre et structure sont au rendez-vous avec une bonne persistance aromatique. Un vin harmonieux et prêt.
🔷 Vignerons de la Méditerranée,
12, rue du Rec-de-Veyret, ZI de Plaisance, 11100 Narbonne, tél. 04.68.42.75.00, fax 04.68.42.75.01, e-mail valdorbieu-didierferrier@wanadoo.fr ⵙ r.-v.

DOM. DE BAUBIAC Merlot 1998★★

⬛	1,37 ha	10 600	🔲♨ 20 à 29 F

Un 98 qui ravit le jury. Sous une belle robe grenat profond, le nez, aromatique et complexe décline des notes épicées. Ample et de bonne persistance, la bouche enchante par sa très belle structure. L'ensemble est d'une harmonie remarquable.
🔷 SCEA Philip Frères, Dom. de Baubiac, 30260 Brouzet-lès-Quissac, tél. 04.66.77.33.45, fax 04.66.77.33.45, e-mail philip@dstu.univ-montp2.fr ☑ ⵙ r.-v.

DOM. DU BOLCHET
Cabernet-sauvignon 1998★

⬛	1,3 ha	4 000	🔲♨ 20 à 29 F

Le domaine a connu plusieurs réencépagements. Depuis 1997, il tire profit de ses investissements comme en témoigne ce cabernet-sauvignon très réussi ; sous une robe rubis aux reflets délicatement tuilés s'exprime un nez puissant de fruits rouges à l'alcool, légèrement épicé. Ces arômes persistent dans une bouche élégante, ample et charnue, tapissée de tanins présents mais soyeux.
🔷 Béatrice Becamel, Ch. Bolchet, 30132 Caissargues, tél. 04.66.38.05.65, fax 04.66.29.14.79 ☑ ⵙ t.l.j. sf dim. 8h30-12h 14h-19h

BORIE LA VITARELE La Combe 1998★

⬛	3 ha	8 000	🔲📶♨ 50 à 69 F

« Du soleil dans votre verre », telle est la devise de ce jeune domaine créé en 1990. Quatre cépages plantés sur deux types de terroirs ont donné ce 98 à la belle robe rouge sombre aux reflets bronze, au nez de bonne intensité, ouvert sur des notes de sous-bois et de vieux cuirs. La bouche, puissante, bien structurée et d'une bonne persistance, est tapissée de tanins fondus aux nuances vanillées.
🔷 Jean-François Izarn et Cathy Planes, chem. de la Vernède, 34490 Saint-Nazaire-de-Ladarez, tél. 04.67.89.50.43, fax 04.67.89.50.43 ☑ ⵙ r.-v.

THIERRY BOUDINAUD
Merlot Réserve Barriques 1999★★

⬛	4 ha	25 000	🔲📶♨ 30 à 49 F

Sous le soleil du domaine sont nés en 1999 de beaux vins qui remportent leur moisson d'étoiles : un **cabernet-sauvignon 99**, un **chardonnay 99** et un **chardonnay Solstice**, tous trois très réussis, et un remarquable **Solstice cabernet-sauvignon**

VDP

qui donne envie de fêter l'été. Quant à ce merlot, pourpre à reflets bleutés, il brille de tous ses feux. Le nez est finement boisé, épicé, vanillé. Ample et ronde, la bouche offre des tanins fondus et le même boisé léger. Les arômes persistent longuement.

🍾 Domaines du Soleil, Ch. Canet, 11800 Rustiques, tél. 04.90.12.32.41, fax 04.90.12.32.49

DOM. BOURDIC
Syrah Elevé en fût de chêne 1998★★

■	2,63 ha	5 600	❚❙❚ 50 à 69 F

Cette pure syrah a passé douze mois en fût de chêne. Elle est apparue au mieux de sa forme et le jury n'a pas résisté à cette robe très jeune, pourpre soutenu, à reflets bleus, ni à ce nez riche, déployant arômes de kirsch, cuir, truffe, vanille et notes de torréfaction. La bouche est ample, puissante, concentrée et tapissée de tanins bien fondus. On conseille de marier ce vin très élégant à un plat de venaison ou de le garder quelque temps dans sa cave.

🍾 Christa Vogel et Hans Hürlimann, Dom. Bourdic, 34290 Alignan-du-Vent, tél. 04.67.24.98.08, fax 04.67.24.98.96 ☑ ⟐ r.-v.

CAMPLAZENS L'ERMITAGE
Elevé en fût de chêne 1998★

■	n.c.	n.c.	❚❙❚ 70 à 99 F

Pas moins de cinq cépages (syrah, grenache, carignan, cabernet et merlot) entrent dans la composition de ce vin très réussi à la robe rouge sombre, brillant de reflets violines et tuilés. Le nez mêle épices et léger boisé, le tout très finement. Puis suit une bouche bien structurée, équilibrée, tapissée de tanins fondus, aux arômes de réglisse.

🍾 SARL Domaines Camplazens, La Jasse, 34980 Combaillaux, tél. 04.67.87.34.62, fax 04.67.84.30.51 ⟐ r.-v.

DOM. CASTELNAU Chardonnay 1999★

☐	10,64 ha	20 000	■❚❙❚ ⚲ 30 à 49 F

La robe brille, claire à reflets verts. Au nez, finesse et puissance. Après une belle attaque en bouche, beaucoup de vivacité, s'exhalent des arômes floraux puissants et persistants. Un vin également très réussi par son équilibre.

🍾 GFA dom. de Castelnau-de-Guers, 32, av. de Pézenas, 34120 Castelnau-de-Guers, tél. 04.67.98.16.19, fax 04.67.09.43.17 ☑ ⟐ t.l.j. 8h-12h 14h-20h

DOM. CLAVEL Chardonnay 1999★

☐	0,55 ha	6 600	■ ⚲ 30 à 49 F

La petite vallée de la Cèze bénéficie d'un microclimat qui permet l'élaboration de jolis vins tels que ce chardonnay né sur des sables éoliens. La robe est claire, limpide. Le nez de fleurs et d'agrumes s'exprime finement. La bouche, fraîche et nerveuse, n'est pas moins aromatique, soutenue par une légère pointe de gaz carbonique, et se montre équilibrée.

🍾 Françoise Clavel, rue du Pigeonnier, 30200 Saint-Gervais, tél. 04.66.82.78.90, fax 04.66.82.74.30 ☑ ⟐ r.-v.

DOM. DE CLOVALLON
Les Aurièges 1998★★

☐	1,5 ha	n.c.	■❚❙❚ ⚲ 70 à 99 F

Le domaine est situé au pied de falaises dolomitiques et cultive ses vignes en terrasses. La cuvée Les Aurièges porte une robe dorée, d'une teinte soutenue et brillante ; le nez puissant fait preuve de richesse et de complexité : agrumes, fruits mûrs, tabac, notes vanillées. En bouche, vivacité et rondeur se conjuguent en un très bel équilibre. Un vin élégant qui conviendra à un poisson fin.

🍾 Catherine Roques, Dom. de Clovallon, rte Col-du-Buis, 34600 Bédarieux, tél. 04.67.95.19.72, fax 04.67.95.11.18, e-mail domaine@clovallon.fr ☑ ⟐ r.-v.

DOM. COSTEPLANE
Cabernet-sauvignon et merlot 1998★

■	4,53 ha	12 800	■ ⚲ 30 à 49 F

Résolument tourné vers la culture biologique depuis 1990, le domaine a proposé ce vin à la robe poupre pleine de profondeur. Le jury a apprécié sa complexité olfactive (fruits mûrs, épices, poivron), le gras et l'onctuosité en bouche, où les tanins sont présents mais très bien fondus.

🍾 Françoise et Vincent Coste, Mas de Costeplane, 30260 Cannes-et-Clairan, tél. 04.66.77.85.02, fax 04.66.77.85.47 ☑ ⟐ r.-v.

DOM. FERRI-ARNAUDŒ
Chardonnay 1999★

☐	n.c.	20 000	■ ⚲ 30 à 49 F

Difficile de ne pas être séduit par cette robe franche, claire et limpide, ce nez qui égrène des notes florales riches, cette bouche élégante et équilibrée où dominent les impressions aromatiques. A essayer sur une volaille à la crème.

🍾 EARL Ferri Arnaud, av. de l'Hérault, 11560 Fleury-d'Aude, tél. 04.68.33.62.43, fax 04.68.33.74.38 ☑ ⟐ r.-v.

🍾 Richard Ferri

FORTANT DE FRANCE
Chardonnay 1999★

☐	n.c.	530 000	■ ⚲ 20 à 29 F

Obtenu pour moitié par macération pelliculaire et pour moitié par pressurage direct, ce vin est d'un beau jaune paille à reflets verts ; il exhale des senteurs d'acacia et de fleurs blanches. La bouche, vive, équilibrée offre une bonne persistance. Le **grenache gris 99 Fortant de France** a été cité par le jury.

🍾 Les vins Skalli-Fortant de France, 278, av. du Mal-Juin, B.P. 376, 34204 Sète Cedex, tél. 04.67.46.70.00, fax 04.67.46.71.99, e-mail info@vinskalli.com ☑ ⟐ r.-v.

DOM. DU GRAND CHEMIN
Cabernet-sauvignon 1999★

■	4 ha	30 000	■ ⚲ 30 à 49 F

Sur l'ancienne route qui mène de Nîmes à Florac, on rencontre le domaine du Grand Chemin où, depuis cinq générations, œuvrent les Floutier. On ne regrettera pas d'y avoir fait une halte le temps de découvrir ce cabernet-sauvignon à la robe pourpre à reflets violets. Le nez exhale avec intensité fruits rouges et notes de fraise, précédant une bouche ample, charnue, équilibrée, tapissée de tanins fins. Ce vin très réussi peut être attendu ou servi maintenant sur un bœuf aux anchois. Pourquoi pas ?

↝ EARL Jean-Marc Floutier, Dom. du Grand Chemin, 30350 Savignargues, tél. 04.66.83.42.83, fax 04.66.83.42.83 ☑ ⊺ t.l.j. 8h-12h 14h-18h

GRANGE DES ROUQUETTE
Le Pélican 1999★★★

☐   3,43 ha   6 000 ▮❶▯⬤ 30à49F

Le domaine était autrefois planté d'oliviers et tourné vers la production d'huile d'olive. Depuis le terrible hiver de l'année 1956, il a développé la culture de la vigne. « A quelque chose malheur est bon » puisqu'il nous donne aujourd'hui ce merveilleux Pélican à la belle robe légère, très pâle, éclairée de reflets d'or. Le nez fin, complexe libère de délicates notes d'acacia, de tabac blond, d'agrumes et de vanille. La bouche marie plénitude et fraîcheur dans une belle harmonie d'ensemble ; la dégustation se termine sur une longue finale aux nuances d'eucalyptus.

↝ Vignoble Boudinaud, 30210 Fournes, tél. 04.66.37.27.23, fax 04.66.37.27.23, e-mail boudinaud@infonie.fr ☑ ⊺ r.-v.

DOM. DE LA BAUME 1998★

☐   9,04 ha   9 022 ❶▯ 70à99F

Le viognier (72 %) et le chardonnay ont été vendangés la nuit pour garder leur fraîcheur. Il en résulte un vin très réussi à la robe légère, joliment éclairée de reflets dorés. Le nez, à la fois boisé et floral, révèle sa finesse et sa richesse. En bouche, il se montre vif, bien équilibré et tient la note boisée de façon harmonieuse.

↝ Dom. de La Baume, RN 113, 34290 Servian, tél. 04.67.39.29.49, fax 04.67.39.29.40 ☑ ⊺ r.-v.

DOM. DE LA DEVEZE
Roussanne Elevé en barrique de chêne 1999★

☐   0,75 ha   2 500 ❶▯ 50à69F

Ce domaine situé au cœur des Cévennes est une ancienne magnanerie reconvertie en 1964. Cette roussanne jaune paille brille de reflets dorés ; le nez intense marie notes florales et minérales et conduit à une bouche bien équilibrée, aromatique, qui possède de l'ampleur et du gras. Parfait avec un fromage fort.

↝ Laurent Damais, GAEC du Dom. de la Devèze, 34190 Montoulieu, tél. 04.67.73.70.21, fax 04.67.73.32.40, e-mail domaine@deveze.com ☑ ⊺ r.-v.

DOM. DE LA JASSE D'ISNARD
Merlot 1998★

▮   3,88 ha   4 000 ▮❶▯⬤ 20à29F

Depuis 1916 dans la même famille, le domaine voit œuvrer la quatrième génération de vignerons. On peut donc parler d'expérience. Sous une robe sombre et brillante apparaît un nez de fruits mûrs, intense et complexe. La bouche est ample et très équilibrée. Un vin des plus agréables, à boire sur une viande en sauce.

↝ F. Michelon, Dom. La Jasse d'Isnard, 30470 Aimargues, tél. 04.66.88.61.98, fax 04.66.88.50.31 ☑ ⊺ t.l.j. 8h30-19h30

DOM. LALAURIE Merlot 1998★

▮   8 ha   20 000 ❶▯ 30à49F

A la tête du domaine depuis 1974, Jean-Charles Lalaurie sait exprimer sa passion et nous la communique avec ce très beau merlot paré d'une robe bigarreau, attirante par sa jeunesse et sa profondeur. Le nez intense et complexe offre des notes de cuir, de menthe et de fruits. La bouche bien charpentée possède des tanins encore un peu austères mais prometteurs. A servir sur un plateau de fromages ou à garder quelque temps dans sa cave. Le **cabernet-sauvignon 98** du même domaine obtient une citation.

↝ Jean-Charles Lalaurie, 2, rue Le-Pelletier-de-Saint-Fargeau, 11590 Ouveillan, tél. 04.68.46.84.96, fax 04.68.46.93.92, e-mail jean-charleslalaurie@libertysurf.fr ☑ ⊺ t.l.j. 9h-12h 15h-19h; sam. dim. et groupes sur r.-v.

DOM. LA MADURA Tradition 1999★

☐   1,15 ha   5 000 ▮⬤ 50à69F

Après avoir vinifié Fieuzal en Bordelais, Cyril Bourgne a repris une propriété à Saint-Chinian en 1988. Il a proposé ici son premier millésime issu à 100 % de sauvignon. La robe pâle à reflets verts incite à aller plus loin. Le nez, frais et expressif, ne déçoit pas : fleuri (buis) et citronné, il a le caractère du cépage. La fraîcheur et la rondeur sont en équilibre et la finale désaltérante à souhait.

↝ Nadia et Cyril Bourgne, 61, av. Raoul-Bayon, 34360 Saint-Chinian, tél. 04.67.38.17.85, fax 04.67.38.17.85 ⊺ r.-v.

DOM. LAMARGUE Merlot 1999★

▮   2 ha   13 000 ❶▯ 30à49F

Ce vin encore jeune possède de réels atouts : une belle robe pourpre à reflets violets, un nez fin, boisé, exhalant notes fumées et balsamiques. La bouche où se retrouvent les nuances boisées et grillées allie gras et fraîcheur ; elle s'appuie sur une belle charpente. Ce merlot peut être bu dès maintenant mais un peu de cave lui permettra d'exprimer toutes ses qualités.

↝ SCI du Dom. de Lamargue, rte de Vauvert, 30800 Saint-Gilles, tél. 04.66.87.31.89, fax 04.66.87.41.87, e-mail domaine.de.lamargue@wanadoo.fr ☑ ⊺ r.-v.

↝ Bonomi

VDP

DOM. DE LA VALMALE
Sauvignon 1999★

☐　　　　5,04 ha　20 000　🍴♦　- de 20 F

Au Moyen Age, le domaine dépendait de la baronnie de Coussergues. Comme l'an passé, il propose un sauvignon très réussi d'un beau jaune d'or, au nez floral plein de délicatesse et à la bouche d'une belle vivacité. On y retrouve avec une bonne persistance les arômes de miel et de fleurs blanches. Un vin très harmonieux, à la hauteur de sa charmante étiquette.
☛ Alain Clarou, Dom. de la Valmale,
34550 Bessan, tél. 01.43.54.42.49,
fax 01.40.46.89.01 ☑ ⊥ r.-v.

L'ENCLOS D'ORMESSON
Sauvignon 1999★★

☐　　　　7 ha　n.c.　🍴♦　50 à 69 F

La robe brillante à reflets cuivrés introduit un nez très fin. La bouche allie nervosité, rondeur et équilibre. Une bouteille remarquable qui aura un succès assuré avec un poisson cuisiné ou un plateau de fromages. Le **grenache rosé 99 en vin de pays d'Oc de L'Enclos d'Ormesson** obtient une étoile.
☛ Jérôme d'Ormesson, Le Château,
34120 Lézignan-la-Cèbe, tél. 04.67.98.29.33,
fax 04.67.98.29.32 ☑ ⊥ t.l.j. 9h-12h 14h-18h

DOM. DE L'ENGARRAN 1998★

■　　　　2 ha　5 000　◖◗ 30 à 49 F

Au pied d'un parc de 3 ha, le magnifique château du XVIII^{e}s., classé monument historique, séduira les amateurs d'art, lesquels ne seront pas moins insensibles à ce vin très réussi s'annonçant par une robe rouge cerise. Des arômes de cassis et d'agrumes s'expriment au nez avec intensité. La bouche, souple, ne déçoit pas et reprend le même motif aromatique de fruits rouges.
☛ SCEA du Ch. de L'Engarran,
34880 Laverune, tél. 04.67.47.00.02,
fax 04.67.27.87.89 ☑ ⊥ t.l.j. 12h-19h; sam. dim. 10h-19h
☛ Grill

LES COLLINES DU BOURDIC
Viognier 1999★★

☐　　　　12 ha　50 000　30 à 49 F

Entre 1997 et 2000 la cave a connu de nombreuses rénovations et fait de gros investissements. Elle recueille aujourd'hui éloges et étoiles à foison. Les cuvées **Prestige 98** et **Pavillon Racine** reçoivent chacune une étoile. Quant à ce viognier, il est remarquable. Paré d'un robe limpide, brillante à reflets verts, il offre un nez intense, d'une très grande finesse ; complexe, il marie notes florales et fruitées. On retrouve ces arômes dans une bouche vive et ronde, sur un équilibre d'ensemble parfait.
☛ SCA Les Collines du Bourdic,
chem. de la Gare, 30190 Bourdic,
tél. 04.66.81.20.82, fax 04.66.81.23.20 ☑ ⊥ t.l.j. sf dim. 8h-12h 14h-18h

DOM. LES FILLES DE SEPTEMBRE
Viognier 1999★

☐　　　　1,4 ha　5 000　🍴♦　30 à 49 F

Les frères Géraud, Roland et Hugues, ont pris la direction du domaine en 1995 : Roland conduit le vignoble et Hugues a la responsabilité de la vinification. Ils présentent un viognier très réussi à la robe limpide parée de reflets dorés. Le nez attire par son intensité, sa fraîcheur et son fruité. La bouche suit bien, équilibrée, ample, et développe des arômes fruités (abricot) avec une bonne persistance. La cuvée **Filles de Septembre rouge 97, vin de pays des côtes de Thongue** reçoit également une étoile.
☛ EARL Géraud Père et Fils, Dom. Les Filles de Septembre, av. G.-Guynemer,
34290 Abeilhan, tél. 04.67.39.01.65,
fax 04.67.39.01.65 ☑ ⊥ r.-v.

LES VIGNES DE L'ARQUE
Merlot 1999★★

☐　　　　8,3 ha　18 000　🍴♦　20 à 29 F

Deux viticulteurs décident un jour de s'associer pour fonder leur propre cave. Bien leur en prend. Ce vin donne la pleine mesure de leur savoir-faire. Sous une robe pourpre, soutenue et brillante, apparaît un nez d'une belle intensité, fruité, riche, rehaussé d'épices. La bouche est ample, les tanins bien fondus.
☛ Les Vignes de l'Arque, 30700 Baron,
tél. 04.66.22.37.71, fax 04.66.22.47.49 ☑ ⊥ t.l.j. 9h-12h 14h-19h
☛ Bouveyrolles et Fabre

DOM. LES YEUSES Syrah 1998★★

■　　　　7,5 ha　10 000　🍴♦　20 à 29 F

Les chênes verts ont cédé la place aux vignes ; depuis vingt ans, le domaine poursuit ses investissements et met au service de sa production les innovations technologiques les plus modernes. Résultat : cette syrah d'un pourpre très intense. Le nez de fruits mûrs, d'épices et de sous-bois est remarquable. La bouche est au diapason, onctueuse, dotée de tanins très souples. Un vin tout en harmonie et en élégance.
☛ Jean-Paul et Michel Dardé, Dom. Les Yeuses, rte de Marseillan, 34140 Mèze,
tél. 04.67.43.80.20, fax 04.67.43.59.32 ☑ ⊥ t.l.j. sf dim. 9h-12h 15h-19h

L'ORANGERIE DE SAINTE-ROSE
Sélection Vieilles vignes 1998★

■　　　　20 ha　40 000　🍴♦　30 à 49 F

Cerise bigarreau mûre - voilà pour la robe ; fruits rouges avec une note de pruneau en plus, voici venir la bouche, charpentée et bien structurée. L'accord sera réussi avec viandes en sauce, venaison et fromages. Un peu de garde ne desservira pas ce vin.
☛ Leclercq, Dom. de Sainte-Rose,
34290 Servian, tél. 04.67.39.29.17,
fax 04.67.39.29.18, e-mail lvin@club-internet.fr
☑ ⊥ t.l.j. sf dim. 10h-12h 14h-20h

HENRI MAIRE Merlot 1999★★

■　　　　n.c.　n.c.　20 à 29 F

Le grand négociant du Jura dans ses œuvres languedociennes sur un cépage bordelais !

« Remarquable », résume le jury sous le charme ; une robe brillante d'un beau rubis soutenu, un nez intense associant notes florales et fruitées, une bouche ronde et agréable qui s'achève sur une finale onctueuse. Un vin qui s'accordera avec grillades ou poissons bleus.

🕊 Henri Maire, Ch. Boichailles, 39600 Arbois, tél. 03.84.66.12.34, fax 03.84.66.42.42, e-mail info@henri-maire.fr

DOM. DE MALAVIEILLE
Chardonnay 1999★

□	2 ha	2 500	▥ 30 à 49 F

A quelques encablures des terres et des eaux rouges du lac du Salagou, le domaine de Malavieille propose ce vin à la robe jaune citron, né sur un sol de laves volcaniques. Le nez fin, boisé, vanillé ne cache pas les sept mois d'élevage en fût de chêne neuf. Grasse et ample, la bouche révèle un bel équilibre et s'achève sur une finale aromatique.

🕊 Mireille Bertrand, Malavieille, 34800 Mérifons, tél. 04.67.96.34.67, fax 04.67.96.32.21 ☑ 🍷 r.-v.

MAS MONTEL Chardonnay 1998★★

□	4 ha	5 000	▥ 30 à 49 F

Ce remarquable chardonnay est issu d'une macération pelliculaire et a connu un élevage sur lies pendant six mois. Jaune d'or, il présente un nez fin, fruité et frais. La bouche ample et ronde possède beaucoup de gras tout en conservant une certaine nervosité. Finement boisé, un ensemble très harmonieux qui pourra accompagner une viande blanche ou un pélardon des Cévennes.

🕊 EARL Granier, Mas Montel, 30250 Aspères, tél. 04.66.80.01.21, fax 04.66.80.01.87, e-mail montel@wanadoo.fr ☑ 🍷 t.l.j. sf dim. 9h-19h

DOM. MAUREL FONSALADE
La Fonsalade Lyre 1998★★

□	0,47 ha	2 900	▤▥ 30 à 49 F

Cette remarquable cuvée est le résultat d'un assemblage de cinq cépages vinifiés en macération pelliculaire. La conduite en lyre justifie en outre la spécificité de ce vin. La robe est d'or. Le nez exhale un bouquet aromatique riche : miel, fruits, épices et fruits exotiques. La bouche, ample, déploie des arômes boisés subtils. A déguster à l'apéritif, sur un foie gras ou un plateau de fromages.

🕊 Philippe et Thérèse Maurel, Ch. Maurel Fonsalade, 34490 Causses-et-Veyran, tél. 04.67.89.57.90, fax 04.67.89.72.04 ☑ 🍷 r.-v.

DOM. DE MONT D'HORTES
Cabernet-sauvignon 1999★★

■	5,5 ha	40 000	▤ 🍶 20 à 29 F

Le domaine se trouve à l'emplacement d'une ancienne *villa* gallo-romaine. Il propose ici un vin remarquable. Sa jolie robe grenat, très intense, s'illumine de reflets violets. Son nez étonne par son intensité et sa concentration : le poivron, les épices, les senteurs de garrigue s'y côtoient. La bouche, aux tanins fondus, se révèle puissante et équilibrée ; elle déroule la même gamme aromatique. Ce vin mérite d'être servi sur

un lièvre à la broche. Du même domaine, le **chardonnay 99** est également très réussi.

🕊 J. Anglade, Dom. de Mont d'Hortes, 34630 Saint-Thibéry, tél. 04.67.77.88.08, fax 04.67.30.17.57 ☑ 🍷 r.-v.

OPUS TERRA Merlot et syrah 1999★

■	13 ha	120 000	▤ 20 à 29 F

Depuis trois générations dans la même famille, le domaine se situe sur un site archéologique remontant au Iᵉʳˢ. de notre ère ; il collabore aux travaux des archéologues sur l'élaboration des vins à l'époque romaine. Il présente un 99 très réussi, à la robe sombre, brillante, parée de reflets violets. Au nez, intense, dominent les notes de fruits confits ; suit une bouche bien structurée où se retrouvent les arômes de fruits rouges dans une belle harmonie d'ensemble. Un vin que l'on peut attendre ou savourer dès maintenant.

🕊 Hervé et Guilhem Durand, Ch. des Tourelles, 4294, rte de Bellegarde, 30300 Beaucaire, tél. 04.66.59.22.69, fax 04.66.59.50.80 ☑ 🍷 r.-v.

DOM. DE PIERRE-BELLE
Cuvée Liliane Elevé en fût de chêne 1998★

■	2 ha	10 000	▥ 50 à 69 F

Pour le plaisir des yeux, la robe est très brillante, pourpre. Le nez puissant et aromatique laisse s'exprimer les notes de fruits rouges finement vanillés. La bouche est ronde, ample et harmonieuse. Le **chardonnay 99** du même domaine est cité.

🕊 Laguna et Fils - Fernandez et Fils, Dom. de Pierre-Belle, 34290 Lieuran-lès-Béziers, tél. 04.67.36.15.58, fax 04.67.36.15.58, e-mail pierrebelle@mail.chez.com ☑ 🍷 r.-v.

DOM. DE RAISSAC
Chardonnay Le Parc 1999★★

□	5,5 ha	13 000	▤ 🍶 30 à 49 F

Le château date du XIIᵉs. et appartient depuis six générations à la même famille. Aujourd'hui, le domaine cultive une dizaine de cépages différents sur plus de 90 ha. Le chardonnay est tout simplement remarquable dans sa robe d'or. Le nez intense et fruité livre des notes d'agrumes. Ce vin équilibré et nerveux en bouche possède une bonne persistance aromatique.

🕊 Jean et Luc Viennet, Ch. de Raissac, rte de Murviel, 34500 Béziers, tél. 04.67.28.15.61, fax 04.67.28.19.75, e-mail info@raissac.com ☑ 🍷 t.l.j. sf dim. 9h-12h30 14h-18h

RESSAC Le rosé de syrah 1999★

◿	25 ha	11 000	▤ 🍶 20 à 29 F

Une belle robe à la couleur soutenue, animée de reflets bleutés, habille ce rosé 100 % syrah, issu de macération pelliculaire. Des fruits mûrs dominent le nez fin et complexe qui laisse poindre une note réglissée. La bouche ronde, ample et aromatique offre une bonne persistance. Le **muscat des Garrigues 99**, deuxième cuvée présentée par la Cave de Florensac, a été jugé également très réussi.

➤ Cave coopérative de Florensac, B.P. 9,
34510 Florensac, tél. 04.67.77.00.20,
fax 04.67.77.79.66 ☑ ⵘ t.l.j. sf dim. 9h-12h
14h-18h

DOM. ROZES Cabernet-sauvignon 1998★

■　　　　4,01 ha　　26 000　■ ⎮　20 à 29 F

Le vignoble, situé sur un sol alluvionnaire de
la vallée de l'Agly, et dans la même famille
depuis deux siècles, a produit ce vin d'un pourpre intense. Le nez exprime finesse et complexité,
alors que la bouche se montre ample et puissante.
Bonne harmonie générale.
➤ SCEA Tarquin, Dom. Rozès,
3, rue de Lorraine, 66600 Espira-de-l'Agly,
tél. 04.68.38.52.11, fax 04.68.38.51.38,
e-mail rozes.domaine @wanadoo.fr ☑ ⵘ t.l.j. sf
sam. dim. 9h-18h

DOM. DE SAINT-ALBAN
Sauvignon 1999★

☐　　　　1,7 ha　　4 800　■ ⎮　– de 20 F

Situé au pied des Cévennes, le domaine possède une chapelle romane. Son sauvignon a un
bel habit brillant, un nez fin et minéral aux notes
d'agrumes, une bouche vive mais équilibrée, aromatique et longue.
➤ Jean-Luc Evesque, Dom. de Saint-Alban,
30340 Saint-Privat-des-Vieux,
tél. 04.66.86.19.13, fax 04.66.86.84.73,
e-mail domaine.st-alban @libertysurf.fr
☑ ⵘ t.l.j. sf dim. 9h-12h 14h-18h30

DOM. SAINT-GEORGES D'IBRY
Merlot 1997★★

■　　　　4 ha　　5 000　◖◗　30 à 49 F

Le jury a salué par deux fois le beau travail
de ce domaine qui propose un 97 à la robe rouge
parée de reflets tuilés brillants. Le nez évolué, fin
et complexe, libère des arômes mentholés et épicés avec une note de torréfaction. Les arômes
sont encore très présents dans une bouche bien
charpentée et bien structurée. Le muscat sec 99 a
été jugé également digne de recevoir deux étoiles.
➤ Michel Cros, Dom. Saint-Georges-d'Ibry,
rte d'Espondeilhan, 34290 Abeilhan,
tél. 04.67.39.19.18, fax 04.67.39.07.44 ☑ ⵘ t.l.j.
sf dim. 9h30-12h 14h-18h

DOM. SAINT-HILAIRE
La Serpentine Elevé en fût de chêne 1998★

■　　　　n.c.　　7 000　◖◗　50 à 69 F

Depuis plus d'un quart de siècle, le domaine
a procédé à la diversification de l'encépagement
et au renouvellement de son matériel de vinification. La cuvée est à la hauteur des ambitions
du vigneron : la robe d'une teinte grenat dense
nuancée de violine annonce un nez qui déploie
de subtiles notes de sous-bois, d'humus et de
fruits rouges. La bouche, ample et ronde, donne
de belles impressions aromatiques. A servir
aujourd'hui sur une viande ou un gibier en sauce,
ou à mettre dans sa cave. Le blanc du même
domaine, Hommage 98, est également très réussi.
➤ A. N. Hardy, SARL Dom. Saint-Hilaire,
34530 Montagnac, tél. 04.67.24.00.08,
fax 04.67.24.04.01, e-mail sthilaire @club-
internet.fr ☑ ⵘ t.l.j. sf sam. dim. 8h-12h 13h-18h

DOM. DE SAINT-LOUIS
Cabernet-sauvignon 1999★

■　　　8 ha　　20 000　■ ⎮　30 à 49 F

Inauguré en 2000, le musée de la villa gallo-
romaine est d'un réel intérêt. Pourquoi ne pas
profiter de sa visite pour vous rendre dans ce
domaine et goûter ce 99 pourpre, brillant à souhait, au nez fin et complexe (fruits, poivron
rouge). La bouche offre équilibre, souplesse et
une agréable note de cerise.
➤ Philippe Captier, Dom. de Saint-Louis,
34140 Loupian, tél. 04.67.43.92.62,
fax 04.67.43.70.80 ☑ ⵘ r.-v.

HERMITAGE DU DOM.
SAINT MARTIN DES CHAMPS
Cabernet-sauvignon Elevé en fût de chêne
1998★

■　　　3 ha　　20 000　■ ◖◗ ⎮　30 à 49 F

Au VIIes., le domaine était un ermitage où
faisaient halte les pèlerins se rendant à Saint-
Jacques-de-Compostelle. Le vignoble remonte au
XVIIes. Aujourd'hui, il produit ce vin d'un beau
rouge sombre et brillant, qui a passé douze mois
en fût et arbore un nez finement boisé aux nuances de vanille, de cacao et de confiture. Les arômes persistent dans une bouche ample et équilibrée. Le chardonnay 99 du même domaine est
également très réussi.
➤ Pierre et Michel Birot, Ch. Saint-Martin-des-
Champs, 34490 Murviel-les-Béziers,
tél. 04.67.32.92.58, fax 04.67.37.84.49,
e-mail domaine @saintmartindeschamps.com
☑ ⵘ t.l.j. sf dim. 9h-12h 15h-18h

DOM. SALLE DE GOUR
Sauvignon 1999★★★

☐　　　6 ha　　12 000　　20 à 29 F

Le jury n'a pas hésité à décerner un coup de
cœur à ce magnifique sauvignon ; vêtu d'or véni-
tien, ce 99 brille superbement. La beauté des
atours n'a d'égale que la richesse et la concentration d'un nez de fruits exotiques, d'agrumes.
La bouche est ample avec beaucoup de gras tout
en préservant une certaine vivacité. Le merlot 99
a été jugé très réussi.
➤ M. Méjean, Dom. Salle de Gour,
30170 Saint-Hippolyte-du-Fort,
tél. 04.66.77.66.60, fax 04.66.77.94.62 ☑ ⵘ r.-v.

DOM. DES SYLPHES
Merlot Elevé en fût de chêne 1999★★

■　　　n.c.　　n.c.　◖◗　30 à 49 F

Un merlot à la robe d'un pourpre profond,
très expressif au nez avec ses notes balsamiques.
La bouche ne gâche pas l'harmonie : elle est

ronde, ample, bien charpentée et révèle des arômes très persistants d'épices et de réglisse. En vieillissant ce vin donnera sa pleine mesure.
☎ Les domaines Bernard, rte de Sérignan, 84100 Orange, tél. 04.90.11.86.86, fax 04.90.34.87.30

TERRASSES D'AZUR Sauvignon 1999★

☐	62,5 ha	300 000	▮▲ – de 20 F

Beau sauvignon jaune citron à la robe brillante et du plus heureux effet. Le nez assez intense marie des notes de fleur de buis, de levure et de fruits exotiques. La bouche conjugue élégance, finesse et équilibre. Un vin d'harmonie à boire dès maintenant. Le **rosé de cinsault 99** obtient une citation.
☎ Castel Frères, rte de la Gare, 11590 Sallèles-d'Aude, tél. 04.68.46.60.00, fax 04.68.46.89.59

DOM. DES TERRES NOIRES
Colombard 1999★

☐	3 ha	30 000	▮▲ 30 à 49 F

Les terres noires d'un sol volcanique marin ont donné naissance à ce vin issu de colombard à la belle robe brillante, jaune pâle. Au nez s'échappent des notes de pierre à fusil et des arômes de fruits. La bouche plaît par sa vivacité. Un 99 aromatique de bonne persistance qui ravira par sa fraîcheur.
☎ Dominique Castillon, Dom. Les Terres Noires, 34450 Vias, tél. 04.67.21.73.55, fax 04.67.21.68.38 ⵣ r.-v.

VILLA APPIANO Chardonnay 1998★

☐	4 ha	34 000	◫ 30 à 49 F

Des vignes âgées de quinze ans ont donné ce chardonnay très réussi. Issu d'une légère macération pelliculaire, celui-ci porte élégamment une robe d'or, à la fois intense et limpide. Le nez embaume les agrumes et les fleurs blanches, et conduit à une bouche équilibrée, fraîche et nerveuse, aux arômes persistants. L'ensemble est à savourer dès maintenant.
☎ Méditerroirs, Ch. Cap-de-Fouste, Villeneuve-de-la-Raho, 66100 Perpignan, tél. 04.68.85.69.25, fax 04.68.85.22.26, e-mail mediterroirs@mediterrois.fr
☎ SCV Pia

VIRGINIE Syrah 1999★★

■	70 ha	600 000	▮◫▲ 20 à 29 F

Cette cuvée 100 % syrah est parée d'une belle robe sombre et brillante à reflets violets. Le nez tout en finesse voit s'équilibrer les arômes du boisé vanillé et les nuances fruitées. La bouche vient parfaire cet ensemble remarquablement harmonieux par sa charpente, son gras et son ampleur. La finale est d'une bonne longueur. Le vin peut être bu dès maintenant ou être attendu quelque temps. Le **sauvignon 99** et le **cabernet-sauvignon 99** du même domaine sont également très réussis.
☎ Les domaines Virginie, RN 13, CS 650, 34536 Béziers Cédex, tél. 04.67.49.85.85, fax 04.67.49.38.40, e-mail mariecabrillac@hotmail.com
☎ P. Degroote

Sables du Golfe du Lion

DOM. DE LA FIGUEIRASSE
Gris de gris 1999★

◪	3 ha	18 000	▮▲ 20 à 29 F

Grenache noir (50 %), grenache gris et cinsault entrent dans la composition de ce joli rosé. Beaucoup de charme, à commencer par la belle robe fraîche, légère et élégante. Le nez floral s'exprime avec finesse et délicatesse. Tendre et équilibré en bouche, ce vin harmonieux saura agrémenter une paella.
☎ Robert Saumade, Dom. de La Figueirasse, 30240 Le Grau-du-Roi, tél. 04.67.70.20.48, fax 04.67.87.50.05

Gard

DOM. DES CORREGES Merlot 1998★

■	35 ha	35 000	▮▲ 20 à 29 F

Le domaine est situé aux portes de la Camargue. Il présente un merlot très réussi. Habillé d'une jolie robe rubis à l'éclat vif, celui-ci s'exprime avec intensité ; le nez mêle des notes fruitées et des arômes de cuir. Frais et souple en bouche avec des tanins fondus, ce vin peut être bu dès à présent.
☎ Antoine et Jean-Luc Barret, Dom. des Corrèges, 30300 Beaucaire, tél. 04.66.01.68.34, fax 04.66.01.17.26 ☑ ⵣ r.-v.

DOM. LE PIAN Merlot 1999★

■	6,2 ha	42 000	▮ 20 à 29 F

Pour trouver l'origine du nom de ce domaine, il faut remonter aux guerres de religion et aux pillages alors incessants. Ce beau vin réjouit d'abord l'œil par une robe rouge sombre et brillante. Le nez fin et complexe aux notes fruitées conduit à une bouche équilibrée, dont la structure repose sur des tanins agréables ; les arômes persistent en finale.
☎ SCEA Le Paradis, Dom. Le Pian, 30350 Moulezan, tél. 04.66.77.81.25, fax 04.66.77.89.15 ☑ ⵣ t.l.j. sf sam. dim. 9h-12h 14h-18h

Coteaux de Bessilles

DOM. SAINT-MARTIN DE LA GARRIGUE Cuvée réservée 1998★

■	n.c.	40 000	◫ 30 à 49 F

Un sol de grès calcaire et un élevage en fût de douze mois ont donné cette cuvée qui n'a pas laissé le jury indifférent. C'est en effet un vin très réussi, vêtu d'une belle robe d'un grenat soutenu à reflets violets ; le nez intense de fruits rouges des bois ne dépare pas. La bouche charpentée,

LES VINS DE PAYS

bien structurée égrène des arômes riches et persistants. Un cru qui peut attendre.

🕭 SCEA Saint-Martin de la Garrigue,
Ch. Saint-Martin de la Garrigue,
34530 Montagnac, tél. 04.67.24.00.40,
fax 04.67.24.16.15 ☑ ⵖ r.-v.

🕭 Umberto Guida

DOM. SAVARY DE BEAUREGARD
Cuvée Mathilde 1999★

◢		10 ha	12 000	🍷⬇ 30 à 49 F

Trois cépages (grenache, cinsault et syrah) et des vignes âgées de vingt ans ont donné cette jolie cuvée à la belle robe pétale de rose, pastel très tendre à reflets d'argent. Le nez intense, frais et vif égrène des notes d'anis. La bouche étonne par son ampleur et son équilibre.

🕭 Savary de Beauregard, La Vernazobre,
R.N. 113, 34530 Montagnac, tél. 04.67.24.00.12,
fax 04.67.24.00.12 ☑ ⵖ t.l.j. 10h-19h; nov.-avril 12h-17h

Coteaux de Fontcaude

ROC DELS NOVIS 1998★

☐		n.c.	5 800	🍷⬛⬇ 30 à 49 F

Moitié viognier, moitié chardonnay, ce vin est né sur des marnes du miocène. L'attention est d'abord attirée par la belle robe jaune d'or. Suit un nez puissant aux notes de jasmin. Une bouche bien structurée, vive et légèrement boisée ajoute ses nuances de vanille et d'agrumes à l'ensemble. Egalement très réussi, le **Sauvignon 99 du domaine du Rouëïre**.

🕭 Les Vignerons de Puisserguier,
29, rue Georges-Pujol, 34620 Puisserguier,
tél. 04.67.93.74.03, fax 04.67.93.87.73 ☑ ⵖ r.-v.

Côtes de Thongue

DOM. DE COSTE ROUSSE
Font de Lautre 1999★

☐		3 ha	8 000	🍷 20 à 29 F

Font de Lautre est le nom du lieu-dit où furent achetées les premières vignes du domaine. C'est aussi le nom de cette cuvée très réussie à la robe éclatante. Les fleurs blanches dominent au nez qui est toute finesse. Après une bonne attaque, la bouche suit dans un parfait équilibre.

🕭 Patrice Taïx, 14, av. de la Gare,
34480 Magalas, tél. 04.67.36.37.95,
fax 04.67.36.37.95 ☑ ⵖ r.-v.

DOM. LA CONDAMINE L'EVEQUE
Viognier 1999★

☐		5 ha	15 000	🍷⬇ 20 à 29 F

Ancienne résidence d'été des évêques d'Agde, le domaine propose un vin jaune paille à la robe brillante. Le nez friand, beurré et de bonne intensité livre des arômes de fruits mûrs. Un vin très

réussi à servir dès à présent sur un plateau d'huîtres de Bouzigues.

🕭 SCEA Bascou, Dom. La Condamine l'Evêque, 34120 Nézignan-l'Evêque,
tél. 04.67.98.27.61, fax 04.67.98.35.58 ☑ ⵖ r.-v.

DOM. DE L'ARJOLLE Méridienne 1999★

◢		8 ha	20 000	⬛⬛ 50 à 69 F

Moitié syrah, moitié cabernet franc, cette Méridienne invite au farniente. La robe rose ambré réjouit la vue ; le nez fumé, finement boisé s'exprime avec intensité ; la bouche est bien équilibrée, d'une bonne longueur et son côté nerveux est agréable. Ce vin très original est certainement à découvrir... mais avant ou après une méridienne ? A vous de choisir.

🕭 Dom. de L'Arjolle, 6, rue de la Côte,
34480 Pouzolles, tél. 04.67.24.81.18,
fax 04.67.24.81.90 ☑ ⵖ t.l.j. sf dim. 8h-12h 14h-18h

🕭 Teisserenc

DELPHINE DE MARGON
Chardonnay 1999★

☐		7 ha	60 000	⬛⬛ 30 à 49 F

En été, vous pourrez associer visite du château et découverte de ce chardonnay. La dégustation commence par une belle robe brillante aux éclats émeraude, se poursuit par un nez concentré et complexe de confiserie et d'épices douces, et se termine par une bouche ample et bien structurée.

🕭 Delphine de Margon, GAEC de l'Arjolle,
34480 Pouzolles, tél. 04.67.24.81.18,
fax 04.67.24.81.90 ☑ ⵖ t.l.j. sf dim. 8h-12h 14h-18h

DOM. DES MONTARELS
Chardonnay Elevé en fût de chêne 1998★

☐		20 ha	15 000	⬛⬛ 30 à 49 F

Un élevage de douze mois en fût de chêne, un sol de marne du miocène moyen ont donné ce chardonnay jaune pâle à reflets verts, au nez finement boisé. La bouche est franche, nerveuse et se pare d'un boisé fondu. Le **rouge 97 élevé en fût de chêne** du même domaine est également très réussi.

🕭 Cave coop. d'Alignan-du-Vent, rue de La Guissaume, 34290 Alignan-du-Vent,
tél. 04.67.24.91.31, fax 04.67.24.96.22 ☑ ⵖ r.-v.

LES VIGNERONS DE MONTBLANC
Chardonnay 1999★★

☐		26 ha	55 000	🍷⬇ 20 à 29 F

La cave fut inaugurée en 1939 par Albert Lebrun, président de la Troisième République. Aujourd'hui elle présente plusieurs vins dont ce chardonnay remarquable, à robe légère, brillante, animée de reflets verts. Le nez évolue avec finesse et intensité dans un univers de notes florales. Les arômes de fleurs blanches se retrouvent en écho dans une bouche à la fois ronde et nerveuse. Le **rosé de syrah 99** reçoit une étoile.

🕭 Les Vignerons de Montblanc, av. d'Agde,
34290 Montblanc, tél. 04.67.98.50.26,
fax 04.67.98.61.00 ☑

DOM. MONTROSE Salamandre 1999★

| ☐ | 3 ha | 5 000 | ⅠⅠⅠ | 50 à 69 F |

Ancienne magnanerie, la propriété a juste 300 ans. Elle offre pour fêter cet âge vénérable une cuvée pleine de charme à la belle robe dorée, brillante. Le nez aux arômes boisés (notes de vanille) conduit à une bouche ronde, équilibrée, aux nuances de miel et que prolonge une finale de fleurs blanches. Le **rouge 98 Les Lézards** est également très réussi.
☛ Bernard Coste, Dom. Montrose, R.N. 9, 34120 Tourbes, tél. 04.67.98.63.33, fax 04.67.98.65.27 ☑ ⵏ r.-v.

DOM. DU PRIEURE D'AMILHAC
Cabernet-sauvignon 1998★★

| ■ | 38 ha | 80 000 | ⅠⅠⅠ | 30 à 49 F |

Pour commencer, une robe brillante, très sombre, presque noire ; à la beauté de la tenue répond un nez fin, intense, boisé, complexe : notes de vanille, d'épices et de fruits rouges très mûrs. Pour parfaire le tableau, la bouche bien charpentée, ample et charnue offre une finale de bonne persistance. Un vin remarquablement harmonieux.
☛ SCEA Les Domaines Caton, Prieuré d'Amilhac, 34290 Servian, tél. 04.67.39.10.51, fax 04.67.39.15.33, e-mail max.cazottes@online.fr ☑ ⵏ t.l.j. sf dim. 8h-12h 14h-18h

TARRAL Sauvignon 1999★

| ☐ | 70 ha | 12 000 | ■ ⅠⅠⅠ ↓ | 30 à 49 F |

Une belle robe jaune intense à reflets verts annonce un bouquet très fruité aux accents d'exotisme. Une très grande puissance s'exprime en bouche dans un bel équilibre. Un vin harmonieux à boire dès à présent sur une piperade. Le **chardonnay 99** est également très réussi.
☛ UCA Le Tarral, av. de Roujan, 34480 Pouzolles, tél. 04.67.98.67.24, fax 04.67.98.67.19 ☑ ⵏ r.-v.

Coteaux de Murviel

DOM. DE CIFFRE Val Taurou 1998★

| ■ | 3 ha | 14 000 | ■ ⅠⅠⅠ ↓ | 50 à 69 F |

Vêtu d'une robe sombre à reflets violets, ce 98 brille dans le verre et s'exprime au nez avec puissance. Un boisé léger avec des notes d'épices et de vanille traduit l'élevage de dix-huit mois en fût des deux tiers de la cuvée. La bouche révèle une belle structure. Quoique encore un peu jeune, ce vin est très prometteur, car il possède beaucoup de matière et d'arômes. Il peut vieillir quelque temps.
☛ SARL Ch. Moulin de Ciffre, 34480 Autignac, tél. 04.67.90.11.45, fax 04.67.90.12.05, e-mail moulindeciffre@libertysurf.fr ☑ ⵏ r.-v.
☛ Lesineau

Côtes de Thau

HUGUES DE BEAUVIGNAC
Syrah 1999★

| ◢ | 25 ha | 100 000 | ■ ↓ | 20 à 29 F |

100 % syrah, ce vin vêtu d'une très belle robe rose chair s'exprime bien tant au nez (bonbon anglais) qu'au palais où il se montre frais et rond, très aromatique et de bonne longueur.
☛ Cave Les Costières de Pomerols, 34810 Pomerols, tél. 04.67.77.01.59, fax 04.67.77.77.21 ☑ ⵏ r.-v.

Hérault

MAS DE DAUMAS-GASSAC
Haute Vallée du Gassac 1998★★

| ■ | 22 ha | 109 000 | ⅠⅠⅠ | 150 à 199 F |

Le domaine situé dans la haute vallée du Gassac bénéficie d'un microclimat frais très propice à la viticulture. Ce vin est le produit d'un assemblage d'une dizaine de cépages mais c'est le cabernet-sauvignon qui se taille la part du lion (80 %). Sa très belle robe sombre, profonde, retient le regard par ses brillants reflets de jais. Puissance et complexité s'expriment dans un nez intense, finement boisé, qui exhale des notes d'épices, de sous-bois, de cuir et de fruits surmûris. La bouche est dotée d'une belle charpente soutenue par des tanins de bonne qualité et de grande persistance. Remarquable harmonie d'ensemble. Le **Daumas Gassac blanc 99** est également très réussi.
☛ Véronique Guibert de La Vaissière, Mas de Daumas-Gassac, 34150 Aniane, tél. 04.67.57.71.28, fax 04.67.57.41.03, e-mail contact@daumas-gassac.com ☑ ⵏ t.l.j. sf dim. 10h-12h30 14h-18h30; groupes sur r.-v.

DOM. DE MOULINES
Cabernet-sauvignon 1999★

| ■ | 5 ha | 40 000 | ■ ↓ | 20 à 29 F |

Le domaine fut acheté en 1914. En l'espace de trois générations, il est passé de 28 à 55 ha. Vêtu d'une belle robe brillante et profonde, ce 99 offre un nez puissant et complexe. La bouche, bien charpentée, se révèle parfaitement équilibrée et, quoique encore un peu jeune, est de bon augure. La cuvée **Prestige 98** obtient une citation.
☛ Michel Saumade, GFA Mas de Moulines, 34130 Mudaison, tél. 04.67.70.20.48, fax 04.67.87.50.05 ☑ ⵏ r.-v.

VDP

Catalan

MAS CHICHET Cabernet 1997★

■   14 ha   76 000   ❚❙❚ 30 à 49 F

Premier signe distinctif : une robe évoluée, tuilée à reflets ambrés. Puis vient un nez intense : bouquet aux notes de cuir, de sous-bois, de poivron. La bouche ne manque ni de délicatesse ni d'harmonie. A savourer dès maintenant.
☛ Jacques Chichet, Mas Chichet, 66200 Elne, tél. 04.68.22.16.78, fax 04.68.22.70.28 ☑ ♈ t.l.j. sf dim. 9h-12h 14h-18h

DOM. DU MAS ROUS
Cabernet-sauvignon Elevé en fût de chêne 1997★

■   2,4 ha   14 000   ❚❙❚ 30 à 49 F

Au temps du bisaïeul de l'actuel propriétaire, le domaine était surnommé « El Mas del Cos », c'est-à-dire le mas du blond. Son cabernet-sauvignon d'un rouge grenat à reflets tuilés offre un nez finement boisé, complexe, libérant des notes de fumée et de brûlé. Ronde et équilibrée, la bouche est soutenue par des tanins soyeux.
☛ Joseph Pujol, Dom. du Mas Rous, 66740 Montesquieu-des-Albères, tél. 04.68.89.64.91, fax 04.68.89.80.88, e-mail joseph.pujol@.fr ☑ ♈ r.-v.

DOM. PAGES HURE Muscat sec 1999★

☐   2 ha   12 000   ❚♈ 20 à 29 F

D'un beau blanc aux nuances paille, ce vin s'exprime bien, tant au nez qui se révèle très musqué, exotique et frais, qu'au palais. La bouche harmonieuse et aromatique laisse une agréable impression de fraîcheur.
☛ SCEA Pagès Huré, 2, allée des Moines, 66740 Saint-Génis-des-Fontaines, tél. 04.68.89.82.62, fax 04.68.89.82.62 ☑ ♈ r.-v.

Côtes catalanes

DOM. CARLE-COURTY 1999★★

☐   0,44 ha   900   ❚ 20 à 29 F

Créé en 1995, ce petit domaine de 10 ha a survécu aux gelées de 1998 et à la grêle de 1999. Cette année, il étonne avec ce remarquable vin né sur un sol de schistes bruns, d'un assemblage de grenache blanc (50 %) et de macabeu (50 %). La robe est légère et très pâle ; le nez aux arômes puissants est axé sur le fruit et la fraîcheur. A la fois vive et charnue, la bouche est équilibrée. Un vin très harmonieux pour accompagner un plateau de fruits de mer.
☛ Frédéric Carle, rte Corneilla, 66170 Millas, tél. 04.68.57.21.79, fax 04.68.57.21.79 ☑ ♈ t.l.j. 9h30-19h

DOM. PIQUEMAL
Cuvée Pierre Audonnet 1999★

■   5 ha   12 000   ❚♈ 30 à 49 F

Situé sur les coteaux du Val d'Agly, le vignoble occupe 50 ha. Merlot, cabernet et syrah ont donné une robe rouge grenat de toute beauté. Le nez offre des fruits noirs (mûres, cassis) et des notes de torréfaction. La bouche aux tanins bien soutenus et une belle persistance font de ce vin une réussite.
☛ Pierre et Franck Piquemal, 1, rue Pierre-Lefranc, 66600 Espira-de-l'Agly, tél. 04.68.64.09.14, fax 04.68.38.52.94 ☑ ♈ r.-v.

Aude

DOM. DE MARTINOLLES
Chardonnay 1999★

☐   12 ha   80 000   ❚♈ 30 à 49 F

Le domaine se situe sur les coteaux où les moines de l'abbaye de Saint-Hilaire cultivaient les vignes qui donnèrent naissance, au XVIᵉs., à la blanquette de Limoux. Le jury a aimé ce vin à la jolie robe brillante et légère, au nez très floral d'une grande finesse. Finesse que l'on retrouve dans une bouche vive et bien équilibrée aux arômes de fleurs blanches.
☛ Vignobles Vergnes, Dom. de Martinolles, 11250 Saint-Hilaire, tél. 04.68.69.41.93, fax 04.68.69.45.97 ☑ ♈ t.l.j. sf dim. 8h-12h 14h-19h; groupes sur r.-v.

Cévennes

DOM. DE GOURNIER
Sauvignon Les Vieilles vignes 1998★★★

☐   1,5 ha   8 000   ❚❚❙❚♈ 30 à 49 F

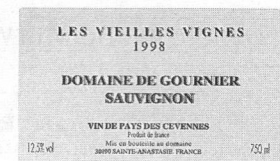

LES VIEILLES VIGNES
1998

DOMAINE DE GOURNIER
SAUVIGNON

VIN DE PAYS DES CÉVENNES
Produit de France

12,5% vol   Mis en bouteille au domaine   750 ml
30190 SAINTE-ANASTASIE FRANCE

De tels vins ne se rencontrent pas sous le pas d'un cheval. C'est au cœur des Cévennes, à mi-chemin entre Nîmes et le pont du Gard qu'il est élaboré. Sa superbe robe d'or brille de reflets verts. Au nez, des senteurs de fleurs blanches, de fruits exotiques et une pointe de fumé s'expriment avec intensité et finesse. La bouche réalise l'harmonie parfaite. L'élégance même. La cuvée Templière rouge 98 obtient une citation.
☛ SCEA Barnouin, Dom. de Gournier, 30190 Boucoiran, tél. 04.66.81.20.28, fax 04.66.81.22.43 ☑ ♈ r.-v.

Coteaux d'Ensérune

LES VIGNERONS DU PAYS D'ENSÉRUNE Chardonnay 1999★★

☐ 20 ha 30 000 🍶 🍷 20 à 29 F

Belle robe claire, limpide et brillante pour ce remarquable chardonnay au nez fin et floral. La bouche bien équilibrée, ample et charnue offre une palette aromatique de bonne persistance. Un vin tout en harmonie, à boire dès à présent pour le plaisir.
🖙 Les vignerons du Pays d'Ensérune, 235, av. Jean-Jaurès, 34370 Maraussan, tél. 04.67.90.09.82, fax 04.67.90.09.55 ☑ 🍷 r.-v.

Cassan

DOM. SAINTE MARTHE
Syrah Elevé en fût de chêne 1999★★★

■ 3 ha 15 000 ◖▮▮◗ 20 à 29 F

Olivier Bonfils a élevé et vinifié ces deux vins issus de syrah, dont une seule, celle-ci, a connu le fût et hisse le domaine bien haut. La couleur est très belle, violine, intense, profonde. Le nez, finement boisé, marie notes de fruits mûrs et de torréfaction. Le palais est doté d'une matière ample et charnue, aromatique. L'ensemble est d'une exceptionnelle harmonie. Il serait dommage de ne pas attendre un vin quelque temps. La **syrah 99**, non élevée en fût, a reçu deux étoiles.
🖙 Olivier Bonfils, Dom. de Sainte-Marthe, rte Pouzolles, 34380 Roujan, tél. 04.67.93.10.10, fax 04.67.93.10.05

Haute vallée de l'Orb

DOM. DE LA CROIX RONDE
Cuvée spéciale 1998★

■ 1,5 ha 6 000 🍶 🍷 30 à 49 F

Salué de nombreuses fois par notre Guide, ce domaine séduit cette année encore avec ce vin vêtu d'une robe rouge à reflets tuilés. Il offre un nez aromatique, puissant, floral, qu'égayent quelques notes de miel. La bouche, ample, onc-

tueuse, aux arômes complexes et persistants de garrigue, est à l'avenant. Equilibre et harmonie sont au rendez-vous.
🖙 François Pottier, Dom. de La Croix Ronde, 34260 La Tour-sur-Orb, tél. 04.67.95.35.05, fax 04.67.95.37.16 ☑ 🍷 t.l.j. sf dim. 10h-12h 15h-19h

Provence, basse vallée du Rhône, Corse

Majorité de vins rouges dans cette vaste zone, constituant 70 % des 700 000 hl produits dans les départements de la région administrative Provence-Alpes-Côte d'Azur. Les rosés (25 %) sont surtout issus du Var, et les blancs, du Vaucluse et du nord des Bouches-du-Rhône. On retrouve dans ces régions la diversité des cépages méridionaux, mais ceux-ci sont rarement utilisés seuls ; selon des proportions variables et en fonction des conditions climatiques et pédologiques, ils sont employés avec des cépages plus originaux, d'ancienne tradition locale ou, au contraire, d'origine extérieure : counoise et roussanne du Var, par exemple, pour les premiers ; cabernet-sauvignon ou merlot, cépages bordelais pour les seconds, auxquels s'ajoute la syrah venue de la vallée du Rhône. Les dénominations départementales s'appliquent au Vaucluse, aux Bouches-du-Rhône, au Var, aux Alpes-de-Haute-Provence, aux Alpes-Maritimes et aux Hautes-Alpes ; les dénominations sous-régionales ou locales sont les suivantes : principauté d'Orange, Petite Crau (au sud-est d'Avignon), Mont Caumes (à l'ouest de Toulon), Argens (entre Brignoles et Draguignan, dans le Var), Maures, Coteaux du Verdon (Var), Aigues (Vaucluse), reconnues récemment, et île de Beauté (Corse).

Ile de Beauté

A CANTINA 1999

☐ 2 ha 2 000 20 à 29 F

Alain Courrèges propose un vin atypique pour la région. Celui-ci est très marqué par des arômes muscatés intenses au nez et en bouche. Il laisse une impression de gras équilibré par une acidité correcte.

VDP

☞ Alain Courrèges, A Cantina,
20123 Cognocoli, tél. 04.95.24.35.54,
fax 04.95.24.38.07 ⵏ r.-v.

LES POLYPHONIES DE CÉPAGES
Merlot 1999★★

| ■ | n.c. | 400 000 | ■ ♦ | - de 20 F |

Dans la collection les Polyphonies de cépages,
le merlot 99 se distingue particulièrement. D'une
très belle couleur rubis, il livre des arômes épicés
soutenus par des notes animales, puis une bouche veloutée, structurée autour de tanins fins et
ronds. A boire ou à attendre encore un an pour
en profiter pleinement. Le **chardonnay 99 de cette
gamme** obtient une citation.
☞ Union de Vignerons de L'Ile de Beauté,
Cave coop. d'Aléria, 20270 Aléria,
tél. 04.95.57.02.48, fax 04.95.57.09.59 ☑ ⵏ r.-v.

DOM. DE LISCHETTO
Chardonnay 1999★★

| ☐ | 60 ha | 140 000 | 20 à 29 F |

Ce chardonnay 99, d'une belle couleur pâle,
offre un nez très aromatique marqué par les agrumes. L'impression fruitée se confirme en bouche,
accompagnée de notes de tilleul. Equilibré, gras,
ce vin possède une belle longueur. Quant au **chardonnay 99 Domaine de Saline**, il reçoit également
une étoile pour sa belle structure et ses arômes
de fleurs blanches et d'acacia.
☞ Cave coop. de La Marana, Rasignani,
20290 Borgo, tél. 04.95.58.44.00,
fax 04.95.38.38.10 ☑

MONTE MARE 1999★

| ◿ | n.c. | n.c. | ■ | - de 20 F |

Ce rosé à la robe pâle orangée se dégustera
avec plaisir par les belles journées d'un automne
indien, tant son fruité agréable est en harmonie

avec une bouche équilibrée et d'une belle longueur. Cité, le **rosé Gaspa Mora 99** fait preuve
d'équilibre et d'une plus grande présence en bouche qu'au nez.
☞ Cave de Saint-Antoine, 20240 Ghisonaccia,
tél. 04.95.56.61.00, fax 04.95.56.61.60 ⵏ r.-v.

DOM. DU MONT SAINT-JEAN
Aleatico 1999★

| ■ | 7 ha | 30 000 | ■ ♦ | 20 à 29 F |

Cet aleatico 99 offre l'occasion de découvrir
un cépage corse rare. Il présente une robe cerise,
un nez fleuri et fruité, une bouche harmonieuse
aux arômes très particuliers. Une curiosité qui ne
laisse pas indifférent. A déguster avec de la charcuterie corse. Le **chardonnay 99** du domaine du
Mont Saint-Jean est cité par le jury.
☞ SCA Dom. Mont Saint-Jean, Campo
Quercio, 20270 Aléria, tél. 04.95.38.59.96,
fax 04.95.38.50.29, e-mail roger.pouyau@wana-
doo.fr
☞ Roger Pouyau

DOM. DE PETRAPIANA Merlot 1998★★

| ■ | 5 ha | n.c. | ■ ♦ | 20 à 29 F |

Une remarquable réussite à tous les niveaux.
La générosité annoncée par une belle robe grenat
et des arômes variés de fruits rouges mariés à des
notes animales et balsamiques se confirme à travers l'expression d'une bouche concentrée et
structurée. Ce vin charpenté, aux tanins puissants, peut encore évoluer en s'assouplissant.
☞ Poli, Linguizzetta, 20230 San Nicolao,
tél. 04.95.38.86.38, fax 04.95.38.94.71 ☑ ⵏ r.-v.

TERRA VECCHIA 1999★★

| ◿ | 70 ha | n.c. | ■ ♦ | - de 20 F |

Avec une robe d'un beau rosé, un nez fin,
délicatement floral et fruité, ce vin très élégant
séduit grâce à une bouche équilibrée et harmo-

nieuse. Il est à boire dès à présent. Quant au **Terra Vecchia rouge 98** - assemblage de cabernet-sauvignon et de niellucciu -, il est tout aussi remarquable par son beau fruité en harmonie avec une bouche structurée et ample (50 à 69 F). Enfin le **Terra Vecchia de vermentino 99** (20 à 29 F) est cité.

🔾 SICA Coteaux de Diana, Les vins Skalli, Dom. Terra Vecchia, 20270 Tallone, tél. 04.95.57.20.30, fax 04.95.57.08.98 ☗ t.l.j. sf sam. dim. 9h-13h 14h-18h

Principauté d'Orange

DOM. FOND CROZE Merlot 1999

| ■ | 2 ha | 1 200 | 🔾↓ | 20 à 29 F |

Au-delà de son abord rustique conféré par des tanins présents, le jury a retenu ce merlot en reconnaissant son potentiel qualitatif et en misant sur une évolution de la matière, ce qui demandera un peu de patience (un ou deux ans). Sachez attendre ce vin qui n'a pas voulu être flatteur avant l'heure. A réserver aux viandes rouges et à la daube provençale.

🔾 Dom. Fond Croze, Le Village, 84290 Saint-Roman-de-Malegarde, tél. 04.90.28.94.30, fax 04.90.28.94.30, e-mail a-long@cub-internet.fr ☗ ☗ r.-v.
🔾 Daniel et Bruno Long

DOM. DE FONTAVIN 1999

| ■ | n.c. | 3 000 | 🔾↓ | 20 à 29 F |

Saluons cette première mise en bouteilles d'un vin issu de grenache et de carignan, dont le bel équilibre et le fondu ont été très appréciés. Le nez est légèrement épicé, grenache oblige (70 %). Très agréable, à boire dès maintenant avec une grillade.

🔾 EARL Hélène et Michel Chouvet, Dom. de Fontavin, 1468, rte de la Plaine, 84350 Courthézon, tél. 04.90.70.72.14, fax 04.90.70.79.39 ☗ ☗ t.l.j. sf dim. 9h-12h30 13h30-19h

DOM. DE LA BERTHETE 1999

| ■ | 3 ha | 25 000 | 🔾↓ | - de 20 F |

Issus de trois cépages méditerranéens typiques (grenache, cinsault et syrah), ce Domaine de la Berthète est l'archétype du vin de pays plaisant, amical. Vous en apprécierez le fruité (nez et bouche), le caractère léger et gouleyant. N'hésitez pas à le goûter entre amis autour d'une grillade ou d'un plateau de charcuteries.

🔾 Pascal Maillet, Dom. de la Berthète, rte de Jonquières, 84850 Camaret, tél. 04.90.37.22.41, fax 04.90.37.74.55 ☗ ☗ t.l.j. sf sam. dim. 10h-12h 14h-18h; f. août

DOM. DE LA JANASSE 1998★

| ■ | 5 ha | 40 000 | 🔾◗↓ | 50 à 69 F |

Notez-le : ce vin a du caractère. Son nez encore un peu fermé libère cependant des notes animales (venaison). En bouche, la matière est riche, chaleureuse. Les tanins sont présents mais de bonne éducation. Un beau vin de pays, à l'opposé du style gouleyant, à réserver aux viandes grillées ou en sauce, et aux fromages.

🔾 EARL Aimé Sabon, 27, chem. du Moulin, 84350 Courthézon, tél. 04.90.70.86.29, fax 04.90.70.75.93 ☗ ☗ t.l.j. 8h-12h 14h-19h; sam. dim. sur r.-v.

Mont-Caume

DOM. DU PEY-NEUF 1999★

| ☐ | 1 ha | n.c. | 🔾↓ | 20 à 29 F |

Une belle intensité aromatique au nez et en bouche a séduit les dégustateurs. L'harmonie et l'équilibre d'ensemble ajoutent au plaisir... qui serait encore plus marqué si la finale en bouche était plus persistante.

🔾 Guy Arnaud, Dom. du Pey-Neuf, 367, rte de Sainte-Anne, 83740 La Cadière-d'Azur, tél. 04.94.90.14.55, fax 04.94.26.13.89 ☗ ☗ r.-v.

Maures

DOM. DE REILLANNE Plan Genet 1999★

| ◢ | 7 ha | 60 000 | 🔾↓ | - de 20 F |

Jolie robe rose saumonée très pâle, limpide et brillante pour ce vin de pays des Maures. Le nez est marqué par les agrumes, dans un registre très plaisant, tout en finesse. La bouche est franche en attaque pour laisser ensuite le sentiment d'un bel équilibre, avec une jolie rondeur. Pour ne pas interrompre le plaisir, la finale est de bonne longueur. Ce 99 accompagnera toute la cuisine provençale.

🔾 Comte G. de Chevron-Villette, Ch. Reillanne, rte de Saint-Tropez, 83340 Le Cannet-des-Maures, tél. 04.94.50.11.70, fax 04.94.47.92.06 ☗ ☗ t.l.j. sf sam. dim. 8h-12h 14h-17h

Argens

DOM. LUDOVIC DE BEAUSEJOUR 1999

| ◢ | 2,7 ha | 26 000 | 🔾↓ | 20 à 29 F |

Découvrez ce rosé à la robe saumoné intense et au nez légèrement dominé par des notes grillées (pain grillé et brioche). Il sera à son aise sur des crudités ou de la charcuterie.

🔾 Dom. Ludovic de Beauséjour, La Basse Maure, rte de Salernes, 83510 Lorgues, tél. 04.94.50.91.91, fax 04.94.68.46.53 ☗ ☗ r.-v.
🔾 Maunier

Vaucluse

CANORGUE Viognier 1999★★

| | 2 ha | 9 000 | 50 à 69 F |

Le ramage vaut le plumage : l'étiquette belle et singulière annonce effectivement un superbe cépage viognier. C'est jaune paille, c'est très expressif dans des notes à la fois florales (violette) et fruitées (abricot) au nez. Très ample, avec beaucoup de gras et une très belle longueur, un tel vin peut étonner sur la cuisine salée-sucrée.
☛ EARL J.-P. et M. Margan, Ch. La Canorgue, 84480 Bonnieux, tél. 04.90.75.81.01, fax 04.90.75.82.98 ☑ ϒ r.-v.

DOM. DE COMBEBELLE 1999★★

| | 4 ha | 2 500 | 20 à 29 F |

Les cépages sont « classiques » (grenache, cinsault à parts égales) et le savoir-faire est évident. Le nez est très puissant, marqué par les fruits rouges (fraise). La bouche est ample, ronde et persistante tant les fruits rouges sont présents (fraise, framboise). Une belle longueur et un réel équilibre pour ce rosé digne d'accompagner de savoureuses côtelettes d'agneau... provençal bien sûr.
☛ Eric Sauvan, Dom. de Combebelle, 26110 Piegon, tél. 04.75.27.18.96, fax 04.75.27.15.62 ☑ ϒ t.l.j. 9h-12h15 14h-19h

DOM. DURIEU 1998

| | 10,74 ha | n.c. | 20 à 29 F |

Deux cépages bordelais (merlot et cabernet) au pays du châteauneuf-du-pape... pour nous régaler de ce vin de pays à la bouche souple, équilibrée, ponctuée de senteurs de sous-bois et de notes de réglisse. A boire sans attendre inutilement davantage, en l'accordant à des charcuteries ou à une grillade.
☛ Paul Durieu, 10, av. Baron-le-Roy, 84230 Châteauneuf-du-Pape, tél. 04.90.37.28.14, fax 04.90.37.76.05 ☑ ϒ r.-v.

JOANIS Chardonnay et ugni blanc 1999

| | 10 ha | 50 000 | 30 à 49 F |

Une robe très pâle habille ce « bi-cépage » au nez très agréable et floral. Bonne attaque en bouche pour ce vin qui offre de la rondeur, du gras. Bonne persistance aromatique (pêche) pour une finale assez chaleureuse. Mariage en vue avec coquillages et poissons.
☛ SC du Ch. Val Joanis, Ch. Val Joanis, 84120 Pertuis, tél. 04.90.79.20.77, fax 04.90.09.69.52, e-mail val-joanis@luberon.com ☑ ϒ t.l.j. 10h-12h 14h-18h

DOM. DE LA BASTIDONNE
Chardonnay 1999★

| | 1,12 ha | 2 500 | 30 à 49 F |

La belle expression de cette cuvée de chardonnay a séduit le jury. Le nez élégant mêle des notes d'agrumes, de fruits secs et d'ambre. Le cépage bourguignon a su garder de la vivacité, ce qui n'est pas si fréquent dans la région. Bel équilibre et arômes persistants en finale caractérisent la dégustation en bouche.

☛ SCEA Dom. de La Bastidonne, 84220 Cabrières-d'Avignon, tél. 04.90.76.70.00, fax 04.90.76.74.34 ☑ ϒ t.l.j. sf dim. 9h-12h 14h-18h
☛ Gérard Marreau

DOM. DE LA CITADELLE
Viognier 1999★★

| | 1,4 ha | 7 300 | 50 à 69 F |

Remarquable réussite dans le millésime 99. Ce viognier typé possède un nez très ouvert sur des notes d'abricot et d'agrumes. C'est ample, gras et le fruit est bien présent en bouche. Belle longueur pour finir. Essayez donc ce vin sur des gambas grillées.
☛ Dom. de La Citadelle, 84560 Ménerbes, tél. 04.90.72.41.58, fax 04.90.72.41.59, e-mail citadelle@pacwar.fr ☑ ϒ r.-v.

DOM. LA TUILIERE
Réserve du chasseur 1998★★

| | 3 ha | 16 000 | 20 à 29 F |

Quelle robe noire, dense, à reflets violacés... promesse d'un plaisir qui est tenu, tant le nez (notes de réglisse et parfums de garrigue) et la bouche, au si bel équilibre, entre des tanins concentrés et bien enrobés et cette impression de gras, de velours, s'accordent. Cette intensité du potentiel est due à une belle maturité des raisins, n'en doutons pas. A boire dès cet automne mais une garde de cinq ans est envisageable.
☛ Dom. La Tuilière, rte D.60, 84220 Murs, tél. 04.90.05.73.03, fax 04.90.05.78.07, e-mail domaine@la-tuiliere.com ☑ ϒ t.l.j. sf dim. 9h-12h 14h-20h

DOM. DE LA VERRIERE
Viognier Elevé en fût de chêne 1999

| | 0,5 ha | 3 300 | 30 à 49 F |

Le Guide réussit bien à ce domaine qui, cette fois-ci encore, sort du lot. Ce viognier a tout à la fois de la vivacité et de l'ampleur... mais l'harmonie devra se faire entre le boisé bien présent (vanille) et l'expression du cépage. Patientez, vous ne serez pas déçu.
☛ Jacques Maubert, Dom. de La Verrière, 84220 Goult, tél. 04.90.72.20.88, fax 04.90.72.40.33 ☑ ϒ t.l.j. sf dim. 9h-12h 14h-18h

DOM. LES TERRASSES D'EOLE
Viognier 1999★

| | 1 ha | 6 600 | 30 à 49 F |

Le nez manque un peu d'intensité mais offre une palette très subtile. En bouche, ce viognier affiche du gras et une rondeur flatteuse. La persistance aromatique est nette en finale pour ce vin de cépage d'assez bonne longueur en bouche. Pour l'apéritif, les viandes blanches ou les plats salés-sucrés.
☛ Dom. Les Terrasses d'Eole, 468, chem. de Banay, 84380 Mazan, tél. 04.90.69.78.63, fax 04.90.69.78.63, e-mail terrasses.eole@online.fr ☑ ϒ t.l.j. 9h-12h 14h-18h; f. 1ᵉʳ sep.-15 oct.

DOM. DE MAROTTE 1999

☐   5 ha   35 000   🍴 📶 30 à 49 F

Une jolie robe or blanc pour carte de visite.
Faisons connaissance : le nez est complexe avec,
en dominante, des notes d'agrumes. La bouche
est vive mais aussi assez aromatique (encore sur
les agrumes). A déguster à l'apéritif ou sur des
poissons grillés.
🍷 EARL La Reynarde, Dom. de Marotte, petit
chem. de Serres, 84200 Carpentras,
tél. 04.90.63.43.27, fax 04.90.67.15.28,
e-mail marotte@wanadoo.fr ☑ ⵊ t.l.j. sf lun.
10h-13h 15h-19h; f. jan. fev.

MAS GRANGE BLANCHE 1999

■   5 ha   25 000   🍴 📶 20 à 29 F

A la base de ce vin de pays, la trilogie de
cépages provençaux grenache-cinsault-syrah. Le
nez aux notes finement vanillées et la belle harmonie d'ensemble procurent du plaisir, dans un
registre de sensations certes mesurées mais réelles.
🍷 EARL Cyril et Jacques Mousset,
Ch. des Fines Roches, 84230 Châteauneuf-du-
Pape, tél. 04.90.83.73.10, fax 04.90.83.50.78,
e-mail domaines-mousset@enprovence.com
☑ ⵊ t.l.j. 10h-18h; f. jan. fév.

DOM. MEILLAN-PAGES
Sauvignon 1999★★★

☐   1,57 ha   6 000   ■ 20 à 29 F

Superbe sauvignon très expressif (fleur de
sureau, agrumes et fruits à chair blanche). Une
bouche idéalement équilibrée, tout en fruit pour
rendre la pareille aux impressions olfactives.
Quel beau mariage en vue sur un poisson ou des
coquillages !
🍷 Jean-Pierre Pagès, Quartier La Garrigue,
84580 Oppède, tél. 04.90.76.94.78,
fax 04.90.76.94.78 ☑ ⵊ t.l.j. 10h-12h 13h30-20h

LES VIGNERONS DU
MONT-VENTOUX Merlot 1998★

■   1,9 ha   20 000   🍴 📶 20 à 29 F

Ce vin de cépage merlot a beaucoup plu tant
son expression est typée. Il se distingue par sa
finesse et son élégance. En bouche, l'amateur
découvrira une jolie matière aux tanins fins,
soyeux et parfaitement fondus. A servir sur des
viandes rouges grillées.
🍷 SCA Les Vignerons du Mont Ventoux,
quartier de la Salle, 84410 Bédoin,
tél. 04.90.12.88.00, fax 04.90.65.64.43 ☑ ⵊ r.-v.

JEAN-PIERRE SERGUIER Numéro 01★

■   3 ha   20 000   🍴 📶 50 à 69 F

Exercice de style que ce Numéro 01 très réussi.
Le producteur a conçu cette cuvée avec l'espoir
que plusieurs cépages assemblés dans des millésimes différents (96, 98 et 99) conjugueraient leur
expression vers un peu plus de complexité. C'est
effectivement fin, expressif et bien structuré. A
recommander sans hésitation sur une belle côte
à l'os.
🍷 Jean-Pierre Serguier, Ch. Simian,
84420 Piolenc, tél. 04.90.29.50.67,
fax 04.90.29.62.33 ☑ ⵊ t.l.j. sf dim. 8h30-12h
14h-19h

DOM. DU VIEUX CHENE
Cuvée d'Or 1999★

☐   1 ha   n.c.   ◖◗ 30 à 49 F

Cette Cuvée d'Or, à la robe jonquille teintée
de reflets verts, s'ouvre sur un nez assez
complexe. En bouche, il y a de l'ampleur et de
la vivacité. Si la note vanillée est finement présente (passage en fût), on reconnaîtra des arômes
plus discrets de thym et de citron vert. Une belle
longueur en bouche apporte la conclusion de la
dégustation.
🍷 Jean-Claude et Béatrice Bouche,
rte de Vaison-la-Romaine, 84850 Camaret-sur-
Aigues, tél. 04.90.37.25.07, fax 04.90.37.76.84,
e-mail contact@bouche-duvieuxchene.com
☑ ⵊ t.l.j. sf dim. 9h-12h 14h-18h

Bouches-du-Rhône

DOM. DES GAVELLES 1999

■   0,95 ha   10 000   ◖◗ 20 à 29 F

La dominante grenache (80 % annoncés)
confère à ce vin un nez légèrement épicé, ainsi
qu'une plaisante rondeur en bouche. Joliment
souple et suffisamment persistant à la dégustation, ce vin est bien fait.
🍷 Ch. des Gavelles, 165, chem. de Maliverny,
13540 Puyricard, tél. 04.42.92.06.83,
fax 04.42.92.24.12,
e-mail mail@chateaudesgavelles.com ☑ ⵊ t.l.j.
9h30-12h30 15h-19h
🍷 J. et B. de Roany

DOM. GRAND MAS DE LANSAC
1999★

◣   5 ha   8 000   🍴 📶 - de 20 F

Deux cépages bordelais (merlot et cabernet-
sauvignon) ont été retenus par les frères Montagnier pour l'élaboration de ce rosé, à la belle robe
saumoné soutenu. Très floral au nez (aubépine),
le vin continue d'enchanter en bouche par sa
rondeur et son tonus aromatique (notes florales,
arômes de miel, d'acacia).
🍷 Jean et Michel Montagnier, Dom. du Grand
Mas de Lansac, 13150 Tarascon,
tél. 04.90.91.35.70, fax 04.90.91.41.18 ☑ ⵊ t.l.j.
sf dim. lun. 9h-12h 14h-18h

DOM. LA COSTE Merlot 1999

■   6 ha   30 000   ■ ♦   20 à 29 F

Ce sont la souplesse, la rondeur et cette belle impression d'équilibre qui ont retenu l'attention, car le nez est encore peu intense et la typicité du cépage peu définie. L'originalité de la bouteille et de l'étiquette est à souligner.
•┐GFA du Ch. La Coste, CD 14, 13610 Le Puy-Sainte-Réparade, tél. 04.42.61.89.98, fax 04.42.61.89.41 ☑ ℐ r.-v.

DOM. DE LANSAC Aubun 1999

◢   4 ha   2 500   ■ ♦   20 à 29 F

Issu du seul cépage aubun (vieux cépage provençal), ce rosé de saignée offre ses arômes légèrement amyliques au nez (bonbon anglais) avant de rafraîchir le palais par son côté vif mais plaisant. Quelques notes aromatiques en finale (cerise) finissent de rendre ce vin bien sympathique.
•┐Eléonore de Sabran-Pontevès, Dom. de Lansac, 13150 Tarascon, tél. 04.90.91.38.38, fax 04.90.91.38.38 ☑

DOM. DE L'ILE SAINT PIERRE
Chardonnay 1999★

□   30 ha   100 000   ■ ♦   20 à 29 F

Ce chardonnay procurera bien du plaisir. Outre sa belle couleur à reflets verts et son nez tout en finesse sur des pointes florales, il offre une belle attaque acidulée aux arômes de noisette avec une longueur aromatique indéniable (notes de beurre). C'est joliment typé et élégant.
•┐Marie-Cécile et Patrick Henry, Dom. de Boisviel-Saint-Pierre, Mas Thibert, 13104 Arles, tél. 04.90.98.70.30, fax 04.90.98.74.93 ☑ ℐ r.-v.

MAS DE REY Caladoc 1999★

◢   10 ha   20 000   ■ ◖❙❘ ♦   30 à 49 F

Patrick Mazzoleni porte un grand intérêt aux cépages méditerranéens issus de croisements (caladoc, chasan, marselan). En 1999, c'est le caladoc (grenache noir x cot) vinifié en rosé qui semble être le plus accompli. Robe saumon, belle intensité au nez (groseille) et harmonie en bouche (fraîche et ronde) sur des notes aromatiques persistantes (groseille et grenade).
•┐Mazzoleni, SCA Mas de Rey, Trinquetaille, 13200 Arles, tél. 04.90.96.11.84, fax 04.90.96.59.44, e-mail mas.de.rey@provnet.fr ☑ ℐ t.l.j. 9h-12h 14h-19h; f. dim. de nov. à mars

LES VIGNERONS DU ROY RENE
Cabernet-sauvignon 1999★

■   20 ha   40 000   ■ ♦   - de 20 F

Les dégustateurs ont eu le sentiment que les raisins avaient été cueillis et vinifiés à la plénitude de l'expression du cépage. La belle robe pourpre, le nez intense (qui ne tire pas sur les notes standardisées de poivron vert) et les notes de confiture (mûre, myrtille) que l'on découvrent en bouche, participent au plaisir que ce cabernet procure. La daube provençale lui est destinée.

•┐Les Vignerons du Roy René, R.N. 7, 13410 Lambesc, tél. 04.42.57.00.20, fax 04.42.92.91.52 ☑ ℐ t.l.j. sf dim. 8h-12h 14h-18h

DOM. DE VALDITION
Tête de cuvée 1999★

□   4 ha   7 000   ■   20 à 29 F

Un très joli vin dont il faut souligner l'équilibre. La note acidulée (fraîcheur en bouche) est soutenue par une certaine étoffe et la finale ne manque pas de persistance. Quant au nez, il est marqué par des arômes de fruits à chair blanche (pêche).
•┐Hubert Somm, GFA du Dom. de Valdition, rte d'Eygalières, 13660 Orgon, tél. 04.90.73.08.12, fax 04.90.73.05.95, e-mail valdition@wanadoo.fr ☑

Var

LE MAS DES ESCARAVATIERS
1999★★

□   2,51 ha   15 000   ■ ♦   - de 20 F

Est-il besoin de se perdre en de vains qualificatifs ? Laissez-vous aller à vos émotions... Equilibre, finesse et harmonie ! Vous en conviendrez. Le mariage avec les produits de la mer est évident, de même qu'une dégustation à l'apéritif.
•┐SCEA Domaines B.-M. Costamagna, Dom. des Escaravatiers, 83480 Puget-sur-Argens, tél. 04.94.19.88.22, fax 04.94.45.55.83, e-mail escaravatier@caves-particulieres.com ☑ ℐ r.-v.

DOM. DE GASQUI 1999★

■   5 ha   40 000   ■ ♦   - de 20 F

Incontestablement le jury a été séduit par le côté « typé primeur » tant les arômes de fruits rouges sont présents en rétro-olfaction. C'est floral au nez, souple et de belle longueur en bouche. Un beau travail de vigneron à retenir... en complément de la visite du village des Tortues ou inversement.
•┐SCEA Ch. Gasqui, rte de Flassans, 83590 Gonfaron, tél. 04.94.78.23.14, fax 04.94.78.27.16 ☑ ℐ t.l.j. 9h-18h

DOM. DE TRIENNES Réserve 1996

■   5 ha   25 000   ■ ◖❙❘   50 à 69 F

Cette Réserve, élaborée à 75 % à partir de cabernet-sauvignon, se présente sous une robe légèrement tuilée. Au nez, dominent des senteurs de cuir et des notes animales, tandis qu'en bouche, malgré une finale austère, la tonalité est davantage axée sur des fruits surmûris, confits.
•┐Dom. de Triennes, RN 560, 83860 Nans-les-Pins, tél. 04.94.78.91.46, fax 04.94.78.65.04 ☑ ℐ r.-v.

Hautes-Alpes

LA VALSERROISE Chardonnay 1999

| □ | 12 ha | 80 000 | 🍾⚬ 20 à 29 F |

Voilà une bien sympathique bouteille pour un apéritif entre amis ou en accompagnement des produits de la mer. Quelques jolis reflets verts, un nez floral bien marqué, une bouche finement acidulée... il ne manque qu'un peu de longueur à ce vin.

➥Cave coop. La Valserroise, 05130 Valserres, tél. 04.22.54.33.02, fax 04.92.54.31.34 ✉ ⌇ t.l.j. 8h-12h 14h-18h

Alpes-Maritimes

GEORGES ET DENIS RASSE
Cuvée Longo Maï Elevé en fût de chêne 1997★★

| ■ | 1 ha | 2 500 | 🍾⚬ 50 à 69 F |

Du pur plaisir que cette cuvée Longo Maï. Au nez et en bouche, vous êtes en prise directe avec des pruneaux macérés dans l'eau-de-vie, mais dans un registre subtil ! L'élevage sous bois, bien maîtrisé, est en totale harmonie avec la matière dont vous apprécierez en outre l'assez belle longueur. A boire pour un plaisir immédiat ou à garder encore... pour voir.

➥Georges et Denis Rasse, Hautes Collines, 800, chem. des Sausses, 06640 Saint-Jeannet, tél. 04.93.24.96.01, fax 04.93.24.96.01 ✉ ⌇ r.-v.

Alpes et pays rhodaniens

De l'Auvergne aux Alpes, la région regroupe les huit départements de Rhône-Alpes et le Puy-de-Dôme. La diversité des terroirs y est donc exceptionnelle et se retrouve dans l'éventail des vins régionaux. Les cépages bourguignons (pinot, gamay, chardonnay) et les variétés méridionales (grenache, cinsault, clairette) se rencontrent. Ils côtoient les enfants du pays que sont la syrah, la roussanne, la marsanne dans la vallée du Rhône, mais aussi la mondeuse, la jacquère ou le chasselas en Savoie, ou encore l'étraire de la Dui et la verdesse, curiosités de la vallée de l'Isère. L'usage des cépages bordelais (merlot, cabernet, sauvignon) se développe également, enrichissant encore la gamme des vins.

Dans une production en progression, atteignant 450 000 hl, l'Ardèche et la Drôme contribuent largement à la primauté des rouges ; la tendance est partout à l'élaboration de vins de cépage pur. Ain, Ardèche, Drôme, Isère et Puy-de-Dôme sont les cinq dénominations départementales. Huit dénominations régionales couvrent la région : Allobrogie (Savoie et Ain, 7 000 hl de blancs, en forte majorité), coteaux du Grésivaudan (moyenne vallée de l'Isère, 2 000 hl), Balmes dauphinoises (Isère, 1 000 hl), Urfé (vallée de la Loire entre Forez et Roannais, 2 000 hl), collines rhodaniennes (10 000 hl, majorité de rouges), comté de Grignan (sud-ouest de la Drôme, 25 000 hl, rouges surtout), coteaux des Baronnies (sud-est de la Drôme, 35 000 hl de rouges) et coteaux de l'Ardèche (320 000 hl en rouge, rosés et blanc).

Il existe également deux vins de pays de grande zone. Un vin de pays régional, créé en 1989 - les Comtés rhodaniens (environ 25 000 hl) -, produit sur les huit départements de la région Rhône-Alpes (Ain, Ardèche, Drôme, Isère, Loire, Rhône, Savoie, Haute-Savoie). Et un vin de pays créé en 1999, dénommé Portes de Méditerranée, produit sur sept départements (Alpes-de-Haute-Provence, Hautes-Alpes, Alpes-Maritimes, Ardèche, Drôme, Var et Vaucluse).

Allobrogie

LE CELLIER DE JOUDIN
Chardonnay 1999

| □ | 1,2 ha | 10 000 | 🍾⚬ 20 à 29 F |

Dans cet îlot viticole aux portes des Alpes, sur des sols de marnes bien exposés, Pierre Demeure et son gendre savent allier technique œnologique et savoir-faire viticole. Les caractères du chardonnay sont bien exprimés dans ce 99 au nez intense et au bon équilibre.

VDP

➤ Demeure, GAEC Le Cellier de Joudin,
73240 Saint-Genix-sur-Guiers,
tél. 04.76.31.61.74, fax 04.76.31.61.74 ☑ ⛾ r.-v.

Isère

CAVE DES VIGNERONS RHODANIENS Merlot 1999★

| ■ | 2 ha | 5 000 | ⛾ 20 à 29 F |

Cette cave créée en 1929 a restructuré son vignoble dans les années 1960. Elle produit actuellement des vins de pays sur les coteaux caillouteux de la rive gauche du Rhône. Ce merlot 99, aux notes de réglisse et de fruits mûrs, propose une bouche persistante, veloutée. Vous pouvez également découvrir une **syrah 99** agréée en vin de pays des **Collines rhodaniennes**, qui présente déjà tous les atouts de cette variété.
➤ Cave des Vignerons Rhodaniens,
35, rue du Port-Vieux, 38550 Le Péage-de-Roussillon, tél. 04.74.86.57.87,
fax 04.74.86.57.95 ☑ ⛾ t.l.j. sf dim. lun. 8h-12h
14h-18h

Balmes dauphinoises

DOM. MEUNIER Chardonnay 1998

| ☐ | 1,8 ha | 17 000 | ⛾ 20 à 29 F |

Au nord de l'Isère, Gilbert Meunier a créé son vignoble en 1967. Depuis, il maintient avec force la tradition viticole. Vin original, ce chardonnay 98 aux senteurs de fruits secs est à consommer dès à présent.
➤ SCEA Dom. Meunier, 38510 Sermérieu,
tél. 04.74.80.15.81 ☑ ⛾ r.-v.

Coteaux du Grésivaudan

DOM. MAGNE Jacquère 1999★★

| ☐ | 0,6 ha | 5 333 | ⛾ 20 à 29 F |

Une dénomination peu connue mais qui possède des vins surprenants, comme celui-ci. Légèrement perlante, cette jacquère 99, cépage savoyard par excellence, emplit le nez de notes originales. Elle sera appréciée à l'apéritif mais accompagnera aussi les charcuteries (jambon cru, mortadelle par exemple).
➤ Michel Magne, Saint-André,
38530 Chapareillan, tél. 04.79.28.07.91,
fax 04.79.28.17.96 ☑ ⛾ r.-v.

Coteaux des Baronnies

DOM. LA ROSIÈRE Viognier 1998★★

| ☐ | 3 ha | 10 000 | ■ ⛾ 30 à 49 F |

Avec la même régularité depuis vingt ans, Serge Liotaud et son fils, partenaires depuis 1996, élaborent des vins expressifs. Ce viognier 98 en est un bel exemple. Complexité et finesse aromatique (abricot sec, agrumes...) se conjuguent avec un parfait équilibre en bouche. Ample, rond, doté d'une certaine fraîcheur, un vin à découvrir absolument. Le **cabernet-sauvignon 99**, charpenté, obtient une citation (20 à 29 F).
➤ EARL Serge Liotaud et Fils, Dom. La Rosière, 26110 Sainte-Jalle, tél. 04.75.27.30.36,
fax 04.75.27.33.69 ☑ ⛾ t.l.j. 8h-19h

DOM. DU RIEU FRAIS
Cabernet-sauvignon Cuvée Alexandre 1997★★

| | 5 ha | 18 000 | ⛾ 30 à 49 F |

Propriété familiale depuis 1983, ce vignoble bénéficie d'un terroir auquel le cabernet-sauvignon s'adapte merveilleusement. Au bout de douze mois d'élevage en fût de chêne, la cuvée Alexandre 97 aux notes de réglisse, de tabac, d'épices, de pruneau a atteint sa plénitude. Dégustez-la avec des gibiers ou des fromages des Baronnies.
➤ Jean-Yves Liotaud, Dom. du Rieu Frais,
26110 Sainte-Jalle, tél. 04.75.27.31.54,
fax 04.75.27.34.47, e-mail jean-yves.liotaud@wanadoo.fr ☑ ⛾ t.l.j. 8h-12h
14h-19h

Collines rhodaniennes

LES EGREVES 1999

| ■ | 4 ha | 27 000 | ⛾ 20 à 29 F |

Une bonne part de syrah (90 %), une touche de merlot ; voilà un bel assemblage. Ce vin aux senteurs de pivoine et de violette accompagnera agréablement une caillette de Chabreuil, spécialité charcutière locale.
➤ Dom. Pochon, Ch. de Curson,
26600 Chanos-Curson, tél. 04.75.07.34.60,
fax 04.75.07.30.27 ☑ ⛾ r.-v.

Coteaux de l'Ardèche

CAVE COOP. D'ALBA
Syrah Cuvée Prestige 1999★★

■   20 ha   55 000   🍴⚱ 30 à 49 F

Reconnue récemment pour sa régularité et son excellence, la cave d'Alba vinifie 610 ha de vignes. Elle vous fera découvrir une somptueuse syrah. Robe grenat, arômes puissants (épices, fruits rouges), ampleur et équilibre en bouche. Tout pour séduire. Notez que le jury a cité un **pinot 99 élevé en fût de chêne.**
☛ Cave coop. d'Alba, La Planchette, 07400 Alba-la-Romaine, tél. 04.75.52.40.23, fax 04.75.52.48.76 ☑ ⵘ t.l.j. sf dim. 9h-12h 13h30-18h

LES VIGNERONS ARDECHOIS
Cuvée privée 1998★★

■   n.c.   30 000   ⅲ 20 à 29 F

Les Vignerons ardéchois regroupent vingt-cinq caves coopératives du sud de l'Ardèche, engagées dans une démarche qualitative depuis trente ans qui leur permet d'offrir une palette de vins de qualité. Issue de différent cépages savamment assemblés, cette cuvée comblera les amateurs de vins évolués et finement boisés. **Syrah prestige 98,** **chardonnay Prestige 99** ont obtenu une citation alors que la **syrah rosé 99** (moins de 20 F) reçoit une étoile pour sa jolie couleur violine et ses parfums de petits fruits rouges.
☛ Les Vignerons ardéchois, B.P. 8, 07120 Ruoms, tél. 04.75.39.98.00, fax 04.75.39.69.48, e-mail uvica@uvica.fr ☑ ⵘ t.l.j. sf dim. 8h-12h 14h-19h

DOM. DE BOURNET
Cabernet-sauvignon Elevé en fût de chêne 1997★

■   2,5 ha   8 200   ⅲ 30 à 49 F

Ce domaine, propriété de la même famille depuis plusieurs siècles, propose un cabernet-sauvignon 97 puissant, élégant, aromatique où dominent les notes de tabac, de fumé, d'épices. Ce vin conviendra à une pièce de gibier.
☛ Dom. de Bournet, 07120 Grospierres, tél. 04.75.39.68.20, fax 04.75.39.06.96, e-mail domaine.debournet@advalvas.be ☑ ⵘ t.l.j. 9h-12h 14h-19h

DOM. DE CHAZALIS
Cuvée Richard Merlot 1999

■   4,5 ha   45 000   ⅲ 30 à 49 F

Elevée en fût de chêne et élaborée à partir de merlot, cette cuvée est typique du cépage : complexité aromatique, structure agréable (tanins bien forts). Elle ravira le palais dès maintenant.
☛ Champetier, Dom. de Chazalis, 07460 Beaulieu, tél. 04.75.39.32.09, fax 04.75.39.38.81 ☑ ⵘ r.-v.

DOM. DE COMBELONGE Merlot 1999★

■   1,74 ha   13 500   🍴⚱ - de 20 F

Situé au pied de Vinezac, village de caractère, ce domaine est une nouvelle fois présent dans le Guide. Vendangé manuellement, le merlot 99, d'une robe soutenue, exprime rondeur et suavité, confirmées par une bonne longueur en bouche.
☛ Denis Manent, SCEA Dom. de Combelonge, 07110 Vinezac, tél. 04.75.36.92.54, fax 04.75.36.99.59 ☑ ⵘ t.l.j. sf dim. 9h-12h 14h30-18h30

LOUIS LATOUR
Grand Ardèche Chardonnay 1998★★

☐   40 ha   150 000   ⅲ 50 à 69 F

La maison Louis Latour fondée à Beaune en 1797, installée sur les terres ardéchoises depuis 1979, produit des vins qui séduisent régulièrement les dégustateurs. Le millésime 98 a une couleur soutenue avec des nuances dorées, un nez puissant, marqué par des notes vanillées, minérales, suivi d'une bouche harmonieuse et ample. Il n'est pas sans rappeler certains grands vins.
☛ Maison Louis Latour, La Téoule, R.N. 102, 07400 Alba-la-Romaine, tél. 04.75.52.45.66, fax 04.75.52.49.19 ☑ ⵘ r.-v.

CUVEE TERRE DE GRES
Viognier 1999★

☐   20 ha   10 000   🍴⚱ 30 à 49 F

Implanté sur les terres de grès cévenoles, ce viognier est une belle réussite. D'une complexité aromatique étonnante (pêche, abricot sec, fruits exotiques, miel), il accompagnera hors-d'œuvre ou dessert. A découvrir également, un vin élaboré à partir d'un ancien cépage, le **chatus cuvée Monnaie d'or.**
☛ Cave coop. La Cévenole, Le Grillou, 07260 Rosières, tél. 04.75.39.52.09, fax 04.75.39.92.30 ☑ ⵘ r.-v.

CAVE DE VALVIGNERES Viognier 1999

☐   n.c.   10 000   🍴⚱ 30 à 49 F

Au cœur d'une superbe vallée, l'adaptation du viognier à ces terres est une réussite. D'une belle robe jaune, ce vin aux senteurs d'abricot et de pêche ne demande qu'à s'épanouir totalement. Rond et gras, il s'accordera avec les hors-d'œuvre.
☛ Cave coop. de Valvignères, quartier Auvergne, 07400 Valvignères, tél. 04.75.52.60.60, fax 04.75.52.60.33 ☑ ⵘ r.-v.

DOM. DES VIGNEAUX
Merlot et syrah 1998★★

| ■ | 0,6 ha | 3 600 | ⑪ | 20 à 29 F |

Cette exploitation, où trois générations se sont succédé, se distingue par cet excellent vin élevé en fût de chêne. Assemblage de cépages nobles - syrah et merlot - il éblouit par sa couleur pourpre aux nuances violines. Il réjouit les sens par ses arômes de pain grillé, café, épices, pruneau. En bouche, il révèle un bel et riche équilibre avec des tanins fondus.

☙ GAEC Serre de Gouy, Dom. des Vigneaux, 07400 Valvignères, tél. 04.75.52.51.91, fax 04.75.52.5i.91 ☑ ⚊ t.l.j. 8h-12h 13h-20h
☙ Gilbert Comte

Drôme

DOM. DU CHATEAU VIEUX
Cuvée Prestige 1998

| ■ | 0,3 ha | 1 800 | ⑪ | 30 à 49 F |

Ce domaine, créé en 1994, sauvegarde la tradition viticole sur les coteaux de Triors. 100 % syrah, ce vin rouge d'une belle couleur sombre brillante libère des notes de fruits rouges, d'épices et un léger boisé. Il accompagnera sans faillir viandes rouges ou fromages.

☙ Fabrice Rousset, Le Château Vieux, 26750 Triors, tél. 04.75.45.31.65, fax 04.75.45.31.65 ⚊ r.-v.

CAVE DE LA VALDAINE
Chardonnay 1999★

| ☐ | 21,15 ha | n.c. | ■ ♦ | 20 à 29 F |

A l'Est de Montélimar, cette cave coopérative poursuit sa rénovation. Dans un caveau de dégustation chaleureux, vous pourrez découvrir ses produits, et notamment ce chardonnay 99. Celui-ci a des accents fruités, floraux et allie discrétion et finesse. Servi avec poissons ou crustacés, il sera un parfait compagnon.

☙ Cave de La Valdaine, av. Marx-Dormoy, 26160 Saint-Gervais-sur-Roubion, tél. 04.75.53.80.08, fax 04.75.53.93.90 ☑ ⚊ r.-v.

Régions de l'Est

On trouvera ici des vins originaux, fort modestes, vestiges de vignobles décimés par le phylloxéra mais qui eurent leur heure de gloire, bénéficiant du voisinage prestigieux de la Bourgogne ou de la Champagne. Ce sont d'ailleurs les cépages de ces régions que l'on retrouve ici, avec ceux de l'Alsace ou du Jura, vinifiés le plus souvent individuellement ; les vins ont alors le caractère de leur cépage : chardonnay, pinot noir, gamay ou pinot gris (pour les rosés). Dans les assemblages, on leur associe parfois l'auxerrois.

Vins de pays de Franche-Comté, de la Meuse ou de l'Yonne, ils sont tous le plus souvent fins, légers, agréables, frais et bouquetés ; en augmentation, surtout pour les vins blancs, la production n'est encore que de 3 000 hl.

Saône-et-Loire

VIN DES FOSSILES Gamay 1999

| ■ | n.c. | 6 000 | ■ | 20 à 29 F |

Voici un vin agréable, de couleur rubis et au nez assez timide de prime abord. A l'aération, il développe toutefois des arômes d'épices. La bouche est vive et légère. A boire sans façons. A citer aussi l'auxerrois 99 qui révèle une palette aux notes d'anis et de réglisse.

☙ Jean-Claude Berthillot, Les Chavannes, 71340 Mailly, tél. 03.85.84.01.23 ☑

HAUT-BRIONNAIS Gamay 1999

| ■ | 3,5 ha | 26 000 | ■ | 20 à 29 F |

Sous une teinte rouge cerise, ce gamay livre des arômes de fraise et de framboise avec une nuance végétale. La bouche est légère, coulante et vive sur des arômes de cerise. Un vin original, assez rustique mais intéressant.

☙ Cave coop. Les Coteaux du Brionnais, 71340 Mailly, tél. 03.85.84.19.21, fax 03.85.84.19.21 ⚊ r.-v.

Franche-Comté

VIGNOBLE GUILLAUME
Chardonnay Vieilles vignes 1998★★

| ☐ | 2,5 ha | 14 000 | ⑪ | 30 à 49 F |

Habitué des coups de cœur, la maison Guillaume n'en est pas passée loin cette année avec ce chardonnay. C'est un vin typé, vêtu d'une robe jaune soutenu. Le nez puissant et complexe livre des notes de fruits secs, d'abricot. La bouche est agréable, marquée par un boisé harmonieux. Un vin de grande qualité et, selon un dégustateur, impressionnant pour un vin de pays ! Très réussi, le pinot noir 98 (20 à 29 F) est un vin rond et structuré, aux arômes de fruits rouges, de réglisse et d'épices. Quant au pinot noir Vieilles vignes 98, il est cité pour son nez intense, animal et boisé, et son bon volume en bouche.

☙ Vignoble Guillaume, Charcenne, 70700 Charcenne, tél. 03.84.32.80.55, fax 03.84.32.84.06 ☑ ⚊ r.-v.

Meuse

E. ET PH. ANTOINE 1999★

☐	1 ha	7 000	🍶	20 à 29 F

Cet assemblage d'auxerrois et de chardonnay se présente sous une robe dorée et dévoile des arômes floraux et fruités. La bouche est fraîche et équilibrée. Un vin plaisant à boire sur des poissons ou des crustacés. Cité, le vin **gris 99**, issu de gamay et d'auxerrois, présente une bonne vivacité qui le destine à une quiche ou à une potée lorraine.
☛ Philippe Antoine, 6, rue de l'Eglise, 55210 Saint-Maurice, tél. 03.29.89.38.31, fax 03.29.90.01.80 ☑ ⍭ r.-v.

DOM. DE COUSTILLE
Chardonnay 1999★

☐	1 ha	6 600	🍶	20 à 29 F

Bon nez, bel œil ! Voici un chardonnay typé, présentant une bouche équilibrée, généreuse et renforcée par un caractère « beurré ». Il est à boire dès aujourd'hui. Le **pinot blanc 99**, dans un registre plus vif, est tout aussi réussi. Il propose un nez puissant d'abricot. Et pour composer une belle triade, l'**auxerrois 99** a aussi reçu une étoile.
☛ SCEA de Coustille, 23, Grand-Rue, 55300 Buxerulles, tél. 03.29.90.33.81, fax 03.29.90.01.88 ☑ ⍭ r.-v.

LAURENT DEGENEVE
Chardonnay 1999

☐	0,75 ha	7 200	🍶	– de 20 F

Laurent Degenève cultive 3 ha de vignes sur la charmante commune de Creuë, à 5 km du lac de Madine. Il propose un vin sympathique qui joue plutôt dans le registre de la légèreté et de la fraîcheur. On le conseille sur un plat de fruits de mer.
☛ Laurent Degenève, 7, rue des Lavoirs, 55210 Creuë, tél. 03.29.89.30.67, fax 03.29.89.30.67 ☑ ⍭ r.-v.

L'AUMONIERE Chardonnay 1999★

☐	1,3 ha	16 000	🍶	20 à 29 F

De belles découvertes peuvent être faites aux environs de ce domaine. Hattonchâtel, perché sur un promontoire, offre un vaste panorama sur la plaine de la Woëvre. Il possède une église du XIVᵉˢ. et un château intéressants. Ce 99 livre un nez d'une belle intensité puis une bouche équilibrée. Un beau chardonnay septentrional.
☛ GAEC de L'Aumonière, Viéville-sous-les-Côtes, 55210 Vigneulles-les-Hattonchâtel, tél. 03.29.89.31.64, fax 03.29.90.00.92 ☑ ⍭ t.l.j. 8h-20h
☛ Blanpied Frères

DOM. DE MONTGRIGNON
Pinot noir 1999★

■	1 ha	4 700	🍶	20 à 29 F

Efforts récompensés pour ces viticulteurs qui voient trois de leurs vins mentionnés dans le Guide avec une étoile. Le rouge, issu du pinot noir, présente un nez franc et une structure tannique qui autorise une garde de quelques mois. Le **gris 99**, assemblage de gamay et de pinot noir, livre des arômes de petits fruits rouges. Quant au **blanc de pinot gris 99**, il offre un nez de fruits mûrs aux nuances miellées et possède une bouche ronde (moins de 20 F pour ces deux derniers vins).
☛ GAEC de Montgrignon Pierson Frères, 9, rue des Vignes, 55210 Billy-sous-les-Côtes, tél. 03.29.89.58.02, fax 03.29.90.01.04 ☑ ⍭ r.-v.

DOM. DE MUZY Gris 1999★

◣	2 ha	15 000	🍶	20 à 29 F

Ce vin gris a beaucoup inspiré l'un des dégustateurs qui le classe parmi les meilleurs de sa catégorie. Robe rose saumoné, arômes de framboise et de groseille, bouche vive et nerveuse font de ce 99 un vin fort plaisant. Quant à l'**auxerrois 99**, très réussi, sa fraîcheur et sa vivacité sur des notes légères d'agrumes invitent à le servir en début de repas.
☛ Véronique et Jean-Marc Liénard, Dom. de Muzy, 3, rue de Muzy, 55160 Combres-sous-les-Côtes, tél. 03.29.87.37.81, fax 03.29.87.35.00 ☑ ⍭ r.-v.

Coteaux de Coiffy

LES COTEAUX DE COIFFY
Auxerrois 1999★★

☐	4,05 ha	19 500	🍶	20 à 29 F

La robe est brillante, chatoyante, jaune pâle à reflets argent. Le nez franc, de bonne intensité, laisse sur une dominante fruitée (poire, mirabelle, agrumes...). La bouche confirme cette sensation. Volumineuse et de bonne longueur, elle présente une pointe de gaz (CO_2) qui la rend rafraîchissante. Un vin de plaisir où simplicité rime avec vertu !
☛ SCEA Les Coteaux de Coiffy, 52400 Coiffy-le-Haut, tél. 03.25.90.00.96, fax 03.25.90.18.84 ☑ ⍭ r.-v.

Haute-Marne

LE MUID MONTSAUGEONNAIS
Pinot noir Elevé en fût de chêne 1998★

■	0,8 ha	6 500	🍶	30 à 49 F

Un vin original, très travaillé. La robe est d'une belle intensité à reflets violets ; le nez puissant offre des senteurs de bourgeon de cassis mêlées à des notes boisées. La bouche, où l'on retrouve le même type d'arômes, se révèle ample, généreuse et nerveuse. Le **chardonnay 99 élevé en fût de chêne** est tout aussi réussi par son nez de caramel, de fruit et ses nuances amyliques. Rond et ample en bouche, il présente un bon boisé. Quant au **chardonnay 98** élevé en cuve, il mérite d'être cité.

VDP

SA Le Muid Montsaugeonnais,
2, av. de Bourgogne, 52190 Vaux-sous-Aubigny,
tél. 03.25.90.04.65, fax 03.25.90.04.65 ☑ ⊤ r.-v.

Yonne

DOM. LA FONTAINE AUX MUSES
Chardonnay Moque Grange 1999

| | 0,5 ha | 4 000 | 20 à 29 F |

Jaune pâle à reflets verts, ce vin présente un
nez minéral rappelant paradoxalement le sauvignon. La bouche est agréable avec une pointe de
gaz carbonique qui apporte fraîcheur et vivacité.
Vincent Pointeau-Langevin, La Fontaine aux
Muses, 89116 La Celle-Saint-Cyr,
tél. 03.86.77.40.22

Sainte-Marie-la-Blanche

LES CAVES DE LA VERVELLE
Pinot noir 1999★

| ■ | 3 ha | 29 000 | ■ ⏚ | 30 à 49 F |

La robe est d'une belle intensité, de nuance
rubis. Le nez franc, ouvert, évoque le fruit (framboise, cassis), tandis que la bouche, elle aussi sur
les fruits rouges, développe en outre une note de
réglisse dans une matière souple et assez fondue
en finale. Un vin bien représentatif de son
cépage. Le **chardonnay 99** de la cave est par ailleurs cité, de même que le **rosé 99 de pinot noir**.
Les caves de La Vervelle, Le Château,
21200 Bligny-les-Beaune, tél. 03.80.21.47.38,
fax 03.80.21.40.27 ☑ ⊤ t.l.j. sf dim. 10h-12h
14h-17h

LES VINS DU LUXEMBOURG

Petit Etat prospère au cœur de l'Union européenne, situé à la charnière des mondes germanique et latin, le grand-duché de Luxembourg est un pays viticole à part entière. La consommation de vin y est proche de celle que l'on observe en France et en Italie. Le vignoble s'inscrit le long du cours sinueux de la Moselle, dont les coteaux portent des ceps depuis l'Antiquité. Il donne des vins blancs secs, vifs et aromatiques.

La production vinicole du grand-duché est confidentielle (160 000 hl), à la mesure de sa modeste superficie (1 350 ha). La vin est cependant pris au sérieux dans ce pays, qui possède un ministre de l'Agriculture et de la Viticulture, et où l'on produit des vins réputés depuis l'Antiquité.

On sait l'importance que prit le vignoble mosellan au IVᵉs., lorsque Trèves - très proche de la frontière actuelle du Grand Duché - devint résidence impériale et l'une des quatre capitales de l'Empire romain. Aujourd'hui, de Schengen à Vasserbillig, les coteaux de la rive gauche de la Moselle forment un cordon continu de vignobles, autour des cantons de Remich et de Grevenmacher. Orientés au sud et au sud-est, ceux-ci bénéficient de l'effet bienfaisant des eaux du fleuve, qui estompent les courants d'air froid venant du nord et de l'est, et modèrent l'ardeur du soleil de l'été. En raison de leur latitude septentrionale (49 degré de latitude N.), ils produisent presque exclusivement des vins blancs. Près de 35 % d'entre eux proviennent du cépage rivaner (ou müller-thurgau). L'elbling, cépage typique du Luxembourg (12 % de la surface viticole), donne un vin léger et rafraîchissant. On trouve encore d'autres variétés comme l'auxerrois, le riesling, le pinot blanc, le chardonnay, le pinot gris, le pinot noir, le gewurztraminer. Les coopératives représentent plus des deux tiers de la surface viticole. Remich est le siège d'un centre de recherche et de l'organisation officielle de la viticulture.

Créée en 1935, la marque nationale des vins de la Moselle luxembourgeoise a pour objet d'encourager la qualité et de permettre au consommateur de réaliser ses choix sous la garantie officielle de l'Etat. En 1985 est apparue l'appellation contrôlée moselle luxembourgeoise. Il existe aussi une hiérarchie des vins (marque nationale - appellation contrôlée, vin classé, premier cru, grand premier cru). L'originalité du classement des vins, en fonction de leur notation lors de chaque agrément, mérite d'être soulignée : les vins qui ont obtenu entre 18 et 20 points sont qualifiés de grand premier cru, entre 16 et 17,9 de premier cru, entre 14 et 15,9 de vin classé, entre 12 et 13,9 de vin de qualité sans mention particulière et en dessous de 12 points de simple vin de table. En 1991 naissait l'appellation crémant du luxembourg.

Moselle luxembourgeoise

DOM. MATHIS BASTIAN
Wellenstein Foulschette Pinot gris 1998

| □ | 1,82 ha | 4 200 | 🍴🍷 30 à 49 F |

Mathis Bastian est installé au cœur du vignoble, sur les hauteurs de Remich depuis près de trente ans. Ses vignes de pinot gris, implantées sur les marnes keupériennes de Wellenstein Foulschette, ont produit un vin ouvert qui exprime le tilleul, la réglisse et l'abricot. Franc, souple et gras, il persiste bien sur les épices douces et trouve un bon équilibre. S'il peut être dégusté dès cet automne, il se développera encore dans les deux ou trois prochaines années pour se marier à un turbot grillé.

🍷 Dom. Mathis Bastian,
29, rte de Luxembourg, 5551 Remich,
tél. 69.82.95, fax 66.91.18 ☑ Ⴗ r.-v.

DOM. BECK-FRANK
Greiveldenger Primerberg Auxerrois 1998

☐ Gd 1er cru   0,35 ha   3 100   ∎ 🍷 20 à 29 F

Le domaine, fort de plus de 7 ha de vignes, est situé à l'entrée du village de Greiveldenge. Il a obtenu de ses ceps d'auxerrois plantés sur le terroir argilo-calcaire de Greiveldange Primerberg un vin fruité, très équilibré et vineux. Des arômes de pêche blanche émanent de sa bouche grasse qui le destine à des accords sucrés.
☛ Dom. G. Beck-Frank, 10, Bréil,
5426 Greiveldange, tél. 69.82.92, fax 69.76.07
☑ 🍷 r.-v.

CEP D'OR Crémant de Luxembourg ★★★

○   n.c.   6 000   50 à 69 F

Le domaine Cep d'Or compte plus de 13 ha de vignes dans les cantons de Remich et de Grevenmacher, sur sols argilo-calcaires. Dirigé par la famille Vesque depuis 1995, il se distingue cette année par deux vins représentatifs de sa vaste gamme. Ce crémant de luxembourg a enthousiasmé le jury. Elégant et finement fruité jusqu'à la dernière caudalie, il dévoile en outre une pointe florale au nez et se développe autour d'une structure harmonieuse. Le **pinot gris 98 grand 1er cru Stadtbredimus Primerberg** est très réussi : il s'ouvre généreusement sur des arômes de pomme, de réglisse et d'épices avant d'emplir le palais d'une matière surprenante. C'est un vin digne de quatre ans de garde. Enfin, l'**auxerrois 98 grand 1er cru Stadtbredimus Primerberg** mérite une citation (20 à 29 F).
☛ Dom. viticole Cep d'Or, 15, rte du Vin,
5429 Hëttermillen, tél. 76.83.83, fax 76.91.91,
e-mail cepdor@pt.lu ☑ 🍷 r.-v.
☛ Famille Vesque

DOM. CLOS DES ROCHERS
Pinot blanc 1998

☐   0,5 ha   2 626   ∎ 🍷 30 à 49 F

Le domaine s'était distingué l'an passé par un remarquable pinot gris 97 ; il propose aujourd'hui un pinot blanc d'une teinte jaune clair à reflets verts légers, qui laisse de discrètes notes de fleurs blanches. La bouche confère une nette impression de fraîcheur et de longueur, avec élégance.
☛ Dom. Clos des Rochers, 8, rue du Pont,
6773 Grevenmacher, tél. 75.05.45, fax 75.06.06,
e-mail bermas@pt.lu ☑ 🍷 t.l.j. 9h30-18h; f. 1er nov.-1er en avr.

DOM. CHARLES DECKER
Remerschen Kreitzberg Pinot blanc 1998 ★★★

☐ Gd 1er cru   0,42 ha   4 000   ∎ 🍷 30 à 49 F

Charles Decker signe ici l'un des plus beaux vins de pinot blanc. Des reflets verts éclairent la robe jaune clair. Si le nez est déjà puissant, il ne livre pas encore tous ses secrets. Après une attaque franche, le gras emplit totalement la bouche, accompagné d'arômes intenses et persistants : verveine, orange, fruit de la passion... Sachez attendre car le plaisir n'en sera que plus grand. Le **crémant de luxembourg millésime 95** (50 à 69 F) vous fera patienter ; il est cité pour sa finesse et son élégance.
☛ Dom. Charles Decker, 7, rte de Mondorf,
5441 Remerschen, tél. 60.95.10, fax 60.95.20,
e-mail deckerch@pt.lu ☑ 🍷 r.-v.

DOM. MME ALY DUHR
Crémant de Luxembourg

○   n.c.   n.c.   ∎ ◫ 30 à 49 F

Ce domaine de 8 ha, créé en 1872, est à nouveau retenu dans le Guide pour un crémant. Avec sa mousse persistante et fine, celui-ci présente, outre des notes citronnées et minérales, des nuances boisées héritées de la barrique que l'on retrouve en rétro-olfaction. La bouche grasse, complexe et longue met en valeur les arômes caractéristiques des vieilles vignes de riesling qui ont vu naître ce vin. Cet ensemble plutôt atypique de la Moselle répondra au goût anglais dès l'automne.
☛ Dom. Mme Aly Duhr, 9, rue Aly-Duhr,
5401 Ahn, tél. 76.00.43, fax 76.05.47

CAVES GALES Auxerrois 1998 ★★

☐   0,32 ha   2 500   ∎ 🍷 30 à 49 F

Parfaitement limpide dans sa robe jaune pâle, ce vin laisse un disque légèrement vert sur le bord du verre. Encore marqué par sa jeunesse, il dégage des arômes d'ananas mûr, de miel et de malt. Sa bouche bien structurée enchante non seulement par son attaque moelleuse mais aussi par sa fraîcheur et son harmonie. Une note de caramel est perceptible en finale dans cet auxerrois de style moderne qui se mariera bien à une salade gourmande, à une poularde ou aux plats aigre-doux de la cuisine asiatique.
☛ Caves Gales, B.P. 49, 5501 Remich,
tél. 69.90.93, fax 69.94.34 ☑ 🍷 r.-v.

A. GLODEN ET FILS
Wellenstein Foulschette Pinot gris 1998 ★★★

☐ Gd 1er cru   1,2 ha   7 500   ∎ 🍷 30 à 49 F

La famille Gloden cultive la vigne à Wellenstein depuis 1751. Elle privilégie son terroir en coteaux de Foulschette pour élaborer un pinot gris de qualité qui, dans le millésime 98, atteint un niveau exceptionnel. Depuis les reflets vert-jaune de la robe jusqu'au nez de citronnelle et d'agrumes, le charme opère d'emblée. Dès l'attaque miellée de la bouche, on perçoit toute la complexité et le gras de ce vin très original par son côté légèrement exotique.
☛ A. Gloden et Fils, 2, Albaach,
5471 Wellenstein, tél. 69.83.24, fax 69.81.32,
e-mail a.gloden-fils@village.uunet.lu ☑ 🍷 r.-v.

CAVES DE GREVENMACHER
Machtum Göllebour Gewurztraminer 1998★

☐ Gd 1er cru 2,03 ha 15 000 🍶 🍷 30 à 49 F

Des notes de rose sauvage, de litchi et de fleurs blanches se déclinent à l'olfaction de ce gewurztraminer généreux, pâle à reflets verts. En bouche, un certain moelleux est perceptible dans une structure équilibrée et riche en notes exotiques (litchi), et en arômes de coing. Cité, le **pinot blanc 98 grand 1ᵉʳ cru Machtum Hohfels** est un vin typique du cépage, frais et fruité (agrumes), qui ouvrira davantage sa palette avec le temps.
📞 Les domaines de Vinsmoselle,
Caves de Grevenmacher, 12, rue des Caves,
6718 Grevenmacher, tél. 75.01.75, fax 75.95.13,
e-mail info@vinsmoselle.lu ☑ 🍷 t.l.j. 7h-16h30;
f. 1ᵉʳ nov.-1ᵉʳ mai

DOM. HAEREMILLEN
Wormeldange Nussbaum Riesling 1998

☐ Gd 1er cru 0,42 ha 5 400 🍶 🍷 30 à 49 F

Voici un vin assez fin et droit, au nez de citron frais et de pomme. La minéralité de la bouche laisse une impression de vivacité qu'un peu de gras vient contrebalancer. Une bouteille que l'on ouvrira dès l'automne. L'**auxerrois d'Ehnerberg 99** surprend quant à lui par son fruité et sa belle structure minérale. Il mérite lui aussi d'être cité.
📞 Dom. Haeremillen, 3, Op der Borreg,
5419 Ehnen, tél. 76.84.36, fax 76.91.93 ☑ 🍷 r.-v.

CAVES R. KOHLL-LEUCK
Rousemen Pinot gris 1998★

☐ Gd 1er cru 0,3 ha 3 000 🍶 🍷 30 à 49 F

Raymond et Cécile Kohll-Leuck exploitent plus de 7 ha de vignes depuis près de trente ans. Leur fils Luc poursuit actuellement des études de viticulture. Ce pinot gris, d'une limpidité irréprochable dans sa robe jaune doré, arbore un nez frais et fruité. La bouche témoigne d'une grande maturité du raisin mais n'en est pas moins équilibrée et assure un plaisir immédiat. Cité, le **crémant de luxembourg cuvée Gust Kohll 97** (hommage au fils du fondateur de ce domaine familial) a été apprécié pour sa palette de fruits mûrs et son équilibre gustatif sur des arômes de brioche et de pain grillé (50 à 69 F).
📞 Dom. Raymond Kohll-Leuck,
4, an der Borreg, , 5419 Ehnen, tél. 76.02.42,
fax 76.90.40 ☑ 🍷 r.-v.

DOM. L. ET B. KOX
Schwebsange Kolteschberg Riesling 1999

☐ 0,6 ha 6 000 🍶 🍷 30 à 49 F

Un nez encore un peu fermé, mais avec des arômes d'ananas et des notes minérales. Doté d'une bonne structure, avec l'équilibre d'un vin jeune, ce 99 livre en bouche des saveurs de citron et de pamplemousse rose. Il pourra être associé à des plats de fruits de mer.
📞 Laurent et Benoît Kox, 6A, rue des Prés,
5561 Remich, tél. 69.84.94, fax 69.81.01,
e-mail kox@pt.lu ☑ 🍷 r.-v.

Luxembourg

1115 LES VINS DU LUXEMBOURG

DOM. KRIER-BISENIUS
Kourschels Riesling 1998★★

| ☐ Gd 1er cru | 0,27 ha | 2 600 | ■ | 30 à 49 F |

Ce domaine fait coup double dans le millésime 98. Deux vins remarquables ont en effet été distingués par le jury. Celui-ci, à la fois floral et fruité, est marqué par le gras et par une acidité bien tempérée. Il imprègne la bouche d'une matière ronde et mûre, équilibrée. L'**auxerrois 98 grand 1er cru Foulschette** dévoile avec intensité des notes fraîches de citron et de fruits exotiques. Son palais révèle beaucoup de puissance et de longueur sur des arômes fruités caractéristiques du cépage.

☛ Dom. Krier-Bisenius, 39, rte du Vin, Bech-Kleinmacher, 5405 Wellenstein, tél. 66.92.06, fax 69.75.25, e-mail krierjp@pt.lu ☑ ☗ r.-v.

CAVES KRIER FRERES
Schwebsange Kolteschberg Pinot gris 1999★★

| ☐ | 0,8 ha | 10 400 | ☗☖ | 30 à 49 F |

L'étiquette du domaine est illustrée d'une vue de la Moselle peinte par Nico Klopp dans les années 1920, alors qu'il était locataire de la famille Krier. Des reflets presque verts animent la robe claire de ce pinot gris. Au nez, on perçoit d'agréables notes de cassis et de pamplemousse, bien persistantes. Après une attaque moelleuse, la bouche se déploie dans une grande variété d'arômes. Cité, le **riesling 98 grand 1er cru Remich Primerberg** est un vin fruité et vif, encore jeune mais promis à un bel avenir.

☛ Caves Krier Frères, 1, montée Saint-Urbain, B.P. 30, 5501 Remich, tél. 69.82.82, fax 69.80.98 ☑ ☗ r.-v.

DOM. KRIER-WELBES
Wintringen Felsberg Riesling 1998

| ☐ | n.c. | 2 000 | 30 à 49 F |

C'est un vin bien brillant, jaune pâle nuancé de reflets verts que propose Guy Krier. Le nez est délicat et racé, puis la bouche fraîche et vive présente une certaine rondeur. On perçoit une matière puissante et des notes exotiques.

☛ Dom. Krier-Welbes, 3, rue de la Gare, 5690 Ellange-Gare, tél. 67.71.84, fax 66.19.31, e-mail guykrier@pt.lu ☑ ☗ r.-v.
☛ Guy Krier

CAVES LEGILL
Schengen Markusberg Riesling 1998

| ☐ Gd 1er cru | 0,25 ha | 2 600 | ☗☖ | 30 à 49 F |

Paul Legill a obtenu de bons résultats dans les millésimes 98 et 99. Ce vin pâle développe un nez légèrement citronné dans lequel pointe une note de pomme verte. L'attaque est franche et la bouche d'une structure solide, typique d'un grand riesling. Egalement cité, le **pinot blanc 99 de Schengen Markusberg** est très agréable par sa riche palette de fruits exotiques, longtemps perceptible au nez comme en bouche. Fraîcheur et onctuosité s'équilibrent.

☛ Caves Legill et Fils, 27, rte du Vin, 5445 Schengen, tél. 66.40.38, fax 60.90.97 ☑ ☗ r.-v.

DOM. MAX-LAHR ET FILS
Crémant de luxembourg

| ○ | 0,6 ha | 6 600 | 50 à 69 F |

Iris et violette... Un joli bouquet floral pour ce crémant jaune clair, dont la mousse présente une bonne tenue. Franche et vive, la bouche développe une matière bien étoffée, empreinte de notes de citronnelle et de pamplemousse. A boire ou à garder un cave jusqu'à trois ans.

☛ Dom. Max-Lahr et Fils, 4, rue de Niederdonven, 5401 Ahn, tél. 76.00.99, fax 76.92.56 ☑ ☗ r.-v.
☛ Robert Max

CLOS MON VIEUX MOULIN
Auxerrois 1998

| ☐ | 0,6 ha | n.c. | ■ | 30 à 49 F |

Le vieux moulin a cessé de tourner depuis plus d'un siècle déjà, mais sa trace demeure dans le nom de cette propriété acquise en 1689 par les ancêtres des frères Duhr. L'auxerrois 98 est un vin limpide aux arômes de brioche, de noyau de pêche, et d'ananas. Une pointe de gaz carbonique apparaît dans sa bouche équilibrée qui devrait être mise en valeur par un plat exotique. Le **riesling 98** mérite lui aussi d'être cité pour son nez minéral et fruité typique, ainsi que pour sa bouche d'une acidité discrète.

☛ Duhr Frères, 25, rue de Niederdonven, 5401 Ahn, tél. 76.07.46, fax 76.85.13 ☑ ☗ r.-v.

POLL-FABAIRE Crémant de luxembourg★

| ○ | n.c. | 10 000 | 30 à 49 F |

Poll-Fabaire est une marque des domaines de Vinsmoselle. Six cuvées sont élaborées dans chacune des caves qui composent ce regroupement de coopératives. Celle-ci, vinifiée par les caves de Stadtbredimus, possède une mousse fine et persistante qui invite à poursuivre la dégustation. Le nez légèrement floral se livre alors avec intensité, puis la bouche traduit par sa structure la bonne maturité des vins de base.

☛ Les domaines de Vinsmoselle, Caves de Stadtbredimus, Kellereiswe, 5450 Stadtbredimus, tél. 69.83.14, fax 69.91.89 ☗ r.-v.

CAVES DE REMERSCHEN
Schengen Markusberg Auxerrois Anniversaire 2000 1998

| ☐ Gd 1er cru | 18,3 ha | 20 000 | ☗☖ | 30 à 49 F |

Une palette fruitée dominée par les notes d'ananas mûr se libère de ce vin jaune pâle. La bouche, d'abord marquée par une saveur de pomme rancio, évolue vers une finale plaisante et d'intensité moyenne. Le **crémant de luxembourg Poll-Fabaire** mérite lui aussi d'être cité pour sa bonne harmonie sur des arômes plutôt légers d'agrumes et de pomme.

☛ Les Domaines de Vinsmoselle, Caves de Remerschen, 32, rte du Vin, 5440 Remerschen, tél. 66.41.65, fax 66.41.66, e-mail info@vinsmoselle.lu ☑ ☗ r.-v.

CAVES HENRI RUPPERT
Schengen Markusberg Riesling 1998

☐ Gd 1er cru   0,25 ha   2 200   ▮ 50 à 69 F

Sous une étiquette bleu Europe, ce riesling de Schengen est un vin de vendanges mûres, à déguster dès l'automne. Le nez, assez évolué, s'inscrit dans le registre fruité, tout en livrant des arômes complexes de truffe. La bouche structurée, ronde et grasse persiste sur des arômes concentrés de fruits mûrs. Egalement cité, le **crémant de luxembourg** pourra être conservé trois ans. C'est un vin franc, doté d'une belle matière, dont les arômes de pain grillé et de citronnelle s'allieront bien à un sandre (cuisiné au même crémant par exemple). Enfin, le **pinot blanc 98 de Schengen Markusberg** reçoit une citation pour son agréable fraîcheur et sa longue fin de bouche (30 à 49 F).
☛ Henri Ruppert, 100, rte du Vin,
5445 Schengen, tél. 66.42.30, fax 66.44.83
☑ ⟍ r.-v.

CAVES SAINT-REMY-DESOM
Crémant de Luxembourg★

◯   5 ha   62 000   30 à 49 F

Les bâtiments du XVIIIᵉs. qui abritent aujourd'hui les caves Saint-Rémy-Desom étaient autrefois occupées par la « tisserie » d'Edmond de La Fontaine, poète luxembourgeois. Elles ont vu naître ce crémant tout d'or vêtu, surmonté d'une mousse fine et animé de bulles nerveuses. Le nez intense s'exprime sur des notes de pain grillé, de brioche et de noix, tandis que la bouche développe une matière onctueuse et élégante. Un joli côté végétal et une finale des plus longues parachèvent l'harmonie générale de cet effervescent que l'on mariera à une poularde truffée, cuite en brioche. Autre type, autre style : le **pinot gris grand 1ᵉʳ cru Remich Primerberg 98**, cité, est un vin déjà bien équilibré mais qui se fondra davantage après deux ou trois ans de garde.
☛ Caves Saint-Rémy-Desom, 9, rue Dicks,
5521 Remich, tél. 69.87.87, fax 69.93.47
☑ ⟍ r.-v.

CH. DE SCHENGEN Pinot blanc 1998★★

☐   0,4 ha   2 675   ▮ ⚘ 30 à 49 F

Château de Schengen
PINOT BLANC
1998
THILL FRÈRES

Jaune clair, ce pinot blanc dévoile dans le verre de jolis reflets pâles. Son nez agréable et fin fait la part belle aux arômes primaires de fruits blancs tout en s'accompagnant de notes florales. La bouche laisse percevoir une grande fraîcheur fruitée dans un équilibre remarquable. Sous la même étiquette illustrée d'un dessin du château par Victor Hugo, le **pinot gris 98** et le **riesling 98** ont été retenus avec une citation.
☛ Dom. Thill Frères, 39, rte du Vin,
5445 Schengen, tél. 75.05.45, fax 75.06.06,
e-mail bermas@pt.lu ☑ ⟍ r.-v.

CAVES JEAN SCHLINK-HOFFELD
Machtum Ongkâf Riesling 1998

☐ Gd 1er cru   0,96 ha   5 400   ▮ ⚘ 30 à 49 F

René et Jean-Paul Schlink ont succédé à leur père en 1993 sur ce domaine de 11 ha de vignes. Ils cultivent le riesling sur le terroir calcaire d'Ongkâf à Machtum, sous une exposition plein sud. Ce 98 vert pâle à reflets jaunes présente le nez classique d'un riesling : notes minérales, citron et pomme. En bouche, il confirme les arômes fruités perçus à l'olfaction et parvient à harmoniser son acidité et ses sucres résiduels. Une bouteille à boire dès l'automne.
☛ Caves Jean Schlink-Hoffeld,
1, rue de l'Eglise, 6841 Machtum, tél. 75.84.68, fax 75.92.62 ☑ ⟍ t.l.j. sf dim. 8h-18h; groupes sur r.-v.
☛ René Schlink

DOM. SCHUMACHER-LETHAL ET FILS Wormeldange Koeppchen Riesling 1998

☐ Gd 1er cru   0,2 ha   1 200   30 à 49 F

Une touche minérale relève la palette fine et discrète de ce riesling vert pâle. Le fruité s'exprime en notes de pamplemousse et de fruits secs, relayées en bouche par des arômes d'ananas et de verveine. La matière assez vive et de bonne longueur possède suffisamment de gras pour trouver équilibre et élégance.
☛ Dom. Schumacher-Lethal et Fils,
114, rue Principale, 5450 Wormeldange,
tél. 76.01.34, fax 76.85.04 ☑ ⟍ r.-v.

CAVES DE WELLENSTEIN
Wellenstein Foulschette Pinot gris Terra 1998★

☐ Gd 1er cru   30,9 ha   30 000   ▮ ⚘ 30 à 49 F

Terra est une jolie cuvée de la série Art et Vin des domaines de Vinsmoselle. Dans sa robe jaune clair, elle présente une exquise élégance au nez. Autour d'une bonne structure, la matière s'étire puissamment sur des notes épicées persistantes. Une belle harmonie. Tout aussi réussi, le **crémant de luxembourg Poll-Fabaire** élaboré à Wellenstein est un vin agréable et de bonne longueur.
☛ Les domaines de Vinsmoselle,
Caves de Wellenstein, 13, rue des Caves,
5471 Wellenstein, tél. 66.93.21, fax 69.76.54,
e-mail info@vinsmoselle.lu ☑ ⟍ t.l.j. 7h-16h30;
f. 1ᵉʳ nov.-1ᵉʳ mai

CAVES DE WORMELDANGE
Wormeldange Mohrberg Pinot gris 1998

☐ Gd 1er cru   4,98 ha   12 000   ▮ 30 à 49 F

Sous une teinte jaune-vert, les dégustateurs ont découvert un nez délicat et riche, puis une bouche de grande maturité, ample et généreuse. Un ensemble fruité et harmonieux.
☛ Les Domaines de Vinsmoselle,
Caves de Wormeldange, 115, rte du Vin,
5481 Wormeldange, tél. 76.82.11, fax 76.82.15,
e-mail info@vinsmoselle.lu ☑ ⟍ t.l.j. 7h-16h30;
f. 1ᵉʳ nov.-1ᵉʳ mai

LES VINS SUISSES

Comparé à ses voisins européens, le vignoble suisse est modeste avec ses 14 900 ha de superficie. Il s'étend à la naissance des trois grands bassins fluviaux drainés par le Rhône à l'ouest des Alpes, par le Rhin au nord et par le Pô au sud de cette chaîne. Il compte ainsi une grande diversité de sols et de climats qui forment autant de terroirs différents malgré leur relative proximité. Traditionnellement cultivée sur les coteaux ensoleillés, très pentus ou en terrasses, la vigne compose le paysage. On distingue trois régions viticoles principales en fonction du découpage linguistique du pays. Cependant celles-ci sont loin d'être uniformes, tant les contrastes qu'elles présentent sont saisissants. A l'ouest, le vignoble de la Suisse romande couvre plus des trois quarts de la surface viticole du pays. De Genève, il s'étire jusqu'au cœur des Alpes dans le canton du Valais, en longeant les rives du lac Léman, dans le canton de Vaud. Plus au nord, il s'approprie encore les rives des lacs de Neuchâtel, de Morat et de Bienne (Canton de Berne) sur les contreforts du Jura. Beaucoup plus éparpillé, le vignoble de la Suisse alémanique totalise 17 % de la surface viticole. Il s'égrène tout au long de la vallée du Rhin où, à partir de Bâle, il remonte le cours du fleuve jusqu'à l'est du pays. Il pénètre également loin à l'intérieur du territoire sur les meilleurs sites des coteaux dominant de nombreux lacs et vallées. En Suisse italophone, la vigne se concentre dans les vallées méridionales du Tessin où les conditions naturelles du versant sud des Alpes se distinguent nettement de celles des autres régions viticoles. Outre toute une gamme de « spécialités », les vignerons de Suisse romande privilégient par tradition le cépage blanc chasselas. Le pinot noir est ici le cépage rouge le plus cultivé, suivi du gamay. Le pinot noir domine en Suisse alémanique où il côtoie le cépage blanc müller-thurgau et diverses variétés locales très recherchées par les amateurs. En Suisse italienne, c'est le merlot qui fait la renommée des vins de cette partie du pays où les cépages blancs sont peu représentés. Signalons enfin un événement majeur de la vie viticole suisse : la fête des Vignerons de Vevey. Remontant au Moyen Age, cette manifestation somptueuse associe l'ensemble des vignerons et des habitants et célèbre leur travail dans la vigne. La dernière s'est déroulée en août 1999 ; la prochaine se tiendra entre 2021 et 2023.

Canton de Vaud

Au Moyen Age, les moines cisterciens ont défriché une grande partie de cette région de la Suisse et constitué le vignoble vaudois. Si, au milieu du siècle passé, celui-ci était le premier canton viticole devant le vignoble zurichois, les ravages du phylloxéra exigèrent une reconstitution complète. Aujourd'hui, avec 3 850 ha, il vient en deuxième position derrière le Valais.

Depuis plus de quatre cent cinquante ans, le vignoble vaudois s'est donné une véritable tradition viticole reposant aussi bien sur ses châteaux - on en compte près d'une cinquantaine - que sur l'expérience des grandes familles de vignerons et de négociants.

Les conditions climatiques déterminent quatre grandes zones viticoles : les rives vaudoises du lac de Neuchâtel et celles de l'Orbe donnent des vins friands aux arômes délicats. Les rives du Léman, entre Genève et Lausanne, protégées au nord par le Jura et bénéficiant de l'effet régulateur thermique du lac, donnent des vins tout en finesse. Les vignobles de Lavaux, entre Lausanne et Château-de-Chillon, avec en leur cœur les vignobles en terrasses du Dézaley, bénéficient à la fois de la chaleur accumulée dans les murets et de la lumière reflétée par le lac ; ils produisent des vins structurés et complexes qui se distinguent souvent par des notes de miel et des saveurs grillées. Enfin, les vignobles du Chablais sont situés au nord-est du Léman et remontent la rive droite du Rhône. Les terroirs se caractérisent par des sols pierreux et un climat très marqué par le foehn ; les vins sont puissants avec des saveurs de pierre à fusil.

La spécificité du vignoble vaudois tient à son encépagement. C'est la terre d'élection du chasselas (70 % de l'encépagement) qui atteint ici sa pleine maturation.

Les cépages rouges représentent quant à eux 27 % : 15 % de pinot noir et 12 % de gamay. Ces deux cépages souvent assemblés sont connus sous l'appellation d'origine contrôlée *salvagnin*.

Quelques « spécialités » (variétés) représentent 3 % de la production : pinot blanc, pinot gris, gewurztraminer, muscat blanc, sylvaner, auxerrois, charmont, mondeuse, plant-robert, syrah, merlot, gamaret, garanoir, etc.

DOM. DE AUTECOUR
Mont-sur-Rolle Chasselas 1999★★

☐ Gd cru   11 ha   50 000   🍴🍷 50 à 69 F

Clair et brillant, ce chasselas s'inscrit remarquablement dans le type des vins de La Côte. Son nez net et frais, légèrement salin derrière les arômes de noisette, trouve un bel écho dans une bouche friande et structurée. La légère salinité rejoint une agréable amertume caractéristique du terroir. A déguster dès à présent, à l'apéritif, sur une viande blanche et sur des fromages.
☛ Dom. de Autecour, Obrist SA Vevey, av. Reller 26, 1800 Vevey, tél. 021.925.99.25, fax 021.925.99.15, e-mail obrist@obrist.ch ☑ ⏳ r.-v.

SOCIETE VINICOLE DE BEX
Bex Pinot noir Elevé en barrique 1997★★

■   0,5 ha   3 500   🍷 100 à 149 F

Vêtu d'une robe de teinte moyenne à reflets noirs, ce vin laisse apparaître un début d'évolution au travers d'arômes de sous-bois et de fruits. Structuré par des tanins serrés, il livre un gras fin, empreint de notes de cerise rouge et de sous-bois. L'équilibre entre douceur et vivacité est réussi, et la finale racée bénéficie du support d'excellents tanins fins. Le **chasselas Sire de Duin de Bex 99** obtient une étoile (70 à 99 F).
☛ Sté Vinicole de Bex, chem. du Pré-de-la-Cible n°4, 1880 Bex, tél. 024.463.25.25, fax 024.463.32.01, e-mail vinicole@bex.ch ⏳ r.-v.

CHARLY BLANC ET FILS
Yvorne La Mondeuse noire 1998★★

■   0,15 ha   1 200   🍷 70 à 99 F

La mondeuse est un cépage originaire de Savoie, dont le vin, toujours vif, est apte à la garde lorsqu'il est assez structuré. C'est le cas de cette mondeuse noire de Charly Blanc. Sous une robe foncée et brillante, elle décline sa palette fruitée de cerise et de mûre, accompagnée de poivre et de cannelle. Aromatique, la bouche révèle non seulement une fraîcheur soutenue mais aussi une belle rondeur. Le bois de l'élevage se marie bien dans l'ensemble, mais les tanins de qualité demandent encore à se fondre.
☛ Charly Blanc et Fils, 1852 Versvey, tél. 024.466.51.45, fax 024.466.51.45, e-mail cropt-blanc@blvewin.ch ☑ ⏳ r.-v.

DOM. BOVY
Saint-Saphorin Chasselas Vieilles vignes 1999★★

☐   0,6 ha   5 200   🍴🍷 70 à 99 F

Vincent et Eric Bovy ont repris en 1998 ce domaine de plus de 7 ha, dont les premières vignes furent plantées à la fin du XVIIIᵉs. Clair et brillant, leur chasselas demande à s'ouvrir, mais offre déjà une bonne structure et de la complexité. La bouche tendre possède du gras et une belle amertume minérale. Long, ce vin devrait bien évoluer.
☛ Les Frères Bovy, Dom. Bovy, rue du Bourg-de-Plaît 15, 1071 Chexbres, tél. 021.946.51.25, fax 025.946.51.26, e-mail info@domainebovy.ch ☑ ⏳ t.l.j. sf dim. 9h-18h; sam. 9h-12h

CH. DE CHATAGNEREAZ
Mont-sur-Rolle 1999★

■ Gd cru   1,24 ha   16 000   🍴🍷 30 à 49 F

De nombreux châtaigniers couvraient autrefois la région de Mont-sur-Rolle. Une présence que rappelle le nom de ce château typique de La Côte, reçu en don par les moines de l'abbaye du lac de Joux au XIIᵉs. Ce 99 évoque agréablement la violette et la cerise au nez. Cette même fraîcheur se retrouve dans une matière fruitée, dotée de jolis tanins et d'une légère douceur. L'équilibre entre acidité et alcool est réussi, et la finale nette et racée. Un vin friand qui pourra être conservé pendant deux ans.
☛ SA Ch. de Châtagneréaz, 1180 Rolle, tél. 021.822.02.02 ☑ ⏳ r.-v.

DOM. DU CHENE
Chardonnay Vendanges tardives 1999★★

☐ Gd cru   0,35 ha   900   🍷 70 à 99 F

Le domaine étend ses 10 ha de vignes au-dessus des mines de sel de Bex. Le chardonnay a été vendangé à la fin novembre pour élaborer ce liquoreux remarquable d'équilibre. Doré brillant, il est empreint d'arômes intenses de fruits confits, d'huile de noix et d'épices poivrées. La bouche très onctueuse est parfaitement contrebalancée par la fraîcheur. On est séduit par sa complexité aromatique et sa finale fort longue. A apprécier pendant dix ans et plus.
☛ Dom. du Chêne, 1880 Le-Chêne-sur-Bex, tél. 021.825.11.41, fax 021.825.47.47 ☑ ⏳ r.-v.

CLOS DE PEVRET
Pully Chardonnay Elevé en barrique 1998★★

| □ Gd cru | 0,25 ha | 2 048 | ◫ 70 à 99 F |

Installé à l'emplacement d'une *villa* romaine, le vignoble de Pully fut développé par les moines de l'abbaye clunisienne de Payerne au X^es. Le clos de Pévret, au sud de l'église du Prieuré, est le fleuron de la commune. Il est aisé de le comprendre à en juger ce vin riche et typique du chardonnay. Si le bois est encore présent, un fruité élégant (agrumes et abricot) se distingue, allié à une note de noix. Entre douceur et fraîcheur, la bouche évolue dans la même ligne aromatique jusqu'à une finale friande bien qu'elle soit encore marquée par les tanins. Un vin structuré, fait pour accompagner poissons, viandes blanches et fromages.
☛ Commune de Pully, Direction des Domaines, av. Reymondin 1, 1009 Pully, tél. 021.721.35.26, fax 021.721.35.15, e-mail domaine@pully.ch ☑ Ⲧ r.-v.

CH. DES CRETES
Montreux Chasselas 1999★

| □ | 1,5 ha | 7 000 | ▪ 50 à 69 F |

Les amateurs de jazz connaissent bien Montreux pour son festival. Ils apprécieront également les vins qu'on y produit, tel le chasselas clair et brillant du château des Crêtes. Le caractère floral (tilleul) marque ce 99 tendre et velouté qui conserve quelques sucres résiduels. La finale s'oriente agréablement vers le fruit. Un vin d'apéritif.
☛ La cave Vevey-Montreux, av. de Belmont 28, 1820 Montreux, tél. 021.963.13.48, fax 021.963.34.34 ☑ Ⲧ r.-v.

DOM. DE CROCHET
Mont-sur-Rolle Pinot noir 1998★★

| ▪ Gd cru | 0,5 ha | 2 500 | ◫ 50 à 69 F |

Le pinot noir, récolté à une altitude de 400 à 450 m au bas du coteau de Mont-sur-Rolle, est à l'origine de ce vin rubis soutenu, bien structuré et riche. Son nez complexe mais encore réservé livre un beau fruité (cerise noire) et des accents de terroir. Des flaveurs qui perdurent en rétro-olfaction, dans une bouche charpentée et bien enveloppée dont les tanins promettent une garde de cinq ans.
☛ Michel Rolaz, chem. de Porchat 4, 1180 Rolle, tél. 021.825.11.41, fax 021.825.47.47 ☑ Ⲧ r.-v.

HENRI CRUCHON
Morges Chardonnay Cuvée gourmande 1998★★

| □ | 2 ha | 16 000 | ◫ 50 à 69 F |

Vin de gastronomie, cette cuvée porte bien son nom. Sous sa robe jaune or clair, se dessinent des arômes complexes et typiques du cépage (un fruité fin rappelant l'abricot) et une note de terroir. Elégante, la bouche développe une matière riche et veloutée, équilibrée par une fraîcheur parfaitement mariée. Et la finale perdure pendant de nombreuses caudalies.
☛ Henri Cruchon, Cave du Village, 1112 Echichens, tél. 021.801.17.92, fax 021.803.33.18 ☑ Ⲧ t.l.j. sf dim. 8h-12h 14h-18h; sam. 8h-12h

DE LA TOUR
Dézaley-Marsens Chasselas 1998★

| □ Gd cru | 3 ha | 30 000 | ▪◫⚲ 100 à 149 F |

Sous une robe brillante, ce chasselas dévoile un nez riche, minéral et floral, typique du terroir. Sa bouche structurée, dans la même ligne aromatique, laisse une impression de rondeur, bien relevée par une légère amertume en finale. Une tendresse que l'on appréciera à l'apéritif.
☛ Les Frères Dubois, Le Petit Versailles, 1096 Cully, tél. 021.799.22.22, fax 021.799.22.54, e-mail office@lfd.ch ☑ Ⲧ r.-v.

CHRISTIAN DUGON
Côtes de l'Orbe Gamaret 1998★★★

| ▪ | 0,5 ha | 4 150 | ▪◫⚲ 30 à 49 F |

Christian Dugon avait déjà été distingué de trois étoiles l'an passé. Il a proposé un **Côtes de l'Orbe Arpège 98** (50 à 69 F), un rouge chaleureux et généreux, de longue garde, jugé exceptionnel par le jury. Ce gamaret, rouge foncé et brillant, dessine dans le verre un disque légère-

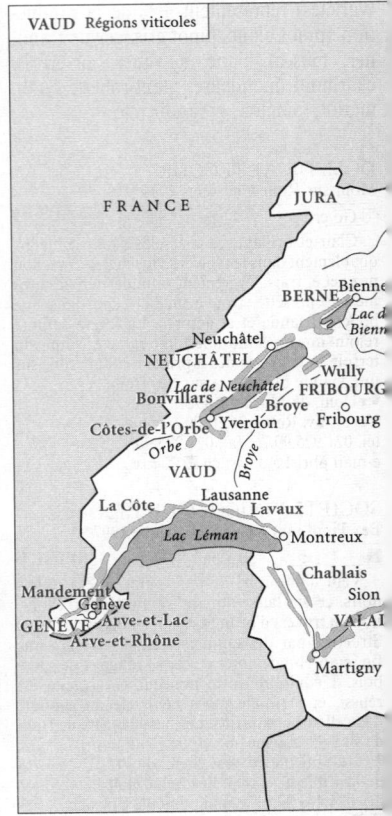

VAUD Régions viticoles

FRANCE

JURA

BERNE Bienne

Lac de Bienne

Neuchâtel

NEUCHÂTEL

Wully

Lac de Neuchâtel FRIBOURG

Bonvillars Broye

Côtes-de-l'Orbe Yverdon Fribourg

Orbe

VAUD Broye

La Côte Lausanne

Lavaux

Lac Léman Montreux

Chablais

Mandement Sion

Genève VALAI

GENÈVE Arve-et-Lac

Arve-et-Rhône

Martigny

ment violacé. Le nez riche décline fruits (mûre), poivre, violette et une discrète note vanillée née de la barrique. Le palais doit son élégance à une matière veloutée où se fondent des tanins serrés et une belle fraîcheur. Les arômes de fruits, d'épices et de fleurs se prolongent dans une finale complexe et très pure. Un vin qui rejoindra 2010 avec sérénité.

Christian Dugon, La Grande-Ouche, 1353 Bofflens, tél. 024.441.35.01, fax 024.441.35.36 ☑ ⏣ r.-v.

EN ROSSET Rivaz Chasselas 1999★★

| | 0,4 ha | 4 000 | 🍾⚭ 50 à 69 F |

Un beau caractère floral soutient ce chasselas de teinte claire et brillante. La bouche riche et grasse évolue sur des tanins bien présents vers une longue finale. Le terroir de Lavaux transparaît remarquablement dans cette bouteille apte à la garde.

Alexandre Chappuis et Fils, Bons-Voisins, 1812 Rivaz, tél. 021.946.13.06, fax 021.946.13.06 ☑ ⏣ r.-v.

GROGNUZ FRERES
Saint-Saphorin Syrah 1998★★★

| | 0,1 ha | 700 | ⟨⟩ 100 à 149 F |

Cette étiquette figurait en bonne place dans l'édition 2000 du Guide. La syrah de Saint-Saphorin n'obtient peut-être pas le coup de cœur dans le millésime 98, mais garde un caractère exceptionnel. Violacé foncé, elle livre un nez intense, fin et très floral (violette), complété par

Suisse

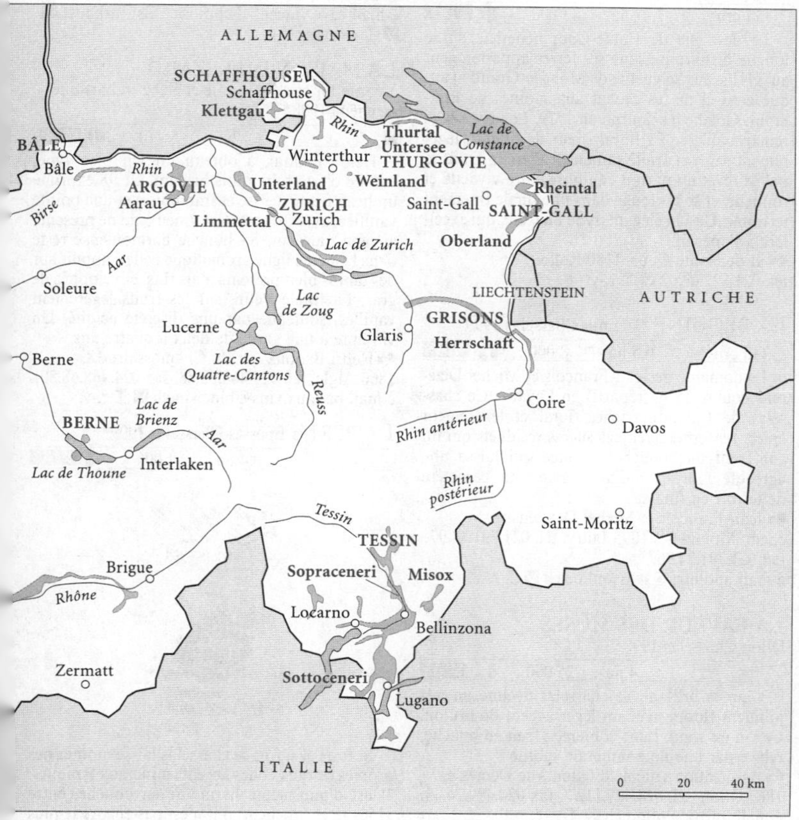

[Carte de la Suisse]

ALLEMAGNE

SCHAFFHOUSE
Schaffhouse
Klettgau
Rhin
Thurtal
Untersee
THURGOVIE
Lac de Constance
BÂLE
Bâle
Rhin
Winterthur
Weinland
Rheintal
ARGOVIE
Unterland
Aarau
ZURICH
Saint-Gall
SAINT-GALL
Birse
Limmettal
Zurich
Lac de Zurich
Oberland
Soleure
Aar
Lac de Zoug
LIECHTENSTEIN
AUTRICHE
Lucerne
GRISONS
Glaris
Herrschaft
Berne
Lac des Quatre-Cantons
Reuss
BERNE
Lac de Brienz
Aar
Coire
Davos
Lac de Thoune
Interlaken
Rhin antérieur
Rhin postérieur
Tessin
Saint-Moritz
Brigue
TESSIN
Sopraceneri
Misox
Rhône
Locarno
Bellinzona
Zermatt
Sottoceneri
Lugano
ITALIE

0   20   40 km

des épices : poivre, cannelle légère, vanille discrète. Les arômes poivrés apparaissent avec plus de franchise au palais. Equilibrée par une fraîcheur friande, la matière veloutée enveloppe des tanins serrés, accompagnée de notes complexes. Un vin apte à une garde d'une décennie.

Grognuz Frères et Fils, Cave des Rois, 1844 Villeneuve, tél. 021.944.41.28, fax 021.944.41.28 ☑ ⚍ r.-v.

HAUT DE PIERRE
Dézaley Chasselas Vieilles vignes 1998★★

☐ Gd cru	1 ha	4 800	■ ☗	70 à 99 F

Très pur et minéral, ce chasselas issu de vignes trentenaires se caractérise par une bouche onctueuse, aux légers arômes de noisette. Le terroir se révèle non seulement au nez mais aussi dans une finale longue, axée sur une belle amertume. Un vieillissement de cinq ans est à la portée de ce vin.

Vincent et Blaise Duboux, Creyvavers, 1098 Epesses, tél. 021.799.18.80, fax 021.799.38.39, e-mail b.duboux@lavaux.ch ☑ ⚍ r.-v.

DOM. DE HAUTE-COUR
Mont-sur-Rolle Chasselas 1999★★

☐ Gd cru	7,87 ha	43 000	❰❱❱	30 à 49 F

Le domaine de Haute-Cour bénéficie d'une longue histoire puisque ses terres appartenaient au XIIIᵉs. aux seigneurs de Mont-le-Grand avant que ceux-ci ne les cèdent aux moines de Bonmont. Goethe y séjourna en 1779. Le jury a jugé remarquable ce 99 floral (fleur de tilleul), légèrement salin et fruité (ananas). Bien en fruit, le palais revêt un parfait équilibre entre vivacité et rondeur, et se prolonge dans une finale finement terroitée. Un vin élégant, typé La Côte, qui excellera à l'apéritif.

SI de Haute-Cour, 1180 Rolle, tél. 021.822.02.02 ☑ ⚍ r.-v.

LA BEGUINE Calamin Chasselas 1999★

☐ Gd cru	0,5 ha	8 000	■ ☗	30 à 49 F

Le domaine de Jean-François et Michel Dizerens couvre 15 ha répartis en Lavaux. Ce chasselas de Calamin, riche, floral et légèrement épicé, renferme quelques sucres résiduels qui lui confèrent une bouche veloutée qui laisse une agréable impression d'amertume et un caractère de terroir en finale.

Jean-François et Michel Dizerens, chem. Moulin 31, 1095 Lutry, tél. 021.791.34.97, fax 021.791.24.96, e-mail jmdlutry@swissonline.ch ☑ ⚍ r.-v.

LA FAVEUR DES MUSES
Ollon Chasselas 1998★

☐	4 ha	25 000	■ ☗	50 à 69 F

Clair et brillant, ce chasselas décline un nez joliment floral, avec un léger accent de brûlon. Ce vin est rond, riche et bien en fruit en bouche, relevé par une note minérale subtile.

Association viticole d'Ollon, rue Demesse, 1867 Ollon, tél. 024.499.11.77, fax 024.499.24.48, e-mail info@avollon.ch ☑ ⚍ r.-v.

LA GRUYRE Dézaley Chasselas 1999★★

☐ Gd cru	0,4 ha	5 000	■	50 à 69 F

Un chasselas clair et brillant qui dévoile un nez puissant, riche en notes minérales très pures. Tendre en bouche, il enveloppe les papilles d'une matière ronde et douce, relevée par des accents de pierre à fusil. C'est un vin long en bouche, caractéristique de son terroir. A déguster sur un vacherin du Mont-d'Or ou du gruyère.

Louis Hegg et Fils, La Mottaz, 1098 Epesses, tél. 021.799.14.51, fax 021.799.54.04 ☑ ⚍ r.-v.

LA GUENIETTAZ
Dézaley Chasselas 1999★★

☐ Gd cru	0,45 ha	5 000	❰❱❱	30 à 49 F

La famille Chappuis, installée dans la commune de Rivaz depuis 1335, se partage entre les appellations Saint-Saphorin et Dézaley. Son chasselas reflète son terroir de naissance. Riche et tendre, il laisse une impression minérale de brûlon à l'olfaction, puis emplit la bouche d'un volume bien gras, marqué par un caractère de pierre à fusil. La finale s'étire longuement, avec douceur et une jolie note d'amertume typique de Dézaley. S'il peut être dégusté dès à présent, ce vin possède également un bon potentiel de garde.

Vincent Chappuis et Fils, En Bons-Voisins, 1812 Rivaz, tél. 021.946.17.57, fax 021.946.29.72, e-mail cave.vincent.chappuis.et.fils@urbanet.ch ☑ ⚍ r.-v.

LA MAISON DU LEZARD
Yvorne Pinot noir Vinifié et élevé en barrique de chêne 1998★

■	1,1 ha	8 470	❰❱❱	100 à 149 F

Henri Badoux a obtenu un vin bien typé, habillé d'une robe rubis brillant. Ce 98 exprime un beau fruité (cerise et framboise) et une pointe vanillée, avec un caractère vineux qui ne présente aucune lourdeur. Sa bouche harmonieuse reste dans la même ligne aromatique ; elle s'appuie sur des tanins bien présents mais fins, enveloppés de gras. La finale s'étire sur les fruits légèrement vanillés, soutenue par une discrète acidité. Un vin apte à une garde de deux à quatre ans.

Henri Badoux, av. du Chamossaire 18, 1860 Aigle, tél. 024.468.68.88, fax 024.468.68.89, e-mail badoux.vins@bluewin.ch ☑ ⚍ r.-v.

LA PERLE Epesses Chasselas 1999★★★

☐	0,4 ha	4 000	■	30 à 49 F

Si frais et si fin, ce chasselas laisse monter des arômes floraux et des accents minéraux typiques. Il est d'une même harmonie en bouche, entre vinosité et fraîcheur. S'il n'est pas encore le plus long et le plus riche des chasselas, il est sans nul doute le plus élégant et s'achève sur une note amère, signature d'un grand terroir. Ce vin devrait très bien vieillir et gagner en complexité aromatique. Le **chasselas Champ-Noé Villette 99** est remarquable d'étoffe et de générosité en notes de tilleul et de brûlon fin.

☛ Jean-Luc Blondel, chem. du Vigny 12, 1096 Cully, tél. 021.799.31.92, fax 021.799.21.92, e-mail blondel@lavaux.ch ☑ ⚎ r.-v.

LE MAGISTRAT
Saint-Saphorin Chasselas 1999★

☐	0,8 ha	6 000	🍷	50 à 69 F

Coup de cœur l'an passé, Le Magistrat revient, un millésime plus tard, dans un style friand. Très pur, son nez floral et minéral trouve un bel écho en bouche, inscrit dans un équilibre réussi entre acidité et alcool, avec une certaine douceur. S'il est prêt à boire, ce vin pourra également patienter quelque temps en cave.

☛ Jean-François Neyroud-Fonjallaz, rte du Vignoble 13, 1803 Chardonne, tél. 021.921.71.73, fax 021.922.70.17 ☑ ⚎ t.l.j. sf dim. 8h-12h 13h30-18h; sam. 8h-12h

LES BLASSINGES
Saint-Saphorin Chasselas 1999★★★

☐	1,8 ha	12 000	🍷⚖	50 à 69 F

Le domaine de Pierre-Luc Leyvraz est un petit vignoble implanté en terrasses au bord du lac Léman. Le chasselas atteint dans le millésime 99 un niveau exceptionnel et une réelle complexité dans les registres floraux, minéraux, fruités et épicés. Un caractère aromatique que l'on retrouve avec finesse dans une matière veloutée qui se prolonge en finale en révélant l'amertume légère typique des grands terroirs du canton de Vaud. Un chasselas « en smoking », qui vieillira parfaitement jusqu'à 2010.

☛ Pierre-Luc Leyvraz, chem. de Baulet 4, 1071 Chexbres, tél. 021.946.19.40, fax 021.946.19.45, e-mail pl.leyvraz@freesurf.ch ☑ ⚎ r.-v.

LE SECRET D'EPICURE
Vinzel Gamay 1998★

■	0,1 ha	650	🍷⚖	30 à 49 F

Jusqu'en 1995, le domaine Delaharpe ne cultivait que du chasselas. Le Secret d'Epicure, dont l'étiquette a été dessinée par le peintre Gilbert Reinhardt, marque le début de la vinification en rouge. Le 98, dans sa robe rouge foncé brillant, libère un nez intense, fruité et épicé : cerise noire, cannelle et poivre. Les épices réapparaissent dans une bouche équilibrée entre les tanins, une

légère douceur et une vivacité friande. La finale, encore un peu austère, laisse augurer un beau potentiel de garde (cinq ans et peut-être davantage).

☛ Gustave et Yann Menthonnex, Dom. Delaharpe, La Tourelle, 1183 Bursins, tél. 021.824.22.30, fax 021.824.22.30, e-mail menthonnex@hotmail.com ☑ ⚎ r.-v.

LES MENADES Ollon Chasselas 1999★★

☐	2 ha	10 000	🍷⚖	50 à 69 F

Pierre-Alain Meylan a proposé deux vins remarquables : un **gamaret d'Ollon 98 élevé en barrique**, puissant et vineux (100 à 149 F), et celui-ci, un chasselas structuré et racé. Ce 99 jaune or libère des notes de pierre à fusil et de fleurs. Riche et velouté, il bénéficie d'un excellent soutien acide qui le mène jusqu'à une longue finale minérale.

☛ Pierre-Alain Meylan, rue de la Chapelle, 1867 Ollon, tél. 024.499.24.14 ☑ ⚎ r.-v.

LE VIN VIVANT DE BERNARD RAVET
Morges Pinot noir Elevé en barrique 1998★★

	0,3 ha	1 990	🍶	70 à 99 F

La collection Le Vin vivant de Bernard Ravet est née de la rencontre entre ce cuisinier et l'œnologue de l'entreprise Uvavins. Le pinot noir s'inscrit dans un style expressif et fruité (cerise noire), finement terroité et discrètement vanillé. La bouche, bien charpentée, possède du fruit, et sa fraîcheur soutient toute l'expression du vin. Un vin racé, apte à une garde de cinq ans et plus. Dans la même collection, **La Trilogie La Côte 97** (100 à 149 F) obtient une étoile ; c'est un vin blanc liquoreux issu du passerillage des cépages chardonnay, chasselas et pinot gris.

☛ Uvavins, Cave de la Côte, 1131 Tolochenaz, tél. 021.804.54.54, fax 021.804.54.55, e-mail uvavins@swissarline ☑ ⚎ r.-v.

DOM. DE MARCELIN
Morges Pinot noir 1998★★★

■	1,76 ha	10 520	🍶	30 à 49 F

L'Etat de Vaud est propriétaire de ce domaine de plus de 7 ha dont sont issus deux vins rouges de Morges exceptionnels dans le millésime 98. L'**assemblage de cépages nobles Morges 98** (50 à 69 F), encore jeune, doit ses trois étoiles à son grand potentiel qui le conduira aisément à l'an 2010. Le coup de cœur a été attribué à ce pinot noir plus ouvert, dont le fruité expressif et frais (cerise, framboise) s'impose au nez comme en bouche. En parfaite harmonie avec l'alcool et l'acidité, la matière ronde enveloppe des tanins serrés et fins. Un vin à boire ou à attendre selon votre bon plaisir.

☞ Dom. de Marcelin, av. Marcelin, 1110 Morges, tél. 021.803.08.33, fax 021.803.08.36 ☑ ⊤ r.-v.
☞ Etat de Vaud

PETIT DUC Epesses Chasselas 1999★★

| ☐ | 1,2 ha | 10 000 | 📗 | 50 à 69 F |

Ce vignoble familial implanté en Lavaux remonte au XVᵉs. Il couvre aujourd'hui 4 ha plantés en majorité de chasselas. Le chasselas 99 est fidèle à son terroir. Ample et velouté, il dévoile une fraîcheur friande et se prolonge sur une belle amertume. Déjà séduisant, il possède aussi suffisamment de structure pour vieillir.
☞ Jean-François Chevalley, Dom. de la Chenalettaz, 1096 Le Treytorrens-en-Dézaley, tél. 021.799.13.00, fax 021.799.39.21, e-mail jf.chevalley@lavaux.ch ☑ ⊤ r.-v.

PIERRE NOIRE
Saint-Saphorin Chasselas 1998★★

| ☐ | 2,5 ha | 30 000 | 📗 | 50 à 69 F |

Le **chasselas Grand Pertuis du grand cru Dézaley 98** (70 à 99 F) a été jugé très réussi par le jury, mais la préférence a été donnée à celui de Saint-Saphorin. Cette Pierre Noire - en réalité tout de doré vêtue - décline des arômes intenses dans le registre floral et minéral, accompagnés d'un caractère de noisette. Le terroir se manifeste en bouche au travers des notes minérales qui soulignent une matière riche et ronde, puis dans une finale racée, marquée par une remarquable amertume. Un vin complexe apte à une garde d'au moins cinq ans.
☞ J.-P. Chaudet et Fils, cave du Grillon, 1812 Rivaz, tél. 021.946.11.74, fax 021.946.34.35, e-mail b.chaudet@urbanet.ch ☑ ⊤ r.-v.

PLANCHE-CACHE
Villeneuve Pinot noir 1998★

| ■ | 1,07 ha | 10 300 | 📗 | 50 à 69 F |

Ce domaine d'un peu plus de 4 ha propose un vin de pinot noir (complété par un faible pourcentage de garanoir) très réussi. Affichant des reflets noirs dans le verre, ce 98 dévoile des parfums de fruits noirs confits, légèrement épicés. Il emplit la bouche d'une matière tendre, supportée par de bons tanins qui apportent du caractère jusqu'en finale. On perçoit alors un discret retour sur les épices. Un vin à attendre de deux à quatre ans.
☞ Louis Amiguet-Schilt, Grand-Rue 56, cave rue des Pressoirs, 1844 Villeneuve, tél. 021.960.28.50, fax 021.968.14.06, e-mail ponverroz@bluewin.ch ☑ ⊤ r.-v.

ROBIN DES VIGNES
Vilette Chasselas 1999★

| ☐ | 2 ha | 20 000 | 📗 | 30 à 49 F |

Le chasselas récolté sur les parchets pentus de Villette, au bord du lac Léman, a produit un vin aux arômes bien frais et typés cépage (fleur de tilleul). Friand et riche, celui-ci possède un bon équilibre entre le gras et l'acidité derrière un caractère chaleureux. La finale, subtilement amère, se prolonge agréablement. A déguster à l'apéritif.
☞ Association viticole de Lutry, Chem. Culturaz 21, 1095 Lutry, tél. 021.791.24.66, fax 021.791.67.24 ☑ ⊤ t.l.j. sf dim. 8h30-18h; lun. 13h30-18h; sam. 8h-12h.

JEAN-LUC ROCHAT
Morges Auxerrois 1999★★

| ☐ | 0,15 ha | 1 100 | 📗♦ | 30 à 49 F |

Tendre, fruité et frais, cet auxerrois constituera un excellent vin d'apéritif. Il livre sans aucune lourdeur une matière veloutée, dont les flaveurs de pêche répondent fidèlement aux arômes perçus à l'olfaction. A boire dès à présent.
☞ Jean-Luc Rochat, Dom. des Chentres, 1163 Etoy, tél. 021.808.74.22, fax 021.808.74.22 ☑ ⊤ r.-v.

CAVE DES ROSSILLONNES
Vinzel Chasselas 1999★

| ☐ | 2,5 ha | 16 000 | 📗 | 30 à 49 F |

« Un dorin de Vinzel très réussi ». Dorin ? C'est ainsi que l'on nomme les vins blancs vaudois. Celui-ci, clair et brillant, demande encore à s'ouvrir au nez, mais livre déjà un côté floral ainsi qu'un léger caractère de noisette. Structuré et velouté, il bénéficie d'une acidité bien équilibrée. Des fromages ou des viandes blanches lui conviendront à table.
☞ Jean-Paul Besson, Cave des Rossillonnes, 1184 Vinzel, tél. 021.824.12.46, fax 021.824.12.46 ☑ ⊤ r.-v.

LOUIS-PHILIPPE ROUGE ET FILS
Dézaley Sous-Marsens Chasselas 1999★★

| ☐ Gd cru | 0,55 ha | n.c. | 📗♦ | 100 à 149 F |

Ce chasselas brillant de Dézaley mêle joliment accents minéraux (brûlon) et fleur de tilleul. Sa bouche, tendre et onctueuse, conserve l'empreinte minérale du terroir jusqu'à une belle note finale d'amertume.
☞ Louis-Philippe et Philippe Rouge, cave de la Cornalle, 1098 Epesses, tél. 021.799.41.22, fax 021.799.26.64, e-mail rougelpp@worldcom.ch ☑ ⊤ r.-v.

SAVEUR DU BRESIL
Bonvillars Pinot noir - Pinot gris 1998★

| ☐ | 0,2 ha | 700 | 📘 | 100 à 149 F |

Les vins liquoreux constituent une production récente dans le canton de Vaud ; il est donc trop tôt pour estimer leur évolution future. Gageons cependant que cette cuvée Saveur du Brésil sera apte à une garde de dix ans. Jaune or, elle offre une palette intense et complexe au sein de laquelle se distinguent la rose, les fruits (fraise) et la cannelle. Des arômes que l'on retrouve dans une matière douce, bien étayée par l'acidité, qui présente encore en finale quelque austérité.
☞ Jacques Bloesch, Dom. la Boulaz, 1427 Bonvillars, tél. 024.436.13.80, fax 024.436.26.88 ☑ ⊤ r.-v.

SIR THOMAS AU CLOS DE SAINT-BONNET Bursinel 1998★★

| ■ | 0,37 ha | 1 300 | 📘 | 50 à 69 F |

Ce site aujourd'hui viticole appartenait à la fin du XIIIᵉs. à Thomas de Saint-Bonnet qui lui donna son nom. Bursinel forme un balcon bien exposé aux abords du lac Léman. L'assemblage de gamaret, garanoir et diolinoir constitue ici un vin de teinte foncée, violacée. Le nez ample et fruité décline mûre, cerise, poivre, cannelle et goudron. Puis la bouche, riche et friande, s'équilibre entre vivacité et velouté, les tanins serrés s'enveloppant d'une matière ronde, discrètement vanillée. Un vin expressif.

☛ Bernard Steiner, Saint-Bonnet, 1195 Dully, tél. 021.824.16.08, fax 021.824.16.08, e-mail b-steiner@freesurf.ch ☑ ⵣ r.-v.

PHILIPPE STRAUB
Vinzel Chardonnay Elevé en barrique 1998★★

□	0,14 ha	600	◐	70 à 99 F

Sur ses 16 ha, Philippe Straub consacre un peu plus de 2 ha à la vigne sur quatre appellations. Son chardonnay de Vinzel, jaune or, est remarquable d'intensité par ses arômes typiques du cépage et finement boisés : abricot, agrumes, huile de noix se mêlent dans la palette. Doté d'une belle vivacité, il équilibre sa matière ronde et se prolonge longuement sur un caractère friand. Un vin de gastronomie à boire ou à garder cinq ans.

☛ Philippe Straub, Dom. de la Tuilerie, 1184 Vinzel, tél. 021.824.15.48, fax 021.824.15.48 ☑ ⵣ r.-v.

DOM. DE TERRE NEUVE
Saint-Prex Gamay 1999★

■	0,8 ha	5 500	◨ ⵣ	50 à 69 F

C'est en 1996 que David Kind a pris la tête de cette ancienne exploitation, créée en 1830 à Saint-Prex. Déjà signalé dans les éditions antérieures pour son gamay, il en propose une version 99 fort réussie. Bien soutenu et légèrement violacé, ce vin exprime les fleurs (violette) et un léger accent de poivre. La bouche, fraîche et friande, décline les fruits dans une bonne structure ; elle fait preuve d'un excellent équilibre entre alcool, acidité et tanins. La finale laisse une petite impression tannique, compensée par de la douceur. Un vin expressif, prêt à boire.

☛ David Kind, Dom. de Terre-Neuve, 1162 St. Prex, tél. 021.803.63.44, fax 021.803.63.34, e-mail dkind@swissonline.ch ☑ ⵣ r.-v.

VEILLON AU CLOITRE
Aigle Chasselas 1999★

□	3 ha	25 000	◨ ⵣ	50 à 69 F

Le vignoble Veillon au Cloître s'étend au pied de l'ancienne demeure et de l'église romane Saint-Maurice. Le fruité et la note de pierre à fusil caractéristique du cépage apparaissent au nez, tandis qu'en bouche se développe une matière tendre et lisse. Celle-ci garde un côté minéral tout en présentant une légère amertume en finale.

☛ Veillon, av. du Cloître 32, 1860 Aigle, tél. 024.466.23.66, fax 024.466.27.81 ☑ ⵣ r.-v.

VIGNE EN BAYEL
Féchy Chasselas 1999★★

□	1 ha	10 000	◨ ⵣ	50 à 69 F

Installé à Féchy, entre Genève et Lausanne, aux abords du lac Léman, Raymond Paccot cultive 10 ha de vignes sur la Côte vaudoise.

Deux terroirs se distinguent dans la sélection du Guide. Ce Féchy interprète le chasselas dans un style structuré et frais. Légèrement salin et floral, ce vin évoque finement sa terre d'origine ; sa matière harmonise parfaitement velouté et vivacité. Le **pinot gris Réserve de La Côte 98** (70 à 99 F) obtient lui aussi deux étoiles pour sa grande finesse et ses beaux arômes de fleurs, d'épices et de fruits subtils.

☛ Raymond Paccot, Dom. La Colombe, 1173 Féchy, tél. 021.808.66.48, e-mail raypaccot@freesurf.ch ☑ ⵣ r.-v.

CH. DE VUFFLENS
Morges Chasselas 1999★

□ Gd cru	5 ha	30 000	◨ ⵣ	30 à 49 F

Le château de Vufflens est un imposant édifice doté d'un donjon en brique rouge, érigé au XIVᵉs. Il domine un vignoble de 8 ha sur sol argilo-calcaire. Le chasselas 99 dévoile un nez très pur, floral et légèrement salin. Sa bouche friande, bien équilibrée entre l'acidité, l'alcool et une légère sucrosité, s'achève sur un accent de terroir qui lui donne beaucoup de caractère.

☛ SA Bolle et Cie, Œnothèque La Licorne, rue Louis-de-Savoie 75, 1110 Morges, tél. 021.801.27.74, fax 021.803.00.76, e-mail bolle@bolle.ch ☑ ⵣ t.l.j. sf dim. lun. 9h-12h 14h-18h30; sam. 14h-16h

DOM. DE WURSTEMBERGER
Mont-sur-Rolle Dame de Hautecour Chasselas 1997★★

□	n.c.	2 000	◐	50 à 69 F

Coraline de Wurstemberger propose sous une élégante étiquette un exemple de très belle évolution du chasselas. Ce 97 jaune d'or brillant a en effet ouvert sa palette à un bouquet complexe : notes salines, miel, épices (cannelle et poivre), fruits (pêche). Le corps velouté est équilibré par une agréable fraîcheur et s'allonge longuement sur des accents salins, des épices et des fruits confits.

☛ Coraline de Wurstemberger, Rte de la Noyère, 1185 Mont-sur-Rolle, tél. 021.826.09.18, fax 021.826.01.64, e-mail coraline@bluewin.ch ☑ ⵣ r.-v.

Canton du Valais

Pays de contrastes, la vallée du Haut-Rhône a été façonnée au cours des millénaires par le retrait du glacier. Un vignoble a été implanté sur des coteaux souvent aménagés en terrasses.

Le Valais, un air de Provence au cœur des Alpes : à proximité des neiges éternelles, la vigne côtoie l'abricotier et l'asperge. Sur le sentier des bisses (nom local des canaux d'irrigation), le promeneur rencontre l'amandier et l'adonis, le châtaignier et le cactus, la mante religieuse et le scorpion ; il peut palper le long des murs, l'absinthe et l'armoise, l'hysope et le thym.

Plus de quarante cépages sont cultivés dans le Valais, certains introuvables ailleurs tels l'arvine et l'humagne, l'amigne et le cornalin. Le chasselas se nomme ici fendant et, dans un heureux mariage, le pinot noir et le gamay donnent la dôle, tous deux crus AOC qui se distinguent selon les divers terroirs par leur fruité ou leur noblesse.

ANTOINE ET CHRISTOPHE BÉTRISSEY
Syrah de Saint-Léonard Elevé en fût de chêne 1998★★

■	0,2 ha	1 600	◖▮ 70 à 99 F

Les frères Bétrissey ont repris le domaine familial en 1992 et entretiennent parallèlement une pépinière viticole. Leur syrah, élevée dix mois en fût, dévoile sous sa robe rouge violacé des arômes puissants rappelant les épices, les fruits rouges et la girofle. Bien typée, elle développe, après une attaque vive, une matière structurée et bien fruitée jusqu'à une longue finale. Un vin digne de quatre ans de garde. Le **pinot noir de Saint-Léonard élevé en fût de chêne 98** présente une heureuse harmonie entre barrique et vin. Il obtient une étoile (50 à 69 F).
☛ Antoine et Christophe Bétrissey, rue du Château, 1958 Saint-Léonard, tél. 027.203.11.26, fax 027.203.40.26 ☑ ⵖ r.-v.

ALBERT BIOLLAZ Grain noble 1997★★★

☐	0,2 ha	3 500	◖▮ 100 à 149 F

Les vendangeurs ont attendu que les raisins de sylvaner, marsanne et pinot gris aient passerillé sur souche pour les récolter. Une patience qui trouve sa récompense dans ce vin liquoreux pailleté d'or, laissant s'exprimer d'intenses arômes de fruits confits. Ample, la bouche repose sur une structure alcool-acidité équilibrée et trouve son point d'orgue dans une finale particulièrement longue. A attendre entre cinq et dix ans. Le chardonnay **La Sirène 99** (70 à 99 F) a été jugé remarquable, et le fendant **Les Riverettes 99** (30 à 49 F) très réussi.
☛ Les Hoirs Albert Biollaz, rue du Prieuré 5, 1956 Saint-Pierre-de-Clages, tél. 027.306.28.86, fax 027.306.62.50, e-mail info@biollaz-vins.ch ☑ ⵖ r.-v.

MICHEL BOUEN Dôle 1999★★

■	1 ha	6 000	▮▮ 30 à 49 F

Sur ses 10 ha de vignes, Michel Bouen cultive dix-huit cépages différents. Il se distingue dans le Guide par une dôle champêtre dans sa robe pourpre. Aux fruits sauvages perceptibles à l'olfaction font écho des arômes persistants de fraise des bois et de cerise dans une bouche ronde et équilibrée. Le **gamay de Chamoson 99**, racé et soutenu par de bons tanins, obtient une étoile.

☛ Michel Bouen, Cave Ardévaz, Latigny 4, 1955 Chamoson, tél. 027.306.28.36, fax 027.306.44.00 ☑ ⵖ r.-v.

CAPRICE DU TEMPS
Coteaux de Sierre Humagne blanc 1999★

☐	0,3 ha	3 000	▮▮ 50 à 69 F

Hugues Clavien conduit 3 ha de vignes selon les méthodes de la production intégrée. Jaune pâle, finement fruité, ce vin séduit par sa vinosité et sa chair subtilement acidulée et fruitée. Tout en dentelles, il exprime la belle typicité du cépage.
☛ Hugues Clavien et Fils, Cave Caprice du Temps, 3972 Miège, tél. 027.455.76.40, fax 027.455.76.40, e-mail clavien@bluewin.ch ☑ ⵖ r.-v.

JEAN ET FLORENCE CARRUPT
Chamoson Cornalin 1999★

■	0,2 ha	1000	▮▮ 100 à 149 F

Rubis sombre à l'œil, fin et élégant au nez (griotte), ce cornalin est un vin élégant, bien tannique mais toujours agréable par ses longues évocations de fruits rouges et de cerise noire. S'il est déjà prêt à boire, il pourra aussi attendre cinq ans avant de partager la table avec un gibier à plume.
☛ Jean et Florence Carrupt, La Petite-Cave, rue de Fosseau, 1955 Chamoson, tél. 027.306.76.15, fax 027.306.76.15 ☑ ⵖ t.l.j. sf dim. 9h-12h 13h-19h

PIERRE-MAURICE CARRUZO
Chamoson Humagne rouge 1999★★

■	0,25 ha	1 800	▮▮ 50 à 69 F

Les fruits noirs et la réglisse se marient heureusement dans ce vin rubis foncé. Après une attaque franche et vive, les tanins souples offrent une charpente solide à une matière concentrée, suave et élégante. Egalement remarquable, la **malvoisie flétrie de Chamoson 98** (100 à 149 F) est un liquoreux élevé dix-huit mois en fût. Tendre et séveuse, elle fait alterner fruits confits, miel, coing et abricot au nez, puis de délicates notes de mousse fraîche et de camomille en bouche. Enfin, le **fendant de Trémazière 99** mérite une étoile pour son caractère à la fois fruité et minéral (pierre à fusil).
☛ Pierre-Maurice Carruzzo, Pré de Monthey 24, 1955 Chamoson, tél. 027.306.37.56, fax 027.306.37.46, e-mail vinspmc@bluewin.ch ☑ ⵖ r.-v.

CHAMPORTAY Martigny Gamay 1999★★

■	2 ha	12 000	▮▮ 50 à 69 F

L'aventure viticole de Gérard Besse a débuté il y a trente ans lorsqu'il acheta les parchets de Champortay, entièrement implantés en terrasses. Il possède aujourd'hui 14 ha et a obtenu en 99 trois jolis vins rouges élevés en cuve. Le premier est un gamay de teinte profonde à reflets violacés. Derrière les fruits noirs et les épices apparaît un ensemble équilibré et concentré, présentant beaucoup de gras et une grande structure. Le second, une **dôle de Martigny 99** florale et ronde, mérite une étoile. Egalement très réussi, le troisième est un **pinot noir 99 du Domaine Saint-**

Théodule, dont les arômes de chocolat noir s'associent à des tanins élégants.
🍷 Gérald et Patricia Besse, Les Rappes, 1921 Martigny-Combe, tél. 027.722.78.81, fax 027.723.21.94 ☑ ⊤ r.-v.

CAVE DU CHAVALARD
Johannisberg 1999★★

	0,5 ha	2 000	⬛🥄	50 à 69 F

Le johannisberg (alias sylvaner) de Vincent et Gilles Carron provient des sols granitiques de Fully. Jaune or, il libère un fruité intense, relayé en bouche par des arômes d'amande amère. Entre gras et belle acidité en bouche, il laisse sur une légère impression de douceur en finale. S'il est capiteux, il n'en est pas moins très fin et remarquable par sa structure et son corps ample. Il sera le bienvenu sur des asperges ou des fromages.
🍷 Vincent et Gilles Carron, Cave de Chavalard, rte de Martigny 203, 1926 Branson-Fully, tél. 027.746.23.55, fax 027.746.30.79, e-mail gc@swissonline.ch ☑ ⊤ r.-v.

YVON CHESEAUX
Saillon Cornalin Fût de chêne 1998★★

	0,1 ha	600	⬛⬛	100 à 149 F

Dans le village médiéval de Saillon, Yvon Cheseaux cultive un tout petit vignoble sur un sol sablonneux léger. Son cornalin, dans sa robe violacé intense, décline les fruits à l'envi, avec des notes de violette et de sureau. C'est un vin de caractère, doté d'une trame serrée. L'élevage sous bois de douze mois, bien maîtrisé, est ici source d'harmonie. Bon potentiel de garde de trois à cinq ans.
🍷 Yvon Cheseaux, Cave des Remparts, 1913 Saillon, tél. 027.744.33.76, fax 027.744.33.76, e-mail cavedesremparts@bluewin.ch ☑ ⊤ r.-v.

CAVE CORBASSIERE Gamay 1999★★

	1 ha	1 500	⬛🥄	30 à 49 F

Les senteurs de cassis et de sureau invitent à découvrir ce vin puissant, équilibré et persistant, dont les tanins sont bien présents mais fins. La bouche est déjà agréable sur des notes de petits fruits. Cependant, on pourra laisser vieillir ce gamay jusqu'à 2004, d'autant qu'on aura tout le loisir de savourer d'ici deux ans la dôle 99 du domaine, elle aussi remarquable d'équilibre et de longueur.
🍷 Cave Corbassière, 1913 Saillon, tél. 027.744.14.03, fax 027.744.39.20 ☑ ⊤ r.-v.

CORNULUS
Clos des Corbassières Fendant 1999★★★

	0,7 ha	6 000		50 à 69 F

Nul besoin d'attendre pour goûter au plaisir de ce fendant du Valais qui charme déjà l'œil par sa teinte jaune pâle à reflets verts. Intensément floral (note de tilleul), il emplit la bouche d'une agréable fraîcheur, équilibrée par un grand fruité. Un vin qui ne cesse de surprendre par l'ampleur de sa matière et sa persistance aromatique. Tout aussi exceptionnel, l'Octoglaive Hermitage Grain noble 98 (150 à 199 F) est un vin liquoreux, ample et harmonieux. Enfin, l'Huma-

gne rouge Antica 98 (100 à 149 F), élevé en fût, a obtenu deux étoiles.

🍷 Dom. Cornulus, Stéphane, Reynard et Dany Varone, 1965 Saviese, tél. 027.395.25.45, fax 027.395.25.45, e-mail cornulus@bluewin.ch ☑ ⊤ r.-v.

CRETE D'OR 1998★★

	2 ha	10 000	⬛⬛	70 à 99 F

Pinot noir, gamay, syrah et diolinoir se rassemblent dans une cuvée brillante à reflets pourpres. L'élevage en fût de huit mois a légué à la palette de fruits rouges des notes épicées, toastées et vanillées. En bouche, ce vin riche, puissant en attaque, évolue harmonieusement grâce à des tanins fondus. Généreux et structuré, il est prêt à boire sur des viandes rouges. Le fendant de Sion Les Mazots 99 (30 à 49 F) obtient une étoile car il est typique du terroir par ses arômes minéraux et possède un bel équilibre alcool-acidité.
🍷 SA Maurice Gay, Vignoble de Ravanay, 1955 Chamoson, tél. 027.306.53.53, fax 027.306.53.88, e-mail mauricegay@swissonline.ch ☑ ⊤ r.-v.

DOM. DES CRETES
Fendant de Sierre 1999★

	10 ha	12 000	⬛🥄	30 à 49 F

Sur cinq collines de la commune de Sierre, Joseph Vocat cultive 25 ha de vignes avec l'aide de son fils Yves. Ce vin très floral (tilleul) avec une note minérale attaque en douceur puis laisse le dégustateur sur une impression d'équilibre entre corps et acidité. Harmonieux il finit sur une légère amertume.
🍷 Joseph Vocat et Fils, 3976 Noës-sur-Sierre, tél. 027.458.26.49, fax 027.458.28.49, e-mail info@vocatvins.ch ☑ ⊤ r.-v.

DOM. CRETTEX A JOSE
Malvoisie flétrie 1998★★

	n.c.	n.c.	⬛🥄	100 à 149 F

Issu de récoltes hivernales, ce vin liquoreux, habillé d'une robe jaune paille, décline une palette intense de miel, de raisins surmûris. La bouche est longue, puissante et veloutée. A déguster d'ici 2005.
🍷 Hervé Fontannaz, Cave la Tine, 1963 Vétroz, tél. 027.346.47.47, e-mail doritana@omedia.ch ☑ ⊤ t.l.j. sf dim. lun. 8h-12h 13h30-18h; sam. 8h-12h

CHRISTIAN CRITTIN
Cabernet franc cabernet-sauvignon 1997★

	0,14 ha	900	⬛⬛	70 à 99 F

Ce domaine familial a été créé en 1888 dans la commune de Saint-Pierre-de-Clages, connue

pour sa belle église romane. Christian Crittin propose aujourd'hui un vin de cabernets gras et complexe. Rouge foncé intense, ce 97 a retenu de son séjour de dix-huit mois en fût une palette réglissée, légèrement poivrée. Riche et puissant, il pourra être attendu de trois à cinq ans.
☛ Christian Crittin, rue Eglise 9, 1956 Saint-Pierre-de-Clages, tél. 027.306.17.34, fax 027.306.57.58 ☑ ⵣ r.-v.

PHILIPPE DARIOLY
Ermitage flétri 1998★

☐	0,15 ha	900	◫ 100 à 149 F

Or à reflets ambrés, ce vin liquoreux offre une corbeille de truffe, de sous-bois, de coing confit et de cire d'abeille. Il développe un caractère moelleux et riche en bouche, souligné de discrètes touches de fumée. Sa concentration s'appuie sur une belle acidité qui se traduit par une agréable fraîcheur en finale. A attendre de cinq à dix ans.
☛ Philippe Darioly, Fusion 160, 1920 Martigny, tél. 027.723.27.66 ☑ ⵣ r.-v.

GILBERT DEVAYES
Leytron Humagne rouge 1999★★★

■	0,7 ha	3 000	ⵣ 50 à 69 F

Gilbert Devayes vinifie ses vins dans les vieilles caves voûtées d'une demeure du XVIIIᵉs. Son humagne rouge, dans sa robe pourpre, est un vin à la fois tannique et velouté, qui présente le caractère rustique et sauvage du cépage. Son nez rappelle les fruits des bois et les épices. Un vieillissement de trois à cinq ans lui permettra de rejoindre un gibier sur votre table.
☛ Gilbert Devayes, Cave La Dôle Blanche, ruelle de la Cotze 5, 1912 Leytron, tél. 027.306.25.96, fax 027.306.63.46 ☑ ⵣ r.-v.

CAVE DUBUIS ET RUDAZ
Marsanne Grain noble 1997★★

☐	0,35 ha	2 000	◫ 100 à 149 F

Une histoire d'amitié qui a débuté en 1986 et qui se poursuit remarquablement à en juger ce vin liquoreux. Celui-ci décline des arômes de pain grillé, de vanille, de fruits exotiques (ananas) et une légère note de truffe blanche. Equilibré et puissant, il passe de la grande douceur à une nuance saline et imprègne longuement les sens par la richesse de ses saveurs. A attendre trois ou quatre ans.
☛ Cave Dubuis et Rudaz, 1981 Vex, tél. 027.321.13.13, fax 027.321.13.14, e-mail dubuis.rudaz@bluewin.ch ☑ ⵣ r.-v.

VINCENT FAVRE-CARRUZZO
Chamoson Fendant 1999

☐	n.c.	3 500	50 à 69 F

Quelle fraîcheur dans ce vin jaune pâle à reflets verts d'où émanent des senteurs de fleurs de tilleul et une nuance de lavande. Après une attaque vive, on perçoit un bel équilibre et une longue finale. Un fendant prêt à boire.
☛ Vincent Favre-Carruzzo, 1955 Chamoson, tél. 027.306.22.65, fax 027.306.64.43 ☑ ⵣ r.-v.

CAVE DU FORUM
Chamoson Pinot noir 1999★★

■	2,8 ha	2 500	ⵣ 30 à 49 F

Egalement propriétaire de vignes dans le canton de Vaud, Henri Magistrini cultive 12 ha de vignes dans le Valais. Outre un **fendant de Fully 99** très réussi, il propose ce remarquable pinot noir de Chamoson d'une teinte rubis soutenu. Ce 99, avec ses arômes de sous-bois intenses, présente beaucoup d'expression. Onctueux, puissant, il est bâti sur des tanins bien fondus qui le rendent accessible dès aujourd'hui.
☛ Henri Magistrini, Cave du Forum, Deleze 36, 1920 Martigny, tél. 027.722.50.76, e-mail cave-du-forum@bluewin.ch ☑ ⵣ r.-v.

FRANC TIREUR Païen 1999★★

☐	0,8 ha	7 500	ⵣ 70 à 99 F

Ce païen, ou savagnin, chatoie de reflets dorés sur fond jaune paille. Son fruité, ses senteurs de citron vert et de fleurs sauvages ouvrent la dégustation, puis la bouche révèle sa ligne citronnée et son équilibre ; elle est à la fois structurée et veloutée. Dix ou quinze ans de garde sont à la portée de ce vin. Deux étoiles récompensent également l'**humagne rouge La Chassenarde 99**, rond et structuré, intense par ses arômes de fruits, de lierre, de sous-bois et de pruneau.
☛ SA Les Fils Maye, Rue des Caves, 1908 Riddes, tél. 027.306.55.86, fax 027.306.60.92 ☑ ⵣ r.-v.

JO GAUDARD Leytron Chardonnay 1999★

☐	0,1 ha	1000	ⵣ 50 à 69 F

Finesse et équilibre caractérisent ce vin moelleux, jaune à reflets or. Une corbeille de fruits exotiques, de poire et de mangue invite à apprécier l'élégance de la bouche, son excellente tenue et sa complexité sur les touches d'agrumes, de pêche et d'ananas.
☛ Jo Gaudard, rte de Chamoson, 1912 Leytron, tél. 027.306.60.69, fax 027.306.72.18 ☑ ⵣ r.-v.

ROBERT GILLIARD Syrah 1998★

■	1,5 ha	12 200	◫ 50 à 69 F

Si à sa création en 1885, le domaine ne comptait pas plus de 4 ha de vignes, il en possède aujourd'hui 40 ha, soutenus par des murs de pierres sèches de 18 m de hauteur. Rouge violacé, ce vin exprime bien le cépage syrah grâce à ses senteurs de poivre et de cassis d'une part, à sa bouche longue et charpentée par de beaux tanins d'autre part.
☛ SA Robert Gilliard, rue de Loèche 70, 1950 Sion, tél. 027.329.89.29, fax 027.329.89.28, e-mail vins@gilliard.ch ☑ ⵣ r.-v.

FRANCOIS ET DOMINIQUE GIROUD Fendant 1999★

☐	1 ha	5 000	50 à 69 F

Avec François dans les vignes et Dominique à la cave, ce domaine de 10 ha parvient à de belles réussites, tel ce fendant jaune clair à reflets or, floral (tilleul) sur fond minéral. D'attaque souple, le vin évolue vers une finale persistante marquée par une note de noisette soutenue. A boire dès à présent.

◆┐François et Dominique
Giroud, rue du Nasot, 1955 Chamoson,
tél. 079.220.33.66, fax 027.306.10.23,
e-mail dominique@giroud-vins.ch ☑ Ⅰ r.-v.

GRAINS DE MALICE

Vendanges tardives Cuvée du Maître de chai
Elevé en fût 1998★★★

□	0,75 ha	5 000	⦀ 150 à 199 F

Grains de Malice
Vendange tardive
Appellation Valais d'origine contrôlée

ÉLEVÉS EN FÛTS DE CHÊNE
CUVÉE DU MAÎTRE DE CHAIS
PROVINS VALAIS
SION

La cave Provins Valais a proposé quatre
cuvées toutes bien notées : le **Rouge d'Enfer
Cuvée du Maître de Chais Elevé en barrique 98**
(100 à 149 F), le **Brindamour Malvoisie Vendanges tardives 98** (100 à 149 F), la **Dôle Stockalper
99** (70 à 99 F) et le **Tourbillon Ermitage Vendanges tardives 96** (250 à 299 F). Mais la préférence
a été donnée à ce liquoreux. Tout d'or vêtu, cet
assemblage d'ermitage (marsanne) et de pinot
gris offre une corbeille de fruits confits vanillés,
subtil et complexe ensemble qui perdure longtemps. Un grand vin qui conjugue à la perfection
puissance et finesse. Une attente en cave de deux
décennies est à sa portée.
◆┐Provins Valais, rue de l'Industrie 22,
1950 Sion, tél. 027.328.66.66, fax 027.328.66.60,
e-mail info@provins.ch ☑

DOM. DU GRAND-BRULE

Petite arvine 1999★★

□	0,58 ha	3 400	▮ ♦ 70 à 99 F

Ne portant autrefois que taillis de pins sylvestres, le domaine du Bois-Brûlé est aujourd'hui le
domaine d'essai de l'Etat du Valais. Vingt-quatre
cépages y sont cultivés, parmi lesquels la petite
arvine qui a donné naissance à ce vin blanc moelleux. Des touches fruitées et florales se mêlent :
pamplemousse, rhubarbe et glycine. Puis une
matière charnue emplit la bouche, structurée par
une trame serrée, fruitée et par une bonne acidité.
De la longueur et de la typicité pour un vin à
conserver entre deux et cinq ans.
◆┐Vignoble de l'Etat du Valais, 1912 Leytron,
tél. 027.306.21.05, fax 027.306.36.05 ☑ Ⅰ r.-v.

HURLEVENT Pinot gris 1999★★

□	1,5 ha	7 420	▮ ♦ 50 à 69 F

Hurlevent ? Ce vin moelleux est certes puissant et concentré, mais il est aussi très fin par
son équilibre entre le fruité intense et l'acidité.
Franc, il évolue joliment sur les fruits confits au
nez et perdure remarquablement au palais. Il
saura attendre une dizaine d'années. Le **johannisberg Hurlevent 99** moelleux obtient une étoile.

◆┐SA Les Fils de Charles
Favre, av. de Tourbillon 29, 1951 Sion,
tél. 027.327.50.50, fax 027.327.50.51 ☑ Ⅰ r.-v.

DOM. DE LA GLAPIERES

Chamoson Petite arvine 1999★★

□	1,2 ha	5 200	▮ ♦ 70 à 99 F

Le domaine de La Glapières a été repris en
1988 par les deux fils de René Favre. Sur des sols
ardoisiers, la petite arvine a donné naissance à
un vin jaune doré à reflets verts dessinant sur le
bord du verre un disque dense et brillant. Intense et puissant, ce 99 décline la fleur de glycine, la
rhubarbe chaude et une pointe minérale. L'attaque vive et souple laisse place à une matière
structurée d'une grande maturité. La finale
citronnée et rémanente signe ce vin équilibré que
l'on attendra entre cinq et huit ans.
◆┐René Favre et Fils, 11, rte de Collombey,
1956 Saint-Pierre-de-Clages, tél. 027.306.39.21,
fax 027.306.78.49,
e-mail renefavrevin@chamoson.ch ☑ Ⅰ t.l.j. sf
dim. 8h-18h; sam. 8h-12h

CAVE LA MADELEINE

Malvoisie flétrie sur souche 1999★★

□	0,4 ha	2 000	▮ ♦ 70 à 99 F

Un nez ample de fruits confits et de coing se
libère de ce vin or intense. L'attaque onctueuse
annonce l'ampleur d'une matière puissante et
persistante qui laisse l'impression d'une belle
harmonie. Cinq, dix, quinze ans de vieillissement
sont à la portée de ce liquoreux. Le **fendant de
Vétroz 99** est quant à lui très réussi (50 à 69 F).
◆┐André Fontannaz, Cave La Madeleine,
1963 Vétroz, tél. 027.346.45.54,
fax 027.346.45.54,
e-mail cave.madeleine@vtx.ch ☑ Ⅰ r.-v.

LARME D'OR

Petite arvine Vendange tardive 1998★★

□	0,2 ha	850	▮ ♦ 70 à 99 F

Thierry Constantin a repris ce domaine familial de 6,5 ha en 1995, à quelques kilomètres de
la ville de Sion. Sa petite arvine, or intense, laisse
de jolies larmes sur les parois du verre avant de
libérer des arômes de mangue, d'ananas, de raisin de Corinthe et de fruit de la Passion. Tout en
fruits exotiques, elle se développe en bouche,
ample et complexe, étayée par une belle acidité
pour se poursuivre remarquablement en finale. Le **cornalin Artémis 99** est également remarquable de
structure et de complexité aromatique (griotte).
Deux vins de garde.
◆┐Thierry Constantin, rte des Iles 110,
1950 Sion, tél. 079.433.16.81, fax 077.346.60.20,
e-mail tyconstantin@tvsznet.ch ☑ Ⅰ r.-v.

LA TOURMENTE

Chamoson Humagne rouge 1999★★★

■	0,3 ha	1 900	▮ ♦ 50 à 69 F

Rouge à reflets sombres, voici un vin très puissant sous des parfums de champignons frais.
Gras, soutenu par des arômes complexes et
intenses, le palais se structure autour de tanins
bien présents qui portent loin la finale et assurent
une garde de dix ans. Deux étoiles récompensent
par ailleurs la **dôle de Chamoson 99** (30 à 49 F)
ainsi que la **syrah de Chamoson** (70 à 99 F).

📍 Bernard Coudray et Fils, Cave La
Tourmente, Tsavez 6, 1955 Chamoson,
tél. 027.306.18.32, fax 027.306.35.33,
e-mail tourmente.cave@bluewin.ch ☑ ⏳ r.-v.

LA VOUETTAZ
Chamoson Humagne blanche 1999★★

	0,2 ha	1 200	▪ ⬥ 50 à 69 F

Bertrand et Monique Caloz-Evéquoz travaillent avec un équipement simple qui suffit à la
production de 4 ha de vignes. Les résultats n'en
sont pas moins remarquables. Ce vin n'est-il pas
parfumé de délicates notes de fleurs (tilleul) ?
La bouche intense et complexe, offre une finale
harmonieuse sur l'amande grillée. Un 99 typique
du cépage, prêt à savourer.
📍 Bertrand et Monique Caloz-Evéquoz,
3960 Sierre, tél. 027.458.45.15 ⏳ r.-v.

CAVE LE BANNERET
Chamoson Fendant 1999★

	1 ha	8 000	▪ ⬥ 30 à 49 F

Jaune pâle, ce fendant possède des arômes de
tilleul très marqués. Frais dès l'attaque, il se
poursuit avec équilibre jusqu'à une finale persistante. A déguster sur une raclette, une fondue ou
un fromage des alpages.
📍 Carlo et Joël Maye et Fils, Cave Le
Banneret, rue de La Crettaz 15,
1955 Chamoson, tél. 027.306.40.51,
fax 027.306.40.51 ☑ ⏳ r.-v.

LE BOSSET Cyhnoir 1998★★★

▪	0,3 ha	2 000	▥ 100 à 149 F

Un assemblage de cabernet-sauvignon, syrah
et humagne rouge du plus bel effet. Epicé, il rappelle en outre les fruits des bois au nez, puis
emplit la bouche d'une matière ronde et structurée. Notes épicées, saveurs sauvages fondues
dans une belle acidité... C'est un ensemble parfaitement homogène, structuré et ample.
📍 Willy Michellod et Romaine Blaser, Cave
Le Bosset, chem. des Ecoliers 2, 1912 Leytron,
tél. 027.306.18.80, fax 027.306.18.80 ☑ ⏳ r.-v.

MABILLARD-FUCHS
Venthône Fendant 1999★★

	0,45 ha	4 000	▪ ⬥ 30 à 49 F

Sur un coteau de Venthône, ce vignoble de
4 ha est conduit selon les méthodes de production
intégrée. Le fendant, axé sur le tilleul, est un vin
frais, équilibré par un bon gras et prolongé par
une longue finale. L'**humagne rouge 99 des
coteaux de Sierre** mérite également deux étoiles
pour sa souplesse et sa persistance sur des notes
épicées et sauvages (50 à 69 F).

📍 Madeleine et Jean-Yves Mabillard-Fuchs,
3973 Venthône, tél. 027.455.34.76,
fax 027.456.34.00 ☑ ⏳ r.-v.

ADRIAN MATHIER
Fendant du Ravin 1999★

	2 ha	12 000	▪ ⬥ 50 à 69 F

La famille Mathier est présente à Salquenen
depuis 1387, mais la maison vinicole date du
début du XX^{e}s. Le fendant récolté sur un terroir
de schistes calcaires, sec et ensoleillé présente un
nez racé, où les arômes minéraux se marient aux
notes de pêche et de tilleul. D'abord franc et
nerveux, il gagne en gras dans un milieu de bouche équilibré et s'étire harmonieusement en
finale.
📍 Adrian Mathier, Nouveau Salquenen AG,
Bahnofstrasse 50, 3970 Salgesch,
tél. 027.455.75.75, fax 027.456.24.13,
e-mail info@nouveau-salquenen.ch ☑ ⏳ t.l.j. sf
dim. 8h-12h 13h30-17h30; groupes sur r.-v.

SIMON MAYE ET FILS
Chamoson Humagne rouge 1999★★★

▪	0,6 ha	6 000	▪ ⬥ 50 à 69 F

Humagne Rouge
Chamoson
Appellation Valais d'origine contrôlée
70 cl   12,5% vol.
SIMON MAYE & FILS
PROPRIÉTAIRES-VIGNERONS · SAINT-PIERRE-DE-CLAGES · CHAMOSON

Le Valais préserve un beau patrimoine ampélographique. L'humagne rouge compte au nombre de ces cépages typés. Elle s'exprime exceptionnellement dans ce vin d'un rouge soutenu,
alliant avec élégance fruits noirs, nuances minérales et quelques accents épicés. D'attaque vive,
la bouche se prolonge sur une matière complexe
et structurée par des tanins denses. De l'équilibre
et de la longueur assurément. A savourer dans
les trois ans sur un gigot d'agneau au romarin.
La **dôle de Chamoson 99** de Simon Maye et Fils
est très réussie par sa souplesse et son fruité.
📍 Simon Maye et Fils, Collombey 3,
1956 Saint-Pierre-de-Clages, tél. 027.306.41.81,
fax 027.306.80.02,
e-mail simon.maye@swissonline.ch ☑ ⏳ r.-v.

MITIS Amigne de Vétroz 1998★★★

	2 ha	10 000	▥ 100 à 149 F

Récoltée sur sols schisteux, fermentée et élevée
en barrique neuve sur lie pendant vingt et un
mois, l'amigne de Vétroz Mitis est un liquoreux
de grande tenue qui obtint un coup de cœur l'an
passé. Quelques reflets verts viennent animer la
robe doré intense de ce 98. Des senteurs
complexes de miel, d'agrumes confits et de
safran composent une palette gourmande, longuement reprise en bouche. A la vivacité de
l'attaque répondent le gras et l'ampleur d'une

matière onctueuse. Un vin digne d'une garde de trois à dix ans. On retiendra aussi le **Balavaud dôle de Vétroz 99**, deux étoiles, l'**amigne de Vétroz 99** (300 à 499 F), tout aussi remarquable, et le **fendant de Vétroz Les Terrasses 99** (tous les trois dans la fourchette de prix de 50 à 69 F), une étoile.

➤Germanier Bon Père, Balavaud SA,
1963 Vétroz, tél. 027.346.12.16,
fax 027.346.51.32, e-mail wine@bonpere.com
☑ ⊤ r.-v.

NOUVEAU SAINT-CLEMENT
Coteaux de Sierre Humagne blanc 1999★

☐	n.c.	3 600	▪	70 à 99 F

L'élégance se traduit dès l'analyse visuelle par une teinte jaune à reflets verts, puis se confirme au nez dans les arômes de fruits nuancés de noisette. Très vif, ce vin repose sur des tanins légers tout en présentant un bel équilibre. Il est prêt à boire. Le **fendant 99** (50 à 69 F) est par ailleurs très réussi.

➤SA C. Lamon et Cie, Nouveau Saint-Clément, 3978 Flanthey, tél. 027.458.13.32
☑ ⊤ r.-v.

PARADIS Humagne rouge 1999★★

▪	0,3 ha	3 400	▪↓	70 à 99 F

Une humagne rouge rubis éclatant qui livre des parfums de baies sauvages et de sous-bois. Franche et vive, elle dévoile sa grande charpente sans rien perdre de sa souplesse. Une longue finale parachève cet équilibre. Un vin de garde.
➤Alex Roten, Cave du Paradis,
rte de la Gemmi 5, 3960 Sierre,
tél. 027.455.19.03, fax 027.455.19.44,
e-mail roten@cavesduparadis.ch ☑ ⊤ r.-v.

CAVE DU PARADOU Cornalin 1998★★

▪	0,1 ha	800	▪◨	70 à 99 F

Pourpre, typé et expressif, ce vin évoque la griotte très mûre, la girofle et le poivre. Il présente une remarquable charpente grâce à de beaux tanins qui invitent déjà à une dégustation sur un gibier ou une viande rouge. Très réussis, le **pinot noir 99** (30 à 49 F) et le **chardonnay 98** (50 à 69 F) ont eux aussi connu le bois et se distinguent par leur structure.
➤Cave du Paradou, La Villettaz, 1973 Nax,
tél. 027.203.23.59, fax 027.203.60.13 ☑ ⊤ r.-v.

DOMINIQUE PASSAQUAY
Gewurztraminer passerillé 1998★

☐	0,03 ha	1000	◨	100 à 149 F

Issu de raisins passerillés, ce vin jaune ambré profond possède un nez typé de mangue et de litchi. Puissant et très aromatique, il prolonge sa ligne aromatique sur un fond discrètement boisé. Il saura attendre une dizaine d'années avant d'être servi sur des fromages bleus ou un foie gras.
➤Dominique Passaquay,
Outre-Vieze, rte du Montet 5,
1871 Choex-sur-Monthey,
tél. 024.471.18.01, fax 024.472.36.22,
e-mail passdom@bluewin.ch ☑ ⊤ r.-v.

LES FRERES PHILIPPOZ
Pinot blanc 1999★★

☐	2 ha	1 100	▪↓	50 à 69 F

Les vins blancs secs sont à l'honneur chez les frères Philippoz. Ce pinot blanc aux délicats arômes de fruits acidulés est plein de vitalité en bouche. Sa belle matière allie fruité et fraîcheur jusqu'à une finale toute citronnée. Le **viognier 99**, très réussi, joue dans la finesse des fruits à noyau (pêche, mirabelle) et la vivacité florale d'une matière ample (70 à 99 F). Enfin, le **fendant Les Chênes 99** obtient également une étoile pour son alliance fruit-fleur fraîche et friande.
➤Philippoz Frères, route de Riddes 13,
1912 Leytron, tél. 027.306.30.14,
fax 027.306.71.33 ☑ ⊤ r.-v.

PIERRE DE SOLEIL Fendant 1999★

☐	0,25 ha	2 000	▪	50 à 69 F

Un joli nom pour un fendant puissant et racé tant par ses arômes floraux de tilleul que par sa bouche fraîche et harmonieuse. Les fleurs et les agrumes cèdent la place en finale à de longues notes de pierre à fusil. Ue belle harmonie à découvrir.
➤Jérôme Giroud, chem. Proz-chez-Boz 4,
1955 Chamoson, tél. 027.306.20.25,
fax 027.306.26.02 ☑ ⊤ r.-v.

CAVE DES PLACES Johannisberg 1999★

☐	0,3 ha	2 500	▪↓	50 à 69 F

Le johannisberg - autre nom du sylvaner - s'avère fort aromatique derrière sa robe jaune à reflets verts. Fruité et d'une belle intensité, il laisse une impression d'harmonie et d'élégance, avec en finale une légère amertume typique du cépage.
➤Laurent Hug, Les Places, 1971 Champlan-sur-Sion, tél. 027.398.31.43, fax 027.398.31.01
☑ ⊤ r.-v.

LA CAVE A POLYTE
Chamoson Pinot noir 1999★

▪	0,5 ha	n.c.	▪	50 à 69 F

Une veine violacée se dessine dans le rubis de la robe. Les petits fruits rouges (framboise notamment) signent la palette d'un vin rond et gras, noblement tannique. Un ensemble fin et équilibré, à découvrir dans les trois prochaines années.
➤Jacques Disner, La Cave à Polyte SA,
5, rue de la Place, 1955 Chamoson,
tél. 079.220.35.11, fax 027.306.26.66,
e-mail disner.j@chamoson.ch ☑ ⊤ r.-v.

PRIMUS CLASSICUS Cornalin 1999★★

▪	2 ha	9 600	▪↓	100 à 149 F

La maison Orsat, créée en 1874, a fait l'acquisition de plusieurs domaines viticoles pour se développer sur un total de 28 ha. Elle propose dans la série Primus Classicus un rouge et un blanc 99. Ce cornalin, jugé remarquable dans sa robe sombre à reflets violacés, rappelle les épices, la griotte et libère une légère note de framboise. C'est un beau vin structuré, velouté et élégant. En blanc, la **petite arvine 99** a obtenu une étoile ; vive et parfumée, elle laisse en finale une saveur salée caractéristique du cépage.

➦SA Caves Orsat, rte du Levant 99,
1920 Martigny, tél. 027.722.24.01,
fax 027.722.98.45, e-mail info@cavesorsat.ch
☑ �Ⲧ r.-v.

QUINTESSENCE Fully Arvine 1998★★

☐	0,17 ha	1 176	🍶❚❶🍷	70 à 99 F

De la tendresse dans cette Quintessence jaune
pastel. Les fruits et les fleurs (glycine) s'accompagnent d'une légère touche boisée, rappel d'un
passage sous bois de douze mois. Ce vin emplit
la bouche d'une matière fruitée, fondue et bien
soutenue par la vivacité. Une petite saveur salée
typique du cépage est perceptible en rétro-olfaction, derrière une ligne de fruits et de fleurs. Ce
98 a encore de beaux jours devant lui.
➦Benoît Dorsaz, Cave Coronelle,
chem. du Midi, 1926 Fully, tél. 027.746.11.25,
fax 027.746.20.45, e-mail bdorsaz@omedia.ch
☑ �Ⲧ r.-v.

CAVE DE RIONDAZ Syrah 1998★★

■	n.c.	n.c.	❶❶	70 à 99 F

Girofle et poivre. Tanins réglissés inscrits dans
une matière ample et structurée. Tout est là pour
traduire le fruit concentré et puissant d'une syrah
élevée en fût et destinée à une garde de cinq à
sept ans.
➦Caves de Riondaz, rte du Rawyl 38,
3960 Sierre, tél. 027.455.12.63, fax 027.455.31.58
☑ �Ⲧ r.-v.

RIVES DU BISSE Humagne rouge 1998★★

■	1 ha	10 000	🍶❚	70 à 99 F

Le vignoble de 10 ha s'étend sur les rives du
Bisse du village d'Ardon. Les ceps d'humagne
rouge, âgés de treize ans et cultivés sur sol calcaire, ont donné ce vin rouge foncé intense, au
nez typique de cerise noire soulignée d'une note
animale. La bouche est bâtie sur des tanins bien
fondus et enrobés de fruité. Un bel équilibre.
➦SA Gaby Delaloye et Fils, Vins Rives du
Bisse, rue de la Fonderie 5, 1957 Ardon,
tél. 027.306.13.15, fax 027.306.64.20 ☑ �Ⲧ r.-v.

ROUVINEZ Les Grains nobles 1998★★★

☐	2 ha	12 000	❶❶	150 à 199 F

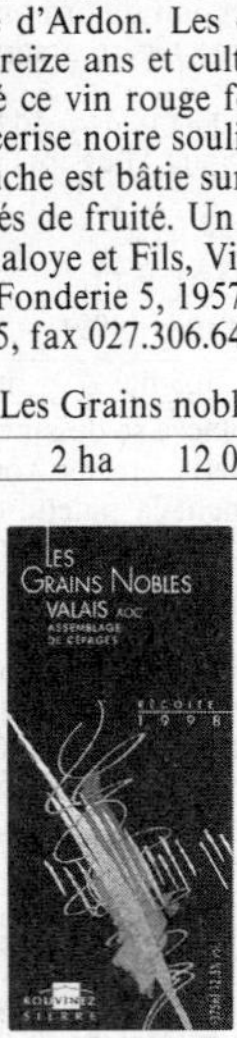

Marsanne et pinot gris récoltés à la mi-décem-
bre 1998 sur les pentes de Sierre sont à l'origine
de ce liquoreux, jaune dense à reflets dorés. L'élevage en barrique et sur lie, rythmé de bâtonnages
réguliers, a duré douze mois. Il en résulte un vin
fort complexe, caractérisé par des arômes d'eau-
de-vie de framboise et de truffe blanche. En bouche, un exceptionnel équilibre alcool-acidité se
révèle, accompagné d'une déclinaison de notes de
fruits confits et de truffe. Les perspectives
d'avenir sont plus que prometteuses (vingt ans).
On retiendra aussi le **Tourmentin 98** en rouge
(100 à 149 F) avec deux étoiles, le **muscat 99** (70
à 99 F) et l'**ermitage 98** (70 à 99 F) avec une étoile.
➦Vins Rouvinez, Colline de Géronde,
3960 Sierre, tél. 027.455.66.61,
fax 027.455.46.49, e-mail info@rouvinez.com
☑ �Ⲧ r.-v.

SAINT-MARTIN Johannisberg 1998★★★

☐	2 ha	4 500	❶❶	300 à 499 F

1848, date de la Constitution de la Confédération helvétique et celle de la création de ce
domaine de 20 ha. Un travail dans la durée qui
réussit fort bien, à en juger ce johannisberg meil-
leux qui envisage les vingt prochaines années
avec sérénité. Or jaune brillant, il livre un nez
intense et concentré (raisin de Corinthe), puis
une bouche puissante et onctueuse, empreinte de
notes de fruits exotiques (ananas, litchi). Viril et
racé en finale, il garde son élégant équilibre. A
savourer dès aujourd'hui et dans les années à
venir. La **petite arvine Sous l'escalier 98** est un
moelleux remarquable, complexe et caractéristique du cépage.
➦Dom. du Mont d'Or SA-Sion, Pont-
de-la-Morge, case postale 240, 1964 Conthey 1,
tél. 027.346.20.32, fax 027.346.51.78 ☑ �Ⲧ r.-v.

CAVE SAINT-MICHEL
Coteaux de Sierre Fendant 1999★

☐	1 ha	10 000	🍶❚🍶	30 à 49 F

Implanté à une altitude de 550 à 700 m, les
3,5 ha de vignes de ce domaine familial bénéficient d'une exposition plein sud. C'est un fendant clair et limpide que l'on découvre en 99.
Tilleul, fleurs et note minérale légère (signature
du terroir) sortent du verre. Le fruit du cépage
apparaît en bouche dans une matière ample, fringante et persistante.
➦Pierre-Elie Rey et Fils, Cave Saint-Michel,
3960 Corini-Sierre, tél. 027.455.88.52,
fax 027.456.37.57 ☑ �Ⲧ r.-v.

R. SARTORETTI ET FILS
Johannisberg 1999★

☐	0,5 ha	4 000	🍶❚🍶	50 à 69 F

Ce domaine, qui a fêté ses cent ans en l'an
2000, présente un johannisberg aux arômes
intenses de fruits, accompagné de notes de gingembre. Rond et délicat, le palais laisse percevoir
une fine nuance d'amande amère et se prolonge
dans une belle longueur. A déguster dès à présent
sur des asperges, une truite au bleu ou des crustacés.
➦R. Sartoretti et Fils, Cave Crête Blanche,
3977 Granges-Sierre, tél. 027.458.11.13,
fax 027.458.12.13 ☑ �Ⲧ r.-v.

SOLEIL DE SIERRE Dôle 1999★★

■	6 ha	50 000	🍶❚	50 à 69 F

Sous le soleil de Sierre est née une dôle rubis
à reflets violacés, dense. Son nez intense de fruits
rouges épicés, se révèle généreuse, équilibrée et
fruitée en font un vin friand. Cerise et fraise des
bois paraphent la dégustation.

❧ SA Vins Sierre Imesch, place Beaulieu 8,
3960 Sierre, tél. 027.452.36.80,
fax 027.452.36.89,
e-mail imesch.vins@swissonline.ch ☑ ⍨ r.-v.
❧ Hoirie Imeschl

ST. JODERNKELLEREI
Visperterminen Heida 1998★

☐	n.c.	60 000	50 à 69 F

Heida est l'autre nom du païen ou savagnin,
et Visperterminen celui d'un vignoble cultivé à
plus de 1 000 m d'altitude. La coopérative propose un vin jaune tirant sur le vert, aux arômes
de noix, de miel et de fruits exotiques. Bien structuré et typé, celui-ci marie fruits et acidité jusqu'à
une finale persistante.
❧ St. Jodernkellerei, Unterstalden,
3932 Visperterminen, tél. 027.946.41.46,
fax 027.946.80.76, e-mail info@jodernkellerei.ch
☑ ⍨ r.-v.

TIMOTHYUS ONE
Chamoson Johannisberg flétri 1997★★

☐	0,4 ha	2 000	⫴ 100 à 149 F

Cinq mois de passerillage et un élevage en fût
caractérisent l'élaboration de ce vin liquoreux de
teinte paille doré. Les arômes de poire et de raisin
de Corinthe s'harmonisent avec une bouche
complète et fraîche en attaque. Douceur et acidité
parviennent à un bel équilibre dans une matière
aux notes d'abricot confit. La finale s'étire longuement et laisse en mémoire une touche
d'amande amère propre au cépage. Remarquable, la **syrah Modus Vivendi 98** l'est tout autant,
harmonisant bois, fruit et acidité.
❧ Albert Gaillard et Fils, Cave du
Vidômne, rue du prieuré 8, 1956 Saint-Pierre-
de-Clages, tél. 027.306.27.80, fax 027.306.27.02
☑ ⍨ r.-v.

VERTIGES Sierre Pinot noir 1999★

■	2 ha	20 000	50 à 69 F

Jean-Louis Mathieu cultive 12 ha de vignes
entre Sierre et Sion. Ce pinot noir rubis profond
décline arômes de sous-bois, de petits fruits rouges (fraise, framboise) et notes de cuir. Généreuse
à l'attaque, la bouche se poursuit sur une ligne
fruitée, soutenue par une trame serrée. Un vin
suffisamment structuré pour une garde de deux
ou trois ans.
❧ Jean-Louis Mathieu, rte du Téléphérique,
3966 Chalais-Sierre, tél. 027.458.27.63,
fax 027.458.42.44 ☑ ⍨ r.-v.

FREDERIC ZUFFEREY
Coteaux de Sierre Fendant 1999★

☐	0,5 ha	3 500	⬛⬥ 30 à 49 F

Un fendant bien typé, jaune clair à reflets
verts, aux arômes de fleur de tilleul. On y
retrouve fraîcheur, finesse, et ce léger accent
minéral à l'attaque qui signe le terroir calcaire.
La finale est d'une bonne longueur.
❧ Frédéric Zufferey, Fond-Villa 16,
3965 Chippis, tél. 027.456.10.59,
fax 027.455.19.31 ☑ ⍨ r.-v.

Canton de Genève

Déjà présente en terre gene-
voise avant l'ère chrétienne, la vigne a survécu aux vicissitudes de l'histoire pour
s'épanouir pleinement dès la fin des années
1960.

Avec un climat tempéré dû à
la proximité du lac, à un très bon ensoleillement et à un sol favorable, le vignoble
genevois se partage entre 32 appellations.
Les efforts entrepris pour améliorer le
potentiel des vins genevois, par des méthodes culturales respectueuses de l'environnement, le choix de cépages moins produc-
tifs et appropriés à un sol généralement
caractérisé par une forte teneur en calcaire,
permettent de garantir au consommateur
un vin de haute qualité. Les exigences
contenues dans les textes de loi traduisent
autant la volonté des autorités que celle de
la profession de mettre sur le marché des
vins qui satisfont aux normes des AOC.

La palette des cépages s'est
diversifiée avec l'apport des spécialités.
Outre les principaux crus provenant du
chasselas pour les blancs, du gamay et
pinot noir pour les rouges, les spécialités
comme le chardonnay, le pinot blanc, l'aligoté, le gamaret, le cabernet, rencontrent
un franc succès auprès de l'amateur avisé.

BACCARAT Prestige Pinot noir

◔	0,3 ha	2 000	⬛⬥ 70 à 99 F

Dans la robe limpide et brillante se dessinent
des nuances pelure d'oignon. Un joli cordon
anime cet ensemble bien frais aux arômes de
fruits rouges et de fleurs. La bouche, riche et
fruitée, présente un équilibre élégant.
❧ La cave de Genève, 140, rte du Mandement,
1242 Satigny, tél. 022.753.11.33,
fax 022.753.21.10 ☑ ⍨ r.-v.

BARTHOLIE Coteaux de Dardagny★★

◔ 1er cru	1,5 ha	3 000	⬛⬥ 70 à 99 F

Assemblage de pinot noir et de pinot meunier,
ce rosé mousseux laisse monter sur un fond rose
pâle brillant un élégant cordon et dévoile des
parfums d'une grande finesse, depuis la brioche
jusqu'au poivre. Une note de réglisse signe la
dégustation en bouche, comme le point d'orgue
d'un vin riche, fruité et harmonieux.
❧ Bernard Bosseau, chem. de la Côte 11,
1282 Dardagny, tél. 022.754.12.59,
fax 022.754.15.59 ☑ ⍨ r.-v.

BELLE DE NUIT Avusy Pinot noir 1998

■   0,7 ha   4 000   ▮♦ 30 à 49 F

Grenat à reflets orangés, ce pinot noir d'Avusy livre des senteurs intenses et typiques de griotte et de fruits noirs. Rond et déjà volumineux en attaque, il évolue en souplesse et de manière équilibrée sur une bonne structure. Des accents torréfiés sont perceptibles en finale.

☛ Nicolas Cadoux, rte de Forestal 56, 1285 Athenaz, tél. 022.756.28.81, fax 022.756.26.38 ☑ ⵑ r.-v.

JACQUES ET CLAUDE BOCQUET-THONNEY
Sézenove Chardonnay 1999★

☐   0,7 ha   4 000   ▮♦ 30 à 49 F

Ce domaine familial exploite 5 ha de vignes selon les règles de la production intégrée. Son chardonnay, brillant et limpide, chatoie de reflets dorés sur fond jaune paille. Il décline une palette complexe et fine dans le registre floral, quoique discrète encore. La bouche ample et élégante se termine sur des caractères de fruits mûrs.

☛ Jacques et Claude Bocquet-Thonney, 9, chem. des Grands-Buissons, 1233 Sézenove, tél. 022.757.45.63, fax 022.757.45.63 ☑ ⵑ r.-v.

DOM. DU CENTAURE
Dardagny Légende 1998★★

■   1 ha   7 000   ▮▮ 70 à 99 F

Les cépages garanoir et gamaret ont été créés en 1970 par les stations fédérales de recherches agronomiques de Changins. Le domaine du Centaure a obtenu dans le millésime 98 un remarquable résultat en les assemblant. Ce vin rubis foncé et profond prend de jolis reflets noirs. La mûre sauvage s'allie à une note d'épices et de vanille, héritée d'un élevage en fût. En bouche, le fruit s'efface un peu devant le boisé, mais le vin n'en est pas moins agréable par sa structure équilibrée et ses tanins fins. A attendre.

☛ Claude Ramu, Dom. du Centaure, 480, rte du Mandement, 1282 Dardagny, tél. 022.754.15.09, fax 022.754.14.11 ☑ ⵑ r.-v.

DOM. DU CREST Jussy 1999★★★

◤   1,5 ha   10 000   ▮♦ 30 à 49 F

Le château du Crest est lié à l'humaniste Agrippa d'Aubigné, exilé à Genève après avoir été condamné en France pour la publication de son *Histoire universelle*. Il lui doit en effet sa reconstruction à partir de 1624. Aujourd'hui le domaine comprend 13 ha de vignes et quinze cépages différents. Il propose ici un assemblage de pinot noir et de gamay de haut vol. De teinte rose limpide à reflets presque rouges, le 99 s'exprime volontiers dans la gamme fruitée (fraise mûre notamment). La bouche est d'autant plus friande qu'elle est équilibrée et agréablement structurée. A déguster dès à présent.

☛ G. Béné et J. Meyer, Cave du Ch. du Crest, 40, rte du ch. du Crest, 1254 Jussy, tél. 022.759.06.11, fax 022.759.11.22 ☑ ⵑ r.-v.

PIERRE DUPRAZ ET FILS
Coteau de Lully Sauvignon 1999

☐ 1er cru   0,7 ha   4 000   ▮♦ 50 à 69 F

Installé depuis 1909, ce domaine a été le premier à cultiver l'aligoté dans le canton de Genève. Il propose ici un sauvignon limpide et brillant, dont le nez intense évoque le bourgeon de cassis. Un vin friand, assez rond et de bonne longueur.

☛ Pierre Dupraz et Fils, Dom. des Curiades, 49, chem. des Curiades, 1233 Lully, tél. 022.757.28.15, fax 022.757.47.85 ☑ ⵑ r.-v.

LE PONT DES SOUPIRS Satigny 1998★

■   1,3 ha   9 000   ▮▮ 100 à 149 F

Le domaine, fondé en 1983, exploite 30 ha de vignes, comprenant vingt variétés différentes de cépages. Grenat profond à reflets violacés, ce Satigny affiche un nez puissant, marqué par des arômes épicés et une note animale. Cette même puissance se retrouve dans une bouche ample et ronde, bâtie sur des tanins solides. Un vin charpenté, apte à la garde.

☛ Roger Burgdorfer, Dom. du Paradis, rte du Mandement 275, 1242 Satigny, tél. 022.753.18.55, fax 022.753.18.55 ☑ ⵑ r.-v.

LES HUTINS Gamaret 1999★

■   1 ha   5 300   ▮♦ 50 à 69 F

Parmi ses 18 ha de vignes conduites selon les règles de la production intégrée, Pierre et Jean Hutin cultivent le gamaret, cépage noir issu du croisement du gamay noir et du reichensteiner. C'est un vin très réussi que l'on découvre ici, habillé d'une robe rouge rubis à reflets violacés. Très typé, le nez décline les fruits rouges et les épices. A l'attaque franche et souple répond une bouche structurée par des tanins soyeux. L'ensemble est harmonieux et équilibré.

☛ Pierre et Jean Hutin, Dom. Les Hutins, 8, chem. de Brive, 1282 Dardagny, tél. 022.754.12.05, fax 022.754.12.27, e-mail domaine.les.hutins@bluewin.ch ☑ ⵑ r.-v.

LES SECRETS DU SOLEIL
Dardagny Chasselas 1999★★★

☐   0,8 ha   5 000   ▮♦ 30 à 49 F

Philippe Vocat cultive 10 ha de vignes sur la commune viticole réputée de Dardagny. Derrière la teinte dorée avenante de ce chasselas, s'exprime une dominante florale soutenue par une légère note minérale. Net et franc, le vin évolue sur une bonne structure, équilibrée par de la fraîcheur. La finale fait la part belle aux caractéristiques du terroir.

☛ Philippe Vocat, Dom. Secrets du Soleil, rte de Mandement 446, 1282 Dardagny, tél. 022.754.13.84, fax 022.754.14.10, e-mail philippe.vocat@informaniak.ch ☑ ⵑ r.-v.

GILBERT MISTRAL-MONNIER
Dardagny Muscat 1999★★

☐   0,3 ha   1 500   ▮♦ 50 à 69 F

A 15 km de la ville de Genève, Gilbert Mistral-Monnier obtient des vins fruités et généreux sur un terroir calcaire, bien exposé. Ce muscat liquoreux en est un remarquable exemple. Sa teinte jaune paille tirant sur le doré invite à « humer à longs traits » les parfums de marc de raisin mûr. Une grande complexité est perceptible dans sa bouche équilibrée par une bonne acidité.

☛ Gilbert Mistral-Monnier, chem. des Pompes 18, 1282 Dardagny, tél. 022.754.14.46, fax 022.754.19.46 ☑ ⌶ r.-v.

MARC RAMU
Dardagny Pinot blanc 1999★★

| ☐ | 0,5 ha | 3 000 | 🍶 | 30 à 49 F |

Cette propriété familiale a été fondée dès la fin du XVIIᵉˢ. et comprend aujourd'hui 9 ha de vignes. Or brillant, son pinot blanc 99 est un vin intensément aromatique : des notes d'amande amère et de tilleul s'élèvent élégamment. D'attaque souple, il se développe sur une structure puissante et équilibrée jusqu'à une belle finale.

☛ Marc Ramu, Clos des Pins, rte du Mandement 458, 1282 Dardagny, tél. 022.754.14.57, fax 022.754.17.23 ☑ ⌶ r.-v.

BERNARD ROCHAIX
Peissy Pinot gris Vendanges tardives 1998

| ☐ | n.c. | 600 | ⫿⫿ | 100 à 149 F |

Paille doré, voici un pinot gris puissant, aux arômes de raisin de Corinthe. Il doit son équilibre en bouche à une belle fraîcheur qu'accompagnent des notes de châtaigne et de vanille. Ce vin est prêt à boire mais pourra attendre

☛ Bernard Rochaix, Dom. Les Perrières, 1242 Satigny, tél. 022.753.90.00, fax 022.753.90.09 ☑ ⌶ r.-v.

ROUGE-ROUGE★★★

| ■ | 1 ha | 3 000 | ⫿⫿ | 50 à 69 F |

La cave des Chevaliers est un domaine de 12 ha qui élève quatorze cuvées différentes. Le Rouge-Rouge est un vin avec indication de provenance (catégorie II des vins suisses), issu de gamaret et de pinot noir. Il livre sous une robe grenat foncé des arômes de fruits noirs alliés à une note épicée de cannelle. Elégant, il évolue sur une structure tannique très présente qui s'assouplira avec le temps. En finale, des notes vanillées rappellent l'élevage en fût de chêne.

☛ Sébastien Dupraz, 8, chem. de Placet, 1286 Soral, tél. 022.756.15.66, fax 022.756.43.92, e-mail cdupraz@infomaniak.ch ☑ ⌶ r.-v.

H. SCHUTZ ET R. MOSER
Celigny Pinot noir 1998★★

| ■ | 3 ha | 20 000 | 🍶 | 70 à 99 F |

Des nuances orangées apparaissent dans la robe rubis de ce pinot noir, typé cerise noire au nez. Harmonieuse et ample, la bouche bénéficie de la présence de tanins soyeux et inscrit ce vin dans le style complexe et équilibré. Un bel ensemble structuré à découvrir dès à présent ou à attendre.

☛ H. Schütz et R. Moser, Le Clos de Celigny, rte de Celigny 38, 1298 Celigny, tél. 022.776.32.05, fax 022.776.07.85 ☑ ⌶ r.-v.

DOM. DES TROIS ETOILES
Peissy Merlot 1998★★★

| ■ | 1 ha | 8 000 | ⫿⫿ | 100 à 149 F |

Ce domaine de 10 ha a été le premier à introduire le merlot à Genève à la suite d'une erreur de livraison du pépiniériste... Un heureux hasard puisque ce cépage atteint ici un haut niveau. Ce 98, net et limpide, s'habille d'une robe rubis à nuances orangées. Au sureau et au cassis s'ajoute une note épicée au nez. La bouche bien structurée et équilibrée repose sur une trame tannique fine et joliment vanillée en finale. S'il est prêt à boire, ce vin a le potentiel nécessaire pour vieillir en cave.

☛ Jean-Charles Crousaz, Dom. des Trois Etoiles, C.P. 32, 1242 Satigny, tél. 022.753.16.14, fax 022.753.41.55 ☑ ⌶ r.-v.

PIERRE ET PHILIPPE VILLARD
Anières Chardonnay 1999★★

| ☐ | 0,6 ha | 5 000 | 🍶 | 30 à 49 F |

Ce domaine familial cultive 5 ha de vignes selon les règles de la production intégrée et sur un terroir graveleux, d'origine fluvio-glaciaire. Ce remarquable chardonnay a séduit le jury sous ses atours limpides et brillants. Très expressif, il libère des arômes francs de fruits de la Passion et d'agrumes. La bouche, bien structurée, confirme les impressions olfactives avec une belle persistance.

☛ Pierre et Philippe Villard, rue Centrale 46, 1247 Anières, tél. 022.751.25.56, fax 022.751.25.56 ☑ ⌶ r.-v.

> L'alcool assure corps et rondeur au vin ;
> l'acidité lui donne l'attaque et la nervosité ;
> les tanins lui procurent structure et
> charpente.

Canton de Neuchâtel

Proche du lac qui reflète le soleil, adossé aux premiers contreforts du Jura qui lui offrent une exposition privilégiée, le vignoble neuchâtelois s'étire sur une étroite bande de 40 km entre Le Landeron et Vaumarcus. Le climat sec et ensoleillé de cette région, de même que les sols calcaires jurassiques qui y prédominent, conviennent bien à la culture de la vigne, ce que confirment encore les historiens qui nous apprennent que la première vigne y fut officiellement plantée en 998 ; à Neuchâtel, la vigne est donc millénaire.

Dans ce petit vignoble de 610 ha, le chasselas et le pinot noir règnent en maître ; il y a bien quelques « spécialités » (pinot gris, chardonnay, gewurztraminer et riesling x sylvaner), mais leur culture occupe à peine 6 % des surfaces. Cet encépagement apparemment limité cache en réalité une très large palette de vins et de saveurs différentes, grâce au savoir-faire des vignerons et à la diversité des terroirs.

Les rouges issus du pinot noir, élégants et fruités, souvent racés sont aptes au vieillissement. Le très typique Œil-de-Perdrix est un rosé inimitable originaire du vignoble neuchâtelois, ainsi que la Perdrix Blanche obtenue par pressurage sans macération. Quelques caves élaborent même un vin mousseux.

La variété des sols du canton, d'est en ouest, ainsi que les styles personnels des vinificateurs, sont à l'origine d'une grande diversité de goûts et d'arômes des vins blancs de chasselas et promettent à l'amateur curieux plus d'une découverte intéressante. On relèvera encore deux spécialités locales issues du même cépage : le « Non filtré », vin primeur qui ne peut pas être mis en vente avant le troisième mercredi du mois de janvier et les vins sur lies.

Chacune des 18 communes viticoles produit sa propre appellation, alors que l'appellation Neuchâtel est applicable à l'ensemble des productions du canton de première catégorie.

CHAMPRÉVEYRES Chasselas 1999★★

| ☐ | 0,55 ha | 4 000 | ■ ↓ 30 à 49 F |

Champréveyres, « le Champ aux Prêtres », doit son nom aux chanoines de l'abbaye de Fontaine-André, qui reçurent cette terre du comte de Neuchâtel par une charte de 1143. Aujourd'hui, ce vignoble prestigieux permet à Olivier Lavanchy, jeune vigneron-encaveur, de proposer un chasselas 99 fruité et floral avec une pointe de pierre à fusil. Ce vin élégant présente une rondeur et un équilibre remarquables en bouche, laquelle se termine par une pointe d'amertume agréable. Il se marie idéalement avec la spécialité culinaire de la région : les filets de perche du lac de Neuchâtel.
☛ Olivier Lavanchy, rue de la Dîme 48, 2000 Neuchâtel, tél. 032.753.68.89, fax 032.753.68.89 ☑ ▼ r.-v.

DOM. GRILLETTE Œil-de-Perdrix 1999★★

| ◢ | 5 ha | 15 000 | ■ ↓ 70 à 99 F |

Etabli au cœur du village de Cressier depuis 1884, le domaine de la Grillette fait partie du patrimoine viticole neuchâtelois. Sous la nouvelle impulsion de Thierry Lüthi, directeur, et de Jean-Claude Martin, œnologue, cette entreprise familiale fait une entrée remarquée dans le Guide avec un Œil-de-Perdrix 99 d'une grande finesse et d'une belle vivacité. Ce vin dévoile aussi le caractère typique du pinot noir dont il est issu.
☛ Grillette Dom. de Cressier, Molondin 2, 2088 Cressier, tél. 032.758.85.29, fax 032.758.85.21 ☑ ▼ r.-v.

J.C. KUNTZER ET FILS
Saint-Sébaste Pinot noir 1998★★

| ■ | 7 ha | 30 000 | ❪❘❫ 50 à 69 F |

Cette exploitation familiale est située au cœur du vignoble neuchâtelois. Ce pinot noir 98 a des airs bourguignons dans sa belle robe rubis. Son nez révèle des arômes puissants issus d'une vendange sélectionnée dans les meilleurs terroirs du domaine. En bouche, on perçoit des tanins très fins, serrés et bien structurés. Ce vin accompagnera idéalement les viandes rouges. Il a obtenu la meilleure note du jury neuchâtelois pour les rouges et mérite indiscutablement le coup de cœur au titre d'ambassadeur des vins de cette région.
☛ Jean-Pierre Kuntzer, Daniel-Dardel 11, 2072 Saint-Blaise, tél. 032.753.14.23, fax 032.753.14.57, e-mail info@kuntzer.ch
☑ ▼ r.-v.

LA FEUILLEE Cressier Chasselas 1999★★

☐   4,49 ha   30 000   `50 à 69 F`

Le fondateur de la maison Jacques Grisoni peut être fier de son beau-fils Christian Jeanneret qui a repris l'entreprise familiale de Cressier depuis une dizaine d'années. La passion de la qualité cultivée dans cet encavage se retrouve dans ce chasselas élégant, riche et agréable. Une légère pointe de gaz carbonique lui donne une grande vivacité qui a séduit le jury. En bouche, sa longueur remarquable se termine par une nuance d'acidité agréable. Voilà donc un beau vin d'apéritif.

☛ Dom. Grisoni, 1, Chem. des Devins, 2088 Cressier, tél. 032.757.12.36, fax 032.757.12.10 ☑ ⵘ r.-v.

☛ C. Jeanneret et J. Tatasciore

CAVE DES LAURIERS Pinot noir 1998★

■   2 ha   15 000   ⧎ `70 à 99 F`

Au pied du majestueux château de Cressier, une belle et grande demeure viticole bâtie en 1505 abrite la Cave des Lauriers. Depuis 1875, cinq générations de la même famille se sont transmis un savoir-faire et une passion qui permet à cette marque de proposer un remarquable pinot noir 1998. Une belle tenue, des arômes bien développés et des tanins prometteurs donnent à ce vin beaucoup de classe. Il sera particulièrement apprécié avec une viande grillée ou avec un fromage de la région. A retenir aussi, **L'œil-de-perdrix 99** de la maison, très réussi.

☛ Jungo & Fellmann, Cave des Lauriers, rue du Château 6, 2088 Cressier, tél. 032.757.11.62, fax 032.757.40.62 ☑ ⵘ r.-v.

LES SORCIERES Pinot noir 1998★★

■   3 ha   11 000   ⧎ `70 à 99 F`

Spécialisées dans la vente directe, les Caves coopératives de la Béroche comptent parmi leurs membres un vigneron éminent en la personne de M. René Felber, ancien président de la Confédération suisse. La production de vins issus de l'agriculture biologique constitue une exclusivité de cette entreprise. C'est le remarquable pinot noir 98 Les Sorcières qui a séduit le jury. On retrouve dans ce vin toute la richesse et la générosité du terroir des coteaux de La Béroche, idéalement exposés au soleil. Ce sera un compagnon de marque pour les viandes rouges et les fromages.

☛ Caves de La Béroche, Crêt-de-la-Fin 1-2, 2024 Saint-Aubin, tél. 032.835.11.89, fax 032.835.31.80 ☑ ⵘ r.-v.

DOM. DE L'HOPITAL DE SOLEURE
Pinot noir 1998★★

■   5 ha   11 900   `150 à 199 F`

C'est en 1466 que la bourgeoisie de l'Hôpital de Soleure a commencé d'acquérir des vignes à Neuchâtel. Depuis plus de cinq cents ans, les vins neuchâtelois font le bonheur de la cité des Ambassadeurs, la ville alémanique la plus française avec ses fortifications érigées par Vauban. L'histoire nous apprend encore que les vins empruntaient la voie fluviale pour arriver à Soleure et les bateliers n'hésitaient pas à goûter leur précieuse cargaison. Aujourd'hui, la Cave de l'Hôpital de Soleure se distingue par un pinot noir 98 remarquable tant par sa richesse que par son corps harmonieux qui lui donne pratiquement un air bourguignon. Un vin à garder. A côté de ce pinot, ce producteur a présenté un **chasselas 99** (de 100 à 149 F) remarquable, qui a obenu la meilleure note neuchâteloise pour les vins de ce cépage (de 100 à 149 F).

☛ Dom. de l'Hôpital de Soleure, Russie, 8, 2525 Le Landeron, tél. 032.751.46.01, fax 032.623.78.08 ☑ ⵘ r.-v.

DOM. E. DE MONTMOLLIN FILS
Œil-de-Perdrix 1999★

◢   10 ha   15 300   ■ ⵘ `50 à 69 F`

Depuis le XVIe s., la famille de Montmollin s'occupe de viticulture et le domaine, constitué au cours des siècles, est devenu le plus important du vignoble neuchâtelois, avec 47 ha cultivés. La cave est située au cœur du vieux village. L'œil-de-perdrix 99 se caractérise par une bonne structure et une belle longueur. Les connaisseurs peuvent y retrouver un agréable goût de noisette. Un vin idéal pour accompagner les viandes blanches ou le poisson.

☛ Dom. E. de Montmollin Fils, Grand-Rue 3, 2012 Auvernier, tél. 032.731.21.59, fax 032.731.88.06 ☑ ⵘ t.l.j. sf dim. 8h-12h 13h30-18h30; sam. 9h-13h

CAVES DU PRIEURE DE CORMONDRECHE Œil-de-Perdrix 1999★★

◢   n.c.   7 022   ■ ⵘ `70 à 99 F`

Les vins des Caves du Prieuré sont, année après année, appréciés des connaisseurs. Les quelque cent vingts coopérateurs qui livrent leur vendange à Cormondrèche sont incités à produire la meilleure qualité par les responsables. Cette année, le jury a particulièrement apprécié l'œil-de-perdrix, caractérisé par un équilibre subtil et une grande typicité. Très corsé, ce vin garde cependant une douceur finale qui permet de le garder à table jusqu'au dessert.

☛ Les Caves du Prieuré, Grand-Rue 25, 2036 Cormondrèche, tél. 032.731.53.63, fax 032.731.56.13 ☑ ⵘ r.-v.

Canton de Berne

Le vignoble forme un ruban qui s'étend le long de la rive gauche du lac de Bienne, au pied du Jura. Les vignes s'accrochent à la pente et entourent les villages dont l'architecture rappelle un art de vivre et une tradition qui a bien su traverser les siècles. Cinquante-cinq pour cent de la surface est occupée par du chasselas, 35 % par du pinot noir, 10 % par des spécialités comme le pinot gris, riesling x sylvaner, chardonnay, gewurztraminer, etc. Le climat tempéré du lac et le calcaire du sol, en général peu profond, confèrent aux vins finesse et caractère. Le chasselas est un vin blanc léger, pétillant, idéal pour l'apéritif ou pour accompagner un filet de féra du lac. Le pinot noir est un vin léger, élégant, fruité. Les domaines viticoles sont des entreprises familiales d'une surface comprise entre 2 et 7 ha, où tradition et modernité sont en parfaite harmonie.

Dans les autres cantons viticoles de Suisse alémanique, la vigne pousse très au nord. Malgré la rigueur du climat, ces régions produisent majoritairement des vins rouges. Souvent à base de pinot noir, ils représentent 70 % de la production. Quant aux vins blancs, ils sont principalement à base de riesling x sylvaner.

DOM. DE L'HOPITAL DE SOLEURE
Schafiser 1999★

	2,3 ha	20 000	■ ♦	50 à 69 F

Dès le XIVᵉˢ., l'Hôpital de Soleure vinifia le jus de raisin transporté par bateau du vignoble du Landeron à ses caves. L'héritage viticole a été dignement préservé à en juger ce chasselas d'une grande finesse qui se caractérise par une douceur et une ampleur prononcées. Ces éléments soutiennent une longueur en bouche intéressante. Un vin à apprécier dès aujourd'hui sur des poissons de lac, une raclette ou une fondue.
☛ Dom. de l'Hôpital de Soleure, Russie, 8, 2525 Le Landeron, tél. 032.751.46.01, fax 032.623.78.08 ☑ ⌥ r.-v.
☛ Fondation Hôpital de Soleure

SCHLOSSLIWY Schafiser Gutedel 1999★

	1,5 ha	10 000	⦀	50 à 69 F

Sur les rives calcaires du lac de Bienne, la famille Teutsch cultive 3 ha de vignes depuis 1830. Face à l'île Saint-Pierre, sa jolie maison vigneronne, construite en 1570, est placée sous la Protection des sites. Dans une cave exclusivement équipée en fûts de chêne, Heinz Teutsch a élaboré un vin de structure aérienne. Légèrement pétillant, celui-ci laisse une agréable impression de vivacité.
☛ Heinz Teutsch, Schafis, 2514 Ligerz, tél. 032.315.21.70, fax 032.315.22.79 ☑ ⌥ r.-v.

PETER SCHOTT-TRANCHANT
Twanner Cuvée sélectionnée 1999★

	0,35 ha	3 000	⦀	50 à 69 F

Le visiteur est accueilli dans la maison familiale au cœur du vieux village de Twann. Le charme du cadre se retrouve intact dans ce vin issu de rendements bien maîtrisés. On « hume à grands traits » le fruité du chasselas, allié à des arômes de tilleul au nez. Puis on apprécie l'équilibre entre les sucres et les acides, ces derniers apportant une belle amertume en finale.
☛ Peter Schott-Tranchant, Dorfgasse 117, 2513 Twann, tél. 032.315.24.86, fax 032.315.24.86 ☑ ⌥ r.-v.

REBGUT DER STADT BERN
Schafiser Bielersee 1999★

	12 ha	100 000	■ ♦	50 à 69 F

Ce domaine viticole appartient à la ville de Berne depuis 1528, date de la sécularisation de plusieurs couvents. Il couvre aujourd'hui 20 ha plantés en pinots noir et gris, chardonnay, sauvignon blanc et chasselas. Ce chasselas 99, issu d'un terroir calcaire, possède une belle ampleur soulignée par des notes minérales. S'il finit un peu court, il n'en est pas moins fin et agréable.
☛ Jean-Pierre Louis, Dom. de La Ville de Berne, 2520 La Neuveville, tél. 032.751.21.75, fax 032.751.58.03 ☑ ⌥ r.-v.

Canton d'Argovie

DANIEL FURST-BANZIGER
Hornusser Federweiss Stiftshalde 1999★★

◹	0,6 ha	n.c.	■ ♦	50 à 69 F

Cette exploitation familiale de 3 ha de vignes cultive müller-thurgau, pinot gris, dornfelder et pinot noir. C'est à partir de ce dernier cépage qu'elle a obtenu dans le millésime 99 un remarquable vin rose saumon. La palette intense évoque bien le pinot noir et s'accompagne d'une pointe amylique. Ronde et pleine, la bouche repose sur un beau fruité et un bon équilibre des sucres résiduels (8 g/l).
☛ Erika et Daniel Fürst-Bänziger, Rebgut Stiftshalde, 5075 Hornussen, tél. 062.871.55.61, fax 062.871.85.66 ☑ ⌥ t.l.j. sf dim. 8h-18h

GEBRUEDER NAUER
Tegerfelder Pinot noir Prestige Barrique 1998★

▦	1 ha	4 800	⦀	70 à 99 F

Depuis 1893, cette maison familiale produit du vin à Bremgarten à partir de ses propres vignobles ou de vendanges achetées à d'autres viticulteurs. Le pinot noir a bénéficié d'un élevage en barrique pour donner cette cuvée Prestige à la robe rouge foncé. Les arômes boisés font bon ménage avec le fruité du cépage et se retrouvent en bouche autour de tanins bien présents qui augurent un bon potentiel. La finale est par ailleurs longue et fine.
☛ Gebrueder Nauer Ag, Postfach, 5620 Bremgarten 2, tél. 056.633.86.33, fax 056.631.81.82 ☑ ⌥ r.-v.

HARTMANN WEINBAU
Villnachern Argovie Blauburgunder Spätlese 1998★★

■ n.c. n.c. ❙❙❙ 70 à 99 F

Rubis intense, ce blauburgunder (alias pinot noir) issu de vendanges tardives présente un nez boisé hérité d'un élevage en fût. D'abord sage, il se structure en milieu de bouche autour de tanins bien présents et d'une acidité équilibrée, puis s'étire assez longuement en finale.
☛ Hartmann Weinbau, Rinikerstrasse 17, 5236 Remigen, tél. 056.284.27.43, fax 056.284.27.28 ☑ ⅄ r.-v.

Canton des Grisons

GRENDELMEIER-BANNWART
Zizerser Blauburgunder Auslese 1998★★★

■ n.c. n.c. ❙❙❙ 50 à 69 F

4 ha de vignes complantés de pinot noir, de müller-thurgau et de chardonnay, conduits en culture intégrée, constituent ce domaine familial. Pour l'élaboration de ce vin, une partie du pinot noir a été vinifiée en fût de chêne de 200 litres. Il en résulte un ensemble rubis foncé, aux arômes de cassis, de mûre et de baies sauvages. La bouche pleine et ample repose sur des tanins mûrs qui lui apportent une bonne structure. Un réel équilibre est perceptible entre cette présence tannique, l'acidité et le moelleux. Ce pinot noir pourra patienter en cave entre trois et cinq ans.
☛ Familie Grendelmeier-Bannwart, 7205 Zizers, tél. 081.322.62.58, fax 081.322.92.66 ☑ ⅄ r.-v.

HANS PETER LAMPERT
Maienfelder Blauburgunder Barrique 1997★

■ n.c. n.c. ❙❙❙ 70 à 99 F

Le pinot noir représente 85 % du vignoble sur cette exploitation familiale créée en 1983. Fruité, souligné d'une ligne boisée issue d'un élevage en barrique, ce vin propose dans une structure réussie un joli jeu entre tanins fins et acidité. S'il est ainsi prêt à boire, il saura encore se bonifier à la garde.

☛ Hans Peter Lampert, Heidelberg 248, 7304 Maienfeld, tél. 081.330.72.05, fax 081.330.72.06 ☑ ⅄ r.-v.

MARKUS ET SONJA LAMPERT
Maienfelder Blauburgunder Barrique 1997★★

■ n.c. n.c. ❙❙❙❙ 70 à 99 F

Le pinot noir est le cépage le plus répandu de Suisse alémanique. Markus et Sonia Lampert en font grand cas sur leur domaine de 3 ha et ont su obtenir un 97 remarquable par sa structure. L'élevage en barrique a laissé son empreinte boisée dans une palette intense de mûre et de fruits secs. Des tanins bien mûrs tapissent le palais lors de la dégustation de ce vin déjà avenant mais digne d'être conservé en cave.
☛ Sonja et Markus Lampert, Lurgasse Torkel, Lurgasse 276, 7304 Maienfeld, tél. 081.330.19.70, fax 081.330.19.71, e-mail m.s.lampert@pop.agri.ch ☑ ⅄ r.-v.

LIESCH
Malanser Blauburgunder Auslese 1998★★★

■ n.c. n.c. ❙❙❙❙ 50 à 69 F

Déjà coup de cœur pour le millésime 97 de cette cuvée, les frères Liesch confirment leur savoir-faire un an plus tard. Une nouvelle occasion de découvrir sous la jolie étiquette créée par August Rausch un pinot noir de grande classe dans sa robe rouge foncé aux reflets violets. Le nez fin laisse apparaître sur un fond boisé un bouquet typique du pinot noir, concentré en fruits noirs (cassis) bien mûrs. Au palais, un bon équilibre se révèle entre tanins et acidité, qui s'inscrit dans la durée. Un vin élevé pour partie en fût, fait pour une garde de quatre à cinq ans.
☛ Familien Liesch, Treib, 7208 Malans, tél. 081.322.12.25, fax 081.330.05.85, e-mail liesch@pop.agri.ch ☑ ⅄ r.-v.

STUDACH Malanser Pinot noir 1998★★

■ n.c. n.c. ❙❙❙ 70 à 99 F

Et l'on retrouve le joli pinot noir de Barbara et Thomas Studach, avec une étoile supplémentaire dans le millésime 98. S'il est encore jeune dans sa parure rouge intense, il n'en dévoile pas moins un beau nez de framboise et de réglisse. Son ampleur au palais et son équilibre sont autant de promesses d'un bon vieillissement.
☛ Thomas et Barbara Studach, Kirchgasse 60, 7208 Malans, tél. 081.322.25.38, fax 081.322.25.38 ☑ ⅄ r.-v.

Canton de Saint-Gall

TRIO CLASSICO
Pinot noir, cabernet-sauvignon, diolly noir
1998★★

| ■ | n.c. | n.c. | ⦿ | 70 à 99 F |

Le Trio classico est un assemblage de cépages cultivés en Suisse orientale et élevé huit mois en fût. Sous une robe pourpre intense, on découvre une palette très aromatique de baies sauvages. Les tanins veloutés et mûrs encadrent une matière pleine et chaleureuse qui s'achève sur une longue finale.
☛ Gebrueyer Kuemin, Oechsli 1,
8807 Freienbach, tél. 055.410.31.31,
fax 055.410.63.67 ☑ ⏸ r.-v.

Canton de Schaffhouse

BAUMANN Oberhallauer Auslese 1998★★

| ■ | n.c. | n.c. | ■ ⸔ | 50 à 69 F |

Chaque samedi, les Baumann reçoivent les visiteurs sur leur domaine de 7,3 ha pour une dégustation. Ils proposent dans le millésime 98 ce vin issu de vendanges tardives (*Auslese*) de pinot noir. Elevé en cuve, celui-ci se révèle intensément fruité, corsé et bâti sur de bons tanins. On découvrira par ailleurs la **cuvée classique d'Oberhallau 98**, elle aussi boisée, qui constitue une autre expression remarquable de ce cépage privilégié en Suisse alémanique (de 70 à 99 F). Enfin, Ruedi Baumann cosigne avec Michael Meyer le **pinot noir Zwaa 98 d'Osterfing-Oberhallau** (de 100 à 149 F), auquel le jury a également attribué deux étoiles.
☛ Weingut Baumann, Unterdorf 117,
8216 Oberhallau, tél. 052.681.33.46,
fax 052.681.33.56 ☑ ⏸ r.-v.

GRAF VON SPIEGELBERG
Hallauer Beerli Blauburgunder 1998★

| ■ | n.c. | n.c. | ■ ⸔ | 30 à 49 F |

La fête des vendanges qui se déroule les deux premiers dimanches d'octobre pourra être l'occasion de découvrir la plus grande cave du canton de Schaffhouse. Ses propriétaires, Robert et Emil Rahm Hallau, possèdent 10 ha de vignes mais achètent également une part importante de raisins. C'est un pinot noir fruité (framboise) et doté de tanins fins qu'ils vous proposent pour accompagner dès aujourd'hui ou dans quelques mois une volaille.
☛ Rimuss-Kellerei, Postfach, 8215 Hallau,
tél. 052.681.31.44, fax 052.681.40.14 ☑ ⏸ r.-v.

LANZ & CO WEINKELLEREI
Wilchinger Rötiberg 1997★

| ■ | n.c. | n.c. | ⦿ | 50 à 69 F |

Cette exploitation familiale anciennement implantée à Wilchingen cultive son vignoble selon les principes de la production intégrée. Elle a obtenu en 97 un bien joli pinot noir, concentré en arômes variétaux. L'élevage en barrique s'est traduit par un certain boisé perceptible dans une bouche assez longue.
☛ Lanz Rötiberg-Kellerei & Co, Dorfstrasse 141, 8217 Wilchingen, tél. 052.681.19.21, fax 052.681.19.25, e-mail mail@roetiberg.ch
☑ ⏸ r.-v.

COOPERATIVE LOHNINGEN
Loehninger Auslese Riesling x silvaner 1999★

| ☐ | n.c. | n.c. | ■ ⸔ | 50 à 69 F |

Le millésime 99 a été bénéfique au riesling x silvaner récolté tardivement à Löhningen, aire majoritairement dédiée à ce cépage. Acidité fine, fruité intense et frais, note muscatée caractérisent ce vin jaune clair prêt à boire.
☛ Weinbaugenossenschaft Löhningen,
8224 Loehningen, tél. 052.685.23.13,
fax 052.685.23.13 ☑ ⏸ r.-v.

MEYER Osterfinger Pinot blanc 1998★★

| ☐ | n.c. | n.c. | ■ ⸔ | 70 à 99 F |

Osterfinger
Pinot Blanc

1998

AOC 12.8% Vol.

GASTHAUS & WEINGUT
SEIT 1472
Bad Osterfingen
FAMILIE MEYER
OSTERFINGEN IM KLETTGAU/SCHWEIZ

Ce domaine viticole, implanté dans un cadre magnifique, a été créé en 1472, à l'instar de l'Auberge Noble qui le complète. La famille Meyer, qui en est propriétaire depuis cent ans, y a produit un remarquable pinot blanc de teinte jaune citron clair. Les fruits exotiques composent un nez complexe qui invite à savourer en bouche ce vin imposant, de bonne acidité, qui ne craint pas l'avenir.
☛ Michael Meyer, Gasthaus & Weingut, Bad Osterfingen, 8218 Osterfingen, tél. 052.681.21.21
☑ ⏸ r.-v.

PINO'DOR Würenlingen 1998★★

| ■ | n.c. | n.c. | ⦿ | 70 à 99 F |

La famille Meier cultive la vigne depuis 1828. La pépinière et l'ancien restaurant Zum Sternen valent bien une excursion à Würenlingen. On appréciera en outre cet assemblage de pinot noir et de dornfelder qui doit au premier cépage ses notes de framboise, au second ses arômes de myrtille. Vêtu d'une robe rouge très intense, il a hérité de son séjour en barrique des accents vanillés et une structure complexe. Le **chardonnay 98 de Würenlingen Wannenberg** ne démérite pas et obtient lui aussi deux étoiles pour son harmonie entre acidité, corps et boisé. Il allie aux arômes typiques de fruits exotiques des accents de noix et de vanille qui persistent durablement.
☛ Andreas Meier, Weingut zum Sternen, Rebschulweg 2, 5303 Würenlingen,
tél. 056.281.11.08, e-mail office@weingut-sternen.ch ☑ ⏸ r.-v.

REGLI
Sonnenspross Hallauer Cuvée 2000 Spätlese
1997*

| ■ | 2 ha | n.c. | ▮ 70 à 99 F |

Cette exploitation familiale depuis 1931 vinifie la récolte de ses 2 ha de vignes, ainsi que
d'autres vendanges schaffhousoises. Sa Cuvée
2000 est un pur pinot noir habillé d'une robe
rouge foncé. Le nez est typique du cépage, tandis
que la bouche bénéficie de tanins fins qui structurent bien une matière fruitée assez persistante.
Un *Spätlese* (vendanges tardives) à découvrir dès
à présent.
🕿 Regli Weine, Sellmattenstrasse 698,
8215 Hallau, tél. 052.681.29.21,
fax 052.681.42.82 ▣ ⏃ r.-v.

JUERG SAXER
Neftenbacher Pinot noir Prestige Barrique
1997**

| ■ | n.c. | n.c. | ▥ 70 à 99 F |

A la tête de 14 ha de vignes, Juerg Saxer vinifie
de multiples cépages dont le fameux pinot noir.
Celui-ci, élevé douze mois en fût de chêne, est
empreint de notes de café torréfié et de vanille
issues du bois. En bouche, les tanins se font très
harmonieux et portent loin la finale. Un vin à
boire ou à attendre.
🕿 Juerg Saxer, Weingut Bruppach,
8913 Neftenbach, tél. 052.315.32.00,
fax 052.315.32.30, e-mail js@juergsaxer.com
▣ ⏃ r.-v.

SCHACHENMANN
Gächlinger Riesling x sylvaner us em Räcketorn
1999**

| □ | n.c. | n.c. | ▮⏃ 30 à 49 F |

Cette cave coopérative moderne vinifie les
vendanges schaffhousoises des cépages classiques müller-thurgau et pinot noir, ainsi que des
croisements regent et autre seyval blanc. Le müller-thurgau a ici la vedette dans sa robe jaune
clair. Il livre un nez intense de muscat et de fruits
mûrs, puis une bouche très fruitée et fraîche. Un
ensemble équilibré que l'on appréciera dès
aujourd'hui.
🕿 Gus Schachenmann, Gennersbrunnerstrasse
61, 8207 Schaffhausen, tél. 052.644.28.00,
fax 052.644.28.01, e-mail weine@gus.ch
▣ ⏃ r.-v.

STAMM
Thaynger Pinot noir Spätlese 1998***

| ■ | n.c. | n.c. | ▥ 70 à 99 F |

Bientôt vingt ans que Mariann et Thomas
Stamm cultivent ce vignoble de 5 ha et exploitent
une forêt qui leur fournit le bois nécessaire à leur
futaille. Leur pinot noir récolté tardivement à
Thaynger et élevé en fût parvient dans le millésime 98 à un niveau exceptionnel. De sa robe
rouge foncé légèrement ourlée de violet émanent
de fins arômes de cassis, de mûre et de toasté.
Volumineux et puissant, le vin emplit le palais
d'une matière moelleuse et chaleureuse, étayée
par des tanins bien structurés et mûrs. La finale
s'étire longuement. A boire ou à attendre, selon
vos envies.

🕿 Thomas et Mariann Stamm, Aeckerllstrasse
20, 8240 Thaynge, tél. 052.649.24.15,
fax 052.649.25.16,
e-mail stammson@datacomm.ch ▣ ⏃ r.-v.

STAMM Eisenhalder Pinot noir 1998**

| ■ | n.c. | n.c. | ▥ 50 à 69 F |

Mariann et Thomas Stamm ne vinifient pas
moins de treize cépages et obtiennent des résultats dignes d'intérêt, parfois aussi remarquables
que ce pinot noir d'Eisenhald. Celui-ci, rouge
foncé, charme par ses effluves de baies sauvages
et de cassis. Corsé et structuré, il bénéficie de
tanins veloutés et se prolonge agréablement, le
bois restant toujours en retrait. Deux étoiles viennent également récompenser la **cuvée 98 Thaynger** (de 70 à 99 F), assemblage de pinot noir, de
bianca et de chardonnay dont l'élevage a été
mené en cuve et en fût. Ce vin blanc décline fruits
exotiques, fines notes de muscat et vanille.
🕿 Thomas et Mariann Stamm, Aeckerllstrasse
20, 8240 Thaynge, tél. 052.649.24.15,
fax 052.649.25.16,
e-mail stammson@datacomm.ch ▣ ⏃ r.-v.

ZAHNER
Truttker Langenmooser Gewürztraminer
1999**

| □ | 0,5 ha | n.c. | ▮ ▥ 70 à 99 F |

Créée en 1963, cette exploitation familiale
possède 7 ha de vignes. 30 % des raisins sont
vinifiés en barrique. Cette bouteille remarquable
est typique du cépage par son nez de rose et de
fruit. Elle a du corps grâce à un bon équilibre
entre l'acidité et les sucres résiduels. En outre,
les sensations aromatiques se poursuivent longuement en finale. A marier à des plats exotiques
ou à des desserts.
🕿 Familie Zahner, Weinbau, 8467 Truttikon,
tél. 052.317.19.49, fax 052.317.20.95 ▣ ⏃ r.-v.

Canton de Thurgovie

A. ET A. SAXER
Kartause Itlingen Warthwingert
Müller-Thurgau 1999**

| □ | n.c. | n.c. | ▮ ⏃ 50 à 69 F |

Le domaine Saxer cultive sur 8 ha pinot noir
et müller-thurgau pour l'essentiel. Ce vin blanc
de müller-thurgau, jaune clair, laisse une impression de fraîcheur grâce à sa bonne acidité et à

son côté fruité que souligne un léger perlant. Une pointe muscatée apparaît dans une palette fine qui se prolonge bien en finale.

A. et A. Saxer, St-Anna-Kellerei, 8537 Nussbaumen, tél. 052.745.23.51, fax 052.745.27.34 ☑ �røꞮ r.-v.

Canton de Zurich

KUMIN Rosenberger Räuschling 1999★★

	n.c.	n.c.	70 à 99 F

Le räuschling est un ancien cépage alémanique que l'on cultivait déjà au temps des Romains sur les rives du lac de Zurich. Cette cuvée en est l'apanage dans le millésime 99. Très fruitée et animée par un léger perlant typique de cette variété, elle dévoile en bouche une acidité fraîche qui la prédispose à des accords gourmands sur des poissons du lac.

Gebrüder Kümin, Oechsli 1, 8807 Freienbach, tél. 055.410.31.31, fax 055.410.63.67 ☑ r.-v.

AUGUST PUNTER
Stäfa Chilewägler Clevner 1999★

	n.c.	n.c.	50 à 69 F

Voilà plus de deux siècles que la famille Pünter cultive la vigne à Stäfa, sur le lac de Zurich. Son clevner - autre nom du pinot noir en Suisse alémanique - est un vin de teinte rubis, très aromatique, axé sur les notes de framboise typiques du cépage. Les tanins accompagnent finement une matière ronde.

August et Kathrin Pünter, Glaernischstrasse 53, 8712 Stäfa, tél. 19.26.12.24, fax 17.96.36.24, e-mail puenter-weinbau@dplanet.ch ☑ r.-v.

QUERCIBUS
Stammheim Chardonnay 1998★★

	n.c.	n.c.	70 à 99 F

Quercibus est le nom d'une cuvée de pinot noir ou de chardonnay élevée en fût de chêne de l'Allier. Le chardonnay atteint en 98 un niveau remarquable. Son nez fruité, déclinant citrus, noix de coco et note de banane, est souligné par des arômes doucement grillés. Bien structurée, la bouche s'allonge durablement sur des accents grillés et des tanins mûrs. Vous pourrez apprécier dès aujourd'hui ce vin harmonieux.

Volg Weinkellereien, Schaffhauserstrasse 6, 8401 Winterthur, tél. 052.264.26.26, fax 052.264.26.27, e-mail mailbox@volgweine.ch ☑ r.-v.

QUERCIBUS
Rychenberg Winterthur Pinot noir 1998★★

■	n.c.	n.c.	70 à 99 F

Le pinot noir complète le succès de la gamme Quercibus dans le millésime 98. Celui de Winterthur libère des arômes de mûre et de girofle légèrement poivrés, auxquels se fond un léger boisé que l'on retrouve au palais à travers des notes de vanille. L'attaque veloutée introduit une bouche structurée autour de tanins complets et fins, qui perdure bien en finale. Une bouteille que les plus impatients pourront ouvrir, mais qui saura attendre. Le **pinot noir Quercibus 98 de Malans**, dans le canton des Grisons, est tout aussi remarquable mais devra vieillir en cave. Quant aux **pinots noirs 98 de Tegerfelden** (canton de Zurich) et de **Trimmis** (canton des Grisons), ils ont été jugés très réussis et se prêtent déjà à la dégustation.

Volg Weinkellereien, Schaffhauserstrasse 6, 8401 Winterthur, tél. 052.264.26.26, fax 052.264.26.27, e-mail mailbox@volgweine.ch ☑ r.-v.

HERMANN SCHWARZENBACH
Meilener Riesling x sylvaner Spätlese 1999★

	n.c.	n.c.	50 à 69 F

A Meilen, au bord du lac de Zurich, Hermann Schwarzenbach a opté pour la culture intégrée et a misé sur un équipement vinicole moderne. Son 99 issu du riesling x sylvaner - c'est-à-dire du müller-thurgau - s'inscrit ainsi dans la modernité avec l'harmonie des architectures réussies - entre acidité et sucres résiduels. On perçoit en outre un bon fruité et des notes de muscat.

Hermann Schwarzenbach, Seestrasse 867, 8706 Meilen, tél. 19.23.01.25, fax 19.23.00.37, e-mail reblaube@bluewin.ch ☑ r.-v.

STAATSSCHREIBER WEIN
Auslese Cuvée Prestige 1999★★

	n.c.	n.c.	50 à 69 F

Le cloître Rheinau existe depuis 876 de notre ère. Repris en 1862 par l'Etat de Zurich, il a aujourd'hui une vocation viticole et vinifie dans sa cave longue de 105 m de jolis vins. Celui-ci a du corps. Intensément fruité, il présente une belle harmonie entre les trois cépages (pinot noir, müller-thurgau et muscat). L'acidité apporte de la fraîcheur, et le peu de sucres résiduels suffit à créer un beau volume en bouche.

Staatskellerei Zürich, Hirschengraben 13-15, 8001 Zurich, tél. 125.123.47, fax 125.239.44, e-mail weinkeller.staatskellerei@moevenpick.ch ☑ r.-v.

DOM. ZWEIFEL
Lattenberger Riesling x Gutedel 1999★

	n.c.	n.c.	50 à 69 F

Le domaine Zweifel, fort d'une tradition viticole centenaire, cultive la vigne dans les cantons de Zurich et d'Argovie. Ce vin blanc très réussi est une cuvée zurichoise jaune clair, fruitée et un peu muscatée. Le palais, bien structuré, se caractérisé par sa bonne acidité, sa plénitude et sa longue finale. A boire.

☛ Dom. Zweifel, Regensdorferstrasse 20, 8049 Zürich-Höngg, tél. 134.422.11, e-mail info@zweifelweine.ch ☑ ☂ r.-v.

Canton du Tessin

Le vignoble tessinois s'étend de Giornico au nord à Chiasso au sud, sur une surface de 900 ha. Une grande partie des trois mille huit cents viticulteurs du canton possèdent des petites parcelles auxquelles ils consacrent leurs loisirs ; depuis quelques années, une trentaine se consacrent à la viticulture, vinifient et commercialisent. Environ cent viticulteurs travaillent leurs vignes à plein temps et vendent leur raisin aux coopératives. Le cépage « prince » du canton est le merlot d'origine bordelaise, qui a été introduit au Tessin au début du XXᵉ s. Actuellement, le merlot recouvre 85 % de la surface viticole du canton. Le merlot est un cépage qui permet la production de plusieurs types de vins : le blanc, le rosé et le rouge. Le vin rouge de merlot, qui est sans doute le plus répandu, peut être léger ou bien corsé, apte au vieillissement, en fonction du temps de cuvage. Certains sont élevés en barrique. La production moyenne décennale de merlot du Tessin se monte à 55 000 quintaux.

AMPELIO Merlot del Ticino 1997★★

■	n.c.	n.c.	◫ 100 à 149 F

Toujours aussi remarquable le merlot Ampelio de ce négociant de Bellinzona. Rubis intense, il libère un fruité fin qui se retrouve en bouche dans un beau volume. Si ses tanins sont encore un peu sévères, il n'en est pas moins fort équilibré. Une garde de trois ans lui permettra de s'arrondir pleinement.

☛ SA Vinicola Carlevaro, via San Gottardo 123, 6500 Bellinzona, tél. 091.829.10.44, fax 091.829.14.56, e-mail carlevaro@unitbox.ch ☑ ☂ r.-v.

CARATO Merlot del Ticino Riserva 1997★

■	2 ha	3 200	◫ 200 à 249 F

Après vingt mois d'élevage en barrique, ce merlot du Tessin affiche un nez boisé concentré, puis une bouche fruitée et légèrement tannique. Bien équilibré, il demeure cependant un peu sévère et gagnera à vieillir quelques années. On pourra alors le servir sur une selle de chevreuil aux marrons.

☛ Angelo Delea, 11, Via Zandone, case postale 1044, 6616 Losone, tél. 091.791.08.17, fax 091.791.59.08, e-mail vini@delea.ch ☑ ☂ r.-v.

CASTANAR Merlot del Ticino 1998★

■	0,55 ha	4 100	◫ 70 à 99 F

Roberto Ferrari fait appel à un faible pourcentage de cabernet-sauvignon pour étayer son merlot del Ticino. Rubis à reflets grenat, le vin délivre des notes exotiques de bonne intensité sur un fond boisé fin. En bouche, il développe une matière mûre et souple qui laisse le dégustateur sur une sensation d'équilibre.

☛ Roberto Ferrari, Via Mulino 6, 6855 Stabio, tél. 091.647.12.34, fax 091.647.12.51 ☑ ☂ r.-v.

COLLE D'AVRA
Merlot del Ticino Riserva Barrique 1997★

■	4,8 ha	6 500	◫ 100 à 149 F

La *azienda* Avra possède plus de 7 ha de vignes au pied du monte Generoso, non loin des grottes de l'Ours. Elle a produit un vin rubis à reflets grenat, dont le nez, peu intense, est mûr et légèrement épicé. Une touche vanillée subtile se glisse dans une matière équilibrée qui surprend par une pointe d'acidité.

☛ Azienda Agricola Avra, strada per Avra, 6874 Castel-san-Pietro, tél. 091.646.92.73, fax 091.646.84.33 ☑ ☂ r.-v.
☛ Caspiera SAGL

COMANO
Vigneto ai Brughi Merlot del Ticino 1997★

■	1,5 ha	6 000	◫ 100 à 149 F

Les vignes plantées dans la région de Lugano bénéficient de la douceur climatique apportée par le lac. Le domaine Tamborini n'est qu'à quelques kilomètres de cette ville au caractère italien évident. Son merlot 97 est un vin de grande structure, bâti sur des tanins très présents. Riche et complexe, il dévoile une dominante aromatique végétale sous sa robe pourpre foncé.

☛ SA Eredi Carlo Tamborini, Strada Cantonale, 6814 Lamone, tél. 091.935.75.45, fax 091.935.75.49 ☑ ☂ r.-v.
☛ Claudio Tamborini

GAUCH
Merlot del Ticino Collina di Sementina Riserva Barrique 1997★

■	1 ha	4 000	◫ 150 à 199 F

Après avoir visité les trois châteaux de Bellinzona, il est aisé de se rendre au domaine de Peter Gauch, dont les 4 ha de vignes s'étendent sur les pentes de la colline di Sementina. Ce merlot, issu de ceps d'une trentaine d'années, affiche une bonne intensité à l'œil. Son nez épicé s'accompagne d'arômes exotiques subtils et d'une légère note végétale. S'il présente encore une légère amertume en bouche, ce vin n'en possède pas moins une bonne structure.

☛ Peter Gauch, In Collina, 6514 Sementina, tél. 091.857.23.21, fax 091.857.03.21 ☑ ☂ r.-v.

IL QUERCETO Merlot del Ticino 1997★★

■	1,2 ha	10 000	◫ 100 à 149 F

Le petit chêne qui figure sur l'étiquette bleue de ce domaine est désormais familier aux lecteurs du Guide. Et le merlot tient bien ses deux étoiles depuis le millésime 95. Rubis intense, le 97 décline fruits et épices dans une palette ample et élégante. Riche en matière, il se structure autour de tanins volumineux que le temps parviendra à fondre.

➥SA Terreni alla Maggia, Via Muraccio 105, 6612 Ascona, tél. 091.791.24.52, fax 091.791.06.54, e-mail terreniallamaggia@swissonline.ch ☑ ⟙ r.-v.

FATTORIA MONCUCCHETTO
Merlot Lugano Riserva 1998★

| ■ | n.c. | 1 500 | 🍷 ⑪ ⚫ | 100 à 149 F |

Forts d'un coup de cœur l'an passé, Niccolo et Lisetta Lucchini proposent dans le millésime 98 une réserve au nez boisé et légèrement animal. Les tanins sont bien présents dans une matière assez pleine et douce.

➥ Niccolo et Lisetta Lucchini, via Crivelli 30, 6900 Lugano, tél. 091.966.73.63, fax 091.922.71.77 ☑ ⟙ r.-v.

MONTAGNA MAGICA
Merlot del Malcantone 1998★★

| ■ | 1,8 ha | 5 400 | ⑪ | 100 à 149 F |

On ne peut parler que de constance et de régularité lorsque l'on déguste la production de Daniel Huber, présente dans le Guide depuis trois ans. Ce merlot del Malcantone, dans son écrin rubis intense, parvient à un remarquable équilibre. Son nez frais et fruité trouve un bel écho dans la bouche élégante qui témoigne d'une vendange mûre.

➥ Daniel Huber, Monteggio, 6998 Termine, tél. 091.608.17.54, fax 091.608.33.53, e-mail huber.mont@bluewin.ch ☑ ⟙ r.-v.

MONTE CARASSO
Merlot del Ticino Elevé en barrique 1997★★★

| ■ | n.c. | 7 800 | ⑪ | 70 à 99 F |

La cantina Gagi était jusqu'en 1986 une cave coopérative. Aujourd'hui maison de négoce, elle vinifie le raisin de quelque six cents viticulteurs et obtient des résultats aussi beaux que ce merlot del Ticino distingué par le grand jury. Sous une belle couleur rubis profond à reflets pourpres, ce vin dévoile un nez ample axé sur les épices et un léger toasté. En bouche, il est long et robuste, s'appuyant sur des tanins setosi, c'est-à-dire soyeux. Un vin de très bonne structure, à la fois moderne et typique.

➥SA Cagi-Cantina Giubiasco, via Linoleum 11, 6512 Giubiasco, tél. 091.857.25.31, fax 091.857.79.12, e-mail cagi@ticino.com ☑ ⟙ r.-v.

PLATINUM Merlot del Ticino 1997★★★

| ■ | 0,5 ha | 1 640 | ⑪ | 250 à 299 F |

Un nom de métal précieux pour ce merlot issu des caves de Giudo Brivio. Après un élevage de deux ans sous bois, il s'est revêtu d'une robe violet intense et délivre une palette fruitée, légèrement épicée, dans un style fin et complexe. Puis c'est une matière riche et persistante qui emplit le palais, soutenue par une trame de tanins très fins. A attendre deux ou trois ans.

➥SA I Vini di Guido Brivio, 3 Via Vignoo, 6850 Mendrisio, tél. 091.646.07.57, fax 091.646.08.05, e-mail brivio@brivio.ch ☑ ⟙ r.-v.

ROMPIDEE
Merlot del Ticino élevé en barrique 1997★

| ■ | 0,2 ha | 13 000 | ⑪ | 100 à 149 F |

Fabio Arnaboldi a veillé à l'élevage sous bois de ce merlot rubis intense, limpide. Il en résulte un nez subtil, fruité et légèrement boisé, puis une bouche pleine, dotée d'une bonne acidité. Si les tanins sont encore un peu vifs en finale, ce vin peut néanmoins être dégusté dès aujourd'hui.

➥SA Cantina Chiodi vini, via Delta 24, 6612 Ascona, tél. 091.791.16.82, fax 091.791.03.93 ☑ ⟙ r.-v.

ROSSO DI CADEMARIO
Malcantone 1998★

| ■ | 1 ha | 6 000 | ⑪ | 100 à 149 F |

Sergio Monti assemble ici le merlot (85 %) au diolinoir (11 %), ainsi qu'aux carminoir et cabernet-sauvignon. Le diolinoir, créé dans les années 1970, est réputé produire des vins riches en couleur et en tanins. Ce vin en apporte confirmation par sa robe rubis profond. Son nez riche décline des arômes épicés et finement boisés, tandis que sa bouche, bâtie sur des tanins fins, offre des saveurs de vanille dans une matière chaleureuse et fort élégante. A conserver un ou deux ans.

➥ Cantina Monti, Ronchi, 6936 Cademario, tél. 19.19.22.98.22, fax 19.19.22.98.23, e-mail info@montitid.ch ☑ ⟙ r.-v.

SINFONIA
Merlot del Ticino Barrique 1997★

| ■ | 4 ha | 12 500 | ⑪ | 100 à 149 F |

La cuvée Sinfonia est régulièrement mentionnée dans le Guide. On la redécouvre dans le millésime 97 sous une teinte rubis intense à reflets orangés. Porteur d'arômes de cacao et de cuir, ce vin est harmonieux.

➥SA Chiericati vini, Via Convento 10, casella postale 1214, 6501 Bellinzona, tél. 091.825.13.07, fax 091.826.40.07 ☑ ⟙ r.-v.
➥ Angelo Cavalli

TRENTASEI Merlot del Ticino 1996★★

| ■ | n.c. | 2 000 | ⑪ | + de 500 F |

Trentasei mesi di barriques... Trente-six mois d'élevage en barrique ont façonné un vin rubis à reflets grenat. Fin et intense, le 96 livre des caractères épicés et légèrement vanillés, puis une grande matière élégante.

➥SA Casa Vinicola Gialdi, via Vignoo 3, 6850 Mendrisio, tél. 091.646.40.21, fax 091.646.67.06 ☑ ⟙ r.-v.

INDEX DES APPELLATIONS

INDEX DES COMMUNES

1155 INDEX DES COMMUNES

INDEX DES PRODUCTEURS

Les folios en gras signalent les vins trois étoiles

PRODUCTEURS

SAE Ch. **Giscours,** 349 359
Willy **Gisselbrecht et Fils,** 76
SA Cagi-Cantina **Giubiasco, 1144**
Muriel **Giudicelli,** 779 1064
Guy et Emmanuel **Giva,** 723
Franck **Givaudin,** 451
Gérard **Givierge,** 941
Ch. du **Glana,** 377
Dom. Georges **Glantenay et Fils,** 524 530
Dom. **Glantenet Père et Fils,** 424 428
Dom. des **Glauges,** 766
Michel et Aline **Glauges,** 709
A. **Gloden et Fils, 1114**
David **Gobet,** 146
Gobet-Jeannet, 160
Paul **Gobillard,** 625
J.-M. **Gobillard et Fils,** 625
Philippe **Gocker,** 100
Christel et Marc **Godeau,** 878
Famille **Godeau,** 905
Gérard et Marie-Claire **Godefroy,** 916
GAEC **Godet,** 903
Jean-Paul **Godinat,** 962
Godineau Père et Fils, 882 884
Champagne **Godmé Père et Fils,** 625
Champagne Paul **Goerg,** 625
Michel **Goettelmann,** 81
SA A. **Goichot et Fils,** 459 484 531 544 556
578
GAEC Pierre **Goigoux,** 947
SCE **Goillot-Bernollin,** 454 459
Chantal et Yves **Goislot,** 845
Dom. Anne et Arnaud **Goisot,** 404
Ghislaine et Jean-Hugues **Goisot,** 405 451
EARL Denis **Goizil,** 882 884
J. **Gonard et Fils,** 163
François **Gonet,** 626
SCEV Michel **Gonet et Fils,** 304 626 639
Les Maîtres Vignerons de **Gonfaron,** 756
SCEA **Gonfrier Frères,** 310
Pascal **Gonnachon,** 144
Charles-Humbert **Gonnet,** 680
EARL Les Fils d'Etienne **Gonnet,** 981
1025
Dom. **Gonon,** 591 596
Pierre **Gonon,** 1005
Pascal **Gonthier,** 1086
Richard **Gontier,** 994
SARL Andrew **Gordon,** 830
Vincent **Gorny,** 130
Anne **Gorostis,** 729
Champagne **Gosset,** 626
Laurent et Sylvie **Gosset,** 922
Gosset-Brabant, 627 659
Dom. Michel **Goubard et Fils,** 569 579
Michel et Jocelyne **Goudal,** 259
Dom. **Gouffier,** 417 569 576
Dom. Henri **Gouges,** 490
Danielle **Gouillon,** 167
A.-L. **Goujon et P. Chatenet,** 259
Comte Baudouin de **Goulaine,** 855
Jean-Marie **Goulard,** 627
Champagne George **Goulet,** 627
Dom. Jean **Goulley et Fils,** 443
Hervé **Goumain,** 894
Coralie **Goumarre,** 992
Alain **Goumaud,** 294
Jacky **Goumin,** 906
Philippe **Gourdon,** 889
SCEA Alain **Gourdon,** 886
SA Ch. de **Gourgazaud,** 724
EARL **Gourjon,** 752
Goussard et Dauphin, 627
Champagne **Goutorbe,** 627
Alain **Gracia,** 231
Bruno **Gracia,** 727
SCEA Dom. de **Graddé,** 790
Ch. **Grand Barrail Lamarzelle Figeac,** 268
SCEA du Ch. du **Grand Bos,** 317
Dom. du **Grand Contour,** 490
EARL Dom. du **Grand Cros,** 748
GAEC **Grandeau et Fils,** 214
SCI Dom. du **Grand Escalion,** 702
SC des **Grandes Graves,** 325 330
SCEA Ch. **Grand Ferrand,** 189
Dom. **Grand Frères,** 671 673
Lucien et Lydie **Grandjean,** 174
SCEA Ch. **Grand-Jour,** 215

Dom. du **Grand-Montmirail,** 1016
Ch. **Grand Ormeau,** 253
Ch. **Grand-Pontet,** 269
SC du Ch. **Grand-Puy Ducasse,** 349 368
Ch. **Grand-Puy-Lacoste,** 368
SARL des **Grands Crus,** 356
Cave des **Grands Crus blancs,** 591 594
Cie des **Grands Vins du Jura,** 663 667 669
673
Alain **Grangaud,** 984
Cave coop. de **Grangeneuve,** 223
Denis **Grangeon,** 996
Pascal **Granger,** 163
EARL **Granier,** 707 1095
Françoise **Granier,** 1022
Pierre **Granier,** 988
Dom. du **Granit,** 172
Bernard **Gratas,** 842 1082
Daniel **Gratas, 855**
EARL **Gratian,** 1073
Champagne Alfred **Gratien,** 627
Gratien et Meyer, 838
Jean-Pierre et Catherine **Grau-Aymerich,**
736 1055
GFA **Gravegeal,** 714
Cédric **Gravier,** 762
Christiane **Greffe,** 838
EARL François **Greffier,** 205 300
Pierre-Henri et Patricia **Grégoire,** 844
Vincent **Grégoire,** 916
SCEA **Grelaud,** 296
Gilles **Gremen,** 195
Familie **Grendelmeier-Bannwart, 1139**
Caves de **Grenelle,** 889
Benoît **Grenetier,** 850
Véronique et Philippe **Grenier,** 1003
Ch. **Grès Saint-Paul,** 707 1061
Dom. André et Rémy **Gresser,** 115 124
Jacky **Gresta,** 260
Joël et David **Griffe,** 405
GAEC Gilbert et Didier **Griffon,** 912
Grillette Dom. de Cressier, 1136
Jean **Grima,** 240
Bernard **Gripa,** 1005 1014
Françoise et Alain **Gripon,** 847
Jean-Louis **Grippat,** 1005
Dom. **Grisoni,** 1137
Dom. Albert **Grivault,** 525 544
SARL Robert **Groffier et Fils,** 405 460 **465**
475 477
Grognuz Frères et Fils, 1122
Gromand d'Evry, 349
Christian **Gros,** 405 497 500
Dom. A.-F. **Gros,** 475 482 484 486
Dom. Michel **Gros,** 475 484
Henri **Gros,** 425
Jean **Gros,** 675 676
Dom. **Grosbot-Barbara,** 951
SCE **Gros Frère et Sœur,** 425 480 483 484
486
EARL Henri **Gross et Fils,** 91 **101**
Corinne et Jean-Pierre **Grossot,** 438
Robert **Grosset,** 138
Ch. **Gruaud-Larose,** 377
SARL Champagne **Gruet,** 627
SEV René **Gruet,** 317
Dominique **Gruhier,** 406 439
Guy **Grumier,** 628
Jean-Marc **Grussaute,** 805
Joseph **Gruss et Fils,** 91 101 128
Henri **Gsell,** 91
Joseph **Gsell,** 81
Henri **Gualco,** 694
Philippe **Gudolle,** 1088
Philippe **Gué,** 628
Yves **Guégniard,** 860 879
Alain **Gueneau,** 968
Jérôme **Gueneau,** 968
SCEA Louis **Guéneau et Fils,** 870
Patrick **Guenescheau,** 916
Henri **Guérard,** 753
Michel **Guérard SA,** 811
EARL Dominique **Guérin,** 1079
Jacques **Guérin,** 719
Jean-Marc **Guérin, 849**
Philippe **Guérin,** 172
SC du Ch. **Guerry,** 232
Gérard **Guertin ,** 934

Pierre **Guéry,** 1083
GAEC Jean et Christophe **Guestault,** 929
Dom. **Gueugnon-Remond,** 405 422
Georges-Claude **Gugès et Fils,** 348
Véronique **Guibert de La Vaissière,** 1099
SCE Baronne **Guichard,** 251 274
E. **Guigal,** 999
GAEC Philippe et Jacques **Guignard,** 390
GAEC **Guignard Frères,** 321
Franck **Guigneret,** 671
EARL Anne et Pascal **Guignet,** 164
Chantal **Guignier,** 147
Ghislain **Guigue,** 976
Guilbaud Frères, 844
SC **Guillard,** 460
SCEA Ch. **Guillaume,** 194 199
Vignoble **Guillaume,** 1110
Jean-Sylvain **Guillemain,** 964
Eric et Florence **Guillemard,** 537
Franck **Guillemard-Clerc,** 553
SCE du Dom. Pierre **Guillemot,** 514
Jacques **Guillerault,** 969
Guillermier Frères, 825
Daniel **Guillet,** 151
Laurent **Guillet,** 168
Christophe **Guillo,** 560
Dom. Jean-Michel **Guillon,** 460 469 471
Guillon-Painturaud, 1069
Amélie **Guillot,** 664
Dom. Patrick **Guillot,** 572 576
SCEA **Guillot de Suduiraut,** 307
Benoît **Guinabert,** 323
Sylvie et Jacques **Guinaudeau,** 246
Jacques **Guindon,** 857
Marjorie **Guinet et Bernard Rondeau,** 684
Maison **Guinot,** 690
GFA Ch. **Guiot,** 700
SCA du Ch. **Guiraud,** 389
Jean **Guirouilh,** 800
Corinne **Guisez,** 266 293
Jean **Guiton,** 497 526 531
Emmanuel **Guitteny,** 1079
Dom. **Guitton-Michel,** 449
Véronique **Günther-Chéreau,** 843
Alain **Guyard,** 454 457 460
Jean-Pierre et Eric **Guyard-Dom. du Vieux**
Collège, 455
Guy de Forez, 628
Vignerons de **Guyenne,** 187 298
Dom. Antonin **Guyon,** 460 475 507 510
531 544
Dom. Dominique **Guyon,** 425 503
EARL Dom. **Guyon,** 414 460 **484** 491 516
SARL DGM Jean **Guyon,** 342
Guyot, 981 1009
EARL Olivier **Guyot,** 417 454 460
Jean-Marie **Haag,** 126
Jean-Paul **Habert,** 929
Dom. Henri **Haeffelin,** 101
Bernard et Daniel **Haegi,** 81
Dom. **Haeremillen,** 1115
Francis **Haerty,** 921
Dom. Pierre **Hager,** 81 101
Patrice **Hahusseau,** 939
Catherine D' **Halluin,** 308
EARL Dom. **Hamelin,** 443
Thierry **Hamelin,** 438
Champagne **Hamm,** 628
Hans-Y. et Brigitte **Handtmann,** 752
Emile **Hanique,** 537
SARL d' **Harcourt,** 149
A. N. **Hardy,** 1096
Dominique **Hardy,** 855
Harlin, 628
Harlin Père et Fils, 628
Dom. **Harmand-Geoffroy,** 460 470
André **Hartmann,** 81 91 114
Georgette **Hartmann,** 782
Gérard et Serge **Hartmann,** 114
Hartmann Weinbau, 1139
Jean-Paul et Frank **Hartweg,** 87 **106**
Alain **Hasard,** 422
Gilbert **Hassenforder,** 76
Jean-Noël **Haton,** 628
Haton et Fils, 628
Louis et Claude **Haulier,** 82
J. **Hauller et Fils,** 92
EARL **Hauselmann et Fils,** 1086

1166

1168

Marc Pagès, 339
SCEA Pagès Huré, 1057 1100
EARL James Paget, 905 909 924
Champagne Bruno Paillard, 645
Dom. Charles Pain, 924
Martine Palau, 309
Pascal Pallaro, 297
Ch. Palmer, 361
Champagne Palmer et Cⁱᵉ, 645
SA Ch. Paloumey, 360 365
Jean Panis, 722
Louis Panis, 698
Rémy Pannier, 869
Eric Pansiot, 495
Ch. Pape Clément, 332
Claude Papin, 863 882 **882** 885
EARL Agnès et Christian Papin, 860 865
    868 872
Catherine Papon-Nouvel, 295
EARL Albert Paquereau, 849
Jean-Paul Paquet, 594 596
Michel Paquet, 588 597
Paquette, 746
Dom. de Paradis, 768
Vignoble du Paradis, 922 923
Cave du Paradou, 1131
SCE Vignobles Parage, 316
Dom. du Parandou, 1018
EARL A. Parcé, 734
François de Pardieu, 234
GFA Pardon des Labourons, 162
Pardon et Fils, 153
Dom. Annick Parent, 527 532
Dom. Jean Parent, 532 535
SAE Dom. Parent, 498 508 527
François Parent-Ch. des Guettes, 525
Alain Paret, 1006
Bernadette Paret, 286
Jacques Pareuil, 886
Paul Pariaud, 169
Dom. Parigot Père et Fils, 429 515 521 527
    532
Gérard et Laurent Parize, 580
Ets E. Parrot et Cie, 193
Pascal, 996 1009 1021
Famille Achille Pascal, 762
Yves Pascal-Delette, 645
Michel Pascaud, 388
Patrick Pasquier, 892
Hervé Passama, 735 **1053**
Dominique Passaquay, 1131
Alain Passot, 160
Bernard et Monique Passot, 175
Daniel Passot, 157
EARL Dominique et Rémy Passot, 175
Jacky Passot, 167
Maurice Passot, 167
Yves Pastourel et Fils, 1059
Dom. Pastricciola, 780 1065
SA Ch. Patache d'Aux, 341
SCE du Ch. Patarabet, 260
Eric Patour, 645
Denis Patoux, 645
Aline et Joël Patriarche, 546
Patriarche Père et Fils, 421 585
Arnaud Pauchet, 204 215
Pascal Pauget, 584
Caves des Paulands, 462 498 508
Alain Paulat, 950
Ph. Paul-Cavallier, 767 769
Les Clos de Paulilles, 741 1047
SC J. et J. Pauly, 388 389
SCEA Pauvif, 228
Jean-Marc Pavelot, 503 515
SCA Pavie-Decesse, 277
SCEA Ch. Pavie Macquin, 277
Dom. du Pavillon, 508 527
SCEA Ch. du Pavillon, 383 385
Yves Payan, 991
Les Vignerons du Pays Basque, 802
Les vignerons du Pays d'Ensérune, 1101
SCA Grands Vins de Pazac, 700
Patrick Péchard, 176
SCEA du Pech de Jammes, 786
GAEC de Pécoula, 823
SCEA des Dom. Pedro, 374
Dom. du Pegau, 1027
Pehu-Simonet, 645

Jean-François Péin, 142
SCEA Pélépol Père et Fils, 755
SCEV François Pélissié, 784
Patrick Pelisson, 1038
Dom. Henry Pellé, 955
Sté Nouvelle J. Pellerin, 160
Jean-Christophe Pelletier, 919
Jean-Michel Pelletier, 645
Vincent Peltier, 937
Dom. Jean-Marie Penet, 903
SCEA Ch. de Pennautier, **728**
François Péquin, 907
SCEA Dom. Percher, 862
Perdriaux, 938
EARL Perdriaux, 908
Jean-Baptiste de Peretti della Rocca, 775
Gilles Perez, 142
Michèle et Jacques Pérignon, 771
Ch. Périn de Naudine, 320
Périnet et Renoud-Grappin, 407
EARL Paul Pernot et ses Fils, 565
Frédéric Pérol, 141
GFA de Perponcher, 187 208
Jacques Perrachon, 173
Laurent Perrachon, 165
Pierre-Yves Perrachon, 163
Paul et Nicole Perras, 141
René Perraton, 594
Jean-François Perraud, 165
Laurent Perraud, 852
Cave Beaujolaise du Perréon, 148
André Perret, 1002 1006
Marlyse et Gérard Perrier, 149
Michel Perrier, 161
SA Champagne Joseph Perrier, 645
Champagne Perrier-Jouët, 646
SCEA dom. Perrier Père et Fils, 680
Christian Perrin, 501
Domaines Perrin, 1037 1040
Dom. Noël Perrin, 411 582
EARL Champagne Daniel Perrin, 646
Jean-Charles Perrin, 147
Robert et Bernard Perrin, 141
SCEA Philibert Perrin, 329
EARL Jacques et Guillaume Perromat,
    387
Jacques Perromat, 314
Jean-Xavier Perromat, 320
Henri Perrot-Minot, 462 471 476
Ch. de Persanges, 674 676
Gérard Persenot, 452
Isabelle et Benoist Perseval, 646
Pierre-Yves Perthuy, 849
GAEC Ch. Pesquié, 1038
Jean-Paul Pétard, 852
Champagne Pierre Peters, 646
Jean-Louis Pétillat, 950
Désiré Petit, 666 1076
Franc Petit, 749
Gérard et Marcel Petit, 668 674
James Petit, 912
Jean-Michel Petit, 665
Vignobles Jean Petit, 275
Vignobles Marcel Petit, 267
EARL Petiteau-Gaubert, 849
SARL sté nouvelle Petite Bellane, 996
André Petit et Fils, 1070
Petitjean-Pienne, 646
EARL Dom. du Petit Paris, 824
GAEC de Petra Bianca, 776
SC du Ch. Petrus, 249
SARL Ch. Peyrabon, 351 369
SC du Ch. Peyreau, 265
Jean-Pierre et Michèle Peyrondet, 195
SCEA domaines Peyronie, 368
EARL Vignobles Pierre Peyruse, 342
Gilbert Peysson et Fille, 1016
SCV Les Vignerons de Pézilla, 732 739
    1052 1058
Cave vinicole de Pfaffenheim, 102 114
Ch. Phélan Ségur, 375
Maison Denis Philibert, 411 425 532 565
Pierre Philip, 1071
SCEA Philip Frères, 704 1091
EARL Eric Philip-Ladet, 987
Jean-Claude et Corinne Philippe, 588 589
SEA Philippe, 257
SA Champagne Philipponnat, 646

Philippoz Frères, 1131
Piat, 210
EARL Pascal Pibaleau, 909
Les Vignerons du Pic, 707
Michel Picard, 423 528 532 540
Dom. Piccinini, 723
Philippe Pichard, 921
EARL Delbeuf Pichaud Solignac, 193
François Picherit, 859
EARL Jean-Marc Pichet, 915
Antoine Pichon, 1084
Christophe Pichon, 1002
Philippe Pichon, 1006
EARL Ch. Pichon Bellevue, 304
SCI Ch. Pichon-Longueville Comtesse de
    Lalande, 371
EARL Jean-Claude et Christophe Pichot,
    936
Gilbert Picolet, 158
SCEA Ch. Picon, 219
GAEC Bruno et Jean-Michel Pieaux, 937
GFA Philippe Pieraerts, 307
Pierre Jean, 336
SA Pierrel et Associés, 642 646
Cave des vignerons de Pierrevert, 1042
François Pierson-Cuvelier, 646
GAEC de Montgrignon Pierson Frères,
    1111
Maguy et Laetitia Piétri-Géraud, 741 1047
Dom. Pignier, 672
SCA Ch. Pigoudet, 768
Max et Anne-Marye Piguet-Chouet, 532
Dom. Piguet-Girardin, 537
Alain Pillet, 1070 1086
Dom. Jean-Michel et Laurent Pillot, 411
EARL Vignobles Pilotte-Audier, 272
SCA Dom. de Pimpéan, 863
Conrad Pinatel, 1041
François Pinon, 937
Michel Pinon, 935
Thierry Pinquier, 532
Rodolphe de Pins, 985
SCEA Dom. Pinson, **446**
GAEC Georges et Thierry Pinte, 528
Philippe Pion, 925
Piper-Heidsieck, 647
Pierre et Franck Piquemal, 734 739 1058
    1100
SNC Ch. Pique-Ségue, 819
Dominique Piron, 168
François Pironneau, 909
Auguste Pirou, 668 **672** 674
Pitault-Landry et Fils, 913 917
Piva Père et Fils, 302
SARL des domaines Jean-Charles Pivot,
    156
SCEA Dom. Château de Pizay, 170
Sté des vins de Pizay, 147 175
EARL Robert Plageoles et Fils, 793
Producteurs Plaimont, 808 811
EARL de Plaisance, 797
Les Vignerons de Planèzes-Rasiguères,
    739 1058
GAEC Plantade Père et Fils, 328
Emmanuel Plauchut, 748
Ch. Plessis-Brézot, 852
EARL Plou et Fils, 908
François Plouzeau, 902
Maison Plouzeau, 921
Dom. Pochon, 1009 1108
Albert Poilane, 846
Vincent Pointeau-Langevin, 1112
Gilles Poiron, 849
Jean Poiron et Fils, 852
SA Henri Poiron et Fils, 844 1079
Champagne Régis Poissinet, 647
Jean-Pierre Poissinet, 647
EARL André Poitevin, 164
Guy Poitou, 289
Philippe Poivey, 816
Poli, 1102
Ange Poli, 776
SA Pol Roger, 647
Pommery, 647
Denis Pommier, 441 446
Gaëtan Poncé et Fils, 710
EARL cave de Ponchon, 142
Albert Ponnelle, 462 504 515 535 582

1173 INDEX DES PRODUCTEURS

1174

Cave coopérative **Saint-Marc**, 1036
Celliers **Saint-Martin**, 697
SCEA **Saint-Martin de la Garrigue**, 716 1098
SCA Ch. **Saint-Maurice**, 988
SCEA Ch. **Saint-Méard**, 813
Dom. de **Saint-Mitre**, 772
SCA les Vignerons la Cave de **Saint-Montan**, 1044
Bruno **Saintout**, 341 346 378
Cave coop. de **Saint-Pantaléon-les-Vignes**, 998
Ch. **Saint-Paul**, 352
SCV Les Vignerons de **Saint-Paul**, **1052**
Ch. **Saint-Pierre de Mejans**, 1041
Union des vignerons de **Saint-Pourçain**, 950 951
Caves **Saint-Rémy-Desom**, 1117
Cave **Saint-Roch-les-Vignes**, 756
Cave des vignerons de **Saint-Sardos**, 1089
Les Vins de **Saint-Saturnin**, 711
Dom. de **Saint-Ser**, 756
SCEA Ch. **Saint-Sernin**, 787
SCA Cellier **Saint-Sidoine**, 745
SCA Cave de **Saint-Sornin**, 1086
Cave Beaujolaise de **Saint-Vérand**, 137
Cave **Saint-Verny**, 948
Eric de **Saint-Victor**, 763
Cave des Vignerons de **Saint-Victor-la-Coste**, 998
Viticulteurs réunis de **Saint-Vivien-et-Bonneville**, 824
Caves **Salavert**, 977 998 1017
Carole et Jean **Salen**, 767
SCEV Ch. de **Salettes**, 793
Salinié-Fournié, 784
EARL **Sallé**, 906
EARL R. et G. **Sallet**, 588
Uldaric **Sallier**, 769
Dominique **Salmon**, 849
Denis **Salomon**, 651
Champagne **Salon**, 651
Dom. **Salvat**, 735 1058
Salzmann-Thomann, 120
Jean-Noël **Sambardier**, 141
Gérard **Samson**, 1078
San' **Armetto**, 776
Daniel **Sanfourche**, 383
Jean-Louis **Sanfourche**, 196
Roger et Jean-Philippe **Sanlaville**, 146
Dom. **San-Michele**, 077
Dom. **San Quilico**, 780 1065
Domaine de **Sansac**, 191 206 207
Dom. de **Santa Maria**, 777
Ch. De **Santenay**, 429 521 578
Jean-Pierre **Santini**, 758
Nicole et Robert **Santiquet-Loup**, 146
Didier **Sanzay**, 890 892 895
René de **Saqui de Sannes**, 761
Jean-Jacques **Sard**, 906
Dom. **Sarda-Malet**, 735 1053 1058
Sareh Bonne Terre, 705
SARL Ch. Moulin de Ciffre, 1099
Cave de **Sarras**, 1007
Michel **Sarrazin et Fils**, 420 580
SCEV Dom. des **Sarrins**, 756
R. **Sartoretti et Fils**, 1132
EARL Jacques **Sartron et ses Enfants**, 186
Pierre **Saubot**, 806
Dom. **Sauger et Fils**, 940
Marco **Saulnier**, 84 95
Michel **Saumade**, 1099
Robert **Saumade**, 1097
Guy **Saumaize**, 596
Jacques et Nathalie **Saumaize**, 593
Dom. Roger et Christine **Saumaize-Michelin**, 588 593 597
Cave des Vignerons de **Saumur**, 891 895
Saunier, 909
Christine et Eric **Saurel**, 1021
SCEA Joël **Saurel**, 1022
Saurel-Chauvet, 1016
Sylvaine **Sauron**, 757
Jean-Marie **Saut**, 978
SA Marcel **Sautejeau**, 848
Hervé **Sauvaire**, 716
Eric **Sauvan**, 1104
Claude et Annie **Sauvat**, 948

Christian **Sauvayre**, 984 994
Dom. Vincent **Sauvestre**, 446 495 528
Dom. **Sauvète**, 906
Jean-Michel **Sauvêtre**, 845
Yves **Sauvêtre et Fils**, 853
Mireille et Jean-Michel **Sauzon**, 147
Gilles **Savary**, 849
Savary de Beauregard, 1098
Camille **Savès**, 651
Stéphane **Savigneux**, 187
Christophe **Savoye**, 160
Pierre **Savoye**, 170
René **Savoye**, 160
Yves **Savoye**, 145
A. et A. **Saxer**, 1142
Juerg **Saxer**, 1141
SCAMARK, 144
Gus **Schachenmann**, 1141
Jean-Luc **Schaerlinger**, 104
SARL Martin **Schaetzel**, 74 95
Philippe **Scheidecker**, 112
EARL Joseph et André **Scherb**, 84
EARL Paul **Scherer et Fils**, 95
Thierry **Scherrer**, 84 103
Pierre **Schillé et Fils**, 95 116
Dom. Lucien **Schirmer et Fils**, 95 128
Olivier **Schlatter**, 960
Dom. **Schlegel-Boeglin**, 126
Jean-Henri **Schler**, 359
Charles **Schleret**, 76
Caves Jean **Schlink-Hoffeld**, 1117
Domaines **Schlumberger**, 95 122
Joël **Schmit**, 651
Cave François **Schmitt**, 95 118
Paul **Schneider et Fils**, 110
Albert **Schoech**, 96
Henri **Schoenheitz**, 107
EARL Jean-Louis **Schoepfer**, 88
Michel **Schoepfer**, 76 85
Dom. **Schoffit** , 119 **119**
Peter **Schott-Tranchant**, 1138
Maison **Schröder et Schÿler**, 191
EARL Maurice **Schueller**, 114
Robert et Agnès **Schulte**, 799
Dom. **Schumacher-Lethal et Fils**, 1117
Armand **Schuster de Ballwil**, 218 302
Jean-Victor **Schutz**, 76
H. **Schütz et R. Moser**, 1135
Bernard **Schwach**, 94
Dom. François **Schwach et Fils**, 96 120
Christian **Schwartz**, 96
Dom. Justin et Luc **Schwartz**, 107
EARL Emile **Schwartz et Fils**, 96
Hermann **Schwarzenbach**, 1142
S.C.I.E.V., 766
François **Secondé**, 652 659
Sefivin-H. Bouachon, 1015 1024 1029
Segond, 341
Josiane **Segondy**, 714
SCEA Ch. **Segonzac**, 189 230
SCV **Segue Longue**, 342
Dom. Hervé **Seguin**, 960
EARL Claude et Thomas **Seguin**, 412 420
Rémi **Seguin**, 463 472 485
SC Dom. de **Seguin**, 333
SCEA Daniel **Seguinot**, 446
Dom. **Seilly**, 76
Claude **Sellan**, 281
EARL Pierre **Selle**, 796
Sellier de Brugière, 305
EARL Fernand **Seltz et Fils**, 127
SCE du Dom. Comte **Sénard**, 501 509
EARL Hubert **Sendra**, 699
SAS Ch. **Sénéjac**, 352
Champagne Cristian **Senez**, 652
Jean **Senmartin**, 700
Cave des **Sept Monts**, 1087
Alain et Josy **Sergenton**, 813
Sylvie et Claude **Sergenton**, 814
Joseph **Sergi et Roland Sicardi**, 760
Jean-Pierre **Serguier**, 988 1028 1105
Robert **Sérol et Fils**, 952
GAEC **Serre de Gouy**, 1110
Michel **Serveau**, 430 560
Pascal **Serveaux**, 652
SCE Dom. **Servin**, 446 450
Rémy **Sessacq**, 316
Ch. du **Seuil**, 322

SARL **SGVP**, 250
Michel **Sicart**, 721
Maison **Sichel-Coste**, 191 197 279 320 347 357
EARL Jean **Siegler Père et Fils**, 107
Bernard **Sierra**, 260 279
SCEA Dom. **Siffert**, 74 119
Ch. **Sigalas-Rabaud**, 393
SCEA Vignobles **Signé**, 201
La Cave de **Sigolsheim**, 103
SCEA Vignoble **Silvestrini**, 282 288
Pascal **Simart-Moreau**, 652
Henry **Simon**, 725
R. et S. **Simon**, 940 941
Antoine **Simoneau**, 906
Guy **Simon et Fils**, 426
Jeanne **Simon-Hollerich**, 131
René et Etienne **Simonis**, 96
EARL Jean-Paul **Simonis et Fils**, 96
Simonnet-Febvre, 412 433 446
Robert Henri **Sinard**, 998
SCEA Ch. **Singleyrac**, 821
GAEC Hubert **Sinson et Fils**, 944
GAEC du Dom. du **Siorac**, 817
Dom. Jean **Sipp**, 103
Louis **Sipp Grands Vins d'Alsace**, 85
Dom. **Sipp-Mack**, 103
SC du Ch. **Siran**, 352 362
Pascal **Sirat**, 219
Jacques **Sire**, 739 **1053**
Jacques **Siret**, 962
Jean-Pierre **Sireyjol**, 725
Dom. Robert **Sirugue**, 476 485
Les vins **Skalli-Fortant de France**, 1092
GAEC Patrick et Vincent **Soard**, 992 1060
Jean-Marie et Hervé **Sohler**, 107
Philippe **Sohler**, 107
GFA Bernard **Solane et Fils**, 204 308
Domaines du **Soleil**, 713 1092
Dom. de l'Hôpital de **Soleure**, 1137 1138
Hubert **Somm**, 1106
Dom. Jean-Michel **Sorbe**, 963 965
EARL des Vignobles Jean **Sorge**, 358
Dom. **Sorin**, 763
Gilles **Sorin**, 879
Marylène et Philippe **Sorin**, 412 452
Dom. **Sorin-Defrance**, 412
Dom. **Sorine et Fils**, 566
Stéphanie **Sors**, 1037
Jean-Luc **Soubie**, 223
Jean-Pierre **Soubie**, 197 216
Pierre **Soulez**, 866 874 876
Dom. des **Soulié**, 727
Soulier Père et Fils, 984
Albert **Sounit**, 433 570
SCEA Dom. Roland **Sounit**, 575 578
Pierre **Sourdais**, 926
Serge et Bruno **Sourdais**, 923
SCEA Ch. de **Sours**, 206
Albert de **Sousa-Bouley**, 546
Patrick **Soutiran**, 652
Soutiran-Pelletier, 652 659
Michel **Souveton**, 782
SCEA Dom. de **Souviou**, 763
SARL **SOVIFA**, 257
Vincent **Spannagel**, 125
GFA des domaines **Sparre**, 172
Jean-Paul et Denis **Specht**, 104
Johann **Spelty**, 924
EARL Pierre **Sperry Fils**, 129
Sperry-Kobloth, 129
Pierre **Speyer**, 808 810
Spitz et Fils, 85
Jean **Spizzo**, 759
Staatskellerei Zürich, 1142
Bernard **Staehlé**, 115
Thomas et Mariann **Stamm**, **1141** 1141
Bernard **Steiner**, 1125
André **Stentz**, 85
Fernand **Stentz**, 118
Dom. **Stentz-Buecher**, 85 124
Patrice **Sterlin**, 795
St. Jodernkellerei, 1133
Michèle et Jean-Luc **Stoecklé**, 77 125
Dom. Martine et Vincent **Stoeffler**, 85
Jean-François **Straub**, 107 128
Jean-Marie **Straub**, 104
Philippe **Straub**, 1125

PRODUCTEURS

INDEX DES VINS

Les folios en gras signalent les vins trois étoiles

1179

BACCARAT, Canton de Genève, 1133
DOM. BACHELET, ● Saint-aubin, 558 ● Santenay, 561 ● Maranges, 566
JEAN-CLAUDE BACHELET, ● Puligny-montrachet, 547 ● Bienvenues-bâtard-montrachet, 552 ● Chassagne-montrachet, 554 ● Saint-aubin, 558
DOM. BACHELET-RAMONET PERE ET FILS, ● Bâtard-montrachet, 551 ● Bienvenues-bâtard-montrachet, 552
DOM. BACHELIER, Petit chablis, 434
CH. DE BACHEN, Tursan AOVDQS, 811
CH. BADER-MIMEUR, Chassagne-montrachet, 554
MARC BADILLER, Touraine, 898
BERNARD BADOZ, Côtes du jura, 669 ● Macvin du jura, 1074
DOM. DU BAGNOL, Cassis, 758
CH. DE BAGNOLS, Brouilly, 150
BAGNOST PERE ET FILS, Champagne, 605
DOM. DES BAGUIERS, Bandol, 760
FABIEN BAILLAIS, Fleurie, 161
DOM. DE BAILLAURY, Collioure, 740
BAILLI DE BOURG, Côtes de bourg, 231
ALAIN BAILLON, Côte roannaise, 952
CH. DONA BAISSAS, Rivesaltes, 1049
CH. BALAC, Haut-médoc, 345
BALAZU DES VAUSSIERES, Lirac, 1029
CH. BALESTARD LA TONNELLE, Saint-émilion grand cru, 261
DOM. DES BALIVAUX, Pernand-vergelesses, 502
DOM. JEAN-PAUL BALLAND, Sancerre, 966
JOSEPH BALLAND-CHAPUIS, ● Coteaux du giennois, 949 ● Sancerre, 966
DOM. DES BALLANDORS, Quincy, 961
BALLOT-MILLOT ET FILS, Chassagne-montrachet, 554
CH. BALOT, Premières côtes de bordeaux, 306
CH. BANCALIS, Cabardès, 728
DOM. BANCHEREAU, Coteaux du layon, 876
DOM. DU BANNERET, Châteauneuf-du-pape, 1023
LAURENT BANNWARTH, Alsace gewurztraminer, 89
PAUL BARA, ● Champagne, 605 ● Coteaux champenois, 658
DOM. DE BARANDON, Oc, 1091
DOM. BARAT, Chablis premier cru, 441
CH. BARATEAU, Haut-médoc, 345
CH. BARBANAU, Côtes de provence, 744
CH. BARBEBELLE, Coteaux d'aix-en-provence, 765
CH. DE BARBE-BLANCHE, Lussac saint-émilion, 281
CH. BARBEIRANNE, Côtes de provence, 744
CH. BARBEROUSSE, Saint-émilion, 256
ANDRE BARBIER, Reuilly, 964
CH. BARBIER, Sauternes, 387
CH. BARDE-HAUT, Saint-émilion grand cru, 261
CEDRICK BARDIN, ● Pouilly-fumé, 956 ● Sancerre, 966
DOM. BARDON, Valençay AOVDQS, 943
CH. BARDOS, Bordeaux supérieur, 207
BARDOUX PERE ET FILS, Champagne, 606
GILLES BARGE, Côte rôtie, 999
DOM. BARILLOT, Pouilly-fumé, 956
DOM. BARMES-BUECHER, ● Alsace pinot ou klevner, 75 ● Alsace gewurztraminer, 89
EDMOND BARNAUT, Champagne, 606
MICHEL BARON, Pineau des charentes, 1067
BARON ALBERT, Champagne, 606
BARON COPESTAING, Côtes du marmandais, 799
BARON D'ALBRET, Buzet, 794
BARON D'ARDEUIL, Buzet, 794
BARON D'ESPIET, ● Bordeaux supérieur, 207 ● Entre-deux-mers, 299
BARON DE GRAVELINES, Bordeaux sec, 197
BARON-FUENTE, Champagne, 606
BARON KIRMANN, Crémant d'alsace, 127
JEAN BARONNAT, ● Saint-véran, 595 ● Coteaux d'aix-en-provence, 765
BARON NATHANIEL, Pauillac, 366
BARON PHILIPPE, Graves, 314

CH. BARRABAQUE, Canon-fronsac, 236
DOM. DU BARRAIL, Premières côtes de bordeaux, 307
CH. BARRAIL CHEVROL, Fronsac, 238
LE MUSCADET BARRE, Muscadet sèvre-et-maine, 841
DOM. BARREAU, Gaillac, 789
CH. BARRE GENTILLOT, Graves de vayres, 303
CH. BARREJAT, Pacherenc du vic-bilh, 809
CRU BARREJATS, Sauternes, 387
DOM. DES BARRES, ● Savennières, 873 ● Coteaux du layon, 877
CH. BARREYRE, Bordeaux supérieur, 207
ANTOINE BARRIER, Beaujolais-villages, 144
MICHEL BARROT, Beaujolais, 136
DOM. DE BARROUBIO, ● Minervois, 720 ● Muscat de saint-jean de minervois, 1062
DOM. BART, ● Marsannay, 452 ● Fixin, 456 ● Santenay, 561
RENE BARTH, ● Alsace riesling, 78 ● Crémant d'alsace, 127
DOM. BARTHELEMY, Jurançon, 803
BARTHOLIE, Canton de Genève, 1133
DOM. DU BARVY, Côte de brouilly, 154
CH. BAS, Coteaux d'aix-en-provence, 765
CH. DU BASCOU, Floc de gascogne, 1071
LOU BASSAQUET, Côtes de provence, 745
DOM. BASSE VILLE, Gros-plant AOVDQS, 854
CH. DE BASTET, Côtes du rhône, 976
CH. BASTIAN, Bordeaux, 187
DOM. MATHIS BASTIAN, Moselle luxembourgeoise, 1113
DOM. DE BASTIDE ROUSSE, Saint-chinian, 724
CH. BASTOR-LAMONTAGNE, Sauternes, 387
CH. BATAILLEY, Pauillac, 366
DOM. DE BAUBIAC, ● Coteaux du languedoc, 704 ● Oc, 1091
BAUCHET PERE ET FILS, Champagne, 606
BAUD, Côtes du jura, 669 ● Château-chalon, 667
CH. BAUDAN, Listrac-médoc, 354
CH. BAUDUC, ● Bordeaux sec, 197 ● Premières côtes de bordeaux, 307
BAUGET-JOUETTE, Champagne, 606
BAUMANN, Canton de Schaffhouse, 1140
DOM. DES BAUMARD, ● Savennières, 874 ● Quarts de chaume, 885
CHARLES BAUR, Alsace grand cru eichberg, 110
LEON BAUR, Alsace gewurztraminer, 89
JEAN-NOEL BAZIN, ● Bourgogne aligoté, 415 ● Bourgogne hautes-côtes de beaune, 427
B DE BERGERAC, Bergerac, 812
CH. BEAUBOIS, Costières de nîmes, 699
CH. BEAUCHAMP, Bergerac, 812
CH. BEAUCHENE, ● Pomerol, 242 ● Côtes du rhône, 976 ● Côtes du rhône-villages, 990
CH. BEAUFERAN, Coteaux d'aix-en-provence, 765
ANDRE BEAUFORT, Champagne, 606
HERBERT BEAUFORT, Coteaux champenois, 658
CELLIER DU BEAUJARDIN, Touraine, 898
CLOS DE BEAUJEU, Sancerre, 966
CH. DE BEAULIEU, Côtes du marmandais, 799
DOM. DE BEAUMALRIC, ● Côtes du ventoux, 1035 ● Muscat de beaumes-de-venise, 1060
BEAU MAYNE, Bordeaux, 187
VIGNERONS DE BEAUMES-DE-VENISE, Muscat de beaumes-de-venise, 1060
BEAUMET, Champagne, 606
DOM. BEAU MISTRAL, ● Côtes du rhône, 976 ● Rasteau, 1063
DOM. DE BEAUMONT, Haut-médoc, 345
DOM. DES BEAUMONT, ● Charmes-chambertin, 467 ● Morey-saint-denis, 470
BEAUMONT DES CRAYERES, Champagne, 607
BEAUMONT DES GRAS, Côtes du vivarais, 1043
CAVE DE BEAUMONT-DU-VENTOUX, Côtes du ventoux, 1035

LYCEE VITICOLE DE BEAUNE, Beaune, 517
CH. BEAUPORTAIL, Pécharmant, 826
CH. DE BEAUPRE, Coteaux d'aix-en-provence, 765
CH. BEAUREGARD, Pomerol, 243
CH. DE BEAUREGARD, ● Pouilly-fuissé, 590 ● Saumur, 886
DOM. DE BEAUREGARD, Côtes de bergerac, 819
CH. BEAUREGARD-DUCASSE, Graves, 314
DOM. DE BEAUREPAIRE, Menetou-salon, 954
BEAURILEGE, Bordeaux supérieur, 207
BEAU RIVAGE, Bordeaux, 187
CH. BEAU RIVAGE, Bordeaux supérieur, 208
DOM. DES BEAUROIS, Coteaux du giennois, 949
CH. BEAUSEJOUR, ● Saint-émilion grand cru, 261 ● Montagne saint-émilion, 284
CH. BEAUSEJOUR, Touraine, 898
DOM. LUDOVIC DE BEAUSEJOUR, VDP Argens, 1103
CH. BEAU-SEJOUR BECOT, Saint-émilion grand cru, 261
CH. BEAU-SITE, Saint-estèphe, 372
CH. DE BEAU-SITE, Graves, 314
CH. BEAU SITE DE LA TOUR, Fronsac, 238
DOM. DE BEAU-SOLEIL, Muscadet sèvre-et-maine, 841
CAVE DU BEAU VALLON, Beaujolais, 137
CH. BECHEREAU, ● Lalande de pomerol, 251 ● Sauternes, 388
PIERRE BECHT, Alsace pinot noir, 105
DOM. JEAN-PIERRE BECHTOLD, ● Alsace riesling, 78 ● Alsace grand cru engelberg, 111
DIDIER BECK, Alsace tokay-pinot gris, 99
HUBERT BECK, ● Alsace gewurztraminer, 89 ● Alsace pinot noir, 105
BECK-DOMAINE DU REMPART, Alsace pinot ou klevner, 75 ● Alsace grand cru frankstein, 111
DOM. BECK-FRANK, Moselle luxembourgeoise, 1114
G. BECLAIR, Coteaux du layon, 879
CHARLES BEDUNEAU, Anjou, 858
HENRI BEGEY, Pineau des charentes, 1068
CH. BEGOT, Côtes de bourg, 231
DOM. DES BEGUINERIES, Chinon, 919
CH. BEHERE, Pauillac, 366
JEAN-BAPTISTE BEJOT, Bourgogne hautes-côtes de nuits, 424
CAVE BEL-AIR, Bordeaux sec, 197
CAVE DES VIGNERONS DE BEL-AIR, Morgon, 166
CH. BEL AIR, Bordeaux, 187
CH. BEL AIR, Lussac saint-émilion, 282
CH. BEL AIR, Puisseguin saint-émilion, 288
CH. BEL AIR, Côtes de castillon, 292
CH. BEL AIR, Haut-médoc, 345
CH. BEL AIR, Saint-estèphe, 372
CH. BEL AIR, Sainte-croix-du-mont, 384
CH. DE BEL-AIR, Lalande de pomerol, 251
DOM. BEL AIR, Muscadet sèvre-et-maine, 842
DOM. DE BEL-AIR, Beaujolais-villages, 144
DOM. DE BEL-AIR, Muscadet côtes de grand lieu, 853
DOM. DE BEL-AIR, Chinon, 919 ● Pouilly-sur-loire, 960
DOM. DE BEL-AIR, VDP Jardin de la France, 1078
CH. BEL-AIR LAGRAVE, Moulis-en-médoc, 363
CH. BEL-AIR ORTET, Saint-estèphe, 372
CH. BEL AIR PERPONCHER, Bordeaux supérieur, 208
CH. DE BELCIER, Côtes de castillon, 292
DOM. DE BELEOUVE, Côtes de provence, 745
CH. BELGRAVE, Haut-médoc, 345
CH. BELINGARD, ● Côtes de bergerac, 819 ● Monbazillac, 822
DOM. ROGER BELLAND, Puligny-montrachet, 547
JEAN-CLAUDE BELLAND, ● Corton, 505 ● Chassagne-montrachet, 554 ● Santenay, 561

1180

ROGER BELLAND, ● Pommard, 522 ● Criots-bâtard-montrachet, 553 ● Chassagne-montrachet, 554 ● Santenay, 561 ● Maranges, 566
MICHEL BELLARD, Côtes d'auvergne AOVDQS, 947
BELLE DE NUIT, Canton de Genève, 1134
DOM. DE BELLE-FEUILLE, ● Côtes du rhône, 976 ● Côtes du rhône-villages, 990
CH. BELLEFONT-BELCIER, Saint-émilion grand cru, 261
CH. BELLE-GARDE, ● Bordeaux, 187 ● Bordeaux sec, 198
CH. BELLEGRAVE, ● Pomerol, 243 ● Médoc, 334 ● Pauillac, 366
CH. BELLES EAUX, Coteaux du languedoc, 704
CH. BELLES-GRAVES, Lalande de pomerol, 252
CH. DE BELLET, Bellet, 759
DOM. BELLEVILLE, Rully, 572
CH. BELLE-VUE, ● Côtes de castillon, 292 ● Haut-médoc, 345
CH. DE BELLEVUE, Lussac saint-émilion, 282
CH. DE BELLEVUE, Crémant de loire, 837
CLOS BELLEVUE, Muscat de lunel, 1061
DOM. BELLEVUE, Touraine, 898
DOM. DE BELLEVUE, Beaujolais, 137
DOM. DE BELLEVUE, Corbières, 693
DOM. DE BELLEVUE, Saint-pourçain AOVDQS, 950
CH. BELLEVUE-FIGEAC, Saint-émilion grand cru, 263
CH. BELLEVUE LA FORET, Côtes du frontonnais, 795
CH. BELLEVUE LA MONGIE, Bordeaux supérieur, 208
CH. BELLEVUE PEYCHARNEAU, Bordeaux supérieur, 208
PASCAL BELLIER, Cheverny, 938
CH. BELLISLE MONDOTTE, Saint-émilion grand cru, 263
VINCENT BELLIVIER, Chinon, 919
CH. BELLOCH, Muscat de rivesaltes, 1055
DOM. BELLUARD FILS, Vin de savoie, 678
CH. BEL ORME, Haut-médoc, 345
BELVEDERE DES PIERRES DOREES, Beaujolais, 137
DOM. DE BELVEZET, Côtes du vivarais, 1043
CH. BELVIZE, Minervois, 721
L. BENARD-PITOIS, Champagne, 607
XAVIER BENIER, Beaujolais, 137
BENJAMIN DU PREVOST, Bordeaux clairet, 196
PATRICE BENOIT, Montlouis, 928
PAUL BENOIT, Arbois, 663
DOM. EMILE BENON, Savennières, 874
MICHEL BENON ET FILS, Saint-amour, 177
CH. DE BENSSE, Médoc, 334
BERECHE ET FILS, Champagne, 607
CH. BERGAT, Saint-émilion grand cru, 263
DOM. DES BERGEONNIERES, Saint-nicolas-de-bourgueil, 916
CH. BERGER, Graves, 314
DOM. DE BERGIRON, Brouilly, 150
DOM. BERLIOZ SAINT-ROCH, Chiroubles, 158
CH. BERLIQUET, Saint-émilion grand cru, 263
BERLOUP COLLECTION, Saint-chinian, 724
CH. BERNADOTTE, Haut-médoc, 345
LOUIS BERNARD, ● Côtes du rhône, 976 ● Côtes du rhône-villages, 990 ● Cornas, 1013 ● Gigondas, 1015 ● Châteauneuf-du-pape, 1023 ● Coteaux du tricastin, 1034
CLOS DE BERNARDI, Patrimonio, 779
CLAUDE BERNARDIN, Beaujolais, 137
CH. BERNATEAU, Saint-émilion grand cru, 263
CH. DE BERNE, Côtes de provence, 745
DOM. BERNET, Madiran, 807
DOM. JEAN-MARC BERNHARD, Alsace grand cru mambourg, 116 ● Alsace grand cru wineck-schlossberg, 124
DOM. BERNHARD-REIBEL, Alsace riesling, 78
DOM. FRANCOIS BEROUJON, Beaujolais-villages, 144
BEROY, Côtes du marmandais, 799
LES BERRYCURIENS, Reuilly, 964

CH. DE BERRYE, Saumur, 886
DOM. BERTAGNA, Corton-charlemagne, 510
PASCAL BERTEAU ET VINCENT MABILLE, Vouvray, 931
VINCENT ET DENIS BERTHAUT, Fixin, 456
CH. BERTHELOT, Champagne, 607
PAUL BERTHELOT, Champagne, 607
CH. BERTHENON, Premières côtes de blaye, 225
DOM. BERTHET-RAYNE, Côtes du rhône-villages, 990
DOM. DES BERTHIERS, Pouilly-fumé, 956
DOM. BERTHOUMIEU, ● Madiran, 807 ● Pacherenc du vic-bilh, 809
CH. DE BERTIN, Bordeaux, 187
BERTIN ET FILS, Champagne, 607
DOM. BERTRAND, Brouilly, 151
DOM. LIONEL BERTRAND, Brouilly, 151
DOM. BERTRAND-BERGE, ● Fitou, 719 ● Rivesaltes, 1049
DOM. DE BESOMBES SINGLA, Rivesaltes, 1049
BESSEY DE BOISSY, Coteaux du Quercy AOVDQS, 788
JEAN-CLAUDE BESSIN, ● Chablis premier cru, 441 ● Chablis grand cru, 447
GUILLEMETTE ET XAVIER BESSON, Givry, 579
DOM. DES BESSONS, Touraine-amboise, 907
BESTHEIM, ● Alsace riesling, 79 ● Alsace grand cru marckrain, 117
ANTOINE ET CHRISTOPHE BETRISSEY, Canton du Valais, 1126
DOM. HENRI BEURDIN ET FILS, Reuilly, 964
SOCIETE VINICOLE DE BEX, Canton de Vaud, 1119
CH. BEYCHEVELLE, Saint-julien, 346, 376, 377
EMILE BEYER, Alsace gewurztraminer, 89
PATRICK BEYER, ● Alsace riesling, 79 ● Alsace gewurztraminer, 89
CLOS DE BEYLIERE, Châtillon-en-diois, 1034
CH. BEYNAT, Côtes de castillon, 292
CH. DU BIAC, Premières côtes de bordeaux, 307
DOM. DU BICHERON, ● Crémant de bourgogne, 430 ● Mâcon supérieur, 584
CH. BICHON CASSIGNOLS, Graves, 314
ALBERT BICHOT, ● Charmes-chambertin, 467 ● Chambolle-musigny, 475 ● Clos de vougeot, 479 ● Santenay, 561
CLOS DU BIEN-AIME, Muscadet sèvre-et-maine, 842
GERARD BIGONNEAU, Reuilly, 964
BRUNO BIGOT, VDP Jardin de la France, 1078
BIGUET, Cornas, 1013
DOM. GABRIEL BILLARD, Pommard, 523
DOM. BILLARD ET FILS, ● Auxey-duresses, 536 ● Saint-romain, 539 ● Saint-aubin, 558
DOM. BILLARD-GONNET, Pommard, 523
DOM. BILLAUD-SIMON, ● Chablis, 436 ● Chablis premier cru, 442 ● Chablis grand cru, 447
BILLECART-SALMON, Champagne, 607
BINET, Champagne, 607
JOSEPH ET CHRISTIAN BINNER, Alsace riesling, 79
ALBERT BIOLLAZ, Canton du Valais, 1126
CH. DE BIRAN, Pécharmant, 826
CH. DE BIROT, Premières côtes de bordeaux, 307
CH. BISTON-BRILLETTE, Moulis-en-médoc, 364
BITOUZET-PRIEUR, ● Beaune, 517 ● Volnay, 529
CH. DE BLACERET-ROY, Beaujolais, 137
CH. DE BLAGNY, Meursault, 540
CH. BLAIGNAN, Médoc, 334
CHARLY BLANC ET FILS, Canton de Vaud, 1119
DOM. G. BLANC ET FILS, Roussette de savoie, 682
MAS BLANCHARD, Coteaux du languedoc, 704
GILLES BLANCHET, ● Pouilly-fumé, 956 ● Pouilly-sur-loire, 960

ANDRE BLANCK, Alsace grand cru schlossberg, 120
DOM. PAUL BLANCK, Alsace grand cru furstentum, 112
ANDRE BLANCK ET SES FILS, Alsace grand cru furstentum, 112
CH. DE BLANES, Côtes du roussillon, 732
CH. BLANZAC, Côtes de castillon, 292
BLARD ET FILS, Vin de savoie, 678
BLASONS DE BOURGOGNE, Chablis grand cru, 447
DOM. CLAUDE BLEGER, ● Alsace riesling, 79 ● Alsace tokay-pinot gris, 99
FRANCOIS BLEGER, Alsace tokay-pinot gris, 99
HENRI BLEGER, Alsace riesling, 79
VIGNOBLE DE BLERE, Touraine, 898
CH. DE BLIGNY, ● Pommard, 523 ● Meursault, 541
H. BLIN ET CIE, Champagne, 608
R. BLIN ET FILS, Champagne, 608
CH. DE BLOMAC, Minervois, 721
DOM. BLOUIN, Rosé de loire, 834 ● Coteaux du layon, 877
CH. DU BLOY, Côtes de montravel, 825
CH. DU BLUIZARD, Brouilly, 151
DOM. GUY BOCARD, ● Bourgogne, 401 ● Meursault, 541
CH. DES BOCCARDS, Chénas, 156
JACQUES ET CLAUDE BOCQUET-THONNEY, Canton de Genève, 1134
BOECKEL, Alsace grand cru wiebelsberg, 124
E. BOECKEL, Alsace riesling, 79
LEON BOESCH ET FILS, Alsace grand cru zinnkoepflé, 125
DOM. DES BOHUES, Coteaux du layon, 877
ERIC BOIGELOT, ● Pommard, 523 ● Monthélie, 534
JACQUES BOIGELOT, Monthélie, 534
DOM. ALBERT BOILLOT, Crémant de bourgogne, 431
DOM. J.M. BOILLOT, Bâtard-montrachet, 551
DOM. DES BOIS, Morgon, 166
CH. DE BOIS-BRINCON, ● Anjou, 858 ● Coteaux de l'aubance, 872 ● Coteaux du layon, 877
DOM. DU BOIS BRULE, Muscadet sèvre-et-maine, 842
DOM. DU BOIS BRULEY, Muscadet sèvre-et-maine, 842
BOIS D'ASNIERES, Touraine-mesland, 909
BOIS D'ELEINS, Coteaux du languedoc, 704
DOM. DE BOIS DAUPHIN, Châteauneuf-du-pape, 1023
CH. BOIS DE LABORDE, Lalande de pomerol, 252
DOM. DU BOIS DE LA BOSSE, Beaujolais-villages, 144
CAVE DU BOIS DE LA SALLE, Beaujolais, 137
DOM. DU BOIS DE POURQUIE, Bergerac rosé, 817
CH. BOIS DE ROC, Médoc, 335
DOM. DU BOIS DES MEGES, Côtes du rhône, 976
CH. DU BOIS DE TAU, Côtes de bourg, 231
DOM. DU BOIS DU JOUR, Beaujolais, 137
BOISERAIE, Vacqueyras, 1019
BOIS FARDEAU, Crozes-hermitage, 1008
BOIS GALANT, Médoc, 336
CLOS DES BOIS GAUTIER, Muscadet sèvre-et-maine, 842
DOM. DU BOIS GUILLAUME, ● Bourgogne, 401 ● Bourgogne hautes-côtes de nuits, 424 ● Bourgogne hautes-côtes de beaune, 427
DOM. DU BOIS-JOLY, Muscadet sèvre-et-maine, 842
MAS DE BOISLAUZON, Châteauneuf-du-pape, 1023
CH. BOIS-MALOT, Bordeaux sec, 198
CH. BOIS MARTIN, Pessac-léognan, 324
CH. DU BOIS MENEY, Bordeaux côtes de francs, 296
DOM. DU BOIS MIGNON, Saumur, 886
CLOS DU BOIS MOZE, Saumur-champigny, 892
DOM. DU BOIS MOZE, Anjou, 858
CH. BOIS NOIR, Bordeaux supérieur, 208
BOISRENARD, Châteauneuf-du-pape, 1023
DOM. DE BOISSAN, Côtes du rhône-villages, 990

1182

1184

Hôtelier et agrégé en vins.

Passionnés et aimant faire partager leur passion, ce n'est pas un hasard si nos hôteliers sont des hôteliers Mercure. Où que vous soyez, c'est en grands connaisseurs qu'ils vous feront déguster nos Grands Vins et découvrir de nouveaux crus.

600 Hôtel / Relais / Grand Hôtel Mercure dans 40 pays
Réservation Mercure : 0825 88 33 33* / www.mercure.com

Hôteliers par passion

www.accorhotel.com - 3 400 hôtels dans 90 pays.

Bonne journée.

Acceptée partout où vous en avez besoin.

Une vraie cave
à vins chez vous.

LIEBHERR
La maîtrise du froid

En attendant sa maturité....

Offrez à vos vins, les conditions d'une cave idéale :
- des températures constantes et uniformes
- une hygrométrie idéale
- une aération filtrée pour une qualité d'air optimale
  - une protection anti-uv
  - un système anti-vibration
  - un dispositif de sécurité anti-froid

L'esthétique des caves de vieillissement LIEBHERR reflète le meilleur du design et s'accorde parfaitement avec votre environnement, blanc, brun, lie de vin, inox ou porte vitrée.
LIEBHERR, c'est aussi une gamme d'armoires de mise en température. Grâce à ses six zones de température, vos vins rouge, blancs et Champagne seront toujours à la température idéale de dégustation.

De 68 à 267 bouteilles, Liebherr vous propose 20 modèles pour le professionnel et le particulier dans ses gammes VINOTHEQUE et GRAND CRU pour répondre aux besoins de chacun.

LIEBHERR
La maîtrise du froid.

E·F
EBERHARDT FRERES

18, rue des frères Eberts - B.P. 83 - 67024 STRASBOURG Cedex 01
Fax : 03 88 65 75 83 - email : marketing@eberhardt.fr

INFRA IMAGERIE 03 88 19 18 70

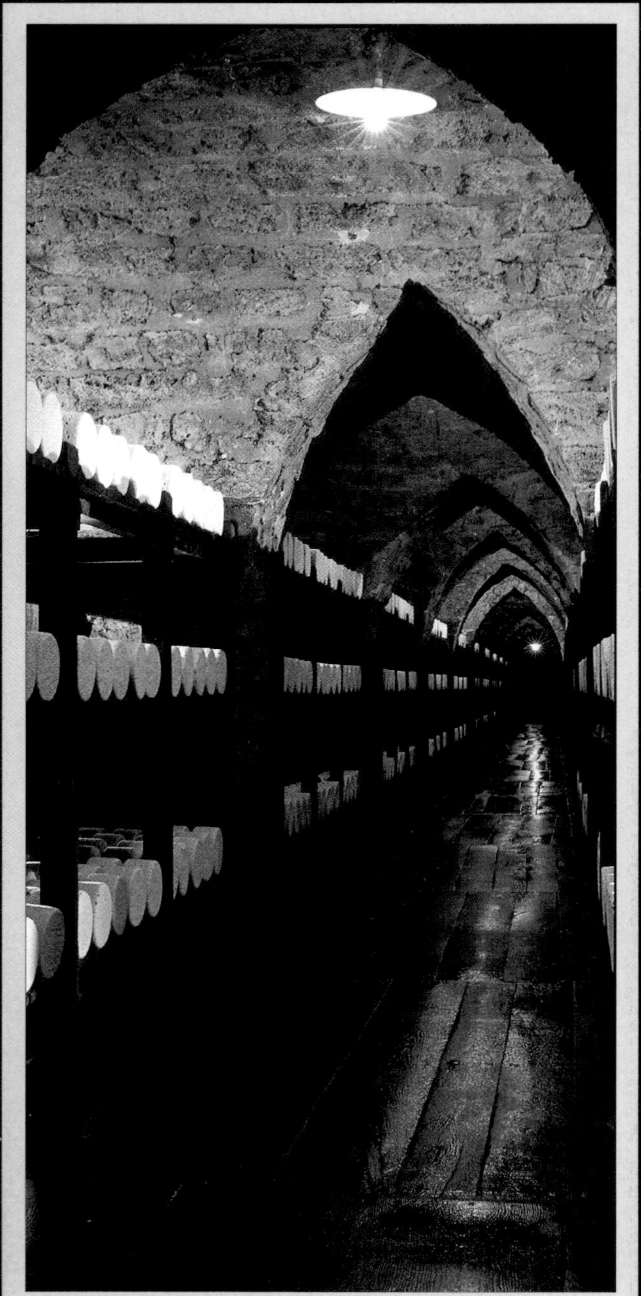

Nées de la colère des dieux,

habitées par les chevaliers ou les fées,

chacune de nos caves a sa légende à raconter.

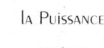

Cave
Abeille

l'Équilibre

"Du chaos engendré par
la colère des dieux
qui décidèrent un jour que
la montagne du Combalou
devait s'effondrer" est née
une cave équilibrée où se
révélera un fromage franc
que l'on appréciera
à tous les moments
de la journée.

CAVE DES
TEMPLIERS

la Puissance

Cette cave semble
avoir hérité
du caractère impétueux
des Chevaliers Templiers
dont les fortifications
parsèment toujours
le Causse du Larzac.
A leur image,
elle offrira un fromage
au goût corsé et généreux.

CAVE
BARAGNAUDES

la Délicatesse

Le vent des fleurines murmure
encore, à qui sait l'entendre,
que les fées
y avaient élu domicile.
De ce lieu magique
naîtra un fromage
au goût miellé et
d'une présence
en bouche hors
du commun.

Pour que vive la légende

Accessoires
pour amateurs avertis

Si vous partagez avec nous l'amour des belles choses, vous serez comblé. Vous trouverez dans notre catalogue des accessoires du vin,

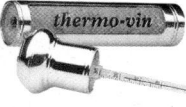

des objets sélectionnés pour leur qualité et leur originalité.

Destinés à enchanter vos repas de fêtes ou vos séances de dégustation entre amis, certains accessoires vous feront retrouver les gestes d'antan et seront de merveilleux moments de joie et de découvertes. Vous recherchez une

belle idée de cadeau ? Feuilletez attentivement notre catalogue, vous trouverez assurément de quoi ravir vos proches. VINOSAFE Privilège s'adresse à ceux qui cultivent un certain art de vivre et qui aiment le partager.

Documentation gratuite sur simple demande au
☎ 03 89 71 45 35

·VINOSAFE·
Privilège

HAURTMANN & ASSOCIÉS RCS Strasbourg 318 867 991

2, rue des Artisans F 68280 Sundhoffen - Tel. 03 89 71 45 35 - Fax 03 89 71 49 73

www.vinosafe.com • Email : muller.sa@vinosafe.fr

Avec **Electrolux**
vous conservez vos vins
dans les meilleures conditions,
celles d'une cave traditionnelle.

Une cave à vin
sans aucune vibration,
une exclusivité Electrolux

La cave à vin **Electrolux** , grâce au **principe de l'absorption**, n'utilise ni moteur ni compresseur.
Elle ne génère donc **aucune vibration** et fonctionne dans un **silence total**.
L'absence de pièces mécaniques en mouvement, procure à la cave **Electrolux** une longévité exceptionnelle.

Une cave à vin
à température constante

Quelque soit votre choix (idéalement 12 à 13°) votre cave le respectera fidèlement, produisant selon le cas du chaud ou du froid, en tenant compte des conditions extérieures.

Une cave à vin à aménager
selon ses besoins

La capacité de votre cave dépend de son aménagement.
Son maximum est atteint en utilisant uniquement des clayettes de stockage.
Les clayettes coulissantes réduisent cette capacité mais vous donnent une grande souplesse d'utilisation.

Pour personnaliser l'aménagement de votre cave, vous pouvez vous procurer, chez votre revendeur conseil, le nombre et le modèle de clayettes nécessaires.

Clayettes coulissantes et ajustables en hauteur

© CHAMPAGNE CRÉATION - REIMS

Modèle CS 200 porte verre

Pour recevoir gratuitement notre documentation, et connaître le point de vente le plus proche de votre domicile, téléphonez-nous, faxez nous votre carte de visite ou écrivez à :

Electrolux

43, Avenue Felix Louat
BP 80136
60307 SENLIS Cedex
Tél. (33) 3 44 62 23 31
Fax. (33) 3 44 62 22 17
www.electrolux.com

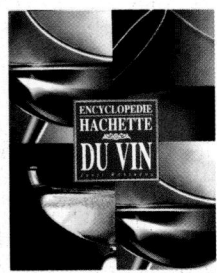

BIBLIOTHÈQUE HACHETTE DU VIN

DICTIONNAIRE HACHETTE DU VIN

Michel DOVAZ
Du mot à l'image, toutes les connaissances sur la vigne et le vin. Le dictionnaire complet et pratique de l'amateur et du spécialiste.
560 p., 150×235 mm, 700 photos et illustrations couleur, couverture cartonnée.
315 F

L'ÉCOLE DE LA DEGUSTATION : Le vin en 100 leçons

Pierre CASAMAYOR
L'ouvrage convie tous les amateurs à découvrir le goût du vin et l'influence des cépages et des terroirs sur les arômes et les saveurs.
350 illustrations couleur.
272 p., 230×285 mm, couverture cartonnée.
210 F

L'ÉCOLE DES ALLIANCES : Les vins et les mets

Pierre CASAMAYOR
Le vin à table : comment réussir ses accords gourmands. 88 exercices pour percevoir l'interaction des mets et des vins.
Plus de 800 vins proposés.
304 p., 230×285 mm, couverture cartonnée.
210 F *(Parution automne 2000)*

L'ENCYCLOPÉDIE TOURISTIQUE DES VINS DE FRANCE

Véritable promenade au cœur de la civilisation des vins de France, cet ouvrage nous propose une double approche du monde du vin : il est à la fois guide touristique et guide de consommation.
448 p., 250×285 mm, 650 photos et schémas couleur, 38 cartes itinéraires, couverture brochée.
149 F

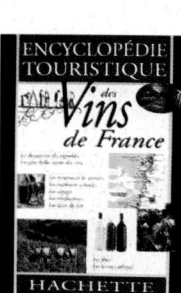

BIBLIOTHÈQUE HACHETTE DU VIN

GUIDE PRATIQUE DU VIN

**Pascal Ribéreau-Gayon
et Michel Dovaz**

*Une approche claire et plaisante du
vin, de son élaboration
à sa consommation.
228 p., 150x270 mm, 160 photos et
dessins en couleurs,
couverture cartonnée.*
125 F

LE LIVRE DE CAVE

*Cet ouvrage est indispensable pour
bien gérer sa cave : conserver son vin
dans des conditions favorables,
le servir à température convenable,
et aussi garder la mémoire des
accords gourmands.
192 p., 150x270 mm, 500 photos en
couleurs, couverture cartonnée.*
125 F

LA COTE
DES GRANDS VINS
DE FRANCE 2001

**Alain Bradfer, Alex de Clouet,
Claude Maratier**
*"L'argus de vins", 3000 cotes, 300 crus,
150 ventes publiques, 300 étiquettes :
la passion à sa juste valeur !
368 p., 105x210 mm,
couverture brochée.*
145 F *(Parution automne 2000)*

HAVANOSCOPE 2001

Jean-Paul Kauffmann
*Revue de l'amateur de cigares.
Comment choisir judicieusement
son havane.
300 cigares testés à l'aveugle par
un jury d'experts internationaux.
288 p., 105x210 mm,
couverture intégra.*
98 F *(Parution automne 2000)*

BIBLIOTHÈQUE HACHETTE DU VIN

L'ESPRIT DU BORDEAUX

Antoine Lebègue
Les secrets de l'un des plus célèbres vignobles du monde. La description des multiples terroirs de la région et de leurs vins.
224 p., 230x285 mm, 200 photos et cartes, couverture reliée, jaquette.
210 F

LE VIN DE BOURGOGNE

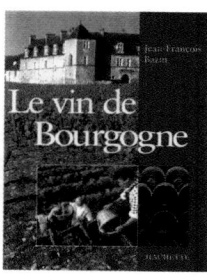

Jean-François Bazin
Le livre de référence sur la Bourgogne viticole. Une somme alliant érudition et chaleur, qui sait traduire la saveur exceptionnelle de ces vins qui "expriment un bonheur durable".
248 p., 230x285 mm, 200 photos en couleurs, 20 cartes, couverture cartonnée, jaquette.
295 F

L'ESPRIT DU PORTO

Alain Leygnier
Cet ouvrage révèle le porto dans ses terres d'origine ainsi que les multiples facettes de ce vin chatoyant.
160 p., 230x285 mm, 150 photos en couleurs, couverture cartonnée, jaquette.
210 F

MALT LA NOBLESSE DU WHISKY

Charles MacLean
Tout ce qu'il faut savoir sur le plus grand, le plus typique des whiskies écossais, le whisky de malt.
175 p., 240x280 mm, 200 photos ou étiquettes en couleurs, couverture reliée, jaquette.
198 F

MICHEL GAHIER, ● Arbois, 664 ● Crémant du jura, 673

CUVEE GAIA, Minervois la livinière, 724

LUC GAIDOZ, Champagne, 623

GAIDOZ-FORGET, Champagne, 624

DOM. GAILLARD, Mâcon-villages, 586

PIERRE GAILLARD, Condrieu, **1002**

ROGER GAILLARD, Pouilly-fuissé, 591

GAILLARD-GIROT, Champagne, 624

CH. GAILLARTEAU, Bordeaux supérieur, 211

CH. DE GAILLAT, Graves, 316

CH. GALAU, Côtes de bourg, 232

CAVES GALES, Moselle luxembourgeoise, 1114

DOM. DU GALET DES PAPES, Châteauneuf-du-pape, 1025

DOM. GALEVAN, Côtes du rhône-villages, 992

ALAIN GALLETY, Côtes du vivarais, 1043

GALLIFFET, Côtes du rhône, 981

GALLIMARD PERE ET FILS, Champagne, 624

DOM. DES GALLOIRES, Muscadet des coteaux de la loire sur lie, 840

DOM. DOMINIQUE GALLOIS, ● Gevrey-chambertin, 459 ● Charmes-chambertin, 468

DOM. DES GALLUCHES, Bourgueil, 912

CH. DU GALOUPET, Côtes de provence, 748

DOM. GALVESSES GRAND MOINE, Lalande de pomerol, 252

CH. GAMAGE, ● Bordeaux supérieur, 211 ● Entre-deux-mers, 300

MAISON ALEX GAMBAL, ● Nuits-saint-georges, 490 ● Beaune, 519

DOM. GANDREY, Gevrey-chambertin, 459

DOM. GANGNEUX, Vouvray, 934

LUCIEN GANTZER, Alsace grand cru goldert, 114

PAUL GARAUDET, ● Monthélie, 534 ● Meursault, 543

LES BARRIQUES DE GARBELLE, Coteaux varois, 770

CH. GARDEROSE, Montagne saint-émilion, 285

BERNARD GARDIEN ET FILS, Saintpourçain AOVDQS, 951

DOM. GARDIES, ● Côtes du roussillon-villages, **737** ● Côtes du roussillon-villages, 737 ● Muscat de rivesaltes, 1056

CH. DE GARDOUR, Lalande de pomerol, 252

DOM. GARDRAT, VDP Charentais, 1086

LES VIGNERONS DU GARLABAN, Côtes de provence, 748

JEAN-FRANCOIS GARLON, Beaujolais, 139

DOM. DES GAROCHES, Beaujolais-villages, 146

CH. GARRAUD, Lalande de pomerol, 252

CH. GARREAU, Floc de gascogne, 1072

VIGNOBLE GASNIER, Chinon, 920

GASPERINI, Côtes de provence, 748

CH. GASQUI, Côtes de provence, 748

DOM. DE GASQUI, VDP Var, 1106

CLOS GASSIOT, Jurançon, 804

DOM. DE GATINES, ● Cabernet d'anjou, 870 ● VDP Jardin de la France, 1079

GAUCH, Canton du Tessin, 1143

DOM. GAUDARD, ● Rosé de loire, 835 ● Anjou, 860 ● Coteaux du layon, 879

JO GAUDARD, Canton du Valais, 1128

CH. GAUDIN, Pauillac, 368

GAUDINAT-BOIVIN, Champagne, 624

CH. DE GAUDOU, Cahors, 784

DOM. SYLVAIN GAUDRON, Vouvray, 934

CLOS DU GAUFFRIAUD, Muscadet sèvre-et-maine, 844

CH. JEAN-PIERRE GAUSSEN, Bandol, 761

ALAIN GAUTHERON, Chablis premier cru, 443

GAUTHEROT, Champagne, 624

GAUTHIER, Moselle AOVDQS, 131

CH. GAUTHIER, ● Premières côtes de blaye, 226 ● Médoc, 336

GERARD ET JEAN-PAUL GAUTHIER, Beaujolais-villages, 146

DOM. DES GAVELLES, VDP Bouches-du-Rhône, 1105

PHILIPPE GAVIGNET, Nuits-saint-georges, 490

DOM. GAVOTY, Côtes de provence, 748

FRANCOIS GAY, ● Ladoix, 497 ● Aloxe-corton, 500 ● Savigny-lès-beaune, 513 ● Chorey-lès-beaune, 516

MICHEL GAY, ● Aloxe-corton, 500 ● Corton, 507 ● Savigny-lès-beaune, 513 ● Beaune, 519

CH. GAZIN, Pomerol, 244

CH. GAZIN ROCQUENCOURT, Pessac-léognan, 327

G. DE BARFONTARC, Champagne, 623

GEBRUEDER NAUER, Canton d'Argovie, 1138

JEAN GEILER, Alsace gewurztraminer, 91

GEISWEILER ET FILS, Nuits-saint-georges, 490

DOM. DES GELERIES, ● Bourgueil, 912 ● Chinon, 921

DOM. PIERRE GELIN, ● Fixin, 457 ● Chambertin-clos de bèze, 465

DOM. DES GENAUDIERES, Coteaux d'ancenis AOVDQS, 857

DOM. GENELLETTI, L'étoile, 675

MICHEL GENET, Champagne, 624

ROSE DE GENIBON, Bordeaux rosé, 204

CH. GENOT-BOULANGER, ● Clos de vougeot, 480 ● Corton-charlemagne, 510 ● Savigny-lès-beaune, 513 ● Pommard, 524 ● Volnay, 530 ● Meursault, 544

CAVE DES VIGNERONS DE GENOUILLY, ● Bourgogne, 404 ● Bourgogne grand ordinaire, 414 ● Bourgogne aligoté, 417 ● Bourgogne passetoutgrain, 422 ● Bourgogne côte chalonnaise, 569

ANDRE GENOUX, Vin de savoie, 679

DOM. GENTILE, Muscat du cap corse, 1064

CUVEE DES GENTILSHOMMES VERRIERS, Coteaux du languedoc, 707

ALAIN GEOFFROY, Chablis premier cru, 443 ● Chablis grand cru, 449

RENE GEOFFROY, ● Champagne, 624 ● Coteaux champenois, 659

JEAN GEORGES ET FILS, Chénas, 157

PIERRE GERBEAUX, Champagne, **625**

DOM. DES GERBEAUX, Pouilly-fuissé, 591

DOM. FRANCOIS GERBET, ● Bourgogne hautes-côtes de nuits, 424 ● Vosne-romanée, 484

J.-M. GERIN, Côte rôtie, 1000

GERLAND, VDP Landes, 1088

GILBERT ET PHILIPPE GERMAIN, ● Pommard, 524 ● Monthélie, 535

GERMAIN PERE ET FILS, Saint-romain, 540

DOM. GERON, Saumur, 887

DOM. DES GESLETS, Saint-nicolas-de-bourgueil, 916

CHANTAL ET PATRICK GIBAULT, ● Touraine, 901 ● Valençay AOVDQS, 943

DOM. GIBAULT, Touraine, 901

EMMANUEL GIBOULOT, ● Bourgogne hautes-côtes de nuits, 424 ● Côte de beaune, 522

CH. GIGOGNAN, ● Côtes du rhône, 981 ● Côtes du rhône-villages, 992

CH. GILBERT, Menetou-salon, 955

JEAN-PIERRE GILET, Vouvray, 934

DOM. ANNE-MARIE GILLE, ● Nuits-saint-georges, 490 ● Côte de nuits-villages, 493 ● Corton, 507

GILLES DE MORBAN, VDP Saint-Sardos, 1089

CH. GILLET, Bordeaux, 198

MAX GILLI, Bellet, 760

ROBERT GILLIARD, Canton du Valais, 1128

DOM. DES GILLIERES, VDP Jardin de la France, 1079

CH. DES GIMARETS, Moulin à vent, 171

DOM. DE GIMELANDE, Beaujolais-villages, 146

GIMONNET-GONET, Champagne, 625

DOM. DE GINESTE, Gaillac, 790

GINESTET, Bordeaux sec, 199

PAUL GINGLINGER, ● Alsace pinot ou klevner, 76 ● Alsace grand cru pfersigberg, 118

PIERRE-HENRI GINGLINGER, ● Alsace riesling, 81 ● Alsace tokay-pinot gris, 100

DOM. JEAN-JACQUES GIRARD, Pernand-vergelesses, 502

DOM. PHILIPPE GIRARD, Savigny-lès-beaune, 514

JEAN-JACQUES GIRARD, Savigny-lès-beaune, 514

DOM. MICHEL GIRARD ET FILS, Sancerre, 968

HERVE GIRARD ET ISABELLE ROIZOT, Maranges, 567

BERNARD GIRARDIN, Champagne, 625

DOM. GIRARD-VOLLOT ET FILS, Pernand-vergelesses, 503

CH. DE GIRONVILLE, Haut-médoc, 348

FRANCOIS ET DOMINIQUE GIROUD, Canton du Valais, 1129

DOM. GIROUX, ● Crémant de bourgogne, 431 ● Pouilly loché, 594

CH. GIRUNDIA, Bordeaux, 189

CH. GISCOURS, Margaux, 359

W. GISSELBRECHT, Alsace pinot ou klevner, 76

DOM. GIUDICELLI, ● Patrimonio, 779 ● Muscat du cap corse, 1064

FRANCK GIVAUDIN, Irancy, 411

CH. DU GLANA, Saint-julien, 377

DOM. GEORGES GLANTENAY, Pommard, 524 ● Volnay, 530

DOM. GLANTENET, ● Bourgogne hautes-côtes de nuits, 424 ● Bourgogne hautes-côtes de beaune, 428

DOM. DES GLAUGES, Coteaux d'aix-en-provence, 766

A. GLODEN ET FILS, Moselle luxembourgeoise, 1114

CH. GLORIA, Saint-julien, 377

DAVID GONET, Beaujolais-villages, 146

DOM. GOBET, Chiroubles, 159

PAUL GOBILLARD, Champagne, 625

J.-M. GOBILLARD ET FILS, Champagne, 625

GÖCKER, Alsace tokay-pinot gris, 100

GERARD ET MARIE-CLAIRE GODEFROY, Saint-nicolas-de-bourgueil, 916

JEAN-PAUL GODINAT, Quincy, 962

GODME PERE ET FILS, Champagne, 625

PAUL GOERG, Champagne, 625

MICHEL GOETTELMANN, Alsace riesling, 81

ANDRE GOICHOT, ● Gevrey-chambertin, 459 ● Vosne-romanée, 484 ● Volnay, 531 ● Meursault, 544 ● Chassagne-montrachet, 556

PIERRE GOIGOUX, Côtes d'auvergne AOVDQS, 947

GOILLOT-BERNOLLIN, ● Marsannay, 454 ● Gevrey-chambertin, 459

DOM. ANNE ET ARNAUD GOISOT, Bourgogne, 404

GHISLAINE ET JEAN-HUGUES GOISOT, ● Bourgogne, 405 ● Sauvignon de saint-bris AOVDQS, 451

J. GONARD ET FILS, Juliénas, 163

DOM. GONDRAN, Gigondas, 1016

FRANOIS GONET, Champagne, 626

MICHEL GONET, Champagne, 626

VINCENT GONET, Champagne, 626

CH. GONNAT, Lussac saint-émilion, 282

CHARLES GONNET, Vin de savoie, 680

DOM. GONON, ● Pouilly-fuissé, 591 ● Saint-véran, 596

PIERRE GONON, Saint-joseph, 1005

CH. GONTET-ROBIN, Puisseguin saint-émilion, 288

VINCENT GORNY, Côtes de toul, 130

GORRI D'ANSA, Irouléguy, 802

GOSSET, Champagne, 626

GOSSET-BRABANT, ● Champagne, 627 ● Coteaux champenois, 659

DOM. MICHEL GOUBARD ET FILS, ● Bourgogne côte chalonnaise, 569 ● Givry, 579

DOM. GOUFFIER, ● Bourgogne aligoté, 417 ● Bourgogne côte chalonnaise, 569 ● Mercurey, 576

DOM. HENRI GOUGES, Nuits-saint-georges, 490

DOM. GOUILLON, Morgon, 167

J.-M. GOULARD, Champagne, 627

GEORGE GOULET, Champagne, 627

DOM. JEAN GOULLEY ET FILS, Chablis premier cru, 443

CH. DE GOURGAZAUD, Minervois la livinière, 724

DOM. DE GOURNIER, VDP Cévennes, 1087

GOUSSARD ET DAUPHIN, Champagne, 627

HENRI GOUTORBE, Champagne, 627

DOM. DE GRABIEOU, Madiran, 808

CH. GRADDE, Gaillac, 790

GRAF VON SPIEGELBERG, Canton de Schaffhouse, 1140

G. GUINOT, Blanquette de limoux, 690
CH. GUIOT, Costières de nîmes, 700
CH. GUIRAUD, ● Côtes de bourg, 232 ●
Sauternes, 389 ● Côtes de la malepère
AOVDQS, 729
CLOS GUIROUILH, Jurançon, 804
DOM. DE GUISE, Chiroubles, 159
DOM. JEAN GUITON, Ladoix, 497
JEAN GUITON, ● Pommard, 526 ● Vol-
nay, 531
DOM. MICHEL GUITTON, Chablis
grand cru, 449
CH. GUITTOT-FELLONNEAU, Haut-
médoc, 348
ALAIN GUYARD, ● Marsannay, 454 ●
Fixin, 457 ● Gevrey-chambertin, 460
GUY DE FOREZ, Champagne, 628
DOM. GUYON, ● Bourgogne grand ordi-
naire, 414 ● Gevrey-chambertin, 460 ●
Vosne-romanée, 484 ● Nuits-saint-
georges, 491 ● Chorey-lès-beaune, 516
DOM. ANTONIN GUYON, ● Gevrey-
chambertin, 460 ● Chambolle-musi-
gny, 475 ● Corton, 507 ● Corton-char-
lemagne, 510 ● Volnay, 531 ●
Meursault, 544
DOM. DOMINIQUE GUYON, ● Bour-
gogne hautes-côtes de nuits, 425 ● Per-
nand-vergelesses, 503
GUYOT, ● Côtes du rhône, 981 ● Crozes-
hermitage, 1009
DOM. OLIVIER GUYOT, ● Bourgogne
aligoté, 417 ● Marsannay, 454 ●
Gevrey-chambertin, 460

JEAN-MARIE HAAG, Alsace grand cru
zinnkoepflé, 126
JEAN-PAUL HABERT, Montlouis, 929
DOM. HENRI HAEFFELIN ET FILS,
Alsace tokay-pinot gris, 101
BERNARD ET DANIEL HAEGI,
Alsace riesling, 81
DOM. HAEREMILLEN, Moselle luxem-
bourgeoise, 1115
DOM. FRANCIS HAERTY, Chinon, 921
DOM. PIERRE HAGER, ● Alsace ries-
ling, 81 ● Alsace tokay-pinot gris, 101
DOM. HAMELIN, Chablis, 438 ● Cha-
blis premier cru, 443
HAMM, Champagne, 628
DOM. DES HARDONNIERES, Chinon,
921
HARLIN, Champagne, 628
HARLIN PERE ET FILS, Champagne,
628
DOM. HARMAND-GEOFFROY, ●
Gevrey-chambertin, 460 ● Mazis-
chambertin, 470
ANDRE HARTMANN, ● Alsace riesling,
81 ● Alsace gewurztraminer, 91 ●
Alsace grand cru hatschbourg, 114
GERARD ET SERGE HARTMANN,
Alsace grand cru hatschbourg, 114
HARTMANN WEINBAU, Canton
d'Argovie, 1139
HARTWEG, ● Alsace muscat, 87 ● Alsace
pinot noir, 106
HASSENFORDER, Alsace pinot ou klev-
ner, 76
JEAN-NOEL HATON, Champagne, 628
HATON ET FILS, Champagne, 628
DOM. DE HAUBET, VDP Landes, 1088
HAULLER, Alsace gewurztraminer, 92
LOUIS HAULLER, Alsace riesling, 82
CH. HAUT-BAGES AVEROUS, Pauil-
lac, 368
CH. HAUT-BAGES LIBERAL, Pauillac,
368
CH. HAUT-BAILLY, Pessac-léognan,
327
LA PARDE DE HAUT-BAILLY, Pessac-
léognan, 327
CH. HAUT-BALIRAC, Médoc, 337
CH. HAUT BALLET, Canon-fronsac,
236
HAUT BARON, ● Floc de gascogne, 1072
● VDP Terroirs landais, 1087
CH. HAUT-BATAILLEY, Pauillac, 368
CH. HAUT-BELLEVUE, Haut-médoc,
348
CH. HAUT-BERGERON, Sauternes, 389
CH. HAUT-BERGEY, Pessac-léognan,
327
CH. HAUT BERNASSE, Côtes de berge-
rac, 820
CH. HAUT-BERNAT, Puisseguin saint-
émilion, 289
CH. HAUT-BERTIN, Montagne saint-
émilion, 285
HAUT BLANVILLE, Coteaux du langue-
doc, 707
CH. HAUT BOMMES, Sauternes, 389

DOM. DU HAUT BOURG, Muscadet
côtes de grand lieu, 853
CH. HAUT-BREGA, Haut-médoc, 348
CH. HAUT BRETON LARIGAUDIERE,
Margaux, 359
CH. HAUT-BRION, ● Pessac-léognan,
328 ● Pessac-léognan, 328
LE BAHANS DE HAUT-BRION,
Pessac-léognan, 328
HAUT-BRIONNAIS, VDP Saône-et-
Loire, 1110
CH. HAUT BRISEY, Médoc, 337
CH. HAUT-BRISSON, Saint-émilion,
258
MAS HAUT-BUIS, Coteaux du langue-
doc, 708
CH. HAUT-CADET, Saint-émilion grand
cru, 270
CH. HAUT-CANTELOUP, ● Premières
côtes de blaye, 227 ● Médoc, 337
HAUT-CARLES, Fronsac, 239
CH. HAUT-CHAIGNEAU, Lalande de
pomerol, 253
CH. HAUT-CHARDON, Bordeaux sec,
200
CH. HAUT-CHRISTIN, Coteaux du lan-
guedoc, 708
CH. HAUT-CORBIN, Saint-émilion
grand cru, 269
HAUT DE PIERRE, Canton de Vaud,
1122
CH. HAUT DU PEYRAT, Premières
côtes de blaye, 227
DOM. DE HAUTE CHALERNE,
Coteaux du tricastin, 1034
DOM. DE HAUTE-COUR, Canton de
Vaud, 1122
HAUTE-COUR DE LA DEBAUDIERE,
Muscadet sèvre-et-maine, 845
DOM. DE HAUTE PERCHE, ● Anjou,
860 ● Anjou-gamay, 865 ● Anjou-vil-
lages-brissac, 868 ● Coteaux de
l'aubance, 872
CH. HAUTERIVE, Médoc, 337
DOM. DE HAUTERIVE, Cahors, 784
DOM. DES HAUTES CHARPENTIE-
RES, VDP Jardin de la France, 1082
DOM. DES HAUTES-CORNIERES,
Aloxe-corton, 500 ● Chassagne-mon-
trachet, 556
CAVES DES HAUTES-COTES, Bourgo-
gne, 406 ● Bourgogne hautes-côtes de
beaune, 428 ● Crémant de bourgogne,
432
CH. DE HAUTE-SERRE, Cahors, 784
DOM. DES HAUTES OUCHES, Anjou,
860
CH. HAUTES VERGNES, Saint-émilion,
258
DOM. DES HAUTES VIGNES, ● Rosé
de loire, 835 ● Saumur, 888 ● Saumur-
champigny, 893
HAUTE TRADITION, Côtes de bergerac
moelleux, 822
CH. HAUT-FAYAN, Puisseguin saint-
émilion, 289
CH. HAUT-FRANQUET, Moulis-en-
médoc, 364
DOM. DU HAUT FRESNE, Coteaux
d'ancenis AOVDQS, 857
CH. HAUT-GARIN, Médoc, 337
CH. HAUT-GARRIGA, Bordeaux rosé,
205
CH. HAUT-GAYAT, Graves de vayres,
304
CH. HAUT-GLEON, Corbières, 695
CH. HAUT-GOUJON, ● Lalande de
pomerol, 253 ● Montagne saint-émi-
lion, 285
CH. HAUT-GRAVEYRON, Bordeaux,
189
CH. HAUT-GRAVIER, Graves, 317
CH. HAUT GRELOT, Premières côtes de
blaye, 227
CH. HAUT-GUILLEBOT, ● Bordeaux
sec, 200 ● Entre-deux-mers, 300
CH. HAUT-GUIRAUD, Côtes de bourg,
232
CH. HAUT LAGRANGE, Pessac-léo-
gnan, 328
CH. HAUT LARIVEAU, Fronsac, 239
CH. HAUT-LAUNAY, Côtes de bourg,
233
CH. HAUT LAVALLADE, Saint-émilion
grand cru, 269
DOM. HAUT LIROU, Coteaux du lan-
guedoc, 708
CH. HAUT-MAILLET, Pomerol, 245
CH. HAUT MALLET, Bordeaux supé-
rieur, 211
CH. HAUT-MARBUZET, Saint-estèphe,
373

CH. HAUT MAURIN, Bordeaux clairet,
196
CH. HAUT-MAYNE, Sauternes, 389
CH. HAUT-MAZERIS, ● Canon-fron-
sac, 236 ● Fronsac, 239
CH. HAUT-MAZIERES, Bordeaux, 190
HAUT-MEVRET, Côtes de bourg, 233
CH. HAUT-MILON, Pauillac, 368
CH. HAUT-MONGEAT, ● Bordeaux
clairet, 196 ● Graves de vayres, 304
CH. HAUT-MONPLAISIR, Cahors, 784
DOM. DU HAUT-MONTLONG, Berge-
rac, 813
CH. HAUT-MOUSSEAU, Côtes de
bourg, 233
CH. HAUT NADEAU, ● Bordeaux supé-
rieur, 211 ● Entre-deux-mers, 300
CH. HAUT NIVELLE, Bordeaux supé-
rieur, 212
CH. HAUT-NOUCHET, Pessac-léognan,
328
CH. HAUT PELAN, Bordeaux côtes de
francs, 297
DOM. DU HAUT PERRON, Touraine,
901
CH. HAUT-PEYRADOULLE, Bordeaux
supérieur, 212
CH. HAUT-PIGEONNIER, Bordeaux,
190
CH. HAUT-PIQUAT, Lussac saint-émi-
lion, 283
CH. HAUT-PLANTADE, Pessac-léo-
gnan, 328
CH. HAUT PLATEAU, Montagne saint-
émilion, 286
DOM. DU HAUT PLATEAU, Costières
de nîmes, 700
CAVE DU HAUT-POITOU, Haut-poi-
tou AOVDQS, 945
DOM. DU HAUT-PONCIE, Moulin à
vent, 172
CH. HAUT-PONTET, Saint-émilion
grand cru, 270
CH. HAUT POURRET, Saint-émilion,
258
CH. HAUT-RENAISSANCE, Saint-émi-
lion, 258
CH. HAUT RIAN, ● Bordeaux sec, 200 ●
Entre-deux-mers, 301
CH. HAUT ROCHER, Saint-émilion
grand cru, 270
CH. HAUT SAINT-GEORGES, Saint-
georges saint-émilion, 291
DOM. DES HAUTS DE SANZIERS,
Saumur, 888
DOM. DES HAUTS DE SEYR, VDP
Coteaux charitois, 1085
CH. HAUT SELVE, Graves, 317
CH. HAUT SORILLON, Bordeaux supé-
rieur, 212
CH. HAUT-SURGET, Lalande de pome-
rol, 253
CH. HAUT-THEULET, Monbazillac,
822
CH. HAUT-TROPCHAUD, Pomerol,
245
CH. HAUT-TUQUET, Côtes de castillon,
293
CH. HAUT-VEYRAC, Saint-émilion
grand cru, 270
CH. HAUT VIGNEAU, Pessac-léognan,
328
CH. DE HAUX, Bordeaux clairet, 196
DOM. DU HAY, Touraine-azay-le-
rideau, 909
DOM. DES HAYES, Beaujolais-villages,
146
J.-V. HEBINGER ET FILS, ● Alsace
gewurztraminer, 92 ● Alsace grand cru
hengst, 115
JEAN-PAUL HEBRART, Champagne,
628
MARC HEBRART, Champagne, 628
HEIDSIECK & CO MONOPOLE,
Champagne, 629
CHARLES HEIDSIECK, Champagne,
629
HEIM, Alsace pinot ou klevner, 76
HEIMBERGER, Alsace grand cru son-
nenglanz, 122
HEIMBOURGER PERE ET FILS, Cha-
blis, 438
PHILIPPE HEITZ, Alsace grand cru bru-
derthal, 110
LEON HEITZMANN, ● Alsace muscat,
87 ● Alsace pinot noir, 106
HENRI DE BLAINVILLE, VDP Charen-
tais, 1086
D. HENRIET-BAZIN, Champagne, 629
HENRIOT, Champagne, 629
DOM. HENRY, Coteaux du languedoc,
708

1192

1193

1198

1199   INDEX DES VINS

VINS

LES CHAMPS DE L'ABBAYE, Bourgogne passetoutgrain, 422
CH. LES CHARMES-GODARD, Bordeaux côtes de francs, 297
LES CHERS, Gigondas, 1017
CH. LES CLAUZOTS, Graves, 319
DOM. LES COINS, Muscadet côtes de grand lieu, 854
LES COLLINES DU BOURDIC, VDP Oc, 1094
DOM. LES COMBELIERES, Vireclessé, 589
CH. LES CONSEILLANS, Premières côtes de bordeaux, 310
LES CORNUELLES, Chinon, 923
LES COTEAUX DE BELLET, Bellet, 760
LES COTEAUX DE COIFFY, VDP Coteaux de Coiffy, 1111
LES COUDRIERS, Côtes du rhône, 985
CH. LES CROSTES, Côtes de provence, 752
CH. LESCURE, ● Premières côtes de bordeaux, 310 ● Sainte-croix-du-mont, 384
DOM. CHANTAL LESCURE, ● Bourgogne, 408 ● Bourgogne passetoutgrain, 422 ● Côte de beaune, 522 ● Pommard, 526 ● Volnay, 531
LES DERNIERS MILLESIMES , Bordeaux, 192
DOM. LES DEUX MOULINS, Muscadet sèvre-et-maine, 850
LES DIONNIERES, Hermitage, 1012
LES DOUCINIERES, Crèmant de loire, 838
LE SECRET D'EPICURE, Canton de Vaud, 1123
LES EDILES, Crozes-hermitage, 1009
LES EGLANTIERS, Tavel, 1032
LES EGREVES, Collines rhodaniennes, 1108
LES EYGATS, Cornas, 1014
CH. LES FAURES, ● Bordeaux, 192 ● Bordeaux sec, 201
DOM. LES FERRAGERES, Coteaux du languedoc, 711
DOM. LES FILLES DE SEPTEMBRE, VDP Oc, 1094
DOM. LES FINES GRAVES, Moulin à vent, 172
CH. LES GRANDES MURAILLES, Saint-émilion grand cru, 274
DOM. LES GRANDES VIGNES, ● Anjou-villages, 866 ● Bonnezeaux, 884
DOM. LES GRANDS BOIS, Côtes du rhône-villages, 994
CH. LES GRANDS CHENES, Médoc, 340
CH. LES GRANDS JAYS, Bordeaux supérieur, 216
LES GRANGES, Côtes du rhône-villages, 995
LES GRANGES DE CIVRAC, Médoc, 340
LES GRAUZILS, Cahors, 785
CH. LES GRAVES, Premières côtes de blaye, 228
CH. LES GRAVIERES, Saint-émilion grand cru, 274
CH. LES GRIMARD, Côtes de bergerac, 820
DOM. LES HAUTES NOELLES, VDP Jardin de la France, 1083
LES HAUTS-CLOS CASLOT, Saint-nicolas-de-bourgueil, 917
CH. LES HAUTS-CONSEILLANTS, Lalande de pomerol, 254
LES HAUTS DE BERGELLE, Côte de saint-mont AOVDQS, 811
CH. LES HAUTS DE FONTARABIE, Premières côtes de blaye, 229
LES HAUTS DE FORÇA REAL, Côtes du roussillon-villages, 738
LES HAUTS DE MONTESQUIOU, Jurançon sec, 806
CLOS LES HAUTS MARTINS, Lussac saint-émilion, 283
LES HUTINS, Canton de Genève, 1134
CH. LES IFS, Cahors, 786
DOM. LES VDP JardinS , Muscadet sèvre-et-maine, 850
LES VDP JardinS DES AMIRAUX, Muscadet sèvre-et-maine, 850
CH. LES JONQUEYRES, Premières côtes de blaye, 229
CH. LES JUSTICES, Sauternes, 391
LES LAUZERAIES, Lirac, 1030
DOM. LES LUQUETTES, Bandol, 762
LES MAGNANS, Vacqueyras, 1021
LES MAISONS ROUGES, Côtes du loir, 927
CH. LES MARCOTTES, Sainte-croix-du-mont, 384

DOM. LES MARGOTS, Beaujolais-villages, 148
CH. LES MARNIERES, Côtes de bergerac, 820
LES MENADES, Canton de Vaud, 1123
LES MENINES, Côtes du rhône, 985
DOM. LES MERIBELLES, Saumur-champigny, 894
CH. LES MERITZ, Gaillac, 791
DOM. LES MILLE VIGNES, Fitou, 719
CH. LES MOINES, Médoc, 340
LES MOULINS A VENT, Pouilly-fumé, 959
LES MOULINS DU HAUT-LANSAC, Côtes de bourg, 234
CH. LES NICOTS, Bergerac, 815
CH. LES OLLIEUX, Corbières, 696
CH. LES ORMES DE PEZ, Saint-estèphe, 374
CH. LES ORMES SORBET, Médoc, 340
CH. LE SOULEY-SAINTE CROIX, Haut-médoc, 350
CH. LES PALAIS, Corbières, 696
CH. LESPARRE, Graves de vayres, 304
LES PARTIDES, Côtes du rhône-villages, 995
LES PASTOURELLES, Coteaux du layon, 881
CH. LESPAULT, Pessac-léognan, 331
CH. LESPINASSAT, Bergerac, 815
CH. LES PINS, Côtes du roussillon-villages, 738
DOM. LES PINS, ● Bourgueil, 913 ● Saint-nicolas-de-bourgueil, 917
LES PLANTES DU MAYNE, Saint-émilion grand cru, 274
LES POLYPHONIES DE CEPAGES, VDP Ile de Beauté, 1102
LES QUARTERONS, Saint-nicolas-de-bourgueil, 917
CH. LES QUATRE FILLES, Côtes du rhône-villages, 995
LESQUERDE, Côtes du roussillon-villages, 738
LES QUEYRADES, Lirac, 1030
LES RIALS, VDP Côtes du Tarn, 1089
CH. LES RICARDS, Premières côtes de blaye, 229
CH. LES RIGALETS, Cahors, 786
LES ROCHERS, VDP Jardin de la France, 1083
LES ROCHES BLANCHES, Montlouis, 929
CH. LES ROCHES DE FERRAND, Fronsac, 240
DOM. LES ROCHES DES GARANTS, Fleurie, 162
CH. LES ROCQUES, Côtes de bourg, 234
CH. LES ROQUES, Loupiac, 383
LES SECRETS DU SOLEIL, Canton de Genève, 1134
LES SORCIERES, Canton de Neuchâtel, 1137
LES SYLPHIDES, Anjou-villages, 867
CH. LESTAGE, Listrac-médoc, 355
DOM. LES TERRASSES D'EOLE, Côtes du ventoux, 1037 ● VDP Vaucluse, 1104
LES TERRES ROUGES, Coteaux du languedoc, 711
LES TERRIADES, Rosé de loire, 836
DOM. LES TEYSSONNIERES, Gigondas, 1017
CH. DE LESTIAC, Premières côtes de bordeaux, 310
CH. LESTRILLE, ● Bordeaux rosé, 205 ● Entre-deux-mers, 302
CH. LESTRILLE CAPMARTIN, ● Bordeaux clairet, 196 ● Bordeaux supérieur, 216
CH. LES TROIS CROIX, Fronsac, 240
CH. LES TUILERIES DE DEROC, Graves de vayres, 304
DOM. LES VADONS, Côtes du luberon, 1040
LES VAUCORNEILLES, Touraine-mesland, 910
CH. LES VERGNES, Bordeaux, 192
CH. LES VIEILLES TUILERIES, Bordeaux sec, 201
CH. LES VIEUX MAURINS, Saint-émilion, 259
LES VIGNERONS DU VENDOMOIS, Coteaux du vendômoisAOVDQS, 942
LES VIGNES DE L'ARQUE, VDP Oc, 1094
DOM. LES VILLIERS, Beaujolais-villages, 148
DOM. LES YEUSES, VDP Oc, 1094
CH. LE TAP, Côtes de bergerac, 821
LE TARRAL, Coteaux du languedoc, 711
CH. LE TEMPLE, Médoc, 340

CH. LE TOURON, Bergerac, 816
CH. LE TREBUCHET, ● Bordeaux rosé, 205 ● Crèmant de bordeaux, 223
CH. LE TUQUET, Graves, 319
CLAUDE LEVASSEUR, Montlouis, 930
DOM. LEVEQUE, Touraine, 903
DOM. LE VERGER, Chablis, 439
DOM. LEVERT-BARRAULT, Mercurey, 577
LE VIEUX DOMAINE, Moulin à vent, 172
LE VIGNERON SAVOYARD, Vin de savoie, 680
LE VIN VIVANT DE BERNARD RAVET, Canton de Vaud, 1123
CH. LE VIROU, Premières côtes de blaye, 229
DOM. LEYMARIE-CECI, Morey-saint-denis, 471
CH. DE LEYNES, Beaujolais, 141
LEYRAT, Pineau des charentes, 1069
DOM. LEYRIS-MAZIERE, Coteaux du languedoc, 711
CH. LEZONGARS, Premières côtes de bordeaux, 310
DOM. ANDRE LHERITIER, Rully, 574
HENRI LHERITIER, Rivesaltes, 1051
DOM. DES LIARDS, Montlouis, 930
FRANCOIS LICHTLE, ● Alsace gewurztraminer, 93 ● Alsace pinot noir, 107
LIEBART-REGNIER, Champagne, 637
LA CAVE DES VIGNERONS DE LIERGUES, Beaujolais, 141
LIESCH, Canton des Grisons, 1139
A. LIGERET, Puligny-montrachet, 549
LIGIER PERE ET FILS, Macvin du jura, 1075
DOM. LIGIER PERE ET FILS, Arbois, 665
LIGNIER-MICHELOT, ● Gevrey-chambertin, 462 ● Morey-saint-denis, 471 ● Chambolle-musigny, 476
CH. DE LIGRE, Chinon, 924
LILBERT-FILS, Champagne, 638
CH. LILIAN LADOUYS, Saint-estèphe, 374
DOM. DE LINDAS, Côtes du rhône-villages, 995
CH. LION BEAULIEU, Bordeaux, 192
CH. LION PERRUCHON, Lussac saint-émilion, 283
CH. LIOT, Sauternes, 391
DOM. DE LISCHETTO, VDP Ile de Beauté, 1102
CH. DE LISENES, ● Bordeaux clairet, 197 ● Bordeaux supérieur, 216 ● Crèmant de bordeaux, 223
DOM. DES LISES, Haut-poitou AOVDQS, 945
CH. LISTRAN, Médoc, 340
CLOS DES LITANIES, Pomerol, 248
LOBERGER, Alsace grand cru spiegel, 122
DOM. LOEW, Alsace sylvaner, 74
CH. DES LOGES, Beaujolais-villages, 148
COOPERATIVE LOHNINGEN, Canton de Schaffhouse, 1140
DOM. LONG-DEPAQUIT, ● Chablis, 439 ● Chablis premier cru, 444 ● Chablis grand cru, 449
DOM. DE LONG PECH, Gaillac, 792
CH. DE LONGSARD, Beaujolais, 141
MICHEL LORAIN, Bourgogne, 408
LORENTZ, Alsace grand cru altenberg de bergheim, 109
DOM. LORENZON, Mercurey, 577
ALAIN LORIEUX, Chinon, 924
MICHEL ET JOELLE LORIEUX, Bourgueil, 914
PASCAL LORIEUX, Saint-nicolas-de-bourgueil, 917
MICHEL LORIOT, Champagne, 638
JOSEPH LORIOT-PAGEL, Champagne, 638
FREDERIC LORNET, Arbois, 665 666
DOM. JACQUES ET ANNIE LORON, Moulin à vent, 172
LORON ET FILS, Mâcon supérieur, 584
CH. DE LOS, Bordeaux sec, 201
LOU CALIN, Côtes du rhône-villages, 995
CH. LOUDENNE, Médoc, 340
JACQUELINE LOUET, Touraine, 903
DOM. LOUET-ARCOURT, Touraine, 903
LOU GAILLOT, VDP Agenais, 1087
LOUIS DE GRENELLE, Saumur, 889
DOM. DU LOUP, Beaujolais, 141
CH. LOUPIAC-GAUDIET, Loupiac, 383
CH. LOUSTEAUNEUF, Médoc, 341
YVES LOUVET, Champagne, 638
DOM. DE LOYE, Menetou-salon, 955

INDEX DES VINS

DOM. DU MAS CARLOT, Clairette de bellegarde, 692
MAS CHAMPART, Saint-chinian, 726
MAS CHICHET, VDP Catalan, 1100
MAS CORNET, Collioure, 741
DOM. DU MAS CREMAT, Côtes du roussillon, 733
MAS CRISTINE, Rivesaltes, 1051
MAS DE LA GARRIGUE, Rivesaltes, 1051
DOM. DU MAS DE LA TOUR, Costières de nimes, 701
MAS DE LIBIAN, Côtes du rhône, 985
MAS DE REY, VDP Bouches-du-Rhône, 1106
MAS DES CHIMERES, Coteaux du languedoc, 711
MAS DES OLIVIERS, Côtes du roussillon, 734
DOM. MAS DU SUD, Vacqueyras, 1021
MAS GRANGE BLANCHE, VDP Vaucluse, 1105
MAS MONTEL, VDP Oc, 1095
CH. MAS NEUF, Costières de nimes, 702
DOM. DU MAS ROUS, ● Côtes du roussillon, 734 ● VDP Catalan, 1100
MAS SAINTE-BERTHE, Les baux-de-provence, 770
RAYMOND MASSE, Bourgogne aligoté, 419
D. MASSIN, Champagne, 640
THIERRY MASSIN, Champagne, 640
LOUIS MASSING, Champagne, 640
JEROME MASSON, Santenay, 564
MADAME MASSON, Crémant de bourgogne, 432
DOM.   MASSON-BLONDELET, Pouilly-fumé, 959
MASTER DE DONATIEN, Muscadet sèvre-et-maine, 850
CH. DES MATARDS, Premières côtes de blaye, 229
DOM. DE MATENS, Gaillac, 792
JEAN-LUC MATHA, Marcillac, 800
HERVE MATHELIN, Champagne, 640
DOM. MATHIAS, ● Bourgogne, 409 ● Mâcon, 584 ● Pouilly vinzelles, 594
ADRIAN MATHIER, Canton du Valais, 1130
SERGE MATHIEU, Champagne, 640
MATHIEU-PRINCET, Champagne, 640
DOM. MATHRAY, Fleurie, 162
DOM. DU MATHRAY, Chénas, 157
DOM. DES MATINES, ● Rosé de loire, 836 ● Saumur, 889
CH. MATRAS, Saint-émilion grand cru, 275
DENIS ET VALERIE MATRAY, Régnié, 175
CH. DE MATTES-SABRAN, Corbières, 696
CH. MAUCAILLOU, Moulis-en-médoc, 365
CH. MAUCAILLOU-FELLETIN, Haut-médoc, 350
CH. MAUCAMPS, Haut-médoc, 351
CH. MAUCOIL, Châteauneuf-du-pape, 1027
PROSPER MAUFOUX, ● Bourgogne, 409 ● Santenay, 564
CH. DE MAUPAGUE, Côtes de provence, 753
CH. MAURAC, Haut-médoc, 351
CH. MAUREL FONSALADE, Saint-chinian, 726
DOM. MAUREL FONSALADE, VDP Oc, 1095
CH. MAURIAN DE PRADE, Haut-médoc, 351
MICHEL MAURICE, Moselle AOVDQS, 131
DOM. DES MAURIERES, Coteaux du layon, 881
LES VIGNERONS DE MAURY, Maury, 1054
DOM. DE MAUVAN, Côtes de provence, 753
CH. DE MAUVANNE, Côtes de provence, 753
CH. MAUVEZIN, Saint-émilion grand cru, 275
DOM. LOUIS MAX, Volnay, 531 ● Mercurey, 578
MAXIM'S, Champagne, 641
DOM. MAX-LAHR ET FILS, Moselle luxembourgeoise, 1116
PRESTIGE DE MAYAT, Haut-montravel, 825
SIMON MAYE ET FILS, Canton du Valais, 1130
DOM. MAYNADIER, Fitou, 720
CH. DU MAYNE, Graves, 320

CH. MAYNE BLANC, Lussac saint-émilion, 284
CH. MAYNE DU CROS, Graves, 320
CH. MAYNE LALANDE, Listrac-médoc, 355
CH. MAYNE-LEVEQUE, Graves, 320
MAYNE SANSAC, Bordeaux rosé, 206
CH. MAYNE-VIEIL, Fronsac, 241
DOM. DE MAYOL, Côtes du luberon, 1041
CH. MAZARIN, Loupiac, 383
CH. MAZERIS, Canon-fronsac, 237
CH. MAZERIS-BELLEVUE, Canon-fronsac, 237
DOM. MAZET DE CASSAN, Bandol, 763
CH. MAZEYRES, Pomerol, 248
ANNE MAZILLE, Coteaux du lyonnais, 179
DOM. MAZILLY PERE ET FILS, Beaune, 521
DOM. MAZOYER, Bourgogne côte chalonnaise, 570
DOM. DE MAZUC, Coteaux du Quercy AOVDQS, 788
GABRIEL MEFFRE, Muscat de beaumes-de-venise, 1060
CH. MEILLAC, Bordeaux supérieur, 217
DOM. MEILLAN-PAGES, VDP Vaucluse, 1105
MEISTERMANN, ● Alsace riesling, 83 ● Alsace tokay-pinot gris, 102
DOM. DES MEIX, Saint-aubin, 560
DOM. DU MEIX-FOULOT, Mercurey, 578
CH. MELIN, Premières côtes de bordeaux, 310
DOM. BERNARD PAUL MELINAND, Chiroubles, 160
PASCAL MELLENOTTE, Bourgogne aligoté, 419
JOSEPH MELLOT, ● Coteaux du giennois, 950 ● Pouilly-fumé, 959 ● Quincy, 962 ● Sancerre, 969
CH. MEMOIRES, ● Bordeaux sec, 202 ● Premières côtes de bordeaux, 310 ● Cadillac, 232
DOM. L. MENAND PERE ET FILS, Mercurey, 578
MENARD, Pineau des charentes, 1070
DOM. MARC MENEAU, Bourgogne, 409
DOM. DU CH. DE MERCEY, Santenay, 564
MERCIER, Champagne, 641
CH. MERCIER, Côtes de bourg, 234
CH. DE MEREVILLE, Muscat de frontignan, 1059
DE MERIC, Champagne, 641
DOM. DU MERLE, Bourgogne, 410
MERRAIN ROUGE, Médoc, 341
GUY MERSIOL, Alsace tokay-pinot gris, 102
CH. MERVILLE, Corbières, 697
CH. DES MESCLANCES, Côtes de provence, 753
CH. MESLIERE, Muscadet des coteaux de la loire sur lie, 840
CH. DE MESSEY, Saint-véran, 597
CH. MESTE JEAN, Bordeaux supérieur, 217
MESTRE-MICHELOT, Santenay, 564
MESTRE PERE ET FILS, ● Chassagne-montrachet, 549 ● Santenay, 564
CH. MESTREPEYROT, Premières côtes de bordeaux, 310
METAIREAU, Muscadet sèvre-et-maine, 851
LOUIS METAIREAU, Muscadet sèvre-et-maine, 850
CH. METAIRIE-HAUTE, Cahors, 786
DOM. DU METEORE, Faugères, 718
METIVIER, Vouvray, 937
DOM. METRAT ET FILS, Fleurie, 162
ARTHUR METZ, Crémant d'alsace, 128
HUBERT METZ, Alsace grand cru winzenberg, 125
METZ-GEIGER, Alsace gewurztraminer, 93
D. MEUNEVEAUX, Aloxe-corton, 501
DOM. MEUNIER, VDP Balmes dauphinoises, 1108
DOM. MAX MEUNIER, Touraine, 904
CH. MEUNIER SAINT-LOUIS, Corbières, 697
MEURGIS, Crémant de bourgogne, 432
CH. DE MEURSAULT, Meursault, 545
MEYER, Canton de Schaffhouse, 1140
DOM. RENE MEYER, Alsace gewurztraminer, 93
GILBERT MEYER, Alsace riesling, 83
JEAN-LUC MEYER, Alsace gewurztraminer, 93

MEYER-FONNE, Alsace gewurztraminer, 94
CH. MEYNEY, ● Fronsac, 241 ● Saint-estèphe, 375
CH. MEYRE, Haut-médoc, 351
CH. MEZAIN, Bordeaux sec, 202
CAVE DES COTEAUX DU MEZINAIS, Agenais, 1087
CH. MIAUDOUX, Saussignac, 827
CH. MICALET, Haut-médoc, 351
DOM. MICHAUD, ● Crémant de loire, 838 ● Touraine, 904
CH. DES MICHAUDS, Moulin à vent, 172
G. MICHEL, Champagne, 641
J.B. MICHEL, Champagne, 641
CH. MICHEL DE VERT, Lussac saint-émilion, 284
JOSE MICHEL ET FILS, Champagne, 641
LOUIS MICHEL ET FILS, ● Chablis, 440 ● Chablis premier cru, 445 ● Chablis grand cru, 449
DOM. MICHELOT, ● Bourgogne, 410 ● Meursault, 545
GUY ET ODILE MICHOT, Pouilly-fumé, 959
CHARLES MIGNON, Champagne, 641
PIERRE MIGNON, Champagne, 641
MIGNON ET PIERREL, Champagne, 642
DOM. DE MIHOUDY, ● Anjou, 862 ● Coteaux du layon, 881 ● Bonnezeaux, 884
JEAN-CHARLES MILAN, Champagne, 642
PHILIPPE MILAN ET FILS, Rully, 574
CH. MILHAU-LACUGUE, Saint-chinian, 726
DOM. DE MILHOMME, Beaujolais, 141
DOM. DES MILLARGES, Chinon, 924
CH. DE MILLE, Côtes du luberon, 1041
CH. DES MILLE ANGES, Premières côtes de bordeaux, 310
MILLE ET UNE PIERRES, VDP Corrèze, 1090
DOM. FRANCK MILLET, Sancerre, 969
DOM. GERARD MILLET, Sancerre, 969
CH. MILOUCA, Haut-médoc, 351
CLAUDE MINIER, Coteaux du vendômoisAOVDQS, 943
CH. MINISTRE, Coteaux du languedoc, 712
DOM. MINUTY, Côtes de provence, 753
DOM. CHRISTIAN MIOLANE, Beaujolais-villages, 148
ODETTE ET GILLES MIOLANNE, Côtes d'auvergne AOVDQS, 947
CH. MIRAFLORS, Côtes du roussillon, 734
MIRAGE DU JONCAL, Bergerac, 816
MAISON MIRAULT, ● Touraine, 904 ● Vouvray, 937
CH. MIREBEAU, Pessac-léognan, 331
DOM. MIREILLE ET VINCENT, Côtes du rhône, 985
CH. MIRE L'ETANG, Coteaux du languedoc, 712
P. MISSEREY, ● Nuits-saint-georges, 491 ● Mâcon-villages, 587
MISSION SAINT-VINCENT, Bordeaux rosé, 206
GILBERT MISTRAL-MONNIER, Canton de Genève, 1135
MITIS, Canton du Valais, 1131
FREDERIC MOCHEL, Alsace grand cru altenberg de bergbieten, 109
MOET ET CHANDON, ● Champagne, 642 ● Champagne, 642
MOILLARD, ● Bourgogne hautes-côtes de beaune, 429 ● Fixin, 457 ● Pommard, 527 ● Mercurey, 578 ● Crozes-hermitage, 1009
MOILLARD-GRIVOT, ● Charmes-chambertin, 468 ● Morey-saint-denis, 471 ● Meursault, 545
CH. DES MOINES, Montagne saint-émilion, 287
DOM. AUX MOINES, Savennières roche-aux-moines, 876
DOM. DES MOIROTS, Bourgogne côte chalonnaise, 570
DOM. MOISSENET-BONNARD, Pommard, 527
CH. DE MOLE, Puisseguin saint-émilion, 289
ARMELLE ET JEAN-MICHEL MOLIN, ● Bourgogne aligoté, 419 ● Bourgogne passetoutgrain, 422 ● Fixin, 457 ● Mazis-chambertin, 470

ANTOINE **MOLTES ET FILS**, Alsace grand cru steinert, 123
MOMMESSIN, ● Clos de tart, 474 ● Crozes-hermitage, 1009
CH. **MONBADON**, Côtes de castillon, 294
CH. **MONBAZILLAC**, Monbazillac, 823
CH. **MONBOUSQUET**, Saint-émilion grand cru, 275
CH. **MONBRISON**, Margaux, 361
BERTRAND DE **MONCENY**, ● Meursault, 545 ● Maranges, 567
CH. **MONCONTOUR**, Vouvray, 937
FATTORIA **MONCUCCHETTO**, Canton du Tessin, 1144
PIERRE **MONCUIT**, Champagne, 642
CH. **MONDESIR**, Bergerac, 816
MONDOT, Saint-émilion grand cru, 275
CLOS DE **MONESTIER**, Bergerac sec, 818
DOM. **MONGEARD-MUGNERET**, ● Bourgogne hautes-côtes de nuits, 425 ● Clos de vougeot, 480 ● Nuits-saint-georges, 492
CH. **MONGIN**, ● Côtes du rhône, 985 ● Côtes du rhône-villages, 996
CH. **MONIER-LA FRAISSE**, Bordeaux sec, 202
DOM. **MONIN**, Bugey AOVDQS, 685
CH. **MONLOT CAPET**, Saint-émilion grand cru, 276
MONMARTHE, Champagne, 642
MONMOUSSEAU, Crémant de loire, 838
DOM. RENE **MONNIER**, ● Beaune, 521 ● Pommard, 527 ● Monthélie, 535 ● Meursault, 545 ● Puligny-montrachet, 550 ● Maranges, 567
EDMOND **MONNOT**, ● Santenay, 564 ● Maranges, 567
DOM. **MONPERTUIS**, Châteauneuf-du-pape, 1027
DOM. DE **MONREPOS**, Bordeaux supérieur, 218
CH. DE **MONS**, ● Bordeaux clairet, 197 ● Floc de gascogne, 1073
CH. DU **MONT**, Sainte-croix-du-mont, 384
MONTAGNA MAGICA, Canton du Tessin, 1144
CH. **MONTAGNE**, Côtes de provence, 753
CH. **MONTAIGUILLON**, Montagne saint-émilion, 287
CH. **MONTAIGUT**, Côtes de bourg, 234
DOM. DES **MONTARELS**, VDP Côtes de Thongue, 1098
LES VIGNERONS DE **MONTARNAUD-MURVIEL**, Coteaux du languedoc, 712
CH. **MONTAURION**, Bordeaux sec, 202
CH. **MONTAURIOL**, Côtes du frontonnais, 797
CH. **MONTAURONE**, Coteaux d'aix-en-provence, 767
MONTBAIL, Valençay AOVDQS, 944
CH. DE **MONTBAZIN**, Coteaux du languedoc, 712
CH. **MONTBENAULT**, Coteaux du layon, 881
LES VIGNERONS DE **MONTBLANC**, VDP Côtes de Thongue, 1098
DOM. DE **MONTBOURGEAU**, L'étoile, 675 676
DOM. DE **MONTBRIAND**, Brouilly, 153
MONTCHEAUX, Crémant de loire, 839
DOM. DE **MONTCY**, ● Cheverny, 940 ● Cour-cheverny, 941
DOM. DE **MONT D'HORTES**, VDP Oc, 1095
MONTE CARASSO, Canton du Tessin, **1144**
DOM. DU **MONTEILLET**, ● Condrieu, 1002 ● Saint-joseph, 1005
DOM. DE **MONTEILS**, Sauternes, 391
GENEVIEVE ET BERNARD **MONTEIRO**, Saint-véran, 597
CH. **MONTELS**, Gaillac, 792
DOM. DE **MONTELS**, Coteaux et terrasses de Montauban, 1090
MONTEMAGNI, Patrimonio, 780
MONTE MARE, VDP Ile de Beauté, 1102
DOM. DU **MONT EPIN**, Viré-clessé, 589
RENE **MONTERNIER**, Côte de brouilly, 155
DOM. DE **MONTERRAIN**, Mâcon, 584
DE **MONTESPAN**, Champagne, 643
HENRY BARON DE **MONTESQUIEU**, ● Bordeaux, 193 ● Bordeaux sec, 202
PIERRE **MONTESSUY**, Beaujolais, 141

CH. DE **MONTFAUCON**, Côtes du rhône, 985
CH. **MONTFOLLET**, Premières côtes de blaye, 229
DOM. DE **MONTFORT**, Arbois, 666
DOM. DE **MONTGILET**, ● Anjou-villages-brissac, 868 ● Coteaux de l'aubance, 872
DOM. DE **MONTGRIGNON**, VDP Meuse, 1111
CH. DE **MONTGUERET**, ● Rosé d'anjou, 870 ● Saumur, 890
CH. DE **MONTHELIE**, ● Monthélie, 535 ● Rully, 574
DOM. DE **MONTIFAULT**, Muscadet sèvre-et-maine, 851
DOM. DE **MONTIGNY**, Touraine, 904
DOM. DE **MONTINE**, Coteaux du tricastin, 1035
CLOS **MONTIRIUS**, Vacqueyras, 1021
CH. **MONTLAU**, ● Bordeaux supérieur, 218 ● Entre-deux-mers, 302
CAVE DE **MONTLOUIS-SUR-LOIRE**, Montlouis, 930
DOM. DE **MONTMAIN**, Bourgogne hautes-côtes de nuits, 425
CH. DE **MONTMELAS**, Beaujolais-villages, 149
CH. DE **MONTMIRAIL**, ● Gigondas, 1017 ● Vacqueyras, 1021
DOM. E. DE **MONTMOLLIN FILS**, Canton de Neuchâtel, 1137
CH. **MONTNER**, ● Côtes du roussillon-villages, 738 ● Rivesaltes, **1051** ● Muscat de rivesaltes, 1057
CH. **MONT-PERAT**, Premières côtes de bordeaux, 311
CH. DE **MONTPEZAT**, Coteaux du languedoc, 712
DOM. DE **MONTPIERREUX**, Bourgogne, 410
LES VIGNERONS DE **MONT-PRES-CHAMBORD**, ● Cheverny, 940 ● Cour-cheverny, 941
CH. **MONT-REDON**, ● Côtes du rhône, 985 ● Châteauneuf-du-pape, 1027 ● Lirac, **1030**
DOM. DE **MONT REDON**, Côtes de provence, 754
CH. **MONTREMBLANT**, Saint-émilion, 259
CH. **MONTREUIL-BELLAY**, Saumur, 890
CH. **MONTROSE**, Saint-estèphe, 375
DOM. **MONTROSE**, Coteaux de Thongue, 1099
DOM. DU **MONT SAINT-JEAN**, Ile de Beauté, 1102
MONT **TAUCH**, Fitou, 720
CH. **MONTUS**, ● Madiran, 809 ● Pacherenc du vic-bilh, 810
DOM. DE **MONTVAC**, Vacqueyras, 1021
LES VIGNERONS DU **MONT-VENTOUX**, ● Côtes du ventoux, 1038 ● VDP Vaucluse, 1105
CH. **MONTVIEL**, Pomerol, 248
CLOS **MON VIEUX MOULIN**, Moselle luxembourgeoise, 1116
DANIEL **MOREAU**, Champagne, 643
DOMINIQUE **MOREAU**, Bourgueil, 914
J. **MOREAU ET FILS**, ● Petit chablis, 436 ● Chablis premier cru, 445 ● Chablis grand cru, 450
MOREAU-NAUDET ET FILS, Chablis premier cru, 445
MOREL PERE ET FILS, ● Champagne, 643 ● Rosé des riceys, 660
DOM. **MOREL-THIBAUT**, Côtes du jura, 671
ROGER **MOREUX**, Sancerre, 969
DOM. MICHEL **MOREY-COFFINET**, Bourgogne, 410 ● Chassagne-montrachet, 557
CAVEAU DE **MORGON**, Morgon, 169
CLOS DES **MORIERS**, Fleurie, 162
CHRISTIAN **MORIN**, ● Bourgogne, 410 ● Bourgogne aligoté, 419
DOM. **MORIN**, Chiroubles, 160
OLIVIER **MORIN**, ● Bourgogne, 410 ● Bourgogne aligoté, 419
DOM. DES **MORINIERES**, Muscadet sèvre-et-maine, 851
MORIN PERE ET FILS, ● Bourgogne passetoutgrain, 422 ● Clos de vougeot, 480
DIDIER **MORION**, Saint-joseph, 1005
MORIZE PERE ET FILS, Champagne, 643
PIERRE **MORLET**, Champagne, 643
MOROT-GAUDRY, Bourgogne hautes-côtes de beaune, 429

CH. **MOROT-GAUDRY**, Santenay, 564
DOM. THIERRY **MORTET**, ● Bourgogne, 410 ● Bourgogne passetoutgrain, 423 ● Gevrey-chambertin, 462 ● Chambolle-musigny, 476
MORTIES, Coteaux du languedoc, 712
CH. **MORTON**, Bordeaux supérieur, 218
SYLVAIN **MOSNIER**, ● Chablis, 440 ● Chablis premier cru, 445
CH. **MOSSE**, Rivesaltes, 1051
CH. **MOTTE MAUCOURT**, Bordeaux, 193
CH. **MOUCHET**, Puisseguin saint-émilion, 289
DOM. DES **MOUILLES**, Juliénas, 165
CH. **MOUJAN**, Coteaux du languedoc, 712
DOM. DU **MOULIE**, Madiran, 809
CH. DU **MOULIN**, Puisseguin saint-émilion, 290
DOM. DU **MOULIN**, ● Chiroubles, 160 ● Premières côtes de bordeaux, 311 ● Côtes du roussillon-villages, **738** ● Saumur, 890 ● Cheverny, 940 ● Côtes du rhône, 986 ● Côtes du rhône-villages, 996 ● VDP Jardin de la France, 1093
CH. **MOULIN A VENT**, Moulis-en-médoc, 365
DOM. DU **MOULIN BERGER**, Juliénas, 165
DOM. DU **MOULIN BLANC**, Beaujolais, 141
CH. **MOULIN CARESSE**, Bergerac, **816**
CH. **MOULIN COURRECH**, Côtes de castillon, 295
CH. **MOULIN DE BLANCHON**, Haut-médoc, 351
MOULIN DE BREUIL, Côtes du roussillon, 734
MOULIN DE CHAUVIGNE, Savennières, 875
MOULIN DE CIFFRE, Faugères, 718
CH. **MOULIN DE CLOTTE**, Côtes de castillon, 295
CH. **MOULIN DE CURAT**, Puisseguin saint-émilion, 290
DOM. DU **MOULIN DE DUSENBACH**, Alsace gewurztraminer, 94
CH. **MOULIN DE FERRAND**, Bordeaux supérieur, 218
CH. **MOULIN DE GRENET**, Lussac saint-émilion, 284
CH. **MOULIN DE GUIET**, Côtes de bourg, 234
DOM. DU **MOULIN DE L'HORIZON**, Saumur, 890
MOULIN DE LA GARDETTE, Gigondas, 1017
CH. **MOULIN DE LAGNET**, Saint-émilion, 259
DOM. **MOULIN DE LA MINIERE**, Muscadet sèvre-et-maine, 851
CH. **MOULIN DE LA ROSE**, Saint-julien, 379
DOM. DU **MOULIN D'EOLE**, Moulin à vent, 172
MOULIN DES COSTES, Bandol, 763
MOULIN DES DAMES, Bergerac sec, 818
CH. **MOULIN DES GRAVES**, Saint-émilion, 259
CH. **MOULIN DE TRICOT**, Margaux, 361
DOM. DE **MOULINES**, Hérault, 1099
CH. **MOULINET-LASSERRE**, Pomerol, 248
DOM. DU **MOULIN-FAVRE**, Chiroubles, 160
CH. **MOULIN GALHAUD**, Saint-émilion grand cru, 276
CH. **MOULIN HAUT-LAROQUE**, Fronsac, 241
CH. DU **MOULIN NOIR**, ● Lussac saint-émilion, 284 ● Montagne saint-émilion, 287
CH. **MOULIN PEY-LABRIE**, Canon-fronsac, 238
CH. **MOULIN RICHE**, Saint-julien, 379
CH. **MOULIN SAINT-GEORGES**, Saint-émilion grand cru, 276
DOM. DES **MOULINS D'ASTREE**, Muscadet sèvre-et-maine, 851
DOM. **MOULIN-TACUSSEL**, Châteauneuf-du-pape, 1027
DOM. **MOUNIE**, ● Rivesaltes, 1052 ● Muscat de rivesaltes, 1057
CH. **MOURESSE**, Côtes de provence, 754
CH. **MOURGUES DU GRES**, Costières de nîmes, 702
DOM. **MOUSSENS**, Gaillac, 792
DOM. GUY **MOUSSET**, Côtes du rhône, 986

CH. **MOUSSEYRON**, ● Bordeaux, 193 ● Bordeaux rosé, 206

JEAN **MOUTARDIER**, Champagne, 643

MOUTARD PERE ET FILS, Champagne, 644

CH. **MOUTIN**, Graves, 320

ANDRE ET JEAN-CLAUDE **MOUTON**, Condrieu, 1002

CH. **MOUTON**, Bordeaux supérieur, 218

GERARD **MOUTON**, Givry, 580

CH. **MOUTON ROTHSCHILD**, Pauillac, 370

CH. **MOUTTE BLANC**, Bordeaux supérieur, 218

MOUZILLON IMAGE, Muscadet sèvre-et-maine, 851

R. **MOUZON-JUILLET**, Champagne, 644

Y. **MOUZON LECLERE**, Champagne, 644

PH. **MOUZON-LEROUX**, Champagne, 644

JEAN-PIERRE **MUGNERET**, ● Vosne-romanée, 485 ● Nuits-saint-georges, 492

DENIS **MUGNERET ET FILS**, ● Bourgogne aligoté, 419 ● Clos de vougeot, 480 ● Echézeaux, 482 ● Vosne-romanée, 485 ● Richebourg, 487

JACQUES-FREDERIC **MUGNIER**, Chambolle-musigny, 476

MUGNIER PERE ET FILS, Rully, 575

DOM. DES **MULINS**, Morgon, 169

JULES **MULLER**, Alsace sylvaner, 74

MUMM DE CRAMANT, Champagne, 644

FRANCIS **MURE**, Alsace grand cru zinnkoepflé, 126

RENE **MURE**, Crémant d'alsace, 128

CH. **MURET**, Haut-médoc, 351

DOM. DU **MURINAIS**, Crozes-hermitage, 1009

LES VIGNERONS DU **MUSCAT DE LUNEL**, Muscat de lunel, 1061

CH. **MUSSET-CHEVALIER**, Saint-émilion grand cru, 276

GILLES **MUSSET-SERGE ROULLIER**, Anjou, 862

DOM. JEAN ET GENO **MUSSO**, ● Bourgogne, 410 ● Bourgogne passe-tougrain, 423

DOM. **MUSSY**, Pommard, 527

LUCIEN **MUZARD ET FILS**, Santenay, 564

DOM. DE **MUZY**, VDP Meuse, 1111

CH. **MYLORD**, ● Bordeaux sec, 202 ● Entre-deux-mers, 302

CH. **MYON DE L'ENCLOS**, Moulis-en-médoc, 365

DOM. DES **MYRTES**, Côtes de provence, 754

CH. DE **NAGES**, Costières de nîmes, 702

CH. **NAIRAC**, Barsac, 386

DOM. DE **NALYS**, Châteauneuf-du-pape, 1027

NAPOLEON, Bordeaux, 193

CH. **NARDIQUE LA GRAVIERE**, ● Bordeaux, 193 ● Bordeaux supérieur, 218

MICHEL **NARTZ**, Alsace grand cru frankstein, 112

DOM. HENRI **NAUDIN-FERRAND**, ● Bourgogne aligoté, 419 ● Bourgogne hautes-côtes de nuits, 425 ● Bourgogne hautes-côtes de beaune, 429 ● Crémant de bourgogne, 432 ● Côte de nuits-villages, 495 ● Ladoix, 498

CH. **NAUDONNET-PLAISANCE**, ● Bordeaux rosé, 206 ● Bordeaux supérieur, 219

NAU FRERES, Bourgueil, 914

DOM. JEAN-MARIE **NAULIN**, Chablis, 440

DOM. **NAVARRE**, Saint-chinian, 726

DOM. DE **NAYS LABASSERE**, Jurançon, 805

NEBOUT, Saint-pourçain AOVDQS, 951

MAS **NEGREL CADENET**, Côtes de provence, 754

CH. **NEGRIT**, Montagne saint-émilion, 287

NEMROD, Saumur, 890

CH. **NENINE**, Premières côtes de bordeaux, 311

DOM. DE **NERLEUX**, ● Saumur, 890 ● Saumur-champigny, 895

CLOS DE **NEUILLY**, Chinon, 924

GERARD **NEUMEYER**, Alsace grand cru bruderthal, 110

MICHEL, JEAN-PAUL ET SAMUEL **NEYROUD**, Vin de savoie, 680

CH. **NICOT**, Entre-deux-mers haut-benauge, 303

CLOS **NICROSI**, Muscat du cap corse, 1064

DOM. DE **NIDOLERES**, Muscat de rivesaltes, 1057

DOM. **NIGRI**, Jurançon sec, 806

CH. DE **NITRAY**, Touraine, 904

CH. **NOAILLAC**, Médoc, 341

CH. **NODOZ**, Côtes de bourg, 235

DOM. MICHEL **NOELLAT ET FILS**, ● Chapelle-chambertin, 467 ● Chambolle-musigny, 476 ● Clos de vougeot, 481 ● Echézeaux, 482 ● Vosne-romanée, 485

DOM. DES **NOELS**, Cabernet d'anjou, 871

DOM. DES **NOES**, Muscadet sèvre-et-maine, 851

CAVE DES PRODUCTEURS DE **NOGARO**, Floc de gascogne, 1073

CHARLES **NOLL**, Alsace grand cru gloeckelberg, 113

ALAIN **NORMAND**, ● Mâcon, 584 ● Saint-véran, 597

CUVEE **NOTRE-DAME**, Côtes de provence, 754

DOM. **NOTRE-DAME-DES-PALLIERES**, Gigondas, 1018

CH. **NOTRE-DAME DU QUATOURZE**, Coteaux du languedoc, 713

NOUET, Muscadet sèvre-et-maine, 851

DOM. JACQUES **NOURY**, Coteaux du vendômois AOVDQS, 943

DOM. CLAUDE **NOUVEAU**, ● Bourgogne aligoté, 419 ● Bourgogne hautes-côtes de beaune, 429 ● Santenay, 565 ● Maranges, 568

NOUVEAU SAINT-CLEMENT, Canton du Valais, 1131

CH. DE **NOUVELLES**, Muscat de rivesaltes, 1057

CH. DES **NOYERS**, Anjou-villages, 867

ANDRE ET JEAN-RENE **NUDANT**, ● Bourgogne, 410 ● Ladoix, 498 ● Aloxe-corton, 501 ● Corton, 508

DOM. DES **NUGUES**, Morgon, 169

CAVE D' **OBERNAI**, ● Alsace riesling, 83 ● Alsace gewurztraminer, 94

DOM. DES **OBIERS**, ● Pommard, 527 ● Volnay, 531

DOM. **OCTAVIE**, Touraine, 905

DOM. **OGEREAU**, ● Anjou, 862 ● Anjou-villages, 867 ● Cabernet d'anjou, 871 ● Coteaux du layon, 881

OGIER, Châteauneuf-du-pape, 1027

LES ALLEGORIES D'**ANTOINE OGIER**, Crozes-hermitage, 1009

CH. **OGIER DE GOURGUE**, Premières côtes de bordeaux, 311

DE OLIVEIRA **LECESTRE**, Chablis, 440

CH. **OLIVIER**, Pessac-léognan, 332

DIANA ET ALAIN **OLIVIER**, VDP Jardin de la France, 1084

DOM. **OLIVIER**, Saint-nicolas-de-bourgueil, 918

MICHEL **OLIVIER**, Crémant de limoux, 691

OLIVIER-GARD, ● Bourgogne aligoté, 419 ● Bourgogne hautes-côtes de nuits, 425

DOM. **OLLIER TAILLEFER**, Faugères, 718

LES VIGNERONS D' **OLT**, Vins d'estaing AOVDQS, 948

ALAIN **OMASSON**, Bourgueil, 914

BERNARD **OMASSON**, Bourgueil, 914

OPUS TERRA, VDP Oc, 1095

ORATORIO, Hermitage, 1012

CHARLES **ORBAN**, Champagne, 644

LUCIEN **ORBAN**, Champagne, 644

ORENGA DE GAFFORY, ● Patrimonio, 780 ● Muscat du cap corse, 1064

CH. D' **OR ET DE GUEULES**, Costières de nîmes, 702

CH. D' **ORFEUILLES**, Vouvray, 937

UNION DES PRODUCTEURS D' **ORGNAC-L'AVEN**, Côtes du vivarais, 1043 1044

CLOS D' **ORLEA**, Vins de corse, 774

DOM. DES **ORMES**, Petit chablis, 436

DOM. DES **ORMIERES**, Muscadet sèvre-et-maine, 851

CLOS **ORNASCA**, Ajaccio, 778

ORSAN, Côtes du rhône, 986

CH. D' **ORSCHWIHR**, Alsace riesling, 83

CAVE D' **ORSCHWILLER-KINTZHEIM**, Alsace grand cru praelatenberg, 118

CH. D' **OSMOND**, Haut-médoc, 351

GRAND VIN D' **OSSIAN**, Saint-estèphe, 375

OTTER, Alsace gewurztraminer, 94

DOM. DES **OUCHES**, Bourgueil, 914

OUDINOT, Champagne, 644

DOM. DES **OULLIERES**, Coteaux d'aix-en-provence, 768

CH. D' **OUPIA**, Minervois, 722

OURY-SCHREIBER, Moselle AOVDQS, 131

DOM. DU **P'TIT ROY**, Sancerre, 969

DOMINIQUE **PABIOT**, Pouilly-fumé, 959

DOM. ROGER **PABIOT ET SES FILS**, ● Pouilly-fumé, 959 ● Pouilly-sur-loire, 961

DOM. **PAGES HURE**, ● Muscat de rivesaltes, 1057 ● Catalan, 1100

DOM. JAMES **PAGET**, ● Touraine, 905 ● Touraine-azay-le-rideau, 909 ● Chinon, 924

BRUNO **PAILLARD**, Champagne, 645

DOM. **PAILLERE ET PIED GU**, Gigondas, 1018

DOM. DE **PAIMPARE**, Coteaux du layon, 881

DOM. CHARLES **PAIN**, Chinon, 924

PALMER & CO, Champagne, 645

CH. **PALMER**, Margaux, 361

DOM. DES **PAMPRES D'OR**, Beaujolais, 141

CH. **PANCHILLE**, Bordeaux supérieur, 219

PANNIER, Champagne, 645

PANORAMIC, VDP Charentais, 1086

DOM. ERIC **PANSIOT**, Côte de nuits-villages, 495

CH. **PAPE CLEMENT**, Pessac-léognan, 332

PARADIS, Canton du Valais, 1131

CH. **PARADIS**, Coteaux d'aix-en-provence, 768

CRU DU **PARADIS**, Madiran, 809

DOM. DU **PARADIS**, Muscadet sèvre-et-maine, 852

CAVE DU **PARADOU**, Canton du Valais, 1131

DOM. DU **PARANDOU**, ● Côtes du rhône-villages, 996 ● Gigondas, 1018

CH. DU **PARC**, Saint-émilion grand cru, 276

CH. DU **PARC**, Rivesaltes, 1052

DOM. DU **PARC**, VDP Jardin de la France, 1084

DOM. **PARCE**, Côtes du roussillon, 734

DOM. **PARDON**, Fleurie, 162

PARDON ET FILS, Brouilly, 153

CH. DE **PARENCHERE**, Bordeaux supérieur, 219

DOM. **PARENT**, ● Ladoix, 498 ● Corton, 508 ● Pommard, 527

DOM. **ANNICK PARENT**, ● Pommard, 527 ● Volnay, 532

DOM. JEAN **PARENT**, Volnay, 532 ● Monthélie, 535

DOM. **PARIGOT PERE ET FILS**, ● Bourgogne hautes-côtes de beaune, 429 ● Savigny-lès-beaune, 515 ● Beaune, 521 ● Pommard, 527 ● Volnay, 532

DOM. DES **PARISES**, Gaillac, 792

PAROLE DE TERRE, Côtes du luberon, 1041

PARVIS DES TEMPLIERS, Côtes du brulhois AOVDQS, 798

PASCAL, ● Côtes du rhône-villages, 996 ● Crozes-hermitage, 1009 ● Vacqueyras, 1021

PASCAL-DELETTE, Champagne, 645

CH. **PASCAUD**, Bordeaux supérieur, 219

CH. **PASCOT**, Premières côtes de bordeaux, 311

DOMINIQUE **PASSAQUAY**, Canton du Valais, 1131

CH. DE **PASSAVANT**, Cabernet d'anjou, 871

DANIEL **PASSOT**, Chénas, 157

DOM. **PASSOT LES RAMPAUX**, Régnié, 176

DOM. **PASTRICCIOLA**, ● Patrimonio, 780 ● Muscat du cap corse, 1065

CH. **PATACHE D'AUX**, Médoc, 341

CH. **PATARABET**, Saint-émilion, 260

DOM. DU **PATERNEL**, Cassis, 758

ERIC **PATOUR**, Champagne, 645

DENIS **PATOUX**, Champagne, 645

CH. **PATRIS**, Saint-émilion grand cru, 276

PASCAL **PAUGET**, Mâcon, 584

1206

VINS

VINS